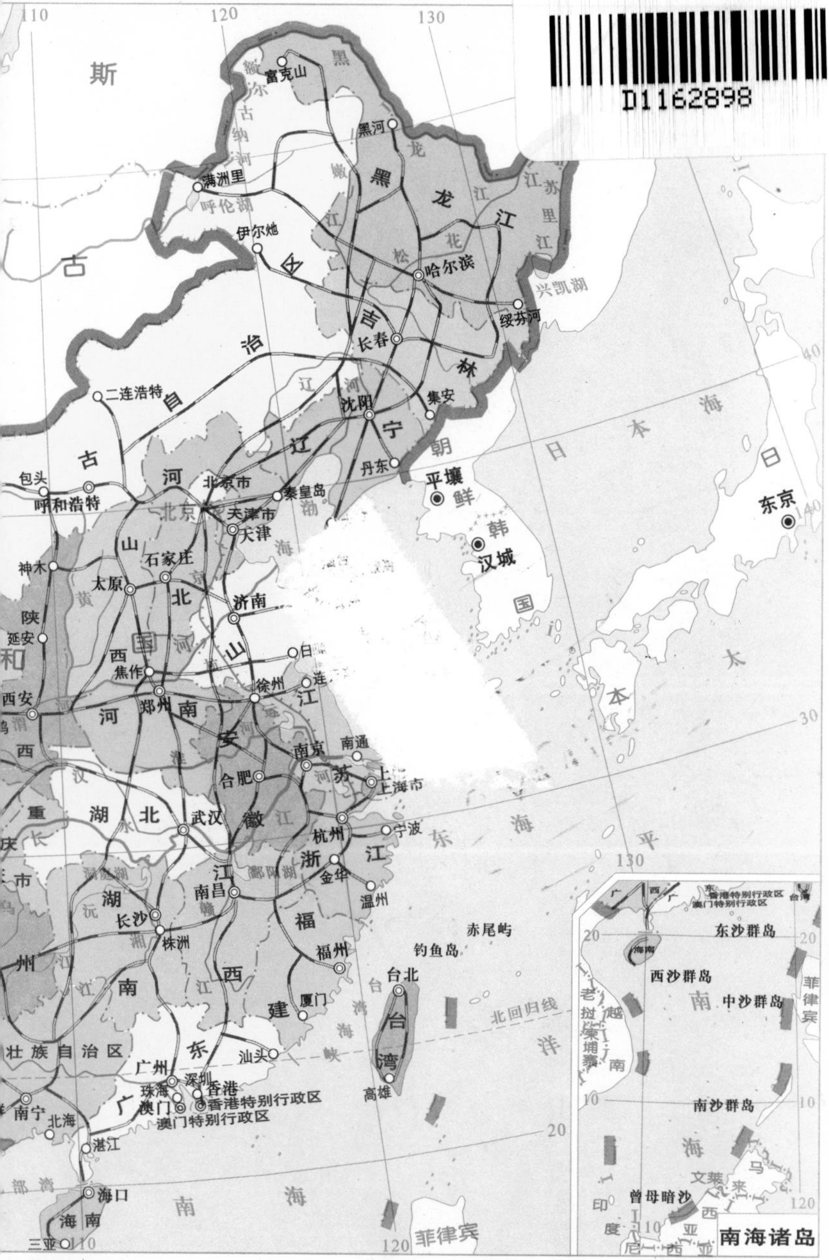
富克山
黑河
满洲里
呼伦湖
伊尔灺
哈尔滨
绥芬河
兴凯湖
长春
二连浩特
集安
沈阳
丹东
平壤
汉城
东京
包头
呼和浩特
北京市
秦皇岛
天津市
天津
神木
石家庄
太原
济南
延安
焦作
西安
郑州
徐州
南通
南京
合肥
上海市
武汉
宁波
杭州
金华
温州
南昌
长沙
株洲
赤尾屿
钓鱼岛
福州
台北
厦门
北回归线
汕头
广州
深圳
珠海
香港
香港特别行政区
澳门
澳门特别行政区
高雄
南宁
北海
湛江
海口
三亚
菲律宾
日本海
东海
南海
东沙群岛
西沙群岛
中沙群岛
南沙群岛
曾母暗沙
南海诸岛

A

A Y

ā Y

吖 [一] ā 化学音译用字。如吖啶硫(一种注射剂)。

阿 ㊀ ā 前缀。加在称呼前面,后面的语素一般为单音节。[例]~姨|~爸|~大。
㊁ ē (240页)。

【阿Q】鲁迅小说《阿Q正传》的主人公。是一个生活在社会最底层、受尽压迫和屈辱的贫苦农民,但他不能正视自己被压迫的地位,反而自我安慰,即使受污辱甚至被杀头,他也以为自己是精神上的"胜利者"。后来常把阿Q作为这种用假想的胜利来自我安慰(精神胜利法)的人的代称。

【阿门】希伯来语音译词。也译作亚孟。意为真诚。犹太教、基督教和伊斯兰教教徒祈祷结束时的常用语,意为诚心所愿。

【阿飞】指穿着奇装异服的青少年流氓。

【阿片】从罂(yīng)粟果实里提取的乳状汁液,干燥后成固体,入药有止泻、止咳和镇痛作用。也是一种毒品,俗称大烟,也叫鸦片、阿芙蓉。

【阿斗】三国时期蜀汉后主刘禅的小名。为人庸碌愚昧。后常用以比喻懦弱无能、不思进取的人。

【阿是】针灸穴位名。位置不固定,以压痛点和其他感觉而定位的针灸穴位。

【阿訇】波斯语音译词。也译作阿衡、阿洪。意为教师。在中国是对伊斯兰教宗教职业者的通称。訇(hōng)。

【阿巴贡】法国莫里哀喜剧《吝啬鬼》中的人物。吝啬、贪财、多疑。吞没子女从母亲处继承的遗产,逼他们到处借债;要女儿嫁穷老汉,儿子娶阔寡妇;为了节约结婚费用,请客时酒里搀水,以八人饭菜招待十二人,厨师和马夫也只雇一人兼任。是守财奴的典型。

【阿布贾】尼日利亚首都。位于该国中部。人口40万(1996年)。原是锡矿开采地和中部农林产品集散地。1991年12月由拉各斯迁都至此。

【阿尔托】阿尔瓦·阿尔托(1898—1976)芬兰建筑师。他在建筑中致力于探索民族化和人情化的道路,所设计的建筑利用自然地形、融合优美景色,具有鲜明的个性。代表作有维堡图书馆和帕伊米奥结核病疗养院。被尊为现代主义建筑之父。

【阿尼哥】(1244—1306)尼泊尔匠师。1260年从尼泊尔来到中国,先后任光禄大夫、大司徒等,曾主持修建乾元寺、兴教寺和妙应寺白塔等。

【阿米巴】英语音译词。即"变形虫"(62页)。

【阿昌族】中国少数民族之一。人口2.8万(1990年)。主要分布在云南省盈江、梁河两县。有本民族语言,兼通傣语。多信奉小乘佛教。

【阿育王】(?—前232)古代印度摩揭陀国孔雀王朝的第三代国王。意译为无忧王。他在位期间统一印度全境,使印度进入历史上最强盛时期。他还定佛教为国教。

【阿波罗】希腊神话中的太阳神。

【阿根廷】全称阿根廷共和国。位于南美洲东南部。西邻智利,北邻玻利维亚,东北邻巴拉圭、巴西、乌拉圭,东南临大西洋,南隔德雷克海峡与南极洲相望。是南美洲面积较大、人口较多的国家。

【阿尔及尔】阿尔及利亚首都。位于该国北部沿海。人口300万(1996年估计)。是10世纪建立的古城,现为全国政治、经济、文化和交通中心,地中海南岸最大港口之一。城市建筑以白色为主。市东有古罗马三大斗兽场之一的埃勒·杰姆斗兽场。

【阿尔伯蒂】(1404—1472)意大利建筑师和理论家。所著《论建筑》是文艺复兴时期第一部完整的建筑理论著作,推动了文艺复兴运动的发展。其仿古建筑设计手法严谨纯正,代表作有佛罗伦萨的鲁奇兰府邸等。

A

【阿尔泰山】在中国新疆维吾尔自治区北部,西北延伸到俄罗斯、哈萨克斯坦境内,东南延伸到蒙古国境内。西北—东南走向,长约2 000千米。

【阿司匹林】乙酰水杨酸的商品名。解热镇痛和抗血小板聚集药。可用于发热、头痛、牙痛、神经痛、关节痛;也可用于防治心脏冠状动脉和脑血管栓塞性疾病,如心绞痛、心肌梗死、脑中风等。

【阿米巴病】由阿米巴原虫经口侵入结肠壁后引起的寄生虫病。由于所危害的组织不同,可引起阿米巴痢疾、肝脓肿、脑膜炎、阴道溃疡等。

【阿拉木图】哈萨克斯坦旧都。位于该国东南部。人口130万(1997年)。是全国最大城市和经济、交通中心。1997年该国将首都由此迁往阿斯塔纳。

【阿拉伯人】泛指西亚和北非讲阿拉伯语的居民。多信奉伊斯兰教。原住阿拉伯半岛及叙利亚等地。7世纪伊斯兰教兴起后曾建立横跨亚、非、欧三洲的阿拉伯帝国。在医学、数学、历法、建筑等方面有重大的成就。

【阿拉伯海】印度洋西北部边缘海。位于印度半岛、阿拉伯半岛和索马里半岛之间。面积386万平方千米。苏伊士运河开通后,是欧亚两洲之间海运必经海域。

【阿基米德】(前287—前212)古希腊学者。主要贡献是发现了杠杆原理和计算浮力的阿基米德原理;确定了许多物体表面积和体积的计算方法;设计了多种机械和建筑物;计算了圆内接与外切九十六边形的周长,求得圆周率π的范围是:$3\frac{10}{71}<\pi<3\frac{1}{7}$;得出了著名的阿基米德螺线的极坐标方程。罗马进犯叙拉古时,他应用机械技术来帮助防御,城破时被害。

【阿维森纳】(980—1037)也译作伊本·西拿。阿拉伯医学家。塔吉克人。17岁成为萨曼朝素丹宫廷的御医。王朝灭亡后,到各地行医。他的巨著《医典》总结了阿拉伯医学的成就,是一部集中了当时全部医学知识的百科全书。12世纪译成拉丁文,直到17世纪一直被西方医学界奉为权威著作。

【阿尔卑斯山】西起法国东南部,经瑞士南部、意大利北部,东到奥地利,长约1 200千米。主峰勃朗峰海拔4 807米,是欧洲第二高峰。

【阿尔法射线】也作α射线。放射性原子核放出的带正电荷的粒子流。这种粒子叫阿尔法粒子,即氦原子核。穿透物质的能力很弱,但使空气电离的作用很强。阿尔法:希腊字母α的音译。

【阿里斯托芬】(约前446—约前385)古希腊喜剧作家。其作品现存十一种,较著名的有《阿卡奈人》等。被誉为"喜剧之父"。

【阿拉伯半岛】世界最大的半岛。在亚洲西南部。面积约300万平方千米,大部分是高原,中部多沙漠,东北部盛产石油。地当亚、非、欧三洲海陆空交通要冲,战略地位重要。

【阿拉伯帝国】7世纪崛起于阿拉伯半岛的伊斯兰教封建帝国。中国史称大食国。政治、宗教中心原在麦加、麦地那,后移到大马士革、巴格达。8世纪中叶版图跨亚、非、欧三洲。1258年灭亡。

【阿拉伯数字】国际通用的记数符号,即0,1,2,3,4,5,6,7,8,9。12世纪由阿拉伯传入欧洲,故名。

【阿姆斯特丹】荷兰首都。位于该国西部,临艾瑟尔湖。人口72万(1997年)。是全国最大城市和最大的工业、商业、金融中心,第二大港口。也是欧洲艺术名城,音乐厅和博物馆世界闻名。市内运河纵横,多桥。保存有较多的中世纪建筑。

【阿部仲麻吕】(698—770)一作阿倍仲麻吕。日本奈良时代入唐留学生。汉名朝衡、晁衡。中进士第,曾任司经局校书、秘书监兼卫尉卿,工诗文,玄宗喜其才赐名朝衡。公元753年东归遇暴风,重返长安任左散骑常侍、安南都护。有《古今集》。

【阿旃陀石窟】印度佛教石窟群。约建于公元前2世纪—公元7世纪。位于马哈拉斯特拉邦北部文达雅山的悬崖上。于阿育王时代开凿。主要由举行佛教仪式的支提窟与供僧侣修行用的精舍组成。共有29座石窟,一号石窟的释迦牟尼雕像正面表现沉思、左面表现微笑、右面表现凝视,其拱门及石柱上雕刻有飞天仙女,大厅墙壁绘有五百罗汉像。

【阿斯旺大坝】世界特大型水利枢纽工程之一。位于埃及阿斯旺附近尼罗河干流上。坝高110米,大坝上游形成纳塞尔湖,库容量达1 689亿立方米,装机容量210万

A

千瓦。

【阿尔罕布拉宫】也叫红宫。中世纪西班牙王宫。在格拉那达市东郊。1232年在老城改建的基础上逐步形成现存规模。宫城围有30米高的石砌城墙。有两组主要建筑群：一组为“番石榴院”，另一组为“狮子院”。宫殿建筑装饰中的钟乳拱获得广泛好评。该宫城是伊斯兰教世俗建筑与造园技艺完美结合的建筑名作。

【阿兹特克文化】古代居住在今墨西哥地区的阿兹特克人于12—16世纪创造的文明。15世纪时进入鼎盛时期，在灌溉农业、城市规划、建筑以及制陶、绘画等方面，均达到很高水准。阿兹特克帝国首府特洛奇蒂特兰是当时世界上人口最多、最繁荣的城市之一。

【阿基米德原理】古希腊学者阿基米德发现的关于浮力的原理。即流体对物体的浮力等于物体排开的同体积的流体的重量。

【阿伏伽德罗常量】物理学和化学中重要常数之一。表示每摩尔粒子所含有的粒子数目。实验测得比较精确的阿伏伽德罗常数为$(6.0221367 \pm 0.0000036) \times 10^{23}$/摩。

【阿拉伯国家联盟】简称阿盟。成立于1945年3月。总部设在开罗。成员包括西亚和北非的二十多个阿拉伯国家。

【阿波罗登月计划】美国在20世纪实施的载人登月计划。计划开始于1961年5月，至1972年12月第六次登月成功结束。整个计划包括：确定登月方案，制定为登月飞行作准备的辅助计划，研制所用的运载火箭，进行试验飞行，研制阿波罗号飞船，实现载人登月飞行等。

【阿布辛贝勒石窟寺】古埃及石窟建筑。建于公元前1301年。位于尼罗河畔。由依崖凿建的牌楼门、巨型拉美西斯二世摩崖雕像、前后柱厅及神堂等组成。1966年因兴建阿斯旺水坝而整体迁移至高出河床水位六十余米的后山上，是世界文物建筑保护方式的成功尝试。

【阿波罗号宇宙飞船】简称阿波罗号飞船。美国在20世纪用于实现载人登月计划的宇宙飞船。阿波罗11号飞船于1969年7月20—21日首次登上月球。1969年11月至1972年12月又相继发射了阿波罗12、13、14、15、16、17号飞船，其中除阿波罗13号因液氧箱爆炸中止登月任务外，其余均成功登月。

啊 ㊀ ā 叹词。表示惊异或赞叹等。随着情感的不同，也可以读成阳平、上声和去声。

㊁ a（3页）。

锕(錒) ā 金属元素，符号Ac，原子序数89。有放射性。

【锕系元素】元素周期表中从89号元素锕到103号元素铹等15种元素的总称。锕系元素都是放射性元素。

呵 ㊁ ā 同“啊”。

㊀ hē（385页）。

㊂ kē（554页）。

腌 ㊁ ā〔腌臜〕〈方〉肮脏；不干净。臜(za)。

㊀ yān（1131页）。

á ㄚˊ

嗄 ㊁ á 同“啊”。

㊀ shà（853页）。

a ·ㄚ

啊 ㊁ a 助词。用于句子的末尾，表示赞叹的语气。常因前面字音不同发生音变，也可写成呀、哇、哪等。

㊀ ā（3页）。

āi ㄞ

哎 āi 叹词。可以读成不同声调以表示答应、惊讶、提醒、否定、悔恨、叹息等。

哀 āi ❶悲伤；悲痛。㊎喜怒～乐。❷悼念。㊎默～。❸怜悯。㊎乞～告怜。

【哀子】古时父母病故居丧者的自称。《礼记·杂记上》：“祭称孝子孝孙，丧称哀子哀孙。”后来父在而母故居丧者自称为哀子。

【哀号】悲哀而大声地哭叫。号(háo)。

【哀乐】丧葬或追悼时演奏的乐曲。乐(yuè)。

【哀启】旧时一种由死者亲属叙述死者生平及临终情况的文章，一般均附在讣闻之后发送亲友。

【哀鸣】悲哀地叫。㊎大雁～。

【哀怜】对别人不幸的遭遇表示怜悯、同情。

【哀荣】人死后的荣誉。

A

【哀思】悲哀思念的感情。
【哀怨】悲伤怨恨。
【哀戚】悲伤;悲哀。
【哀悼】悲痛地悼念(死者)。
【哀丝豪竹】形容弦管乐声悲壮动人。宋陆游《长歌行》诗:"哀丝豪竹助剧饮,如巨野受黄河倾。"哀丝:悲哀的弦乐声。豪竹:豪壮的管乐声。
【哀兵必胜】《老子·六十九章》:"故抗兵相加,哀者胜矣。"实力相当的两军对抗,悲愤的一方有必死的决心,一定能获得胜利。
【哀鸿遍野】《诗经·小雅·鸿雁》:"鸿雁于飞,哀鸣嗷嗷。"后用"哀鸿遍野"比喻到处都有流离失所、悲哀呼号的灾民。哀鸿:哀鸣的大雁。
【哀毁骨立】《后汉书·韦彪传》:"父母卒,哀毁三年,不出庐寝。服竟,羸(léi)瘠骨立异形,医疗数年乃起。"后用"哀毁骨立"形容因过度悲伤而使健康受到影响。

唍□ āi 同"哎"。

锿(鎄) āi 人造金属元素,符号 Es,原子序数 99。有放射性,由人工核反应获得。

埃 āi ❶灰尘。㊀尘～。❷计量微小长度的单位。一埃等于一亿分之一厘米。常用来表示光波的波长。
【埃及】❶全称阿拉伯埃及共和国。位于非洲东北部,尼罗河下游,地跨亚、非两洲。北濒地中海,东濒红海,西邻利比亚,南邻苏丹,东北部的西奈半岛接西亚的巴勒斯坦地区。❷指古埃及。约公元前 3100 年在尼罗河下游建立的统一的奴隶制国家。公元前 30 年被并入罗马帝国。古埃及对非洲、西亚和欧洲的文化发展有很大影响。
【埃及柱式】埃及古代宫殿、神庙、陵墓等建筑中常用的梁柱体系范式。有人面像、带涡卷的花叶、成束芦苇、纸草花式等样式。
【埃及神庙】古埃及宗教建筑。公元前 16 世纪—前 11 世纪埃及新王国时期的主要建筑形式。多以石块砌筑。分带有柱廊的内院、大柱厅和神堂。大门前有方尖碑或法老雕像。正面墙上刻有着色浅浮雕。大柱厅内柱直径大于柱间间距,使人深感压抑,借以强化神庙的气氛。建筑实例有古埃及卢克所的阿蒙神庙。
【埃菲尔铁塔】也叫巴黎铁塔。法国巴黎市区重要的标志性建筑。建于 1889 年,位于塞纳河畔。由法国工程师埃菲尔主持设计。塔高 328 米。从底部到塔顶设台阶 1 711级,共有三个观景平台。塔身为钢铁构架,自下而上逐层收缩,形成流畅向上的曲线。
【埃斯库罗斯】(约前 525—前 456)古希腊三大悲剧作家之一。出身贵族。所写作品现存七种。代表作诗剧《被缚的普罗米修斯》,描写普罗米修斯因为把天上的火种带给人类而被宙斯钉在高加索悬崖上;他不屈服,预言宙斯的统治将被推翻;最后在暴风雨中随悬崖坠入深渊。
【埃斯特别墅】意大利花园别墅。建于 1549—1550 年,位于罗马东郊。设计人为利果瑞。别墅由住宅部分与宅后台地园、理水设施及装饰雕塑等构成。形式规整、轴线分明,依山就势,共有八层,上下落差约为 50 米。园中喷泉、瀑布、溪流与雕像相映成趣。是意大利文艺复兴鼎盛时期园林艺术的范例。

挨 ㊀ āi ❶依次。㊀～门～户。❷靠近;紧靠在一起。㊀～墙站着|身体～着身体。
㊁ ái (4 页)。

唉 ㊀ āi 同"哎"。
㊁ ài (5 页)。
【唉声叹气】因烦闷、伤感等发出叹息的声音。

娭□ ㊀ āi〔娭毑〕〈方〉祖母。毑(jiě)。
㊁ xī (1055 页)。

欸 ㊀ āi 同"哎"。
㊁ ēi (243 页)。
㊂ ǎi (5 页)。

嗳(噯) āi 同"哎"。

ái ㄞˊ

挨 ㊁ ái ❶遭受;忍受。㊀～骂|～冻。❷拖延。㊀～时间。❸艰难地度过。㊀苦～时光。
㊀ āi (4 页)。

捱□ ái 同"挨(ái)"。

皑(皚) ái〔皑皑〕形容洁白(多用于雪)。㊀白雪～。

A

癌 ái（旧读 yán）恶性肿瘤。发生于人和动物体组织、器官的细胞无限制增生，导致对邻近正常组织的压挤、侵犯和毁坏。增生的癌细胞可由血液或淋巴带至身体其他部位进行增殖与破坏。

ǎi ㄞˇ

毐 ǎi 品行不端的人。也用于人名，如嫪（lào）毐（战国时秦人）。

欸 ㊂ ǎi〔欸乃〕拟声词。行船摇桨或摇橹的声音。㊀～一声山水绿。

㊀ āi（4 页）。

㊁ ēi（243 页）。

矮 ǎi ❶高度小。㊀～个ル｜～墙。❷级别低。㊀～一班。

【矮壮素】一种植物生长调节物质。可抑制细胞伸长，使植株变矮，茎秆加粗，防徒长，防倒伏。

【矮化果树】以树冠矮小的果树为砧木进行嫁接的果树。果树生长明显矮化，有利于合理密植，便于管理，提前结果，可实现早产、丰产。但矮化果树的寿命较短。常见的有矮化苹果、矮化桃等。

蔼（藹） ǎi 和气；态度好。㊀和～可亲。

霭（靄） ǎi 云气；雾气。㊀暮～｜烟～。

ài ㄞˋ

艾 ㊀ ài ❶多年生草本植物。叶背有白毛。茎、叶点燃后可以驱蚊蝇，叶也可供药用。❷停止；断绝。㊀方兴未～。❸年老。也指老年人。㊀耆～之年。

㊁ yì（1165 页）。

【艾艾】《世说新语·言语》："邓艾口吃，语称艾艾。"原是讥笑邓艾（三国时魏将）口吃，后用"艾艾"形容口吃的人吐词重复。

【艾青】（1910—1996）中国现代诗人。原名蒋海澄，浙江金华人。早年曾去法国留学。1933 年发表了长诗《大堰河——我的保姆》，轰动诗坛。抗战时到延安，创作了《北方》《他死在第二次》《向太阳》《黎明的通知》等。1978 年后陆续发表了《归来的歌》《在浪尖上》《光的赞歌》《虎斑贝》等，写了《诗论》等。有《艾青全集》。

【艾绒】艾叶经晒干捣碎后制成的绒状物。中医用来灸病。

【艾捷克】拉弦乐器。琴筒木制，球形，一面蒙羊皮。流行于新疆维吾尔自治区。

【艾略特】托马斯·艾略特（1888—1965）英国诗人、剧作家、文学评论家。生于美国密苏里州，1927 年入英国籍。诗歌创作受 19 世纪法国象征派影响，强调运用日常口语的节奏，追求词语的独特含义和新奇比喻。长诗《荒原》是象征主义诗歌的代表作。另有剧本《大教堂谋杀案》《全家重聚》《鸡尾酒会》等，被称为"现代神秘剧"。1948 年获诺贝尔文学奖。

【艾滋病】获得性免疫缺陷综合征。由一种人类免疫缺陷病毒引起。主要症状是全身淋巴结肿大，体重减轻，出现间歇热、慢性腹泻、白细胞减少、贫血等。通过性交、注射、输血等途径传播。由于身体抵抗力完全丧失，患者大多死于难以控制的感染或肿瘤。艾滋：英语音译。

【艾森豪威尔】德怀特·戴维·艾森豪威尔（1890—1969）美国总统（1953—1961 年在任），陆军五星上将。第二次世界大战期间曾任欧洲战区美军司令、北非远征军总司令及盟国欧洲远征军最高司令等。他组织指挥了北非登陆战役、突尼斯战役、西西里岛登陆战役和诺曼底登陆战役，具有组织才能，精于计划，善于协同，指挥果断。1952 年当选为美国总统。著有回忆录《远征欧陆》《授权变革》和《争取和平》等。

砹 ài 非金属元素，符号 At，原子序数 85。有放射性。

叾 ⊠ ài 同"爱"。

唉 ㊁ ài 叹词。表示伤感或惋惜。

㊀ āi（4 页）。

爱（愛） ài ❶对人或事物有深挚的感情。㊀～祖国｜拥军～民｜他～上她了。❷喜好（hào）。㊀～游泳。❸容易。㊀铁～生锈。

【爱好】指某人对某事物有浓厚的兴趣，也指这种兴趣。㊀他～文学｜书法艺术是他的终生～。

【爱抚】爱怜抚慰。

【爱护】爱惜并保护。㊀～公共财物。

【爱怜】喜爱。

【爱称】表示亲昵（nì）喜爱的称呼。

A

【爱情】男女间相互爱慕的感情。
【爱惜】珍惜重视,不随便糟蹋。㊐~光阴。
【爱慕】因喜爱而倾慕。
【爱戴】敬爱并衷心拥护。㊐他是位深受民众~的领导人。
【爱丁堡】英国城市。是苏格兰首府和经济、文化中心。人口44万(1992年)。造纸业和印刷业有名。是英国著名的旅游城市。市内有五座死火山。古迹多,其中以十字架王宫最为著名。
【爱鸟周】宣传并促进爱护鸟类的活动周。中国规定每年4月底至5月初的一个星期为爱鸟周。爱护鸟类有利于维护生态平衡。
【爱迪生】托马斯·爱迪生(1847—1931)美国发明家。主要贡献是发明了留声机,改进电话和白炽灯,发现热电子发射现象等。在建筑、化工、矿业、电影技术等方面也有不少发明。
【爱人以德】按照道德标准去爱护和帮助人。《礼记·檀弓上》:"君子之爱人也以德,细人之爱人也以姑息。"
【爱不释手】因喜爱某物而舍不得放下。
【爱因斯坦】阿尔伯特·爱因斯坦(1879—1955)物理学家。生于德国。在物理学的许多方面都有重大贡献,主要成就是建立了狭义相对论和广义相对论,深化了对物质运动的认识。他的贡献还包括布朗运动、光电效应与受激辐射的理论等。1921年获诺贝尔物理学奖。
【爱丽舍宫】1848年前为法国王宫,1873年起为法国总统的官邸。
【爱国主义】历史形成的热爱和忠诚于自己祖国的思想感情。在现阶段的中国,爱国主义要求在建设有中国特色的社会主义实践中,发扬自尊、自信、自强的民族精神,维护国家主权,实现祖国统一,为建设和保卫社会主义祖国贡献全部力量。
【爱屋及乌】《尚书大传·大战》:"爱人者,兼其屋上之乌。"比喻爱一个人而连带到跟他有关系的事物。
【爱莫能助】《诗经·大雅·烝民》:"维仲山甫举之,爱莫助之。"指有心帮助,但因力量不够或条件所限而做不到。
【爱琴文化】公元前3000年代中期—前2000年代中期分布在爱琴海诸岛、巴尔干半岛南部和小亚细亚沿海地带的古代文化。属金石并用时代和青铜时代,为地中海东部上古文化的重要部分。
【爱琴建筑】公元前2世纪前后代表爱琴文明时代的建筑体系。建筑实例有克诺索斯王宫、迈西尼城及其狮子门、泰伦卫城等。
【爱憎分明】指爱什么、恨什么的态度和立场非常鲜明。
【爱克斯射线】也叫伦琴射线。波长在紫外线和伽马射线之间的电磁波。由高速电子流轰击金属靶而产生。穿透物质的能力很强,工业上用于金属探伤,医学上用于透视和医疗。爱克斯:英文字母X的音译。
【爱斯基摩人】因纽特人的旧称。
【爱奥尼柱式】古希腊建筑中的常用柱式。主要特点是:柱身比例修长,上有凹槽,柱头采用精巧、柔和的涡卷,上有雕饰。常被用来体现较为女性化的空间意向。
【爱国卫生运动】指以除四害、讲卫生、消灭疾病为内容的群众卫生运动。
【爱国民主党派】参加中国共产党领导的革命统一战线的中国各民主党派的统称。有中国国民党革命委员会、中国民主同盟、中国民主建国会、中国民主促进会、中国农工民主党、中国致公党、九三学社和台湾民主自治同盟。这些爱国民主党派是在抗日反蒋斗争中逐步形成和发展起来的,同中国共产党有长期合作的历史,先后响应中国共产党1948年5月1日提出的召开新政治协商会议的号召,1949年参加了中国人民政治协商会议。中华人民共和国成立后,中国共产党同各民主党派坚持和完善共产党领导的多党合作和政治协商制度,推动各民主党派的成员和所联系的人们参加各项政治活动,参加反对国内外敌人的斗争,为社会主义建设事业服务。
【爱因斯坦天文台】现代观象台建筑。建于1919—1920年。位于德国波茨坦市。设计人是德国建筑师孟德尔松。该建筑为研究相对论而建造。建筑形体呈流线形,外墙与窗的转角均由不规则曲线构成。充分利用了钢筋混凝土及砖的材料特性,借以表现时代的进步和建筑艺术给人带来的空间刺激效果。是20世纪表现主义建筑的代表作。

薆☒(**薆**) ài ❶隐蔽。❷草木茂盛的样子。

【薆薱】草木茂盛的样子。薱(duì)。
【薆薆】形容阴暗。

嫒(**嬡**) ài 爱女。尊称对方的女儿为令嫒。

瑷□（璦） ài ❶美玉。❷〔瑷珲〕地名。在黑龙江省。今作爱辉。

叆☒（靉） ài〔叆叇〕形容云彩厚而密的样子。叇（dài）。

暧（曖） ài 昏暗，不明朗。

【暧昧】❶立场和态度含糊，不明朗。㊀态度～。❷（行为）不光明，见不得人。㊀关系～。

【暧暧】昏暗的样子。

硋☒ ài 同"碍"。

餲☒（餲） ㊀ ài 食物经久变味。㊁ hé（391 页）。

隘 ài ❶狭窄。❷险要的地方。㊀关～。

【隘窘】非常穷困；窘迫。

【隘路】狭窄而险要的小路。军事上利于扼守和伏击。

嗌 ㊀ ài 咽喉被食物等塞住。㊁ yì（1170 页）。

碍（礙） ài ❶妨碍；阻碍。㊀～手～脚。❷限止；阻挡。㊀行之无～。

【碍口】不便或难于说出口。

【碍难】旧公文用语。难于。㊀～照办。

【碍眼】看着不舒服；不顺眼。也指在别人面前使别人做事感到不方便。

壒☒ ài 尘埃。

ān ㄢ

安 ān ❶平静；稳定。㊀心～理得｜坐卧不～。❷使平静；使稳定。㊀～慰｜～民告示。❸安全。㊀转危为～。❹感到满足、满意。㊀～于现状｜～之若素。❺处置；使合适。㊀～家落户｜～顿。❻安装；设立。㊀～电灯。❼加上。㊀～个名称。❽存着；怀着（某种不好的念头）。㊀不～好心。❾疑问代词。哪里；怎么。㊀其人～在？｜～能如此？❿安培的简称。

【安生】安定，安静。

【安宁】指秩序或心情安定、平静。

【安危】平安和危险（偏指危险方面）。㊀不顾个人～。

【安庆】市名。位于安徽省西南部，长江北岸。有铁路与合九铁路相连。人口 35 万（1997 年）。石油化工工业全国有名。

【安抚】安顿抚慰。

【安时】安培小时。蓄电池容量的单位。如果蓄电池以 1 安培的电流放电 1 小时，则它的容量为 1 安培小时。1 安培小时等于 3 600 库仑。安培小时数越大的蓄电池贮存的电量越多

【安身】指能在某处生活下来。

【安拉】阿拉伯语音译词。伊斯兰教信奉的唯一主宰的名称，即神。中国穆斯林也有称安拉为胡达的，通用汉语的穆斯林多称安拉为真主。

【安详】指人表情平静，从容稳重。

【安息】❶安静地休息。多指入睡。❷悼念死者用语。㊀～吧，刘先生！❸中国古代史籍对帕提亚国（前 247—前 224）的称呼。其国势强盛时，版图包括全部伊朗高原、亚美尼亚和两河流域的一部分。是中国古代与西方贸易、交通的"丝绸之路"的枢纽。

【安堵】指人民生活不受骚扰。

【安排】根据情况有计划地对人或事作好安置处理。

【安培】❶安德烈·马利·安培（1775—1836）法国物理学家。对电磁学的发展有重要贡献。❷简称安。电流单位。为纪念安培而命名。是国际单位制中七个基本单位之一。导体横截面每秒通过的电量是 1 库仑时，电流强度就是 1 安。

【安检】安全检查。㊀～站。

【安曼】约旦首都。位于该国西北部。人口 163 万（1995 年，包括郊区）。是全国政治、经济、文化和交通中心。也是西亚古城，有古希腊时期建造的长廊和古罗马圆形剧场等古迹。

【安逸】安闲舒适。

【安插】把人员等安排在某一位置上。

【安然】平安；安稳。㊀～无事。

【安装】把机件、器材等固定在一定的位置上。㊀～电话。

【安谧】安静；安宁。谧（mì）。

【安置】安放；使人或事物有着落。㊀～行李｜～工作｜～闲杂人员。

【安澜】指水面平静，没有波涛。也比喻社会太平，没有动乱。

【安慰】❶心里安适。❷使心里安适。

【安卡拉】土耳其首都。位于该国中部。人口 364 万（1997 年）。是全国政治、经济、

A

交通和贸易中心。附近所产安卡拉山羊毛以质量优良闻名。

【安代舞】中国蒙古族民间舞蹈。源于萨满(巫师)治病的医疗性舞蹈。舞者双手各执一方巾挥舞,由一人领唱,众人相和,边歌边舞。

【安乐死】一种无痛苦的人工死亡方式。对象是重病缠身又不可治愈的人。有主动和被动两种:前者患者头脑清醒,可主动提出要求;后者已无意识,依赖医疗器械维持生理功能,由他人建议停止治疗。目前各国、各界对安乐死看法不一。

【安乐窝】《宋史·邵雍传》:"雍岁时耕稼,仅给衣食,名其居曰安乐窝。"后用来泛指个人构筑的安逸舒适的居所。

【安全岛】在车辆来往频繁的路口或马路中间,划出的一小块供行人穿越时躲避车辆的地方。

【安全线】在钞票内某一固定位置放入的一条直线形的标记。通常由特种金属制成。

【安君宁】戒毒药。由纯中药制成,副作用小,长期服用不会产生任何依赖。

【安莎社】安莎通讯社的简称。意大利最大的通讯社。1945年创办。总社在罗马。

【安格隆】摇奏和击奏体鸣乐器。由长短、粗细不等的竹筒制成。每一件乐器只发一音,成套使用可奏旋律。流行于印度尼西亚。

【安息日】犹太教每周一次的圣日。定在星期六,这一天教徒应停止工作,礼拜上帝。基督教(新教)改以星期日为安息日。

【安徒生】汉斯·安徒生(1805—1875)丹麦童话作家。生于鞋匠家庭,童年生活贫苦。创作童话一百六十余篇。这些童话想象丰富,故事生动,语言朴素,讽刺了统治阶级的专横愚昧、富有者的贪婪无耻,对人民的苦难深表同情。代表作有《丑小鸭》《皇帝的新装》《夜莺》《卖火柴的小女孩》等。

【安理会】联合国安全理事会的简称。联合国主要机构之一。《联合国宪章》规定,它是联合国唯一有权采取行动来维护国际和平和安全的机构。现由中、英、法、美、俄五个常任理事国和十个非常任理事国(任期两年,由大会选举产生,每年改选五个,期满不得连任)组成。安理会关于实质问题的决议须有五个常任理事国的赞成票,因此,这五国在实质问题上有否决权。

【安培表】也叫安培计。见〔电流表〕(208页)。

【安琪儿】英语音译词。天使。

【安慰剂】病人确信有效,用后也有助于缓解病情,而实际并无疗效的药剂。如淀粉片、维生素片等。也常用于新药的临床对比实验。

【安徽省】别称皖。位于长江下游,东邻江苏,西接河南、湖北,南连浙江、江西。面积13万多平方千米。人口6 184万(1998年)。省会合肥市。重要城市还有淮南、蚌埠、芜湖、安庆、马鞍山、淮北、铜陵、黄山等。

【安土重迁】住惯了本乡本土,不肯轻易迁移。《汉书·元帝纪》:"安土重迁,黎民之性。"重(zhòng):不轻易。

【安大略湖】北美五大淡水湖之一。位于美国和加拿大边界上。面积1.9万平方千米。以尼亚加拉河连伊利湖,河上有尼亚加拉大瀑布。

【安之若素】(遇到不好的情况或异常情况)毫不在意,跟平常一样对待。素:平日。

【安分守己】指规矩、本分,不做违规、违纪、违法之事。分(fèn):本分。

【安史之乱】唐朝地方割据势力安禄山、史思明发动的叛乱。公元755年安禄山和史思明起兵,次年占领唐都城长安,玄宗李隆基逃到蜀中。肃宗李亨在灵武(今属宁夏)即位。至公元763年叛乱被平定。唐朝统治自此由盛而衰,形成藩镇割据的局面。

【安民告示】旧指官府安定民心的布告。现比喻政府、机关、团体等把要办的直接涉及公众利益的事,事先通知大家。

【安西四镇】唐朝高宗显庆年间在西域设置的龟(qiū)兹、疏勒、于阗和碎叶四镇(军镇)。因四镇隶属于安西都护府,故名。

【安全气囊】安装在汽车上的一种安全保护装置。由气囊、控制单元、连结安装部件三部分组成。当汽车发生碰撞事故时,能自动迅速充气,以保护乘员,防止撞伤。

【安全电压】对人体没有严重危害的电压。安全电压的值要根据使用环境规定。在中国工厂中,机床上的照明设备通常应用36伏的安全电压供电。

【安全系数】进行工程设计时,规定机器设备或结构物等的容许载荷要小于它实际能够承受的最大载荷,以保证安全,后者与前者之比叫做安全系数。

【安全玻璃】受到强烈震动或撞击而不易破碎或破碎时碎片不易飞散伤人的玻璃。包括钢化玻璃、用合成树脂黏合的夹层玻璃和夹丝玻璃等。用于做汽车、飞机等的门窗。

【安全照明】在正常照明系统失效时为确保安全而设的应急照明。

【安如泰山】也说稳如泰山。形容安稳牢固,像泰山一样不可动摇。

【安如磐石】像磐石那样稳固。磐石:厚而大的石头。

【安步当车】《战国策·齐策四》:"安步以当车。"意思是慢慢地步行,就当作是坐车。当(dàng)。

【安身立命】指生活有着落,精神有寄托。《景德传灯录》卷一〇:"汝向什么处安身立命?"

【安居工程】由中国政府组织投资的社会住房建设工程。1995年开始实施。安居工程中所建的安居标准住房称为安居房,面向城市中低收入家庭补偿性出售,每套建筑面积为60平方米左右,售房价格较低廉,优先提供给平均住房面积4平方米以下的家庭。

【安居乐业】生活安定,对所从事的工作感到满意。《后汉书·仲长统传》:"安居乐业,长养子孙,天下晏然。"

【安家落户】在他乡建立新家并长期住下来。

【安营扎寨】旧指军队到一个地方,须在野外扎帐篷设栅栏为营。现指部队、团体在一个地方驻扎安顿下来。

【安第斯山】世界最长的山脉。纵贯南美洲西部,长9 000千米。大部分海拔3 000米以上。最高峰阿空加瓜山,海拔6 960米。

【安然无恙】经过变故,没有遭到损害。恙(yàng):疾病,忧患。

【安全保障权】消费者在购买、使用商品或接受服务时享有的人身、财产安全不受损害的权利。是法律规定消费者享有的最重要的权利。如果受到损害,消费者有权获得赔偿。

【安源大罢工】1922年中国共产党人毛泽东、刘少奇、李立三、蒋先云等在江西安源发动的一次大罢工。1922年9月14日,17 000多名路矿工人在"从前是牛马,现在要做人"的战斗口号下,举行了大罢工。罢工工人粉碎了敌人的武力威胁和收买利诱,迫使资本家签订协定,承认工人俱乐部的合法权利,接受增加工资等条件,罢工取得了胜利。

桉 ān 桉树,常绿乔木。种类很多。树干高而直,木质坚韧;枝叶可提制桉油。中国热带、亚热带地区有种植。

另音 àn,"案"的异体字。

氨 ān 氮氢化合物,分子式NH_3。无色有刺激臭味的气体,易溶于水。水溶液叫氨水,可直接用作肥料。经液化后的液体氨用作溶剂、冷冻剂等。

【氨水】氨的水溶液。有氨的强烈刺激性气味。含氮17%—20%,是一种速效性氮肥。低浓度的氨水医用可治疗昏厥,药用可作消毒剂等。

【氨基】有机化合物中的一种官能团,化学式$-NH_2$。

【氨茶碱】平喘药。由茶碱和乙二胺复合而成。可松弛支气管平滑肌,增强呼吸肌的收缩力,舒张冠状动脉、外周血管和胆管。用于治疗哮喘、急性心功能不全、胆绞痛等。

【氨基酸】含有氨基的有机酸。是组成蛋白质的基本单位。主要从蛋白质水解制得,也可化学合成或由微生物发酵而成。蛋白质经酸或酶水解可得二十余种氨基酸。

鮟□(鮟) ān〔鮟鱇〕鱼类。体前半部平扁,圆盘形,尾部细小,体柔软,无鳞。在近海底层活动。中国沿海均产。

鞍(*鞌) ān 放在骡马等牲口背上承受重量或供人骑坐的器具。

【鞍山】市名。位于辽宁省中部偏东南,沈大铁路线上。人口128万(1997年)。附近矿产资源丰富,钢铁工业历史较久。是中国重要钢铁工业基地之一。

【鞍马】❶体操器械之一。马身木制,表面包有皮革或帆布,马背中央装有两个木环。马腿为铁制。长1.6米,宽0.35米,高低可以调节。❷男子竞技体操项目之一。运动员用手臂支撑在鞍环或鞍马身上做摆越、交叉、全旋转体、移位等动作。

【鞍鞯】指马鞍子和马鞍子下面的垫子。鞯(chàn)。

【鞍前马后】原指跟在官长马前马后的亲随、侍卫。现比喻甘心情愿地服侍有权势的人。

A

庵（*菴） ān ❶圆形的小草屋。❷寺庙(多指尼姑住的)。

鹌（鵪） ān〔鹌鹑〕鸟类。形似小鸡，头小，尾短秃。背褐色，杂有棕白色条纹，腹白色。雄性好斗。

谙（諳） ān 熟悉。例江南好，风景旧曾～。

【谙练】熟习，有经验。

脂☒ ān 烹煮(鱼、肉等)。

【脂臜】烹煮。臜(zān)。

媕☒ ān〔媕婀〕随声附和，没有主见的样子。

盦 ān ❶同“庵”。多用于人名。❷古代一种盛食物的器具。

án ㄢˊ

啽☒ án〔啽呓〕说梦话。

ǎn ㄢˇ

垵□ ǎn 用于地名，如新垵(在福建)。

咹□ ㊀ ǎn 同“唵”①。
㊁ è (243页)。

铵（銨） ǎn (俗读 ān)由氨衍生所得的一价复根，符号 NH_4^+。在化合物中性质和一价金属离子相似。化肥硫酸铵、硝酸铵中都含有铵。

俺 ǎn〈方〉我；我们。例～娘|～村。

埯 ǎn ❶挖小坑点种瓜、豆等。❷点种时挖的小坑。❸量词。用于点种的瓜、豆等植物。例几～瓜。

唵□ ǎn ❶叹词。表示疑问或怀疑。❷佛教咒语用字。❸用手大把往嘴里塞(粉状或粒状的东西)。

揞 ǎn 把药粉等敷在伤口上。

àn ㄢˋ

犴 ㊁ àn 见〔狴犴〕(55页)。
㊀ hān (375页)。

岸（*岍） àn ❶江河湖海等水边的陆地。例江～|两～。❷高大。例伟～。❸高傲。例傲～。

【岸标】设在岸上的航标。

【岸然】严肃的样子。例道貌～。

【岸舰导弹】也叫岸防导弹、海岸导弹。从岸上发射，用以攻击水面舰船的导弹。

按 àn ❶用手或手指头压。例～脉|～图钉。❷止住；搁下。例～兵不动|～下不提。❸抑制。例～捺|～不住满腔悲愤。❹介词。依照。例～劳分配。❺(编者、作者等)加按语。例编者～。

【按语】也作案语。作者或编者对有关文章、词语、句段所作的说明、评论或提示。

【按酒】也作案酒。用来下酒的肉菜(多见于早期白话)。

【按验】同“案验”(11页)。

【按捺】抑制。例～不住激动的心情。

【按揭】置业者以实物资产或有价证券、契约等作为抵押获得贷款。

【按摩】一种治疗方法。用手在病人体表一定穴位作推、捏、揉等动作，以促进血液循环、调整神经功能。

【按察使】古代地方官名。唐代开始设置，是派到各道巡察、考核官吏的官员。金朝为主管一路司法刑狱和官吏考核的官员。明初各省设提刑按察使司，其最高职位为按察使，管全省司法，中叶后为巡抚的属官。清代隶属于各省总督、巡抚。

【按劳分配】 见〔各尽所能，按劳分配〕(319页)。

【按兵不动】《吕氏春秋·召类》：“赵简子按兵而不动。”原指作战时控制一部分力量暂不行动。现比喻暂不行动，以待时机。按：控制。

【按图索骥】照图上画的样子去寻求好马。原作按图索骏。明杨慎《艺林伐山》卷七记载，伯乐有个儿子根据伯乐《相马经》上有关马的描写去寻求好马，结果把一个大蛤蟆当成了马。伯乐知道后讥笑他说：“所谓按图索骏也。”本比喻拘泥而不能灵活变通(含贬义)。现多用在正面，比喻根据线索去寻找或追究事物。

【按部就班】晋陆机《文赋》：“选义按部，考辞就班。”指文章结构、选词造句合乎规范。现指按照正常的条理、步骤去做。有时也指拘泥陈规，缺乏创新精神。

A

【按需分配】见〔各尽所能,按需分配〕(319页)。

胺 àn(俗读 ān)有机化合物的一类,通式 $R—NH_2$。为氨分子里的氢原子被烃基取代后所形成的碱性物质。

案 àn ❶古代端食物用的木托盘。㊀举～齐眉。❷长条的桌子。㊀书～。❸架起来用作台面的长木板。㊀～板。❹事件;特指涉及法律的事件。㊀惨～|破～。❺公务中的书面材料。㊀有～可查。❻书面的计划、建议或决定。㊀草～|决议～。❼同"按"⑤。

【案由】案件的内容提要。

【案件】有关诉讼或违法的事件。㊀民事～|重大毁林～。

【案例】案件实例。㊀典型～|～分析。

【案卷】分类保存以备查考的文件、材料。

【案语】同"按语"(10页)。

【案值】经济案件所涉及的物、款的价值。

【案酒】同"按酒"(10页)。

【案验】也作按验。调查罪证。

【案情】案件的情节。

【案牍】旧指官府的公文案卷。牍(dú)。

暗(*晻❶❸*闇) àn ❶光线不明。㊀阴～|～室。❷秘密的;隐藏不露的。㊀明争～斗|～礁。❸糊涂;不明白。㊀兼听则明,偏信则～。

"晻",另音 yǎn(1136页)。

【暗示】不明确表示意思,而用间接、含蓄的方式使人领会。

【暗号】彼此事先约定用以进行秘密联系的信号。

【暗场】指戏里某些不在舞台上表演,而通过台词、音响效果等向观众交代的情节。

【暗事】不光明正大的事。㊀明人不做～。

【暗昧】❶昏暗;模糊不清。❷暧昧。

【暗语】即"密语"①(681页)。

【暗射】影射,即表面上说甲实际指乙的一种暗示说法。

【暗疾】多指有关生殖器官方面的疾病,因一般都不愿向他人明说,故名。

【暗流】❶即"伏流"(286页)。❷比喻潜伏的思想倾向或社会动向。

【暗害】暗中陷害或杀害。

【暗探】搞秘密侦察的人。

【暗淡】不光明;昏暗。

【暗娼】暗地里卖淫的妇女。

【暗喻】也叫隐喻。比喻的一种。不直接点明是比喻,而实际上是打比方。这种比喻用"是""就是""成为""变成"等作为比喻词语。如"儿童是祖国的花朵"。

【暗算】暗地里图谋伤害或陷害。

【暗箭】比喻暗中伤害人的行为或阴谋诡计。㊀明枪易躲,～难防。

【暗潮】比喻暗中发展,还没有表面化、公开化的矛盾或斗争(多指社会政治方面的)。

【暗礁】❶海洋(或江河)中经常隐在水面以下的岩石。是航行的障碍。为了安全,需在航海图上精确地绘出它的位置;如位近航线,要在水面设置航标。❷比喻前进中所遇到的困难、阻力。

【暗无天日】形容社会极端黑暗。

【暗香疏影】❶原用来描写梅花的姿态和香味,后用作梅花的代称。宋林逋《山园小梅》诗:"疏影横斜水清浅,暗香浮动月黄昏。"❷词牌名。《暗香》《疏影》原为南宋姜夔自制的两曲,元张肯取《暗香》的上阕、《疏影》的下阕合为一曲,故名。

【暗度陈仓】传说楚汉用兵,汉王刘邦率军南下汉中,把途经的栈道都烧掉了,以示不再回军北上,与项羽相争。不久又表面上要重修栈道,暗地里却出兵偷袭攻占了楚军据点陈仓(今陕西宝鸡东),回到关中咸阳。后比喻暗中进行某种活动。

【暗送秋波】原指女子暗中以眉目传情。现也比喻暗中勾勾搭搭。秋波:秋天的水波,比喻美女的眼神。

【暗射地图】有符号标记、不注文字的地图。绘制专题地图时用来作底图;教学上用来叫学生辨认或填充。

黯 àn 黑;阴暗。㊀～淡。

【黯然】❶阴暗的样子。㊀～失色。❷心情不愉快、无精打采的样子。㊀～神伤。

【黯然销魂】心神沮丧得像丢了魂似的。多用于描写别离时极度愁苦或悲伤的凄然之情。南朝梁江淹《别赋》:"黯然销魂者,唯别而已矣。"

āng ㄤ

肮(骯) āng〔肮脏〕不干净。

A

áng ㄤˊ

卬 ⊠ ㊀ áng ❶人称代词。我。❷同“昂”。

㊁ yǎng（1143 页）。

昂 áng ❶仰。㊞～首。❷精神振奋。㊞激～|气～～。❸（价钱）高。㊞～贵。

【昂扬】（精神）振奋，（情绪）高涨。㊞斗志～。

【昂贵】价格特别高。

【昂然】抬头挺胸有气魄的样子。

【昂藏】形容人精神饱满有气概的样子。藏（cáng）。

【昂首阔步】抬起头，迈着大步向前。形容精神振奋，意气风发。

àng ㄤˋ

枊 ⊠ àng ❶拴马桩。❷斗拱。

盎 àng ❶古代一种盛东西的器皿。腹大口小。❷洋溢。㊞春意～然。

【盎司】英语音译词。英制质量单位。1 盎司是 1 磅的 1/16。

【盎然】形容气氛、趣味等浓厚。㊞春意～|兴味～。

【盎格鲁—撒克逊人】5 世纪前后从北欧移居大不列颠岛的日耳曼人。现泛指英国国内诸民族及其海外移民的后裔。

āo ㄠ

凹 āo 低于周围或中间洼下去。与“凸”相对。㊞～凸不平|～陷。

【凹陷】中间向下低陷。㊞地形～。

【凹镜】凹面镜的简称。

【凹阳台】凹进外墙面的阳台。

【凹面镜】简称凹镜。球面镜的一种。参见〔球面镜〕（805 页）。

【凹透镜】透镜的一种。参见〔透镜〕（990 页）。

【凹版印刷】用图文凹入的印版进行印刷。印版主要有照相腐蚀凹版和雕刻凹版。多用于印制画报、插图、邮票和有价证券等。

熬 ㊁ āo 一种烹饪方法。把菜等放在水里煮。㊞～白菜。

㊀ áo（12 页）。

爊 ⊠ āo 同“爊”。

爊 ⊠ āo 同“熬（āo）”。

爊 ⊠ āo 把鱼、肉等放在微火上煨熟。

áo ㄠˊ

敖 áo 姓。

【敖仓】古代重要粮仓。秦设置。在今河南荥阳东北敖山。地当黄河和济水分流处。中原漕粮由此输往关中和北部地区。汉魏仍在此设仓。后泛称粮仓为敖仓。

【敖包】蒙语音译词。也译作鄂博。作边界和路标的土石堆。

厫 ⊠ áo “廒”的异体字。

隞 ⊠ áo 也作敖、嚣。古地名。商朝的都城。在今河南郑州西北。

嗸 ⊠ áo “嗷”的异体字。

嗸 □ ㊀ áo〔嗸阳〕地名。在山东。

㊁ ào（13 页）。

遨 áo 漫游。㊞～游。

嗷 áo 拟声词。哀号或喊叫的声音。㊞～的一声。

【嗷嗷】拟声词。哀号声。

【嗷嗷待哺】形容饥饿时急于求食的样子。

廒 áo 收藏粮食的仓库。㊞仓～。

璈 áo 古代乐器。

獒 áo 大的猛犬。可用作猎狗。

摮 ⊠ áo 击打。

熬 ㊀ áo ❶把粮食、药等放进水里长时间地煮。㊞～粥|～药。❷忍受；勉强支撑着。㊞～过这一段。

㊁ āo（12 页）。

【熬煎】比喻折磨。

磝 ⊠ áo 山多小石。

聱 áo 不听取意见。

【聱牙】拗口，指文句念着费劲，不顺口。参见〔佶屈聱牙〕(455页)。

螯 áo 螃蟹等节肢动物的变形的第一对足。形状像钳子，用来取食和自卫。

謷☒ ㊀ áo 诋毁。
㊁ ào (13页)。

鳌(鰲 *鼇) áo 传说中指海里的大龟或大鳖。

翱(*翺) áo 展翅高飞。

【翱翔】(在空中)回旋飞行。

嚣(囂) ㊁ áo ❶众人一齐毁谤。❷同"嗷"。
㊀ xiāo (1082页)。

鏖 áo 艰苦而激烈地战斗。㊎～战|赤壁～兵。

ǎo ㄠˇ

拗(*抝) ㊀ ǎo〈方〉弄弯折断。㊎把竹竿～断了。
㊁ ào (13页)。
㊂ niù (724页)。

袄(襖) ǎo 有里子的中式上衣。㊎夹～|棉～。

媪 ǎo 老年妇女。

ào ㄠˋ

岙 ào 浙江、福建等省沿海地方称山间的平地。多用于地名，如松岙(在浙江奉化)。

坳□ ào 用于地名，如黄坳(在江西)。

坳(*坳) ào 山间的平地。㊎山～。

拗(*抝) ㊁ ào 不顺。㊎～口|违～。
㊀ ǎo (13页)。
㊂ niù (724页)。

【拗口令】即"绕口令"(818页)。

奡☒ ào ❶同"傲"。❷〔排奡〕矫健有力。

傲 ào ❶自高自大。㊎～慢。❷不卑不屈。㊎～骨|～雪斗霜。

【傲世】高傲自负，傲视当世和世人。

【傲岸】性格高傲。

【傲视】傲慢地看待，不放在眼里。

【傲骨】指高傲不屈的性格。

【傲慢】看不起别人，对人没有礼貌。

【傲霜枝】菊花。因菊花在秋末冬初开放，不畏寒霜，故名。宋苏轼《赠刘景文》诗："荷尽已无擎雨盖，菊残犹有傲霜枝。"后借以比喻不畏强暴而有节操的人。

嶅□ ㊁ ào 形容山高。
㊀ áo (12页)。

骜(驁) ào ❶骏马。❷马不驯顺，喻指傲慢倔强。㊎桀～不驯。

慠☒ ào 同"傲"。

謷☒ ㊁ ào ❶形容高大。❷通"傲"。
㊀ áo (13页)。

鏊 ào 鏊子，一种摊面食的器具。铁制，平圆，中间稍凸起。

奥 ào ❶含义深，不容易理解。㊎深～。❷古指室内的西南角。也泛指房屋的深处。㊎堂～。❸奥斯特的简称。

【奥区】腹地；深处。

【奥妙】深奥微妙，不易捉摸。

【奥草】荒草。

【奥秘】指隐藏的或还没有被认识的内容或道理等。㊎探索宇宙的～。

【奥博】形容知识丰富或文辞深刻。

【奥援】旧时官场上指在背后支持的力量。

【奥申委】奥林匹克运动会申办委员会的简称。

【奥运会】奥林匹克运动会的简称。

【奥运村】奥运会主办国专为参加者提供的配有多种服务设施的住所。

【奥克兰】新西兰城市。位于北岛东岸，滨太平洋豪拉基湾。人口32万(1992年)。是全国最大城市、工业中心和港口。也是世界上毛利人和波利尼西亚人聚居最多的城市。市内和郊区多死火山。

【奥陶纪】古生代的第二个纪。约开始于5.1亿年前，结束于4.38亿年前。在这个时期里，藻类繁盛，生物群以三叶虫、笔石、腕足类、海林檎等为主，出现板足鲎类，也有珊瑚等。

【奥陶系】古生界的第二个系。指奥陶纪时

期形成的地层。
【奥斯陆】挪威首都。位于该国南部沿海。人口50万(1997年)。是全国政治、经济、文化、交通中心,最大城市和海港。历史上是挪威南部木材、毛皮等商品的贸易中心。
【奥斯特】❶汉斯·克里斯蒂安·奥斯特(1777—1851)丹麦物理学家、化学家。主要贡献是发现了电流周围存在磁场。❷简称奥。磁场强度的非法定计量单位。为纪念奥斯特而命名。1奥等于(1000/4π)安/米。
【奥古斯都】盖约·屋大维(前63—公元14)古罗马帝国第一任皇帝(前27—公元14年在位)。公元前43年同安东尼、雷必达结成"后三头同盟"。后成为军事独裁者。公元前27年,罗马元老院尊称他为"奥古斯都"(神圣者、至尊者之意),并授予他"元首"称号,自此成为罗马帝国事实上的皇帝。在位期间发动对外战争,大规模进行国内建设,奖掖文化,使罗马帝国进入空前繁荣时期。
【奥匈帝国】1867年根据奥地利和匈牙利统治阶级达成的协议,在奥地利帝国的基础上建立的联合帝国。1918年由于在第一次世界大战中失败以及国内民族解放运动的高涨,奥匈帝国瓦解,分立为奥地利、匈牙利和捷克斯洛伐克三国。另有部分领土归还波兰和南斯拉夫。
【奥斯曼帝国】13世纪末奥斯曼一世在小亚细亚建立的军事封建国家。14—16世纪逐渐发展为地跨欧、亚、非三洲的大帝国。首都伊斯坦布尔。以后国势日益衰落。第一次世界大战后,奥斯曼帝国彻底崩溃。
【奥林匹亚竞技】古代全希腊的体育竞技会。与举行宙斯神大祭有关。自公元前776年(希腊纪年之始)起,每四年在南希腊的奥林匹亚召开一次,限希腊公民参加。竞技项目有:赛跑、掷铁饼、赛马、角力等。对优胜者奖以橄榄花环。竞技期间,全希腊"神圣休战"。竞技活动于4世纪末遭罗马皇帝禁止。现代奥林匹克运动会即源于此。
【奥林匹克主义】19世纪末兴起于欧洲的哲学思想。1894年顾拜旦在国际奥委会成立时第一次正式提出,并逐渐得到世界认同。其主要内容是:突出体育运动的文化含义,通过增强体质、锻炼意志,使人类特别是青年身心和谐发展,促进建立一个维护人类尊严与和平的美好社会。提倡公平竞争,重在参与,贵在荣誉,以及"更快、更高、更强"的进取精神。
【奥林匹克运动】在奥林匹克主义指导下,以体育运动和奥运会为主要活动内容的社会活动。特点是具有世界性和持续性。它促进人的生理、心理和社会道德的全面发展,增进人们之间的沟通和了解,从而为建立和平美好的世界做出贡献。
【奥林匹克精神】指相互了解、友谊、团结和公平竞争的精神。
【奥斯卡金像奖】美国电影艺术与科学学院奖的俗称。电影界历史最久、影响最大的评奖。自1929年起每年颁发一次。获奖者得到一尊男性人体镀金塑像,故名金像奖。1931年,学院的图书馆管理员玛格丽特·赫里奇小姐说,小金像"看上去像我的叔叔奥斯卡",于是金像奖就有了"奥斯卡"的绰号。
【奥林匹克运动会】简称奥运会。国际奥委会主办的世界最大规模的综合性运动会。起源于古希腊的奥林匹亚竞技。第一届现代奥林匹克运动会于1896年在希腊雅典举行,以后每四年在会员国轮替举行。分夏季奥运会和冬季奥运会。
【奥斯威辛集中营】第二次世界大战期间,法西斯德国关押、屠杀无辜平民和战俘的最大集中营之一。1939年德国占领波兰后,在其南部克拉科夫附近的奥斯威辛建立。内设专供杀人用的毒气室、焚尸炉和"医学实验室"。1940—1945年有四百多万人惨遭杀害。

隩 ⊠ ㊀ ào 同"奥"②。
㊁ yù (1208页)。

墺 □ ào 可以定居的地方。多用于地名,如贺家墺(在浙江)。

嶴 ⊠ ào ❶同"岙"。❷海湾或水中的小岛。

澳 ào ❶海边深而弯曲的地方。多可停船。❷澳门或澳大利亚的简称。[例]驻~部队|~毛。
【澳抗】澳大利亚抗原的简称。乙型肝炎表面抗原的旧称。存在于肝炎患者血清中的一种抗原。由肝炎病毒引发。
【澳门元】澳门的法定货币。
【澳大利亚】简称澳。全称澳大利亚联邦。位于南太平洋和印度洋之间。包括澳大利亚大陆和塔斯马尼亚等岛屿。北面隔海与东南亚相望,南面隔海与南极洲相望。地广人稀,经济发达。

【澳门特别行政区】简称澳。位于珠江口西侧,北邻广东珠海。包括澳门半岛、氹仔岛、路环岛。面积23.5平方千米。人口42万(1997年)。16世纪被葡萄牙殖民者侵占。根据1987年中葡联合声明,中国政府于1999年12月20日对澳门恢复行使主权,并设立特别行政区。

懊 ào 烦恼;悔恨。㊀~悔。

【懊丧】因不如意而情绪低落。

【懊恼】烦恼;悔恨。

B

B ㄅ

bā ㄅㄚ

八 bā 数目。七加一的和。

【八节】古以立春、立夏、立秋、立冬、春分、夏至、秋分、冬至为八节。

【八仙】神话传说中的八位仙人。即铁拐李(李铁拐)、汉钟离(钟离汉)、张果老、何仙姑、蓝采和、吕洞宾、韩湘子、曹国舅八人。八仙故事多见于唐、宋、元、明的记载和杂剧中,姓名不固定,至明吴元泰《八仙出处东游记传》才确定为以上八人。

【八议】中国古代刑法对于八种人予以特权的制度。包括议亲、议故、议贤、议能、议功、议贵、议勤、议宾。“亲”指皇室一定范围的亲属;“故”指皇帝的故旧;“贤”指朝廷认为有德行的贤人君子;“能”指有大才,为辅佐皇帝的能人;“功”指有大功勋的人;“贵”指职事官三品以上,散官两品以上的人;“勤”指勤劳之士;“宾”指国宾。这八种人犯死罪,不能直接定罪量刑,要上报朝廷,集体审议后再报请皇帝裁决。唯犯“十恶”罪则不适用此规定,即所谓“十恶不赦”。

【八字】指用天干、地支相配,标出一个人出生的年、月、日、时的八个字。旧时迷信说用这八个字可以推算出人的命运和祸福。

【八体】秦始皇时定的八种书体。即大篆、小篆、刻符、虫书、摹印、署书、殳书、隶书。大篆、小篆、虫书、隶书是四种字体,刻符、摹印、署书、殳书是由于用途不同而区别的。

【八角】也叫大茴香。俗称大料。常绿小乔木。叶披针形或长椭圆形,开红花。果实呈八角形,有浓烈香味,可作调味品,入药有温中散寒、理气止痛等作用。也指这种植物的果实。

【八纲】中医把诊察到的各种病情分别归纳为表、里、寒、热、虚、实、阴、阳八项,叫做八纲,作为治疗病症的依据。

【八卦】《周易》中的八种基本图形。由代表阳的符号“—”和代表阴的符号“--”组成。八卦的名称是乾(☰)、坤(☷)、震(☳)、巽(☴)、坎(☵)、离(☲)、艮(☶)、兑(☱)。用来象征天、地、雷、风、水、火、山、泽八种自然现象。以天地为“父母”,其余为“六子”,说明世界的生成根源。以乾与坤、震与巽、坎与离、艮与兑之间的相互对立和刚柔互易,表示事物的相互转化和发展变化,具有朴素的辩证法因素。

【八音】古时对乐器的总称。按制造乐器的主要材料分金、石、土、革、丝、木、匏、竹八类。

【八哥】也叫鸲鹆。鸟类。羽毛黑而有光泽,喙和足黄色。翼上有白斑,飞时显露,呈八字形,故名。雄鸟善鸣,经训练能发出类似人说话的声音。

【八旗】清代满族军政合一的组织。平时生产,战时从征。分正黄、正白、正红、正蓝和镶黄、镶白、镶红、镶蓝八种旗色,合称满洲八旗。后又编汉人、蒙古人的归附者为汉军八旗和蒙古八旗。

【八达岭】位于北京市西北郊。东北—西南走向,海拔 805 米。长城蜿蜒于其上。是首都著名游览胜地。

【八行书】旧时信纸大多用红线直分为八行,故称书信为八行书。行(háng)。

【八角鼓】击奏膜鸣乐器。鼓身木制,八角形,鼓框内嵌铜片或铜线,并附有长穗。左手执鼓,由右手指弹击鼓面、搓鼓面、摇鼓身等演奏。是京津一带说唱音乐的伴奏乐器之一。

【八卦掌】拳术的一种。将攻防招术和导引方法融合于绕圆走转之中。讲求纵横交错,随走随练,以变应变,合于《周易》中“刚柔相摩、八卦相荡”,运动不息,变化不止的道理,故名。

【八股文】明清科举制度规定的一种特殊文体。全篇由破题、承题、起讲、入手、起股、中股、后股、束股八部分组成。后四部分是文章议论的中心，各有两股对偶文字，共八股，故名。其题材、内容限于四书，不许作者自由发挥，字数也有严格规定。

【八宝饭】糯米加瓜子仁儿、葡萄干儿、莲子、桂圆等多种食品蒸熟的甜食。

【八宝菜】由莴笋、豆角、杏仁、黄瓜、花生米等混合在一起的酱菜。

【八思巴】(1235—1280)藏传佛教萨斯迦派首领。本名罗追坚赞，号八思巴(圣者)，元代乌思藏萨斯迦(今西藏萨迦)人。1264年领总制院事，管理全国佛教和吐蕃地区军政事务。1268年为忽必烈(元世祖)创造八思巴体蒙古新字，对蒙族文化的发展和加强西藏与祖国内地的联系及促进民族间文化交流起了积极作用。

【八段锦】古代体育锻炼的一种方法。由八节连贯动作组成。南宋曾慥《道枢》已有记载。清光绪初，无名氏改编为：一、两手托天理三焦；二、左右开弓似射雕；三、调理脾胃须单举；四、五劳七伤往后瞧；五、摇头摆尾去心火；六、背后七颠百病消；七、攒拳怒目增气力；八、两手攀足固肾腰。今已广泛运用到保健体操中。

【八路军】抗日战争时期中国共产党领导的人民军队。抗日民族统一战线建立后，根据同国民党达成的协议，1937年8月红军主力部队改编为国民革命军第八路军(也叫第十八集团军)，朱德任总司令，彭德怀任副总司令，辖第一一五师、第一二〇师、第一二九师三个师。改编后开赴抗日前线，创建了晋绥、晋察冀、晋冀鲁豫、山东等敌后抗日民主根据地，粉碎了日伪军的多次进攻和“扫荡”，打退了国民党顽固派多次进攻，消灭了大量敌人。1945年8月八路军和新四军及其他人民武装一起举行了大反攻，取得了抗日战争的最后胜利，为中国人民建立了伟大的历史功绩。这时，八路军发展到一百余万人。

【八七会议】1927年8月7日中共中央在汉口召开的紧急会议。这次会议是在革命处于危急关头召开的。会议批判了陈独秀的右倾投降主义路线，撤销了他的总书记职务；选举了新的临时中央政治局；确定了开展土地革命和武装反抗国民党反动派屠杀政策的总方针，决定在湖南、湖北、江西和广东等省发动农民举行秋收起义。这次会议反对了政治上的右倾机会主义，使党大大前进了一步。但是会议对“左”倾情绪未予警惕，致使以后的“左”倾错误发展起来。

【八大山人】(1624—1705)明末清初画家。姓朱名耷(dā)，南昌人。善画山水、花鸟、竹石。笔法精练，形象夸张，对以后的写意画影响颇大。

【八王之乱】西晋皇族争权的斗争。晋惠帝时贾后与外戚杨骏争权，引起皇族汝南王司马亮、楚王司马玮、赵王司马伦、齐王司马冏、成都王司马颖、河间王司马颙、长沙王司马乂、东海王司马越互相攻杀，最后以司马越毒死惠帝，另立怀帝，独揽大权而告终。

【八仙过海】民间谚语：“八仙过海，各显神通。”比喻各自拿出自己的一套办法、本领。

【八国联军】1900年英、美、德、法、俄、日、意、奥八个帝国主义国家组成的侵华联军。他们为了镇压义和团运动，阴谋瓜分中国，联合出兵进攻中国，遭到中国人民的英勇抵抗。联军攻陷大沽，占领天津、北京。沙俄还乘机单独出兵东北，在海兰泡和江东六十四屯屠杀中国人民，制造了骇人听闻的惨案。次年，帝国主义国家迫使清政府签订了丧权辱国的《辛丑条约》，更加激起了全国人民的反帝爱国斗争。

【八面玲珑】原指窗户多而敞亮。现形容为人处世圆滑，对各方面都敷衍得很周到。

【八拜之交】拜把子(旧时结为异姓兄弟)的关系。

【八·一三事变】也叫淞沪会战。七七事变后，中国军队抗击日军进攻上海的作战。1937年8月9日日军官兵二人驾驶军用汽车企图冲入中国虹桥军用机场寻衅，机场卫兵开枪将其击毙。8月13日日军以此为借口，对上海发动大规模的军事进攻，当地驻军奋起抗击。经过三个月的会战，中国守军被迫撤离淞沪，会战结束。

【八一建军节】中国人民解放军的建军节。1927年8月1日南昌起义，打响了反对国民党反动派的第一枪，标志着中国共产党独立领导武装革命的开始。1933年7月11日，中华工农民主共和国中央政府作出决议，规定每年“八一”为中国工农红军纪念日，以后成为中国人民解放军的建军节日。参见〔八一南昌起义〕(18页)。

【八六三计划】“高技术研究发展计划纲要”的通称。中国为在若干最关键领域中保持一定的发展势头，跟踪世界战略性高技术而制定的研究发展计划。该计划由中国科学院四位学部委员于 1986 年 3 月联名向中央建议，同年 10 月获得批准。计划中选择生物、航天、信息、激光、自动化、能源、新材料七个技术领域，十五个主题项目作为发展重点。它的实施对中国今后的发展有着重要影响。

【八一南昌起义】1927 年大革命失败后，中国共产党决定举行武装起义。8 月 1 日周恩来、朱德、贺龙、叶挺、刘伯承等领导北伐军两万余人在江西南昌起义。在面临反革命势力包围的情况下，起义部队退出南昌，进军广东，在与国民党优势兵力作战中遭受重大损失。一部在朱德、陈毅率领下转入湘南发动湘南起义，后与毛泽东领导的秋收起义部队在井冈山会师，另一部加入海丰、陆丰地区的革命斗争。南昌起义打响了反对国民党反动派的第一枪，标志着中国共产党独立领导武装革命的开始。

【八小时工作制】职工在一昼夜劳动八小时的工作日制度。

扒 ㊀ bā ❶抓着；用手指紧紧扣住。[例]～着栏杆。❷刨；挖。[例]～土。❸剥；脱掉。[例]～羊皮。
㊁ pá（732 页）。

叭 bā ❶拟声词。断裂、敲打等的声音。[例]～的一声折断了。❷佛教咒语用字。

朳☒ bā 无齿的耙子。

𧈢☒ bā〔𧈢蜡〕蝗虫。

巴 bā ❶盼望。[例]朝～夜望。❷紧贴着或挨着。[例]爬山虎～在墙上｜前不～村，后不～店。❸粘住。[例]粥～锅了。❹粘在别的物体上的东西。[例]锅～。❺巴士的简称。[例]小～｜中～。❻古国名。因在今重庆境内，故重庆一带也称巴。[例]～山蜀水。❼压强的非法定计量单位。1 巴等于 100 千帕。

【巴士】简称巴。英语音译词。公共汽车。

【巴乌】簧管乐器。竹制，横吹。有八孔，上嵌铜制簧片。音色柔美、悠长。现有改良巴乌，金属制，加键，用于独奏。流行于云南彝族、苗族、哈尼族地区。

【巴西】全称巴西联邦共和国。位于南美洲东部。北邻法属圭亚那、苏里南、圭亚那、委内瑞拉、哥伦比亚，西邻秘鲁、玻利维亚、巴拉圭、阿根廷、乌拉圭，东临大西洋。是南美洲面积最大、人口最多的国家。

【巴豆】常绿小乔木。叶长卵形，花小，结蒴果，矩圆形。种子入药，为剧烈的泻剂，外用治皮肤病，有剧毒。也指这种植物的种子。

【巴结】讨好；奉迎。

【巴顿】乔治·史密斯·巴顿（1885—1945）美国陆军上将。第二次世界大战期间，任北非远征军西部特遣部队司令、美军第三集团军司令等，率部参加了北非登陆战役、西西里岛登陆战役、诺曼底登陆战役等，协同盟军突入德国腹地，为打败德国法西斯做出了贡献。他作战勇猛顽强，指挥果断，善于发挥装甲兵优势，实施快速机动和远程奔袭。1945 年 12 月因车祸去世。

【巴赫】约翰·塞巴斯蒂安·巴赫（1685—1750）德国作曲家。其创作综合了 17 世纪以来欧洲各国音乐的成就，对后世音乐的发展有深远的影响。作品大多用复调写成，结构严谨。代表作有《平均律钢琴曲集》《勃兰登堡协奏曲》《马太受难曲》等。

【巴黎】法国首都。位于该国北部。人口 217 万（1993 年）。是全国政治、经济、文化中心和国内外重要交通枢纽，也是世界旅游名城。著名的游览地有埃菲尔铁塔、卢浮宫、圣母院、凯旋门、凡尔赛宫等。

【巴儿狗】即“哈巴狗”（370 页）。

【巴比伦】❶古代西亚两河流域（幼发拉底河和底格里斯河）的奴隶制王国。以巴比伦城为中心，大约在公元前 1894—前 1595 年和公元前 626—前 538 年曾两次建国。历史上把前者叫古巴比伦王国，后者叫新巴比伦王国。它们都是文明古国，都对西亚和欧洲文化的发展有很大的影响。❷巴比伦城。

【巴旦杏】即“扁桃”（60 页）。

【巴托克】贝拉·巴托克（1881—1945）匈牙利作曲家、音乐学家、钢琴家。一生收集和整理的东欧各国及北非、土耳其的民歌近万首，为音乐民俗学和比较音乐学作出了开创性的贡献。其创作植根于匈牙利民间音乐传统，部分作品具有动力性很强的节奏。主要作品有歌剧《蓝胡子的城堡》，交响诗《科舒特》，管弦乐《两幅肖像》《舞蹈组曲》《弦乐、打击乐器和钢片琴音乐》《第一钢琴协奏曲》《匈牙利农民歌曲十五首》,以及自成体系的钢琴教程《小宇宙》(六集)等。

【巴洛克】原意为不圆的珍珠或奇思异想。现指16—18世纪反文艺复兴时期古典规范的欧洲艺术风格。代表人物有贝尼尼、鲁本斯等。

【巴格达】伊拉克首都。位于该国中部。人口535万(1995年)。亚洲古城之一,现为全国政治、经济、文化和交通中心,也是中东交通枢纽和重要的国际航空港。市南郊有巴比伦城遗址,其中的空中花园遗址是世界著名的古建筑之一。

【巴斯德】路易·巴斯德(1822—1895)法国微生物学家、化学家,微生物学的奠基人之一。他首先用实验否定了有机体的自然发生论,证实传染病起源于病原微生物,并发明了好几种传染病的预防接种法。他的研究成就奠定了医用微生物学、免疫学和普通微生物学的基础。

【巴士底狱】原为巴黎东区的一个城堡,后来成为囚禁政治犯的国家监狱,法国专制制度的象征。1789年7月14日巴黎人民起义,攻占巴士底狱,标志着法国大革命的开始。

【巴比伦城】两河流域的古代城市。在幼发拉底河中游,今巴格达以南88千米处。公元前6世纪其城市建设达到鼎盛,公元前4世纪开始衰落,2世纪沦为废墟。巴比伦城形似长方形,横跨幼发拉底河。为城防所需设有内外两道城墙,共有九座城门。主要建筑有马尔都克神宫、空中花园、古天象台、伊什达门等。

【巴尔扎克】奥诺雷·巴尔扎克(1799—1850)法国批判现实主义作家。生于中产阶级家庭。早期作品有浪漫主义色彩,后转向现实题材。其《欧也妮·葛朗台》《高老头》等揭露金钱关系如何成为资产阶级社会一切活动的动力,着重探究不同类型的人性。他认为作家必须面向现实生活,计划写一套反映大革命后法国社会生活的长篇小说,定名为《人间喜剧》,完成了九十多部。著名的还有《幻灭》《贝姨》《农民》等。

【巴西利卡】也叫古罗马法庭。古代罗马时期作为法庭、交易所及会场的公共大厅建筑。平面通常为长方形,端头常设有半圆形环殿。由巴西利卡发展而成的教堂建筑叫巴西利卡式教堂。

【巴西利亚】巴西首都。位于巴西高原中部。人口200万(1998年,包括卫星城)。是一座按现代化要求设计和建造的都城。1956年开始兴建,1960年正式迁都于此。整个城市构思精巧,主要建筑寓意深远,匠心独具。

【巴西高原】在南美洲中东部,亚马孙平原和拉普拉塔平原之间。绝大部分在巴西境内。面积约500万平方千米,是世界上面积最大的高原。地势东高西低,大部分海拔600—1 000米。降水量自沿海向内陆递减,热带草原广布。

【巴甫洛夫】伊万·巴甫洛夫(1849—1936)俄国生理学家。在血液循环、消化、神经系统等生理学方面作了许多工作。并提出了条件反射学说,为研究大脑生理活动作出了重大贡献。所提出的两个信号系统及高级神经活动学说对于医学、心理学等有很大影响。有《消化腺机能讲义》《大脑两半球机能讲义》等。

【巴拿马城】巴拿马首都。位于巴拿马运河太平洋入口处。人口83万(1990年)。是全国政治、经济、文化中心,中美洲重要的国际航空港。为运河区服务,建立了工商业、金融业和服务业。市民喜爱斗鸡。

【巴塞罗那】西班牙城市。位于该国东北部。人口168万(1991年)。是全国第二大城市、最大商港和工业中心。盛产葡萄酒。

【巴黎大学】法国国立大学,欧洲最古老的大学之一。1231年(一说1180年)创立于巴黎。

【巴黎公社】人类历史上建立无产阶级专政的第一次尝试。1871年3月18日法国巴黎的无产阶级举行武装起义,推翻了资产阶级统治,夺取了政权,并在其后宣告成立巴黎公社。公社废除了资产阶级常备军,建立了人民武装;废除了旧的官僚机构,建立了立法和行政合一的各种委员会。后被国内外敌人镇压。

【巴黎改建】指1804年拿破仑称帝后及拿破仑三世时期对巴黎的城市改建与旧城改造。改建后,城市道路宽阔顺直,道路体系为十字形加环行式;路旁设带状公园,重要交叉路口设城市广场;建立了城市公交体系;将市中心分成几个区中心,对建筑进行建设高度控制。其规划思想在城市建设史上占有重要一席,对历史城市的改建与发展影响深远。

【巴黎和会】第一次世界大战结束后，1919年1月18日至6月28日，27个国家在巴黎凡尔赛宫举行的缔结“和约”的会议。实际操纵会议的是美、英、法三国首脑，苏俄未被邀请。这次会议名为“和会”，其实是帝国主义大国重新分割世界的一次分赃会议，是对苏维埃俄国实行武装干涉的组织中心。经过长时间的激烈争吵，勉强签订了对德和约，即《凡尔赛和约》。会议无视中国的主权，决定让日本继承德国在中国山东攫取的一切特权。帝国主义的这种强权政治激起了中国人民的极大愤怒，掀起了轰轰烈烈的五四运动。中国代表团拒绝在和约上签字。

【巴比伦建筑】公元前40世纪—前6世纪西亚两河流域建筑。主要成就有：建立起以生土作为原料的结构体系和建筑装饰方法；创造了保护墙面的面砖和彩色琉璃瓦；将建筑材料、建筑结构体系、建筑构造与建筑造形艺术有机结合。建筑实例有建于公元前6世纪前叶的新巴比伦城。其完整的琉璃砖贴面技术对后来的拜占庭建筑及伊斯兰教建筑影响较大。

【巴氏消毒法】一种低温牛奶消毒法。因由法国人路易·巴斯德发明而得名。把牛奶加热到65℃维持30分钟，或加热到72℃维持15分钟，再立即冷却。可杀灭结核杆菌和伤寒杆菌，保持牛奶营养成分。

【巴尔干半岛】在欧洲南部，地中海、亚得里亚海和黑海之间。包括南斯拉夫、克罗地亚、波黑、马其顿、罗马尼亚、希腊、保加利亚、阿尔巴尼亚和土耳其欧洲部分。面积约50万平方千米。大部分为山地，海岸曲折，多岛屿。扼黑海、地中海的咽喉，东南靠近亚洲大陆，战略地位重要。

【巴尔喀什湖】位于哈萨克斯坦东南部。面积18 200平方千米。湖形狭长，湖水东半部咸、西半部淡。

【巴洛克建筑】17—18世纪在意大利文艺复兴建筑基础上发展起来的一种建筑形式和装饰风格。源于罗马，后遍及欧洲。造形上追求动感，外形自由流畅。色彩强烈、装饰富丽、雕塑生动。常采用穿插的曲面和椭圆形的空间。罗马耶稣会教堂被称为第一座巴洛克建筑。

【巴拿马运河】位于巴拿马中部。全长81.3千米。从1881年开始开凿，到1914年完工。运河开通后，从太平洋到大西洋的航程缩短1万多千米。1903年签订了不平等的《美巴条约》，美国取得永久租让权，任命总督统治运河区，并派遣军队驻扎。1977年9月7日巴拿马和美国签订了新的《巴拿马运河条约》，废除了1903年的《美巴条约》。1999年底，巴拿马收回了运河的主权。

【巴黎圣母院】法国哥特式教堂。始建于1163年，在巴黎塞纳河畔。正立面构图完整、雕饰精美，其直径为13米的玫瑰窗尤为著名。结构上运用了尖券、骨架拱和飞扶壁，表述了哥特式教堂空灵向天的自在意境。是建筑技术发展进程中的里程碑。

【巴黎歌剧院】法国第二帝国歌剧院。建于1861—1874年。设计人是法国建筑师夏尔·加尼埃。建筑师运用整体设计的概念精心处理建筑物与城市环境之间的形态关系，使该歌剧院成为巴黎城市景观的重要组成部分。建筑风格为古典折衷主义，是学院派建筑的代表作。

【巴颜喀拉山】在青海省中部偏东南。西北—东南走向，海拔5 000—6 000米。是黄河的发源地。

【巴丹吉林沙漠】在内蒙古自治区阿拉善盟中部。面积4.71万平方千米。以流动性沙丘为主。

【巴西议会大厦】巴西首都主要市政建筑。建于1958—1960年。设计人是巴西建筑师奥斯卡·尼迈耶。大厦由参众两院议会厅及办公楼组成。主体办公楼两侧为造型独特的半球体裙房，其中下扣的半球体为参议院会议厅，开口向上的半球体为众议院会议厅。办公楼立面和平面均为“H”形，造型简洁，体量突出，新颖醒目。

【巴黎统筹委员会】1961年为稳定汇率，由10个发达工业国家为建立“借款总安排”而组成的国家集团。

芭

bā 古书上说的一种香草。

【芭蕉】多年生草本植物。叶子很大，长椭圆形，花白色，果实跟香蕉相似。也指这种植物的果实。

【芭蕾】法语音译词。一种欧洲古典舞蹈。起源于意大利，形成于法国。后因女演员用脚趾直立舞蹈，故又名足尖舞。中国泛称足尖舞为芭蕾，欧美国家泛称舞剧为芭蕾。

B

奋□ bā 用于地名，如畚奋屯（在北京）。

吧 ㊀ bā ❶拟声词。断裂、敲打等的声音。❷英语音译词。具备特定功能或设施的休闲场所。㊞酒～|氧～|网～|～台。

㊁ ba（23页）。

岜□ bā〔岜关岭〕地名。在广西。

疤 bā ❶疮口或伤口长好后留下的痕迹。㊞疮～|伤～。❷器物上像疤一样的痕迹。㊞碗盖上有个～。

豝☒ bā 同"疤"。

笆 bā 用竹片、柳条等编成的片状器物。㊞～门|篱～。

【笆斗】即"栲栳"（554页）。

羓☒ bā 干肉。

粑 bā〈方〉饼类食物。㊞糍～|玉米～～。

豝☒ bā 母猪。

鲃（鲃） bā 鱼类。种类很多。体侧扁或亚圆筒形，口常有须。中国南方多有出产。

峇□ bā 音译用字。如峇厘（岛名，在印度尼西亚。现译作巴厘）。

捌 bā 数目"八"的大写。多用于票证、账目等。

bá ㄅㄚˊ

坺☒ bá 耕地翻土。

拔 bá ❶抽出；拉出。㊞～剑|～草。❷吸出。㊞～毒膏|～火罐。❸挑选。㊞选～。❹高出；超出。㊞海～|出类～萃。❺攻取。㊞～据点。❻〈方〉把东西浸放在凉水里使变凉。㊞把奶瓶放到凉水里～一～再让孩子喝。

【拔节】禾谷类作物地上各节间依次向上伸长的现象。

【拔河】民间体育活动项目之一。人数相等的两队，各执粗绳的一边，同时用力拉绳，以把绳中间系的标志拉过规定界线为胜。

【拔萃】❶超出一般，才能出众。❷选出的最精彩、最有价值的文章、材料等。㊞《中外经济～》。

【拔营】部队离开驻地。

【拔擢】提拔；挑选提升。擢（zhuó）。

【拔罐法】中国一种民间疗法。在小瓷罐、玻璃罐内燃火，使产生负压吸附于皮肤上，以调理气血。常用于治疗感冒、头痛、腹痛、哮喘、腰背疼痛等。

【拔苗助长】即"揠苗助长"（1130页）。

【拔茅连茹】拔起一根茅草就会连带拔起很多茅草的根。比喻互相引荐，提拔、任用一人就连带引进许多人。《周易·泰》："拔茅茹以其汇。"王弼注："茅之为物，拔其根而相牵引者也；茹，相牵引之貌也。"

菝 bá〔菝葜〕俗称金刚刺。落叶攀缘状灌木。茎有刺和卷须，叶子多为椭圆形，花黄绿色，浆果球形。根状茎可供药用。葜（qiā）。

茇☒ ㊀ bá ❶草根。❷在草野间住宿。

㊁ bō（72页）。

軷（軷）☒ bá 古人出行前祭祀路神。

胈☒ bá 大腿上的毛。

跋 bá ❶翻山越岭。㊞～山涉水。❷写在文章或书籍等后面的短文。㊞题～。

【跋涉】爬山和过水，形容长途奔波。

【跋扈】狂妄，专横（hèng）。

【跋前疐后】《诗经·豳风·狼跋》："狼跋其胡，载疐其尾。"意思是说狼向前进就踩着它的胡（下巴下面下垂的肉），往后退就被尾巴绊倒。后用"跋前疐后"比喻进退两难。疐（zhì）：跌倒。

魃 bá 旱魃，传说中指造成旱灾的鬼怪。

鼥☒ bá 见〔鼧鼥〕（1001页）。

bǎ ㄅㄚˇ

把 ㊀ bǎ ❶拿着；握住。㊞～盏|～舵。❷控制；独占。㊞～持|～着一堆玩具不让别的孩子玩。❸看守；守着。㊞～守|～门。❹自行车、手推车等的手柄。㊞车～。❺某些可以用手握住或扎成小捆的东西。㊞火～|草～。❻指结拜兄弟的关

系。例～兄｜～兄弟。❼助词。用在某些特定的数词或量词后，表示约略估计。例个～月｜百～人。❽介词。表示处置、致使等意思，相当于“将、使”。例～书拿来｜～他急出一头汗。❾量词。例一～刀｜一～米｜一～年纪｜帮他一～。

㊁ bà（22页）。

【把头】❶旧时把持某一行业、残酷剥削和压迫工人的人。如脚行头、包工头。例封建～。❷旧日香会的头目。

【把式】同“把势”（22页）。

【把关】把守关口。现多用来比喻把握政策原则，不使出偏差。

【把守】守卫（重要的地方）。

【把戏】❶杂技的旧称。❷喻指骗人的花招。

【把势】也作把式。❶武术。例练～。❷北方农村称精通某种技术的人员。例车～｜瓜～。

【把持】独揽大权，不让旁人参与。

【把柄】器物上便于手拿的突出部分。比喻可被人用来要挟或攻击的短处。

【把总】明清两代领兵官官名。明代驻守京师的京营兵设千总、把总等领兵官，各地总兵之下也分设把总。清代绿营兵（汉军）也设把总，职位次于千总。

【把斋】即“斋戒”①（1233页）。

【把酒】端起酒杯。

【把舵】❶行船时掌舵，确定方向。❷比喻领导（某一事业或工作），掌握方向。

【把握】❶抓住；掌握（多用于抽象事物）。例～时机。❷事情成功的可靠性。例有～。

【把字句】汉语句式的一种。用介词“把”构成的介宾短语作状语的句子。如“我们把敌人消灭了”“老师把他叫走了”。

屉□ bǎ〔屉屉〕〈方〉屎；粪便。

钯（鈀） ㊀ bǎ 金属元素，符号 Pd，原子序数 46。银白色，能大量吸收氢气。在制造纯氢时用作吸收剂。也用作催化剂。

㊁ pá（732页）。

靶 bǎ 靶子，练习、比赛射箭或射击用的目标。例打～。

【靶器官】毒物或环境污染物对机体组织首先产生毒作用，引起最大损害的器官。如汞和甲基汞的靶器官是脑，碘化物和钴的靶器官是甲状腺。

bà ㄅㄚˋ

坝（壩❷ 垻） bà ❶拦水的建筑物。例拦河～｜大～。❷坝子，西南地区称平地或平原。用于地名时多单说，如沙坪坝（在重庆）。

把 ㊁ bà 把儿；物体上突出出来便于手拿的部分。也指花、叶或果实的柄。例刀～儿｜梨～儿。

㊀ bǎ（21页）。

爸 bà 爸爸，称父亲。

耙 ㊀ bà ❶一种碎土、平地用的农具。有钉齿耙、圆盘耙等。❷用耙碎土。例～地。

㊁ pá（732页）。

龅□（齙） bà〈方〉牙齿外露。

罢（罷） ㊀ bà ❶免去（职务）。例～免。❷停止。例～工｜欲～不能。❸完毕。例说～便哭起来。❹古又同“疲（pí）”。

㊁ ba（23页）。

【罢了】用在陈述句后，常与“无非”“只是”等相照应，表示把事情往小里说。了（le）。

【罢工】工人为了表示某种抗议或实现某种要求而联合起来集体停止劳动。

【罢市】商人为表示抗议或实现某种要求而联合起来停止营业。

【罢休】歇手；停止。

【罢论】放弃了的打算。例此事已作～。

【罢免】选民或代表机关撤销他们所选出的人员的职务；免去（官职）。

【罢课】学生为表示抗议或实现某种要求而集体停止上课。

䎱□（䎬） bà 同“耙（bà）”。

鲅（鮁） bà 即“马鲛”（656页）。

鲌（鮊） ㊁ bà 同“鲅”。

㊀ bó（75页）。

霸（*覇） bà ❶依靠权势蛮横地欺压群众的坏人。例恶～。❷霸占。例军阀混战，各～一方。❸古代诸侯联盟的首领。例春秋五～。❹指霸权主义。㊐反帝反殖反～。

【霸王】❶古代霸主的称号。《史记·越王勾践世家》："越兵横行于江淮东，诸侯毕贺，号称霸王。"秦末项羽起兵后也曾自称为西楚霸王。❷比喻蛮横无理的人。

【霸占】依仗权势蛮横地侵占。

【霸主】❶春秋时代势力最大、取得统治地位的诸侯。❷在某一领域或地区最有声势的人或集团。

【霸权】依靠经济、军事实力欺压、控制弱小国家的强权。

【霸道】蛮横不讲道理。㊐横行～。

【霸王鞭】❶表演民间舞蹈用的彩色短棍。两头挖有小孔，内嵌铜片。❷也叫花棍舞、打莲湘、金钱棍。中国汉族民间舞蹈。舞者一面用霸王鞭敲击四肢、肩、背各部，发出有节奏的声响，一面做各种舞蹈动作。

【霸权主义】在国际关系中，凭借国家的实力，把自己摆在统治和支配别国的特殊地位，妄图称王称霸的政策。

灞 bà 灞水，水名，在陕西。

【灞桥】桥名。在灞水上，位于陕西西安市城区东十千米处。始建于汉代，汉代故桥在今桥西北十余里处，古人送客东行多至此。1955年已改建为新式钢筋混凝土板桥。

欛☒ bà 同"把(bà)"。

ba ·ㄅㄚ˙

吧 ㊁ ba 助词。用在句末。1. 表示可以、允许的语气。㊐好～，就这么办～！2. 表示推测、估量的语气。㊐他大概不来了～？3. 表示命令或请求。㊐你好好想想～！|还是你去～！4. 用于停顿处，带假设语气(常常对举，有两难的意味)。㊐走～，不好；不走～，也不好。

㊀ bā (21页)。

罢(罷) ㊁ ba 同"吧(ba)"。

㊀ bà (22页)。

bāi ㄅㄞ

伯 ㊁ bāi 称跟父亲同辈而年岁较大的男子。㊐大～|张～。

㊀ bó (74页)。

㊂ bǎi (28页)。

刯□ bāi〔刯划〕〈方〉处置；安排；摆弄。㊐好好的一个收音机，让他给～坏了|这几个挺难～的。划(huai)。

掰 bāi 用手把东西分开或折断。㊐～老玉米。

擘 ㊁ bāi 同"掰"。

㊀ bò (78页)。

bái ㄅㄞˊ

白 bái ❶像雪那样的颜色。㊐～布。❷明亮；光亮。㊐一唱雄鸡天下～|～花花。❸用白眼珠看人，表示轻蔑、厌烦或不满。㊐～了他一眼。❹清楚；明白。㊐真相大～。❺空白；没加上其他东西的。㊐～地|～开水。❻副词。没有效果地；无代价地。㊐～跑一趟|～吃一顿。❼象征政治上反动的。㊐～军|～色恐怖。❽指丧事。㊐～事。❾说明；陈述。㊐表～|辩～。❿误读或误写的(字)。㊐读～字。⓫戏曲、歌剧中只说不唱的部分。㊐道～|韵～。⓬指白话。㊐半文半～。

【白丁】原指没有取得功名的人，现指普通百姓。丁：成年男人。

【白刃】锋利发光的刀剑。㊐～战。

【白厅】伦敦市的一条街。过去有白厅宫，1698年毁于大火。现英国主要政府机关设在这里。常用作英国政府的代称。

【白区】第二次国内革命战争时期，国民党政权统治的地区。

【白术】多年生草本植物。叶边缘有刺，花紫红色。块状根茎，入药有健脾、利尿等作用。术(zhú)。

【白芨】多年生草本植物。叶阔披针形，花淡紫红色，块茎肉质，可供药用。

【白军】指反动势力控制的军队。在第二次国内革命战争时期，指国民党军。

【白芷】多年生草本植物。有川白芷、浙白芷、滇白芷等多种。夏季开伞形白花，果实长椭圆形，根入药，有祛风解表、散湿止痛等作用。

【白茅】多年生草本植物。花序穗状，密生白色柔毛。根茎横生，有甜味，入药有清热、凉血、利尿等作用。

【白虎】见〔二十八宿〕(246页)。

【白果】即"银杏"(1176页)。

B

【白金】铂的俗称。
【白话】❶指不能实现或没有根据的话。㊥空口说～。❷汉语书面语的一种。是唐宋以来在口语的基础上形成的。多用于通俗文学作品(如唐代变文,宋元明清的话本、小说等)及少量学术著作、官方文书。到五四新文化运动以后,才在社会上普遍使用。与“文言”相对。
【白契】旧指买卖田地房产未向官署纳税,因而未加盖官印的契约。
【白带】妇女阴道中流出的白色黏液。一般情况下较少且无气味,妊娠和月经前略增多。生殖器官有炎症或有肿瘤时量增多,有恶臭。
【白药】中成药。有止血调经、活血化瘀等作用。主治外伤出血、跌打损伤、崩漏带下等。云南白药最著名。
【白蚁】昆虫。比蚂蚁大。群居。口器发达,蛀食木料,危害房屋、树木、桥梁等。
【白食】不付出代价而得到的吃喝。
【白宫】美国总统府。因其建筑外表为白色,故名。建于1793年,在美国华盛顿。设计人为爱尔兰建筑师詹姆斯·霍本。整体建筑风格为乔治王朝时期的古典复兴式。现存建筑为1815年重建,并历经改建。常用作美国政府的代称。
【白热】也叫白炽。物体加高热后达到发白光的状态。
【白描】❶中国画的一种画法。纯用墨线勾描物象,不着颜色。❷借指文学创作上简洁单纯地刻画形象的表现手法。
【白眼】露出眼白,是对人轻视或厌恶的一种表情。与“青眼”相对。
【白蛉】也叫白蛉子。昆虫。体形似蚊但较小,有许多长毛,灰黄色。飞行力弱。叮咬人、畜,吸食血液,传播黑热病。
【白领】从事技术、管理、医务等工作的脑力劳动者。工作时穿着整齐,衣领洁白。
【白族】中国少数民族之一。人口160万(1990年)。主要分布在云南省西部大理白族自治州。有本民族语言,多通汉语文。
【白喉】由白喉杆菌引起的急性传染病。多发生于六个月至五岁的小儿。通过呼吸道传染。患者鼻、咽、喉、气管黏膜上形成灰白色假膜,造成咽喉部梗阻,重者窒息死亡。接种白喉类毒素可预防。
【白鹇】鸟类。雄鸟体长1.1—1.4米。头上的长冠及下体纯蓝黑色而有光泽,上体和两翼为白色。尾长。头的裸出部分和足为红色。常栖于高山竹林间。分布于中国南部。
【白皙】形容皮肤白净。皙(xī)。
【白痴】一种重度的精神发育不全病。多由胎儿或幼儿期脑的发育受障碍或脑外伤等引起。患者智力低下,语言能力很差,严重者不能自理生活。也指智力极为低下的人。
【白熊】即“北极熊”(43页)。
【白磷】也叫黄磷。磷的同素异形体。白色蜡状固体,在空气中易被氧化而自燃,在暗处氧化时可以看见它发光,称为磷光现象,燃烧时产生浓烟,有毒。可用于制烟幕弹。
【白露】节气名。在每年公历9月8日前后。白露以后,中国大部分地区气温明显下降。
【白鹳】鸟类。鹳的一种。羽毛白色,仅翅膀有一部分黑色,尾短,喙和腿长,鸣声响亮。生活在水边,食鱼虾等。是中国国家重点保护动物。
【白面儿】也叫白粉。海洛因的俗称。
【白刃战】即“白刃格斗”(26页)。
【白马寺】汉代佛寺。始建于永平十一年(68)。位于河南洛阳。是中国最早的佛寺。现存寺院建筑为清代重修。是全国重点文物保护单位。
【白云石】一种碳酸盐类矿物。化学成分为$CaMg(CO_3)_2$。乳白色或粉红色,具玻璃光泽,硬度3.5—4。主要由白云石组成的岩石叫白云岩,与石灰岩相似。可用作冶金耐火材料、熔剂和化工原料。
【白日梦】比喻不切实际的妄想。
【白内障】指眼球内晶状体全部或部分混浊。分先天性、后天性两种。后天的以老年患者为多,也有因其他眼病或外伤引起的。可手术治疗。
【白毛女】五幕歌剧。延安鲁迅艺术学院集体创作。剧本由贺敬之、丁毅执笔,马可、张鲁、瞿维、李焕之、向隅、陈紫、刘炽等作曲。是中国第一部在秧歌基础上发展起来的新歌剧。后也改编为芭蕾舞剧、弦乐四重奏曲、交响组曲等。
【白兰地】英语音译词。酒名。用葡萄、苹果等发酵蒸馏制成。含酒精量较高。除用作饮料外,医药上用作兴奋剂。
【白头鹤】鸟类。鹤的一种。头顶赤裸,羽毛灰色,头和颈部白色,尾部近黑色。生活在湿地,食昆虫、鱼和软体动物等。是中国国家重点保护动物。

【白皮书】一些国家政府部门或议会正式发表的、封面为白色的重要文件或报告书。封面用蓝色、黄色、红色的则分别叫蓝皮书、黄皮书和红皮书。

【白皮松】常绿乔木。叶三针一束,粗硬。树皮嫩时绿褐色,成片状脱落,露出白皮。种子可食,木材可制家具。是中国特有植物。有的地区叫白果松。

【白血病】发生于造血系统的恶性疾病。特点为白细胞异常增生并浸润全身各组织,主要症状是贫血,出血,肝、脾及淋巴结肿大等。可采用骨髓移植等方法治疗。

【白血球】白细胞的旧称。

【白求恩】诺尔曼·白求恩(1890—1939)国际主义战士,加拿大共产党员,医生。1936年去西班牙反法西斯前线为西班牙人民服务。1938年率领由加拿大人和美国人组成的医疗队到中国解放区抗日战场工作。他以毫不利己专门利人的精神和高超的医疗技术救治了许多伤员,培养了大批医务干部,为中国人民解放事业做出了贡献。因医治伤员感染,1939年11月12日在河北唐县逝世。

【白虎通】也叫《白虎通义》。书名。东汉班固等撰。今存四十三篇。是根据东汉章帝时白虎观经学辩论的记录整理而成的。当时今文经学(着重发挥经文大义)与古文经学(着重研究经文训诂)存在着激烈斗争。《白虎通》反映了董仲舒以来今文经学派的思想占据了统治地位,也反映了今文经学派的唯心主义哲学思想和政治学说。书中大量引用谶纬,把儒家经学同阴阳五行、谶纬迷信糅合起来。

【白话文】也叫语体文。用白话写成的文章。与“文言文”相对。

【白居易】(772—846)唐代诗人。字乐天,号香山居士,下邽(今陕西渭南)人。中进士后曾任左拾遗,后被贬为江州司马,晚年任杭州、苏州刺史和太子少傅等职。他倡导新乐府运动,提出“文章合为时而著,歌诗合为事而作”的主张。所写的讽喻诗在一定程度上揭露了封建统治阶级对人民的残酷剥削和压迫;语言通俗易懂,流传很广。著有《琵琶行》《长恨歌》等。有《白氏长庆集》。

【白细胞】旧称白血球。血细胞的一种。产生于骨髓、脾脏和淋巴结中。白细胞有多种。有的能作变形运动,有吞噬细菌作用。

【白垩纪】中生代的第三个纪。约开始于1.35亿年前,结束于6 500万年前。因欧洲西部本纪的地层主要为白垩岩而得名。在这个时期里,初期爬行类(恐龙)和裸子植物仍繁盛,末期恐龙完全灭绝,有孔虫兴盛,菊石、箭石等渐趋绝迹,真骨鱼类兴盛,被子植物出现。

【白垩系】中生界的第三个系。指白垩纪时期所形成的地层。

【白骨精】《西游记》中的白骨妖怪。善变能言,三次变化成人,骗捉唐僧,企图吃唐僧肉,终被孙悟空识破打死。民间常用作阴险毒辣的女人的代称。

【白帝城】东汉初公孙述所筑之城。因公孙述自号白帝,故名。故址在今重庆奉节东。城踞高山,形势险要。三国时蜀汉以为防吴重镇,后刘备为吴将陆逊所败,退居此城,即死于城西之永安宫。

【白热化】形容事态发展到最紧张的阶段。

【白莲教】中国封建社会中一种混有佛教、明教和其他宗教成分的民间秘密宗教组织。起源于宋代,后在民间流传很广。元明清三代农民起义曾多次利用它作为组织斗争的工具。

【白唇鹿】哺乳动物。鹿的一种。鼻端两侧及下唇为纯白色,故名。分布于青藏高原、四川和甘肃等地。是中国国家重点保护动物。

【白粉病】由真菌中的白粉菌侵染寄生造成的植物病害。因病部有大量的白粉而得名。多侵染植物叶片。不同植物感染不同种白粉菌致病,如小麦白粉病、大豆白粉病等。

【白蛋白】一类简单蛋白质。可溶于水,在稀酸或低浓度的有机溶剂中不沉淀,在有盐的中性溶液中加热就沉淀或凝固。如卵白蛋白、乳白蛋白、豆白蛋白、血清白蛋白等。

【白矮星】恒星演化的归宿之一。体积与行星相近,质量约为太阳的1.4倍,密度高达10^5—10^7 克/厘米^3,大多呈白色。目前已观测到1 000颗以上的白矮星。

【白蜡虫】昆虫。体小,雄虫或有翅或无翅,雌虫无翅。一般寄生于女贞树和白蜡树上。雄虫的分泌物白蜡,是医药、纺织等工业的重要原料。

B

B

【白蜡树】落叶乔木。生长较快，萌芽力强，木质坚韧，富弹性，枝条为良好的编织原料。可在树上放养白蜡虫，收取白蜡。

【白暨豚】也叫白鳍豚、白旗。哺乳动物。鲸的一种。体长约2.5米，嘴长，有背鳍，体背淡蓝灰色，腹部白色。以鱼类为食。分布于长江中下游。是中国国家重点保护动物。暨(jì)。

【白鳍豚】即“白暨豚”(26页)。

【白癜风】一种皮肤病。病因不明。主要症状是皮肤上(多见于颜面或四肢)呈现一片片白斑。

【白刃格斗】也叫白刃战、肉搏战。敌对双方用刺刀、枪托等进行的面对面的拼杀。

【白马王子】欧洲民间故事《灰姑娘》中的人物。主人公灰姑娘受到后母虐待，神灵和小动物们拯救了她，帮她获得了一位王子的爱，从此改变了她的命运。王子以白马为坐骑，英俊潇洒。后来便用“白马王子”比喻年轻女子心目中理想的青年男子。

【白云苍狗】唐杜甫《可叹》诗：“天上浮云如白衣，斯须改变如苍狗。”比喻世事变幻无常。

【白手起家】形容在条件很差的情况下创立起一番事业。

【白令海峡】连接太平洋与北冰洋的海峡。亚洲和北美洲以此分界。最窄处约85千米。结冰期达半年之久。

【白头偕老】指夫妻相亲相爱一直到老。

【白色人种】也叫欧罗巴人种。世界三大人种之一。肤色、目色、发色一般较浅，鼻梁高，嘴唇薄，体毛较多。主要分布在欧洲、北非、西亚、南亚、中亚，美洲、澳大利亚、新西兰等地区的居民多为白种人的后裔。

【白色污染】指废弃的塑料袋、塑料杯和泡沫塑料制品等形成的环境问题。这些废弃物多为白色，故名。它们弃置在环境中，需要上百年才能分解。

【白色农业】应用高新技术开发生物资源，进行工厂化生产的新型农业。多指微生物发酵工程产业。因工人在非常清洁的环境下工作，身穿白色工作服，故名。

【白色恐怖】指在反动政权统治下，反动派镇压革命人民的反抗斗争，大肆逮捕，严刑拷打和残酷屠杀革命人民所造成的形势和气氛。

【白金汉宫】也叫女王宫。英国皇宫。始建于1703年，1825年始称白金汉宫。在英国伦敦。君主居住时，每天举行卫队的换岗仪式。宫内存有众多艺术珍品，现对外开放。

【白驹过隙】《庄子·知北游》：“若白驹之过隙。”意思是如同白色的马在缝隙前飞驰而过，转眼就不见了。形容时间过得极快。

【白璧无瑕】洁白的玉石上没有一点斑点。比喻人或事物完美，没有缺点。

【白头山天池】中朝两国界湖。位于长白山主峰白头山顶。属火山湖。面积9.2平方千米。群峰环抱，风景清幽。是松花江的源头。

bǎi ㄅㄞˇ

百 bǎi ❶数目。十个十。❷比喻多。㊞～货|～战～胜。

【百年】❶形容时间极长。㊞～大计，质量第一。❷指一生。㊞～好合(新婚颂词)|～之后(婉辞，指死亡)。

【百合】多年生草本植物。地下有鳞茎，夏季开花，花呈漏斗形，有红黄、黄、白或淡红等色。鳞茎多为扁圆形，鳞片肉质肥厚，供食用，可入药。也指这种植物的花。

【百戏】古代乐舞杂技表演的总称。秦汉时已有，汉代又称“角抵戏”。南北朝后亦称“散乐”。元代以后，百戏内容更加丰富发展，一般均习用各种乐舞杂技的专名，百戏一词逐渐少用。

【百灵】鸟类。有很多种，体型比麻雀大，鸣声婉转。

【百帕】压强单位，即100帕。常用于气象上。参见〔帕斯卡〕(732页)。

【百姓】中国早期社会只有贵族有姓，因此称百官之族为百姓。《尚书·尧典》：“平章百姓。”战国以后泛指平民。

【百般】形容采用多种方法、手段。㊞～劝解|～阻挠。

【百部】多年生草本植物。茎直立或蔓生。块根纺锤形，常多数簇生在一起。根入药，有止咳、杀虫等作用。

【百日咳】由百日咳杆菌引起的呼吸道急性传染病。主要症状是阵发性连声咳嗽(痉咳)。一般持续两三个月。冬春季发病较多。儿童易被传染。定期接种百日咳菌苗可预防。

【百分比】也叫百分率。把两个数量的比值写成分母是100的分数。如某学校去年1 000名学生中有150名加入了共青团，入团人数与学生总数的比是$\frac{150}{1000}$，百分比就是$\frac{15}{100}$，记作15%。

【百分点】统计学上称百分之一为一个百分点。

【百分数】表示一个数是另一个数的百分之几的数。如$\frac{3}{5}$写成百分数是$\frac{60}{100}$，记作60%。

【百世师】指人的品德学问可以做后世百代人的表率。《孟子·尽心下》："圣人，百世之师也。"

【百叶窗】用多片斜置的横板条构成的窗扇。多用于既有遮阳、防雨、阻隔视线要求，又有通风要求的建筑物上。

【百叶箱】装有测定空气温度和湿度等仪器的特制白色木箱。箱的四壁用木片做成百叶窗式，使箱内免受日照、雨雪，但能通风。安装高度要使仪器的感应部分距离地面1.5米。

【百老汇】美国纽约市南北向主要街道之一。长达25千米，中间有数段作东西向转折，并间有广场。南段多银行、戏院、夜总会、旅馆等。为金融、商业和娱乐中心。

【百里才】能治理一县的人才。《三国志·蜀书·庞统传》："庞士元非百里才也。"士元，庞统字。谓庞统才高，不只是治理百里小县的人。

【百炼钢】也作百炼刚。多次炼的铁非常坚硬。比喻久经锻炼、意志坚强的人。唐白居易《渭村退居寄礼部崔侍郎》诗："屈折孤生竹，销摧百炼钢。"晋刘琨《重赠卢谌》诗："何意百炼刚，化为绕指柔。"

【百衲本】用各种不同版本配合或汇印成的一部完整的书。如《百衲本二十四史》。衲(nà)：缝补。百衲：取僧衣补缀极多的意思。

【百衲衣】❶袈裟。因用许多小块布片拼缀制成而得名。❷泛指补丁很多的衣服。

【百家姓】中国旧时流行的识字课本。依"赵"姓列为篇首推断，可能为宋人编写，作者不可考。集常见的408个单姓和30个复姓，按四字一句，隔句押韵编成，如"赵钱孙李，周吴郑王"。

【百慕大】北大西洋中西部岛群。位于北纬32°14′—32°25′，西经64°38′—64°53′。面积53平方千米，主岛百慕大约35平方千米。群岛附近的一片三角形海域常有飞机、船只等坠落或失踪。被称为"神秘的百慕大三角区"。

【百川归海】也说百川会海。晋左思《吴都赋》："百川派别，归海而会。"意思是条条江河都流归大海。后用以形容许多分散的事物都汇集到一个地方。也比喻众望所归。川：江河。

【百无一失】形容有充分把握，不会出差错。

【百无聊赖】生活空虚，精神没有寄托。聊赖：依赖，凭借。

【百日王朝】拿破仑一世第二次统治法国的短暂王朝。1815年3月20日，拿破仑率军进入巴黎，重新登上皇位。后因败于欧洲第七次反法联军而再次退位。这次拿破仑重新登上皇位到被迫退位共约一百天，史称百日王朝。

【百日维新】即"戊戌变法"(1048页)。

【百孔千疮】唐韩愈《与孟尚书书》："汉氏已来，群儒区区修补，百孔千疮，随乱随失。"原形容到处都是漏洞，后也比喻局势败坏或破坏严重，已到了不可收拾的地步。

【百发百中】射箭、打枪、打炮等每次都能打中目标。《史记·周本纪》："楚有养由基者，善射者也。去柳叶百步而射之，百发而百中之。"后也用来形容料事有充分把握。中(zhòng)。

【百团大战】抗日战争时期八路军在华北敌后发动的大规模的战役。战役从1940年8月20日开始至12月5日结束，进行大小战斗1 824次，攻克敌人据点2 993个，歼灭日、伪军43 000多人，缴获各种枪支5 800多支和其他武器、弹药、军用物资，破坏铁路470千米、公路1 500多千米。此役由彭德怀指挥，出动兵力100多个团，故名。

【百年大计】关系到长远利益的计划或措施。

【百年树人】比喻培养人才是长期而艰巨的工作。

【百年战争】1337—1453年英法两国为了争夺佛兰德斯和英国在法国的领地而进行的战争。战争在法国境内断断续续打了一百多年，最后法国取得胜利，统一了全国。

【百色起义】1929年共产党人邓小平等在广西百色领导的武装起义。1929年12月，邓小平、张云逸、韦拔群等领导广西右江地区的一部分革命士兵和农民，举行武装起义，消灭了右江地区的反动武装。起义部队改编为中国工农红军第七军，成立了右江工农民主政府，创建了右江革命根据地。

【百折不挠】也说百折不回。形容意志坚强，屡受挫折而不屈服。汉蔡邕《太尉乔玄碑》："有百折不挠、临大节而不可夺之风。"挠(náo)：弯曲。

【百步穿杨】相传春秋时楚国的将领养由基，善于射箭，能射中一百步外杨柳树的叶子。后来就用"百步穿杨"形容枪法或箭法非常高明。参见〔百发百中〕(27页)。

【百废俱兴】许多原来荒废了的事情，都一下子兴办起来。宋范仲淹《岳阳楼记》："政通人和，百废具(俱)兴。"

【百战不殆】形容在每次战斗中都取得胜利。殆(dài)：危险。

【百战百胜】每战必胜。形容所向无敌。《孙子兵法·谋攻》："百战百胜，非善之善者也；不战而屈人之兵，善之善者也。"

【百思不解】经过反复思考，依然不明白。

【百科全书】一种大型工具书。采用词典的形式编排，以知识主题为单元分列条目，详细解说。有综合性百科全书，如《中国大百科全书》《不列颠百科全书》等；也有专科性百科全书，如医学百科全书、工程技术百科全书等。

【百科词典】词典的一种。收集各科知识，但解说较为概括简略。

【百炼成钢】比喻久经锻炼，变得非常坚强。

【百家争鸣】❶指战国时期学术思想领域"百家"林立、互相争辩的现象。当时学术派别很多，著名的有儒、法、道、墨、名、阴阳、纵横、农、杂等家。他们著书立说，游说争辩，形成"百家争鸣"的局面。对当时思想、学术的发展起了促进作用，对社会经济的发展也有深刻影响。❷见〔百花齐放，百家争鸣〕(28页)。

【百感交集】各种各样的感触交织在一起。

【百科全书派】18世纪法国一些启蒙思想家结成的一个派别。主要成员有狄德罗、伏尔泰、爱尔维修、霍尔巴赫、卢梭等，因在一起编撰《百科全书》而得名。他们的哲学政治观点并不完全相同，但一致反对封建制度和教会神学，并且大多数是坚持唯物主义、反对唯心主义的。他们的活动为法国资产阶级革命作了舆论准备。

【百闻不如一见】听到一百次不如亲眼看到一次确实。《汉书·赵充国传》："百闻不如一见，兵难踰(遥)度。臣愿驰至金城，图上方略。"闻：听见。

【百尺竿头，更进一步】《景德传灯录》卷一〇："百尺竿头须进步，十方世界是全身。"原是佛教用来比喻佛道修养无止境。后泛指在取得很好的成绩以后，仍须继续努力，更求进步。百尺竿头：形容极高处。

【百花齐放，百家争鸣】中国共产党关于促进社会主义文艺和科学事业发展繁荣的根本方针。基本内容是：在坚持共产党的领导，坚持社会主义道路的前提下，艺术上不同的形式和风格可以自由发展，科学上不同的学派可以自由争论；艺术和科学中的是非问题，应当通过艺术界、科学界的自由讨论和通过艺术和科学的实践去解决，而不应当采取简单的方法去解决。利用行政力量，强制推行一种风格，一种学派，禁止另一种风格，另一种学派，会有害于艺术和科学的发展。这个方针反映了文艺和科学发展的客观规律。

【百花齐放，推陈出新】中国共产党关于促进中国社会主义文艺发展繁荣的方针。百花齐放就是在有利于巩固共产党的领导，有利于坚持社会主义道路的前提下，艺术上不同的形式和风格可以自由发展。推陈出新就是要批判地继承一切优秀的文化遗产，剔除其糟粕，吸取其精华，按照"古为今用，洋为中用"的原则加以改造，创作社会主义新文艺。

【百足之虫，死而不僵】指百足虫到死仍然蠕动而不倒下。比喻事物虽然衰亡，但其影响仍然存在。三国魏曹冏《六代论》："百足之虫，至死不僵。"百足：虫名，即马陆。僵：仆倒。

佰

bǎi 数目"百"的大写。多用于票证、账目等。

伯

㊂ bǎi 大伯子(丈夫的哥哥)。

㊀ bó (74页)。

㊁ bāi (23页)。

柏(*栢)

㊀ bǎi 柏树，常绿乔木或灌木。叶常呈鳞片状，木质优良。分布广泛。种类很多，有圆柏、柏木、侧柏、刺柏等。

㊁ bó (75页)。

㊂ bò (77页)。

【柏油】沥青的俗称。

捭 bǎi 分开。例纵横～阖。

摆（❶－❹擺❺襬） bǎi ❶陈列；陈述。例～在桌面上|～事实，讲道理。❷显示；炫耀。例～阔|～谱儿。❸来回摇动。例～手|摇头～尾。❹钟表、仪器里控制摆动频率的机械装置。例钟～。❺衣、裙的最下边部分（也指这一部分的宽度）。例下～。

【摆布】支配，操纵（别人）。

【摆脱】脱离；甩掉。例～穷困。

【摆渡】❶用船渡人过河。❷过河用的船。

【摆龙门阵】〈方〉聊天或讲故事。

bài ㄅㄞˋ

呗（唄） ㊀ bài 见〔梵呗〕(261 页)。㊁ bei (47 页)。

败（敗） bài ❶事情未做成功。例功～垂成|成～得失。❷在战争或竞赛中失利。与"胜"相对。例转～为胜|手下～将|主队以〇比三惨～。❸使失败。例大～敌军。❹毁坏；搞坏。例身～名裂|成事不足，～事有余。❺消除；解除。例～火|～毒。❻败落；破旧；腐烂。例枯枝～叶|花开～了|～絮|腐～。

【败北】打败仗。北：背，回头跑。

【败兴】因事情不如意而使情绪低落，扫兴。

【败坏】❶损害；破坏。例～名誉。❷恶劣。例道德～。

【败诉】诉讼双方当事人中一方的诉讼请求、主张或辩解被人民法院通过判决予以否定的客观结果。败诉方可以在法定期间上诉，请求上诉审法院二审。

【败局】失败的局面。

【败类】指集体中的变节分子或道德极端败坏的人。

【败笔】指书画在用笔上的缺陷或文章在局部表达上的毛病。

【败绩】古代车战翻车叫败绩。后指溃不成军的大败。

【败露】阴谋或坏事被人发觉。

【败血病】一种严重的全身性血液病。多由致病菌侵入血液并产生大量毒素引起。发病急剧，寒战后有高热，眼结膜、黏膜、皮肤常出现瘀血点。常联合选用抗生素治疗。

【败鼓之皮】唐韩愈《进学解》："牛溲马勃，败鼓之皮，俱收并蓄，待用无遗者，医师之良也。"比喻虽为微贱之物，却是有用的东西。

【败德辱行】败坏道德，行为不光彩。

拜 bài ❶旧时的礼节，表示敬意。例跪～|三～九叩。❷行礼以示祝贺。例～寿|～年。❸敬辞。用于人事往来。例～读|～领。❹用一定的仪式授予人某种名义或结成某种关系。例～帅|～师。

【拜托】敬辞。托别人办事情。

【拜伦】乔治·拜伦（1788—1824）英国浪漫主义诗人。贵族出身。曾参加意大利烧炭党革命活动和希腊独立运动。在作品中抨击专制压迫，向往资产阶级民主自由，但也表现了强烈的个人英雄主义思想。代表作有长诗《恰尔德·哈罗德游记》《唐璜》等。

【拜会】登门会见。现多用于外交上礼节性的会见。

【拜忏】也叫礼忏。佛教指依照忏法礼佛诵念、忏悔罪业。

【拜访】访问（带有敬意）。例专程～。

【拜亭】也叫抱印亭。用作拜见和迎宾客的亭式建筑。多见于广东大型传统合院住宅。

【拜堂】俗称拜天地。旧式婚礼，新郎新娘一起举行拜天地的仪式。也指拜天地后拜见父母公婆。

【拜望】敬辞。探望。

【拜谒】❶敬辞。拜见所尊敬的人。❷瞻仰（陵墓等）。

【拜嘉】拜谢美好的惠赠。《左传·襄公四年》："《鹿鸣》，君所以嘉寡君也，敢不拜嘉。"

【拜火教】也叫琐罗亚斯德教。中国史称祆(xiān)教、火教等。古代波斯的宗教。崇拜火神，把火当做善和光明的化身。6 世纪后传入中国。

【拜占庭】原为古希腊人在博斯普鲁斯海峡西岸所建的殖民城市。公元 330 年罗马皇帝君士坦丁迁都于此，改名君士坦丁堡。此后千余年是地中海东部政治、经济、文化中心。1453 年为奥斯曼帝国占领，更名伊斯坦布尔。

【拜上帝会】1843 年洪秀全创立的农民反清组织。他把西方的基督教教义加以改造，创立拜上帝会，利用宗教形式发动和组织群众。会员发展到几千人，遍布广西桂平附近各县，不断和封建势力展开斗争。1850 年洪秀全动员会众到金田村集合，

1851年发动金田村起义，建立了太平天国。

【拜金主义】金钱至上的道德观念。主张一切为了钱，把个人的价值归结为拥有金钱的多少。

【拜占庭建筑】指拜占庭帝国鼎盛时期（5—6世纪）的主要建筑形式。改造和发展了古罗马建筑形式并继承了东方建筑的传统。大多运用完整的集中式构图，屋顶覆以圆形穹顶，以帆拱作为支撑的过渡构件，使建筑易于达到受力平衡。建筑装饰富丽堂皇。建筑实例有君士坦丁堡圣索非亚大教堂。

稗（*粺） bài ❶稗子，一年生草本植物。幼苗像稻，但叶鞘无毛，没有叶舌和叶耳。是稻田主要杂草。❷形容微小或非正统的。㊀～贩｜～史。

【稗史】指记载轶闻琐事的书。

【稗官野史】古称专给帝王讲述风俗人情、街谈巷议的小官为稗官。后用作小说或小说家的代称。野史，原指古代私家编撰的史书，后与稗官连用，泛指闾巷风俗、遗闻旧事的记录。

鞴□（韛） bài 〈方〉风箱。㊀风～。

bai ·ㄅㄞ

㖒□ bai 同"呗(bei)"。

bān ㄅㄢ

扳 ㊀ bān ❶拉动或转动一端固定的东西。㊀～枪栓｜～闸｜～着指头。❷扭转比赛中的败局。㊀～回一局。

㊁ pān（735页）。

【扳机】枪上的零件。射击时扳动它，使子弹受撞击从枪膛射出去。

攽☒ bān 发给。

瓪☒ bān 瓜名。

颁（頒） bān 发下；公布。㊀～发｜～布。

【颁布】公布，发布（法令、条例等）。

【颁发】指上级对下级发布命令或授予奖状、证书等。

【颁行】颁布施行。

班 bān ❶工作、学习等的组织。㊀作业～｜三年级二～。❷从事生产、工作的时段。㊀早～｜加～。❸军队编制的最基层单位。在排之下。㊀～长｜雷锋～。❹军队回返。㊀～师。❺定时开行的。㊀～车｜～机。❻量词。用于人群或定时开行的交通工具。㊀这一～年轻人干劲真足｜等下～车再走吧。

【班白】同"斑白"（31页）。

【班师】原指调回出征的军队，后也指出征的军队胜利归来。

【班次】❶学校里的班级次序。❷定时往来的交通运输工具开行的次数（序数）。㊀增加航班～。

【班固】（32—92）东汉史学家、文学家。字孟坚，扶风安陵（今陕西咸阳东北）人。他写的《汉书》是中国最早的一部断代史，叙述了西汉二百多年的政治、经济、文化发展的情况。另著有《白虎通义》《两都赋》等。后人辑有《班兰台集》。

【班底】原指戏班中主要演员以外的其他演员。后来也指在某一主管人领导下的主要人员。

【班房】旧时衙门里衙役值班的房间，也作为临时拘留人的地方。后也泛称监狱。

【班昭】（约49—约120）东汉女史学家。一名姬，字惠班，扶风安陵（今陕西咸阳东北）人。班固之妹，曹世叔之妻。为班固续成《汉书》。常出入宫廷，担任皇后以及诸贵人的教师，时人尊称她为曹大家（gū）。

【班班】明白；显著。㊀～可考。

【班超】（32—102）东汉军事家、外交家。字仲升，扶风安陵（今陕西咸阳东北）人。曾出使西域，在西域活动了三十一年，击破了匈奴在西域的势力，使西域各族人民摆脱了匈奴的奴役，恢复了中西交通的道路。

【班禅】藏传佛教格鲁派（黄教）两大转世活佛之一。班为梵语省略音译，意为博学之士。禅为藏语音译，意为大。班禅，意为大学者。1645年，扎什伦布寺座主罗桑却吉坚赞实际主持藏传佛教格鲁派教务，受赠"班禅博克多"名号。班禅活佛转世系统在罗桑却吉坚赞圆寂时建立起来。清康熙年间，赐"班禅额尔德尼"封号与五世班禅。此后，历世班禅都必须经中央政府册封。

【班门弄斧】鲁班是古代传说中著名的木

工。在鲁班门前摆弄斧子，比喻在行家面前卖弄本领，含有不自量力的意思。

【班荆道故】《左传·襄公二十六年》记载，伍举在从郑国去晋国的路上，和老朋友声子相遇于郑国郊外，两人就铺开荆条席地而坐，一边吃东西，一边谈往事。后用“班荆道故”形容老朋友途中相遇，共话旧谊。班：铺开。

【班田收授法】也叫班田制。日本大化改新后仿照中国均田制实行的土地制度。

斑 bān 在具有某种颜色的物体表面上夹有的另外颜色的点、条纹。㊀红～|雀～|～竹|～马。

【斑马】哺乳动物。毛淡黄或银白色，全身有黑色斑纹。群栖。产于非洲南部山地，是非洲特有动物。

【斑白】也作班白。(头发)花白。

【斑竹】也叫湘妃竹。竹子的一种。竹干上有紫褐色的斑点。传说帝舜南巡苍梧而死，他的两个妃子在湘水上望苍梧山哭泣，眼泪洒在竹子上，从此竹上有了斑点。故斑竹又称湘妃竹。

【斑鸠】也叫鹁鸪。鸟类。体形似鸽，大小及羽毛色彩因种类而异，颈后多有白色或黄褐色斑点。在中国分布较广的有棕背斑鸠，另有珠颈斑鸠。

【斑驳】一种颜色夹杂有别种颜色。

【斑斑】形容斑点很多。㊀血迹～。

【斑蝥】昆虫。体黑色，鞘翅基部有两个大黄斑，足关节处能分泌毒液，人的皮肤接触后会起水泡。可供药用。危害农作物。

【斑斓】灿烂多彩。㊀色彩～。

【斑疹伤寒】由立克次体引起的急性传染病。由虱或跳蚤传播。主要症状是持续高热、头痛、眼结膜充血及出现红色皮疹，甚至血斑。注射疫苗可预防。

瘢 bān 斑点状的皮肤病的通称。

般 ㊀ bān 种；样。㊀百～刁难|磐石～的稳固。
㊁ bō (74页)。
㊂ pán (736页)。

搬 bān 移动；迁移。㊀～运|～家。

【搬弄】❶挑拨。㊀～是非。❷卖弄。㊀～小聪明。

【搬起石头打自己的脚】比喻自作自受，自食恶果。

瘢 bān 创伤或疮疤愈合后在皮肤上留下的痕迹。㊀刀～|疮～|～痕。

斒☒ bān 颜色、花纹丰富多彩。㊀～斓。

bǎn ㄅㄢˇ

阪 bǎn ❶同“坂”。❷高低不平而又瘠薄的地。㊀～田。❸见〔大阪〕(163页)。

【阪上走丸】泥丸在斜坡上滚转。比喻形势发展迅速或工作进行顺利。《汉书·蒯通传》：“则边城皆将相告曰‘范阳令先下，而身富贵’，必相率而降，犹如阪上走丸也。”

坂(*岅) bǎn 山坡；斜坡。㊀岭～。

板(❼闆) bǎn ❶片状的较硬的物体。㊀石～|纤维～。❷指旧时店铺的门板。㊀店铺上～儿了。❸击乐器。击之以表示节奏。也指戏曲音乐的节拍。㊀檀～|慢～。❹(土壤)变硬。㊀地发～。❺收起笑容，表情严厉。㊀～着脸。❻不灵活。㊀呆～。❼“老板”的“板”。

【板书】在黑板上写字，也指在黑板上写的字。

【板块】❶见〔板块构造学说〕(32页)。❷比喻若干具有相同特点或内在联系的事物的集合体。㊀科技～。

【板胡】拉弦乐器。琴筒多用椰壳制成，面板用桐木。两根弦。音色高亢。是梆子戏等地方戏曲的主要伴奏乐器，也用于独奏及合奏。

【板结】土壤因缺乏有机质，结构不良，灌水、降雨后变硬的现象。

【板栗】落叶乔木。叶椭圆形，花黄白色。果实即栗子，生于球形有刺的壳斗中，成熟时壳斗裂开而散出，可供食用。

【板鸭】盐渍并压成板状后风干了的鸭子。

【板眼】❶指戏曲音乐中的节拍。强拍击板，叫板，次强拍和弱拍击鼓，叫眼。合称板眼。❷比喻条理、办法等。

【板滞】指文章、图画或神态等呆板。

【板鼓】也叫单皮鼓。击乐器。鼓框用坚硬的厚木合成，中央开小圆孔，称鼓心。鼓面全部蒙猪皮或牛皮。用双签敲击鼓心，发音清脆。是戏曲及民间吹打乐中起领奏作

B

用的重要乐器。

【板门店】地名。位于朝鲜和韩国军事分界线西段靠朝鲜一侧。1951年7月到1953年7月朝鲜人民军和中国人民志愿军代表同美国军队代表在此举行朝鲜停战谈判，签订了《停战协定》。

【板羽球】由贵州苗族民间游戏改创的一种体育运动。长方形场地(长12米，宽4.50米，双打为6.50米)，中间横隔球网(高1.5米)。比赛用球拍为木制，球由三根白羽毛与木托或橡皮托制成。比赛规则与羽毛球相似。

【板蓝根】二年生草本植物。第一年只长基生叶，较大，长椭圆形；第二年抽茎，总状花序，花小，黄色。根(板蓝根)、叶(大青叶)入药，能清热、凉血、解毒等。

【板块构造学说】关于大地构造的一种学说。是在大陆漂移说和海底扩张说的基础上发展起来的。认为岩石圈被一些构造带，如海岭、海沟等，分割成许多称为板块的单元。板块在软流层上漂移。该学说能很好地解释高大山脉、海沟、岛弧、火山、地震的形成和分布。

畈☒ bǎn 大。

版 bǎn ❶上面有文字或图形供印刷用的底版。㊀排～|铜～。❷书籍每排印一次叫一版。㊀初～|修订～。❸报纸的一面叫一版。㊀头～头条。❹户籍。㊀～图。❺筑墙时用的夹板。《考工记》:“版崇二尺，长六尺。”墙的尺寸多以版为基数进行计算。㊀～筑。

【版本】同一部书的不同本子。一般以出版单位、出版年月、装帧形式、印装方法等的不同作为不同版本的标志。

【版权】❶出版者权。❷即“著作权”(1297页)。

【版次】书籍出版的次数。用以标明图书版本的重要变更。第一次出版的叫初版或第一版。如内容有修改，重排出版的叫第二版，以下类推。

【版画】运用刀、笔或化学腐蚀液在木版、石版或铜版等版面上刻画或腐蚀后印出的复制图画。

【版图】原指户籍和地图。今泛指国家的疆域。

【版面】❶书报杂志上每一页的整面。❷报刊编排稿件的布局。

【版税】作品的使用者给作者或其他著作权人支付报酬的一种方式。多用于图书出版。其计算方法是:图书定价×一定的百分比×图书销售数。一定的百分比叫版税率，它没有固定标准，通过协商议定。

【版筑】打土墙的一种方法。先按墙的宽窄要求在两边立板，然后向两板之间填潮湿泥土，夯实后去板成墙。后泛指土木营造之事。

钣(鈑) bǎn 金属板材。㊀钢～|～金工。

舨 bǎn 见〔舢舨〕(855页)。

bàn ㄅㄢˋ

办(辦) bàn ❶处理；料理。㊀～事|～个手续。❷经营；建设。㊀民～公助|大～农业。❸购置；备办。㊀～货|～酒席。❹处罚；惩罚。㊀首恶必～。❺指作为行政机构的办公室。㊀招生～|外～。

【办学】兴办学校。㊀集资～。

【办班】举办学习班、培训班等。

【办案】❶办理案件。❷查寻缉捕罪犯。

【办公自动化系统】以电子计算机为中心，把文字处理机、传真机、智能打印机以及会议电视等有机结合起来的系统，以在办公事务范围内最大限度地实现以机械代替人工完成各项工作。

半 bàn ❶二分之一。㊀年过～百(五十多岁)。❷在…中间。㊀～山坡|～辈子。❸不完全的。㊀～透明|～成品。

【半岛】伸入海中或湖中的陆地。三面临水，一面与陆地相连。如中国的辽东半岛、雷州半岛。

【半拉】〈方〉半个；半边。㊀～蛋糕。

【半径】连结圆心和圆周上任何一点的线段。

【半音】音乐上把一个八度音划分为十二个等份，两个相邻音之间的音程叫半音。

【半票】半价的门票、车票、船票、飞机票等。

【半影】影中的半暗部分。即大面积光源发出的光被物体遮挡，有一部分不能透过而形成的影区。

【半元音】发音时声带颤动，气流较弱，摩擦较小，介于元音与辅音之间的一种辅音。如汉语拼音 yi [ji]、wu [wu]、yu [ɥy]开头的 y[j]、w[w]、y[ɥ]。

【半边人】旧指丧失伴侣的人，鳏夫或寡妇。

【半边天】指广大妇女。

【半成品】也叫半制品。指制造过程未全部结束有待进一步加工或装配的产品。

【半吊子】旧时制钱一千叫一吊，半吊是五百。常用来指不通事理或知识、技艺不到家的人。

【半导体】❶导电性能介于导体和绝缘体之间的物质。如锗、硅以及某些化合物。杂质含量的多少会使半导体的导电性能发生显著变化。半导体和金属不同，它的电阻随温度升高而迅速减小。广泛用于电子工业等方面。❷半导体收音机的简称。

【半规管】人和脊椎动物内耳迷路的组成部分。为三个互相垂直的半圆形小管。半规管一端稍膨大处有位觉感受器，能感受旋转运动的刺激，能引起运动感觉和姿势反射，以维持运动时身体的平衡。

【半翅目】昆虫纲的一目。此目的昆虫通称蝽(chūn)或椿象。体扁平。口器长喙状，适于刺吸。前翅基半部革质，端半部膜质；后翅全部膜质或退化。后足基节旁有挥发性臭腺的开口，遇敌时放出臭气。种类很多，如各种椿象、臭虫、田鳖等，其中食虫椿象等是益虫。

【半透膜】能选择性地通过较小的粒子的薄膜。如细胞壁、羊皮纸及人工制的胶棉、树脂薄膜等。可用于渗透溶胶和测定渗透压等。生物通过半透膜来吸取养分。

【半衰期】放射性元素在衰变过程中，其放射性核的数目衰变到原有的一半所需的时间。是放射性元素的一个特性常数，一般不随元素质量的多少、外界条件的变化以及元素所处状态的不同而改变。

【半瓶醋】比喻对某种知识或技术一知半解的人。

【半工半读】❶一部分时间工作一部分时间在校学习。❷指一部分时间工作，一部分时间读书的教育制度。

【半斤八两】旧制一斤合十六两，半斤等于八两。比喻彼此一样，不相上下(多含贬义)。

【半低元音】也叫半开元音。发音时口腔开得比低元音略小，舌位比低元音略高的元音。如普通话语音中的 ê。

【半身不遂】即“偏瘫”(750 页)。

【半坡遗址】中国新石器时代仰韶文化重要遗址。在陕西西安。距今约六千年。反映了中国古代先人穴居方式演进的原始聚落聚居形态。自 1953 年发掘以来，已发现居住建筑基址 46 座，结构形式多采用木构架绑扎方式。居住区东面为制窑场，北面为墓葬区，三个功能区域用壕沟分开。还出土了大量的彩陶器皿、石制工具、骨制用品、装饰物及一陶罐菜籽。是全国重点文物保护单位。

【半途而废】中途停止。比喻做事不能坚持到底，有始无终。《礼记·中庸》：“君子遵道而行，半塗(途)而废，吾弗能已矣。”废：停止。

【半高元音】也叫半闭元音。发音时口腔开得比高元音略大，舌位比高元音略低的元音。如普通话单韵母中有 o、e。

【半推半就】指内心愿意，却扭捏作态，假意推辞。

【半殖民地】形式上独立自主，实际上在政治、经济、文化等方面都受帝国主义控制的国家和地区。如鸦片战争以后到新中国成立前的旧中国。

【半路出家】比喻中途从事另一性质的工作。

【半壁江山】国土的一半。多用以形容敌人大举入侵后被分割的国土的某一部分(侵占的部分或保存的部分)。

【半自动步枪】利用火药气体能量自动完成装填子弹、退壳的单发步枪。

伴 bàn ❶伴儿，同在一起并互相照顾的人。㊀结～。❷相陪。㊀～奏|～随。

【伴当】旧指跟在富人身边、随时为其服务的仆役。

【伴侣】关系亲密的同伴。多指夫妻。

【伴随】跟着；随同。

拌 bàn 搅和。㊀～种|把糖～进去。

【拌种】在播种前将种子与农药、菌肥等拌和。农药用以防治病虫害，菌肥作为种肥或接种剂。

【拌嘴】吵嘴。

绊(絆) bàn 行走中腿脚被缠住或挡住。㊀～了一跤。

【绊脚石】比喻阻碍前进的东西。

柈 ㊁ bàn 柈子，大块的木柴。
㊀ pán (736 页)。

靽 bàn 古代架车时套在牲口后部的皮带。

B

扮 bàn ❶化装。㊞～演｜女～男装。❷面部装成(某种样子)。㊞～鬼脸。

【扮相】演员化装成剧中角色后的形象。

【扮演】演员装扮成某一角色出场表演。

瓣 bàn ❶组成花朵的花片。㊞花～。❷种子、果实或球茎可以分开的小块。㊞豆～｜蒜～。❸物体自然分成或碎成的部分。㊞～腮｜一个碗摔成两～儿。❹量词。用于花瓣、叶片或种子、果实、球茎分开的小块儿。㊞两～儿蒜｜三～儿橘子。

【瓣膜】人和脊椎动物心血管系统中为防止心脏或血管、淋巴管中血液或淋巴的逆流而形成的膜状结构。瓣膜只能朝一个方向开启,以保证血液或淋巴按一定的方向流动。

bāng ㄅㄤ

邦 bāng 国。㊞友～｜邻～。

【邦交】国和国之间的正式外交关系。

【邦联】两个或两个以上国家为达到军事、贸易或其他共同目的而组成的国家联合。它保持各自国家的独立,没有统一的最高立法机关和行政机关,没有统一的军队、赋税、预算、国籍等。现在的欧洲联盟,实际上就是邦联的一种形式。

【邦克楼】也叫唤醒楼、看月楼。清真寺中塔状或塔楼状建筑物。中国遗存最早的邦克楼是广州怀圣寺光塔,为唐末或北宋时所建。

帮(幫 *幇 *幚) bāng ❶帮助。㊞他～我学外语。❷物体旁边或周围的部分。㊞鞋～｜船～｜桶～。❸白菜等蔬菜外层较老、较厚的叶子。㊞菜～。❹群,伙;为了一定的目的而结成的集团。㊞搭～｜匪～。❺量词。用于成群、成伙的人。㊞一～学生｜一～无赖。

【帮工】❶旧指受雇佣的人。如中国旧时农村的短工,欧洲封建社会受作坊主或行东(即行会师傅)雇佣的手工业工人等。❷现指临时帮助劳动的人。

【帮凶】帮助行凶作恶的人。

【帮办】❶旧指帮助主管人员办理事务,也指从事这种工作的人。❷某些国家一种辅助主管官员工作的属官。如美国有助理国务卿帮办、助理国防部长帮办等。

【帮会】旧中国封建性的民间秘密组织的总称。如哥老会、大刀会、青帮等。

【帮闲】指受官僚、地主、资本家豢养,陪他们玩乐,为他们帮腔、跑腿的人。

【帮衬】帮忙;从经济上给以帮助。

【帮腔】❶某些戏曲剧种中演唱的一种形式。多为后台的人给上场的演员帮唱,主要用以刻画剧中人物的心情或渲染舞台气氛。❷比喻帮人说话。

啷 □ bāng 拟声词。敲打木头的声音。

梆 bāng 拟声词。敲击木头的声音。㊞～的一声｜～～响。

【梆子】❶用木头或竹筒做成的一种响器。常用于打更等。❷击乐器。硬木制。是梆子腔的主要乐器之一。❸戏曲声腔。即梆子腔。因用打击乐器硬木梆子加强节奏而得名。也作为用梆子腔演唱的剧种的统称。有陕西梆子(秦腔)、山西梆子(晋剧)、河北梆子、河南梆子(豫剧)、山东梆子等。

浜 bāng 〈方〉小河。㊞河～。

垹 ☒ bāng 捍卫。

bǎng ㄅㄤˇ

绑(綁) bǎng 捆扎。㊞捆～｜～担架。

【绑架】用强力把人劫走。

【绑票】绑匪把人劫走,然后让被绑者的家属出钱赎人。

【绑腿】裹腿的布带。

榜(*牓) bǎng ❶贴出的文告或名单。㊞～文｜光荣～。❷匾额。㊞～额｜题～。

【榜文】旧时官府张贴的文告。

【榜样】值得学习和效法的人或事。

【榜眼】科举考试中,殿试录取一甲(第一等)二三名均称榜眼,意指榜中之双眼。后专指第二名。始于宋代。

膀(*髈) ㊀ bǎng 胳膊上部靠肩的部分。㊞～大腰圆。
㊁ pāng (737 页)。
㊂ páng (738 页)。
㊃ bàng (35 页)。
"髈",另音 pǎng (738 页)。

【膀臂】❶胳膊。❷比喻得力的助手。

bàng ㄅㄤˋ

蚌 ㊀ bàng 软体动物。用鳃呼吸，有两扇坚硬的石灰质的壳。生活在淡水中。肉可食，壳可制装饰品或供药用。有的蚌，壳内能产珍珠。
㊁ bèng (50 页)。

棒 bàng ❶棍子。[例]木～。❷强壮；好。[例]身体～|写得真～。

【棒子】❶棍子。❷〈方〉玉米。

【棒球】❶球类运动项目之一。球场成直角扇形，分内场和外场两个部分。内场为正方形(27.43 米×27.43 米)，四角设有四个垒位。比赛时每队上场 9 人，攻方队员在本垒上用棒击球后，依次经一、二、三垒安全返回本垒为得分。❷棒球运动使用的球。

【棒喝】❶佛教禅宗某些派别接待参禅初学者的手段之一。即对于所问往往不作正面答复，或以棒打，或大喝一声，以验其是否聪颖，或暗示和启悟对方。❷比喻促人猛醒的警告。[例]当头～。喝(hè)。

蜯⊠ bàng 同“蚌(bàng)”。

棓□ ㊁ bàng 同“棒”。
㊀ bèi (46 页)。

稖□ bàng〔稖头〕〈方〉玉米。

傍 bàng 靠近；临近。[例]依山～水|～晚。

【傍晚】临近晚上的时候。

谤(謗) bàng 攻击人，说人坏话。[例]毁～|诽～。

塝□ bàng〈方〉田边土坡。多用于地名，如张家塝(在湖北)。

搒 ㊀ bàng 划船。
㊁ péng (745 页)。

蒡 bàng 见〔牛蒡〕(723 页)。

膀 ㊃ bàng 见〔吊膀子〕(212 页)。
㊀ bǎng (34 页)。
㊁ pāng (737 页)。
㊂ páng (738 页)。

磅 ㊀ bàng ❶英制质量单位。1 磅合 0.4536 千克。❷用磅秤量(liáng)。[例]把东西～一～。
㊁ páng (738 页)。

【磅秤】秤的一种。用金属制成，有固定的底座。旧时这种秤多用磅作单位，故名。

镑(鎊) bàng 英语音译词。爱尔兰、埃及、黎巴嫩、苏丹、叙利亚、以色列、英国等国的本位货币均译为镑。

bāo ㄅㄠ

包 bāo ❶裹起来；围拢。[例]～扎|～装|～围。❷装东西的口袋。[例]书～。❸平面上凸起的半球形物体；鼓起的疙瘩。[例]山～|腿上起了一个～。❹包括；包含。[例]无所不～。❺把整个任务承担起来。[例]～教～学。❻约定专用。[例]～车|～场。❼保证；担保。[例]～你满意。❽量词。用于成包的东西。

【包扎】包裹捆扎。[例]～伤口。

【包公】即“包拯”(35 页)。

【包办】❶遇事不同有关人员或有关方面商量而独自作主办理。[例]～代替。❷一手负责；全部办理。[例]这件事儿你就～到底吧！

【包孕】包含。

【包围】❶四面围住。❷军队向敌人翼侧和后方进攻，以求围歼敌人的行动。也指对敌军作战所形成的态势。如三面包围或四面包围。

【包庇】袒护(坏人、坏事)。

【包拯】(999—1062)北宋政治家。字希仁，庐州合肥(今属安徽)人。曾任龙图阁直学士，历任江宁、开封等地知府。1061 年为枢密副使，卒于位，谥孝肃。为官以断讼明敏正直著称。立朝刚毅，贵戚宦官等为之敛手。著有《包孝肃公奏议》等。他的事迹在民间流传甚广。在小说、戏曲中被描绘成铁面无私的清官典型。民间称他为包公或包青天。

【包举】包容；统括。

【包租】❶低价租进房屋或田地等再高价转租给别人。❷不管年成好坏佃户都必须按规定数额交租。

【包厢】某些剧场里特设的单间席位，一间有几个座位，多在楼上。

【包银】❶元朝对汉民户所征的赋税项目。❷旧时戏班班主或戏院经理人同艺人订立定期演出合同时，付给演员的定额工资。

【包涵】客气话。请人原谅的意思。

【包袱】❶包裹着衣物的包儿。❷比喻思想

B

上的负担。

【包揽】把事情全部兜揽过来独自办理。

【包销】❶指商人承揽货物，负责销售。❷指商业机构跟生产单位订立合同，把全部产品包下来销售。

【包虫病】也叫棘球蚴病。由棘球绦虫的幼虫引起的寄生虫病。流行于牧区。可在肝、肺、脑等处形成包囊，大的如拳。寄生在脑中可出现失明和癫痫等。一旦包囊破裂则出现发热、荨麻疹等变态反应。

【包身工】旧时由于生活所迫，以低微的价钱包给包工头的童工。这些童工被送入工厂劳动，在被包期间，没有人身自由，工钱全部归包工头所有，只获得极少的生活必需品。

【包产到户】农村集体组织在坚持生产资料公有制的条件下，把农业生产任务按产量完全包给农户负责，超产奖励、减产受罚的一种管理办法。后进一步发展为包干到户，即大包干。参见〔家庭联产承包责任制〕(467页)。

【包罗万象】指内容丰富，应有尽有。

【包袱彩画】苏式彩画的俗称。因枋心绘有包袱皮状图案而得名。

【包藏祸心】内心怀着害人的坏主意。《左传·昭公元年》："将恃大国之安靖己，而无乃包藏祸心以图之。"

【包豪斯校舍】德国魏玛设计学院建筑群。建于1925—1926年，位于德国魏玛市。设计人为德国建筑师格罗皮乌斯。包括教学楼、实验工厂、行政办公楼、图书馆及学生宿舍等建筑。建筑形体及空间布局自由，外形简洁、体量得当。其处理技巧在以后的建筑设计中被广泛效仿。

垉□ bāo 用于地名，如大垉(在四川)。

苞 bāo 花未开时包着花朵的小叶片。㊀含～待放。

【苞苴】原指包裹鱼肉的蒲包，后转指赠送的礼物，再引申为贿赂。苴(jū)。

孢 bāo 孕育。

【孢子】某些生物所产生的具有繁殖或休眠作用的细胞。脱离母体后能直接或间接发育成新个体。孢子微小，由于性状不同，发生过程和结构的差异而有不同名称。如分生孢子、卵孢子等。

枹□ ㊀ bāo 枹树，也叫小橡子。落叶乔木。果长卵形，下有壳斗。

㊁ fú (288页)。

胞 bāo ❶胎衣。❷同父母所生的。㊀～兄｜～妹。❸同一个国家或同一个民族的人。㊀侨～｜台～。

【胞波】缅语音译词。同胞；亲戚。

炮 ㊁ bāo ❶一种烹饪方法。把原料放在热油锅中，用旺火急炒。㊀～羊肉。❷烘；烤。㊀把湿衣服～干。

㊀ páo (739页)。

㊂ pào (740页)。

龅(齙) bāo〔龅牙〕突出在嘴唇外的牙齿。

剥 ㊀ bāo 去掉皮壳。㊀～花生。

㊁ bō (74页)。

煲 bāo〈方〉❶壁较陡直，呈圆筒状的锅。㊀瓦～。❷一种烹饪方法。将食物和水放入煲内，用文火烧煮或熬。㊀～饭｜～汤。

褒(*襃) bāo 赞美；表扬。与"贬"相对。㊀～奖。

【褒扬】赞美颂扬。

【褒姒】周幽王的宠妃。

【褒贬】❶评论好坏。㊀～人物。❷贬(bian)。对人、对物有意往不好的方面说。㊀他总爱在背地里～人。

【褒义词】含有肯定、赞许等感情色彩的词。如教导、英勇、精品等。

【褒斜道】古代往来秦岭南北的重要通道。因取道褒水、斜水两河谷而得名。北起今陕西眉县西南斜谷关，南止褒城县北，道长235千米。

báo ㄅㄠˊ

雹 báo 冰雹的简称。

骲⊠ báo 骨制箭头。

薄 ㊀ báo ❶扁平物体上下两面之间的距离小。与"厚"相对。㊀～片。❷淡。㊀酒味～。❸(感情)冷淡。㊀待他不～。❹不肥沃。㊀～田。

㊁ bó (77页)。

㊂ bò (77页)。

謈⊠ báo 大声喊叫。

bǎo ㄅㄠˇ

饱(飽) bǎo ❶吃足了。与"饿"相对。❷足;充分。㊀～经忧患。❸满足。㊀以～眼福。

【饱和】❶在一定温度和压强下,溶液所溶解的溶质量达到最大限度,或空气中某物质的蒸气量达到最大限度,都叫饱和。❷指事物在一定范围内发展到最高限度。

【饱学】形容学问知识丰富。

【饱满】丰满;充足。㊀子粒～|精神～。

【饱和烃】碳原子间以单键结合,其余价键全部与氢原子结合的烃。包括烷烃和环烷烃。

【饱和蒸气】液体或固体与它的蒸气处于动态平衡状态(即从其表面上飞出的蒸气分子数跟同一时间内返回的分子数相等)时,这样的蒸气叫做饱和蒸气。它是同一温度下可能产生的密度最大的蒸气。

【饱和溶液】在一定温度下,一定量的溶剂里不能再溶解某溶质的溶液,为该溶质在该温度下的饱和溶液。

【饱经风霜】比喻经历了很多艰难困苦的磨练。风霜:比喻生活中的痛苦、挫折。

【饱食终日,无所用心】整天吃饱喝足,不动脑子,不干事。多用来形容某些养尊处优、好吃懒做、没有上进心和事业心的人。《论语·阳货》:"饱食终日,无所用心,难矣哉!"

宝(寶*寳) bǎo ❶珍贵的东西。㊀文房四～。❷贵重的。㊀～石。❸敬辞。用于称别人的。㊀～眷。

【宝贝】❶珍奇的东西。❷对孩子的爱称。

【宝石】经过加工可用于装饰的矿物。硬度较大,颜色美丽,有光泽,产量少。为氧的化合物和少数非金属单质矿物。最贵重的宝石有钻石、红宝石、蓝宝石、祖母绿等。

【宝库】比喻里面有许多珍贵东西的地方(多用在抽象方面)。㊀理论～|文化～。

【宝卷】中国古代说唱文学的一种。由唐代寺院中"俗讲"发展而成,流行于明、清。形式上以韵文为主,夹杂一部分散文。内容上早期多为佛教故事,明以后逐渐取材于民间故事或现实生活。如《梁山伯宝卷》等。

【宝城】古代环绕帝王陵丘用砖砌成的城。有圆形、方形之分。

【宝贵】有价值,非常难得。㊀新发现的这幅帛画非常～|～的经验。

【宝钞】中国元、明、清时代所发行的纸币的统称。

【宝座】原指帝王或神佛的座位,现喻指高贵的位子(多含贬义)。

【宝塔】塔的美称。过去佛教徒在塔上装饰金、银、琉璃等七种宝物,故名。今泛指塔。

【宝藏】❶指埋藏在地下的矿产。㊀开发地下的～。❷有待进一步发掘利用的财富。㊀民间艺术的～真是无穷无尽。藏(zàng)。

【宝莲灯】五幕民族舞剧。张肖虎作曲。取材于中国民间神话传说《劈山救母》。是中国第一部民族舞剧。

【宝成铁路】中国第一条电气化铁路。从陕西宝鸡,经陕甘边界,到四川成都,长 669 千米。北接陇海铁路,南连成渝和成昆铁路。绝大部分穿行于崇山峻岭之中,工程异常艰巨。是联系中国西南和西北的交通要道。

保 bǎo ❶守卫;保护。㊀～家卫国|～健。❷维持住。㊀～温|～住性命。❸担保;保证。㊀～外就医|准～没错。❹旧时一种被雇佣的人。㊀酒～。❺旧时户籍的编制单位。㊀～甲。

【保人】替人担保或作证的人。

【保卫】保护使不受侵犯;维护安全。

【保全】保卫维护,使不受损害。㊀～生命。

【保守】❶守旧,不接受新思想、新事物。㊀反对～。❷保持,不流传出去。㊀～国家机密。

【保安】❶维护社会治安,如防火、防盗等。❷保护工作人员安全,防止人身事故。㊀～制度。❸做保安工作的人。

【保护】照管护卫,使不受伤害。

【保证】❶担保。㊀～完成任务。❷起决定性作用或作为担保的事物。❸法律上指保证人和债权人约定,当债务人不履行债务时,保证人按照约定履行债务或承担责任的担保行为。

【保育】抚养、教育幼儿,使健康成长。

【保单】保险人与被保险人或投保人之间订立保险合同的书面证明。

【保函】担保人应申请人或委托人的请求,向收益人开出的一种无条件的或有条件的保证文件。保证当收益人按保函规定完成了某种特定义务时,申请人或担保人将履行保函规定的责任和义务。

【保姆】雇请到家里来照管儿童或帮做家务事的妇女。

【保驾】原指保卫皇帝。现指护卫某人(多用于开玩笑的场合)。

【保持】维持住,使不消失或减弱。

【保荐】担保并负责推荐(他人)。

【保重】(请别人)注意健康或安全等。

【保养】❶保护调养。㊀~身体。❷维护修理。㊀把机器~好。

【保洁】保持环境清洁。㊀~公司。

【保险】❶保险法上专指投保人根据合同约定向保险人支付保险费,保险人对于合同约定的可能发生的事故因其发生所造成的财产损失承担赔偿保险金责任,或当被保险人死亡、伤残、患病或达到合同约定的年龄、期限时承担给付保险金责任的商业保险行为。分财产保险和人身保险。除法律、行政法规规定必须保险的以外,保险公司和其他单位不得强迫他人订立保险合同。❷稳妥可靠。㊀这样做比较~。

【保健】为增进健康、防治疾病所采取的医疗预防和卫生防疫措施,如劳动保健、妇幼保健等。

【保留】❶留着;保存下来。❷指对不同的意见暂时不作处理,待以后解决。❸表示对决议不赞同或有异议。㊀他对这种作法有~。

【保密】保守机密或秘密,不使泄露出去。

【保释】取保候审的旧称。

【保障】❶保护防卫,使不受侵犯和破坏。❷起保障作用的事物。

【保墒】保持土壤中的水分。耙耘、镇压、中耕、覆盖等都有保墒作用。

【保镖】为别人护送财物或保护别人人身安全。也指做这种事的人。

【保安族】中国少数民族之一。人口 1.2 万(1990 年)。分布在甘肃省临夏回族自治州。有本民族语言,兼通汉语文。多信奉伊斯兰教。以农业为主,兼营手工业。

【保护伞】比喻起庇护作用的后台。

【保护色】动物身上的颜色和它的栖息环境颜色相近,有隐蔽的作用,这种体色叫做保护色。

【保护国】被迫接受他国"保护"的国家。是殖民统治的一种形式。帝国主义国家用强力迫使其他国家签订不平等条约,把这些国家置于自己的控制之下,使其完全失去独立自主,成为被保护国(通常译为保护国)。

【保证人】具有代替债务人清偿债务能力的法人、其他组织或公民。国家机关以及学校、幼儿园、医院等以公益为目的的事业单位、社会团体不能作保证人。

【保皇派】拥护帝制、维护皇帝的政党、派别。

【保险丝】一种用铅、锡、铋等金属制成的低熔点合金导线。当电路上通过的电流超过所允许的数值或发生短路时,保险丝熔断,切断电源,以保护电器设备。

【保险费】投保人根据保险合同的有关规定,为被保险人取得因约定保险事故发生所造成的经济损失的给付权利,而付给保险人的费用。

【保真度】也叫逼真度。通常指无线电接收机在其输出端复现其输入信号的精确程度。它是无线电接收机的质量指标之一。保真度愈高,输出的语言、音乐就愈逼真。

【保税区】经主权国家的海关批准,在其海港、国际机场或其他口岸设立的允许外国货物不办理进口手续就可长期储存的区域。

【保龄球】也叫地滚球。❶室内体育运动项目之一。源于法国。球道长 1 915.63 厘米,宽 104.2—106.6 厘米,球道两边有 24.1 厘米的球沟,球道的终端放置有摆成三角形的 10 个木瓶。比赛者轮流投球撞击木瓶,每人连续投击两球为 1 轮,10 轮为一局。击倒一个木瓶得 1 分,依次类推,得分多者为胜。❷保龄球运动使用的球。实心,由塑胶或塑胶混合物制成。

【保甲制度】国民党统治时期基层政权组织制度。1932 年开始建立,1934 年推行到全国。规定每户设户长,十户为一甲,设甲长;十甲为一保,设保长。实行各户互相监视和互相告发的连坐法,以及各项强迫劳役、征抽壮丁的办法,层层进行管制。

【保外就医】被判处有期徒刑或拘役的罪犯,患有严重疾病,经批准取保在监外医治。是暂予监外执行的法定情形之一。保外就医期间计入刑期。刑期未满疾病已痊愈的应及时收监。

【保守疗法】在观察病情发展和寻找根本治疗途径过程中,为维持病人生命机能和恢复其一般健康所采取的治疗方法。常用于外科疾病。

【保险公司】依据保险法和公司法设立的非银行金融机构。采取股份有限公司和国有独资公司的形式。

【保险责任】保险单上载明的危险事故发生造成保险标的损失或约定人身保险事件发生时，保险人所承担的赔偿或给付责任。

【保险金额】投保人或被保险人对保险标的的实际投保金额。

【保健食品】具有特定保健功能的食品。适宜于特定人群食用，具有调节机体功能，不以治疗疾病为目的。如维生素、钙及其他微量元素、鱼油、灵芝、人参等制品。

【保国寺大殿】保国寺中的主殿建筑。始建于宋大中祥符六年(1013)，在浙江宁波灵山。为中国南方仅存的几座宋代木构建筑之一。是全国重点文物保护单位。

葆 bǎo ❶保持。㊀永～青春。❷草木茂盛。

堡 ㊀ bǎo 土筑的小城。也泛指军事上构筑的工事。㊀碉～。

㊁ bǔ (79 页)。

㊂ pù (765 页)。

【堡垒】❶在军事要冲地点作防守用的坚固工事。❷比喻要用很大力气才能攻破的事物。㊀科学～。

媬☒ bǎo 古代抚养、教育贵族子弟的妇女。㊀～傅。

褓(*緥) bǎo 见〔襁褓〕(787 页)。

鸨(鴇) bǎo 鸟类。比雁略大，背上有褐色和黑色斑纹，常群栖草原地带，善走不善飞。是中国国家重点保护动物。

【鸨母】也叫老鸨。开设妓院的女人。

bào ㄅㄠˋ

报(報) bào ❶传达；告诉。㊀～告|～名。❷传达新闻、消息的文字或信号。㊀～纸|捷～|电～。❸某些刊物。㊀周～|学～。❹报答；报复。㊀～恩|～仇|～应。

【报刊】报纸和杂志的合称。

【报业】报纸编辑出版事业。㊀～集团。

【报告】❶向上级陈述意见、事情。❷就某专题向群众作系统地讲述。

【报应】佛教用语。本指由某种原因而得某种结果，后多用来指因作恶而得恶报。

【报纸】以刊载新闻、评论为主的散张定期出版物。多指日报。

【报表】向上级报告情况和数字的表格。

【报国】为祖国尽忠效力。

【报复】有意识地对曾经使自己利益受到过损害的人进行打击。

【报晓】指用声音让人知道已经天亮。㊀公鸡～。

【报效】为报答对方给自己的好处而尽力。

【报案】公民就已经发生的刑事案件报告给公安机关或司法机关。

【报捷】报告胜利的消息。

【报偿】报答和补偿。

【报章】报纸。

【报销】将开支款项或用坏作废的物件向财务部门办理审定结清或销账手续。

【报道】也说报导。❶通过报纸、广播、电视等形式把新闻告诉群众。❷用书面或广播形式发表的新闻稿。㊀这篇～写得很生动。

【报酬】作为代价而付给的钱或实物。

【报警】向有关部门报告危急情况。

【报务员】专做收发电报工作的人。

【报仇雪恨】报冤仇，解愤恨。

【报告文学】散文的一种。指以现实生活中具有典型意义的真人真事为题材，没有虚构的情节，经过艺术加工而写成的作品。它兼有文学和新闻两种特点，能够迅速生动地反映现实生活。

刨(*鉋*鑤) ㊁ bào ❶刨子或刨床。❷用刨子或刨床对材料进行刮削。

㊀ páo (739 页)。

【刨冰】一种把冰刨成碎屑加上果汁的冷饮。

【刨床】一种金属切削机床。用刨刀刨削工件，加工平面、沟、槽等。有牛头刨床(加工时刨刀作往复运动)和龙门刨床(加工时工件作往复运动)等。

抱 bào ❶用手臂围住；围绕。㊀～起孩子|这个村子三面～水。❷领养(孩子)。㊀～来的孩子和亲生的一样。❸(心中)存有；(身上)带有。㊀～恨|～病。❹孵。㊀～小鸡。

【抱负】志向和愿望。㊀～不凡。

【抱柱】《庄子·盗跖》:“尾生与女子期于梁下，女子不来，水至不去，抱梁柱而死。”后来人们用“抱柱”比喻坚守信约。
【抱怨】心有不满；埋怨。
【抱恨】心中怀有遗憾。恨：不称心。
【抱病】带病。
【抱厦】也叫龟头屋。中国古代木构建筑中沿房屋外柱出挑的门廊或房间。
【抱愧】心中感到惭愧。
【抱歉】表示对不起人，心中过意不去。
【抱不平】看到别人受到不公平的待遇时，产生愤慨情绪。
【抱佛脚】谚语说：“平时不烧香，急来抱佛脚。”意思说平时不作准备，事到临头才慌忙应付。省说为抱佛脚。
【抱鼓石】也叫门石鼓。中国古代建筑的一种石质构件。因其侧面常有鼓状纹样而得名。多设在大门门柱前，用于固定门柱。常见的有方形和圆形两种。正面、上面、侧面均施雕刻，正面一般雕如意和宝相花，上面常雕兽面，两侧多为麒麟、松竹梅等。
【抱头鼠窜】形容慌张逃走的狼狈相。宋苏轼《拟侯公说项羽辞》：“夫陆贾天下之辩士，吾前日遣之，智穷辞屈，抱头鼠窜，颠狈而归，仅以身免。”
【抱关击柝】指守关巡夜的人。也泛指地位低微的小吏。《孟子·万章下》：“辞尊居卑，辞富居贫，恶乎宜乎？抱关击柝。”抱关：守关。击柝(tuò)：击木梆巡夜打更。
【抱瓮灌畦】也说抱瓮灌圃。《庄子·天地》里记载一个汉阴老头宁愿抱瓮打水浇田，也不愿采用当时较先进的灌溉技术的故事。后来人们借这个故事讽喻安于现状，不求改进的保守思想。
【抱残守缺】抱住残缺的东西，不肯放弃。比喻因循守旧，不愿接受新事物。清江藩《汉学师承记·顾炎武》：“二君以瑰异之质，负经世之才…岂若抱残守缺之俗儒，寻章摘句之世士也哉。”
【抱薪救火】用抛掷木柴击火的办法灭火。比喻方法不对，反而使祸害扩大。《史记·魏世家》：“且夫以地事秦，譬犹抱薪救火，薪不尽，火不灭。”抱：抛掷。薪：柴草。

萢□ bào 同“抱”④。

鲍(鮑) bào 也叫鲍鱼、鳆、石决明。软体动物。有一个椭圆形的贝壳。生活在海中。肉可食。贝壳供药用。
【鲍鱼】❶即鲍。❷古指咸鱼。

鞄⊠ ㊀ bào 制革工人。
㊁ páo (739 页)。

趵 ㊀ bào 跳跃。
㊁ bō (74 页)。
【趵突泉】位于山东省济南市旧城西门外。是泺水的源头。为济南市的名胜之一。

豹 bào 哺乳动物。像虎而较小，大小因种类而异。体一般有黑色斑点或花纹，性凶猛，善奔走。是中国国家重点保护动物。如金钱豹、雪豹、云豹等。
【豹猫】也叫山猫、狸子。哺乳动物。体形如猫。全身浅棕色，有许多褐色斑点。两眼内缘向上各有一白纹。食鸟、小兽和果实等。广布于中国南北各地。

暴 ㊀ bào ❶突然而猛烈。㊍～风雨｜山洪～发。❷急躁。㊍脾气～。❸凶狠；残酷。㊍～行。❹糟蹋；残害。㊍自～自弃。❺显现出来。㊍～露。
㊁ pù (765 页)。
【暴力】❶强制的力量。❷特指国家的强制力量。㊍对于敌对阶级，军队、警察、法庭是一种～。❸武力。㊍～事件。
【暴动】为反抗当时的统治制度而采取的集体武装行动。
【暴行】残暴凶恶的行为。
【暴乱】破坏公共财产和社会秩序的武装骚动。
【暴利】非法取得的巨额利润。
【暴君】专横残暴的君主。
【暴雨】24 小时内降雨量在 50—100 毫米的雨。也指大而急的雨。
【暴卒】突然死亡。
【暴戾】残酷；凶恶。戾(lì)。
【暴政】指残酷地剥削、压迫人民的政治措施。
【暴虐】凶狠残酷。虐：残忍。
【暴徒】用强暴手段侵害别人、扰乱社会秩序的人。
【暴病】突然发作、病情严重到危及生命的病。
【暴跌】价格、声誉等大幅度下降。
【暴躁】遇事好发急，不能控制感情。
【暴露】显露，使隐蔽的事物公开。
【暴发户】指以不正当的手段或由于意外的机会突然发财或得势的人或人家。
【暴涨潮】即“怒潮”①(727 页)。
【暴风骤雨】来势迅猛的风雨。比喻声势浩大、发展迅猛的群众运动。

【暴虎冯河】比喻有勇无谋，冒险蛮干。《论语·述而》："暴虎冯河，死而无悔者，吾不与(赞许)也。"暴虎：不乘车而与虎搏斗。冯(píng)河：不乘船而徒步过河。

【暴戾恣睢】残暴凶狠，胡作非为。《史记·伯夷列传》："暴戾恣睢，聚党数千人横行天下。"恣睢(zìsuī)：放纵，任意干坏事。

【暴殄天物】《尚书·武成》："暴殄天物，害虐烝民。"原意是灭绝、残害天生之物。今指任意糟蹋东西。殄(tiǎn)：毁害。

【暴跳如雷】形容大发脾气。

【暴露无遗】全部暴露出来。

瀑 ㊁ bào 暴雨。
㊀ pù (765 页)。

曝 ㊁ bào 义同"曝(pù)"。
㊀ pù (765 页)。

【曝光】❶感光材料产生光化作用并形成潜影的过程。经冲洗、处理后即呈现可见的影像。❷比喻把隐秘的不光彩的事情暴露出来。

犦☒ bào 也叫犎(fēng)、封牛、峰牛。一种野牛。颈上有高起二尺多的峰，形似骆驼。

爆 bào ❶猛然炸裂。㊥～炸|～破。❷出人意料地出现或发生。㊥～冷门|～满。❸一种烹饪方法。一般是把原料放入坐在旺火上的沸油锅中急炒过油，随后放进调料再翻炒几下出锅。北方也指把牛肚一类的原料放入沸水中略煮。

【爆发】❶突然发作；突然发生。㊥火山～。❷矛盾尖锐化，采取外部对抗的形式表现出来。㊥～革命。

【爆竹】也叫炮仗、爆仗。用纸紧裹火药，两头堵死，通过点着引火线引起燃烧爆炸发声的东西。常用于除旧迎新等欢庆场合，但由于燃放时会产生污染或引起火灾、伤人，现在很多城市已禁止燃放。

【爆炸】❶物质发生变化的速度急剧增加，并在极短时间内放出大量能的现象。主要由化学反应或核反应引起。爆炸时，温度与压力急剧升高，产生爆破或推动作用。常用于军事、采矿、筑路等方面。❷形容数量急剧增加，突破极限。㊥信息～。

【爆破】用炸药的爆炸威力破坏物体。军事上用以杀伤敌人，炸毁敌方技术兵器，破坏军事目标等。经济建设中用于采矿、筑路和兴修水利等。

【爆棚】❶爆满。❷轰动性的。㊥～新闻。

【爆满】(公共场所的观众、听众等)满员，难以再容纳。㊥近几天这个影院场场～。

【爆发音】即"塞音"(849 页)。

【爆炸极限】可燃性物质(气体或粉尘)与其他气体(如空气)混合，发生爆炸时的组成范围。一般用可燃性物质的体积分数或质量密度表示。如氢气 4.1%—72.4%(体积分数)；亚麻粉尘 16—50 克/米^3(质量密度)。

虣☒ bào ❶猛兽。❷同"暴(bào)"。暴虐。

㬥☒ bào 同"暴躁"的"暴"。

bēi ㄅㄟ

陂 ㊀ bēi ❶池塘。㊥～塘|～池。❷池塘的岸。❸山坡。
㊁ pí (748 页)。
㊂ pō (759 页)。

杯(*盃*桮) bēi ❶一种盛液体的容器。多为圆柱状。㊥酒～。❷杯状的锦标。㊥考比伦～。

【杯珓】古代迷信的人用以占卜吉凶的器具。

【杯葛】英语音译词。杯葛原系查利·杯葛(1832—1897)，他是英国地主的一个代理人。1880 年因虐待爱尔兰的佃农，遭到佃农的反对，大家一致决定和他断绝来往。此后英语中就用杯葛一词来指一种斗争形式，即一方和另一方断绝政治或经济关系。

【杯赛】体育比赛的一种。以某种奖杯命名。如戴维斯杯网球赛、世界乒乓球锦标赛中的各项冠军赛等。

【杯弓蛇影】《晋书·乐广传》记载，乐广有一次请客吃饭，挂在墙上的弓照在酒杯里，有个客人以为是蛇，回家就病了。后用以比喻疑神疑鬼，自相惊扰。

【杯水车薪】《孟子·告子上》："今之为仁者，犹以一杯水救一车薪之火也。"比喻无济于事，解决不了问题。薪：柴草。

【杯盘狼藉】形容宴饮将毕或已毕，桌上杯盘碗筷等乱七八糟的样子。狼藉(jí)：杂乱的样子。

卑 bēi ❶位置或地位低下。㊥地势～下|尊～。❷品质低劣。㊥～劣。❸谦恭。㊥～恭|谦～。

【卑劣】(品质、言行等)卑鄙恶劣。

【卑污】品质卑劣,心地肮脏。
【卑贱】❶旧指出身或地位低下。❷卑鄙下贱。
【卑鄙】(品质、言行)恶劣、不道德。
【卑微】地位低下,没有权势。
【卑亲属】从己身下衍的亲属。即子女及其同辈以下的亲属。包括子女、孙子女、外孙子女、侄子女、外甥子女。
【卑以自牧】保持谦虚的态度以提高自己的修养。《周易·谦》:"谦谦君子,卑以自牧。"牧:养。
【卑礼厚币】谦恭的礼节,丰厚的币帛。表示聘请人的郑重殷切。《史记·魏世家》:"惠王数败于军旅,卑礼厚币以招贤者。"
【卑躬屈膝】也说卑躬屈节。形容低声下气,奉承讨好的样子。卑躬:弯腰。屈膝:下跪
【卑谄足恭】以过分的低声下气、恭顺逢迎之态去巴结、讨好他人。《史记·五宗世家》:"彭祖为人巧佞卑谄,足恭而心刻深。"谄(chǎn):巴结奉承。足(jù):过分。

椑 ㊀ bēi〔椑柿〕古书上说的一种植物。果实似柿而小,色青黑,可以制柿漆。
㊁ pí (749页)。

碑 bēi 石碑,上面刻有文字或图画,用作纪念物或标志物。㊀纪念～|里程～。
【碑文】刻在碑上的文字;准备刻在碑上的或从碑上抄录、拓印的文字。
【碑记】刻在石碑上的记事文章。
【碑林】藏有众多石碑的地方。西安碑林在陕西西安市内,创建于宋哲宗元祐五年(1090),内藏汉魏至近代的各种石刻一千几百方。现为陕西省博物馆的一部分。
【碑帖】石刻、木刻文字的拓本或印本,多供欣赏或习字时临摹用。
【碑碣】古代把长方形的碑石称碑,圆顶形的称碣。后多不分,碑碣成为各种形制的碑石的统称。
【碑额】碑的上端。

鹎(鵯) bēi 鸟类。种类很多。羽毛多为黑色。大多成群活动,食野生浆果和昆虫。常见的白头翁就是鹎的一种。

箄☒ bēi 捕鱼的竹器。

背(*揹) ㊁ bēi ❶用背驮东西。㊀～柴。❷负担。㊀～债|～着罪名。
㊀ bèi (45页)。
【背负】用脊背驮,引申为担负。㊀～着人民的希望。
【背债】负债;欠债。

悲 bēi ❶伤心。㊀～喜交集。❷怜悯。㊀慈～。❸悲壮。㊀～歌。
【悲切】悲哀;悲痛。
【悲壮】悲哀而雄壮;悲哀而壮烈。
【悲观】消极颓丧,失去信心。
【悲辛】悲哀辛酸。
【悲怆】悲伤。怆(chuàng)。
【悲郁】悲哀忧郁。
【悲哀】极度痛苦伤心。
【悲凉】悲伤凄凉。
【悲剧】❶戏剧的主要类别之一。主人公所从事的事业由于恶势力的迫害及本人的过错而失败,甚至导致个人的毁灭,造成悲惨的结局。❷比喻不幸的遭遇。
【悲戚】忧伤。戚:忧愁。
【悲惨】极其不幸,使人伤心。
【悲愤】悲痛愤怒。
【悲歌】❶悲壮地歌唱。㊀慷慨～。❷悲壮或哀痛的歌曲。
【悲喜剧】戏剧的主要类别之一。兼有悲剧和喜剧的特点。一般结局较圆满。
【悲天悯人】哀叹艰辛的时世,怜悯痛苦的人们。天:天道,时世。
【悲观主义】指对社会、人生、事业、前途悲观失望的观点和态度。
【悲欢离合】指人生中经常遇到的悲伤、欢乐、离别、团聚四种境遇。
【悲喜交集】悲和喜两种感情一起涌上心头。多形容由眼前的欢乐而联想起过去的悲苦的激动心情。
【悲愤填膺】悲痛与愤怒充满胸膛。膺(yīng):胸。

běi ㄅㄟˇ

北 běi ❶方向。清晨面向太阳时左手的一边。与"南"相对。❷败退。㊀败～|追奔逐～(追逐败走的敌人)。
【北方】❶北①。❷北部地区。在中国指黄河流域及其以北的地区。
【北平】北京的曾称。1928年国民政府改北京为北平,1949年10月中华人民共和国成立,复称北京。

【北史】史书名。唐李延寿撰。共一百卷。包括本纪十二卷,列传八十八卷,记载了北朝魏、北齐(包括东魏)、北周(包括西魏)和隋四个朝代共二百三十三年(386—618)的历史。

【北曲】宋元以来北方戏曲、散曲所用各种曲调的统称。用韵以《中原音韵》为准,无入声;音乐上用七声音阶,以弦乐器伴奏。曲调雄壮朴实。

【北约】北大西洋公约组织的简称。

【北极】见〔地极〕(195页)。

【北辰】北极星。

【北宋】朝代名。参见"宋"②(934页)。

【北纬】见〔纬度〕(1021页)。

【北欧】指欧洲北部日德兰半岛、斯堪的纳维亚半岛一带和冰岛。包括芬兰、瑞典、挪威、丹麦和冰岛。

【北非】指非洲北部地区。通常包括埃及、苏丹、利比亚、阿尔及利亚、突尼斯、摩洛哥等国家和地区。

【北国】指中国的北方。

【北洋】清末指奉天(辽宁)、直隶(河北)、山东沿海地区。

【北海】❶大西洋东北部边缘海。位于欧洲大陆与大不列颠岛之间。面积57万平方千米,水深平均100米。是世界著名渔场之一。海底有石油和天然气。❷市名。在中国广西南部,临北部湾。

【北朝】(386—581)南北朝时期统治中国北方的五个朝代的总称。有北魏、东魏、西魏、北齐、北周。

【北方话】汉语最大的一种方言。分布地区包括长江以北汉族居住的地区,长江以南镇江以上九江以下的沿江地带,四川、云南、贵州和湖北大部、广西北部、湖南西北一带。使用人口占汉族总人口的73%以上。北方话内部虽然也有一些差异(划分为华北方言、西北方言、西南方言、江淮方言四个次方言),但总的来说一致性很大,各地的人通话基本上没有困难。它是现代汉民族共同语即普通话的基础方言。

【北斗星】在北方天空排列成勺形的七颗星的总称。属大熊星座。是认星的重要标志。中国古代斗的形状类似于今天的勺儿,故名。

【北半球】赤道把地球分为南、北两半球。自赤道往北直到北极为北半球;自赤道往南直到南极为南半球。

【北冰洋】地球上四大洋之一。位于北极圈内,被亚、欧、北美三大洲所包围。面积1 310万平方千米,是四大洋中最小的一个。大部分海面终年结冰。有宽阔的大陆架。

【北齐书】史书名。唐李百药撰。共五十卷。包括本纪八卷,列传四十二卷。大致记载了公元534年前后北魏分裂、东魏政权建立,中经公元550年北齐代东魏,到公元577年齐亡为止四十四年的历史。

【北极星】在正北天空中的一颗较亮的星。属小熊星座。人们在夜晚常靠它来辨别方向。

【北极圈】见〔极圈〕(454页)。

【北极熊】也叫白熊。哺乳动物。体长可达2.8米,毛白色带黄。生活在北极区内,善于游泳。冬季主食海豹、海鸟和鱼类,夏季主食植物。

【北岳庙】汉代至清代以来历代帝王祭祀北岳恒山神的地方。在今河北曲阳。汉代以来屡经修葺。现存德宁殿为元至元七年(1270)重建,是现存最大的元代木构建筑。殿内东西檐墙绘有道教题材壁画《天宫图》,庙内存有北齐至清代的历代碑碣135块。是全国重点文物保护单位。

【北京市】简称京。中国的首都,中央直辖市。位于华北平原的北端,背靠长城,与河北省、天津市相邻。面积约1.68万平方千米。总人口1 246万(1998年)。市区人口639万(1997年)。中国共产党中央委员会、全国人民代表大会常务委员会和国务院等中央领导机关都设在这里。是全国最大的综合性工业城市之一,中国文化、科学研究、交通和国际交往中心。是中国的古都之一,多名胜古迹,故宫、颐和园、明十三陵、八达岭等都是闻名中外的游览胜地。

【北美洲】全称北亚美利加洲。位于西半球北部,东临大西洋,西临太平洋,北临北冰洋,南以巴拿马运河与南美洲为界。西部高山、中部平原和东部高原、山地南北纵列。气候类型复杂,大陆主体以温带大陆性气候为主。面积2 422.8万平方千米,人口3.07亿(1999年)。

【北部湾】位于中国雷州半岛、海南岛和越南之间。是优良渔场。

【北温带】北半球的温带。在北纬23°26′—66°34′之间。

【北戴河】中国避暑胜地。位于河北省秦皇

B

岛市，南临渤海。

【北门锁钥】❶原指北城门上的锁和钥匙。后借指北部的边防要地和重镇。❷比喻负责守卫某一要地的重任。《宋史·寇准传》："主上以朝廷无事，北门锁钥，非准不可。"

【北回归线】北纬23°26′的纬线。太阳直射点自南移至该纬线时，折而往南返回，故名。

【北伐战争】即"第一次国内革命战争"(202页)。

【北京大学】中国历史最悠久的大学之一。1898年创立于北京。五四运动在该校首先发动。1996年设有7个学院、38个系、52个研究所和62个研究中心，并设有研究生院。

【北京时间】中国的标准时。以东经120°的时刻为标准，是北京所在地的区时。

【北京条约】1860年英、法、俄强迫清政府分别签订的不平等条约。《中英北京条约》《中法北京条约》主要内容有：承认1858年签订的《天津条约》继续有效，增开天津为商埠；割九龙司地方一区给英国；"赔偿"英、法军费银各八百万两。《中俄北京条约》主要内容有：把1858年《瑷珲条约》规定中俄"共管"的乌苏里江以东约四十万平方千米的中国领土强行划归俄国；同时笼统规定了中俄西段边界的走向，为沙俄鲸吞中国的巴尔喀什湖以东、以南的四十四万多平方千米领土提供了"根据"。

【北京宣言】2000年在北京举行的第六届世界大城市首脑会议上通过的关于21世纪世界大城市发展的共同宣言。宣言阐述了城市可持续发展问题与有效方法，城市建设与城市管理的科学化、信息化、现代化，历史名城的发展与文化遗产的保护，城市与城市间的经济合作与交往等关系城市发展的问题。

【北京猿人】也叫北京人、中国猿人。距今约二十万至七十万年前的古人类化石。1927年首次在北京周口店龙骨山的洞穴内发现，已具备了人类的基本特征。洞穴里还发现大量打制的石器、用火烧过而留下的灰烬和动植物化石等。是研究人类起源的重要科学根据。

【北洋军阀】清末袁世凯建立的封建军阀集团。1901年，袁任北洋大臣，所建军队称为北洋军。辛亥革命后，袁窃据大总统职位，广植党羽，形成控制中央和地方的军事集团。1916年，袁死后北洋军阀分裂为直、皖、奉三个派系。各派系在帝国主义操纵下，连年混战，给中国人民带来极大的灾难。北洋军阀在北伐战争前后相继覆灭。

【北洋政府】北洋军阀控制的中华民国政府。1895年袁世凯奉清政府命在天津小站练兵，开始形成自己的势力。1901年，袁出任北洋大臣，其武装改名为北洋常备军，简称北洋军。后形成北洋军阀集团。辛亥革命后，袁世凯窃取革命果实，任中华民国临时大总统，开始了北洋军阀对中国的统治。袁死后，北洋军阀分裂为以冯国璋、曹锟为首的直系，以段祺瑞为首的皖系和以张作霖为首的奉系，先后控制北京中央政权，统称北洋政府。

【北洋海军】19世纪70年代至甲午战争，清政府在中国北方沿海建立的新式海军。初由李鸿章主持，先在天津办水师学堂，后设立海军衙门，订购外国军舰，在旅顺和威海卫修建军港。至1888年正式编成北洋舰队，有兵舰二十余艘，军事训练全由外国军官操纵。1894年中日黄海海战中，北洋舰队的官兵英勇奋战，曾一度挫败日本侵略军。次年初，因李鸿章下令避免对日作战，严禁出海巡弋，北洋海军困守威海卫，被日舰围攻，全军覆没。

【北海公园】中国皇家园林。原名大宁宫，为金中都的北郊离宫。在北京。元代被包入皇城，称太液池，明代称西苑，清代加建白塔及永安寺等。现存建筑大多为清代所建，造园方式完整有序，为中国北方皇城苑囿的范例。是全国重点文物保护单位。

【北大西洋公约组织】简称北约。也叫北大西洋联盟、北大西洋集团。根据1949年4月4日签订的《北大西洋公约》而成立的军事集团。现有成员国为美、英、法、德、荷兰、比利时、卢森堡、加拿大、丹麦、挪威、冰岛、葡萄牙、意大利、希腊、土耳其、西班牙、波兰、捷克、匈牙利等。总部设在布鲁塞尔。

苝□ běi 有机化合物，分子式 $C_{10}H_{12}$。存在于煤焦油中。是多环烃的母体结构。

bèi ㄅㄟˋ

贝(貝) bèi ❶螺、蚌、蛤蜊等软体动物的统称。❷古代用贝壳做的货币。❸贝尔的简称。

【贝币】古代的原始货币之一。以海贝或仿贝为币材。

【贝尔】❶亚历山大·格雷厄姆·贝尔(1847—1922)美国发明家,电话发明者。1876年3月10日,贝尔第一次通过他发明的装置传送出一句完整的话。❷简称贝。在电学和声学中计量功率、声强、电压、电流的增益或衰减的一种单位。为纪念贝尔而命名。1贝尔等于10分贝。参见〔分贝〕(272页)。

【贝母】也作莔母。多年生草本植物。茎直立。花钟状,淡黄绿色,下垂。球状鳞茎入药,有清热润肺、止咳化痰等作用。种类很多,以浙(江)贝母、(四)川贝母使用最广。

【贝多】梵语音译词。也译作桹多。贝叶树,常绿乔木。产于印度。叶子用水沤后可当纸用,印度佛教徒多用来写佛经。

【贝雕】在贝壳上雕刻或镶嵌出人物、动植物或景物的工艺品。

【贝叶书】缅甸人用贝多罗树的叶子(即贝叶)刻写成的书。在刻好的贝叶上涂上煤油,字迹即可显现出来。用细绳串连刻好的贝叶即成。

【贝尼尼】吉安·洛伦佐·贝尼尼(1598—1680)意大利雕塑家、建筑师,巴洛克风格的代表人物。雕塑追求强烈的动态和迷狂的激情。代表作有《圣特雷莎的迷幻》等。

【贝多芬】路德维希·范·贝多芬(1770—1827)德国作曲家,维也纳古典乐派代表人物之一。不少作品反映了当时市民阶级对自由、平等、博爱的向往以及反抗封建专制的革命热情和英雄气概。他在创作上勇于革新,扩大了音乐的表现力,并使奏鸣曲式发展成富于对比、冲突的戏剧性结构,对后世音乐发展有深远影响。主要作品有九部交响曲、三十二首钢琴奏鸣曲以及歌剧《菲德里奥》等。

【贝鲁特】黎巴嫩首都。位于该国西部,地中海滨。人口150万(1997年)。是全国政治、经济、文化和交通中心,世界著名的自由贸易港和金融中心之一。处于亚洲、非洲、欧洲大陆地理上的交接点,自古商业贸易发达。

【贝可勒尔】❶安东尼·亨利·贝可勒尔(1852—1908)法国物理学家。主要贡献是发现了天然放射性。1903年与居里夫妇一起获诺贝尔物理学奖。❷简称贝可。放射性活度的单位。为纪念贝可勒尔而命名。

【贝加尔湖】世界最深湖泊。位于俄罗斯东西伯利亚南部,因地层断裂储水而成。湖形狭长,面积31 500平方千米。最深处达1 620米。

【贝塔射线】也作β射线。放射性原子核放出的电子(或正电子)流。穿透物质的能力比阿尔法射线强,但电离作用较弱。贝塔:希腊字母β的音译。

【贝尔格莱德】南斯拉夫首都。位于该国北部。人口155万(1991年)。是全国政治、经济、文化中心和交通枢纽。历史上饱受战争摧残,几经兴衰。

莔⊠(**茛**) bèi〔莔母〕同"贝母"(45页)。

狈(**狽**) bèi 传说中像狼的一种兽。

桹□(**梖**) bèi〔桹多〕同"贝多"(45页)。

钡(**鋇**) bèi 金属元素,符号Ba,原子序数56。银白色,质软。燃烧时发黄绿色的光。其盐硫酸钡可作白色颜料和X射线造影剂(钡餐)。

【钡餐】也叫钡粥。即X线造影剂。由硫酸钡加水配成。用于胃肠检查。

孛 bèi 光芒四射。古书上指彗星。

悖(*誖) bèi ❶相反;抵触。㊀并行不~。❷不合道理;错误。㊀~谬。

【悖逆】对上不敬。

【悖谬】不合常理而至于荒谬。

【悖入悖出】《礼记·大学》:"货悖而入者,亦悖而出。"意为用不正当的方法得来的财物又被别人用不正当的手段拿去;胡乱弄来的钱又胡乱花掉。

邶 bèi 周朝国名。在今河南北部。

背 ㊀ bèi ❶脊背。㊀腹~。❷物体反面或后部。㊀手~|刀~。❸背部对着。㊀~山面海。❹躲避;瞒着。㊀~着人说话。❺违反。㊀~约。❻偏僻。㊀~街小巷。❼背诵;凭记忆读出。㊀~书|~台词。❽听觉不灵。㊀耳朵~。❾倒霉;不顺利。㊀走~运|手气~。

㊁ bēi (42页)。

【背书】票据持有人在票据背面签名或书写

B

文句将票据权利转让给受让人的行为。
【背阴】阳光照射不到的地方。
【背约】说了不算数,违背原来的约定。
【背时】〈方〉倒霉;不顺利。
【背弃】违背和抛弃。
【背叛】投向敌对方面,反对原来所在的方面。
【背离】❶离开。❷违背。
【背斜】岩层褶皱向上隆起的部分。特点是中间部分的岩层较老,而两侧部分的岩层较新。背斜是宜于储藏石油的构造。
【背景】❶对事态的发生、发展和变化起重要作用的历史条件和现实环境;也指文学作品中人物活动和事件发生、发展的时间、地点和条件。❷指戏剧演出时舞台上的布景。❸指美术作品中衬托主体的景物。
【背山起楼】在山后面建造楼房。比喻大杀风景,败人兴致。
【背井离乡】也说离乡背井。离开自己的故乡,到外地生活(多指在不得已的情况下)。
【背水为阵】《史记·淮阴侯列传》记载,汉代大将韩信攻赵,下令部队背水列阵,汉军前临大敌,后无退路,都拼死作战,结果大败赵军。后用"背水为阵"表示有进无退拼死求胜的决心。
【背城借一】在自己的城下和敌人决一死战。泛指与敌人作最后决战。《左传·成公二年》:"请收合余烬,背城借一。"借一:凭借最后一战。
【背信弃义】不守信用,违背道义。
【背道而驰】朝着相反的方向跑。比喻行动方向和所要达到的目标完全相反。

褙 bèi 把布或纸逐层地粘起来。㊙裱~。

备(備 *俻) bèi ❶齐全。㊙关怀~至。❷具有。㊙德才兼~。❸准备;防备。㊙有~无患|加强战~。❹设备。㊙军~。
【备考】书册、文件、表格后面供参考用的附录或附注。表格中留出写附注的一栏也称备考。
【备件】为替换机器、仪器中较易损坏的机件所准备的零件和部件。
【备份】为应付可能出现的意外情况,使正常工作不受影响而备用的一份。如计算机的备份软件或跳伞用的备份伞、电视台的备份节目等。
【备取】招考时在录取名额以外多录取若干名,以备正式录取名额不满时递补。
【备注】表格上为注解、说明而留出的一栏。
【备荒】防备灾荒。
【备查】供查考(多用于公文)。
【备战】准备战争。
【备耕】为耕种做准备。
【备料】(在生产、建筑前)准备好原材料。
【备案】将事由写成文字送主管单位存查。
【备课】教师在讲课前准备讲授内容和方式。
【备悉】全知道。
【备忘录】❶一种外交文书。其内容通常是对某一具体问题的详细说明和据此提出的论点或辩驳。格式不像照会那样正式。外交会谈的一方,为了使自己所作的口头陈述明确或不致引起误解而在会谈末了当面交给另一方的书面纪要,也是一种备忘录。❷随时记载、帮助记忆的笔记本。
【备尝艰辛】受尽了艰难困苦。《左传·僖公二十八年》:"险阻艰难,备尝之矣。"备:全;尽。尝:经历。
【备用信用证】用于担保金融债务偿付或银行客户履约的特殊信用证。是开证行对债务人无法偿还借款时的还款担保。

惫(憊) bèi 极度疲倦。㊙疲~。
【惫赖】无赖。

倍 bèi ❶跟原数相等的数,某数的几倍就是用几乘某数。㊙三的五~是十五。❷加倍。㊙勇气~增|事半功~。
【倍数】一个正整数能被另一个正整数整除时,这一正整数叫做另一正整数的倍数,另一正整数叫做这一正整数的约数或因数。如10是5的倍数,5是10的约数。

蓓 bèi〔蓓蕾〕尚未开放的花朵。

棓□ ㊀ bèi 五棓子,药名,即五倍子。㊁ bàng(35页)。

焙 bèi 把东西放在锅、瓦片等上面,在下面用微火烘烤。㊙~干研碎。

碚 bèi 用于地名,如北碚(在重庆)。

被 bèi ❶被子。㊙棉~。❷遮盖。㊙~覆。❸遭受。㊙~灾|~祸。❹介词。用在句子中表示主语是受事(施事在被字后,但往往省略)。㊙敌人~中国人民彻底打败了|他~选为人民代表。❺古又

同"披(pī)"。

【被动】❶受外力影响而动作。与"主动"相对。㊀～轮|～还击。❷指不能使事情按照自己的意图进行,处于应付的局面。与"主动"相对。㊀这样一来,他就～了。

【被告】原告通过人民法院向其主张民事权利,并由法院通知其应诉的人。与"原告"相对。

【被难】遭受灾祸或遇到大变故而丧失生命。难(nàn)。

【被覆】❶遮盖;蒙上。❷遮盖地面的草木等。㊀滥伐森林,破坏了地面～。❸军事上指为防止工程坍塌和增加其强度而对工程进行加固的一种措施。

【被字句】汉语句式的一种。用介词"被"构成的表示被动意义的动词谓语句。如"敌人被我们消灭了""他被老师叫走了"。

【被告人】因涉嫌犯罪被人民检察院或自诉人起诉到人民法院,接受审判的人。与犯罪嫌疑人的区别在于刑事诉讼阶段不同而称谓不同:在案件审理之前涉嫌犯罪的人称犯罪嫌疑人;在法院审理阶段称被告人。

【被子植物】种子植物的一类。种子包藏在子房内,子房形成果实。是世界现存种类和数量最多、结构最完善的植物。如果树、蔬菜和谷类作物等。按种子构造的特点可分为单子叶植物和双子叶植物。

【被动吸烟】不吸烟者被迫吸入吸烟者吐出的有害烟雾。

【被选举权】公民依法被选举担任国家代表、机关代表或领导职务的权利。中国宪法规定,凡年满18周岁的公民,除依法被剥夺政治权利者外,都有被选举权。

鞁 bèi ❶鞍和辔的统称。❷同"鞴"。

琲⊠ bèi 成串的珠。

辈(輩) bèi ❶等;类。㊀我～|无能之～。❷辈分;代。㊀长～|前～。❸辈子,人的一生。㊀后半～子。

【辈分】亲族或世交中长幼的行辈。

【辈出】(人才)一批接一批地出现。㊀人才～。

糒⊠ bèi 干饭;干粮。

鞴 bèi 把鞍辔(pèi)等套在牲口上。㊀～马。

鐾 bèi 把刀在布、皮子等上面反复摩擦,使之锋利。㊀～刀。

bei ·ㄅㄟ

呗(唄) ㊁ bei 助词。1. 表示只能如此的语气。㊀不懂,就学～。2. 表示勉强的语气。㊀要走,就走～。
㊀ bài (29页)。

臂 ㊁ bei 见〔胳臂〕(314页)。
㊀ bì (58页)。

bēn ㄅㄣ

奔(*犇 *奔) ㊀ bēn ❶急走;跑。㊀～驰|～逃|东～西跑。❷急着去做(某事)。㊀～命|～丧。
㊁ bèn (49页)。

【奔驰】飞快地跑。

【奔走】❶急走。㊀～相告。❷(为某一目的)到处活动。㊀他正在为这件事～。

【奔丧】直系长辈去世,从外地赶回料理丧事。

【奔命】奉命奔走。

【奔放】形容思想、感情等无拘束地尽情表露。

【奔泻】水从高处迅速地向下流。

【奔波】辛苦地到处奔走。

【奔突】横冲直撞;奔驰。

【奔逐】急追。

【奔流】❶急速地流。❷奔腾的流水。

【奔袭】军队从距敌较远的地方秘密出动,迅速向敌人接近并对之实施袭击。

【奔窜】走投无路地乱跑;狼狈逃跑。

【奔雷】疾雷。

【奔腾】奔跑跳跃(常用作比喻)。㊀万马～|江水～而来。

【奔走相告】形容人们听到或看到特别使人振奋或担心的事,迅速地互相转告。

锛(錛) bēn ❶锛子,一种砍平木材的工具。❷用锛子一类的工具砍。㊀～木头。

贲(賁) ㊁ bēn 见〔虎贲〕(409页)。
㊀ bì (56页)。

【贲门】食管与胃的连接处。是胃的上口。

栟 ㊀ bēn〔栟茶〕地名。在江苏。
㊁ bīng（69 页）。

běn ㄅㄣˇ

本 běn ❶草木的根或茎。[例]～固枝荣|木～植物。❷根源；根本。[例]追～溯源|不忘～。❸依据；根据。[例]～着公平、公正的原则办事|这样说是有所～的。❹现今。[例]～年|～月。❺自己方面的。[例]～国|～厂。❻原有的。[例]～意。❼主要的；中心的。[例]～科|～部。❽本钱。[例]～利。❾本子。[例]书～|账～|底～。❿版本。[例]抄～|刻～。⓫量词。用于书籍、簿册、戏剧等。[例]五～书|头～《封神演义》。

【本义】一般指词的原始意义或较早的意义。如“年”的本义是指谷子熟，后来才引申演变为计时的单位。有时也指词的基本(常用)意义。“红”的基本意义是红的颜色，后又派生出成功、受人赏识之意，如“这出戏唱红了”。

【本分】属于自己的责任和义务。

【本末】❶植物的根部和梢部。[例]物有～，事有终始。❷(事情的)开始到终结。[例]须详述～。❸主要的和次要的。[例]～倒置。

【本旨】本来或主要的意义、目的。

【本色】❶本来面目。[例]艰苦朴素是劳动人民的～。❷物品原来的颜色。[例]～布。

【本纪】中国纪传体史书的主要组成部分。内容是写帝王传记，按帝王纪年的顺序记事。放在史书的最前面。

【本来】❶原有的。[例]～面目。❷先前；原来。[例]他～身体很弱，经过长期锻炼，现在可壮了！❸表示理所当然。[例]公共财物～就应当爱护。

【本位】❶货币制度的基础或货币价值的计算标准。❷自己所在的单位；自己的工作岗位。

【本事】❶事（shi）。本领；能力。❷事（shì）。文学作品描写中作为依据的基本事实。[例]～诗。❸事（shì）。介绍电影、戏剧或小说故事梗概的简明文字。

【本质】❶本性；固有的品质。❷哲学范畴。指事物的根本性质。事物固有的内部联系。由事物所包含的特殊矛盾构成，并由其主要矛盾的主要方面决定。与“现象”相对。

【本金】经营工商业的本钱或用于获取利息的存款、放款等。

【本性】固有的性质或特性。[例]江山易改，～难移。

【本草】❶中药的总称。❷记载中药的书籍。如《神农本草经》《本草纲目》等。

【本科】高等学校的基本组成部分。与预科、专修科等相区别。在中国，学习期限一般是四年或五年。本科毕业是获得学士学位的必要条件。

【本原】哲学范畴。指万物的根源或构成世界的基本的、最初的元素。

【本息】本金和利息。

【本能】❶人和动物在进化过程中形成而由遗传固定下来的、对个体和种族生存有重要意义的行为。如蜜蜂酿蜜、婴儿吃奶等。❷有机体对外界刺激不知不觉地、无意识地(作出反应)。

【本票】出票人签发的，承诺自己在见票时无条件支付确定的金额给收款人或持票人的票据。票据法上仅指银行本票。

【本领】本事；技能；能力。

【本意】原来的意思或意图。

【本源】事物发生的根源。

【本影】影中的全暗部分。即光源发出的光被物体遮挡，完全不能透过而形成的影区。

【本体论】哲学中研究世界的本原或本性的理论。

【本位币】本位货币的简称。

【本本主义】即“教条主义”（494 页）。

【本来面目】事物原来的样子。

【本位主义】一种放大了的个人主义。只顾本单位、本部门、本地区的利益，不顾大局和整体利益。

【本位货币】简称本位币。也叫主币。一个国家法定的基本货币。是用于计价、结算的唯一合法的货币单位，具有无限法偿的效力。中国以人民币的“圆”作为本位货币。

【本草纲目】书名。中国重要的药物学著作。明李时珍编著。共五十二卷，分十六部六十二类，收药 1 892 种，附图一千余幅。是经过三十多年的长期调查采访后参考了八百多种有关文献编成的，总结了中国 16 世纪以前药物学的成就，对中国医药学的发展有很大贡献。

【本初子午线】也叫首子午线。地球上计算经度的起始经线。国际上规定用通过英国格林尼治天文台原址子午仪中心的经线为本初子午线。

苯 bĕn 有机化合物，分子式 C_6H_6。无色液体，易燃，有特殊气味，有毒。是重要的基本化工原料。

【苯酚】也叫石炭酸。有机化合物，分子式 C_6H_5OH。弱酸性。无色晶体，在光和空气的作用下逐渐变为粉红色。用于制染料、合成树脂等的原料，也用作消毒剂。

【苯中毒】大量或长期吸入苯蒸气引起的中毒。急性的有酒醉样感觉，有无力、神志不清、肌肉痉挛等症状。慢性的有神经衰弱、乏力、白细胞和血小板减少、贫血等症状。严重的可导致白血病。

【苯并芘】一种含有 5 个苯环的多环芳烃，分子式 $C_{20}H_{12}$。最初由煤焦油中分离出来。深黄色晶体，熔点 177.8℃。其同分异构体苯并(a)芘(也叫 1,2-苯并芘)有强致癌作用。

【苯巴比妥】商品名鲁米那。有机化合物。为巴比妥酸(丙二酰脲)的衍生物。白色结晶性粉末，无臭，略苦。小剂量是镇静剂，适当加大剂量后即成安眠药，可用于防治癫痫病大发作。

畚 bĕn〔畚箕〕用竹、木或薄铁皮等做的撮东西的器具。

bèn ㄅㄣˋ

夯 ㊀ bèn 同"笨"(见于《西游记》《红楼梦》等书)。
㊁ hāng (380 页)。

坌 bèn ❶灰尘。❷聚集。例～集。

奔(*犇*逩) ㊁ bèn ❶往；投向。例直～江边｜投～。❷为某事奔(bēn)忙。例～戏票。❸年纪接近较高的整数年段。例眼看～六十了。
㊀ bēn (47 页)。

【奔命】拼命地赶路或做事。

倴□ bèn 倴城，地名，在河北。

笨 bèn ❶不聪明；不灵巧。例蠢～｜～手～脚。❷庞大；沉重。例～重。

【笨伯】愚笨或体胖不灵活的人。

【笨拙】笨；不灵巧。

【笨口拙舌】嘴笨，没有口才，不善言辞。

【笨鸟先飞】比喻能力差的人做事时，因怕落后，所以比别人先行动(多用做自谦)。

bēng ㄅㄥ

伻☒ bēng ❶使；令。❷使者。

祊☒ bēng 古代在宗庙门内举行的祭祀。也指宗庙门内设祭的地方。

𬘘☒(絣) bēng ❶穿铠甲的绳子。❷继续。

崩 bēng ❶倒塌。例土～瓦解。❷破裂。例豆荚～开了｜两人谈～了。❸被弹(tán)射的物体击中。例注意，别～了眼睛。❹旧指帝王死亡。

【崩盘】指股票、期货的市场行情大跌而彻底崩溃。

【崩溃】彻底瓦解、垮台。

【崩塌】崩裂倒塌。

【崩漏】也叫血崩。中医病证名。指阴道大出血。妇女不在经期阴道突然大量出血称为崩，来势缓并淋漓不断称为漏。两者常互为因果，合称崩漏。

嘣 bēng 拟声词。跳动或爆裂的声音。例～的一声，弦断了。

磞☒ bēng〔磞硠〕形容声音很大。

绷(綳*繃) ㊀ bēng ❶拉紧；张紧。例把弦～直了｜把布～得紧一点。❷一种缝纫方法。稀疏地缝上或用针别上。例～被头｜红布上～着金字。
㊁ bĕng (50 页)。
㊂ bèng (50 页)。

【绷子】刺绣时绷紧刺绣物的用具。大的多用长方形木框，小的多用竹制圆框。

【绷床】也叫蹦床。❶进行各种技巧表演用的弹力床。比赛用绷床高 1.15 米，长 5.05 米，宽 2.9 米，有 112 个弹簧。❷体育运动项目之一。在弹力床上进行各种技巧表演。源于美国。分单人、双人和集体项目。比赛中有规定动作和自选动作。以运动员动作的编排和难度评分。

【绷带】包扎伤口用的纱布带。

béng ㄅㄥˊ

甭 béng〈方〉副词。不要；不必。"不用"的合音。例今天～去了，明天再

说吧！|～管他，让他慢慢摸索吧。

běng ㄅㄥˇ

菶⊠ běng 草木茂盛的样子。

琫 běng 古代刀鞘上端的装饰物。

绷(綳*繃) ⊜ běng 板着。㊀～着脸。
⊖ bēng（49页）。
⊜ bèng（50页）。

bèng ㄅㄥˋ

泵 bèng 也叫帮浦、唧筒。把液体或气体抽出或压入的机械。按用途不同可分为气泵、水泵、油泵等。

迸 bèng 爆发；往外溅散。㊀～裂|钢花飞～。

【迸发】向外突然发出。㊀～出一阵掌声。

【迸裂】突然破碎而往外飞溅。

蚌 ⊜ bèng〔蚌埠〕市名。位于安徽省北部，淮河南岸，京沪铁路与淮南铁路交会处。人口50万(1997年)。是皖北工业中心之一。
⊖ bàng（35页）。

绷(綳*繃) ⊜ bèng ❶裂开。❷副词。表示程度深。㊀～硬|～亮。
⊖ bēng（49页）。
⊜ běng（50页）。

镚(鏰) bèng 原指清代末年所发行的无孔的小铜币。现在的小形硬币也叫镚子或镚儿。

蹦 bèng 跳。㊀欢～乱跳|～出三米远。

【蹦极】极限运动项目之一。参加者将适合自己的跳绳的一端绑在踝部，另一端固定在跳台上，由台上向下做自由落体运动。一般分直升机式、大桥式和自然条件跳台等形式。

【蹦床】即"绷床"(49页)。

【蹦跶】蹦跳。多喻指挣扎。㊀敌人～不了几天了。跶(da)。

甏 bèng 瓮一类的器皿。

bī ㄅㄧ

逼(*偪) bī ❶强迫；威胁。㊀～迫|咄咄～人。❷强行索取。㊀～债|～供。❸十分接近；靠近。㊀～真|直～城下。❹狭窄。㊀～仄。

【逼仄】地方狭窄；空间小。

【逼肖】极其相像。肖：像。

【逼近】靠近；接近。

【逼迫】强迫。

【逼视】❶靠近细看。❷注目而视，含有威逼的意思。

【逼宫】指逼迫皇帝让位。

【逼真】❶跟真的似的。㊀这幅肖像画画得很～。❷真切。㊀听得～。

【逼勒】逼迫；强制。

【逼上梁山】原指《水浒》故事里的一些人物因受封建统治者的迫害而上梁山起义。后比喻被迫采取反抗行动，也比喻为形势所逼，不得不做某件事情。

鲾(鰏) bī 鱼类。种类多。体小，侧扁，呈卵圆形。青褐色，口小，鳞小而圆。生活在热带近海中。

bí ㄅㄧˊ

荸 bí〔荸荠〕多年生草本植物。通常栽培在水田里。地上茎丛生、直立，深绿色。地下球茎扁圆形，老熟后深栗色或枣红色，可供食用。也指这种植物的地下球茎。

鼻 bí ❶鼻子，人和高等动物的嗅觉器官和呼吸器官。❷鼻儿，器物突出带孔的部分。㊀针～儿|门～儿。❸创始。㊀～祖。

【鼻饲】用特制管子通过鼻腔插入胃内，把流质食物灌进去。

【鼻骨】人的面颅组成骨之一。位于面颅的前方中央。

【鼻衄】❶鼻出血。单侧出血见于外伤、鼻腔感染、鼻腔肿瘤等。双侧出血则多由全身性疾病引起，如白血病、高血压、维生素C或维生素K缺乏等。❷中医病证名。由外伤、肝火偏旺等所致。衄(nǜ)。

【鼻音】辅音的一类。发音时，发音部位完全闭塞，软腭下降，气流从鼻腔通过发出声音。如普通话的m、n、ng。

【鼻祖】始祖;创始人。
【鼻疽】马、驴、骡的一种严重传染病。病畜鼻涕带脓,鼻腔内有溃斑,咳嗽,体温不时升高。须严加隔离。疽(jū)。
【鼻咽癌】发生于鼻咽部黏膜的恶性肿瘤。多见于中年男性。发病原因可能与霉变食物、农药等有关。主要症状是鼻咽部有血性分泌物、鼻腔阻塞、耳鸣或听力减退、头痛等。
【鼻旁窦】医学上习称鼻窦。鼻腔附近的骨质空腔。可协助鼻腔调节空气的温度、湿度和音色等。鼻旁窦内的黏膜与鼻腔黏膜相延续,故鼻腔炎症可引起鼻窦炎。
【鼻韵母】以鼻音收尾的韵母。普通话中只有以 n、ng 收尾的鼻韵母,如"棉(mián)""钢(gāng)"里的 ian、ang。
【鼻窦炎】鼻旁窦黏膜的炎症。以慢性为多见,有鼻阻、流涕、头痛和局部触压痛等症状。

bǐ ㄅㄧˇ

匕 bǐ 古指饭勺。

【匕首】短剑。

比 bǐ ❶比较;较量。㊟～干劲。❷仿照。㊟～着葫芦画瓢。❸比方;比喻。㊟此事好有一～。❹数学上比较两个量 a 和 b 的关系时,如果以 a 为单位来度量 b,叫做 b 比 a,记作 $b:a$ 或 $\frac{b}{a}$。❺表示比赛双方得分的对比。㊟以一～〇小胜。❻挨着;靠近。㊟～邻。❼依附;勾结。㊟朋～为奸。❽介词。比较性状和程度的差别。㊟这种方法～那种方法好|长江～黄河长。

【比才】乔治·比才(1838—1875)法国作曲家。所作歌剧《卡门》代表了19世纪法国歌剧的最高水平。其他作品有管弦乐组曲《阿莱城姑娘》,歌剧《采珍珠者》《伊凡雷帝》《珀思的美丽少女》,以及《C大调交响曲》,管弦乐《小组曲》等。
【比比】❶处处;到处。❷每每;屡屡。
【比方】用一种事物来说明另一种事物,多以容易明白的说明不太容易明白的。
【比丘】梵语音译词。和尚。
【比年】也说比岁。❶每年;连年。❷近年。
【比价】❶两种商品价格之间的比例关系。㊟粮棉～|货币～。❷国际贸易中对商品价格及其他条件加以比较,以便选择最适宜的来购买。
【比拟】❶修辞格的一种。即把甲事物拟作乙事物。分拟人、拟物两种。如"蟋蟀们在这里弹琴"就是拟人,"布鲁诺的思想在自由的人民当中翱翔"就是拟物。❷比较。㊟无可～。
【比邻】近邻。㊟天涯若～。
【比例】❶当两个比的比值相等时,称这四个数成比例。如 8:4=6:3,称 8,4,6,3 这四个数成比例。❷部分量在总量中所占的比。
【比肩】并肩。
【比降】两点的高度差与这两点间水平距离的比值。如高度差为1米,水平距离为1 000米,其比降为千分之一。
【比重】❶密度的旧称。❷部分在整体中所占的分量。㊟我国工业在整个国民经济中的～不断增长。
【比热】比热容的简称。
【比索】英语音译词。阿根廷、玻利维亚、菲律宾、古巴、几内亚比绍、墨西哥等国的本位货币均译为比索。
【比较】❶认识事物的一种方法。根据一定的标准,把有某些联系的两种或两种以上的事物加以对照,确定它们之间的异同及其相互关系,形成对事物的认识。❷介词。用来区别性状和程度的差别。㊟这个厂的生产水平～前一时期已经有了很大的提高。❸副词。表示具有一定程度。㊟这件事～好办。
【比特】信息量的计量单位。二进制数"0"或"1"中的1个所包含的信息量,即1比特。
【比值】也叫比率。两数相比所得的值。如 8:4 的比值为2。
【比高】地貌、地物由所在地面起算的高度。是一种相对高程。地图上对陡岸、冲沟、瀑布、路堤等常注出比高。
【比率】即"比值"(51页)。
【比喻】❶修辞格的一种。即用跟甲事物有某种相似之处的乙事物来说明甲事物。比喻一般包括本体(被比喻的事物)、喻体(作比喻的事物)、比喻词(连接本体和喻体的词语)三个部分。如"儿童(本体)像(比喻词)春天的花朵(喻体)。"❷比方。㊟我们用鱼和水的关系来～解放军和人民的

B

关系。

【比照】同类或相关的事物互相对比、参考。

【比赛】比较本领、水平高低。㊀体育～。

【比翼】翅膀挨着翅膀。㊀～齐飞。

【比目鱼】鲽、鲆、鳎等鱼的统称。体侧扁，不对称。两眼均居于一侧，平卧于海底。以小鱼为食。

【比丘尼】梵语音译词。尼姑。

【比邻星】半人马座的南门二由三颗恒星组成，其中的丙星是太阳系以外距离地球最近的恒星，距离地球 4.22 光年。人们把南门二丙星称为比邻星。

【比例尺】❶绘图时用来测量长度的一种工具。其刻度按长度单位缩小或放大一定倍数后刻成。常见的有三棱比例尺。❷地图上的比例尺表示地面实际大小与图形相差的倍数。如比例尺为 1∶100 000 或十万分之一，即图上 1 厘米相当于地面水平距离 100 000 厘米。比例尺的表示形式有数字比例尺和直线比例尺等。

【比例税】按同一比例征税。税额与课税对象数额之间的比例是固定的，即税率不受课税对象数额大小的影响。

【比热容】简称比热。每千克物质温度升高(或降低)1℃时吸收(或放出)的热量。

【比萨饼】意大利式馅饼。用肉类、蔬菜作馅，放在饼的表面，用烘箱烘烤而成。因最早盛行于意大利的比萨市而得名。

【比喻义】由词的本义的比喻用法所形成的意义。如“铁”的本义是指一种坚硬的金属，由此产生出“坚强(铁姑娘)”“确定不移(铁的事实)”等比喻义。

【比例税率】对同一课税对象，不论数额大小，均按同一比率计征的税率。

【比肩继踵】也说比肩接踵。肩挨肩，脚挨脚。形容人极多，很拥挤。《晏子春秋·杂下》：“临淄三百闾，张袂成阴，挥汗成雨，比肩继踵而在，何为无人？”继踵(zhǒng)：脚尖碰脚跟。

【比萨斜塔】意大利比萨教堂的钟塔。建于 1174—1271 年。塔身圆柱形，高 55 米。为意大利罗曼风格的建筑实例。因地基的不均衡沉降，该塔建到第三层时产生倾斜，校正不果。建成后的几百年中，倾斜程度仍在加大，以其独特的姿态闻名于世。意大利政府宣布采取有效措施保护它，防止其继续倾斜的工程正在进行中。

【比较成本说】英国经济学家李嘉图提出的国际自由贸易理论。认为各国之间只要存在相对成本差异，就具备发展国际贸易的条件。

【比较经济学】经济学的分支学科。研究不同经济体制下的经济运行状况和不同国家的经济发展道路。

【比勒陀利亚】南非首都。位于该国北部。人口 108 万(1995 年，包括郊区)。是全国最大的文化中心、交通枢纽和重要的工商业中心。市东郊有南非最大的金刚石矿。

吡 ㊀ bǐ 斥责。
㊁ pǐ (749 页)。

【吡咯】有机化合物，分子式 C_4H_5N。无色或浅黄色油状物，不溶于水，能溶于醇、醚。可用于制药。

【吡啶】有机化合物，分子式 C_5H_5N。弱碱性。无色或黄色液体，有特殊气味。可用作溶剂、试剂，也用于制颜料和药品等。

沘 bǐ 沘江，水名，在云南。

妣 bǐ 称死去的母亲。㊀先～|如丧考～(像死了父母一样)。

秕(*粃) bǐ 秕子，有壳无实或实不饱满的子粒。㊀～谷。

【秕糠】秕子和糠。比喻没有价值的东西。

舭□ bǐ 船底和船侧间弯曲的部分。

疕⊠ bǐ 头疮。

佊⊠ bǐ 邪；不正。

彼 bǐ ❶那；那个。㊀～一时也，此一时也。❷对方。㊀知己知～。

【彼此】❶这个和那个；双方。❷客套话。表示大家一样(常叠用)。

【彼岸】❶(江、河、湖、海的)那一边；对岸。❷佛教指超脱生死的境界。❸比喻所向往的境界。㊀通向幸福的～。

【彼辈】那一伙人(带有看不起的意思)。

【彼岸性】见〔此岸性〕(151 页)。

【彼得一世】彼得·阿列克塞耶维奇·罗曼诺夫(1672—1725)即彼得大帝。俄国皇帝(1682—1725 年在位)。在其统治期间，实行一系列改革，促使国内资本主义因素生长。曾多次发动侵略战争，夺取了大片土地和许多出海口，使俄罗斯进入强盛时期。

【彼得与狼】交响童话。普罗科菲耶夫曲。

作于1936年。作曲家自己构思情节并撰写朗诵词。故事描写少先队员彼得不畏强暴,敢于斗争,在一些小动物的协助下机智勇敢地战胜了大灰狼。每一"角色"分别用某种具有特色的固定乐器演奏特定的主题。各段音乐由朗诵连接。

【彼一时,此一时】表示时间不同,情况有了改变。

【彼得堡海军部大厦】建于1806—1823年。位于俄罗斯彼得堡。是19世纪上半叶俄罗斯古典主义建筑风格的代表作。

笔(筆) bǐ ❶写字绘画的一种工具。㊐铅～。❷写。㊐代～|～者。❸书法、绘画、写作等的技法和特点。㊐工～|伏～|败～。❹指笔画。㊐一～一画|"工"字有三～。❺量词。用于款项或书画艺术。㊐两～账|一～好字。

【笔力】写字、画画或做文章在笔法上表现出来的力量、气势等。

【笔札】古时原指笔和写字用的木板。后来指笔和纸,也转指文章书信。

【笔石】一类海生群体动物。在地质时代延续约一亿多年。多数营漂浮生活,有些营固着生活,现已灭绝。笔石演化迅速,是划分和对比奥陶纪和志留纪地层的重要化石之一。

【笔记】❶听课、听报告或读书时所作的记录。❷以随手记录为主的一种著作体裁,包括见闻、故事、感想、评论、学习心得等。

【笔划】同"笔画"(53页)。

【笔会】用文章形式对某一专题发表意见、进行讨论的活动。

【笔名】作者发表作品时用的别名。

【笔势】❶写字、画画用笔的风格。❷文章的气势。

【笔直】形容很直,一点也不弯曲。

【笔画】也作笔划。构成汉字的横(一)、竖(丨)、撇(丿)、点(丶)、折(→)、钩(亅)、捺(㇏)等。

【笔法】指写字、绘画和写文章的方法、技巧等。

【笔挺】像笔一样地挺立。多用于形容站得直或衣服没有皱褶,裤线清晰。

【笔战】相互通过写文章进行争论。

【笔削】古时在竹简、木简上写字,要删改须用刀刮去。后用作请人修改文章的敬辞。笔:记载。削:删改。

【笔顺】汉字书写时笔画的先后顺序。一般是先上后下,先左后右,先外后内,先中间后两边。如"现"字的顺序是:(1)㇐,(2)⼆,(3)𠀃,(4)王,(5)玑,(6)玑,(7)现,(8)现。

【笔迹】字迹;每个人所写的字在形体上表现出来的特点。

【笔误】因疏忽而写错的字(区别于不会写而写错的)。

【笔耕】指写作。㊐～不辍|勤于～。

【笔致】书画、文字等用笔的风格。

【笔调】文笔的格调。㊐他以幽默的～淋漓尽致地勾画出那些反动分子的丑恶嘴脸。

【笔谈】❶两人对面在纸上写字交换意见,代替谈话(因聋哑、语言隔阂等原因)。❷用书面发表意见代替谈话。❸笔记(多用于书名)。如《梦溪笔谈》。

【笔锋】❶笔毫的尖端。❷运笔的锋尖。锋尖保持在线条点划之中的叫中锋,藏在点划中间的叫藏锋,偏在点划一面的叫偏锋。❸比喻书画的笔势或文章的锋芒。㊐～犀利。

【笔触】❶指在画面上有意识注意用笔,并留下痕迹,借以充分表现物体形象的质感和画面的节奏感。❷指文学作品(或其他艺术作品)所表现的笔力、笔调和风格。

【笔意】书画或诗文所表现的作者的意趣。

【笔端】笔下。指写字、绘画、写作中所表现的意境。㊐一片丰收的景象尽入～。

【笔墨】❶中国画用笔运墨技法的总称。❷指文字或文章。㊐难以用～形容。

【笔下生花】比喻文章写得非常精彩。

【笔墨官司】喻指用文字来进行的辩论、争执。

【笔记本电脑】便携式电子计算机的一种。体积小,重量轻,可放入公文包。因外形像笔记本,故名。

俾 bǐ 使。㊐～便施行。

【俾斯麦】奥托·俾斯麦(1815—1898)普鲁士王国首相和德意志帝国宰相。因主张铁血政策,被称为铁血宰相。通过自上而下的王朝战争,实现了德意志国家的统一。1871年曾帮助法国梯也尔政府镇压巴黎公社。

【俾昼作夜】以白天作夜间。

啚☒ ㊁ bǐ 同"鄙"。
㊀ tú (993页)。

鄙 bǐ ❶(见闻)浅薄;(品质)恶劣。㊐～陋|卑～。❷看不起。㊐可～|～夷。

❸边远的地方。㊀边～。❹谦辞。用于自称。㊀～人|～见。
【鄙人】谦辞。用于自称。
【鄙夷】轻视;看不起。
【鄙吝】庸俗;小气。
【鄙弃】因看不起而抛开。
【鄙视】不放在眼里;看不起。
【鄙陋】(见识)粗俗浅薄。
【鄙俚】粗俗;浅陋。俚(lǐ)。
【鄙意】谦辞。称自己的意见。
【鄙薄】轻视;看不起。

bì ㄅㄧˋ

币(幣) bì 钱;货币。㊀纸～|人民～。
【币制】货币制度。包括货币的币材,货币的单位,硬币的铸造,纸币的发行、流通等。
【币值】货币的价值。即货币购买商品的能力。

必 bì 副词。必定;一定要。㊀人民～胜|事～躬亲。
【必要】不可缺少;需要。㊀在制订计划以前,进行调查研究是十分～的。
【必须】副词。一定要。㊀学习～下苦工夫。
【必然】❶确定不移。㊀帝国主义的最后灭亡是～的、毫无疑义的。❷哲学范畴。指客观规律性。
【必需】一定要有的;不可缺少的。㊀日用～品。
【必然性】哲学范畴。指由事物内在的本质因素所决定、并通过大量的偶然性表现出来的确定不移的联系和唯一可能的发展趋势。与"偶然性"相对。
【必不挠北】必定不会失败。《吕氏春秋·忠廉》:"若此人也,有势则必不自私矣;处官则必不为污矣;将众则必不挠北矣。"挠北:败北,作战失败。
【必由之路】必须经过的道路。
【必要产品】劳动者的必要劳动所创造的产品。
【必要劳动】劳动者为维持和再生产劳动力所必须的劳动。劳动力的生产和再生产具有历史性,不同社会历史条件下的必要劳动的大小也不相同。一切剥削阶级总是力图压缩必要劳动部分,以榨取更多的剩余劳动。
【必要条件】逻辑关系的一种。如果没有甲,必然没有乙,那么甲就是乙的必要条件。
【必恭必敬】同"毕恭毕敬"(55页)。
【必然王国】哲学范畴。指人们尚未真正认识客观规律,盲目地受规律支配的境界。在社会领域,又指人们受必然性支配,特别是受自己创造出来的社会关系奴役和支配的社会状态。与"自由王国"相对。
【必然事件】概率论中把在一定条件下必然发生的事件叫做必然事件。必然事件的概率为1。
【必要劳动时间】指劳动者的劳动时间中用于生产维持劳动者自身及其家庭生活所必需的生活资料的那部分时间。在必要劳动时间内,生产必要产品或必要价值。与"剩余劳动时间"相对。

邲☒ bì 古地名。在今河南荥阳北。

苾☒ bì 芳香。

咇☒ bì〔咇茀〕香味浓。

闭☒(閟) bì ❶闭门。❷隐秘。

泌 ㊁ bì 涌出的泉水。多用于地名,如泌阳(在河南)。
㊀ mì (681页)。

驳☒(駜) bì 马肥壮有力的样子。

珌☒ bì 刀鞘下端的装饰物。

柲☒ bì 兵器的柄。

毖 bì 谨慎。㊀惩前～后。

铋(鉍) bì 金属元素,符号Bi,原子序数83。银白色,性脆。可与铅、锡等制低熔点合金,用于制保险丝、安全栓等。

秘(*祕) ㊁ bì ❶姓。❷〔秘鲁〕国名。位于南美洲西北部。
㊀ mì (682页)。

跛☒ bì〔跛跋〕马快跑的样子。

毕(畢) bì ❶结束;完成。㊀礼～|～业。❷副词。完全地。㊀真

相～露。❸星名。二十八宿之一。

【毕业】指学生修业期满，达到规定要求，结束在校学习。

【毕生】一生；一辈子。

【毕肖】完全相似。

【毕昇】（？—约1051）北宋人，活字版印刷术的发明者。他是一个雕版工，在长期的劳动实践中，经过多年试验，于庆历年间(1041—1048)发明了活字版印刷术。他用胶泥片雕刻活字，用火烧硬，然后排版印刷。活字可多次使用，比整版雕刻经济方便。

【毕命】死去（多指不是好死）。

【毕竟】副词。到底；究竟；终归。[例]虽然经历了多次失败，试验～还是成功了|～是年轻人，体力恢复得这么快。

【毕加索】巴勃罗·毕加索（1881—1973）西班牙画家，现代艺术的代表，立体派创始人。1907年开始立体派绘画尝试。1925年后进入自由变形时期，仍以立体派对形体的分析与综合为主。代表作有《亚威农的少女》《格尔尼卡》《和平鸽》等。

【毕恭毕敬】也作必恭必敬。十分恭敬。

【毕达哥拉斯】（约前580—约前500）古希腊哲学家、数学家。他发现用三个整数表示直角三角形边长的公式：两直角边为$2n+1$，$2n^2+2n$，则斜边为$2n^2+2n+1$。在西方，称为毕达哥拉斯定理。

【毕其功于一役】一次完成原来应分几步做的事。功：事情。一役：一次行动。

荜（蓽） bì 见下。

【荜拨】也作荜茇。多年生藤本植物。叶卵状心形，花小，雌雄异株，穗状花序，浆果卵形。干燥果穗入药，有温中散寒、下气止痛等作用。

【荜茇】同"荜拨"（55页）。

【荜澄茄】藤本或乔木状植物。叶长卵形，花小，雌雄异株，穗状花序，浆果近球形。干燥果实入药，有温暖脾胃、行气止痛等作用。

哔（嗶） bì〔哔叽〕法语音译词。一种斜纹的纺织品。

饆☒**（饆）** bì〔饆饠〕古波斯语音译词。一种与肉类和蔬果合煮的饭，即手抓饭；后也指饼类食品。

滭☒**（彃）** bì 射。

筚（篳） bì 篱笆；用荆条、树枝、竹子等编成的遮拦物。[例]蓬门～户。

【筚篥】同"觱篥"（58页）。

【筚路蓝缕】《左传·宣公十二年》："筚路蓝缕，以启山林。"意思是说，赶着柴车、穿着破旧的衣服去开山伐林。后用来形容创业的艰苦。筚路：柴车。蓝缕：破衣服。

趩☒**（趩）** bì 古代帝王或贵族出行时，路上禁止行人通行。

跸（蹕） bì 古指皇帝出行时，清扫道路，禁止通行。也指皇帝的车马、仪仗等。[例]警～|驻～。

庇 bì 遮蔽；保护。

【庇护】❶包庇；保护。❷指一个国家对于遭受追诉的外国人给以保护，并拒绝将他引渡给另一国。

【庇佑】保佑。

【庇荫】（树木）遮住阳光。也比喻尊长的祖护或祖先的保佑。

【庇护权】一国对因政治原因请求避难的外国人准许其入境、居留并给予保护的权利。中国现行宪法规定"中华人民共和国对于因为政治原因要求避难的外国人，可以给予受庇护的权利"。

陛 bì 宫殿的台阶。

【陛下】对国王或皇帝的尊称。

狴 bì〔狴犴〕传说中的一种猛兽。古代在牢狱的大门上画着狴犴的头形，后用作监狱的代称。犴（àn）。

梐☒ bì〔梐枑〕古代军队和官署等在门前设置的阻挡敌人或行人的器具。

毙（斃*獘） bì ❶死。[例]～命|击～。❷仆倒。[例]倒～|～于车中。❸失败；灭亡。[例]多行不义必自～。

【毙命】丧命（含贬义）。

闭（閉） bì ❶关上；合上。[例]～眼|～门造车。❷阻塞；堵住。[例]～气。❸结束；停止。[例]～会|～经。

【闭果】成熟时，果皮失水干燥但不开裂的果实。如向日葵、栗等的果实。

【闭卷】❶合上书本。❷一种考试方法，即考试时不许看书或笔记。

【闭经】指女性在进入青春期后尚未有过月

经,或不明原因三个月以上没有月经来潮(妊娠、哺乳期或绝经期除外)。

【闭塞】❶挡住;堵住。㊀管道~。❷交通不方便或风气不开通。㊀这地方以前很~。❸形容消息不灵通,知道的事情少。

【闭门羹】访问时遭主人回避、拒绝,未得相见,叫吃闭门羹。

【闭门思过】本作闭阁思过。关起门来自我反省。《汉书·韩延寿传》记载,韩延寿为左冯翊太守时,有一次见有兄弟两人争讼田产。韩认为骨肉争讼,有伤风化,责任在于自己没有把地方治理好。于是"闭阁思过",最后感化了这兄弟俩,由互争变为互让。

【闭门造车】宋朱熹《中庸或问》卷三:"古语所谓'闭门造车,出门合辙',盖言其法之同也。"意思是说只要规格一样,关着门造车也是可以的。现比喻不考虑客观实际情况,只凭主观想法办事。

【闭月羞花】也说羞花闭月。形容女子貌美。元王实甫《西厢记》第一本第四折:"则为你闭月羞花相貌,少不得剪草除根大小。"

【闭目塞听】闭起眼睛,堵住耳朵。形容对外界事物不闻不问、不了解。塞(sè)。

【闭关自守】❶封闭关口,不跟外界来往。❷比喻因循守旧,不接受外界新事物。

【闭关锁国】关闭关口,封锁国境,不与外国往来。

【闭路电视】用电缆连接来传输信号,能够自发自收的电视系统。主要设备有摄像机、录像机、视频放大器、高频电缆、电视机等。

拥[☒](**掤**) bì 横打。

诐(**詖**) bì ❶辩论。❷不正。

髲[☒] bì 假发(fà)。

畀 bì 给;交给。

痹(****痺**) bì 中医指由风、寒、湿等引起的肢体疼痛或麻木的病。

箅 bì 箅子,有空隙而能起间隔作用的器具。㊀竹~子|炉~子。

肸[☒] bì 古地名。在今山东费县西北。

贲(**賁**) ㊀ bì 装饰得很好看。㊁ bēn (47 页)。

【贲临】敬辞。请人光临。

庳 bì ❶矮小。㊀宫室卑~。❷低洼。㊀~湿沼地。

婢 bì 旧时受有钱人家雇佣的女孩子。

裨 ㊀ bì 补益。㊀无~于事。㊁ pí (749 页)。

【裨益】好处。㊀大有~。

髀 bì 大腿。也指股骨。

【髀胝】猴、猿臀部红色的硬皮。胝(dǐ)。

【髀肉复生】《三国志·蜀书·先主传》裴松之注中引《九州春秋》说:刘备有一次见自己大腿上的肉又长起来了,自叹"今不复骑,髀里肉生"。后用"髀肉复生"表示慨叹久处安逸,想要有所作为。

敝 bì ❶破烂。㊀~衣。❷谦辞。称自己方面的事物。㊀~处。❸衰败。㊀凋~。

【敝屣】破旧的鞋。比喻没有价值的东西。㊀弃之如~。屣(xǐ)。

【敝帚自珍】三国魏曹丕《典论·论文》引古代谚语:"家有敝帚,享之千金。"后用"敝帚自珍"比喻自己的东西即使不好,还是很爱惜。

蔽 bì ❶遮盖;挡住。㊀遮~|掩~。❷概括。㊀一言以~之。

【蔽芾】形容树木枝叶小而茂密。芾(fèi)。

弊(****獘**) bì ❶害处;毛病。与"利"相对。㊀流~|兴利除~。❷弄虚作假的欺骗行为。㊀营私舞~。

【弊政】腐败的政治。

【弊病】毛病;缺点。

【弊端】由于规章制度上的毛病或工作上的漏洞而发生的损害公益的事情。

【弊绝风清】弊病根除,风气焕然一新。

皕[☒] bì 二百。㊀~宋楼(清代藏书楼,在今浙江湖州)。

弼 bì 辅助。

弻[☒] bì "弼"的异体字。

赑(**贔**) bì〔赑屃〕❶用力的样子。❷传说中一种像龟的动物。旧时石碑的碑座多雕其形。屃(xì)。

湢[☒] bì 浴室。

愊☒ bì ❶诚恳。例恳～。❷郁结；堵塞。例～臆（怒而气满）。

腷☒ bì〔腷臆〕也作愊臆、愊忆。烦闷。

煏□ bì〈方〉用火烘干。

愎 bì 任性，自以为是，不接受别人的意见。例刚～自用。

蓖 bì〔蓖麻〕一年生或多年生草本植物。种子椭圆形，有光泽，有黑、白、棕色斑纹，可榨油。叶可饲蓖麻蚕。

箆 bì ❶箆子，梳发用具，中间有梁儿，两侧有密齿。❷用箆子梳。例～头。

滗（潷） bì 挡住渣滓等，把液体倒出。例壶里的茶～干了。

辟 ㊀ bì ❶古指君主。例复～。❷排除。例～邪。❸古又同"避"。
㊁ pì（750 页）。

【辟易】惊退；因恐惧而离开原地。

薜 bì〔薜荔〕也叫木莲。常绿藤本植物。果实捣汁可做清凉饮料。

壁 bì ❶墙。也指某些类似墙并起墙的作用的东西。例照～｜肠～。❷直立的山崖。例悬崖峭～。❸营垒。例坚～清野。❹星名。二十八宿之一。

【壁立】像墙壁一样陡立。多用来形容山峰。

【壁报】即"墙报"（786 页）。

【壁画】画在建筑物墙壁或天花板上的画。是历史最悠久的绘画形式之一。有石窟壁画、寺观壁画、宫廷壁画、墓室壁画等多种。可以表现特定的题材，也可以只起装饰作用。

【壁虎】旧称守宫。爬行动物。体扁平。尾易断，多能再生。趾上有吸盘，常在壁上活动，捕食蚊、蝇等。

【壁炉】一种镶入墙体并有一边朝向室内的固定取暖炉。其烟道多设于建筑物墙体内，烟雾由屋顶烟囱排出。常分为开敞式和封闭式。多见于寒冷地带的居住建筑中。

【壁垒】古时军营的围墙。比喻对立的阵营。例～分明。

【壁球】❶球类运动项目之一。由网球派生出来，始于英国。场地长 9.75 米，宽 6.40 米，高 4.57 米。比赛时一方向墙击球，球弹回着地一次后由另一方回击。分单打和双打两种。单打每局 9 分，双打 15 分，均为五局三胜。❷壁球运动使用的球。

【壁毯】挂在墙上作为装饰用的毯子。

【壁上观】见〔作壁上观〕（1327 页）。

【壁垒森严】也说森严壁垒。❶防御工事坚固，戒备严密。❷比喻界限极其分明。

避 bì ❶躲开。例～风｜不～艰险。❷防止。例～免｜～雷针。

【避世】脱离现实社会，不和外界接触。

【避孕】通过工具、药物或其他方法阻止精子与卵子结合，使不受孕。

【避讳】❶忌讳。❷中国古代人们在说话或写文章时，遇到皇帝或尊亲的名字，都不能直接说出或写出，叫做避讳。如汉文帝叫刘恒，因而把姮娥改名嫦娥。

【避役】爬行动物。体长约 25 厘米。鳞呈颗粒状。会随环境条件变化而改变，以保护自己，故也叫变色龙。舌长，能伸出口外捕食昆虫。四肢较长，善握树枝。尾长能缠绕树枝。分布于非洲北部等地。

【避席】离开坐席。表示礼貌或敬意。

【避难】躲避灾难或迫害。

【避暑】天气炎热时，暂时到凉爽的地方去住。

【避税】纳税人采用合法手段避免纳税的行为。

【避嫌】为防止他人怀疑而对某个问题采取回避的态度。

【避风港】可以停泊船舶，用以躲避风浪的港湾。也喻指逃避斗争的场所。

【避雷针】保护建筑物等免受雷击的装置。本身为一良好接地的金属棒，安装在被保护物的顶端。当附近天空发生雷电时，避雷针经地线将雷电电流引入地中，使被保护物免遭雷击。

【避雷带】保护建筑物等免受雷击的装置。采用特定的导线敷设在建筑物边缘、屋顶及其高耸突出部分。当敷设面积很大时就形成避雷网。

【避雷器】用以避免因雷击等产生的过高电压造成危害的装置。装在被保护物附近，当被保护物因雷击等原因电压超过允许值时，避雷器对地放电，以保护人员、高大建筑和电气设备的安全。

【避坑落井】比喻避去一害又受一害。《晋书·褚翜（shà）传》："今宜共戮力以备贼，幸无外难，而内自相击，是避坑落井也。"

【避实就虚】本作避实击虚。《孙子兵法·虚实》："兵之形，避实而击虚。"意思是避开敌人的主力，进攻其薄弱环节。后也指谈问题或处理问题时回避要害。

【避重就轻】避开吃力的，只拣轻的来承担；或回避要害问题，只谈无关紧要的事。

B

【避暑山庄】也叫热河行宫、承德离宫。位于河北省承德市市区北部，是中国现存最大的皇家苑囿。始建于康熙四十二年(1703)，完成于乾隆五十五年(1790)。山庄占地面积约为560公顷，围以虎皮石宫墙，内有宫殿、亭榭、湖泉、山林，风景秀丽、气势雄浑。原是清朝康熙、乾隆、嘉庆几代皇帝避暑的地方。山庄外东、北两侧环列建有象征民族和合的喇嘛教寺庙建筑11座，俗称外八庙。承德避暑山庄1961年被列为全国重点文物保护单位。现向公众开放。

【避其锐气，击其惰归】《孙子兵法·军争》："故善用兵者，避其锐气，击其惰归。"意思是说善用兵的人避开敌人初来时的凶猛气焰，等待敌人疲劳松懈想要退兵的时候，再给予打击。

嬖 bì 宠幸。㊀～爱|～人(受宠幸的人)。

臂 ㊀ bì 胳膊。

㊁ bei (47页)。

【臂助】❶出力帮助。❷助手。

璧 bì 圆形、扁平、中间穿孔的玉。古代作装饰、送礼等用。

【璧还】敬辞。完好地归还借用的东西或辞谢别人赠送的礼物。

襞 bì 衣服或某些器物上的褶(zhě)子。

躃⊠ bì 同"躄"。

躄⊠ bì ❶两腿瘸。❷仆倒。

碧 bì ❶青绿色。㊀～草|～波。❷青绿色的玉石。

【碧玉】❶含铁的石英。红色、褐色或深绿色，质地致密，加工后可作装饰品。❷指年轻貌美的婢妾或小家女子。㊀小家～。

【碧血】传说周敬王时大臣刘文公的所属大夫苌弘，因忠于刘氏，在蜀被人所杀。《庄子·外物》说他的血三年后化为碧玉。后来多用碧血形容为正义事业而流的鲜血。常和"丹心"连用。

【碧落】天空。

觱 bì〔觱篥〕也作筚篥。古代簧管乐器。参见〔管子〕④(349页)。

篳⊠ bì 同"觱"。

濞 bì 见〔漾濞〕(1144页)。

奰⊠ bì 怨怒。

biān ㄅㄧㄢ

边(邊) ㊀ biān ❶边缘；界限。㊀海～|田～|一望无～。❷几何学上指夹成角或围成多角形的封闭折线。❸国家或地区之间的交界处。㊀～界|～防|戍～。❹方面。㊀双～会谈。❺表示同时动作。㊀～干～学。

㊁ bian (63页)。

【边区】民主革命时期，中国共产党根据敌强我弱的形势，选择敌人统治力量薄弱、群众基础和地理位置等有利于革命割据的几个省的边缘地带，建立的农村革命根据地。如湘赣边区、鄂豫皖边区、陕甘宁边区等。

【边防】为保卫国家主权、领土完整和安全，防备外来侵略，在边境地区所布置的防务。

【边际】❶边缘；界限。㊀一眼望不到～。❷经济学上指两个相关的量变化的百分比之间的比率。如边际成本指成本变动的百分比与产量变动的百分比的比率。

【边界】国与国、地区与地区之间的界线。

【边贸】边境贸易的简称。

【边音】辅音的一类。发音时，气流从舌头的两边或一边通过发出声音。如普通话的l。

【边陲】边疆，靠近国界的地区。陲(chuí)。

【边检】边防检查。㊀～站|～人员。

【边幅】布幅边上毛糙的地方。比喻外表、衣着。㊀不修～。

【边隘】边境上的险要之处。

【边缘】外围的部分或跨着界线的部分。㊀～地区|～学科。

【边鄙】边远的地方；接近边界的地方。

【边塞】边境的要塞。也指边境。

【边境】挨近国界的地方。

【边疆】靠近国界的疆土。

【边缘海】简称边海。一面接大陆，另一面以岛屿或群岛与大洋为界的海。是大洋的边缘部分。黄海、东海、南海是中国三大边缘海。

【边际分析】指对单位变化量之间关系的考察和研究。如对边际成本、边际产量、边际效用等的分析。是西方边际效用学派首创的经济学分析方法,是微积分在经济学中的运用。

【边际效用】指效用变化的百分比与商品消费量变化的百分比的比率。

【边缘科学】和许多科学有密切联系,并借助它们的成果而发展起来的科学。如天体演化学是研究天体和天体系统的起源和演化的科学,需要运用天文学、哲学、物理学、化学、生物学、地质学等方面的成果,所以它是上述各种科学的边缘科学。

【边境贸易】简称边贸。两个或多个相邻的国家间的商品和服务的交换。

笾(籩) biān 古代祭祀或宴会时盛果实、干肉等的竹编食器。

砭 biān ❶古代一种治病的石针。❷用石针扎穴位治病。㊞针～。❸刺。㊞寒风～骨。

【砭骨】刺骨。比喻极痛或极冷。

萹□ ㊁ biān〔萹蓄〕也叫扁竹。一年生平卧草本植物。可入药。

㊀ biǎn (60 页)。

编(編) biān ❶编织。㊞～席|～草帽。❷捏造。㊞～造。❸组织排列。㊞～组|～号。❹把文字或资料加以组织整理;创作。㊞～资料|～剧本。❺成本的书;也指书中大于章的部分。㊞人手一～|上～。

【编队】舰船、飞机或车辆形成编组队形的过程。也指编成的队形。

【编导】编写剧本和导演戏剧、电影、电视等。也指做该工作的人。

【编制】❶把细长的东西交叉组织制成器物。㊞用柳条～的篮子。❷编造;制订。㊞～计划。❸军队、工矿企业、学校、机关、团体等机构的人员定额和组织形式。㊞超过～|按连队～。

【编组】军事上指按照一定的要求将部队、分队或人员进行临时性的组合。

【编织】把细长的东西交叉组织起来,使成为新的物件。

【编钟】古代击乐器。把一系列铜制的钟悬挂在木架上组成,用木槌击奏。历代形制大小不一。

【编派】〈方〉夸大或捏造别人的缺点或过失(多用来取笑)。派(pai)。

【编造】❶根据材料,加以组织排列。㊞～名册|～预算。❷凭空编出。㊞～谎言。

【编排】❶把许多项目依次排列。㊞～有关资料。❷戏剧的编写与排演。

【编著】参考利用已有的资料写成书。

【编程】编制电子计算机程序。

【编辑】在书籍、报刊的出版过程中,对稿件、资料进行整理、修改、加工等工作。也指新闻出版机构中担任上述工作的人员。

【编遣】旧指改编队伍,遣散多余人员。

【编磬】古代击乐器。把一系列石制或玉制的磬挂在木架上组成,用小木槌击奏。

【编纂】根据大量的资料,整理编写书籍。㊞～词典。

【编年体】按年月日顺序编写历史事件的史书体裁。如《资治通鉴》。

【编者按】也作编者案。报刊编辑对所发表的文章或消息所加的意见、评论等。一般放在文章或消息之前。

【编者案】同"编者按"(59 页)。

煸 biān 一种烹饪方法。在烧、炖之前把食物用少量的油稍炒一下。

蝙 biān〔蝙蝠〕哺乳动物。头部和躯干像鼠。前后肢和尾部之间有翼膜。晨昏或夜间在空中飞翔。捕食蚊、蛾等。对人类有益。

鳊(鯿) biān 鱼类。体侧扁,略呈菱形,长可达 30 厘米,腹缘有棱,背鳍有硬刺,银灰色。是重要淡水经济鱼。

鯾□(鯾) biān 同"鳊"。

鞭 biān ❶鞭子,一种驱赶牲畜的工具。㊞马～。❷用鞭子抽打。㊞～马。❸细而长像鞭子一样的东西。㊞教～。❹古代兵器。㊞钢～|七节～。❺可供食用或药用的某些雄性动物的阴茎。㊞鹿～|三～酒。❻鞭炮。㊞一挂～|放～。

【鞭春】迎春。

【鞭挞】鞭打。比喻严厉抨击。挞(tà)。

【鞭炮】❶爆竹的统称。❷专指编成串的小爆竹。

【鞭笞】用鞭子抽或板子打。笞(chī)。

【鞭策】鞭和策都是赶马前进的工具。现比喻鼓舞、督促、推动人前进。

【鞭毛虫】原生动物的一类。有一根或几根鞭毛，以此为运动器官。种类很多。如眼虫、黑热病原虫、滴虫等。

【鞭虫病】由鞭虫寄生于人体盲肠和结肠引起的寄生虫病。轻的右下腹疼痛、腹胀和便秘等，重的出现消瘦、贫血等。

【鞭长莫及】《左传·宣公十五年》："虽鞭之长，不及马腹。"意思是马鞭虽长，但不应打马肚子。后来比喻力量达不到。

【鞭打快牛】比喻对工作越勤奋、贡献越大的人或单位越是高要求、压任务，而爱护不够。㊀如果再不解决～问题，消极作用将会更大。

【鞭辟入里】本作鞭辟近里，宋代理学家常用来形容做学问切实。今多形容说明问题透彻，切中要害。辟(pì)：透彻。

biǎn ㄅㄧㄢˇ

贬(貶) biǎn ❶给予低的不好的评价。与"褒"相对。㊀～斥。❷降低。㊀～值｜～官。

【贬抑】贬损压低。

【贬责】指出缺点或错误，加以责备。

【贬值】❶货币购买力下降。❷降低本国单位货币的含金量或降低本国货币对外币的比价。

【贬谪】古指官员降职，被派到离京城很远的地方。

【贬黜】古指在京官吏降级外放或罢免。

【贬义词】含有否定、厌恶等感情色彩的词。如勾结、顽固、伎俩等。

窆☒ biǎn 埋葬。

扁 ㊀ biǎn 物体宽平而较薄。㊀～平｜～圆。
㊁ piān (750页)。

【扁豆】一年生草本植物。茎蔓生，小叶披针形，花白色或紫色，荚果长椭圆形。嫩荚和种子可食。也指这种植物的果实。

【扁食】〈方〉饺子。

【扁桃】也叫巴旦杏。落叶乔木。核果卵圆形，核仁肥大，有甜苦两种，甜的可供食用，苦的可供药用。也指这种植物的果实。

【扁鹊】战国时期名医。姓秦，名越人，字扁鹊，渤海郡鄚(今河北任丘)人。擅长内、妇、儿、五官各科。他反对巫医，行医能"随俗为变"，并首创切脉，以汤药、针灸、按摩等多种疗法治病，取得卓越成就。

【扁平足】指人体足部由于韧带松弛、肌肉力量差或体重过大等因素导致足弓塌陷的现象。足底与地面的接触面积大，足部容易疲劳。

【扁桃体】俗称扁桃腺。机体中较大的淋巴腺组织。通常指位于咽喉两侧的一双腭扁桃体。能产生淋巴细胞，吞噬细菌，有保护机体的作用。

【扁形动物】动物界的一门。身体背腹扁平，不分节。有消化道，缺肛门。通常雌雄同体。很多种类营寄生生活，如血吸虫、绦虫；少数种类营自由生活，如涡虫。

【扁桃体炎】俗称扁桃腺炎。由链球菌或葡萄球菌感染而引起的扁桃体炎症。多发生于受凉或过度疲劳后，常见于青少年。有咽疼、发热、全身不适等症状。多次发作易成慢性，可能引起风湿性关节炎、肾炎、心脏病等全身性疾病，此时宜做摘除手术。

匾 biǎn ❶挂在门顶或墙上的题字的横牌。㊀光荣～｜～额。❷用竹篾编成底平、边框浅的圆形器具。用来养蚕或盛粮食。

萹□ ㊀ biǎn〔萹豆〕今多作扁豆。
㊁ biān (59页)。

惼☒ biǎn 心胸狭窄。

楄☒ ㊀ biǎn 同"匾"。
㊁ pián (751页)。

碥 biǎn 水流湍急、崖岸险峻的地方。

稨☒ biǎn 同"萹(biǎn)"。

藊☒ biǎn 同"萹(biǎn)"。

褊 biǎn 狭小；狭隘。

biàn ㄅㄧㄢˋ

卞 biàn 急躁。

抃 biàn 鼓掌，表示欢喜。㊀～掌。

苄 biàn〔苄基〕也叫苯甲基。含芳香环的有机基团，符号$C_6H_5CH_2$—。它可和各种官能团相结合，如和羟基生成苄醇

($C_6H_5CH_2OH$)等。

汴 biàn 河南开封的别称。

【汴梁】河南开封的古称。开封在战国时为魏都,称大梁。隋、唐在此置州,因临汴水,故名汴州。北宋曾定都于此,称汴京。元时设汴梁路,为汴梁路治所,遂称汴梁。明以后改称开封府。

忭 biàn 欢喜;快乐。

弁 biàn ❶古代男子戴的一种帽子。❷低级武职的旧称。㉔武~|马~。❸古又同姓卞的"卞"。

【弁言】书前的序言。

昪☒ biàn ❶光明。❷欢乐。

变(變) biàn ❶性质、状态或情形跟原来不同。㉔~质|后进~先进。❷可以变化的;正在或已经变化的。㉔~数|~态。❸突然发生的非常事件。㉔事~|~乱。

【变天】❶天气发生变化。❷比喻政治上发生根本变化,现多指被推翻的反动势力复辟。

【变化】事物在形态上或本质上产生新的状况。

【变文】唐代的一种说唱文学。以边讲边唱、边展示图画的方式演述故事。一般讲的部分用散文,唱的部分用韵文。内容大体可分两类,一类讲述佛经故事,一类讲述历史故事或民间传说。变文作品后来失传,清末始在敦煌石窟中发现。近人所编《敦煌变文集》辑录较详备。

【变幻】指无规则可循、不易揣测的变化。㉔风云~|~莫测。

【变节】丧失节操,向敌人屈服投降。

【变迁】指事物的变化转移。

【变色】❶改变颜色。用以比喻时局变化。❷改变脸色。㉔勃然~(指突然生气发怒)。

【变产】变卖产业。

【变异】同一起源的生物体之间在形态特征或生理特征等方面所表现的差异。

【变乱】由战争等重大变故而造成的时局混乱。

【变卦】已经商定,忽然改变主意(含贬义)。

【变态】❶不正常的状态。㉔~心理。❷某些动物在发育过程中,形态结构和生活习性方面出现的一系列显著变化。如蚕由卵、幼虫、蛹变为成虫。植物由于功能的改变所引起的器官结构和形态的变化也叫变态。如仙人掌的叶变为针刺。

【变质】人或事物的本质变坏。㉔蜕化~|药物~。

【变法】旧指统治阶级内部由上而下地对国家的法令制度作重大的改革。㉔商鞅~|王安石~。

【变革】改变事物本质的变化(多指社会制度方面)。㉔~旧制度。

【变故】意外发生的变化或事故。

【变相】表面上改换了一个样子,实质上并没有改变。㉔~贪污|~打击报复。

【变星】亮度在不太长的时间(从几小时到几年)内起伏变化的恒星。有的变星的亮度变化由其内部或大气的物理状态变化而引起;有的由两颗相距很近的恒星相互掩食而引起。银河系内已发现的变星约3万颗。

【变种】❶生物分类中指比种小的单位。它保留种的特有属性,但在某些方面有一定的差别。❷比喻由原有事物蜕变而成的事物,它以新的形式出现,但实质并无变化(含贬义)。

【变换】事物的形式或内容由一种变为另一种。

【变调】汉语中音节连读时,声调调值有规则的变化。如普通话中两个上声相连时,前面一个上声变为接近阳平的声调(如"理想"中的"理"读音近似"离")。

【变通】作灵活的非原则的改变。

【变量】在某一运动过程中数值变化的量。如物体运动所经过的路程是一个变量。表示变量的数叫变数。变量和变数有时通用。

【变电所】变换、分配和控制电能的场所。装有变压器、配电装置和控制、测量等设备,用以变换电压、控制电能的输送和分配。比变电所规模大的叫变电站,规模小的叫变电室。

【变压器】利用电磁感应原理来改变交流电压的装置。主要构件是原线圈、副线圈和铁芯。由低压变成高压的叫升压器,由高压变成低压的叫降压器。

【变色龙】❶见〔避役〕(57页)。❷比喻政治上的投机分子。

B

【变异性】生物亲子间发生变异的一种基本特性。任何生物亲代与子代以及子代之间若不完全相似,就是变异性的表现。

【变形虫】也叫阿米巴。一种低等的单细胞生物。在显微镜下才能看见,体形变化无定。多生活在水中,也有寄生的,如痢疾变形虫。

【变形缝】为防止建筑物、构筑物在外界因素作用下发生变形、开裂甚至造成结构体系损坏的构造预留缝隙。常见的有防震缝、沉降缝和伸缩缝。

【变声期】从童声进入成人声音的变化时期。男性变声期一般在十四五岁,女性在十二三岁。持续时间有三个月、半年、一年不等。变声期应注意保护嗓音,不要喊叫,不要让声带疲劳。

【变阻器】可以分级或连续改变电阻值的电器。用来调节电压或电流。

【变质岩】地壳中原有的沉积岩、岩浆岩,在一定温度、压力或其他地质作用下,改变原有的结构、构造或成分而形成的岩石。如大理岩就是一种由石灰岩变质而成的变质岩。

【变奏曲】以变奏曲式创作的乐曲。可在旋律不变的情况下变化织体,也可对旋律作自由变化。

【变速器】改变发动机、机床等机器转动轴的运转速度,以适应各种工作条件和要求的装置。

【变幻莫测】变化无常,难以预料。

【变本加厉】南朝梁萧统《文选·序》:"盖踵其事而增华,变其本而加厉,物既有之,文亦宜然。"现指变得比本来更加严重、恶劣(含贬义)。厉:猛烈。

【变动成本】在一定范围内随产量(业务量)变动而变动的成本。如原材料成本、产品生产所耗费的直接工资等。与"固定成本"相对。

【变态反应】也叫超敏反应、变应性反应。对某种物质过敏的人在接触该物质时发生的反应。如过敏性鼻炎、哮喘、皮炎、胃肠炎、休克等。

【变性手术】❶对强烈要求改变生理性别的人进行改变性别的手术。❷对两性人进行确立某一种性别的手术。

【变温动物】俗称冷血动物。体温随环境温度的改变而变化的动物。如爬行类、两栖类和鱼类等。与"恒温动物"相对。

便 ㊀ biàn ❶方便;便利。[例]轻~|旅客称~。❷方便的时候或顺便的机会。[例]得~|就~。❸简单的;非正式的。[例]~饭|~条。❹指人的排泄和排泄物。[例]~血|大~|小~。❺副词。就。[例]说做~做。

㊁ pián (751页)。

【便民】方便群众。[例]~措施|~店。

【便衣】❶非军警人员穿的服装。❷称身着便衣进行侦察活动的军人、警察等。

【便条】非正式的、简便的书信或文字通知。

【便服】平时穿的服装。现有时也指中式服装(区别于制服或西服)。

【便函】机关团体发出的规格低于正式公文的信件。

【便览】就某一类事物而作的概括、简要的说明(多用在交通、邮政、旅游等方面)。

【便秘】粪便在肠腔内滞留过久,其中水分被过量吸收,粪便干燥坚硬,排便困难、次数少的症状。秘(mì)。

【便捷】❶方便简单。❷手脚轻便灵活。

【便道】❶就近的小路。❷(正式道路建成前)临时使用的道路。❸城市马路两边的人行道。

【便携式】样式便于携带的。[例]~电脑。

【便宜行事】不必请示,自行决断处置。宋苏轼《赵清献公神道碑》:"公乞以便宜行事。"

缏(緶) ㊀ biàn 缏子,用麦秆等编成的辫状窄带子,可用来做草帽等。

㊁ pián (751页)。

遍(*徧) biàn ❶满;布满。[例]我们的朋友~天下|满山~野。❷量词。一个动作从开始到结束的整个过程为一遍。[例]看了三~。

【遍地开花】比喻到处出现或普遍发展。

【遍体鳞伤】形容满身都是伤痕,像鱼鳞一样密。

艑 ☒ biàn 小船。

辨 biàn ❶区别;分析。[例]明~是非。❷古又同"辩"。

【辨认】分析并做出判断。[例]~笔迹。

【辨别】把不同的事物区别清楚。[例]~真假。

【辨证】同"辩证"②(63页)。

【辨析】辨别分析。
【辨明】分辨明白。
【辨证论治】中医学名词。辨证，指用各种方法全面分析病症的性质、原因、病人的情况，做出正确判断。论治，指根据辨证的结果，给予相应的治疗。

辩（辯） biàn 争论；说明是非、真假。㊀能言善～|不容分～。
【辩才】辩论的才能。
【辩白】说明事实或理由，以消除别人的误解。
【辩论】❶对不同的观点，双方展开争论。❷法律上指公诉人、当事人和辩护人、诉讼代理人在人民法院的主持下，就案件事实和争议的问题，提出各方的主张及其证据，互相进行辩驳，以维护各方合法权益和主张的诉讼制度。辩论是开庭审理的必经程序。
【辩护】❶针对指控提出事实、理由来申辩。❷人民法院审理案件时，被告人和其辩护人依照法律对被指控的事实和法律的适用所作的申辩和解释。被告人有权获得辩护，人民法院有义务保证被告人获得辩护。可以接受委托充当辩护人的有律师，人民团体或犯罪嫌疑人、被告人所在单位推荐的人，犯罪嫌疑人、被告人的监护人或亲友等。
【辩证】❶合乎辩证法的。㊀～的观点。❷也作辨证。分析考证。
【辩驳】提出理由来否定对方的意见。
【辩客】为某一种主张进行辩护的人（含贬义）。
【辩诬】对诽谤或错误的指责进行辩解。
【辩难】辩论，申说自己的理由，否定对方的意见。难（nàn）：驳斥。
【辩解】在受到责难批评时，进行辩护解释。
【辩护人】受犯罪嫌疑人、被告人委托或由法院指定，在法庭上为被告人辩护的人。
【辩护士】泛指为人或事物辩护的人（多含贬义）。㊀殖民主义的～。
【辩护权】法律给予被告人申辩和解释的一种权利。
【辩证法】关于普遍联系和变化发展的哲学学说。辩证法一词，源出古希腊文，是进行谈话和辩论的意思。后来指同形而上学相对立的哲学理论和方法。辩证法认为，世界是普遍联系和永恒发展的，世界的发展是由它自身所固有的矛盾推动的。哲学史上有古代的朴素辩证法、黑格尔的唯心辩证法和马克思主义的唯物辩证法三种基本形式。
【辩证逻辑】关于辩证思维形式、规律和方法的科学。主要研究反映客观事物矛盾的概念、判断、推理等辩证思维形式的运动变化及其规律。与形式逻辑不同，它不是单纯地研究思维的形式结构，而是从形式和内容的有机结合上，考察思维形式的联系和发展规律。注重思维内容的真理性，要求人们用全面的和发展的观点去观察事物；对具体事物作具体分析；用实践来检验人的思想的正确性。其基本规律是唯物辩证法基本规律在思维中的具体表现。
【辩证唯物主义】马克思主义哲学的组成部分。唯物主义和辩证法的有机统一。是关于自然、社会和思维发展的最一般规律的科学。是无产阶级的世界观和方法论。它同唯心主义、形而上学是根本对立的，同过去的各种唯物主义也有着根本性的区别。
【辩证唯物主义认识论】也叫马克思主义认识论。马克思主义哲学关于认识的本质和发展的科学理论。以实践为基础，强调认识对实践的依赖关系，把辩证法运用于认识论，强调认识是一个充满矛盾的发展过程。以主观和客观、认识和实践具体的、历史的统一为其总结论。

辫（辮） biàn ❶辫子，把头发分股交叉而编成。❷像辫子一样的东西。㊀草帽～。

bian ·ㄅㄧㄢ

边（邊） ㊁ bian 后缀。用在方位词的后面，表示方向、处所。㊀东～|里～。
㊀ biān（58页）。

biāo ㄅㄧㄠ

杓 ㊀ biāo 指北斗柄部的三颗星。
㊁ sháo（863页）。

标（標） biāo ❶树木的末端，引申为事物的枝节或表面。㊀治～不如治本。❷记号。㊀～志|商～。❸衡量事物的准则。㊀～准|目～|国～（国家标准）。❹用文字或记号表明。㊀～价|～点。❺发给竞赛优胜者的奖品。㊀锦～。

B

❻发包人对其工程项目公布的标准、条件或承包人竞投的价格。㊐招～|投～|中～。

【标尺】❶测量高度、深度用的有刻度的尺。❷枪炮瞄准器的一部分。

【标书】投标方依招标方要求填写的有关工程金额、条件等的书面材料。

【标本】❶枝节和根本。㊐～兼治。❷经过加工或保持实物原形,供学习或研究用的动物、植物、矿物等样本。❸同类事物中可以作为代表的事物。

【标号】❶用来表示某些产品性能的数字。如水泥根据抗压强度大小而有200号、400号、500号等各种标号,标号越高,质量越好。❷指标点符号中用来标明语句的性质和作用的符号。如引号、括号、破折号、省略号等。

【标会】见〔合会〕(386页)。

【标志】也作标识。❶表明特征的记号。❷显示。㊐这次卫星发射的成功～着我国在航天领域已经进入了先进国家行列。

【标兵】❶阅兵场上标明界线的士兵。泛指群众集会中用来标志某种界线的人。❷比喻作为学习榜样的个人或单位。

【标识】同"标志"(64页)。识(zhì)。

【标枪】❶田赛项目之一。在起掷线后,经过助跑、交叉步、引枪、转体,将枪从肩上方用力掷出,枪尖须先着地,落入规定区域内有效。❷田赛投掷器械之一。中间粗,两端细,前端安装金属尖头。

【标图】使用军队标号和文字将军事情况标绘在地图上。包括手工标图和计算机标图。

【标的】法律关系中权利义务指向的对象。如合同标的、诉讼标的。合同标的大多数是物,也有完成一定工作的行为,如买卖合同的标的是物,加工承揽合同的标的是行为。诉讼标的属于诉讼请求的范围。

【标举】高出;超逸。《宋书·谢灵运传论》:"灵运之兴会标举,延年之体裁明密;并方轨前秀,垂范后昆。"

【标语】用简短文字写出的宣传鼓动口号。

【标统】即"统带"(987页)。

【标致】相貌、体形漂亮,好看(多用于女子)。

【标高】地面或建筑物上的一点和作为基准的水平面之间的垂直距离。分相对标高和绝对标高。相对标高以建筑物首层地面为起始点,称为相对标高的零点,其他各点的标高为相对于标高零点的高度差。在中国,绝对标高是以青岛黄海的平均海平面高度为起始点而形成的高度差。

【标准】衡量事物的准则。也指可作为准则的事物。㊐取舍～|～线。

【标量】只有大小没有方向的量。如时间、温度等物理量。标量间的运算遵循一般的代数法则。与"矢量"相对。

【标签】用来标明物品名称、规格、用途、价格之类的纸片。

【标榜】吹嘘;夸耀。㊐自我～。

【标题】标明文章或作品内容的概括性语句。通常指概括全篇内容的,有时也指概括段落内容的。

【标准化】为了使社会生产和流通能够经济、合理并顺利地实现,对产品、规格、测试手段等在一定范围内做出统一的规定,叫做标准化。实行标准化能缩减产品品种,加快产品设计和生产准备工作,提高产品质量,扩大产品零部件的通用性,降低生产成本。

【标准时】即"区时"(805页)。

【标准亩】❶曾用于耕地面积的计量单位。由于中国各地亩的大小不一致,为求统一曾先后规定以1营造亩(614.4米^2)和1市亩(666.7米^2)为1标准亩。❷也叫折熟亩。曾用作农业机械作业工作量的折算单位。通常以耕一亩熟地,土壤阻力为0.5千克力/厘米^2,耕深为20—22厘米的工作量为一标准亩。其他深耕、耙地、播种等都按一定比例折算。

【标准层】建筑平面布置相同的楼层。

【标准音】标准语的语音。一般都采用占优势的地方方言的语音系统,如北京语音是汉语普通话的标准音。

【标准语】经过加工和规范的民族共同语。是全民族的交际工具,如汉语的普通话。

【标点符号】辅助文字记录语言的符号。是书面语的有机组成部分,用来表示停顿、语气以及词语的性质和作用。汉语常用的标点符号有16种:句号、问号、叹号、逗号、顿号、分号、冒号、引号、括号、破折号、省略号、着重号、连接号、间隔号、书名号、专名号。

【标准米尺】也叫米原器。一条截面呈X形的铂铱合金棒。曾作为长度单位米的标准,保存于巴黎的国际计量局中。现国际单位制中以光速定义米的长度。

【标准状况】在物理和化学中，表示温度为0℃、压强为101.325千帕时的状况。

【标新立异】《世说新语·文学》记载，支道林与冯怀两人在白马寺共同讨论《庄子·逍遥游》，“支卓然标新理于二家之表，立异义于众贤之外”。原意是说支能独创新意，立论与其他人不同。后多指提出新的见解。

【标题音乐】借助文学、景物、个人情趣等标明题目的器乐曲。如《“梁山伯与祝英台”小提琴协奏曲》。

【标题新闻】以大字标题形式刊登在报刊上的简要新闻。

【标准大气压】压强的非法定计量单位。1标准大气压等于1.01325×10^5帕。

【标准普尔平均指数】美国最大的证券研究机构标准普尔公司编制的股票价格指数。

飑（颮） biāo 突然发生的强风现象，常伴随着雷、雨、雹、雪等。

骉☒（驫） biāo 形容众马奔驰。

彪 biāo ❶小老虎。❷虎身上的斑纹。❸喻指人的体格粗壮高大。㊀～形大汉。

【彪炳】文采焕发；照耀。㊀～史册。

滮☒ biāo ❶水流的样子。❷滮池，古水名，在今陕西。

猋☒ biāo ❶迅速。❷同“飙”。

飙（飆） biāo 暴风。㊀狂～。

【飙升】急速上升。㊀油价～。

摽 ㊀ biāo ❶挥去。❷抛弃。
㊁ biào（66页）。

骠（驃） ㊀ biāo 马的一种。全身淡黄栗色，鬃、尾等长毛部分近于白色，现叫银河马。也指全身黄栗色的马，通称黄骠马。
㊁ piào（753页）。

膘（*臕） biāo 指牲畜的肥肉。㊀长～|～厚。

熛☒ biāo ❶火星迸飞。❷迅速。

磦☒ biāo ❶形容山峰突出。❷一种绘画用的红颜料。㊀朱～。

镖（鏢） biāo 古时的一种投掷武器。㊀飞～。

【镖客】也叫镖师。旧指擅长武艺，专门为官府和富商大贾保护行旅安全的人。

瘭 biāo〔瘭疽〕手指肚儿或脚趾肚儿红肿化脓、剧烈疼痛的病症。

儦☒ biāo〔儦儦〕行进的样子。

藨□ biāo 藨草，多年生草本植物。根状茎细长。茎单生，三棱形。生于水沟、水塘边、沼泽地。可用来编织、造纸。

瀌 biāo〔瀌瀌〕形容雨雪盛大。

镳（鑣） biāo ❶马嚼子。㊀分道扬～。❷同“镖”。

穮☒ biāo 除草。

biǎo ㄅㄧㄠˇ

表（❺錶） biǎo ❶外部。㊀～面。❷显示。㊀～明。❸表格，用表格形式记载事项的著作或文件。㊀填～|年～|调查～。❹榜样。㊀～率|为人师～。❺记时的器具。㊀手～。❻测量的器具。㊀体温～。❼表示亲属关系，称呼父亲(或祖父)姊妹的子女、母亲(或祖母)兄弟姊妹的子女。㊀～兄弟|～叔|～姑。❽中医指用药物把感受的风寒发散出来。❾古代奏章的名称之一。㊀《出师～》。

【表白】解释、说明(自己的情况、意见等)。

【表记】❶记号；标志。❷作为纪念品或信物而赠送给他人的东西。

【表皮】动植物体表面的一层组织。

【表扬】对好人好事给以公开赞扬。与“批评”相对。

【表决】会议上通过举手、投票等方式作出决定。

【表字】旧时人在本名之外所取的与本名有意义关系的另一名字。

【表报】指用表格形式记录事项的文件和送给上级的报告。

【表现】❶显示出来。㊀他～得很勇敢。❷故意显示自己(含贬义)。㊀他好(hào)～。

【表述】说明叙述。也指说明叙述的话。

【表态】表明态度。

【表象】感知过的客观事物的外部特征在人脑中重现的形象以及由人的能动的想象力所创造的形象。是感性认识的高级形式。是由直接感知过渡到抽象思维的中间环节。

B

【表率】好榜样。
【表情】从脸部或姿态中表现出来的思想感情。
【表彰】隆重地表扬。
【表演】❶戏剧、电影、音乐、舞蹈、曲艺、杂技等演员把情节、人物或技艺表现出来。❷各种技术、技巧的显示。
【表面积】立体几何图形外部各面面积的和。
【表演唱】一种表演形式。以唱为主，辅以各种形体动作。
【表里如一】说话、行动和心里所想的完全一致。
【表现主义】20世纪初以德国为中心的现代艺术倾向。厌恶西方机械文明，崇尚原始天性和个人经验，摒弃自然主义的客观再现，追求自我感受的主观表现。代表画家有基希纳、诺尔德等。
【表面张力】液体表面相邻两部分间相互吸引的力。由于表面张力的作用，液体表面总是趋向尽可能缩小。如荷叶上水珠总是呈球形。
【表面活性剂】也叫界面活性剂。能显著降低液体表面张力(或二相间界面张力)的物质。其分子由亲水基和疏水基组成。种类很多，有阴离子表面活性物质(如肥皂)和阳离子表面活性物质(如胺盐)、非离子型表面活性物质和两性表面活性物质等。常用作润湿剂、洗涤剂、乳化剂、泡沫剂等。广泛用于纺织、食品、医药、农药、化妆品、建筑、采矿等方面。

婊 biǎo〔婊子〕对妓女的蔑称(多用于骂人)。

裱 biǎo 裱褙。例～字画。

【裱褙】用纸或丝织品衬托在书画下面粘糊起来，以便于书画观赏保存。
【裱糊】用纸糊顶棚、墙壁等。
【裱糊作】也叫裱作。指中国传统木构建筑中室内贴裱天花、木壁板墙、顶格梁柱等的装修工程。

biào ㄅㄧㄠˋ

俵 biào 俵分，按人或按份儿分发。

摽 ㊀ biào ❶紧紧捆住。例桌子腿活动了，用铁丝～上。❷过分亲近，形影不离(多含贬义)。例他们几个老～在一起。❸比着劲儿(做某事)。例两个小组一直～着干。❹打；击。❺落。❻古又同"标"。

㊁ biāo (65页)。

鳔(鰾) biào ❶大多数鱼体内的一种长囊状器官。内有气体，收缩时鱼下沉，膨胀时鱼上升。还有辅助呼吸的作用。❷鳔胶，用鱼鳔等熬制的胶。黏性大，多用来粘接木器。

biē ㄅㄧㄝ

瘪(癟*癟) ㊁ biē〔瘪三〕〈方〉旧称无正当职业，靠乞讨或偷窃为生的游民。

㊀ biě (67页)。

憋 biē ❶抑制或堵住不让出来。例劲头～足了｜一口气～得脸通红。❷闷；不舒畅。例空气不流通，～得透不过气来。
【憋闷】烦闷，心情不痛快。

鳖(鱉*鼈) biē 也叫甲鱼、团鱼。爬行动物。有甲。生活在河湖池沼中。肉可食，甲可供药用。
【鳖裙】也叫鳖边。鳖的背甲四周的胶质软边。

bié ㄅㄧㄝˊ

别 ㊀ bié ❶分离。例告～。❷区分。例分门～类。❸另外。例～人｜～有用心。❹差别；类别。例天渊之～｜性～。❺绷住或卡住；插住。例把两张表格～在一起｜把门～上。❻副词。不要，表示禁止或劝阻。例～动｜你～走。

㊁ biè (67页)。

【别号】人们在正式的名、字以外另起的名号。例白居易，字乐天，～香山居士。
【别名】正式或规范的名称以外的其他名称。
【别字】❶写错或念错的字。即该写这个字却写成另一个字，该念这个字音却念成另一个字音。如把"接洽"写成"接恰"；把"脍炙人口"的脍(kuài)念成烩(huì)。❷别号。
【别择】❶鉴别选择。❷另外选择。
【别致】新奇，跟一般不同。
【别称】正式名称以外的名称。例赣是江西

的～。

【别裁】辨别剔除。唐杜甫《戏为六绝句》诗有"别裁伪体亲风雅"语，故后来用作诗歌选本的名称。

【别集】收集个人的诗文而成的书。与"总集"相对。如唐李白的《李太白集》、白居易的《白氏长庆集》都是别集。

【别墅】多在郊区或风景区建造的供休养用的住宅。墅(shù)。

【别动队】指离开主力单独执行特殊任务的部队。

【别开生面】唐杜甫《丹青引赠曹将军霸》诗："凌烟功臣少颜色，将军下笔开生面。"意思是凌烟阁里的功臣画像本来已经褪色了，只是经曹将军重画之后才显得有生气。后多用来形容文艺作品另创新的形式、风格等。

【别无长物】也说身无长物。《世说新语·德行》："恭作人无长物。"指王恭置备的东西没有多余的份额。后用以形容穷困，除一身外再没有多余的东西。长(cháng，旧读zhàng)物：多余的东西。

【别出心裁】与众不同。

【别出机杼】比喻另辟途径，有所创新。《魏书·祖莹传》："文章须自出机杼，成一家风骨。"机杼(zhù)：指织布机。

【别有天地】唐李白《山中问答》诗："桃花流水窅(yǎo)然去，别有天地非人间。"指另有一种境界。现多形容风景或艺术创作等引人入胜。

【别有用心】另有不可告人的动机、企图。

【别林斯基】维萨里昂·别林斯基(1811—1848)俄国文学批评家、哲学家、革命民主主义者。19世纪40年代在与唯心主义斗争中形成唯物主义世界观和革命民主主义思想，在美学上认为艺术是现实的再现，艺术必须揭示生活中正确的方向。对俄国哲学、文学理论的发展有巨大影响。著有《给果戈理的信》《文学的幻想》《1846年俄国文学一瞥》《1847年俄国文学一瞥》等。

【别具只眼】比喻有独到的眼光和见解。宋杨万里《送彭元忠县丞北归》诗："近来别具一只眼，要踏唐人最上关。"

【别具匠心】具有与众不同的巧妙的构思。常指文学艺术方面创造性的构思。匠心：巧妙的心思。

蹩 bié 多指脚腕子扭伤。

【蹩脚】〈方〉质量不好；差。例～货|文章写得～。

biě ㄅㄧㄝˇ

瘪(癟 *癟) ㊀ biě 凹下去；不饱满。例干～|车带～了。

㊁ biē (66页)。

biè ㄅㄧㄝˋ

别(彆) ㊁ biè〔别扭〕❶不顺心。例心里～。❷不通顺；不流畅。例这个句子听着～。❸意见不相投。例闹～。

㊀ bié (66页)。

bīn ㄅㄧㄣ

邠□ bīn ❶邠县，地名，在陕西。今作彬县。❷同"豳"。

玢 ㊀ bīn ❶玉名。❷玉的纹理。

㊁ fēn (274页)。

宾(賓) bīn 客人。例外～|贵～。

【宾白】戏曲中的说白。明徐渭《南词叙录》："唱为主，白为宾，故曰宾白。"明单宇《菊坡丛话》："两人对说曰宾，一人自说曰白。"

【宾语】句子成分的一种。动词支配或涉及的成分。如"写文章""了解他"中的"文章""他"。

【宾馆】招待来宾住宿的地方，现多指较大、设施较好的旅馆。

【宾至如归】客人到此，有在家之感。形容接待客人热情周到。《左传·襄公三十一年》："宾至如归，无宁灾患。"

傧(儐) bīn 迎接客人的人。

【傧相】古称替主人接引宾客和赞礼的人。后来指婚礼中陪伴新郎和新娘的人。

獱☒(獱) bīn 小獭。

滨(濱) bīn ❶水边；近水的地方。例海～|湖～。❷靠近(水边)。例～海|～江。

缤(繽) bīn〔缤纷〕繁多；杂乱。㊀五彩～|落英～。

瑸☒(璸) bīn〔瑸瑸〕玉的花纹。

槟(檳) ㊀ bīn〔槟子〕落叶乔木。苹果类树木的一种。果实比苹果小，是苹果与沙果的杂交种。也指这种植物的果实。

㊁ bīng（70页）。

镔(鑌) bīn 镔铁，精炼的铁。

蠙☒(蠙) bīn ❶蚌珠。❷比喻妇女怀孕。

梹☒ ㊀ bīn 同"槟(bīn)"。

㊁ bīng（70页）。

彬 bīn〔彬彬〕形容文雅。㊀～有礼。

斌 bīn 同"彬"。多用于人名。

瑸☒ bīn 见〔璘瑸〕(621页)。

濒(瀕) bīn ❶靠近(水边)。㊀东～大海。❷临近；接近。㊀～临|～死。

【濒危】❶临近危险的境地。❷(物种)临近灭绝。㊀～动物。

【濒临】接近；临近。

【濒危物种】现存数量稀少，处于灭绝的临界水平的物种，也指最适宜的生态环境发生变化，其生存和繁衍受到严重威胁的物种。如中国的滇金丝猴等物种。

【濒危植物】在其分布区处于灭绝危险中的植物。这些植物植株稀少，地理分布有很大的局限性，仅生存于特殊的生态环境或有限的地方。如野人参、大叶木兰等。

豳 bīn 古地名。在今陕西旬邑西南。

bìn ㄅㄧㄣˋ

摈(擯) bìn 抛掉；排除。㊀～于门外。

【摈斥】排除；排斥。

【摈弃】抛弃；扔掉。

殡(殯) bìn 停放灵柩；把灵柩送到墓地。㊀出～。

【殡车】灵车。

【殡仪馆】专门供停放灵柩办理丧事的机构。

膑(臏) bìn 同"髌"。

髌(髕) bìn ❶膝盖骨。❷古代一种除去膝盖骨的酷刑。

【髌骨软化】由外伤、肌肉萎缩引起的关节软骨病变。可因内面粗糙不平引起疼痛、摩擦感和行动不稳。

鬓☒ bìn "鬓"的异体字。

鬓(鬢) bìn 鬓角，面颊两边靠近耳朵前面的地方；也指这个部位所长的头发。㊀两～苍苍。

bīng ㄅㄧㄥ

冰(*氷) bīng ❶水在0℃或0℃以下凝结成的固体。❷使感到寒冷。㊀冷水～手。❸用冰等贴近东西使之凉。㊀～汽水。❹像冰一样的东西。㊀～糖|～片。

【冰山】❶两极地带浮在海中的巨大冰块。❷比喻不久就要垮台的靠山。

【冰川】高山和两极地区沿地面倾斜方向移动的巨大冰体。按所处位置和形状的不同，可分为山岳冰川和大陆冰川两大类。

【冰片】龙脑树干蒸馏后所得的结晶。也可用艾纳香的叶提制或人工合成。入药有开窍、醒神、清热、止痛等作用。参见〔龙脑〕(633页)。

【冰心】(1900—1999)中国现代文学家。原名谢婉莹，福建福州人。五四时期开始创作问题小说，有《两个家庭》《斯人独憔悴》等。1923年出版诗集《繁星》和《春水》。同年赴美留学，陆续发表散文《寄小读者》，抒写异国见闻和感受。抗战期间用"男士"等笔名写了《关于女人》等散文和小说。建国后出版《再寄小读者》《小桔灯》《樱花赞》等。有《冰心全集》。

【冰毒】即去氧麻黄碱。毒品的一种。因外形像碎冰而得名。是强兴奋剂，吸食可成瘾。吸食者情绪不稳，自以为精力无穷，举止狂乱，常出现狂躁、自杀、暴力的倾向或行为，并可引发急性心脑疾病。

【冰点】水的凝固点。冰点和压强的大小有关，压强增大，冰点降低。压强为101.325

千帕时,冰点是0℃。

【冰球】❶球类运动项目之一。在冰面上设球场,长61米,宽30米。比赛时运动员穿冰鞋和保护服装,每队场上6人,在冰上滑行,用冰球杆将冰球击入对方球门为得分。❷冰球运动使用的球。扁圆形,用硬橡胶等制成。

【冰期】地球历史上出现大规模冰川的时期。在史前的地质年代上曾有过多次。

【冰释】像冰融化一样不留痕迹。比喻嫌隙、怀疑、误会、意见等完全消除。

【冰碛】冰川运动时所携带的和在冰川融化后所堆积的石块和碎屑物质的总称。碛(qì)。

【冰雹】简称雹。在发展很盛的积雨云中,气流强烈上升,温度在0℃以下但尚未冻结的小水滴碰撞冰晶,冻结成小冰球(小雹),小冰球下降后遇较强气流顶托,因反复升降而增大,落到地面称为雹。降雹时间一般不长,但破坏力很大。常见于夏季和春秋季。

【冰箱】冷藏食物或药品用的制冷器具。电冰箱是在箱内通过电气装置把冷凝剂液化输往循环管道,使箱内保持低温。

【冰霜】❶比喻有节操。❷比喻神情严肃或冷淡。

【冰川湖】因冰川作用形成凹地积水而成的湖泊。由冰川侵蚀作用产生的凹地形成的叫冰蚀湖;由冰碛物之间的凹地积水而形成的叫冰碛湖。

【冰沼土】苔原地带的代表性土壤。土层较薄,过于潮湿,腐殖质含量低,呈酸性。

【冰激凌】把水、牛奶、鸡蛋、糖、果汁等调和后搅拌、制冷而成的半固体冷食。

【冰上运动】体育运动项目的一大类。包括运动员在冰场进行的各种运动。如速度滑冰、短跑道速度滑冰、花样滑冰、冰球、冰上舞蹈、冰上溜石(冰壶)等。

【冰上舞蹈】冰上运动项目之一。在音乐伴奏下,由男女各一名运动员穿冰鞋在冰面上结伴表演各种舞蹈动作。分规定舞、创编舞和自由舞三项内容。

【冰川地貌】冰川对地表物质侵蚀、搬运和沉积作用后所形成的地貌。主要分冰蚀地貌和冰积地貌。前者如角峰、冰斗、U型谷、峡湾等,后者如冰碛丘陵、冰碛堤、蛇形丘等。

【冰原气候】寒带的一种气候类型。全年酷寒,各月气温都在0℃以下,地表被冰雪覆盖。主要分布在南极大陆和格陵兰岛的内陆地区。

【冰消瓦解】隋炀帝《手诏劳杨素》:“雾廓云除,冰消瓦解。”比喻事物彻底消失或崩溃。

【冰清玉洁】也说玉洁冰清。像冰一样清明,像玉一样纯洁。比喻人的行为高尚,操行清白。

【冰冻三尺,非一日之寒】三尺厚的冰,不是短时间的寒冷就能冻结起来的。比喻某个问题是经过日积月累逐渐形成的。

并 ㊁ bīng 山西太原的别称。
㊀ bìng (71页)。

屏 ㊂ bīng〔屏营〕惶恐;惶惑不知所措。《后汉书·清河孝王庆传》:“夙夜屏营,未知所立。”
㊀ píng (759页)。
㊁ bǐng (71页)。

栟 ㊁ bīng〔栟榈〕棕榈。
㊀ bēn (48页)。

兵 bīng ❶战士;军队。例当~|~种。❷军队中的最低等级。例上等~。❸武器。例~工厂|短~相接。❹关于军事或战争的。例~书|纸上谈~。

【兵力】军队人员和武器装备的数量。通常以建制单位或人数表述。如一个团的兵力,两万人的兵力。

【兵戈】兵器。也指战争。

【兵火】指战火。

【兵书】讲用兵之法的书。

【兵戎】指武器、军队。例~相见(指武装冲突)。

【兵权】掌握军队的权力。

【兵团】❶泛指团以上的部队。❷中国人民解放军在解放战争时期的一级组织。下辖数个军。

【兵役】公民依照国家兵役制度履行的军事义务。分现役和预备役。

【兵变】指军队采取叛变行动。

【兵法】古指军事学。如孙子兵法。

【兵种】军种内按主要武器装备和作战任务不同而划分的基本种类。如陆军分步兵、装甲兵、炮兵、陆军航空兵、工程兵、通信兵、防化兵等;海军分潜艇部队、水面舰艇部队、海军航空兵、岸防兵、海军陆战队等;空军分航空兵、地空导弹兵、高射炮兵、空降兵、雷达兵等。各兵种均以其基本装备协同作战或独立完成作战任务。

B

B

【兵饷】军人的薪俸和给养。现称军饷。

【兵站】军队在交通线上设置的供应、转运机构。主要负责物资的收发、保管、转运和伤病员的接收、后送，以及过往军人的接待等工作。

【兵部】官署名。隋唐至明清中央行政机构的六部之一。掌管全国军事。

【兵家】❶春秋战国时期的一个学派。以孙武、吴起、孙膑等为主要代表。研究军事问题，善于总结战争经验，对后代的军事学有很大的影响。❷泛指军事家或用兵的人。㊀胜败乃～常事。

【兵符】❶古代调遣军队、更换将领所用的符节(凭证)。❷兵书。

【兵谏】用武力胁迫进谏。《左传·庄公十九年》："初，鬻拳强谏楚子，楚子弗从；临之以兵，惧而从之。"谏：规劝君主或尊长改正错误。

【兵痞】旧指以当兵为职业，品质恶劣、为非作歹的人。

【兵器】即"武器"①(1045 页)。

【兵燹】因战乱而造成的焚毁、破坏。燹(xiǎn)：野火。

【兵马俑】古代墓葬中的陶质、铜质、木质官兵和车马俑。1974 年在秦始皇陵出土武士俑七千件，战马一百多匹。这些排列整齐严密的队列人俑身高均在一米七八左右，与真人相仿，发型、服饰、表情千姿百态，堪称古代雕塑的杰作，世界罕有之珍品。

【兵役法】根据宪法规定公民服兵役的法律制度。中国第一部兵役法是 1955 年经第一届全国人民代表大会第二次会议通过颁布的。1984 年 5 月 31 日第六届全国人民代表大会第二次会议审议通过了重新修订的《中华人民共和国兵役法》。规定：中华人民共和国实行以义务兵役制为主体的义务兵与志愿兵相结合、民兵与预备役相结合的兵役制度。

【兵不厌诈】《韩非子·难一》："战阵之间，不厌诈伪。"意思是作战时，可以尽量想办法迷惑敌人。

【兵不血刃】武器上没有沾血。指没有经过激战就取得了胜利。《荀子·议兵》："故近者亲其善，远方慕其德，兵不血刃，远迩来服。"

【兵连祸结】《汉书·匈奴传下》："汉武帝选将练兵…虽有克获之功，胡辄报之。兵连祸结，三十余年。"指战祸接连不断。

【兵役制度】国家关于公民参加武装组织或在武装组织之外承担军事义务、接受军事训练的制度。主要包括公民依照法律在军队中服现役，在军队外服预备役以及在校学生接受军事训练等规定。

【兵荒马乱】形容战争中混乱不安的景象。

【兵贵神速】《三国志·魏书·郭嘉传》："嘉言曰：'兵贵神速。'"指用兵贵在行动特别迅速。

梹⊠ ㊀ bīng 同"槟(bīng)"。
㊁ bīn (68 页)。

槟(檳) ㊁ bīng〔槟榔〕热带常绿乔木。树干高且直，基部略膨大。种子叫槟榔子，可供药用，有帮助消化和驱虫等作用。中国广东、云南、福建、台湾等地有栽培。
㊀ bīn (68 页)。

掤⊠ bīng 箭筒的盖子。

bǐng ㄅㄧㄥˇ

丙 bǐng ❶天干的第三位。现常用来表示顺序的第三。❷指火。㊀付～。

【丙肝】丙型病毒性肝炎的简称。传播途径、临床表现与乙肝相似。目前尚无免疫疫苗，也无有效疗法。参见〔肝炎〕(302 页)。

【丙纶】聚丙烯纤维的商品名。由丙烯聚合，经熔融纺丝而成。是现有合成纤维中密度最小的一种。耐酸碱，强度较高，但耐光性差。工业上主要用于制绳索、麻袋、滤布、网具等，也可与棉、毛、黏胶纤维混纺，用作衣料。

【丙酮】也叫二甲酮。有机化合物，化学式 $CH_3—CO—CH_3$。无色、有味、易燃烧的液体。广泛用作溶剂和提取剂，也是生产环氧树脂、异戊橡胶、有机玻璃和合成药物的重要原料。

邴 bǐng 姓。

抦⊠ bǐng 同"秉"。

柄 bǐng ❶器物的把儿。㊀刀～|斧～。❷比喻被人抓住的短处。㊀把～|笑～。❸花、叶或果实跟枝茎相连的部分。㊀花～|叶～。❹权力。也指执掌权力。

㊀国～|～政。

昺☒ bǐng 明亮。

炳 bǐng 光明；显著。㊀彪～。

秉 bǐng ❶拿着；握住。㊀～烛。❷主持。㊀～政。❸古量器名。合十六斛。

【秉公】(办事)掌握原则，主持公道。

【秉承】也作禀承。承受(命令、指示)。

饼(餅) bǐng ❶扁圆形的面制食品。㊀月～|烙～。❷泛指扁圆形像饼一样的东西。㊀铁～。

屏 ㊂ bǐng ❶放弃；排除。㊀～弃。❷抑制(呼吸)。㊀～息静听。

㊀ píng (759页)。

㊁ bīng (69页)。

【屏弃】抛弃；扔掉。

【屏居】退隐。

【屏退】命令周围的人退避。

【屏除】抛掉；除去。㊀～私心杂念。

【屏绝】断绝来往。

【屏息】暂时抑制呼吸。形容不出声音，精神集中。㊀～静听。

【屏气凝神】指聚精会神，专心致志。

禀(*稟) bǐng ❶向长辈或上级报告。㊀回～|～报。❷旧时下级向上级报告的一种文件。㊀具～详告。❸领受。㊀～承。

【禀帖】旧时下属给上司或老百姓给官府写的呈文。

【禀性】人的本性。

【禀承】同"秉承"(71页)。

【禀赋】指人先天具有的生理上或心理上的某种特质。

鞞☒ bǐng 刀剑的鞘。

bìng ㄅㄧㄥˋ

并(❶*併❷－❹*並❷－❹*竝)

㊀ bìng ❶合在一起。㊀归～|合～。❷平排着。㊀～肩前进。❸副词。放在否定词前面表示不像预料的那样。㊀他～不糊涂。❹连词。并且。㊀讨论～通过。

㊁ bīng (69页)。

【并且】连词。连接动词或动词性短语、分句或句子，表示更进一层的意思。㊀大会讨论～通过了这项决议|他一点也没有情绪不高的样子，～显得比平时更愉快爽朗。

【并网】把单独的输电、通信等线路并入总的系统，形成网络。㊀～发电|～运行。

【并吞】侵吞别国领土或他人财产，变成自己的一部分。

【并购】一个公司发行股份、债券或支付现金，交换或购买另一个或几个公司的股份，来取得被收购公司的各项资产或承担其债务。

【并举】一齐进行；同时兴办。

【并联】把各个元件并列接在电路两端的联接方法。特点是各个并联部分两端的电压都相等。一般用的照明电路，各盏电灯都是并联的。与"串联"相对。

【并发症】一种疾病在发病过程中引起的另一种疾病。早期积极防治可减少并发症的发生。

【并蒂莲】也叫并头莲。并排长在同一个茎上的两朵莲花。常用以比喻感情深厚的夫妇。

【并列短语】也叫联合短语。两个或更多的表示并列关系的词语组合。如"工人、农民和知识分子""团结、紧张、严肃、活泼"。

【并行不悖】同时进行，不相冲突。《礼记·中庸》："道并行而不相悖。"悖(bèi)：违反。

【并驾齐驱】几匹马并排拉一辆车，一齐快跑。比喻齐头并进。《文心雕龙·附会》："并驾齐驱，而一毂统辐。"

摒 bìng 排除。㊀～之门外。

【摒挡】收拾；料理。挡(dàng)。

病 bìng ❶生理上或心理上发生的或发生了不正常状态。㊀心脏～|他～了。❷错误；不好或有害的东西。㊀语～|弊～。❸损害。㊀祸国～民。❹责备。㊀诟～。

【病历】即"病案"(72页)。

【病因】引起疾病发生的内外因素。可分为物理性(如外伤)、化学性(如中毒)、遗传性(如色盲)、生物性(如病原微生物)、营养性、精神性等因素。

【病灶】有机体上发生局部病变的部分。

【病态】心理或生理上不正常的状态。

【病例】❶疾病统计的计算单位。以一人一病为一个病例，如一人同时患有两种疾病即为两个病例。❷指某种疾病的实例。某人所患过的某种疾病，即为此病的病例。
【病变】病理变化的简称。指细胞、组织和器官等遭受各种致病因素而发生的局部或全身的变化。
【病毒】❶体积极小的一类微生物。没有细胞结构，但有遗传、变异等生命特征。只能在活细胞内生长繁殖，能引起人和动植物的病害。如麻疹、鸡瘟等都是由不同的病毒引起的。❷指计算机病毒。
【病故】因病去世。
【病笃】病势沉重。笃(dǔ)：病重。
【病案】也叫病历。病人病程及诊断和处理方法的记录。
【病理】疾病发生与发展过程中有机体细胞、组织、器官的结构和机能变化的规律。
【病菌】能使人或其他生物致病的细菌。如伤寒杆菌、炭疽杆菌等。
【病榻】病人的床铺。
【病魔】喻指疾病。
【病毒学】研究病毒的形态、构造、增殖、遗传、变异等生物学特性，以及病毒疾病的发生、发展规律的科学。
【病原体】能引起人和动植物传染病的微生物和寄生虫的统称。如病毒、立克次体、细菌、霉菌、原虫、蠕虫等。
【病入膏肓】《左传·成公十年》："疾不可为也，在肓之上，膏之下，攻之不可，达之不及，药不至焉。"意思是说疾病要是深入到肓(心脏与膈膜之间)之上、膏(心尖脂肪)之下，那就任何药力都不能达到，因而也难于治好。后用"病入膏肓"形容病情严重到了无法医治的地步。也比喻事情严重到了不可挽救的程度。肓(huāng)。
【病民蛊国】也说病国病民、病民害国。害人民，害国家。清纪昀《阅微草堂笔记》卷五："吾辈病民蛊国，不能仇现在之执法者也。"病：损害，祸害。蛊(gǔ)：相传为人工培养成的毒虫，引申为毒害。
【病媒昆虫】也叫媒介昆虫。能传播疾病的昆虫和其他节肢动物。传播方式分机械式携带病原体和生物式传播病原体两种。前者如苍蝇传播伤寒菌和痢疾菌，后者如蚊子传播疟原虫和丝虫。

bō ㄅㄛ

拨(撥) bō ❶用手脚或较细长的东西横向用力，使东西移动。㊀～钟｜～开。❷挑；弹。㊀～刺｜～弦。❸分出一部分发给；调配。㊀～粮｜～房子。❹量词。用于人的分组。㊀一～人。
【拨冗】客气话。请对方从繁忙的工作中抽出一些时间。冗(rǒng)：繁忙的事。
【拨付】调拨和支付(款项)。
【拨弄】❶来回拨动。㊀～算盘珠。❷同"播弄"(74页)。
【拨款】政府或上级拨给款项。也指所拨发的款项。
【拨云见日】拨开云雾，看见了太阳。比喻冲破黑暗，重见光明。《晋书·乐广传》："若披云雾而睹青天也。"
【拨乱反正】《公羊传·哀公十四年》："拨乱世，反诸正。"《汉书·礼乐志》："汉兴，拨乱反正。"指治理混乱的局面，恢复正常的秩序。

鲅⊠(鱍) bō〔鲅鲅〕鱼摆尾游动的样子。

茇⊠ ㊁ bō 见〔荜茇〕(55页)。
㊀ bá (21页)。

波 bō ❶水浪。㊀～涛。❷比喻纠纷、乱子。㊀一～未平，一～又起。❸振动传播的过程。㊀水～｜声～｜电磁～。
【波及】牵涉到；影响到。
【波长】波源振动时，波在一个振动周期内传播的距离。横波相邻的两个波峰或两个波谷之间的距离就是一个波长。
【波动】起伏不定。
【波折】事情进行中所发生的变化、曲折。
【波谷】横波中，质点的振动在平衡位置以上的最高处，叫波峰。在平衡位置以下的最低处，叫波谷。如水波，凸起的最高处是波峰，凹下的最低处是波谷。
【波纹】水面受轻微的外力而形成的水纹。
【波段】无线电广播中，把无线电波按波长不同而分成的段。如长波、中波、短波、超短波。
【波恩】德国城市。位于德国西部，莱茵河畔。1990年德国统一前是联邦德国首都。是德国历史文化名城。著名音乐家贝多芬诞生于此。
【波峰】见〔波谷〕(72页)。
【波涛】大的波浪。
【波浪】海洋和江河、湖泊等水面受到外力作用后，呈现的起伏不平的现象。
【波幅】即"振幅"(1252页)。
【波澜】大的波浪。多用于比喻。㊀感情的～。

【波士顿】美国城市。位于该国东北部，临大西洋。是全国重要的金融中心、海港，最古老的城市之一和著名的文化名城。有17—18世纪的建筑、独立战争遗址以及著名的哈佛大学和马萨诸塞理工学院。

【波状热】即“布鲁氏菌病”(86页)。

【波波夫】亚历山大·波波夫(1859—1906)俄国物理学家。从电磁波的研究中，制成无线电通讯方面可供应用的设备。1895年当众实验了他发明的无线电接收机。1896年在圣彼得堡作了距离为250米的无线电报表演。在无线电通讯的发明方面占有重要地位。

【波莱罗】管弦乐曲。莫·拉威尔曲。作于1928年。乐曲是在一个固定节奏的背景上，自始至终在C大调的主、属和弦不断反复的基础上进行，别具一格。受到广泛欢迎，给拉威尔带来世界性的声誉。

【波斯湾】位于阿拉伯半岛与伊朗高原之间。经霍尔木兹海峡通印度洋。面积24万平方千米。盐度高。沿岸和湾底是世界著名石油产区。

【波尔多液】杀菌剂的一种。由硫酸铜、生石灰和水按比例配成，喷到作物上作为保护剂，防治多种病虫害。

【波罗的海】欧洲北部的内海。和大西洋之间隔有斯堪的纳维亚半岛和日德兰半岛。面积42万平方千米。是世界盐度最低的海域。冬季封冻。

【波旁王朝】波旁家族于16—19世纪先后在法国、西班牙和那不勒斯建立的王朝。

【波提切利】桑德罗·波提切利(1445—1510)意大利画家。作品融合了中世纪的装饰性与文艺复兴的写实性，女性形象清纯秀逸，略带感伤，线条优美。代表作有《春》《维纳斯的诞生》等。

【波斯帝国】公元前6世纪中期兴起于伊朗高原的奴隶制国家。曾相继征服埃及、新巴比伦等北非、西亚古国，扩张成为东抵印度河，西至爱琴海的大帝国。公元前330年为马其顿王亚历山大所灭。

【波普艺术】也叫流行艺术。现代艺术流派之一。20世纪五六十年代流行于英美。借助大众传播媒介，复制大众熟悉的时髦形象，表现对大众消费文化的冷漠认同。代表人物有汉密尔顿、劳申伯格、沃霍尔等。

【波德平原】也叫中欧平原。在中欧北部，西起莱茵河，东至波兰东面边界。大部分位于德国、波兰两国的北部，故名。东西长1 200千米，南北宽200—500千米，面积30万平方千米。海拔50—100米。

【波德莱尔】夏尔·波德莱尔(1821—1867)法国诗人，法国象征派诗歌的先驱，现代派文学的创始人之一。1857年出版诗集《恶之华》，歌咏死亡，描写病态心理，强调官能陶醉，揭露生活阴暗面，对客观世界采取绝望的反抗态度。其诗想象奔放，韵律铿锵。

【波澜壮阔】比喻声势雄壮浩大。

【波希米亚人】也译作《艺术家的生涯》《绣花女》。四幕歌剧。普契尼曲。作于1896年。脚本由贾科萨及伊利卡根据米尔热的小说《波希米亚人的生活情景》编写。歌剧描写了19世纪30年代居住在巴黎拉丁区的四位穷艺术家以及绣花女咪咪等人的不幸遭遇。

【波茨坦公告】中、美、英三国1945年7月26日在德国波茨坦城发表的促令日本投降的公告。主要内容有：促令日本无条件投降；实行《开罗宣言》；铲除日本军国主义；审判日本战犯等。后来，苏联也成为该公告的签署国。

【波茨坦会议】也叫柏林会议。第二次世界大战末期，苏、美、英三国政府首脑偕外长于1945年7月17日到8月2日在德国柏林西南的波茨坦举行的会议。通过了处理德国问题的原则和其他有关的决定。签订并发表了《波茨坦协定》。会议过程中，中、美、英三国还发表了促令日本投降的《波茨坦公告》。

【波粒二象性】一切微观粒子(如光子、电子、质子等)既具有波动性，又具有粒子性，这种性质叫做波粒二象性。粒子的质量或能量越大，波动性越不显著。

【波斯波里斯宫】古波斯帝国王宫。建于公元前518—前460年，在今伊朗设拉子东北。长450米，宽300米。宫殿由北部的两个仪典性大厦、东南面的资财库和西南面的后宫三部分组成。

菠

bō 见下。

【菠萝】即“凤梨”(281页)。

【菠菜】一年生或二年生草本植物。原产于波斯(今伊朗)，故名。茎叶可食。

【菠薐菜】菠菜。

铍□(鈹)

bō 人造金属元素，符号Bh，原子序数107。有放

B

射性，由人工核反应获得。

碆⊠ bō 石的一种。可以制箭镞。也指箭镞。

玻 bō 见下。

【玻璃】一种透明的脆而硬的固体。加热时逐渐软化，无一定熔点。常用的玻璃是硅酸盐玻璃。以石英砂、纯碱、石灰石等为主要原料经高温熔制而成。

【玻璃钢】用玻璃纤维或玻璃布浸渍合成树脂制成的增强塑料。质轻而坚硬，机械强度高，可与钢相比，故名。可用于制车、船壳体及建筑材料。

【玻璃纤维】玻璃熔融后制成的细丝。纤维长的叫玻璃丝，短的叫玻璃棉。耐腐蚀，隔音，不易燃，电绝缘性好。工业上用作过滤、隔音、隔热、绝缘等材料，也用来织玻璃布，制玻璃钢。

【玻璃幕墙】现代建筑外维护结构的一种。由框架、龙骨、玻璃板材构成。一般用于大型公共建筑外立面。分显框和隐框两种构建方式。为有效避免城市的光污染，许多国家政府对其铺筑面积、位置等有严格规定。

【玻意耳定律】英国科学家罗伯特·玻意耳发现的气体的体积随压强而改变的定律。即一定质量的气体在温度不变时，它的压强和体积成反比。

袰⊠ bō 同“播”。

哱⊠ bō〔哱罗〕古代军中的一种号角。

饽(餑) bō〔饽饽〕〈方〉❶糕点。❷饺子。㊀煮～。❸用面蒸、烙、烤的各种面食的统称。㊀白面～|玉米面～。

趵 ㊁ bō 踢。
㊀ bào (40页)。

钵(鉢*缽*盋) bō ❶一种用陶瓷、硬石或金属制成的类似盆而略小的器皿。用来盛放东西或研磨药物。❷钵多罗(梵语音译词)的简称。和尚盛饭的器具。

般 ㊁ bō〔般若〕梵语音译词。也译作波若。智慧。若(rě)。
㊀ bān (31页)。
㊂ pán (736页)。

剥 ㊁ bō 同“剥(bāo)”。多用于复合词或成语。㊀～夺|生吞活～。
㊀ bāo (36页)。

【剥夺】❶用强制手段夺取。❷依法取消。㊀～政治权利。

【剥削】凭借占有的生产资料无偿占有他人的劳动或劳动产品的行为。

【剥蚀】❶物质表面因长期风吹雨打而损坏脱落。❷侵蚀。

【剥离】❶使脱落、分开。❷指露天开采矿体时，去掉覆盖在矿体上的土层、岩层等。

【剥落】附在物体表面的东西一片片地脱落下来。

【剥削阶级】在阶级社会里占有生产资料、剥削其他阶级的阶级。如奴隶主阶级、地主阶级和资产阶级。

【剥夺政治权利】剥夺犯罪分子参加国家管理和政治活动权利的刑罚。被剥夺的权利包括选举权和被选举权；出版、集会、结社、游行、示威的自由权利；担任国家机关职务的权利；担任国有公司、企业、事业单位和人民团体领导职务的权利。

播 bō ❶传布。㊀广～。❷撒种。㊀春～|条～。

【播弄】也作拨弄。❶摆布。㊀受命运的～。❷挑拨。㊀～是非。

【播报】广播电台或电视台等播送报道。

【播放】通过广播电台或电视台放送。

【播音】广播电台或广播站播送节目。

【播种机】用于作物播种的农业机械。主要由种子箱、输种装置、开沟器、覆土器、划行器和行走轮等构成。

蕃 ㊂ bō 见〔吐蕃〕(995页)。
㊀ fán (256页)。
㊁ fān (255页)。

嶓 bō〔嶓冢〕山名。在甘肃。

磻□ ㊀ bō 石制的箭镞。
㊁ pán (736页)。

bó ㄅㄛˊ

伯 ㊀ bó ❶伯父，称父亲的哥哥。也用来尊称跟父亲同辈但比父亲年纪大的男子。❷弟兄排行中的老大。❸伯爵，古代贵族五等爵位(公、侯、伯、子、男)中的第三等。❹古又同“霸(bà)”。

㊁ bāi（23 页）。
㊂ bǎi（28 页）。

【伯牙】古代传说中的音乐家。相传生于春秋时代。善弹七弦琴，技艺高超。琴曲《水仙操》《高山流水》据传是他的作品。参见〔高山流水〕(310 页)。

【伯乐】相传为春秋时秦国人，姓孙名阳，号称伯乐，擅长相马。后比喻善于发现和选拔人才的人。乐(lè)。

【伯仲】原意是哥哥和弟弟，老大和老二。后多用于评论人物的等次，比喻二者不相上下。㊙～之间|相～。

【伯劳】鸟类。额部和头部的两旁黑色，颈部蓝灰色，背部棕红色，有黑色波状横纹。喙弯曲而锐利，尾巴长。捕食昆虫和小鸟。

【伯尔尼】瑞士首都。位于该国西部。人口 14 万(1997 年)。是全国政治、经济、文化中心，农产品集散中心和交通枢纽。以钟表业闻名于世。万国邮政联盟、国际电信联盟、国际铁路联盟、国际版权同盟的总部均设于此。

【伯仲叔季】兄弟辈中长幼排行的次序，伯是老大，仲是老二，叔是老三，季是最小的。

【伯拉孟特】(1444—1514)意大利建筑师、画家。他在设计中追求古典建筑的严谨和完美，又不囿于简单模仿，具有创新精神。代表作为意大利坦比哀多小教堂。

【伯恩施坦】爱德华·伯恩施坦(1850—1932)第二国际的重要人物，修正主义的主要代表，德国社会民主党人。主张全面“修正”马克思主义，提出从资本主义和平进入社会主义，宣扬议会道路。其理论对现今流行于欧洲国家的社会民主主义产生很大影响。

帛 bó 丝织品。㊙布～。

泊 ㊀ bó ❶靠岸停船。㊙停～|船～港内。❷停留；暂住。㊙飘～。
㊁ pō（759 页）。

箔 bó ❶用苇子或秫秸编成的帘子。㊙苇～|席～。❷用竹篾编成的养蚕的器具。㊙蚕～。❸薄纸似的金属薄片。㊙金～|铜～。❹裱上金属薄片或涂上金属粉末的纸。㊙锡～。

柏 ㊁ bó 音译用字。㊙～林。
㊀ bǎi（28 页）。
㊂ bò（77 页）。

【柏林】德国首都。位于该国东北部。人口 347 万(1995 年)。是全国政治、经济、文化、交通中心和最大城市。历史悠久，文化艺术灿烂。名胜古迹众多，以勃兰登堡门、共和国宫、亚历山大广场、德皇威廉纪念教堂等最为著名。

【柏辽兹】埃克托·柏辽兹(1803—1869)法国作曲家，法国浪漫乐派的主要代表人物。一生致力于标题音乐创作，并创造“固定乐思”的创作手法。代表作有《幻想交响曲》《葬礼与凯旋交响曲》，管弦乐《罗马狂欢节序曲》《李尔王序曲》《海盗序曲》，歌剧《本维努托·切里尼》，传奇剧《浮士德的沉沦》等。所著《配器法》被世人推崇为近代作曲技术理论的典范。

【柏拉图】(前 427—前 347)古希腊哲学家，欧洲客观唯心主义创始人。认为“理念”先于客观事物而存在，是第一性的；“可感觉的实物世界”是理念的“摹本”“影子”，是第二性的，现实世界是由“理性世界”派生出来的。提出“回忆说”，认为人的知识是灵魂对过去在“理念世界”中所见东西的回忆。著有《理想国》等。

【柏林战役】第二次世界大战末期苏联红军对法西斯德国进行的最后一战。1945 年 4 月 25 日，苏军发起对柏林的进攻。经过激烈战斗，4 月 30 日把胜利红旗插上国会大厦，5 月 2 日整个战役胜利结束，希特勒自杀。六天后德国无条件投降。

【柏林爱乐音乐厅】世界著名音乐厅。建成于 1963 年，在德国柏林。设计人为夏隆。该音乐厅造型独特，外轮廓曲折起伏，如同一件大乐器，表现出音乐般的动感。观众厅座位分布于各种大小和不同形状的阶梯上，将演出场地围在中间。演出厅的声学效果出色。

铂(鉑) bó 俗称白金。金属元素，符号 Pt，原子序数 78。富延展性，导电、导热性能良好，熔点高，耐腐蚀。可制坩埚、电极，也用作催化剂。

舶 bó 巨型的航海船只。

【舶来品】指从外国进口的货物。

鲌(鮊) ㊀ bó 鱼类。种类很多。身体侧扁，嘴上翘，中国江河湖泊均产。
㊁ bà（22 页）。

魄 ㊁ bó 见〔落魄〕(652 页)。
㊀ pò（760 页）。

B

㊂ tuò (1002 页)。

驳(駁❶❸ *駮) bó ❶用说理的方法,否定别人的意见。㊞反~|辩~。❷货物用船分载转运。㊞起~。❸杂乱不纯。㊞斑~|~杂。

【驳斥】批驳错误的意见或言论。

【驳回】不允许、不采纳别人的要求、建议,或将其信函等退还。

【驳杂】混杂不纯。

【驳运】在岸和大船、大船和大船之间用小船来往转运旅客或货物。

【驳船】一般指非自航的客、货船。单艘或多艘编成船队由拖轮拖带或顶推航行。

勃 bó ❶副词。忽然。㊞~起|~兴。❷旺盛。㊞~发|兴致~~|朝气蓬~。

【勃兴】突然兴起;蓬勃发展。

【勃勃】旺盛的样子。㊞朝气~。

【勃谿】旧指家庭中的争吵。谿(xī)。

【勃拉姆斯】约翰内斯·勃拉姆斯(1833—1897)德国作曲家。其作品继承德国古典音乐传统,结构工致,风格浑厚。重要作品有《第一交响曲》《第四交响曲》《a 小调小提琴、大提琴二重协奏曲》,管弦乐《学院庆典序曲》《悲剧序曲》,钢琴曲《海顿主题变奏曲》《匈牙利舞曲》等。所作二百余首歌曲,继承并发展了舒伯特、舒曼的德国歌曲传统,代表作有《摇篮曲》《徒劳小夜曲》等。

【勃然奋励】奋发磨炼自己。北齐颜之推《颜氏家训·勉学》:"勃然奋励,不可恐慑也。"勃然:兴起或旺盛的样子。励:磨炼。

嘞⊠ bó〔嘞央〕形容说话声音高昂。央(guài)。

渤 bó〔渤海〕中国的内海。外有辽东半岛和山东半岛环抱,西邻河北和天津,东以渤海海峡与黄海相通。面积约 8 万平方千米。平均水深 20 米。富渔盐之利。

浡 bó 兴起;振作。

脖(*頫) bó ❶脖颈,头和躯干相连接的部分。❷某些像脖颈一样的东西。㊞脚~子|拐~儿。

鹁(鵓) bó 见下。

【鹁鸪】即"斑鸠"(31 页)。

【鹁鸽】鸟类。鸽子的一种。身体上面灰黑色,颈部和胸部暗红色。可饲养。

钹(鈸) bó 俗称镲。击乐器。铜制,圆形,中间隆起部分大,正中有孔,两片相击发声。形制大小不一。常用于吹打乐及戏曲、歌舞伴奏。

亳 bó ❶亳州,地名,在安徽。❷商汤时都城。1. 南亳,在今河南商丘东南。相传汤原居于此。2. 北亳,在今商丘北。相传诸侯拥戴汤为盟主于此。3. 西亳,在今河南偃师西。相传汤灭夏时驻此。

袯(襏) bó〔袯襫〕古指防雨的蓑衣。襫(shì)。

博(❶❷ *愽) bó ❶多;丰富。㊞地大物~。❷知道得多。㊞~古通今。❸取得;换得。㊞~得好评。❹古代的一种棋戏。后来泛指赌钱。㊞~局|赌~。

【博士】❶古代负责教学的一种官名。秦汉已有,为掌议论政事及礼仪的官员,汉武帝后专掌经学传授,晋以后一般都设在太学或国子监中。❷古指专精某种技艺的人。❸学位的最高一级。

【博大】宽广;丰富(多用于抽象事物)。

【博古】❶通晓古代的事情。❷古器物。❸以古器物为题材的国画。㊞~画|~瓶。❹即秦邦宪。

【博达】(学识)渊博,通达(事理)。

【博导】博士生导师的简称。

【博学】学识渊博,知识面宽。

【博览】广泛地阅读。㊞~群书。

【博爱】指对人类普遍的爱。

【博雅】❶学识渊博、纯正。❷书名。即《广雅》。

【博士后】获得博士学位后在高等院校或研究机构从事一定时期研究工作的阶段。也指从事博士后研究的人员。

【博物馆】一种文化机构。保藏并展出有关历史、文化、科学、艺术等方面的文物资料或标本。

【博览会】多指由一个国家主办而有许多国家参加的工农业等产品的大型展览会。

【博古通今】对古代的事知道很多,又通晓现代的事情。形容知识广博。三国魏王肃《孔子家语·观周》:"吾闻老聃博古知今。"

【博闻强记】也说博闻强识。形容见闻广博,记忆力强。汉贾谊《新书·保傅》:"博闻强记,捷给而善对者,谓之承。"

【博士生导师】简称博导。指具有招收博士

研究生资格并指导其学习的高等学校教授或科研机构研究员。

【博斯普鲁斯海峡】见〔土耳其海峡〕(994页)。

【博士后科研流动站】中国试行的博士后的研究制度。使已获得博士学位的人员从事一段研究工作后成为具有较高水平的科研教学人员。

愽⊠ bó 古代的一种棋类游戏。

搏 bó ❶对打。例～斗。❷扑上去抓。例～兔。❸跳动。例～动｜脉～。

【搏斗】空手或用刀枪等激烈地对打。也泛指激烈的斗争。

【搏击】❶扑上去抓取；拍击。❷奋力斗争和冲击。

饽⊠(**餺**) bó〔饽饦〕也叫不托。古代一种面食。

膊 bó 上肢近肩的部分。

镈(**鎛**) bó ❶古代击乐器。形状像钟。❷古代一种锄草用的农具。

薄 ㊂ bó ❶微；少；弱。例～技｜～产｜单～。❷不厚道；不庄重。例刻～｜轻～。❸看不起；慢待。例鄙～｜厚此～彼。❹迫近；靠近。例日～西山。
㊀ báo (36页)。
㊁ bò (77页)。

【薄幸】薄情；负心(多指男方)。

【薄命】旧时迷信的人指命运不好、福分不大，或指早夭的人(多用于妇女)。

【薄弱】不坚强；不雄厚。例意志～｜～环节。

【薄情】❶不念情义(多用于男女恋爱时一方不念情义而抛弃另一方)。❷缺乏感情。

【薄暮】傍晚；天将黑。

【薄膜】像纸一样的很薄的东西。例塑料～。

【薄伽丘】乔万尼·薄伽丘(1313—1375)意大利作家，文艺复兴时期最早的人文主义者之一。反对封建专制，拥护共和政体。代表作《十日谈》，包括100个故事，讽刺中世纪的禁欲主义，暴露僧侣们的伪善面目。作品对后来欧洲文学中短篇小说的发展有较大影响。

【薄透镜】厚度很薄的透镜。其厚度与透镜球面的曲率半径相比很小，可以忽略不计。薄透镜的光学性质主要由焦点位置和焦距大小决定，可忽略透镜厚度的影响。

【薄壳建筑】屋盖为曲面壳体的刚性空间结构的建筑。

【薄膜建筑】用薄膜材料作主要承重和围护结构的建筑。按空间承托方式分为充气薄膜建筑和篷帐薄膜建筑。

欂⊠ bó〔欂栌〕斗拱。

礴 bó 见〔磅礴〕(738页)。

髆⊠ bó 肩。

鵏⊠ bó〔袋鵏〕古代哺乳动物。形似大袋鼠。

僰 bó 中国古代称居住在西南地区的一个少数民族。

踣 bó 跌倒。

檗⊠ bó ❶煮。❷夹生饭。

襮⊠ bó 绣着花纹的衣领。

bǒ ㄅㄛˇ

跛 bǒ 腿或脚有病，走起路来身体不平衡。例～子｜～脚。

簸 ㊀ bǒ 用簸(bò)箕上下颠动，扬去粮食中的糠秕、尘土等杂物。
㊁ bò (78页)。

【簸荡】颠簸摇荡。

bò ㄅㄛˋ

柏 ㊂ bò 见〔黄柏〕(427页)。
㊀ bǎi (28页)。
㊁ bó (75页)。

薄 ㊂ bò〔薄荷〕多年生草本植物。茎方形，叶对生，茎、叶有清香味，为清凉解表药，也可提炼出芳香化合物(用于食品、日用品等)。
㊀ báo (36页)。
㊁ bó (77页)。

檗 bò 见〔黄檗〕(427页)。

B

擘 ㊀ bò ❶大拇指。[例]巨～。❷分裂。[例]～开。
㊁ bāi (23页)。

【擘画】安排；规划。[例]～经营。

簸 ㊁ bò〔簸箕〕用来簸粮食或撮垃圾等的一种器具。用竹篾、柳条、铁皮、塑料等制成。
㊀ bǒ (77页)。

bo ·ㄅㄛ

卜(蔔) ㊁ bo 见〔萝卜〕(650页)。
㊀ bǔ (78页)。

啵 bo 助词。用法和"吧(ba)"相同。

bū ㄅㄨ

逋 bū ❶逃亡。[例]～逃。❷拖欠。[例]～欠。

【逋逃薮】逃亡的人躲藏的地方。薮(sǒu)。

峬☒ bū〔峬峭〕山石玲珑奇巧。也形容人物或文笔有风致。

铺□**(餔)** ㊀ bū 同"晡"。
㊁ bù (87页)。

庯☒ bū〔庯庩〕屋不平。庩(tú)。

晡 bū 申时，即下午三点至五点。

bú ㄅㄨˊ

醭 bú 醋、酱油等表面上长的白霉。

bǔ ㄅㄨˇ

卜 ㊀ bǔ ❶占卜，中国古代烧乌龟的甲壳，根据烧后的裂纹，判断吉凶。后泛指一切类似的预测吉凶的活动，如用铜钱、牙牌打卦、起课等。❷预料。[例]胜负未～。❸选择。[例]～邻。
㊁ bo (78页)。

【卜辞】即"甲骨文"(469页)。因内容多为占卜方面的，故名。

卟 bǔ 化学音译用字。如卟吩。

【卟吩】旧称卟(lèi)。有机化合物。是叶绿素、血红蛋白等的重要组成部分。

补(補) bǔ ❶修理残破的东西。[例]～衣服|修桥～路。❷添上；使齐全。[例]取长～短|～选。❸益处；用处。[例]不无小～|无～于事。❹滋养。[例]～药。

【补丁】补在衣服或其他物品破损部分上面的东西。

【补仓】投资者在已持有一定数量证券且出现亏损的基础上，又买入该证券。

【补正】补充改正(多指文字方面)。

【补白】报刊上填补空白的短文。

【补充】增加不足或缺漏的部分。[例]～装备|～说明。

【补角】两角的和等于平角(180°)时，这两个角互为补角。如平行四边形的两个相邻角互为补角。

【补药】维生素及其他营养药、补血药或某些中药补益药(人参、当归等)的统称。用于健身强体、增强抵抗疾病的能力。

【补贴】经济上的贴补。也指贴补的费用。

【补语】句子成分的一种。指补充说明动词或形容词的成分。如"洗干净""大得出奇"中的"干净""出奇"。

【补给】补充、供给(弹药、粮草等)。给(jǐ)。

【补益】益处。[例]有所～。

【补救】出了毛病、问题，采取措施，弥补挽救。

【补偿】补上(损失、消耗)；补足(缺欠)。

【补缀】修补。

【补遗】补充书籍正文的部分，一般放在正文后面。

【补天浴日】《淮南子·览冥训》和《山海经·大荒南经》里分别记载有女娲(wā)补天和羲(xī)和给太阳洗澡的神话。后来把这两个神话合成"补天浴日"，比喻人有战胜自然的雄心和能力，或形容功勋极大。

【补苴罅漏】补好裂缝，堵住漏洞。比喻弥补事物的缺陷。唐韩愈《进学解》："补苴罅漏，张皇幽眇。"补苴(jū)：补缀；罅(xià)：裂缝。

【补偿贸易】通过信贷买进国外机器、设备、生产技术等，然后用投产后的产品或其他商品清偿贷款的一种贸易方式。前者称直接产品补偿，后者称间接产品补偿。

【补偏救弊】《汉书·董仲舒传》："举其偏者以补其弊而已矣。"原意是指出它的不完善之处并加以补救。后用以表示弥补偏差，克服弊端。

捕 bǔ 捉；逮。㊀～拿|～获。

【捕杀】捕捉并杀死。㊀禁止～野生保护动物。

【捕役】旧称州县官署担任逮捕盗贼的差役。

【捕快】旧时官府捉拿犯人的差役。

【捕捉】捉；抓。㊀～害虫|～战机。

【捕获】抓到；捉住。

【捕风捉影】也说望风捕影。《汉书·郊祀志下》："听其言，洋洋满耳，若将可遇；求之，荡荡如系风捕景（通"影"），终不可得。"这本是汉成帝时光禄大夫谷永谏成帝不要相信鬼神，揭穿巫师骗局的话。比喻说话、做事以不可靠的传闻或表面现象作根据。

哺 bǔ ❶喂。㊀～乳|～婴室。❷嘴里正咀嚼的食物。㊀周公吐～。

【哺育】❶喂养。❷培育教养。㊀高等学校是～高素质人才的摇篮。

【哺乳动物】脊椎动物中最高等的一纲。身体一般分为头、颈、躯干、尾和四肢。体表被毛。体腔内有膈。雌体有乳腺，用乳汁哺育幼体。绝大多数为胎生，有胎盘。如鼠、猪、猴、熊、鲸、蝙蝠等。

鹔□**(鷭)** bǔ 见〔地鹔〕(196 页)。

堡 ㊁ bǔ 堡子，有城墙的村镇。多用于地名，如吴堡（在陕西）、柴沟堡（在河北）。

㊀ bǎo (39 页)

㊂ pù (765 页)。

bù ㄅㄨˋ

不 bù 副词。表示对动作、性质的否定，在回答问题时能单用。㊀～好|～去|拿～动|～规则|他来吗？～，他～来。

【不一】❶不一样；不相同。㊀内容～|好坏～。❷也说不具。不再一个一个地详列或说明。多用于书信或公文。㊀其余均此，～。

【不才】❶没有才能。❷谦辞。称自己。

【不止】❶不停止。㊀生命不息，战斗～。❷超出。㊀他恐怕～六十岁了。

【不日】在未来的最近几天内。㊀～到京。

【不仅】❶副词。不只。㊀这～是我一个人的主张。❷连词。不但。㊀～能文，而且能武。

【不乏】不缺少。㊀～其人。

【不甘】不情愿。㊀～落后。

【不外】不超出某种范围以外。㊀大家所关心的～是生活问题。

【不朽】永不磨灭；永远存在下去。㊀革命烈士永垂～|鲁迅精神是～的。

【不厌】❶不满足。㊀学而～。❷不嫌。㊀～其烦。

【不轨】举动越出法度之外。㊀图谋～。

【不合】❶不应该。❷不符合。㊀～要求。❸合不来。㊀意见～。

【不争】不须争辩的；公认的。㊀～的事实。

【不讳】❶没有顾忌。㊀直言～。❷婉辞。死亡。

【不论】❶连词。表示条件或情况不同而结果不变。后面往往跟并列词语或任指性的疑问代词，下文多与"都""总"等词呼应。㊀～哪行哪业，都需要人才|他～考虑什么问题，总是把集体利益放在第一位。❷不讨论。㊀这个问题姑且～。

【不肖】指子弟不好，没有出息。肖（xiào）。

【不时】❶常常。㊀～出现。❷随时；不定什么时候。㊀～之需。

【不佞】❶没有才能。❷谦辞。称自己。佞（nìng）。

【不但】连词。用在递进复句里，后面通常与连词"而且""并且"或副词"也""还"等相呼应，后一分句比前一分句的意思更进一层。㊀他～改正了错误，而且各方面都有较大的进步。

【不吝】向人征求意见时的客气话。不吝惜。㊀～指教。

【不妨】没有什么不可以。㊀～试试|～跟他谈谈。

【不拘】不计较；不限定。㊀～小节|字数～。

【不苟】不随便；不马虎。

【不齿】不与同列，表示极端鄙视。㊀人所～。齿：同列在一起。

【不具】即"不一"②(79 页)。

【不易】❶不容易。㊀这批成果来之～。❷不可改变的。㊀～之论（正确的不可改变的言论）。

【不迭】❶接连不断。㊀称赞～。❷不及。㊀忙～|后悔～。

【不忿】不服气；不平。

B

【不法】违反法律的。㊀～分子。
【不居】不停;不休止。㊀岁月～,时节如流。
【不适】指身体不舒服。
【不胜】❶难以承担;难以忍受;难以做完全。㊀体力～|～其烦|防～防。❷非常;十分。㊀～感谢。
【不测】意料不到的;意外。㊀以防～。
【不恤】不顾及;不顾惜。恤(xù)。
【不逊】没有礼貌;蛮横。㊀出言～。逊(xùn)。
【不致】不会引起(某种后果)。㊀如果事先采取措施,就～发生这么大的事故。
【不赀】无从计量,形容多或贵重。㊀所费～|价值～。赀(zī):计量。
【不特】连词。不但。㊀～无功,而且有罪。
【不消】不用;不需要。㊀～几分钟,人都到齐了|～说,这项任务是非常光荣的。
【不屑】认为不值得(表示轻视)。㊀～计较|～一顾。屑(xiè)。
【不敏】不聪敏;不高明。对人自谦的客气话。
【不惟】不但。
【不谓】❶不能说。㊀生活～不苦。❷不料;想不到。㊀二十余年魂牵梦萦,～今日相见。
【不堪】❶不能(多用在不好和消极的方面)。㊀～设想。❷经受不起。㊀～一击。❸表示程度深(用于消极意义的词后面)。㊀疲惫～|痛苦～。
【不期】没有预料到;不在计划之内。㊀～然而然|～而会。
【不惑】遇事能明辨不疑。《论语·为政》:"四十而不惑。"后用"不惑"指四十岁。
【不遑】来不及;没有时间(做某件事)。㊀～顾及。
【不腆】不丰厚。
【不然】❶不是这样。㊀其实～。❷不对,用在说话的开头,表示否定对方的话。㊀～,事情并不像你想象的那样简单。❸连词。否则。㊀必须精通业务,～就不能进一步把工作做好。
【不啻】❶不止;不只。㊀～如此。❷无异于;如同。㊀～当头一棒。啻(chì):只。
【不遂】不如愿。
【不曾】副词。没有。是"已经""曾经"的否定。㊀他～来过这里。
【不愧】当得起;当之无愧。㊀他们～为共产党员。
【不禄】古代对士之死的讳称。意为不再享俸禄。《礼记·曲礼下》:"天子死曰崩…大夫曰卒,士曰不禄。"孔颖达疏:"不禄,不终其禄也。"
【不禁】副词。不由自主地。㊀人们～欢呼起来。
【不虞】出乎意料的。也指出乎意料的事。㊀～之誉|以备～。虞(yú)。
【不韪】不是;过失。㊀冒天下之大～。韪(wěi):是,对。
【不暇】没有空闲时间,顾不过来。㊀应接～。
【不置】❶不加(表示)。㊀～可否。❷不停止。㊀赞叹～。
【不意】没想到;意料之外。㊀出其～,攻其无备。
【不端】不正派;不守规矩。㊀行为～。
【不敷】不够。㊀～使用。
【不豫】❶不悦;不快乐。❷旧指帝王有病。❸不犹豫。
【不羁】不受约束;不可拘限。㊀行为～|～之才。羁(jī):约束。
【不干胶】一种黏度较大、不易固化的胶剂。将其涂在胶带材料(基材)上,再覆以涂有少量蜡的纸或塑料薄膜,用时从蜡纸或塑料薄膜上揭下,可任意粘贴。可用于封箱带、标签、商标、贴画、医用膏带等。
【不动产】不能移动的财产。如土地以及房屋、林木等地上定着物。与"动产"相对。
【不成器】比喻没出息。
【不至于】表示不会达到某种程度。
【不自量】没有称称自己的分量,指过高地估量自己。㊀可笑～。
【不受理】人民法院对于不符合起诉条件的刑事、民事、行政等控诉,不予立案而作出的裁定。
【不周山】古代传说中的山名。见《淮南子·天文训》和《史记》司马贞补《三皇本纪》。据汉高诱《淮南子注》说"在昆仑西北"。
【不定根】植物茎或叶所发生的根。有扩大植物吸收面积、增强固着或支持植物体的作用。
【不起诉】人民检察院对犯罪嫌疑人作出的终止诉讼的程序性处理决定。不起诉案件包括两类:公安机关侦查终结移送起诉的和人民检察院自行侦查终结的。不起诉的法定情况有:(1)犯罪嫌疑人符合依法不追究刑事责任的，如已过追诉时效；(2)犯罪情节轻微，不需要判处刑罚或免除刑罚的；(3)经过补充侦查，依然证据不足，不符合起诉条件的。

【不得已】无可奈何；不得不这样。㊎万～|～而求其次。

【不旋踵】来不及转身，形容时间极短。踵：脚后跟。

【不粘锅】一种金属锅。内侧表面涂覆一层高分子材料(聚四氟乙烯)形成涂层，耐酸、碱腐蚀，能分解油性物质，不生成油垢和炭化垢。具有使用方便、省油、不粘垢、易清洁等优点。

【不敢当】谦辞。表示承当不起对方的招待、夸奖等。

【不棱登】某些形容词的后缀(含厌恶意)。㊎红～|花～。

【不景气】不繁荣；不兴旺。常用来形容社会上生产停滞、商业萎缩、市面萧条等现象。

【不锈钢】能耐酸、碱、盐等腐蚀的合金钢的统称。铬含量一般不低于12%。常见的有铬不锈钢(含铬12%以上)和铬镍不锈钢(含铬18%左右，含镍8%左右)。

【不等式】把两个解析式用大于号、小于号、不大于号或不小于号连接起来所得的式子。如：$x^2-1\geqslant0$，$\sqrt{2x+3}-5<0$，$\log_2 5x>0$，$\operatorname{tg}x+3>0$等。

【不一而足】《公羊传·襄公二十九年》："许夷狄者，不一而足也。"后用以形容同类的事情很多，不可尽举。

【不二法门】佛教用语。指修行得道的唯一门径。现在用来比喻最好的或独一无二的方法。

【不了了之】该办的事情没有办完，该解决的问题没有解决，放在一边不去管它，就算完事。

【不毛之地】《公羊传·宣公十二年》："锡(通"赐")之不毛之地。"原指不生长庄稼的土地，后泛指荒凉贫瘠的土地。毛：古通"苗"。

【不亢不卑】也说不卑不亢。不高傲，不自卑。形容对人的态度恰当而有分寸。

【不为已甚】《孟子·离娄下》："仲尼不为已甚者。"原意是不做过头的事。后来泛指对人的责难批评，要适可而止。已甚：太过分。

【不刊之论】汉扬雄《答刘歆书》："是县(悬)诸日月不刊之书。"原意是说能和日月一样经久不变永远流传的书籍。后用"不刊之论"指不能更改或磨灭的言论。刊：削除，修改。

【不打自招】旧指没有用刑就招认了自己的罪行。现比喻无意中说出自己干的坏事或泄露了自己不好的想法。

【不可一世】自以为在当代没有一个人能比得上。形容狂妄自大到了极点。

【不可开交】形容没法摆脱。㊎忙得～|吵得～。交：纠缠，纠结。

【不可向迩】不可接近。《尚书·盘庚上》："若火之燎于原，不可向迩，其犹可扑灭。"迩：近。

【不可名状】无法用语言来形容。名：说出。状：描述。

【不可抗力】特指不能预见、不能避免、不能克服的客观情况。是民事责任的免责条件。除法律另有规定外，不可抗力情况下造成他人损害的，不承担法律责任。

【不可或缓】不容许有一点ㄦ拖拉、延缓。

【不可知论】认为人不能够认识客观世界或者不能够彻底地认识客观世界的哲学理论。主要代表人物是英国的休谟和德国的康德。与"可知论"相对。

【不可终日】《礼记·表记》："君子不以一日使其躬儳(chàn)焉，如不终日。"意思是人们在任何时候都不能使自己的人格受到侮辱，否则就一天也过不下去。后用"不可终日"形容心情极度惶恐不安，连一天的日子也不知该怎么过。

【不可思议】原为佛教用语，指思想言语所不能达到的境界。后形容对事物或言论无法想象、很难理解。

【不可胜数】数不过来。形容多。胜：尽。

【不可救药】《诗经·大雅·板》："多将熇(hè)熇，不可救药。"原意是说周厉王多行酷烈之暴政，就像重病人一样，不能再医治了。后泛指病重到无药可治。也比喻人或事物已经坏到不能挽救的地步。

【不可移易】不可改变。易：更改。

【不平则鸣】指人遇到不公平的事情，就会发出不满的呼声。唐韩愈《送孟东野序》："大凡物不得其平则鸣。"

【不白之冤】指没有得到辩白洗雪的冤屈。

【不宁唯是】不仅如此。《左传·昭公元年》："不宁唯是，又使围蒙其先君。"宁：语助词。唯：只，仅。是：如此，这样。

【不动声色】不从语气和表情上流露出什

么。形容镇静、沉着。

【不共戴天】不愿在同一个天底下生活。形容对敌人的深仇大恨。《礼记·曲礼上》："父之仇，弗与共戴天。"

B

【不成文法】由国家认可其法律效力，但不具有成文形式的法。一般指习惯法，也包括判例法。与"成文法"相对。

【不同凡响】原指歌唱演奏十分出色。后用来形容艺术作品或言谈议论不同一般，十分出色。

【不伦不类】不像这一类，也不像那一类。指不像样，不像话。伦：类。

【不亦乐乎】《论语·学而》："有朋自远方来，不亦乐乎？"原是喜悦之意。现常用来表示事态的发展已达到过甚的程度。含有诙谐味。㊀忙得～。

【不约而同】事先没有约定，彼此的言论或行动却完全一致。

【不违农时】《孟子·梁惠王上》："不违农时，谷不可胜食也。"指不耽误农事季节。

【不折不扣】一点不打折扣。表示完全的，十足的。

【不劳而获】不劳动就可以获得。现多指自己不劳动，而占有别人的劳动成果。

【不求甚解】晋陶渊明《五柳先生传》："好读书，不求甚解。"原来有不咬文嚼字的意思。现多指读书不认真，只满足于一知半解。

【不足为训】不能当做典范或法则。训：准则。

【不足挂齿】不值得一提。挂齿：挂在嘴上。

【不言而喻】用不着解释就可以明白。《孟子·尽心上》："君子所性，仁义礼智根于心，其生色也，睟然见于面，盎于背，施于四体，四体不言而喻。"

【不良贷款】银行不能按期收回的贷款。如逾期贷款、呆滞贷款和呆账贷款等。

【不识时务】《后汉书·张霸传》："时皇后兄虎贲中郎将邓骘，当朝贵盛，闻霸名行，欲与为交，霸逡巡不答，众人笑其不识时务。"原意是不识抬举。后多用来指不认识时代的潮流或当前的形势。

【不即不离】《圆觉经》："不即不离，无缚无脱。"原为佛教用语。现多用来指对人或事物保持一定距离，不亲近，也不疏远。即：接近。

【不知凡几】不知道一共有多少，指同类的人或事物很多。凡：总共。

【不知所云】三国蜀诸葛亮《出师表》："临表涕泣，不知所云。"原意是不知道说的是些什么。现多用来形容言语杂乱或不着边际。

【不知所终】不知结局或下落。《后汉书·逸民传》："俱游五岳名山，竟不知所终。"

【不知所措】不知道怎么办才好。形容面对突然情况，无法应付。《三国志·吴书·诸葛恪传》："哀喜交并，不知所措。"

【不饱和烃】分子中含有碳—碳双键或三键的烃。如烯烃、炔烃。

【不变资本】资本家用于购买生产资料（机器、原料等）的资本。其价值在生产过程中一次（如原材料）或逐渐（指机器磨损）被工人的活劳动转移到新的产品中去，但其价值量在生产过程前后不发生变化，故名。

【不学无术】既没有学问，也没有本领。《汉书·霍光传赞》："然光不学亡（通"无（wú）"）术，暗于大理。"

【不屈不挠】形容在恶势力和困难面前意志十分坚强。《汉书·叙传下》："乐昌（汉成帝丞相王商）笃实，不桡（通"挠"）不诎（通"屈"）。"挠（náo）：弯曲。

【不经之谈】晋羊祜《戒子书》："无传不经之谈，无听毁誉之语。"指荒唐、没有根据的话。经：正常。

【不畏强御】不惧怕强暴或恶势力。《诗经·大雅·烝民》："不侮矜寡，不畏彊（强）御（御）。"强御：强暴逞势的人。

【不修边幅】《北齐书·颜之推传》："好饮酒，多任纵，不修边幅。"原指不拘小节。后多用来形容不注意服饰、容貌的整洁。边幅：布帛的边缘，喻指人的仪表、衣着等。

【不胜枚举】形容数量极多，不能一个一个地列举出来。

【不胫而走】汉孔融《与曹操论盛孝章书》："珠玉无趾（通"胫"）而自至者，以人好（hào）之也。"现多用以形容作品、消息等迅速传开。胫：小腿。

【不闻不问】不打听也不过问。形容对有关的事情漠不关心。

【不差累黍】一点一滴都不差。累黍：古代两种微小的重量单位。

【不送气音】也叫不吐气音。发音时呼出的气流较弱的塞音或塞擦音。参见〔送气音〕（935 页）。

【不宣而战】不经宣战就向对方开战。

【不绝如缕】也说不绝若线。只有一根细线连系着，似断非断。比喻事情极其危急。

《公羊传·僖公四年》:“夷狄也,而亟病中国,南夷与北狄交,中国不绝若线。”也形容声音微弱悠长。宋苏轼《赤壁赋》:“余音嫋嫋,不绝如缕。”

【不耻下问】《论语·公冶长》:“敏而好学,不耻下问。”指向地位、学问不如自己的人请教而不感到丢面子。

【不速之客】不请自来的客人。《周易·需》:“有不速之客三人来。”速:邀请。

【不逞之徒】《左传·襄公十年》:“聚群不逞之人。”指心怀不满而捣乱闹事的人。不逞:欲望未得到满足。

【不值一钱】毫无价值。形容人地位轻贱或品格卑污。《史记·魏其武安侯列传》:“生平毁程不识不直(通“值”)一钱。”

【不容置喙】不容许插嘴。喙(huì):嘴。

【不祧之祖】也说不祧之宗。创业的始祖或影响较大的祖宗不迁入祧庙参加祖先的合祭,叫做不祧。后比喻创立某种事业受到尊崇的人或不可废除的事物。祧(tiāo):古指远祖的祠堂。

【不通水火】指与人不相往来。《汉书·孙宝传》:“杜门不通水火。”

【不偏不倚】宋朱熹《中庸章句》题下注:“中者,不偏不倚,无过不及之名。”原是朱熹对儒家中庸之道的“中”的解释。后泛指不偏袒任何一方。

【不假思索】不经过考虑就作出反应。形容作事、应答非常迅速。假(jiǎ):凭借、依靠。

【不得要领】《史记·大宛列传》:“骞从月氏(zhī)至大夏,竟不能得月氏要领。”原意是汉派张骞出使西域,想联合月氏国共同攻打匈奴,月氏没有中肯而明确的答复。后用以指没有掌握事物的要点和关键。

【不情之请】客套话。不合情理的请求(自己向别人求助时用)。

【不谋而合】事先没有商量,看法或行动却完全一致。

【不敢告劳】《诗经·小雅·十月之交》:“黾(mǐn)勉从事,不敢告劳。”意思是努力作事而不诉说自己的劳苦。后多用作谦辞,指不值得诉说自己的劳苦。有时也指不辞辛劳。

【不落窠臼】比喻不落俗套,有独创风格(多指文章、作品)。窠臼(kējiù):老套子,旧格式。

【不确定性】对未来事件或行为结果不能加以精确预见的状态。产生不确定性的根源在于信息不完全。不确定性普遍存在于人类的经济行为中,它使人的经济行为并不是完全理性的。

【不遗余力】《战国策·赵策三》:“秦之攻我也,不遗余力矣。”指毫无保留地使出全部力量。遗:保留。

【不稂不莠】《诗经·小雅·大田》:“不稂不莠。”原意指耕作精细,没有什么杂草。后用不稂不莠指既不像稂,也不像莠。比喻一个人不成材或没出息。稂(láng):狼尾草。莠(yǒu):狗尾草。

【不寒而栗】不冷而发抖。形容非常恐惧。《史记·酷吏列传》:“是日皆报杀四百余人,其后郡中不寒而栗。”栗:发抖。

【不置可否】不明确表态,既不说对,也不说不对。

【不蔓不枝】宋周敦颐《爱莲说》:“中通外直,不蔓不枝。”原意是说莲茎不蔓延,也不分枝。后来多用以称赞文章简洁,不拖泥带水。

【不管部长】也叫不管部阁员、无任所部长。某些国家的内阁成员之一。不专管某一个部的事务,但出席内阁或部长会议,参与决策,处理会议决定的或总理(首相)交办的特种重要事务。

【不辨菽麦】《左传·成公十八年》:“周子有兄而无慧,不能辨菽麦,故不可立。”原意指愚昧无知,分不清豆子和麦子。现常用来形容脱离劳动,缺乏实际生产知识。

【不翼而飞】本作无翼而飞。《战国策·秦策三》:“众口所移,毋(通“无(wú)”)翼而飞。”原形容言论、消息等在人们口头上流传得很快,没有长翅膀而能飞走。后也用来形容东西突然丢失。

【不正当竞争】经营者违反反不正当竞争法的规定,损害其他经营者的合法权益,扰乱社会经济秩序的行为。如串通投标、商业贿赂、虚假广告、侵犯商业秘密等。

【不可逆反应】在一定条件下,几乎只向一个方向进行的化学反应。如盐酸和氢氧化钠作用时,生成水和食盐的反应占绝对优势,因此是一种不可逆反应:

$$NaOH + HCl \longrightarrow NaCl + H_2O$$

【不可能事件】概率论中把在一定条件下不可能发生的事件叫做不可能事件。不可能事件的概率为0。

【不平等条约】破坏别国主权和领土完整,掠夺别国资源和奴役别国人民的条约。它

B

是帝国主义推行侵略扩张政策的一种工具。从1840年鸦片战争至1949年中华人民共和国成立这一百多年中，帝国主义曾强迫中国签订了许多不平等条约。通过这些条约，他们割占中国领土，划分势力范围，掠夺中国资源，欺压和剥削中国人民。对于不平等条约，受害国有权单方面予以废除。

【不成文宪法】由书面形式的宪法性法律文件、宪法判例和非书面形式的宪法惯例组成的宪法。英国宪法是不成文宪法的典型。与“成文宪法”相对。

【不设防城市】战时没有军队防御和军事设施的城市。1907年的《海牙公约》规定，对不设防城市、村庄等不得轰击。

【不足近似值】小于准确值的近似值。如3.14是圆周率π(3.1415926…)精确到0.01的不足近似值。

【不间断电源】提供不间断、不受外部干扰的交流电的电源系统。

【不完全变态】昆虫变态的一个类型。即昆虫在个体发育过程中，只经过卵、若虫和成虫三个时期。如蝗虫、蝼蛄等。

【不完全竞争】除完全竞争市场以外的所有市场结构类型。包括垄断、寡头市场和垄断竞争。

【不明飞行物】俗称飞碟。指天空中出现的来历未经查明的飞行物。自20世纪40年代末开始，不明飞行物的目击事件急剧增多。据目击者报告，其外形多呈圆盘状、球状或雪茄状，在空中高速或缓慢移动。对于不明飞行物，有人认为是某种未知的天文或大气现象，或是外星球的高度文明生物制造的飞行器，但绝大多数目击事件已被证明或是人的幻觉，或是目击者对某一现象的曲解，可以用天文学、气象学、生物学、心理学、物理学或其他科学知识加以说明。

【不结盟运动】第三世界的国际性政治组织。1961年9月，首届不结盟国家和政府首脑会议在贝尔格莱德召开，主要来自亚洲、非洲的25个国家作为正式成员参加。会议确立了不结盟运动独立自主的活动原则，促进了独立于美苏之外的第三种政治力量的形成，标志着第三世界的兴起。到20世纪末，不结盟运动的成员已经达到100多个，包括了第三世界的大多数。

【不结盟国家】奉行独立、自主和不结盟政策的国家。20世纪60年代初铁托、尼赫鲁、苏加诺、纳赛尔等倡导不结盟运动，1961年9月在贝尔格莱德举行了第一次不结盟国家和政府首脑会议，有25个国家出席。至1996年，不结盟国家增至113个。

【不圆唇元音】发音时两唇展平，不撮成圆形的元音。如普通话单韵母中的i、a、e。

【不能赞一词】原意是不能增添一言半语，指文字精美无瑕。也有既不能说好，也不能说坏的意思，即插不上嘴，说不上话。《史记·孔子世家》：“笔则笔，削则削，子夏之徒，不能赞一词。”㊞先生所从事的学术，因我未曾研究，～。赞：有帮助、进言的意思。

【不期然而然】也说不期而然。没有料想到如此，而竟然如此。

【不等价交换】商品不按价值量相等的原则进行交换。在垄断资本的条件下，垄断资本家为了追逐高额利润，经常采用压低原材料价格、提高制成品价格的办法进行不等价交换，以加强对中小资本家和广大消费者的剥削。在国际贸易中，不等价交换成为发达资本主义国家掠夺第三世界的一种手段。

【不溯及既往】一部法律只适用于该法律实施后所发生的行为，不适用于法律实施前所发生的行为的一种法律适用原则。如中国刑法规定：中华人民共和国成立以后本法实施以前的行为，如果当时的法律不认为是犯罪的，适用当时的法律；如果当时的法律认为是犯罪，依照本法总则规定应当追诉的，按照当时的法律追究刑事责任，但是如果本法不认为是犯罪或处刑较轻的，适用本法。该规定学理上称“从旧兼从轻”原则。

【不稳定平衡】物体平衡状态的一种。特点是处于平衡状态的物体受到外力的微小扰动后，重心降低，势能减小，不能恢复原状而失去平衡。如鸡蛋在平面上直立，就属于不稳定平衡。

【不可同日而语】也说不可同年而语。《战国策·赵策二》：“夫破人之与破于人也，臣人之与臣于人也，岂可同日而言之哉！”意思是打败别人和被别人打败，叫别人对自己称臣子和自己对别人称臣子，难道能相提并论吗？后用“不可同日而语”指不能把性质截然相反或不一样的事物，放到一起来谈论。也指人或事物因时间不同，情况有了很大的变化。

【不可更新资源】即“非再生资源”(268页)。

【不受欢迎的人】外交用语。接受国拒绝接受或要求派遣国召回的外交代表。宣布某一外交代表为不受欢迎的人是属于一国主权范围内的事,接受国无须向派遣国说明理由。

【不登大雅之堂】不能进入高雅的厅堂。旧时常用来形容文学作品粗俗。现也用来比喻话语粗俗。

【不敢越雷池一步】晋庾亮《报温峤书》:“足下无过雷池一步也。”意思是让温峤坐镇原来的防地,不要领兵越过雷池到京都去。后用不敢越雷池一步指不敢超越一定的界限、范围。雷池:古雷水自今湖北黄梅东流,到安徽望江东南,积而成池,称雷池。

【不入虎穴,焉得虎子】不进老虎洞,怎能抓到小老虎。比喻不亲历艰险就不能取得成功或不经过艰苦的实践就不能取得真知。《后汉书·班超传》:“不入虎穴,不得虎子。”焉(yān):怎么。

【不塞不流,不止不行】唐韩愈《原道》:“不塞不流,不止不行。”原意指不抑止佛家和道家的思想,儒家的思想就不能推行。现用来指不把另一种东西堵塞阻止住,某种东西就不能流行、发展。

吥 □ bù 见〔唝吥〕(332页)。

钚(鈈) bù 人造金属元素,符号 Pu,原子序数 94。银白色,有放射性,由人工核反应获得。用作核燃料。

布(❷-❹ *佈) bù ❶棉、麻及化学纤维等织品。㊀棉~|夏~。❷宣告。㊀公~。❸散开。㊀分~|星罗棋~。❹安排。㊀~局|~防。❺古代的一种钱币。

【布衣】古代称平民为布衣(平民穿布衣)。

【布防】布置防务。

【布告】国家机关、政党、团体等张贴出来的文告。

【布局】指对某些事物的整体结构进行的规划安排。㊀工业~|画面~。

【布帛】布和帛。泛指棉、麻、丝等纺织品。

【布点】布设、安排某一系统的各个基层单位。

【布施】佛教用语。指把财物施舍给别人。也指僧尼给人讲解佛经。

【布景】❶舞台或摄影场上布置的景物。❷中国画中指按照构图需要安排画中景物。

【布雷】布设地雷、水雷或空飘雷。地雷用人工、布雷车、飞机、火箭等布设。水雷用各种舰船、飞机等布设。空飘雷用专用设备布设。

【布置】为某一项活动或根据某一种需要做出安排。

【布里顿】本杰明·布里顿(1913—1976)英国作曲家。其创作以英国传统音乐为基础,运用现代音乐手法,形成自己的风格。代表作有歌剧《彼得·格里姆斯》《比利·巴德》,管弦乐《布里奇主题变奏曲》,人声与乐队《春天交响曲》,合唱与乐队《战争安魂曲》《青少年管弦乐队指南》等。

【布拉格】捷克首都。位于该国西部。人口121万(1992年)。是全国政治、经济、文化、交通中心和最大的机械工业基地,也是国际交通枢纽。多名胜古迹,旅游业发达。

【布依族】旧称仲家。中国少数民族之一。人口255万(1990年)。主要分布在贵州省西南部。有本民族语言,多通汉语。1949年后设计了拉丁字母形式的文字方案。建立有黔西南、黔南布依族苗族自治州。

【布政使】别称藩台。明清两代的地方官名。明初各省设布政使司,是省的最高行政机构,其最高职位为布政使。清代为总督、巡抚的属官,管一省财赋、民政等。

【布哈林】尼古拉·伊万诺维奇·布哈林(1888—1938)苏联早期领导人之一,经济学家。十月革命后任《真理报》主编、俄共中央政治局委员、共产国际执委会委员。1929年4月,由于被认为反对苏联工业化和农业集体化,遭到批判。1938年3月以“叛国罪”被杀。

【布朗族】中国少数民族之一。人口8.2万(1990年)。主要分布在云南省西双版纳、临沧、思茅地区。有本民族语言,兼通傣语。多信奉小乘佛教。

【布鲁诺】乔尔丹诺·布鲁诺(1548—1600)文艺复兴时期意大利哲学家。他接受并发展了哥白尼的日心说。认为宇宙是无限的,太阳系只是无限宇宙中的一个。他反对经院哲学,主张人们有怀疑宗教教义的自由。后被宗教裁判所判处死刑,烧死在罗马。

【布雷舰】专门布设水雷的军舰。装备有自卫火炮。设有水雷储放舱,能载水雷50—

800个。主要任务是在基地、港口、航道和近岸海区布设水雷障碍。

【布尔乔亚】法语音译词。资产阶级。

【布达拉宫】中国古代建筑。始建于公元629—650年,1704年重建。在拉萨城西北的玛布日山上。原是五世达赖喇嘛以来历世达赖喇嘛办公与居住的地方。东西长四百余米,分山上、山北、山南三大部分,有宫殿、灵塔、佛殿、经堂、平台、庭院等,全部为石木结构。气势威严壮观。宫中还保存有大量佛像、壁画、雕刻等佛教艺术品及珍贵文物。布达拉:梵语音译,佛教圣地。

【布达佩斯】匈牙利首都。位于该国中部偏北。人口189万(1997年)。是全国政治、经济、文化、交通中心。也是古老城市,多文物古迹。

【布衣之交】老百姓间的贫贱之交。《史记·廉颇蔺相如列传》:"臣以为布衣之交尚不相欺,况大国乎?"也指不以权势地位压人,平等相处。《梁书·元帝纪》:"世祖性不好声色,颇有高名,与裴子野、刘显、萧子云、张缵及当时才秀为布衣之交。"

【布帛菽粟】北魏贾思勰《齐民要术·序》:"粟米布帛,一日不得而饥寒至。"后用来泛指生活必需品。菽:豆类。粟:谷类。

【布莱希特】贝托尔特·布莱希特(1898—1956)德国戏剧家。20世纪20年代开始戏剧创作和导演。1933年因反对纳粹政权流亡国外。1949年创办柏林剧团,通过艺术实践,逐渐形成自己的戏剧学派。倡导"史诗戏剧"和"间离效果"(也译作陌生化效果)的戏剧方法。著有《三分钱歌剧》《伽利略传》《大胆妈妈和她的孩子们》《高加索灰阑记》等五十多部多幕剧和短剧。理论著作有《戏剧小工具篇》《戏剧小工具篇补遗》等。

【布朗运动】悬浮在液体中的小颗粒(如花粉),由于受到周围液体分子的碰撞而不停地做无规则运动。这种现象因英国植物学家布朗首先发现而命名。布朗运动对分子动理论的建立起了重要作用。

【布鲁塞尔】比利时首都。位于该国中部。人口95万(1997年)。是全国政治、经济、文化中心和交通枢纽,也是欧洲政治和文化中心之一。许多国际组织的总部或办事处设在这里。多名胜古迹。滑铁卢古战场位于市南郊。

【布鼓雷门】在雷门前击布蒙的鼓。比喻在高手面前卖弄本领,贻笑大方。《汉书·王尊传》:"毋持布鼓过雷门。"雷门:古代浙江会稽的城门,雷门前有大鼓,据说击之其声可传至洛阳。

【布尔什维克】俄语音译词。意为多数派。1903年俄国社会民主工党第二次代表大会在选举党的中央领导机关时,以列宁为首的马克思主义者获得多数票,称布尔什维克。此后,布尔什维克即成为俄国马克思主义者的称号。

【布加勒斯特】罗马尼亚首都。位于该国南部。人口233万(1995年)。是全国政治、经济、文化和交通中心。

【布拉柴维尔】刚果首都。位于该国东南部,刚果河下游右岸,隔河与刚果民主共和国首都金沙萨相望。人口91万(1992年)。是全国政治、经济、文化中心,刚果河重要港口。

【布鲁氏菌病】也叫布氏杆菌病、波状热。由各型布鲁氏菌引起的传染病。人与患此病的牛、羊等家畜及其分泌物接触或食用被污染的肉、乳而得病。多发生于牧区。主要症状是长期反复波浪型的发热,并且关节疼痛,多汗,肝、脾、淋巴结肿大,贫血等。常呈间歇性发作,持续数年。接种菌苗可预防。

【布宜诺斯艾利斯】阿根廷首都。位于该国东部。人口304万(1997年)。是全国政治、经济、文化中心和主要港口。也是南半球重要城市。

【布雷顿森林会议】1944年7月1—22日在美国新罕布什尔州的布雷顿森林召开的国际货币金融会议。通过了《国际货币基金协定》和《国际复兴开发银行协定》,建立了战后新的以美元为中心的布雷顿森林国际货币体系。

埗□ bù 用于地名,如茶埗(在福建)。

怖 bù 害怕。㊀恐~|可~。

步 bù ❶用双脚走。㊀散~|徒~。❷行走时双脚之间的距离。㊀迈开大~|寸~难行。❸阶段;境地。㊀~~深入|落到了这一~。❹跟随。㊀~人后尘。❺旧制长度单位。一步等于五尺。❻同"埠"。用于地名,如禄步(在广东)。

【步伐】队伍行进时的脚步。比喻事物进行的速度。㊀~整齐|加快现代化的~。

【步兵】以枪械、小口径火炮、导弹、装甲车辆为基本装备，主要在地面作战的陆军兵种。分徒步步兵和机械化步兵。能在各兵种协同下或独立完成战斗任务。在诸兵种协同作战中，夺取和扼守阵地，最后消灭敌人，解决战斗，主要靠步兵。

【步武】跟着别人的脚步走。比喻效法、模仿。武：足迹。

【步枪】单兵使用的长管枪。有单发、半自动、全自动之分。

【步测】用脚步量算实地距离的简易测量方法。

【步调】脚步的大小快慢。比喻事情进行的程序和进度等。

【步辇】❶古代一种用人抬的代步工具。类似轿子。❷步行。

【步韵】也叫次韵。旧体诗词中一种和(hè)诗的方式，即和诗所用的韵及其先后次序必须同被和诗完全一致。

【步履】行走。㊀～维艰。

【步骤】办事的程序。

【步行区】若干条相邻街道同时被确定为步行街而形成的区域。在历史文化名城中常将历史文化保护区确定为步行区。

【步行街】城市道路系统中专供步行者使用，禁止或限制车辆通行的街道。一般位于市中心的商业区，有别于居住小区的步行道路。主要有两种类型：一是将文化商业街区通过交通管理或改造形成的步行街，如北京的王府井大街、广州的上下九大街等；二是城市中心区按人车分流原则设计的步行街。

【步人后尘】紧跟在别人的后边走。比喻追随或模仿别人。后尘：人走路时脚步带起的尘土。

【步步为营】军队每前进一步就设下一道营垒。比喻行动谨慎，防守严密。

【步枪射击】射击运动项目之一。比赛用枪分大口径步枪、小口径步枪和气步枪三种。射击姿势有卧姿、立姿、跪姿三种。

【步履维艰】形容行走极为困难（一般指老年或有病的人）。《金史·章宗纪》："年高艰于步履者，并听策杖，仍令舍人护卫扶之。"维：文言助词。

踄☒ bù 行走。

埔 ㊁ bù 用于地名，如大埔（在广东）。㊀ pǔ（764 页）。

铺□（**餔**）㊁ bù〔铺子〕〈方〉供婴儿食用的糊状食品。㊀ bū（78 页）。

部 bù ❶整体中的一份。㊀内～|胸～。❷国家机关的名称或党派团体及某些企事业内部按业务范围分设的具有相对独立性的单位。㊀外交～|宣传～|门市～|编辑～。❸统辖；统率。㊀所～|～下。❹军队；军队中连以上的领导机构。㊀我～奉命出击|团～。❺安排。㊀～署|按～就班。❻量词。用于计算书籍、影片、车辆、机器等。㊀一～小说|三～影片|五～汽车|一～机器。

【部下】军人在行政职务上有隶属关系时，行政职务低者。泛指下级。

【部门】组成整体的部分或单位。㊀卫生～|出版～。

【部队】军队的通称。通常为团及团以上建制单位的统称。

【部曲】❶古指军队中的队伍行列。❷魏晋南北朝时地方豪强的私人军队。❸旧指家奴。

【部件】组成机器的装配单元。通常由若干零件组成。如车床是由床身、床头箱、变速箱、尾架、刀架等几个部件组成的。

【部位】位置。

【部帙】也作部秩。书籍的篇次，卷页。

【部居】以类相聚，按部归类。汉许慎《说文解字·叙》："分别部居，不相杂厕。"宋范成大《桂海虞衡志·杂志》："峤南风土之异，宜录以备博闻，而不可以部居。"

【部将】下属的将领。

【部类】概括性较大的类。

【部首】为了便于编排、检索汉字，从众多的汉字形体结构中，分析归纳出一些相同的笔画构件，分别部类并列于所统属字之首，称作部首。如从"屿""岩""岭"等归纳出"山"部首，从"江""湖""海"等归纳出"氵"部首。《说文解字》归 540 部，《现代汉语词典》归 189 部。

【部秩】同"部帙"（87 页）。

【部勒】组织约束。

【部落】原始社会中几个相互通婚的氏族的联合组织。通常都有自己的地域、名称、方言、宗教和习惯。到原始社会末期，有些地区又由若干部落结成部落联盟。

【部属】部下。

【部署】对某项工作或战斗在任务和人力方

面所作的安排和布置。

蔀☒ bù ❶遮蔽。❷古代历法名词。七十六年为一蔀。

篰□ bù ❶同“簿册”的“簿”。❷〈方〉竹篓。

瓿 bù 小瓮。

埠 bù ❶停船的码头。❷城镇；地方。㊙本～|商～。

簿 bù 记事的本子。㊙账～|练习～。

【簿记】❶会计业务中有关记账等方面的工作。如填写凭证、登记账簿、清算账户余额等。❷符合会计规程的账簿。

【簿籍】账簿、名册等。

B

C ㄘ

cā ㄘㄚ

拆 ㊁ cā 〈方〉排泄(大小便)。
㊀ chāi (103 页)。

【拆烂污】〈方〉比喻不负责任,把事情搞糟。

擦 cā ❶摩擦。㊎摩拳～掌。❷抹;拭。㊎～玻璃。❸搽。㊎～油。❹贴近。㊎飞机～着山顶飞过去。❺拿着瓜果等在礤床上磨动,使成细丝。㊎～萝卜丝。❻中国画笔墨技法之一。

【擦拭】用布等擦抹物体,使干净。

【擦音】也叫摩擦音。辅音的一类。发音时,口腔通路缩小,气流从窄缝中挤出,摩擦成声。如普通话的 f、h、x、s、sh、r。

【擦边球】打乒乓球时落点紧擦球台边沿的险球。后来把接触到规定边缘而不违反规定的做法比喻做打擦边球。

嚓 ㊀ cā 拟声词。短促的断裂声、摩擦声等。㊎不远处传来～～的脚步声。
㊁ chā (101 页)。

磣□ cā 见〔礓磣〕(484 页)。

cǎ ㄘㄚˇ

礤 cǎ 粗石。

【礤床】把瓜、萝卜等擦成丝的器具。

cāi ㄘㄞ

偲 ㊀ cāi 多才。
㊁ sī (927 页)。

猜 cāi ❶推测。㊎～谜。❷疑心。㊎两小无～。

【猜忌】疑心别人对自己不利而妒忌怀恨。

【猜枚】一种游戏(多用为酒令)。把瓜子、莲子或黑白棋子等小东西握在手里,让别人猜单双、个数或颜色,猜对为胜。

【猜度】猜测揣度。度(duó)。

【猜测】猜想推测。

【猜嫌】猜忌。

【猜疑】没有根据地起疑心。

cái ㄘㄞˊ

才(❸纔) cái ❶才能。㊎德～兼备。❷从才能方面指称某类人。㊎通～|庸～。❸副词。1. 刚刚。表示前不久。㊎他～来。2. 表示事情发生或结束得晚。㊎夜里风～住了。3. 只有;仅仅。㊎连你～三个人。4. 表示只有在某种条件下行为、动作能发生。㊎只有勤学苦练,～能提高运动水平。

【才干】工作能力。

【才子】指聪明而有文采的男子。

【才气】显露在外面的才能。

【才华】表现出来的才能(多指文艺、写作方面)。㊎～横溢。

【才识】才能和见识。

【才具】才能。

【才思】表现在创作或写作方面的能力。㊎～敏捷。

【才俊】才能出众的人。

【才能】知识、才智和能力。

【才略】政治或军事上的才干和谋略。

【才望】才能方面的声望。

【才情】才华;才思。

【才疏学浅】见识少,学问不深(多用于自谦)。

材 cái ❶木料。㊎木～|树木已经成～。❷原材料;资料。㊎钢～|教～。❸人的资质能力。㊎因～施教。❹从资质能力的高低来衡量的某种人。㊎人～|蠢～。❺棺材。㊎一口～。

【材份】也作材分。中国古代建筑设计使用的一种模数单位。房屋的长、宽、高以及各构件的尺寸都用“份”数定出标准,15 份为 1 材,这种建筑设计的方法称为材份制。

财(財) cái 金钱或物资。㊞钱～|～富。

【财东】❶旧时商店或中小企业的所有者。❷泛指财主。

【财务】机关、企业、团体中有关财产的管理或经营以及现金的出纳、保管、计算等事务。

【财主】拥有大量财产的人或人家。

【财团】指资本主义社会里控制许多公司、银行和企业的垄断资本家或其集团。

【财产】属于国家、集体或个人的物资、金钱、土地、房屋等。

【财势】钱财和权势。

【财帛】钱财(古时拿布帛作货币)。

【财经】财政和经济的合称。

【财政】以政府为主体的收支活动。是政府集中一部分国民生产总值或国民收入来满足社会公共需要的收支活动。其目的是优化资源配置、公平分配、使经济稳定和发展。

【财贸】财政和贸易的合称。

【财阀】指垄断资本家。

【财神】迷信的人认为可使人发财致富的神仙。相传姓赵名公明,秦时得道,道教尊为正一玄坛元帅,也叫赵公元帅。后也指称有钱的人或主管钱财的人。

【财富】❶即物质财富。指社会所拥有的物质资料的总和。包括一切积累的劳动产品(如生产工具、原材料、消费品等)和用于生产的自然资源(如土地、矿山、森林等)。❷泛指一切有价值的东西。

【财源】钱财的来源。

【财产权】以财产为内容,直接体现某种物质利益的权利。分物权、债权、知识产权、继承权等。与"人身权"相对。

【财产保全】人民法院对与案件有关的财物所采取的强制性管理措施。分诉前保全和诉讼保全。适用于当事人一方可能转移、隐匿、毁灭有关财产造成利害关系人权益的损害,或使法院的判决难以执行等情况。可由当事人主动向法院申请,也可由法院依职权裁定。

【财产保险】以被保险人的财产及其相关利益为标的的保险。

【财政支出】国家对通过财政收入集中起来的财政资金的再分配。

【财政年度】即"预算年度"(1207页)。

【财政收入】国家或者政府为满足社会公共需要而凭借政治权力征集的社会资财。

【财政政策】利用财政收支的制度性安排和随机调整税收、公共支出以及转移支付,以调节社会供求关系,合理配置资源,实现社会公平的手段。

【财政资本】金融资本的旧称。

【财政寡头】金融寡头的旧称。参见〔金融资本〕(508页)。

【财产所有权】简称产权。财产所有人对自己的财产享有占有、使用、收益和处分的权利。是一种独占的支配权,民法上称自物权。可通过转让、继承等方法取得。

裁 cái ❶按一定尺寸用剪子铰或用刀割开。㊞～衣服|～纸。❷把不用的或多余的去掉;削减。㊞～员。❸判断;决定。㊞～判|～夺。

【裁处】决定处理。

【裁夺】(请人)斟酌情况决定。

【裁决】由上级或争议双方同意邀请的有关方面对争议的问题作出决定。

【裁军】(国家或政治集团)削减军备。

【裁兵】裁减兵员。

【裁判】❶裁定和判决。指双方发生争议时,由法定的机构或由双方同意的仲裁机构加以裁定和判决。❷根据体育运动的竞赛规则,对运动员的竞赛成绩和在竞赛中发生的情况作出评判。也指做裁判工作的人。

【裁定】人民法院就诉讼程序中的问题或补正判决书的笔误而作出的决定。适用于不予受理、管辖权异议、驳回起诉、财产保全和先予执行、撤诉、中止或终结诉讼、中止或终结执行、不予执行仲裁裁决、不予执行公证机关赋予强制执行效力的债权文书等。

【裁度】推测断定。度(duó)。

【裁断】判断决定。

【裁撤】撤消,取消(机构)。

cǎi ㄘㄞˇ

采(❶-❸ *採) ㊀ cǎi ❶摘取。㊞～茶。❷选取;搜集。㊞～用|～购|～风。❸挖取(矿藏)。㊞～矿|～油。❹神态;精神。㊞丰～|兴高～烈。

㊁ cài (91页)。

【采风】古指搜集民歌。现也指演员或作家等下到基层体验生活,搜集素材。风:古指民歌。

【采办】选购。

【采光】设计门窗的大小和建筑物的结构,

使建筑物内部得到适宜的光线。
【采伐】在森林中有选择地砍伐，采集木材。
【采访】选择一定对象访问，以搜集所需资料（多指新闻记者的活动）。例～新闻。
【采纳】接受（意见、建议等）。
【采择】选取。例提出办法，以供～。
【采取】选择施行（方针、措施、方式等）。
【采信】法院在审理案件中对各种证据通过审查，认为某一证据可以作为定案证据。
【采掘】（对矿物）开采，挖取。
【采集】选取，收集。例～标本。
【采暖】设计建筑物的防寒取暖装置，以保持室内适宜的温度。
【采石矶】位于安徽省当涂县西北，马鞍山市西南，为牛渚山突出长江中的部分。自古是南北重要渡口。
【采兰赠药】《诗经·郑风·溱洧》："士与女，方秉蕑（jiān）兮。"又："维士与女，伊其相谑，赠之以芍药。"《毛传》："蕑，兰也；芍药，香草。"比喻男女相爱，互赠礼品。

彩（❶❷*綵） cǎi ❶各种颜色。例～旗。❷各种颜色的丝绸。例悬灯结～。❸赞美的叫喊声。例喝～|满堂～。❹指某些赌博、竞赛等赢得的财物。例得～|中～。❺精彩的成分。例丰富多～。❻戏曲或魔术表演中的某种特技、手法。例出～|火～。
【彩旦】传统戏曲中扮演女性的丑角。
【彩电】❶彩色电视机。❷彩色电视。例～中心。
【彩礼】也叫聘礼。指订婚和结婚时男方付给女方的财物。
【彩练】彩色丝带。
【彩绘】器物、雕塑或建筑上的彩色图案或图画。
【彩陶】古代带有彩绘花纹的陶器。
【彩排】在正式演出前，按实际演出的要求进行排演。因演员要化装，故名。
【彩票】奖券的通称。
【彩塑】着有彩色的雕塑。如中国敦煌莫高窟的彩塑菩萨。
【彩色胶片】感光材料的一种。有彩色负片和彩色反转片。用于摄影，可记录和再现被摄物体的彩色影像。
【彩陶文化】即"仰韶文化"（1143页）。

睬（*倸） cǎi 理会；答理。例不～他|不理不～。

踩（*跴） cǎi 脚踏。例不要～庄稼。

cài ㄘㄞˋ

采（*寀） ㊁ cài 〔采邑〕也叫食邑、采地、封地。❶中国古代卿大夫的封地。封地的租税收入，作为卿大夫的俸禄。西周时卿大夫在采邑内享有统治权利并对诸侯承担义务。秦汉后的采邑，只是把封地的赋税拨给受封者，作为其俸禄的"食邑"。❷欧洲封建君主赏赐给亲信、贵族或功臣的领地。

㊀ cǎi（90页）。

埰☒ cài "采（cài）"的异体字。

菜 cài ❶蔬菜，能作副食品的植物。❷蔬菜、蛋品、鱼、肉等副食品的统称。
【菜色】缺乏粮食、以糠菜充饥的人的面色。
【菜单】❶饭馆、食堂等准备的菜肴目录单，供就餐顾客点菜用。❷选单的旧称。
【菜粉蝶】也叫菜白蝶、白粉蝶。昆虫。成虫翅灰白略带青色，有黑斑。幼虫叫菜青虫，绿色，危害甘蓝、青菜、大白菜等。

蔡 cài 周朝国名。在今河南上蔡、新蔡一带。
【蔡伦】（？—121）东汉造纸术发明家。字敬仲，桂阳（今湖南郴州）人。公元105年，他总结西汉以来用麻质纤维造纸的经验，改进造纸术，采用树皮、麻头、破布、旧鱼网为原料造纸，对造纸技术的发展和纸张质量的提高贡献重大。历史上把他造的纸称为蔡侯纸。
【蔡邕】（133—192）东汉末年文学家、音乐家、书法家。字伯喈，陈留圉（今河南杞县南）人。曾校订六经原文，把它用隶书写出来，刻在石碑上，即有名的"熹平石经"。善操琴，精通乐理。有《蔡中郎集》。
【蔡琰】东汉末女诗人。字文姬，又字昭姬，陈留圉（今河南杞县南）人。蔡邕之女。博学多才，精通音律。一生坎坷，曾被虏居匈奴十二年，后曹操将她赎回。著有《悲愤诗》，写自己悲惨遭遇和人民所受的战乱之苦。相传《胡笳十八拍》为她所作。
【蔡锷】（1882—1916）中国民主主义革命家、军事家。原名艮寅，字松坡，湖南邵阳人。袁世凯称帝时，他在云南组织护国军，起义反袁。后赴日本就医，病逝。有《蔡锷集》。

【蔡元培】(1868—1940)中国教育家。字鹤卿，号孑民，浙江绍兴人。1902 年与章炳麟等发起组织中国教育会，宣传民主革命思想。1904 年与陶成章等组织光复会，次年参加同盟会。1917 年至 1923 年任北京大学校长，提倡学术自由，主张新旧思想兼容并包，使北大成为新文化运动之发祥地。在五四运动中起积极作用。九·一八事变后，主张抗日，与宋庆龄、鲁迅组织中国民权保障同盟。1940 年在香港病逝。有《蔡元培全集》。

【蔡文姬】即“蔡琰”(91 页)。

【蔡廷锴】(1892—1968)字贤初。广东罗定人。曾任国民党第十九路军副总指挥。一二·八事变时，指挥十九路军抵抗日本侵略军。1933 年 11 月同李济深、陈铭枢、蒋光鼐等在福建建立中华共和国人民革命政府。1949 年出席中国人民政治协商会议第一届全体会议。新中国成立后，曾任中央人民政府委员、全国政协副主席、国防委员会副主席、中国国民党革命委员会中央副主席等职务。

【蔡和森】(1895—1931)中国共产党早期领导人之一。字润寰，号泽膺。湖南湘乡人。早年同毛泽东一起建立新民学会，创办《湘江评论》。五四运动后赴法勤工俭学，组织中国社会主义青年团。1921 年底，回国参加中国共产党中央的工作。在党的第二次至第六次全国代表大会上当选为中央委员，第五次、第六次代表大会上当选为中央政治局委员。主编党中央机关报《向导》周报。1925 年参加领导五卅运动。八七会议后任中共北方局书记。1931 年夏任党中央代表，赴香港负责指导广东党的工作，不久被捕，在广州牺牲。

【蔡特金】克拉拉·蔡特金(1857—1933)德国社会民主党和第二国际左派领袖之一，国际社会主义妇女运动领导人。

縩⊠(**繺**) cài 见〔綷縩〕(156 页)。

cān ㄘㄢ

参(**參*****叅**) ㊀ cān ❶加入；参加。㊕～军。❷参考。㊕～照。❸旧指进见。㊕～谒|～拜。❹古指向皇帝告发官吏的罪状。㊕～他一本。❺反复、深入地探究并领会(道理、意义等)。㊕～禅|～透。

㊁ shēn (872 页)。

㊂ cēn (99 页)。

【参与】也作参预。参加到里面去进行活动。㊕～其事。

【参天】高耸到空中(多指树木)。㊕松柏～。

【参见】❶书籍文章中注释用语，即参考查看另外有关的内容。❷旧指下级见上级。

【参考】在研究或处理某些事物时，把另一事物拿来对照。㊕供～|～材料。

【参军】❶参加部队。❷古代官名。汉末至唐时设立，是王、相或将军的军事幕僚。宋有司户参军等，为地方低级官员。元废。

【参观】指到实地观察(有考察、学习的意味)。

【参股】指某一机构(政府部门或法人)对股份公司的投资入股达到一定比例而又低于控股程度。

【参政】❶参与国家的政务。❷古代官名。宋代称参知政事，为中央最高政务长官之一。元中书省设参政，与左右丞同为副宰相，位在其下。明以后为布政使的属官，分领各道。清乾隆后废。

【参战】参加战争、战役或战斗。

【参校】一部书有几种本子，拿一种作底本，参考其他本子加以校改、订正。校(jiào)。

【参酌】根据情况，加以推敲、考虑。

【参阅】参考查看。

【参预】同“参与”(92 页)。

【参谋】❶军队中参与军事计划等事务的人员。❷泛指替旁人出主意。也指替人出主意的人。

【参谒】去会见尊敬的人。也用于瞻仰遗像、陵墓等。

【参禅】佛教禅宗的修行方法。即习禅者为求开悟，到各处参学之意。一般依教坐禅或参话头的也叫参禅。参见〔禅宗〕(104 页)。

【参照】参考并照着(做)。㊕此项方案其他部门可～实行。

【参数】❶也叫参变量。在所讨论的某个数学或物理问题中，于给定条件下取固定值的变量。如在平面直角坐标系中，如果曲线 l 上任意一点的坐标 (x, y) 都可以表示为在某个区间内的变量 t 的函数，那么所得到的方程 $x=f(t), y=g(t)$ 就叫做该曲线的参数方程，变量 t 叫做参数。❷表明任何现象、机构、装置的某种性质的量。如导电率、导热率、膨胀系数等。

【参赞】使馆中职位仅次于使馆馆长的高级外交官。一般有政务、商务、文化、新闻参赞等。协助使馆馆长工作。在一些国家的使馆中，还设有公使衔参赞，其职位高于一般参赞。使馆馆长不在时，一般由参赞以临时代办名义作为使馆馆长的代表，行使使馆馆长的职权，主持使馆事务。参赞享有外交特权与豁免权。

【参议院】两院制议会中上议院的名称之一。参见〔上议院〕(862页)。

【参考系】为描述物体的运动而被选作标准的另一个或一组相对位置不变的物体。

骖(驂) cān 古指驾在车前两侧的马。

【骖乘】古指陪乘在车右的人。乘(shèng)。

飡☒ cān 同"餐"。

湌☒ cān 同"餐"。

鳌□(鰲) cān 〔鳌鲦〕鱼类。体侧扁，长可达20厘米，呈条状，背鳍有硬刺。生活在中上层水中。中国淡水均产。

餐 cān ❶吃。㊀会～。❷饭食。㊀快～|晚～。

【餐饮】饭菜和饮料。㊀～业|～市场。

【餐风宿露】也说风餐露宿、露宿风餐。风里吃饭，露天下睡觉。宋陆游《宿野人家》诗："老来世路浑谙尽，露宿风餐未觉非。"形容旅途或野外生活的艰苦。

cán ㄘㄢˊ

残(殘) cán ❶不完整。㊀～本。❷快完的；剩下的。㊀～冬|～羹剩饭。❸伤害；使不完整。㊀摧～。❹凶恶。㊀～暴。

【残生】❶晚年。❷侥幸保存下来的生命。

【残丘】由风蚀或其他原因形成的成群的石质或土质小丘。常见于中国西北地区。

【残存】未被消除尽而保存下来或剩下来。

【残年】❶指人的晚年。㊀风烛～。❷一年将尽的时候。

【残阳】傍晚的太阳。

【残余】剩余下来的(事物)。多指在被消灭过程中剩下来的旧的事物、思想意识等。

【残局】棋下到快结束时的局面。借指遭到失败或经过动乱后的局面。㊀收拾～。

【残忍】凶狠毒辣。

【残败】残缺衰败。

【残留】清除未净而遗留下来。

【残疾】人的肢体、器官等方面的缺陷。

【残害】用残酷的手段来伤害或杀害。

【残喘】临死时仅存的喘息。

【残障】残疾。㊀重度～。

【残酷】❶凶狠无情。❷激烈而艰苦。㊀～的战争生活锻炼了他。

【残骸】人或动物不完整的尸骨。借指残破的建筑物、机械、车辆等。

【残山剩水】残破的山河。多形容亡国或变乱以后的土地景物。

【残杯冷炙】吃剩的酒食。喻指权贵的施舍。唐杜甫《奉赠韦左丞丈》诗："残杯与冷炙，到处潜悲辛。"

【残渣余孽】比喻残存的坏人。

【残简断编】即"断编残简"(232页)。

蚕(蠶) cán ❶通常指家蚕。❷泛指某些能吐丝结茧的昆虫。㊀柞～|蓖麻～。

【蚕丝】蚕吐的丝。由蚕体内一对丝腺分泌出来的胶状物凝固而成。主要有桑蚕丝和柞蚕丝。

【蚕茧】蚕吐丝结成的椭球形的壳。是缫丝的原料。

【蚕食】像蚕吃桑叶一样。比喻一步一步地侵占(多指侵占别国领土)。

【蚕眠】蚕在生长过程中要蜕皮四次，每次蜕皮前都有一段时间不食不动，这种现象叫蚕眠。

【蚕蔟】也叫蚕山。供蚕吐丝作茧的器物。用麦秸、谷秸等做成。蔟(cù)。

【蚕豆病】也叫蚕豆黄。由食用新鲜蚕豆引起的溶血性疾病。属于食物特异反应，与遗传素质有关。一般症状是贫血，严重的可出现黄疸。

惭(慚*慙) cán 羞愧。㊀大言不～。

【惭愧】因为自己有缺点、过失而感到不安。

cǎn ㄘㄢˇ

惨(慘) cǎn ❶悲惨；凄惨，令人伤心。㊀～不忍睹。❷凶恶；

狠毒。例～无人道。❸程度严重。例～祸|～败。
【惨杀】用狠毒的手段杀害。
【惨重】极为严重(常指损失)。
【惨烈】原形容冬天寒冷景色，后也泛指十分凄惨。
【惨案】❶指革命者、人民群众被反动派、侵略者杀害的事件。例五卅～。❷造成大量人员死伤的事件。
【惨剧】指惨痛的事件。
【惨淡】❶暗淡无色。❷指费尽心思。例～经营。
【惨然】悲惨的样子。
【惨痛】悲惨沉痛。
【惨境】悲惨的境地。
【惨无人道】形容极其凶残。
【惨绝人寰】形容悲惨到了极点，世上少有。绝：到了尽头。人寰：世界，人世。
【惨淡经营】唐杜甫《丹青引赠曹将军霸》诗："诏谓将军拂绢素，意匠惨淡经营中。"原意指苦心构思。现形容费尽心思从事某种事情。

䅟□(穇) cǎn 䅟子，一年生草本植物。稻田杂草，稗的变种。秆粗壮，穗直立，无芒。子粒可作饲料。

黪☒(黲) cǎn 浅青黑色。

憯☒ cǎn 同"惨"。

càn ㄘㄢˋ

灿(燦) càn 光彩鲜明耀眼。
【灿烂】鲜明耀眼。例光辉～|～的前程。

掺(摻) ㊁ càn 古代鼓曲名。例渔阳～。
㊀ chān (104 页)。
㊂ shǎn (857 页)。

孱 ㊁ càn 〔孱头〕〈方〉软弱无能的人。
㊀ chán (104 页)。

粲 càn 鲜明；美好。
【粲然】形容有光泽。

璨 càn ❶美玉。❷鲜明光亮的样子。

cāng ㄘㄤ

仓(倉) cāng 储藏粮食等的建筑物。例米～|谷～。
【仓位】投资者已购入的证券额占其资金总量的比例。
【仓库】专供储存物资的建筑物。
【仓庚】同"鸧鹒"(95 页)。
【仓单】仓储合同中提取仓储物的凭证。由保管人签字或盖章才具有法律效力。
【仓促】也作仓猝。匆忙。
【仓皇】也作苍黄。匆忙而慌张。
【仓猝】同"仓促"(94 页)。
【仓颉】也作苍颉。传说是黄帝的史官，汉字的创造者。颉(jié)。
【仓储】仓库储存。例～商店。
【仓廒】粮库。元马端临《文献通考·市籴·社仓》："得息米造成仓廒。"廒也作敖。宋袁文《瓮牖闲评》卷六："敖乃地名。秦以敖地为仓，故尔。今所在竟谓仓为敖，盖循习之误。"廒(áo)。
【仓廪】储藏粮食的仓库。廪(lǐn)。

伧(傖) ㊀ cāng 粗野。
㊁ chen (120 页)。

沧☒(滄) cāng 寒冷。

苍(蒼) cāng ❶青色(包括蓝色和深绿色)。例～天|～松翠柏。❷灰白色。例面色～白|白发～～。
【苍天】天。古人常以苍天指天神。
【苍术】多年生草本植物。根茎入药，有燥湿健脾等作用。术(zhú)。
【苍龙】❶也叫青龙。见〔二十八宿〕(246 页)。❷古指太岁。因迷信认为太岁是凶神恶煞，故也用"苍龙"比喻凶恶的敌人。
【苍生】古指老百姓。
【苍白】❶灰白。形容脸上没有血色。❷形容缺乏旺盛的生命力。
【苍老】❶声音、面貌等显出衰老的样子。❷指书画笔力雄健。
【苍耳】一年生草本植物。果实长卵形，有钩刺，可榨油，也可入药，能发汗、通鼻窍、祛风湿。
【苍苍】❶灰白色。例两鬓～。❷形容茂盛的样子。例郁郁～。❸深青色。例天～，野茫茫。
【苍劲】形容树木、书法、绘画等雄健挺拔。

【苍郁】草木苍翠茂盛。
【苍穹】也叫穹苍。天空。穹(qióng)。
【苍茫】旷远迷茫,无边无际的样子。[例]～大地。
【苍凉】凄凉冷落。
【苍黄】❶青色和黄色。《墨子·所染》:"染于苍则苍,染于黄则黄。"意思是说,白色的丝放在青色的染料里就变成青的,放在黄色的染料里就变成黄的。后也喻指事物的变化反复。❷同"仓皇"(94页)。
【苍颉】同"仓颉"(94页)。
【苍蝇】昆虫。种类很多,通常指家蝇。头部有一对复眼。幼虫叫蛆。成虫能传播霍乱、伤寒、痢疾等多种疾病。
【苍翠】(草木)深绿。[例]山色～。
【苍鹰】鸟类。雄鸟体长约50厘米。除头部为黑色外,上体其余部分主要为苍灰色。下体灰白,并密布暗灰色横斑。栖息于山林,捕食野兔、野鼠等。幼鸟经驯养可供狩猎用。

沧(滄) cāng ❶暗绿色(指水)。[例]～海。❷冷。[例]～凉。

【沧海】大海。
【沧浪】❶形容水色青苍。❷水名。在湖北。一说即汉水的别称,一说为汉水的下游。浪(láng)。
【沧桑】沧海桑田的略语。
【沧溟】海水弥漫的样子。常用来指大海。
【沧海一粟】大海中的一粒小米。宋苏轼《赤壁赋》:"寄蜉蝣于天地,渺沧海之一粟。"比喻非常渺小。粟(sù)。
【沧海桑田】葛洪在《神仙传》里记载有一个叫麻姑的仙女,说自从她当仙女以来,已经见到东海有三次变为桑田了。后用沧海桑田比喻世事变化很大。
【沧海遗珠】海中之珠,被采集者所遗漏。比喻被埋没的人才。《新唐书·狄仁杰传》:"举明经,调汴州参军。为吏诬诉,黜陟使阎立本召讯,异其才,谢曰:'仲尼称观过知仁,君可谓沧海遗珠矣。'"
【沧海横流】大海里的水四处奔流。比喻社会动荡不安。《晋书·王尼传》:"常叹曰:'沧海横流,处处不安也。'"

鸧□(鶬) cāng 〔鸧鹒〕也作仓庚。即"黄鹂"(427页)。

舱(艙) cāng 船或飞机体内用以载人装货的地方。[例]客～|机～。

【舱位】轮船的铺位或飞机的座位。

cáng ㄘㄤˊ

藏 ㈠ cáng ❶隐蔽。[例]躲～。❷收存。[例]～书。
㈡ zàng (1226页)。

【藏书】❶收藏图书。也指收藏的图书。❷书名。也叫《李氏藏书》。明末李贽著。作者自称:"此书但可自怡,不可示人。"故名。共六十八卷。体裁采纪传体,论述战国至元亡的历史人物约八百人。另有《续藏书》二十七卷,记载明代历史人物。因书中立论多与当时统治阶级的正统观念不合,故在明清两代被列为禁书。
【藏奸】〈方〉指在集体活动中尽量比别人少出力或少出钱。[例]～要滑。
【藏拙】认为自己的意见、作品、技能等不成熟或有缺欠,不敢拿出来让别人知道。
【藏品】收藏的物品。
【藏怒】怀恨在心。
【藏匿】藏起来不让人发现。匿(nì):隐藏。
【藏掖】掩藏;掩盖。也指被掩藏的缺陷毛病等。
【藏龙卧虎】北周庾信《同会河阳公新造山池聊得寓目》诗:"暗石疑藏虎,盘根似卧龙。"本是描写景物。后多用来比喻隐藏着未被发现的人才。
【藏头露尾】形容说话办事故意藏一点儿露一点儿,不完全表露出来。
【藏垢纳污】也说藏污纳垢。《左传·宣公十五年》:"川泽纳污,山薮(sǒu)藏疾,瑾瑜匿瑕,国君含垢,天之道也。"意思是河流湖泊里有脏东西,深山草丛里有毒气,美玉上有瑕斑,做国君的要忍受屈辱,这些都是正常的现象。原是一种比兴手法,说明君王要有所作为,就应当忍辱负重。后比喻包容种种坏人坏事。垢(gòu):脏东西。
【藏器待时】比喻怀藏才学,等待施展的机会。《周易·系辞下》:"君子藏器于身,待时而动。"

cāo ㄘㄠ

操(*掾*捺) cāo ❶拿;使。[例]～刀。❷从事。[例]重～旧业。❸驾驶;掌握。[例]～舟|～纵|稳～胜券。❹用某种语言或方言说话。[例]

～英语|～粤方言。❺操练。㊀出～。❻品行;行为。㊀～行。
【操切】办事过于急躁。㊀不宜～从事。
【操心】费心考虑和料理。
【操办】操持办理。
【操行】品行。
【操守】指品德、气节。
【操劳】费心料理(事务)。㊀～过度|这事就请你～吧!
【操作】按照一定的程序和技术要求进行工作。
【操纵】❶管理和控制(机械)。㊀远距离～。❷用不正当的手段加以支配、控制。
【操典】规定军事操作原则和要领的书。㊀步兵～|骑兵～。
【操券】手里有凭证。比喻事情有把握。券:凭证或契约。
【操练】❶学习和练习军事或体育等方面的技能。❷练习。㊀课堂～。
【操持】料理;筹划,筹办。
【操神】费心;劳神。
【操刀必割】比喻不可失去时机。《汉书·贾谊传》:"黄帝曰:'日中必熭(wèi),操刀必割。'"《注》引臣瓒:"太公曰:'日中不熭,是谓失时;操刀不割,失利之期。'"
【操之过急】做事过于心急。
【操作系统】电子计算机中的一种系统软件。负责控制和管理存储器、中央处理器以及各种外围设备等硬件资源和各种程序、数据等软件资源,为用户提供强大的使用功能和方便灵活的使用环境。是计算机应用的基础。常见的操作系统有 MS-DOS 系统、Windows 系统、UNIX 系统等。

糙 cāo ❶没碾过或碾得不精的(米)。㊀～米。❷粗糙;不细致。㊀～纸|毛～。

cáo ㄘㄠˊ

曹 cáo ❶等;辈。㊀吾～(我们)|尔～(你们)。❷周朝国名。在今山东西部。
【曹丕】(187—226)即魏文帝。三国时期魏国的创建者,文学家。曹操次子。沛国谯县(今安徽亳州)人。所著《典论》对中国文学批评的发展颇有贡献。其诗受民歌影响,语言通俗,描写细致。有《魏文帝集》。
【曹禺】(1910—1996)中国现代剧作家。原名万家宝,字小石,天津人。1934 年发表话剧《雷雨》,通过周、鲁两家两代人的前后 30 年复杂的纠葛,表现了充满邪恶的旧家庭的悲剧,反映了半封建半殖民地社会的某些侧面。1935 年后,先后发表剧作《日出》《原野》《蜕变》《北京人》。1961 年创作历史剧《胆剑篇》。1978 年创作《王昭君》。作者擅长于创作悲剧,作品形象生动,内蕴深刻,具有悲剧的艺术美。有《曹禺全集》。
【曹植】(192—232)三国魏诗人。字子建,沛国谯县(今安徽亳州)人。曹操第三子,世称陈思王。他的诗描写社会战乱的凄凉情景和人生的沉浮、悲苦。语言清新而有文采,吸收了民歌的长处,推动了五言诗的发展。辞赋、散文也颇著名。有《曹子建集》。
【曹锟】(1862—1938)直系军阀首领。字仲珊,直隶天津(今天津市)人。袁世凯死后,北洋军阀分裂,他投靠英美帝国主义,控制江苏、江西、湖北、直隶等省。1923 年,贿买国会议员被选为大总统。1924 年第二次直奉战争,直系失败,被迫下台。1938 年死于天津。
【曹操】(155—220)即魏武帝。三国时期政治家、军事家、文学家。字孟德,沛国谯县(今安徽亳州)人。东汉末,参与镇压黄巾起义。公元 200 年官渡之战,消灭袁绍部主力。逐步统一北方。公元 208 年任丞相,率军南下,被孙权、刘备联军击败于赤壁。后封魏王。曾发布抑制兼并令,组织军民屯田,兴修水利,实行盐铁官营。精兵法,著《孙子略解》等书。所作散文简朴,诗歌慷慨激昂,是建安文学的代表作。有《曹操集》。
【曹白鱼】见"鳓"(588 页)。
【曹雪芹】(约 1715—1763 或 1764)清代小说家。名霑,字梦阮,号雪芹、芹溪、芹圃。出身于封建官僚家庭。后因清皇室内部倾轧,受到株连,父亲被罢官抄家,随家迁居北京,生活陷于困顿。这种家庭盛衰的巨大变化和当时进步思潮的影响,使他比较清醒地认识到已经进入末期的封建社会的腐朽和罪恶。他能诗善画,具有多方面的艺术才能。晚年居北京西郊,以十年时间,呕心沥血,根据自己的生活经历创作了长篇小说《红楼梦》。

嘈 cáo 声音杂乱。㊀人声～杂。

嶆☒ cáo 见〔嵺嶆〕(585 页)。

漕 cáo 漕运。

【漕运】指历代王朝利用水道运输粮食,供应京城或接济军需。

【漕河】古代运漕粮的河道。

【漕船】也叫漕舫。古代给京城运粮的帆船。

【漕渡】军事上指利用舟、筏和门桥渡河。

【漕粮】古代由水路运往京城的粮食。

槽 cáo ❶一种盛饲料或液体等的长条形器具。㊀马～|水～|酒～。❷物体中间凹下去的部分。㊀河～|中间挖一个～儿。

螬 cáo 见〔蛴螬〕(769 页)。

艚 cáo 艚子,一种载货的木船。

cǎo ㄘㄠˇ

草(*艸) cǎo ❶泛称栽培植物以外的草本植物。㊀青～|花～。❷特指供作饲料和燃料用的某些谷物的茎叶。㊀稻～|粮～。❸文章的初稿;非正式的文稿。㊀起～|～案。❹不认真;不细致。㊀潦～。❺雌性的(指某些家畜、家禽)。㊀～驴|～鸡。❻草书。㊀行～。

【草书】汉字字体之一。字形比隶、楷简化,笔画牵连曲折,便于迅速书写。从汉代以来,体势屡有变迁,有章草、今草、狂草、行草等。

【草地】草本植物群落的统称。分湿生的草甸、中生的次生高草甸、亚高山草甸以及旱生的草原等。如中国青藏高原的草本植被,统称草地。

【草场】土地利用类型之一。指用来放牧的大范围的草地。根据所处的位置一般可分为草原草场、高山草场、河漫滩草场等。

【草创】开始创立、创办。

【草约】尚未正式签字的条约。

【草拟】起草;初步写出或订出(文稿、方案)。

【草芥】比喻轻贱的微不足道的东西。㊀视如～。芥(jiè):小草。

【草体】❶草书。❷拼音文字的手写体。

【草甸】分布于气候和土壤湿润、无林地区或林间地段的多年生草本植物群落。分高山草甸、低地草甸和森林草甸。可供放牧和割草。

【草坪】平坦的长满草的场地。

【草图】初步画出的机械图或工程设计图等。

【草鱼】也叫鲩鱼。鱼类。背和鳍青黄色。栖息于水底,主食水草。是中国主要淡水养殖鱼。

【草泽】❶野草丛生的地方。❷草野。

【草草】草率;急急忙忙。㊀～了事。

【草昧】指原始的未开化的状态。

【草莽】❶杂草丛。❷草野。

【草莓】多年生草本植物。有匍匐枝,复叶,小叶 3 片,椭圆形。初夏开花,花白而略带红色。花托增大变为肉质,多汁,味酸甜,可食用,也可制果酒、果酱等。也指这种植物的果实。

【草原】生长着旱生或半旱生草本植物的大片土地。分布在温带地区的叫温带草原,间或杂有耐旱的灌木;分布在热带地区的叫热带草原,常见稀疏的树木。

【草案】尚未被有关机关最后正式通过的文件、计划、条例等。

【草野】旧指民间。

【草率】不认真;不细致;马虎。

【草寇】旧指出没于山林间的强盗。

【草签】也叫缩写签字。由缔约各方谈判代表在条约草案上签署自己的姓名或姓名的简写,表示谈判代表对条约草案文本已取得一致意见。草签并不表示缔约各方对条约的最后认同,草签后仍需经过正式签字。

【草木灰】植物燃烧后剩下的灰。主要成分是碳酸钾,并含有磷、钙、镁以及锌、锰等微量元素。是一种含钾较多的速效肥料,可作基肥、种肥或追肥。

【草木皆兵】公元 383 年,前秦苻坚出兵攻晋,前锋在安徽寿春洛涧被晋军打败。苻坚登寿春城瞭望,看到晋兵布阵严整,又望见八公山上的草木,以为都是晋兵,认为遇到了劲敌,因而感到害怕。后来就用草木皆兵形容神经过敏、疑神疑鬼的惊恐心理。

【草本植物】茎内木质部不发达,茎干柔软、植株较小的植物的统称。茎的地上部分在生长季节终了时多枯死。根据植物全部生命过程的长短,分为一年生草本、二年生草本和多年生草本。

【草场退化】干旱、半干旱地区草原生态平

衡遭到破坏(如过度放牧或垦荒),致使草原产草量下降,优良牧草减少,土质恶化,甚至逐渐沙化和盐渍化的现象。

【草间求活】指苟且偷生。《晋书·周顗传》:"吾备位大臣,朝廷丧败,宁可复草间求活,外投胡越邪!"草间:草野之中。

【草菅人命】《汉书·贾谊传》:"其视杀人,若艾(yì,通"刈")草菅然。"原意是批评秦二世胡亥把杀人看得像割草一样随便。后用草菅人命形容漠视人的生命,任意加以残害。菅(jiān):一种草。

【草场载畜量】指放牧期内单位面积草场所能放牧牲畜的头数。是衡量草场生产力的指标。

懆[囗] cǎo〔懆恅〕❶寂静。❷心乱。恅(lǎo)。

慅[囗] ㊀ cǎo 忧愁。
㊁ sāo (847页)。

懆[囗] cǎo 忧愁不安的样子。

cè ㄘㄜˋ

册(*冊) cè ❶古称编串好的竹简。现指本子。[例]画～|名～。❷帝王赐封爵位、称号等。[例]～封|～立。❸量词。用于书。[例]这部书共四～。

【册页】中国书画装裱形制之一。多用于收藏小幅书画。

【册府元龟】类书名。宋真宗命王钦若、杨亿等编纂。共一千卷,分三十一部,一千一百零四门。将上古到五代的历史文献资料分类编辑,按年代排列,是查阅古代历史材料的大型工具书。册府是书的府库,元龟是大龟,古代认为用龟占卜,能知未来。因编纂目的是供封建统治阶级用为"戒鉴",故名。

厕(厠*廁) cè ❶厕所。❷参与、夹杂在内。[例]～身其间。

侧(側) ㊀ cè ❶旁边。[例]～面|两～。❷斜着。[例]～身而入。❸书法用语。指汉字笔画的点。参见〔永字八法〕(1189页)。
㊁ zhāi (1233页)。

【侧击】对敌人从侧面攻击。侧翼通常是敌人的薄弱部分,攻击易于奏效。

【侧目】斜着眼睛看。形容又怕又恨的神情。[例]～而视。

【侧记】关于某项活动的侧面记述(多用于报道文章的标题)。

【侧耳】把耳朵斜过来,形容听人说话时集中注意力或表示恭敬。[例]～静听。

【侧泳】游泳姿势之一。侧卧水中,两臂轮流划水,两腿向前后做剪式的蹬夹水动作。可拖带东西,便于救护。

【侧线】鱼类身体两侧各有一条由许多小点组成的线。每一小点内有一个小管,管内有感觉细胞,能感觉水流的方向和压力。

【侧柏】常绿乔木。高可达20米。小枝扁平,直展,成一平面,两面相似。叶小,鳞形,球果长卵形。分布很广,多为人工林或庭园栽植。

【侧重】偏重;着重某一方面。

【侧室】❶主要房间旁边的辅助用房。❷指正夫人以外的偏房;妾。

【侧扁】从背部到腹部的表面距离大于两侧之间的距离。鲫鱼身体就是侧扁的。

测(測) cè ❶测量。[例]～绘。❷推测;料想。[例]变化莫～。

【测交】未知基因型的杂种子一代与隐性纯合类型间杂交。测交是用来测定杂种子一代的基因型的有效方法。

【测字】也说拆字。占卜吉凶的迷信活动。把汉字的偏旁笔画拆开或合并,作出解说。

【测度】推测。

【测绘】测量和地图绘制的合称。资料的采集、处理、分析,直至制成各种地图,都运用遥感、地理信息系统等信息技术。为资源勘查、环境监测、工程规划以及经济、国防建设提供技术和数据支持。

【测候】观测天文、气象。

【测验】用一定的标准和办法来检验、考查。

【测控】观测控制。[例]卫星～系统。

【测量】用各种仪器来测定地形、物体位置以及测定各种物理量(如温度、重量、地震波、电压等)。

恻(惻) cè 悲伤。[例]～然|凄～。

【恻隐】对别人的痛苦和不幸表示同情。

畟[囗] cè〔畟畟〕形容农具锋利,锄地迅速。

策(*筞*筴) cè ❶古代写字用的竹片。[例]简～。❷古代的一种文体。[例]对～。❸计谋;主

意。㊞妙～|束手无～。❹谋划。㊞～反|～动。❺古代的一种马鞭子，也指用这种鞭子抽打。引申为督促。㊞扬鞭～马|～励。❻书法用语。指汉字笔画的挑。参见〔永字八法〕(1189页)。

【策士】旧指为统治者出谋献策的人。

【策反】深入敌方内部，秘密鼓动其人员倒戈。

【策动】策划，鼓动。

【策划】出主意，定办法。

【策励】督促勉励。

【策应】作战中与友军互相呼应配合。也指足球、篮球等球类比赛中，队友之间的互相配合。

【策略】❶在政治斗争中，为实现一定的战略任务，根据形势的发展而制定的行动准则和斗争方式。它是战略的一部分，并服从和服务于战略。❷泛指善于灵活运用适合当时情况的斗争方式和方法。

【策源地】(战争、社会运动等)策动和起源的地方。㊞北京是五四运动的～。

cēn ㄘㄣ

参(參*叅) ㊂ cēn 见下。
㊀ cān (92页)。
㊁ shēn (872页)。

【参差】长短、高低不齐。㊞～不齐。差(cī)。

【参错】参差交错。

嵾☒(嵾) cēn〔嵾嵳〕形容山峰高低不平。

cén ㄘㄣˊ

岑 cén 小而高的山。

【岑参】(约715—770)唐代诗人。江陵(今湖北荆州)人。曾任安西节度使判官，晚年出任嘉州刺史，世称岑嘉州。在西北边区从军多年，对边塞生活有较深的体验，擅长写边塞诗。其诗歌颂边塞将士的英勇战斗精神，对边塞风光的描绘气势豪迈，色彩浓烈。有《岑嘉州诗集》。

【岑寂】寂静；寂寞。㊞～无声。

涔 cén 雨多；涝。

【涔涔】形容雨、汗、泪等不断流下。

cēng ㄘㄥ

噌 ㊀ cēng 拟声词。短促的摩擦声或快速行动的声音等。㊞猫～的一声蹿上了树。
㊁ chēng (120页)。

céng ㄘㄥˊ

层(層) céng ❶重复；重叠。㊞～出不穷|～峦叠嶂。❷重叠事物的一部分或一级。㊞外～|基～。❸量词。用于重叠、积累或覆盖在物体表面上的东西。㊞五～楼。

【层子】中国理论物理学家提出的一种假说，认为物质的组成有无限多的层次，并把组成强子的更基本的单元叫做层子。就具体性质说，层子与夸克是一样的。

【层云】空中呈均匀幕状的云层。整层空气的抬升或逆温层底部湿空气层的辐射冷却等均可形成层云。一般分为卷层云、高层云和雨层云三类。

【层次】❶事物的次序。多指话语、文章或画面的内容次序。㊞～清晰。❷事物内部由于大小、高低不同而形成的区别。㊞他觉得新房子的～不够理想|因年龄～不同而看法不同。

【层级】事物的层次和等级。

【层面】范围；方面。

【层高】上下两层楼面或楼面与地面之间的垂直距离。一般住宅的适宜层高不应低于2.4米。

【层出不穷】形容事物连续出现，没有穷尽。

【层峦叠嶂】形容山岭重叠。嶂(zhàng)：像屏障一样的山峰。

曾 ㊁ céng ❶副词。表示从前经历过。㊞未～|～来过。❷古又同"层"。
㊀ zēng (1230页)。

【曾经】副词。表示从前有过某种行为或情况。㊞他～有过这种想法。

【曾几何时】才过多少时候。指时间没有过多久。

【曾经沧海】唐元稹《离思》诗："曾经沧海难为水，除却巫山不是云。"后用以比喻曾经见过大的场面，对平常的事不放在眼里。

鄫☒ céng ❶古国名。在今山东。❷古地名。在今河南。

嶒☒ céng 见〔崚嶒〕(591 页)。

cèng ㄘㄥˋ

蹭 cèng ❶摩;擦。㊀～破了皮|留神～油。❷缓慢向前移动。㊀一步一步往前～。

【蹭蹬】路途险阻难行。比喻遭遇挫折。

chā ㄔㄚ

叉 ㊀ chā ❶叉子,一端有两个以上长齿,用以刺取物体的器具。㊀鱼～|钢～。❷用叉子刺取。㊀～鱼。❸像叉的形状。也指叉形符号。㊀交～|打～号。

㊁ chá(101 页)。

㊂ chǎ(102 页)。

㊃ chà(102 页)。

扠□ chā 同"叉(chā)"②。

杈 ㊀ chā 一种用来挑(tiǎo)秸秆、柴草等的农具。多为木制,一端一般有三个较长的弯齿,一端为长柄。

㊁ chà(102 页)。

臿☒ chā 同"锸"。

插(*揷) chā ❶扎入;栽入;放入。㊀～蜡烛|～秧|～上门闩。❷由中间加入。㊀～班|～手。

【插队】❶插进队伍中去。㊀请顺序排队,不要～。❷指"文化大革命"时期城镇的干部、知识分子和知识青年到农村安家落户。

【插头】即"插销"①(100 页)。

【插曲】❶电影或戏剧中出现的歌曲。❷比喻事情进行中插入的特殊片段。

【插花】❶把栽培的各种鲜花按艺术欣赏的需要进行一定的搭配,插入花瓶或做成花篮。❷夹杂;交错。㊀棉花地里～种了些向日葵。

【插条】也叫插枝、枝插。把某些植物的枝条插在潮湿的土壤里,使其生根发芽,长成新植物体的育苗方法。

【插图】书刊文字里加插的图画。能够帮助说明内容,或增强艺术感染力。如百科词典、科学著作和文学作品中的插图。

【插叙】文学作品或记叙文章的一种叙述方法。指在叙述故事情节的过程中插入其他内容的叙述,以丰富和补充主要情节,推进或延缓情节的进程,调节叙述节奏,有助于刻画人物性格,表达主题。

【插销】❶也叫插头。装在导线头上的电源接头。❷门窗上装的金属闩。

【插播】广播电视的播出方式之一。在正在播出的节目中,随时插入其他需要即时播出的内容。

【插入语】也叫独立成分。不与别的成分发生组合关系,插入句中表示某种附加的意思。如"动物园里,据说,养了两只东北虎"中的"据说"。

【插秧机】将水稻秧苗移至大田定植的农业机械。由秧箱、送秧装置及分插秧装置等构成。

【插科打诨】指戏曲演出中穿插一些滑稽的动作和谈话,引人发笑。科:戏曲演员的动作表情。诨(hùn):开玩笑的话。

【插翅难飞】插上翅膀也难飞去。比喻怎样也逃脱不了。

锸(鍤) chā 古代一种掘土用的工具。

差 ㊀ chā ❶不同;不同之点。㊀～别|～异。❷错误。㊀～错。❸略微;大致。㊀～强人意|～可告慰。❹减法所得的结果。

㊁ chà(103 页)。

㊂ chāi(103 页)。

㊃ cī(148 页)。

【差价】同一商品因各种条件不同而产生的价格差别。如批发和零售的差价、地区差价、季节差价等。

【差池】〈方〉❶错误。❷意外的事故。

【差异】❶差别;不同。❷哲学上指尚未激化的矛盾。

【差别】形式或内容上的不同。

【差距】事物之间的差别程度。也指跟某个标准的差别程度。

【差额】跟作为标准或用来作比较的数相比后所差的数额。㊀补足～。

【差别定价】对于不同的目标市场采用不同的商品价格的销售策略。

【差强人意】《后汉书·吴汉传》:"吴公差强人意。"原意是吴汉很能振奋其部下的意志。后用来指尚能使人满意。差:古代义为甚;现代义为大致,比较。

【差之毫厘,谬以千里】也说失之毫厘,谬以千里。《礼记·经解》:"《易》曰:'君子慎始,差若毫厘,缪(通"谬")以千里。'"意思是开始时微小的差错,结果会造成极大的错误。

艖☒ chā 小船。

嚓☒ chā 叹词。表示提醒或应答。

喳 ㊁ chā 〔喳喳〕❶拟声词。小声说话声。㊎喊喊～。❷喳喳(chācha)。小声说话。㊎打～。
㊀ zhā(1231页)。

馇(餷) ㊀ chā 〈方〉❶熬;煮。㊎～粥。❷边拌边煮(猪食)。
㊁ zha(1233页)。

碴 ㊁ chā 胡子拉碴,形容满脸胡须,未加修饰。
㊀ chá(102页)。

嚓 ㊁ chā 拟声词。摩擦、断裂等的声音。㊎喀～。
㊀ cā(89页)。

chá 彳Ý

叉 ㊁ chá 堵住;卡住。㊎路口～住了。
㊀ chā(100页)。
㊂ chǎ(102页)。
㊃ chà(102页)。

垞 chá 小土山。多用于地名,如胜垞(在山东)。

茬 chá ❶庄稼收割后余留的茎和根。㊎谷～儿|麦～儿。❷作物种植或收割的次数。㊎二～韭菜。❸短而硬的头发、胡子。

【茬口】❶在同一块土地上轮作作物的种类和次序。❷指某种作物收割以后的土壤。

茶 chá ❶茶树,常绿灌木或小乔木。嫩叶经加工后,即为茶叶,是重要的经济作物。❷用茶叶沏成的饮料。㊎乌龙～。❸某些饮料的名称。㊎奶～|果～。❹像茶水一样颜色的。㊎～色|～镜。

【茶艺】烹茶、饮茶、以茶待客的技艺。㊎～表演。

【茶会】一种备有茶水、点心的社交性聚会。

【茶砖】即"砖茶"(1300页)。

【茶食】糕点、果脯等食品的统称。

【茶馆】设有座位,供顾客喝茶休息的铺子。

【茶花女】三幕歌剧。威尔第曲。作于1852年。脚本由皮亚韦根据小仲马的同名小说编写。剧情梗概:巴黎交际花薇奥列塔(即茶花女)为阿尔弗莱德的真挚爱情所感动,毅然抛弃浮华、空虚的寄生生活。阿尔弗莱德的父亲乔治欧激烈反对他俩的结合。为了顾全阿尔弗莱德的家庭声誉和个人前程,薇奥列塔决定牺牲自己的幸福,忍痛与阿尔弗莱德断绝关系。最后抑郁而逝。

【茶余饭后】指茶饭后的一段空闲时间。

搽 chá 涂抹。㊎～油|～粉。

查(*査) ㊀ chá ❶检验;核实。㊎～账|～证件|～户口。❷仔细地了解。㊎～访。❸翻检着看。㊎～字典|～资料。
㊁ zhā(1231页)。

【查办】查明罪状或错误情况,加以惩办或处分。

【查处】检查并处理(违法行为)。

【查抄】清查并没收犯罪者的财物。

【查究】调查追究。

【查询】询问查找。

【查封】行政主体对行政相对人的财产加贴封条,予以强制封存的一种行政强制执行方式。查封期间限制使用该财产,被查封人不得处分该财产。

【查阅】查找并阅读书刊、文件、资料等有关部分。

【查验】检查验证。

【查勘】实地调查察看。

【查字法】即"检字法"(475页)。

【查理大帝】(742—814)法兰克王国加洛林王朝国王。经多年征战,建立起包括中欧和西欧大部的庞大帝国。公元800年由教皇为之加冕称帝,号称"罗马人的皇帝"。他将全国分为98郡,委派伯爵治理。积极推行军事改革,建立严密的军队组织与指挥系统。其军事思想及改革措施在当时的欧洲颇有影响。

【查理定律】气体的压强随温度而改变的规律,因法国物理学家查理发现而命名。当体积不变时,温度每升高1℃,一定质量气体的压强增加它在0℃时的压强的1/273;或一定质量的气体,体积不变时,它的压强和热力学温度成正比。

嵖 chá 〔嵖岈〕山名。在河南。岈(yá)。

C

猹 chá 一种像獾的野兽。喜吃瓜。

楂 ㊁chá 同"茬"。
㊀zhā（1231页）。

碴（*䃰）㊀chá ❶小碎块。㊣玻璃～儿。❷器物上的破口。㊣碗边上有个新～儿。❸能引起争吵的事由。㊣找～儿。❹谈话时提到的事情或对方刚说完的话。㊣答～儿。
㊁chā（101页）。

馇□ chá 〈方〉馇子（zi），玉米等磨成的碎粒。

槎 chá ❶木筏。❷同"茬"。

察（*詧）chá 仔细看；调查。㊣观～｜考～。

【察访】通过观察和访问进行调查。

【察看】仔细地了解、观察。

【察觉】发现；看出来。

【察哈尔】旧省名。1928年设省，管辖区包括今河北西北部和内蒙古的锡林郭勒盟。1949年改辖今河北张家口地区和山西雁北地区。1952年撤销，分别并入河北、山西两省。

【察见渊鱼】明察到能看见深渊里的鱼。比喻能探知别人的隐私。《列子·说符》："（赵）文子曰：'周谚有言：察见渊鱼者不祥，智料隐匿者有殃。'"

【察言观色】观察别人的言谈、脸色，揣度其心意。《论语·颜渊》："察言而观色，虑以下人。"

【察察为明】《晋书·皇甫谧传》："欲温温而和畅，不欲察察而明切也。"意思是要温良和顺，而不要在细小处计较得很清楚。后用以形容专在细小的事情上过分要求，以显示精明。察察：分别辨析。

檫 chá 落叶乔木。幼树皮绿色，叶椭圆形或卵形，叶端常三裂，果实球形，生长快。木材坚韧、耐湿，是优良的建筑、造船用材。

chǎ 彳丫ˇ

叉 ㊂chǎ 分开。㊣～着腿。
㊀chā（100页）。
㊁chá（101页）。
㊃chà（102页）。

衩 ㊁chǎ 裤衩，短裤。
㊀chà（102页）。

镲⊠（鑔）chǎ 同"镲"。

蹅 chǎ 踩踏（泥、雪等）。㊣～了两脚泥｜鞋～湿了。

镲（鑔）chǎ 钹（bó）的俗称。

chà 彳丫ˋ

叉 ㊃chà 劈叉，两腿分开成一字形落地，是戏曲、杂技、体操、武术等的一种动作。
㊀chā（100页）。
㊁chá（101页）。
㊂chǎ（102页）。

汊 chà 分支的小河；河水叉出的地方。㊣河～｜港～。

杈 ㊁chà 植物的分枝。㊣树～｜打棉～。
㊀chā（100页）。

衩 ㊀chà 衣服旁边开口的地方。
㊁chǎ（102页）。

蹅⊠ chà ❶踏；踹。❷岔路。

奼⊠ chà 同"姹"。

侘⊠ chà 〔侘傺〕也作侘憏。失意的样子。傺（chì）。

诧（詫）chà 惊讶。

【诧异】觉得意外和奇怪。㊣这突如其来的消息使我们感到十分～。

侘⊠ chà 〔侘憏〕同"侘傺"（102页）。憏（chì）。

姹 chà 美丽；娇艳。

【姹紫嫣红】指各种颜色娇艳的花朵。明汤显祖《牡丹亭·惊梦》："原来姹紫嫣红开遍。"嫣（yān）：艳丽。

岔 chà ❶由干道分出的。㊣三～路口｜～道儿。❷转移话题。㊣打～。❸错开时间。㊣把两个会议的时间～开。

【岔子】❶岔路。❷事故；乱子。㊣出～。

刹 ㊀chà 寺庙；佛塔。㊣古～｜宝～。
㊁shā（850页）。

【刹那】一瞬间；极短的时间。[例]一～。

差 ㊀ chà ❶不同；不相合。[例]～得远。❷缺欠。[例]～一道工序。❸不好；不够标准。[例]质量～。❹错误。[例]说～了。
㊁ chā（100 页）。
㊂ chāi（103 页）。
㊃ cī（148 页）。

chāi ㄔㄞ

拆 ㊀ chāi ❶把合在一起的打开或分开。[例]～信｜～卸。❷拆毁。[例]～房。
㊁ cā（89 页）。

【拆台】比喻进行破坏，使别人倒台或事情不能顺利进行。

【拆迁】原有房屋拆除，居民迁往别处。[例]～户。

【拆字】即“测字”（98 页）。

【拆穿】揭穿，使谎言、伪装等败露。

【拆借】在货币市场上，借贷双方短期内融通资金的行为。

【拆息】金融机构之间短暂拆借资金的利息。

钗（釵） chāi 旧时妇女别在发髻上的一种首饰。

差 ㊂ chāi ❶派出去做事。[例]～遣。❷差事；被派遣去做的公务。[例]出～。❸旧指被派遣干事的人。[例]听～｜解（jiè）～。
㊀ chà（103 页）。
㊁ chā（100 页）。
㊃ cī（148 页）。

【差会】西方各国基督教差派传教士进行传教活动的组织。初期的差会，有些由殖民主义国家政府主持。中华人民共和国成立后，中国基督教会割断了与差会的关系。

【差役】❶封建统治者强迫人民从事的无偿劳动。❷旧时在官府里当差的人。

【差使】❶差遣；派遣。❷使（shi）。官职。泛指工作。[例]这个～不错。

【差遣】分派去外面工作；派遣。[例]奉上司～。

chái ㄔㄞˊ

侪（儕） chái 同辈或同类的人。[例]～辈（同辈）｜吾～（我们）。

柴 chái ❶用做燃料的草木。❷多纤维，难嚼烂。[例]这块肉太～，炖了半天也不烂。

【柴门】用秸秆、树枝等做成的门。旧时比喻贫苦人家。

【柴油】由石油加工提炼而得的燃料油。主要用作柴油机的燃料。

【柴扉】柴门。

【柴油机】用柴油做燃料的内燃机。靠气缸中压缩后形成的高温高压空气使喷入的雾状柴油燃烧膨胀而做功。比汽油机效率高，燃料费用低，但震动较大。广泛用于载重汽车、拖拉机、机车、舰船和其他机器设备。

【柴达木盆地】在青海省西北部，阿尔金山、祁连山和昆仑山之间。面积 20 多万平方千米，海拔 2 600—3 000 米。矿产资源丰富，有“聚宝盆”之称。东部和东南部有新开垦的农业区。

【柴科夫斯基】彼得·柴科夫斯基（1840—1893）俄国作曲家。其音乐着重内心刻画，表情细腻，旋律、和声、配器富于表现力，音乐语言平易近人，富有浓郁的民族色彩。代表作有《第六（悲怆）交响曲》，标题交响曲《曼弗雷德》，幻想序曲《罗密欧与朱丽叶》，幻想曲《暴风雨》《里米尼的弗兰切斯卡》《意大利随想曲》《一八一二年曲》，歌剧《叶甫盖尼·奥涅金》《黑桃皇后》，舞剧《天鹅湖》《睡美人》《胡桃夹子》等。

喍⊠ chái 见〔啀喍〕（1127 页）。

豺 chái 哺乳动物。与狼同类异种，状如犬而体瘦，口大耳小。性残暴。生活在山林里。

【豺狼】豺和狼都是凶兽，用以比喻凶恶残忍的人。

【豺狼当道】《汉书·孙宝传》：“豺狼横道，不宜复问狐狸。”比喻坏人当权。当（dāng）道：在路中间。

chǎi ㄔㄞˇ

茝 chǎi 古书上说的一种香草。

蹅□ chǎi 碾碎了的豆子或玉米等。[例]豆～。

C

chài ㄔㄞˋ

虿(蠆) chài 古书上指蝎子一类的毒虫。

瘥 ㊀ chài 病愈。例久病初～。
㊁ cuó (158 页)。

C

chān ㄔㄢ

辿☒ chān 〔辿辿〕缓慢走路的样子。

辿□ chān ❶同"辿"。❷用于地名，如龙王辿(在山西)。

觇(覘) chān 偷偷地看。

梴☒ chān 树干很长的样子。

掺(摻) ㊀ chān 同"搀"②。
㊁ càn (94 页)。
㊂ shǎn (857 页)。

搀(攙) chān ❶扶。例～着老人。❷混合。例～和|～杂。

【搀兑】把不同的东西混合在一起。兑(duì)。

【搀和】❶(把几种不同的东西)搀杂混合在一起。例把大米和小米～在一起，煮成二米饭。❷比喻参与某事(含贬义)。例这事你可千万别～。

幨☒ chān ❶帐幕。❷车帷。

襜☒ chān ❶围裙。❷〔襜褕〕短外衣。

chán ㄔㄢˊ

单(單) ㊂ chán 〔单于〕匈奴君主的称号。
㊀ dān (175 页)。
㊁ shàn (857 页)。

婵(嬋) chán 见下。

【婵娟】形容姿态美好。古诗文里多用来形容女子，也形容月亮、花等。

【婵媛】❶婵娟。❷牵连；相连。

禅(禪) ㊀ chán ❶佛教指通过静坐默想领会佛理。例坐～。❷泛指有关佛教的事物。例～杖|～房。
㊁ shàn (857 页)。

【禅心】佛教用语。即清静寂定的心境。

【禅机】佛教用语。禅宗认为悟了道的人教授学徒，往往在一言一行中都含有"机要秘诀"，给人以启示，令其触机生解，故名。

【禅师】对和尚的尊称。

【禅林】指佛教的寺院。

【禅宗】中国佛教的一个重要派别。要求修行时静坐敛心，止息杂念，认为这样持之以恒即能达到某种神秘境界。相传南朝宋末天竺(古印度)僧菩提达摩来华传经时创立。至唐代分为南北两派，南宗主张顿悟，北宗主张渐悟。后南宗顿悟说盛行，对宋明理学有很大的影响。

蝉(蟬) chán 昆虫。种类很多。雄性腹部有发音器，能鸣。危害树木。幼虫生活于土中。

【蝉联】连续相承(某个职务或称号)。例～冠军。

【蝉蜕】蝉的幼虫变为成虫时蜕下的壳。可供药用。

谗(讒) chán 说别人的坏话。例～言|～害。

【谗佞】(在上司面前)花言巧语地说第三者的坏话。佞(nìng)：谄媚。

【谗言】毁谤的话；挑拨离间的话。

【谗间】用谗言离间人。间(jiàn)。

馋(饞) chán ❶贪吃。例嘴～。❷看到喜爱的事物盼望得到。例眼～。

【馋涎欲滴】馋得口水快要流下来。形容十分贪馋。涎(xián)。

铤☒(鋋) chán 铁把的短矛。

𤢦☒(獑) chán 〔𤢦猢〕古书上指猿一类的动物。

孱 ㊀ chán 瘦弱；懦弱。例～弱。
㊁ càn (94 页)。

僝☒ chán 〔僝僽〕❶烦恼。❷埋怨。僽(zhòu)。

潺 chán 见下。

【潺湲】形容水慢慢流。例秋水～。湲(yuán)。

【潺潺】拟声词。流水声。例流水～。

缠（纏） chán ❶绕上。㊀～线。❷纠缠；搅扰。㊀琐事～身。❸应付。㊀这人真难～。

【缠绵】纠缠住，摆脱不开（多指感情或疾病）。

【缠绕茎】只能缠绕在支持物上向上生长的茎。细长而柔软，不能直立。如葎草、牵牛等的茎。

廛 chán ❶古指一户人家所住的房屋。❷旧指街市商店的房屋。㊀市～。

瀍 chán 瀍河，水名，在河南。

躔 chán ❶兽的足迹。❷天体运行。

儃☒ ㊀ chán 〔儃佪〕❶徘徊不进的样子。❷运转。
㊁ tǎn（956页）。

澶 chán 见下。

【澶渊】古地名。在今河南濮阳西南。

【澶渊之盟】北宋与辽在澶渊订立和约的事件。1004年辽军南下攻宋，进逼宋都城汴京（今河南开封）。宋宰相寇准力主抵抗，军民奋勇御敌，在澶州（今河南濮阳）射死辽帅，击败辽军。辽提出议和。宋真宗赵恒急于求和，借口“屈己安民”，在澶州与辽订立议和条约，每年给辽银十万两、绢二十万匹。因澶州亦名澶渊郡，史称澶渊之盟。

缠☒（纏） ㊀ chán 同“缠”。
㊁ tán（956页）。

毚☒ chán 毚兔，狡兔。

儳☒ ㊀ chán 不整齐。
㊁ chàn（106页）。

劖☒ chán ❶凿；铲。❷刺。❸一种用来铲、砍的工具。

巉 chán 山势高险。

【巉岩】高峻的山石。

镵（鑱） chán 古代一种掘土用的铁器。

蟾 chán 蟾蜍。㊀刘海戏金～。

【蟾宫】古代神话里说月中有蟾蜍，后来诗文中就用作月亮的代称。

【蟾蜍】俗称癞蛤蟆、疥蛤蟆。两栖动物。体长可达10厘米左右，体灰褐色，皮肤表面有疙瘩。捕食昆虫，对农业有益。其耳后腺与皮肤分泌物可制成蟾酥，供药用。

chǎn 彳弓ˇ

产（産） chǎn ❶人或动物生子。㊀～科｜～卵。❷创造出物质财富或精神财富。㊀增～｜高～作家。❸物产；产品。㊀矿～｜特～。❹出产。㊀～铜｜～粮。❺拥有的土地、房屋、钱财等。㊀房～｜公～。

【产业】❶旧指私有的财产（多指田地、房屋、企业等不动产）。❷指一切从事物质产品生产的行业和部门。包括工业、农业、交通运输业、通信业等。

【产出】生产出（产品）。也指生产出的产品。㊀少投入，多～。

【产权】财产所有权的简称。

【产物】指在某种条件下产生出来的事物。㊀迷信是愚昧的～。

【产值】用货币计算的劳动产品的价值。

【产业工人】在现代工业生产部门中劳动的工人。是工人阶级的主力和骨干，最先进的生产力的代表。

【产业政策】政府制定的用于指导产业发展方向，规划产业发展目标，调节各产业间的相互关系及其结构变化的政策。

【产业革命】也叫工业革命。指资本主义生产方式从工场手工业过渡到机器大工业的变革过程。18世纪60年代，英国首先发生产业革命，至19世纪中叶完成；法、德、美等国也相继于19世纪完成。产业革命使社会生产力迅速提高，同时也形成了资本主义社会的两个基本阶级——工业无产阶级和工业资产阶级。

【产业结构】国民经济各生产部门之间，以及每个生产部门组成部分之间存在的生产联系和比例关系。如三类产业的结构，农业、轻工业、重工业的结构，农、林、牧、副、渔各业的结构等。

【产业资本】资本家投在物质生产部门（工业、农业、运输业和建筑业）的资本。

【产权转化】企业产权的流动与重组。主要涉及企业合并、兼并、出售、拍卖、入股等企业资产转化形式。

【产权明晰】企业财产有明确的所有者，并且对企业财产的所有权、支配权、剩余分配权在各利益相关主体之间有明确的划分或

C

契约规定。
【产品质量】产品适合一定用途,满足使用要求所具备的特征和特性的总和。
【产品经济】生产资料归全社会所有,劳动产品不用于交换,直接为满足整个社会需要而有计划地进行生产和分配的经济形式。
【产褥感染】也叫产褥热。在临产过程中和产后十天内,由细菌侵入生殖器官引起的局部或全身的炎症反应。主要症状是发热、下腹痛、阴道流出血水并有臭味等。

C

划☒(**摌**) chǎn 〔划马〕没有加鞍辔的马。

浐(**滻**) chǎn 浐河,水名,在陕西。

铲(**鏟**＊**剷**) chǎn ❶铲子,一种金属制带柄的器具。用来下挖、削平、翻动或撮取东西。㊀铁～|锅～。❷用铲子削平或撮取东西。㊀～平|～草|～煤。
【铲除】连根除去,消灭干净。㊀～杂草|～封建残余。

弗☒ chǎn 烤肉用的器具。

谄(**諂**) chǎn 巴结;奉承。㊀～笑。
【谄笑】装着笑脸巴结人。
【谄谀】巴结讨好,一味迎合别人。谀(yú)。
【谄媚】低三下四地向人讨好。

啴(**嘽**) ㊀ chǎn 宽舒的样子。㊀～缓。
㊁ tān (954 页)。

幝☒(**幝**) chǎn 〔幝幝〕破旧的样子。

阐(**闡**) chǎn 讲明;表明。㊀～述。
【阐发】把道理加以说明发挥。
【阐扬】说明并宣传。
【阐述】把观点或问题论述清楚。
【阐明】把道理解释明白。
【阐释】叙述并讲解。

蒇(**蕆**) chǎn 完成;解决。㊀～事(事情办完)。

骣(**驏**) chǎn 骑马不加鞍辔(pèi)。㊀～骑。

冁(**囅**) chǎn 笑的样子。㊀～然而笑。

chàn 彳ㄢˋ

忏(**懺**) chàn ❶悔过。㊀～悔。❷旧时僧尼道士代人拜祷忏悔时念的经文或仪式。㊀拜～。
【忏悔】❶人们认识了自己过去的错误或罪行,表示痛心和悔改。❷宗教徒对自己的罪过表示痛心和悔改,以求上帝赦免的一种赎罪方式。

刬□(**剗**) chàn 见〔一刬〕(1153 页)。
"剗",另音 chǎn,"铲"的异体字。

搀☒(**攙**) chàn 芟除。

儳☒ ㊁ chàn ❶随便插嘴。❷不庄重。
㊀ chán (105 页)。

颤(**顫**) ㊀ chàn 振动;发抖。㊀～动|打～。
㊁ zhàn (1237 页)。
【颤音】装饰音的一种。由本音和上方或下方二度音迅速交替出现而成。用"tr"或"tr⋯"记录。
【颤悠】物体上下颤动。㊀那块木板人踩上去直～。

羼 chàn 搀杂。㊀～人。

韂 chàn 马鞍子下面垫的东西。

chāng 彳ㄤ

伥(**倀**) chāng 传说中指被老虎吃掉的人变成的鬼,它常给老虎做帮凶。㊀为虎作～(比喻帮助坏人作恶)。

昌 chāng 兴盛;兴旺。㊀～盛|～明。
【昌明】兴盛发达(多指政治、文化方面)。㊀科学～。
【昌盛】兴旺强大。㊀繁荣～。

倡 ㊁ chāng ❶古指歌舞艺人。㊀～优。❷妓女。今作娼。❸通"猖"。
㊀ chàng (111 页)。

菖 chāng 〔菖蒲〕多年生水生草本植物。有香气。根状茎粗壮,可作香料,也供药用。

猖 chāng 凶狂放肆。

【猖狂】狂妄放肆，气势汹汹。㊀打退敌人的～进攻。

【猖獗】凶猛放肆。㊀～一时。獗(jué)。

阊(閶) chāng 见下。

【阊阖】传说天宫的南门。也指皇宫的正门。阖(hé)。

【阊阖风】❶西风。❷秋分的风。

娼 chāng 妓女。㊀～妓。

锠[☒](**錩**) chāng 器物名。

鲳(鯧) chāng 也叫镜鱼、平鱼。鱼类。体侧扁，长可达 40 厘米，银白色。是上等食用鱼，中国沿海均产。

cháng 彳尢́

长(長) ㊀ cháng ❶长度，指两点间的距离。㊀南京长江大桥～6 772 米。❷长度大。与"短"相对。㊀～廊。❸久远；永远。㊀细水～流|～逝。❹长处；专精的技能。㊀各有所～|一技之～。❺擅长。㊀他～于写作。

㊁ zhǎng (1240 页)。

【长工】旧时在同一地主或富农家连续受雇一年以上的农民。

【长川】同"常川"(109 页)。

【长石】长石类矿物的总称。是钾、钠、钙等的铝硅酸盐类。按成分可分为正长石、斜长石两类。肉红色、灰白色或白色，具珍珠光泽或玻璃光泽，硬度 6—6.9。是组成岩石的常见矿物。广泛用于陶瓷和玻璃工业，含钾多的可制钾。

【长号】铜管乐器。号嘴杯形，管身约比小号长一倍，弯成 U 状，管末呈喇叭形。吹奏时可以滑动滑管改变音高。在乐队中担任铜管的低音部分。音色庄重、华贵。

【长丝】天然蚕丝和化纤长丝的统称。有单丝和复丝两种，可直接用于针织和织造。

【长江】中国第一大河。发源于唐古拉山脉主峰各拉丹冬雪山西侧的沱沱河，流经青海、西藏、四川、云南、重庆、湖北、湖南、江西、安徽、江苏等省级行政区，在上海市入东海。全长 6 300 千米。流域面积 180 万平方千米。年入海水量 10 000 亿立方米。湖北宜昌以上河段为上游，宜昌至江西湖口河段为中游，湖口以下河段为下游。支流众多，水系庞大，水能资源丰富，灌溉、航运都很发达。

【长安】陕西西安的古称。中国古都之一。西汉、隋、唐等朝代皆建都于此。

【长吨】即"英吨"(1182 页)。

【长足】形容进展快。㊀～的进步。

【长物】指多余的东西。㊀身无～。长(旧读 zhàng)。

【长征】❶长途行军或征讨。❷红军二万五千里长征的简称。

【长夜】漫长的夜。比喻黑暗的日子。

【长庚】金星的古称。

【长河】很长的河流。也用来比喻事物发展的长过程。㊀历史的～。

【长波】通常指波长在 1 000—10 000 米(频率 300—30 千赫)范围内的无线电波。比较稳定可靠，可用于无线电测向、无线电导航和广播等方面。

【长线】供应量过大的(产品、专业等)。与"短线"相对。㊀～专业。

【长项】擅长的项目；擅长做的工作、事情等。㊀男子双打是我队的～。

【长城】❶中国古代伟大工程之一。始建于战国时期。公元前 221 年秦始皇统一中国后，把原来秦、燕、赵北面的城墙连接起来，并增筑新的城墙，西起临洮(今甘肃岷县)，东至辽东，这就是历史上著名的万里长城。秦以后，又经许多朝代的重修或增筑，现存明代长城总长 6 300 千米。其中北部长城西起甘肃嘉峪关，东到河北山海关东南老龙头；东北长城，西自山海关附近的铁场堡，东至今丹东市东北鸭绿江边。❷比喻坚强雄厚的力量。㊀中国人民解放军是我们祖国的钢铁～。

【长逝】永远过去，不再回来。指死亡。

【长眠】指死亡。

【长途】长距离的；路途远的。

【长拳】拳术的一种。吸取查拳、花拳、华拳、少林拳等的长处发展形成。以套路为主要运动形式，动作舒展大方，快速有力，节奏鲜明，并多起伏转折。在技击上强调长击速打，主动出击，以快制慢，以刚为主。

【长崎】日本城市。是日本九州岛西岸大港和渔业基地。1945 年 8 月 9 日，美国在这里投下了第二颗原子弹。造船工业著名。

【长笛】吹孔气鸣乐器。管身呈细圆柱形，为木质或金属管，属于木管乐器。管身有孔，孔上有键。高音区音色清澈、明亮，穿透力强。用于独奏、重奏及军乐、管弦乐合奏。

【长随】旧时官吏身边的仆从。

【长销】在较长时间内销路好。㊀～产品。

【长短】❶长度；尺寸。㊀这两根绳子～差不多。❷是非；优劣。㊀各有～。❸意外的变故(多指生命危险)。㊀万一有个～怎么办？

C

【长编】为编写某种著作，先把搜集到的有关资料按一定系统编排汇辑成稿，这个稿本就叫长编。

【长鼓】❶朝鲜族击乐器。长筒形，中段细实，两端粗空。挂在胸前或放在木架上，右手拿槌敲击，左手拍击另一鼓面，常用于歌舞表演和合奏。❷瑶族击乐器。长筒形，中腰细，手持或斜挂腰侧，边击边舞。

【长缨】长的绳索。汉朝有一个叫终军的年轻人申请从军，要求发给长缨，表示一定要把敌人活捉回来。后来诗文中把长缨作为杀敌制胜的武器的象征。

【长方体】六个矩形所围成的六面体。

【长白山】辽宁、吉林两省东部和中朝边境山地的总称。东北—西南走向，一般海拔在1 000米以上。是松花江、鸭绿江和图们江的分水岭。山中森林茂密。

【长寿菜】即“马齿苋”(656页)。

【长沙市】湖南省会。位于湘江下游东岸，京广铁路线上。人口130万(1997年)。为全省政治、经济、文化和交通中心。是以机械制造、纺织为主的综合性工业城市，和邻近的湘潭、株洲形成湘中工业区。风景名胜有岳麓山、橘子洲、马王堆汉墓等。

【长春市】吉林省会。位于该省中部，东北平原中央。人口203万(1997年)。是京哈、长图等铁路的交会点，为全省政治、经济、文化和交通中心。是以汽车制造业为主的工业城市。风景名胜有南湖、净月潭森林公园、苏军烈士纪念塔等。

【长绒棉】纤维长而细的原棉。绒长在33毫米以上，能纺高支纱和特种工业用纱。如海岛棉。

【长颈鹿】哺乳动物。颈很长，雄性体高约6米，是陆地上最高的动物。雌雄都有一对小角。眼大而突出，位于头顶上。全身有棕黄色网状斑纹。奔跑很快。食植物叶。产于非洲。

【长短句】词的别称。

【长鼓舞】❶中国朝鲜族民间舞蹈。舞者腹前挎长鼓，边敲边舞。❷中国瑶族民间舞蹈。舞者一般左手横握细腰长鼓中间，上下翻转，边敲边舞；也有斜挂腰间而舞的。

【长臂猿】哺乳动物。类人猿的一种。前臂很长，直立时可达地面，故名。善于在树上行动，叫声响亮，群居。在中国主要分布于云南和海南。是中国国家重点保护动物。

【长勺之战】春秋时期鲁国大败来犯齐军的战役。鲁庄公十年(前684)，齐国攻鲁。鲁与齐军遇于长勺(今山东莱芜东北)，庄公用曹刿的计谋，采取“敌疲我打”的方针，打败齐军。

【长平之战】战国后期秦国大败赵国的战役。公元前260年，秦军攻赵，在赵国长平(今山西高平西北)大败赵军，赵军四十万人降秦，绝大部分被坑杀活埋。此后东方六国再也无力与秦抗衡。

【长此以往】老这样下去(多含有变得更坏的意思)。

【长年累月】形容经历很多时日。

【长江三峡】简称三峡。瞿塘峡、巫峡和西陵峡的合称。位于长江中游，重庆市奉节县和湖北省宜昌县之间，滩峡相间。全长204千米。两岸悬崖绝壁，江流湍急，水力资源丰富。长江三峡大坝建于宜昌三斗坪。

【长驱直入】(军队)长距离地、毫无阻挡地向前挺进。形容进军的顺利。驱：快跑。

【长袖善舞】《韩非子·五蠹》：“鄙谚曰：‘长袖善舞，多钱善贾(gǔ)。’”比喻有所凭借，事情容易成功。后来多形容有财势、有手腕的人善于钻营。

【长绳系日】比喻留住时光。晋傅玄《九曲歌》：“岁暮景迈群光绝，安得长绳系白日！”唐李白《惜馀春赋》：“恨不得挂长绳于青天，系此西飞之白日！”

【长歌当哭】古乐府《悲歌》：“悲歌可以当泣，远望可以当归。”后用“长歌当哭”表示以长声悲歌代替痛哭，多指书写诗文以抒发心中的悲愤。当(dàng)。

【长日照作物】需要较长的光照才能开花的作物。如小麦、菠菜等。

【长江三角洲】长江泥沙在河口附近沉积的低平原。顶点在江苏省扬州—镇江一带，北面以扬州—泰州—海安—吕四一线为界，南面以镇江—江阴—太仓—松江一线为界，面积 22 800 平方千米。通常所说的长江三角洲，南面至江南丘陵，包括江苏的苏锡常平原和浙江的杭嘉湖平原在内。海拔 2—5 米。有许多孤立山丘。多湖泊，河网稠密。

【长江中下游平原】主要包括长江中下游的江汉平原、洞庭湖平原、鄱阳湖平原、皖中平原和长江三角洲。由长江及其支流冲积而成。地势低平，大部分海拔在 50 米以下，河道纵横，湖泊密布，向有水乡之称。是中国农业最发达地区之一。

【长江中上游防护林】长江中上游地区为防治水土流失而兴建的大型防护林体系。涉及 11 个省级行政区。从 1989 年开始，计划用 30—40 年时间造林 2 000 万公顷，使水土流失面积降低 40 个百分点以上，土壤年侵蚀量减少 4 亿多吨。

苌(萇) cháng 〔苌楚〕古书上指猕猴桃。

场(場 *塲) ㊀ cháng ❶场院，用来晾晒和打轧谷物的平坦空地。例打谷～。❷量词。用于事情的经过。例一～好雨|大战一～。
㊁ chǎng (110 页)。

肠(腸 *膓) cháng ❶消化器官的一部分。从胃的下面至肛门，分小肠、大肠等。❷在肠衣中灌进肉末、淀粉等制成的食品。例火腿～|鱼～。

【肠衣】用火碱脱去脂肪后晾干的肠子。一般用羊肠或猪的小肠制成。可用来灌香肠、做羽毛球拍子的弦、缝合伤口的线等。

【肠炎】肠黏膜的炎症，一般多指小肠黏膜的炎症。多由消化不良、食物中毒、细菌感染等引起。主要症状是腹痛、发烧、腹泻等。

【肠痈】中医病证名。指阑尾炎。

【肠断】形容悲痛到了极点。

【肠液】小肠黏膜腺分泌的消化液。含多种消化酶，能将被胃液和胰液初步消化的食物进一步消化为可吸收的营养物质。

【肠结核】由结核杆菌引起的肠道溃疡病。常继发肺结核。主要症状是腹痛、腹泻与便秘交替发生，大便中时有脓血，贫血，身体消瘦等。

【肠息肉】结肠部位的息肉。可能转变为恶性肿瘤，发现后应切除。参见〔息肉〕(1055 页)。

【肠梗阻】肠腔阻塞，食物等不能顺利通过肠道的一种病症。由肠套叠、肠扭转、肠道蛔虫、疝、肠粘连等引起。典型症状是腹痛、腹胀、呕吐、无便。

尝(嘗 *甞❶ *嚐) cháng ❶辨别滋味。例～一～咸淡。❷经历；感受。例～受|～到了失败的滋味。❸副词。曾经。例未～体验。

【尝试】试验；试一下。例曾～过各种方法。

偿(償) cháng ❶归还；抵补。例～还|得不～失。❷满足。例如愿以～。

鲿□(鱨) cháng ❶鲿科鱼类的通称。❷毛鲿鱼，石首鱼科的一种。

倘 ㊁ cháng 〔倘佯〕徜徉。
㊀ tǎng (961 页)。

徜 cháng 〔徜徉〕自由自在地来回行走。

常 cháng ❶副词。1. 不变地。例冬夏～青。2. 时常。例～和工人一起劳动。❷普通；平常。例～识|习以为～。

【常川】也作长川。经常；连续不断。例～往来。

【常务】主持日常工作的。例～委员。

【常轨】通常的途径或方法。

【常州】市名。位于江苏省南部京沪铁路线上，大运河经此。人口 76 万(1997 年)。是该省重要工业城市，以纺织、机械、机车制造、化工等工业为主。风景名胜有天宁寺、红梅阁、文笔塔等。

【常识】一般的、普通的知识(对于专门知识而言)。

【常规】❶留传下来的老规矩。例打破～。❷通常的；一般的。例～武器。❸医学上称经常使用的处理方法。如血常规，是指红血球计数、白血球计数、白血球分类计数等的检验。

【常态】正常的状态。

【常量】在某一运动过程中，可以看作数值不变的量。如等速运动中的速度。表示常量的数叫常数。常量和常数的区别是前者有量纲，后者无量纲。

【常温】一般指 15—25℃的温度。

【常数】见〔常量〕(109 页)。

【常平仓】中国古代政府用于调节粮价的余粮储备粮仓。

【常备军】国家平时经常保持的正规军队。

C

C

【常春藤】常绿木质藤本植物。幼时有很多气根，沿墙壁或树干攀缘。晚秋开花。果实球形，次年成熟，橙色。可供观赏。根、茎可供药用。

【常规武器】以化学能及其转化的动能毁伤目标，附带破坏效应较小的武器。其弹药的装填物通常是火药、炸药或燃烧剂。相对核武器、化学武器、生物武器等大规模杀伤性武器而言。

【常规战争】敌对双方只使用常规武器而不使用核武器的战争。

【常规能源】一般指多年来被大规模利用的能源。主要有煤、石油、天然气、水能、生物能等。

【常染色体】细胞内除性染色体以外的所有染色体。如人体细胞内有23对染色体，其中一对是与性别决定有直接关系的性染色体，其余22对染色体叫做常染色体。

【常绿植物】终年有绿叶的乔木和灌木。叶子的寿命为二三年或更长，每年都有部分新生和部分脱落。由于陆续更新，故终年保持常绿。如松、柏、广玉兰等。

嫦 cháng 〔嫦娥〕也称恒娥、姮(héng)娥。神话人物。传说她是后羿(yì)的妻子，因偷吃了丈夫的长生药，奔上月宫，成为仙女。

裳 ㊀ cháng 古指裙子。
㊁ shang (863页)。

chǎng ㄔㄤˇ

厂(廠) chǎng ❶工厂，进行工业生产的企业单位。例钢铁～|纺纱～。❷可以存放货物并进行加工的工场。例木材～|煤～。❸古又同“庵(ān)”。

【厂卫】明代东厂、西厂和锦衣卫的合称。

【厂矿】工厂和矿山的合称。

【厂商】生产商品和提供劳务的经济单位。

【厂长负责制】工矿企业的厂长对本企业生产经营活动行使统一指挥权的企业领导制度。

场(場*塲) ㊁ chǎng ❶能适应某些需要的较宽广的处所。例广～|商～|会～。❷指特定的地点或活动范围。例现～|当～|官～。❸舞台。例上～。❹表演或比赛的全过程。例终～|出～。❺戏剧的分段。例第三～。❻量词。用于体育、文娱活动。例赛两～球|一～电影。
㊀ cháng (109页)。

【场记】指摄制影片或排演戏剧时，记录摄影或排演情况的工作。也指做这项工作的人。

【场地】进行某种活动的空地。

【场合】指一定的时间、地点、情况。

【场所】供活动的处所。例公共～。

【场面】❶一定场合下的情景。例动人的～。❷文学作品或戏剧演出中构成故事情节的基本单位。是人物同人物在一定的时间和环境中相互发生关系而形成的生活画面。故事情节和人物性格的发展通过场面的不断转换而得以表现。❸戏曲演出中乐队的旧称。分文场面(管弦乐)和武场面(打击乐)两种。

锬[⊠](鋹) chǎng 锋利。

昶 chǎng ❶白天时间长。❷舒畅；畅通。

惝 chǎng (又音 tǎng)〔惝恍〕❶失意；惆怅。❷模糊不清。

敞 chǎng ❶宽绰；没有遮蔽。例～亮|～车。❷打开。例～开大门。

【敞口】对外汇头寸不加以掩护，任其承受市场汇率波动的现象。

氅 chǎng ❶鹙鸟的羽毛。❷用羽毛做的外衣；外套。例大～(大衣)。

chàng ㄔㄤˋ

玚(瑒) ㊀ chàng 也叫玚圭。古代祭祀用的一种玉器。
㊁ yáng (1140页)。

畅(暢) chàng ❶没有阻碍。例流～|～通。❷尽情。例～所欲言。

【畅达】(说话或文章)流畅明白。

【畅销】(货物)销路广，卖得快。

【畅游】尽情地游览或游泳。

【畅想】敞开思路毫无拘束地想象。

【畅所欲言】把想说的话痛痛快快地说出来。

怅(悵) chàng 不如意；不痛快。例～然若有所失。

【怅怅】形容因失意而感到不痛快。

【怅惘】惆怅迷惘。

【怅然】形容因不如意而不痛快的样子。例～而返。

韔☒(韔) chàng 古代盛弓的袋子。

倡 ㊀ chàng 带头发动；首先提出。例提～|～议。

㊁ chāng（106 页）。

【倡议】❶首先建议、发起。❷首先提出的建议。

【倡导】带头提倡并引导。

【倡言】公开地提出来。

【倡首】带头提倡。

唱 chàng ❶按照乐律发声。例～歌|～戏。❷大声地念、叫。例～票|～名|鸡～三遍。

【唱名】❶歌唱时，常用七个拉丁文的音节——do、re、mi、fa、sol、la、si（或 ti）作为唱名，以便发音和区别音的高低。中国工尺谱以上、尺、工、凡、六、五、乙作为唱名，六、五、乙的低八度音则唱作合、四、一。❷大声点名。例～表决。

【唱论】音乐编著。元燕南芝庵著。最早见于元杨朝英编《乐府新编阳春白雪》。共三十一节，不分卷。是中国现存最早的戏曲声乐论著。

【唱和】一个人作了诗或词，别人相应作答（大多按照原韵）。和（hè）。

【唱段】戏曲演唱中完整的段落。

【唱票】投票选举后，开票时大声念选票上的名字。

【唱喏】旧时一种礼节。给人作揖并出声致敬。喏（rě）。

【唱腔】戏曲演员唱出来的曲调。

【唱酬】以诗词互相唱和、互相酬答。

【唱反调】故意提出相反的意见、论调，也比喻故意做出相反的行动。

【唱名法】用音节表达音阶各级音的唱法。今天通用 do、re、mi、fa、sol、la、si 的唱名表述 C、D、E、F、G、A、B。

【唱高调】说好听而不切实际的空话。

鬯 chàng ❶古代祭祀用的酒。❷古又同“畅”。例～谈。

chāo 彳幺

抄 chāo ❶照原文写。例～书|～题。❷摘编的文稿。例摘～|诗～。❸走近路。例～小道走。❹搜查并没收。例～家。❺两手交叉放在袖筒中置于胸前。例～着手。❻同“焯（chāo）”①。

【抄本】抄写的书本。习惯上唐以前的称写本，唐以后的称抄本。

【抄件】抄录或复制的文件，用以留存或送交有关单位参考。

【抄身】搜查身上有没有带违禁的东西。

【抄录】抄写。

【抄获】搜查并获得罪证。

【抄家】查抄并没收家产或家中有关的东西。

【抄袭】❶照抄别人的作品、答案当作自己的。❷不顾己方的客观情况，硬搬别人的经验、方法。❸绕道从敌人后边或旁边突然进攻。

吵 ㊁ chāo 〔吵吵〕形容许多人同时乱说话。

㊀ chǎo（114 页）。

钞(鈔) chāo ❶纸币。例现～。❷同“抄”①。

【钞票】纸币的俗称。

【钞撮】摘要抄录。

怊 chāo 悲伤；失意。例～～然若有所失。

弨☒ chāo ❶放松弓弦。❷弓。

超 chāo ❶超过。例～车|～载。❷非同寻常的；特别突出的。例～级|～一流。❸某种范围以外的，不受限制的。例～俗|～现实。

【超人】❶能力、智力等超过一般的人。❷德国哲学家尼采的用语。他认为“超人”就是超于凡人之上的人，“超人”跟凡人的区别就像凡人跟猿猴的区别那样。超人将决定历史的发展，“重新估定一切价值”，创造新的价值；人民群众是“奴隶”“畜群”，是超人实现其“强力意志”的工具。

【超子】质量超过核子（质子、中子）的各种微观粒子的统称。

【超支】支出超过规定或计划的数额。

【超市】超级市场的简称。

【超迁】旧指官吏越级提升。

【超产】超过原定的生产数量。例～粮。

【超导】见〔超导性〕（112 页）。

【超级】超出普通等级的。

【超拔】❶高出一切。❷提升。❸脱离；

摆脱。

【超标】超过规定标准。

【超重】❶物体作高加速运动时受到的加速运动的力超过重力的情况。宇宙飞船在起飞和返回地面过程中,都会发生这种情况。❷超过了车辆安全行驶的载重限度。❸超过规定的重量。

【超度】佛教或道教指僧、尼或道士为死者诵经拜忏。说这样做可以使死者的鬼魂超脱苦难。

【超前】超越当前;提前进行。㊙~教育|~消费。

【超载】超过规定的载重量。

【超脱】❶不受成规、形式等的束缚。㊙举止~。❷超出,脱离。㊙生活在现实社会中而又想~现实,是根本不可能的。

【超然】不站在对立各方的任何一方面。

【超龄】超过规定的年龄。㊙~团员。

【超额】超过规定的数额。㊙~完成任务。

【超巨星】光度和体积都比巨星大而密度较小的恒星。其光度约为太阳的1 000倍,有的甚至超过100万倍。

【超导体】具有超导性的物体。在电工和电子技术中有很大的应用价值。

【超导性】在温度和磁场都小于一定数值的条件下,导电材料的电阻和体内的磁感应强度都突然降低到零的性质。

【超声波】频率超出人耳可听范围的声波。超声波的频率高于20 000赫,波长较短,近似作直线传播,在固体和液体内衰减比电磁波小;能量容易集中,因而能引起剧烈的振动,产生许多特殊效应。广泛用于工农业生产、医疗卫生等方面。

【超低温】一般认为,低于1开(即-272.15℃)的温度为超低温。某些金属、合金和化合物在超低温下具有超导性。

【超细粉】❶平均直径小于10微米的细粉。用超细粉成型后烧结,可制造耐高温、高强度的陶瓷工具等。❷也叫悬浮体轧染细粉。粉末商品染料的一种剂型。

【超重氢】即"氚"(141页)。

【超音速】也叫超声速。超过声音在空气中传播速度(1 200千米/小时)的速度。

【超高温】一般称几千度到一万度的温度为高温,比这更高的温度称为超高温。在超高温下,物质状态发生显著变化,原子由于其中的电子脱离原子核的束缚而成为离子。物质的这一状态称为物质的第四态,即等离子体。

【超流体】液态氦在-271℃以下时,它的内摩擦系数变为零,这时液态氦可以流过半径为10^{-5}厘米的小孔或毛细管,这种现象叫做超流动现象,这样的液体叫做超流体。

【超短波】通常指波长在1—10米(频率300—30兆赫)范围内的无线电波。有像光一样的直线传播的性质,应用于雷达和电视等方面。

【超新星】变光的性质和新星相似,但光度比爆发前突然增大上千万倍的恒星。

【超凡入圣】❶佛教宣扬超脱尘世而达到圣人的境界。❷宋朱熹《朱子全书·学一》:"且看圣人是如何?常人是如何?自己因甚便不似圣人?因甚便这是常人?就此理会得透,自可超凡入圣。"原意是通过把自己和"圣人""常人"对比的自我修养,就能超越凡庸,达到所谓的圣贤境界。后常用来形容学识专长超过一般人,达到炉火纯青的境界。有时也比喻超越现实世界(多含贬义)。凡:尘世,普通人。

【超级市场】简称超市。采取顾客自我服务售货方式的大型零售商店。

【超然物外】超脱于尘世之外。比喻置身事外。

【超然象外】诗文意境浑成,超脱于物象之外。唐司空图《诗品》:"超以象外,得其环中。"

【超额利润】也叫额外利润。超过平均利润以上的利润。它有三种不同的形式:(1)首先采用新技术的资本家,提高了劳动生产率,降低了成本,其个别生产价格低于社会生产价格,产品仍按社会生产价格出售,于是就获得了超额利润;(2)商品的价值高于其社会生产价格,商品按价值出售,也产生超额利润;(3)商品按高于价值或生产价格的垄断价格出售,同样产生超额利润。超额利润从根本上说来源于雇佣工人创造的剩余价值。

【超现实主义】现代艺术流派之一。第一、二次世界大战期间盛行于欧洲。其哲学基础主要是弗洛伊德的无意识理论,试图通过纯粹心理自动行为表现人类的联想、梦、本能、无意识的非理性世界。代表人物有恩斯特、达利等。

【超视距雷达】也叫超地平线雷达。利用电磁波的电离层折射或地球表面绕射效应,能探测地平线以下的目标和海上运动目标的地面雷达。分天波超视距雷达和地波超视距雷达。特点是探测距离远，但分辨力较低。主要用于对远程导弹、战略轰炸机的早期预警及对低空飞机、巡航导弹的警戒。

【超大规模集成电路】在一个芯片上集积有10万至100万个电子元件的集成电路。

绰(綽) [二] chāo ❶抓起。[例]～起铁锹就干活。❷同“焯(chāo)”。

[一] chuò (148 页)。

焯 [二] chāo 一种烹饪方法。把蔬菜放在沸水中过一下。

[一] zhuō (1305 页)。

剿(*勦*劋) [二] chāo 抄取；抄袭(文字、言论等)。

[一] jiǎo (492 页)。

cháo ㄔㄠˊ

晁 cháo 姓。

【晁错】(前200—前154)西汉政论家。颍川(今河南禹州)人。曾任汉景帝御史大夫。主张重农抑商，抑制兼并，并针对诸侯王地广权重，提出“削藩策”，要求削减诸侯王封地。为抵御匈奴的侵扰，他还建议在边地积谷、移民、修筑城堡，以加强守备。后吴、楚等七个诸侯国以“请诛晁错，以清君侧”为名，发动武装叛乱，景帝听信谗言，将其杀害。

巢 cháo ❶鸟窝。也指蜂、蚁等窝。❷比喻坏人聚集的地方。[例]匪～。

【巢穴】鸟兽的窝。比喻敌人或盗贼盘踞的地方。

【巢居】远古人群用树枝、树叶和茅草等材料在树上建造的居所。

【巢湖】中国第五大淡水湖。位于安徽省中部。面积769.5平方千米。有杭埠河、丰乐河、上派河、南淝河、柘皋河等注入，湖水经裕溪河入长江。有蓄水、灌溉之利，并以产银鱼著名。

【巢元方】(550—630)隋代医学家。他主编的《诸病源候总论》是中国第一部论述病因和征候的专书。

鄛☒ cháo 〔鄛乡〕古地名。在今河南。

朝 [一] cháo ❶面对着；向。[例]坐北～南｜～着正前方前进。❷朝廷。[例]上～｜～野。❸朝代。[例]唐～｜明～。❹朝见；朝拜。[例]～觐｜～山。

[二] zhāo (1243 页)。

【朝山】佛教徒到名山寺庙进香拜佛。

【朝见】古代臣子上朝进见国君。

【朝代】封建社会一姓帝王世代相传的整个统治时期为一个朝代。如汉朝、唐朝。

【朝仪】古代帝王临朝的典礼。后也称大臣朝拜君王的礼仪为朝仪。

【朝圣】宗教徒朝拜宗教圣地。

【朝廷】指古代帝王接受朝见、处理政务的地方。也指古代的中央统治机构。

【朝向】建筑物的主要立面所对的方向。房间主窗面所对的方向叫做房间朝向。

【朝阳】向着太阳。

【朝贡】古代藩属国或外国的使臣朝见宗主国或所在国的君主，并敬献礼品。

【朝顶】登山拜佛。

【朝拜】❶古代官员上朝向君主跪拜。❷宗教徒到庙宇或圣地向神、佛礼拜。

【朝野】旧指朝廷和民间。现也指政府和非政府方面。

【朝觐】❶旧指拜见皇帝。❷伊斯兰教五项基本功课之一。该教教徒规定于教历每年十二月到“圣地”麦加进行朝拜等项宗教活动。觐(jìn)。

【朝鲜族】中国少数民族之一。人口192万(1990年)。主要分布在东北三省。有本民族语言文字。建有吉林省延边朝鲜族自治州等各级自治地方。国外的朝鲜族人主要分布在朝鲜半岛。

【朝鲜半岛】在东亚，东临日本海，西临黄海，北以鸭绿江、图们江与亚欧大陆上的中国、俄罗斯为界，南隔朝鲜海峡与日本群岛相望。面积约22万平方千米。约以北纬38°线为界，北部为朝鲜，南部为韩国。多山，最高的将军峰海拔2 749米。属湿润的季风气候。

【朝鲜停战协定】朝鲜战争交战双方于1953年7月27日在板门店签订的停战协定。主要内容是停止一切敌对行动，划定军事分界线以及遣返战俘等。该协定标志着朝鲜战争的结束。

嘲 [一] cháo 讽刺；讥笑。[例]～笑｜冷～热讽。

[二] zhāo (1243 页)。

C

【嘲讽】嘲笑讥讽。

【嘲弄】讥笑戏弄。

【嘲风咏月】也说咏月嘲风。讥讽文人的无聊写作。唐白居易《将归渭村先寄舍弟》诗:“咏月嘲风先要减,登山临水亦宜稀。”

潮 cháo ❶定期涨落的海水。㊀海～。❷事物变动或发展过程中的起伏形势。㊀思～|革命高～。❸在自然状态下含水量过多,较湿。㊀～湿|天阴返～。❹指广东潮州。㊀～剧。

【潮汐】海水受月球和太阳引力的影响发生的定时涨落。按发生的时间区分,早潮叫潮,晚潮叫汐。

【潮汛】一年中定期的大潮。

【潮流】❶海水受潮汐影响所产生的周期性流动。❷比喻社会上的一种趋势。㊀赶～|世界～。

【潮解】晶体在常温下吸收空气中的水分并逐渐溶解的过程。

【潮州音乐】中国民族器乐合奏乐种之一。流行于广东潮汕地区以及福建、港澳地区。属于锣鼓乐。演奏时少则七八人,多则百余人。采用独特的二四谱记谱。有潮州大锣鼓、潮州小锣鼓、苏锣鼓、笛套锣鼓、弦诗乐、细乐等多个种类。

chǎo ㄔㄠˇ

吵 ㊀ chǎo ❶声音杂乱扰人。㊀早被～醒了。❷争执;争吵。㊀～架|～嘴。
㊁ chāo (111页)。

炒 chǎo ❶一种烹饪方法。把食物放在锅里加热并不断翻动使熟。㊀～菜|～花生。❷为了扩大影响或制造轰动效应而反复地进行报道和宣传;利用价格的升降不断地买进卖出,以从中获利。㊀～作|～股|～汇。

【炒手】在短期内通过低价买入股票,高价抛出,赚取利润的投机者。

【炒作】为扩大影响而通过媒体做反复宣传。

【炒股】指从事股票交易。

麨⊠(麵) chǎo 米、麦等炒熟后磨粉做成的干粮。

昭⊠ chǎo 以眼睛戏弄人。

chào ㄔㄠˋ

耖 chào ❶农具名。上有横梁,下有一列钉齿。用于耕耙后把土块弄碎。❷用耖碎土。

chē ㄔㄜ

车(車) ㊀ chē ❶陆上运输、交通工具。一般有轮子。㊀马～|汽～|火～。❷利用轮轴旋转的机械装置。㊀纺～|滑～。❸泛指机器。㊀～间。❹用机器镟东西。㊀～圆|～光。❺用水车打水。㊀～水。
㊁ jū (527页)。

【车皮】指火车的车厢(多指货车)。

【车次】列车或长途汽车运行的编号、班序。

【车床】一种金属切削机床。加工时工件旋转,刀具移动切削。主要用来加工外圆、内圆和螺纹等。也可用于加工木材、塑料等。

【车间】企业里完成生产过程中一个工序或单独生产一种产品的单位。下设若干工段和生产小组。

【车前】多年生草本植物。叶丛生。全草供药用,有利尿、镇咳、止泻等作用。种子称车前子,有利尿、清热、明目作用。

【车骑】❶车和马。㊀～填巷。❷汉代将军称号之一。㊀～将军。骑(旧读 jì)。

【车裂】俗称五马分尸。中国古代一种残酷的死刑。即将人头和四肢分别拴在五辆马车上,马车同时分驰,将肢体撕裂。

【车程】汽车行驶的路程(用于表示距离远近)。㊀一个小时～。

【车尔尼】卡尔·车尔尼(1791—1857)奥地利钢琴教育家。1800—1803年曾师从贝多芬学钢琴。长期在维也纳从事教学。作为19世纪维也纳钢琴学派的创始人,著有系统性很强的大批钢琴教学用曲,如《快速练习曲》《手指灵巧技术练习曲》《熟练技巧预备练习曲》《左手练习曲》《精深练习曲》等,至今仍被广泛采用。

【车轮战】比喻用多出几倍的人轮流同对方打,使其因疲乏而失败。

【车水马龙】《后汉书·马后纪》:“前过濯龙(园名)门上,见外家(马后的娘家)问起居者,车如流水,马如游龙。”后用来形容车马来往不断,非常热闹。

【车轱辘话】〈方〉指重复、絮叨的话。
【车载斗量】用车装，用斗量。形容数量很多。《三国志·吴书·孙权传》裴松之注引《吴书》：“如臣之比（辈，一类），车载斗量，不可胜数。”
【车尔尼雪夫斯基】尼古拉·车尔尼雪夫斯基（1828—1889）俄国哲学家、文学批评家、革命民主主义者。生于牧师家庭。曾负责进步刊物《现代人》的编辑工作，致力于反对封建专制制度和农奴制的斗争，遭沙皇政府的长期流放。哲学上批判了康德的主观唯心论和不可知论，继承并发展了费尔巴哈的人本主义唯物主义。文学批评方面，认为美就是生活，强调艺术的社会作用，批判了唯心主义的艺术观。著有《哲学中的人本主义原则》《艺术与现实的美学关系》《俄国文学果戈理时期概观》以及长篇小说《怎么办?》等。

伡□（俥） ㊀ chē ❶船上机械动力的简称。❷见〔大伡〕（163页）。
㊁ jū（527页）。

唓☒（嗻） chē 〔唓嗻〕元代俗语。很；厉害。嗻（zhē）。

砗☒（硨） chē 〔砗磲〕砗磲。

砗（硨） chē 〔砗磲〕软体动物。两个贝壳很厚，略呈三角形，体长可达1.8米，重可达250千克。生活在热带海底。

chě ㄔㄜˇ

尺 ㊁ chě 工尺谱记音符号之一。相当于简谱的“2”。
㊀ chǐ（127页）。

扯（*撦） chě ❶撕开。㊎～破。❷拉。㊎～住不放。❸漫无边际地闲谈。㊎东拉西～。

偖☒ chě 裂。

chè ㄔㄜˋ

彻（徹） chè 通；透。㊎响～云霄。
【彻夜】通宵；整夜。
【彻底】一直到底；深入透彻，无所遗留。㊎～改正错误|政府机关要～改变衙门作风。
【彻骨】透到骨头里面（多形容寒气侵人）。
【彻头彻尾】从头到尾；完完全全。

坼 chè 裂开。㊎天寒地～。

掣 chè ❶拽；拉。㊎～后腿|～肘。❷抽。㊎～签。❸极快地闪过。㊎风驰电～。
【掣肘】拉住胳膊。比喻从旁牵制、阻挠别人做事。

撤 chè ❶除去；免除。㊎～职。❷退回；收回。㊎～兵|～销。
【撤防】撤除防御的军队。
【撤诉】原告在法院受理案件后、宣告判决之前，申请撤回起诉的诉讼行为。是诉讼当事人行使处分权的表现。是否准予撤诉，由法院裁定。原告经传票传唤，无正当理由拒不到庭，或未经法院许可中途退庭，按撤诉处理，法院可注销案件不予审理。
【撤退】指军队放弃已经占领的阵地或地区。
【撤离】撤退；离开。
【撤职】免除职务。
【撤销】取消。㊎～处分。

澈 chè 水清。㊎清～见底。

chēn ㄔㄣ

抻 chēn 拉；扯；拉长。㊎～面|～一～衣服。

郴 chēn 郴州，地名，在湖南。

綝☒（綝） ㊁ chēn ❶止。❷善。
㊀ lín（620页）。

棽☒ chēn 〔棽棽〕繁盛茂密的样子。

捵□ chēn “抻”的异体字。

琛 chēn 珍宝。

賝☒（賝） chēn 同“琛”。

嗔（*瞋） chēn ❶怒；生气。㊎～怒。❷对人不满；怪罪。㊎～怪。

"瞋",另见(116 页)。

瞋□ chēn 发怒时瞪着眼睛。另见"嗔"(115 页)。

chén 彳ㄣˊ

臣 chén ❶君主制国家官员的统称。❷中国古代官吏对帝王的自称。

尘(塵) chén ❶飞扬的或停附在物体上的灰土。㊟～埃。❷佛教道教指现实世界。㊟红～|～凡。❸行迹;踪迹。㊟步人后～。

【尘世】佛教、道教中指现实社会。与"极乐世界"相对。

【尘网】宗教徒或旧时自以为清高的人把现实世界看作束缚人的罗网,因此用尘网指现实世界。

【尘事】指世俗的事。

【尘肺】由长期吸入大量生产性粉尘引起肺内纤维性变化的慢性职业病。最常见的有矽肺、石棉肺、煤肺、滑石肺等。

【尘封】(长久地搁置一边)被灰尘覆盖。㊟蛛网～。

【尘垢】灰尘和污垢。垢(gòu)。

【尘埃】尘土;灰尘。

【尘寰】指现实世界。

【尘嚣】人世间的纷扰喧嚣。

辰 chén ❶地支的第五位。❷辰时,旧式记时法,相当于七点到九点。❸日月星的统称。㊟星～。❹时日;时间。㊟诞～|时～。

【辰砂】即"朱砂"(1290 页)。旧时以湖南辰州(今沅陵)所产最为著名,故名。

【辰星】水星的古称。

宸 chén ❶大而深的屋宇。❷古代帝王居住的地方。也指帝王。

晨 chén 清早。㊟～光。

【晨光】清晨的太阳光。㊟～熹微。

【晨昏】早晨和晚上。

【晨星】❶清晨稀疏的星。㊟寥若～。❷天文学上指日出以前出现在东方的金星或水星。

【晨曦】太阳初升时的微光。

沈 ㊁ chén 同"沉"。现在通常写作沉。㊀ shěn (874 页)。

忱 chén 真实的情意。㊟热～|谢～。

沉 chén ❶没入水中。与"浮"相对。㊟～船|石～大海。❷往下陷落。㊟地基下～。❸稳定住。㊟～下心来|～得住气。❹程度深。㊟～痛|～思。❺分量重。㊟这箱东西很～。

【沉井】一种井筒状的地下构筑物。先在地面上筑好一段(或全部)井身,挖去井内的土,使它逐渐下沉。以后逐段接长井身,直至沉到预定深度为止。可做地下的水泵房和水池,或用混凝土填实,作为大型桥梁、重型建筑物的基础。

【沉吟】❶低声吟咏。❷迟疑不决,低声自语。

【沉沦】陷入罪恶的或痛苦的境地。

【沉沉】❶形容物体分量重。㊟～的谷穗。❷形容低沉。㊟暮气～。❸形容程度深。㊟～睡去。

【沉郁】低沉郁闷。

【沉思】深深地思考。

【沉香】常绿乔木。叶卵状披针形,有光泽,花白色。产于亚热带。心材也叫伽南香或奇南香,为著名的熏香料。含树脂的树根或树干加工后入药,有降气、温中、暖肾、止痛等作用。

【沉重】分量重。也指思想负担重。㊟～的担子|心情～。

【沉迷】深深地迷恋。

【沉疴】久治不愈的重病。疴(kē)。

【沉浮】在水面上出没。比喻起落或盛衰消长。

【沉浸】泡在水中。多比喻进入某种境界或思想活动中。㊟～在幸福的回忆中。

【沉冤】难以辩白或久未昭雪的冤屈。

【沉着】遇事镇静,从容不迫。㊟～应战。

【沉淀】❶使溶液中的离子或化合物形成难溶物质而析出的过程。制取或分离物质常用沉淀的方法。也指所析出的物质。❷比喻凝聚、积累。㊟历史～。

【沉寂】非常静,没有一点声音。

【沉痛】十分悲痛;深感痛心。㊟～的心情|～的教训。

【沉湎】深深地迷恋着,不能自拔。㊟～于酒色。

【沉雷】沉重的雷声;闷雷。

【沉痼】长久而难治愈的病。也比喻难改的坏习惯。

【沉溺】❶沉没在水中。❷深深地陷入某种境地(含贬义)。

【沉醉】❶大醉。❷比喻深深地迷恋或沉浸在某种事物当中。

【沉箱】也叫气压沉箱。一种有顶无底的箱形结构物。在水底作业或遇到地下水不宜用沉井施工时,即采用这种结构物,向箱内输入压缩空气将水压出,以便进行挖土、下沉等作业。下沉到预定深度后,箱内用混凝土填实,作为桥墩、桥台或其他重型建筑物的基础。

【沉潭】封建家族对违犯族规的人施行的一种酷刑。把人沉到水里淹死。

【沉默】不说话;不爱说话。㊀～寡言。

【沉积岩】旧称水成岩。在地壳发展过程中,岩石的风化物和溶解物、生物遗体或火山碎屑等物质,在原地或被流水等外力带到低洼地方,逐渐沉积、压缩、胶结而形成的岩石。一般具有层状构造,常含有化石。

【沉鱼落雁】《庄子·齐物论》:"毛嫱、丽姬,人之所美也;鱼见之深入,鸟见之高飞…"本指人认为美的而鱼鸟却远远避开。后用来形容女人容貌非常美丽。

【沉积作用】岩石风化和侵蚀的产物,以及生物遗体、火山碎屑等物质,在原地或在流水等外力的搬运途中逐渐沉积的现象。

陈(陳) chén ❶安放;摆设;排列。㊀～设。❷叙述;说明。㊀条～|详～。❸时间久的;旧的。㊀推～出新。❹周朝国名(?—前478)。在今河南东部和安徽亳州一带。为楚所灭。❺朝代名。南朝之一(557—589)。陈霸先灭萧梁后建立。建都建康(今南京)。为隋所灭。❻古又同"阵(zhèn)"。

【陈云】(1905—1995)中国无产阶级革命家、政治家。中国共产党和中华人民共和国的领导人。江苏青浦(今属上海)人。1919年在商务印书馆当学徒、店员。1925年参加五卅运动,同年加入中国共产党,后被选为候补中央委员、中央委员。1934年当选为政治局委员。1935年遵义会议上支持毛泽东的正确主张,后为中共驻共产国际代表。抗日战争时期,任中共中央组织部长、中共七届政治局委员。解放战争时期,任东北局副书记、东北民主联军副政委、东北财经委员会主任。1949年后,历任政务院副总理兼财经委员会主任,国务院副总理,中共中央副主席,中顾委主任等职。"文化大革命"中,与林彪、江青反革命集团进行了坚决的斗争。十一届三中全会后,参与制订新时期党的路线、方针和政策。为中国经济发展做出了重大贡献。1995年在北京病逝。有《陈云文选》。

【陈化】❶溶液中生成的沉淀与母液一起放置时,沉淀内部发生的不可逆的再结晶过程。通过陈化,可以得到晶形完整、颗粒大、纯净的沉淀。❷发酵工业中,将酒或醋经贮存产生香味的过程。

【陈书】史书名。唐姚思廉撰。共三十六卷。包括本纪六卷,列传三十卷,记载了南朝陈代三十三年(557—589)的历史。《陈书》在二十四史中卷帙最小。

【陈皮】晒干了的橘子皮或橙子皮。入药有通气化食、祛湿化痰等作用。

【陈列】把物品摆出来供人看。㊀商店里～着各种家用电器。

【陈设】布置;摆设。也指摆设的东西。㊀～大方。

【陈兵】部署兵力。

【陈言】❶陈腐的话。❷陈述言辞。

【陈诉】诉说。

【陈规】已经过时的、不适用的规矩、办法。㊀打破～。

【陈述】叙述说明。

【陈亮】(1143—1194)南宋思想家、文学家。字同甫,号龙川,婺州永康(今属浙江)人。主张改革内政和抵抗金兵。反对朱熹的客观唯心主义和历史退化论。但有天命论的思想。词作豪放有力,政论尖锐锋利,富有爱国思想。著有《龙川文集》《龙川词》。

【陈迹】过去的事迹。

【陈说】陈述。㊀～利害。

【陈酒】存放多年的酒。

【陈情】述说自己的情况或衷情。《楚辞·九章·惜往日》:"愿陈情以白行兮,得罪过之不意。"

【陈赓】(1903—1961)中国无产阶级革命家,军事家。原名庶康,湖南湘乡人。1922年加入中国共产党。黄埔军校一期毕业。曾参加南昌起义。1928年在上海中共中央特科工作。1931年任红军第四方面军师长,1932年负伤赴上海就医,次年被捕,拒绝蒋介石的诱降,经中共和宋庆龄等营救脱险,回到中央苏区。长征中任军委干部团团长。抗日战争时期任八路军三八六旅旅长、太岳军区司令员等职。解放战争时期,任中原野战军第四纵队司令员、第二野战军第四兵团司令员兼政委。新中国成立后，任西南军区副司令员兼云南军区司令员和云南省人民政府主席。抗美援朝战争中任中国人民志愿军副司令员、代司令员、代政委。从1952年起任解放军副总参谋长、国防部副部长。1955年被授予大将军衔。

【陈腐】陈旧腐朽。

C

【陈毅】（1901—1972）中国无产阶级革命家、军事家、诗人。字仲弘，四川乐至人。1919年去法国勤工俭学。1923年加入中国共产党。八一南昌起义后参加中国工农红军，任团党代表。1928年4月，协助朱德率领起义部队上井冈山，同毛泽东胜利会师。曾任中国工农红军第四军政治部主任、江西军区司令员兼政委等职。红军长征后，留在江西苏区领导并坚持了三年的游击战争。抗战时期历任新四军一支队司令员，代理军长，军长。第三次国内革命战争时期，先后任山东野战军、华东野战军、第三野战军司令员兼政治委员。1949年后，任华东军区司令员兼上海市市长，后任中央军委副主席、国务院副总理兼外交部长。中共八届一中全会上当选中央政治局委员。"文化大革命"中同林彪、"四人帮"集团进行了坚决的斗争。1972年1月6日在北京病逝。有《陈毅诗稿》《陈毅军事文选》。

【陈子昂】（659—700）唐代诗人。字伯玉，梓州射洪（今属四川）人。上书论政，为武则天所赞赏。曾任麟台正字、右拾遗等。敢于直陈时弊，有政治抱负。在诗歌方面，反对六朝淫靡的诗风，倡导诗歌内容的革新。写有很多感慨时事，现实性很强的诗，对于唐诗的发展，起了积极的推动作用。有《陈伯玉集》。

【陈天华】（1875—1905）中国近代民主革命家。字星台，号思黄，湖南新化人。1903年留学日本。所写《警世钟》《猛回头》等书，用通俗的语言积极鼓吹革命，控诉帝国主义侵略罪行，影响很大。回国后与黄兴等组织华兴会，准备起义未成，流亡日本。在日本参加同盟会。1905年12月在东京抗议日本政府《取缔清国留日学生规则》，愤而投海自杀，留下绝命书，激励同志誓死救国。有《陈天华集》。

【陈化成】（1776—1842）鸦片战争时期抗英将领。字莲峰，福建同安人。1840年率领福建水师打退英国侵略军的进攻。同年调任江南提督，在吴淞口积极设防。1842年英军攻吴淞炮台，他以67岁高龄率军奋起抵抗，因孤军无援，壮烈牺牲。

【陈玉成】（1837—1862）太平天国将领。原名丕成，广西藤县人。14岁参加金田起义。18岁随西征军智取武昌，屡立战功。1859年封英王。率太平军东征西讨，坚守九江，增援镇江，在安徽三河镇全歼湘军李续宾部，一再攻破清军江南、江北大营，几次扭转危局，保卫了天京。1862年1月镇守庐州（今安徽合肥），5月转守寿州（今安徽寿县），因叛徒出卖，被俘就义。

【陈述句】用来说明事实的句子。句末用句号。如："我们种了一千棵树。""下雨了。"

【陈叔通】（1876—1966）中国近代实业家、政治家。名敬第，浙江杭州人。1894年留学日本。曾参加戊戌变法和辛亥革命。民国时期任第一届国会众议院议员。后长期经营实业，任商务印书馆董事和浙江兴业银行董事。抗日战争后期从事民主运动。1949年后，历任全国人大常委会副委员长、全国政协副主席、全国工商联主任委员等职。

【陈绍禹】即"王明"（1011页）。

【陈独秀】（1879—1942）中国共产党的主要创始人和早期领导人之一。字仲甫，号实庵，安徽怀宁人。早年留学日本，回国后创办《新青年》《每周评论》。积极提倡民主与科学，反对封建思想、文化，是五四新文化运动的主要领导人之一。1920年8月发起组织上海共产主义小组和筹备成立中国共产党，进行建党活动，先后任中共中央局书记、委员长、总书记。在第一次国内革命战争后期，犯了严重的右倾投降主义错误。其后，对于革命前途悲观失望，接受托派观点，在党内成立小组织，进行反党活动，1929年11月被开除出党。1932年10月被国民党政府逮捕，1937年8月出狱，主张抗日。1942年在四川江津病故。有《独秀文存》等。

【陈望道】（1890—1977）中国现代学者、教育家。原名参一，浙江义乌人。早年留学日本，1919年回国从事新文化运动。1920年翻译出版《共产党宣言》，参加创立上海共产主义小组，并任《新青年》编辑。先后任教于上海大学、安徽大学、复旦大学。1949年后任复旦大学校长、中科院哲学社会科学部委员、上海哲学社会科学联合会

主席、全国人大常委和全国政协常委等。有《修辞学发凡》《陈望道文集》。

【陈景润】（1933—1996）中国数学家。福建福州人。1953年毕业于厦门大学。1956年调入中国科学院数学研究所。20世纪60年代对哥德巴赫猜想的研究，取得(1＋2)的历史性成果。1973年发表论文《大偶数表为一个素数及一个不超过二个素数的乘积之和》，被国际数学界称为"陈氏定理"。他对殆素数的分布问题、华林问题等，皆有贡献。1977年任研究员。1980年当选中国科学院学部委员。1996年逝世。

【陈嘉庚】（1874—1961）爱国华侨领袖。福建同安（今属厦门）人。长期在国外经营橡胶，对祖国和家乡的建设颇多资助，受到华侨的爱戴。曾参加同盟会，协助孙中山进行革命。先后创办中小学和水产、航海、农林、商科等学校，在新加坡创办南洋华侨中学，在厦门创办厦门大学。九·一八事变后，积极进行救国活动。抗战胜利后，进行爱国民主活动。1949年后，历任中央人民政府委员、政协全国委员会副主席、归国华侨联合会主席等职。1961年8月12日在北京逝世。

【陈力就列】根据自己的才力而担任某种职务。《论语·季氏》："周任有言曰：'陈力就列，不能者止。'"陈力：贡献才力。就列：担任职务。

【陈师鞠旅】整备训练军队。《诗经·小雅·采芑》："陈师鞠旅。"鞠：告诫。

【陈词滥调】陈旧、空洞、不切实际的言论。

【陈陈相因】《史记·平准书》："太仓之粟，陈陈相因。"原意是仓库的粮食，逐年堆积起来。后比喻因袭老一套，没有创新。因：沿袭。

【陈桥兵变】赵匡胤夺取后周政权的兵变。公元960年赵匡胤借口防御北汉和辽的侵犯，率军从大梁（今河南开封）北上。走到陈桥驿（今开封东北），他授意将士把黄袍披在他身上，拥立他作皇帝，夺取了后周政权，定国号为宋。

蔯□（蔯） chén 也叫茵蔯、茵蔯蒿、绵茵蔯。多年生草本植物。分根繁殖，以嫩茎叶入中药。

谌（諶） chén ❶诚然；的确。❷相信。

愖☒ chén 同"忱"。

鸼□（鷐） chén 〈方〉小鸟。

chěn 彳ㄣˇ

墋☒（墋） chěn ❶同"牙磣"的"磣"。❷〔墋黩〕形容混浊不清。

磣（磣） chěn 食物里夹杂有土或沙子。

趻☒ chěn 〔趻踔〕跳着走。

碜☒ chěn 同"磣"。

chèn 彳ㄣˋ

衬（襯） chèn ❶在里面托上一层。㊀～纸｜这种衣服得～里子。❷（穿）在里面的。㊀～衣｜～裤。❸对照；搭配。㊀～托。

【衬托】用别的东西来陪衬、对照，使事物更加鲜明突出。特指写作、绘画中的烘托手法。

【衬字】某些歌曲在格式规定的字数以外，为了行文和歌唱的需要而增加的字。如歌剧《刘胡兰》："数九（那个）寒天下大雪，天气（那个）虽冷心里热"中的"那个"就是衬字。

疢 chèn 热病。也泛指疾病。㊀～毒。

龀（齔） chèn 小孩儿换牙。

称（稱） ㊁ chèn 适合；相当。㊀～心｜相～。
㊀ chēng（120页）。
㊂ chèng（125页）。

【称职】对所担当的职务能够胜任，工作做得很好。

【称心如意】适合心意，愿望能得到满足。

儭☒（儭） chèn 布施僧众。㊀～钱。

榇（櫬） chèn 棺材。

趁（*趂） chèn ❶利用（时机、时间）。㊀～热打铁｜～早。❷〈方〉拥有。㊀～钱。

【趁势】利用有利的形势。
【趁火打劫】利用失火的时候去抢东西。比喻趁人危急的时候捞一把。
【趁热打铁】就着铁烧红的时候锻打。比喻抓紧时机，加速进行。

谶(讖) chèn 古人认为将来要应验的预言、预兆。
【谶纬】汉代神学迷信。谶指巫师或方士编造的预示吉凶的隐语，纬是以方术、预言附会儒家经典的书。
【谶语】迷信的人指将来会应验的话。

C

chen ·ㄔㄣ

伧(傖) ㊁ chen 见〔寒伧〕(377页)。
㊀ cāng (94页)。

chēng ㄔㄥ

柽(檉) chēng 柽柳，也叫红柳。落叶小乔木。叶形像柏树叶，枝条纤弱，多为红褐色。是沙荒、盐碱地的造林树种。枝、叶可供药用。

蛏(蟶) chēng 蛏子，软体动物。有两扇贝壳，形状狭长。生活在沿海软泥滩中。

琤 chēng 〔琤琤〕拟声词。玉器相击声；琴声或流水声。

称(稱) ㊀ chēng ❶测定重量。㊞～一～。❷叫做；称呼。㊞自～｜简～。❸说；赞扬。㊞拍手～快｜～誉。❹举。㊞～觞(shāng)(举杯)｜～兵(采取军事行动)。
㊁ chèn (119页)。
㊂ chèng (125页)。
【称引】引证；援引。
【称号】赋予个人或集体的名称(多用于光荣的)。㊞他荣获见义勇为好市民的～。
【称许】称赞肯定。
【称快】叫好，表示高兴、满意。㊞拍手～。
【称贷】告贷；向人借钱。
【称颂】称赞颂扬。
【称病】假托有病。
【称谓】人们为了表示相互之间的某种关系，或为了表示身分、地位、职业的区别而使用的一些称呼。如父亲、妻子、阿姨、同志、老师、小姐、先生、主任、部长、服务员等。
【称雄】指凭借势力独占一方。㊞割据～。
【称道】称赞；夸奖。
【称誉】表扬赞美。
【称王称霸】比喻凭借权势，横行一方，或狂妄地以首脑自居。
【称孤道寡】指自封为王。比喻以首脑自居。孤、寡：中国古代君主的自称。

铛(鐺) ㊁ chēng 一种烙饼用的平底锅。
㊀ dāng (179页)。

偁☒ chēng "称(chēng)"②③的异体字。

穿 ㊁ chēng 古同"撑"。
㊀ chèng (125页)。

撑(*撐) chēng ❶抵住。㊞两手～地。❷勉强支持。㊞～日子｜～门面。❸把篙或竿插向水底或地面，借以用力。㊞～船｜～竿跳。❹张开。㊞～伞。❺饱胀。㊞吃～了｜口袋～破了。
【撑持】极力勉强维持。㊞～局面。
【撑腰】比喻给以有力的支持。
【撑杆跳高】田赛项目之一。两手持杆，经过助跑，将所持杆子插入插斗内单足起跳，借助撑杆腾身越过一定高度的横杆。

赪(赬) chēng 红色。

噌 ㊁ chēng 〔噌吰〕拟声词。钟鼓声。吰(hóng)。
㊀ cēng (99页)。

瞠 chēng 直瞪着眼。㊞～目相视。
【瞠目结舌】瞪着眼睛说不出话来。形容受窘或惊呆的样子。
【瞠乎其后】在后面干瞪眼。形容差距大，赶不上别人。《庄子·田子方》："夫子奔逸绝尘，而回(颜回)瞠若乎后矣。"

chéng ㄔㄥˊ

朾☒ chéng ❶撞；击。❷〔朾螘〕大赤蚁。螘(yǐ)。

成 chéng ❶完成；成功。㊞事情办～了。❷变成；成为。㊞他～了英雄。❸使人达到目的。㊞玉～｜～人之美。❹成就；成果。㊞一事无～｜坐享其～。❺生物生长到成熟阶段。㊞～年｜～虫。❻固定的；已定的。㊎～见｜～命。❼可以；许可。㊎那不～。❽够；达到一定的数量。㊎～千上万｜～批生产。❾十分之一。㊎八～新｜增产二～。

【成丁】旧指男子成年。

【成见】对人对事的主观的固定不变的看法。㊎消除～。

【成仁】为正义事业而献身。㊎取义～今日事，人间遍种自由花（陈毅《梅岭三章》诗）。

【成分】❶构成事物的各种不同的部分或因素。㊎化学～｜含有主观的～。❷个人参加革命工作前的社会经济地位或所从事的职业为本人成分；家庭所属的阶级为家庭成分。

【成风】形成风气。

【成文】❶现成的文章，比喻老一套。㊎抄袭～。❷形成文章。㊎言则～。❸用文字固定下来的；成为书面的。㊎～法。

【成本】也叫生产成本、成本价格。产品价值中属于投入的生产要素价值的那一部分。

【成虫】昆虫个体发育过程中性成熟的阶段。如蚕蛾就是蚕的成虫。

【成全】协助人达到目的。

【成会】即“合会”（386 页）。

【成色】❶金币银币或金银条块、首饰器物等所含纯金、纯银的量。❷泛指质量。㊎这块料子的～很好。

【成交】买卖双方就货物的成色、价格取得一致意见（多指大宗批发或国际贸易）并达成交易。

【成材】原指树木长成，也比喻成为有用的人。

【成员】集体或家庭中的组成人员。

【成规】现成的或沿袭下来的规则、方法。

【成果】学习、工作、劳动、斗争等方面的收获。

【成例】已有的先例。

【成命】已发布的命令、决定等。㊎收回～。

【成品】在一个企业中加工完毕、符合一定的质量标准，可以向外供应的合格产品。

【成语】熟语的一种。即意义完整、结构定型、表达凝练、含义丰富的固定短语。多为四字格，言简意赅，富有表现力。其句法功能相当于一个词。如杯弓蛇影、千金一笑、万紫千红、七嘴八舌等。

【成眠】入睡；已睡着。

【成效】功效。㊎～卓著。

【成绩】工作或学习的收获。

【成就】❶事业上的成绩。㊎辉煌～。❷完成（某项事业）。㊎～革命大业。

【成数】表示十分之几的数。在工农业生产中常用“几成”来表示生产状况。二成就是十分之二，二点五成就是十分之二点五。

【成熟】❶植物的果实已经长成。❷发展到完备的程度。㊎～卵｜条件～。

【成器】成为器具。喻指成为有用的人才。

【成文法】也叫制定法。国家特定机关按照法定程序制定并以成文形式公布实施的法律。与“不成文法”相对。

【成国渠】汉朝在关中地区修建的一条灌溉渠道。自今陕西眉县东，引渭水东流，经兴平、咸阳至泾、渭会合处西，再注入渭水。长约 110 千米。宋以后废。

【成都市】别称蓉。四川省会。位于该省中部成都平原上。人口 209 万（1997 年）。成昆、宝成、成渝等铁路在此交会，是全省政治、经济、文化和交通中心。特产蜀锦、蜀绣等。工业以冶金、机械、电子等为主。风景名胜有杜甫草堂、武侯祠、望江楼等。

【成人之美】成全别人的好事或帮助人实现他的愿望。《论语·颜渊》：“君子成人之美，不成人之恶。”成：成全，帮助。

【成人教育】对在职在岗人员进行思想、文化专业知识和技能的教育。包括对未受完初等、中等教育的劳动者进行基础教育；对在职而达不到岗位要求的专业水平的人进行相应的专业教育；对受过高等教育的人进行继续教育；对全社会的成人进行社会文化和文明生活教育。采用业余、半脱产和脱产等方式。

【成土母质】简称母质。岩石的风化产物。是形成土壤的物质基础，对土壤的形成过程和土壤的性质、形态等都有影响。

【成仁取义】宋文天祥《自赞》：“孔曰成仁，孟曰取义，惟其义尽，所以仁至…而今而后，庶几无愧。”后用“成仁取义”指为正义事业而牺牲。

【成文宪法】由一个或几个宪法性的法律文件所组成的宪法典。最早的成文宪法是 1787 年的美国宪法。现代绝大多数国家的宪法是成文宪法。与“不成文宪法”相对。

【成本核算】对企业生产费用和产品成本所进行的计量和考核。

【成本预算】依据成本与各种技术经济的依存关系，利用一定的科学方法，对未来成本水平及其变动趋势作出预计并制定相应的成本标准。

【成本控制】按预定定额或标准，采取有效措施，约束和监督成本支出，使其不越出一定的数量范围。

【成龙配套】也说配套成龙。配搭起来，成为完整的系统。

【成吉思汗】(1162—1227)即元太祖。蒙古大汗、军事家。名铁木真。12世纪末逐步统一蒙古各部。1206年被推为大汗，称成吉思汗，建立了统一的蒙古政权。制定军事、政治、法律等制度，开始使用文字，加速了蒙古族社会经济发展，加强了军事力量。1211年、1215年两次大举向金进攻，占领中都(北京)。1219年发动第一次西征，版图扩展到中亚地区和南俄。1226年率兵南下攻西夏，次年在西夏病逝。成吉思在蒙语中是坚强和大海的意思。汗(hán)。

【成昆铁路】从四川成都到云南昆明，长1 100千米。北接宝成铁路，南接昆河、贵昆和南昆铁路，是中国西南铁路干线之一。

【成套设备】生产上所需要的，由多种设备组合起来成为一整套的机械。

【成也萧何，败也萧何】汉萧何初举韩信为大将，后又助吕后设计杀韩信，故宋时有“成也萧何，败也萧何”的俗语。现比喻出尔反尔，反复无常。元无名氏《赚蒯通》第一折：“这非是我成也萧何败也萧何，故恁的反复勾当。”

【成事不足，败事有余】不能把事情办好，却准能把事情办坏。

郕⊠ chéng 周朝国名。在今山东。

诚(誠) chéng ❶真心实意。㊀真～。❷副词。的确；实在。㊀～可信赖。❸连词。如果。㊀～如君言，则事谐矣。

【诚实】言行与内心一致，不虚假。

【诚挚】诚恳真挚。

【诚恳】真诚恳切。

【诚然】❶实在；确实。❷固然。肯定上文，引起下文的转折。㊀～，这项任务是艰巨的，但也是光荣的。

【诚实信用】当事人从事民事活动时应当讲诚实、守信用的民法原则。是道德规范在法律上的反映。

【诚惶诚恐】古代奏章中的套语。表示臣子对皇帝的敬畏。后也用来形容十分小心谨慎、极为害怕不安的样子。

城 chéng ❶城市。与“乡”相对。❷城墙。㊀万里长～。

【城市】以非农业活动和非农业人口为主的人类聚居地。与乡村相比，占地规模大，人口数量大、密度高。是一定地域范围内的政治、经济、文化中心。与“农村”相对。

【城邦】历史上以一个城市为中心，连同周围乡村构成的奴隶制小国。以古希腊、罗马时代的城邦最为典型。

【城关】指城外靠近城门一带的地区。

【城池】城墙和护城河。也指城市。

【城府】❶旧指城市和官署。❷比喻待人接物的心机。㊀胸无～(为人坦率)。

【城垣】城墙。

【城郭】原指内城和外城，泛指城墙或城市。

【城厢】城内和城门外附近。

【城隍】道教所信奉的在冥间管理城池的神。如府城隍、县城隍等。旧时多在城隍庙举行庙会。

【城堞】俗称城垛口。城上的女墙。堞(dié)。

【城闉】城门。闉(yīn)。

【城楼】古代城墙上所建的楼阁式建筑。

【城阙】城门两边的望楼。引申为京城，宫殿。阙(què)。

【城镇】城市和集镇。

【城市化】也叫城镇化、都市化。人类生产和生活方式由乡村型向城市型转化的历史过程，表现为乡村人口向城市人口转化及城市不断发展和完善的过程。

【城市带】由几个中心城市及其区域范围内许多城市组成的规模巨大的连片城镇区。如以上海、南京、杭州为中心的长江三角洲城市带。

【城市群】指一定区域内分布较为密集的若干城市。

【城域网】城市级跨度的广域网。

【城下之盟】敌国兵临城下时被迫订立的盟约。《左传·桓公十二年》记载，楚国攻打绞地(今湖北郧县西北)，“大败之，为城下之盟而还”。后泛指被迫与敌人签订的屈辱性条约。

【城市规划】指对一定时期内城市的经济和社会发展、土地利用、空间布局以及各项建设的综合部署、具体安排和实施管理的工作总和。

【城市规模】一般指城市人口的多少。中国按城市市区人口将城市规模分为四类：特大城市，人口在 100 万以上；大城市，人口在 50—100 万之间；中等城市，人口在 20—50 万之间；小城市，人口在 20 万以下。

【城市职能】城市在区域政治、经济、文化等方面所起的作用。如北京市的城市职能是全国的政治、文化、交通中心。

【城市绿化】在城市中栽种植物，利用自然条件改善生态环境，为居民提供游憩场地，美化城市景观的活动。

【城市雕塑】也叫环境雕塑。为美化城市环境而有计划地设置的室外雕塑。

【城狐社鼠】也说社鼠城狐。城墙洞里的狐狸，土地庙里的老鼠。《晋书·谢鲲传》："王敦谓鲲曰：'刘隗奸邪，将危社稷，吾欲除君侧之恶，匡主济时，何如？'对曰：'隗诚始祸，然城狐社鼠也。'"比喻凭借权势为非作歹的坏人。

【城濮之战】春秋时晋文公战胜楚军，建立霸权的战役。公元前 632 年（周襄王二十年）晋与齐、秦、宋等国联合，进攻曹、卫，楚军北上援救，联合陈、蔡在卫国的城濮（今河南濮城）与晋交战。晋军先"退避三舍"（三十里叫一舍），然后猛击楚军力量薄弱的左、右两翼，大败楚军。晋国从此成为霸主。

【城门失火，殃及池鱼】语见北齐杜弼《檄梁文》。据《太平广记》卷四六六引《风俗通》，"池鱼"有两种说法，一说有一个叫池仲鱼的人，住宋国城门，城门失火，延及其家，仲鱼烧死。一说宋国城门失火，人们用护城河的水去救，结果河干鱼死。后用来比喻无故遭牵连而受到祸害或损失。

宬 chéng 古代藏书的屋子。后专指皇室藏书的地方。明清两代有皇史宬。

盛 ㊁ chéng ❶把饭菜等放进碗、盘等器皿内。㊐～饭。❷容纳；装。㊐这个礼堂能～一千人｜缸里～着水。

㊀ shèng（884 页）。

铖⊠**（鋮）** chéng 用于人名，如阮大铖（明代人）。

丞 chéng 古代帮助帝王或主要官员办事的官吏。㊐～相｜府～。

【丞相】古代辅佐君主的最高官职名。秦代开始设置。西汉时与太尉、御史大夫合称三公，后时设时废，名称常变。明初沿置，不久即废。旧时常用作宰相的通称。

枨⊠**（振）** chéng 触动；碰撞。

棖（棖） chéng 拨动；触动。

【棖触】感触。

呈 chéng ❶显露出。㊐略～白色。❷恭敬地送上。㊐谨～｜～阅。❸呈文。旧时下级对上级的一种公文。

【呈正】也作呈政。敬辞。把自己的作品送请别人批评改正。

【呈报】下级用书面形式报告上级。

【呈现】显出；露出。

【呈政】同"呈正"（123 页）。

【呈递】恭敬地递交。㊐～国书。

【呈献】恭敬地送上。㊐～礼物。

埕 chéng ❶养蛏的田。❷〈方〉酒瓮。

珵⊠ chéng 美玉。

脭⊠ chéng 精肉。

程 chéng ❶规章；法式。㊐章～｜～式。❷道路；路段。㊐登～｜送了一～又一～。❸行进的距离。㊐射～｜里～。❹次序。㊐议～｜日～。❺度量；计量。㊐计日～功。

【程仪】旧指送给出行者的财物。

【程式】规定下来的格式。㊐公文～。

【程序】❶事情进行的步骤、次序。㊐工作～。❷计算机在执行任务时，对它所处理的对象以及处理规则的一种描述。是通过程序设计语言来实现的。

【程限】要人遵守的程式、限制。

【程度】❶知识与能力的水平。㊐文化～。❷事物发展所达到的状况。㊐破坏～。

【程控】程序控制的简称。指机器各部分的动作顺序是按预先编好的程序实现的，而运动距离等则要靠其他装置控制。

【程颐】（1033—1107）宋代唯心主义理学的奠基人。字正叔，号伊川，河南洛阳人。参见〔程颢〕（123 页）。

【程颢】（1032—1085）宋代唯心主义理学的奠基人。字伯淳，号明道，河南洛阳人。与其弟程颐合称二程。因他们长期在洛阳讲学，故后人称其学说为洛学，并将他们的著作合编为《二程全书》。宣扬"理"先于万事万物，是产生万事万物的本原，是自然、社

C

会都要遵循的普遍原则。

【程序法】规定权利义务实现方式和条件的法律。如民事诉讼法、刑事诉讼法、行政诉讼法等。与“实体法”相对。

【程朱学派】宋代理学的一个派别。主张客观唯心主义。开始于程颢、程颐，完成于朱熹。为宋以后历代封建统治者所推崇。

【程控电话】用电子计算机程序控制自动接续线路的电话。接续速度快，可提供多种新的业务功能等，便于集中维护和管理。

【程控技术】程序控制技术的简称。一种对机器设备进行自动控制的技术。程控技术应用于金属切削加工、焊接、冶炼以及电话通信等方面。

裎 ㊀ chéng 脱衣露体。
㊁ chěng (125 页)。

酲 chéng 形容醉后神志不清。

承 chéng ❶接受。例～办。❷继续；接续。例～上启下|一脉相～。❸谦辞。受到。例～情|～教。❹在下面托着，接着。也指起这类作用的物体或部件。例～重|轴～。

【承乏】谦辞。表示所任职务因没有适当的人选，只好暂时由自己充数。

【承认】❶对某种事实或意见、说法表示肯定、同意、认可。❷国际上指肯定新国家、新政权的法律地位。

【承办】接受办理。

【承平】指社会秩序安定平稳。

【承包】依照双方议定的条件接受并完成（工程、利润、订货、产量等）。

【承欢】❶旧指侍奉父母等。例～膝下。❷迎合别人的心意以博取欢心。

【承佃】租种别人的土地。

【承兑】汇票付款人于汇票到期前在票面上作出表示，承诺在汇票到期日支付汇票金额的票据行为。

【承转】指收到公文后转交有关部门。

【承保】保险人对投保人提出的保险申请经审核同意接受。

【承诺】❶答应做某事。❷法律上指受要约人同意要约的意思表示。应以通知的方式作出，但根据交易习惯或要约表明可通过行为作出的除外。该通知到达要约人时生效，合同成立。与“要约”相对。

【承袭】古时原指继承封爵。后也指照老样子做，沿袭。

【承望】预料到（多用于否定式，表示出乎意外）。例不～你这时能来，太好了。

【承蒙】客套话。受到。例～热情款待，感激万分。

【承德】市名。位于河北省东北部，京承、锦承、承隆三条铁路交会处。人口 29 万（1997 年）。是中国著名的旅游胜地，以避暑山庄和外八庙闻名。

【承压水】也叫自流水。地下水的一种类型。指埋藏于地下两个隔水层之间、承受一定压力的地下水。一般埋藏深，受气候的直接影响小，流量稳定，水质较好。

【承重墙】在建筑物中承托其结构荷载的墙体。

【承上启下】接续上面的并引起下面的（多指文章结构的关系等）。

【承前启后】承接以前（过去）的，开创今后（未来）的。

乘（*乗 *椉） ㊀ chéng ❶骑；坐（交通工具）。例～马|～车。❷趁；就着。例～便|～隙。❸运算方法之一。最简单的是一个数使另一个数变成若干倍的数的运算。❹佛教的教理和教派。例大～|小～。
㊁ shèng (884 页)。

【乘方】❶几个相同的数相乘的运算。❷见“幂”①(682 页)。

【乘龙】《艺文类聚》卷四〇引《楚国先贤传》：“孙儁字文英，与李元礼俱娶太尉桓焉女，时人谓桓叔元两女俱乘龙。言得婿如龙也。”后喻指佳婿。例～佳婿。

【乘机】利用机会。

【乘兴】趁着有兴致。例～而来。

【乘槎】❶指上天。晋张华《博物志》卷三：“天河与海通，近世有人居海渚者…乘槎而去。”❷比喻入朝做官。唐杜甫《奉赠萧十二使君》诗：“起草鸣先路，乘槎动要津。”槎(chá)。

【乘警】列车上负责治安保卫工作的警察。

【乘务员】交通运输工具上为乘客服务的工作人员。

【乘人之危】趁别人困难、危急的时候去要挟或侵害人家。

【乘车戴笠】喻指友谊深厚，不因贫富贵贱

而改变。古歌谣《越谣歌》："君乘车，我戴笠，他日相逢下车揖；君担簦，我跨马，他日相逢为君下。"乘车：比喻富贵。戴笠：比喻贫贱。

【乘风破浪】《宋书·宗悫传》记载，悫年少时，他的叔父问他的志向，他回答道："愿乘长风破万里浪。"表示自己志向远大。后用以比喻不畏艰险，奋勇直前。

【乘坚策肥】乘坚固的车，赶着肥壮的马。比喻生活奢华。《汉书·食货志上》："乘坚策肥，履丝曳缟。"

【乘虚而入】也说乘隙而入。乘着对方空虚或没有准备的时候闯进去。

【乘法分配律】两个数的和与一个数相乘，可以把两个加数分别与这个数相乘，再把两个积相加，所得的结果不变。用字母表示：$a\times(b+c)=a\times b+a\times c$ 或 $(b+c)\times a=b\times a+c\times a$。

【乘法交换律】两个数相乘，交换因数的位置，其积不变。用字母表示：$a\times b=b\times a$。

【乘法结合律】三个数相乘，先把前两个数相乘，再乘以第三个数；或者先把后两个数相乘，再同第一个数相乘，其积不变。用字母表示：$a\times b\times c=(a\times b)\times c=a\times(b\times c)$。

惩(懲) chéng ❶处罚。[例]严～不贷。❷警戒。[例]～前毖后。

【惩处】惩罚处分。[例]依法～。

【惩戒】通过惩罚使人警戒。

【惩治】定罪惩办。

【惩一警百】《汉书·尹翁归传》："以一警百，吏民皆服。"后多用惩一警百指惩治少数人以警戒多数人。

【惩前毖后】吸取以前的教训，谨防以后重犯。《诗经·周颂·小毖》："予其惩而毖后患。"毖：谨慎。

塍(*塖) chéng 田间的土埂子。

澄(*澂) ㊀ chéng ❶水清澈。❷使清明。[例]～清。

㊁ dèng (191页)。

【澄清】❶清澈。[例]河水～。❷使清楚、明白。[例]把这个问题～一下。

橙 chéng ❶常绿乔木。叶卵形，果实圆球形，果皮有香气，果瓤汁多味甜。主产于中国南方各省。另有一种酸橙，果汁味酸，虽不宜生食，但可加工成蜜饯或入药。❷像橙的果皮一样的颜色，即黄中呈红的颜色。

chěng ㄔㄥˇ

逞 chěng ❶显示。[例]～强｜～威风。❷放纵。[例]～性子。❸实现；达到(多指坏事)。[例]得～。

【逞凶】放肆地行凶作恶。

裎 ㊁ chěng 古指对襟单衣。

㊀ chéng (124页)。

骋(騁) chěng ❶奔跑。[例]驰～。❷放开。[例]～目远眺。

【骋怀】把胸怀放开。

chèng ㄔㄥˋ

秤 chèng 衡量物体重量的器具。

称(稱) ㊂ chèng 同"秤"。现在通常写作秤。

㊀ chēng (120页)。

㊁ chèn (119页)。

撑 ㊀ chèng ❶斜撑着的支柱。❷桌椅等的腿跟腿之间的横木。

㊁ chēng (120页)。

chī ㄔ

吃(*喫) chī ❶用嘴嚼吞食物等。[例]～饭｜～药。❷吃的东西。[例]小～｜有～有穿。❸依靠某种事物或条件生活。[例]靠山～山｜～劳保。❹消灭；吸收。[例]～掉敌人｜宣纸～墨。❺承受；感受。[例]～重｜～惊。❻领会；掌握。[例]～不准｜～透文件精神。❼耗费。[例]～力。❽介词。被(多见于早期白话)。[例]～他笑话。

【吃水】❶吸取水分。[例]这种米～。❷船体浸入水面以下的深度。以龙骨最低点外缘到实际载重水线之间的垂直距离来计算。

【吃重】❶因担负的任务繁重或责任重大而感到艰巨、吃力。❷载重。[例]这辆车～三吨。

【吃紧】情势紧张。

【吃斋】吃素。也指和尚吃饭。

【吃老本】旧指商人赔了钱，动用本钱来维持。现多指只凭已有的水平、资历、功劳度日，不思进取，不求提高。

【吃一堑，长一智】形容受一次挫折，得到一次教训，长一分见识。堑（qiàn）：壕沟，比喻挫折、失败。

屎☒ chī 古代收丝的工具。泛指器物的柄。

哧 chī 拟声词。撕裂物体的声音或笑声等。㊀她只是～～地笑。

C

鸱（鴟） chī 古指鹞鹰。

【鸱吻】中式房屋屋脊两端的兽形构件。用陶或琉璃制成，有固定屋瓦的作用。传说鸱吻为龙的九子之一，因能喷浪降雨，故用在屋脊上，取避火灾之吉祥。

【鸱鸮】❶泛指猫头鹰一类的鸟。❷古指一种似黄雀而小，嘴尖如锥的鸟。

蚩 chī ❶无知；傻。❷古又同"嗤"。❸古又同"媸"。

【蚩尤】古代传说中九黎族的首领。与黄帝战于涿鹿，失败被杀。

嗤 chī 讥笑。

【嗤之以鼻】从鼻子里发出冷笑的声音。表示讥笑和蔑视。

媸 chī 相貌丑。

絺☒**（絺）** chī 细葛布。

瓻 chī 陶制的酒器。

眵 chī 眼眵，也叫眵目糊、眼屎。由眼睑分泌出来的一种黄色黏稠液体。

笞 chī 用鞭、杖或竹板子抽打。㊀鞭～。

摛☒ chī ❶舒展；散布。❷铺陈。

螭 chī 古代传说中一种没有角的龙。建筑物或工艺品常用它的图像作装饰。

魑 chī 〔魑魅〕古代传说中躲在深山密林里害人的妖怪。㊀～魍（wǎng）魉（liǎng）（现指专门危害人民的各种坏人）。魅（mèi）。

痴（*癡） chī ❶神经失常。❷傻；愚笨。㊀～呆。❸迷恋过甚，近于发呆。㊀～心｜～情。

【痴迷】沉迷；深深地迷恋。

【痴人说梦】宋惠洪《冷斋夜话》卷九："僧伽（唐高僧名）龙朔（高宗年号）中游江淮间，其迹甚异。有问之曰：'汝姓何？'答曰：'姓何。'又问：'何国人？'答曰：'何国人。'唐李邕作碑，不晓其言，乃书传曰：'大师姓何，何国人。'此正所谓对痴人说梦话耳。"原形容对蠢人说荒唐话，而蠢人竟信以为真。后用来讽刺不着边际的荒诞言论。

【痴心妄想】形容一心想着不可能实现的事。

chí 彳

池 chí ❶池塘；蓄水的小坑。㊀养鱼～。❷形容某些和池塘形状相同的处所。㊀浴～｜乐～。❸护城河。㊀城～｜城门失火，殃及～鱼。

【池鱼笼鸟】晋潘岳《秋兴赋》："譬犹池鱼笼鸟，有江湖山薮之思。"比喻处于困境，行动不自由的人。

弛 chí 松懈；放松。㊀松～。

【弛缓】（形势、心情等）松动缓和。

【弛禁】开放禁令。

驰（馳） chí ❶（车马）快跑。㊀奔～。❷向往。㊀神～。❸传扬。㊀～名。

【驰名】名声远扬。㊀～中外。

【驰系】向往怀念。

【驰驱】❶（骑马）飞快地奔跑。❷指奔走效力。

【驰道】古代为帝王行驶车马而修建的道路。《史记·秦始皇本纪》："二十七年治驰道。"《汉书·贾山传》："秦为驰道于天下，东穷齐燕，南极吴楚…道广五十步，三丈而树。"

【驰骋】❶骑马奔跑。❷形容奔腾活跃。骋（chěng）：奔跑。

【驰骛】迅速而急促地来回奔跑。骛（wù）：乱跑。

【驰骤】驰骋。

筂☒ chí "篪"的异体字。

迟（遲） chí ❶慢；迁延。㊀～～不决｜～缓。❷晚；时间靠后。㊀来得太～了｜～暮。

【迟延】拖延耽搁。

【迟钝】反应慢，感觉、思想、行动不灵敏。

【迟滞】❶流通缓慢，不通畅。❷呆滞。[例]目光～。

【迟暮】❶天快黑的时候。❷指人的晚年。

【迟疑】犹豫疑惑，拿不定主意。

【迟疑坐困】因犹豫不决，陷入被动困境。

坻 ㊀ chí　江河中的小洲或高地。
㊁ dǐ（194 页）。

蚳☒　chí　蚁卵。古人用来制酱，供食用。

茌　chí〔茌平〕地名。在山东西部。

持　chí　❶拿着；握着。[例]～枪。❷保守住。[例]维～｜～久。❸掌握；料理。[例]主～｜勤俭～家。❹挟制。[例]挟～｜胁～。❺对抗。[例]相～不下。

【持仓】指手中持有股票、债券等，不买也不卖。

【持平】❶公正；公平。❷相等，未增未减。[例]今年的产量大体与去年～。

【持论】提出主张；讲出自己的意见。[例]～有据。

【持股】指某一机构（政府部门或法人）持有股份公司的股份。

【持重】举止谨慎稳重。

【持家】料理家务。

【持续】连续不断。

【持久战】❶指持续时间较长的战斗或战役。与“速决战”相对。❷抗日战争时期，毛泽东为中国共产党制定的打败日本帝国主义的战略方针。即在敌强我弱的情况下，采取战略上内线的持久的防御战，战役和战斗上外线的速决的进攻战，逐步削弱敌人，壮大自己，转劣势为优势，最后战胜敌人。

【持仓量】持有的证券数量或持券量与资金量的比例。

【持之以恒】长期坚持下去。恒：长久。

【持之有故】《荀子·非十二子》：“然而其持之有故，其言之成理。”指提出的见解或主张有根据。故：根据。

【持续农业】指通过机制改革和技术变革，科学使用自然资源和保护环境，确保人类当代及后代对农产品的需求的农业生产系统。1985 年美国首先提出，现已成为许多国家发展农业的新战略。

峙☒　chí〔峙躇〕踟蹰。

匙 ㊀ chí　小勺。[例]汤～｜茶～。
㊁ shi（904 页）。

遅☒　chí　同“迟”。

箎☒　chí　同“篪”。

篪　chí　古代管乐器。似竹笛，横吹。

漦☒　chí　（鱼或龙的）涎沫。

墀　chí　原指台阶上面的平地。也指台阶。

踟　chí　见下。

【踟躇】同“踟蹰”（127 页）。

【踟蹰】也作踟躇。迟疑，要走不走的样子。[例]～不前。蹰（chú）。

chǐ　ㄔˇ

尺 ㊀ chǐ　❶市制长度单位。10 寸为 1 尺，10 尺为 1 丈。1 尺约合 33.33 厘米。❷泛指量长度和画图用的器具。[例]卷～｜丁字～。❸像尺的东西。[例]计算～。
㊁ chě（115 页）。

【尺八】气鸣乐器。竹制，六孔，竖吹。日本正仓院存中国唐代尺八十余支。福建南音尚存尺八，称为洞箫。

【尺骨】人和脊椎动物前臂长骨之一。人的尺骨和桡骨分开，位于小指侧。

【尺度】原指长度的标准。现泛指标准。[例]放宽～｜不够～。

【尺素】古代通常用长一尺的绢帛书写文章，故称这种短笺为尺素。晋陆机《文赋》：“函绵邈于尺素。”也用以指书信。古乐府《饮马长城窟行》：“客从远方来，遗我双鲤鱼。呼儿烹鲤鱼，中有尺素书。”

【尺牍】旧指书信。古代用约一尺长的木简写信，故名。

【尺蠖】昆虫。尺蠖蛾科昆虫幼虫的统称。种类很多。虫体细长，行动时身体上弯成弧形，像用大拇指和中指量距离一样，故名。完全变态。成虫称为尺蠖蛾。危害果树、茶树、桑树、棉花和林木等。常见的如枣尺蠖、茶尺蠖、桑尺蠖等。

【尺幅千里】唐徐安贞《题襄阳图》诗：“图书空咫尺，千里意悠悠。”指在一尺长的画面中画了千里的景物。后用以比喻事物的外形虽小，但包含的内容丰富。
【尺短寸长】《楚辞·卜居》："尺有所短，寸有所长。"由于应用的地方不同，一尺也有显得短的时候，一寸也有显得长的时候。比喻人或物各有长处和短处。

呎□ chǐ（又音 yīngchǐ）旧表示英制长度单位用字。1977 年 7 月中国文字改革委员会、国家标准计量局通知，淘汰"呎"，改用"英尺"。

扡☒ ㊁ chǐ 顺着木材的纹理劈开。㊀ tuō（999 页）。

齿（齒） chǐ ❶牙齿。❷齿形的东西。㊎锯～|～轮。❸年龄。㊎～迈（年老）。❹说到；提起。㊎～及。
【齿及】说到；提到。
【齿冷】耻笑。㊎令人～。
【齿轮】周边均匀分布着许多齿的轮子。利用两个齿轮互相啮（niè）合，可以传递动力、运动和改变转速。
【齿录】录用。
【齿数】挂齿；提到。㊎不足～（不值一提）。数（shǔ）。

侈 chǐ ❶浪费。㊎奢～。❷夸大；过分。㊎～谈。
【侈谈】说大话，唱高调。也指不切实际的空话。
【侈糜】奢侈浪费。

拸☒ chǐ ❶舍弃。❷拍打。

哆 ㊁ chǐ 〈书〉张开（嘴）。㊎～口。㊀ duō（238 页）。

耻（*恥） chǐ ❶羞愧；羞愧的事。㊎可～|奇～大辱。❷认为羞辱。㊎不～下问。
【耻骨】人和哺乳动物腰带组成骨之一。左、右耻骨在正中线会合成耻骨联合，由上、下两支参与构成骨盆的腹外侧壁。
【耻辱】名誉上受到的损害；可耻的事情。
【耻笑】鄙视和嘲笑。

豉 chǐ 见〔豆豉〕（225 页）。

褫 chǐ 本指剥去衣服，后泛指剥夺。㊎～职|～夺。
【褫夺公权】旧法用语。旧时的一种刑罚。指剥夺犯罪人的政治权利。现行刑法已改称剥夺政治权利。

chì 彳

彳 chì〔彳亍〕小步慢走的样子。亍（chù）。

叱 chì 大声斥骂。㊎怒～|呵～。
【叱责】大声呵叱责备。
【叱咤风云】唐骆宾王《代徐敬业传檄天下文》："叱咤则风云变色。"意思是大声怒喝，可使风云变色。形容威力、声势极大。咤（zhà）。

斥 chì ❶斥责。㊎痛～。❷使离开。㊎排～。❸多；满。㊎充～。❹拿出（钱）。㊎～资。
【斥责】用严厉的言辞指出别人的错误或罪行。
【斥卖】变卖；卖掉。
【斥革】开除；取消。
【斥退】❶旧指免去官职、开除学籍等。❷命令旁边的人退出去。
【斥逐】驱逐。
【斥候】古指军队中侦察和进行侦察工作的人。

赤 chì ❶红色。❷忠诚。㊎～胆忠心。❸象征革命。㊎～卫队。❹空。㊎～手空拳。❺光着。㊎～脚。❻指赤金。㊎金无足～。
【赤子】初生的婴儿。
【赤心】红心。比喻真诚，忠贞。㊎～待人|～报国。
【赤地】因遭受严重的旱灾、虫害等而寸草不生的地面。
【赤字】支出超过收入的数字。簿记上用红笔书写，故名。
【赤县】战国时邹衍曾称中国为赤县神州，后用以指中国。
【赤忱】赤诚；十分真诚的心意。
【赤金】纯金。
【赤贫】穷得什么也没有。
【赤泥】从铝土矿中提炼氧化铝后排出的废渣。因氧化铁含量大，外观与赤色泥土相似而得名。
【赤诚】非常真诚。
【赤道】环绕地球表面离南北两极距离相等的圆周线。它把地球分为南北两半球，是划分纬度的基线，赤道的纬度是 0°。

【赤潮】也叫红潮。指沿海海域浮游生物急剧繁殖,并引起海水变色、变质的现象。多呈红色,有腥臭,能导致鱼、贝等海洋生物死亡。人类生产和生活排入海域的大量污水中,富含氮、磷等元素,是引起赤潮的主要原因。

【赤磷】也叫红磷。磷的同素异形体。暗红色粉末,无臭,不溶于水和二硫化碳。遇热不熔化而直接变成气体,着火点高达250℃,无毒。可用于制造安全火柴。

【赤卫队】第二次国内革命战争时期,中国共产党领导的革命根据地内不脱离生产的群众武装组织。

【赤眼蜂】昆虫。寄生蜂的一种。体极小,眼红色,幼虫寄生在各种蛾的卵内,被寄生的卵不能孵化。经人工繁殖后在田间释放,能大量消灭害虫的卵。可用来防治二化螟、蔗螟和松毛虫等。

【赤裸裸】光着身子。比喻毫不掩饰遮盖。裸(luǒ)。

【赤霉素】一类植物生长调节物质。是从赤霉菌代谢产物中经化学提纯后获得的有效成分,有几十种,其中最早分离得到的是赤霉酸。可刺激植物生长,打破休眠,形成无子果实,以提高无核葡萄和某些蔬菜的产量。

【赤霉酸】见“赤霉素”(129 页)。

【赤手空拳】形容手中没有任何可以凭借的东西。

【赤舌烧城】比喻谗言为害严重。汉扬雄《太玄·干》:“赤舌烧城,吐水于瓶。”清陈本礼《太玄阐秘》卷一:“赤舌烧城,犹众口烁金之意。小人架辞诬害君子,其舌赤若火,势欲烧城。”

【赤胆忠心】形容十分忠诚。

【赤嵌之战】明末清初驱逐荷兰殖民者收复台湾的战役。明天启四年(1624)荷兰殖民者侵入中国领土台湾。清顺治十八年(1661)郑成功率将士横渡海峡,围攻荷兰总督府所在地赤嵌城(今台南安平)。1662年2月1日荷兰总督率部投降,台湾重回祖国怀抱。嵌(kàn)。

【赤膊上阵】光着膀子上阵。比喻不顾一切,不讲策略或毫不掩饰地做事。

【赤壁之战】三国时,孙刘联合大败曹军的战役。公元208年曹操率兵南下,准备统一南方。孙权联合刘备共同抗曹。在赤壁(今湖北蒲圻西北长江南岸)与曹军隔江对峙。孙刘联军利用曹军弱点,火攻曹军战船,大败曹军。这次战役决定了魏、蜀、吴三国鼎立的局面。

饬(飭) chì ❶整顿;使有条理。例整~纪律。❷谨慎;守规矩。例谨~。❸旧指上级命令下级。例~令。❹古又同“敕”。❺古又同“饰(shì)”。

【饬躬】正己;正身。《汉书·成帝纪》:“乃者徙泰畤、后土于南郊、北郊,朕亲饬躬,郊祀上帝。”

抶☒ chì 用鞭子或竹板打。

炽(熾) chì ❶形容火旺。例~炭(烧红了的炭)。❷旺盛;热烈。例~烈|~热。

【炽热】极热。例~的阳光|~的感情。

【炽烈】旺盛猛烈。例炉火~。

恜☒ chì 〔恜恜〕形容忧惧不安。

翅(*翄) chì ❶翅膀,鸟和昆虫等飞行用的器官。❷某些鱼的鳍也称翅。❸某些像翅膀的东西。例帽~。❹古又同“啻(chì)”。

【翅果】有一个或几个翅状附属物的果实。果皮干燥不开裂,部分延展成翅,使果实可随风飞散,借风力传布。如榆、臭椿、槭等的果实。

眙 ㊁ chì 〈书〉❶直视;注视。❷惊视。㊀ yí (1160 页)。

敕(*勅*勑) chì 皇帝颁发的命令。例~命。

【敕命】❶天命。❷皇帝的诏令。

鶒☒**(鶒)** chì 见〔㶉鶒〕(1055 页)。

啻 chì 但;只;仅。例不~|何~。

傺☒ chì 见〔侘傺〕(102 页)。

憏☒ chì 见〔侘憏〕(102 页)。

饎☒**(饎)** chì ❶酒食。❷炊熟。

瘛 chì 〔瘛疭〕痉挛;抽风。

C

chōng ㄔㄨㄥ

冲（❶-❻衝）㊀ chōng ❶用液体浇；水击。㊎～茶｜～刷。❷直上。㊎一飞～天。❸互相抵消。㊎～账。❹向前闯。㊎～锋｜横～直撞。❺猛烈撞击。㊎～撞｜～突。❻交通要道。㊎要～。❼〈方〉指三面环山的狭长平地。㊎韶山～。
　　㊁ chòng（132页）。

【冲天】直上天空。比喻情绪、劲头猛烈。㊎怒气～。

【冲击】❶强大的水流或其他力量迅猛撞击。㊎海水猛烈～着海岸。❷也叫冲锋。军事上指进攻的军队快速向敌人勇猛前进，用火力和格斗等手段消灭敌人的战斗行动。

【冲动】❶有某种欲望的神经兴奋。㊎性～｜创作～。❷感情受到强烈刺激，语言、行动缺乏理智的现象。

【冲冲】感情激动的样子。㊎兴～｜怒气～。

【冲决】冲断，冲破。㊎～堤坝｜～罗网。

【冲剂】中成药剂型之一。由数种药材的提取物加糖粉及辅料制成的干燥颗粒，用开水冲服。如感冒清热冲剂。

【冲要】军事上和交通上形势重要的地方。㊎地处～。

【冲突】❶抵触；矛盾。❷矛盾表面化，发生斗争。

【冲浪】水上运动项目之一。运动员先俯卧或跪在冲浪板上，划到有适宜的海浪处，当海浪推动冲浪板滑动时，运动员在浪峰前面乘势站起，随海浪快速滑行。

【冲淡】❶加进其他液体将原来的液体稀释。❷使某种气氛、效果、感情等减弱。

【冲喜】一种迷信风俗。家里人病重时，用添置新衣、办喜事等举动来驱逐不祥，希望病人从此痊愈。

【冲量】作用在物体上的力和作用时间的乘积。它的作用是使物体的动量发生变化。

【冲锋】即“冲击”②（130页）。

【冲撞】❶用力撞击。❷言语或行为与对方相抵触，冒犯了对方。

【冲击波】❶由于物体高速运动或爆炸而强烈压缩介质，局部介质的密度、压强急剧增大并以超声速传播的波。冲击波具有破坏性。❷比喻使某种事物受到影响的强大力量。

【冲积层】一般指由于流水冲刷，将泥沙、砾石等物质搬运到河床上和其他低处而形成的有层次的沉积物。

【冲积扇】山麓地带的扇状堆积地形。由流出山口时流速急剧减低的河水所挟带的泥沙、碎屑物质逐渐堆积而成。

【冲锋枪】单人双手握持的全自动枪。主要用于近战和冲锋。枪身较短，比较轻便，一般能连发射击，用密集火力射击200米以内的目标。

【冲突规范】某一涉外民事法律关系应适用何国实体法的法律规范的总称。是国际私法的主要规则。如现行民法通则规定“不动产的所有权适用不动产所在地法律”，这是一条冲突规范，它指明具有涉外因素的不动产法律关系应适用该不动产所在地国家的实体法（准据法）。分单边冲突规范、双边冲突规范和多边冲突规范。

【冲锋陷阵】向敌人冲击，深入敌阵。《北齐书·崔暹传》：“冲锋陷阵，大有其人。”形容勇敢地战斗。陷：深入，攻破。

沖□ chōng 同“冲(chōng)”。

忡 chōng 忧虑不安。

【忡忡】忧愁的样子。㊎忧心～。

翀☒ chōng 向上直飞。

充 chōng ❶满；足。㊎～分｜～其量。❷装满；塞住。㊎～气｜～塞。❸担任。㊎～当｜～任。❹假装。㊎打肿脸～胖子。

【充电】❶把电能输入蓄电池，并使它转变为化学能的过程。❷使电容器两组极板分别带上等量正负电的过程。❸比喻补充力量、知识等。

【充斥】充满；塞满（含贬义）。

【充血】机体某一部分或器官的动脉血流增多。常由冷、热以及其他刺激或毒素作用引起。

【充军】古代刑法的一种，将罪犯解送到边远地区去服役。

【充沛】充足旺盛。㊎雨量～｜精力～。

【充实】❶丰富，充足。❷加强，使完备。㊎～基层。

【充裕】充足宽裕。㊎时间～｜经济～。

【充溢】充满，流露。㊎脸上～着幸福的笑容。

【充其量】表示做最大限度的估计;至多。
【充气建筑】轻型建筑类型之一。屋顶结构采用尼龙薄膜或人造纤维等材料,通过充气构筑成的大跨度建筑。适用于流动展览厅、体育馆、马戏场或临时仓库等。
【充分条件】逻辑关系的一种。如果有甲,必然有乙,那么甲就是乙的充分条件。
【充分就业】在货币工资水平一定的条件下,所有愿意工作的人都得以就业的状态。由于劳动市场结构的不完全性等原因,社会上总会存在一定比例的失业,因此充分就业与一定的失业是不矛盾的。
【充耳不闻】塞住耳朵不听。《诗经·邶风·旄丘》:"褎(yòu)如充耳。"意思是悠闲得就像没听见一样。后用充耳不闻形容听不进或存心不听别人的意见。
【充足理由律】有些逻辑学家认为它也是形式逻辑的基本规律之一。指任何判断必须有充足理由,在推理和论证中,结论的前提和论题的论据都必须有充足理由。一般认为,充足理由律不是关于思维形式的规律,而是关于存在和事实的规律。故许多传统逻辑和现代逻辑著作,都不讨论这个问题。
【充分必要条件】逻辑关系的一种。如果有甲,必然有乙;如果没有甲,必然没有乙。那么甲就是乙的充分必要条件。

茺□ chōng 〔茺蔚〕即"益母草"(1170页)。

涌 ㊁ chōng 〈方〉河汊。多用于地名,如虾涌(在广东)。㊎河～。
㊀ yǒng(1189页)。

舂 chōng 把东西放在石臼或乳钵里捣去皮壳或捣碎。㊎～米|～药。

摏☒ chōng 冲;撞。

惷☒ chōng 愚笨。

憧 chōng ❶心意不定。❷笨;不聪明。㊎愚～。
【憧憬】对美好事物的向往。㊎～着美好的明天。憬(jǐng)。
【憧憧】形容往来不定或摇曳不定。㊎人影～|烛影～。

罿☒ chōng 古代捕鸟的网。

艟 chōng 见〔艨艟〕(677页)。

chóng ㄔㄨㄥˊ

虫(蟲) chóng ❶泛指昆虫和其他小动物。❷古指一般动物,如称虎为大虫。
【虫豸】❶虫子的通称。❷骂人的话。犹不是人。豸(zhì)。
【虫媒花】以昆虫为媒介完成传粉的花。特点是花朵大,颜色鲜明;有蜜腺和香味;花粉较大,外壁有突起或黏质。如油茶、枣的花。主要的传粉昆虫有蜜蜂、蝴蝶等。

种 ㊂ chóng 姓。
㊀ zhǒng(1284页)。
㊁ zhòng(1285页)。

重 ㊁ chóng ❶重复。㊎书买～了。❷副词。再。㊎～见光明|久别～逢。❸量词。用于重叠的事物。㊎万～山。
㊀ zhòng(1286页)。
【重申】再一次说明。㊎～前令。
【重合】两个或两个以上的几何图形占有同一个空间时,就说它们重合。如两个全等的等边三角形放在一起就可以重合。
【重阳】民间传统节日。在农历九月初九。古人认为九是阳数,故名。中国在这一天有登高的风俗。现定为中国老年节。
【重围】层层包围。㊎杀出～。
【重言】修辞方式。重叠单字,借以加强描写效果。如"天苍苍,野茫茫,风吹草低见牛羊"的"苍苍""茫茫"。
【重译】❶经过好多次翻译。❷从译文翻译。即甲国文字译成乙国文字,再由乙国文字译成第三国文字。❸重新翻译。
【重张】指商店重新开业。
【重沓】重复繁多。沓(tà):多,重复。
【重版】(书刊)重新出版。
【重组】重新组合。㊎资产～。
【重奏】器乐演奏形式之一。一首乐曲的每个声部均由一人演奏。按人数多少分为二重奏、三重奏、四重奏、五重奏等。
【重茬】连作。
【重茧】❶厚的丝绵衣。❷同"重趼"(131页)。
【重茵】厚而软的坐褥。
【重重】一层又一层。形容很多。㊎～困难。
【重洋】一重重的海洋。
【重趼】也作重茧。手上脚上磨的厚趼子。

【重唱】一首歌曲的每个声部均由一人演唱的多声部演唱。按人数多少可分为二重唱、三重唱、四重唱等。
【重渊】水深的地方。
【重婚】指有配偶的人再行结婚或明知他人有配偶而与之结婚的行为。
【重新】从头另行开始。㊀～学习。
【重叠】一层层堆积重复。㊀山峦～|机构～。
【重霄】指高空。古代传说天有九重，又称九重霄。
【重霤】房檐下承接雨水的建筑构件。霤(liù)。
【重庆市】别称渝。中国中央直辖市。位于中国西南部。西邻四川，北邻陕西，东邻湖北，南邻贵州，东南邻湖南。市区位于长江和嘉陵江汇合处。襄渝、川黔、成渝铁路在此交会。面积8.23万平方千米。总人口3 060万(1998年)，市区人口289万(1997年)。依山建成，故有山城之称。是中国西南重要的工业、交通、文化中心之一。
【重结晶】已生成的晶体重新溶解(或熔融)，然后从溶液(或熔体)中重新析出而再呈结晶状态的过程。变质岩形成过程中有重结晶作用。也可利用重结晶提纯物质。
【重婚罪】行为人有配偶而重婚，或明知他人有配偶而与之结婚的犯罪行为。
【重见天日】比喻脱离黑暗的环境，重新见到光明。
【重生父母】喻指对自己有重大恩情的人。
【重庆谈判】抗日战争胜利后，国共两党在重庆举行的和平谈判。参见〔双十协定〕(917页)。
【重足而立】两脚叠起，不敢迈步。《史记·汲郑列传》："令天下重足而立，侧目而视矣！"形容十分恐惧的神态。
【重规叠矩】《三国志·蜀书·郤正传》："动若重规，静若叠矩。"原意是动静合于法度。现用作因袭重复的意思。
【重温旧梦】比喻重新经历或回忆往日的事情。
【重置成本】重新换置或建造同样的全新固定资产的成本及费用。
【重整旗鼓】指失败之后，重新集合力量，准备再干。
【重蹈覆辙】再走翻过车的老路。《后汉书·窦武传》："今不虑前事之失，复循覆车之轨。"指不吸取失败的教训，重犯过去的错误。

崇 chóng ❶高。㊀～山峻岭。❷尊敬；重视。㊀～敬|推～。
【崇阶】原指高位。清洪昇《长生殿·剿寇》："谬承新命陟崇阶。"书信中用作敬辞，称对方，意同阁下。㊀特派小张专谒～。
【崇尚】尊崇并且提倡。
【崇拜】尊敬钦佩。
【崇高】极其高尚。㊀品格～|～的理想。
【崇祯】明思宗朱由检的年号(1628—1644)。
【崇敬】推崇尊敬。
【崇明岛】中国第三大岛。在长江口，属上海市。
【崇山峻岭】高大陡峻的山岭。晋王羲之《兰亭集序》："此地有崇山峻岭，茂林修竹。"
【崇论宏议】高明的、见识广博的议论。

漴⊠ chóng 〔漴漴〕水声。

chǒng ㄔㄨㄥˇ

宠(寵) chǒng 偏爱；纵容。㊀得～。
【宠儿】指受到特别喜爱的人。
【宠幸】旧指地位高的人对地位低的人的宠爱。
【宠物】家庭饲养的受主人喜爱的动物。如狗、猫等。
【宠信】宠爱偏信。
【宠爱】(上对下)喜爱；娇纵偏爱。

埫⊠ chǒng 〔埫塎〕不安的样子。塎(yǒng)。

chòng ㄔㄨㄥˋ

冲(衝) ㊁chòng ❶猛烈；有劲。㊀这小伙子干活儿真～|水流很～|酒味太～。❷向着；对着。㊀这话是～着我说的。❸用机器冲压、打孔等。㊀～床|～模。
㊀chōng(130页)。
【冲床】一种冲压加工机床。可对板料进行落料、冲孔等剪切加工，或将板料冲压成规定的形状。

铳(銃) chòng ❶一种旧式火器。❷铳子，一种金属制的用于打眼等的工具。

chōu ㄔㄡ

抽 chōu ❶从中提出。㊀～签｜～工夫。❷长出。㊀～穗。❸吸。㊀～烟｜～水机。❹收缩。㊀新布下水就～了。❺打。㊀用鞭子～。

【抽丁】旧指在青壮年中选拔兵丁。

【抽头】赌博场所的主人或供役使的人从赌者赢得的钱中抽出一小部分归己所有。

【抽身】脱身离开。

【抽泣】(悲痛地)抽抽搭搭地哭。

【抽绎】同"䌷绎"(133页)。

【抽象】❶不具体，太笼统，细节不明确。❷哲学范畴。指在认识上把事物的规定、属性、关系从复杂的整体中抽取出来的过程和结果。与"具体"相对。❸一种脱离实际地、孤立片面地观察问题的方法。❹指撇开事物的非本质属性，而把本质属性抽取出来的过程和方法。与"概括"相对。是形成概念的一种方法。

【抽搐】也叫抽搦(nuò)。肌肉不自主地收缩的症状，多见于四肢或颜面。

【抽噎】上气不接下气、断断续续地哭。噎(yē)。

【抽屉原理】一个基本的组合原理。若干个苹果放入少于苹果个数的抽屉中，那么至少有一个抽屉中有两个或更多的苹果。这个原理也可以表述为：如果 $n+1$ 个物体放进 n 个箱子里，那么至少有一个箱子里有两个或更多的物体。

【抽样调查】研究某个问题时，从研究对象所有可能的结果中抽取一部分样品进行统计处理，推断出这个问题某些规律性的现象。这种方法叫做抽样调查。

【抽象艺术】也叫非具象艺术。现代艺术流派之一。20世纪流行于西方。摒弃或抽离具体物象，仅以点、线、面、色彩、形状等纯粹形式要素构成作品。代表人物有康定斯基、蒙德里安等。

【抽象劳动】凝结在商品中的、撇开劳动的具体形式的无差别的一般人类劳动。即劳动者的脑力和体力的消耗。它形成商品价值。

【抽薪止沸】把锅底下燃着的柴抽掉，使锅里的水不再翻滚。比喻解决问题从根本上着手。

䌷□(紬) chōu 抽引；理出丝缕的头绪。

"紬"，另音 chóu，"绸"的异体字。

【䌷绎】也作抽绎。引出头绪寻究事物的原因。绎(yì)。

【䌷阅】翻检阅读。

搊⊠(搊) chōu 弹拨(弦乐器)。

篘⊠(篘) chōu 过滤(酒)。

瘳 chōu 病愈。

犨 chōu ❶牛喘息的声音。也指牛鸣。❷突出来的。

chóu ㄔㄡˊ

仇(*讐) ㊀ chóu ❶敌人。㊀疾恶如～。❷深切的恨。㊀报～｜苦大～深。

㊁ qiú (804页)。

【仇杀】因仇恨而杀害。

【仇视】怀着仇恨的心情来看待。

【仇怨】仇恨和怨恨。

【仇隙】怨恨。隙(xì)：裂痕。

【仇雠】仇敌。雠(chóu)。

俦(儔) chóu 同伴；伴侣。㊀～侣。

筹⊠(籌) chóu 古书上指一种草。

帱(幬) ㊀ chóu ❶帐子。❷车帷。㊁ dào (183页)。

畴(疇) chóu ❶田地。㊀平～千里。❷种类。㊀范～。

【畴人】古称专门研究天文、历法、数学的人。

【畴昔】往日；从前。

【畴人传】中国古代天文学家和数学家的传记。清阮元等主编。成书于1799年，共四十六卷。记录了从黄帝时期至清朝嘉庆四年已故的天文学家、数学家四百人的事迹与成就，其中有数学专著传世的不足五十人。成书后又相继发现杨辉、朱世杰等人的著作，所以又有罗士琳《续畴人传》六卷、诸可宝《畴人传三编》七卷、黄钟骏《畴人传四编》十一卷问世。

筹（籌） chóu ❶计数目或用作领取物品凭证的用具。例竹～。❷谋划。例统～兼顾。❸计策；办法。例一～莫展。

【筹马】同"筹码"（134 页）。
【筹办】计划办理。
【筹划】计划安排。
【筹码】也作筹马。❶计数和进行计算的工具。旧时常称赌博记数的用具为筹码。❷旧称货币和具有货币作用的票据为筹码。
【筹备】在办一件事之前，预先计划、准备。例～工作。
【筹措】设法得到。例～经费。
【筹商】筹划商量。
【筹谋】筹划。
【筹集】筹划收集。
【筹算】利用算筹（竹制的，长约 10 厘米，宽不到 1 厘米）的不同排列进行的计算。公元前 4 世纪《墨经》上记载，筹算已经用十进制记数法，到宋代发明珠算后才逐渐不用。也泛指计算。
【筹笔驿】古驿名。在今四川广元北。相传诸葛亮率兵曾驻扎于此，筹划军事。

踌（躊） chóu 见下。

【踌躇】也作踌蹰。❶犹豫不定，拿不定主意。例～不前。❷形容得意。例～满志。
【踌蹰】同"踌躇"（134 页）。
【踌躇满志】《庄子·养生主》："提刀而立，为之四顾，为之踌躇满志。"形容对自己取得的成就心满意足。

惆 chóu 悲伤；失意。

【惆怅】失意；伤感。

绸（綢） chóu 丝织物的一种。用蚕丝或化学纤维织成的平纹织物或平纹作地的提花织物。质地细密。如塔夫绸、双宫绸等。

【绸缎】绸子和缎子。也泛指丝织品。
【绸舞】中国汉族舞蹈。历史悠久。舞者手持长绸挥舞，可舞单绸或双绸。
【绸缪】❶缠绵。❷见〔未雨绸缪〕（1024 页）。缪（móu）。

稠 chóu ❶多而密。例人～地窄。❷浓。例～粥。

裯⊠ chóu ❶单被。也泛指被子。❷床帐。

酬（*酧*醻*詶） chóu ❶报酬。例男女同工同～。❷交际往来。例应～。❸用财物报答。例～谢|～报。❹（愿望）实现。例壮志未～。

【酬报】用财物或行动来报答。
【酬和】用诗词应答。和（hè）。
【酬唱】以诗词互相赠答。
【酬酢】主客互相敬酒。泛指应酬。酢（zuò）：客人用酒回敬主人。
【酬谢】送上礼物等以表示感谢。

愁 chóu ❶忧虑。例发～|不～吃，不～穿。❷忧伤的情绪。例乡～。

【愁肠】郁悒愁闷的心情。例～百结。
【愁眉】发愁时紧皱的眉头。例～不展。

燽⊠ chóu 忧愁的样子。

儔⊠（儵） ㊁ chóu 古地名。在今河南北部。
㊀ tiáo（977 页）。

雠（讎*讐） chóu 校对文字。"雠"，也作"仇（chóu）"的异体字。

chǒu ㄔㄡˇ

丑（❶❷醜） chǒu ❶相貌难看。例～陋。❷令人厌恶的；可耻的。例～态|～闻。❸在戏曲里扮演滑稽人物的角色。例～角。❹地支的第二位。❺丑时，旧式记时法，相当于一点到三点。

【丑化】将事物歪曲成丑的或形容成丑的。
【丑态】令人厌恶的姿态。
【丑陋】指相貌或样子难看。
【丑闻】不光彩的传闻或消息。
【丑类】指恶人、坏人。
【丑剧】指具有戏剧性的丑恶的事件。

杻 ㊀ chǒu 古代类似手铐的刑具。
㊁ niǔ（724 页）。

偢□ ㊀ chǒu "瞅"的异体字。
㊁ qiào（790 页）。

瞅（*田*矁） chǒu 看。例远远～见一片树林。

chòu ㄔㄡˋ

臭 ㊀ chòu ❶气味难闻。与"香"相对。例～味儿。❷恶劣的；惹人讨厌的。

㊀～架子。❸狠狠地。㊀～骂｜～揍一顿。❹技艺低劣。㊀～棋。❺(子弹、炮弹)失效。㊀～子儿。

㊁ xiù (1108 页)。

【臭虫】昆虫。体扁，椭圆形，长约 4 毫米，红棕色。有刺吸式口器。夜晚活动，刺吸人和鸡、兔等动物的血液。

【臭氧】氧元素的同素异形体，化学式 O_3。有特殊臭味。气态呈淡蓝色，液态呈深蓝色，固态呈紫黑色。液态时容易爆炸。高温下易分解生成氧气。空气在紫外线的作用下也会有臭氧生成。主要用作强氧化剂。

【臭老九】"文化大革命"期间对知识分子的蔑称。有极左思想的人把知识分子排在地主、富农、反革命、坏分子、右派分子、特务、叛徒、走资派的后面，名列第九，故名。

【臭氧层】平流层中距地面 22—27 千米高度范围内大气的臭氧含量最大，形成臭氧层。臭氧能大量吸收太阳紫外线，保护地球上的生物免受过多紫外线辐射的伤害。

【臭氧洞】臭氧层空洞的简称。指一些地区高空的臭氧层含臭氧量显著减少的现象。是人类向大气中排放的氯氟烷烃、一氧化氮等废气上升到高空与臭氧反应所致。在南极和北极上空已发现大的臭氧洞。出现臭氧洞后，紫外线会过量地射到地表，危害人体健康，也会导致气候异常，影响生态平衡。

【臭名昭著】臭名声人人知道。昭著：非常显明。

【臭味相投】指思想、作风相同的人，彼此相合。臭(旧读 xiù)。

chū ㄔㄨ

出(❽齣) chū ❶由里到外。与"进""入"相对。㊀～门｜～场。❷来到；来临。㊀～庭｜～席。❸往外拿。㊀～主意｜量入为～。❹超过。㊀～界｜不～三年。❺出产；产生；发生。㊀～煤｜英雄辈～｜～事。❻显露。㊀～名。❼显得量多。㊀这种米蒸饭～数。❽杂剧中的一折。也指戏剧中一个独立的剧目。㊀一～戏。

【出入】❶出去和进来。❷不同；不一致。㊀略有～。

【出口】❶说出话来。㊀～成章。❷本国货物运往国外去销售。㊀～货。❸建筑物里规定的向外走的门口。

【出马】原指将士上阵作战，今多指出头做事。㊀老将～，一个顶俩。

【出仓】预期价格下跌而卖出证券、收回资金。

【出击】部队发起攻击。

【出世】❶诞生；出生。❷宗教徒以现实生活为俗世，超脱人世叫出世。后也泛指消极地逃避现实。

【出仕】旧指出来做官。

【出处】❶语词、引文、成语或典故的来源。处(chù)。❷旧指士大夫官僚出来做官和在家等待时机。处(chǔ)。

【出台】演员从后台到前台演出，比喻政策、措施等公布或开始实施。㊀新的房改方案即将～。

【出师】❶(学徒)学习期满，可以独立工作。师：师傅。❷出兵打仗。师：军队。

【出色】特别好，超出一般。㊀～地完成了任务。

【出身】❶指家庭的阶级成分。㊀贫农～。❷指个人早期的经历。㊀学生～｜科班～。❸古指做官的最初来历。㊀赐进士～。

【出没】出现和隐藏。㊀～无常｜深山中有猛虎～。

【出局】❶棒球、垒球比赛中，球员或跑垒员因犯规而被判退出球场。❷泛指因失利而不能继续参加后一阶段的比赛。❸比喻人或事物因达不到某种要求而被取消资格或无法在其领域继续存在。㊀粗制滥造的产品必然被淘汰～。

【出纳】财务管理中现金、票据的付出和收进。也指担任这种工作的人。

【出奇】特别。㊀好得～。

【出使】接受外交使命到他国去。

【出版】❶把书刊、图画等印出来，把唱片、录像带、光盘等制作出来。㊀该书已经～。❷书刊、画集等的编辑、印刷、发行等工作。有时特指书刊的编辑工作。

【出征】出去打仗。

【出线】在分阶段比赛中，参赛者获得参加下一轮比赛的资格。㊀中国队获小组～权。

【出挑】也说出落。指青年人(多指女子)的容貌、体态或智能向好的方面发育变化。

【出阁】古称公主出嫁。后来成为女子出嫁的通称。

【出恭】排泄大便。

C

【出息】志气;上进心或发展前途。
【出航】(船或飞机)驶离港口或飞机场。
【出家】佛教指脱离家庭到寺院去做僧侣。道教全真派的道士离家到道观留居,也叫出家。
【出票】也叫发票。出票人签发票据并将其交付给收款人的票据行为。汇票的出票人必须与付款人具有真实的委托付款关系,并且具有支付汇票金额的可靠资金来源。不得签发无对价的汇票以骗取银行或其他票据当事人的资金。
【出笼】❶馒头、包子等蒸熟后从笼屉中取出。❷货物大量售出,钞票大量发行。也比喻坏事物的出现。
【出盘】也说出倒。旧指店铺因亏损等而不能再继续维持时,连房屋带货底整个转卖给别人。
【出脱】❶货物卖出。❷开脱(罪名)。❸指年青人(多指女子)发育、成长(得更好)。
【出粜】卖出粮食。粜(tiào)。
【出超】即"顺差"(923页)。
【出勤】在规定的时间内到工作场所工作。
【出路】❶前途;发展的途径。㊀农业的根本~在于机械化。❷指重新做人的机会。❸指商品的销路。
【出境】离开国境。㊀驱逐~|办理~手续。
【出殡】把灵柩运到安葬或寄放的地点。
【出镜】在电影或电视中露面。㊀频频~。
【出生率】指全国或某一地区在一年内平均每千人中活产婴儿数。用千分数表示。
【出发点】❶起点。❷动机。㊀他的~是好的,可惜效果不理想。
【出版权】出版者编辑、出版、发行作品的权利。有专有出版权和非专有出版权,前者也叫独家出版。
【出人头地】宋欧阳修《与梅圣俞书》:"读(苏)轼书,不觉汗出,快哉快哉! 老夫当避路,放他出一头地也。"意思是自己应退让,使苏轼能超过自己。后用"出人头地"比喻超出一般人,在众人之上。
【出人意表】出乎人们的意料之外。《南史·袁宪传》:"宪常招引诸生,与之谈论新义,出人意表,同辈咸嗟服焉。"意表:意料之外。
【出土文物】从地下挖掘出来的历史文物,是研究历史的宝贵资料。
【出口补贴】一国政府为了降低出口商品的成本和价格,加强其在国外市场的竞争能力,在出口某种商品时给予出口厂商的现金补贴或财政上的优惠待遇。
【出口退税】出口商品在出口后,海关向出口商退还在国内流通中所缴增值税等流转税。
【出口替代】扩大非耐用消费品的出口,即以新的出口商品(劳动密集的工业品)代替传统的出口商品(初级产品)。是许多没有丰富自然资源的发展中国家和地区的发展道路。
【出生入死】《老子·五十章》:"出生入死,生之徒十有三,死之徒十有三。"《韩非子·解老》:"人始于生而卒于死。始之谓出,卒之谓入,故曰'出生入死'。"原意是从生出来到死去。后用以形容冒生命危险,不怕牺牲。
【出尔反尔】《孟子·梁惠王下》:"出乎尔者,反乎尔者也。"原意是你怎样对待别人,别人也怎样对待你。后指说了话又后悔。形容言行反复无常,前后矛盾。
【出其不意】《孙子兵法·计》:"攻其无备,出其不意。"指出乎对方意料之外,突然行动。
【出奇制胜】《孙子兵法·势》:"凡战者,以正合,以奇胜。故善出奇者,无穷如天地,不竭如江河。"意思是作战时一方面正面和敌军交锋,而另一方面出奇兵来取得胜利。善于出奇兵的,就能取得战争的主动权。后以"出奇制胜"指用对方意料不到的办法来取胜。
【出类拔萃】《孟子·公孙丑上》:"出于其类,拔乎其萃。"指超出一般(多用于形容品德、才能)。出:超越。拔:超出。萃(cuì):草丛生的样子,比喻成群的人或物。
【出神入化】形容技艺高妙到了极点。神:神妙。化:化境,极其高超的境界。
【出谋划策】出主意,想办法。
【出口加工区】发展中国家为扩大对外贸易而设立的特定区域。在该区域内以优惠政策吸引外资集中建厂,产品全部或大部分供出口。

㔻□ chū 〔㔻江〕地名。在四川大邑。

初 chū ❶开始。㊀~夏|~学。❷原来的。㊀~衷|~心。❸第一次;第一个。㊀~版|~伏。❹最低的。㊀~级|~等。❺前缀。加在"一"至"十"前,表示农历一个月头十天的序次。㊀~三|~五|~十。
【初亏】日食或月食开始的时刻。日食的初亏发生在日面的西边缘;月食的初亏发生在月面的东边缘。

【初民】指原始社会的人。
【初创】刚刚创立。㊀～时期。
【初交】相识不久、还没有深厚友谊的人。
【初版】书籍的第一版。
【初恋】❶第一次恋爱。❷刚恋爱不久。
【初衷】本意；最初的心愿。
【初婚】❶第一次结婚。❷刚结婚不久。
【初税亩】公元前594年鲁国实行的赋税制度改革。由于井田制遭到破坏，鲁国按实际占有土地面积征税，是征收田赋的开端。
【初出茅庐】东汉末，诸葛亮在刘备的再三请求下，离开他在襄阳住的茅屋，去当刘备的军师。首战设奇计火烧博望坡，大败曹兵。有"直须惊破曹公胆，初出茅庐第一功"之句。见《三国演义》第三十九回。后指初次出来做事为初出茅庐。也比喻刚参加工作，还缺乏经验。
【初级产品】指未经加工或经过初步加工的农、林、牧、矿、渔业产品。如原料和燃料（主要是石油）等。
【初唐四杰】指初唐文学家王勃、杨炯、卢照邻和骆宾王。
【初祖庵大殿】也叫面壁庵。中国古代佛教建筑。相传为达摩面壁之处。建于宋宣和七年（1125）。在今河南登封少林寺内。大殿结构方式和构件均极接近宋《营造法式》的规定，大殿本身及殿内香案上的雕刻也与《营造法式》所述相应。是研究《营造法式》难得的重要实物。
【初生之犊不畏虎】《三国演义》第七十四回："俗云：'初生之犊不惧虎。'"意思是刚生下来的小牛不怕老虎。现在多用于比喻阅历不深的青年人思想上没有顾虑，敢想敢做，无所畏惧。
【初级农业生产合作社】简称初级社。中国农民在农业生产互助组的基础上建立的半社会主义性质的集体经济组织。社员按照自愿、互利的原则，把土地作股入社，由社统一经营。社员集体劳动，收益按劳动和入股土地进行分配。参见〔农业社会主义改造〕（726页）。

貙☒（貙） chū 古书上指一种虎类猛兽。大如狗，毛纹如狸。

摴☒ chū 〔摴蒱〕古代的一种博戏。像后来的掷骰子。

樗 chū 樗树，即臭椿。

【樗栎】樗和栎是两种乔木。《庄子·逍遥游》中曾说樗"不中绳墨""不中规矩"；《庄子·人间世》中又说栎是"不材之木，无所可用"。后因此用樗栎来比喻无用之材。

chú ㄔㄨˊ

刍（芻） chú ❶喂牲畜的草。㊀反～。❷割草。❸谦辞。称自己的言论、见解等。㊀～言|～议。
【刍议】谦辞。称自己粗浅的议论。
【刍荛】❶割草打柴。也指割草打柴的人。❷谦辞。旧时提供意见的人称自己。㊀～之见。荛（ráo）。
【刍秣】喂牲口的草料。

茔☒（蒭） chú ❶同"刍"②。❷〔茔藁〕古星名。❸〔苾茔〕梵语音译词。也译作比丘。俗称和尚。

犓☒（犓） chú 用草料喂牛。

鸰☒（鶵） chú ❶同"雏"。❷见〔鹓鸰〕（1208页）。

雏（雛） chú 幼禽；幼小的（多指鸟类）。㊀鸭～|～鹰。
【雏形】❶事物初步形成的规模。❷照实物缩小的模型。
【雏菊】多年生矮小草本植物。簇生，高3—10厘米。早春开花，花白色、粉红色、红色或黄色。可供观赏。

除 chú ❶去掉。㊀斩草～根。❷不计算在内。㊀～外。❸运算方法之一。最简单的是用一个不是零的数把另一个数分成若干等分的数的运算。❹台阶。㊀庭～。❺古指任命官员。
【除夕】一年最后一天的夜晚。也指一年最后的一天。
【除权】在股票发行公司给股东配发股票期间，该股票的上市交易价格须除去发行公司低价配给股东的那部分优惠权值，以保持股票交易的公平性。
【除名】使退出集体，从名册中除掉姓名。
【除非】❶连词。表示唯一的条件，相当于"只有"，常与"才""否则""不然"等词呼应。㊀～参加变革现实的实践，不然你是不能获得真知的。❷介词。除了，与"谁"等词呼应，意在肯定，表示唯一的。㊀那件事情，～他，谁也不知道。
【除服】指守孝期满，脱去丧服。

【除息】在股票发行公司给股东发放股息、红利期间,该股票的上市交易价格须除去发行公司分配给股东的股息或红利,以保证股票交易的公平性。

【除虫菊】多年生草本植物。花中含除虫菊素,可杀死蚜虫、蚊等多种害虫。

【除息股】也叫附息股。在除息日进行过登记的股份。

C

【除旧布新】除去旧的,建立新的。《左传·昭公十七年》:"彗,所以除旧布新也。"《隋书·薛道衡传》:"除旧布新,移风易俗。"

【除外责任】保单中限制或修改保险人责任的一种条款规定。

【除虫菊酯】除虫菊中具有杀虫作用的物质的主要成分。是制蚊香、杀虫剂的主要原料。对蚊虫毒效大,对人畜毒性小,使用较安全。在日光、高温和碱性条件下易分解而失效。

【除恶务尽】消除坏人坏事,务必干净、彻底。《左传·哀公元年》:"树德莫如滋,去疾莫如尽。"《尚书·泰誓下》:"树德务滋,除恶务本。"

滁 chú 滁州,地名,在安徽。

篨[☒] chú 见〔籧篨〕(808 页)。

蜍 chú 见〔蟾蜍〕(105 页)。

钼[□](鉏) chú 姓。
"鉏",另见"锄"(138 页)。

厨(*廚*厨) chú ❶厨房,专用于做饭菜的地方。❷指烹调工作或从事烹调工作的人。[例]掌～|名～。

幮[☒] chú 形状像橱的帐子。

橱(*櫥) chú 一种收藏东西的家具。前面有门。[例]碗～|衣～。

【橱窗】商店用以展示商品的宽大玻璃窗。通常布置在沿街的墙面上。

蹰(*躕) chú 见〔踟蹰〕(127 页)。

锄(鋤*耡*鉏) chú ❶锄头。❷用锄头松土除草。[例]～地。❸铲除。[例]～奸。
"鉏"另见"钼"(138 页)。

【锄奸】铲除通敌叛国的坏人。

躇 chú 见〔踌躇〕(134 页)。

躕[☒] chú 同"踟蹰"的"蹰"。

chǔ ㄔㄨˇ

处(處) ㊁ chǔ ❶居住。[例]穴居野～。❷存着;置身。[例]～心积虑|设身～地。❸处置;办理。[例]～分|～理。❹跟别人一起生活、交往。[例]他们俩相～得很愉快。
㊀ chù (139 页)。

【处士】原指有德才而隐居不愿做官的人,后泛指没有做过官的读书人。

【处女】❶没有过性经历的女子。❷比喻第一次。[例]～作。

【处分】对犯罪或犯错误的人,给以一定的惩罚或处理。

【处方】❶医生给病人开药方。❷开出的药方。

【处世】指采取一定的态度对待社会上的人和事。[例]为人～,非常认真。

【处决】指执行死刑。

【处罚】给予处分或依法惩罚。

【处理】处置,安排解决。[例]分别～。

【处暑】节气名。在每年公历 8 月 23 日前后。处暑以后,中国大部分地区气温逐渐下降,雨量减少。

【处置】❶处理。❷处罚。

【处境】所处的环境,面临的情况。

【处之泰然】也说泰然处之。形容对困难或异常情况都能用不慌不忙的态度来对待。也指对事情无动于衷。宋朱熹《四书集注·论语·雍也》:"颜子之贫如此,而处之泰然。"

【处心积虑】长期谋划要干某件事(多含贬义)。《穀梁传·隐公元年》:"郑伯之处心积虑成于杀也。"处心:存心。积虑:打算了很长时间。

【处世哲学】指对人对事的根本态度。

杵 chǔ ❶舂(chōng)米或捶衣的棒。❷用长形的东西捅,戳。

【杵乐】也叫杵舞。台湾省高山族和云南佤族民间歌舞。起源于舂米劳动生活。以流行于日月潭附近者较为著名。每当夜晚,高山族妇女常三五成群,环立石臼旁,手持一人高的长杵，上下捣击，和以歌唱。

【杵臼之交】《后汉书·吴祐传》："时公沙穆来游太学，无资粮，乃变服客佣，为祐赁舂。祐与语大惊，遂共定交于杵臼之间。"后因称交友不嫌贫贱为"杵臼之交"。

础（礎） chǔ 垫在柱子下面的石头。

【础润而雨】柱下的石头发潮，表示空气里湿度大，天快要下雨。《淮南子·说林训》："山云蒸，柱础润。"宋苏洵《辨奸论》："月晕而风，础润而雨，人人知之。"后用来比喻任何事情的发生，都先有征兆。

楮 chǔ ❶也叫榖。通称构树。落叶乔木。叶似桑叶而粗糙，果圆球形，熟时红色。树皮可造纸，叶可作猪饲料。❷纸的代称。㊀～墨。

储（儲） chǔ ❶收藏；存放；积蓄。㊀～金｜～粮。❷已确立的王位继承人。㊀王～。

【储君】太子；准备继承王位的人。

【储备】❶储存起来准备需要时使用。❷储存起来的财物。

【储蓄】❶积聚暂时不用的财物以备需要。多指把钱存入银行或信用合作社。❷指积存的钱或物。

【储氢合金】在一定温度和压强下能大量吸收或释放氢气的合金。如镁镍合金、镁铜合金等。用于运载工具和燃料电池等方面。储氢合金使氢能源得到方便、安全的储藏和利用。

褚 ㊀ chǔ 姓。
㊁ zhǔ（1296 页）。

楚 chǔ ❶古书上指牡荆。落叶灌木。开青色或紫色的穗状小花，鲜叶供药用。❷痛苦。㊀苦～。❸清晰；整齐。㊀清～｜衣冠～～。❹周朝国名（？—前 223）战国七雄之一。在今湖南、湖北一带。为秦所灭。❺朝代名。十国之一（907—951）。马殷建立。建都长沙，后为南唐所灭。

【楚楚】❶形容衣服鲜明整洁。㊀衣冠～。❷娇柔，秀美。㊀～动人。

【楚辞】中国古代的一部诗歌总集。西汉刘向辑，东汉王逸为作章句。收战国楚人屈原、宋玉和汉代淮南小山、东方朔、王褒、刘向等人的辞赋。全书以屈原作品为主，其余各篇均承袭了屈赋的形式。作品具有楚地文学特色，故名。

【楚霸王】即"项羽"（1077 页）。

【楚弓楚得】三国魏王肃《孔子家语·好生》记载，楚恭王一次出游，把弓丢了，他手下的人要去寻找，恭王说："楚王失弓，楚人得之，又何求之？"后用"楚弓楚得"表示自己的东西虽然失去，而拾得的仍是自家人。比喻利益没有外流。

【楚汉战争】秦汉之际刘邦和项羽争夺统治权的战争。公元前 206 年秦亡后，项羽自封为西楚霸王，封刘邦为汉王，又划地分封了其他十七个王。公元前 205 年刘邦乘项羽出兵攻齐地的机会，攻破项羽都城彭城（今江苏徐州）。项羽闻讯赶回，大败刘邦。公元前 203 年刘邦与项羽议和，划鸿沟为界，东属楚，西属汉。次年，项羽撤兵东归，刘邦乘机联结韩信、彭越等围攻项羽，项羽退至垓下（今安徽灵璧东南），战败，自刎于乌江（今安徽和县东北）。刘邦统一了全国。

【楚材晋用】《左传·襄公二十六年》："虽楚有材，晋实用之。"意思是说楚国的人才跑到晋国，受晋国的重用。后来比喻自己的人才被他人所利用。材：人才。

齼⊠（齼） chǔ ❶牙齿遇酸后，不敢咬食物；倒牙。❷胆怯；害怕。

chù ㄔㄨˋ

亍 chù 见〔彳亍〕（128 页）。

处（處） ㊀ chù ❶地方。㊀住～。❷机关；机关、团体里的部门。㊀办事～｜总务～。
㊁ chǔ（138 页）。

怵 chù 恐惧；害怕。

【怵惕】恐惧警惕。

【怵目惊心】看到某种严重的事态使人十分紧张、害怕或震惊。

绌（絀） chù ❶不足；差。㊀经费支～｜相形见～。❷古又同"黜"。

黜 chù 降职；罢免；废除。㊀～退｜罢～。

【黜免】免去官职。

俶 ㊀ chù 开始。
㊁ tì（969 页）。

诐☒(諔) chù 〔諔诡〕❶奇异。❷滑稽。

琡☒ chù 玉名。

畜 ㊁ chù 禽兽。多指家养的禽兽。㊎家～|幼～。

㊀ xù (1112页)。

搐 chù 牵动。㊎抽～。

触(觸) chù ❶接触;碰;撞。㊎～电|一～即发。❷感动;触动。㊎感～|～发。

【触目】眼睛所看到的。㊎～皆是。

【触电】人畜因触及较高电压,体内电流超过一定限度而引起体内器官机能失常。触电后常有抽搐、皮肤灼伤、休克、昏迷、呼吸停止等症状,严重的会造成死亡。发现触电,应立即切断电源,进行抢救。

【触犯】冲撞;冒犯;侵害。㊎～法律|～了他的利益。

【触动】❶碰;撞。❷打动;感动。㊎这些话～了他的思想。

【触机】触动灵机。

【触觉】皮肤等与物体接触时所产生的感觉。

【触怒】惹恼;惹人发怒。

【触媒】催化剂的旧称。

【触礁】船只在航行中碰上暗礁。

【触目惊心】看到某种严重的事态引起内心的震惊。

【触类旁通】懂得了某一事物或道理从而懂得相关的其他事物或道理。

【触景生情】看到眼前的景象,引起联想而产生某种感情。

憷 chù 怕;胆怯。㊎发～|这孩子从不～他。

歜☒ chù ❶盛怒。❷气盛。

臅☒ chù 用于人名,如颜臅(战国时人)。

矗 chù 直立;高耸。㊎～立。

chuā ㄔㄨㄚ

欻□ ㊀ chuā 拟声词。走路等的声音。㊎迈着大步～～地走|～的一下,从我手中夺过去了。

㊁ xū (1110页)。

chuāi ㄔㄨㄞ

揣 ㊁ chuāi 放在衣服里。㊎～在怀里|～着手(两手交叉地放在袖筒里)。

㊀ chuǎi (140页)。

㊂ chuài (140页)。

搋 chuāi ❶用力揉。㊎～面。❷同"揣(chuāi)"。

chuái ㄔㄨㄞˊ

膗□ chuái 〈方〉肥胖而肌肉松弛。

chuǎi ㄔㄨㄞˇ

揣 ㊀ chuǎi 估量;猜想。㊎～度(duó)。

㊁ chuāi (140页)。

㊂ chuài (140页)。

【揣度】推测;估计。度(duó)。

【揣测】估量;推测。

【揣摩】反复思考研究。

chuài ㄔㄨㄞˋ

闖☒(闖) chuài 见〔阐闖〕(1259页)。

啜 ㊁ chuài 姓。

㊀ chuò (148页)。

揣 ㊂ chuài 见〔挣揣〕(1259页)。

㊀ chuǎi (140页)。

㊁ chuāi (140页)。

踹 chuài 用脚底撞击。㊎一脚把门～开。

膪 chuài 见〔囊膪〕(710页)。

chuān ㄔㄨㄢ

川 chuān ❶河流。㊎名山大～。❷平原;平地。㊎平～|米粮～。❸四川的简称。

【川乌】多年生草本植物。茎直立或稍倾

斜,花紫或白色。主根称乌头,其侧根称附子,不生侧根的称天雄。均入药,乌头和天雄可镇痉、止痛,附子能强心去寒。

【川芎】也叫芎䓖。多年生草本植物。羽状复叶,复伞形花序。根状茎入药,主治月经不调、头痛等。

【川资】旅费。

【川剧】戏曲剧种。流行于四川全省及云南、贵州的部分地区。包括昆腔、高腔、胡琴(皮黄)、乱弹(梆子)、灯戏五种腔调。

【川流不息】水流不停。比喻行人、车船等来往不断。

【川端康成】(1899—1972)日本小说家,日本新感觉派的代表作家之一。作品富有印象主义色彩,注重对人物的感情和内心世界的描写,追求由虚幻、哀愁和颓废构成的基调。代表作有《伊豆的舞女》《雪国》《千鹤》《古都》等。1968年获诺贝尔文学奖。

【川藏公路】从四川成都到西藏拉萨,长约2 400千米。跨越横断山脉,工程异常艰巨。是川藏间的交通干线。

氚 chuān 也叫超重氢。氢的一种放射性同位素,符号T或$^{3}_{1}H$。质量数3。用于热核反应。

穿 chuān ❶把衣服鞋袜等往身上套。[例]～衣|～鞋。❷通过;破;透。[例]～马路|～洞|看～。

【穿刺】诊断或治疗疾病的一种方法。用穿刺针刺入体腔或器官,抽取液体或组织样品进行检查,借以辅助诊断;也可注入药物,达到治疗目的。

【穿梭】像织布时梭子来回穿过那样。形容来往不停。

【穿插】❶交叉。[例]各种活动～进行。❷写作中为了衬托主题而安排的各种次要情节。❸进攻的军队利用敌人间隙和薄弱部分,插入敌人纵深或后方的作战行动。目的是分割和打乱敌人的作战部署,为各个歼灭敌人创造条件。

【穿凿】牵强附会;生拉硬扯地解释。凿(záo)。

【穿窬】凿穿或爬越墙壁进行盗窃。窬(yú)。

【穿山甲】也叫鲮鲤。哺乳动物。全身有瓦状的角质鳞。前肢的爪特别锐利,适于掘土。无齿,主食蚁类。分布于中国南方。是中国国家重点保护动物。

【穿斗式】也叫立帖式。中国古代木结构建筑结构方式的一种类型。以落地柱与短柱相间直接承檩且不施梁,而用穿插枋做柱间联系的构架方式。多用于中国南方,如江南地区的民居住宅结构。

【穿甲弹】❶依靠弹丸的强度、重量和速度穿透目标装甲的炮弹、航空炸弹。普通穿甲炮弹,主要用于摧毁一般的装甲目标;特种穿甲炮弹,装特制的弹心,主要用于射击较厚的装甲目标。❷钢心的枪弹。

【穿云裂石】穿入云霄,震裂石头。多形容声音高亢、洪亮。

【穿壁引光】也说凿壁偷光。晋葛洪《西京杂记》卷二:"匡衡字稚圭,勤学而无烛,邻舍有烛而不逮,衡乃穿壁引其光,以书映光而读之。"后用来形容贫穷而好学。

chuán ㄔㄨㄢˊ

传(傳) ㊀ chuán ❶转(zhuǎn)给,递。[例]～达|～递|～授。❷传播;散布。[例]宣～|～扬。❸传导。[例]～热。❹表达。[例]～神。❺发出命令,叫来。[例]～讯|～见。

㊁ zhuàn(1301页)。

【传世】著作、珍宝等流传到后世。

【传布】传播,散布。

【传动】把机器一个部分的运动传递到另一部分上去,以改变转速、转矩和运动方式。有机械传动、液压传动、电力传动等。

【传达】❶把一方的意见转达给另一方,现多指转达上级的指示、命令等。❷在机关、学校、工厂门口负责管理登记和引导来访者的工作,也指从事这种工作的人。

【传灯】佛教指传授佛法。佛教认为法能破暗照明,故名。

【传戒】佛教用语。指寺院里给志愿出家为僧尼的人授戒,使成为正式的和尚或尼姑。

【传奇】❶唐宋时期的短篇小说。情节多奇特、神异,故名。❷明清以唱南曲为主的戏曲形式。每本一般分四五十出。一出戏中可用不同宫调的曲牌,也可以换韵,曲词中间夹有念白。登场的角色都可以唱,有时是二人对唱、轮唱,或数人齐唱。伴奏以管乐为主,词少腔多,节奏舒缓。❸指情节离奇或人物行为超越寻常的故事。❹中世纪欧洲骑士文学中一种长篇故事诗。

【传呼】❶电信局通知受话人去接长途电话;管理公用电话的人通知受话人去接电

话。例夜间～。❷通过寻呼台向携有寻呼机的人发出信号。例有事你就～他吧。

【传单】一种作宣传用的单张印刷品。

【传闻】辗转听到。也指辗转听到的事情。

【传染】指病原体由传染源排出，通过一定途径侵入另一机体的过程。

【传神】❶指艺术作品描写人或物时，将其神态极逼真地表现出来。❷即"写真"（1088页）。

C

【传说】❶辗转述说。❷流传的说法。❸民间流传下来的对某些事迹的叙述和评价。有的以特定历史事件为基础，有的则是虚构的。

【传诵】流传开来，被很多人诵读或称赞。例这首诗曾经～一时｜他的英雄事迹在群众中到处～。

【传统】过去传下来的具有一定特点的某种思想、作风、信仰、风俗、习惯等。例文化～。

【传真】❶画家摹写人的肖像。❷指传真通信。

【传粉】雄蕊花药里成熟的花粉借风或昆虫作媒介，传到雌蕊的柱头上或直接传到胚珠上的过程。是子房形成果实的必要条件。有自花传粉和异花传粉两种方式。异花传粉因媒介不同又分为风媒、虫媒、水媒等。

【传递】一个接一个送过去。

【传授】把知识技能教给别人。

【传教】宗教宣传教义、发展教徒的活动。

【传票】❶司法机关签发的要求与案件有关人员在规定时间到案或到庭，接受讯问或询问的通知书。是传唤的书面方式。民事诉讼的被告经传票传唤，无正当理由拒不到庭的，可以缺席判决。❷会计工作中据以登记账目的凭单。

【传情】传达情意。

【传播】散布；推广。例～消息｜～经验。

【传声器】也叫微音器。通称话筒。把声音（声能）转换为电信号（电能）的器件。常用于电话、广播、录音和扩音设备中。

【传送带】由连续输送机组成的带状传送设备。多用于生产的流水线上和建筑工地、仓库等处。

【传染病】由病原体通过一定途径在人或动物中传播所引起的疾病。如肺结核、菌痢等。消除传染源、切断传播途径、增强机体免疫力，可以预防、控制、消灭传染病。

【传染源】被病原体感染，并能散布病原体的人或动物。包括传染病患者和带菌者。

【传真机】传真通信中负责收发传真信息的终端设备。种类很多，按用途分，有文件传真机、新闻传真机和卫星云图传真机等。

【传家宝】家中世代相传的珍贵的东西。

【传感器】能感知、测量某一被测物理量并变换成便于传送和处理的另一物理量的器件或装置。

【传播学】研究人类信息传播行为及其规律的科学。

【传统工业】一般把新技术革命前出现的工业部门叫做传统工业，如钢铁、纺织、汽车、化学等工业；把新技术革命后产生的工业部门叫做新兴工业，如计算机、半导体、航天、激光等工业。

【传统农业】农业发展阶段之一。一般出现于奴隶社会之后、工业革命发生之前。广泛使用畜力以及手工工具和铁器。凭经验生产。

【传真通信】以文字、图形为传送对象的通信方式。在发送端，通过扫描将文字或图形分解成许多细点，然后转换成电信号传送出去；在接收端，通过相反的过程在纸面上再现发送的文字或图形。

【传播途径】❶宣传散播的通路、方式等。❷病原体离开传染源到另一机体所经历的路程和方式。有空气传播、饮食传播、接触传播、虫媒传播等。

【传播性病罪】行为人明知自己患有梅毒、淋病等严重性病而从事卖淫、嫖娼的犯罪行为。

舡⊠ ㊀ chuán 同"船"。
㊁ xiāng（1075页）。

船（*舩） chuán 水上主要的运输工具。例轮～｜帆～。

【船台】造船的台基。备有各种造船设备。

【船坞】用以检修船舶水下部分的建筑物或设备，也可用于建造大型船舶。

【船闸】使船舶能在闸坝上下游有水位差的航道间通行的水工建筑物。由闸室、闸首和闸门构成。闸室内有充水和放水设备。船舶过闸时，先使闸室灌水或放水，使闸室中的水位与上游或下游航道内的水位齐平，然后启闭闸门，使船舶能通过闸室向上游或下游航行。

【船底漆】船壳水线以下部分所用的防锈漆和防污漆的统称。涂刷后能防止船壳被海水腐蚀，防止海洋生物附着、繁殖于船体使船的重量增加而降低船速。用时先涂刷防锈漆，干后再涂刷防污漆。

遄 chuán ❶快；急速。㊀～往。❷往来频繁。

篅□ chuán 〈方〉用竹篾编成的盛粮食的器物。类似囤。

椽 chuán 椽子，承托屋面用的木构件。圆的叫椽，方的也叫桷。

chuǎn ㄔㄨㄢˇ

舛 chuǎn ❶错误。㊀～错。❷违背。㊀～驰（背道而驰）。❸不幸；不顺。㊀命途多～。

【舛误】错误。

喘 chuǎn 急促地呼吸。㊀跑得直～。

【喘息】❶急促呼吸。㊀～未定。❷形容战斗或紧张活动中短暂的休息。㊀乘胜追击，不给敌人～的机会。

僢☒ chuǎn 同"舛"。

踳☒ chuǎn 同"舛"。

chuàn ㄔㄨㄢˋ

串 chuàn ❶连贯起来。㊀～讲。❷暗中勾结。㊀～通｜～供。❸错误的连接。㊀～线｜～行。❹扮演。㊀～戏｜反～。❺由这儿到那儿走动。㊀～亲戚。❻量词。用于成串的东西。㊀一～钥匙。❼古又同"惯(guàn)"。

【串讲】逐字逐句讲解课文的意思。

【串连】互相联系，沟通。

【串供】共同犯罪人暗中商定供词，企图用协商一致的假话来掩盖犯罪事实真相，以逃避司法机关的侦查和审判的行为。

【串音】指一条通信线路上的语音信号经杂散耦合而泄露到其他线路上，造成对正常信号的干扰。分为可懂串音和不可懂串音两种。

【串通】暗中联系，使彼此言语、行动配合。

【串联】❶同"串连"(143 页)。❷把各个元件和电源接成一个没有分路的电路的联接方法。特点是电路中各部分的电流相等。与"并联"相对。

钏(釧) chuàn 镯子，妇女带在手腕上的装饰品。

chuāng ㄔㄨㄤ

创(創) ㊁ chuāng ❶伤。㊀～口｜重～敌军。❷同"疮"。

㊀ chuàng (144 页)。

【创伤】❶外伤及受外伤的地方。❷比喻造成的某种损害。㊀医治心灵的～。

【创痍】同"疮痍"(143 页)。

【创巨痛深】也说创深痛巨。创伤很大，痛苦很深。《礼记·三年问》："创巨者其日久，痛甚者其愈迟。"

疮(瘡) chuāng ❶皮肤或黏膜发生溃疡的病。❷外伤。㊀金～(旧指刀枪箭矢造成的伤)。

【疮痍】也作创痍。❶创伤；伤口。❷战争或自然灾害之后的景象。㊀满目～。

摐☒**(摐)** chuāng 撞击。

窗(*窓*窗*窻*牕*牎) chuāng 窗户，房屋或车、船等的通气透光装置。

【窗花】装饰窗户的剪纸。

【窗地比】窗立面投影面积与室内地面面积的比值。是房间自然采光、通风的衡量标准之一。

【窗明几净】窗户明亮，桌子干净。形容屋里明亮整洁。几(jī)。

幢□ ㊀ chuāng 用于地名，如千尺幢(在陕西华山，山势陡峭，中通一条险路)。

㊁ tóng (986 页)。

chuáng ㄔㄨㄤˊ

床(*牀) chuáng ❶供睡觉用的家具。❷像床的东西。㊀冰～｜机～。❸某些东西中起托架、支撑作用的部分。㊀牙～｜琴～。❹某些像床的地面、地貌。㊀河～。❺量词。用于被褥等。㊀一～被子。

【床位】医院、轮船、招待所等为服务对象设置的床铺。

噇[方] chuáng 〈方〉无节制地猛吃猛喝。

幢 ㊀ chuáng ❶古称旗子一类的东西。[例]幡～。❷刻着佛名或经咒的石柱子。[例]经～。
㊁ zhuàng（1303页）。

磭[方] chuáng 用于地名，如流波磭(在安徽)。

chuǎng ㄔㄨㄤˇ

闯(闖) chuǎng ❶猛冲。[例]横冲直～。❷经受实际的考验或锻炼。[例]这孩子已经～出来了。❸为一定目的而四处奔走活动。[例]～江湖|走南～北。❹招惹。[例]～祸。

【闯王】明末农民起义领袖高迎祥、李自成的称号。高迎祥先称闯王，牺牲后，起义军又推李自成为闯王。

【闯荡】指离家到外面做事、生活。[例]～江湖。

【闯将】原指在战斗中敢于冲锋陷阵的将领，现也喻指在工作中不墨守成规、敢于创新的人。

chuàng ㄔㄨㄤˋ

创(創*剏*剙) ㊀ chuàng 开始；开始做。[例]～办|首～。
㊁ chuāng（143页）。

【创见】前人所没有过的新见解。
【创办】开始办。
【创刊】报纸杂志初次刊行。
【创业】开创事业。
【创立】初次建立。
【创汇】向国外或境外出口产品以赚取外汇。
【创议】❶首先提出建议。[例]～召开项目论证会。❷首先提出的建议。[例]该～被采纳。
【创收】学校、科研机关等事业单位以各种方式(如代培、办讲座、技术咨询等)向社会提供有偿服务来创造经济收入。
【创作】❶指文学艺术作品的创造。[例]～经验丰富。❷指文艺作品。[例]划时代的～。
【创制】初次制订(多指法规、文字等)。
【创建】初次建立。
【创始】开始建立。[例]～人。
【创举】从来没有过的重要行动或做法。[例]伟大的～。
【创获】指过去从未有过的心得、收获。
【创造】创立新的事物。
【创新】抛弃旧的，创造新的。
【创意】新意。[例]这种设计颇具～。
【创世记】清唱剧。海顿曲。作于1796—1798年。剧本由莱德雷根据弥尔顿《失乐园》第二章《创世记》改编。全剧分为三部分，由合唱、独唱、重唱和器乐间奏组成。其中女高音咏叹调《绿叶青葱》和合唱曲《天国正在吐露上帝的荣耀》最为著名。
【创造社】五四新文化运动中的一个文学团体。由郭沫若、郁达夫、成仿吾等发起，1921年6月在日本东京成立。出版《创造》《创造周报》《创造社丛书》等。初期强调艺术自身的独立价值，倾向于浪漫主义，1925年提出革命文学的口号。1929年2月被国民党政府封闭。
【创业利润】公司创办人高价出让股权所获得的额外收益。
【创业资本】也叫风险资本。为高科技和新兴产业企业或公司在创业期间所投入的资本。
【创作方法】也叫艺术方法。指文艺工作者在一定世界观的指导下，根据对艺术与现实的关系的理解，在创作过程中选择、提炼和概括社会生活现象构成艺术形象时所遵循的基本原则和方法。如现实主义、浪漫主义、自然主义等。
【创新理论】美国经济学家熊彼特创立的用创新来解释经济周期的理论。认为经济周期是由创新引起的旧均衡的破坏和向新均衡的过渡。

怆(愴) chuàng 悲伤。[例]凄～。

chuī ㄔㄨㄟ

吹 chuī ❶合拢嘴唇用力吐气。[例]～口哨|～笛。❷空气流动。[例]风～雨打。❸说大话；夸口。[例]先别～，事成再说。❹事情失败。[例]这件事～了。
【吹嘘】夸大地宣扬。
【吹打乐】民族器乐合奏形式之一。以管乐器(笙、笛、唢呐、管子等)、击乐器(大锣、钹、鼓等)为主，有时也可加进弦乐器。如苏南吹打、舟山锣鼓、河北吹歌、山西鼓乐、辽南鼓吹等。

【吹鼓手】旧式婚丧礼仪中吹奏乐器的人。比喻替坏人或错误理论卖力宣传的人。

【吹毛求疵】把皮上的毛吹开，寻找疵点。比喻故意挑毛病找错。《韩非子·大体》："不吹毛而求小疵。"

炊 chuī 烧火做饭。例～具|野～。

【炊事】有关做饭的工作。例～班。

chuí ㄔㄨㄟˊ

垂 chuí ❶耷(dā)拉下来。例～柳。❷留传。例永～不朽！❸将；快要。例～老|功败～成。❹敬辞。称长辈、上级对自己的行动。例～念|～询。

【垂死】接近死亡(多含贬义)。

【垂危】病重或伤重将死。

【垂体】脑垂体的简称。

【垂青】以眼珠正视。表示对人的重视。青：古称黑眼珠为青眼。

【垂直】同一平面内的两条直线的交角为直角(90°)时，就说它们互相垂直。这个概念也可以推广到两平面间的垂直或直线同平面间的垂直。

【垂钓】钓鱼。

【垂垂】渐渐。例～老矣。

【垂帘】指古代皇后或太后掌权。因在殿上处理国事时用帘子遮挡，所以叫垂帘听政或垂帘。

【垂线】两条直线相交成直角，其中一条直线叫做另一条直线的垂线。

【垂柳】落叶乔木。小枝细长下垂。叶披针形或线状披针形，边缘有锯齿。早春先叶开花，雌雄异株。种子小，有白丝状长毛，俗称柳絮。水边习见，栽培很广。

【垂涎】见了好吃的东西流下口水。也比喻对别人的东西特别羡慕，很想得到。涎(xián)。

【垂暮】天将晚的时候，也比喻晚年。

【垂髫】古时童子头发下垂，不加扎束，所以称幼童或童年为垂髫。髫(tiáo)：小儿下垂的头发。

【垂花门】指中国北方传统院落建筑中的一种门楼。常用于四合院的外院和内院之间。有前后两排柱，外柱间为两侧有边的门，内柱间为屏门(非有重大礼仪不开)。前檐下梁头挑出两根雕花的悬垂短柱，其下端有雕莲花之类纹样的垂头。

【垂带石】中国古代建筑的一种构件。即室外台阶两侧斜铺的石条。有固定和保护石阶的作用。

【垂头丧气】形容失望或受到挫折时情绪低沉的样子。唐韩愈《送穷文》："主人于是垂头丧气，上手称谢。"

【垂体激素】脑垂体分泌的激素。由垂体前部分泌的生长激素能促进组织、器官的生长发育；泌乳素能使乳腺分泌乳汁；促甲状腺激素、促肾上腺皮质激素和促性腺激素，分别刺激甲状腺、肾上腺皮质和性腺的活动。由垂体后部分泌的加压素能升高血压和减少尿量；催产素能促使子宫和其他平滑肌收缩。有的激素已能人工合成。

【垂直贸易】经济发展水平不同的国家之间的贸易，即发达国家与发展中国家之间的贸易。这种贸易方式建立在垂直分工的基础上。

倕☒ chuí 古代一个巧匠的名字。

陲 chuí 边疆；靠边界的地方。例边～。

捶(*搥) chuí 敲打。例～门|～背。

【捶胸顿足】击胸跺脚。形容极端懊丧悲痛的样子。

棰(❷❸*箠) chuí ❶短木棍。❷古称马鞭。❸鞭打。

甀☒ chuí 小口的瓮。

锤(鎚*鎚) chuí ❶秤锤。❷敲打东西的工具。例铁～。❸用锤敲打。例千～百炼。❹古代兵器。柄的一端有一个金属圆球。

【锤炼】❶锻炼；磨炼。例～自己的意志。❷反复琢磨加工。例精心～。

椎 ㊀ chuí ❶敲打用的一种工具。现通常写作槌。例木～。❷用椎打。例～杀。❸迟钝。例～鲁(愚笨)。

㊁ zhuī(1303页)。

【椎心泣血】捶打胸膛，哭得眼中出血。形容极度悲痛。唐李商隐《祭裴氏姊文》："椎心泣血，孰知所诉。"

圌□ chuí 圌山，山名，在江苏。

槌 chuí 敲打用的棒。例棒～|鼓～儿。

chūn ㄔㄨㄣ

杶⊠ chūn 香椿。

春（*旾） chūn ❶春季，一年的第一季，大体是农历正月至三月。❷比喻生机、活力。例妙手回～。❸指男女情欲。例怀～|～心。

【春上】春季。例他今年～来过北京。

【春分】节气名。在每年公历 3 月 21 日前后。这一天昼夜时间相等。春分后，北半球昼长夜短。

【春节】民间传统节日。在农历正月初一。习惯上把正月初一以后的几天也叫春节。

【春光】春天的景色、风光。例～明媚。

【春色】春天的景色。例满园～。

【春汛】桃花汛。

【春画】即“春宫”②（146 页）。

【春秋】❶春季和秋季，常用来表示整个一年。也泛指岁月。❷儒家经典之一。原是鲁国史书，记鲁隐公元年（前 722）至鲁哀公十四年（前 481）二百四十二年的历史。曾经孔子删改。文字简短，多含褒贬，后世称为“春秋笔法”。❸（前 770—前 476）中国历史上的一个时代。因鲁国史书《春秋》记载了大致相当于这一时期的历史，后人称这一时期为春秋时期。

【春宫】❶古代太子居住的宫室。❷也叫春画。指淫秽的图画。

【春晖】❶春天温暖的阳光。❷旧时比喻父母的养育之恩。

【春梦】比喻很快就消逝的美景或空幻不能实现的愿望。

【春联】春节时贴在门上的对联。

【春雷】春天的雷声。常用来比喻革命的爆发以及激励人心的重大消息等。

【春意】❶春天的气息。例～盎然。❷爱慕异性之心。

【春之祭】二幕芭蕾舞剧。斯特拉文斯基曲。作于 1911—1913 年。尼耶里奇编剧，尼任斯基编舞。音乐分为两部分：(1)对大地的崇拜；(2)祭献。

【春香传】朝鲜古典文学名著。通过艺妓之女春香和翰林之子李梦龙的爱情故事，暴露了朝鲜封建王朝的腐朽专横，歌颂了人民反封建的斗争。故事在民间流传很久，18 世纪末至 19 世纪初形成小说，后又改编成唱剧，是朝鲜优秀的传统剧目之一。

【春莺啭】唐代舞蹈。唐高宗李治晨听莺鸣，令宫廷音乐家白明达作曲，依曲编舞。是柔曼的女子歌舞。曾东传日本及朝鲜半岛。至今仍保存日本雅乐舞蹈中，朝鲜古籍《进馔仪轨》绘制了此舞之图，韩国作为古典舞保存。

【春风化雨】适宜于草木生长的风雨。比喻良好的教育。

【春风风人】比喻给人以教益或帮助。汉刘向《说苑·贵德》：“吾不能以春风风（fèng）人，以夏雨雨（yù）人，吾穷必矣。”

【春华秋实】春天开花，秋天结果。北齐颜之推《颜氏家训·勉学》：“夫学者，犹种树也。春玩其华，秋登其实。讲论文章，春华也；修身利行，秋实也。”比喻人的文采和德行。华：花。

【春秋五霸】春秋时期先后称霸的五个诸侯。一般指齐桓公、晋文公、秦穆公、宋襄公、楚庄王。

【春秋战国】春秋、战国两个时期的合称。

【春秋繁露】书名。西汉董仲舒著。十七卷。书中推崇公羊传，提倡“春秋大一统”思想，并杂以阴阳五行学说，提出“天人感应”的神秘主义体系。其中包括“三纲”“五常”“三统”“性三品”等。

【春江花月夜】❶中国民族器乐合奏曲。1925 年前后上海大同乐会会员柳尧章、郑觐文根据琵琶曲《浔阳夜月》改编。❷中国民族管弦乐曲。秦鹏章、罗忠镕改编。

【春秋左氏传】简称《左传》。史书名。相传为鲁国史官左丘明撰。春秋时期起自鲁隐公元年（前 722）、终于鲁哀公二十七年（前 468）的编年史。

椿 chūn ❶香椿，也叫椿树。落叶乔木。嫩叶具香味，可食。❷臭椿，也叫樗树。落叶乔木。木材较优，用于建筑及制作家具等。

蝽 chūn 椿象，半翅目昆虫的通称。

䲠□（鰆） chūn 鱼类。即“马鲛”（656 页）。

輴⊠（輴） chūn ❶古代在泥路上用的交通工具。❷古代载棺柩的车。

chún ㄔㄨㄣˊ

纯(純) chún ❶单一；不含杂质的。㊎～金｜～毛。❷熟练。㊎～熟。

【纯正】纯粹，不夹杂其他的成分。㊎思想～。

【纯朴】同“淳朴”(147页)。

【纯净】洁净而不含杂质。㊎～水。

【纯度】物质含杂质多少的程度。杂质越少，纯度越高。

【纯洁】❶纯粹，没有杂质污点。㊎思想～。❷使纯洁。㊎～组织。

【纯真】纯洁真诚。

【纯碱】也叫碳酸钠。俗称苏打(dá)。无机化合物，化学式 Na_2CO_3。纯品为白色粉末，易溶于水，碱性。是玻璃、冶金、纺织、制革等工业的重要原料。

【纯粹】❶指不搀杂其他成分。㊎这件衣服是～的毛料做成的。❷完全。㊎这～是幻想。

【纯熟】非常熟练。

【纯净物】由同种单质或同种化合物组成的物质。如氧气、氯化钠等。

莼(蒓 *蓴) chún 〔莼菜〕也叫水葵。多年生水生草本植物。叶椭圆形，浮在水面上。嫩叶可作菜汤。

唇(*脣) chún 嘴唇，人或某些动物口的上下两边的肌肉组织。

【唇舌】嘴唇和舌头。比喻说的话。㊎大费～。

【唇齿音】下唇和上齿接触以形成对气流的阻碍而发出来的一种辅音。如普通话的 f。

【唇亡齿寒】嘴唇没了，牙齿就会感到寒冷。比喻利害关系(多指两个邻国)十分密切。《左传·僖公五年》：“谚所谓辅(颊骨)车(牙床)相依，唇亡齿寒者，其虞、虢之谓也。”

【唇枪舌剑】以唇作枪，以舌作剑。形容双方争论激烈，言词锋利。

【唇齿相依】《三国志·魏书·鲍勋传》：“吴、蜀唇齿相依。”比喻互相依存，关系密切。

漘☒ chún 水边。

淳(*湻) chún 朴实；厚道。㊎～厚｜～朴。

【淳于】复姓。

【淳朴】也作纯朴。诚实朴素。

【淳厚】也作醇厚。敦厚朴实。

錞☒(錞) ㊁ chún 〔錞于〕古代一种铜制乐器。
㊀ duì (234页)。

鹑(鶉) chún 见〔鹌鹑〕(10页)。

【鹑衣】鹌鹑的羽毛又短又花，故用鹑衣来形容破烂不堪、补丁很多的衣服。㊎～百结。

醇(*醕) chún ❶酒味浓纯。㊎～酒。❷纯粹；纯正。❸有机化合物的一类。碳氢化合物分子中饱和碳原子上的氢被羟基(—OH)取代而形成的一类化合物。如医药上常用的酒精就是醇类中的乙醇。

【醇化】❶纯厚的风化。❷使更纯粹，达到美好、圆满的境界。

【醇厚】❶(气味、滋味)纯正浓厚。❷同“淳厚”(147页)。

chǔn ㄔㄨㄣˇ

蠢(❶ *惷) chǔn ❶愚笨；笨拙。㊎～材｜～货。❷虫类爬动的样子。㊎～动。

【蠢蠢欲动】南朝宋刘敬叔《异苑》卷三：“后人掘地见一异物，蠢蠢而动。”本是形容虫子蠕动的样子。现用蠢蠢欲动指敌人准备进犯或坏人准备捣乱。

chuō ㄔㄨㄛ

逴☒ chuō ❶高远。❷超越。

趠☒ ㊀ chuō 远。
㊁ tiào (978页)。

踔 chuō ❶跳。❷高；超越。

【踔绝】极高超。

【踔厉风发】形容精神振奋，意气风发。唐韩愈《柳子厚墓志铭》：“议论证据今古，出入经史百子，踔厉风发，率常屈其座人。”

戳 chuō ❶用尖端触刺。㊎一～即破。❷因猛触到硬东西上而受伤。㊎打

C

球～了手。❸图章。㉄邮～|盖～。❹〈方〉竖立。㉄把粮食口袋～起来。
【戳记】图章;印记。
【戳穿】❶刺透。❷揭露,使现出本来面目。

chuò ㄔㄨㄛˋ

辶☒ chuò 〔辶约〕绰约。
辵☒ chuò 快走。
娖☒ chuò ❶〔娖娖〕矜持拘谨的样子。❷整理;整顿。
龊(齪) chuò 见〔龌龊〕(1034页)。
啜 ㊀chuò ❶喝。㉄～茗(喝茶)|～粥。❷抽泣。㉄～泣。
㊁chuài (140页)。
惙☒ chuò ❶忧愁。❷疲乏。
辍(輟) chuò 中间停顿;停止。㉄日夜不～|时作时～。
【辍学】中途离开学校,停止学习。
【辍笔】写作或绘画未完成而中途停笔。
婥☒ chuò 〔婥约〕绰约。
绰(綽) ㊀chuò ❶宽裕。㉄～有余裕。❷体态轻盈柔美。㉄柔情～态。
㊁chāo (113页)。
【绰号】外号。
【绰约】形容女子体态柔美的样子。㉄～多姿。
【绰绰有余】形容很宽裕,用不完。
锸☒**(鍤)** chuò 用于人名,如恩锸(明代人)。
龊☒ chuò 兽名。身体似兔而脚似鹿,青色。
擉☒ chuò 刺;叉。㉄～鳖。
歠☒ chuò 饮;喝。

cī ㄘ

刺 ㊁cī 拟声词。快速摩擦或火线燃烧发出的声音。㉄～～地直冒火星。
㊀cì (152页)。
呲□ cī 〈方〉斥责;训斥。㉄挨～儿。
疵 cī 毛病;缺点。㉄吹毛求～。
偨☒ cī 〔偨傂〕参差不齐的样子。傂(zhì)。
跐 ㊁cī 因脚未踏稳而滑动。㉄登～了,差点摔下来。
㊀cǐ (151页)。
差 ㊃cī 见〔参差〕(99页)。
㊀chà (103页)。
㊁chā (100页)。
㊂chāi (103页)。
嵳☒ cī 见〔嵾嵳〕(99页)。
粢□ ㊁cī 〔粢饭〕〈方〉用蒸熟的糯米和粳米裹上油条等捏成的饭团。
㊀zī (1309页)。

cí ㄘˊ

词(詞*䛐) cí ❶语言中最小的有意义的能自由运用的单位。如人、科学、实现等。❷说话或诗歌、戏剧、文章中的语句。㉄义正～严|歌～。❸别称长短句、诗余。一种长短句押韵的诗体。由五、七言诗和民歌发展而成。形成于唐代,盛行于宋代。
【词义】词所表示的意义。包括词的词汇意义和语法意义。在传统的语义学中只指词的词汇意义,即反映客观事物本质特征的概括意义。如"人"的词义是"使用语言进行交际的能够制造工具并使用工具进行劳动的高等动物"。有些词除了概括意义外,还有感情、语体等附带意义。
【词令】同"辞令"(151页)。
【词汇】也叫语汇。一种语言中所使用的词的总和。如汉语词汇。有时也指一个人或一部作品、一个领域中所使用的词的总和。如《红楼梦》词汇、商业词汇。
【词头】即"前缀"(781页)。
【词讼】也作辞讼。诉讼。
【词序】也叫语序。词在短语和句子里的先后次序。在汉语里,词序的变化可以使短语或句子发生意义上的变化。
【词尾】加在词的末尾表示语法意义的构形

成分。如“同志们”的“们”。

【词典】收集词语加以解释,供人查阅参考的工具书。根据所收词语范围、性质等的不同,可分为综合词典、专业词典、对译词典、成语词典等不同的种类。

【词性】一个词的语法属性。是依据词在组合中的语法功能确定的。如“漂亮”具有形容词的语法属性,即为形容词。词性是给一个词归类的依据。

【词话】❶评论词的内容、形式、源流和记述有关词人故事的书。❷元明说唱艺术的一种。叙事用散文,中间夹杂可以唱的韵文,如《大唐秦王词话》。

【词组】即“短语”(230 页)。

【词类】词的语法分类。现代汉语的词类有名词、动词、形容词、数词、量词、代词、副词、介词、连词、助词、叹词、拟声词等。

【词根】词里表示基本意义的语素。一个合成词可以只含一个词根,如椅子中的“椅”和老虎中的“虎”;也可以不止一个词根,如保卫就包含“保”和“卫”两个词根。

【词章】同“辞章”(151 页)。

【词缀】汉语中指合成词里附加在词根前后表示附加意义的语素。加在前面的叫前缀,如老鹰的“老”;加在后面的叫后缀,如工业化的“化”;加在两个词根中间的叫中缀,如“慌里慌张”的“里”。

【词牌】填词所根据的曲调。最初的词都是配合音乐来歌唱,后来词和音乐失去联系,词牌只作为一种固定的文字声韵格式。如沁园春、蝶恋花等。

【词频】一定范围的语料中词的使用频率。㊀~统计。

【词谱】供填词人选择的具有各种词调格式的书。如清代的《词律》《钦定词谱》等。

【词不达意】(说话、写文章)语句不能确切地表达意思。

祠 cí 祠堂。㊀宗~|武侯~。

【祠堂】❶同族的人共同祭祀祖先的庙堂。存放有家谱和祖先牌位等。❷旧时社会公众或某个阶层为共同祭祀某个人物而建立的庙堂。如成都有祭祀诸葛亮的武侯祠,上海有祭祀黄道婆的黄母祠等。

茈 ㊀ cí 凫茈,古书上指荸荠。
㊁ zǐ (1311 页)。

鹚☒(鷀) cí 同“雌”。

雌 cí 生物中能产生卵细胞的。与“雄”相对。㊀~兔|~蕊(ruǐ)。

【雌黄】❶矿物名。化学成分为 As_2S_3。柠檬黄色,硬度小,加热后有蒜味。常与雄黄共生。可制颜料和砒霜等。❷古时抄书校书用雌黄来涂改文字,后来就称乱发议论为“妄下雌黄”,称不顾事实、随口乱说为“信口雌黄”。

【雌雄】❶比喻胜败高下。㊀决一~。❷指成对的物件。㊀~剑。

【雌蕊】被子植物花内的重要部分之一,生在花中央。下部膨大部分是子房,发育成果实;子房中有胚珠,其中的卵细胞受精后发育成种子;中部细长的叫花柱,花柱上端叫柱头。

【雌激素】激素的一种。主要由卵巢和胎盘产生。人的雌激素能促进和调节女性性器官及副性征的正常发育,对脑神经及心脏等都有重要的保护作用,一旦减少可导致痴呆症、心血管病。

【雌雄同体】同一动物体内有雌雄两种生殖器官的现象。如涡虫、蚯蚓、蜗牛等。

【雌雄同株】具单性花的植物,雌花和雄花生长在同一植株上。如玉米、黄瓜等。

【雌雄异体】同种动物雌雄生殖器官分别生在不同个体内的现象。如乌贼、昆虫、虾等。一般脊椎动物都是雌雄异体。

【雌雄异株】具单性花的植物,雌花和雄花分别生长在不同的植株上。如杨、柳、银杏等。

茨 cí ❶用茅草和芦苇盖屋,也指用茅草盖的屋。❷蒺藜。

【茨冈人】即“吉卜赛人”(455 页)。

垐☒ cí 把土铺在大道上。

瓷 cí 用高岭土等烧制成的一种材料。用它制成的器物比陶器细致、坚硬。

【瓷实】结构紧密,无缝隙。㊀地让人们给踩~了。

【瓷釉】涂在陶瓷表面的一薄层玻璃质物质。使陶瓷光滑、透亮、不渗水,并且能增加陶瓷坯体的强度和绝缘性能。普通釉料中加入一些重金属离子可制成彩釉,涂有彩釉的陶瓷制品烧成后呈现出鲜艳的色彩。

赍☒(賫) cí 堆积杂草。

兹 ㊁ cí 见〔龟兹〕(803 页)。
㊀ zī (1309 页)。

甆☒ cí “瓷”的异体字。

慈 cí ❶慈爱；和善。㊟仁～。❷对别人尊称自己的母亲。㊟家～。

【慈姑】多年生水生草本植物。叶柄粗而有棱，叶片戟形。八九月间自叶腋抽生匍匐茎，钻入泥中，先端膨大成球茎，可食，也可制淀粉。

【慈航】佛教用语。佛教认为佛、菩萨以大慈悲救度众生离开尘世苦海，有如舟航。

【慈祥】和善安详(多用于老年人)。

【慈悲】佛教用语。称给予人们安乐叫慈，拔除人们痛苦叫悲。后用慈悲泛指对人的同情和怜悯。

【慈善】仁慈善良，富有同情心。

【慈禧太后】(1835—1908)即西太后、那拉太后。清末同治、光绪两朝的实际统治者。满族，叶赫那拉氏。咸丰帝妃。咸丰死后封为太后，在同治、光绪两朝垂帘听政。当政期间，镇压太平天国革命、义和团运动和少数民族起义，反对变法维新，多次签订丧权辱国的不平等条约，加深了中华民族的灾难。

磁 cí ❶磁性。❷同“瓷”。

【磁化】使原来不显磁性的物体在磁场中获得磁性的过程。最容易磁化的是铁磁性物质，如软铁、硅铁、钴和镍等。

【磁卡】利用磁性记录信息而具有一定功能的卡片。如用于公用电话的磁卡，插入磁卡电话机后，即可通话并自动计费。

【磁头】磁性记录中的一种电磁换能器。它能将电信号变换成磁信号，并使之存储在磁带、磁盘或磁鼓上；反之也能将存储的磁信号还原成电信号或将它消去。可分为记录磁头、重放磁头、消除磁头等多种。

【磁场】传递磁力作用的场。是电流、运动电荷、磁体或变化的电场周围空间里存在的一种特殊物质。它的基本特性是对其中的运动电荷、电流、磁体存在力的作用。

【磁极】磁体上磁性最强的部分。磁体的磁极都在接近两端处。磁针在地磁场作用下方向大致指向南北；指北的一端叫北极，指南的一端叫南极。磁体的同名极相斥，异名极相吸。在任何一个磁体上，南极和北极总是成对出现，强度相等。

【磁体】具有磁性的物体。

【磁性】某些物体能吸引铁、镍、钴等金属的性质。

【磁带】一种信息记录媒体。通常是在薄塑料带表面敷磁性材料制成，通过磁化磁粉的方式来记录声音和影像信息。

【磁铁】具有磁性的铁质物体。天然磁铁为铁矿石，成分为 Fe_3O_4。人造磁铁多为条形和马蹄铁形，一端是 S 极，另一端是 N 极。

【磁盘】表面带有磁性物质的圆盘形存储媒体。是电子计算机记录、存储信息的设备，分硬磁盘和软磁盘两种。

【磁力线】即“磁感线”(150 页)。

【磁化水】通过磁水器而得到磁化的水。磁化水中氧的浓度、盐类的溶解度提高，聚合态水分子减少。有人认为磁化水对人的健康有益，能预防肾结石和尿道结石。农业上可用于灌溉，提高土壤的透水性。

【磁介质】在外磁场中因磁化而加强或减弱磁场的物质。磁化后使磁场减弱的，叫抗磁质；磁化后使磁场加强的，有顺磁质和铁磁质两种。

【磁效应】电流通过导体产生跟磁铁相同作用的现象。如电流通过导体能使附近磁针偏转。

【磁通量】表示磁场分布情况的物理量。数值上等于通过某一个面积的磁力线的条数。单位是韦伯。

【磁感线】也叫磁感应线、磁力线。表示磁场分布情况的有方向的曲线。曲线上每一点的切线方向跟该点的磁感强度方向一致。

【磁场强度】表示单纯由运动电荷和电流所引起的磁场强弱和方向的物理量。单位是安/米。

【磁单极子】简称磁单极。只有磁南极或磁北极的粒子。英国物理学家狄拉克于 1931 年提出可能存在磁单极子的假说，尚未得到实验证实。

【磁性材料】一种具有铁磁性的材料。包括软磁材料和硬磁材料。一般多为合金，用于电力和电子仪表设备。

【磁感强度】也叫磁感应强度。表示磁场强弱和方向的物理量。单位是特斯拉。

【磁流体发电】也叫等离子体发电。一种将热能直接转换成电能的新型发电方法。使燃料燃烧产生的高温等离子导电气体高速通过强磁场，就能产生电流给用电器供电。磁流体发电排气温度很高，排出的废气可用来产生高温高压的蒸汽，推动汽轮机发电。因此，磁流体—蒸汽动力联合循环电站，可以大幅度提高能源利用率。

【磁悬浮列车】一种新型高速列车。利用电磁斥力，使车体离开铁轨，悬浮在铁轨上方，并用直线电动机使车体高速前进。具有速度高、噪音低、振动小、能耗低等优点。

鹚（鶿 *鷀）cí 见〔鸬鹚〕（637页）。

糍（*餈）cí 一种用糯米做成的食品。㊀～粑｜～团。

辞（辭 *辤）cí ❶中国古代的一种文学体裁。❷言语文词。㊀～令｜修～。❸告别。㊀～行。❹不接受；请求离去。㊀～谢｜～职。❺解雇。㊀～退｜他被老板～了。❻躲避；推托。㊀万死不～｜不～辛苦。

【辞书】字典、词典等工具书的统称。

【辞令】也作词令。指交际场合应对的言词。㊀善于～｜外交～。

【辞让】客气地推让。

【辞行】远行之前向亲友告别。

【辞讼】同"词讼"（148页）。

【辞呈】向上级提出辞职的书面请求。

【辞别】告别。

【辞格】修辞格的简称。

【辞海】大型综合性词典。原由舒新城等主编，1936年中华书局出版。20世纪50年代后修订的《辞海》由舒新城、陈望道、夏征农先后任主编，上海辞书出版社先后出版了1979年版、1989年版和1999年版。现收单字19 485个，字头及其下所列词目（包括普通词语和百科词语）共122 835条。以字带词，兼有字典、语文词典和百科词典的功能。

【辞职】请求解除所担任的职务。

【辞章】也作词章。❶指诗词文章等。❷研究写作技巧的学问叫辞章之学。

【辞谢】很客气地推辞不受。

【辞源】大型语文词典。陆尔奎等编纂，1915年商务印书馆出版。1979年出版了由广西、广东、湖南、河南四省区修订组和商务印书馆编辑部合编的《辞源》修订本。共收单字12 890个，词语84 134条，共计97 024条。以语词为主，兼收百科；以常见为主，强调实用；结合书证，重在溯源。为阅读古籍用的工具书。

【辞藻】诗文中华丽工巧的词句，常指引用的典故和古诗文中的现成词语。

cǐ ㄘˇ

此 cǐ 指示代词。1. 这；这个。㊀～人｜由～及彼。2. 这儿；这里。㊀就～结束｜到～为止。3. 这样。㊀如～而已。

【此岸】佛教指有生有死的境界。

【此岸性】德国哲学家康德的用语。他认为自在之物的现象是此岸的，自在之物本身是彼岸的；人们不能认识彼岸的自在之物，只能认识此岸的现象，这就叫知识的此岸性。是一种认为事物的本质是不能被认识的不可知论观点。

【此起彼伏】也说此起彼落、此伏彼起。这里起来，那里落下，表示连续不断地起落。

【此地无银三百两】民间笑话说，有人把银子埋在土里，上面写了个字条："此地无银三百两。"邻人阿二看见字条，把银子偷走，也写了个字条："隔壁阿二不曾偷。"这个故事比喻想要隐瞒、掩盖，搞了一些小动作，结果反而更加暴露。

仳☒ cǐ 〔仳仳〕小；地位低微。

泚 cǐ ❶鲜明。❷蘸；浸湿。㊀～笔为文（用笔蘸着墨写文章）。

跐 ㊀ cǐ 踩。㊀脚～两只船。
㊁ cī（148页）。

鲨□（鮆）cǐ 鱼类。体侧扁。银白色。腹部具棱鳞。生活在温、热带近海中。

cì ㄘˋ

次 cì ❶次第；顺序。㊀名～｜依～前进。❷第二。㊀～日｜～女。❸质量较差的。㊀～品。❹量词。回；趟。㊀第一～｜一天来了三～。❺中间。㊀言～｜胸～。❻出外远行路上停留的处所。㊀旅～｜舟～。

【次长】旧指中央政府所属各部的副部长。

【次序】排列的先后顺序。

【次第】❶排列的顺序。❷挨个；依次。㊀～入场。

【次韵】依照别人作诗所用的韵来和诗。

【次大陆】指面积比洲小，但在地理上、政治上又有某种独立性的区域。一般把南亚的大陆部分叫做南亚次大陆。有的把格陵兰岛也称为次大陆。

【次生林】原始林被采伐或破坏后，经人工或天然更新而恢复起来的森林。中国森林的大部分是次生林。

【次声波】频率低于人耳可听范围的声波。次声波频率低于20赫，甚至低到1赫以下。在传播过程中的衰减很小，可用来预报风暴或地震、探测地震中心、探矿等。

【次氯酸】无机酸，化学式HClO。只能存在于水溶液中，很不稳定，光照下分解为氯化氢和氧气。具有强氧化性和漂白作用。

【次生环境】自然环境中受人类活动干预和影响，其景观和功能都发生较大变化的地域。如工业区、种植园、城市区域等。

【次生矿物】原生矿物受水、空气等的作用，发生化学变化而生成的矿物。

佽⊠ cì 帮助。㊐～助。

伺 ㊁ cì〔伺候〕❶旧指侍奉或供役使。❷照料。㊐～病人。

㊀ sì（932页）。

刺 ㊀ cì ❶用针或有尖的东西穿入。㊐针～｜～绣。❷尖锐像针的东西。㊐鱼～｜扎了个～。❸用剑刺。泛指杀伤或暗杀。㊐～杀｜～客。❹使某些感觉器官反应强烈。㊐～耳｜～鼻。❺用挖苦的话揭露人的短处。㊐讥～。❻侦察。㊐～探。❼名片。㊐名～。

㊁ cī（148页）。

【刺目】❶光线过强，使眼睛不舒服。❷服饰或举动惹人注目，使人觉得不顺眼。

【刺史】古代地方官名。西汉划分全国为十三部（州），每部设刺史，主管巡察，官阶低于郡守。东汉末将一部分刺史改为州牧，居郡守之上。魏晋后一般称刺史。隋唐改州为郡时称太守，改郡为州时称刺史。宋以后废，但习惯上仍用作知州的别称。

【刺取】探求，采取。

【刺参】棘皮动物。体圆柱形，长20—40厘米。前端口周生有20个触手，背面有4—6行肉刺。体色黄褐、黑褐、绿褐、纯白或灰白等。栖息于海底。可人工养殖。

【刺骨】侵入骨头里。形容极度寒冷。㊐寒风～。

【刺客】进行暗杀活动的人。

【刺配】古代的一种刑罚。在犯人面部刺刻标记，押送边远地方。通常编入边疆驻军服役，故又名配军、充军。

【刺绣】中国传统工艺品之一。以各种针法用彩线在织物上绣出图案或画面。有苏绣、湘绣、蜀绣、京绣之分。

【刺探】暗中探听。

【刺戟】刺激。戟（jǐ）。

【刺猬】哺乳动物。体肥短，长约25厘米。四肢短，爪弯而锐利。眼和耳都小。毛短，有短而密的刺，遇敌害时能蜷曲成球，以刺保护身体。夜间活动，主食昆虫和蠕虫。对农业有益。

【刺槐】也叫洋槐。落叶乔木。小枝有托叶刺。初夏开白色花，有芳香。荚果扁带状，熟时深褐色。是行道树、观赏树及沙地造林树种，也是蜜源植物。

【刺激】❶由内外界环境的突然变化而引起的生物体发生反应的过程。❷推动事物使起变化。㊐～生产力的发展。❸使精神上受到震动或挫折。

【刺刺不休】形容说话唠叨，没完没了。唐韩愈《送殷员外序》："丁宁顾婢子，语刺刺不能休。"刺刺：话多的样子。

莿⊠ cì 同"刺"。草木的芒刺。

赐（賜） cì 指上级对下级、长辈对晚辈的给予。㊐赏～。

【赐教】敬辞。对方给予指教。

cōng ㄘㄨㄥ

匆（*怱*悤） cōng 急促。㊐～忙。

【匆匆】急急忙忙的样子。㊐来去～。

【匆促】急忙；仓促。

【匆遽】急忙；匆促。遽（jù）。

葱（*蔥） cōng ❶多年生草本植物。有辛辣味。包括大葱、分葱、细香葱等。多作调味品。❷青色。㊐～翠。

【葱茏】草木茂盛的样子。㊐草木～。

【葱郁】草木茂密。

【葱岭】旧时对帕米尔高原和喀喇昆仑山脉诸山的总称。传说因山上生葱或山崖葱翠而得名，一说即《穆天子传》中的春山。古代中国与西方之间的来往，常经由葱岭山道。汉代属西域都护统辖，唐代安西都护府在此设葱岭守捉，驻守国家西境。

【葱绿】❶浅绿而微黄的颜色。❷草木青翠

的颜色。

【葱葱】草木茂盛的样子。

苁（蓯） cōng 见〔肉苁蓉〕（831页）。

玱[☒]（瑽） cōng 〔玱琮〕佩玉相碰的声音。

枞（樅） ㊀ cōng 常绿乔木。即冷杉。树皮多呈鳞片状，叶线形。为优良的用材树。多产于高寒地带。

㊁ zōng（1317页）。

锹[☒]（鏦） cōng ❶古代兵器。短矛。❷用矛戟刺。

囱 cōng 炉灶出烟的通道。㊀烟～。

骢（驄） cōng 青白色相杂的马。

璁 cōng 像玉的石头。

熜 cōng ❶微火；热气。❷同“囱”。

悰[☒] cōng ❶快乐。❷心情。

聪（聰） cōng ❶听觉；听觉灵敏。㊀失～｜耳～目明。❷聪明。㊀～慧。

【聪明】智力发达，思维敏捷，理解和记忆能力都很强。

【聪颖】聪明。颖（yǐng）。

cóng ㄘㄨㄥˊ

从（從） cóng ❶介词。自；由。㊀～南到北｜～桥上走过来。❷跟在后头。㊀愿～其后。❸听从；依顺。㊀言听计～。❹做；参与。㊀～事｜～军。❺采取（某一种原则或办法）。㊀一切～简｜～宽处理。❻副词。从来。㊀～不说谎｜～未见过。❼跟随的人。㊀随～｜仆～。❽指堂房亲属。㊀～兄弟。❾次要的。㊀有主有～。（⑦－⑨旧读 zòng）❿古又同“纵横”的“纵”。

【从业】从事某种职业；就业。㊀～人员。

【从犯】在共同犯罪中起次要或辅助作用的犯罪人。对于从犯，应当从轻、减轻或免除处罚。与“主犯”相对。

【从戎】旧指参加军队。㊀投笔～。戎（róng）。

【从权】根据当时的情况，采取暂时的、变通的办法。㊀～处理。

【从而】连词。上文指明原因、条件、方法等，下文用“从而”引出结果、目的等。㊀由于广泛采用了新技术，～大大提高了劳动生产率。

【从师】跟从师父（学习）。㊀～学艺。

【从众】顺从多数人的意见行事。

【从来】历来；从过去到现在。

【从良】指妓女脱离卖身生活而嫁人。

【从事】❶投身到某种事业中去。㊀～教育工作。❷（按某种办法）处理。㊀军法～。

【从物】两个以上的物因一定的经济目的组合使用时，起辅助作用的物。在法律和合同无相反的规定时，从物的归属随主物而定。与“主物”相对。

【从速】赶快；赶紧。㊀～处理。

【从容】❶不慌不忙，镇静沉着。㊀～不迫｜～就义。❷（时间、经济）宽裕。㊀时间～｜手头～。

【从略】省去；省去不说。㊀引文～。

【从属】依从，附属。㊀～关系。

【从中作梗】在事件进行中，故意为难，设置障碍，从中破坏。

【从长计议】指用较长的时间慎重地商量考虑。㊀这个问题应～。

【从善如流】听从好的意见像水往低处流一样自然，形容乐于接受人家的劝告。《左传·成公八年》：“从善如流，宜哉！”

丛（叢） cóng ❶聚集。㊀～生｜～集。❷聚生在一起的草木。㊀草～｜树～。❸泛指聚集在一起的人或物。㊀人～｜论～。

【丛书】根据一定目的和使用对象，选择若干种书编在一起，在一个总名称下出版的一套书。有综合性的，也有专科性或专题性的。

【丛刊】丛书。

【丛生】草木聚在一处生长。也用来形容多种疾病或弊端等同时发生。㊀百病～｜百弊～。

【丛林】❶树林子。❷旧指招待四方僧人，僧众较多的寺院。

【丛冢】乱葬在一片地方的很多坟墓。冢（zhǒng）。

【丛脞】细碎；烦琐。脞（cuǒ）。

【丛集】聚集在一起。㊀诸事～。

C

淙 cóng〔淙淙〕拟声词。流水声。

琮 cóng 古时的一种玉器。外边八角形，中间有圆孔。

賨☒（賨） cóng 秦汉间今四川、湖南一带少数民族所交赋税的名称。上述地区的少数民族则称作賨人。

藂☒ cóng 同"丛"。

藂☒ cóng 同"丛"。

còu ㄘㄡˋ

凑（*湊） còu ❶聚合或勉强合在一起。㊀～集｜七拼八～。❷赶；靠近。㊀～巧｜往前～。

【凑合】❶聚集。㊀大家～在一起。❷勉强；将就。㊀房子说不上好，但能～着住。

辏（輳） còu 车轮的辐条聚集到中心。

腠 còu 肌肉上的纹理。

【腠理】中医指人体肌肉脏腑的纹理。

cū ㄘㄨ

怚☒ ㊁cū 心不细；暴躁。
㊀jù（533页）。

粗（*觕 *麤） cū ❶条状物横剖面大或颗粒较大。与"细"相对。㊀这棵树很～｜～盐。❷声音大而低。㊀～嗓门。❸不精细。与"精"相对。㊀～心｜～布。❹鲁莽。㊀～暴。❺副词。略微。㊀～具规模｜～通文字。

【粗犷】❶粗野；粗鲁。❷豪放；有气魄。犷（guǎng）。

【粗卤】同"粗鲁"（154页）。

【粗浅】浅显；不深奥。

【粗野】粗鲁；缺乏教养。

【粗略】不精确；大概。

【粗鲁】也作粗卤。（说话、动作）鲁莽，不文明。

【粗疏】不细心；马虎。

【粗粮】一般指大米、面粉以外的杂粮，如玉米、高粱、豆类等。有时也指未经碾轧加工的原粮。与"细粮"相对。

【粗暴】鲁莽暴躁。

【粗糙】❶（物体表面）不光滑。❷不精密；不细致。

【粗线条】绘画中笔道粗的线条或用线条勾出的简略轮廓。也比喻性格、作风粗率（shuài）豪放。

【粗枝大叶】比喻不认真，不细致，马虎大意。

【粗制滥造】指制作东西马虎草率，不顾质量。

【粗放经营】指以一定数量的劳力和资金，投放在较大面积的土地上粗放耕作，通过扩大种植面积来增加农作物总产量的农业经营方式。

麤☒ cū "粗"的异体字。

cú ㄘㄨˊ

徂 cú 往；到。㊀自西～东。

殂 cú 死亡。

cù ㄘㄨˋ

卒 ㊁cù 同"猝"。
㊀zú（1322页）。

猝 cù 突然。㊀仓～。

【猝死】突然死亡。多由冠状动脉强烈痉挛造成严重心律失常（常为心室颤动）引起。就地进行人工呼吸等可能救活。

【猝然】突然；出乎意外。

【猝不及防】事情来得突然，来不及防备。

促 cù ❶时间短。㊀短～｜急～。❷催；推动。㊀督～｜把生产～上去。❸靠近。㊀～膝谈心。

【促令】促使；使得。

【促进】促使并推动。㊀～工农业生产的发展。

【促使】推动（人或物）使达到一定目的。

【促织】即"蟋蟀"（1056页）。

【促狭】〈方〉爱捉弄人。

【促销】运用各种手段和方法来增加商品的销售。

【促膝】膝与膝相挨，指两人面对面地靠

着坐。

酢 ⊜ cù 同"醋"。
⊖ zuò (1328 页)。

【酢浆草】多年生草本植物。茎和叶含草酸,有酸味。复叶,小叶三片。开黄色小花,结蒴果,圆柱形。全草均可入药,内服有解热、利尿等作用,外敷可治皮肤病。

醋 cù ❶含有醋酸的调味品。有酸味,一般用米、高粱作原料发酵制成。也可用酒或酒糟发酵制成。❷嫉妒(多指在男女关系上)。㊣吃～。

【醋酸】乙酸的俗称。

蔟 cù 见〔蚕蔟〕(93 页)。

磩⊠ cù 石制的箭头。

瘯⊠ cù 〔瘯蠡〕牲畜的皮肿病。

簇 cù ❶聚拢在一块儿;聚集成一团。㊣～拥|花团锦～。❷量词。用于聚集成团的东西。㊣一～鲜花。

【簇拥】(许多人)紧紧围拢着。

【簇新】极新。㊣～的衣服。

踧⊠ cù 〔踧踖〕恭敬而局促不安的样子。

憱⊠ cù 忧愁。

蹴(*蹵) cù ❶踢。❷踏。㊣一～而就。

颇⊠(顣) cù 皱(眉头)。

蹙 cù ❶急迫;紧迫。㊣穷～。❷皱;收缩。㊣～着眉头。

蹵⊠ cù 同"蹙"。

cuān ㄘㄨㄢ

汆 cuān ❶一种烹饪方法。先把原料切配好,在旺火上待水烧开,放入原料,水再开时加进调料即成。❷汆子,烧水的一种器具。❸用汆子烧水。㊣～了一汆子水。

撺(攛) cuān 〈方〉❶扔;抛。❷匆忙地做。㊣临时现～。❸发怒。㊣他一听有人说他就～儿了。

【撺掇】怂恿;从旁鼓动。掇(duo)。

镩(鑹) cuān 镩子,凿冰的工具。也指用镩子戳。㊣～冰。

蹿(躥) cuān ❶向上、向前猛跳。㊣猫～上房去了|～得老远。❷喷射;喷发。㊣鼻子～血|火苗呼呼往上～。

cuán ㄘㄨㄢˊ

攒(攢) ⊜ cuán ❶凑集;聚拢。㊣～聚|～土。❷用现成的零件自行拼装。㊣～一辆自行车|我这台电脑是自己～的。
⊖ zǎn (1225 页)。

【攒眉】紧蹙双眉,一种不愉快的表情。

【攒尖顶】中国传统木构建筑屋顶形式的一种。无正脊,屋顶顶端结束于一点的屋顶形式。多用于塔、亭、阁等建筑,如北京天坛祈年殿的屋顶。

巑⊠(巑) cuán 〔巑岏〕山峰高耸排列的样子。

cuàn ㄘㄨㄢˋ

窜(竄) cuàn ❶逃跑;乱跑。㊣流～|抱头鼠～。❷改易(文字)。㊣～改|点～。

【窜犯】(成股的匪徒或小股敌军)进犯或扰乱。

【窜扰】窜犯骚扰。

【窜逃】慌乱逃跑(指坏人)。

篡(*簒) cuàn 原指臣子夺取君主的权位,现指用阴谋手段夺取权力和地位。㊣～位|～夺。

【篡夺】用不正当的手段夺取(地位或权力)。

【篡改】用作伪手段改动原文或歪曲原意。

爨 cuàn ❶烧火做饭。㊣分～(旧指兄弟分家各自另起炉灶)。❷灶。

cuī ㄘㄨㄟ

衰 ⊜ cuī ❶见〔等衰〕(189 页)。❷同"缞"。
⊖ shuāi (915 页)。

缞⊠(縗) cuī 用粗麻布制成的丧服。

C

榱⊠ cuī 椽子。

崔 cuī 姓。

【崔嵬】(山、建筑物)高大雄伟。嵬(wéi)。

催 cuī ❶叫人赶快行动或做某事。㊟～还欠款。❷设法使过程加快。㊟～肥|～眠。

【催命】催人去死。比喻不顾一切地紧紧催促(含反感情绪)。

【催促】对人进行督促,使行动加快。

【催眠】用药物或其他办法使人或动物尽快达到睡眠状态。

【催情】用人工方法促进母畜发情、排卵及鱼类性腺成熟。催情可使母畜及时配种,减少空怀和不孕,提高畜群的繁殖率。也能使亲鱼自然产卵或获得成熟卵子和精子,以进行人工繁殖。

【催化剂】旧称触媒。在化学反应中能改变反应速率,而本身的质量和组成在反应后保持不变的物质。能使反应速率加快的催化剂叫正催化剂;反之则叫负催化剂。

摧 cuī 折断;破坏。㊟～折|无坚不～。

【摧残】使人或物受到严重的损害。

【摧毁】用强大的力量彻底破坏。

【摧枯拉朽】摧毁枯草朽木。形容气势盛大,对方不堪一击。《晋书·甘卓传》:"将军之举武昌,若摧枯拉朽。"枯:枯草。拉:摧。

【摧眉折腰】低眉弯腰。形容卑躬屈膝的媚态。唐李白《梦游天姥吟留别》诗:"安能摧眉折腰事权贵,使我不得开心颜。"

【摧陷廓清】形容彻底肃清。唐李汉《韩昌黎集序》:"先生于文,摧陷廓清之功,比于武事,可谓雄伟不常者矣。"摧陷:摧毁。廓清:肃清。

猚⊠ cuī 见〔猥猚〕(1023页)。

漼⊠ cuī 〔漼溰〕霜雪堆积的样子。

cuǐ ㄘㄨㄟˇ

璀 cuǐ 〔璀璨〕光彩鲜明。㊟～夺目。璨(càn)。

cuì ㄘㄨㄟˋ

倅⊠ cuì 副;副职。

萃 cuì ❶草丛生。❷聚集。也指聚在一起的人或物。㊟荟(huì)～|出类拔～。

【萃取】分离混合物的一种方法。利用不同物质在所选定的不互溶的双组分溶剂中溶解度的不同来分离混合物。

脺□ cuì 脺脏(zàng),即胰脏(zàng)。

啐 cuì 用力吐出来。㊟～吐沫。

淬 cuì 淬火。

【淬火】金属热处理工艺之一。把金属制品加热到一定温度后放在水、油或空气中迅速冷却,以提高金属的硬度和强度。

【淬砺】淬火和磨砺。比喻刻苦锻炼,努力提高。

【淬火玻璃】即"钢化玻璃"(307页)。

悴(*顇) cuì ❶忧。❷憔悴。㊟前荣后～。

綷⊠**(繂)** cuì ❶五彩杂合。❷〔綷縩〕衣服相擦声。

膵⊠ cuì 同"脺"。

焠⊠ cuì 同"淬"。

瘁 cuì 劳累;疾病。㊟鞠躬尽～|心力交～。

粹 cuì ❶纯;不杂。㊟～白。❷精华。㊟精～。

翠 cuì ❶青绿色。㊟青松～柏。❷见〔翡翠〕(270页)。

【翠鸟】也叫钓鱼郎。鸟类。体长约15厘米。头大,体小,喙尖硬。羽毛以苍翠、暗绿色为主,尾羽短。常栖息于水边树枝或岩石上,待鱼虾游近水面,突然啄取。是中国东部、南部常见的留鸟。

【翠微】绿意朦胧的山色。也指山腰。

脆(*脃) cuì ❶容易折断、咬断、破碎。㊟这树枝太～|～枣|这种纸放久了就发～。❷声音清亮。㊟清～。

【脆弱】不坚强,经受不了挫折。㊟感情～。

啐⊠ cuì ❶尝。❷叹词。表示轻蔑或嘲笑。

毳 cuì 鸟兽的细毛。

臎⊠ cuì 同"脆"。

cūn ㄘㄨㄣ

村(*邨) cūn ❶村庄,农民聚居的地方。也泛指小的居住区。㊟乡～|工人新～。❷具有特定功能的住宿、娱乐与活动处所。㊟度假～|亚运～。❸粗俗。㊟～野。

【村落】村庄。

【村民委员会】简称村委会。中国农村中按居民居住地区设立的群众性自治组织。办理本居住地区的公共事务和公益事业,向人民政府反映群众的意见和要求。

皴 cūn ❶皮肤因受冻而裂开。㊟手～了。❷皮肤上积存的泥垢(gòu)。❸中国画的一种技法。

【皴法】中国画的一种技法。多以淡墨和干墨用侧锋和中锋来表现山石树身的脉络纹理和明暗向背。

cún ㄘㄨㄣˊ

存 cún ❶活着。㊟生～|～亡。❷储积。㊟～粮|～款|缸里～着水。❸保留。㊟去伪～真|～疑|库～。❹寄放。㊟～车。❺心中怀有。㊟对他～着戒心。❻安慰;问候。㊟～问。

【存亡】生和死;存在和灭亡。

【存心】居心,怀着某种念头;有意,故意。㊟～不良|～作对。

【存在】❶有,未消失。❷哲学范畴。1. 指人们意识之外的客观物质世界。与"思维"相对。2. 指包括精神现象在内的存在着的一切东西。

【存货】指以销售为目的而购进的尚未售出而保有所有权的商品;或以制造为目的所购的待制材料,尚未耗用部分或已耗用尚未制成的在制品;或已制成尚未出售的制成品。

【存项】余存的款项或实物。

【存档】把已经处理完毕的公文、书信、稿件等分类归入档案,以备查考。

【存案】在有关机构登记备案。

【存款】客户按照约定条件存入银行账户的货币。

【存疑】把一时搞不清楚的疑难问题,暂时放下,不忙着做结论。

【存现句】汉语句式的一种。表现人或事物存在或出现、消失的句子。如"台上坐着主席团""天空飞来了一群大雁"。

【存栏数】牲畜饲养中的个体数量。如猪的年终存栏数就是12月31日的实际头数。栏:指圈(juàn)。

【存储器】电子计算机中用来存储信息的装置。有内存储器和外存储器之分。根据存储媒体性质的不同,又可分半导体存储器、磁存储器和光存储器等。

【存亡绝续】是生存下去还是灭亡;是中断还是延续下去。形容事情到了紧急关头。

【存在主义】现代西方哲学的主要流派之一。产生于20世纪20年代。主要代表人物有德国的雅斯贝尔斯、海德格尔和法国的马塞尔、萨特等。断言只有孤立的个人的非理性意识活动才是真正的"存在",并把这种"存在"作为其全部哲学的出发点和基础。

【存款保险】为保证银行等机构的存款人不致因存款机构破产而遭受损失的保险。通常由国家出资建立存款保险公司来承保。

【存款准备金】商业银行为应付客户提取存款而设置的准备金。

踆⊠ cún 蹋。

蹲 ㊀ cún 〈方〉脚、腿猛然着地而受伤。㊟～了脚。

㊀ dūn(235页)。

cǔn ㄘㄨㄣˇ

刌⊠ cǔn 分割;截断。

忖 cǔn 推测;仔细考虑。㊟～度|思～。

cùn ㄘㄨㄣˋ

寸 cùn ❶市制长度单位。10寸为1尺。1寸约合3.33厘米。❷比喻极小或极短。例～步难行。

【寸心】❶内心；心里。❷微小的心意。例略表～。

【寸阴】形容极短的时间。阴：光阴。

【寸木岑楼】比喻高低相差悬殊。《孟子·告子下》："不揣其本而齐其末，方寸之木，可使高于岑楼。"宋朱熹《四书集注》："若不取其下之平，而升寸木于岑楼之上，则寸木反高，岑楼反卑矣。"岑楼：尖顶高楼。

C

吋□ cùn （又音 yīngcùn）旧表示英制长度单位用字。1977年7月中国文字改革委员会、国家标准计量局通知，淘汰"吋"，改用"英寸"。

cuō ㄘㄨㄛ

殅☒ cuō 日斜。

搓 cuō 来回揉擦。例～手｜～绳。

瑳☒ cuō 玉色鲜明洁白。泛指颜色洁白。

磋 cuō ❶把骨、角磨制成器物。❷商量；研讨。例～商。

【磋商】仔细商量讨论。

蹉 cuō ❶跌跤。❷差误。❸通过。

【蹉跌】失足跌倒。也比喻失误。

【蹉跎】时间白白地耽误过去。例岁月～。跎（tuó）。

撮 ㊀ cuō ❶聚合；归拢。例把土～起来。❷用手指捏取细碎的东西。例～盐。❸从书籍资料中摘取。例～要。❹市制容量单位。10撮为1勺。现用市撮，1市撮合1毫升。❺量词。用于手撮的东西，借指极少的量。例一～盐｜一小～坏人。❻〈方〉吃。例～一顿。

㊁ zuǒ（1326页）。

【撮合】从中说合。

【撮弄】❶玩弄；捉弄。❷教唆；煽动。

【撮要】在书籍资料中摘取要点。也指摘取出来的要点。

cuó ㄘㄨㄛˊ

嵯 cuó 〔嵯峨〕形容山高。峨（é）。

瘥 ㊁ cuó 病。

㊀ chài（104页）。

鹾☒（鹺） cuó ❶盐。❷有咸味的。例～鱼（腌鱼）。

矬 cuó 矮。例～个儿。

痤 cuó ❶痤疮。❷痈。

【痤疮】也叫粉刺。一种皮肤病，多生在青年人的面部。通常是圆锥形的小红疙瘩，有的有黑头，多由皮脂腺分泌过多、消化不良引起。

酂□（酇） ㊁ cuó 酂县，古县名，秦置，在今河南永城西酂县乡。

㊀ zàn（1225页）。

cuǒ ㄘㄨㄛˇ

脞 cuǒ 小。例丛～。

cuò ㄘㄨㄛˋ

挫 cuò ❶进行不顺利。例～折｜受～。❷压下；降低。例抑扬顿～。

【挫伤】❶因碰撞或压挤而受的伤。❷损伤。例不要～群众的积极性。

【挫折】❶事情进行中遇到困难和阻碍。❷失败；失利。

【挫败】❶挫折；失败。❷打败；击破。

莝☒ cuò ❶铡（草）。❷铡碎的草。

锉（銼*剉） cuò ❶也叫锉刀。手工工具。条形，多刃，用来使金属、木料、皮革等工件表面变平或变光。❷用锉进行工作的动作。❸古又同"挫"。

剒☒ cuò 斩；割。

厝 cuò ❶停放棺材待葬或浅埋以待改葬。例暂～。❷放置。例～火积薪。❸古同"措（cuò）"。

【厝火积薪】把火放在柴堆下面。比喻隐藏着很大的危险。《汉书·贾谊传》："夫抱火厝之积薪之下，而寝其上，火未及燃，因谓之安。方今之势，何以异此？"薪：柴草。

措 cuò ❶安排;安放。㊀～置|手足无～。❷计划办理。㊀筹～。

【措施】指为解决某一问题所采取的办法。㊀～得当|安全～。

【措置】安排。

【措辞】说话或写文章时选用词句。

【措手不及】没有准备,临时来不及应付。措手:处理,应付。

【措置裕如】处理事情从容、不紧张。裕如:形容从容而不费力。

错(錯) cuò ❶不正确;过失。㊀～字|知～就改。❷交叉。㊀～落|～综复杂。❸相互摩擦。㊀～牙。❹岔开;相互避让。㊀把两个会的时间～一下|～车。❺坏;差(用于否定式)。㊀这个戏挺不～。❻磨玉的石头。也指打磨玉石。㊀他山之石,可以为～|攻～。❼涂饰、镶嵌(金、银等)。㊀～金。

【错字】字形写错的字。这种字在所属文字系统中不存在。如汉语中把"贰"写成"貮","貮"多了一撇,是错字。

【错金】特种工艺的一种。在器物上用金属丝镶嵌出花纹或文字。

【错觉】由某种原因而引起的对客观事物的错误知觉。例如同一灰色,放在黑、白两种不同背景上,看起来前者较白,后者较黑。

【错爱】谦辞。表示感谢对方的爱护。

【错落】交叉夹杂,参差不齐。㊀～有致。

【错综复杂】许多东西交叉牵连,情况多而杂。㊀矛盾～,很难理出个头绪。

瘄⊠ ㊁ cuò 同"厝"。
㊀ xī (1055页)。

C

D ㄉ

dā ㄉㄚ

哒□ dā 叹词。吆喝牲口(一般指牛)前进的声音。

荅☒ ㊁ dā 同"答(dā)"。
㊀ dá (161 页)。

搭 dā ❶支;架。[例]～桥|～架子。❷抬。[例]把桌子～进屋去。❸附挂。[例]把衣服～在竹竿上。❹乘;坐。[例]～船|～车。❺凑在一起;添加;配合。[例]～伙|把这些化肥～上就够了|两种材料～着用。❻连接;重叠。[例]两根电线～上了。

【搭车】❶趁便乘坐顺路车。❷比喻借某一机会一起做。[例]～涨价。

【搭讪】为了想跟人接近或打开尴尬的局面而找话说。讪(shàn)。

【搭伙】❶合为一伙。[例]成群～。❷搭附在某处吃饭。[例]在学校～。

【搭档】❶协作;合伙。❷协作的人;伙伴。[例]老～。

【搭配】按一定要求安排分配。[例]合理～|～适当。

【搭救】帮助人脱离危险或灾难。

嗒 ㊁ dā 拟声词。马蹄声、机关枪声等。
㊀ tà (948 页)。

绤☒(綹) dā 同"褡裢"的"褡"。

锴□(鎝) dā 〈方〉铁锴,一种用来刨土的农具。

褡 dā 见下。

【褡包】布或绸等做的长而宽的腰带,系(jì)在衣服外面。

【褡裢】❶一种中间开口、两头装东西的肩背(bēi)长口袋。❷摔跤运动员所穿的一种上衣。

答 ㊁ dā 义同"答(dá)",用于"答应""答理"等词。
㊀ dá (161 页)。

耷 dā 大耳朵。

【耷拉】向下垂。[例]他一听,就～脑袋了。

膪☒ dā 〔膪膪〕形容又肥又蠢。

哒□(噠) dā 同"嗒(dā)"。

dá ㄉㄚˊ

打 ㊁ dá 英语音译词。量词。十二个为一打。[例]一～铅笔。
㊀ dǎ (162 页)。

达(達) dá ❶通;到。[例]四通八～|抵～。❷对事理认识得透彻。[例]通～事理。❸达到;实现。[例]目的已～|～成协议。❹告知;表达。[例]转～|传～。❺指得到显要的地位。[例]显～。

【达卜】也叫手鼓。击乐器。是一种扁圆形的单面鼓。鼓框装有许多小铁环。双手持奏。常用以伴奏、合奏。是维吾尔、乌兹别克、塔吉克等民族喜爱的乐器。

【达人】❶指通达事理的人。❷达观的人。

【达卡】孟加拉国首都。位于该国中部。人口 850 万(1996 年)。是全国政治、文化、交通中心和最大的工业中心。市内多清真寺。

【达旦】一直到天亮。[例]通宵～。旦:早晨。

【达成】得到;达到,实现。[例]～协议|～共识。

【达因】力的非法定计量单位。使 1 克质量的物体获得 1 厘米/秒^2 加速度所需的力。1 达因等于 10^{-5}牛。

【达观】对事情(多指不如意的)看得开。

【达识】通达而有见识。

【达赖】达赖喇嘛的简称。藏传佛教格鲁

派(黄教)两大活佛转世系统之一(另一为班禅)。意为"德智广深如海无所不纳之上师"。达赖喇嘛转世必经中央政府册封,已成历史定制。今之达赖喇嘛为第十四世。

【达意】用语言文字表达意思。㊀词不～。

【达尔文】查理·达尔文(1809—1882)英国博物学家,进化论的奠基人。他用朴素的唯物主义观点说明生物物种的发生和发展。1859年出版震动当时学术界的《物种起源》一书,提出以自然选择为基础的生物进化学说。恩格斯认为达尔文的进化论是19世纪自然科学三大发现(能量守恒和转换定律、细胞学说、进化论)之一。

【达·芬奇】列奥那多·达·芬奇(1452—1519)文艺复兴时期意大利画家、科学家、工程师。他把科学认识和艺术想象有机地结合起来,创作出真实而生动的人物画,从而使西欧绘画的发展达到一个新的阶段。代表作有《蒙娜丽莎》《最后的晚餐》等。他的哲学思想接近唯物主义,认为自然界的一切都服从于客观的必然性规律。著有《绘画论》,并有大量有关自然科学、工程学的笔记传世。

【达·伽马】伐斯科·达·伽马(约1469—1524)葡萄牙航海家。1497年自里斯本出发航行,绕过非洲南端好望角到达印度。以后又两次航海去印度,由此推进了东西方商业联系的发展。此举也是欧洲殖民国家掠夺殖民地的开端。

【达拉斯】美国城市。位于该国南部。早期是全国主要的棉花市场之一,后在市郊发现大油田,成为南部重要的石油城。也是全国金融中心之一。

【达官显贵】旧指职位高的官吏和社会地位显要的人物。

【达斡尔族】中国少数民族之一。人口12万(1990年)。主要分布在内蒙古自治区东北部、黑龙江省西部和新疆维吾尔自治区塔城。有本民族语言。农区用汉文,牧区用蒙文。建立有内蒙古自治区莫力达瓦达斡尔族自治旗。

【达达尼尔海峡】见〔土耳其海峡〕(994页)。

【达累斯萨拉姆】坦桑尼亚首都。位于该国东部,临印度洋。人口180万(1996年)。是全国政治、文化、交通中心,最大的工商业中心和海港,坦赞铁路起点。有著名的热带动物园。

荙(薘) dá 见〔莙荙菜〕(542页)。

靼(韃) dá 〔靼靼〕❶中国古代对北方各游牧民族的总称。❷明代称蒙古族的一部,即东蒙古人。居住在今俄罗斯贝加尔湖一带和蒙古国大部分地区。靼(dá)。

沓 ㊁ dá 量词。用于重叠起来的纸张等。㊀一～信封。
㊀ tà (948页)。

怛 dá 忧伤;悲苦。

妲 dá 〔妲己〕商纣王的妃子。

炟 dá 用于人名,如刘炟(东汉章帝)。

笪 dá ❶南方晒粮食用的一种粗竹席。❷拉船用的竹索。

靼 dá 见〔靼靼〕(161页)。

荅⊠ ㊀ dá 同"答(dá)"。
㊁ dā (160页)。

匒⊠ dá 〔匒匌〕重叠的样子。匌(kē)。

瘩(*瘩) ㊀ dá 〔瘩背〕中医称生在背部的痈。
㊁ da (171页)。

答 ㊀ dá ❶回答。㊀一问一～。❷还报。㊀报～|～礼。
㊁ dā (160页)。

【答词】在正式场合对别人表示谢意或回答时所说的话。

【答拜】答谢别人来访的礼节性回访。

【答复】回答(所提出的问题或要求等)。

【答案】对问题的解答。

【答谢】受到别人的帮助或招待,表示感谢。

【答辩】对别人提出的问题或指责、控告等进行答复或进一步申述自己的理由。

【答辩状】被告对原告的诉讼请求进行反驳的诉讼文书。人民法院应当在立案之日起5日内将起诉状副本送达被告,被告在收到之日起15日之内提出答辩状。不提出答辩状的,不影响法院审理。

阘(闒) ㊁ dá 〈方〉楼上的窗户。
㊀ tà (948页)。

D

dǎ ㄉㄚˇ

打 ㊀ dǎ ❶击;敲。[例]~鼓|~门。❷殴打;攻打。[例]~架|三~祝家庄。❸指某种动作。[例]~(捉)鱼|~(买)油|~(举)伞|~(收)粮食|~(织)毛衣|~(画)格子|~(捆)行李|~(发出)电报|~(做)短工|~(制造)家具|~(汲取、舀取)水|~(做、从事)杂儿|~(注入)气。❹器皿等撞击破碎。[例]碗~了。❺介词。从;自。[例]~哪儿来?

㊁ dá (160 页)。

【打手】受主子豢养,替主子欺压、殴打人的恶棍。手(shou)。

【打击】❶攻击,使受到挫折。[例]~侵略者。❷敲打;撞击。[例]~乐器。

【打网】撒网打鱼。

【打更】旧时把一夜分作五更,每到一更,巡夜的人打梆子或敲锣报时。

【打私】指打击走私、贩私活动。

【打非】指打击制作销售非法出版物和音像制品的行为。[例]扫黄~。

【打钎】(采矿、开隧道等爆破工程中)用铁锤钢钎在岩石上打孔。钎:一头尖(或有刃)的钢棍。

【打春】❶立春的俗称。❷旧风俗,指立春那天用鞭子抽打泥做的春牛。

【打战】也作打颤。哆嗦;由于害怕、愤怒或寒冷而身体发抖。

【打点】❶收拾;准备。[例]~行装。❷送人钱财,请求关照。点(dian)。

【打烊】〈方〉商店晚上关门停止营业。

【打眼】❶钻孔。❷为防止圆形物体滚动或帮助撬动沉重物体,用东西塞住或垫起。

【打假】指打击制造销售假冒伪劣商品的行为。

【打量】❶观察。[例]把他全身上下~了一遍。❷以为。[例]你~我真不知道吗?

【打短】指做短工。

【打谱】中国琴传统用语。根据琴谱奏出琴曲。由于琴谱只记录古琴的弦位、徽位和指法,无明确的节拍、速度标记,要靠演奏者根据自己的水平、经验来定拍、定句、定调,这一译谱过程叫做打谱。

【打趣】说俏皮话,拿人开玩笑。

【打磨】摩擦器物的表面,使其光滑精细。

【打醮】道士设坛念经做法事。醮(jiào)。

【打颤】同"打战"(162 页)。颤(zhàn)。

【打牙祭】原指初一、十五吃一顿较好的饭食,现泛指偶尔吃一顿丰盛的饭菜。

【打火石】❶燧石的俗称。❷由铈、镧等与铁的合金制成的物质。受撞击或摩擦时发热,同时,摩擦掉的一些粉末在空气中燃烧迸出火星。用于打火机中。

【打饥荒】指借债或欠下债款。

【打出手】戏曲中一种兵器离手的武打特技。剧中人物互相抛掷接踢兵器以表现战斗的错综、惊险、紧张、激烈。也比喻动手打人。

【打招呼】❶用语言或动作表示问候。[例]一下来了那么多人,我不知先跟谁~好。❷就某件事情对人有所说明、关照或告诫。[例]这事你事先跟他~了没有?|~会。

【打油诗】一种语言通俗、格律随便的诗。传说唐代人张打油曾写这种诗,后来就把这类诗称为打油诗。

【打官司】进行诉讼。

【打背躬】见〔旁白〕(738 页)。

【打秋风】也说打抽丰。旧指利用各种关系假借名义向有钱的人索取财物。

【打圆场】调解纠纷,缓和僵局。

【打通腿】原指一种睡觉的方式。两人共用一被、各朝一头叫打通腿。比喻两方合谋对付第三者。

【打摆子】〈方〉患疟(nüè)疾。

【打击乐器】即"击乐器"(447 页)。

【打成一片】形容密切结合在一起,思想感情融洽。[例]军民~|干群~。

【打抱不平】遇见不公平的事,支持帮助受欺负的一方。

【打草惊蛇】明郎瑛《七修类稿》卷二四:"打草惊蛇,乃南唐王鲁为当涂令,日营资产,部人诉主簿贪污,鲁曰:'汝虽打草,吾已惊蛇。'"后用以比喻做事不谨慎,行迹泄露,使对方有所警觉。

【打退堂鼓】古代官吏退堂时打鼓。现比喻要做或已开始做事时却步退缩。

【打破常规】突破相沿的或通常的做法。

【打家劫舍】指成群结伙公开地到人家里抢夺财物。

【打落水狗】比喻彻底打击已经失败了的坏人。语见鲁迅《论"费厄泼赖"应该缓行》。

【打破沙锅问到底】指刨根问底。是用谐音构成的歇后语,"问"是"璺(wèn,裂纹)"的谐音。

dà ㄉㄚˋ

大 ㊀ dà ❶在体积、面积、数量、容量、力量、强度、年龄等方面超过通常的情况或超过所比较的对象。与"小"相对。㊇～树|～山|～会|～声|～龄|～灾。❷副词。表示程度深。㊇～有进步|～出血|～不相同。❸敬辞。称与对方有关的事物。㊇～作|～著。❹年长或排行第一的。㊇～伯|～哥。❺时间更远。㊇～前年|～后天。❻用在"不"后,表示程度浅或次数少。㊇不～会使用|不～锻炼。❼古又同"太""泰"。㊇～子(太子)|～山(泰山)。

㊁ dài (171 页)。

【大凡】副词。用在句子开头,表示总括一般的情形,常跟"总""都"等词呼应。㊇～坚持学习的,都会有一定的收获。

【大卫】意大利雕刻家米开朗琪罗1501—1504年为佛罗伦萨政府创作的大理石雕像。表现迎战敌酋哥利亚的古犹太少年大卫的英雄形象。原作现藏佛罗伦萨美术学院博物馆。

【大夫】❶古代官名。周朝国君之下有卿、大夫、士三级。秦汉以后有御史大夫、谏大夫、中大夫、光禄大夫等。唐宋仍存御史大夫及谏议大夫,明清全废。❷古代爵位名。秦汉设爵位二十级,大夫为第五级。

【大车】❶用牲口拉的载重车。❷也作大伡。对火车司机或轮船上负责管理机器的人的尊称。

【大比】隋唐以后泛指科举考试。明清两代每隔三年举行一次乡试,称大比,考中的叫举人。

【大内】旧称皇宫。㊇～总管。

【大气】包围地球的空气层。厚度面向太阳一侧超过3 000千米,背向太阳一侧则可达数万千米甚至更多。一般分为对流层、平流层、中间层、热层和外逸层。由多种成分混合组成。主要成分是氮和氧,在大气的低层内还有二氧化碳、水汽和微尘等。大气随着高度的增加而逐渐稀薄。

【大方】❶方(fang)。对于财物不计较,不吝啬。❷方(fang)。自然;不拘束。㊇举止～。❸方(fang)。不俗气。㊇颜色～|式样～。❹方(fāng)。专家;内行人。㊇贻(yí)笑～。

【大计】长远重要的计划。㊇百年～。

【大户】❶旧指有钱有势的人家。❷人口多或分支繁的家族。❸证券市场上指资金量大的投资者。

【大示】尊称朋友的来信。㊇～读悉。大:指对方。示:指来信。

【大节】在重大原则问题上所表现出来的品德和节操。

【大卡】即"千卡"(777页)。

【大白】❶粉刷墙壁的白粉。❷整个事情的经过完全暴露。㊇真相～。

【大写】❶汉字数目字的一种笔画繁多的写法。如一写作"壹",十写作"拾",百写作"佰"等。多用于填写款项凭证。与"小写"相对。❷某些拼音字母中一种写法。如拉丁字母的A、B、C(小写为a、b、c)等。多用于句首和专名的第一个字母。与"小写"相对。

【大臣】君主国家的高级官员。

【大师】❶对有很高成就的学者或艺术家的尊称。㊇艺术～。❷对和尚的尊称。

【大同】❶儒家所宣扬的理想社会。《礼记·礼运》说那个社会里"天下为公","老有所终,壮有所用,幼有所长,矜寡孤独废疾者皆有所养"。大同说曾被一些革命家、进步思想家(如洪秀全、谭嗣同、孙中山等)用来宣传或推行社会改革。❷主要的方面一致。㊇求～,存小异。❸市名。位于山西省北部。人口91万(1997年)。京包铁路和同蒲铁路在此相接。是中国重要煤炭工业基地之一。

【大年】❶丰收年。❷农历十二月有30天的年份。❸农历年,即春节。

【大伡】同"大车"②(163页)。

【大旨】主要的意思。㊇无关～。

【大名】❶人的正式名字。❷盛名。㊇～鼎鼎。❸日本封建时代的大领主。因大量占有名田(登记的垦田),故称。

【大庆】市名。位于黑龙江省西部,滨洲、通让铁路交会处。人口80万(1997年)。是中国著名的石油城,建有大规模的石油提炼和石油化工工业。

【大关】重要的关口。也指重大的转折点。

【大江】❶大的江。❷指长江。

【大尽】即"大建"(164页)。

【大阪】日本城市。位于本州岛西南部。人口250万(1993年)。是日本第二大城市,重要的工商业中心和交通枢纽,又是关西文化中心。

【大观】形容事物丰富美好。㊇蔚为～|洋

洋～。

【大麦】一年生或二年生草本植物。植株像小麦。秆较软。叶片厚而短，色淡。有长芒、钩芒或无芒。子实可供食用。也指这种植物的种子。

【大连】市名。位于辽宁省辽东半岛南端，沈大铁路终点。人口195万(1997年)。是中国沿海开放城市，也是东北地区著名的港口、旅游城市和工业、渔业基地。有造船、机械、炼油、纺织等工业。风景名胜有棒槌岛、老虎滩、旅顺口、金石滩等。

【大员】旧指职位高的人员。

D

【大体】❶副词。大概；大致；就主要方面或多数情况来说。[例]举办展览会的工作已经～就绪。❷重要的道理。[例]识～，顾大局。

【大肠】肠的一部分，消化管的最末段。在右髂窝处连接小肠。成人的大肠全长约1.5米。分盲肠、结肠和直肠。主要有吸收水分和贮存、排除粪便的作用。

【大亨】旧时上海称有钱有势的人，如大官、富商或大流氓头子。

【大局】总的局面；总的形势。[例]顾全～。

【大陆】❶面积广大的陆地。全球有六块大陆，按面积大小依次为亚欧大陆、非洲大陆、北美大陆、南美大陆、南极大陆、澳大利亚大陆。❷特指中国领土的大陆部分。

【大纲】❶纲领性的政策、法令。[例]《土地法～》。❷用简括的文字写出的著作、讲稿、计划等的主要内容。

【大抵】副词。1.大都；大多。[例]来到北京的外国朋友～都要去游览一下长城。2.大致；大概。[例]汉语的词～可以分为实词和虚词两大类。

【大雨】强度较大的降雨。24小时内降雨量在25—50毫米或1小时内降雨量在8毫米以上。

【大典】❶国家举行的隆重盛大的典礼。[例]开国～。❷规模大的典籍、著作。[例]《永乐～》。

【大使】一国元首派往另一国(或国际组织)的最高级的常驻外交代表。通常都授予"特命全权大使"衔。享有外交特权与豁免，比其他等级的常驻外交代表享受更高的礼遇。现在国际交往中，绝大部分国家均互派大使。

【大河】❶大的河流。❷指黄河。

【大学】❶实施高等教育的学校。分综合大学、专科大学或学院。❷儒家经典之一。原是《礼记》中的一篇。参见〔四书集注〕(931页)。

【大宗】大批；数量大的。[例]～货物。

【大宛】古西域国名。在今中亚费尔干纳盆地(乌兹别克斯坦境内)。其地盛产葡萄、苜蓿，尤以汗血马闻名。商业也较发达。自张骞通西域后，与汉的往来逐渐频繁。宛(yuān)。

【大建】也叫大尽。农历的大月，有三十天。

【大限】旧指寿数。也指死期。

【大故】❶重大的事故。旧时多指父亲或母亲死亡。❷重大的灾害。指水、旱、荒年等。《周礼·春官·大宗伯》："国有大故，则旅上帝及四望。"❸严重的罪恶。《论语·微子》："故旧无大故，则不弃也。"

【大要】主要的意思；概要。

【大哗】议论纷纷。

【大选】某些国家把选举国会议员或总统叫大选。

【大秋】❶指九月、十月收割玉米、高粱等大田作物的季节。❷指大秋作物或秋季的收成。

【大食】波斯语音译词。原是伊朗一个部族的名称。中国古代自唐以后称阿拉伯帝国为大食。8世纪中期，阿拔斯王朝(750—1258)取代了倭马亚王朝(661—750)，自大马士革迁都巴格达，衣、旗崇尚黑色，中国称其为黑衣大食或东大食。旧王室后裔逃往西班牙，以科尔多瓦为首都，建后倭马亚王朝(756—1031)，衣、旗崇尚白色，中国称其为白衣大食或西大食。北非的法提玛王朝(909—1171)曾以开罗为首都，衣、旗崇尚绿色，中国称其为绿衣大食或南大食。

【大度】度量大，能容人。[例]豁达～。

【大洋】❶地球表面最广阔的水域。每个大洋都有稳定的盐分，独自的洋流系统。全球共有四大洋：太平洋、大西洋、印度洋和北冰洋。❷旧时银圆的俗称。

【大洲】面积广阔的陆地及附近岛屿的总称。全球分为七大洲：亚洲、欧洲、非洲、北美洲、南美洲、大洋洲和南极洲。

【大举】大规模地进行。[例]～进攻。

【大秦】中国古代对罗马帝国的称呼。也指西罗马帝国灭亡后，东部地中海沿岸和美索不达米亚诸地区。汉、晋时大秦国曾两次派使节来中国。

【大班】❶幼儿园里的最高班级。❷旧指洋

行的经理。

【大都】❶元代的首都。故址在今北京城区北部及城北近郊的一部分。都城规模宏大,为当时世界少有。❷副词。大多。

【大样】❶印刷上指报纸的整版清样(区别于小样)。❷工程上指细部图。

【大致】副词。1.大体上。[例]两队的成绩~相当。2.大概。[例]这个水坝~再有半个月就完工了。

【大钱】❶旧时的一种铜钱,较普通的铜钱大,作为货币的价值也较高。❷指大量的钱(多含贬义)。

【大乘】佛教的一派。认为人皆可以成佛,强调解救他人,普渡众生。自比作发大心者所乘的大车,故名,以区别于强调自我解脱的小乘。乘(chéng)。

【大脑】脑的一部分。是中枢神经系统的最高级部分。位于颅腔内,由左右两个大脑半球组成,两半球间有横行纤维相联系。外层为大脑皮层,是高级神经活动的物质基础。内部的空腔叫脑室,是产生和容纳脑脊髓液的地方。人类的大脑最发达。

【大理】市名。位于云南省西部,洱海沿岸。人口17万(1997年)。是历史上南诏国、大理国的都城。有太和城遗址、弘圣寺塔、崇圣寺三塔、感通寺等古迹,苍山、洱海、蝴蝶泉等风景名胜,以及白族传统的贸易集市三月街等。

【大赦】国家对一定时期内某些种类或一般的犯罪分子普遍赦免,既赦其罪,又赦其刑的制度。被宣告大赦的人或不再认为其犯罪,或不再追究其刑事责任。

【大副】轮船上船长的主要助手,在船长领导下驾驶船舶。大副之下有时还有二副、三副。

【大雪】❶节气名。在每年公历12月7日前后。中国黄河流域常在这时开始出现积雪。❷强度较大的降雪。24小时内降雪量大于5毫米。

【大略】❶大致的情况或内容。[例]这件事,我只知道个~。❷远大的谋略。[例]雄才~。

【大盘】指股票、期货市场交易的整体行情。

【大麻】也叫火麻。一年生草本植物。掌状复叶,小叶5—11片,披针形。花单生,雌雄异株。雄株茎细长,韧皮纤维产量多,质佳而早熟。韧皮纤维可供纺织用,种子可榨油,果实可供药用。

【大率】副词。大概;大略。[例]~如此。率(shuài)。

【大椎】针灸穴位名。位于第七颈椎与第一胸椎棘突之间。主治发热、感冒、落枕等。

【大暑】节气名。在每年公历7月23日前后。中国大部分地区进入一年中最热时期。

【大牌】指水平高、实力强、名气大的。[例]~球星。

【大寒】节气名。在每年公历1月20日或21日。中国大部分地区进入一年中最冷时期。

【大肆】毫无顾忌地。[例]~活动。

【大鼓】曲艺的一类。流行地区广泛。有山东大鼓(即梨花大鼓)、湖北大鼓、安徽大鼓、乐亭大鼓、京韵大鼓、梅花大鼓、西河大鼓、京东大鼓等。演唱者自击鼓(扁鼓)板,一至数人伴奏,主要乐器是三弦。

【大龄】(某一年龄段中)年龄较大的。[例]~儿童|~青年。

【大漠】大的沙漠。

【大辟】古指死刑。辟(pì)。

【大管】也叫巴松。木管乐器。是木管乐器组中的低音乐器。乐器较长,可分为四部分,另有一金属制的弯形接管连接吹嘴。与圆号配合使用,两者音色极为融合。

【大端】事情的重要方面。[例]举其~。端:项目。

【大篆】❶指笔画较繁复的汉字字体。泛指秦代小篆以前的各种古文字。包括甲骨文、金文、籀文和春秋战国时通行于六国的文字等。❷即“籀文”(1290页)。

【大潮】❶在朔、望日(农历每月初一和十五、十六),月球和太阳对潮汐所起的作用最大,此时潮水涨落的幅度最大,叫大潮。❷比喻声势浩大的社会潮流。[例]改革~。

【大鲵】也叫娃娃鱼。两栖动物。长60—70厘米。背面棕褐色,有大黑斑,腹面色淡。头宽而扁,口大。躯干粗壮而扁,尾侧扁,四肢甚短。叫声似小孩啼哭。栖息于山谷溪水中。是中国特有珍稀动物。

【大薸】也叫水浮莲。多年生草本植物。根悬垂,无茎,叶簇生,可作猪饲料或绿肥。

【大无畏】不怕任何困难、危险。[例]发扬~的革命精神。

【大犬座】位于南天球,其中的天狼星是肉眼所见最亮的恒星。冬季易见。

【大手笔】❶知名作者写出的有分量的文

章。《晋书·王珣传》:“珣梦人以大笔如椽与之。既觉,语人曰:‘此当有大手笔事。’俄而帝崩,哀册谥议,皆珣所草。”❷名噪一时的作者。《新唐书·苏颋传》:“颋自景龙后,与张说以文章显,称望略等,故时号燕许大手笔。”

【大气压】简称气压。垂直方向上大气的重量产生的压强。随海拔增高而减小。一般用帕或百帕作单位。

【大气层】包围地球的气体层。参见〔大气〕(163页)。

【大气圈】地理学上把包围地球的大气层称为大气圈。它与水圈、生物圈等一起,形成地球的外部圈层构造。

【大公国】以大公为国家元首的国家。大公是一种爵位,古代在俄国是最高公爵,后来降为皇帝子孙的封爵。在西欧诸国,大公是介于国王与公爵间的爵位。卢森堡是以大公为国家元首的君主立宪制的国家。

【大月氏】古族名。月氏族的一支。公元前2世纪从中国甘肃敦煌一带迁往伊犁河流域,不久又迁往阿姆河流域。公元前125年左右灭大夏。公元前128年汉使张骞通西域至其国,后与汉往来渐密。氏(zhī)。

【大本营】❶指战时军队的最高统帅部。❷指某种活动的根据地。㊎登山运动员胜利返回~。

【大平原】位于美国中央低平原与落基山之间的高平原。北接加拿大高平原,南至墨西哥湾沿岸。海拔500—1 800米。范围广大,地势高而地表较平,故名。是在落基山形成时抬升而成的。

【大包干】也叫包干到户。中国农村家庭联产承包责任制的主要形式。农户承包集体的基本生产资料(主要指土地),自主经营,包交国家和集体应得的各项费款,其余产品或收入归承包户所有。参见〔家庭联产承包责任制〕(467页)。

【大主教】基督宗教主教级别之一。在天主教、英国圣公会(新教的一派)和东正教会内,一般都是管理一个大教区的主教,领导区内各个主教(原名各不相同,都译作大主教)。

【大动脉】❶即“主动脉”(1295页)。❷喻指铁路干线。

【大扫除】室内室外全面打扫。㊎周末进行~。

【大西洋】地球上四大洋之一。位于非洲、欧洲之西,北美洲和南美洲之东,南接南极洲,北连北冰洋。面积9 336万平方千米,是世界第二大洋。平均深度3 627米。洋底中部有和两岸大致平行的隆起带,叫大西洋海岭。

【大同书】书名。清末康有为著。十卷。书中把今文经学的公羊“三世”说和《礼记》的大同思想同西方资产阶级的进化论、空想社会主义思想杂糅起来,幻想人类历史是由“据乱世”进入“升平世”,最后将达到“太平世”即“大同世”。

【大仲马】亚历山大·仲马(1802—1870)法国小说家。小仲马的父亲。所作小说大多情节曲折,场面惊险。代表作有《三个火枪手》《基度山伯爵》等。

【大杂烩】把各种剩菜烩在一起,合成一个菜。比喻把各种不伦不类的东西胡乱拼凑在一起的混合体。

【大观园】小说《红楼梦》中的男主人公贾宝玉家的花园。现北京大观园模仿书中格局建造。

【大观楼】江南楼阁。位于云南省昆明市西,南临滇池。始建于1696年。现存楼为1869年重建,共三层。楼前门柱上有著名的长联,共180字,为乾隆年间孙髯所撰。

【大运河】也叫京杭运河。始凿于春秋末期,后经隋、元等代扩建而成。北起北京市通州,经过河北、天津、山东、江苏、浙江等省市,南达杭州市。沟通海河、黄河、淮河、长江和钱塘江五大水系。全长1 800千米。是世界上开凿最早、流程最长、规模最大的人工运河。它在历史上对南北经济和文化交流起过重大作用。现山东济宁以南河段仍可通航。

【大苏打】也叫海波。硫代硫酸钠的俗称。无机化合物,化学式$Na_2S_2O_3 \cdot 5H_2O$。无色透明晶体,溶于水,水溶液呈弱碱性,遇强酸分解并析出硫和二氧化硫。有还原性。主要用作定影剂、去氯剂,也可用于鞣制皮革。打(dá)。

【大丽花】也叫大理菊、天竺牡丹。多年生草本植物。高1—2米。有块根。春夏间陆续开花,越夏后再度开花,花有多种颜色。可供观赏。也指这种植物的花。

【大别山】在河南、湖北、安徽三省交界处。西北—东南走向,海拔1 000米左右。是长江、淮河的分水岭。

【大陆岛】岛屿的一种。原为大陆的一部

分，后因地层陷落或海面上升才与大陆分离。如中国的台湾岛。

【大陆架】旧称陆棚。大陆向海面以下延伸的部分。范围从低潮线起到海底坡度突然变陡处止。坡度较缓，深度不大。海洋生物资源和海底石油、天然气等矿产资源多分布在大陆架地区。中国沿海有广阔的大陆架。

【大事记】将重大事件按年月顺序编排，以便查考的材料。

【大明律】明代官修律书。明太祖洪武六年(1373)据《唐律》修编而成。共十二篇，六百零六条。后重订成三十篇(卷)，四百六十条。因明人断案多不遵用，故罕有传世。《永乐大典》辑有该书，《玄览堂丛书》三集中有其影印本。

【大呼隆】形容做事只追求声势而不讲求实效。

【大学士】古代官名。始置于唐。唐崇玄馆、集贤殿的大学士，由宰相兼领。宋时多系优礼大臣的官衔。明初废丞相，以大学士充顾问。明中叶后，入阁者多为尚书、侍郎，实掌宰相之权。

【大轴子】一次演出的若干戏曲节目中排在最后的一出戏。轴(zhòu)。

【大昭寺】唐代佛寺。位于今西藏自治区拉萨市。始建于7世纪中叶。经历代扩建，规模宏大。大殿主供由文成公主从长安带来的释迦牟尼镀金佛像，配殿供有松赞干布和文成公主等人塑像。寺内存有唐代以来的大量历史文献。

【大峡谷】❶指美国亚利桑那州西北部的科罗拉多大峡谷。❷管弦乐组曲。格罗菲曲。作于1931年。描绘美国科罗拉多大峡谷的自然景色。是格罗菲最重要的代表作。

【大洋洲】位于亚洲和南极洲之间，西临印度洋，东临太平洋。包括澳大利亚、新西兰、新几内亚以及太平洋波利尼西亚、密克罗尼西亚和美拉尼西亚三大群岛上的国家。共有一万多个岛屿。陆地面积897万平方千米，人口0.3亿。是世界上最小的一个洲。

【大宪章】1215年英王约翰因同贵族和城市上层分子斗争失败而被迫签署的文件。宪章在教会选举、城市自治、税收、贵族财产的剥夺与继承等问题上限制了国王的权利，保障了封建领主与教会的特权以及骑士、市民的某些利益。

【大理石】也叫大理岩。一种变质岩。因云南大理所产品质最好而得名。由碳酸盐类岩石(石灰岩、白云岩等)重结晶而形成，主要成分是碳酸钙。广泛用作建筑材料和石雕材料。可用于制隔电板，烧制石灰、水泥，也可用作冶金工业等的助熔剂。

【大理寺】官署名。北齐开始设置。掌管刑法，审核刑狱案件。清末改为大理院。

【大理院】官署名。清末大理寺改为大理院。是最高审判机关。北洋军阀政府沿用。

【大黄鱼】也叫大黄花。鱼类。体侧扁延长，约40—50厘米，背部灰黄色，鳍黄色。原是中国重要经济鱼类。因超量捕捞而严重枯竭。

【大跃进】指1958年因农村工作和经济工作指导思想上的“左”倾错误，而在全国范围内由上而下形成的盲目追求工农业生产高速度的群众运动。提出钢的产量要比1957年翻一番，并决定在农村普遍建立人民公社，形成了全民炼钢和人民公社化运动的高潮。以高指标、瞎指挥、浮夸风和共产风为主要标志，打乱了正常的经济建设秩序，浪费了巨大的人力和资源，造成国民经济比例的严重失调。

【大提琴】拉弦乐器。形状与构造和小提琴相似，但琴身比小提琴大。发音浑厚坚实。是独奏、重奏和管弦乐队中的重要乐器。

【大雁塔】唐代佛塔。始建于公元652年，在今西安市内。由玄奘法师设计并指导施工。平面为方形，总高63.25米。为砖砌七层楼阁式，逐层收缩，每层高度均有收减。各层四面开券门，门楣、门框及门槛上有唐代线刻，西面门楣上有珍贵的线刻佛殿图。体形敦厚端庄、简洁古朴。是中国现存最早的佛塔。

【大锅饭】原指供许多人吃的饭。现喻指不管劳动态度好坏、劳动质量优劣、对社会贡献大小都享受同样待遇、拿同样报酬的情况。

【大循环】即“体循环”(968页)。

【大猩猩】哺乳动物。类人猿的一种。体躯壮大，雄性高约1.65米，雌性高约1.40米。前肢比后肢长，两臂展开可达2.72米。毛黑褐色，略发灰。性凶暴。栖息于密林中。分布于非洲西部和东部。

【大腹贾】指富商(含讥讽之意)。贾(gǔ)。

【大熊座】位于北天球，最显耀部分是北斗

七星。中国北方地区终年可见。

【大熊猫】即"猫熊"(666页)。

【大藏经】简称藏经。佛教经典的总称。参见〔佛经〕(283页)。藏(zàng)。

【大刀阔斧】比喻做事果断,有魄力。

【大千世界】三千大千世界的简称。佛教用语。古印度传说中的一个极大范围的世界。以须弥山为中心,同一日月所照的东、西、南、北四个洲(人类只住在其中一个洲)为一小世界,合一千个小世界为小千世界,一千个小千世界为中千世界,一千个中千世界为大千世界。佛教沿用其说,指释迦牟尼所教化的范围。

D

【大义灭亲】《左传·隐公四年》记载,卫国大夫石碏的儿子石厚与公子州吁同谋弑桓公,后来石碏杀掉石厚,《左传》称赞石碏的行动为"大义灭亲"。原指为君臣大义而灭掉为非作恶的亲属。后泛指为了维护正义而不徇私情。

【大义凛然】坚持正义,不顾敌人威逼利诱,始终保持严峻不可侵犯的态度。凛(lǐn)。

【大马士革】叙利亚首都。位于该国西南部。人口322万(1996年)。是全国政治、经济、文化和交通中心。也是基督教和伊斯兰教的文化名城。主要名胜古迹有大马士革城堡、倭马亚大清真寺、凯撒门、圣保罗教堂、古它园林等。

【大气压强】大气由于本身的重量对大气中的物体产生的压强。地球表面的大气压强约为10^5帕。

【大气污染】指人类活动排入大气中的废气、烟尘等导致大气环境质量下降的现象。会影响人类活动和动植物的生长、繁殖,损坏自然资源,严重时会导致气温升高、臭氧层损耗、形成酸雨等。

【大气环流】大气圈内不同规模的空气运动的总称。可分为全球大气环流、半球大气环流、地区大气环流等。大气环流是大气中热量交换、水汽输送的重要方式,是带来天气变化和形成各种气候的主要因素。

【大化改新】公元645年日本孝德天皇即位(年号"大化")后仿照中国唐朝制度所实行的一系列政治、经济改革。这一改革是日本从奴隶社会向封建社会转变的标志。

【大分水岭】澳大利亚东部山脉、高原和台地的总称。全长约3 000千米。主峰科西阿斯科山海拔2 228米,是澳大利亚最高峰。

【大风大浪】比喻尖锐、复杂、激烈、艰苦的斗争。

【大处落墨】绘画或写文章从主要地方着笔。比喻做事从大处着手,首先解决关键问题。

【大发雷霆】比喻大发脾气,高声斥责别人。霆:响雷。

【大地之歌】交响曲。马勒曲。作于1908—1909年。为男高音、女中音(或男中音)、合唱及管弦乐而作。全曲由六个乐章组成,每个乐章采用德文译自中国唐代诗人的诗作为歌词。分别标题为:(1)愁世的饮酒歌(歌词为李白的《悲歌行》);(2)寒秋孤影(歌词为钱起的《效古秋夜长》);(3)青春(歌词为李白的《题"元丹丘山居"》和《江南春怀》);(4)咏美人(歌词为李白的《采莲曲》);(5)春天的醉翁(歌词为李白的《春日醉起言志》);(6)送别(歌词为王维的《送别》和孟浩然的《宿业师山房待丁大不至》)。

【大地艺术】也叫地景艺术。现代艺术流派之一。20世纪六七十年代于欧美兴起。在自然环境中利用自然材料进行创作,唤起人们重返大地的冲动和拯救环境的热情。代表人物有史密森、克里斯托等。

【大地测量】在地球表面大范围内的许多点上,精密测定各个点的位置(即经纬度或平面直角坐标)、海拔或重力。测定的成果,除用作测量工作的各种依据外,也是研究地球形状、地球重力场、地壳运动和平均海水面变化的基本数据。

【大有可为】有广阔的发展前途,能大大地发挥作用。

【大有作为】充分发挥作用,做出贡献。

【大而无当】大得没有边际。《庄子·逍遥游》:"肩吾问于连叔曰:'吾闻言于接舆,大而无当,往而不反,吾惊怖其言,犹河汉而无极也。'"后多用来表示虽大但不合用。当(dàng):底。

【大而化之】形容做事情不仔细、不谨慎。

【大众传播】指通过现代化传播媒介向大众传递信息的过程。现代化传播媒介包括报刊、书籍、电影、电视、广播、音像制品、电话、电报、互联网等。

【大庆油田】位于中国东北松辽平原上的一个大型石油基地。20世纪60年代初,中国石油工人在大庆开展了石油大会战,依靠自己的力量,用一年多的时间,基本探明了大庆油田的面积和储量，三年就建成大庆油田，为国家提供了急需的石油。

【大关节目】主要的方面或部分。

【大兴安岭】在黑龙江、吉林、辽宁三省西部和内蒙古自治区东北部。东北—西南走向，一般海拔1 100—1 400米，山顶浑圆，东陡西缓。是中国重要林区之一。

【大声疾呼】大声而急切地呼喊，以引起人的注意或使人醒悟。唐韩愈《后十九日复上宰相书》："行且不息，以蹈于穷饿之水火，其既危且亟矣，大其声而疾呼矣！"

【大足石窟】佛教石刻造像群。在重庆大足境内。始凿于唐代，后经宋代、明清历代修建而成。共有23处，较为集中的有宝顶山与北山19处。其中宝顶山有佛像5 000余尊，北山有3 000余尊。佛像气势宏大，造型优美，富有生活气息和地方特色，是中国著名石窟之一。是全国重点文物保护单位。

【大吹大擂】原意是敲锣打鼓，众乐齐奏。现用来讥讽人言语浮夸，大肆宣扬。吹：吹奏乐器。擂(léi)：敲锣打鼓。

【大肠杆菌】人和动物肠道内的一种细菌。主要寄生于大肠内。有的能引起腹泻，有的在肠内不致病，且对人有益。进入其他器官时可能引起疾病，如腹膜炎、膀胱炎等。大肠杆菌的数量常作为检验水源受污染程度的一种指标。

【大言不惭】《论语·宪问》："其言之不怍，则为之也难。"宋朱熹《四书集注》："大言不惭，则无必为之志，而不自度其能否矣。欲践其言，岂不难哉。"后形容说大话不觉惭愧。

【大快人心】指坏人受到惩罚或打击，使大家非常痛快。

【大张旗鼓】比喻声势和规模很大。张：展开。

【大陆法系】也叫罗马法系。以德国、法国法律为代表的欧洲大陆等各国法律的总称。受古罗马法的影响极大，均以成文法为主要形式，以《拿破仑法典》为代表。属于该法系的有法国、德国、奥地利、比利时、意大利、西班牙、瑞士、荷兰、日本及亚洲、非洲、拉丁美洲部分法语国家的法律。与英美法系并称为世界两大法系。

【大势所趋】整个形势发展的趋向。㊀国家的统一是～，人心所向。趋：向，往。

【大放厥词】原意指写出很多优美的文字。唐韩愈《祭柳子厚文》："玉佩琼琚，大放厥词。"现多指夸夸其谈，大发议论(含贬义)。厥(jué)：其。

【大是大非】原则性的是非问题。

【大显身手】充分显露自己的本领。

【大骨节病】也叫柳拐子病。中国北方丘陵地带的一种地方病。病因不明。主要症状是对称性关节粗大疼痛，短指畸形，肌肉萎缩，运动障碍等。

【大秋作物】秋季收获的大田作物。如高粱、玉米、谷子、豆类、薯类等。

【大庭广众】群众聚集的公共场所。《孔丛子·公孙龙》："使此人于广庭大众之中，见侮而不敢斗，王将以为臣乎？"

【大逆不道】原指犯上谋反。现也指罪大恶极。《汉书·杨恽传》："称引为讬(妖)恶言，大逆不道，请逮捕治。"逆：叛逆。不道：不合正轨，不合道德。

【大秦铁路】中国第一条现代化铁路。西起山西省大同市，经河北省、北京市、天津市，东至河北省秦皇岛市，长652千米。西接同蒲铁路，东连京哈铁路，中与京包、京通、京承等铁路相交。是晋煤外运专用铁路。

【大脑皮质】旧称大脑皮层。大脑半球表面的灰质层。是神经细胞体集中的地方。有主导体内生理活动及高级神经活动的机能。人的大脑皮质最发达，是思维活动的物质基础。

【大海捞针】也说海底捞针。从大海里捞一根针。比喻极难找到。

【大麻哈鱼】也叫大马哈鱼。鱼类。体延长，稍侧扁，银灰色，常具绯色宽斑。背鳍和脂鳍各一个。性凶猛，捕食小鱼。产于中国黑龙江流域。是名贵的冷水性经济鱼类。

【大喜过望】所得超过了所希望的，因而特别高兴。《汉书·英布传》："布又大喜过望。"

【大惑不解】感到非常迷惑，不能理解。《庄子·天地》："知其愚者，非大愚也；知其惑者，非大惑也。大惑者，终身不解；大愚者，终身不灵。"

【大量元素】也叫常量元素。植物生活不可缺少并需要量很大的元素，如氮、磷、钾、硫、钙、镁等。它们在溶液中以超过百万分之一的量来供给植物。

【大智若愚】也说大智如愚。意本《老子·四十五章》："大直若屈，大巧若拙。"形容聪明的人，不炫耀自己，从表面看好像很愚笨。

D

【大鼓凉伞】福建民间舞蹈。相传源于明代,为欢庆戚继光抗倭胜利,人民击鼓起舞,传承至今。男舞者胸前挂着一只大鼓,边敲边舞;女舞者双手持一五彩绸伞,在身前转动。男女交插对舞,舞姿英武矫健。

【大蒜新素】灭菌药。挥发性油状物,取自大蒜,也可人工合成。用于治疗痢疾、百日咳、肺结核等。

【大腹便便】肚子肥大的样子(含贬义)。《后汉书·边韶传》:"边孝先,腹便便。"便(pián)。

D

【大慈大悲】佛教用语。爱一切人为大慈,怜悯一切受苦难的人为大悲。有时用于对假仁假义的讽刺。

【大谬不然】非常错误;完全不对。《汉书·司马迁传》:"而事乃有大谬不然者。"谬(miù):错误的。然:对。

【大醇小疵】大体上纯正,小地方有些毛病。唐韩愈《读荀子》:"荀与扬,大醇而小疵。"醇(chún):纯正。疵:毛病。

【大器晚成】大的器物要经过长时间的加工才能做成。后比喻能成大事的人成就显露得较晚。《老子·四十一章》:"大方无隅,大器晚成。"

【大不列颠岛】欧洲第一大岛。在大西洋东北部,隔英吉利海峡与欧洲大陆相望。面积约22万平方千米,是英国领土的主要组成部分,包括英格兰、苏格兰和威尔士。

【大生产运动】抗日战争时期解放区军民开展的大规模生产运动。由于日本侵略军的进攻和国民党的军事包围、经济封锁以及自然灾害的侵袭,各解放区遇到严重的物质困难。解放区军民响应党中央"组织起来""自己动手、丰衣足食"的号召,开展了生产运动。由此克服了经济困难,粉碎了敌人的经济封锁,减轻了人民的负担,密切了党群关系和军民关系,从物质上为争取抗日战争的胜利做了准备。

【大民族主义】民族主义的一种表现。大民族中的统治阶级认为本民族是"大民族""优秀民族",应当享受特权,处于支配地位,其他民族理应受到歧视和压迫。是一种落后、反动的思想。

【大地水准面】测绘工作中假想的包围全球的平静海洋面。与全球多年平均海水面重合,形状接近一个旋转椭球体。是地面高程的起算面。

【大西洋宪章】第二次世界大战中,美、英两国政府首脑于1941年8月在大西洋的军舰上发表的宣言。宣言声称不承认法西斯国家通过侵略战争所造成的领土变更,赞同摧毁德国法西斯暴政,解除侵略国武装,尊重各民族自由选择其政府形式的权利,保障国际和平与安全、公海航行自由等。

【大旱望云霓】比喻迫切盼望的心情。云霓:下雨的征兆。

【大汶口文化】中国新石器时代黄河中下游的一种文化。距今约四千至六千多年。1959年在山东泰安大汶口首次发现,故名。分早、中、晚三期。早期处于母系氏族社会,中晚期出现男女合葬墓,表明父系家长制已经确立,同时出现贫富分化。后发展为山东龙山文化。

【大陆性气候】受大陆气团影响较多的气候。全年气温变化剧烈,白天与夜间温差大;降水较少且季节分布不匀(主要集中在夏季)、变率大。有些地区全年降水稀少,因而形成沙漠。多分布于大陆的内陆地区。

【大陆漂移说】关于全球大陆分布和运动的学说。最早由德国气象学家、地球物理学家魏格纳提出。认为地球上原来只有一整块联合古陆,后来在地球自转所产生的离心力和天体引潮力的作用下,联合古陆开始分离,较轻的硅铝质大陆壳在较重的硅镁质大洋壳上漂移,逐渐形成了现在的海陆分布。

【大泽乡起义】中国历史上第一次农民大起义。秦末赋役繁重,刑罚严酷,阶级矛盾激化。公元前209年(秦二世元年)秦王朝从淮河流域征发贫苦农民九百人到渔阳(今北京密云)守卫。走到大泽乡(今安徽宿县东南),遇上大雨不能按期到达。秦法规定,误期者斩。戍卒屯长陈胜、吴广号召大家起来造反,他们杀死押解的官吏,斩木为兵(武器),揭竿为旗,举行起义,迅速得到全国响应。

【大清新刑律】清末光绪三十三年制定的法律草案。分总则、分则两篇,主刑、从刑两类。增加有关"国交、选举、交通、通讯"等方面的罪名;确定了缓刑、假释制度。但未及颁行,清朝即覆灭。

【大气保温效应】见〔温室效应〕(1027页)。

【大东亚共荣圈】第二次世界大战期间,日本近卫内阁于1940年8月提出的对外侵略扩张计划。该计划妄图以"共存共荣"为幌子，把东亚和南亚诸国同日本结合起来，建立以日本为主宰的殖民大帝国。

【大国沙文主义】也叫大国主义。在国际交往方面表现出来的一种以大欺小、以强凌弱的资产阶级民族主义。参见〔沙文主义〕(851页)。

【大爆炸宇宙论】关于宇宙生成原因的一种学说。认为当今的宇宙起始于大约100—150亿年前的一次大爆炸，并不断膨胀而形成。该学说现在宇宙学中被广泛接受，成为最有影响的学说。

【大规模集成电路】在一个芯片上集合有1 000个以上电子元件的集成电路。

【大规模杀伤性武器】也叫大规模毁灭性武器。在战争中用来对敌人进行大范围杀伤和破坏，能使敌人蒙受巨大损失并造成强烈的心理和精神影响的武器。目前这类武器主要有核武器、化学武器和生物武器等。

汏□ dà 〈方〉洗；涮。

da ·ㄉㄚ

垯(墶) da 见〔圪垯〕(313页)。

繨□(繨) da 见〔纥繨〕(314页)。

跶(躂) da 见〔蹦跶〕(50页)、〔蹓跶〕(626页)。

疸 ㊁ da 同"疙瘩"的"瘩"。
㊀ dǎn (177页)。

瘩(*瘩) ㊁ da 见〔疙瘩〕(314页)。
㊀ dá (161页)。

dāi ㄉㄞ

呆(❶❷*獃) dāi ❶傻；愚蠢。㊞痴～。❷不灵活；死板。㊞～头～脑｜两眼发～。❸同"待(dāi)"。㊟呆②旧读 ái，此义又作"騃"。故《第一批异体字整理表》将"騃"作为"呆(ái)"的异体字处理。后《普通话异读词审音表》规定"呆"统读 dāi，而"騃"并无 dāi 音，故不将"騃"作为"呆(dāi)"的异体字。

【呆板】死板；不灵活。

【呆滞】❶死板；不灵活。㊞目光～。❷不流通。㊞资金～。

【呆小病】也叫克汀病。由甲状腺功能低下引起的一种地方病。患者身材矮小，反应迟钝，痴呆，怕冷，多伴有聋哑症。治疗应及早服用甲状腺激素制剂。

【呆若木鸡】死板板的，好像木头鸡一样。形容因恐惧或惊讶而发愣的样子。《庄子·达生》："鸡虽有鸣者，已无变矣，望之似木鸡矣。"

呔 ㊀ dāi 叹词。提醒人注意的大喝声。
㊁ tǎi (951页)。

待 ㊁ dāi 也作呆。停留。㊞～了一会儿。
㊀ dài (173页)。

dǎi ㄉㄞˇ

歹 dǎi 坏；恶。㊞～人｜为非作～。

【歹毒】阴险狠毒。

逮 ㊁ dǎi 捉；捕。只限口语单用，不用于合成词。㊞～老鼠。
㊀ dài (173页)。

傣 dǎi 〔傣族〕中国少数民族之一。人口103万(1990年)。主要分布在云南省西双版纳、德宏、耿马、孟连等地区的河谷坝区。有本民族语言文字。多信奉小乘佛教。建立有西双版纳傣族自治州。

dài ㄉㄞˋ

大 ㊁ dài 义同"大(dà)"。
㊀ dà (163页)。

【大夫】医生。夫(fu)。

【大黄】多年生草本植物。茎、根入药，有泻火凉血、活血祛瘀等作用。小剂量可用于健胃。炮制后称熟大黄。

軑(軑) dài 古指车毂(gǔ)上包的铁帽。也泛指车轮。

代 dài ❶代替；代理。㊞～笔｜～主任。❷时代。㊞古～｜近～。❸朝代。㊞明～｜改朝换～。❹辈次。㊞老一～｜第二～。❺地质年代分期的第二级。如古生代、新生代。❻古国名(315—376)。十六国时期鲜卑族拓跋猗卢所建。为前秦苻坚所灭。公元386年复国后改国号为魏，历

D

史上叫北魏。

【代办】低于大使、公使级的外交代表。由一国外交部长向另一国外交部长派遣。分常驻的和临时的两种。享受的礼遇次于大使、公使,其外交特权与豁免和大使、公使同。

【代号】为密化部队番号、指挥员职称及作战计划、军事行动等的真实名称而规定的代称。通常用数码、字母、单词单独编成,也可混合编成。如 7368 部队、砺剑 03 演习。

D

【代电】旧时一种文字简单的公文,像电报,经邮局作快信邮寄,叫做快邮代电,简称代电。

【代价】❶买东西付出的钱。❷为达到某一目的所耗费的物资、付出的精力或生命。

【代序】❶代替序言的文章。❷按次序轮换。㊀春秋~。代:更换。序:次序。

【代沟】指两代人之间在思想观念、生活方式等方面的差异。

【代词】具有替代和指示作用的词。如"我""这"。

【代表】❶替组织或别人办事或发表意见。❷被选举的人;被委派代表别人或组织的人。❸能够显示同一类事物的典型特征的。㊀~作。❹表示或象征。㊀~时代精神。

【代庖】也说庖代。越俎代庖的略语。代替厨师的工作。比喻替别人做事。庖:厨师。

【代理】❶暂时代人担任某单位的负责职务。❷代理人在代理权限范围内,以被代理人的名义同第三人独立进行民事法律行为,由此产生的法律后果直接归属于被代理人的法律制度。包括法定代理、委托代理和指定代理。

【代培】教育机构接受其他单位委托,为该单位培训有关人才。㊀文物局请北大~四名考古专业的大学生。

【代谢】交替,更换。㊀新陈~。

【代数】数学的分支学科。通过用字母代表数进行运算。能简明地表示数量关系的普遍性,可以解决用算术难以解决的问题。

【代议制】即"议会制"(1167 页)。

【代理人】❶法律上指受当事人委托,代表他进行某种活动(如诉讼、纳税、签订合同等)的人。❷某人或某集团、阶级实际利益的代表人(含贬义)。

【代数式】由数和表示数的字母经有限次加、减、乘、除、乘方和开方等代数运算所得的式子。如 $ax+2b$, $3x^2+2x+1$, $\frac{1}{x+\sqrt{y}}$, $-\frac{2}{3}$等。

【代书遗嘱】由他人代为遗嘱人书写的遗嘱。应当有两个以上见证人在场见证,由其中一人代书,注明年、月、日,并由代书人、其他见证人和遗嘱人签名。

【代位继承】被继承人的子女先于被继承人死亡,由被继承人的子女的晚辈直系血亲代替其继承被继承人遗产的一种继承方式。如子女可以代替已故的父母继承祖父母、外祖父母的遗产,但只能继承其死去的父母有权继承的那一份遗产份额,无权与其他继承人平分遗产,同时也应承担相应的义务。

【代拆代行】旧指机关负责人不在的时候,由指定的人代为拆看公文并予以处理。

【代偿机能】医学上指某个器官的功能或结构发生病变时,由原器官健全部分或其他器官来代替和补偿它的功能。

岱 dài 泰山的别称。

【岱岳】泰山的别称。

【岱宗】泰山的别称。

玳(*瑇) dài 〔玳瑁〕爬行动物。形状像龟,体长可达 1.6 米,背壳的角质板呈覆瓦状排列,表面光滑。产于热带或亚热带海中。

贷(貸) dài ❶借入或借出。㊀~款。❷通过相关手续、按一定条件借出的钱。㊀农~|信~。❸推卸。㊀责无旁~。❹宽恕。㊀严惩不~。

【贷款】❶根据一定期限必须归还的原则,银行等把钱提供给需要者,并取得一定的利息。❷指贷给的款项。

【贷款评级】根据贷款人的财务状况和偿还能力,对贷款进行的等级划分。

袋 dài ❶口袋;兜子。㊀面~|衣~。❷量词。用于装口袋或烟袋的东西。㊀一~面|一~烟。

【袋鼠】哺乳动物。前肢短小,后肢粗大,善于跳跃。尾粗大,能支持身体。雌的腹部有育儿袋,胎儿发育未完全即生产,在育儿袋内哺育。以植物为食。分布于澳大利亚。

紶□ dài 旧表示纤度单位的字。1977 年 7 月中国文字改革委员会、国家标准计量局通知，淘汰“紩”，改用“旦”。

黛 dài 古代女子画眉用的青黑色颜料。㊀眉～|粉～。

【黛绿】墨绿色。

甙 dài “苷”②的旧称。

迨 dài ❶等到；及。❷趁着。

骀（駘） ㊁ dài 〔骀荡〕形容景色使人舒畅。㊀春风～|春色～。

㊀ tái（950页）。

绐☒**（紿）** dài 欺哄；欺骗。

殆 dài ❶危险。㊀危～。❷副词。几乎；差不多。㊀损耗～尽。

怠 dài ❶懒散；松懈。㊀～惰|懈～。❷轻慢；不恭敬。㊀～慢。

【怠工】故意以消极态度对待工作，拖延时间，降低生产效率。

【怠慢】❶待人冷淡。❷表示招待不周的客气话。

带（帶） dài ❶带子；类似带子的东西。㊀皮～|鞋～|磁～。❷地带；区域。㊀江浙一～。❸携带；捎带。㊀～着行李|～个口信儿。❹引领；带领。㊀～徒弟|～头作用。❺附带；连带。㊀～叶的橘子。❻显出；含有。㊀面～笑容|说话～刺儿。❼轮胎。㊀车～|外～。

【带孝】死者的亲属或亲戚等，遵照礼俗在一定时期内穿孝服或在辫子上扎白绳、袖子上缠黑纱等，表示哀悼。

【带鱼】鱼类。体侧扁如带，尾细长如鞭，银白色，长可达1米左右。是中国海产重要的经济鱼类。

【带菌者】受病原体感染而未发病，或病愈后病原体未除尽，能携带并散播病原体的人或动物。

待 ㊀ dài ❶等候；等待。㊀～机|尚～解决。❷招待；对待。㊀～客|～人诚恳|优～。❸将；要。㊀正～出门，有人来访。

㊁ dāi（171页）。

【待业】指中国计划经济时期城镇中的人（多指青年）等待就业。

【待考】暂时存疑，留待考查。

【待字】指女子尚未定亲。字：许嫁。

【待命】等待命令。

【待遇】❶对待人的情形、态度、方式。㊀冷淡的～。❷指在社会上享有的权利、地位。㊀政治～|物质～。❸特指工资福利等物质报酬。

【待聘】❶女子等待出嫁。❷指列入编余，等待聘用。㊀～人员。

【待人接物】跟别人接触往来。物：人。

【待价而沽】等有了好价钱就出卖。比喻谁给予好的待遇就为谁效劳。《论语·子罕》：“子贡曰：‘有美玉于斯，韫椟而藏诸，求善贾（价）而沽诸？’子曰：‘沽之哉！沽之哉！我待贾者也。’”沽：出卖。

埭 dài 堤；坝。多用于地名。

逮 ㊀ dài ❶达到；及。㊀力所不～。❷捉拿。㊀～捕。

㊁ dǎi（171页）。

【逮捕】人民法院、人民检察院和公安机关，对犯罪嫌疑人、被告人在一定期间内暂时剥夺其人身自由，并予以羁押的强制措施。逮捕应同时具备三个条件：(1)有证据证明有犯罪事实；(2)可能判处有期徒刑以上刑罚；(3)采取取保候审、监视居住等方法，尚不足以防止发生社会危险性，而有逮捕必要的。

叇☒**（靆）** dài 见〔叆叇〕（7页）。

曃☒ dài 〔暧曃〕昏暗的样子。

戴 dài ❶把东西加在头、脸、颈、胸、臂、手等处。㊀～帽子|～眼镜|～红领巾|～手套。❷头上顶着；承当着。㊀披星～月|～罪立功。❸拥护；尊敬。㊀爱～|感～。

【戴白】头生白发。形容人老。《汉书·严助传》：“戴白之老，不见兵革。”

【戴进】(1388—1462)明初画家。字文进，钱塘（今浙江杭州）人。善画山水、人物、走兽、花果等。是浙派的创始人。

【戴震】(1723—1777)清代学者、思想家。字东原，安徽休宁人。晚年充任《四库全书》的纂修官。他治学实事求是，不迷信前人，也不师心自用。精于考据、训诂。训诂学家段玉裁、王念孙等都是他的学生。他认为世界是“气”的变化过程。反对“理在事先”，认为“事物之理，必就事物剖析至微，而后理得”。用“理存于欲”反对“去人欲、存天理”。著有《原善》《声韵考》《方言疏证》等，后人编有《戴氏遗书》。

【戴季陶】(1890—1949)名传贤，号天仇，原籍浙江吴兴，生于四川广汉。早年参加同盟会。1924年任中国国民党中央执行委员。孙中山逝世后，积极参加西山会议派的活动，反对联俄、联共、扶助农工三大政策。1927年南京国民党政府成立后，在国民政府任考试院院长等。1949年2月在广州自杀。

【戴高乐】夏尔·戴高乐(1890—1970)法国总统(1959—1969在任)。第二次世界大战爆发后出任国防部副部长。1940年6月法国政府向希特勒德国投降，他流亡英国，在伦敦发起“自由法国”(后改名“战斗法国”)运动。1943年在阿尔及尔组织“法兰西民族解放委员会”，坚持反对法西斯侵略和争取法兰西民族解放的斗争。1944—1946年任法国临时政府首脑。1958年国民议会授权他组织政府，并通过新宪法，成立第五共和国。1959年和1965年两次当选总统。

【戴望舒】(1905—1950)中国现代诗人。原名朝寀，字丞，浙江余杭人。青年时即从事诗歌创作，曾赴法国留学，是20世纪30年代现代诗派的代表人物。受中国古典诗词和法国象征派的影响，注重意境的创造和语言的铸炼，追求朦胧的意象。1941年在日军占领香港后被捕入狱，创作《狱中题壁》《我用残损的手掌》，表达了爱国情怀。代表作《雨巷》。曾结集出版《望舒草》《望舒诗稿》《灾难的岁月》等。有《戴望舒诗集》。

【戴盆望天】头顶盆子，想看天空而看不见。汉司马迁《报任安书》：“仆以为戴盆何以望天。”后以“戴盆望天”喻指手段与目的相反。

【戴圆履方】顶天立地。指生活在人世间。《淮南子·本经训》：“戴圆履方，抱表怀绳，内能治身，外能得人。”

【戴高乐机场候机楼】法国戴高乐机场的候机建筑。始建于1967年，位于巴黎。主要设计人为法国建筑师保罗·安德鲁。由一号候机楼、二号候机楼及主体建筑组成。一号候机楼高六层，以建筑物中各类流线组织得当而著称。

襶☒ dài 见〔褦襶〕(706页)。

黱☒ dài 同“黛”。

dān ㄉㄢ

丹 dān ❶红色。㊀～砂(朱砂)｜～桂。❷中成药剂型之一。多由数种矿物类药物用升华或熔合等方法制成；也有用一般混合方法制成的。常用以配制丸、散或锭等制剂。㊀补心～。

【丹心】赤心；忠心。㊀碧血～。

【丹田】❶道家称人体肚脐下三寸的地方为丹田。❷针灸穴位名。阴交、气海、石门、关元四个穴位都称丹田。❸气功疗法的意守部位。上丹田位于两眉之间，中丹田位于心窝部位，下丹田位于肚脐与耻骨联合线上2/3处。

【丹佛】美国城市。是美国西部山区最大的城市、能源基地和交通枢纽，也是芝加哥以西最大的屠宰和肉类加工基地。以落基山风光和宜人的气候成为旅游胜地。

【丹青】丹即朱砂，青指石青(即蓝铜矿)，都是中国古绘画中常用的颜色。因此，古称绘画艺术为丹青。

【丹参】多年生草本植物。茎高25—70厘米，绿色，间有紫色。叶对生，羽状复叶，小叶卵形，边缘有锯齿。花唇形，淡紫色。根肥大，入中药。有增加冠脉流量、改善心脏功能和心肌供血的作用。也用于治疗心肌梗死、脑缺氧、脑栓塞、神经衰弱等。

【丹毒】一种急性传染性皮肤炎症。由溶血性链球菌侵入皮内小淋巴管引起。患处皮肤红肿热疼，边缘清楚。多见于小腿及面部。患者常发高热，头痛，全身不适。

【丹墀】古代宫殿前的石阶。用红色涂饰，故名。墀(chí)。

【丹顶鹤】也叫仙鹤、白鹤。鸟类。体长在1.2米以上。体羽主要为白色，喉、颊、颈部暗褐色。尾短，喙、颈和跗蹠较长。头顶皮肤裸露，呈朱红色。飞羽黑色。鸣声响亮，飞翔力强。主产于中国黑龙江等地。是中国国家重点保护动物。

【丹书铁券】也叫丹书铁契。古代帝王赐给功臣以世代得享优遇及免罪的凭证。券为铁制，用朱砂书字，或刻字嵌以黄金。

【丹楹刻桷】柱子漆成红色，椽子雕着花纹。形容建筑精巧华丽。明冯梦龙《东周列国志》第五十回：“园中筑起三层高台，中间建起一座绛霄楼，画栋雕梁，丹楹刻桷，四周朱栏曲槛，凭栏四望，市井俱在目前。”楹(yíng)：房屋的柱子。桷(jué)：方形的椽子。

担(擔) ㊀ dān ❶用肩挑。㊕～水。❷承当。㊕～任|～负。
㊁ dàn（177页）。

【担心】放心不下。
【担当】担负；充当。
【担负】承当。㊕～责任。
【担纲】指在演出或比赛中担任主角或主力。泛指在工作中承担重任。
【担保】❶表示负责，保证不出问题或一定办到。❷债权人为保障其债权实现，要求债务人担保证债务履行的一种法律制度。分对人担保和对物担保。法定的方式有保证、抵押、质押、留置和定金。
【担待】❶原谅。❷承担(责任)。
【担架】抬送病人、伤员的用具。
【担搁】同“耽搁”（177页）。搁(ge)。
【担风险】承担遇到的困难、危险。
【担保人】应委托人的请求，向权利人出具保证书承担保证责任的人。

单(單) ㊀ dān ❶一个；独。㊕～个|～身。❷奇(jī)数(1、3、5、7、9等)的。与“双”相对。㊕～数。❸薄的；只有一层的。㊕～薄|～衣。❹纯一；不复杂。㊕～纯|简～。❺副词。只；仅。㊕～凭形式可不行。❻记载事物的纸片。㊕名～|传～。❼盖在床上的单层大幅布。㊕床～|褥～。
㊁ shàn（857页）。
㊂ chán（104页）。

【单元】整体中的一个独立部分。
【单方】❶指流传于民间的药方。一般药味较简单，故名。❷指中医方剂学上的奇方。
【单叶】仅有一个叶片的叶。如梧桐、白杨、梅、桃等树的叶。
【单句】也叫简单句。常由一个主谓短语构成，也可由一个词或其他短语构成的句子。如“人民是国家的主人。”“庆祝国庆节。”“好！”都是单句。与“复句”相对。
【单传】旧指只有一个儿子。
【单价】商品的单位价格。
【单产】单位面积产量的简称。
【单杠】❶体操器械之一。在两支柱间架一横杠。横杠为铁制，高低可以调节。❷男子竞技体操项目之一。运动员在杠上做回环、摆越、转体、腾越、飞行等动作。
【单利】计算利息的一种方法。不论时间长短，仅按本金计算利息。与“复利”相对。
【单体】可与同种或他种分子聚合的小分子的统称。是塑料、合成纤维、合成橡胶等产品的原料。如氯乙烯是聚氯乙烯的单体。
【单位】❶计算物体数量的标准量。如千克、米、升等。❷指机关、团体或其所隶属的分支机构。
【单纯】❶纯粹；不复杂。❷单一；只顾。
【单质】由同一种化学元素的原子所组成的物质。如氧气、纯铁、汞(水银)等。
【单弦】也叫单弦牌子曲。曲艺的一种。流行于北京及华北、东北等地。演唱者自击八角鼓，主要伴奏乐器是三弦。
【单线】❶单独的一条线。❷只有一组轨道的铁道或电车道，相对方向不能同时行车。与“复线”相对。
【单帮】旧指从甲地买来商品运到乙地出卖的流动商贩。
【单调】简单，重复而缺乏变化。㊕语言～|色彩～。
【单据】收付款项或货物的凭据，如收据、发票、发货单等。
【单眼】许多无脊椎动物的视觉器。昆虫的单眼，构造已较完善，通常有很多感光细胞，周围有色素，表面仅具一两个凸形的角膜。单眼只能感受光的强弱，不能分辨颜色。
【单键】化合物分子中两个原子间共用一个电子对的共价键。常用一条短线来表示。如乙烷分子中碳氢间、碳碳间都以单键相结合：

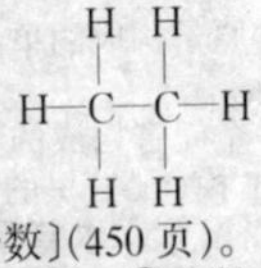

【单数】见〔奇数〕(450页)。
【单薄】❶少；不厚。㊕衣服～。❷不强壮。㊕身体～。❸不充实。㊕内容～。
【单糖】不能水解的最简单的碳水化合物。一般无色，易溶于水，有甜味。如葡萄糖、果糖。
【单干户】指在生产资料所有制的社会主义改造时期，农业、手工业方面暂时未参加互助合作的个体劳动者。也用来比喻自己单独工作，不跟别人合作的人。
【单元音】发音时，舌位、音色前后大致相同的单纯元音。如汉语的 a、i、u。
【单皮鼓】即“板鼓”(31 页)。
【单行本】从整部著作或报刊、丛书中抽出一部分单独印行的本子。
【单位制】基本单位确定之后,按一定的物理关系可以构成一系列的导出单位。基本单位和导出单位构成一个完整的体系,称为单位制。
【单层塔】中国佛塔主要类型之一。塔身只有单层塔檐。平面多为方形、圆形或等边多边形。塔顶多为攒尖顶。常用于墓塔。如山东历城神通寺四门塔。
【单纯词】由一个语素构成的词。有单音节的,也有多音节的,如人、山、玻璃、磅礴、阿司匹林等。
【单项式】数和若干个字母的乘积叫做单项式。几个单项式的和叫做多项式。如 $-2x^2+3y+5$ 这个多项式是由 $-2x^2$,$3y$,5 这三个单项式组成的。
【单相思】男女间仅仅是一方对另一方有爱慕思念之心。
【单音词】由一个音节构成的词。如汉语中的“山”(shān)、“唱”(chàng)。
【单倍体】细胞内仅含有一组染色体的个体。植物的配子体或少数动物(如蜜蜂的雄体)都是单倍体。单倍体不能进行正常的减数分裂,通常不育。
【单晶体】简称单晶。单个晶体构成的物体。单晶体中所有的粒子(原子、离子或分子)在空间三个方向上都周期性地规则排列。自然界存在的金刚石是单晶体。单晶体也可以由人工制得,如锗的单晶体、硅的单晶体。
【单晶硅】由硅原子构成的单晶体。是重要的半导体材料。
【单韵母】由一个元音构成的韵母。如普通话“达(dá)”和“模(mó)”里的韵母 a、o。
【单簧管】也叫黑管。木管乐器。管身细长,有小喇叭口,用单面的芦片作簧哨。发音浑厚圆润。常用于管弦乐队。
【单一经济】国民经济主要依靠生产和出口一两种原料或农产品、矿产品的经济结构。
【单刀直入】《景德传灯录》卷一二:“若是作家战将,便请单刀直入。”原来比喻认定目标,勇猛精进。后多用来比喻直截了当。
【单行法律】也叫单行法。一国法律体系中只调整某一局部社会关系,或只规定某一项事务,或只适用于某地区或某些人的法律。
【单位犯罪】为牟取本单位的非法利益,由单位负责人或经单位领导集体决定,实施了刑法明文规定的危害社会的行为的,叫单位犯罪。单位犯罪主体包括公司、企业、事业单位、机关、团体。单位犯罪的,对单位判处罚金,并对其直接负责的主管人员和其他直接责任人判处刑罚。
【单枪匹马】也说匹马单枪。比喻行动无人帮助,独自勇往直前。五代汪遵《乌江》诗:“兵散弓残挫虎威,单枪匹马突重围。”
【单性生殖】即“孤雌生殖”(335 页)。
【单线联系】一种秘密活动的联系方式。即在本组织中只有上下级之间的单个人的纵的联系,不与其他人发生联系。
【单相电流】也叫单相交变电流。由一个交变电动势获得的交变电流。
【单子叶植物】被子植物的一类。种子的胚中只有一个子叶。如水稻、小麦等。
【单式记账法】对各项经济业务只在一个会计科目的账户中进行单方面登记的记账方法。
【单声部音乐】由单一曲调构成的音乐。各国的民间音乐、民歌及中国的戏曲绝大部分属单声部音乐。
【单位面积产量】简称单产。指一定时间内(一季或一年),平均每单位(亩或公顷)土地面积上收获的农产品数量。

匰⊠(**匰**) dān 古代宗庙放神主的器具。

郸(**鄲**) dān 用于地名,如郸城(在河南)、邯郸(在河北)。

殚(**殫**) dān 用尽;竭尽。㊀~思竭虑|~力。
【殚见洽闻】见多识广。形容知识渊博。汉班固《西都赋》:“元元本本,殚见洽闻。”
【殚精竭虑】使尽了精力,费尽了心思。

瘅(**癉**) ㊀ dān 中医指热症或湿热症。㊀火~。
㊁ dàn (178 页)。

禅⊠(**襌**) dān 单衣。

箪(**簞**) dān 古代用竹子等编成的盛饭用的器具。
【箪食壶浆】《孟子·梁惠王下》:“箪食壶浆,以迎王师。”后用来形容军队受到欢迎的情况。箪、壶:动词,(用箪或壶)盛。食(sì):

饭。浆：汤水。

醰☒(醰) dān 〔醰醰〕浊酒。

眈 dān 〔眈眈〕用眼睛注视。形容恶狠狠地盯着。㊀虎视～。

耽(❶*躭) dān ❶迟延；延误。㊀～搁｜～误。❷沉溺；喜好过度。㊀～乐｜～酒。

【耽搁】也作担搁。❶停留。㊀因为临时有事要办，在北京～了两天。❷拖延。㊀这件事～了好久，今天才做完。

玬☒ dān “聃”的异体字。

聃 dān 用于人名，如老聃（即老子，中国古代哲学家）。

儋 dān 儋县，地名，在海南。

甔☒ dān 坛子一类的瓦器。

dǎn ㄉㄢˇ

紞☒(紞) dǎn 古代冠冕两旁下垂的带子。

黕☒ dǎn ❶污垢。❷乌黑。

胆(膽) dǎn ❶胆囊。❷胆量；勇气。㊀～大心细。❸某些器物内部装水、气等物的东西。㊀暖瓶～｜球～。

【胆汁】肝脏细胞分泌的液体。黄绿色，味苦。一部分直接排入肠腔，另一部分先进入胆囊，经浓缩与储存后再在进食时输入肠腔。对消化脂肪有重要作用。

【胆识】胆量和见识。

【胆矾】也叫蓝矾。含有结晶水的硫酸铜的俗称。化学式 $CuSO_4 \cdot 5H_2O$。蓝色晶体，易溶于水。用作杀虫剂、木材防腐剂，并用于镀铜等。

【胆怯】胆小；畏惧。

【胆略】胆量和谋略。

【胆敢】居然有胆量敢于（做某事）。

【胆寒】害怕。

【胆囊】贮存和浓缩胆汁的器官。人的胆囊似梨形，紧贴在肝脏右叶的下前部，容积为30—50毫升。进食时，胆囊收缩，将胆汁经胆囊管和胆总管排至十二指肠。

【胆固醇】也叫胆甾醇。有机化合物，分子式 $C_{27}H_{46}O$。白色结晶，质地软。人或动物的神经组织、皮脂和胆汁中含胆固醇较多。胆固醇代谢失调可导致动脉粥样硬化、高血脂症等。

疸 ㊀ dǎn 见〔黄疸〕(427页)。
㊁ da (171页)。

掸(撣) ㊀ dǎn 用掸子拂去尘土等。㊀～土。
㊁ shàn (857页)。

亶 ㊀ dǎn 诚然；实在。
㊁ dàn (178页)。

撢□ dǎn ❶同“掸(dǎn)”。❷木刻彩印中的一种特殊技巧。在一块版面上刷色之后，再加一笔较浓的颜色。

dàn ㄉㄢˋ

石 ㊁ dàn 市制容量单位。10斗为1石。
㊀ shí (890页)。

旦 dàn ❶天亮；早晨。㊀通宵达～｜枕戈待～。❷传统戏曲中扮演妇女的角色名。㊀花～｜老～。❸旦尼尔的简称。

【旦夕】❶早晨和晚上。㊀～相处。❷比喻在很短的时间内。㊀危在～。

【旦旦】❶天天；日日。❷诚恳；明确。㊀信誓～。

【旦暮】旦夕。

【旦尼尔】简称旦。纤度的非法定计量单位。用于表示蚕丝和化学纤维的粗细程度。1旦等于 1.11112×10^{-7} 千克/米。

但 dàn ❶副词。只；仅。㊀～愿｜～见。❷连词。但是，表示转折。㊀我们已取得了很大成绩，～还不能满足。

【但丁】但丁·阿利格埃里（1265—1321）从中世纪向文艺复兴过渡时期的意大利诗人。生于没落贵族家庭。主张王权应高于教权，被教皇流放于境外。代表作有《神曲》。

【但凡】副词。凡是；只要是。㊀～真本领都是苦学得来的。

【但书】法律条文中“但”或“但是”之后的文字。指明法律规定的例外情况或附加的某些条件。

担(擔) ㊁ dàn ❶扁担和用扁担挑的东西。㊀货郎～。❷比喻

D

工作和任务。㊀勇于挑重～。❸量词。用于成担的东西。㊀一～柴|两～水。❹市制质量单位。100斤为1担。1担合50千克。㊀ dān（175页）。

鴠☒（鴠） dàn 见〔鹖鴠〕（379页）。

疍 dàn 〔疍民〕也叫疍户。过去广东、广西、福建沿海沿江一带的水上居民。多以船为家，从事渔业、运输业。

亶 ㊁ dàn 同"但"。
㊀ dǎn（177页）。

诞（誕） dàn ❶出生。㊀～生。❷生日。㊀华～。❸荒唐的；不合情理的。㊀荒～|怪～。

【诞辰】生日（用于所尊敬的人）。

萏 dàn 见〔菡萏〕（379页）。

窞☒ dàn 深坑。

啗☒（嚪） dàn 同"啖"。

啖（*啗*噉） dàn ❶吃或喂。㊀～饭|～羊。❷用利益引诱人。㊀～以重利。

【啖以甘言】用好听的话来引诱人。

淡 dàn ❶浅；稀薄。与"浓"相对。㊀颜色太～|天高云～。❷不旺盛的。㊀～季|～月。❸不热心。㊀冷～。❹味道不咸或不浓。㊀菜～了|三杯两盏～酒。❺安静。㊀恬～。

【淡水】含盐分极少（总矿化度小于1克/升）的水。占地球总水量不足3%，其中70%左右以固态冰形式分布在极地和高山。

【淡忘】印象淡薄下去以至于忘记。

【淡季】指营业不旺盛或商品来源少的季节。与"旺季"相对。

【淡泊】指把名利看得很淡。泊（bó）。

【淡雅】（颜色花样）素净雅致。

【淡然】形容不经心，不在意。

【淡漠】❶冷淡；不热情。❷印象淡薄。

【淡薄】❶稀薄；不浓。㊀雾气渐渐～了。❷冷淡；不亲密。㊀感情～。❸模糊。㊀印象～。

【淡水湖】湖水盐度低于1的湖泊。

【淡妆浓抹】淡雅和浓艳两种不同的妆饰打扮。宋苏轼《饮湖上初晴后雨》诗："欲把西湖比西子，淡妆浓抹总相宜。"

氮 dàn 气体元素，符号N，原子序数7。氮气无色无臭，约占空气总体积的4/5。化学性质不活泼。是动植物蛋白质的主要成分之一。大量用以合成氨，制氮肥。也用作易挥发、易氧化物质的保护气。

【氮肥】氮元素起主要肥效的肥料。如硫酸铵、尿素等。合理施用能促进作物茎叶繁茂，分蘖增多，提高产量，改善品质。

【氮氧化物】氮和氧的化合物的统称。包括氧化亚氮、一氧化氮、二氧化氮、三氧化二氮、四氧化二氮、五氧化二氮等。大气中除二氧化氮较稳定，一氧化氮稍稳定外，其他氮氧化物都不稳定。大气氮氧化物污染主要是一氧化氮和二氧化氮造成的。

惮（憚） dàn 怕；畏惧。㊀肆无忌～。

弹（彈） ㊀ dàn ❶弹子。㊀～丸|泥～。❷枪弹；炮弹；炸弹。
㊁ tán（955页）。

【弹丸】❶弹弓所用的铁丸或泥丸等。❷子弹头。❸比喻地方很小。㊀～之地。

【弹药】在金属壳体内装有火药、炸药或其他装填物，能对目标起毁伤等作用的装置、物品的统称。包括枪弹、炮弹、手榴弹、枪榴弹、炸弹、火箭弹、水雷、鱼雷、地雷等。礼炮弹、照明弹、信号弹等也属于弹药。

【弹道】炮弹、火箭等的质心从发射开始点到终点的运动轨迹。

【弹着点】弹道与目标或地表面的交点。着（zhuó）。

【弹无虚发】每一个枪弹或炮弹都打中目标，没有空放的。

【弹道导弹】弹道式导弹的简称。飞行轨迹绝大部分为自由抛物体轨迹的导弹。由火箭发动机推送到一定高度和一定速度后，发动机关闭，弹头沿着预定弹道飞向目标。

瘅（癉） ㊀ dàn ❶劳累造成的病。❷憎恨。㊀彰善～恶。
㊁ dān（176页）。

蛋 dàn ❶某些动物所生的卵。❷形状像蛋的东西。㊀山药～。

【蛋白质】由多种氨基酸互相缩合而构成的高分子化合物。是生物体的主要组成物质之一，在生命活动中起着重要的作用。人或动物体的结构材料如肌肉、血液、毛发以及控制调节生命活动的酶和若干激素都是蛋白质。

【蛋白酶】催化蛋白质水解的酶。种类很多,分布很广,重要的有胃蛋白酶、胰蛋白酶、组织蛋白酶、木瓜蛋白酶、菠萝蛋白酶等。一种蛋白酶只能水解蛋白质中一定的肽键。对机体的新陈代谢及生物调控起重要作用。

【蛋彩画】以蛋清调和颜料画的画。

髧☒ dàn 头发下垂的样子。

赕☒(賧) dàn 书册或书画卷轴卷头上贴绫子的地方。

禫☒ dàn 古代除去丧服的祭礼。

憺☒ dàn ❶安定。❷使人畏惧。

dāng ㄉㄤ

当(當⑧噹) ㊀ dāng ❶担任。㊀他～组长。❷承担。㊀敢作敢～。❸主持。㊀～家。❹相称。㊀旗鼓相～(比喻实力相等)。❺应该。㊀理～如此。❻介词。1. 组成时间短语,表示事件发生的时间。㊀～我到家时,他已经走了|正～大家吃饭的时候,他回来了。2. 组成处所短语,表示事件发生的处所。㊀～众出丑|～着大家的面把话讲清楚。❼阻挡。㊀人民军队,锐不可～。❽拟声词。撞击金属器物的声音。㊀丁丁～～。

㊁ dàng (180 页)。

【当归】多年生草本植物。茎带紫色,全草有特异香气。根肥大,入药有补血活血、调经止痛等作用。

【当权】掌握权力。

【当红】正走红(多指演员)。㊀～歌星。

【当局】❶亲身参与其事。㊀旁观者清,～者迷。局:棋盘。❷政府机关、党派、学校中的领导人或领导机构。

【当空】在空中。㊀皓月～。

【当政】掌握政权。

【当值】值班。

【当道】❶在路中间。㊀别～站着。❷掌握政权(含贬义)。㊀豺狼～。

【当事人】❶民事诉讼案件中所涉及到的直接利害关系人。狭义指原告和被告。广义还包括共同诉讼人、代表人、第三人等。❷跟事物有直接关系的人。

【当之无愧】完全当得起,没有可惭愧的地方。意思是接受某种荣誉或称号等是完全够条件的。

【当仁不让】遇到该做的事情,主动去做,不推辞。《论语·卫灵公》:"当仁不让于师。"仁:仁义,引申为应该做的事。

【当务之急】当前应做的事情中最急需办的事。《孟子·尽心上》:"知者无不知也,当务之为急。"

【当头棒喝】比喻促使人醒悟的警告。参见〔棒喝〕(35 页)。

【当机立断】汉陈琳《答东阿王笺》:"秉青萍、干将之器,拂钟无声,应机立断。"形容剑的锋利。后以"当机立断"比喻把握时机,毫不犹豫地作出决定。

【当行出色】做本行的事,成绩特别显著。

【当面锣对面鼓】比喻面对面地(说清楚)。

【当局者迷,旁观者清】当局者和旁观者,原指下棋的和看棋的人。后用以比喻当事人和旁观的人。当事人看问题反而糊涂,旁观的人由于客观,却看得清楚。《新唐书·元行冲传》:"当局称迷,傍观必审(清楚之意)。"

【当一天和尚撞一天钟】比喻做事敷衍,得过且过,缺乏积极主动精神。

珰(璫) dāng ❶妇女戴在耳垂上的装饰品。❷汉代武职宦官帽子上的装饰品。后借指宦官。

铛(鐺) ㊀ dāng 同"当(dāng)"⑧。㊁ chēng (120 页)。

【铛子】也叫铛铛。击乐器。由铛体、铛架、铛槌组成。演奏时左手持铛架,铛面斜置于胸前,右手执槌敲击,铛面发音。多用于北方鼓吹乐和寺庙音乐。

裆(襠) dāng ❶两条裤腿接连的部分。㊀裤～。❷两大腿的中间。㊀腿～。

筜(簹) dāng 见〔筼筜〕(1219 页)。

dǎng ㄉㄤˇ

挡(擋*攩) ㊀ dǎng ❶拦阻;遮住。㊀抵～|～住光线。❷遮挡用的东西。㊀炉～。

㊁ dàng (181 页)。

【挡驾】婉辞。谢绝客人来访。

D

【挡箭牌】盾牌。比喻推托或掩饰的借口。

党(黨) dǎng ❶政党。在中国特指中国共产党。例～校|入～。❷由私人利害关系结成的小集团。例结～营私。❸偏袒。例～同伐异。❹旧指亲族。例父～|母～。❺古代的乡里组织。例乡～。

【党风】政党的作风。一个政党在思想上、工作上、生活上表现出来的态度、做法等。

【党羽】某个派别或集团首领的追随者(含贬义)。

【党纲】政党的纲领,党章的总纲。规定政党的性质、政治目标、指导思想、路线方针等。

【党性】❶阶级性最高最集中的表现。不同政党有不同的党性。❷特指共产党员的党性,是无产阶级阶级性最高最集中的表现。

【党参】多年生缠绕草本植物。全株有白汁,花钟状,淡黄绿色带紫斑。因多产于山西上党,故名。根圆柱形,入药有补中、益气、生津等作用。

【党项】中国古代西北的少数民族。❶指党项羌。原为羌族的一支,唐中期以来活动在今宁夏、甘肃和陕西西北一带。北宋初期,党项首领称夏国王。1038年夏王元昊称帝,建立西夏国。1227年被蒙古所灭。❷辽对夏国境外的各地党项人的泛称。

【党派】政党或政党内部各派别的统称。

【党徒】参加某一集团或派别的人(含贬义)。

【党章】一个政党的章程。规定政党的基本纲领、组织原则、组织机构以及党员的条件、权利、义务、纪律等。

【党魁】政党的首领(现多含贬义)。

【党籍】申请入党的人被批准后取得的党员资格。

【党八股】中国共产党内曾存在的一种错误文风。八股文是明清考试制度所规定的一种文体,内容空洞,形式刻板,不许发挥。毛泽东曾用党八股比喻党内的形式主义、教条主义文风。

【党代表】特指中国共产党派到红军(包括赤卫队和自卫军)里代表党组织做领导工作的党员。

【党委制】中国共产党各级委员会实行的集体领导制度。要求一切重要问题均须由党的委员会讨论,按照少数服从多数的原则作出明确决定,然后分别执行。集体领导和个人负责相结合,二者不可偏废。党委制是保证集体领导,防止个人包办的重要制度,是贯彻民主集中制,执行党的正确路线、方针和政策的组织保证。

【党同伐异】偏袒同伙或与自己意见相同的人,攻击异己或与自己意见不同的人。《后汉书·党锢传序》:“至有石渠分争之论,党同伐异之说。”

【党锢之祸】东汉后期,宦官专权,引起官僚和一般地主阶级知识分子的不满。官僚李膺、陈蕃和太学生郭泰等人抨击宦官弊政。宦官诬告李膺和诸郡生徒结成朋党,诽谤朝廷。公元166年桓帝刘志下令逮捕李膺等二百多人。后虽释放,但禁锢终身,不许做官,被称为第一次“党锢之祸”。灵帝时,“党人”又被起用。后来灵帝刘宏在宦官要挟下,杀了陈蕃,并于公元169年捕杀李膺、杜密等百余人,陆续被牵连的有六七百人。公元172年又一次逮捕“党人”和太学生千余人。公元176年还下令凡“党人”的门生故吏、父子兄弟及亲属,都免官禁锢。这就是第二次“党锢之祸”。

谠(讜) dǎng 正直的言论。例～言|～论。

dàng ㄉㄤˋ

氹□ dàng 同“凼”。用于地名,如氹仔岛(在澳门)。

凼 dàng 〈方〉水坑;田地里沤肥的小坑。例水～|～肥。

【凼肥】中国南方把垃圾、树叶、杂草、粪尿等放在坑里沤制成的肥料。

当(當) ㊁ dàng ❶合适。例处理得～。❷抵得上;等于。例一以～十。❸以为。例我～你走了。❹当作。例别把我～客人看待。❺指事情发生的(时间)。例～时|～年。❻向当铺抵押实物借钱。例把金表拿去～了。❼抵押在当铺里的实物。例赎～。

㊀ dāng (179页)。

【当真】❶信以为真。❷确实;果然。

【当票】当铺收到抵押品后开出的书面凭据,到期凭此赎抵押品。

【当做】认为;作为;看成。

【当铺】凭抵押品借钱给人的店铺。借钱多少,按抵押品的估价而定。到期不赎,抵押品即归店铺。

垱(壋) dàng 〈方〉横筑在河中或低洼田地中用以挡水的小堤。多用于地名，如官垱(在湖南)、黄龙垱(在湖北)。㊀筑～挖塘。

挡(擋) ㊁ dàng 见〔搪挡〕(71 页)。㊀ dǎng (179 页)。

档(檔) dàng ❶存放案卷、文件用的带格子的橱架。㊀归～。❷档案。㊀查～。❸商品或产品的等级。㊀～次|高～。❹量词。相当于"件"等。㊀事情一～接一～。

【档案】机关、企业、学校或专门机构等集中分类保存的各种文件或材料。

惕☒**(愓)** ㊀ dàng 放荡。㊁ shāng (859 页)。

逿☒**(逿)** dàng 跌倒。

砀(碭) dàng 〔砀山〕❶地名。在安徽北部。❷山名。在今河南永城。砀山附近有芒山，汉刘邦起兵前曾隐匿芒、砀诸山之间。

荡(蕩❶❷ *盪) dàng ❶摇动。㊀～桨|动～。❷洗涤；清除；弄光。㊀涤～|～除|倾家～产。❸放纵，不检点。㊀放～|淫～。❹浅水湖。㊀芦花～|黄天～。❺走来走去；无事闲逛。㊀游～。

【荡荡】❶浩大的样子。㊀浩浩～。❷空旷的样子。㊀空～。

【荡涤】冲洗；清除。㊀～污泥浊水。

【荡然】形容东西消失得一干二净。㊀～无存。

【荡漾】水波微动的样子。

【荡气回肠】即"回肠荡气"(433 页)。

瓽☒**(盪)** dàng 有光泽的金属。

宕 dàng ❶拖延。㊀延～。❷放纵；不受拘束。㊀跌～。

菪 dàng 见〔莨菪〕(583 页)。

dāo ㄉㄠ

刀 dāo ❶用来切、割、削、砍、铡、斩的工具。㊀菜～|镰～。❷形状像刀的。㊀～币|冰～。❸量词。一百张纸为一刀。

【刀币】中国古代铜铸币。形似刀，上面铸有文字，由生产工具的刀演变而成。

【刀术】武术器械练习之一。刀有大刀、朴刀和短刀等。刀法有劈、砍、剁、截、挑、撩、捱、扎、缠、裹等。练刀要求刀手协调、刀步协调，"刀如猛虎"是刀术的基本风格。

【刀兵】泛指武器，也指战事。㊀动～|～再起。

【刀具】也叫刃具。进行切削加工的工具。如车刀、铣刀、刨刀、铰刀、钻头等。

【刀俎】刀和案板，切肉的工具。比喻宰割者或迫害者。《史记·项羽本纪》："如今人方为刀俎，我为鱼肉，何辞为!"俎(zǔ)。

【刀笔】❶古代写字的工具。用笔在竹片上记事，有错误则用刀刮去重写，因此刀笔连用指有关公文案卷的事。❷旧指办理公文的小官吏。也指为人写状子的人(多含贬义)。㊀～吏。

【刀锯】古代刑具。刀用于割刑，锯用于刖刑。

【刀马旦】传统戏曲旦角的一种。扮演擅长武艺的青壮年妇女，兼重唱、念和做工。

【刀山火海】比喻非常艰险的地方。

【刀耕火种】一种原始的耕作方法。把地上生长的草木砍倒烧成灰作肥料，就在烧后的地面上挖坑下种。种(zhòng)。

扨☒ dāo 〔扨蹬〕挪动；翻动。

叨 ㊁ dāo 〔叨叨〕没完没了地说。㊀ tāo (961 页) ㊂ dáo (181 页)。

忉 dāo 见下。

【忉忉】形容忧愁。

【忉怛】形容哀伤。怛(dá)。

舠☒ dāo 形如刀的小船。

魛(鱽) dāo 也叫刀鱼。古指形状像刀的鱼，如带鱼、刀鲚等。

氘 dāo 也叫重氢。氢的稳定同位素，符号 D 或 ^2_1H。质量数 2，主要存在于重水中。用于热核反应。

dáo ㄉㄠˊ

叨 ㊂ dáo 〔叨咕〕小声絮叨。㊀你们整天在一起～什么!

㊀ tāo（961 页）。
㊁ dāo（181 页）。

捯 dáo ❶把线或绳子拉回或缠绕好。[例]～线。❷深入追究。[例]这件事一定要～出头绪来。❸两脚轮番快速向前迈。[例]两条短腿紧～也追不上人家。

dǎo ㄉㄠˇ

导（導） dǎo ❶带领；指引。[例]领～｜教～。❷传导。[例]～热。❸引导。[例]疏～｜因势利～。

【导电】让电荷通过，形成电流。一般金属和电解质溶液都能导电。

【导扬】诱导，助长（zhǎng）。

【导师】❶高等学校或研究机关中指导人学习、进修、写学术论文等的教师或科研人员。❷在革命事业中，奠定革命理论、制定革命路线、指引革命方向的领导者。

【导论】也叫引论。说明全书或全文中心思想的概括性论述。

【导体】导电能力强的物质。金属和电解质溶液都含有大量可以自由移动的带电粒子，因而都是导体。

【导言】也叫引言。书籍或论文开头说明主旨和内容的部分。

【导板】戏曲的一种唱腔。作为成套唱腔的先导部分，仅一上句。一般用以表现激越、悲愤的情绪。

【导购】❶引导顾客购买商品。[例]～服务。❷引导顾客购物的服务人员。[例]当～是她的第二职业。

【导线】输送电流的金属线。即通常所说的电线。

【导语】消息的开头部分。用简洁的文字写出新闻中的主要事实，揭示全文主题，引导受众继续接受和理解新闻的全部内容。

【导致】引起；造成。

【导航】❶在水面或陆上设置航标、灯塔等导航设备，引导船只循安全、便捷的航线航行。❷利用地面导航设备，保障飞机准确航行。地面导航设备有无线电导航设备（定向定位设备、着陆设备）和目视导航设备（各种发光、发烟、布板信号等）两种。

【导读】指导阅读。

【导弹】装有弹头、动力装置并能制导的高速飞行武器。依靠控制系统的制导，能使弹头导向并毁伤预定目标。按作战任务，分战略导弹和战术导弹；按攻击目标，分反坦克导弹、反舰导弹、反辐射导弹和反导弹导弹等；按射程，分近程、中程、远程、洲际导弹；按发射点和目标位置，分地对地、地对空、空对空、空对地、空对舰、潜对地、舰对舰、岸对舰等导弹；按飞行轨迹，分弹道式导弹和飞航式导弹；按推进剂的物理状态，分固体导弹和液体导弹；按发动机装置的级数，分单级导弹和多级导弹等。

【导源】❶发源。[例]黄河～于青海。❷由某事物发展而来。[例]认识～于实践。

【导管】❶植物木质部中输导液汁的管状组织。由许多管状的死细胞上下连通而成。❷作输导用的管子。

【导演】组织和指导戏剧或电影的排演。也指担任这项工作的人。

【导火线】❶使爆炸物爆炸的引线。❷比喻直接引起冲突的事件。

【导弹艇】以舰舰导弹为主要武器的小型高速水面战斗舰艇。主要在近岸海区与其他舰艇协同对敌大中型水面舰船实施导弹攻击。

【导出单位】在选定了基本单位后，按物理量之间的关系，由基本单位以相乘、相除的形式构成的单位。如速度单位米/秒。

【导航卫星】从太空发射无线电导航信号，能为地面、海洋、空中和太空用户导航定位的人造地球卫星。利用卫星导航或定位，具有高精度、全天候、能覆盖全球和用户设备简便等优点。

【导弹突防】导弹突破对方反导弹防御系统的拦截，进入预定的攻击目标区。

【导弹防御系统】用于防御导弹攻击的武器系统的总称。目前主要指防御弹道导弹的武器系统。

岛（島 *㠀） dǎo 海洋里四面被水围着的比大陆小的陆地。也指江河湖泊里被水环绕的小块陆地。

【岛屿】岛的总称。

【岛国】由岛屿组成的国家。如日本。

捣（搗 *擣 *擣） dǎo ❶舂；砸；捶。[例]～米｜～蒜｜～衣。❷搅扰。[例]～乱。

【捣毁】❶砸坏（建筑物及其中的器物）。❷破坏，摧毁。[例]～敌人的指挥部。

嶋[⊠]（嶋） dǎo 同“岛”。

垏⊠**(壔)** dǎo 土堡。

祷(禱) dǎo ❶宗教徒或迷信的人求神保佑。[例]祈～|～告。❷请求；盼望(旧时书信用的敬辞)。[例]为～|至～。

倒 ㊀ dǎo ❶倒下；倒塌。[例]摔～|墙要～。❷垮台。[例]打～|～台。❸调换；转换。[例]～车|～班。❹戏曲演员的嗓子变得低哑；食欲变得不正常。[例]他的嗓子～了|～胃口。❺买进卖出，从中牟利。[例]～粮食|～汇|～买～卖。

㊁ dào (183 页)。

【倒戈】在战争中掉转枪口，攻击原来隶属的一方。

【倒伏】直立生长的作物在生育期中发生倾斜歪倒的现象。常造成减产和产品品质变劣。

【倒闭】商店或企业因亏本而停业。

【倒账】收不回的账。

【倒嚼】反刍的俗称。嚼(jiào)。

【倒海翻江】也说翻江倒海。形容水势浩大，波浪翻滚。宋陆游《夜宿阳山矶，将晓大雨，北风甚劲，俄顷行三百余里，遂抵雁翅浦》诗："五更颠风吹急雨，倒海翻江洗残暑。"现多用来形容力量和气魄很大。

蹈 dǎo ❶踩；踏。[例]赴汤～火。❷跳动。[例]手舞足～。

【蹈海】投海(自尽)。

【蹈袭】照别人的样子做；走老路。袭(xí)：因袭，照样做。

【蹈藉】践踏；蹂躏。藉(jí)。

dào ㄉㄠˋ

到 dào ❶达到。[例]～期|坚持～底。❷往。[例]～祖国最需要的地方去。❸周到。[例]照顾不～。❹用于动词后，表示结果。[例]见～|说～|做～。

【到场】亲自到某种集会或活动的场所。

【到达】到了(某一地点)。

【到访】到达某地访问；来访。

【到底】❶到尽头；到终点。[例]一竿子～|将革命进行～。❷副词。1. 表示经过种种变化最后实现的情况。[例]新方法～试验成功了。2. 用在问句里，加强追问语气。[例]你～去不去？3. 毕竟。[例]～还是集体力量大。

【到差】旧指到职。差(chāi)。

【到职】(接受任命或委派)来到工作岗位。

【到岸价格】卖方负责租船订舱和办理保险，按期将合同规定的货物在装运港装上船，并支付到目的港的运费和保险费的货物价格。

倒 ㊁ dào ❶颠倒。[例]本末～置。❷倾倒出来。[例]～茶|～土。❸向后退。[例]～车。❹副词。1. 反而。[例]工作忙了，学习～抓紧了。2. 却。[例]年纪不大，主意～挺多。3. 虽然。[例]大小～合适，就是颜色差了点儿。4. 表示催促的语气。[例]你～说句话呀！

㊀ dǎo (183 页)。

【倒叙】文学作品或记叙文的一种叙述方法。指不按照事件的时间顺序来叙述，而把情节中某些突出的部分或结局先行展示，然后再回过头来叙述发生在先的部分，以求引起悬念，增强效果。

【倒悬】头向下脚向上地悬挂着。比喻处境非常困苦。

【倒置】倒过来放，颠倒事物应有的顺序。[例]本末～。

【倒数】❶数(shù)。一个不等于零的数，它的倒数就是 1 除以这个数的结果。如 $\frac{1}{8}$，5，$\frac{3}{4}$ 的倒数分别是 8，$\frac{1}{5}$，$\frac{4}{3}$。❷数(shǔ)。从后往前数。

【倒影】倒立的影子。

【倒春寒】指春季回暖作物开始生长后，由于受较强的冷空气侵袭而造成的连续低温天气。对农业生产危害较大。

【倒行逆施】《史记·伍子胥列传》记载，春秋时伍子胥为父报仇，领吴兵攻打楚国，挖出楚平王的尸体，鞭尸三百。申包胥责备他，子胥回答说："吾日暮途远，吾故倒行而逆施之。"指做事违背常理。

帱(幬) ㊁ dào 覆盖。
㊀ chóu (133 页)。

焘(燾) ㊁ dào 同"帱(dào)"。
㊀ tāo (961 页)。

翿⊠**(翿)** dào ❶同"纛"。❷古代用羽毛做成的一种舞具。

盗 dào ❶偷窃。[例]～取。❷抢劫财物的人。[例]强～|海～。

【盗印】盗用版权非法印制(出版物)。

D

【盗汗】因病睡眠时出虚汗。
【盗版】未经著作权人许可,以营利为目的,复制发行其作品的行为。是严重侵犯著作权的行为,可视情节追究盗版者的民事责任、行政责任甚至刑事责任。
【盗窃】偷取。
【盗跖】传说中春秋后期的人物。《荀子·不苟》说他声名显赫,像日月一样,与舜、禹一起流传久远。《庄子·盗跖》说他带领起义部卒九千人,横行天下,所到之处大国不敢打开城门,小国国民纷纷躲进城堡。
【盗墓】偷掘坟墓,窃取墓中殉葬的物品。
【盗窃罪】行为人以非法占有为目的,秘密窃取数额较大的公私财物的犯罪行为。
【盗名欺世】也说欺世盗名。盗取名誉,欺骗世人。

D

悼 dào 悲伤;哀念。
【悼亡】悼念死去的妻子。也指死了妻子。
【悼词】对死者表示哀悼的话或文章。
【悼念】对死者哀痛地怀念。

道 dào ❶路。㊞铁~|人行横~|康庄大~。❷道理。㊞说得头头是~。❸办法。㊞即以其人之~,还治其人之身。❹道德。㊞~义。❺技艺。㊞茶~|棋~。❻说;讲。㊞一语~破。❼用言语表示。㊞~谢|~歉。❽属于道教的;道教徒。㊞~观|亦僧亦~。❾指某些封建迷信组织。㊞会~门|一贯~。❿旧时行政区划单位。在唐代相当于现在的省,清代和民国初年在省下设道。⓫量词。用于长条形东西,也用于门、墙、题目或计算次数等。㊞万~金光|一~门|两~题|上了四~菜。
【道士】❶士(shi)。指道教徒。❷泛指有道之士。
【道口】❶路口。❷铁路与公路、城市道路等交叉时,做成平面交叉的叫做道口,做成立体交叉的简称立交。道口除做好铺面及坡道外,须有必要的警示、防护设备。
【道门】旧时某些封建迷信的组织,如一贯道等。
【道义】道德和正义。㊞给以~上的支持。
【道白】戏曲、歌剧中唱词以外的台词。
【道台】也叫道员。明清两代官名。明代为布政使和按察使的佐官,分理各道的钱粮、刑名。清代是省以下管辖府、州的高级行政长官。
【道地】即“地道”①(196页)。
【道场】指佛教、道教进行诵经弘法等宗教活动的场所。也指进行上述宗教活动。
【道行】僧道修行的功夫。也比喻技能本领。行(héng)。
【道安】道履安泰(道,指对方;履,指对方起居)。信文结束用语。意思是问候对方身体安好。
【道观】道教建筑。是供奉道教神祖、仙人,进行道教法式和修行的建筑。观(guàn)。
【道岔】使铁路机车、车辆从一条轨道转向另一条轨道的设备。
【道床】铁路轨枕的垫层。常用碎石、卵石或砂等材料筑成。用以将轨枕所受的压力传布给路基,增加轨道弹性和防止轨枕移动,并便于排水。
【道具】戏剧等演出中一切用具的统称。一般分为大道具(如桌、椅等)和小道具(如杯、盘、刀、枪等)两类。
【道学】即“理学”(600页)。
【道姑】女道士。
【道首】会道门的头目。
【道统】儒家学术思想的传授系统。唐代韩愈仿照佛教诸宗的法统,首先在《原道》中提出儒学之“道”的传授系统。后宋代朱熹将其概括为“道统”。
【道破】说穿。
【道席】信文开头对有学术地位的人的尊称。意思是不敢径达于对方的当面,而致意于席前。
【道家】春秋战国时期的一个学派。主要代表人物是老聃和庄周。参见〔老子〕①(585页)、〔庄子〕①(1302页)。
【道理】❶理由;情理。㊞摆事实,讲~。❷事物的规律。㊞他从实践中总结出了增产的~。
【道教】中国主要宗教之一。东汉张道陵所立。最初叫五斗米道、天师道。南北朝时宗教形式逐渐完备。奉老聃为教祖,尊称“太上老君”,以《老子》《正一经》和《太平洞极经》为主要经典,奉玉皇上帝为最高的神。要人脱离现实,炼丹成仙。
【道情】曲艺的一类。有的地方也叫渔鼓。以唱为主,以说为辅,用渔鼓、简板为伴奏乐器。有陕北道情、陇东道情、湖北渔鼓等。广东的木鱼书、四川的荷叶也属此类。上海浦东地区的道情现称浦东说书。
【道路】❶地面上供人或车马通行的部分。❷两地之间的通道,包括陆地的和水上的。

【道歉】表示歉意。
【道德】社会意识形态之一。以善恶评价的方式调整人与人之间及个人同社会之间关系的行为规范的总和。主要通过教育和社会舆论的力量，使人们逐渐形成一定的信念、习惯、传统而发生作用。由一定社会的经济基础所决定并为之服务。
【道器】中国古代哲学的一对范畴。道与器的关系相当于精神与物质的关系。最早见于《周易·系辞》："形而上者谓之道，形而下者谓之器。"宋以后，对这一问题的不同解释，表现为唯物主义和唯心主义的斗争。
【道藏】道教经典的总辑。包括周秦以下道家子书及六朝以来的道教经典。藏(zàng)。
【道林纸】一种高级胶版印刷纸及书写纸。最初是英国道林公司制造的。
【道德经】即"老子"②(585页)。
【道不拾遗】也说路不拾遗。丢失在路上的东西没有人拾起来据为己有。形容社会风气良好。《韩非子·外储说左上》："国无盗贼，道不拾遗。"
【道听途说】路上听到的传闻，随后就在路上传播出去。指没有根据的传闻。《论语·阳货》："道听而塗(途)说，德之弃也。"
【道教音乐】道教科仪仪式中所用的音乐。现可见到宋代的道教音乐曲谱《玉音法事》三卷，共辑录唐、宋道曲五十首。近代道教正一教和全真教两大派所使用的音乐大不相同。
【道路以目】路上相遇，仅能以目示意。形容慑于暴政，敢怒而不敢言。《国语·周语上》："厉王虐，国人谤王，邵公告曰：'民不堪命矣。'王怒，得卫巫，使监谤者，以告，则杀之。国人莫敢言，道路以目。"
【道路相告】大家互相转告。道路：指走在路上的人。
【道貌岸然】神态庄重严肃。多指装出一本正经的样子。岸然：严峻的样子。
【道德风险】指从事经济活动的人在最大限度地增进自身效用时有损他人的行为。信息不对称、机会主义等是其产生的原因。
【道德规范】也叫道德准则。一定社会或阶级对人们提出的道德要求。是用来调整人与人之间利益关系的行为准则，也是判断人们思想行为是非善恶的标准。
【道德品质】一定社会道德原则和规范在个人思想和行为中的体现。是个人在道德行为中所表现出来的较稳定的特征。由道德认识、道德情感、道德意志、道德信念、道德行为等因素构成。
【道德修养】指人们按照一定的道德理想、道德规范进行自我教育，由此达到的某种道德境界。是使道德品质不断完善的重要途径。
【道高一尺，魔高一丈】原为佛教用语，告诫修行的人，要警惕外界的诱惑。道指正气，魔指邪气。现比喻两种敌对力量彼此消长。
【道琼斯工业平均指数】美国道琼斯公司1897年开始编制的工业平均指数。反映美国纽约证券交易所上市的30家最大的工业企业股票的价格变动情况。

稻 dào 一年生草本植物。是重要的粮食作物。分水稻和旱稻。通常指水稻。子实椭圆形，有硬壳，去壳即大米。
【稻螟】水稻钻心虫的统称。包括二化螟、三化螟、大螟等。幼虫蛀食稻苗、稻茎，造成枯心、白穗。成虫(螟蛾)有趋光性，可用灯光诱杀和喷药防治。
【稻瘟病】水稻主要病害之一。危害茎、叶、穗，叶上生梭形或菱形病斑，外黄、边褐、内灰白色。可采用选育抗病品种、稻种消毒、发病时喷药等方法防治。
【稻农皮炎】也叫稻田皮炎。稻农在水田劳动时出现的皮肤炎症。有的是浸水过久和摩擦所致，表现为皮肤肿胀、糜烂、剥脱，伴有痛感。有的由血吸虫的尾蚴钻入皮肤引起，起初有灼热和痒感，后出现大小不等的红斑丘疹或水泡。

纛 dào 古代军队里的大旗。

dē ㄉㄜ

嘚 dē 拟声词。马蹄踏地的声音。

dé ㄉㄜˊ

得 ㊀ dé ❶取得；受到。[例]～胜|深～群众支持。❷适合；配合。[例]～法|相～益彰。❸得意。[例]自～。❹完成。[例]饭做～了。❺演算得到结果。[例]二四～八|三加二～五。❻可以；能。[例]不～攀折花木|不～不求助别人。
㊁ děi (188页)。

D

㊂ de（187页）。

【得力】❶有能力的；能干的。㊙～干部｜～助手。❷得益；获得帮助。㊙～于平时的锻炼。

【得手】❶办事顺利；顺利达到目的。❷得到机会。

【得以】可以；能够。

【得失】❶得益和损失；利弊。㊙互有～。❷成败；利害。㊙不计较个人～。

【得当】妥当；合适。㊙处理～｜用词～。当（dàng）。

【得体】（言语、行动等）适当，恰如其分。

【得势】有了权力；被重用（多含贬义）。

【得宠】受宠爱。

【得宜】适当；合适。

【得逞】得以实现（指坏的方面）。㊙决不能让敌人的阴谋～。

【得寸进尺】得到一寸就想进一尺。比喻贪得无厌。

【得天独厚】具有特殊优越的条件。多指人的资质或自然环境特别好。天：自然的，天然的。

【得不偿失】所得的利益补偿不了所受的损失。宋苏轼《和子由除日见寄》诗：“感时嗟事变，所得不偿失。”偿（cháng）。

【得心应手】心里怎样想，手里就能怎样做。比喻技艺纯熟，心手相应。《庄子·天道》：“不徐不疾，得之于手而应于心。”

【得过且过】过一天算一天。形容胸无大志，苟且偷安。也指对工作敷衍了事，不负责任。明陶宗仪《辍耕录》卷一五：“寒号虫…比至深冬严寒之际，毛羽脱落，索然如㲉（kòu）雏，遂自鸣曰：‘得过且过。’”且：暂且。

【得陇望蜀】既得到了陇，又希望占领蜀。比喻贪心不足。《后汉书·岑彭传》：“人苦不知足，既平陇，复望蜀。”陇：古地名，在今甘肃东部。蜀：古地名，在今四川。

【得鱼忘筌】《庄子·外物》：“筌者所以在鱼，得鱼而忘筌。”意思是：筌是捕鱼的竹器，鱼已捕得，就忘掉筌。比喻成功之后，便忘了原来依靠的东西。

【得胜回朝】旧指将领打了胜仗回到朝廷报功。

【得意扬扬】也作得意洋洋。形容非常满足、高兴，神气十足的样子。扬扬：得意的样子。

【得意忘形】形容浅薄的人得志时忘乎所以，失去常态。

【得道多助，失道寡助】坚持正义，就会得到多数人的支持和帮助；违背正义，就必然陷于孤立。《孟子·公孙丑下》：“得道者多助，失道者寡助。”

锝（鍀） dé 人造金属元素，符号Tc，原子序数43。有放射性。

德（*悳） dé ❶道德，品行；特指好的品行。㊙～育｜美～｜～才兼备。❷心意；志向。㊙同心同～｜离心离～。❸恩惠；好处。㊙感恩戴～。❹德国的简称。

【德行】道德和品行。行（xíng）。

【德里】印度城市。位于印度北部，包括新城和旧城。人口838万（1991年）。是全国政治、经济、文化中心和交通枢纽。旧城德里是印度古都，名胜古迹多，其中的泰姬陵世界闻名；新城叫新德里，是印度首都，在旧城西南。

【德国】全称德意志联邦共和国。位于欧洲中部。西北临北海，北邻丹麦，东北临波罗的海，东邻波兰、捷克，南邻奥地利、瑞士，西邻法国、卢森堡、荷兰。是欧洲人口较多、面积较大的国家，也是世界经济强国之一。

【德育】政治教育、思想教育和道德教育的总称。也特指道德教育。

【德政】有益于人民的政治措施。

【德望】道德名望。

【德国馆】建筑学上特指西班牙巴塞罗那世界博览会德国展馆。始建于1928年。设计人是德国建筑师密斯·凡德罗。展馆由主厅、水池、辅助用房和围墙等组成。仅用八根钢柱支撑主体建筑，建筑材料简洁、材质考究，室内外空间穿插灵活，是表达“少就是多”设计思想和流动建筑空间概念的成功实例。

【德昂族】旧称崩龙族。中国少数民族之一。人口1.5万（1990年）。主要分布在云南省德宏、临沧、思茅等地区。有本民族语言，兼通傣语。多信奉小乘佛教。

【德政碑】旧时歌颂官吏政绩的纪念碑。唐白居易《青石》诗：“不愿作官家道傍德政碑，不镌实录镌虚辞。”

【德彪西】克洛德·德彪西（1862—1918）法国作曲家，印象主义音乐的创导者。作品着重表现客观景象对主观的印象，其和声突破古典主义、浪漫主义音乐的传统，有许多新的尝试，充分发挥和声的色彩表现力，为绘景绘色服务。代表作有管弦乐《牧神午后前奏曲》，管弦乐组曲《夜曲》《大海》，钢琴曲《版画集》《意象集》《二十四首前奏曲》，钢琴组曲《贝加马斯卡》以及歌剧《佩利亚斯与梅丽桑德》等。

【德黑兰】伊朗首都。位于该国北部。人口648万(1991年)。是12世纪建立的古城，现为全国政治、经济、文化和交通中心，也是西亚最大的城市。地毯、丝织、刺绣等传统手工艺品闻名。多清真寺和传统特色市场。

【德新社】德意志新闻社的简称。德国最大的通讯社。1949年创办。总社在汉堡。

【德干高原】位于印度南部。地势西高东低，平均海拔约600米，两侧有东、西高止山脉。戈达瓦里、克里希纳等河东流入孟加拉湾。

【德才兼备】也说才德兼备。既有德，又有才；品德和才能都好。

【德沃夏克】安东宁·德沃夏克(1841—1904)捷克作曲家，19世纪捷克民族乐派的代表人物。曾在美国生活。作品以曲调优美隽永、节奏及和声丰富多彩、配器简洁生动而著称。所作《斯拉夫舞曲》两集，以斯拉夫各民族的舞曲音调为基础；《第九交响曲》(《自新大陆》)、《F大调弦乐四重奏》等则吸取了美洲黑人及印第安人民歌的旋律和节奏特色，又有捷克民间舞蹈歌曲的因素。其他重要作品有《捷克组曲》，歌剧《水仙女》，交响诗《水妖》《金纺车》《野鸽》等。

【德高望重】品德高尚，又有很高的声望。

【德布罗意波】也叫物质波。对微观粒子所具有的波动性的描述。法国物理学家德布罗意首先把光的波粒二象性推广到微观粒子，认为微观粒子(如电子)也有波动性，后被实验证实，故名。

【德国民法典】德意志帝国1896年制定，1900年生效。共2 385条。是继《法国民法典》之后资本主义社会的第二部重要的民法典。继承罗马法的传统，又结合日耳曼法的习惯，并根据19世纪资本主义发展的新情况制定。该法对近现代西方国家影响很大。旧中国的民法在不同程度上参照了该法。

【德黑兰会议】第二次世界大战期间，苏、美、英三国首脑于1943年11月28日到12月1日在伊朗首都德黑兰举行的会议。讨论了对德作战中的一致行动和战后和平等问题。

【德谟克拉西】德语音译词。民主。

【德国古典哲学】18世纪末到19世纪初的德国资产阶级哲学。主要代表人物有康德、费希特、谢林、黑格尔和费尔巴哈。其学说后成为马克思主义哲学的理论来源。

【德国农民战争】1524—1525年在德意志爆发的农民革命运动。这次革命反对封建主与天主教会的封建统治和残酷剥削，主张宗教改革，要求取消农奴制度。其中闵采尔所领导的起义力图实现一个没有剥削、没有阶级的社会。此次革命因自身弱点及市民阶级背叛而最终失败。

【德意志一八四八年革命】德意志人民发动的资产阶级民主革命。德意志人民为摧毁封建制度，实现民族统一，于1848年3月先后在巴登、奥地利、普鲁士等邦国举行武装起义。后遭镇压。

de ·ㄉㄜ

地 ㊁ de 助词。用在某些词或短语后，表示它前面的词或短语是后面中心语的状语。㊀灯光慢慢～暗了下去|全心全意～为人民服务。

㊀ dì (195页)。

的 ㊂ de 助词。1. 用在某些词或短语后，表示它前面的词或短语是后面中心语的定语。㊀伟大～、光荣～、正确～中国共产党。2. 组成“的”字短语，代替所指的人或物。㊀参加劳动～|这是国家～。3. 表示领属关系。㊀我～书。4. 用在陈述句句末，表示肯定的语气。㊀中国人民解放军是不可战胜～。5. 同“地(de)”。

㊀ dì (203页)。

㊁ dí (193页)。

底 ㊁ de 同“的(de)”3。

㊀ dǐ (194页)。

得 ㊂ de 助词。1. 用在动词后，表示可能。㊀吃～|办～到。2. 用在动词或形容词后，连接表示结果或程度的补语。㊀工作做～快|天气热～很。

㊀ dé (185页)。

㊁ děi (188页)。

děi ㄉㄟˇ

得 ㊁ děi ❶必须；需要。㊀真～注意。❷表示揣测的必然。㊀再不快走，就～迟到了。❸〈方〉合适；舒服；舒适。㊀挺～。

㊀ dé（185页）。
㊂ de（187页）。

dèn ㄉㄣˋ

扽□ dèn 〈方〉抻拉。㊀把绳子～紧。

dēng ㄉㄥ

灯（燈） dēng 照明或做其他用途的发光器具。㊀电～|安全～。

【灯火】泛指灯烛。㊀节日的天安门广场，～辉煌，万众欢腾。

【灯节】即"元宵"①（1209页）。

【灯虎】灯谜。虎：比喻难猜。

【灯具】人工照明器具的总称。

【灯谜】贴在灯上的谜语。猜灯谜是中国一种传统的娱乐活动，喜庆日子的晚上把谜语贴在花灯上，供人猜测。

【灯塔】❶指引船舶航行的标志。一般设置在沿海航线附近的岛屿、礁石或港湾海岸的明显位置上。备有强力发光、雾警、无线电导航等设备，通常建成塔形，故名。对飞机助航的灯塔称航空灯塔。❷比喻指引前进方向的事物。

【灯心草】多年生草本植物。茎细长，叶片退化。茎髓可做油灯的灯心，故名。也可供药用，有清热利尿作用。

【灯火管制】统一管理灯火的一种防空措施。包括在城市、工矿区、军队驻地、交通枢纽等可能遭到空袭的地区，预先限制灯火的数量和亮度；当发出空袭警报后，全区立即熄灭或遮蔽灯火等。舰船为保守行动的秘密，在夜间也实施灯火管制。

【灯红酒绿】❶形容奢靡华丽的生活。❷形容夜晚的繁华景象。

登 dēng ❶上。㊀～山。❷同"蹬（dēng）"。❸刊登；记载。㊀～报|～记。❹成熟。㊀五谷丰～。

【登场】❶场（cháng）。粮食收割后运到场上。㊀新谷～。❷场（chǎng）。剧中人登上舞台；也比喻反面人物登上政治舞台。

【登时】立刻。

【登陆】渡过海洋或江河登上陆地，特指部队搭乘海上输送工具，通过航渡在敌岸上陆。

【登临】登山临水或登高临下。泛指游览山水、名胜。

【登科】也说登第。科举时代指考中进士。

【登基】皇帝即位。

【登第】即"登科"（188页）。

【登程】起程；上路。

【登龙门】❶《太平广记》卷四六六引《三秦记》记载古代传说，黄河的鲤鱼能跳过龙门就会变成龙。比喻被有力的人引荐提拔而地位顿然升高。❷唐代称进士登科考中为登龙门。

【登陆舰】运送登陆兵和武器装备在敌岸直接登陆的军舰。装备有自卫火炮。具有船底平、吃水浅等特点，能在无停靠设备但适于登陆的岸滩直接抢滩登陆。分大型登陆舰、中型登陆舰、坦克登陆舰、步兵登陆舰等。

【登革热】一种病毒性传染病。由蚊子传播。湿热地区夏秋发病多。主要症状是肌肉和关节痛、呕吐、腹痛、腹泻、出现红色斑丘疹等。

【登山运动】体育运动项目之一。运动员在严寒和缺氧的情况下攀登高山，克服种种艰险。登山运动对科学研究、资源探测等有重大意义。

【登陆波次】登陆作战中为使登陆兵突击上陆既迅速连续又不拥挤阻塞，登陆艇（直升机）波按登（着）陆的先后次序和间隔时间所排列的顺序。

【登峰造极】比喻达到极高的水平。清顾炎武《与人书十七》："君文之病，在于有韩、欧。有此蹊径于胸中，便终身不脱依傍二字，断不能登峰造极。"造：到达。极：最高点。

【登堂入室】即"升堂入室"（877页）。

蕫⊠ dēng 〔金蕫〕草名。

噔 dēng 拟声词。重东西落地的响声或撞击物体的声音。㊀～～地走上楼梯|～的一声撞到了墙上。

镫（鐙） ㊀ dēng ❶古代盛熟食的陶制器皿。❷同"灯"。

㊁ dèng（191 页）。

簦 dēng 古代有柄的笠。类似雨伞。

蹬 ㊀ dēng 腿和脚向脚底的方向用力。㊡～脚|～自行车。

㊁ dèng（191 页）。

děng ㄉㄥˇ

等 děng ❶相同；一样。㊡～同。❷等级。㊡优～|一～品。❸种；类。㊡这～事|此～人。❹等候；等到。㊡稍～|～人到齐了再开始。❺用于列举后煞尾或表示列举未尽。㊡长江、黄河、黑龙江、珠江～四大河流|美、英、法、德～西方国家。❻同"戥"。

【等外】质量差，不够列入等级的（产品）。

【等式】把两个解析式用等号连接起来所得的式子。如 $2^4=4^2$，$2\lg x=\lg x^2$ 等。

【等价】商品不同，价值相等。

【等次】等级高低。

【等闲】❶平常。㊡红军不怕远征难，万水千山只～。❷随便；轻易。㊡不要～视之。

【等差】等次。差（chā）。

【等衰】等次。衰（cuī）。

【等高线】在地形图上将陆地上海拔高度相同的各点连成的线。用以表示地面高低和地形变化。

【等深线】在地形图上，将海洋中深度相同的各点连成的线。

【等震线】同一次地震中具有相等烈度的各点的连线。由等震线组成的图称等震线图，可用来确定宏观震中和估计震源深度。

【等比级数】也叫几何级数。把等比数列的各项依次相加所得的级数。

【等比数列】也叫几何数列。旧称几何级数。后一项与前一项的比总相等的数列。如 4，8，16，32…是一等比数列（后一项与前一项的比总等于 2）。

【等而下之】从这一等再往下。

【等因奉此】旧时公文的套语。结束所引来文用"等因"，引述上级机关来文之后并引起下文用"奉此"。比喻例行公事，官样文章。

【等价有偿】当事人在转移财产的民事活动中，应当按照价值规律进行等价交换的民法原则。仅适用于财产关系，不适用人身关系。

【等价交换】商品按照价值量相等的原则进行交换。是价值规律的客观要求。

【等差级数】也叫算术级数。把等差数列的各项依次相加所得的级数。

【等差数列】也叫算术数列。旧称算术级数。后一项与前一项的差总相等的数列。如 10，14，18，22…是一等差数列（后一项与前一项的差总等于 4）。

【等离子体】部分或完全电离的气体。宏观上呈电中性，即所含正负电荷几乎处处相等。是固、液、气三态之外的物质的第四态。如火焰和电弧中的高温部分、太阳和其他恒星表面的气层都是等离子体。

【等量齐观】指对有差别的事物，同等看待。

戥 děng ❶戥子，称贵重物品或药品用的一种小型的秤。❷用戥子称。

dèng ㄉㄥˋ

邓（鄧） dèng 姓。

【邓发】（1906—1946）中国共产党工人运动领导人之一。广东云浮人。1925 年加入中国共产党。同年参加领导省港大罢工。1927 年参加领导广州起义。后任全国总工会南方代表、中共香港市委书记、广州市委书记、广东省委组织部长等职。在党的六届三中全会上补选为中央委员，六届五中、六中全会上均当选为中央政治局候补委员。1931 年任中央工农民主政府政治保卫局长。抗日战争时期任八路军驻新疆办事处主任、中央党校校长、中央职工委员会书记。1945 年 9 月代表解放区工人出席巴黎世界职工大会。1946 年 1 月回国，4 月 8 日由重庆返延安途中因飞机失事遇难。

【邓林】神话传说中的树林。《山海经·海外北经》："夸父与日逐走，入日，渴欲得饮。饮于河渭，河渭不足，北饮大泽，未至，道渴而死，弃其杖，化为邓林。"

【邓小平】（1904—1997）中国无产阶级革命家、政治家、军事家，中国共产党和中华人民共和国的主要领导人，邓小平理论的主要创立者。原名先圣、希贤。四川广安人。1920 年赴法勤工俭学。1927—1929 年任中共中央秘书长。1930 年领导百色起义和龙州起义，创建左江、右江根据地。1934 年参加长征。1935 年遵义会议后任红一军政治部主任。抗日战争时期，任八路军一二九师政委，和刘伯承一起创建晋冀豫抗日根据地。解放战争时期，任第二野战军政治委员。1947年夏，和刘伯承率部挺进大别山区，揭开人民解放战争战略进攻序幕。在淮海战役、渡江战役中任总前委书记。1949年又同刘伯承率部进军西南，解放云、贵、川、康诸省，任中共西南局第一书记。1952年任政务院副总理。1954年任中共中央秘书长、国务院副总理等职。后任中央委员会总书记。“文化大革命”中，受到错误批判，被撤销一切职务。1973年恢复副总理职务。1975年出任中共中央副主席、国务院副总理、中央军委副主席、总参谋长职务，主持党、政、军日常工作，针对混乱局面进行全面整顿，收效显著。1976年4月再次被撤销一切职务。1977年7月，恢复原有领导职务。从1978年至1992年，历任全国政协主席、中央军委主席、中共中央政治局常委、中央顾问委员会主任等职。邓小平坚持解放思想，实事求是，创立了有中国特色的社会主义理论，开辟了实现社会主义现代化的新道路，成为中共第二代领导集体的核心。1997年2月19日在北京病逝。有《邓小平文选》三卷。

D

【邓子恢】(1896—1972)中国无产阶级革命家、政治家。福建龙岩人。1917年赴日本留学。1926年加入中国共产党。1928年领导闽西起义。曾任中国工农红军第十二军政委、中央工农民主政府财政部长。抗日战争时期，任新四军政治部主任。解放战争时期，任华中军区政委、分局书记、中原临时人民政府主席。1949年后，历任中共中央农村工作部部长、国务院副总理、全国政协副主席等职。是中共七至九届中央委员。1972年逝世。

【邓中夏】(1894—1933)中国共产党早期工人运动领导人之一。湖南宜章人。1920年在北京参加共产主义小组。1922年任中国劳动组合书记部主任，曾先后领导长辛店铁路工人大罢工、开滦煤矿工人大罢工、京汉铁路工人二七大罢工、上海日本纱厂工人二月大罢工和省港大罢工。在中国共产党第二至第六次全国代表大会上均当选为中央委员，党的八七会议上当选为临时中央政治局候补委员。1925年任中华全国总工会秘书长兼宣传部长。1927年任中共江苏、广东省委书记。1930年在湘鄂西省委担任领导工作。1933年5月在上海被捕，10月在南京雨花台英勇就义。

【邓世昌】(1849—1894)清末爱国将领。字正卿。广东番禺人。中日甲午战争时任北洋舰队致远号管带(舰长)，在黄海与日本舰队英勇作战。致远号受伤多处，弹药将尽，他下令开足马力直冲敌舰，因中鱼雷，壮烈牺牲。

【邓廷桢】(1775—1846)鸦片战争时期抗英将领。字维周，号嶰筠。江苏江宁(今南京)人。1839年任两广总督时积极协助林则徐禁烟，严拿烟贩，训练水师，整顿海防。1841年初调任闽浙总督，7月初英侵略军舰队进犯厦门，率部抗击。后受投降派诬害，与林则徐同被革职，充军新疆。

【邓恩铭】(1900—1931)中国共产党最早的党员之一。贵州荔波人。1920年在济南同王烬美等成立马克思主义研究会，组织共产主义小组。1921年7月出席中国共产党第一次全国代表大会。1922年赴莫斯科出席远东各国共产党及民族革命团体第一次代表大会。历任中共青岛直属支部书记、山东省委书记。1928年秋在济南被捕，曾领导越狱斗争，1931年4月英勇牺牲。

【邓颖超】(1904—1992)中国无产阶级革命家，妇女运动活动家。河南光山人。早年积极参加五四运动，参与成立天津女界爱国同志会，后与周恩来共组觉悟社。1925年成为中国共产党党员，同年与周恩来结婚。大革命失败后，在上海任中共中央妇委书记。1932年到中央苏区，当选为中华苏维埃中央执委。1934年参加长征。抗日战争时期，从事抗日民族统一战线工作，发动妇女参加抗战和民主运动。1946年作为中共代表团成员，参加政治协商会议。1949年后，先后任全国妇联副主席、妇联名誉主席、全国人大常委会副委员长、中纪委第二书记、全国政协主席等。是中共七届候补中央委员，第八至十届中央委员，第十一、十二届中央政治局委员。有《邓颖超文集》。

【邓演达】(1895—1931)政治活动家，国民党左派。字择生，广东惠阳人。大革命中任国民革命军总政治部主任。1930年在上海成立中国国民党临时行动委员会(中国农工民主党前身)。1931年在南京被蒋介石杀害。

【邓小平理论】建设有中国特色社会主义理论的科学体系。这个理论科学地把握了社会主义本质，第一次比较系统地初步回答了在经济文化比较落后的中国如何建设社会主义、如何巩固和发展社会主义的一系列基本问题。指导共产党制定了在社会主义初级阶段的基本路线。主要创立者是邓小平，也是全党全民集体智慧的结晶。邓小平理论是马列主义与当代中国实践和时代特征相结合的理论成果，是对毛泽东思想的继承和发展，是马克思主义在中国发展的新阶段，是中国共产党的指导思想。

凳(*櫈) dèng 凳子。㊀板～。

嶝 dèng 登山的小路。

澄 ㊁ dèng 使液体里的杂质沉淀。㊀水～清了。

㊀ chéng (125 页)。

磴 dèng ❶石头台阶。❷量词。用于台阶或楼梯的层级。㊀那楼梯有八～。

瞪 dèng 睁大眼睛；注视，表示不满意。㊀～着眼看，也没看清|把眼一～|你～着我干什么？

镫(鐙) ㊀ dèng 挂在马鞍两旁供脚踏的东西。

㊁ dēng (188 页)。

蹬 ㊁ dèng 见〔蹭蹬〕(100 页)。

㊀ dēng (189 页)。

dī 分

氐 ㊁ dī ❶古代民族名。汉、唐时分布于今陕、甘、川、滇等省，从事畜牧和农业。十六国中的前秦、后凉即氐人所建。其后，大部与汉人同化。❷星名。二十八宿之一。

㊀ dǐ (194 页)。

低 dī ❶由下到上的距离小；细小；低下。泛指程度或等级不高。与"高"相对。㊀～空|声音～|地势～|温度～|～年级。❷俯；头向下垂。㊀～头。

【低回】徘徊；留恋。

【低级】❶初步的；简单的。㊀～阶段。❷庸俗的；卑俗的。㊀～趣味。

【低谷】❶低洼的谷地。❷比喻事物发展过程中低落或停滞的阶段。㊀近年来，纺织业已走出～。

【低沉】❶低而沉重；低落消沉。㊀声音～|情绪～。❷云层低，天色阴暗。

【低迷】低落；不景气。㊀销售持续～。

【低能】能力低下(多含贬义)。

【低频】频率较低的电磁振荡。在无线电频段表中，指 30—300 千赫范围内的频率。

【低龄】年龄较小的。与"高龄"相对。㊀～犯罪案件|～老人(指六十岁至七十岁的老人)。

【低微】❶微弱，细小。㊀声音～。❷微薄。㊀收入～。❸旧指人的地位低下。

【低廉】价钱便宜。

【低潮】❶在潮汐的一个涨落周期内，水面降落达到的最低潮位。❷喻指事物发展过程中低落缓慢的时期。

【低元音】也叫开元音。发音时口腔开得最大，舌位下降，舌面距离上颚最远的元音。如普通话单元音中的 ɑ。

【低气压】简称低压。同一水平面上，中心气压低于四周的区域。低气压的气流自四周向中心旋转流动，故又名气旋。气旋在北半球呈逆时针方向旋转，在南半球呈顺时针方向旋转。低气压中部空气上升，常有云、雨、风、雷、电等天气现象出现。

【低压槽】天气图上，低气压延伸出来的狭长区域。低压槽内空气上升，多阴雨天气。

【低纬度】习惯上把纬度分成三部分：南、北纬 0°—30° 为低纬度，30°—60° 为中纬度，60°—90° 为高纬度。

【低层住宅】中国的建筑规范规定，1—3 层的住宅为低层住宅。以平面形式分为独院式(独立式)、双联式(毗连式)和联排式。

【低音提琴】也叫倍大提琴。拉弦乐器。在管弦乐队中担任低音声部的任务。四条弦，四度定弦，为 E_1-A_1-D-G。

【低首下心】屈服顺从的样子。唐韩愈《祭鳄鱼文》："刺史虽驽弱，亦安肯为鳄鱼低首下心。"下心：屈服于人。

【低等动物】在动物学中，与高等动物无明确的界线。一般指身体结构简单、组织及器官分化不显著，在身体中轴没有脊椎骨组成脊柱的动物。但在脊椎动物中，对四足类而言，称鱼类为低等动物；对爬行类以上的有羊膜动物而言，则称两栖类以下的无羊膜动物为低等动物；若对鸟类和哺乳类恒温动物而言，则称爬行类以下的变温动物为低等动物；更广义的指鸟类以下各类动物为低等动物。

【低等植物】起源较早、构造较简单的植物。无胚，无根、茎、叶的分化，无维管束。如藻类等。

羝 dī 公羊。

【羝羊触藩】公羊的角缠在篱笆上难以脱身。比喻进退两难。《周易·大壮》："羝羊触藩，羸其角。"羸（léi）：通"累（léi）"，束缚、缠绕。

啇☒ dī ❶根本。❷兽蹄。

嘀 ㊁ dī 拟声词。某些清脆而短促的声音。

㊀ dí（194 页）。

【嘀嗒】同"滴答"（192 页）。

【嘀里嘟噜】形容说话快、含混，使人听不清。

滴 dī ❶液体一点一点地落下；使液体一点一点地落下。㊀房子漏了，屋顶直～水｜～眼药。❷落下的少量液体。㊀汗～｜水～。❸量词。用于滴下的液体。㊀一～水。

【滴水】古代建筑屋面檐口板瓦的瓦头。

【滴沥】拟声词。水往下滴的声音。

【滴定】一种化学分析法。将一种已知浓度的试剂滴加到被测物质的溶液中，直到反应完全。根据滴入试剂的浓度和体积求出被测物质的含量。

【滴答】也作嘀嗒。拟声词。钟声或水从高处一滴一滴落下的声音。

【滴灌】一种灌溉方式。水流经滴头转换成水滴，缓慢润湿作物根部土壤。

【滴滴涕】英语音译词。二氯二苯基三氯乙烷的商品名。是杀虫谱广而效力强的合成杀虫剂。因其化学性质稳定，不易降解，可在环境和生物体内造成积累和残留，现已停止生产和使用。

【滴水穿石】即"水滴石穿"（922 页）。

樀☒ dī 屋檐。

【樀樀】敲门声。

镝（鏑） ㊀ dī 金属元素，符号 Dy，原子序数 66。银白色。可用作催化剂、发光材料、反应堆的控制材料和磁性材料的添加剂。

㊁ dí（194 页）。

堤（*隄） dī 沿河或沿海修筑的防水建筑物。㊀筑～。

【堤坝】堤和坝。泛指拦水和防水的建筑物。

提 ㊁ dī 见下。

㊀ tí（966 页）。

【提防】当心防备。

【提溜】用手提（tí）着。㊀手里～着一条鱼。

鞮☒ dī 古代的一种皮鞋。

䃅☒**（磾）** dī 一种黑色染料石。多用于人名，如金日（mì）䃅（汉代人）。

dí ㄉㄧˊ

狄 dí 中国古代称北方的民族。

【狄仁杰】（630—700）唐代政治家。字怀英，并州太原（今山西太原西南）人。曾任大理丞、侍御史，精于断案。历任地方州郡长官、平章事，以不畏权势著称，多有政绩。

【狄更斯】查理·狄更斯（1812—1870）英国作家。生于小职员家庭。当过学徒和小职员。前期小说多描写资本主义社会儿童的痛苦命运，揭露慈善机关和学校教育的黑暗。在创作盛期，作品着力揭露和批判资产阶级的贪婪、伪善和政治的腐败。代表作有《匹克威克外传》《大卫·科波菲尔》《艰难时世》《双城记》等。

【狄盖特】比尔·狄盖特（1848—1932）《国际歌》谱曲者，工人作曲家。生于比利时。1888 年 6 月为鲍狄埃诗篇《国际歌》谱了曲，7 月领导工人合唱团首次演出。从此，《国际歌》就成为全世界无产阶级的革命战歌。他的作品还有《巴黎公社社员之歌》《武装起义者》等革命歌曲。

【狄塞耳】鲁道夫·狄塞耳（1858—1913）德国工程师。1897 年发明以煤油为燃料的压缩点火式内燃机，以后很快发展成为以柴油为燃料的压缩点火式内燃机，即中国习称的柴油机（在许多国家称"狄塞耳发动机"）。

【狄德罗】德尼·狄德罗（1713—1784）法国唯物主义哲学家、启蒙思想家。他尖锐抨击封建制度和宗教神学，坚决反对上帝存在和灵魂不朽的说法以及不可知论、二元论和主观唯心主义。认为世界统一于物质，运动是物质的一种属性；人的一切知识都来源于感觉，思维是人脑的一种属性。他的哲学有着丰富的辩证法思想，但从总体来说仍未超出形而上学唯物主义的范围。曾主编《百科全书》，著有《达朗贝尔和狄德罗的谈话》《对自然的解释》《拉摩的侄儿》等。

荻 dí 多年生草本植物。秆直立，叶细长，像芦苇，生在路旁和水边。茎可用来打帘、造纸等。

鬄☒ dí 发髻。

迪 dí 开导；引导。㊀启～。

【迪斯科】英语音译词。一种社交舞蹈。20世纪后半叶出现于法国的娱乐场所，后流行世界各地。舞姿以胯部扭动为主，动作敏捷灵活，即兴性强。不一定有舞伴，有舞伴身体也不一定互相接触。

【迪斯科音乐】原是美国的一种舞蹈音乐，具有强烈而单一的节奏特点。20世纪70年代后期风靡全球。把任何曲调都建立在快速重击节拍的基础上，使舞蹈者产生狂热的躁动。

頔☒（頔） dí 美好。

笛 dí ❶管乐器。单管横吹，用竹子或金属管制成，形制大小不一，上面有一排供吹气、蒙笛膜和调节发音的孔。发音清脆嘹亮。用于独奏、伴奏及合奏。❷响声尖锐的发音器。㊀警～|汽～。

【笛卡儿】勒奈·笛卡儿(1596—1650)法国自然科学家、哲学家，解析几何的创始人。他把变数引进数学，从而把辩证法引入数学。哲学上是二元论者，主张世界有物质和精神两个互不依赖的本原。反对经院哲学，主张用知识代替信仰，但又认为怀疑是寻求真理的方法，提出"我思故我在"的唯心主义口号。他提出天赋观念论，认为"真正的观念"并不由感觉产生，而是天生就有的。是唯心主义唯理论的代表。著有《方法论》《哲学原理》等。

的 ㊀ dí 真实；实在。㊀～确。
㊁ dì (203页)。
㊂ de (187页)。

【的士】英语音译词。出租小汽车。

【的当】恰当；妥帖。

【的确良】英语音译词。涤纶纤维纯纺或与棉、毛等混纺织物。与棉、毛混纺的习惯上分别称棉的确良、毛的确良。参见〔涤纶〕(194页)。

【的黎波里】❶利比亚首都。位于该国西北部，临地中海。人口175万(1997年)。是全国政治、经济、文化中心和最大海港。是地中海沿岸通内地古沙漠商道的起点，北非历史文化名城。保存有罗马时代马可·奥里略凯旋门，以及卡拉曼利清真寺、王宫、城堡等古迹。❷黎巴嫩第二大城市和海港。位于该国西北部地中海海滨。

【的的喀喀湖】南美洲第二大湖。位于秘鲁与玻利维亚的边界上。面积8 290平方千米。海拔3 812米，是世界海拔最高的大淡水湖之一。

籴（糴） dí 买(粮食)。㊀上集～了五斗米。

敌（敵） dí ❶仇敌。㊀分清～我。❷抵挡。㊀所向无～。❸相当。㊀势均力～。

【敌手】❶能力相当的对手。㊀棋逢～。❷敌方的手里。㊀落入～。

【敌对】仇视而相对抗；利益根本对立。㊀～情绪|～阶级。

【敌伪】中国抗日战争时期指日本侵略者和汉奸傀儡政权。

【敌后】战时敌人的后方地区。㊀深入～|～根据地。

【敌体】双方不相上下，处在相等的地位。

【敌忾】指抗御所愤恨的(人或东西)。《左传·文公四年》："诸侯敌王所忾而献其功。"忾(kài)：愤恨。

【敌视】以敌对的态度看待；仇视。

【敌情】敌人的情况。特指敌人对我方采取行动的情况。㊀侦察～|～观念(对敌人警惕的观念)。

【敌意】怀有对立、仇恨、提防之意。

【敌敌畏】英语音译词。有机磷杀虫剂的一种，分子式 $C_4H_7Cl_2O_4P$。有良好的触杀、胃毒和熏蒸作用，用于防治稻飞虱、菜蚜及蚊蝇等害虫。毒性较大，使用时应注意防护。

【敌我矛盾】由敌对阶级之间的根本利益冲突而产生的矛盾。与"人民内部矛盾"相对。

涤(滌) dí 洗。例洗～|～除。

【涤纶】也叫的确良。聚对苯二甲酸乙二酯的商品名。强力高，弹性好，耐皱性好，吸湿性低。织物无褶皱，保形性好，易洗、易干。可纯纺或与其他纤维混纺，用于纤维的生产，也用作薄膜、磁带、工程塑料等。

【涤荡】冲洗；清除。

【涤罪所】即“炼狱”(609页)。

【涤瑕荡垢】也说涤瑕荡秽。清除旧的恶习。汉班固《东都赋》：“于是百姓涤瑕荡秽而镜至清。”瑕：玉面上的斑点。垢：脏东西。瑕和垢常比喻缺点或恶习。

觌(覿) dí 见；相见。例～面。

髢 □ dí 〔髢髢〕〈方〉假头发。

嘀 ㊀ dí 〔嘀咕〕❶小声说话；私下里说话。❷猜疑，拿不定主意。例心里有点～。

㊁ dī (192页)。

嫡 dí ❶宗法制度中称正妻。正妻所生之子称嫡子。❷亲的；血统最近的。例～亲哥哥(同父母所生的)。❸系统最正宗的。例～系。

【嫡传】嫡派相传。指某种学术、技艺等一代一代直接传授，含有正统的意思。

【嫡系】正支。喻指在政治集团的派系中，与派系首脑人物最亲近的人或力量。与“旁支”相对。

【嫡庶】旧时正妻和妾、嫡子和庶子的合称。正妻称为嫡，正妻所生之子为嫡子。妾所生之子为庶子。嫡子地位高于庶子。

镝(鏑) ㊁ dí 箭头。也泛指箭。例鸣～|锋～。

㊀ dī (192页)。

蹢 ㊀ dí 古指蹄子。

㊁ zhí (1265页)。

翟 ㊀ dí 也叫长尾雉。鸟类。长尾的野鸡。雄鸟羽色艳丽，尾羽特长。

㊁ zhái (1233页)。

dǐ ㄉㄧˇ

氐 ㊀ dǐ 根本。

㊁ dī (191页)。

邸 dǐ ❶高级官员居住的处所。例官～|府～。❷旧指旅馆。例旅～。

【邸阁】古代的粮仓。

诋(詆) dǐ 骂；说人坏话。例丑～|～毁。

【诋毁】毁谤；诬蔑。

坻 ㊁ dǐ 山坡。也用于地名，如宝坻(在天津)。

㊀ chí (127页)。

抵(❺*牴❺*觝) dǐ ❶支；顶。例把门～住。❷抗拒。例～制。❸顶替；相当。例～换|收支相～。❹到达。例昨日～沪。❺牛羊等用角顶、触。

【抵抗】反抗；抗击。例坚决～帝国主义的侵略。

【抵押】债务人或第三人在不转移其财产占有的情况下，将该财产作为债权担保的物权制度。债务人不履行债务时，债权人有权以该财产折价或以拍卖、变卖该财产的价款得到优先受偿。

【抵制】抵抗，阻止，不让消极或错误的事物侵入或发生作用。例～错误做法。

【抵消】因作用相反而互相消除。

【抵牾】抵触；矛盾。

【抵偿】用价值相等的东西作补偿。

【抵销】❶两种事物的作用因相反而互相消除。例药力～。❷双方当事人相互负有同种类的债务时，将彼此的债务相互冲抵，使债务消灭。

【抵御】抵挡；抵抗。

【抵赖】(在事实面前)硬不承认。例侵略者的罪行不容～。

【抵罪】指根据罪行给以应得的惩罚。

【抵触】冲突；对立。例这两种意见互相～|～情绪。

【抵押权】债务人或第三人以其所有或经营管理的一定财产作为债务履行的担保，当债务人不履行债务时，债权人有从该财产的价值中得以优先受偿的权利。以不转移该财产的占有区别于质权。

底 ㊀ dǐ ❶最下或最末的部分。例井～|～层|年～。❷事情的内情或根源；留作根据的。例～细|根～|～稿。❸花纹图案等的衬托面。例白～绿格|蓝～金字。❹达到。例终～于成。❺文言疑问代词。何；什么。例～事。

㊁ de (187页)。

【底止】止境。例永无～。

【底片】❶负片的俗称。❷没有拍摄过的

胶片。

【底里】底细；事情的详细情况。[例]不知～。

【底事】何事；什么事。

【底细】根源；内情。[例]摸清～。

【底数】见“幂”①(682页)。

【底蕴】详细的内容或内情。

【底特律】美国城市。位于该国东北部。人口103万(1990年)。是美国最大的汽车制造业中心和大湖区重要港口。

弤[繁] dǐ 漆成朱红色的弓。

柢 dǐ 树的粗而直的根。[例]根深～固。

砥 dǐ ❶细的磨刀石。❷磨炼。[例]～节砺行。

【砥柱】山名。在河南三门峡市，位于黄河急流中，形状像柱子，故名。参见〔中流砥柱〕(1276页)。

【砥砺】❶磨炼。[例]～意志。❷勉励。[例]互相～。

趆[繁] ㊀ dǐ 同“抵达”的“抵”。
㊁ dì (204页)。

骶 dǐ 腰部下面尾骨上面的部分。

【骶骨】人体的五块骶椎合成的一块骨。为骨盆的后壁。上与第五腰椎相连，下与尾骨相连。

dì ㄉㄧˋ

地 ㊀ dì ❶地球；地面。[例]天～|大～|～势。❷土地；田地。[例]好～|盐碱～。❸地区；地点。[例]本～|所在～。❹境地；地步。[例]设身处～|留有余～。❺底子。[例]白～红花。❻指路程。用在里数后。[例]二里～。
㊁ de (187页)。

【地丁】多年生草本植物。无直立地上茎，单数羽状复叶，两面密生长毛，开黄花的叫黄花地丁，开紫花的叫紫花地丁。全草可供药用，能清热解毒、消炎消肿。

【地力】土壤肥力的俗称。

【地下】❶地面以下的。[例]～水。❷秘密活动的；不公开的。[例]～组织|工作转入～。

【地支】也叫十二支。子、丑、寅、卯、辰、巳、午、未、申、酉、戌、亥的总称。中国古代拿它和天干相配，用来表示年、月、时的次序。旧式记时法也用地支表示次序，如子时、丑时等。参见〔干支〕(301页)。

【地区】较大范围的地域。[例]华北～|多山～。

【地主】❶占有土地，自己不劳动，或只有附带的劳动，而靠剥削农民为生的人。❷指住在本地的人。[例]略尽～之谊。

【地衣】藻类与某些低等光合生物之间稳定而又互利的共生联合体。分布很广，能生活在各种环境中。在岩石风化和土壤形成中起重要作用，少数也供食用，多种还可提制染料、香料等。

【地产】土地和固着于土地上不可分割的部分所共同形成的固定资产。

【地形】❶也叫地貌。地球表面各种起伏形态的总称。由内力(地壳运动、火山活动、地震等)、外力(风化、侵蚀、搬运、沉积等)和人类的作用而形成。按形态分为平原、山地、丘陵、高原、盆地等。❷测绘学上地表起伏形态和分布在地面的固定物体的总称。

【地壳】地球固体圈层的最外层。大陆部分平均厚度约33千米，高山、高原地区厚度可达60—70千米，海洋部分平均厚度约6千米。分两层，上层由硅铝质岩石组成，下层由硅镁质岩石组成。上层在大洋地壳中很薄，甚至缺失。大陆地壳表层的岩石，有些经风化破坏后，在生物和人类的作用下形成土壤层。壳(qiào)。

【地极】地球自转轴与地球表面相交的两个点。在北半球的叫北极，在南半球的叫南极。

【地步】❶景况；境地(多指不好的)。[例]没曾想落到这个～。❷周转回旋的余地。[例]留～。❸(达到的)程度。[例]达到了无以复加的～。

【地利】❶有利于生产和人民生活的土地条件。❷地理上的有利的地形。[例]天时～。

【地位】在社会关系中所处的位置。[例]经济～|社会～|国际～。

【地层】地壳发展过程中所形成的各种成层岩石(包括松散沉积层)及其间的非成层岩石的总称。地层是研究地壳发展历史的重要根据。

【地表】地球的表面，即地壳的最外层。

【地势】泛指地面高低起伏的状态。如山地地势较高，平原地势往往低平开阔。

【地图】把地球表面(包括地壳和大气层)的

自然和人文现象，用地图投影等方法，按照一定的比例尺描绘在平面上的图形。它运用符号、颜色和注记，概括地反映各种事物和现象的地理分布及其在空间与时间上的相互制约、内在联系和发展变化。

【地物】一般指分布在地面上的固定性物体。如居民地、道路、江河、森林和各种工程建筑物等。

【地质】地壳的成分和结构。

【地肤】俗称扫帚苗。一年生草本植物。分枝多，叶线状披针形，嫩苗可食，老株可制扫帚。果实称地肤子，可供药用。

【地府】阴间（迷信者设想的死后的另一世界）。

【地波】由天线发出，沿地球表面传播的无线电波。地波不受气候影响，失真小，通信质量好。但地波能量损失较大，波长越短，衰减越快。所以只有长波和较长波段的中波通信，可利用地波，传播几百千米的距离。

【地线】❶为了保证人身和设备的安全，将电力和电子设备上的一点（通常在外壳上）同大地相连接的导线。❷在单导线的有线电通信中用大地作为电流回路时，从机器引到大地的导线；在中波、长波无线电发射或接收设备中，使天线电流引入大地来构成回路的导线。❸电力和电子设备中通常作为零电位的公共线。

【地契】买卖土地时买主与卖主之间所立的契约。上面有买卖双方及中介人、代笔人的签字或画押。

【地带】❶具有某种性质或范围的一片地方。❷陆上呈长条形的区域。军事上通常将地带两端各用两个点地理坐标表述。

【地轴】地球自转所围绕的一条轴线。

【地峡】夹在两个海洋之间，连接两块陆地的狭窄陆地。如南、北美洲之间的巴拿马地峡和马来半岛上的克拉地峡。

【地保】旧时在地方上替官府办差的人。

【地狱】❶宗教指人死后灵魂受苦的场所。与“天堂”相对。❷比喻黑暗而悲惨的生活环境。

【地宫】❶皇帝陵墓中安放棺椁和陪葬品的地下部分。一般用石块砌筑。❷佛寺中保藏舍利、器物等的地下建筑物。

【地垒】两条断层中间的岩块相对上升，两边的岩块相对下降，相对上升的岩块叫地垒。它常形成块状山地，如中国的庐山、泰山。

【地热】存在于地球内部的热能。主要来源于地下放射性元素衰变的放热过程。随深度增加而增加，但在各地区出入很大。可用于发电、采暖等。

【地核】地球内部构造的最里层。深度从地下2 900千米至地球中心。物质成分以铁、镍为主。以地下5 100千米深处为界，分外核和内核。外核的物质接近液态，内核的物质呈固态。

【地钱】苔藓植物的一种。植物体呈叶状，扁平，匍匐生长。多生于阴湿而富含有机质的地方。

【地铁】❶地下铁道的简称。❷指地铁列车。㊀乘～。

【地租】土地所有者凭借土地所有权获得的收入。在不同社会条件下，地租具有不同的性质，反映不同的生产关系。

【地球】人类居住的星球。太阳系九大行星之一。以距离太阳由近及远的次序计是第三颗。和太阳的平均距离为14 960万千米；赤道半径6 378千米，极半径6 357千米。平均密度是水的5.5倍。公转周期约365.25日，自转周期约23时56分。地球有一颗卫星，即月球。

【地理】全世界或一个地区的山川、气候等自然环境要素及物产、交通、居民点等社会经济要素的总的情况。

【地域】❶指范围广大的地区。❷地方（指本乡本土）。㊀～文化。

【地黄】多年生草本植物。全株有毛，叶丛生，花筒状。根茎肥大，供药用。药材分鲜地黄、干地黄和熟地黄三种。分别有清热凉血、滋阴养血、滋补养阴等作用。

【地堑】两条断层中间的岩块相对下降，两边的岩块相对上升，相对下降的岩块叫地堑。它常形成狭长的凹陷地带，如东非大裂谷。

【地盘】占据的地区。也指势力范围。㊀争夺～。

【地鵏】鸟类。即大鸨。鵏（bǔ）。

【地堡】供步枪、机枪射击用的加以掩盖的低矮的工事。一般为砖石或钢筋混凝土结构。用于掩护桥梁、渡口或封锁街巷、道路和开阔地。

【地痞】地方上的流氓、恶棍、无赖。

【地道】❶道（dɑo）。也说道（dào）地。1.真正名产地出产的。㊀～的东北人参。2.

真正;纯粹。㊣～的北京话。3.好;够标准。㊣这活儿做得真～。❷道(dào)。在地面下掘成的交通坑道(多用于军事)。

【地温】指地面温度和地面以下不同深度处的温度。需用特制的温度表测定。地温的高低,对植物的种子发芽及生长发育、土壤微生物的繁殖活动和近地面的气温等有很大影响。

【地勤】在地面上为保障飞机或其他航空器执行飞行任务而进行的各种勤务。与“空勤”相对。

【地雷】布设在地面或地面下的专用爆炸性武器。由雷壳、装药和引信组成。分防坦克地雷、防步兵地雷和特种地雷。引信可设置成压发的、松发的、绊发的、震发的、延期的和操纵(有线电操纵、无线电操纵和绳索操纵)的。

【地磁】地球所具有的磁性。在不同的地点和时间都有变化。罗盘指南和磁力探矿都是对地磁的利用。观测地磁的变化,是地震预报的一种手段。

【地幔】地球内部介于地壳和地核之间的中间层。深度从地下5—70千米至2 900千米。物质基本上呈固态,局部具有塑性。主要成分是铁、镁的硅酸盐类。由上而下,铁、镁含量渐增。以地下1 000千米深处为界,分上地幔和下地幔。

【地貌】即“地形”(195页)。

【地膜】冬季为保持农作物、蔬菜、花卉等种子发芽和幼苗生长所需的温度,覆盖在田地上的塑料薄膜。

【地震】地壳发生的震动。绝大多数是由于地壳的断裂、变动造成的。此外火山爆发、岩洞或采空区塌陷、人工爆炸等也可引起地震。

【地下水】泛指埋藏在地面以下的水。但通常指埋藏在土壤、岩石孔隙和裂缝中的重力水。一般分两类:埋藏于地面以下第一个隔水层之上,有一个自由水面的地下水,叫潜水;埋藏于地面以下两个隔水层之间,承受一定压力的地下水,叫承压水。

【地下党】民主革命时期,中国共产党在国民党统治地区和日本侵略军侵占地区秘密进行革命活动的党组织,通常称为地下党。

【地下海】含有非常丰富的地下水的大面积地下含水层或含水构造。常由一些巨大的自流盆地组成。是良好的供水水源。

【地上权】在他人所有的土地上进行建筑或种植的权利。是用益物权的一种。

【地上河】河底高出附近地面的河段。多在大河中下游。如黄河下游、长江荆江河段。

【地中海】世界最大的陆间海。在亚、非、欧三洲之间。东西长4 000千米,南北最宽处约1 800千米,面积约250.5万平方千米。是大西洋通印度洋和太平洋的要道,西经直布罗陀海峡通大西洋,东北以土耳其海峡接黑海,东南经苏伊士运河、红海通印度洋,战略地位十分重要。

【地月系】地球和绕地球公转的月球共同组成的天体系统。地月平均距离为38.4万千米。

【地方军】中国人民解放军曾用的对执行地区性军事任务的陆军部队的称谓。与“野战军”相对。

【地方戏】流行于某一地区,用当地方言演唱,音乐唱腔具有地方特色的戏曲剧种的统称。如河北梆子、沪剧、川剧等。

【地方志】简称方志。记载一个地方(省、府、州、县)的地理、沿革、风俗、教育、物产、人物等情况的书。

【地方时】因地球由西向东自转,经度不同的地方,时刻便有差异。把太阳正对某地子午线的时间定为该地的中午12时,这样定出来的时间叫做地方时。

【地方病】经常发生在某些地区的疾病。

【地方税】属于地方财政固定收入,归地方政府支配和使用的税。

【地心说】认为地球是宇宙的中心,太阳和其他天体都围绕地球转动的学说。在16世纪波兰天文学家哥白尼提出日心说之前,人们普遍认同地心说。

【地平线】向水平方向望去,天与地交界的线。

【地头蛇】指在当地横行霸道、欺压民众的坏人。

【地老虎】俗称地蚕、土蚕。昆虫。幼虫昼伏夜出,危害玉米、棉花、薯类、蔬菜等。

【地级市】在行政区划上,由省级行政区直接管辖且与地区同级的城市。

【地形雨】暖湿空气在前进途中,遇地形阻挡,被迫沿迎风坡爬升,空气中的水汽冷却凝结形成的降水。

【地形图】❶按国家统一的规范和图式,测绘和编制的较大比例尺(一般不小于1:1 000 000)普通地图。它能较精确地显示出地形情况,可供国防和经济建设等多

D

方面使用。❷习惯上也把以反映地形为主的小比例尺地图叫地形图。

【地质学】研究地球的科学。主要研究地球的物质组成、构造变动、发展历史及其在国民经济上的应用等。

【地球仪】表示地球的一种模型。表面绘有一般地图的内容。一般地球仪都有23°26′的倾斜装置,便于说明地球的自转、公转、四季形成和昼夜长短等自然现象。

【地球村】地球是人类共同的家园,从宇宙空间看,地球不过是其中一个小小"村落";另一方面,随着交通运输和通信的发展,世界各地之间的距离相对缩短,地球犹如一个"村"那样联系紧密,因此人们形象地称它为地球村。

D

【地理学】研究地球表面人类赖以生存和发展的地理环境,以及人类活动与地理环境之间关系的科学。一般可分为自然地理学与人文地理学、系统地理学与区域地理学、历史地理学与应用地理学。

【地毯式】比喻彻底、全面的;没有一点遗漏的。㊀~轰炸。

【地道战】依托地道工事进行的作战。有利于保存兵力,能够出其不意地打击敌人。抗日战争时期,华北平原抗日根据地的军民,在敌人残酷"扫荡"的情况下,创造性地运用和发展了这一战法。

【地磁场】地球本身相当于一个大磁体,在地球表面和近地空间存在的磁场叫做地磁场。地球有两个磁极,叫地磁极。两个地磁极的连线与地理南北两极的连线并不重合,有约11.5°的交角。

【地磁极】见〔地磁场〕(198页)。

【地下斗争】通常指秘密进行的不是当时法律所允许的斗争。

【地下铁道】简称地铁。在地下修筑隧道,铺设轨道,以电动快速列车运送乘客的现代公共交通体系。主要发展于大城市,以缓解地面交通拥挤。

【地大物博】地域广大,物产丰富。

【地区优势】一个地区与其他地区相比而具有的绝对或相对有利的自然、社会和经济条件。

【地方主义】一种把地方局部利益置于国家整体利益之上的错误倾向。其特征是片面强调地方的特殊性,把地方利益置于全局、全国利益之上,不服从中央指挥,不执行全国计划,将自己管理的地方视如一个独立王国。

【地方武装】地方部队、游击队和民兵的统称。

【地心引力】也叫重力。地球吸引其他物体的力。力的方向指向地心。

【地老天荒】也说天荒地老。形容时间久远。唐李贺《致酒行》诗:"吾闻马周昔作新丰客,天荒地老无人识。"

【地尽其利】充分发挥出土地的效用。

【地壳运动】也叫构造运动。地壳发生变位和变形的运动。能量来自地球内部。能导致岩石变形、海陆变迁。

【地图投影】以经纬网为基础,将地球曲面运用数学原理转绘为平面图形的方法。地图投影种类很多。由于地球是不可展开的曲面,所以各种地图投影,都会有某种变形。

【地质力学】地质学的分支学科。研究地壳运动规律和地质构造体系。中国地质学家李四光创立。它用力学的观点研究地壳运动的现象,探索地壳运动与矿产分布的规律,把各种构造形迹看作是地应力活动的结果。在中国地质矿产的普查与勘探工作中(如石油地质、金属与非金属矿产、地震地质等)取得了显著的成效。

【地质年代】根据生物的发展和地层形成的顺序,按地壳的发展历史划分的若干自然阶段。也可用同位素方法求得这些阶段距今的概略年数。前者也叫相对地质年代,后者称同位素地质年龄(旧称绝对地质年代)。

【地质作用】自然原因引起的地壳表面形态、组成物质和内部结构发生变化的现象。按能量来源分为内力作用和外力作用。前者如火山活动、地震等,后者如岩石风化、流水侵蚀、泥沙淤积等。

【地质构造】地壳运动引起的地壳的变形和变位。如褶皱、断层等。是研究地壳运动性质和方式的依据。

【地空导弹】从地面发射的攻击空中目标的导弹。

【地面沉降】人为因素(如过量开采地下水、煤炭等地下资源)造成的地面下沉的现象。可造成建筑物不均匀下沉并出现裂缝,破坏地下管道、构筑物、电缆,引起海水倒灌内陆和盐化地下水源等。

【地球化学】地质学与化学之间的边缘学科。研究地球各组成部分的化学成分、变化规律及其机理。与研究地球成因、矿产资源以及环境保护等关系密切。

【地理民情】山川、气候、物产等自然情况和居民的风俗、习惯等社会情况。一般用来泛指当地的情况。

【地震前兆】地震前发生的异常的自然现象。如地下水的异常变化、动物的异常反应等。这些现象可为地震预报提供一定的依据。

【地震烈度】一定地区遭受地震影响的强弱程度。通常根据人的感觉和器物动态、建筑物损坏情况和地表现象划分为12度。度数越高,表示影响越大。

【地震预报】通过研究地震规律、观测地震前兆等,预测预告地震发生的时间、地点和震级的工作。是防御地震灾害的重要手段。

【地中海气候】亚热带的一种气候类型。夏季炎热干燥,冬季温和多雨。多出现在纬度30°—40°的大陆西岸。以地中海沿岸最典型,故名。

【地方性法规】由省、自治区、直辖市的国家权力机关及其常设机关和省、自治区的人民政府所在地的市和经国务院批准的较大的市的国家权力机关及其常设机关,在法定权限内制定、发布的规范性文件。通常用条例、规则、实施细则等称谓。其法律地位低于宪法、法律和行政法规,只在本辖区内有效。

【地效飞行器】利用在地表上空一定高度飞行时升力增大、诱导阻力减小的地表效应,贴近水面或平坦地面飞行的飞行器。有空气动力效率高、燃料消耗率低、不易被雷达发现等优点。

【地球物理学】地质学与物理学之间的边缘学科。研究地球本身及其周围空间的性状、结构和物理过程。电离层、地磁、极光、地震、重力加速度等都是它的研究对象。

【地方民族主义】多民族国家内少数民族剥削阶级的思想在民族问题上的反映。一般表现为保守、排外,从狭隘的本民族利益出发,否定国家整体利益,反对民族团结。

【地地战略导弹】从陆地发射,主要打击陆地战略目标,射程1 000千米以上的导弹。

【地球同步卫星】以地球同步轨道运行的人造地球卫星。其轨道周期与地球自转周期相同,使卫星相对于地球上某一点静止不动。

【地球同步轨道】运行周期与地球自转周期相同的顺行人造地球卫星轨道。位于赤道上空,倾角为零的圆形地球同步轨道,叫做地球静止卫星轨道,从地面上的人的角度观察,这种轨道上的卫星就像静止在高空一样。

【地理信息系统】专门处理地理空间数据的计算机系统。能对地理空间数据进行输入、管理、分析和表达。广泛用于使用地图或需要处理地理空间数据的领域。

【地方性甲状腺肿】俗称大气脖子。一种多发生在山区的病。主要因饮食中碘质不足,不能满足人体需要引起。明显症状是甲状腺肿大,病人脖子增粗。可用含碘食品和加碘食盐进行预防和治疗。

【地球静止卫星轨道】见〔地球同步轨道〕(199页)。

玓⊠ dì〔玓瓅〕珍珠发光的样子。瓅(lì)。

杕⊠ ㊀ dì 形容树木孤立。
㊁ duò(239页)。

弟 dì ❶称同父母或同辈亲戚比自己年纪小的男子。[例]~~|堂~|表~|妻~。❷谦辞。用于男性朋友间。也用来称比自己年纪小的男性朋友,以表示亲近爱护。❸古又同"第"①②③⑤。❹古又同"悌(tì)"。

【弟子】学生;门徒。

【弟妹】❶弟弟和妹妹。❷称弟弟的妻子。

【弟子规】清代的一种启蒙课本。李毓秀编。用三字一句的韵语,内容多宣扬封建伦理道德。

递(遞) dì ❶传送;传递。[例]~送|投~|请把钳子~给我。❷顺次。[例]~补|~增|~减。

【递交】当面送交。[例]~国书。

【递进】❶一个比一个推进一步。❷也叫层递。修辞格之一。将文辞按从浅到深、从低到高、从小到大的顺序排列,意思层层推进。如:要相信群众,依靠群众,尊重群众的首创精神。

【递补】顺次补充。

【递解】旧指押解犯人,按站递送。解(jiè)。

娣 dì ❶古时亲姊妹间称年龄小的为娣。❷古称丈夫的兄弟媳妇叫娣。

珶⊠ dì〔琼珶〕佩玉。

睇 dì 眼睛斜看。也泛指看。

第 dì ❶次序。㊣次～|等～。❷前缀。表示次序。㊣～一|～二。❸科第。科举时代称考中(zhòng)叫及第，没有考中叫落第。❹旧时官僚和贵族的大宅子。㊣府～|宅～。❺文言连词。但是。

【第三人】对他人争讼的诉讼标的享有独立请求权，或虽无独立请求权，但案件的处理结果与其有法律上的利害关系，为了维护自己的合法权益而加入到他人之间已经进行着的诉讼中的诉讼参加人。

D

【第三纪】新生代的一个纪。约开始于6 500万年前，结束于160万年前。现已进一步分为古近纪和新近纪。参见〔古近纪〕(336页)、〔新近纪〕(1093页)。

【第三系】新生界的一个系。指第三纪时期所形成的地层。现已进一步分为古近系和新近系。参见〔古近系〕(336页)、〔新近系〕(1094页)。

【第三者】当事双方以外的人或团体。

【第四纪】新生代的第三个纪，即新生代的最后一个纪，地质年代分期的最后一个纪。约开始于160万年前，直到今天。在这个时期里，曾发生多次冰川作用，地壳与动植物等已经具有现代的样子，初期开始出现人类祖先(如北京猿人、尼安德特人)。

【第四系】新生界的第三个系，即新生界的最后一个系，地层系统中的最后一个系。指第四纪时期所形成的地层。

【第纳尔】科威特、利比亚、南斯拉夫、突尼斯、伊拉克、约旦等国的本位货币均译为第纳尔。

【第一人称】❶文学作品叙事视角之一。指以“我”的身分来叙述，“我”可以是作者自己，也可以是作品中的人物。常用于叙述讲故事者的亲历亲为，增强故事的可信度和抒情性。❷语法上指表达者一方。

【第一产业】近代西方国家对产业结构的分类方法。主要指农业和采掘业。

【第一国际】简称国际。全称国际工人协会。国际性的工人联合组织。1864年9月在伦敦创立。第二国际成立后被称为第一国际。在马克思和恩格斯指导下，它领导各国工人展开政治斗争和经济斗争，传播了科学社会主义，并同蒲鲁东主义、巴枯宁主义等进行了斗争。培养了一批优秀的工人运动干部，为欧美各国建立无产阶级政党奠定了基础。1876年7月正式宣布解散。

【第二人称】❶文学作品叙事视角之一。叙述者以与人物直接对话的方式，在表现形式上与作品中的“你”进行交流，在阅读时又仿佛与读者中的“你”进行交流。读者立即被带入作品的情境中去。这种叙事方式起源于1950年法国的“新小说”。❷语法上指表达的接受者。

【第二产业】近代西方国家对产业结构的分类方法。主要指加工制造业。

【第二国际】各国社会民主党的国际联合组织。1889年7月在巴黎成立。在恩格斯的指导下，初期基本上执行了马克思主义的路线，使工人运动得到广泛发展。恩格斯逝世后，逐渐分化为左、中、右三派。以列宁为首的左派，同伯恩施坦等右派、考茨基等中派展开了不调和的斗争。第一次世界大战爆发后，第二国际的大多数社会民主党支持本国资产阶级政府进行帝国主义战争，第二国际破产。

【第二性征】即“副性征”(296页)。

【第二炮兵】中国人民解放军地地战略导弹部队的代称。是以地地战略导弹为基本装备，实现积极防御战略方针的重要核反击力量。由地地近程、中程、远程、洲际等导弹部队及各种保障部队、院校和科研试验单位等组成。

【第二课堂】指学生有组织的课外活动。包括文学、艺术、科技等活动以及社会实践等。是学校课堂教学的必要补充。

【第三人称】❶文学作品叙事视角之一。指以第三者的身分来叙述故事。是文学作品最常用的叙述方式。❷语法上指表达者、接受者以外的第三方。

【第三产业】近代西方国家对产业结构的分类方法。主要指商业与贸易、金融与保险、旅游与娱乐、仓储与运输、文教与卫生、信息与通讯、科研与咨询、旅馆与饮食，以及修理、理发、美容和其他劳务性服务等非直接的物质生产部门。

【第三国际】也叫共产国际。全世界共产党和共产主义组织的国际联合组织。1919年3月，在列宁领导下成立于莫斯科。它号召全世界一切被压迫阶级为建立无产阶级专政，消灭资本主义制度而斗争。它的章程规定，最高权力机关为代表大会，总部设在莫斯科，各国共产党则是它的支部，共有57个。1943年6月解散。

【第五纵队】指1936—1939年西班牙内战期间，由在共和国后方活动的叛徒、间谍和破坏分子组成的反动势力。后成为在敌方阵营收买的叛徒和安插的间谍的代称。

【第四堵墙】戏剧中指舞台台口一面实际上并不存在的墙。近代话剧箱式布景只有三面墙而空出一面正对观众，故名。

【第一手材料】亲自调查、实践或群众直接反映来的材料。㊀领导应该掌握～。

【第一野战军】解放战争时期中国人民解放军主力部队之一。原为西北野战兵团，后改称西北野战军。1949年2月整编为第一野战军。彭德怀任司令员兼政治委员。1949年5月进军西北，经扶郿、兰州等战役，沉重打击了国民党军胡宗南集团，全歼马步芳、马鸿逵部，解放陕西、甘肃、宁夏和青海，和平解放新疆。11月，第十八兵团在西北军区司令员贺龙率领下进军西南。

【第二野战军】解放战争时期中国人民解放军主力部队之一。原为晋冀鲁豫解放区的八路军，解放战争时期称晋冀鲁豫野战军。1948年11月改称中原野战军。1949年春整编为第二野战军。刘伯承任司令员，邓小平任政治委员。1947年6月突破黄河天险，挺进大别山，揭开了大反攻的序幕。此后，在江、淮、河、汉地区，灵活机动地打击敌人，创建中原解放区。1948年先后在洛阳、宛西、宛东、豫东、襄樊等战役中大建奇功。1948年底至1949年4月，先后参加淮海战役、渡江战役，此后其主力又进军大西南，解放川、贵、云、康等省，最后进军西藏，促使西藏和平解放。

【第三野战军】解放战争时期中国人民解放军主力部队之一。原为山东解放区的八路军和华中解放区的新四军。1947年初正式组成华东野战部队。1948年11月整编为华东野战军。1949年春又整编为第三野战军。陈毅任司令员兼政委，粟裕任副司令员，谭震林任副政委。1947年发动孟良崮战役，歼敌七十四师，震动全国。1948年与中原野战军一起，发动淮海战役，解放了长江以北华中和中原地区。1949年4月和第二野战军共同发起渡江战役，解放南京、杭州、上海。接着挺进福建，至1949年10月解放了华东和沿海大部分岛屿。

【第四野战军】解放战争时期中国人民解放军主力部队之一。原称东北民主联军，后改称东北人民解放军。1948年11月改编为东北野战军。1949年春整编为第四野战军。林彪任司令员，罗荣桓任政治委员。1948年发动辽沈战役，歼敌47万人，解放了全东北。接着，挥师入关，同华北野战军一道发动平津战役，攻克天津，解放北平。1949年5月又横渡长江，解放武汉、长沙。9月至12月参加解放广东、广西战役。后第四野战军一部又参加了西南战役和解放海南岛战役。

【第一宇宙速度】见〔宇宙速度〕(1202页)。

【第一信号系统】以声、光、电、味等作为信号刺激，直接作用于各种感觉器官，通过大脑皮层的相应区域形成条件联系，大脑皮层的这种机能系统叫做第一信号系统。第一信号系统是动物和人都有的。

【第二宇宙速度】见〔宇宙速度〕(1202页)。

【第二信号系统】以语言或文字作为信号刺激，通过人的大脑皮层中相应的区域形成条件联系，大脑皮层的这种机能系统叫做第二信号系统。第二信号系统是人类特有的。

【第十八集团军】见〔八路军〕(17页)。

【第三宇宙速度】见〔宇宙速度〕(1202页)。

【第一次世界大战】1914—1918年帝国主义国家为争夺世界霸权、重新瓜分殖民地而进行的战争。战争一方是以德、奥、匈为首的同盟国集团，一方是以英、法、俄为首的协约国集团。战火遍及欧、亚、非三洲，欧洲为主要战场。参战国有33个。战祸波及的人口在15亿以上。结果同盟国集团战败，德国被迫于1918年11月11日投降。

【第一次国共合作】第一次国内革命战争时期中国共产党和中国国民党的合作。1923年6月中国共产党第三次全国代表大会决定了与国民党合作、建立革命统一战线的方针。在中国共产党的帮助和推动下，1924年1月孙中山召开了中国国民党第一次全国代表大会，确定了联俄、联共、扶助农工的三大政策，实现了第一次国共合作。1927年蒋介石叛变革命后，国共合作破裂。

【第二次工业革命】19世纪最后三十年和20世纪初出现的科学技术进步和工业生产高涨的局面。1870年前后，各种新技术、新发明层出不穷，并迅速用于工业生产，促进了经济的发展。主要表现在四个

D

方面：电力的广泛应用；内燃机和新交通工具的创制；新通讯设备的发明；化学工业的建立。第二次工业革命以电力的广泛应用为主要标志，人类社会从此进入电气时代。

【第二次世界大战】1939—1945年德、意、日法西斯为控制全世界而挑起的世界性战争。也是世界人民的反法西斯战争。先后有60多个国家和地区的20亿以上的人口卷入战争。早在大战全面爆发前，德、意、日已经先后发动了一系列局部性的侵略战争。1939年9月1日德国进攻波兰；9月3日英法对德宣战，第二次世界大战全面爆发。德国先后侵占了欧洲的许多国家。1941年6月22日，德国突然进攻苏联，苏德战争爆发。同年12月7日，日本偷袭珍珠港，太平洋战争爆发。美、英对日宣战，德、意对美宣战。1942年1月，苏、中、美、英等26个国家在华盛顿发表反对法西斯的共同宣言，标志着世界反法西斯同盟的建立。1942年11月到1943年2月进行的斯大林格勒战役成为第二次世界大战的重要转折点。1943年，美、英军队把德、意军队赶出北非，并在意大利南部登陆，意大利投降。1944年6月6日，美、英军队在法国诺曼底登陆，开辟第二战场。1945年初，苏军和美英军队分路攻入德国本土。5月2日，苏军攻克柏林，5月8日德国无条件投降。在太平洋战场，中国人民的长期抗战拖住了日军主力，美军在1942年开始了反攻。1945年8月8日苏联对日宣战，8月6日和9日，美国在日本的广岛和长崎投下两颗原子弹。8月15日日本宣布无条件投降。第二次世界大战以反法西斯力量的最终胜利而结束。

【第二次国共合作】抗日战争时期中国共产党和中国国民党的合作。1931年九·一八事变后，日本帝国主义入侵华北，民族矛盾上升为主要矛盾。为团结各阶层一致抗日，中国共产党提出了建立抗日民族统一战线的纲领和政策。1936年12月西安事变后，国民党开始向停止内战和与共产党合作共同抗日的方向转变。1937年七七事变后，中国共产党于7月15日向国民党交付了中共中央为宣布两党合作成立的宣言，接着，又派周恩来、秦邦宪、林伯渠赴庐山和蒋介石直接谈判。9月蒋介石发表了承认中国共产党的合法地位和关于两党合作的谈话，开始了第二次国共合作。

【第二次鸦片战争】1856—1860年中国人民反抗英法联军侵略的战争。19世纪50年代，英法等资本主义国家为了进一步打开中国的市场，扩大殖民特权，英国制造亚罗船事件，法国借口马神甫事件，联合发动了这次侵略战争。1857年12月攻占广州，次年一度攻进天津。沙皇俄国和美国以“调停”为名，支持英法侵略。清政府与英法俄美分别签订了《天津条约》。沙俄侵略军侵入黑龙江，迫使清政府签订《瑷珲条约》，从中国夺取了一块大小等于法德两国面积的领土和一条同多瑙河一样长的河流。1859年英法借口换约侵犯大沽。守卫炮台的将士和当地人民奋起还击侵略者。1860年8月，英法联军先后攻陷大沽、天津，打进北京，到处烧杀淫掠，焚毁圆明园，抢劫了大量珍宝文物。英法俄又迫使清政府签订《北京条约》。从此，中国社会的半殖民地化又加深了一步。参见〔鸦片战争〕(1126页)。

【第三次技术革命】也叫新产业革命。20世纪四五十年代开始的科学技术革命。主要相对于18世纪60年代开始的第一次工业革命、19世纪70年代开始的第二次工业革命而言。以原子能技术、航天技术、电子计算机技术以及生物工程技术取得突破并得到广泛应用为特征。它推动了社会生产力的迅速发展，促进了社会经济结构和社会生活结构的变化。

【第一次国内革命战争】也叫北伐战争、大革命。1924—1927年中国人民进行的反对帝国主义和北洋军阀的革命战争。1924年1月，孙中山在共产党的帮助下，召开了有共产党人参加的国民党第一次代表大会，改组了国民党，实现了国共合作，创建了黄埔军校，组织了革命军队，建立了国民政府。1926年7月开始北伐，在十个月中先后打败了北洋军阀吴佩孚、孙传芳的四十多万军队，占领了大半个中国，结束了北洋军阀的反动统治。1927年，蒋介石和汪精卫控制的国民党不顾宋庆龄等国民党左派的反对，背叛革命，先后发动了四·一二、七·一五反革命政变，残酷屠杀共产党人和革命人民。加上中国共产党幼稚，陈独秀右倾投降主义的领导，致使大革命失败。

【第二次国内革命战争】也叫十年内战、土地革命战争。1927年8月至1937年7月，中国共产党领导中国人民反对帝国主义和国民党新军阀的革命战争。1927年大革命失败后,周恩来、朱德、贺龙等领导了八一南昌起义,打响了反对国民党反动派的第一枪。党的八七会议确定了实行土地革命和武装起义的方针,会后举行了秋收起义、广州起义和其他许多地区的起义。在井冈山建立了第一个农村革命根据地。开辟了以农村包围城市、最后夺取全国胜利的正确道路。党先后创建了大小十五块根据地,建立了工农红军第一、第二、第四方面军和其他红军部队。粉碎了国民党军队的多次围剿。由于王明"左"倾冒险主义领导,导致第五次反围剿的失败,红军被迫进行长征。1935年1月,中央政治局在长征途中举行遵义会议,确立了毛泽东在红军和党中央的领导地位,使红军和党中央在极其危急的情况下保存下来,并且战胜张国焘的分裂主义,胜利完成长征。1936年12月12日张学良、杨虎城发动了西安事变,经过中国共产党的努力,促成事变的和平解决。蒋介石被迫接受停止内战、联共抗日的条件,实现了国共再次合作。到1937年七七事变,开始了伟大的抗日战争。

【第三次国内革命战争】也叫中国人民解放战争。1946—1949年,中国人民在中国共产党领导下,推翻美帝国主义支持的国民党反动统治,取得新民主主义革命胜利的革命战争。1946年6月底,蒋介石挑起了反革命内战。解放区军民经过一年(1946年7月至1947年6月)作战,歼敌112万人。1947年6—9月,人民解放军先后转入全国规模的战略进攻,在战争的第二年(1947年7月至1948年6月)又歼敌152万人,迅速扩大了解放区。战争进入第三年,到了战略决战时期。中国人民解放军先后进行了辽沈、淮海和平津三大战役,歼敌154万人,解放了东北、华北及长江中下游广大地区。接着又进行了渡江战役,1949年4月23日占领国民党反动统治中心——南京。1949年10月1日,中华人民共和国宣告成立。至1950年6月,共歼灭国民党军队807万人,解放了除西藏、台湾及若干其他海岛以外的全部国土。

的 ㊀ dì 箭靶的中心;目标。㊎有～放矢|目～。
㊁ dí(193页)。
㊂ de(187页)。

菂 dì 古书上指莲子。

帝 dì ❶古指最高的天神;宗教上指宇宙万物的主宰。㊎玉皇大～|上～。❷君主。㊎～王|皇～。❸指帝国主义。㊎反～斗争。

【帝子】❶帝王子女。❷指传说中尧的两个女儿娥皇和女英。

【帝乡】❶指皇帝住的地方,就是京城。也指皇帝的故乡。❷神话中天帝住的地方。

【帝王】泛指君主国的最高统治者。

【帝国】❶指皇帝握有最高权力的君主制国家。通常指版图较大的,如罗马帝国。❷指某些实行领土扩张的帝国主义国家。如希特勒时代的德国称第三帝国。

【帝制】君主专制政体。

【帝俄】即"沙俄"(851页)。

【帝王将相】封建君主国家中的皇帝、王侯和文武大臣。泛指封建统治阶级的上层人物。

【帝国大厦】也叫帝国州大厦。美国现代高层建筑。1931年建成。在美国纽约。设计人为美国建筑师舒瓦、兰博和哈蒙。总高为380米,共102层,使用面积16万平方米。1952年加装电视天线后,总高度达到449米,成为20世纪30—70年代世界上最高的建筑。

【帝国主义】资本主义的垄断阶段。列宁在1917年出版的《帝国主义是资本主义的最高阶段》一书中认为,帝国主义是垄断的、寄生的、腐朽的、垂死的资本主义。

谛(諦) dì ❶仔细(听或看)。㊎～听|～视。❷意义;道理。㊎妙～|真～。

揥☒ dì 除去;舍弃。

蒂(*蔕) dì 花或瓜果与枝茎相接连的部分。㊎瓜熟～落。

缔(締) dì ❶结合;订立。㊎～交|～约。❷约束;限制。㊎取～。

【缔交】❶结成朋友。❷建立邦交。

【缔约】订立条约。

【缔结】订立;建立(条约、同盟、邦交等)。㊎～友好条约。

【缔造】创立;建立(多指伟大的事业)。

【缔约国】共同签订某一条约的国家。

禘☒ dì 古代祭名。

碲 dì 非金属元素,符号 Te,原子序数52。银白色,质脆。用于炼制合金。碲和它的化合物是重要的半导体材料。

遆☒ dì "递"的异体字。

趆☒ ㊀ dì 快跑。
㊁ dǐ(195 页)。

逓☒(遰) dì ❶同"递"。㊞迢～(高远的样子)。❷往。

蔕☒(蔕) dì 〔蔕葪〕刺梗。葪(jiè)。

螮☒(蝃) dì 〔螮蝀〕虹。

棣 dì ❶植物名。1. 唐棣,也作棠棣。落叶小乔木。花白色,果实蓝黑色。树皮供药用。2. 棣棠,落叶灌木。花金黄色,果实黑褐色。花供药用。❷同"弟"。旧时多用于书信。㊞贤～。

【棣鄂】比喻兄弟。《诗经·小雅·常棣》:"常棣之华,鄂不韡韡。凡今之人,莫如兄弟。"唐杜甫《至后》诗:"梅花欲开不自觉,棣萼(同"鄂")一别永相望。"

墬☒ dì 同"地(dì)"。

踶 dì ❶踢;踏。❷奔跑。

diǎ ㄉㄧㄚˇ

嗲 diǎ 〈方〉形容撒娇的声音或姿态。㊞～声～气。

diān ㄉㄧㄢ

战☒ diān 〔战敠〕掂掇。

掂 diān 用手托着东西上下晃动,估量其轻重。㊞～量|～一～看有多重。

【掂掇】原指用手称量物品的轻重,现指斟酌、估量。掇(duo)。

【掂斤播两】也说掂斤簸两、掂斤掰两。比喻过分计较。

傎☒ diān 同"颠倒"的"颠"。

滇 diān 云南的别称。

【滇池】也叫昆明湖。湖名。位于云南昆明市南。是断层湖。面积约 340 平方千米。湖水经螳螂川入金沙江的支流普渡河。湖滨平原农业发达。

颠(顛) diān ❶头顶;顶端。㊞树～|山～。❷起始。㊞～末。❸跌倒。㊞～覆。❹颠簸。㊞路不平,车～得厉害。❺古又同"癫"。

【颠末】本末,始末;从开头到末尾。

【颠连】❶困苦。❷山峰相连。

【颠沛】困苦,受挫折。㊞以前,他们一家过着～流离的生活。

【颠倒】倒置;错乱。㊞～是非|～历史。

【颠覆】❶翻倒。❷用阴谋手段从内部推翻现政权。

【颠簸】上下震动。㊞风浪很大,船身～。

【颠扑不破】怎样震动摔打都破不了。比喻言论或学说正确,经得起检验。宋朱熹《朱子全书·性理三》:"既能体之而乐,则亦不患不能守,须如此而言,方是颠扑不破,绝渗漏,无病败耳。"

【颠来倒去】翻过来,倒过去。形容反反复复。

攧☒(攧) ㊀ diān 摔倒;跌。
㊁ dié(215 页)。

巅(巔) diān 山顶。

癫(癲) diān 精神错乱。㊞疯～。

【癫狂】神经错乱,发狂。

【癫痫】俗称羊角疯。突然发作的暂时性大脑功能障碍。由脑部疾患、脑外伤或先天发育不全引起。大发作时,突然昏倒,口吐泡沫,意识丧失,全身抽动。小发作时,在数秒钟内,突然丧失神志,无抽搐现象。痫(xián)。

趥☒ diān ❶跌跤。❷跑。

diǎn ㄉㄧㄢˇ

典 diǎn ❶标准;法则。㊞～范。❷典范性的书籍。㊞～籍|经～。❸典故。㊞用～。❹典礼。㊞盛～。❺用土地、房屋或其他东西作抵押向人借钱。㊞～押。❻主持;主管。㊞～试|～狱。

【典礼】隆重的仪式。㊞开幕～。

【典当】❶旧时用衣物或其他东西作抵押,

向当铺借钱，到期无力还钱，抵押品即归当铺。❷典押。❸〈方〉当铺。当（dàng）。

【典押】旧时一方把土地或房屋等押给另一方使用，换取一笔钱，按议定年限还款，收回原物，否则即成绝卖。

【典范】可以作为学习、仿效标准的人或事物。

【典型】❶具有代表性的人物或事件。❷具有代表性的。㊀～经验。❸指文艺作品中塑造出来的个性和共性相统一的艺术形象。它既具有在特定社会历史环境中形成的鲜明、生动、丰富的独特个性，同时又表现出一定阶级、阶层的本质或某些本质方面。它来源于实际生活，但又比实际生活更高，因而也就更带有普遍意义和艺术感染力。

【典故】诗词或文章等引用古书中的故事或词句。

【典章】法令制度。

【典雅】优美而不俗气。

【典籍】记载古代法制的重要文献。也泛指古代图书。

碘 diǎn 非金属元素，符号I，原子序数53。卤族元素之一。紫灰色鳞片状结晶，有金属光泽，易升华而呈紫红色蒸气，易溶于酒精等有机溶剂。人体缺碘会引起甲状腺肿大。

【碘酒】也叫碘酊。碘和碘化钾的酒精溶液。能渗入皮肤杀灭细菌（2%—3%碘酒用作皮肤消毒。1%碘酒用作口腔黏膜消毒）。但不能与红药水同用，同用会产生有毒的碘化汞。

【碘钨灯】见〔卤钨灯〕（639页）。

点（點） diǎn ❶小的水滴；小的痕迹；少量的。㊀雨～｜斑～｜懂一～。❷位置；地点；标志。㊀起～｜沸～。❸表示某些动作。㊀～头｜～燃｜～数｜～歌｜～穴。❹部分；方面。㊀优～｜要～。❺指点；启发。㊀～破｜～醒。❻时间单位。相当于时，多用来指钟表上确定的时间。㊀两～｜十七～零五分。❼汉字的一种笔画。即"丶"。❽用笔加点；标点句读。㊀～句｜评～。❾食品。㊀糕～｜早～。❿几何学上指没有长、宽、厚而只有位置、不可分割的图形。⓫中国画笔墨技法之一。

【点子】❶小的水滴；小的痕迹。㊀雨～｜墨～。❷击乐器的节拍。㊀锣鼓～。❸主意；办法。㊀会出～。❹恰当的地方；要害。㊀他谈话老谈不到～上。

【点化】道教传说，神仙运用法术使物变化。借指僧道用言语启发人悟出某种道理。也泛指启发指导。

【点卯】旧时官厅在卯时（早五至七点）查点上班人员。现喻指到时上班，敷衍应付。

【点字】即"盲字"（665页）。

【点苔】中国画的一种技法。用毛笔画出点子，表现山石、坡地、树根、枝干等处的苔藓杂草之类。

【点将】旧指主帅对将官点名分配任务。比喻指名要谁去做某项工作。

【点染】❶绘画时点缀景物并着色。❷比喻修饰文字。

【点射】连发的自动武器每次发射两发以上的断续射击。分短点射和长点射。

【点缀】❶略加衬托或装饰，使事物、环境更加美好。❷装饰门面，应景凑数。

【点窜】修改文字。点：抹掉。窜：更换，改动。

【点睛】见〔画龙点睛〕（419页）。

【点歌】要求电台或电视台播放某一首歌曲。㊀～台。

【点滴】❶一点一滴，表示微小、零星。㊀～经验。❷见〔输液〕（910页）。

【点播】❶也说点种（zhòng）。播种的一种方法。每隔一定距离挖一小坑，放入种子。❷听众请广播电台、电视台播放自己喜爱的节目。

【点题】说话或作文时点出中心意思。

【点燃】点着，使燃烧。

【点菜式】指根据需要有所选择的。㊀～引进。

【点铁成金】也说点石成金。古代神话说，仙人用手指一点，就能使铁变成金。后用来比喻善于修改文字。

踮 diǎn 抬起脚跟，用脚尖着地。㊀～着脚轻轻地走。

diàn ㄉㄧㄢˋ

电（電） diàn ❶物质的一种属性。物体是由原子组成的，在正常情况下，原子中正负电量相等，因而整个物体被认为是不带电的或中性的。当它们由于摩擦等原因失去一部分电子时，就带正电；获得电子时，就带负电。❷触电。㊀

D

～了我一下。❸电报;打电报。㊀来～|～告。❹指闪电。㊀雷～交加。

【电子】原子的组成部分之一。是绕原子核运动的粒子。质量是 9.1093897×10^{-31} 千克。带负电,电量是 1.60217733×10^{-19} 库,是电量的基本单元。

【电木】胶木。以木粉为填料的酚醛塑料。因电绝缘性较好,广泛用作电绝缘材料,故名。

【电车】以电作为动力,并靠外部接触供电线路行驶的城市公共交通车。分有轨和无轨两种。

D

【电文】电报的文字内容。

【电石】碳化钙的俗称。生石灰和焦炭放在电炉里经高温熔融制成的灰色块状物质。遇水产生电石气(乙炔)。是有机合成的基本原料,也用以焊接或切割金属。

【电汇】用电报方式办理汇兑。

【电讯】❶用电报、电话等传送的消息。❷即"电信"(206 页)。

【电台】无线电台的简称。设有无线电发射机、接收机和天线等装置,用以发送或接收无线电信号的场所。有时也将这些设备称为电台。

【电场】传递电力作用的场。是电荷或变化的磁场周围空间里存在的一种特殊物质。它的基本特性是对其中的电荷存在力的作用。

【电机】发电机和电动机的统称。

【电压】即"电势差"(208 页)。

【电传】用传真机或电子计算机把文字或图像信息传送给对方。

【电池】一般指将化学能转变为电能的装置,如干电池、蓄电池等。也指将其他形式的能量(机械能除外)直接转化成电能的装置,如太阳能电池、原子电池等。

【电报】❶利用电信号传送电码、文字、文件、图表、照片等的通信方式。分编码电报和传真电报两种。❷利用电报设备传递的文字。㊀打～。

【电位】即"电势"(206 页)。

【电阻】物体阻碍电流通过的性质。导体的电阻随长度、横截面积、温度和导体成分的不同而改变。单位是欧姆。

【电表】电能表的简称。

【电势】也叫电位。描述电场性质的物理量。电场中某点的电势在数值上等于单位正电荷在该点时所具有的势能。单位是伏特。理论上把无限远处作为电势零点,实际上常取地球表面为电势零点。

【电码】通常指电报通信中代表字母、数字、符号的电信号组合。传送汉字电报时,要先将汉字预编为数码,然后按电码发出。

【电炉】❶指用电能作热源的炉子。❷特指使用电能加热熔化炉料而进行精炼的冶金炉。有炼钢电炉和有色冶金电炉。炼钢电炉多用于冶炼合金钢及优质钢。

【电泳】带相同电荷的胶体粒子在外加电场影响下向电极移动的现象。电泳现象应用很广,如黏土净化、除尘、涂漆、临床诊断等。

【电视】❶将活动图像和声音(伴音)变成电信号,通过无线电波或导线传送出去,并在接收端使图像和声音重现的过程。通常有黑白电视和彩色电视、模拟电视与数字电视之分。❷利用上述过程传送的图像。㊀看～。❸电视机的简称。

【电话】将人讲话的声音变为电信号进行传输,到达对方后再将电信号还原为话音以实现远距离对话的通信方式。通过导线传送话音信号的叫有线电话,利用无线电波传送话音信号的叫无线电话。按业务范围,分市内电话、农村电话、长途电话等。

【电弧】发生弧光放电时,两极(碳棒或金属棒)间的弧形白光。

【电信】也叫电讯。指利用电信号传送信息的通信方式。通常分有线通信和无线通信两大类。

【电荷】物质的一种属性。物体有吸引轻小物体的性质,就说物体带了电,或者说物体带了电荷。电荷有正、负两种;同种电荷相斥,异种电荷相吸。有时也把带电体称为电荷。

【电桥】一种用比较法测量电阻、电容、电感等的仪器。有直流和交流两种。电桥除用于电工测量外,还可用作温度等的检测和自动控制。

【电唁】用电报慰问遭遇丧事的人,并对死者表示哀悼。

【电脑】电子计算机的俗称。因其是人脑功能的某种延长,能部分地代替脑力劳动,故名。

【电离】中性分子或原子形成离子的过程。在高能粒子的碰撞或高能射线的照射下,气体分子可以变成带正电和负电的离子。在溶液中电解质分子也解离成离子。

【电瓷】瓷质的电绝缘制品。具有优良的电绝缘性以及较好的机械强度和化学稳定性。用于电器设备及输电线路上。

【电流】❶电荷的定向流动。如电子沿导线的流动。❷电流强度的简称。

【电容】❶表示导体或导体系能容纳电量本领的物理量。单位是法拉。❷指电容器。

【电能】通常指电流做功的能量。

【电梯】建筑物中用电或液压设备作为动力的升降机。分客梯和货梯等。

【电焊】利用电能加热,将工件进行连接。有电弧焊、接触焊、电渣焊等。

【电量】表示物体带电多少的物理量。单位是库仑。

【电铸】一种利用电解作用获得金属复制品的方法。按照所要铸造的物件,做成模型作为阴极,并用复制所需的金属作为阳极,一同放在金属盐电解液中,通上直流电。经过一定时间,在模型上沉积一层金属,去掉模型,就可得到形状与模型相同的金属复制品。印刷用的铜版、压制唱片的模子等都可用电铸法制得。

【电缆】将两条或多条绝缘导线集中在一起,外加保护层的导线。用于传输电能的叫电力电缆,用于传输电信信号的叫电信电缆。

【电感】自感和互感的统称。

【电路】组成电流路径的各种装置和电源的总称。按通过的电流的性质可分为直流电路和交流电路。

【电解】物质经电流作用而分解的过程。通直流电于电解质溶液或熔融电解质时,正离子向阴极移动,负离子向阳极移动,正、负离子在两极同时发生化学反应。

【电源】❶把其他形式的能量转变为电能,供给电器设备使用的装置。如发电机、电池等。❷在电子设备中,有时也把变换电能的装置(如整流器、变压器等)称为电源。

【电镀】利用电解方法使金属或其他材料制件的表面沉积一层金属保护膜。用于防止腐蚀或修复磨损部分,增加耐用性、导电性、反光性等,也用来使外表美观。

【电影】根据人的视觉有暂时保留印象的原理,用摄影机将人物或其他被摄体的活动影像拍摄成连续性的画面,通过放映机在银幕上再现出来。

【电力网】由各种电压的变电所、输电线路和配电线路组成的输电网络。用以输送和分配电能。发电厂、电力网和用户构成电力系统。

【电子云】用统计方法对电子在原子核外的运动规律所做的一种形象化描述。电子在原子核外空间一定范围内出现,好像一团带负电荷的云雾笼罩在原子核周围,故名。

【电子式】在元素符号周围用“·”或“×”表示原子最外层电子的式子。如“Na×”“·Mg·”等。

【电子伏】电子伏特的简称。

【电子束】在真空中汇集成一细束的电子流。示波管、显像管、摄像管以及某些微波电子管等电真空器件和电子束加工机、电子束焊接机等设备,都是利用电子束进行工作的。

【电子战】运用电子对抗手段进行的作战。

【电子眼】光电管的俗称。

【电子琴】电子键盘乐器。装有序列发生器,能模仿各种常规乐器的音色,产生各种节奏,还设有哇音、颤音、回响等特殊音响效果。最早投入市场的是1935年生产的美国哈蒙德电子琴。

【电子管】一种利用和控制电子在真空或稀薄气体中的运动而发生作用的电子器件。可用于放大、振荡、检波、整流等。现已逐渐被淘汰。

【电气化】指在国民经济各生产部门和城乡人民生活中普遍使用电力。它可以大大提高劳动生产率和人民的生活水平。

【电化学】化学的分支学科。研究化学能和电能相互转变以及与转变过程有关的定律和规则。

【电介质】即介电体。不导电的物质。如干燥的空气、油、云母、橡胶、聚氯乙烯等。可作为电的绝缘材料、电容器的介质。

【电击伤】人畜被电压较高的电流穿过而引起器官机能失常。常有抽搐、皮肤灼伤、休克、昏迷甚至呼吸停止等症状。

【电功率】电流在单位时间所做的功。单位是瓦特。

【电动机】把电能转变为机械能的机械。有直流电动机和交流电动机两种。交流电动机又分同步电动机和异步电动机等。

【电动势】表示电源维持电势差本领的物理量。电源电动势决定于电源本身,等于外电路断开时电源两端的电势差。单位是伏特。

【电场线】也叫电力线。用几何方法形象地

描述电场分布情况的曲线。曲线上各点的切线方向与该点的电场方向一致;曲线的疏密程度反映该处电场的强弱。

【电压表】测量电压的仪器。读数以伏或毫伏为单位的电压表,常称为伏特表或毫伏表。

【电位差】即“电势差”(208 页)。

【电阻率】表示物质对电流阻碍作用的物理量。其大小与温度有关。物质的电阻率越小,导电性能越好。

【电势差】也叫电位差、电压。电场或电路中两点间的电势之差。数值上等于电场力使单位正电荷从一点移到另一点时所做的功。单位是伏特。

【电视台】摄制并播放电视节目的场所。有演播设备、发射设备和天线等。也指从事电视节目摄制和播放的机构。

【电视机】电视接收机的简称。用以接收电视广播的装置。用它接收电视台播发的电视信号,并将信号转换为图像和声音(伴音)。其主要器件为显像管。

【电视剧】专为电视台播映而编写、摄制的戏剧。兼容电影、戏剧、文学、音乐、舞蹈和造型艺术等特点,有很强的表现力。

【电视塔】电视发射塔的简称。

【电离层】自由电子密度大到能影响无线电波传播的高空大气层。在太阳紫外线等照射下,高空中的气体分子被电离为正离子和自由电子,形成自由电子密度不同的气层。能影响无线电波传播的电离层离地面约 60—500 千米。电离层的高度、厚度和电子密度随昼夜及季节而变化,也受太阳活动的影响。

【电流表】测量电流强度的仪器。读数以安、毫安或微安为单位的电流表,常称为安培表、毫安表或微安表。

【电容器】电路中用来储积电能的元件。由两组相互重叠的金属片组成,两组间用绝缘物质隔开。电容器的型式有固定的、可变的和半可变的三类。

【电能表】简称电表。也叫千瓦时表。俗称火表、电度表。用来累计消耗的电能的仪表。交流电表分单相和三相两种类型。单相表一般用于照明用户,三相表用于电力用户。

【电唱机】用来重放录音唱片的一种装置。主要由拾音器(电唱头)、唱片盘、电动机和音频放大器等组成。重放时由拾音器拾取的电信号通过放大器放大后推动扬声器发出声音。

【电解质】在溶液中或熔融状态下能离解为正、负离子,因而能导电的物质。

【电解槽】也叫电解池。借助于电流引起氧化还原反应,使电能转变为化学能的装置。

【电磁场】相互依存的电场和磁场的合称。变化的电场产生磁场,变化的磁场又产生电场,二者互为因果,形成电磁场。

【电磁灶】也叫电磁炉。利用电磁感应产生涡流和磁滞发热的灶具。灶台面呈平板状,烹调用的平底锅由铁磁材料制成,直接放在台面上。灶内有线圈,通入交变电流时产生交变磁场,使锅体中产生涡流,锅体温度升高,可进行烹调。优点是热效率高,但辐射电磁波,对电视机、录音录像设备会产生干扰。

【电磁波】在空间传播的交变电磁场。无线电波、红外线、可见光、紫外线、X 射线、γ 射线都是不同波长的电磁波。有时电磁波专指无线电波。

【电磁炮】利用电磁力发射炮弹的武器。是动能武器的一种。分电磁轨道炮、电磁线圈炮和电磁重接炮等。可用于反坦克、反飞机,也可用以发射战术导弹等。

【电磁铁】利用电流的磁效应,使铁芯磁化而对钢铁等物质具有吸力的装置。电磁铁应用广泛,电铃、电磁开关、电磁起重机等都利用它。

【电力机车】用电力驱动的机车。分直流和交流两大类。电力机车功率大,能多拉快跑,维护简单,没有污染。

【电子干扰】对敌方电子设备或系统采取的电磁波扰乱措施。目的是使敌方电子设备或系统的使用效能降低甚至失效。包括电子干扰技术和电子干扰战术两方面。

【电子乐器】运用电子元件产生和修饰音响的乐器。包括一般电子乐器和电子音响合成器。电子乐器较传统乐器扩大了音量、音域、音色等方面的可能性。在轻音乐队和爵士乐队中被广泛使用。

【电子出版】❶指在出版物生产过程中采用计算机排版技术。❷指电子出版物的制作和生产。

【电子对抗】为削弱、破坏敌方电子设备和系统的使用效能,保护己方电子设备和系统正常发挥效能而采取的各种措施和行动。主要包括电子对抗侦察、电子干扰和电子防御等。是现代战争中重要的作战手段和保障手段。

【电子伏特】简称电子伏。原子物理学中常用的能量单位。是一个电子通过电势差为1伏的电场时所获得的能量。1电子伏等于1.6×10^{-19}焦。

【电子伪装】为阻碍敌人电子侦察,隐蔽自己和欺骗、迷惑敌人而采取的技术伪装措施。主要有无线电伪装、雷达伪装、红外伪装、光学伪装和水声伪装等。

【电子防御】在电子对抗中,为保护己方电子设备及其系统正常发挥效能而采取的措施和行动。主要包括反电子侦察、反电子干扰和防反辐射武器摧毁等。由雷达、无线电通信等专业部队、分队和使用各种电子设备的战斗部队、分队按统一计划分别组织实施。

【电子进攻】在电子对抗中,为破坏和阻止敌方有效使用其电子设备或系统而采取的措施和行动。其任务通常由电子对抗兵承担。

【电子邮件】也叫电子函件。指通过互联网传递的邮件。即用户之间通过互联网发出或收到的文本、数据、图形、图像以及音频、视频等信息。传送的信息存放在电子信箱内,由收件人查看、保存或删除,发送与接收都十分迅速、方便。是对传统通信方式的一种巨大变革。

【电子侦察】使用电子技术器材,为截收有关电磁辐射信号而采取的技术侦察措施。包括无线电技术侦察、雷达侦察等。

【电子货币】通过电子计算机网络系统凭信用卡等进行存储支付的货币,具有转账结算、存取现款等功能。

【电子信箱】利用由电信网联通的计算机系统的存储和处理能力,实现各类信件或文书的传送、接收和存储的业务方式。也指在上述信息交换过程中的存储空间。它所传送的内容还包括传真、语音、数据、图像等各类信息。

【电子音乐】运用电子方法产生的音乐。第二次世界大战后,随着磁带录音机发展起来的磁带合成音乐,近来已过渡到现场演奏的电子音乐。电子计算机也越来越多地进入电子音乐室,完成音乐作品,并出现电子音乐的分支——计算机音乐。

【电子商务】通过互联网构拟的空间和媒体,以数据的形式进行商品买卖以及服务的商业活动。包括在网上登广告、订货、付款、交递货物及售后服务等。其所运用的电子工具包括因特网、电子数据互换和电子邮件等。它的最显著优点是利用最大化的网络方式将顾客、销售商、供应商和雇员联系在一起,从而减少商业环节,降低销售成本,提高运营效率。

【电化教育】运用声、光、电等技术媒体来记录、储存和传播教育信息的教育。

【电功率表】也叫瓦特表。测量电功率的仪表。以瓦特作单位。

【电动汽车】以电池为动力源,由电机驱动的车辆。不排放污染物,噪声低,能量转换效率高,驾驶、维护简便。

【电场强度】表示电场强弱和方向的物理量。电场中某一点的电场强度等于单位正电荷在该点所受的电场力,电场力的方向即该点电场强度的方向。单位是伏/米。

【电光石火】闪电和燧石的火光。原为佛教用语。比喻事物转瞬即逝。宋普济《五灯会元》卷七:"此事如击石火,似闪电光。"元姬翼《恣逍遥》词:"昨日婴孩,今朝老大,百年间电光石火。"

【电视电话】在电话网上同时传输与交换通话双方影像和语音信号的通信方式。交换的影像可以是静态的,也可以是动态的。电视电话机由摄像机、显示器、控制器、电话机等组成。

【电视会议】一种会议形式。将不在一地的多个会议室用通信线路连接起来,实现电送声音和影像等的交换。从而使不在一地的与会者能通过本地会议室的电视屏幕彼此交流信息,有利于提高工作效率。

【电视制式】指电视机制作的各项技术指标。通常以电视机每帧扫描行数、每秒扫描场数、信号频带宽度、图像载频以及彩色信号特征为标志。目前彩色电视的制式有NTSC制、PAL制、SECAM制三种,中国采用的是PAL制。

【电视制导】利用电视技术提供目标信息,形成制导指令的制导。分可见光电视制导、红外电视制导和激光电视制导等。

【电话升位】城市电话用户增加到一定数量后,电话网需要扩容,有时还需要相应增加电话号码的位数,如从7位变成8位等,叫做电话升位。

【电话磁卡】专用于打电话的磁卡。是一种电子货币形式。以磁记录方式将磁卡面值所代表的"货币"转换成磁卡上的付费单元。使用磁卡打电话时，磁卡电话机以消去相应数量的付费单元来"收取"话费。

【电离平衡】在一定条件(如温度、浓度)下，溶液中的弱电解质分子电离成离子的速率和离子重新结合成分子的速率相等时的平衡状态。

【电流强度】简称电流。单位时间内通过导体横截面的电量。单位是安培。

【电缆通信】利用电缆作为传输媒介的有线电通信。可传输电话、电报、数据和图像等。特点是通信容量较大、距离远、传输质量高。

D

【电磁污染】各种电磁波对人体造成不良影响或对仪器设备产生干扰和危害的现象。如太阳黑子活动和地震引起的磁暴给短波通信带来严重干扰。

【电磁兼容】指电工、电子仪器设备或系统在其电磁环境中能正常工作，并且对该环境中任何事物不构成不能承受的电磁干扰。

【电磁感应】穿过闭合电路的磁通量发生变化时，电路中产生电动势的现象。这种现象揭示了磁与电的紧密依存关系，是发电机、变压器等设备的理论基础。

【电磁辐射】电磁场能量以波的形式向外发射的过程。也指所发射的电磁波。其传播速度和光速相同。电磁辐射超过一定的量，便会造成对周围电器和通信设备的干扰，甚至还会对人体健康带来损害。

【电子计算机】简称计算机。俗称电脑。一种能快速进行大量数学计算和信息处理的电子设备。按工作原理，分数字式、模拟式和混合式三类。通常指数字计算机。数字计算机处理的数据和信息表示为一系列数字；它按照存储程序工作，具有计算精度高、运算速度快的特点，并具有逻辑判别和存储(记忆)信息的能力。模拟计算机处理的数据和信息表示为电流、电压等物理量，其工作方式是以运算和函数部件为基本构件进行组合计算处理，它比数字计算机运算速度快，使用直观简便，但计算精度较低，使用范围较窄。混合计算机是将以上两种计算机统一在一个计算系统中使用。电子计算机的发展，用半导体器件性能来标志水平，通常用换代的提法来说明：电子管的电子计算机叫第一代，晶体管的叫第二代，集成电路的叫第三代，大规模集成电路的叫第四代。

【电子出版物】需要通过电子计算机或其他电子设备阅读的、以磁盘、光盘等为载体的出版物。

【电子显微镜】利用能使电子束汇聚成像的电磁透镜，使样品的极微细结构在荧光屏上显示出来的仪器。其放大率一般可达到几十万倍。

【电话交换机】用来进行电话用户之间的交换，以实现任何两用户之间通话的设备。通常分人工的和自动的两种。

【电磁继电器】利用电磁作用自动接通或切断受控电路的控制器件。

【电子型半导体】以带负电的电子导电为主的半导体。在纯硅中搀入微量5价元素磷或砷，由于磷或砷原子周围有5个价电子，与周围4价硅原子组成共价结合时多出一个电子，它很容易成为自由电子，在导电中起主要作用。

佃 ㊀ diàn 租地耕种。㊔～户|～农。㊁ tián (974页)。

【佃户】旧时租种土地的农户为土地出租者的佃户。

【佃农】租入全部或大部分土地，自己从事劳动的农民。

【佃租】佃户向土地出租者交纳的地租。

甸 diàn ❶古指郊外的地方。❷〈方〉甸子，指放牧的草地。多用于地名。

钿(鈿) ㊀ diàn ❶在器物上镶嵌金属、宝石、贝壳等。㊔宝～|螺～。❷古代用金翠珠宝等制成的花朵形首饰。

㊁ tián (975页)。

阽 diàn (又音 yán)临近危险。㊔～危。

坫 diàn 古代堂屋内放置东西的土台子。

店 diàn ❶商店。㊔书～|零售～。❷旅店。㊔客～|住～。

【店东】商店或旅店主人的旧称。

【店员】商店的职工。也指服务性行业的职工。

【店家】❶指开旅店、酒馆、饭铺的人或在这些店铺中管事的人。❷店铺。

【店铺】泛指商店。

【店小二】旅店或酒馆里的招待人员(常见于早期白话)。

惦 diàn 挂念。㊔～记。

玷 diàn ❶白玉上的斑点。❷使有污点。㊃～污。
【玷污】弄脏。比喻败坏声誉等。
【玷辱】污损;使蒙受耻辱。
扂 ⊠ diàn 门闩。
垫(墊) diàn ❶用东西衬或铺,使加高或加厚。㊃～肩|～桌子。❷衬托的东西。㊃鞋～。❸暂时代人付钱。㊃～钱。
【垫补】❶借别人的钱或挪用其他款项来暂时解决钱不够用的困难。❷点补。未到吃饭时间,先吃少量食物解饿。
【垫圈】一种扁平的金属环。垫在螺母等与其所连接的零件之间,用来增加接触面积,改善接触状况等。圈(quān)。
【垫脚】铺垫在畜舍地面上的碎草、干土等。
【垫脚石】上马时垫在脚下的石头。比喻有野心的人向上爬时所利用的人或事物。
淀(❷澱) diàn ❶较浅的湖泊。多用于湖名、地名,如白洋淀(湖名,在河北)、茶淀(地名,在天津)。❷液体里沉下的渣滓或粉末。㊃沉～。
【淀粉】以葡萄糖为单位构成的多糖,分子式$(C_6H_{12}O_5)_n$。经淀粉酶水解形成麦芽糖,用酸或酶水解形成葡萄糖等。遇碘呈蓝色。是粮食作物的种子或块根的主要成分,米、面中淀粉含量达60%—80%。
靛 diàn ❶蓝色染料。❷深蓝色。
奠 diàn ❶定;建立。㊃～都。❷陈设祭品举行仪式向死者致祭。㊃祭～。
【奠仪】旧指送给死者家属的金钱,以代祭品。
【奠定】稳固地建立。㊃～了胜利的基础。
【奠都】确定首都的地址。
【奠酒】❶祭祀时的一种仪式,把酒洒在地上。❷以酒祭死者。
【奠基】❶打建筑物的基础。㊃～礼。❷比喻一种大事业的创始。㊃鲁迅是我国新文学的～人。
【奠边府战役】越南抗法战争中一次关键战役。1954年,越南人民军向据守西北部战略要地奠边府的法军发起进攻,全歼法军,攻克奠边府,从而取得抗法战争的决定性胜利。
殿 diàn ❶高大的房屋;封建帝王处理政事的地方,或指供奉神佛的地方。㊃宫～|佛～。❷在最后。㊃～后|～军。
【殿下】对太子或亲王的尊称。现用于外交场合。
【殿本】清代的皇家刻本。因刻印机构设在武英殿,故称武英殿本,简称殿本。
【殿后】行军时走在队伍的最后。
【殿军】❶行军时走在最后的部队。❷体育运动等比赛中的第四名。也指比赛后入选的最后一名。
【殿试】中国古代科举制度中最高一级的考试。在殿廷举行,由皇帝主持对贡士的考试。自唐武则天时开始施行。录取后称进士。明清时发榜分三甲:一甲三名,依次称状元、榜眼、探花;二三甲人数不定。
癜 diàn 皮肤病名。皮肤上出现白色或紫色斑点。常见的是白癜,俗称白癜风。
簟 diàn 竹席。

diāo ㄉㄧㄠ

刁 diāo 狡猾;难于打交道。㊃～钻|这个人办事真～!
【刁斗】古代军中用的东西。白天用作炊具,夜间用来警戒报时。斗(dǒu)。
【刁难】故意难为别人。难(nàn)。
【刁钻古怪】狡猾奸诈,违反一般情况,使人感到离奇。钻(zuān)。
叼 diāo 用嘴衔住。㊃猫～着老鼠。
汈 diāo 〔汈汊〕湖名。在湖北。
凋 diāo 凋谢。㊃～零|岁寒然后知松柏之后～也。
【凋残】树木枯落。
【凋敝】衰败;(生活)困苦。
【凋谢】草木花叶枯萎脱落。比喻衰败,死亡。
【凋零】草木凋谢零落。
碉 diāo 〔碉堡〕供观察、射击、驻兵用的突出于地面的多层工事。多为砖石或混凝土结构。
雕(❶*鵰❷❸*琱❷❸*彫) diāo ❶老雕,鸟类。喙、爪均成钩状,翼强大善飞,性凶猛,视力发达,能自高空俯视猎物。嗜食鼠、兔等。❷雕刻。也指雕刻作品。㊀～花｜冰～。❸有彩画装饰的。㊀～弓。

【雕刻】❶在木、石、玉、金属、象牙等材料上雕琢或刻画出形象或图案。❷雕刻而成的艺术品。❸指雕塑。

【雕砌】雕琢、堆砌。多形容写作中只追求辞藻的华美繁多。

【雕琢】❶雕刻玉石。❷原指文字的修饰加工，后借以形容过分追求文字的华美。

【雕塑】造型艺术之一。以泥、木、石、金属等材料雕刻和塑造有体积的立体形象。一般分圆雕、浮雕两类。也指雕塑而成的艺术品。

D

【雕漆】中国传统的特种工艺品之一。先将调好的漆料涂在铜胎或木胎上，一般涂八九十层至数百层，趁漆未干时进行浮雕，然后再烘干、磨光制成。以朱红色为主，故又名剔红。

【雕虫小技】比喻微不足道的技能，多指文字技巧。唐李白《与韩荆州书》："恐雕虫小技，不合大人。"

【雕梁画栋】在栋梁等木结构上雕刻花纹并加上彩绘，是中国古代的一种建筑艺术。后来也指豪华的建筑。

鲷（鯛） diāo 鱼类的一科。体侧扁，背部突起，头大口小，侧线发达。常见的如真鲷，中国沿海均产。

貂 diāo 哺乳动物。身体细长，四肢短，毛黄色或紫黑色。种类很多。

【貂蝉】《三国演义》中的人物。司徒王允家的歌妓。容态娇美，深明大义，使用连环计，借吕布之手杀死了董卓。

【貂裘换酒】《晋书·阮孚传》："（孚）迁黄门侍郎、散骑常侍，尝以金貂换酒，复为所司弹劾。"形容挥霍无度或豪纵不羁。

diǎo ㄉㄧㄠˇ

鸟（鳥） ㊁ diǎo 阴茎的粗俗称呼。
㊀ niǎo（720 页）。

diào ㄉㄧㄠˋ

吊（*弔） diào ❶悬挂。㊀门前～着两盏红灯笼。❷祭奠死者或慰问死者的家属等。㊀～丧。❸用绳子向上提或向下放。㊀把篮子～下来。❹收回。㊀～销。❺给皮桶子加面或里子。㊀～皮袄。❻把球轻轻打到对方防守薄弱的地方。㊀～底线｜打～结合。❼量词。旧时钱币单位。一千个制钱或值一千个制钱的铜币数量叫一吊。

【吊车】起重机的俗称。

【吊兰】多年生常绿草本植物。叶丛生，叶丛中常抽出细长柔韧下垂的枝条，顶端或节上萌发嫩叶和气生根。附生于树干上。常盆栽悬挂室内，供观赏。

【吊环】❶体操器械之一。在立架上用钢绳悬两圆木环。环距地面 2.55 米，两环相距 0.5 米。❷男子竞技体操项目之一。运动员在吊环上做静止用力、摆动、回环、转肩、空翻等动作。

【吊丧】到丧家祭奠死者。

【吊桥】❶设于城壕上或军事据点上的能吊放的桥。❷即"悬索桥"（1115 页）。❸登陆舰艇和汽车渡轮上设置的能吊放的供坦克、汽车等登船或上岸用的跳板。

【吊唁】祭奠死者并慰问遭遇丧事的国家、团体或家属。

【吊销】收回并取消（发出的证件）。

【吊嗓子】戏曲或歌唱演员练声的俗称。

【吊膀子】〈方〉调情。膀（bàng）。

【吊民伐罪】抚慰受害的百姓，讨伐有罪的统治者。《孟子·滕文公下》："诛其君，吊其民，如时雨降，民大悦。"

铞（銱） diào 见〔钌铞儿〕（616 页）。

钓（釣） diào ❶用钓饵诱鱼或其他水生动物上钩。㊀～鱼｜～虾。❷比喻用手段取得（名利）。㊀沽名～誉。

【钓钩】钓鱼的鱼钩。有时也比喻圈套。

【钓饵】钓鱼的鱼食。比喻用来引诱人的事物。

【钓鱼岛】在台湾岛东北 100 海里处，属台湾省。面积约 5 平方千米。该岛自古就是中国领土，早在明朝就在中国海防区域之内，一向为中国福建、台湾两省居民捕鱼采药的地方。附近的黄尾屿、赤尾屿、南小岛、北小岛及一些礁石，也属于中国领土。

【钓鱼比赛】休闲娱乐活动之一。比赛通常在空气清新、风景秀丽的海滨、湖畔、江河等处进行。比赛用具为钓竿、鱼钩、鱼线、鱼饵等。分海钓和河钓两种。河钓常采用沉底钓、流水钓、中层钓等技法；海钓分岸钓和船钓。比赛以钓上岸的鱼的重量计算得分，多者为胜。

诶[繁]（誂） ㊀ diào 仓促。 ㊁ tiǎo（977 页）。

铫（銚） ㊀ diào 烧水、熬东西用的器具。[例]药～子|沙～子。 ㊁ yáo（1145 页）。

蓧[繁]（蓧） diào 古代一种除草用的农具。

窎[繁]（窵） diào 深远。[例]～远。

调（調） ㊀ diào ❶调动；调换；分派。[例]～职|～包|～度。❷音乐中指调门的高低，也指曲调。[例]C～|二黄～。❸字音的声调。[例]～值|～类。❹调查。[例]～研|函～。❺口音。[例]南腔北～。 ㊁ tiáo（977 页）。

【调子】❶曲调，音乐上高低长短配合成组的音。❷即调式。❸比喻说话或写文章所表现的态度。

【调号】❶表示字音声调的符号。《汉语拼音方案》规定的调号是阴平作“－”，阳平作“ˊ”，上声作“ˇ”，去声作“ˋ”。❷音乐中指用以确定乐曲主音高度的符号。在五线谱中记在谱号后面，用不同数目的升（♯）、降（♭）记号表示。在简谱中记在乐谱左上方，用 1＝♯F、1＝♭B 等记号表示。

【调式】乐曲都是由若干（通常为五或七个）基本的音所构成，它们按照一定的音程关系组成为音列，称为调式。调式中的第一音处于核心地位，叫主音。如七声自然大调式的音列为 1 2 3 4 5 6 7，主音为 1；五声徵（zhǐ）调式的音列为 $\underset{.}{5}\,\underset{.}{6}$ 1 2 3，主音为 $\underset{.}{5}$。

【调动】❶更动。[例]～工作。❷调集发动。[例]～一切积极因素为实现四个现代化服务。

【调拨】调集拨付（物资、款项等）。

【调性】指调式的不同性质。有大调式的调性和小调式的调性。大调式调性一般较为宽广、光明；小调式调性一般较为阴郁、暗淡。

【调查】对客观情况进行考察了解。

【调度】指挥调派人力、工作、车辆等。也指担负此种工作的人。

【调类】声调的类别。古汉语有四个调类：平声、上声、去声、入声。普通话也有四个调类：阴平、阳平、上声、去声。

【调配】调动分配（人力、物资等）。

【调值】声调的高低升降的实际读音。一般用五度标记法表示，用 1、2、3、4、5 依次表示从最低到最高的相对高度。如普通话的阴平是高平调，调值是 55，阳平是高升调，调值是 35，上声是降升调，调值是 214，去声是高降调，调值是 51。

【调遣】调派，差遣。[例]～军队。

【调演】为检阅成绩、交流经验，上级文艺部门从下属文艺单位中抽调一些演员和节目，集中在一起演出。[例]省文化厅举办了全省青年演员的新剧目～。

【调兵遣将】调动兵马，派遣将领。也比喻组织安排人力。

【调虎离山】比喻用计使对方离开原来的地方，以方便行事。

掉 diào ❶落。[例]～下去。❷减损。[例]～色。❸遗失。[例]～了东西。❹回转。[例]～头。❺摆动。[例]尾大不～。❻换。[例]～换。❼落在后面。[例]～队。❽在动词后表示动作的完成。[例]烧～|改～。

【掉队】结队而行时被队伍落（là）下。

【掉包】暗中用假的换真的或用坏的换好的。

【掉舌】鼓舌。多指用言辞游说或耍贫嘴。

【掉期】在外汇市场上买进或卖出即期外汇，同时又卖出或买进同种货币的远期外汇的金融交易行为。目的是防范因货币种类变换而带来的外汇风险。

【掉书袋】讥讽人爱引用古书词句，卖弄才学。宋马令《南唐书·彭利用传》：“对家人稚子，下逮奴隶，言必据书史，断章破句，以代常谈，俗谓之掉书袋。”

【掉以轻心】用轻率的漫不经心的态度来对待事情。唐柳宗元《答韦中立论师道书》：“故吾每为文章，未尝敢以轻心掉之，惧其剽而不留也。”

嬥[繁] diào ❶古代巴蜀一带流行的歌舞。手牵手边歌边舞。❷往来行走的样子。

diē ㄉㄧㄝ

爹 diē ❶称父亲。❷〈方〉阿爹，称祖父。

跌 diē ❶摔倒。[例]～了一跤。❷下降。[例]～价|～落。

【跌水】渠道通过陡峻的地面时，为避免冲刷，使渠道在某处集中下降，用砖石或混凝土建成台阶或陡坡形的衔接建筑物。
【跌足】顿足；跺脚。
【跌宕】也作跌荡。❶放纵；不受拘束。❷音调或行文有顿挫波折。宕(dàng)。
【跌荡】同"跌宕"(214页)。
【跌幅】(物价等)下跌的幅度。
【跌停板】证券交易机构规定，在证券市场的正常交易日中，允许证券价格下跌的最大幅度，以达到稳定证券市场的目的。

D

dié ㄉㄧㄝˊ

迭 dié ❶更换；轮流。㊀更～。❷屡次。㊀～次。❸及。㊀忙不～。
【迭起】一次又一次地出现。
秩☒ ㊁ dié 〔桔秩〕春秋时郑国城门名。桔(jié)。
㊀ zhì (1269页)。
昳☒ ㊀ dié 太阳偏西。
㊁ yì (1169页)。
瓞 dié 小瓜。
垤 dié 小土堆。㊀蚁～(蚂蚁洞口的小土堆)。
咥☒ ㊁ dié 咬。
㊀ xì (1061页)。
绖☒(絰) dié 古代用麻做的丧帽丧带。
耋 dié 指七八十岁的年纪。泛指老年。
谍(諜) dié ❶秘密探听军事、政治及经济等方面的消息。㊀～报。❷进行谍报活动的人。㊀间～。
堞 dié 女墙。
揲☒ ㊀ dié 见〔揲揲〕(977页)。
㊁ shé (866页)。
喋(❷*啑) ㊀ dié ❶〔喋喋〕说话没完没了。㊀～不休。❷同"蹀"。㊀～血(指流血遍地，杀伤很多)。
㊁ zhá (1232页)。
"啑"，另音 shà(853页)。
㬪☒ dié 〔㬪嵲〕同"嵽嵲"(214页)。
牒 dié 文书或证件。㊀通～|戒～。
碟 dié 盛食物的小盘子。
褋☒ dié 单衣。
蝶(*蜨) dié 蝴蝶。
【蝶泳】❶游泳姿势之一。俯卧水中，两臂同时由前向后划水，提出水面后经空中前摆，两腿必须同时做垂直的上下打水。速度较快。因动作与蝴蝶飞翔相似，故名。❷游泳运动项目之一。运动员用蝶泳姿势游泳，比赛速度。
蹀 dié 踏；踩。
【蹀躞】❶小步走路。❷往来徘徊。躞(xiè)。
鲽(鰈) dié 鱼类。种类多。体侧扁，不对称，成鱼两眼都在右侧。中国沿海均产。
跕☒ ㊁ dié 〔跕跕〕下坠的样子。
㊀ tiē (979页)。
嵽☒(嵽) dié 〔嵽嵲〕也作㬪嵲。形容山高。嵲(niè)。
叠(*疊*曡*疉) dié ❶重复；一层又一层。㊀重见～出|重～。❷折叠。㊀～被子。
【叠印】电影的表现技巧之一。把不同的两个镜头重叠在一起，使观众在同一画面里看到双重或多重影像。
【叠韵】汉语里，两个相连的字韵母相同叫叠韵。如烂(làn)漫(màn)的韵母同是 an，烂漫二字即为叠韵字。
【叠嶂】重叠的山峰。
【叠罗汉】民间体育运动项目之一。由若干人配合组成多层的各种造型。常穿插在团体操表演中，以增加喜庆、欢快的气氛。造型的底托人数多，随着层次增高，难度加大，人数减少。表演者以不同的身体动作和排列变化增加造型的艺术效果。
【叠梁式】中国古代木结构建筑结构方式的一种类型。在立柱上支梁、梁上置短柱、短柱上再放梁、梁的两端承载檩，依次层叠而上，在最上层的梁中央放置短柱(脊瓜柱)承脊檩的构架方式。多用于中国北方，如故宫太和殿。

【叠床架屋】床上叠床，屋上架屋。比喻重复累赘。

氎☒ dié〔氎布〕细毛布。

攧☒（攧）㊀ dié〔攧窨〕元代方言。指顿足忍气。窨（yìn）。

㊁ diān（204页）。

dīng ㄉㄧㄥ

丁 ㊀ dīng ❶天干的第四位。现常用来表示顺序的第四。❷人口。㊞人～|～口。❸指成年男子或从事某种劳动的人。㊞壮～|园～。❹遭遇；碰到。㊞～忧。❺蔬菜、肉类等切成的小方块。㊞肉～|黄瓜～。

㊁ zhēng（1253页）。

【丁宁】也作叮咛。反复地嘱咐。

【丁当】也作叮当、玎珰。拟声词。金属、瓷器、玉器等撞击的声音。

【丁坝】保护堤岸的水工建筑物。一端和堤岸连接成丁字形，能改变水流，使河岸不受冲刷，并可淤出农田。

【丁忧】旧指遭到父母的丧事。

【丁玲】（1904—1986）中国现代女作家。原名蒋冰之，湖南临澧人。1927年开始发表小说《梦珂》，接着创作了《莎菲女士的日记》《韦护》《水》《母亲》等。1936年到达陕北，抗战时发表了《在医院里》《我在霞村的时候》等小说。1948年写成反映中国农村土地改革运动的长篇小说《太阳照在桑干河上》。有《丁玲文集》。

【丁税】古代的人口税。

【丁零】拟声词。铃声。

【丁字尺】形状像"丁"字的绘图工具。用来画水平线、平行线和各种角度线。

【丁村人】中国旧石器时代中期古人类化石。1954年在山西襄汾丁村附近发现同一个体的人类牙齿化石三颗。同时出土的有大量石器和动物化石，距今约十万至十五万年。

【丁苯橡胶】一种以丁二烯和苯乙烯为原料制得的合成橡胶。性能与天然橡胶相仿，多数场合可代替天然橡胶。具有较好的耐磨、耐热、耐老化性能。主要用作汽车轮胎和各种工业橡胶制品。

【丁腈橡胶】一种以丁二烯和丙烯腈为原料制得的合成橡胶。具有优良的耐油性和较好的耐磨、耐热、耐老化性能。主要用于制作多种耐油制品，如飞机油箱衬里、耐油胶管、密封垫圈等。腈（jīng）。

【丁是丁，卯是卯】也作钉是钉，铆是铆。丁是天干的第四位，卯是地支的第四位。二者虽同是第四位，但一是天干，一是地支，不能相混。丁、卯又是木工用的"钉铆"的谐音。某个钉一定要安接在相应的铆里，不能有差错。形容说话、做事认真，不含糊，不马虎。

仃 dīng 见〔伶仃〕（622页）。

叮 dīng ❶蚊子等用针形口器吸食。❷进一步（问、告诉）。㊞～问|临走，她又～了我一句，你明天可来啊！❸再三（嘱咐）。㊞～嘱。

【叮咛】同"丁宁"（215页）。

【叮当】同"丁当"（215页）。

【叮嘱】再三嘱咐。

玎 dīng 见下。

【玎玲】拟声词。玉石撞击声。

【玎珰】同"丁当"（215页）。

盯 dīng 注视。

【盯梢】暗中跟踪、监视。

町 ㊀ dīng 用于地名，如畹町（在云南西部）。

㊁ tǐng（981页）。

钉（釘）㊀ dīng ❶钉子。㊞铁～。❷紧跟着。㊞在他后面紧～着。❸督促；催问。㊞～问。❹同"盯"。

㊁ dìng（216页）。

【钉齿耙】以钉齿为工作部件的耙。将钉齿固定在某种型式的耙架上，加装牵引或悬挂装置而成。有畜力的和机引的。用来碎土、平地和破除板结等。

疔 dīng 中医病证名。一种毒疮。生于头面及四肢末端，形小根深，状如钉，故名。

耵 dīng〔耵聍〕耳垢；耳屎。聍（níng）。

酊 ㊀ dīng 用动植物或药物浸泡在酒精中制成的药液。㊞碘～。

㊁ dǐng（216页）。

靪□ dīng 补鞋底。

D

dǐng ㄉㄧㄥˇ

艼⊠ dǐng 〔茗艼〕酩酊；大醉的样子。

顶(頂) dǐng ❶最高最上的部分。例头～｜屋～。❷用头支承。例～着罐子。❸抵住；迎。例用杠子～门｜～住歪风邪气｜～风冒雪。❹用头撞击；顶撞。例～球｜～了几句。❺代替。例冒名～替。❻相当；等于。例一个～俩。❼担当；支持。例他一个人～得住。❽转让或取得企业经营管理权或房屋、土地租赁权。例～盘｜出～。❾副词。最。例～好｜～多。❿量词。例一～帽子。

【顶点】最高点；极点。

【顶骨】人的脑颅组成骨之一。位于脑颅的顶部。

【顶珠】也叫顶儿、顶子。清朝官吏帽顶上的圆珠。是装饰物，也是官位品级的标志。官位品级由圆珠的质料和颜色来决定。

【顶替】顶名代替；由别的人或物接替或代替。例冒名～｜这项工作对人员有严格的要求，不能随便～｜父亲退休后，我～他进了工厂。

【顶撞】强硬地反驳别人（多指对上级或长辈）。

【顶天立地】形容形象高大，气概豪迈。

【顶礼膜拜】❶佛教徒的最高敬礼。合掌举过头，然后跪下用头来叩人的脚。❷比喻对人特别恭敬或极端崇拜（现多含贬义）。

酊 ㊁ dǐng 见〔酩酊〕(692 页)。
㊀ dīng (215 页)。

鼎 dǐng ❶古代用来煮东西的炊具。三足两耳。❷大；重。例～力。❸象征王位、政权。例问～｜定～。❹正当(dāng)。例～盛。

【鼎力】敬辞。大力。例请～相助。

【鼎立】三方面力量相当，像鼎的三条腿一样峙立着。《三国志·吴书·陆凯传》："近者汉之衰末，三家鼎立。"

【鼎足】鼎有三条腿，比喻三方面对峙的局势。《史记·淮阴侯列传》："参（通"三"）分天下，鼎足而居。"

【鼎沸】鼎里的水沸腾起来。形容人声喧嚣嘈杂。也比喻局势动荡。《三国志·蜀书·谯周传》："既非秦末鼎沸之时，实有六国并据之势。"例人声～｜四海～。

【鼎革】鼎新革故（采取新的，去掉旧的）。旧多指改朝换代。

【鼎峙】三方对立。鼎有三足，故名。《晋书·凉武昭王李玄盛传》："昔汉运将终，三国鼎峙。"峙(zhì)。

【鼎食】把鼎排列起来吃饭。形容豪华奢侈的生活。三国魏王肃《孔子家语·致思》："从车百乘，积粟万钟，累茵而坐，列鼎而食。"

【鼎盛】正当兴盛或强壮的时候。《汉书·贾谊传》："天子春秋鼎盛，行仪未过，德泽有加焉。"

【鼎鼎】盛大。例～大名。

【鼎新】建立新的。

dìng ㄉㄧㄥˋ

订(訂) dìng ❶约定。例预～｜～报｜～阅。❷订立；议定。例～条约｜～章程。❸修改。例修～｜～正。❹装订。例～书机。

【订立】双方或几方经过协商，把商定的事项用书面形式（如合同、协议、协定、条约等）肯定下来。

饤□**(飣)** dìng 见〔饾饤〕(225 页)。

钉(釘) ㊁ dìng ❶把钉子或楔(xiē)子打进他物；用钉子等把东西固定起来。例～钉(dīng)子｜～窗户。❷一种缝纫方法。用针线将扣子等固定住。例～扣子。
㊀ dīng (215 页)。

【钉住汇率】将本国货币的汇率与某一种主要货币挂钩，随该货币的汇率浮动而浮动的汇率制度。

定 dìng ❶安稳；稳固。例立～｜心神不～。❷决定；确定。例～计划｜～于明天上午开会。❸不可改变的；规定的。例～局｜～量｜～额。❹预先约好。例～地点｜～货单。❺副词。必然。例～可取胜。

【定义】对于一种事物的本质特征或一个概念的内涵和外延的确切而简要的说明。

【定子】电机的静止部分。一般由机座、铁心、线圈等组成。

【定见】确定的见解或主意。

【定夺】决定事情的可否或取舍。例此事再行～。

【定向】有固定方向的。例～爆破｜～招生。

【定名】确定名称。
【定论】确定的论断、结论。
【定员】规定的人数。指机关、学校、工厂、部队等人员编制的名额,或车船等规定容纳乘客的数目。
【定岗】确定工作岗位。[例]~到人。
【定局】❶作最后的决定。[例]事情还未~。❷确定不移的局面、形势。[例]胜负已成~。
【定苗】按既定株距,留下壮苗,把多余的苗连根除去。
【定金】当事人在合同中约定的一方向对方给付的具有债权担保作用的货币。表现在给付方不履行债务的,无权要求返还;收受方不履行债务的,应当双倍返还。其数额由当事人约定,但不得超过主合同标的额的20%,债务人履行债务后,应抵作价款或收回。
【定居】在一个地方固定地居住下来。[例]~上海|他已在国外~。
【定型】❶事物的特点逐渐形成并固定下来。❷确认(产品)设计合格并允许投产。
【定标】即"决标"(536页)。
【定律】科学上指为实践所证明,反映客观事物在一定条件下发展变化规律的论断。
【定亲】订立婚约。
【定语】句子成分的一种。指修饰、限定名词或名词短语的成分。如"北京的秋天""雄伟的长城"中的"北京""雄伟"。
【定神】❶集中注意力。❷使心神安定。
【定都】确定首都(在某地)。
【定息】❶固定的利息。❷中国社会主义改造过程中,国家对民族资产阶级的生产资料实行赎买政策的一种形式。1956年资本主义工商业全行业公私合营以后,国家按照资本家的资产,在一定时期内(原定七年,后又延长三年),每年付给他们固定息率的股息,叫做定息。1966年9月停止支付。
【定案】对案件、方案等作最后决定;所作出的最后决定。
【定理】在数学中通过一定论据而证明为正确的结论。如"平行四边形的对边相等"就是平面几何中的一个定理。
【定窑】宋代名窑。位于今河北曲阳涧滋村及东西燕山村。创烧于唐,极盛于北宋。所烧白瓷为宋代之冠。一度烧制宫廷专用瓷器。
【定植】将已育成的苗木从苗地移栽到大田中。
【定鼎】古代帝王定都称定鼎。引申为建立王朝。《左传·宣公三年》:"成王定鼎于郏鄏(jiárǔ)。"南朝宋颜延之《三月三日曲水诗序》:"高祖(刘裕)以圣武定鼎,规同造物。"
【定编】确定某一建制单位的编制。
【定罪】法院依据刑法规定,对某一危害行为是否构成犯罪,是何种犯罪的认定过程。应当以事实为根据,以法律为准绳,严格区分罪与非罪、此罪与彼罪。
【定数】❶规定的数目。❷定命。旧时迷信认为吉凶祸福是命中注定的。
【定影】把显影后感光材料上未感光的银盐溶去,使影像固定的过程。
【定义域】函数中自变量的取值范围。
【定音鼓】击乐器。锅形。鼓面蒙皮。周围有螺旋等装置,用以调整音高。是管弦乐队中的重要击乐器。一般使用二至四个定音鼓。
【定盘星】❶秤杆上标志起算点(重量为零)的星儿。秤锤悬在这点时,恰好和秤盘平衡,故名。❷比喻一定的主张,准主意。[例]他心中总是没有~。
【定额税】根据课税对象的实物数量规定的固定税额。如盐税规定每吨税额若干元。
【定向培育】根据生物的生长发育规律,给以合适的培育条件,有计划、有目的地进行选择,选出符合一定要求的动植物及微生物类型。定向培育不能改变个体的遗传型。
【定向爆破】按自然条件及工程要求将土石方抛到预定地点,或将建筑物定向拆除的爆破方法。用于采矿或构筑路基、水坝等。
【定性分析】❶运用经验、逻辑推理和辩证思维等方式研究客观事物的方法。是揭示不易用数量指标表示的事物的质的规定性的根本方法。❷化学上指只鉴定物质中含有哪些元素但不确定其含量的分析。
【定量分析】❶运用统计和数学计算的方式研究客观事物的方法。是揭示可用一定数量指标表示的事物的质的规定性的重要方法。通常与定性分析结合使用。❷化学上指测定物质中有关成分含量的分析。
【定向能武器】也叫射束武器、能束武器。采用定向能技术,以高能射束攻击和毁伤目标的武器。如激光武器、粒子武器和高功率微波武器等。

D

啶 dìng 见〔嘧啶〕(682页)。

腚 dìng 〈方〉屁股。

碇(*椗*矴) dìng 系船的石礅(现用铁锚)。㉑启～(开船)|下～(停船)。

锭(錠) dìng ❶锭子，纺纱机上绕线的机件。㉑纱～|二十万～的纱厂。❷做成块状的金属或药物等。❸量词。㉑一～墨。

D

铤(鋌) ㊁ dìng 古指铜铁矿石。㊀ tǐng(982页)。

diū ㄉㄧㄡ

丢 diū ❶遗失;丧失。㉑～了钱包|工作～了。❷放下;扔掉。㉑不能～下不管|～掉幻想。

【丢弃】抛弃。

【丢勒】阿尔布雷希特·丢勒(1471—1528)德国画家。擅长木刻、铜版画和油画，融合意大利文艺复兴时期的写实风格与德国传统文化的玄奥象征。代表作有木刻组画《启示录》、油画《四圣图》等。

【丢卒保车】象棋战术用语。后用来比喻丢掉次要的，保住主要的。车(jū)。

【丢盔卸甲】形容打了大败仗时的狼狈相。盔，甲：古代作战时用的护头帽和护身服。

铥(銩) diū 金属元素，符号Tm，原子序数69。是稀土元素之一。

飐⊠(颩) diū 抛掷。

dōng ㄉㄨㄥ

东(東) dōng ❶方向。日出的一边。与“西”相对。❷主人;请客的人。㉑房～|作～。

【东厂】官署名。明成祖为镇压人民和官员中的反对派，于1420年设置，由宦官直接指挥，从事特务活动。

【东方】❶东①。❷指亚洲各国，还包括非洲的埃及。

【东北】一般指山海关以外、大兴安岭以东地区，包括辽宁、吉林、黑龙江三省。

【东汉】也叫后汉。朝代名。参见“汉”⑤(377页)。

【东亚】指亚洲东部地区。包括中国、朝鲜、韩国、蒙古和日本。

【东佃】指土地出租者和佃户。

【东床】《晋书·王羲之传》:“太尉郗鉴使门生求女婿于(王)导，导令就东厢遍观子弟。门生归，谓鉴曰：‘王氏诸少并佳，然闻信至，咸自矜持。惟一人在东床坦腹食，独若不闻。’鉴曰：‘正此佳婿邪!’访之，乃羲之也，遂以女妻之。”后因称女婿为东床。唐刘长卿《登迁仁楼酬婿李穆》诗：“赖有东床客，池塘免寂寥。”

【东欧】狭义上指从波罗的海东岸到乌拉尔山脉之间的欧洲东部地区。包括俄罗斯、爱沙尼亚、拉脱维亚、立陶宛、白俄罗斯、乌克兰等。广义上还包括波兰、捷克、斯洛伐克、匈牙利、罗马尼亚、保加利亚等。

【东非】指非洲东部地区。包括埃塞俄比亚、厄立特里亚、索马里、吉布提、肯尼亚、坦桑尼亚、乌干达、卢旺达、布隆迪、塞舌尔。

【东京】❶西汉都长安，东汉都洛阳，故称长安为西京，洛阳为东京。❷五代、北宋时称开封为东京(称洛阳为西京)，辽、金时称辽阳为东京(称大同为西京)。❸日本国首都。位于本州岛东南部。人口1 177万(1995年)。是世界最大城市之一，日本全国政治、文化、交通中心和最大的工商业中心。繁华闹市银座、商业区阳光城和世界最高铁塔之一的东京塔都世界闻名。皇宫和上野公园是旅游胜地。

【东经】见〔经度〕(514页)。

【东胡】古时中国东北的西部地区各少数民族的总称。因居匈奴(胡)以东而得名。春秋战国以后活动在燕国东北。秦汉时为匈奴击败。以后退居乌桓山的一支称乌桓，退居鲜卑山的一支称鲜卑。

【东洋】指日本。

【东宫】古代太子住的地方。借指太子。

【东晋】朝代名。参见“晋”②(512页)。

【东莞】市名。位于广东省珠江三角洲东部。人口37万(1997年)。是珠江三角洲新兴的工业城市之一，电子工业全国有名。

【东郭】复姓。

【东海】毗邻中国大陆的三大海域之一。北以长江口北岸到济州岛一线与黄海为界，南以广东南澳岛经澎湖列岛至台湾省东石港一线为界，东到日本琉球群岛。面积75万多平方千米。

【东家】旧时被人雇用或聘请的人称他的主人；佃户称租给他土地的人。

【东隅】日出东方，故以东隅指早晨。也指东方。《后汉书·冯异传》："可谓失之东隅，收之桑榆。"

【东盟】东南亚国家联盟的简称。

【东溟】东海。

【东瀛】❶东海。❷日本。瀛：海。

【东乡族】中国少数民族之一。人口37万(1990年)。主要分布在甘肃省临夏回族自治州境内。有本民族语言，兼通汉语文。多信奉伊斯兰教。建立有东乡族自治县。

【东方朔】(前154—前93)西汉文学家。字曼倩，平原厌次(今山东陵县东北)人。武帝时，为太中大夫。诙谐善辩，常以机智语言向武帝进谏。以汉赋闻名于世。著有《答客难》《非有先生论》《封泰山》《平乐观猎赋》等。

【东正教】也叫正教、希腊正教。基督宗教的一派。1054年基督教分裂为以罗马教皇为首的罗马公教会和以东罗马帝国首都君士坦丁堡为中心的东方教会，后者自称正教，意为正宗的教会。现主要分布于东南欧。

【东北军】张学良统辖的东北边防军的简称。原为奉系张作霖统辖。兵力约30万人。1935年被调至陕甘一带进攻红军。1936年受中国共产党抗日民族统一战线政策和人民抗日运动的影响，与西北军发动西安事变。后被国民党政府改编。

【东半球】以西经20°和东经160°构成的经线圈将地球分为东、西两半球。西经20°往东直到东经160°为东半球；西经20°往西直到东经160°为西半球。亚洲、欧洲、非洲、大洋洲主要分布在东半球，美洲主要分布在西半球。

【东林党】晚明以江南官僚士大夫为主的政治集团。明朝后期，宦官专权，政治腐败。1594年吏部郎中顾宪成被革职还乡。后与高攀龙等在东林书院讲学，反对宦官专权和矿监、税监掠夺，主张开放言路，受到正直官僚士大夫的支持与拥护，遂形成一个政治集团，被称为东林党。后其重要成员多遭宦官魏忠贤迫害。

【东南亚】指亚洲东南部的中南半岛和马来群岛中的所有国家和地区。包括越南、老挝、柬埔寨、缅甸、泰国、马来西亚、新加坡、印度尼西亚、菲律宾、文莱、东帝汶等。

【东道主】简称东道。本指东道的主人。《左传·僖公三十年》："若舍郑以为东道主，行李之往来，共(供)其乏困，君亦无所害。"郑国在秦国的东边，故自称东道主。后指请客的主人。

【东山再起】东晋时，谢安退职后在东山做隐士，以后又出来做了大官。见《晋书·谢安传》。后用以比喻失败后重新上台。

【东山高卧】《晋书·谢安传》："仕进时，年已四十余。征西大将军桓温请为司马，将发新亭，朝士咸送，中丞高崧戏之曰：'卿累远朝旨，高卧东山。'"后比喻隐居。

【东北平原】位于东北地区，主要包括辽河平原、松嫩平原和三江平原。面积约35万平方千米，是中国最大的平原。一般海拔200米以下。土质肥沃，是中国重要农业区之一。

【东北易帜】指张学良在东北改换旗帜，表示归附南京政府领导。1928年奉系军阀首领张作霖在皇姑屯被日本关东军炸死，其子张学良主持东北军政。同年7月即宣布停止内战，12月不顾日本帝国主义反对，发出易帜通电，宣布归属南京国民政府，遵守三民主义，并在东北悬挂国民政府旗帜。南京政府形式上统一了中国。史称东北易帜。

【东观汉记】东汉时官修的纪传体东汉史书。起自光武帝，止于汉灵帝。从明帝到灵帝先后命班固、刘珍、伏无忌、边韶、崔寔、马日磾、蔡邕等编撰，因董卓之乱，未最后完成。共一百四十三卷。现存清代辑本二十四卷。

【东条英机】(1884—1948)第二次世界大战日本主要战犯。历任日本关东军宪兵司令、关东军参谋长、陆军大臣、日本军队参谋总长、日本首相兼陆相、外相等。曾参加侵华战争，并参与发动太平洋战争。1948年11月由远东国际军事法庭判处绞刑。

【东沙群岛】南海中四大群岛之一。是南海诸岛中最小、最北的群岛。都是珊瑚岛、礁。产鸟粪、玳瑁、海参和稀有药材海人草等。属广东省。

【东欧平原】也叫俄罗斯平原。在欧洲东部，西起波兰东面边界，东至乌拉尔山脉，北起北冰洋沿岸，南达黑海和里海沿岸。面积400万平方千米，平均海拔170米。

【东非高原】在非洲东部，埃塞俄比亚高原以南，刚果盆地以东，赞比西河以北。平均海拔 1 200 米，面积 100 万平方千米。北部多盆地、湖泊，有巨大的火山锥。属热带草原气候。

【东南丘陵】长江以南、云贵高原以东低山、丘陵的总称。包括三部分：南岭以北、武夷山以西为江南丘陵；武夷山以东为浙闽丘陵；南岭以南为两广丘陵。大部分海拔 200—1 000 米。

【东施效颦】《庄子·天运》上说，美女西施病了，按着心口，皱着眉头，显得更美。邻人丑女东施仿效她的样子，结果更丑了。比喻盲目地胡乱模仿，效果适得其反。颦：皱眉。

【东郭先生】明马中锡《中山狼传》中的人物。赵简子到中山地方打狼，为民除害。狼中箭逃跑，求救于东郭先生。东郭先生千方百计地救了狼，结果几乎为狼所害。后借指那些对恶人讲仁慈的糊涂人。

【东海扬尘】传说仙人麻姑与王方平会晤时，自言已见东海三为桑田，近日蓬莱水浅，意将复为陵陆。王方平因此叹道："圣人皆言海中行复扬尘也。"见晋葛洪《神仙传·王远》。比喻世事变迁很大。

【东窗事发】宋元间传说，秦桧为杀岳飞曾与妻子在东窗下密谋定计。秦桧死后在阴间受审时对一位道士说："可烦传语夫人，东窗事发矣！"见明田汝成《西湖游览志余》卷四。后称密谋暴露为"东窗事发"。

【东鳞西爪】即"一鳞半爪"(1156 页)。

【东风吹马耳】比喻对别人的话无动于衷。唐李白《答王十二寒夜独酌有怀》诗："世人闻此皆掉头，有如东风射马耳。"

【东非大裂谷】世界陆地上最长的断裂陷落带。纵贯非洲大陆东部。南起赞比西河口，向北经东非高原、埃塞俄比亚高原、红海，一直延伸到西亚的死海附近。全长 6 000多千米，宽 50—80 千米。两岸悬崖壁立，多火山。谷底湖泊连串，形状狭长。

【东罗马帝国】4 世纪从罗马帝国分裂出来的东部帝国。因首都君士坦丁堡建在古希腊殖民城市拜占庭旧址，故又名拜占庭帝国。中国古代史籍称为大秦。国势盛时疆域跨欧、亚、非三洲。1453 年为奥斯曼帝国所灭。

【东周列国志】长篇小说。明冯梦龙改订成书。一百零八回。小说的故事自西周末期起，止于秦始皇统一六国。大体上取材于史书，也有一些虚构的情节。用浅近文言写成。

【东北抗日联军】中国共产党领导的东北人民抗日武装。1931 年九·一八事变后，中国共产党在东北组织了抗日游击队和东北人民革命军，其中包括一部分接受中国共产党领导的抗日义勇军。这些抗日武装到 1935 年先后建成了东北人民革命军第一、第二、第三、第六军，抗日同盟军第四军，反日联合军第五军。1936 年 2 月，发表了东北抗日联军的统一建制宣言，组成东北抗日联军。到 1937 年初，共建成十一个军。由杨靖宇、周保中、李兆麟等领导，长期坚持东北抗日游击战争，为抗日战争的胜利做出了重大贡献。

【东京三菱银行】日本商业银行。由东京银行和三菱银行于 1996 年 4 月合并而成。

【东南亚国家联盟】简称东盟。成立于 1967 年 8 月。前身是于 1961 年 7 月成立的东南亚联盟。秘书处设在雅加达。成员国有文莱、印度尼西亚、马来西亚、菲律宾、新加坡、泰国、越南、老挝、缅甸等。

【东方红·音乐舞蹈史诗】大型音乐舞蹈。中国音乐、舞蹈工作者于 1964 年集体创作。由三十多首歌曲和二十多个舞蹈场面组成，十八段朗诵穿插其间。展现了中国近现代历史画面，讴歌了中国共产党的革命功绩。

岽□(**崬**) dōng 〔岽罗〕地名。在广西。

氭□(**氭**) dōng "氡"旧写作氭。

鸫(**鶇**) dōng 鸟类。羽毛多呈淡褐色或黑色，喙较短，翅长而平，善飞，善走，善鸣叫。食昆虫、果实等。

蛛⊠(**蝀**) dōng 见〔䗖蛛〕(204 页)。

冬(❷**鼕**) dōng ❶冬季。一年的第四季，大体是农历十月至十二月。❷拟声词。敲鼓或敲门声。

【冬至】节气名。在每年公历 12 月 22 日前后。这一天北半球白昼最短，以后白昼渐长。

【冬青】常绿乔木。叶革质，长椭圆形，边缘有浅锯齿。夏季开花，花小，淡紫红色。核果椭圆形，红色。可供观赏。

【冬学】中国老解放区的农村教育形式。利用冬闲时间组织群众学习政治和文化。

【冬宫】俄罗斯沙皇在彼得堡的皇宫。建于1754—1762年。设计人为意大利建筑师佛拉斯特列里。宫殿为封闭院落式大厦，高三层。包括御座大厅(乔治大厅)、大小穿厅、长廊、剧场、公寓等。建筑细部处理运用了混合柱式、立面壁柱、不连续的檐部、窗框、各式雕像及装饰纹样等造型语言，是俄国巴洛克建筑的范例。1918年辟为埃尔塔日博物馆。

【冬眠】也叫冬蛰。休眠现象的一种。是某些动物对冬季寒冷、食物不足等不利环境条件的一种适应性反应。主要表现为不活动、体温下降和陷入昏睡状态。常见于温带和寒带地区的无脊椎动物、两栖动物、爬行动物和一些哺乳动物。

【冬烘】思想陈旧迂腐，学识浅陋。㊥～先生。

【冬之旅】声乐套曲。舒伯特曲。作于1827年。歌词采用威廉·缪勒的诗歌。内容描述一位失恋者在冬日旅行中的复杂情感。用男声独唱，钢琴伴奏。由24首歌曲组成。其中以《菩提树》《春梦》《邮车》最为著名。

【冬不拉】哈萨克族拨弦乐器。箱分瓢形、扁形两种。琴柄细而长。两弦，用拨子弹奏。表现力丰富。除独奏外，也用于弹唱、伴奏和冬不拉乐队合奏。

【冬眠灵】也叫氯丙嗪。抗精神失常药。用于控制精神分裂症或其他精神病的兴奋躁动、紧张不安、幻觉、妄想等，也用于镇吐、人工冬眠、镇痛等。

【冬虫夏草】也叫夏草冬虫、虫草。真菌的一种。夏秋，它的子囊孢子萌发成菌丝体，侵入鳞翅目昆虫幼虫体内，并以虫体组织为营养，在虫体内发展，最终使虫体变成充满菌丝的僵壳，菌丝体形成菌核。被害昆虫一般在土内潜伏越冬。第二年夏季，从虫体内的核菌长出有柄的棒形子座，伸出僵虫体外，故名。主要寄主是冬虫夏草蛾的幼虫。多生于高山草原上。干燥的子座和虫体可入药。

苳⊠ dōng 草名。

咚 dōng 拟声词。1. 重东西落下去的撞击声。2. 同“冬”②。

氡 dōng 气体元素，符号Rn，原子序数86。无色无臭，化学性质很不活泼，是一种稀有气体。有放射性。是镭、钍等放射性元素蜕变的产物。用以治疗癌症。

dǒng ㄉㄨㄥˇ

咚⊠(嗹) dǒng 多言。

董 dǒng ❶监督管理。㊥～督｜～事。❷董事。㊥商～｜校～。

【董卓】(？—192)东汉末年军阀。字仲颖，陇西临洮(今甘肃岷县)人。曾废少帝，立献帝，自任相国。并挟持献帝从洛阳到长安。后被吕布、王允所杀。

【董源】(？—约962)五代南唐画家。字叔达，钟陵(今江西进贤西北)人。善画山水，尤长于表现江南景色的水墨山水。画家巨然加以发展，世称董巨，为五代、北宋间南方山水画的主要流派。

【董必武】(1886—1975)中国无产阶级革命家，中国共产党创始人之一。字洁畲，号壁伍，湖北黄安(今红安)人。青年时代加入同盟会，参加了辛亥革命。1920年在湖北建立共产主义小组，1921年出席中国共产党第一次全国代表大会。第二次国内革命战争时期，在中央革命根据地历任中共中央党校校长、最高法院院长。1934年参加长征。到达陕北后，任中共中央党校校长，代理陕甘宁边区政府主席。抗战时期和抗战胜利后，是中国共产党同国民党谈判的代表之一。1945年代表解放区出席联合国制宪会议。1949年前，任中共中央华北局书记处书记、华北人民政府主席。新中国成立后，历任政务院副总理，最高人民法院院长，中华人民共和国副主席、代理主席等职。自中共六届六中全会后，任历届政治局委员，十届中央政治局常委。1975年4月2日病逝。有《董必武选集》《董必武诗选》。

【董存瑞】(1929—1948)河北怀来人。1945年参加八路军。1947年加入中国共产党。1948年5月25日在解放隆化的战斗中，托起炸药包炸毁了碉堡，壮烈牺牲。为部队开辟了前进道路。被授予“战斗英雄”“模范共产党员”称号。

【董仲舒】(约前179—约前104)西汉哲学家，今文经学家。广川(今河北景县董故庄)人。曾任博士、江都相、胶西王相。建议“诸不在六艺之科、孔子之术者,皆绝其道,勿使并进”。为汉武帝采纳,开此后两千年封建社会以儒学为正统的局面。提出“道之大原出于天,天不变道亦不变”的形而上学的宇宙观,以儒家宗法思想为中心,杂以阴阳五行之说,形成一套“天人感应”的神学唯心主义思想体系。著有《春秋繁露》《董子文集》。

【董事会】股份制性质的企业、学校、团体等的决策机构。由股东选出的董事组成,执行股东大会的决议。董事会对股东大会负责,平时代表股东管理公司。

【董解元】金代戏曲家。生卒年及名号、籍贯不详。所著《西厢记诸宫调》,以说唱艺术形式演述《莺莺传》故事,在思想、艺术上都有很高的成就。

懂 dǒng 明白;了解。㊟～道理|～外语。

dòng ㄉㄨㄥˋ

动(動) dòng ❶改变原来位置或状态。与“静”相对。㊟搬～|流～。❷动作;行动。㊟一举一～|劳～。❸使用。㊟～脑筋|～笔。❹触动思想感情。㊟～人|惊心～魄。❺开始(某个行动)。㊟～工|～身。❻动不动;常常。㊟观众～以万计。㊟“动”另有异体字“働”,仅用在“劳动”或由“劳动”构成的短语中。

【动人】使人感动。

【动心】思想感情发生波动。

【动议】会议中的临时建议。

【动机】伦理学范畴。指人们行为的主观愿望。与“效果”相对。

【动因】动机;原因。㊟创作～。

【动迁】因原建筑物拆除或翻建而搬迁。㊟～户。

【动向】事物发展变化的方向或趋向。㊟思想～|市场～。

【动产】能够移动的财产,即除不动产以外的物。如金钱、家具等。与“不动产”相对。

【动员】❶战争发生时,国家发动和调动一切力量以应战时需要。㊟战时总～。❷发动人参加某项活动。㊟～报告。

【动听】听了使人感动或有兴趣。

【动乱】社会骚动变乱。

【动作】❶人体的活动。㊟舞蹈～。❷行动。㊟协同～。

【动词】表示动作、行为或事物存在、变化的词。

【动态】事物发展变化的情况。

【动物】生物界中的一大类。多以有机物为食料,一般都有神经,有感觉,能自由行动。分无脊椎动物和脊椎动物两大类。已知的种类有一百多万种。

【动荡】波浪起伏。比喻局势不稳,不平静。㊟湖水～|局势～。

【动脉】❶从心脏输送血液到全身各器官的血管。管壁厚,富弹性,有搏动。❷喻指重要的交通干线。

【动容】❶内心有所感动而表现于面容。❷动作与仪容;举止。

【动能】物体由于机械运动所具有的能量。利用物体的动能可以对外界做功,如用空气锤锻打工件。

【动情】❶情绪激动。❷产生爱慕的感情。

【动量】表示物质运动状态的物理量。对于机械运动,动量的数值等于物体质量和速度的乘积,其方向就是速度的方向。质量为零的光子也有动量,光子的动量要用量子力学知识计算。

【动销】开始销售。㊟刚进入四月份,空调就已～。

【动摇】不稳固;不坚定。

【动静】❶动作或说话的声音。㊟屋里一点儿～也没有。❷情况,消息。

【动画片】也叫卡通。美术影片的一种。把许多张有连贯性动作的图画,一张一张拍摄下来,以一定的速度连续放映,使人产生活动的印象,故名。

【动物学】研究动物的形态、分类、生理、生态、分布、发生、遗传和进化的科学。

【动如脱兔】《孙子兵法·九地》:“是故始如处女,敌人开户;后如脱兔,敌不及拒。”意思是军队未行动时像未嫁时的姑娘那样持重;一行动就像飞跑的兔子一般敏捷。后用以比喻行动十分迅捷。

【动补短语】也叫述补短语。后一成分补充说明前面动词的短语。如“说清楚”“走进去”。

【动物行为】动物在自然条件下的各种行为。即动物对外界环境和内在环境的变化的所有反应。分个体行为和社会行为两类。

【动脉硬化】动脉管壁增厚,因失去正常弹

性而变硬。多与血管内膜类脂质或钙沉积有关。多见于主动脉、冠状动脉、脑动脉。能使有关器官血液供应发生障碍，出现麻木、头痛、痴呆等症状。

【动宾短语】也叫述宾短语。组合的两个词语之间有述宾关系。如“读书”“研究问题”。

【动能武器】以高速运动的弹头动能直接摧毁目标的武器。包括以化学推进剂为能源的动能拦截弹和以电磁力加速的电磁炮。主要用于反卫星、反导弹和防空、反坦克等。

【动辄得咎】动不动就遭到责怪或受到处分。唐韩愈《进学解》：“跋前踕（zhì）后，动辄得咎。”动辄（zhé）：往往，动不动就。咎（jiù）：罪过。

【动眼神经】人和脊椎动物的第三对脑神经。主管眼球的运动。在人体，起源于中脑的动眼神经核和动眼神经副核，离中脑入眼眶。动眼神经损伤后，可引起眼球不能活动、瞳孔扩大和上睑下垂等现象。

【动物狂欢节】管弦乐组曲。副题为《动物园大幻想曲》，为两架钢琴与管弦乐而作。圣桑斯曲。作于1886年。音乐诙谐地描写了各种动物的情态。由14首乐曲组成，其中以第13曲《天鹅》最为著名。

【动量守恒定律】自然科学中最重要的定律之一。任何物质系统在不受外力作用或所受外力之和为零时，其总动量保持不变。

冻（凍）　dòng　❶液体或含水分的东西遇冷凝结。例冰～｜地～了。❷受冷；感到冷。例～手｜～得慌。❸凝结了的汤汁。例肉～儿。

【冻疮】身体表面受低温影响致使血液循环障碍引起的病变。是一种较轻的冻伤。常发生于手指、脚趾、耳、手背，主要症状是红肿、发痒、溃疡等。

【冻结】❶液体因冷凝结。❷停止流通或停止变动（指资金、人员等）。

栋（棟）　dòng　❶房屋的正梁。❷量词。用于房屋。例一～房子。

【栋梁】房屋的大梁。比喻担当国家重任的人。例～之才。

胨（腖）　dòng　蛋白胨的简称。医学上用作细菌的培养基。

侗　㊀ dòng　〔侗族〕中国少数民族之一。人口251万（1990年）。主要分布在贵州、广西、湖南等省区交界地区。有本民族语言，多通汉语文。1949年后设计了拉丁字母形式的文字方案。建立有黔东南苗族侗族自治州等各级自治地方。

㊁ tóng（985页）。

垌　㊀ dòng　〈方〉田地。多用于地名。

㊁ tóng（985页）。

峒　㊀ dòng　山洞；石洞。

㊁ tóng（985页）。

洞　dòng　❶洞穴；窟窿。❷透彻；清楚。例～晓｜～若观火。❸数目“0”的另一种说法。

【洞天】道教称神仙所居住的地方。含有洞中别有天地的意思。

【洞见】很清楚地看到。例～症结。

【洞达】很明白；很了解。

【洞彻】透彻地了解。例～事理。

【洞府】神话传说中神仙所住的山洞。

【洞房】新婚夫妇住的房间。

【洞悉】很清楚地了解。

【洞箫】即“箫”（1082页）。

【洞察】观察得非常透彻、清楚。例～是非。

【洞庭湖】中国第二大淡水湖。位于湖南省北部，面积2 400平方千米。有湘江、资水、沅江、澧水等注入。湖水在岳阳的城陵矶注入长江，有调节长江水位的作用。由于泥沙淤积，已分成许多大小湖泊。

【洞若观火】形容看得非常清楚明白。

【洞烛其奸】看透了他的阴谋诡计。烛：照见。

恫　㊀ dòng　恐惧；吓唬。例～恐｜～吓。

㊁ tōng（982页）。

【恫吓】威吓（hè）；吓唬（xiàhu）。

戙☒　dòng　船上用来拴缆绳的橛子。

胴　dòng　❶体腔，指胸腹部分。❷大肠。

硐　dòng　山洞、窑洞或矿坑。

dōu　ㄉㄡ

都　㊁ dōu　副词。1. 完全地。例全家～劳动。2. 表示加重语气。例连小孩～搬得动。3. 已经。例他～七十了，身体还很结实。

㊀ dū（225页）。

哇⊠ dōu 怒斥声(多见于早期白话)。

兜(*𨄽) dōu ❶口袋或口袋一类的东西。例衣～|网～。❷做成兜形把东西拢住。例用手巾～着。❸招揽(顾客)。例～售。❹绕着。例～圈子。❺承担起来;包下来。例天大的事有我～着。

【兜风】❶(船帆、车篷等)挡住风。❷坐车船或骑马游逛。

【兜捕】包围捉捕。

【兜售】想方设法推销货物(多含贬义)。

【兜揽】❶指招揽顾客,推销商品。❷把事情包揽下来。

【兜鍪】古代打仗时戴的头盔。鍪(móu)。

蔸 dōu 〈方〉❶指某些植物的根和靠近根的茎。例禾～。❷量词。丛;棵。例一～草|两～白菜。

𡺸□ dōu 多用于山名。

篼 dōu 用竹篾、藤条、柳条等编制的盛东西的器具。例背～。

dǒu ㄉㄡˇ

斗 ㊀ dǒu ❶市制容量单位。10升为1斗,10斗为1石。❷量粮食的器具。❸像斗的东西。例漏～|风～。❹圆形指纹。❺北斗星的简称。例～柄|～转星移。❻星名。二十八宿之一。

㊁ dòu (224页)。

【斗口】也叫口数、口份。清代官式建筑设计中的基本模数。原指坐斗中承托昂、翘的卯口。清代以斗口宽度尺寸作为建筑设计模数的设计方法,称为斗口制。

【斗拱】也作枓栱。中国传统木结构建筑中梁柱之间的一种支承结构。由斗形方木(斗)和弓形横木(拱)两种基本构件组成,可使屋檐外伸。

【斗胆】形容大胆(多用作谦辞)。

【斗室】形容非常狭小的屋子。

【斗笠】遮阳光或遮雨用的帽子,顶尖,边宽,用竹篾夹竹叶或夹油纸制成。

【斗筲】古代十升为斗,一斗二升为筲。斗和筲容量小,比喻气量窄,见识短。《论语·子路》:"斗筲之人,何足算也。"筲(shāo)。

【斗方名士】旧指自命风雅的无聊文人。斗方:写字或题诗所用的约一二尺见方的纸。

【斗转参横】北斗星已转了方向,参星也已打横。指天色将明。《宋史·乐志十六》:"斗转参横将旦,天开地辟如春。"参(shēn)。

抖 dǒu ❶颤动;振动。例发～|～掉身上的雪。❷鼓起;振作。例～起精神。❸称人因为有钱有官职而得意。例人家这几年可～起来了。

【抖擞】振作;奋发。例精神～。擞(sǒu)。

枓□ dǒu 〔枓栱〕同"斗拱"(224页)。

蚪 dǒu 见〔蝌蚪〕(556页)。

陡 dǒu ❶坡度很大,近于垂直。例山坡太～。❷副词。突然。例天气～变。

【陡立】(山峰、建筑物等)直立。

【陡峭】高而坡度很大,几乎直上直下的样子。例山峰～。

【陡峻】(山峰或地势)既陡又高。

【陡然】副词。突然。

dòu ㄉㄡˋ

斗(鬥*閗*鬦*鬭) ㊁ dòu ❶斗争;争斗。例～地主|窝儿里～。❷在某方面较量。例～智|～勇。❸使争斗。例～鸡。❹对打。例械～。❺往一块儿凑。例～榫(sǔn)|大家把意见～一～。

㊀ dǒu (224页)。

【斗争】❶矛盾的双方互相冲突,一方力求战胜另一方。例阶级～|思想～。❷揭露,批判,打击。❸奋斗。例为实现四个现代化的宏伟目标而～。

【斗志】战斗的意志。例～昂扬。

【斗智】用智谋争胜负。

【斗牛舞】也叫西班牙一步舞。舞厅舞的一种。源于法国,盛行于西班牙,后流行于世界。音乐为西班牙风格的进行曲,节奏鲜明有力。舞蹈模仿西班牙斗牛士的动作,男舞者豪迈刚劲,女舞者潇洒飘逸。

【斗志昂扬】战斗意志高昂旺盛。例全国人民～,决心战胜一切困难和险阻。

豆(❶❷*荳) dòu ❶豆类作物的统称。也指豆类作物的种子。❷形状像豆粒的东西。㊀花生～。❸古代盛食物用的器具。

【豆科】被子植物的一科。草本、藤本、灌木或乔木。多数为复叶。花冠常呈蝶形。果实一般为开裂的荚果。豆科植物经济价值大,如作油料用的大豆、落花生等;供食用的蚕豆、豌豆、四季豆等;制染料用的木蓝、苏木等。豆科植物的根部有根瘤菌,能固定大气中的游离氮素,对改良土壤有特殊作用。

【豆豉】一种用黄豆或黑豆泡透蒸(煮)熟,发酵制成的食品。

【豆蓉】用煮熟的豌豆或绿豆研成泥状加糖制成的点心馅儿。

【豆蔻】多年生草本植物。花淡黄色,果实扁球形,种子有香味。果实和种子可入药。

逗 dòu ❶招引;惹。㊀～笑|别～他。❷〈方〉有趣;引人发笑。㊀这个故事真～。❸停留。㊀～留。

【逗号】标点符号的一种。形式为“,”。用于句中主语与谓语之间、动词与宾语之间需停顿的地方。分句之间的停顿,除用分号外,也要用逗号。

【逗哏】❶相声演出中,主要演员在配角的陪衬下,抓哏逗笑。❷泛指逗人笑。哏(gén)。

【逗留】短期的停留。

饾□(飣) dòu 见下。

【饾饤】供陈设的食品。也比喻写文章堆砌辞藻。饤(dìng)。

【饾版印刷】木刻水印的旧称。由若干块版拼凑而成,有如饾饤,故名。

脰☒ dòu 脖子;颈。

痘 dòu ❶一种接触性传染病。全身皮肤出现豆状脓疮。有牛痘、绵羊痘、猪痘、禽痘和天花等。人和禽畜均可感染。❷指牛痘苗。㊀种～。

豆□ dòu 用于地名,如西豆(在广西)。

读(讀) ㊁ dòu 指文章(多指古文)里一句话的意思没完而需要停顿的地方。㊀句～。

㊀ dú(227页)。

窦(竇) dòu 孔;洞。㊀鼻旁～|狗～。

dū ㄉㄨ

丟 dū 用手指或针尖、棍棒、毛笔等轻点。㊀～个点儿|点～(中国画名词。用笔随意点染)。

都 ㊀ dū ❶大城市。㊀通～大邑。❷国家的中央政府所在地;首都。㊀建～。

㊁ dōu(223页)。

【都市】大城市。

【都会】都市。

【都护】古代官名。汉宣帝设西域都护,为统领西域的长官。唐在边境设六大都护府,管边防、行政和各族事务。元代为主管畏吾儿(维吾尔)族与汉族间诉案的司法官。明废。

【都灵】意大利城市。位于该国西北部,人口95万(1993年)。是全国主要工业中心之一,尤以汽车工业闻名世界。世界著名时装中心之一。多文艺复兴时期的古迹。

【都城】国都。

【都督】古代官名。魏晋以后大都督是全国最高军事统帅,都督是地方军政长官。明代置五军都督府为最高军事机关。清初废。辛亥革命时各省曾设都督,是省的最高军政官职。

【都它尔】维吾尔族拨奏弦鸣乐器。音箱呈瓢形,琴杆细长。用手指弹奏。

【都江堰】中国著名水利工程之一。位于四川省都江堰市城西,岷江出口处。战国时秦国蜀郡守李冰领导修筑而成。渠首由都江鱼嘴、飞沙堰和宝瓶口三个主要工程组成。都江鱼嘴把江水分成内外两江,外江是主流,用以泄洪,也可灌溉;内江经开凿的宝瓶口进入成都平原,可灌田20万公顷。

【都柏林】爱尔兰首都。位于该国东北部沿海。人口106万(1996年)。是全国政治、经济、文化中心和最大海港。也是该国古城,有福尔宫、都柏林堡、伦斯特宫等古迹。

【都察院】官署名。明代设置。明太祖将前代御史台改称都察院,以左右都御史为长,下设一百一十个监察御史。巡按州县,考察官吏。为全国最高的监察、弹劾机构。

【都指挥使】古代官名。五代时用作统兵将

领之称。宋代相沿。元置都指挥使司，设正副都指挥使。明沿元制，于各省置都指挥使司，简称都司。都指挥使为地方最高军事长官，隶属中央五军都督府。

【都铎风格】16世纪上半叶英国庄园府邸的建筑形式。属于中世纪向文艺复兴过渡时期的建筑风格，因处于都铎王朝时期，故名。墙体采用红砖砌筑，一般带有塔楼、雉堞、烟囱等构件，常采用四圆心券(xuàn)。内部重要的大厅使用华丽的锤式屋架。建筑形体凹凸起伏，处理手法自由。

D

嘟 dū ❶拟声词。鸣笛声。㊀喇叭～～地响。❷〈方〉(嘴)向前突出。㊀他～着嘴生气。

【嘟噜】❶量词。用于成串的东西。㊀一～葡萄。❷下垂。㊀向下～着。❸舌或小舌连续颤动而发出的声音。㊀打～。噜(lu)。

【嘟囔】不间断地小声自言自语。囔(nang)。

阇(闍) ㊀ dū 城门上的台。泛指台子。

㊁ shé (865页)。

戹□ dū 〔戹子〕〈方〉❶臀。❷蜂、蝎子等的尾部。

豛☒ dū "厾"的异体字。

督 dū 监管；察看。㊀～促。

【督军】❶古代官名。东汉时置，掌监督州郡军事。❷指北洋军阀统治时期在各省设置的武官。总揽全省军政大权。

【督励】督促勉励。

【督学】教育行政机关中专管视察和指导教育工作的人员。

【督战】监督作战。

【督促】监督催促。

【督察】监督察看。也指担任这种工作的人。

dú ㄉㄨˊ

毒 dú ❶对生物体有害的物质。㊀～气。❷用毒物杀害。㊀～老鼠。❸有毒的；毒品。㊀～药|贩～。❹对思想意识有害的事物。㊀肃清流～。❺毒辣；凶狠；猛烈。㊀～手|狠～。

【毒气】❶旧称毒瓦斯。气态的毒剂。❷泛指有毒的气体。

【毒化】❶通过文化、艺术、教育等向人民灌输落后、反动思想。❷使关系、气氛变得恶劣、紧张。㊀～气氛。

【毒计】狠毒的计策。

【毒物】有毒的物品。

【毒剂】战争中用以毒害人、畜，毁坏植物的化学物质。现代毒剂毒性剧烈，渗透力强，杀伤范围大，作用时间长，但受气候、地形影响较大，使用有局限性。按毒害作用，一般分神经性毒剂、全身中毒性毒剂、糜烂性毒剂、失能性毒剂、窒息性毒剂、刺激性毒剂以及植物伤害剂等；按有效杀伤时间，一般分暂时性毒剂和持久性毒剂。使用时可形成气状、烟状、雾状和液滴状。

【毒草】有毒的草。现用来比喻对社会、对人民有害的言论、作品等。与"香花"相对。

【毒品】指作为嗜好品用的、能够使人形成瘾癖的麻醉药品和精神药品。包括鸦片、吗啡、海洛因、大麻、可卡因、冰毒、摇头丸等。常用成瘾并对人体有严重毒害。

【毒饵】用掺有毒药的食物作诱饵，达到毒死害虫的目的。

【毒素】❶某些生物在生长代谢过程中产生的对另一种生物有毒的物质。如毒蛇头部毒腺中含的毒素、白喉杆菌的致病毒素、蓖麻种子中含的毒素等。❷比喻对思想有毒害作用的事物。

【毒资】用来购买毒品的钱；贩毒所得的钱。

【毒害】❶用有毒的东西使人受害。❷能毒害人的事物。

【毒辣】(心肠或手段)狠毒残忍。

【毒剂弹】弹体内装有毒剂和少量炸药的炮弹。爆炸后，主要以散发的毒剂伤害人畜。包括毒剂炮弹、毒剂炸弹等。

独(獨) dú ❶单一；一个；独自。㊀单～|～当一面。❷副词。唯独；单单。㊀～有他没来。❸年老没有儿子的人。㊀鳏寡孤～。

【独白】文艺作品中人物语言表现形式的一种。人物在独自一人时的所思所语。多用来揭示人物的内心世界，展现人物的思想性格。

【独立】❶单独地站立。㊀～山崖的劲松。❷一个国家、一个政权或一个政党不受其他国家、政权或政党的控制而自主地存在。㊀20世纪下半叶，殖民地国家纷纷～。❸能单独地(从事某种活动)。㊀～工作。

【独创】独特的创造。
【独步】❶一人步行。❷独一无二，超出一般。[例]～一时。
【独到】在某种技艺或学识、见解方面与众不同(一般指好的)。[例]～之处|～的见解。
【独孤】复姓。
【独奏】器乐演奏形式之一。由一人用一种乐器演奏，有时还有其他乐器伴奏。
【独特】独有的；与一般不同的。[例]～风格。
【独唱】一个人演唱歌曲，常用乐队伴奏。
【独裁】独揽权力，实行专制统治。
【独龙族】中国少数民族之一。人口0.6万(1990年)。分布在云南省贡山。有本民族语言，兼通怒语、傈僳语。建立有贡山独龙族怒族自治县。
【独乐寺】辽代佛教建筑。建于辽统和二年(984)，在河北蓟县。现存有山门及观音阁。山门面阔三间，进深两间。寺内主体建筑观音阁平面为矩形，立面外观为两层，上部为单檐歇山顶。阁内供奉有11面观音像。独乐寺以其主体建筑的木结构方式及其良好抗震性而著称。为全国重点文物保护单位。
【独任制】由一名审判员独立审理案件的审判组织形式。适用于民事诉讼的简易程序。与"合议制"相对。
【独词句】也叫独语句、非主谓句。由单独一个词或名词性偏正短语构成的句子。如："好。""再见！""一九四九年春天。"
【独弦琴】拨弦乐器。琴体为长方形木箱，仅张一弦，琴头为一弯杆。用竹片拨弦演奏。音色独特，有浓重的鼻音，主要用于独奏。中国京族和越南流行。
【独联体】全称独立国家联合体。以原苏联大部分加盟共和国为基础建立的国家联合组织。成立于1991年12月，由原苏联3个加盟共和国俄罗斯、乌克兰和白俄罗斯共同发起。现除波罗的海沿岸3国外，12个原苏联加盟共和国均为独联体成员。总部设在明斯克。
【独幕剧】不分幕的小型戏剧。要求在一幕内表现戏剧矛盾的揭示、激化和解决，以完成塑造人物、体现主题思想的任务。
【独夫民贼】《尚书·泰誓下》："独夫受(商纣)，洪惟作威，乃汝世仇。"《孟子·告子下》："今之事君者曰：'我能为君辟土地，充府库。'今之所谓良臣，古之所谓民贼也。"指众叛亲离，对国家、人民犯下严重罪行的反动统治者。独夫：人所共弃的暴君。
【独木难支】一根木头支撑不住(大厦)。比喻靠一个人不能支撑全局。
【独占资本】即"垄断资本"(635页)。
【独占鳌头】古称中状元。据说唐宋时皇宫石阶正中刻有大鳌，只有考中状元的人在朝见皇帝时才可以踏在鳌的头上。后来也比喻占首位或获得第一名。鳌(áo)：传说中海里的大鳖。
【独立王国】❶有完整主权的君主国家。❷比喻向中央或上级闹独立性，自搞一套，自成体系的某个单位、部门或地区。
【独立宣言】1776年7月4日英属北美殖民地的代表在大陆会议上通过和发表的宣言。《宣言》谴责英国对北美殖民地的压迫和掠夺；宣布与英国断绝政治上的依附关系，成立独立的美利坚合众国；确认人民享有不可侵犯的"天赋人权"，并以政治纲领的形式公布了资产阶级的民主与共和原则。《宣言》的发表标志着美利坚合众国的诞生。
【独出心裁】原指艺术构思有独到的地方，后泛指想出的办法与众不同。
【独当一面】单独担当一个方面的任务。
【独具只眼】形容眼光敏锐，具有独到的见解。
【独树一帜】也说别树一帜。单独树立起一面旗帜。比喻独闯一条路子，自成一家。
【独断专行】一意孤行，根本不考虑别人的意见。
【独善其身】《孟子·尽心上》："穷则独善其身，达则兼善天下。"原指只顾个人的品德修养。后指只顾自己，不顾他人。
【独辟蹊径】单独开出一条道路。比喻独创出新风格或新方法。蹊径：山路，小路。
【独木不成林】比喻一个人力量小，做不成大事。

顿(頓) ㊁ dú 见〔冒顿〕(696页)。 ㊀ dùn (235页)。

读(讀) ㊀ dú ❶依照文字念。[例]宣～|朗～。❷阅读；看(书或文章)。[例]默～|～报|～小说。❸指上学。[例]走～。
㊁ dòu (225页)。

【读为】也说读曰。古代注音释义用语。即用本字本义来注释典籍中的假借字。如《周礼·考工记》"三正"，郑玄注"三读为参"，意即把"三正"改读为"参(cān)正"(审

D

查规定的意思）。

【读若】也说读如。古代注音用语。即用音同音近的字来注另一个字的读音。如《说文解字》把“珣”注为“读若宣”，即“珣”音“宣”。

【读物】供阅读的书籍、杂志、报纸等。例儿童～|农村～。

【读秒】❶围棋比赛中，对局者自由支配的时限将用完时的时间限制措施。要求每一步在规定时间内走出（一般不超过 60 秒，快棋多为 30 秒），超时判负。因这时裁判员随时报出所用秒数，故名。❷指倒计时在最后时刻读出所剩的秒数。

【读破】也叫破读。改变一个字原来的读音以表示意义的转变。如“好”的通常读音是 hǎo，但在“好学习”中的“好”就改读 hào。

【读数】仪表、机器上由指针或水银柱等指示的刻度的数字。

讟☒（讟） dú 怨言。

渎（瀆） dú ❶水沟；小渠。例沟～。❷轻慢；不恭敬。例亵（xiè）～。

【渎犯】轻慢；冒犯。

【渎职】轻率马虎不尽职责，在履行职责时出现过失。

椟（櫝） dú ❶木柜。❷木匣。

犊（犢） dú 小牛。例初生之～不怕虎。

牍（牘） dú ❶古代写字用的木简。❷公文；书信。例文～|尺～。

黩（黷） dú ❶轻率；没有节制。❷玷污。❸古又同“渎”。

【黩武】滥用武力。例穷兵～。

髑 dú〔髑髅〕死人的头骨；骷髅。髅（lóu）。

dǔ ㄉㄨˇ

肚 ㊁ dǔ 用作食品的某些动物的胃。例猪～子|羊～儿。

㊀ dù（229 页）。

笃（篤） dǔ ❶忠实；专心。例诚～|～学。❷（疾病）沉重。例病～。

【笃学】专心好学。

【笃定】〈方〉形容心里踏实，有把握。例～办好。

【笃实】诚实淳厚。

【笃信】深信不疑。

堵 dǔ ❶阻塞；挡。例～漏洞|～住水口。❷墙。例观者如～。❸量词。用于墙。例一～墙。

赌（賭） dǔ ❶赌博。例～钱。❷泛指争输赢。例打～。

【赌气】因不服气或不满意而任性（行动）。例不要～。

【赌咒】发誓。

【赌注】赌博时所押的钱或物。

【赌博】以玩骰子、纸牌、骨牌或下注压宝等方式输赢财物。

【赌博罪】行为人以营利为目的，聚众赌博、开设赌场或以赌博为业的犯罪行为。

睹（*覩） dǔ 看见。例耳闻目～|熟视无～。

dù ㄉㄨˋ

芏 dù 见〔茳芏〕（483 页）。

杜 dù ❶杜梨树，落叶乔木。果实叫杜梨，也叫棠梨。苗木常作梨树的砧木。❷堵塞。例以～流弊|防微～渐。

【杜仲】落叶乔木。高可达 20 米，树皮灰色。分布于中国长江中游各省。杜仲胶可制黏着剂。树皮入药，补肾强筋。木材可制家具。种子可榨油。

【杜宇】传说中的古代蜀国国王。曾让位给宰相，时在二月，子鹃鸟鸣，蜀人怀念他，因叫子鹃鸟为杜鹃。

【杜甫】（712—770）唐代诗人。字子美，诗中自称少陵野老。祖籍襄阳（今属湖北），生于巩县（今属河南）。自幼好学，知识渊博。举进士不第。后漫游各地。公元 744 年在洛阳与诗人李白相识。安史之乱以后，颠沛流离，逃至凤翔，任左拾遗。后移家成都，筑草堂于浣花溪上，世称浣花草堂。一度在剑南节度使严武幕中任参谋，并曾任检校工部员外郎，故世称杜工部。晚年携家出四川，病死途中。作品揭露了社会矛盾、政治腐败，反映了人民深重的苦难，表现了忧国爱民的思想感情。语言精练，诗风沉郁。在思想性和艺术性上都取得了极高的成就，成为中国古代诗歌的现实主义高峰。著有《三吏》《三别》《春望》《北征》《茅屋为秋风所破歌》等。有《杜工部集》。

【杜牧】(803—853)唐代诗人。字牧之，号樊川，京兆万年(今陕西西安)人。曾任监察御史等职，还出任过黄州、湖州等地刺史，晚年任中书舍人。他的诗、赋和古文都极负盛名，其中以诗的成就最高。诗风俊爽，借古讽今，暴露现实社会的黑暗，表达了忧国忧民的心情。著有《泊秦淮》《阿房宫赋》等。有《樊川文集》。

【杜诗】(？—38)东汉水利动力发明家。字公君，河内汲县(今河南卫辉西南)人。东汉初任南阳太守时，发明水排(水力鼓风机)，以水力为动力制成鼓风皮囊，用于冶铁炉，大大提高冶铁功效，比欧洲早一千一百多年。

【杜绝】彻底防止、消灭(坏事)。㊀～贪污现象。

【杜康】即少康，夏朝的一个帝王。中国古代传说中酿酒的发明者。后用来作酒的别称。

【杜鹃】❶也叫布谷、子规。鸟类。食毛虫。初夏时常昼夜不停地叫。❷也叫映山红、满山红。常绿或落叶灌木。春天开红花。叶长圆形或卵状长圆形，可入药，有止咳祛痰作用。

【杜撰】生造；虚构。撰(zhuàn)。

【杜蘅】多年生草本植物。开暗紫色小花。全草入药，有祛风、散热、止痛等作用。

【杜瓦瓶】一种用于盛装液态气体的容器。因英国化学家、物理学家杜瓦1892年发明而得名。由双层玻璃构成瓶体，两层玻璃的内侧壁上镀银，抽出两壁间空气，加以密封而成。能大大降低容器内外的热交换。

【杜勃罗留波夫】尼古拉·杜勃罗留波夫(1836—1861)俄国革命民主主义者、唯物主义哲学家、文学批评家。曾在《现代人》杂志工作，宣传革命民主主义思想。在哲学上，承认物质第一性，意识第二性；在文艺上，强调艺术创作是客观现实在人们意识中的反映，反对"为艺术而艺术"。著名论文有《论俄国文学发展中人民性渗透的程度》《黑暗王国》《黑暗王国中的一线光明》等。

锹□(鍅) dù 人造金属元素，符号Db，原子序数105。有放射性，由人工核反应获得。

肚 ㊀ dù ❶腹部。㊀～子。❷物体圆而突起像肚子的部分。㊀腿～子。
㊁ dǔ(228页)。

【肚量】同"度量"(229页)。

妒(*妬) dù 忌恨别人比自己好。㊀忌～|嫉～。

度 ㊀ dù ❶计量长短。㊀～量衡。❷按一定计量标准划分的单位。㊀角～|温～|经纬～。❸哲学范畴。指事物保持自己质的数量界限。在这个限度内，量的变化不会引起质变；超出这个限度，事物的性质就要发生变化。❹程度；限度。㊀硬～|高～|劳累过～。❺法则；标准。㊀法～|制～。❻器量；胸怀。㊀气～|～量。❼气质或姿态。㊀风～|态～。❽考虑或计较的范围。㊀置之～外。❾过(指时间)。㊀欢～节日|～假。❿次。㊀再～声明|一年一～。⓫古又同"渡"。
㊁ duó(238页)。

【度支】❶原意是量入为出。旧指管理财政收支的官。❷指财政。

【度日】过日子(多指在困境中)。

【度外】❶心意、考虑之外。㊀置之～。❷旧指法度之外。㊀容之～。

【度量】也作肚量。指能宽容人的限度。

【度牒】也叫戒牒。官府发给和尚、尼姑的证明身分的文件。牒(dié)。

【度冷丁】也叫哌替啶。由人工合成的镇痛药。机制和作用与吗啡相似。用于各种剧痛、哮喘、内脏绞痛、人工冬眠等。参见〔镇痛药〕(1253页)。

【度假村】供人们旅游度假居住的场所，一般建在风景优美的地方。

【度量衡】计量物体的长度、容积和重量的标准的总称。度是计量长度，量是计量容积，衡是计量重量。

【度德量力】衡量自己的品德能否服人，估计自己的能力能否胜任。

渡 dù ❶乘船或游泳横过江河等；由此到彼。㊀横～|过～。❷渡头；渡口；过河的地方。㊀风陵～。

【渡口】有船或筏子摆渡的地方。

【渡槽】跨越河流、道路、山谷的桥梁式水槽。两端与渠道相接。

【渡江战役】解放战争时期，中国人民解放军强渡长江的战役。1949年4月20日国民党政府拒绝签订国内和平协定。第二、第三野战军和地方武装于4月21日晨在西起湖口，东至江阴，长达五百余千米的战线上强渡长江。摧毁了国民党军的长江防线，4月23日解放了南京。5月14日第四野战军一个兵团从武汉以东团风至武穴一百余千米的战线上强渡长江，16、17日解放华中的重镇汉口、汉阳和武昌。此役共歼国民党军46个师，43万人。

斁☒ dù “杜”②的异体字。

镀（鍍） dù 用电解或其他化学方法，使一种金属均匀地附着在别的金属或物体表面上，形成薄层。㊀电～｜～银。

【镀金】❶用电解法在器物的表面镀一薄层金。❷比喻获取虚名。

斁☒**（斁）** ㊀dù 败坏。㊁yì（1167页）。

蠧☒ dù “蠹”的异体字。

蠹 dù ❶蠹虫。❷蛀蚀；侵害。㊀户枢不～。

【蠹虫】❶咬蚀器物、书籍的小虫。㊀书～｜衣～。❷比喻危害人民利益的坏人。

【蠹众木折】蛀虫多了，木头就要折断。比喻为害的因素多了，会造成危险。《商君书·修权》：“谚曰：‘蠹众而木折，隙大而墙坏。’故大臣争于私而不顾其民，则下离上。”

duān ㄉㄨㄢ

端 duān ❶端正；正派。㊀～坐｜品行不～。❷东西的一头；事物的开头。㊀两～｜末～｜开～。❸事情的起因。㊀无～生事。❹项目；点。㊀举其一～。❺用手平着拿东西。㊀～茶。❻事情；道理；学说。㊀事～｜异～邪说。

【端木】复姓。

【端午】也叫端阳。民间传统节日。在农历五月初五。相传二千多年前楚国诗人屈原在这一天投江自沉，后人为了纪念他，把这天定为节日，各地有吃粽子、赛龙舟等风俗。

【端正】❶不歪斜；正派。㊀五官～｜品行～。❷使端正。㊀～态度。

【端庄】（举止、神态）端正庄重。

【端委】事情的经过、底细。

【端的】多见于早期白话。❶底细；详细的情况。㊀不知～。❷果然；的确。㊀～是好｜方知～有虎。❸究竟；到底。㊀这人～是谁？

【端详】❶仔细察看。㊀认真～。❷事情的前后经过。㊀细说～｜听～。❸庄重安稳。㊀容止～。

【端砚】广东高要端溪所产的砚台。以石质坚实津润著称。

【端倪】事情的头绪；线索；边际。㊀初见～。

【端然】端正的样子。

duǎn ㄉㄨㄢˇ

短 duǎn ❶长度小或时间距离小。与“长”相对。㊀～距离｜～篇小说｜～期。❷缺少；欠。㊀应到会的就～他一个人｜～人家的钱。❸缺点。㊀不护～｜取长补～。

【短工】临时的雇工。

【短见】❶浅薄的见识。❷自杀。㊀寻～。

【短号】铜管乐器。结构与小号相似，号管较短。发音也较小号柔和。常用^bB调短号。

【短吨】即“美吨”（672页）。

【短波】通常指波长在10—100米（频率30—3兆赫）范围内的无线电波。能被高空电离层折射或反射而传播到很远的距离，适用于远距离无线电通信、广播等方面。

【短视】❶眼光短浅。❷近视。

【短线】短缺的；供应量不足的（产品、专业等）。与“长线”相对。㊀～产品。

【短促】（时间）极短；急促。

【短语】也叫词组。旧称仂语。词和词按照一定的语法规则组合起来构成的造句单位。按结构分，有主谓短语、动宾短语（述宾短语）、并列短语、偏正短语等；按功能分，有名词短语、动词短语、形容词短语等。如“老师好”“访问老师”“老师和学生”“好老师”等。

【短笛】❶佤族吹奏乐器。竹制，一端有吹口，横吹。音色高亢明亮。❷西洋管乐器。比长笛高一个八度。是木管乐器中的最高音乐器。

【短暂】很短的一段时间;瞬间。

【短跑】径赛项目之一。短距离的赛跑,由起跑、加速跑、途中跑和终点跑四部分组成。比赛距离包括 60 米、100 米、200 米、400 米。

【短路】电路中电势不同的两点直接发生接触或被导体联接,使电流变大的现象。电力系统发生短路时电流很大,可能损坏电气设备或发生火灾,应安装保护装置加以保护。

【短褐】古时穷苦人所穿的粗布袄。褐(hè)。

【短纤维】❶制成的化学纤维长丝,根据不同用途切成一定长度,称化学短纤维,简称短纤维。常纯纺或同棉、毛等混纺。❷在纺纱过程的精梳工序落下的纤维。棉纺上称精梳落棉,毛纺上称精梳短毛,均称短纤维,仍能用来纺低支纱。

【短小精悍】形容人身材短小而精明强干。《史记·游侠列传》:"(郭)解为人短小精悍。"也用来形容文章、发言等简短有力。悍(hàn)。

【短兵相接】双方面对面地搏斗。比喻针锋相对地斗争。《楚辞·九歌·国殇》:"车错毂兮短兵接。"短兵:刀、剑等短武器。

【短缺经济】匈牙利经济学家亚诺什·科尔内对传统社会主义计划经济体制下存在的商品需求总是大于供给的经济运行状态的理论概括。科尔内抓住计划经济体制下商品短缺这一突出现象,进行了全面的理论分析,提出了自己的改革理论。

【短日照作物】完成光照阶段,需要一定时间的黑暗才能开花的作物。每天缩短日照时间、延长黑暗时间可促使该作物提早开花。如玉米、水稻、大豆等。

【短跑道速度滑冰】冰上运动项目之一。运动员穿冰鞋在冰场跑道上滑行竞速。比赛项目有 500 米、1 000 米、1 500 米、3 000 米和接力赛。

duàn ㄉㄨㄢˋ

段 duàn ❶时间、事物划分出的部分。㊀阶～|地～。❷量词。用于长条形的东西分成的若干部分。㊀一～铁路|一～话。❸工矿企业中的一级行政单位。㊀工～|机务～。❹段位,围棋棋手等级的名称。㊀九～棋手。

【段落】说话或文章中相对独立的一部分;事情的一个阶段。㊀这篇文章分四个～|工作告一～。

【段玉裁】(1735—1815)清代经学家、训诂学家。字若膺,号懋堂,江苏金坛人。著有《说文解字注》《六书音均表》等书,对文字的考订和古韵的分部都有很大的贡献。

【段祺瑞】(1865—1936)皖系军阀首领。字芝泉,安徽合肥人。曾任北洋军阀政府陆军总长、国务总理等职。袁世凯死后,在日本帝国主义支持下,曾几度把持北京反动政权,把中国东北和山东大量权利出卖给日本。滥借外债,先后向日本借款达五亿日元,用来装备军队。多次发动内战。1926 年屠杀北京反帝爱国示威群众,造成三·一八惨案。同年 4 月被冯玉祥驱逐下台。1936 年死于上海。

堍□ duàn 〈方〉指面积较大的平地。多用于地名,如中堍(在福建)、田心堍(在湖南)。

缎(緞) duàn 丝织物的一种。用蚕丝、人造丝织或两者交织,以缎纹或缎纹作地提花织成。质地厚密,表面光滑而富有光泽。是中国特产。

椴 duàn 椴树,落叶乔木。种类多。花序及果序下具有明显的舌状苞叶,坚果球形。木材细致,是制作家具等的优良用材。

煅 duàn ❶同"锻"。❷煅烧。

【煅烧】把石膏、石灰石等加热,除去水分或其他物质的过程。

碫☒ duàn 砺石。

锻(鍛) duàn 把金属放在火里烧,然后用铁锤打。㊀～件|～工。

【锻炼】❶冶炼金属。❷通过体育活动增强体质。㊀～身体。❸指在实际斗争中经受考验,增长才干。❹旧指官吏枉法陷人于罪。㊀～人罪。

【锻造】一种金属加工方法。利用金属的塑性,通常在坯料加热后,锤击或加压,使工件变形,达到规定的形状和尺寸,同时也可提高金属材料的机械性能。

毈☒ duàn 孵不出鸟的卵。

断(斷) duàn ❶截开;分开。例割～|一刀两～。❷断绝;中止。例中～|～了关系。❸判定;决定。例诊～|当机立～。❹副词。绝对;一定(只用于否定式)。例～无此理。

【断乎】副词。绝对(只用于否定式)。例办此事～不可操之过急。

【断句】读古书时根据文义所作的停顿,在应当停顿的地方加圈点,叫断句。

【断后】指军队撤退时,派一部分人在自己队伍的后面阻击敌人,进行掩护。

【断肠】形容伤心悲痛到极点。

【断言】明确、肯定地说。

【断层】地层受力的作用发生断裂和相对错动。错开的面叫断层面;断层面和地面的交线叫断层线。

【断炊】无米下锅。多指贫穷或困难的状况。

【断定】下结论;作出判断。

【断狱】❶旧指审理案件。❷唐律十二篇篇名之一。是关于审判刑事案件的规定。

【断送】丧失;毁灭;葬送。

【断语】表示断定的话;结论。例下～。

【断绝】失去联系或不再连贯。例～音信|～交通。

【断流】枯水期河道中水流消失的现象。人工控制和调配地表水,以及不合理开发利用水资源,也可造成断流。

【断案】❶审判诉讼案件。❷逻辑中三段论式中的结论。

【断然】副词。1.坚决果断地。例～拒绝。2.绝对。例～如此。

【断魂】多形容哀伤,愁苦。有时也形容情深。

【断路】也叫开路。切断电路,使电流不能通过的现象。用开关切断电路或导线断开的情况都是断路。

【断代史】写某一个或几个朝代历史的书。如《汉书》《新五代史》等。与"通史"相对。

【断头台】18世纪末法国资产阶级革命时设置的执行死刑的台子。

【断层山】地壳发生断层,一边升高成陡壁,一边下降成深谷,这样造成的山叫断层山。华山、恒山、衡山、峨眉山、庐山等都是断层山。

【断层湖】因地层陷落或断裂而形成的湖泊。湖形多狭长,深度较大。如中国云南的滇池和非洲的坦噶尼喀湖。

【断路器】电力系统中接通和断开电力电路的自动开关。除能在正常工作情况下操作外,还能在发生短路故障时迅速而安全地切断电路。

【断头将军】三国时益州的严颜说:"我州但有断头将军,无有降将军也。"见《三国志·蜀书·张飞传》。后用"断头将军"比喻坚决抵抗和宁死不屈的将领。

【断发文身】剪短头发,身上刺着花纹。是古代某些民族的风俗。

【断层地震】即"构造地震"(334页)。

【断肢再植】肢体轧断后,进行接植使之重新恢复功能。

【断线风筝】比喻一去不回的人或物。

【断垣残壁】也说断壁颓垣。形容建筑物倒塌残破的景况。垣(yuán)、壁:墙。

【断烂朝报】指陈腐杂乱、缺少参考价值的文献。《宋史·王安石传》:"黜《春秋》之书,不使列于学官,至戏目为断烂朝报。"断烂:陈腐杂乱。朝报:皇帝诏令和大臣奏章之类的传抄文件。

【断章取义】不顾文章或讲话的原意,孤立地取一段或一句的意思。《左传·襄公二十八年》:"赋《诗》断章,余取所求焉。"

【断编残简】也说残简断编。残缺不全的书本或文章。编:用来穿联竹简的皮条或绳子。简:古时用来写字的竹板、木片。

簖(籪) duàn 插在水里捕鱼、蟹的竹栅栏。

duī ㄉㄨㄟ

堆 duī ❶累积;堆积。例粮食～满仓|～柴草。❷堆积在一起的东西。例粪～|草～。

【堆砌】比喻写作时把不必要的材料或华丽而无用的词语拼凑在一起。

【堆谢】藏族民间歌舞。流行于西藏各地。轻快活泼,气氛热烈。

馇⊠(餷) duī 饼类食品。

碓⊠ duī 撞击。

duì ㄉㄨㄟˋ

队(隊) duì ❶行列。例站～|排～。❷有组织的集体。例军～|

生产～。❸特指中国少年先锋队。㊀～旗|过～日。❹古又同“坠(zhuì)”。

【队伍】❶军队。❷有组织的群众行列。㊀游行～。

【队列训练】按队列条令规定的内容进行队列制式动作的训练。是共同科目训练内容之一。

【队列条令】规定军队的队列动作、队列队形和队列指挥的条令。是军队队列训练和队列生活的依据。

对(對) duì ❶回答。㊀～答如流。❷向着;朝着。㊀枪口～准敌人。❸对抗;敌对。㊀～手|针锋相～。❹对待。㊀～事不～人。❺正确;正常;相合。㊀这话很～|神色不～|数目不～,还差一些。❻把两个东西放在一起比较,看是否相符合。㊀校～|～表。❼使两个东西接触或配合。㊀把破镜片～到一起|～榫。❽投合;适合。㊀俩人很～脾气|～心眼儿。❾成双的。㊀～联。❿搀入(多指液体)。㊀～水。⓫介词。1. 与“对于”用法基本相同,表示动作行为的对象。㊀～你的建议,他很重视。2. 对待。㊀小王～他有意见。3. 朝;向。㊀～人民负责。

【对于】介词。表示动作行为的对象,用来引进有关的人或物。㊀我们～大众的疾苦,不能漠不关心。

【对口】❶相声、山歌等的一种表演方式,两个人交替着说或唱。❷两方在工作内容和性质上相一致。㊀专业～|～支援。

【对仗】诗文中按照字音平仄相对、字义虚实相当、语法结构相同做成对偶的语句。

【对白】戏剧、电影中人物之间的对话。

【对立】两种事物相互矛盾、冲突。

【对冲】利用期货或期权合约,减轻或规避价格波动风险而采取的一种风险管理办法。

【对证】为了证明是否真实而加以核对。㊀此事尚须找人～。

【对质】诉讼当事人在法庭上面对面就争议的事实情况互相质问、对证。是开庭审理辩论阶段的重要环节,通过对质可以鉴别证据真伪。

【对虾】节肢动物。体长大而侧扁。壳薄透明,肉味鲜美。春季游至渤海湾、辽东湾河口附近产卵,秋季游至黄海过冬。是中国的特产之一。可人工养殖。

【对峙】两相对立。㊀两山～|两军～。峙(zhì):直立。

【对垒】两军作战相持不下。也用于各种竞赛,如下棋、赛球等。垒:营垒。

【对称】图形或物体相对的两边各部分,在大小、形状、距离和排列等方面一一相当。如人的面部是对称的,天安门左右两边格局也是对称的。称(chèn)。

【对流】热对流的简称。

【对偶】修辞格的一种。用字数相等、结构相同、平仄相对的一对语句表达相反或相关的意思。如“横眉冷对千夫指,俯首甘为孺子牛”“海阔凭鱼跃,天高任鸟飞”。

【对象】❶观察、思考或行动时的客体。㊀研究的～|打击的～。❷恋爱的对方。

【对联】也叫对子。用来张贴悬挂的对偶语句,分上下两联。

【对等】双方级别、地位、条件等相等或相当。㊀～原则。

【对策】❶对付的策略或办法。❷古代被召见或应考的人对于皇帝所问有关治国策略的回答。

【对照】❶互相对比参照。㊀汉英～。❷指两种不同的事物或情形互相对比。

【对路】合于需要。

【对数】一般地说,如果 a 是一个不等于 1 的正数,$a^n = b$ 时,n 叫做以 a 为底 b 的对数,记作 $\log_a b = n$。如 $5^2 = 25$ 中,2 就叫做以 5 为底 25 的对数,记作 $\log_5 25 = 2$。以 10 和 e 为底的对数分别叫做常用对数和自然对数,符号分别为“lg”和“ln”。利用对数可以把乘方、开方转化为乘除;乘除转化为加减,从而简化运算。

【对歌】一种歌唱方式。双方一问一答地唱歌。

【对簿】旧指受审问。㊀公堂～。簿(bù):文书,状纸。

【对口词】曲艺的一种。短小活泼,由二人表演,一说一对,辅以动作。根据内容需要可有简单道具。由二人以上表演的叫多口词。

【对比色】色相性质相反、光度明暗悬殊的两种颜色,叫对比色。如红与绿、黑与白、深红与浅红等。对比色也可能是一种互补色,但其概念比互补色宽泛。

【对比度】图像上黑色和白色对比的最大比值。体现在荧光屏上的是显示图像的黑色和白色亮度的最大比值。

【对台戏】旧时两个戏班子,为争夺观众压

D

倒对方，在同一场合、同一时间演出同一出戏。现比喻采取与对方相对的行动，以反对或搞垮对方。

【对抗赛】体育比赛的一种。运动水平相近的两个或几个单位之间，以相互学习、交流经验、检查教学效果和训练质量为目的的比赛。

【对流层】地球大气的下层。厚度约8—18千米，随纬度和季节的不同而变化。对流层内气温随高度的增加而下降，空气升降运动显著，云、雨、雹、雷等主要天气现象都发生在这一层里。

D

【对流雨】近地面空气强烈受热，引起空气垂直对流，湿热空气在上升过程中，其中的水汽冷却凝结而形成的降水。一般范围小，持续时间短，强度较大。赤道地区常年盛行，中国夏季午后常见。

【对偶婚】原始社会的一种婚姻形态。实行于母权制发展期。通常一男一女结为配偶，住在女方处。但结合并不固定。它是由群婚向单偶婚(一夫一妻制)过渡的一种形态。

【对撞机】高能物理实验用的使相对运动的高能粒子进行对撞的装置。实验用粒子经加速器加速后进入对撞机，在对撞机中，两束粒子沿相反方向在环形(或直形)真空管道中进一步加速，提高能量，在预定地点发生对撞，产生各种现象，以供研究。对撞机能进行质子与质子、质子与反质子、质子与电子、电子与正电子之间的对撞。

【对马海峡】位于日本对马岛和台岐岛之间，沟通日本海与东海。宽46.3千米。有对马暖流经过。渔业发达。

【对牛弹琴】比喻对不能理解的人白费口舌、力气。有看不起对方的意思。现在也用来讥笑说话不看对象。《弘明集·理惑论》："公明仪为牛弹清角之操，伏食如故，非牛不闻，不合其耳矣。"

【对生叶序】叶序的一种。茎的每节生二叶，相对而列。如丁香、薄荷等的叶序。

【对外开放】打破对外封闭的隔离状态，加强与世界各国相互联系与交流。

【对外贸易】指一个国家(或地区)对其他国家(或地区)所进行的贸易。

【对冲基金】利用金融市场上期权和期指这两种高风险投资工具进行对冲，以回避风险、获取收益的投资基金。

【对床夜雨】也说夜雨对床。风雨之夜，两人对床共语。形容亲朋间久别相聚，倾心交谈。唐白居易《雨中招张司业宿》诗："能来同宿否，听雨对床眠。"宋苏轼《东府雨中别子由》诗："对床定悠悠，夜雨空萧瑟。"

【对症下药】比喻针对具体情况提出解决问题的办法。

【对酒当歌】三国魏曹操《短歌行》："对酒当歌，人生几何。"意思是面对着美酒和歌舞，慨叹人生短暂，应该有所作为。后也用来指及时行乐。

【对抗性矛盾】指在根本性质、根本利益上互相敌对，斗争形式一般表现为剧烈的外部冲突的矛盾。与"非对抗性矛盾"相对。

【对空观察哨】也叫防空哨、地面监视哨。用眼睛或借助望远镜等担任对空观察及报警任务的哨所或哨兵。

【对立统一规律】也叫矛盾规律。宇宙的根本规律，唯物辩证法的实质和核心。指世界上的一切事物都是矛盾的统一体。矛盾着的对立面又统一，又斗争，推动事物的运动、变化和发展。对这一规律承认与否是辩证法和形而上学两种发展观斗争的焦点。

薱⊠(**薱**) duì 见〔菱薱〕(6页)。

怼(**懟**) duì 怨恨。㊀怨～。

兑 duì ❶交换。特指凭票据交换现金。㊀～款|汇～。❷搀入，搀和。㊀搀～|勾～。❸八卦之一。代表沼泽。参见〔八卦〕(16页)。

【兑现】❶凭票据向银行换取现款。❷比喻按照自己说过的去做，实现诺言。

【兑换】用一种货币折换另一种货币或用证券折换现金。

祋⊠ duì 同"殳(shū)"。

敦(***敠**) ㊁ duì 古代盛黍稷的器具。

㊀ dūn (235页)。

憝 duì ❶怨恨。❷坏；恶。㊀大～。

镦(**鐓**) ㊀ duì 矛戟柄末的平底金属套。

㊁ dūn (235页)。

錞⊠(**錞**) ㊀ duì 同"镦(duì)"。

㊁ chún (147页)。

碓 duì 舂米的用具。

dūn ㄉㄨㄣ

吨（噸） dūn 质量单位。1 吨等于 1 000千克。

【吨位】❶通常指登记吨。是衡量船舶容积的单位。1 登记吨合 2.83 立方米。吨位用于表示船的容积大小和统计船舶总量的综合数。❷指车、船等规定的最大载重量。

【吨公里】运输货物的计量单位。一吨货物运输一公里为一吨公里。

【吨海里】货物的海运（水运）计量单位。一吨货物运输一海里为一吨海里。

惇（*惽） dūn 敦厚。

敦（*畝） ㊀ dūn ❶厚道。㊐～厚。❷诚恳。㊐～聘。
㊁ duì（234 页）。

【敦促】催促。

【敦请】敬辞。诚心诚意地邀请。

【敦睦】使友好和睦。㊐～邦交。

【敦煌石窟】中国著名石窟。包括甘肃敦煌境内的莫高窟、西千佛洞、安西榆林窟、东千佛洞等。通常指莫高窟。

墩（*壿） dūn ❶土堆。❷大而厚实的木头或砖石、水泥砌成的基础。㊐门～｜桥～。❸量词。用于丛生的或几棵合在一起的植物。㊐栽稻秧三万～。

撴□ dūn 〈方〉揪住。

驐□**（騬）** dūn 〈方〉去掉雄性家畜或家禽的生殖器。

礅 dūn 略具方形或圆形的整块的大石头。㊐石～。

镦（鐓） ㊀ dūn 冲压金属板，使其改变形状。
㊁ duì（234 页）。

蹾 dūn 〈方〉猛地往下放，着地很重。㊐～夯（hāng）。

蹲 ㊀ dūn ❶两腿尽量弯曲，样子像坐，但臀部不着地。❷比喻闲居或呆着。㊐不能老～在家里不干事。
㊁ cún（157 页）。

【蹲苗】在幼苗生长若干时日后，适当控制水肥，促使其长得粗壮。

【蹲点】指党政人员用较长时间深入某个基层，参加劳动和实际工作，进行调查研究。

dǔn ㄉㄨㄣˇ

不□ dǔn 〔不子〕〈方〉❶墩子。❷特指砖状的瓷土块，是制造瓷器的原料。

盹 dǔn 很短时间的睡眠。㊐打～儿。

趸（躉） dǔn ❶整；整数。㊐～批｜～卖。❷（商人）整批地买进（货物）。㊐～货｜现～现卖。

【趸船】固定在码头边上的非自动船。大船停泊时靠在它的外边，以便上下旅客、装卸货物。

dùn ㄉㄨㄣˋ

囤 ㊀ dùn 用竹篾、荆条等编成或用席箔等围成的贮藏粮食的器物。㊐粮食～。
㊁ tún（998 页）。

庉⊠ ㊀ dùn 楼墙。
㊁ tún（998 页）。

沌 ㊀ dùn 见〔混沌〕（438 页）。
㊁ zhuàn（1301 页）。

炖 dùn ❶把物品盛在碗或其他器皿中，再放入水中加温。㊐～酒｜～药。❷一种烹饪方法。把原料连同调料放入锅中，加一定量的水，烧开后用文火久煮使熟烂。

砘 dùn 用砘子把播种之后的松土轧实。

【砘子】耩种（jiǎngzhòng）覆土以后用来轧（yà）实松土的石制农具。

钝（鈍） dùn ❶不锋利。与“快”相对。㊐刀～了。❷笨；不灵活。㊐迟～。

【钝化】金属经强氧化剂或电化学方法氧化处理，使表面变为不活泼态即钝态的过程。如铝经浓硝酸浸过，表面形成致密氧化膜，可保护金属，使之不易被侵蚀。

【钝角】大于直角（90°）而小于平角（180°）的角。

顿（頓） ㊀ dùn ❶略停。㊐停～｜～了一下。❷副词。忽然；立

刻。例～止|～悟。❸叩(头);跺(脚)。例～首|～足。❹处理;安排。例整～|安～。❺疲乏。例困～。❻量词。表示次数。例一天三～饭。

㊁ dú (227页)。

【顿号】标点符号的一种。形式为"、"。表示句中并列词语之间的停顿。

【顿时】副词。立刻(只用于叙述过去的事情)。例屋子里～变得死一般寂静。

【顿兵】军队停留、驻扎。

【顿首】❶叩头。旧时的一种礼节。❷旧时书信用语。用于书信的末尾或开头。

【顿挫】(语调、音律等)停顿转折。例抑扬～。

【顿悟】佛教名词。指对"真理"的突然觉悟。佛教禅宗的南宗主张此说。与"渐悟"相对。

【顿开茅塞】比喻忽然开窍,醒悟或明白了一个道理。顿开:立刻开通。茅塞:谦辞,表示自己无知,思想闭塞,好像心里被茅草堵住了一样。塞(sè)。

【顿足不前】停步不前。

盾 dùn ❶盾牌,古代打仗时用来防护身体、遮挡刀箭等的牌形武器。❷盾形的东西。例金～|银～。❸货币名。荷兰、苏里南、印度尼西亚、越南等国的本位货币。

遁(*遯) dùn ❶逃避;逃走。例逃～|宵～。❷隐藏;消失。例隐～|～迹。

【遁词】因理屈词穷而避开正题所说的推托应付的话。

【遁迹】躲避起来不让人知道踪迹。

楯 ㊁ dùn 同"盾"①②。
㊀ shǔn (923页)。

憞⊠ dùn 〔憞溷〕厌恶;烦乱。溷(hùn)。

燉□ dùn 同"炖"。

duō ㄉㄨㄛ

多 duō ❶数量较大。与"少"相对。例～才～艺。❷超过;有余。例十～年|～找了五角。❸相差程度大。例你比我高～了。❹副词。1. 多么。表示赞叹。例～幸福啊! 2. 表示疑问。例这个建筑物有～高? ❺称赞。例士亦以此～之。

【多士】古指众多的贤士。也指百官。

【多头】从事投机交易的人,预计商品或金融资产的价格将涨而先买进期货,伺机再卖出现货以赚取差额。搞这种投机交易的人也叫多头。与"空头"相对。

【多边】由两个以上方面参加的。特指由两个以上国家参加的。例～会谈|～贸易。

【多发】经常发生的。例～病。

【多肽】由三个或三个以上氨基酸分子组成的肽。如某些激素、毒素和抗生素等。蛋白质是具有一定立体构型的较大的多肽。

【多思】多动脑筋,反复思考。

【多娇】姿态美好,壮美多彩。例江山如此～。

【多情】爱动感情;重感情。

【多糖】由许多分子的单糖通过失水缩合而成的碳水化合物。一般无味,大多不溶于水。重要的有淀粉、糖元、纤维素等。

【多义词】具有几项互相联系的意义的词。如"心"的义项有:(1)心脏:心还在跳。(2)思想器官:心往一处想。(3)思想感情:变了心。(4)中心部分:湖心。这几个义项之间意义上有联系,"心"是多义词。

【多元论】认为世界由许多本原构成的哲学理论。有唯物主义多元论和唯心主义多元论两种。

【多用表】也叫多用电表。俗称万用电表、万用表。测量电阻、交直流电压、电流等的仪表。具有多种功能,是检测电路和电器元件常用的工具。

【多边形】由三条或三条以上的线段首尾顺次相接而组成的封闭图形。多边形按照它们的边数,分别叫做三边形(即三角形)、四边形、五边形等。

【多发病】人群中时常发生的疾病。如气管炎、感冒等。不同地区、不同生活条件和季节有不同的多发病。

【多动症】由轻微脑功能失调引起的一种儿童疾病。主要症状是注意力不能集中,活动过多,学习困难,有时任性,但没有明显的智力障碍。一般到青春期可自行缓解。

【多伦多】加拿大城市。位于该国南部,临安大略湖。人口389万(1991年,包括郊区)。是全国工商、金融、交通中心。多伦多电视塔是世界最高建筑之一。旅游业发达。

【多郎舞】中国维吾尔族民间歌舞。是一种按照多郎"木卡姆"(大型套曲)的音乐节奏跳的双人舞。表演时有固定顺序。共有五个曲子。动作有走步、转身、急速旋转等。多郎:维语音译。偏僻的农村。

【多项式】见〔单项式〕(176 页)。

【多面手】指擅长多种技能的人。

【多面体】由四个或四个以上的平面围成的封闭立体。

【多神教】信奉不止一个神的宗教。与“一神教”相对。如道教等。

【多倍体】细胞中含有三组或三组以上染色体的个体。多倍体可用人工诱变、远缘杂交等方法获得,应用于育种和生产。

【多晶体】由许多单晶体无规则地组成的物体。一般的金属材料都是多晶体。

【多媒体】将文字、声音、图像等两种或两种以上的信息加以数字化,并进行组合和处理的媒体。

【多瑙河】欧洲第二大河。发源于德国西南部,向东流经奥地利、斯洛伐克、匈牙利、克罗地亚、南斯拉夫、保加利亚、罗马尼亚、乌克兰等国,入黑海。是世界上流经国家最多的河流。长 2 850 千米,是欧洲中部和黑海之间的水上运输要道。

【多才多艺】也作多材多艺。有多方面的才能和技艺。《尚书·金縢》:“予仁若考,能多材多艺,能事鬼神。”

【多此一举】做不必要的、多余的事情。㊚何必~。

【多多益善】越多越好。《史记·淮阴侯列传》:“上问曰:‘如我能将几何?’信(韩信)曰:‘陛下不过能将十万。’上曰:‘于君何如?’曰:‘臣多多而益善耳。’”益:更加。

【多级火箭】指多级运载火箭。由两级或两级以上火箭组合成的运载工具。每级火箭均装有发动机与燃料。当前一级火箭的燃料用完后,即脱离整体,后一级火箭开始工作,使飞行器继续加速前进。最后一级火箭燃料用完时,飞行器依靠惯性继续运动。采用多级火箭能够提高运载工具的最终速度。用以达到宇宙速度的运载火箭都是多级火箭。

【多财善贾】本作多钱善贾。本钱多,生意就好做。比喻条件具备了,事情就容易办成。《韩非子·五蠹》:“鄙谚曰:‘长袖善舞,多钱善贾。’此言多资之易为工也。”贾(gǔ)。

【多层住宅】中国的建筑规范规定,4—6 层的住宅建筑为多层住宅。多层住宅比低层住宅节省用地、比高层住宅造价经济,较适于小康生活水平。以平面形式分为梯间式、外廊式、内廊式、跃廊式和点式、板式等。

【多事之秋】事故或事变多的时期。秋:时期。

【多种经营】生产单位以生产一至两种产品为主,同时经营其他各项产品的经营方式。

【多重国籍】一个人同时具有三个或三个以上国家的国籍。

【多难兴邦】国家多患难,在一定条件下可以促进内部团结,发愤图强,因而兴盛起来。《左传·昭公四年》:“邻国之难,不可虞也。或多难以固其国,启其疆土;或无难以丧其国,失其守宇。”唐陆贽《论叙迁幸之由状》:“多难兴邦者,涉庶事之艰而知敕慎也。”难(nàn)。

【多谋善断】也说好谋善断。计策办法多,又善于判断决定。也指多思考、多商量并善于作出决定。晋陆机《辨亡论》:“畴咨俊茂,好谋善断。”

【多愁善感】形容人感情脆弱,容易发愁或感伤。善:容易。

【多元化经济】国民经济依靠几个主要经济部门,或多种产品在出口结构中占据优势的经济结构。

【多目标决策】对于要求实现多个目标的决策项目,采用主次择权方法,以综合效用值评价各个目标,从备选方案中选择最优或最满意的方案。

【多年生植物】个体寿命超过两年的草本和木本植物。大多数一生中开花结果多次,如苹果;也有一生中只开花结果一次的,如某些竹类。

【多米诺骨牌】一种用来游戏或赌博的长方形骨牌。出现于 18 世纪的欧洲。全副牌原为二十八张,后发展为不限张数。把骨牌按一定距离竖立成行,只要碰倒第一张,其余的便会一张张跟着倒下。后来把连锁反应称为多米诺骨牌效应或骨牌效应。多米诺:英语音译。

【多佛尔海峡】见〔英吉利海峡〕(1182 页)。

【多普勒制导】利用多普勒效应获得导引信息进行的制导。常与惯性制导组成惯性－多普勒复合制导。

【多普勒效应】观察者与波源之间有相对运动时,观测到的波的频率与波源发出的频率不同的现象。当波源向观察者而来时,观察者接收到的频率变高;当波源背离观察者而去时,观察者接收到的频率变低。这种现象因由奥地利物理学家多普勒发现而命名。利用这种效应制作的仪器可测算血流的方向、流量以及交通工具相对观察者的运动速度。

【多媒体技术】以电子计算机为中心,集文字、声音、视像于一体的技术。应用多媒体技术传播信息,可以获得生动逼真的视听效果。

【多行不义必自毙】坏事干多了,必定自取灭亡。《左传·隐公元年》记载,郑庄公的弟弟公叔段不断扩充自己的实力,大臣祭(zhài)仲劝郑庄公及早除掉公叔段,郑庄公说:"多行不义,必自毙。"

D

哆 ㊀ duō 〔哆嗦〕身体发抖。㊐冷得打～。

㊁ chǐ (128页)。

咄 duō 叹词。呵叱声。

【咄咄怪事】形容不合常理、令人惊讶的怪事。《世说新语·黜免》:"殷中军(殷浩)被废在信安,终日恒书空(用手指在空中虚划)作字…窃视,唯作'咄咄怪事'四字而已。"咄咄:表示惊讶的声音。

【咄咄逼人】❶气势汹汹,使人惊惧。《世说新语·排调》:"殷有一参军在座,云:'盲人骑瞎马,夜半临深池。'殷曰:'咄咄逼人。'仲堪眇目故也。"也指形势发展迅速,给人压力。❷指后人超过前人,意思与"后生可畏"相同。唐张彦远《法书要录》卷一:"王濛子修善隶、行,子敬(王献之)每省修书云:'咄咄逼人。'"

【咄嗟立办】马上就办到。咄嗟(jiē):形容很短的时间。

剟 duō ❶刺;击。❷删削;删除。㊐～除。

掇 duō ❶拾取;摘取。㊐～拾。❷〈方〉用双手拿(椅子、凳子等)。

敠⊠ duō 见〔敁敠〕(204页)。

裰 duō ❶缝补(破衣)。㊐补～。❷见〔直裰〕(1263页)。

duó ㄉㄨㄛˊ

夺(奪) duó ❶抢;强取。㊐掠～。❷争取得到。㊐～第一。❸做决定。㊐裁～|定～。❹使失去。㊐剥～。❺失去;脱漏(文字)。㊐勿～天时|讹～。❻冲。㊐～门而入|泪水～眶而出。

【夺目】(光彩)耀眼。㊐鲜艳～|光彩～。

【夺标】特指夺取冠军。

【夺席谈经】《后汉书·儒林列传》记载,光武帝刘秀有一次让许多讲经的学者公开辩难。辩输的人把坐的席子拿下来交给辩赢的人,有一个叫戴凭的,在辩论中赢得了五十多条席子。后来用"夺席谈经"指在公开辩难中压倒众人。

度 ㊁ duó 推测;估计。㊐揣～|以己～人。

㊀ dù (229页)。

踱 duó 慢步行走。㊐～来～去。

铎(鐸) duó 大铃(古代宣布政教法令时用)。

踺⊠**(躩)** duó ❶光着脚。❷跑。

敚⊠ duó 同"夺"。

duǒ ㄉㄨㄛˇ

朵(*朶) duǒ ❶植物的花或苞。㊐花～。❷量词。用于花和云彩等。㊐一～玫瑰花|红霞万～。

【朵颐】面颊动,咀嚼的样子。也指吃东西。朵:动。颐:面颊,腮。

垛(*垜) ㊀ duǒ 墙体向外或向上突出的部分。㊐门～子|城～口。

㊁ duò (239页)。

哚 duǒ 见〔吲哚〕(1179页)。

躲 duǒ 藏起来;避开。㊐～避|～雨|～～闪闪。

埵⊠ duǒ 坚硬的土。

瘃⊠ ㊀ duǒ 〔瘃瘃〕马疲乏。

㊁ shǐ (897页)。

亸(嚲) duǒ 下垂。

軃⊠**(軃)** duǒ 〔軃都〕宋时西夏毅宗年号(1057—1062)。

duò ㄉㄨㄛˋ

驮(馱) ㊁ duò 牲口驮(tuó)着的成捆的货物；驮着货物的牲口。㊀驴～。

㊀ tuó (1000 页)。

杕☒ ㊁ duò 同"舵"。

㊀ dì (199 页)。

剁 duò 用刀向下砍。㊀～馅儿。

垛(*垜) ㊁ duò ❶把分散的东西堆积起来。㊀雨要来了，快把麦子～起来。❷庄稼、砖瓦等堆积成的堆。㊀麦秸～|砖～。

㊀ duǒ (238 页)。

跺(*跥) duò 脚用力踏地。㊀～脚。

饳(飿) duò 见〔馉饳〕(339 页)。

柮□ duò 见〔榾柮〕(339 页)。

沲☒ ㊁ duò 〔淡沲〕荡漾。

㊀ tuó (1001 页)。

柂☒ duò 同"舵"。

柁 ㊁ duò 同"舵"。

㊀ tuó (1001 页)。

舵 duò 船上或飞机上控制航行方向的装置。㊀掌～|方向～。

【舵手】操舵掌握行船方向的人。

堕(墮) duò ❶掉下来。㊀～地。❷古又同"隳(huī)"。

【堕落】思想、行为向坏里变。㊀腐化～。

惰 duò 懒。㊀懒～。

【惰性】❶化学上指某些物质不易跟其他元素或化合物反应的性质。❷物理学上指惯性。❸不想改变消极落后状态的习性。

【惰性气体】即"稀有气体"(1054 页)。

D

E ㄜ

ē ㄜ

阿 ㊀ē ❶偏袒；奉承。㊎～附｜～其所好。❷凹曲处。㊎山～。❸指山东东阿。㊎～胶。
㊁ā（1页）。

【阿邑】迎合；曲从。
【阿胶】也叫驴皮胶。用驴皮熬制的胶块。是滋补中药。常用于中老年妇女血虚，也用于咳血、子宫出血等。以山东东阿所产著称，故名。
【阿谀】用好听的话去奉承别人。
【阿堵】六朝时口语。这；这个。
【阿房宫】秦始皇所建上林苑朝宫的前殿，是中国古代重要的宫殿建筑。建于公元前212年。位于西安市西郊。占地广阔，建筑众多，以山陵为阙门，气势雄伟。现存夯土台基遗址东西长1 300米，南北宽约500米。是全国重点文物保护单位。房（旧读páng）。
【阿弥陀佛】梵语音译词。无量寿佛。大乘佛教信奉的一个佛，是西方极乐世界的教主。

屙 ē 〈方〉排泄大小便。㊎～屎｜～尿。

婀（*娿*㛃） ē〔婀娜〕姿态柔美的样子。娜（nuó）。

妸☒ ē 同“婀”。

é ㄜˊ

讹（訛❶*譌） é ❶错误。㊎以～传～。❷讹诈。㊎～人。

【讹传】错误的传闻。
【讹舛】（文字）错误。舛（chuǎn）。
【讹言】伪诈的话；谣言。
【讹诈】❶假借某种理由，用威胁手段向人勒索、敲诈。❷威胁恫吓。㊎核～。
【讹脱】也说讹夺。文字上的错误和脱漏。

吪☒ é ❶动；行动。❷化；教化。❸同“讹”。

囮□ é〔囮子〕即“圝（yóu）子”（1194页）。

俄 é ❶一会儿；突然间。㊎～而。❷俄罗斯的简称。

【俄顷】一会儿。
【俄罗斯】也叫俄罗斯联邦。位于欧洲东部和亚洲北部，是地跨欧亚两洲的欧洲国家。北临北冰洋，东临太平洋，西南临黑海和里海，西临波罗的海。陆上西邻挪威、芬兰、爱沙尼亚、拉脱维亚、立陶宛、波兰、白俄罗斯、乌克兰，西南邻格鲁吉亚、阿塞拜疆，南邻哈萨克斯坦、蒙古、中国，东南邻朝鲜。总面积1 710万平方千米，是世界上面积最大的国家。人口1.5亿（1995年）。
【俄罗斯族】中国少数民族之一。人口1.4万（1990年）。主要分布在新疆维吾尔自治区和黑龙江省。有本民族语言文字。多信奉东正教。国外的俄罗斯族人主要分布在俄罗斯。
【俄国二月革命】俄国第二次资产阶级民主革命。1917年俄历2月（公历3月），俄国工人和士兵在布尔什维克党的领导下举行政治罢工和武装起义，推翻了沙皇专制制度，建立了工兵代表苏维埃。但在孟什维克和社会革命党人的帮助下，资产阶级也成立了临时政府，形成两个政权并存的局面。
【俄通社—塔斯社】俄罗斯联邦国家通讯社。1992年1月由塔斯社和苏联新闻社合并组成。
【俄国一九〇五年革命】俄国第一次资产阶级民主革命。俄历1905年1月9日（公历22日）沙皇政府野蛮屠杀和平请愿的圣彼得堡工人，激起人民群众无比的愤怒。以列宁为首的布尔什维克党号召举行武装起义，推翻沙皇专制制度，建立民主共和国。

10月全俄总罢工，许多地方建立工人或士兵代表苏维埃。12月在布尔什维克莫斯科委员会和苏维埃的领导下，总罢工变为武装起义，起义波及各地，形成革命高潮。但因沙皇镇压及内部分裂，各地起义相继失败。1907年革命结束。

莪 é 见下。

【莪术】多年生草本植物。根状茎入药，有破血祛瘀、行气止痛等作用。

【莪蒿】多年生草本植物。生长在水边。叶细如针，嫩叶可食。

哦 ㊁ é 低声念。例吟～。
㊀ ō（730页）。

峨（*峩） é 高。例巍～。

【峨眉山】中国佛教四大名山之一。位于四川省中部偏东南。山势巍峨，峰峦挺秀。主峰万佛顶海拔3 099米。山上多寺庙。

【峨冠博带】高高的帽子，宽宽的衣带。古代形容士大夫的装束。后比喻穿着礼服。元关汉卿《谢天香》第一折："必定是峨冠博带一个名士大夫。"

涐 ☒ é 涐水，古水名，即今大渡河。

娥 é ❶美好（指女性姿态）。❷美丽的女子。例宫～。

【娥眉】也作蛾眉。指美女细长而弯的眉毛。泛指貌美的女子。

【娥眉月】农历初二、初三和廿七、廿八的月相。形如弯眉。初二、初三黄昏时出现于西方天空，廿七、廿八拂晓时出现于东方天空。

锇（鋨） é 金属元素，符号Os，原子序数76。灰蓝色，脆而硬。锇和铱的合金硬度很大，可作钟表及仪器中的轴承，也用于制钢笔尖等。

鹅（鵝*鵞*䳘） é 鸟类。颈长，腿高，尾短，足大有蹼，前额有肉瘤。羽毛有灰色和白色两种。

【鹅口疮】由霉菌感染引起的口腔黏膜炎症。多见于婴儿。开始时口腔黏膜有乳白色斑点，后连成片，用力擦掉后易出血。

【鹅妈妈】钢琴组曲。拉威尔曲。作于1908年。取材于17世纪法国作家查理·贝洛的民间童话集《鹅妈妈的故事》。全曲由五首乐曲组成。1911年，作曲家将组曲改编为用于芭蕾舞的管弦乐曲。

【鹅掌楸】也叫马褂木。落叶乔木。高可达40米。叶互生，裂成马褂状。初夏开花，花黄绿色，大而美丽。叶形奇特，可供观赏。

【鹅行鸭步】比喻行走缓慢。

蛾 ㊀ é 蛾子，昆虫。身体比蝴蝶粗壮，静止时翅覆盖在体上。多在夜间活动，幼虫大多是农业害虫。
㊁ yǐ（1165页）。

【蛾眉】同"娥眉"（241页）。

额（額*頟） é ❶通称额头。眉上发下的部分。❷规定的数量。例名～|定～。❸匾额。

【额骨】人的脑颅组成骨之一。位于脑颅的前上方。

【额度】一定的数额。例奖金～。

【额定值】电机、汽轮机、水轮机等设备在一定条件下正常运行时对电压、电流、功率等所规定的数值，分别叫做额定电压、额定电流、额定功率等。额定值一般标在机器设备的铭牌上。

【额手称庆】把手举到额头上，表示庆幸。

【额外利润】即"超额利润"（112页）。

【额尔齐斯河】中国唯一流入北冰洋的河流。发源于中国新疆境内的阿尔泰山，向西偏北流入哈萨克斯坦，于俄罗斯西西伯利亚平原汇入鄂毕河。全长2 669千米，中国境内长593千米。河水清澈。

ě ㄜˇ

恶（噁） ㊂ ě 〔恶心〕❶有要呕吐的感觉。❷令人厌恶。
㊀ è（242页）。
㊁ wù（1049页）。
㊃ wū（1036页）。
"噁"，另音è，见"噁"（242页）。

è ㄜˋ

厄（*戹❷*阨） è ❶灾难；困苦。例困～。❷险要的地方。例～塞|阻～。

【厄运】困苦的遭遇。

【厄尔尼诺现象】原指某些年份圣诞节前后，沿厄瓜多尔海岸出现的一股向南流的暖洋流。现在一般指赤道附近东太平洋大范围的表层海水异常增温的现象。它的出现使附近秘鲁渔场的渔业严重受损，并对全球天气、气候的变化产生重大影响。厄尔尼诺：西班牙语音译词，意为圣婴。

扼(*搤) è ❶用力掐住；抓住。例～死｜～腕。❷把守；控制。例～守｜～制。

【扼杀】掐住脖子使死亡。也比喻对新生事物的压制，使不能存在。

【扼守】利用险要地形坚守防御。例～要塞。

【扼要】❶(说话、写文章)能抓住要点或中心。例简明～。❷据守紧要的地方。

【扼腕】握住自己的手腕。表示失意、愤怒、兴奋、惋惜等情绪。

苊 è 有机化合物的一类，分子式 $C_{12}H_{10}$。无色针状晶体。可作染料中间体，或用于制造塑料、杀虫剂及杀菌剂等。

呃 ㊀ è〔呃逆〕也叫打嗝儿。由于横隔膜不正常收缩而发出声音。
㊁ e(243页)。

轭(軛) è 牛鞅，牛拉东西时架在脖子上的短粗曲木。

岋☒ è 动摇的样子。

搤☒ è "扼"的异体字。

呝☒ è ❶同"呃(è)"。❷鸟鸣声。

垩(堊) è ❶白土。❷用白土粉刷。

恶(惡) ㊀ è ❶坏；恶劣。例～习｜～意。❷恶劣的行为；犯罪的事情。与"善"相对。例无～不作。❸凶狠；激烈。例～相｜～战。
㊁ wù(1049页)。
㊂ ě(241页)。
㊃ wū(1036页)。

【恶习】坏习惯。多指赌博、吸毒等。

【恶少】指品行恶劣、胡作非为的年轻人。

【恶化】情况向坏的方面转化。

【恶浊】(空气、水等)污秽，不干净。

【恶臭】难闻的臭味。凭人的嗅觉即能感觉到的恶臭物质有四千多种，其中硫醇类、硫化物、硫醚类、胺类、醛类、脂肪酸类、酚类等几十种是主要恶臭污染物。

【恶棍】为非作歹欺压民众的流氓无赖。

【恶感】(对人所抱的)不好的或不满的感情。

【恶魔】佛教指阻碍佛法及一切善事的恶神、恶鬼。后也比喻十分凶恶的人。

【恶霸】称霸一方、欺压民众的坏人。

【恶露】妇女产后从阴道排出的瘀血和浊液。恶露发臭，长期外流不止，是病态。

【恶作剧】捉弄耍笑，使人难堪的行为。

【恶性肿瘤】见"癌"(5页)。

【恶性循环】事物互为因果，循环不止，使情况越来越坏。

【恶贯满盈】罪恶极多，像用绳子穿钱一样，已穿满了一根绳子。《尚书·泰誓上》："商罪贯盈，天命诛之。"后用以指罪大恶极，已到末日。贯：穿钱的绳子。盈：满。

【恶语中伤】用恶毒的语言诽谤、攻击他人。中(zhòng)。

【恶积祸盈】罪恶成堆，祸害很多。形容罪大恶极。南朝梁丘迟《与陈伯之书》："北虏僭盗中原，多历年所，恶积祸盈，理至燋烂。"

【恶意占有】非法故意的占有行为。恶意占有的财产，即使是有偿取得，原所有人仍有权请求返还。如恶意占有人故意购买明知是盗窃的物品，原物所有人有要求返还的权利。

噁□(噁) è 化学用字。如二噁英。"噁"，另音 ě，见"恶"(241页)。

咢☒ è ❶争辩。❷击鼓而歌。也指歌唱。

鄂 è 湖北的别称。

【鄂博】即"敖包"(12页)。

【鄂毕河】俄罗斯大河之一。发源于西伯利亚南部山地，向北纵贯西西伯利亚平原，入北冰洋。以卡通河为源，长4 070千米。流域面积242.5万平方千米。结冰期达6个月。

【鄂伦春族】中国少数民族之一。人口0.7万(1990年)。主要分布在内蒙古自治区呼伦贝尔盟和大、小兴安岭一带。有本民族语言。主要从事游猎。定居后，发展林、牧、养、猎多种经济。建立有鄂伦春族自治旗。

【鄂温克族】中国少数民族之一。人口2.6万(1990年)。主要分布在内蒙古自治区东北部。有本民族语言。牧区用蒙文，农区用汉文。建立有鄂温克族自治旗。

谔(諤) è 正直的话。

【谔谔】形容直话直说。

萼(*蕚) è 花萼，萼片的总称。包在花的底部和外部。

遌☒ è 遇到。

愕 è 惊讶；发愣。例～然(吃惊的样子)。

腭(*齶) è 口腔的上壁。前部主要由骨构成，叫硬腭；后部主要由肌肉构成，叫软腭。

【腭骨】人的面颅组成骨之一。位于面颅的内上方。

鹗(鶚) è 也叫鱼鹰。鸟类。头顶、后颈和腹白色，背褐色。性凶猛，常在水面上飞翔，捕食鱼类。

锷(鍔) è 刀剑的刃。

颚(顎) è ❶某些昆虫摄取食物的器官。❷同"腭"。

鳄(鰐*鱷) è 鳄鱼，爬行动物。大的长3—6米，性凶猛。多产于热带、亚热带。扬子鳄是中国特有珍稀动物。

【鳄蜥】也叫雷公蜥。爬行动物。长30厘米左右，背面黑色，腹面带红色及黄色，有黑斑。栖居于海拔1 000米以上的山区，白天常在水边的树枝上匍匐睡眠。分布于广西瑶山等地。是中国国家重点保护动物。

【鳄鱼的眼泪】西方古代传说，鳄鱼吞噬人畜时，一边吃，一边掉眼泪。后来就用鳄鱼的眼泪比喻坏人的假慈悲。

咹□ ㊀è ❶吃。❷小声说话。
㊁ǎn(10页)。

颏☒(頞) è 鼻梁。

饿(餓) è ❶肚子空，想吃东西。与"饱"相对。❷使挨饿。例～他一顿。

【饿殍遍野】饿死的人到处都是。形容遇到天灾人祸的悲惨景象。《孟子·梁惠王上》："庖有肥肉，厩有肥马，民有饥色，野有饿莩(通"殍")，此率兽而食人也。"饿殍(piǎo)：饿死的人。

阏(閼) ㊁è 〈书〉❶堵塞。❷闸板。
㊀yān(1131页)。

遏 è 阻止；抑制。例～止|怒不可～。

【遏抑】压制。

【遏制】❶用力控制(某种感情)。❷阻止；迫使停止。

【遏恶扬善】隐瞒缺点或过失而宣扬其长处。《周易·大有》："君子以遏恶扬善，顺天休命。"

匎☒ è 〔匎彩〕古代妇女的发饰。

噩 è可惊的；凶恶的。例～梦。

【噩耗】指人死亡的不幸消息。耗(hào)：消息。

e ·ㄜ

呃 ㊁e 助词。用于句末，表示惊叹的语气。例这幅画真美～！
㊀è(242页)。

ēi ㄟ

欸 ㊁ēi 叹词。表示招呼、诧异、同意、不以为然等。随着情感或语气的不同，可以读成不同声调。
㊀ǎi(4页)。
㊂ǎi(5页)。

ēn ㄣ

奀□ ēn 〈方〉瘦小。多用于人名。

恩(*㤙) ēn 恩惠；好处。

【恩典】旧指帝王按定制给臣子的恩赐和礼遇。也泛指恩惠。

【恩泽】称帝王或朝廷给予臣民的恩惠(如同滋润草木的雨露)。

【恩宠】指帝王对臣下的恩遇和宠爱。

【恩怨】恩惠和仇恨(多偏指仇恨)。

【恩情】深厚的情义；恩惠。

【恩遇】得到了别人的恩惠和赏识。

【恩赐】旧指封建帝王的赏赐。今指出于怜悯而给予的施舍(多含贬义)。

【恩格斯】弗里德里希·恩格斯(1820—

1895）马克思主义的创始人之一，无产阶级革命导师。生于普鲁士莱茵省巴门市（今德国伍珀塔尔市）。1842 年到英国工业中心曼彻斯特，深入了解工人阶级状况，积极参加工人运动。1844 年在巴黎会见马克思，开始共同为无产阶级解放事业而奋斗。他们共同加入正义者同盟，并且指导该同盟改组为共产主义者同盟，起草《共产党宣言》，并且一起参加了德国 1848 年革命。恩格斯总结这次革命经验，写了《德国的革命和反革命》一书，为马克思主义关于武装起义学说奠定了基础。50—60 年代，积极参加了领导第一国际的工作。1876—1878 年写了《反杜林论》，全面地阐明了马克思主义的三个组成部分。1873—1883 年完成《自然辩证法》一书。1883 年马克思逝世后，担负起领导国际共产主义运动的重任，整理和出版了马克思的著作《资本论》第二、三卷。1884 年写成《家庭、私有制和国家的起源》，1888 年写成《路德维希·费尔巴哈和德国古典哲学的终结》。1889 年领导建立了第二国际，同各种机会主义进行斗争，捍卫和发展了马克思主义，使国际工人运动得到了广泛的发展。1895 年 8 月 5 日在伦敦逝世。

【恩同再造】恩德极大如同使人再生。《宋书·王僧达传》："再造之恩，不可妄属。"再造：再生。

【恩威并行】用恩德笼络人心，用刑威使人屈服，两种手段同时使用。《三国志·吴书·周鲂传》："鲂在郡十三年卒，赏善罚恶，恩威并行。"

【恩将仇报】以坏的行为加害对自己曾经有恩的人。

蒽 ēn 有机化合物。分子式 $C_{14}H_{10}$。无色结晶，不溶于水，易溶于乙醇、苯等有机溶剂。从煤焦油中提取，是蒽醌染料的重要原料。

èn ㄣˋ

摁 èn 用手或手指按。㊀～脖子｜～电钮。

ēng ㄥ

鞥☒ ēng 马缰绳。

ér ㄦˊ

儿（兒） ér ❶小孩子。❷儿子。❸年轻的人（多指青年男子）。㊀健～。❹后缀。参见〔儿化〕（244 页）。

【儿马】公马。

【儿化】发音时，舌尖比发央元音[ə]稍前，在硬腭前部翘起，形成带卷舌音[r]的音色，但又不自成音节，跟它前面音节的韵母相融合，使其变成卷舌韵母。如花儿应是 huār，不是 huā'ér。这种卷舌韵母，称为儿化韵。儿化一般表示微小或喜爱。如小孩儿、火星儿。有时有区别词义或词性的作用。如信（书信）、信儿（消息），画（动词）、画儿（名词）。

【儿戏】小孩子闹着玩儿。比喻做事情马虎，不负责任。

【儿曹】儿辈；孩子们。

【儿歌】儿童文学的一种。是反映儿童生活，适合儿童传唱的歌谣。

【儿皇帝】五代时，石敬瑭勾结契丹建立后晋，受封为帝，自称儿皇帝。后来泛指依靠外力取得并维持统治地位的投降卖国分子。

【儿童节】六一国际儿童节的简称。

【儿童团】民主革命时期中国共产党在各个革命根据地领导建立的少年儿童组织。在各个革命阶段，它团结和组织儿童参加当时的革命斗争，并开展学习、文娱宣传活动，使儿童受到爱国主义和阶级斗争的教育，为革命斗争做出了贡献。

【儿童文学】适应少年儿童特点，专供少年儿童阅读和欣赏的各种体裁的文学作品，包括童话、儿歌、故事等。

咡☒ ㊀ ér 〔嚅咡〕形容强颜欢笑。
㊁ wā（1003 页）。

而 ér 连词。1. 有"又""并且""可是"等意思。㊀高～大｜聪明～勇敢｜有其名～无其实。2. 把表情状或时间的词连接到动词上。㊀侃侃～谈｜俄～日出。3. 有"往""到"的意思。㊀从下～上｜一～再，再～三。

【而已】语气助词。含有"罢了"的意思。㊀如此～，岂有他哉！

【而今】现在；如今。

【而且】连词。1. 表示进一步。㊀读书是学习，使用也是学习，～是更重要的学习。2. 表示不同情况同时并存。㊀高～大。

【而立】《论语·为政》："三十而立。"后用"而立"指三十岁。
【而后】副词。然后。[例]先定好计策，～行动。
【而况】连词。何况，表示更推进一层。

咡☒ ér 嘴唇。

洏☒ ér〔涟洏〕形容涕泪交流。

轜☒(輀) ér 丧车。

胹☒ ér 煮。

鸸(鴯) ér〔鸸鹋〕鸟类。体形似鸵鸟而较小，为走禽类中的第二大鸟。翅退化，不能飞，足强而善走。产于澳大利亚。

鲕☒(鮞) ér 鱼卵。

ěr 儿ˇ

尔(爾*尒) ěr ❶文言人称代词。你。❷文言指示代词。1. 如此；这样。[例]果～。2. 这；那。[例]～日｜～时。❸表示情态的后缀。[例]偶～｜莞～。❹文言助词。而已；罢了。[例]无他，但手熟～。
【尔后】从此以后。
【尔汝】古代习俗对人直呼你(尔、汝)为不敬，只有关系密切的朋友才能如此相称。故用"尔汝"表示关系密切，非常熟悉。[例]相为～｜～交。
【尔格】功和能量的非法定计量单位。1尔格等于10^{-7}焦。
【尔曹】尔辈；你们这一类的人(含有轻视的意思)。
【尔雅】❶中国古代最早的一部解释词义和名物的工具书。由汉初学者缀辑周、汉诸书旧文，逐步增益而成。全书二十篇，现存十九篇，《序篇》佚。❷文雅。[例]温文～。
【尔虞我诈】也说尔诈我虞。你骗我，我骗你，互相欺骗。《左传·宣公十五年》："尔无我诈，我无尔虞。"虞、诈：欺骗。

迩(邇) ěr 近。[例]～来(近来)｜遐～闻名(远近闻名)。

耳 ěr ❶耳朵。❷形状或位置像耳朵的东西。[例]木～｜～房(接在正房两旁的小房子)。❸文言助词。罢了。[例]技止此～。
【耳目】❶耳朵和眼睛。❷见闻。[例]～所及。❸指替人打探消息的人。[例]此人～众多。
【耳鸣】外界并无声音而患者自己觉得耳朵里有声音。由中耳、内耳或神经系统的疾病引起。
【耳食】指不加审察，轻信传闻。《史记·六国年表序》："学者牵于所闻，见秦在帝位日浅，不察其终始，因举而笑之，不敢道。此与以耳食无异。"
【耳蜗】内耳骨迷路的组成部分。位于骨迷路的前部，形状像蜗牛壳。内有听觉感受器。
【耳边风】也叫耳旁风。比喻听后不放在心上的话。唐杜荀鹤《题赠兜率寺闲上人院》诗："百岁有涯头上雪，万般无染耳边风。"
【耳报神】比喻暗中报告消息的人。
【耳咽管】沟通中耳腔和咽的细狭管道。能调节鼓膜内外的压力，便于鼓膜振动。
【耳目一新】听到的、看到的都跟以前不一样，感到很新鲜。
【耳闻目睹】亲耳听见，亲眼看见。《资治通鉴·唐纪睿宗景云二年》："口说不如身逢，耳闻不如目睹。"闻：听见。睹：看见。
【耳提面命】也说面命耳提。《诗经·大雅·抑》："匪面命之，言提其耳。"意思是不但当面教导他，而且提着耳朵叮嘱他。后用以形容对人教诲恳切，要求严格。
【耳聪目明】视听灵敏。形容头脑清楚，目光敏锐。
【耳濡目染】经常听到看到，不知不觉地受到影响。唐韩愈《清河郡公房公墓碣铭》："目擩(通"濡")耳染，不学以能。"濡(rú)：沾湿。染：沾染。
【耳鬓厮磨】形容亲密相处的情景。通常指小儿女之间相亲相爱。厮磨：相磨。

饵(餌) ěr ❶糕饼。[例]果～。❷钓鱼用的鱼食。[例]鱼～｜钓～。❸引诱。[例]此所以～敌者也。

洱 ěr〔洱海〕也叫昆明池。湖名。位于云南省大理市与洱源县之间。湖形如耳，故名。属断层湖。面积249平方千米。水产丰富。湖水清澈而深邃。滨湖有点苍山，湖光山色，风景绝佳。

駬☒(駬) ěr 见〔騄駬〕(640页)。

珥 ěr ❶用珠子或玉石做的耳环。❷太阳、月亮周围的光气圈。❸插。一

E

般指插在帽子上。

铒(鉺) ěr 金属元素,符号 Er,原子序数 68。是稀土元素之一。在接近绝对零度时呈强铁磁性,是超导体。

èr ㄦˋ

二 èr ❶数目。一加一的和。❷序数。㊞一穷～白。❸两样。㊞不～价。

【二心】也作贰心。异心;不忠诚。

【二胡】也叫南胡。拉弦乐器。琴筒木制,通常蒙以蛇皮,两根弦,发音柔和优美。常用于独奏、伴奏及合奏。

【二黄】京剧、汉剧等皮黄声腔中所用的一种主要腔调。抒情性较强,一般适合于表现深沉、凄凉、沉郁的感情。在湘剧、桂剧中二黄也叫南路。

【二人转】曲艺的一种。流行于东北各地。以当地民歌、大秧歌为基础,吸收彩扮莲花落发展而成。一般由二人表演,边歌边舞,也有一人表演的单出头,还有扮演人物、表现比较简单的故事情节的拉场戏。和二人转类似的还有西北的二人台、西南的车灯等。

【二元论】主张世界有精神和物质两个独立本原的哲学理论。企图调和唯物主义和唯心主义的对立。把精神说成是离开物质而独立存在的实体,最终仍陷入唯心主义。代表人物是法国的笛卡儿。

【二四滴】农药。化学名称 2,4－二氯苯氧乙酸。白色结晶,难溶于水,能溶于多种有机溶剂。用作除草剂和植物生长调节物质。可促进插条生根,果实早熟,形成无子果实,防止落花、落果,也可防除双子叶杂草等。

【二进制】根据"逢二进一"的法则进行计数时,每两个相同的单位组成一个和它相邻的较高的单位,这种计数法叫做二进制计数法,简称二进制。用二进制记下的数叫二进数。用二进制计数时,只需用两个独立的符号"0"和"1"来表示。如二进制的 100 是十进制的 4,二进制的 1101 是十进制的 13。

【二极管】最简单的电子管。有屏极(即阳极)和丝极(即阴极),用于交流电的整流或无线电的检波。有时也把晶体二极管简称为二极管。

【二倍体】细胞内含有两组染色体的个体。几乎所有的高等动物和大部分高等植物都是二倍体。

【二部制】学校把学生分为两部分,上下午轮流到校上课的制度。是解决学生多、教师和教室不足的一种办法。

【二叠纪】古生代的第六个纪,即最后一个纪。约开始于 2.9 亿年前,结束于 2.5 亿年前。在德国,本纪地层二分性明显,故名。在这个时期里,无脊椎动物以蜓类、腕足类、菊石、四射珊瑚等为主;脊椎动物以两栖类为主。植物中原始松柏类、苏铁类等发育。

【二叠系】古生界的第六个系,即最后一个系。指二叠纪时期所形成的地层。

【二十一条】日本妄图独占中国的秘密条款。1915 年 1 月由日本向袁世凯政府提出。共分五号,二十一条。主要内容是:承认日本继承德国在山东的特权,并加以扩大;旅顺、大连的租借期限及南满、安奉两铁路期限延长到九十九年,并承认日本在"南满"及内蒙古东部的特权;汉冶萍公司改为中日合办,附近矿山不准公司以外的人开采;中国沿海港湾、岛屿不得租借或割让给他国;中国须聘用日人为政治、军事、财政顾问,警政及兵工厂由中日合办;给日本建造湖北、江西、广东之间的铁路权和在福建投资、筑路、开矿优先权。袁世凯除对第五号条款声明"容日后协商"外,其余全部承认。袁世凯的卖国行为激起中国人民强烈反对,日本控制整个中国的妄想未能实现。

【二十八宿】中国古代天文家将沿黄道、赤道附近的星空,划分为二十八个不等的区域,每一区域叫做一宿。二十八宿按东、西、南、北四个方位平均分为四组,东方七宿是角、亢、氐、房、心、尾、箕,总称苍龙;北方七宿是牛、斗、女、虚、危、室、壁,总称玄武;西方七宿是奎、娄、胃、昴、毕、觜、参,总称白虎;南方七宿是井、鬼、柳、星、张、翼、轸,总称朱雀。划分二十八宿主要用于测定太阳、月亮在星空中的位置,从而定季节、方位和制定历法等。宿(xiù)。

【二十五史】1921 年北洋政府把《新元史》列入正史,加上二十四史,称二十五史。

【二十四史】自汉到清陆续编写的二十四部纪传体史书。清乾隆时定为"正史"。即《史记》《汉书》《后汉书》《三国志》《晋书》《宋书》《南齐书》《梁书》《陈书》《魏书》《北齐书》《周书》《隋书》《南史》《北史》《旧唐书》《新唐书》《旧五代史》《新五代史》《宋史》《辽史》《金史》《元史》和《明史》。共三千多卷,近四千万字。主要记载从黄帝到明末四千多年的历史,包括政治、经济、法律、军事、天文、地理、学术文化等方面的丰富史料。

【二次曲线】形如 $ax^2+2bxy+cy^2+2dx+2ey+f=0$ 的一般二次方程所表示的曲线叫做一般二次曲线。圆、椭圆、双曲线和抛物线等是常见的特殊二次曲线。

【二次曲面】形如 $ax^2+by^2+cz^2+2fyz+2gzx+2hxy+2px+2qy+2rz+d=0$ 的一般二次方程所表示的曲面叫做一般二次曲面。球面、圆柱面、椭球面、双曲面、椭圆抛物面和双曲抛物面等是常见的特殊二次曲面。

【二次污染】也叫继发性污染。二次污染物对环境造成的再次污染。

【二次函数】形如 $y=ax^2+bx+c$(其中 a、b、c 为常数,且 $a\neq0$)的函数。

【二次革命】孙中山等革命党人反对袁世凯独裁的武装革命。袁世凯窃取革命果实后,不断加强独裁统治,排挤革命党人。1913 年暗杀国民党代理理事长宋教仁,接着又向帝国主义进行"善后大借款",并免去江西、安徽、广东等省国民党人的都督职位。7 月,李烈钧、黄兴分别在湖口、南京起兵讨袁,南方各省也纷起独立,形成二次革命。但很快遭到袁军镇压而失败,孙中山、黄兴再次流亡国外。

【二板市场】也叫创业板市场。上市标准较低,主要以高科技、高成长的中小企业为服务对象的证券市场。

【二泉映月】❶二胡曲。华彦钧(阿炳)曲。是二胡曲中的精品。❷弦乐合奏。吴祖强改编。

【二律背反】德国哲学家康德的用语。康德认为人在认识世界本体时必然陷入无法解决的矛盾。有四组两两相对的命题,它们之间是相互排斥的,但各自本身却又都可以被证明为同样正确,即:世界在时间上有开端、空间上有界限和世界在时间上无开端、空间上无界限;世界上的一切都是简单的、不可分割的和世界上的一切都是复杂的、可以分割的;世界上有自由和世界上没有自由、一切都是必然的;世界有最初的原因和世界没有最初的原因。他把这种矛盾称为二律背反,并以此来论证人的认识能力是有限的,事物的本质是不可认识的。

【二氧化硅】无机化合物,化学式 SiO_2。石英、水晶、砂子、硅藻土等的主要成分。用途广泛,如石英是制造玻璃、耐火材料、光学纤维等的原料,水晶可制成镜片或光学仪器等。

【二氧化硫】也叫亚硫酸酐。有刺激性气味的无色气体。化学式 SO_2。主要用于生产硫酸,也广泛用作杀虫剂、杀菌剂、漂白剂和还原剂。大气中的二氧化硫主要来自煤、石油、天然气等燃料燃烧和矿石冶炼过程,大量排入环境造成全球性酸雨危害。自然界产生的二氧化硫数量很少,主要来自生物分解过程和火山爆发。

【二氧化碳】俗称碳酸气。无机化合物,化学式 CO_2。无色、无臭的气体,不燃烧,密度比空气大,能在高压低温下变成液体或固体(干冰)。用于制碱、糖、饮料等,也可用于灭火。

【二十四节气】根据太阳在黄道上的位置,将全年分为二十四个时段,即:立春,雨水,惊蛰,春分,清明,谷雨;立夏,小满,芒种,夏至,小暑,大暑;立秋,处暑,白露,秋分,寒露,霜降;立冬,小雪,大雪,冬至,小寒,大寒。合称二十四节气。二十四节气表明气候的变化和农事季节,中国在公元前 2 世纪已用来指导农业生产。

【二七大罢工】京汉铁路工人在中国共产党领导下反抗帝国主义和封建军阀压迫的政治大罢工。1923 年 2 月 1 日京汉铁路工人在郑州举行京汉铁路总工会成立大会,遭到军阀吴佩孚武力阻挠。4 日全路举行总罢工。7 日吴佩孚在郑州、江岸、长辛店等地对工人实行血腥镇压,造成二七惨案。江岸铁路工人领袖林祥谦壮烈牺牲,罢工领导人施洋慷慨就义。罢工显示了中国工人阶级在共产党领导下的伟大力量,提高了工人阶级的政治觉悟和组织能力。

【二年生植物】在两个生长季内完成生活史的植物。这类植物播种的当年仅由种子萌发产生根、茎、叶等营养器官,越冬后开花、结实、产生种子而后死亡。二年生植物多为草本,如萝卜、胡萝卜、甘蓝等。

【二次污染物】也叫继发性污染物。污染源排入环境的污染物,在物理、化学因素或生物的作用下,或与环境中的其他物质发生反应,形成的物理、化学性状不同的新污染

E

物。如无机汞化合物通过环境中微生物作用转化为甲基汞化合物，成为对人体健康危害更大的二次污染物，可引起水俣病。

【二里头文化】一种青铜文化。介于龙山文化和商文化二里岗期之间。因二里头遗址较为典型，故名。主要分布于河南西部和山西南部，为探索夏文化提供了丰富材料。

【二桃杀三士】《晏子春秋·谏下二》记载，齐景公有三个臣子，都以勇力著称。齐相晏婴想除掉他们，请景公送给他们两个桃子，让三人论功食桃，结果三人都弃桃自杀。后来常用以比喻施用阴谋杀人。

【二元经济结构】发展中国家先进的工业部门与落后的农业部门普遍并存的经济结构特征。

【二万五千里长征】简称长征。第二次国内革命战争时期，中国工农红军主力从长江南北各根据地向陕北根据地进行的战略转移。由于王明路线的错误领导，中央红军未能打破国民党军第五次"围剿"，南方各革命根据地的红军，均先后被迫退出根据地。1934年10月中央红军主力从中央革命根据地出发，突破敌人四道封锁线，强渡乌江，攻占了遵义。1935年1月遵义会议结束了王明"左"倾机会主义路线在党中央的统治，确立了毛泽东在全党全军的领导地位。中央红军在毛泽东亲自指挥下，四渡赤水，南渡乌江，抢渡金沙江，摆脱了数十万敌军的围追堵截，取得了战略转移中具有决定意义的胜利。之后，强渡大渡河，翻越大雪山，到达毛儿盖，9月上旬通过草地，到达阿坝等地。当时在四方面军工作的张国焘坚持退却逃跑路线，公然进行分裂活动，擅自率领部队南下。以毛泽东为首的党中央对张国焘进行了严肃斗争，率领中央红军主力继续北上，于1935年10月胜利到达陕北根据地的吴起镇，行程二万五千里。1935年11月开始长征的第二、第六军团于1936年6月到达甘孜同第四方面军会师。10月到达甘肃会宁同第一方面军会师。至此，红军长征胜利结束。

【二里头早商遗址】商朝早期聚落遗址。距今约三千六百年，位于河南偃师二里头。聚落的面积约30平方千米，曾发掘出宗庙、宫室、住宅、作坊、墓穴等建筑及构筑物基址和残件。基本具有原始城市的雏形。

弍⊠ èr "二"的异体字。

贰（貳） èr ❶数目"二"的大写。多用于票证、账目等。❷变节；背叛。㊀～臣。

【贰心】同"二心"(246页)。

【贰臣】古指前朝大臣投降新朝又当了官的人。

樲⊠**（樲）** èr 酸枣树。

刵⊠ èr 古代一种割耳朵的酷刑。

佴 ㊀ èr 排列次第；安置。㊁ nài (706页)。

咡⊠ èr 口旁；口耳之间。

姯⊠ èr 女子人名用字。

F ㄈ

fā ㄈㄚ

发(發) ㊀ fā ❶送出;交付。[例]~信|分~。❷放射。[例]~炮。❸产生;生长。[例]~芽|~育。❹发表;表达。[例]~言|~誓。❺扩大;开展;胀大。[例]~扬|~达|~面。❻散开。[例]蒸~。❼揭露;打开。[例]揭~|~掘。❽显现;流露;感觉。[例]~黄|~怒|~麻。❾开始行动。[例]出~|~起。❿量词。用于枪弹、炮弹。[例]一~子弹。

㊁ fà (254 页)。

【发凡】❶即"凡例"(256 页)。❷常用作书名,指对某一学科的一般介绍,相当于"概论"。

【发布】宣布(命令、指示、新闻等)。

【发动】❶使机器运转。❷使行动起来。❸开始某种行动。

【发扬】发展,提倡(优良的思想、作风、传统等)。[例]~革命精神。

【发达】事物已有充分发展。[例]肌肉~|工业~。

【发行】❶出版物经书店或邮局发售到读者手里的工作。❷发出新印刷的货币、邮票、公债等。

【发抒】抒发,将感情、意见等表达出来。[例]~感情。

【发轫】拿掉挡车轮的横木,使车前进。比喻事物的开端,初创。轫(rèn):阻止车轮转动的横木。

【发作】❶自内里爆发;物质在体内起作用。[例]疟子每日定时~|药性~。❷发脾气。

【发身】男女到青春期,生殖器官发育成熟,身体的其他部分也发生变化,逐渐长成成年人的样子,这种生理上的变化叫发身。

【发现】❶发觉。[例]~问题,就及时解决。❷经过探索研究找出以前还没有被认识的事物或规律。

【发丧】❶丧家向亲友宣告某人死去。❷办理丧事。

【发奋】为达到一定目的振作起来;奋发。[例]~有为。

【发明】❶创造出从前没有的事物或方法。[例]指南针、火药、造纸和印刷术是由中国首先~的。❷专利上指对产品、方法或其改进所提出的新的技术方案。具有新颖性、创造性和实用性的发明可以获得专利权。❸说明;发挥。[例]~文义。

【发育】生物个体在生命周期中,结构和功能从简单到复杂的变化过程。如动物从受精卵形成胚胎并长成为性成熟个体的过程。

【发泄】尽量散发出来(多指情绪、欲望)。泄(xiè)。

【发挥】❶把意思和道理充分表达出来。[例]~题意。❷使事物的内在能力充分表现出来。[例]~群众智慧|~中央地方两个积极性。

【发标】〈方〉也说发标劲。摆架子,发脾气,胡闹一阵。

【发迹】指地位低微的人突然变得有钱有势。

【发觉】开始觉察、知道。

【发起】❶倡议做某一件事情。❷发动。[例]~反攻。

【发配】古代的一种徒刑。即把罪犯押送到边远地方去服劳役。

【发射】由发射药或推进剂燃气能量等产生的膨胀力,将射弹从导轨或身管装置推送出去。如火箭、导弹靠自身动力装置所产生的反作用力飞离发射装置,枪炮弹丸靠发射药燃烧产生的推力飞出身管等。

【发家】使家庭变得富裕。

【发展】❶事物由小到大、由简到繁、由低级到高级、由旧质到新质的运动变化过程。❷扩大(组织、规模等)。

【发难】❶问难;发起质问责难。❷发动反抗或反叛。难(nàn)。

【发排】编辑工作已做完,把稿件交给印刷厂排版。

【发掘】把潜藏的东西挖掘出来。㊀～潜力|～地下宝藏。

【发票】❶即"出票"(136页)。❷将一笔交易的重要细节分项列记的文件。❸企事业单位财务收支的法定凭证和会计核算的原始凭证。

【发情】母畜(兽)卵子成熟前后,生理上要求交配的现象。

【发散】❶(光线等)由某一点向四周散开。❷中医指用发汗药物把体内的热散发出来。

【发落】处理;处置。㊀从轻～。

【发愤】下定决心,振奋精神。㊀自力更生,～图强。

【发蒙】旧指教儿童开始读书、识字。蒙(méng)。

【发解】唐朝应贡举的人,由所在的州县送到京城,称为发解。宋朝沿用此制。明、清时称乡试考中举人为发解。解(jiè)。

【发源】河流起源。㊀长江、黄河均～于青海省。

F

【发誓】说出表示决心的话。

【发榜】考试后将被录取者的名单公布出来。

【发酵】微生物或其离体的酶分解糖类,产生乳酸(或酒精)和二氧化碳等的过程。泛指利用微生物制造工业原料或工业产品的过程,如酒精发酵、抗生素发酵等。酵(jiào)。

【发端】开始;开头。

【发憷】胆怯;畏缩。憷(chù)。

【发刊词】报章杂志创刊号上用来说明本刊宗旨、性质等的文字。

【发电机】把机械能转变为电能的机械。多由绕有线圈的转子和定子组成,用动力机械带动转子转动就产生电能。按发出电流的性质,分直流发电机和交流发电机;按所用原动机不同,分汽轮发电机、水轮发电机、柴油发电机等。

【发动机】把各种形式的能量转变成机械能而产生动力的机械。按能量的来源,分热力发动机、水力发动机和风力发动机等。有时也把电动机算做发动机。

【发芽率】在规定条件和时期内发芽种子占种子总粒数的百分数。用于测定种子发芽能力,供确定播种量时参考。

【发言人】代表某一政权机关或组织发表意见的人。

【发证行】应申请人要求开出信用证的银行。

【发语词】文言虚词的一种。多用于句首,指示所言事物。有"夫""维""盖"等词。

【发射机】无线电发射机的简称。产生高频振荡和调制要发送的电信号,以便通过天线以无线电波发射出去的设备。

【发烧友】指对音乐狂热的爱好者。有软件发烧友(指对音乐制品的爱好者)和硬件发烧友(指对音响设施的爱好者)。

【发祥地】旧指帝王出生或创业的地方。现泛指民族、革命、文化等起源或建立基业的地方。㊀黄河流域是中国古代文明的～。

【发人深省】也作发人深醒。启发人们作深刻的思考,引起醒悟。唐杜甫《游龙门奉先寺》诗:"欲觉闻晨钟,令人发深省。"省(xǐng):思考,检查。

【发号施令】发命令,下指示。《尚书·冏命》:"发号施令,罔有不臧。"

【发扬光大】使事业或优良作风、传统等在原来基础上发展、扩大或提高。

【发扬蹈厉】原是描写周初《武》乐中的舞蹈动作,手足舞动,踏地猛烈。象征太公望辅佐武王伐纣时勇往直前的意志。后多用以形容奋发有为、意气昂扬的样子。《礼记·乐记》:"发扬蹈厉,大(太)公之志也。"蹈厉:用脚猛烈地踏地。

【发达国家】经济上比较发达的国家。与"发展中国家"相对。

【发光强度】表示光源发光强弱的物理量。单位是坎德拉。

【发奸擿伏】揭发隐藏的坏人坏事。形容吏治精明。《汉书·赵广汉传》:"其发奸擿伏如神。"擿(tī):揭发。伏:隐瞒的坏事。

【发音方法】发辅音时发音器官形成阻碍和消除阻碍的方式。根据发音方法辅音可分为塞音、擦音、塞擦音、鼻音、边音、闪音、颤音、清音、浊音、送气音、不送气音等。

【发音部位】发辅音时气流在口腔中受到阻碍的地方。如上下唇、上下齿、舌尖、舌面、舌根、硬腭、软腭等。根据发音部位辅音可分为双唇音、唇齿音、齿间音、舌尖音、舌叶音、舌面音、小舌音、喉壁音、喉音等。

【发愤忘食】下决心努力学习和工作,连吃饭也忘记了。形容勤奋和专心。《论语·述而》:"发愤忘食,乐以忘忧,不知老之将至。"

【发愤图强】也作发奋图强。决心奋斗,谋求强盛。

【发踪指示】猎人发现野兽的踪迹，指示猎狗跟踪追逐。比喻在幕后操纵指挥。《史记·萧相国世家》："夫猎，追杀兽兔者狗也，而发踪指示兽处者人也。"

【发瘾症状】吸毒者在停吸毒品大约6—12小时后出现的症状。有打哈欠、流泪、出汗、呕吐、骨肉痛、行为失控等。

【发展中国家】经济上还不发达或比较落后的国家。与"发达国家"相对。

【发展经济学】经济学的分支学科。研究发展中国家的经济发展问题。

酦（醱） ㊀ fā 〔酦酵〕发酵。㊁ pō（760页）。

fá ㄈㄚˊ

乏 fá ❶缺少。例～趣｜不～其人。❷疲倦；劳累。例疲～｜人困马～。

【乏味】没味道；缺少趣味。例语言～。

【乏顿】劳累、疲困。

伐 fá ❶砍。例～树。❷攻打。例讨～。❸自夸。例不矜（jīn）不～。

【伐柯】❶称为人做媒。❷比喻遵循一定的准则。

【伐毛洗髓】刮去毛发，清洗骨髓。比喻彻底清除污秽。《太平广记》卷六引《洞冥记》："吾…三千年一返骨洗髓，二千年一剥皮伐毛。吾生来已三洗髓五伐毛矣。"

【伐功矜能】夸耀自己的功劳和才能。形容自高自大。《史记·太史公自序》："奉法循理之吏，不伐功矜能，百姓无称，亦无过行。"

茷⊠ ㊀ fá 草叶茂盛。㊁ pèi（742页）。

垡 fá 〈方〉❶耕地；把土翻过来。例～地。❷耕地翻起的土块。例打～。

阀（閥） fá ❶指在某一方面有重大势力的家族、人物或集团。例门～｜财～。❷阀门。

【阀门】管道中用来控制液体或气体的流量，减低它们的压力或改变流动方向的装置。如安全阀、减压阀等。

【阀阅】❶指功绩和经历。《后汉书·章帝纪》："或起畎亩，不系阀阅。"也指记功的簿籍。❷古代仕宦人家大门外的左右柱，用来榜贴功状。后因此称仕宦之家为阀阅。

筏（*栰） fá 筏子，用竹、木等编扎成的水上交通工具。如竹筏、木筏。有些地方有用牛羊皮制成的，叫皮筏。

罚（罰 *罸） fá 处分；惩处。例～款｜赏～分明。

【罚没】处罚并没收非法所得到的财物。

【罚金】❶处罚犯罪分子向国家缴纳一定数额金钱的刑罚。在判决指定的期限内一次或分期缴纳。期满不缴纳的，强制缴纳。对于不能全部缴纳罚金的，人民法院在任何时候发现被执行人有可以执行的财产，应当随时追缴。❷被判罚款时缴纳的钱。

【罚不当罪】给予的处罚跟所犯的罪不相称。《荀子·正论》："赏不当功，罚不当罪。"当：相当。

fǎ ㄈㄚˇ

法（*灋 *浤） fǎ ❶由国家制定或认可的，以权利义务为主要内容的，体现国家意志，受国家强制力保证执行的法律、法令、条例等行为规则的统称。例宪～｜刑～。❷方法；方式。例写～｜办～。❸效法。例～先王。❹标准；样子；可以模仿的。例取～｜～书。❺佛教的教义。也泛指佛教和道教的。例佛～｜～术。❻法国的简称。❼法拉的简称。

【法人】具有民事权利能力和民事行为能力，依法独立享有民事权利和承担民事义务的组织。民法上与公民同为民事主体。有国家机关法人、事业单位法人、企业法人和社会团体法人等。与"自然人"同为民事主体。

【法门】佛教指修行者入道或获得佛果的门径。今借指窍门等。

【法办】对犯罪分子依法给予惩办。

【法书】❶艺术性较高的可供学习、欣赏的书法作品。❷敬辞。称对方的书法作品。

【法术】❶迷信指神仙或术士、巫婆等所施行的呼风唤雨、驱鬼除病等手段。如画符、念咒等。❷指先秦法家以法治国的学术。

【法令】一般指国家机关在职务范围内规定的带有规范性、法律性的个别文书。与法律不同。1982年《中华人民共和国宪法》已删去"法令"一词。

【法式】标准的格式。

【法老】希腊语音译词。意为宫殿。古代埃及国王的称号。

【法场】❶僧道做法事的场所。❷刑场的

旧称。

【法师】佛教中对通晓某种经典并善于讲解以及致力修行传法的僧侣的尊称。通常也用作对佛教僧人或道教道士的礼貌称呼。

【法则】❶即"规律"(356页)。❷效法。㊀～先王。

【法网】比喻由法律织成的严密的罗网。一般用来指法律制裁。

【法纪】法律与纪律的合称。法律具有普遍适用性,而纪律具有特定的适用范围,如党的纪律只约束党员。

【法医】运用医学、生物学、化学和其他自然科学的理论与技术,研究解决司法工作中关于人身伤亡及涉及法律的各种医学问题的专业人员。

【法系】由不同的国家或地区在历史上所形成的具有相同法的结构和法的表现形式的一种法的类型。也指一种法律传统。西方国家影响最大的两大法系是大陆法系和英美法系。

F

【法规】法律效力低于宪法和法律的一种法的形式。在中国指国务院制定的行政法规和地方国家权力机关制定的地方性法规。一般用条例、规定、规则、办法等称谓。

【法拉】简称法。电容单位。为纪念法拉第而命名。

【法事】❶也叫佛事。指佛道徒拜忏、打醮等事情。❷指巫师、术士"作法"捉妖驱邪。

【法国】全称法兰西共和国。位于欧洲西部。西临大西洋,西北隔拉芒什海峡与英国相望,东北邻比利时、卢森堡,东邻德国、瑞士、意大利,东南临地中海、摩纳哥,西南邻西班牙、安道尔。是世界主要经济发达国家之一。

【法典】❶古代各种法律的统称。如《汉谟拉比法典》。❷书面形式的法律部门相对全面的法律体系。如《拿破仑法典》包括民法典、民诉法典、商法典、刑法典、刑诉法典。❸将同一性质或同一种类的法律规范通过系统编纂而成的法律。如民法典。

【法帖】供人临摹或欣赏的名家书法的拓本或印本。法:标准,规范。

【法制】❶一个国家法律制度的总和。❷立法、守法、执法、司法和法律监督的法制运行机制。

【法治】用法律治理国家。有形式法治和实质法治之说。形式法治指依法治国、依法办事的治国方式、制度及其运行机制;实质法治指良法统治,法律至上,法律主治,制约权力、保障权利的价值、原则和精神。

【法学】研究法律和法律现象及其发展规律的科学。

【法宝】❶佛教指佛所说的教义和教典。也指僧用的衣钵、锡杖等。❷宗教或神话中指能制伏妖魔鬼怪的宝物。❸喻指特别有效的工具、方法或经验。

【法定】由法律、法令所规定的。㊀～手续。

【法官】也叫审判员。在中国依法行使国家审判权的审判人员。包括最高人民法院、地方各级人民法院和军事法院等专门人民法院的院长、副院长、审判委员会委员、庭长、副庭长、审判员和助理审判员。

【法郎】法语音译词。法国、布隆迪、刚果、卢森堡、瑞士、塞内加尔、乍得等国的本位货币均译为法郎。

【法驾】皇帝的车驾。《史记·吕后本纪》:"乃奉天子法驾,迎代王于邸。"

【法显】(约337—约422)东晋僧人。平阳(今山西临汾西南)人。曾到印度、师子国(今斯里兰卡)学经律、梵语,取得佛经多种,游历三十余国。回国后从事译经工作。所著《佛国记》(即《法显传》)是研究南亚次大陆各国古代史地的重要参考书。

【法律】❶法的形式的统称。❷在中国,专指由全国人民代表大会及其常委会制定的规范性文件。地位仅次于宪法。依据制定机关的不同可分为两大类:基本法律,由全国人民代表大会制定,如刑法、民法等;基本法律以外的其他法律,由全国人民代表大会常委会制定,如商标法、文物保护法等。

【法度】❶法律;法令制度。❷规矩;行为的准则。

【法庭】❶法院审理案件的场所。❷法院内部组成机构。包括刑事审判庭、民事审判庭、行政审判庭等。

【法院】独立行使审判权的国家机关。在中国,是人民法院的简称。

【法家】战国时期的一个学派。以李悝、商鞅、韩非等为主要代表。主张严刑峻法、以法治国。

【法案】提交国家立法机关审议的法律案。

【法曹】❶汉代掌管邮递驿传的官署。《后汉书·百官志》:"法曹,主邮驿科程事。"❷唐、宋时地方司法机关。《新唐书·百官志》:"法曹:司法参军事,掌鞫狱丽法、督盗贼、知赃贿没入。"❸旧称司法官员及律师。

【法程】法则，程式。《吕氏春秋·慎行》："凡乱人之动也，其始相助，后必相恶。为义者则不然，始而相与，久而相信，卒而相亲，后世以为法程。"

【法禁】刑法，禁令。《韩非子·饰邪》："公私不可不明，法禁不可不审。"

【法器】❶佛教称具有承继传授佛法才能的人。❷和尚、道士举行宗教仪式时所用的引磬、木鱼等器物。

【法螺】❶软体动物。长30厘米左右，壳尖长圆锥形。多生活在热带海洋中。❷做佛事时用的乐器。用磨去尖顶的法螺壳制成。渔船、航船等也常用做号角。

【法人股】企事业法人机构以其可支配的净资产投入股份公司所形成的股份。

【法门寺】佛教名寺。位于陕西扶风城北。相传建寺于东汉末年，藏有释迦牟尼佛指舍利。唐代皇帝曾多次迎取佛骨供奉。1987年发现该寺地宫有4枚保存完好的释迦牟尼指舍利，鎏金珍珠装捧真身菩萨像，迎真身银金花12环锡杖、秘色瓷等，为世界佛教出土文物中所罕见。

【法拉第】迈克尔·法拉第(1791—1867)英国物理学家、化学家。主要贡献是发现了电磁感应现象，奠定了现代电工学的基础。还发现了电解定律，详细研究了电场和磁场，得到许多重要成果。

【法新社】法国新闻社的简称。法国最大的通讯社。总社设在巴黎。

【法不阿贵】执法者秉公处事，不偏袒有钱有势的人。《韩非子·有度》："法不阿贵，绳不挠曲。法之所加，智者弗能辞，勇者弗敢争，刑过不避大臣，赏善不遗匹夫。"阿(ē)。

【法兰克福】德国城市。位于德国西部。人口65万(1992年)。是欧洲主要航空港，全国最大的金融、交通中心和重要的工商业中心。化学工业著名。曾是神圣罗马帝国各城邦选举皇帝及皇帝加冕地。有罗马堡广场、正义女神铜像、市政厅(皇帝加冕处)、歌德故居等名胜古迹。

【法的适用】国家司法机关依据法定职权和法定程序，具体应用法律处理案件的专门活动。

【法定继承】按照法律规定的继承人的范围、继承顺序、遗产分配原则进行继承的法律制度。适用于被继承人生前未立遗嘱，也未立遗赠扶养协议的情况。

【法律责任】行为人因过错而违法理应承担的法律后果。分民事责任、刑事责任、行政责任等。

【法律规避】涉外民事法律关系的当事人为利己的目的，故意改变法院所在地国家冲突规范连结点的具体事实，以避开本应适用的准据法，从而使对其有利的法律得以适用。中国法律规定规避内国法无效。

【法律事实】法律规定的能够引起法律关系产生、变更和消灭的客观情况。分法律事件和法律行为。如人的死亡使夫妻关系终止，继承关系发生；结婚登记行为产生婚姻关系等。

【法律适用】在审理国际私法案件时，法院确定适用某国法律作为准据法的原则。是国际私法学研究的核心。

【法律效力】❶指法律规范所适用的范围和对象。最高国家权力机关所制定的法律除另有规定者外，适用于全国范围。❷指确定法律或法规效力的开始和终止时间。

【法律援助】无力支付律师费用的公民，免费获得律师帮助的制度。援助范围包括赡养、工伤、刑事诉讼、请求国家赔偿和支付抚恤金等。

【法律解释】对法律规范的含义以及所使用的概念、术语、定义等作的说明。分正式解释和非正式解释。正式解释是国家机关依法在其职权范围内对有关的规范性文件所作的解释。按解释的主体又分立法解释、司法解释和行政解释，这些解释都具有法律效力。非正式解释在法律上没有约束力，一般是学理解释。

【法律意识】人们关于法的思想和观点的总称。包括对法的本质、作用的看法，对现行法的要求和态度，对法的评价和解释，对人们的行为是否合法的评价和人们的法制观念等。

【法庭调查】人民法院当庭听取诉讼当事人的陈述、答辩，使全部案件事实和证据在法庭上予以揭示并得以核实的庭审阶段。为法庭辩论作准备。

【法兰西帝国】法国历史上先后出现过两次法兰西帝国。(1)拿破仑·波拿巴于1804年废除共和制，宣布帝制，同年12月加冕称法国皇帝拿破仑一世，史称法兰西第一帝国，1814年拿破仑退位，帝国结束。(2)路易·波拿巴(拿破仑一世之侄)于1852年发动政变，复辟帝制，自称拿破仑三世，史称法兰西第二帝国，1870年普法战争中被推翻。

【法兰克王国】日耳曼人法兰克族于公元486年推翻西罗马在高卢(今法国境内)残余的奴隶主政权后建立的封建国家。8世纪后期至9世纪初,在国王查理领导下,成为西欧最强大国家,被称为查理曼帝国。公元843年帝国一分为三,成为现在法、德、意三国的前身。

【法西斯主义】帝国主义国家垄断资产阶级鼓吹和实行的专制独裁和恐怖统治的政治制度和思想体系。对内表现为残酷镇压无产阶级和劳动人民的革命运动,取消一切民主、自由,实行垄断资产阶级专政;对外准备并发动侵略战争。法西斯一词源出拉丁文,原指中间插着一把斧头的一捆棍棒,古罗马用来象征暴力和强权。

【法国大革命】通常指1789年开始的法国资产阶级民主革命。1789年7月14日巴黎人民武装起义,攻破专制制度的象征巴士底狱。1792年推翻了国王路易十六的统治。同年9月法国人民粉碎了外国武装干涉,宣布成立法兰西共和国。雅各宾派1793年掌握了政权,1794年即被"热月政变"推翻,大革命结束。这次革命建立了资产阶级专政,并在一定程度上解决了土地问题,是一次比较彻底的资产阶级民主革命。对欧洲、美洲的民族、民主革命产生了极大影响。

【法国民法典】也叫拿破仑法典。法兰西第一帝国皇帝拿破仑一世主持制定,1804年3月21日以《法国民法典》名称公布,1807年改称《拿破仑法典》,1816年又恢复原名。共2 281条。几经修订,至今仍然有效。是典型的资产阶级社会的法典,对后来各资本主义国家的民法产生过重大影响。

【法定代表人】依照法律或法人章程的规定,代表法人行使职权的正职负责人。如董事长、总经理、厂长、校长等。

【法定代理人】由法律直接规定的代理人。被代理人是限制行为能力和无行为能力时,监护人是其法定代理人。法律特别规定时,社会团体可成为其成员的法定代理人。与法定代表人不同,法定代理人代表公民个人,法定代表人代表法人组织。

【法定准备金】按照银行法的规定,商业银行必须将其吸收的存款按照一定比例存入中央银行的存款。

【法国七月革命】1830年7月法国人民推翻波旁王朝(1814—1830)的资产阶级民主革命。

【法定计量单位】某一国家由法令规定使用的计量单位。中国的法定计量单位以国际单位制单位为基础,也包括一些可与国际单位制单位并用的其他单位。参见〔国际单位制〕(365页)。

【法兰西第一共和国】法国历史上第一个资产阶级共和国。1792年成立。1804年拿破仑称帝后,法兰西第一共和国结束。

【法拉第电磁感应定律】英国物理学家法拉第发现的关于电磁感应的定律。即导体回路中产生的感应电动势的大小,跟穿过回路所围面积的磁通量变化率成正比。该定律的发现为电磁学的发展和交流发电机的发明奠定了基础。

【法国一八四八年革命】法国人民推翻"七月王朝"、建立第二共和国的资产阶级民主革命。1848年2月,巴黎人民武装起义,推翻国王路易·菲力浦的统治,成立由资产阶级控制的临时政府,并宣布成立共和国。同年6月,巴黎工人举行了"六月起义",遭到镇压。此后,路易·波拿巴出任总统,从而结束了这场革命。

砝 fǎ〔砝码〕在天平、磅秤上用作称量物品时衡定重量的标准。用金属制成。

fà ㄈㄚˋ

发(髮) ㊀fà 头发。㊙白～|理～。㊁fā (249页)。

【发妻】指原配妻子。

【发指】头发竖起来。形容愤怒到了极点。《史记·刺客列传》:"士皆瞋(瞋)目,发尽上指冠。"

珐(*琺) fà〔珐琅〕覆盖于金属表面的不透明的玻璃质材料。用石英、长石、硼砂、纯碱烧制而成。具有防护和装饰作用。搪瓷、景泰蓝等都是珐琅制品。珐琅制品有时也简称珐琅。

fān ㄈㄢ

帆(*帆*颿) fān ❶利用风力使船前进的布篷。❷指有帆的船。㊙千～竞驶。

"飒"，另见"飒"（255页）。

【帆船】❶依靠作用在帆具上的风力来推进的船。❷水上运动项目之一。利用风帆力量推动船在规定距离内比赛航速。分稳向板帆艇和龙骨帆艇两类。帆船的型号有暴风雨型、芬兰人型、470型、飞行荷兰人型、托纳多型、索林型等。比赛在规定距离的水域内进行，每种船型进行七轮，取其中六轮最好成绩之和作为每条船的总分，总分少者成绩列前。

飒□（颿） fān 马快走。"颿"，另见"帆"（254页）。

番 ㊀ fān ❶量词。次；回；种。㊞三～五次|另有一～景象。❷指外族的或外国的。㊞～邦。

㊁ pān（735页）。

【番号】部队的编号。通常按照编制序列和单位性质授予，限内部使用。

蕃 ㊀ fān 同"番（fān）"②。

㊁ fán（256页）。

㊂ bō（74页）。

幡 fān 一种用竹竿等挑起来垂直挂着的长条形旗子。

【幡然】同"翻然"（255页）。

藩 fān ❶篱笆。㊞～篱。❷屏障；保卫。❸封建王朝分封的属地或属国。㊞～国。

【藩台】明清时布政使的别称。

【藩属】古代的属地或属国。

【藩镇割据】唐中叶在边境和重要地方设置节度使，掌管当地的军事大权。安史之乱后，节度使势力逐渐扩大。有的节度使在其辖区内，扩充军队，委派官吏，征收赋税，不服从唐朝政令，形成地方割据势力。历史上称这种局面为藩镇割据。唐后期中央与藩镇不断战争，藩镇间也连年攻战，割据局面延续到五代十国，人民惨遭战乱灾难，社会生产受到严重破坏。

翻（❹*繙*飜） fān ❶反转；倒下。㊞～转|人仰马～。❷推翻原来的。㊞～供。❸越过。㊞～山越岭。❹翻译。❺数量成倍地增加。㊞产量～一番。❻飞。㊞众鸟翩～。

"繙"，另音fán，见"繙"（256页）。

【翻印】书刊、图画等照原样重印（指不是原出版者重印）。

【翻把】〈方〉❶敌对的一方被打败以后，重占上风。❷不承认说过的话；不认账。

【翻身】❶躺着时转动身体。❷比喻从受压迫、受剥削的情况下解放出来。㊞～不忘共产党|打了个～仗。

【翻译】❶把一种语言（文字）用另一种语言（文字）表达出来；也指把电码等代表语言文字的符号或数码翻成文字。❷担任翻译工作的专业人员。❸生物学上指以信使核糖核酸为模板合成蛋白质的过程。核糖体是细胞质中翻译的场所。

【翻供】刑事诉讼中的犯罪嫌疑人、被告人推翻自己原来的供述，导致前后供述矛盾的行为。

【翻版】❶照原样翻印出来的版本。❷比喻照抄、照搬原样，或形式不同但实质一样的事物。

【翻砂】即"铸造"（1298页）。

【翻浆】春暖解冻时，地面或路面发生裂纹并渗出水分，形成泥浆。

【翻悔】也说反悔。因后悔而推翻曾经答应的事或说过的话。

【翻案】推翻已定下的罪案。也泛指推翻原来的结论、评价、处分等。

【翻番】翻一番；数量加倍。㊞争取三年内产值～。

【翻然】也作幡然。形容很快地转变。㊞～悔改。

【翻腾】❶上下剧烈地滚动。㊞波浪～。❷翻动。㊞不要乱～。

【翻天覆地】也说天翻地覆。形容变化巨大而彻底。唐刘商《胡笳十八拍》诗："天翻地覆谁得知，如今正南看北斗。"

【翻云覆雨】唐杜甫《贫交行》诗："翻手作云覆手雨。"比喻反复无常或玩弄手段。

【翻江倒海】即"倒海翻江"（183页）。

【翻然悔悟】很快地醒悟过来，认识到以前的错误。

【翻箱倒箧】也说翻箱倒柜。形容彻底翻检或搜查。箧（qiè）：小箱子。

旛⊠ fān 同"幡"。

fán ㄈㄢˊ

凡（*凢） fán ❶平常的。㊞平～。❷副词。1. 总共，所有的。㊞全书～十二卷。2. 凡是。㊞～符

F

合条件的，都可报名参加。❸大概；概略。㊀大～。❹宗教迷信和神话故事中称人世间。㊀～世|下～。❺工尺谱记音符号之一。相当于简谱的“4”。

【凡事】不论什么事情。

【凡例】也叫发凡。书籍正文前说明编著体例的文字。

【凡是】副词。表示在某一范围内毫无例外。㊀～违章建筑，都要拆除。

【凡·高】文森特·凡·高（1853—1890）荷兰画家，后印象派的代表。因患精神病自杀。作品酷爱绚烂的原色，笔触奔放，线条旋转，充分表现内在的激情。代表作有《向日葵》《星夜》《鸢尾花》等。

【凡庸】平常；一般（多形容人的才力等）。

【凡尔赛宫】法国王宫宫殿建筑群。建于1661—1756年，在法国巴黎西南23千米处。主要设计人是孟莎特。王宫主体为三合院式的御院，由大理石院以及南北两翼等建筑组成，两翼的总长度达402米。在御院前，由辅助建筑和铁栅围出前院，前院前面为扇形的练兵广场。广场上有三条大道呈放射形分布。其建筑规模庞大、装饰豪华，曾一度成为欧洲国家仿效的范式。

【凡尔赛和约】第一次世界大战结束后，巴黎和会的参加国于1919年6月28日在巴黎凡尔赛宫签订的对德和约。规定分割德国领土、瓜分原属德国的所有殖民地、限制德国军备、要求德国支付巨额赔款。中国本来是战胜国，和约却规定把战前德国在中国的特权移交给日本。中国政府未签字。参见〔巴黎和会〕(20页)。

矾(礬) fán 主要指某些金属硫酸盐的含水结晶。最常见的是明矾。参见〔明矾〕(690页)。

【矾土】氧化铝的俗称。白色粉末，不溶于水，能渐渐溶于浓硫酸。是炼铝的原料，也用于制瓷器和耐火材料等。

钒(釩) fán 金属元素，符号V，原子序数23。银白色，质硬。用以冶炼高速切削钢和其他合金钢(如不锈钢)。

氾□ fán 姓。

另音 fàn，见“泛”(261页)。

【氾胜之】(约前1世纪)西汉农学家。曾以轻车使者的名义在三辅(关中平原)教导种麦。所作《氾胜之书》指出了耕作的基本要点，并记载了很多农作物的栽培技术。

烦(煩) fán ❶苦闷；厌烦。㊀～恼|心～意乱。❷琐细。㊀～杂|要言不～。❸烦劳(请人帮忙的客气话)。㊀～您修改一下。

【烦冗】也作繁冗。❶事情烦杂，头绪多。❷指文章拉得长，层次不分明。

【烦扰】❶搅动干扰。㊀别去～他了。❷因受搅扰而心烦。

【烦琐】也作繁琐。繁杂琐碎。

【烦嚣】声音杂乱扰人。

【烦躁】烦闷急躁。

【烦琐哲学】❶见〔经院哲学〕(515页)。❷比喻严重脱离实际、罗列表面现象、拼凑空洞条文、烦琐论证的思想方法和工作作风。

蘩☒(蘩) fán 草名。像莎草而较大，大雁爱吃。

墦 fán 坟墓。

蕃 ㊀ fán 茂盛繁多。㊀～茂|～衍。
㊁ fān (255页)。
㊂ bō (74页)。

繙□(繙) fán 〔繙帑〕❶纷乱飘舞。❷翻阅检查。

“繙”，另音 fān，见“翻”(255页)。

璠 fán 一种美玉。

膰☒ fán 古代祭祀时用的熟肉。

燔 fán ❶焚烧。❷烤。

蹯 fán 兽足。㊀熊～(熊掌)。

樊 fán 篱笆。㊀～篱。

【樊笼】关鸟兽的笼子。比喻受拘束不自由的境地。

【樊篱】篱笆。比喻对事物的限制。㊀冲破～。

繁(*緐) ㊀ fán 复杂；繁多。㊀纷～|～星。
㊁ pó (760页)。

【繁冗】同“烦冗”(256页)。

【繁华】(城镇、街市)商业兴旺，市面热闹。

【繁杂】(事情)多而杂乱。

【繁兴】纷纷兴起。晋刘琨《劝进表》：“自元康以来，艰祸繁兴。”㊀争论～。

【繁芜】文字繁多杂乱。

【繁茂】(草木)多而茂盛。
【繁育】繁殖培育。㊀~优良品种。
【繁荣】❶(经济或事业等)蓬勃兴旺。㊀市场~。❷使蓬勃兴旺。㊀~社会主义经济。
【繁复】多而复杂。
【繁衍】生物品种数量逐渐增加扩大。
【繁难】复杂困难。㊀~的工作。
【繁琐】同"烦琐"(256页)。
【繁博】(文中引证)多而广泛。
【繁殖】生物产生新的个体,以传种接代的过程。㊀~鱼苗。
【繁缛】❶多而琐细。㊀礼节~。❷细密。㊀琴声~。缛(rù):繁多。
【繁分式】分式的分子或分母中含有分式,这样的分式叫做繁分式。如

$$\frac{a}{\frac{b}{c}},\quad \frac{1+\frac{2}{x}}{x+2},\quad \frac{\frac{2}{a}+\frac{1}{b}}{\frac{2}{a}-\frac{1}{b}}。$$

【繁分数】分数的分子或分母中含有分数,这样的分数叫做繁分数。如

$$\frac{\frac{3}{4}}{8},\quad \frac{6}{\frac{1}{2}},\quad \frac{\frac{4}{5}}{\frac{3}{8}}。$$

【繁体字】指原来笔画比较繁多,而现已有正式简化汉字代替的字。如機(机)、關(关)、團(团)、體(体)等。与"简体字"相对。
【繁文缛节】过分繁琐的仪式或礼节。也比喻其他繁琐多余的事项。

蘩 fán 白蒿。

fǎn ㄈㄢˇ

反 fǎn ❶颠倒的;方向相背的。与"正"相对。㊀~面|~作用。❷指反革命、反动派。㊀肃~。❸反抗;反对。㊀~法西斯|~封建。❹翻转。㊀~复|~败为胜。❺推及。㊀举一~三。❻回;还。㊀~击|~问。❼副词。反而。㊀画虎不成~类犬。❽古同"返"。
【反切】中国古代使用的一种注音方法。是用两个字来拼合出另一个字的音,上字取声母,下字取韵母和声调。如:冬,都宗切,取"都"字的声母 d,"宗"字的韵母和声调 ōng,拼成 dōng。
【反水】〈方〉叛变。
【反手】把手一翻。比喻事情容易办到。
【反击】❶防御的军队对进攻之敌实施的积极主动的攻击。❷泛指对进攻的敌对势力进行回击。
【反正】❶指敌方的军队或人员投向自己一方。❷副词。表示坚决肯定的语气,含有不因条件不同而改变的意思。㊀~我们的决心下定了,不获全胜,决不收兵|不管你怎么说,~他不答应。
【反扑】被打退后又扑过来。㊀击退敌人的~。
【反目】不和睦。多指夫妻不和、吵架。
【反刍】俗称倒嚼(jiào)。牛、羊、鹿、骆驼等动物,先将食物吃入胃内,然后返回到嘴里咀嚼,再咽下去消化的过程。
【反动】❶指思想上或行动上维护旧制度,反对革命的思想或行动。㊀思想~|~分子。❷相反的作用。㊀清代的朴学是宋明理学的~。
【反而】副词。表示某种行为和状况产生了相反或出人意料的结果。㊀人数虽然减少了,战斗力~增强了。
【反问】❶反过来对提问的人发问。❷也叫反诘。修辞格的一种。用否定的句式通过反问来表示肯定的意思,或用肯定的句式通过反问来表示否定的意思,只问不答,答案暗含在问句之中。如"中国人死都不怕,还怕困难么?"
【反攻】防御中对进攻之敌采取的攻势行动。通常用于战略范围。
【反串】戏曲演员偶尔扮演本行当以外的角色。
【反坐】指按诬告别人的罪名对诬告者施行惩罚。坐:定罪。
【反应】❶化学反应。❷有机体受刺激而引起的相应的活动。❸事物引起的意见或行动。㊀这部小说发表后~很好。
【反间】指利用敌方间谍给敌人提供假情报,使敌人中计,或使敌人内部发生矛盾分化。间(jiàn)。
【反证】❶可以驳倒原论证的证据。❷由证明与论题相矛盾的判断来证明论题的真实性,是一种间接论证。
【反诉】在已经进行的民事诉讼中,被告按照法定程序对原告提出的与本诉有联系的独立的诉讼请求。原告的起诉权与被告的反诉权都是法律赋予当事人的诉权,同样

受法律保护。

【反驳】论证的一种特殊方式，即用一个论证去推翻另一个论证，也就是用确凿的事实或正确的观点证明某种言论是虚假的。

【反侧】翻来覆去。㊀辗转～。

【反诘】即“反问”(257 页)。

【反衬】从反面来衬托。

【反话】故意说的与自己真正意思相反的话。

【反省】检查自己思想行动中的错误。省(xǐng)。

【反映】❶反照，比喻把客观事物的本质表现出来。㊀文学作品～现实生活。❷把情况或意见等向上级报告。㊀～群众意见。❸哲学范畴。指客观事物作用于人的感官引起的感觉、知觉、表象，以及在此基础上产生思想的过程和结果。❹心理学范畴。指动物有机体接受和回答客观事物影响的机能。如动物能凭一定的声音、气味寻找食物等。

F

【反响】(言论、行动所引起的)反应，回响。

【反复】❶一次又一次。㊀～实践。❷忽而这样，忽而那样，颠过来倒过去。㊀～无常。

【反差】❶景物或摄影画面、电视屏幕等上面不同部分的明暗差异程度。❷泛指好坏、优劣、美丑等方面对比的差异。

【反叛】❶叛变。❷叛变的人。叛(pan)。

【反语】修辞格的一种。用同本意相反的词语或句子来表达本意。可以用正面的话表达反面的本意，也可以用反面的话表达正面的本意。如“动不动就打人，多勇敢啊!”

【反顾】回头看。比喻翻悔。

【反射】❶人和动物通过中枢神经系统，对刺激所产生的规律性反应。是一切神经活动的基本形式。分非条件反射和条件反射。❷波在传播过程中达到两种媒质的界面时返回原媒质的现象。如光在镜面上的反射。

【反悔】即“翻悔”(255 页)。

【反常】和正常的情况不同。

【反剪】把两臂交叉地并在背后或绑在背后。

【反馈】❶把放大器输出的电路中的一部分能量输入电路中，以增强或减弱输入信号的效应。增强输入信号效应的叫正反馈；减弱输入信号效应的叫负反馈。正反馈常用来接受微弱信号；负反馈能稳定放大，减小失真，因而广泛应用于放大器中。❷医学上指生理、病理效应反过来影响引起这种效应的原因。起增强作用的叫正反馈，起减弱作用的叫负反馈。❸(信息)返回。

【反感】抵触或憎恶(wù)的情绪。

【反噬】对别人的指责、揭发反咬一口。噬(shì)：咬。

【反义词】词性相同而意义相反或相对的词。如上和下、美和丑、团结和分裂等。

【反比例】相关的两个量，当其中的一个乘以某数时，另一个就除以某数，就称这两个量成反比例。

【反气旋】见〔高气压〕(309 页)。

【反应热】化学反应过程中吸收或放出的热量。

【反证法】一种论证问题的方法。不是直接论证一个论点本身的正确，而是通过论证与它相矛盾的论点是错误的，来证明原论点的正确。

【反垄断】资产阶级政府为了保护有效的自由竞争制度，通过法律和政策限制垄断或解散垄断组织。

【反物质】由反粒子组成的物质。在高能实验室中已能产生由反质子和反中子结合而成的反氘和反氦。但宇宙空间只有极少的反粒子，目前还没有发现由它们形成的反物质。

【反空降】攻歼空降之敌的作战。包括反机降和反伞降。分战略反空降、战役反空降和战术反空降。

【反空袭】针对敌人空袭的作战。包括抗击作战、反击作战和防护行动等。

【反映论】唯物主义认识论的基本原理。唯物主义确认人类的全部认识过程都是主体对客体的反映。辩证唯物主义的反映论是能动的革命的反映论。

【反突防】拦截敌方突防的导弹或飞机的行动。通常利用对空防御系统，及时发现、跟踪、识别并截击敌人的导弹或飞机。

【反倾销】对外国商品在本国市场上倾销所采取的一种抵制措施。

【反射弧】反射活动的结构基础。通常由感受器、传入神经、神经中枢、传出神经和效应器五个部分组成。神经系统的活动都是各种各样的简单或复杂的反射活动，因此反射弧的组成也有简有繁。

【反请求】仲裁的被申请人反驳申请人的仲裁请求。类似于民事诉讼中的反诉。

【反粒子】正电子、反质子、反中子等粒子的统称。相对于电子、质子、中子等粒子而命名。反粒子及其对应粒子(如正电子和电子)的质量、自旋、磁矩和平均寿命都相同。如果带电,则所带的电量与对应粒子相等而符号相反;磁矩和自旋的取向关系也相反。反粒子与对应粒子相遇时就转化为他种粒子(光子、介子等)。

【反潜机】搜索和攻击敌潜艇的海军飞机和直升机。装备有声呐等对潜搜索器材和反潜鱼雷、深水炸弹等反潜武器。

【反戈一击】调转枪头向原来所属的阵营进攻。也比喻一旦觉悟,回过头来对自己一方的坏人坏事进行揭露和斗争。

【反水不收】泼出去的水,不能收回。比喻事情已成定局,无法挽回。《后汉书·光武帝纪上》:"反水不收,后悔无及。"

【反导作战】使用反弹道导弹武器将来袭弹道导弹摧毁在飞行中或使其失效的作战行动。

【反导条约】指1972年5月美国和苏联签定的《美苏限制反弹道导弹系统条约》。该条约只允许双方在各自首都周围和一个洲际弹道导弹地下发射井周围建立反导弹防御系统,不得部署全国性导弹防御系统,同时规定"每一方承诺不发展,试验或部署以海洋、大气层、宇宙空间为基地或陆基可移动式的反弹道导弹系统或组成部分"。

【反导系统】反弹道导弹武器系统的简称。用于拦截来袭弹道导弹的武器系统。由拦截武器、预警雷达、目标识别雷达、目标跟踪雷达、目标拦截计算机、指挥中心等组成。

【反攻倒算】被打倒的阶级敌人或反动势力纠集起来向革命人民进行反扑。主要表现是:翻他们反革命罪恶的案,向人民群众夺取胜利果实,打击、陷害以至屠杀革命干部和群众等。

【反求诸己】反过来在自己身上寻找原因。《孟子·离娄上》:"行有不得者皆反求诸己,其身正而天下归之。"求:追究。诸:"之于"的合音。

【反作用力】见〔作用力〕(1327页)。

【反应速率】化学反应进行的快慢。通常用单位时间内单位体积反应物浓度的减少,或生成物浓度的增加来表示。

【反败为胜】扭转了败局而取得胜利。

【反面人物】指文艺作品中所塑造的被否定的或反动的人物。

【反复无常】变动不定,忽而这样,忽而那样。

【反复记号】记录音乐演奏、演唱反复情况的记号。‖: :‖表示此区间反复。$\sqrt{1.}$和$\sqrt{2.}$表示反复第二段时略过$\sqrt{1.}$处,还有 *D. C. al Fine*表示从头反复至 *Fine* 处终结。

【反客为主】客人反过来成为主人。指违反了通常的主客关系。也比喻变被动为主动。

【反唇相讥】不服气,反过来责问或讥讽对方。原作反唇相稽。《汉书·贾谊传》:"妇姑不相说(悦),则反唇而相稽(计较)。"反唇:顶嘴。

【反躬自问】事后反过来问问自己,指检查自己的思想和言行。躬:自身。

【反璞归真】即"归真反璞"(355页)。

【反卫星武器】用以攻击、破坏、干扰敌方卫星等航天器的空间武器。主要利用核能或动能、定向能等毁伤目标。

【反比例函数】形如 $y=k/x$(其中 k 为常数,且 $k\neq0$)的函数。

【反右派斗争】反对资产阶级右派的斗争。1957年4月,中共中央决定在全党进行反对官僚主义、宗派主义和主观主义的整风运动。极少数资产阶级右派分子乘机向党和社会主义制度进攻,妄图取代共产党的领导。6月,中共中央决定对右派进攻进行反击。这种反击是必要的,但在斗争中犯了严重扩大化的错误。1978年,中共中央决定对被划为右派分子的人进行复查,把错误的改正了过来。

【反季节栽培】也叫逆时栽培。在自然条件不适于作物露地生长的季节或地区,通过采用保护性措施,人工创造适合作物生长的环境条件来种植作物的栽培方式。多用于蔬菜、花卉、果树等的栽培。

【反辐射导弹】利用敌方电磁辐射源发射的信号进行自导引、跟踪并摧毁该辐射源的导弹。如反雷达导弹等。是电子战中的"硬杀伤"武器。

【反其道而行之】采取与对方相反的办法行事。

【反法西斯战争】见〔第二次世界大战〕(202页)。

返 fǎn 回来;回复。㊀一去不~|~老还童。

【返工】因质量不合格而重做。

【返还】归还。

【返青】植物幼苗过冬或移植后恢复生长,

叶色转绿的现象。

【返航】舰船、飞机或飞行器航行归来。

【返照】日落时日光的回照。也泛指光线的反射。

【返潮】空气湿度大,地面和衣物等因附着水分而潮湿;因地下水上升,地面和墙根发潮。

【返老还童】老年人又恢复青春。形容老人充满了活力。

【返祖现象】隔若干代以后,出现与祖先相似性状的遗传现象。

fàn ㄈㄢˋ

犯 fàn ❶违反;抵触。㊎~法|~规。❷犯罪的人。㊎盗窃~|战~。❸侵犯。㊎击退来~的敌人。❹发作;发生。㊎~病|~错误。

【犯人】犯罪人的简称。刑事判决予以定罪量刑,并移交执行机关正在服刑的人。

【犯戒】违犯戒律。

【犯忌】违犯禁忌。

【犯科】旧指犯法。

【犯案】作案后败露。

【犯禁】做禁止做的事情。

【犯罪】一切危害社会触犯刑法而应处以刑罚的行为。

【犯颜】指言词冒犯君主或尊长的威严。

【犯罪地】犯罪行为的实施地、结果地、犯罪预备地和销赃地等。刑事诉讼地区管辖以犯罪地人民法院为主。

【犯上作乱】旧指触犯皇权或尊长,搞叛逆活动。《论语·学而》:"其为人也孝弟,而好犯上者,鲜矣;不好犯上,而好作乱者,未之有也。"

【犯罪中止】在犯罪过程中,自动放弃犯罪或自动有效地防止犯罪结果发生的,叫犯罪中止。对于中止犯罪,没有造成损害的,应当免除处罚;造成损害的,应当减轻处罚。

【犯罪未遂】已经着手实施犯罪,由于犯罪分子意志以外的原因而未得逞的,叫犯罪未遂。对于未遂犯,可以比照既遂犯从轻或减轻处罚。

【犯罪预备】为了犯罪,准备工具、制造条件的,叫犯罪预备。对于预备犯,可以比照既遂犯从轻、减轻或免除处罚。

【犯罪集团】三人以上为共同实施犯罪而组成的较为固定的犯罪组织。对组织、领导犯罪集团的首要分子,按照集团所犯的全部罪行处罚。

【犯罪嫌疑人】在公诉案件中因涉嫌犯罪被立案侦查和审查起诉的人。

范(範) fàn ❶铸造器物的模子。㊎钱~|铁~。❷模范;榜样。㊎典~|示~。❸界限。㊎~围|就~。❹不使其越过界限。㊎防~。

【范本】典范的样本(多指书画)。㊎习字~。

【范围】❶周围界限。❷限制。㊎不可~。

【范例】可作为榜样的事例。

【范畴】❶反映事物本质和普遍联系的基本概念。各门科学都有自己特有的范畴,如化学中的化合、分解,政治经济学中的价值、剩余价值等。哲学范畴与各门具体科学的范畴不同,它反映各门科学共同规律的最普遍、最基本的概念。一定的范畴,是人类对客观世界认识发展一定阶段的产物和标志。❷类型;范围。

【范缜】(约450—约510)南朝齐梁时期哲学家,无神论者。字子真,南乡舞阴(今河南泌阳西北)人。针对佛教的神不灭论,提出神灭论。著作多佚,仅存《神灭论》《答曹舍人》等篇。缜(zhěn)。

【范蠡】❶(约前5世纪)春秋时期大夫。字少伯,楚国宛(今河南南阳)人。曾助越王勾践奋发图强,灭掉吴国。后游齐国,改名鸱夷子皮,隐居在陶(今山东定陶西北),以经商致富,号陶朱公。❷书名。《汉书·艺文志》有《范蠡》二篇,已佚。蠡(lǐ)。

【范成大】(1126—1193)南宋诗人。字致能,号石湖居士,苏州吴县(今属江苏)人。曾出使金国,官至参知政事。其诗题材广泛,对农民的痛苦、官吏的残暴、祖国的统一等问题都有反映。著有《石湖居士诗集》《石湖词》《桂海虞衡志》《吴船录》等。

【范仲淹】(989—1052)宋代文学家。字希文,苏州吴县(今属江苏)人。曾任参知政事,建议改革政治,但遭反对,未能实现。工诗词散文,文章有较丰富的政治内容。有《范文正公集》。

笵☒ fàn 竹制的模型。后作範(范)。

饭(飯) fàn ❶煮熟的谷类食品。特指米饭。❷每天定时吃的食物。㊎早~|晚~。

贩(販) fàn ❶商人买货物。例～粮食|～牲口。❷贩卖货物的小商人。例小～|摊～。

【贩卖】商人买进货物再卖出去，以获取利润。

畈 fàn 田地。多用于地名。

饭☒**(飰)** fàn 同“饭”。

泛(❶❸*汎❶❸❹*氾) fàn ❶飘浮。例～舟湖上。❷透出；往上冒。例脸上～红|～味儿。❸广泛；一般地。例～指|空～。❹水涨溢。例～滥。

“氾”，另音 fán（256 页）。

【泛论】❶一般而宽泛的论述。❷不切实际的空谈。

【泛泛】肤浅；不深入。例～而谈。

【泛音】乐音中振幅比基音小、频率比基音高的音。频率是基音整数倍的泛音，也叫谐音。

【泛滥】江河湖泊的水溢出。也比喻坏事坏思想扩散传播。例防止河水～|决不允许无政府主义思潮任意～。

【泛神论】主张神即自然界的一种哲学理论。流行于 16、17 世纪的西欧，代表人物有意大利的布鲁诺、荷兰的斯宾诺莎等。认为自然界是万物之神，神存在于一切事物之中，并没有超自然的主宰世界的精神力量。

梵 fàn 梵语音译词。寂静，高净。佛教中常常把经籍称作“梵本”，佛寺称为“梵刹”等。

【梵文】❶古印度文字。据唐代玄奘的说法，梵文共有字母 47 个。❷指梵语，古印度语的一种。这种语言保存有大量宗教、哲学、文学、艺术、医学、天文等文献。大乘佛教的经典基本上是用梵文写成的。

【梵呗】佛教徒以短偈形式赞唱菩萨、佛的颂歌。有时有乐器伴奏。

【梵蒂冈】天主教的世界中心，罗马教廷所在地。在意大利首都罗马城西北角，是一个政教合一的国中之国。

fāng ㄈㄤ

方 fāng ❶正四边形或六个面都是正四边形的六面体。❷正直。例品行～正。❸方向；方面。例东～|双～。❹办法。例千～百计|领导有～。❺地点；地区。例前～|～言。❻治病的药单。例药～|处～。❼工程上指土、石等堆积一立方米。例土～。❽数学上指自乘的积。例乘～。❾副词。正在；方才。例～兴未艾|如梦～醒|年～十六。❿表示响度级的单位。将声音与一个 1 000 赫的纯音试听比较，当两者响度被判断为相同时，后者声压级的分贝数即被定为这个声音响度级的方数。旧写作昉。⓫量词。用于方形的东西。例一～砚台|两～图章。

【方士】古指从事求仙、炼丹等迷信活动的人。

【方寸】❶平方寸。❷指人的心。例～已乱。

【方丈】❶佛教寺院的长老、住持居住的房间。❷对佛教、道教寺观内主持者的尊称。

【方正】❶不歪斜。❷正直。

【方术】即“方技”（261 页）。

【方外】❶世外；超然于世俗礼教之外。和尚、道士都可叫方外或方外人。❷国境之外。

【方式】方法和形式。例工作～|斗争～。

【方向】❶指东、南、西、北等。例在密林中迷失了～。❷通向目标的方位。有时也指目标。例认清～。❸方位。

【方舟】❶相并的两船。❷见〔诺亚方舟〕（729 页）。

【方技】也叫方术。旧时医药、卜卦、星占、相面等技术的总称。

【方志】地方志的简称。

【方针】指引事业前进的方向和目标。例～政策|教育～。

【方位】方向位置。如东、西、南、北、上、下、前、后、左、右等。

【方言】一种语言在不同地方经过历史演变而形成的分支。通行于一定的地区内。如汉语的粤方言、吴方言等。

【方命】违命。书信中用来表示对对方的嘱托不能照办的谦词。

【方音】指方言的语音，是同一语言在不同地域因演变分化而形成的语音上的差别。在标准音确立之后，不同于标准音的语音都是方音。

【方差】样本方差的简称。

【方根】一个数的 n 次方等于 a 时，这个数就叫做 a 的 n 次方根，记作 $\sqrt[n]{a}$。如 $(+2)^4=16$，$(-2)^4=16$，+2 和 −2 就是 16 的两

个四次方根。二次方根也叫平方根，三次方根也叫立方根。

【方家】大方之家的略语。原指深明道术的人。后多指精通某种学问或艺术的人。

【方案】进行工作的具体计划或关于某一问题的规定。㊀建厂～|汉语拼音～。

【方略】通盘的计划和策略。

【方隅】四方。也指国家的边疆。

【方程】含有未知数的等式。如 $3x+1=7$。

【方孔钱】中国古代铜币的一种。圆形。因钱币中间的穿孔为方形而得名。

【方志敏】(1899—1935)中国无产阶级革命家、军事家，赣东北革命根据地和中国工农红军第十军的创建者。江西弋阳人。1924年加入中国共产党。曾任国民党江西省党部农运部长。1927年11月发动弋横起义，创建赣东北革命根据地，后开辟为闽浙赣革命根据地。成立了中国工农红军第十军。曾任中共闽浙赣省委书记、闽浙赣省苏维埃政府主席、红十军政治委员等职。在党的六届五中全会上当选为中央委员。1934年率领抗日先遣队北上，1935年1月在与国民党军队作战中因叛徒告密被捕，在狱中坚贞不屈，8月在南昌英勇就义。著有《可爱的中国》《狱中纪实》等。

【方位词】表示方向或位置的词。

【方言岛】一种小范围使用的方言处于另一种大范围使用而又差别较大的方言包围之中，又能长期保持其基本特点的方言现象。这种现象同地理上的岛屿相似，故名。如福建南平城关的土官话(北方方言)是闽方言中的方言岛。

【方法论】关于认识世界和改造世界的方法的理论。在不同层次上有具体科学方法论、一般科学方法论和哲学方法论的区别。哲学方法论是指导前两种方法论的最一般、最根本的方法论，它和世界观是一致的。

【方面军】❶军队战时由若干个集团军或军组成的一级组织。一般隶属统帅部，是诸军兵种合成的战略战役军团。❷担负一个战略方向作战任务的军队编组。如中国工农红军第一方面军、第二方面军、第四方面军。

【方程组】把若干个方程联立起来组成的一组方程。如：

$$\begin{cases}3x+7y=26\\x-y=8\end{cases}\qquad\begin{cases}2x+y+z=1\\x+y+2z=2\\4x-3z=6\end{cases}$$

【方解石】碳酸盐矿物。化学式 $CaCO_3$。多为乳白色，具玻璃光泽，硬度3，破碎后常形成菱形小块。是石灰岩、大理岩的主要成分。无色透明的方解石晶体称冰洲石，是贵重的光学仪器材料。

【方兴未艾】形容事物正在蓬勃发展，一时不会终止。艾(ài)：停止。

【方枘圆凿】即"圆凿方枘"(1211页)。

【方趾圆颅】方脚圆头。原指人的头和脚，后用以指人类。《淮南子·精神训》："故头之圆也象天，足之方也象地。"《南史·陈高祖纪》："茫茫宇宙，惵惵黎元，方趾圆颅，万不遗一。"

【方腊起义】北宋末浙江一带的农民起义。当时阶级矛盾和民族矛盾异常尖锐，江浙地区更遭受花石纲的掠夺。1120年雇农出身的方腊在睦州青溪(今浙江淳安)发动起义，自称圣公，年号永乐，置官吏将帅。起义队伍发展到近百万人。北宋朝廷调兵前往镇压，方腊被俘就义。起义失败六年后，北宋灭亡。

【方程式赛车】也叫一级方程式赛车。意大利的恩佐·费拉里根据空气动力学原理设计的一种新型赛车。利用扰流装置和前后翼，增加下压力量，使车在高速行驶中不会离地。职业比赛采取设分站大奖赛的形式，共设16站，以其中11站最佳积分数确定该年的世界冠军。

邡 fāng 用于地名，如什邡(在四川)。

坊 ㊀ fāng ❶里巷。多用于地名，如锦什坊(在北京)。❷牌坊。㊀贞节～。㊁ fáng (264页)。

【坊间】街市上(旧时多指书坊)。

芳 fāng ❶花草的香味。㊀芬～|～草。❷比喻美好的名声。㊀流～百世。

【芳菲】❶花草。❷花草的芳香。

【芳香烃】具芳香性的碳氢化合物。主要来源于煤焦油和石油，是重要的化工原料。

枋 fāng 方柱形木材。

钫(鈁) fāng 人造金属元素，符号Fr，原子序数87。有放射性。

fáng ㄈㄤˊ

防 fáng ❶戒备；防守。㊀～洪|～御。❷戒备的设施。㊀城～|海～。❸

堤；挡水的建筑物。
【防卫】防御和保卫。
【防务】有关安全防御方面的事务。
【防伪】防止伪造。例～技术。
【防汛】在江河涨水时期采取戒备措施，预防洪水泛滥成灾。汛(xùn)：涨水。
【防闲】防备禁止。
【防范】防备；戒备。
【防治】预防和治疗(疾病)；预防和消灭(害虫)。
【防空】防备、抵御敌人空中入侵的措施和行动。包括建立防空体系，进行反空中侦察、防空作战，实施对空隐蔽、伪装、防护和消除空袭后果等。
【防线】由连成一线的防御阵地构成的横向线状地区。也用于比喻。
【防疫】预防传染病。
【防洪】防备洪水成灾。
【防凌】防止解冻时冰块阻塞河道。
【防御】军队抗击敌人进攻的行动。是作战基本类型之一。
【防腐】抑制或阻止微生物在有机物质中生长繁殖，以避免变质的措施。常用的方法有盐渍、冰冻、使用某些化学药品等。
【防暴】国家依法以武装力量预防和制止暴乱的措施和行动。例～警察。
【防化兵】也叫防化学兵。担负防化保障与喷火、发烟任务的兵种。由防化(观测、侦察、洗消)、喷火、发烟等部队和分队组成。装备有各种侦察、防护、洗消等器材。
【防化学】对敌化学武器袭击所采取的防护措施。主要包括构筑设有滤毒通风和密闭装置的防护工事，组织对敌人化学武器袭击的观察、报知和侦察，适时使用各种防毒器材和实施消毒等。
【防火墙】❶建筑物之间防止火灾蔓延的高墙。❷设置在因特网与用户设备之间的一种安全设施。具有识别和筛选能力，可把未被授权或具有潜在破坏性的访问阻挡在外，以达到安全和保密的目的。
【防生物】对敌生物武器袭击所采取的防护措施。主要包括及时发现和判明敌人生物武器袭击的情况并报知部队和群众，对受染人畜及时治疗，对污染区和疫区进行消毒处理，开展群众性的卫生防疫工作，除害灭病。及时查明和摧毁敌生物武器，是最积极的防护措施。
【防护林】以防御自然灾害和保护环境为主而营造的森林。如农田防护林、防风固沙林、水土保持林等。
【防空兵】以地空导弹、高射炮、高射机枪为基本装备，主要执行地面防空作战任务的有关兵种和部队。包括地空导弹兵、高射炮兵和雷达、电子对抗部队等。可在合成军队编成内或单独执行防空作战任务。
【防原子】对敌原子武器袭击所采取的防护措施。主要包括构筑防护工事，利用地形地物疏散、荫蔽人员和物资；组织观测、报知、辐射侦察；使用防护器材；消除袭击后果，如组织抢救、灭火和消除放射性沾染等。
【防晒剂】能反射或吸收紫外线的物质。如用氧化锌、二氧化钛、滑石粉等制成的防晒剂能反射紫外线，用对氨基苯甲酸丁酯等有机物制成的防晒剂能吸收紫外线。
【防御战】军队抗击敌人进攻的作战。包括战略、战役和战术范围的防御作战。
【防腐剂】防止有机物变质、腐烂的化学药品。
【防卫过当】正当防卫明显超过必要限度，造成重大损害的情况。行为人应当负刑事责任，但应当减轻或免除处罚。
【防空导弹】用以打击敌方空中目标(如飞机、导弹等)的导弹。包括地对空导弹、舰对空导弹、反弹道导弹等。
【防空体系】由各种防空组织、武器、设施等要素构成的防御敌人空袭的有机整体。主要包括各类防空组织系统及其情报预警、指挥控制、防空武器、防护工程、勤务保障等系统。
【防空武器】用以歼灭空中目标的武器装备。包括高射机枪、高射炮、防空导弹、歼击机等。
【防毒面具】保护呼吸器官、眼睛和面部免受毒剂、生物战剂和放射性物质伤害的个人防护器材。按防毒原理，分隔绝式和过滤式两种。隔绝式面具是使人的呼吸同污染空气隔绝，依靠面具本身提供空气来满足呼吸需要；过滤式面具是通过滤毒罐将污染空气滤净后供人呼吸。
【防患未然】在事故或灾害发生之前就加以预防。《周易·既济》："君子以思患而豫防之。"古乐府《君子行》："君子防未然。"
【防微杜渐】在错误或坏事刚露出苗头时就及时制止，不让它发展。宋胡安国《春秋传·文公九年》："故至而特书，以示防微杜渐之意，其为世虑深矣。"微：微小，指事物的苗头。杜：堵。渐：事物发展的开端。

【防民之口，甚于防川】阻止百姓批评的危害，比堵塞河川引起的水患还要严重。指不让百姓说话，必有大害。《国语·周语上》："防民之口，甚于防川。川壅而溃，伤人必多。民亦如之。"

坊 ㊀ fáng ❶小手工业者的工作场所和旧时某些店铺的名称。㊞作～｜油～｜茶～。❷古又同"防"。《礼记·坊记》："故君子礼以～德，刑以～淫。"

㊁ fāng（262 页）。

妨 fáng 妨害；阻碍。㊞这样做于事无～｜不～｜何～。

【妨害】有害于。㊞～健康。

【妨碍】干扰、阻碍，使事情不能顺利进行。

【妨害公务罪】行为人以暴力、威胁方法阻碍国家机关工作人员依法执行职务的犯罪行为。

肪 fáng 见〔脂肪〕（1261 页）。

房 fáng ❶房子；房间。㊞楼～｜平～｜书～。❷结构或作用类似房子的东西。㊞蜂～｜莲～。❸家族的一支。㊞长（zhǎng）～。❹星名。二十八宿之一。

【房东】❶房屋的主人。❷出租房屋的人。

【房产】个人或团体保有所有权的房屋、地基等。

【房事】指夫妻间的性行为。

【房客】向房东租房居住的人。

【房舱】轮船上乘客住的小房间。

【房颤】心房颤动的简称。

【房地产】土地、建筑物和固着于土地、建筑物上不可分割的部分所共同形成的固定资产。包括物质实体和依托于实体上的权益。

【房产税】以房屋为征税对象，按房屋的计税余值或出租房屋的租金收入征税的一种税。

【房地产业】从事房地产开发、经营、管理和服务的行业。

鲂（魴） fáng 鱼类。体形像鳊鱼。背部特别隆起，腹缘后部具肉棱。长可达 50 多厘米。生活在淡水中，可以养殖。

【鲂鮄】也叫火鱼。鱼类的一科。体略呈圆筒形，头部有骨质板。栖于水底，能爬行，食甲壳类、软体动物和小鱼等。中国沿海均产。

fǎng ㄈㄤˇ

仿（❶－❸*倣❹*髣） fǎng ❶效法；照着样做。㊞～造｜～制。❷照范本写的字。㊞写一张～｜大～。❸像；似。㊞面貌相～。❹"仿佛"的"仿"。

【仿佛】❶好像；似乎。㊞～认识这个人。❷类似；差不多。㊞两个人的年纪相～。

【仿单】介绍商品性质、规格、用途、用法的说明书。

【仿真】❶指利用模型模仿实际系统进行实验研究。❷外形上模仿逼真的。㊞～手枪。

【仿效】模仿着做。

【仿生学】模仿生物的某种结构和功能来制造技术设备，使其具有类似生物系统特征的科学。如根据仿生学的原理模仿狗的嗅觉研制成电子警犬，用于侦缉；模仿人的神经网络功能制成翻译机、图像识别机等。

【仿宋体】仿照宋代刻书字体的一种字体。有长、方两种。笔画均匀工整。是现代印刷、制图中使用的一种字体。

访（訪） fǎng ❶访问；探问。㊞～友｜来～。❷向人询问调查。㊞～查｜采～。

【访问】有目的地去看望、拜访。

【访求】探访，搜寻。

【访查】寻找查探。

【访问学者】研究单位、高等院校为培养业务骨干，派遣若干学者到其他研究单位、高等院校进修，这些学者叫做访问学者。在国内交流进修的叫国内访问学者，出国交流进修的叫国外访问学者。

纺（紡） fǎng ❶把丝、麻、棉、毛等纤维拧成纱或线。㊞～纱｜～线。❷一种丝织品。比绸子稀而薄。㊞杭～。

【纺纱】把棉、麻、丝、毛、化学纤维等纺织纤维纺成细纱。

【纺织】把各种纺织纤维纺成纱线，再织成织物或编织成针织物。

昉 fǎng ❶明亮。❷起始。

舫 fǎng 船。㊞画～｜游～。

F

fàng ㄈㄤˋ

放 fàng ❶解除约束、限制。㊀释～|～行。❷任意;随便。㊀～任|～纵。❸把牲畜赶到山野草多的地方吃草。㊀～羊|～青。❹发出。㊀～光|～电。❺扩展。㊀～大|～宽。❻搁;置。㊀～在桌子上|存～。❼古指把人驱逐到边远地方。㊀流～|屈原既～。

【放手】❶松手。❷解除顾虑或限制。㊀～发动群众。

【放风】❶监狱里定时放犯人到屋外活动。❷有意透露或散布消息。

【放电】❶带电体的电荷消失而变成中性的现象。❷电池释放电能的过程。

【放生】把捉住的鱼、鸟等小动物放回自然界。

【放权】把由上级掌控的权力交给下级。㊀简政～。

【放任】听其自然,不加干涉。

【放疗】用放射性核素治疗。以放射性核素在衰变中放射的射线(主要是β线)抑制或破坏病变组织。用于治疗癌症。

【放弃】丢掉或不坚持原有的权利、原则、主张、目标等。

【放怀】尽情,放开胸怀,不受任何拘束。

【放纵】❶放任纵容;对错误的言行不加干涉,不加制止,任其发展。❷不守规矩,任性。

【放青】把牲畜赶到青草地上吃草。

【放账】放债。

【放定】旧指男方给女方送的订婚礼物。定:订婚礼物,多指金银首饰。

【放诞】说话荒唐,行动放肆。

【放荒】放火烧荒。

【放荡】生活作风不正派,行为不检点;任意而为,不受约束。

【放映】用强光装置把底片或影片上的形象放大照射到银幕上或墙上。

【放养】把有经济价值的鱼类、柞蚕、红萍等动植物放到适合它们生长的环境里使之繁殖长成,以取得经济收益。

【放洋】旧指出使外国或到外国留学。

【放样】施工中的一道工序。施工中照图纸按实际尺寸或按一定比例放大,或将复杂的曲面展开成平面,以便准确地定出物件的尺寸,作为制造样板、下料、加工等工作的依据。

【放逐】古代的一种刑罚。把罪犯驱逐到边远的地区。

【放哨】站岗或巡逻。

【放债】把钱借给别人,收取利息。

【放射】由一点向四外射出。

【放眼】放远眼光,扩大视野。比喻从大处着想。㊀胸怀祖国,～世界。

【放盘】商店减价出售或增价买进货物。

【放淤】为了改良土质,将含泥沙、腐殖质量大的洪水引入洼地、盐碱地或沙荒地,以淤积一定的肥土。

【放肆】言行轻率,毫无顾忌。

【放置】安放;摆在某处。

【放歌】尽情地歌唱。

【放大率】通过光学仪器观察物体时,比用肉眼观察时所能放大的倍数。望远镜放大的是视角,显微镜放大的是长度和宽度。

【放线菌】有菌丝或分枝丝状体的一类微生物。菌丝纤细,常从一个中心向四周辐射生长。大部分抗生素是由放线菌产生的。

【放射系】放射性元素的原子核发生衰变后产生的子核,如有放射性,仍可发生衰变,直到产生稳定的核为止。这样形成的放射性"家族"叫做放射系。如钍系、镎系、铀系、锕系等。

【放射性】不稳定的原子核(如镭、铀等)能自发地放出射线而衰变为另一种原子核的特性。

【放射病】由放射性物质的射线照射引起的急性病。致病因素有α射线、β射线、γ射线及中子流等。小剂量立即引起恶心、呕吐等,进而脱发、便血,最后可致死。大剂量在几小时内即导致死亡。

【放任自流】听其自然发展或行动不加约束或干涉。

【放虎归山】也说纵虎归山。把已捕获的老虎放回深山。比喻放走敌人,留下后患。《三国志·蜀书·刘巴传》裴松之注引《零陵先贤传》:"既入,巴复谏曰:'若使备讨张鲁,是放虎于山林也。'"

【放热反应】化学反应过程中放出热量的反应。

【放浪形骸】行为放纵,不受世俗礼法的约束。晋王羲之《兰亭集序》:"或因寄所托,放浪形骸之外。"形骸(hái):形体。

【放射性元素】本身能发出射线而蜕变成另一种元素的化学元素。有天然放射性元素

(如锕、钍、铀等)和人造放射性元素(如镅、锔、钔等)。

【放射性污染】人类活动排放的放射性废物造成的环境污染。医用射线源,核武器试验产生的放射性沉降,核工业以及放射性同位素的科研、生产、应用工作中排放的放射性废物等都能对环境造成污染。大部分放射性废物如加以适当处理和控制,可以减少或防止对人群健康的伤害。

【放射性武器】也叫放射性战剂。利用常规手段散布放射性物质,以其衰变所产生的核辐射作为杀伤因素的武器。如通过炸药爆炸等方式散布放射性物质,沾染地面、水域、空气和武器装备等,产生杀伤破坏作用。属大规模杀伤破坏武器。

【放射性沾染】指人、畜、地面、空气、水和物体染有放射性物质。是核武器杀伤因素之一,由核武器爆炸后产生的裂变碎片、未反应的核装料和地面物体内某些元素(如钠、锰、铝等)在中子流作用下产生的感生放射性物质所形成。放射性强度随着时间的增长而减弱,以至消失。

【放之四海而皆准】《礼记·祭义》:"推而放诸东海而准,推而放诸西海而准,推而放诸南海而准,推而放诸北海而准。"后概括为放之四海而皆准。指不论用在什么地方都是正确的。

【放下屠刀,立地成佛】原是佛教劝人改恶从善的话。指屠夫只要能忏悔,放下杀生的屠刀,马上就可以成佛。明圆极居顶《续传灯录》卷二八:"广额正是个杀人不眨眼底汉,飏下屠刀,立地成佛。"后来用以比喻作恶的人,决心悔改,也能成为好人。立地:马上,立刻。

fēi ㄈㄟ

飞(飛) fēi ❶鸟虫等在空中鼓动翅膀来往活动。❷物体在空中飘荡或行驶。㊀雪花纷~|直~北京的班机。❸快;像飞一样。㊀~驶|~舟。❹〈方〉极;特别地。㊀~快|~灵。

【飞天】佛教壁画或石刻中所绘刻的在空中飞舞的乐(yuè)神。

【飞白】❶一种特殊风格的书法。笔画中露出一丝丝的白地,像枯笔写成的样子。❷中国画中一种枯笔露白的线条。

【飞机】有动力装置,主要靠机翼产生气动升力升空的航空器。通常由机身、机翼、尾翼、起落装置和动力装置等组成。按用途,分军用飞机和民用飞机;按动力,分喷气式飞机、螺旋桨式飞机;按起落场所,分陆上飞机、水上飞机、水陆两用飞机、舰载飞机等。

【飞灰】也叫粉煤灰、烟灰。燃料燃烧所产生的细小固体颗粒物。一般指燃煤电厂从烟道气体中收集的细灰。是一种工业固体废物。

【飞行】航空器、航天器以及导弹、火箭等在空中以一定的高度和速度航行。

【飞驰】飞快地跑(多指车、马等)。

【飞吻】先用手指触及自己的唇再向对方扬起以示亲吻。

【飞灾】突然而来的灾难。

【飞轮】装在机器上,利用转动惯性以储蓄和放出能量,并提高机器旋转平稳性的沉重轮子。冲床和往复式发动机、压气机等上面都装有飞轮。

【飞泉】从悬崖上流下的泉水。

【飞语】也作蜚语。没有根据的话。

【飞钱】也叫便换。唐代私人创设的货币汇兑方式。由于商品经济发展,铜钱缺不敷用,携带不便,来京贸易的商贾将销货款委托各道进奏院(诸藩镇在京办事处)、诸军府、节度使或富家领取半联票券,合券即可取款。解除了商旅长途携带钱帛及各地运输税钱入京之劳。

【飞跃】❶哲学范畴。指事物从一种质态到另一种质态的转化形式。是渐进过程的中断,是旧事物灭亡和新事物产生的决定性环节。有爆发式和非爆发式两种基本形式。前者通常是解决对抗性矛盾质变的形式,通过剧烈的外部冲突实现;后者是解决非对抗性矛盾质变的形式,不发生剧烈的外部冲突。❷比喻突飞猛进。㊀~发展。❸飞腾跳跃。

【飞艇】有推进和操纵装置,主要靠空气浮力升空的航空器。主要用于空中运输、预警、巡逻、宣传和体育运动等。

【飞禽】会飞的鸟类。也泛指鸟类,因鸟类大多能飞。

【飞翔】盘旋地飞。

【飞溅】向四外喷溅。㊀钢花~。

【飞腾】急速飞起;很快地上升。㊀烟雾~。

【飞廉】❶二年生草本植物。形似蓟。茎直立,叶互生,夏季开花,紫红色。中国各地普遍野生。全草可供药用,杀农业害虫。❷古人名。殷纣王的臣子,善走。❸古代神话中的怪兽。❹古指风神。

【飞歌】苗族山歌。流行于贵州黔东南自治州。苗语音译为恰央,意为喊歌。演唱时气息悠长,节拍自由。歌曲结尾的大下滑音尤有特色。

【飞碟】❶不明飞行物的俗称。❷射击运动项目所用的一种靶。形状像碟,用抛靶机抛射到空中。

【飞镖】❶旧式武器。形状像长矛的头,投掷出去能击伤人。❷娱乐活动之一。源于澳大利亚,原名飞旋镖,是当地的一种狩猎工具,呈十字形薄片状,也有U形、L形等形状的。掷镖时,手持镖的一叶,利用手腕的力量将飞镖向前上方掷出,使飞镖的旋转平面与水平面成一定角度。比赛时以一定时间内掷出和收回飞镖最多者,或飞镖的飞行时间最长者为优胜。

【飞行器】可在大气层内或太空飞行的人造物体。主要包括航空器(如气球、飞艇、飞机、滑翔机、直升机等)、航天器(如人造地球卫星、载人飞船、航天飞机等)、火箭和导弹等。

【飞扬跋扈】原指意态举动放纵,不受约束。唐杜甫《赠李白》诗:“痛饮狂歌空度日,飞扬跋扈为谁雄?”现多形容骄横放肆。

【飞机播种】简称飞播。利用飞机进行作物或林、草的播种作业。适用于人迹难至或大面积区域的播种工作。

【飞行半径】也叫活动半径。飞机一次加足油料,中途不着陆,空中不加油,能作往返航行的最远距离。通常以千米计。是飞机航行性能指标之一。

【飞沙走石】沙土飞扬,石块滚动。形容风刮得很猛。

【飞黄腾达】比喻人骤然得志,官职、地位升得很快。原作飞黄腾踏。唐韩愈《符读书城南》诗:“飞黄腾踏去,不能顾蟾蜍。”后作飞黄腾达。飞黄:古代传说中的神马名,跑得很快。腾达:高跳的样子。

【飞短流长】搬弄是非,散布流言,说人坏话。清蒲松龄《聊斋志异·封三娘》:“妾来当须秘密,造言生事者飞短流长,所不堪受。”短、长:指是非。飞、流:散布。

【飞蛾投火】也说飞蛾扑火。比喻自取灭亡。《梁书·到溉传》:“如飞蛾之赴火,岂焚身之可吝。”

【飞碟射击】射击运动项目之一。运动员在与15台抛靶机相距15米的五个射击位置上依次射碟靶,共设200个碟靶,命中靶数多者获胜。

【飞檐走壁】能在房檐和墙壁上行走如飞。形容会武术的人身体轻快。

【飞鹰走狗】放出猎鹰和猎犬去追捕野兽。指打猎。《后汉书·袁术传》:“少以侠气闻,数与诸公子飞鹰走狗,后颇折节。”

【飞航式导弹】也叫有翼导弹。依靠喷气发动机的推力和翼面产生的升力在大气层内飞行,并利用翼面控制其飞行轨迹的导弹。多数反飞机导弹、反舰导弹、反坦克导弹和巡航导弹等都是飞航式导弹。

骈⊠(騑) fēi 〔骈骀〕古代骏马名。

妃 fēi ❶皇帝的妾或太子、王、侯的妻子。❷古时对女神的尊称。㊀湘~。

非 fēi ❶错误;不对。与“是”相对。㊀明辨是~|痛改前~。❷不;不是。㊀~同小可|答~所问。❸反对;责备。㊀~议|无可厚~。❹不合于。㊀~法|~分。❺副词。和“不”“才”呼应,表示必须。㊀~下决心不可|你~把道理讲清楚我才相信。❻非洲的简称。

【非凡】不寻常,超过一般。

【非分】不守本分;不安分。分(fèn)。

【非礼】❶不合礼仪;不礼貌。❷指调戏、猥亵(妇女)。

【非议】责备。㊀无可~。

【非刑】残酷的肉体刑罚。㊀~拷打。

【非但】连词。不但。

【非命】遭遇意外的灾祸而死亡。㊀死于~。

【非法】不合法的。㊀~活动。

【非洲】全称阿非利加洲。位于东半球的最西部,西濒大西洋,东临印度洋,北隔地中海、直布罗陀海峡与欧洲相望,东北以苏伊士运河、红海与亚洲紧邻。地形以高原为主,赤道横贯中部,有热带大陆和高原大陆之称。面积3 020万平方千米,人口7.67亿(1999年)。是世界第二大洲。

【非特】连词。不但。多见于文言。

【非笑】讥笑。

【非难】指责;责备。㊀遭到~。难(nàn):驳斥。

【非常】❶极;十分。㊀~努力。❷跟平常不同的。㊀~时期。

F

【非金属】一般指没有金属光泽，没有延展性，不易导电和传热的一类单质。在常温下，有些是气态，如氧气、氮气；有些是固态，如硫、磷；液态的只有溴一种。金属与非金属之间没有绝对的界线。

【非晶体】外形和内部分子排列都无定形的固体。如玻璃、松香、沥青、电木等。有的物质既可以是晶体又可以是非晶体，如天然水晶是晶体，熔化的石英是非晶体。

【非正规战】采取游击战等形式进行的作战。

【非电解质】在水溶液中或熔融状态下不导电，以共价键结合的化合物。如蔗糖、酒精等。

【非处方药】应用安全、质量稳定、疗效确切，不需医生处方，在药店中就可买到的药物。

【非主谓句】单句中不能分析出主语和谓语的句子。由单个词或非主谓短语构成。如："水！""放暑假了！""金色的秋天。"与"主谓句"相对。

F

【非同小可】不是寻常的。形容事情重要或情况严重。小可：轻微，寻常。

【非池中物】像蛟龙一样，不是生活在池塘中的小动物。比喻有远大抱负的人。《三国志·吴书·周瑜传》："刘备以枭雄之姿，而有关羽、张飞熊虎之将…恐蛟龙得云雨，终非池中物也。"

【非驴非马】不像驴也不像马。形容不伦不类，什么也不像。《汉书·西域传下》："驴非驴，马非马，若龟兹王，所谓赢(即骡)也。"

【非正义战争】违背人民和民族的根本利益、阻碍社会进步的战争。包括为实行阶级压迫和民族压迫、镇压人民革命、侵略他国、制造国家分裂和争夺世界或地区霸权等进行的战争。

【非主要矛盾】指在事物或过程的多种矛盾中处于被支配地位，对事物的发展不起决定作用的矛盾。其存在和发展可以影响和制约主要矛盾的发展。

【非再生资源】也叫非可再生资源、不可再生资源、不可更新资源。经人类开发利用后不能得到恢复和补充的资源。如各种矿产资源。

【非极性分子】正负电荷重心重合，整个分子的电子云分布均匀对称的分子。如氧气、二氧化碳等分子。

【非条件反射】反射的一种。是正常人和动物生来就有的神经联系，是在种族进化过程中建立和巩固起来的，能遗传给后代。如食物入口引起唾液分泌。

【非法行医罪】未取得医生执业资格的人非法行医、情节严重的犯罪行为。

【非法拘禁罪】行为人非法拘禁他人或以其他方法非法剥夺他人人身自由的犯罪行为。

【非致命武器】也叫失能武器。使敌方人员或武器失去作战能力但不造成大批人员死亡及设施、环境严重破坏的武器。如次声武器、激光武器等。

【非婚生子女】公民无合法的夫妻关系而生育的子女。与婚生子女享有同等的权利。

【非晶态合金】也叫金属玻璃。通过骤冷方法由熔融的合金制得，结构与玻璃相似。强度高、耐腐蚀、磁阻低。可用于制火箭等关键部位的零件、化工反应设备、录音机磁头等。

【非可再生资源】即"非再生资源"(268页)。

【非对抗性矛盾】指在根本利益一致的基础上形成的、一般不需要采取外部冲突的形式去解决的矛盾。与"对抗性矛盾"相对。

【非洲统一组织】简称非统。非洲独立国家组成的区域性组织。1963年5月22—26日，非洲31个国家在埃塞俄比亚首都亚的斯亚贝巴通过《非洲统一组织宪章》后宣布成立。至1994年成员国增至53个。总部设在亚的斯亚贝巴。宗旨是：促进非洲国家的统一与团结，加强协调非洲国家为提高生活水平所作的努力，捍卫非洲国家的独立、主权和领土完整，从非洲根除一切形式的殖民主义，促进国际合作。

【非法持有毒品罪】行为人非法持有鸦片200克以上，海洛因或甲基苯丙胺10克以上或其他毒品数量较大的犯罪行为。

菲 ㊀ fēi ❶花草茂盛。㊎芳～。❷有机化合物，分子式 $C_{14}H_{10}$。从煤焦油中提取，可制染料、炸药等。

㊁ fěi (270页)。

【菲狄亚斯】(约前490—前432)古希腊雕塑家。公元前5世纪曾任雅典卫城帕台农神庙装饰雕塑指导。擅长神像雕塑。作品庄重典雅，为欧洲古典艺术的典范。代表作相传有《雅典娜像》《宙斯像》等。

啡 fēi 音译用字。㊎吗～|咖～。

骓☒**（騑）** fēi 古代驾车的马。在中间的叫服；在两旁的叫骓，也叫骖。

绯（緋） fēi 红色。例两颊～红。

扉 fēi 门。例柴～。

【扉页】也叫内封。书籍正文前载有书名、编著者姓名、出版社名称等的一页。

蜚 ㊀ fēi 古同“飞”。
㊁ fěi（270 页）。

【蜚声】扬名。例～海内外。

【蜚语】同“飞语”（266 页）。

霏 fēi 飘扬。例烟～云敛。

【霏霏】（雨、雪、烟、云等）很盛的样子。例雨（yù）雪～（下的雪很大）。

鲱（鯡） fēi 鱼类。体侧扁而长，一般长约 20 厘米，背青黑色，腹银白色。在中国仅见于渤海、黄海北部。

féi ㄈㄟˊ

肥 féi ❶含脂肪多的。与“瘦”相对。例膘～体壮。❷肥料。例积～｜化～。❸肥沃。例这块地很～。❹使田地增加养分。例～田。❺收入多的；油水多的。例～缺｜～差。❻宽大（指衣服鞋袜等）。

【肥沃】（土地）含有丰富的养分、水分。

【肥育】也叫催肥。使畜、禽在较短时期内加快肉和脂肪增长的饲养方式。

【肥胖】人体内脂肪过度沉积的状态。主要见于皮下组织。按年龄和身高计算，超过标准体重 20%—25% 即为肥胖。肥胖是现代社会常见的营养性问题，易引发心脏病、高血压、糖尿病等。

【肥美】❶（土地）肥沃。例土地～。❷丰美，肥壮。例～的草原｜～的牛羊。

【肥缺】指收入多的职务，多指易得外快的职务。

【肥硕】❶（果实）又大又饱满。❷（肢体）大而肥胖。

【肥马轻裘】骑着肥壮的骏马，穿着轻暖的皮衣。形容生活豪奢。《论语·雍也》：“赤之适齐也，乘肥马，衣轻裘。”唐白居易《闲适》诗：“肥马轻裘还粗有，粗歌薄酒亦相随。”

淝 féi 淝水，古水名，即今东淝河，在安徽。

【淝水之战】东晋击败前秦的著名战役。公元 383 年前秦苻坚强征各族人民，组成数十万大军，南下攻晋。晋将谢玄率水陆军八万拒秦军于淝水。晋军利用苻坚的骄傲自恃，要求淝水以北的秦军略退，让出一片战场，以便晋军渡水决战。苻坚想乘晋军半渡时予以袭击，同意稍退。因秦军各族士兵不愿作战，将帅之间又不团结，一退即不可止。晋军乘机渡水攻击，大败秦军。

蜰☒ féi 臭虫。

腓 féi 俗称腿肚子。胫骨后的肉。

【腓骨】人和脊椎动物小腿长骨之一。位于小腿的外侧。比胫骨细小。

【腓尼基】公元前 2000 年起在地中海东岸（约当今黎巴嫩和叙利亚西北部）建立的若干个城邦。腓尼基人制定了世界上第一套拼音字母系统，成为后来绝大多数国家拼音字母的来源。

【腓肠肌】俗称小腿肚子。小腿后面浅层的大块肌肉。肌的下端形成坚韧的跟腱，连结跟骨，对人的直立和行走起着重要作用。

fěi ㄈㄟˇ

朏☒ ㊀ fěi 新月开始发光。
㊁ kū（566 页）。

匪 fěi ❶强盗。例土～｜盗～。❷副词。不；非。例获益～浅（得到不少的好处）。

【匪徒】强盗。也指为非作歹、危害人民的坏人。

【匪夷所思】不是根据常理所能想象到的。《周易·涣》：“涣有丘，匪夷所思。”夷（yí）：平常。

榧 fěi 也叫香榧。常绿乔木。果实叫榧子，可供食用和药用。木材耐潮，是造船、建筑等的用材。

篚 fěi 古时盛东西的一种竹器。

诽（誹） fěi 说别人坏话。例～谤。

【诽谤】无中生有说别人坏话，败坏别人名誉。

【诽谤罪】行为人故意捏造事实诽谤他人，情节严重的犯罪行为。

陫⊠ fěi ❶古山名。❷同"悱恻"的"悱"。

菲 ㊁ fěi ❶微；薄。㊀～礼|～材。❷古书上指芜菁类植物。
㊀ fēi（268页）。

【菲薄】❶轻微；量少质差。㊀～的礼物。❷瞧不起。㊀妄自～。

悱 fěi 想说又说不出来。㊀不～不发（不到对方想说而又说不出来的时候，不去启发他）。

【悱恻】形容忧思抑郁。

棐⊠ fěi ❶辅正弓弩的器具。❷辅助。

斐 fěi 有文采。㊀～然。

【斐然】❶有文采的样子。㊀～成章。❷显著。㊀成绩～。

F

蜚 ㊁ fěi 〔蜚蠊〕俗称蟑螂。昆虫。种类很多。体扁平，黑或褐色，多有光泽。有的种类雌性无翅。能分泌恶臭，沾污食物，传染疾病。
㊀ fēi（269页）。

翡 fěi 〔翡翠〕❶主要由硬玉组成的天然矿石。化学成分为硅酸铝钠，性质坚硬，色彩鲜艳。红色为翡，绿色为翠，合称翡翠。主要用来制作装饰品和工艺美术品。绿色鲜艳的翠件价值昂贵。❷鸟类。喙长而直。有蓝和绿色的羽毛，可做装饰品。生活在平原或山麓多树的溪旁。

fèi ㄈㄟˋ

芾 ㊀ fèi 小树干及小树叶。
㊁ fú（285页）。

肺 fèi 人和高等动物的呼吸器官。位于胸腔中，左右各一，人的左肺有两叶，右肺有三叶。两肺与支气管相连。

【肺鱼】鱼类。一般情况下用鳃呼吸，在干涸环境中能用鳔直接呼吸。现有澳洲肺鱼、美洲肺鱼和非洲肺鱼。

【肺炎】由细菌或病毒引起的呼吸系统传染病。主要症状是突发高热、咳嗽、呼吸困难等。分大叶性肺炎、支气管肺炎、间质性肺炎等。

【肺泡】肺中的支气管经多次反复分支后，形成最小的细支气管，末端膨大成囊，囊的四壁有很多突出的小囊泡，叫做肺泡。

【肺腑】比喻内心。㊀～之言（出于内心的真诚话）。

【肺癌】发生于支气管黏膜及其腺体上皮的恶性肿瘤。多因吸烟或长期接触某些工业粉尘、废气、放射性物质以及慢性肺疾患引起。早期常无症状，可突然出现咳嗽、咯血、胸疼、低热、憋气。

【肺气肿】肺内含气量过度增加，肺泡过度膨胀而不能收缩到正常状态的疾病。多由长期患慢性支气管炎、支气管哮喘、硅肺或肺结核等引起。主要症状是咳嗽、气喘等。持续发展容易导致肺原性心脏病。

【肺活量】一次尽力吸气后，再尽力呼出的气体总量。成年男子正常的肺活量为3 500—4 000毫升，成年女子为3 000毫升左右。年老时减少。

【肺结核】由结核杆菌引起的慢性传染病。通过呼吸道传染。主要症状是发热、无力、消瘦、盗汗、食欲不振、咳嗽、咯血等。预防措施包括增强体质、卡介苗接种、定期肺部检查，防治重点是早发现、早治疗和隔离消毒。

【肺循环】也叫小循环。由右心室开始，将体循环回心的静脉血，经肺动脉流入肺脏。通过肺毛细血管网进行气体交换，排出二氧化碳，吸入氧气。氧气达到饱和状态的血液沿肺静脉流入左心房。

吠 fèi 狗叫。

【吠舍】古印度四个种姓的第三级。原包括社会的基本生产者农民和手工业者，也有商人。后专指商贾和富有的手工业者。

【吠影吠声】也说吠形吠声。一条狗看见人影叫起来，许多狗也随声跟着叫。比喻不明真相，跟在人后随声附和。汉王符《潜夫论·贤难》："谚云：'一犬吠形，百犬吠声。'"

狒 fèi 〔狒狒〕哺乳动物。身体像猴，口吻突出像狗，毛粗，多灰褐色。常成群觅食。多产于非洲。

沸 fèi 液体受热到一定程度，产生气泡而翻腾。

【沸石】含水的钙、钠以及钡、锶、钾的铝硅酸盐矿物的总称。其含水量的多少随外界温度和湿度变化而变化。可借助水的渗滤作用，进行阳离子交换。工业上可制成分子筛，用来净化气体、处理废水、淡化海水、软化硬水等。

【沸点】液体沸腾时的温度。沸点随外界压强而改变，压强小，沸点低；压强大，沸点高。

【沸腾】❶液体达到一定温度时发生剧烈汽化的现象。❷比喻情绪高涨或喧哗。㊐热血～|人声～。

【沸反盈天】形容人声喧闹，乱成一片。

【沸沸扬扬】形容议论纷纷，好像水沸腾后气泡、热气蒸腾翻滚一样。

费（費）fèi ❶费用。㊐办公～。❷花费；耗损。㊐～力|劳师～时。❸用得多；消耗得多。与"省"相对。㊐～油|走山路～鞋。

【费城】美国城市。位于该国东北部。人口159万(1990年)。美国在此宣布独立，曾为首都。是美国重要的工商业、金融、交通和文化中心之一。

【费解】不好懂。㊐这话让人～。

【费厄泼赖】英语音译词。原为体育运动竞赛和其他竞技所用的术语，意思是光明正大的比赛，不要用不正当的手段。后来西方资产阶级绅士在政治斗争中也以此相标榜并加以宣传。

【费尔巴哈】路德维希·费尔巴哈(1804—1872)德国唯物主义哲学家。他批判了康德的不可知论和黑格尔的唯心主义，恢复了唯物主义的权威；肯定自然离开人的意识而独立存在，时间、空间是物质的存在形式，人能够认识客观世界；对宗教神学进行了有力的揭露和批判。但他抛弃了黑格尔的辩证法，他的唯物主义依然是形而上学的，社会历史观是唯心主义的。其哲学是马克思主义哲学的理论来源之一。著有《基督教的本质》《黑格尔哲学批判》等。

【费尽心机】挖空心思，用尽计谋。

【费加罗的婚礼】四幕歌剧。莫扎特曲。作于1785—1786年。脚本由德·蓬特根据博马舍的同名喜剧编写。剧情梗概：伯爵的男仆费加罗将与女仆苏珊娜成婚，而伯爵不怀好意在暗地里追求苏珊娜，对费加罗的婚事多方阻挠。聪明的费加罗争取到伯爵夫人的帮助，使伯爵的阴谋未能得逞，终于和苏珊娜结成了美满姻缘。

镄（鐨）fèi 人造金属元素，符号Fm，原子序数100。有放射性，由人工核反应获得。

废（廢❹＊癈）fèi ❶停止；中止。㊐半途而～。❷不再使用。㊐用进～退|作～。❸没有用的或失去效用的。㊐～纸|修旧利～。❹肢体伤残。㊐～疾|残～。

【废止】废弃、取消(法令、制度、规章等)。

【废水】也叫污水。人类某一生产和生活过程中产生的、已失去使用价值或无法利用的水。废水排入环境可造成水污染。

【废弛】法令、规章制度等因不被重视、不执行而变得失去约束作用。

【废弃】抛弃不用。

【废然】失望、扫兴的样子。㊐～而返。

【废置】认为没有用而搁在一边。

【废墟】城市、村庄等因受自然灾害或战争破坏而变成的荒废的地方。

【废黜】罢免；革职。现多指取消王位，废除特权地位。

【废水处理】把污染物从废水中去除的过程。主要方法有：通过外力作用把污染物从废水中分离出去；通过化学或生化作用，使污染物转化为无害物质，或转化为可分离物质，再经分离予以去除。

【废物交换】一个生产企业排放的废弃物提供给另一个生产企业作为原材料的过程。可以使废物资源化，并得到合理的配置和利用。

【废寝忘食】也说废寝忘餐。顾不得睡觉，忘记了吃饭。形容非常勤奋专心。南朝齐王融《三月三日曲水诗序》："犹且具明废寝，昃晷忘餐。"

【废物资源化】对生产和生活过程中排放的废弃物进行综合开发利用，回收其中有用的物质和能源，实现废物最小量化和无害化。如城市垃圾发电。

剕 fèi 古代一种砍去脚的酷刑。

痱（＊疿）fèi 痱子，夏季常见的皮肤病。由于出汗不畅而引起的密集的针头大小的颗粒，有刺痛和瘙痒感。

fēn ㄈㄣ

分 ㊀ fēn ❶分开。与"合"相对。㊐～工合作。❷分配；分派。㊐年终～红|把任务～给我。❸辨别。㊐～清是非。

F

❹分支;部分。㊟～店|第三～册。❺成数。㊟十～收成|万～高兴。❻表示分数。㊟二～之一|十～之九。❼单位名。1. 时间单位。一小时的六十分之一。2. 角或弧的单位。一度的六十分之一。3. 中国辅币单位。一元的百分之一。4. 市制长度、地积、质量单位。长度10厘为1分,10分为1寸,地积10分为1亩,质量10分为1钱。

㊁ fèn (275页)。

【分力】一个力的作用效果可以用几个力共同作用的效果来代替,这几个力叫做原来那个力的分力。

【分工】许多劳动者分别从事各种不同的工作。有自然分工、社会分工和企业内部的分工。分工有利于提高劳动熟练程度、改进技术和提高劳动生产率。

【分寸】根据具体情况而定的说话、办事的尺度、标准。

【分子】❶由一定数量的一种或数种原子组成的微粒。它能独立存在并保持由它组成的这种物质的化学性质。如一个水分子由两个氢原子和一个氧原子组成。❷见〔分数〕①(273页)。

【分贝】电学和声学单位。计量功率、声强、电压、电流的增益或衰减大小。分贝数是用常用对数的方法计算的(功率比值或声强比值取常用对数后乘以10,电压比值或电流比值取常用对数后乘以20)。用分贝作单位既便于运算和应用,又符合人耳的听觉特性和人眼的视觉特性。

【分化】❶同一性质的或统一的事物,在发展的过程中变成性质不同的或分裂的事物。㊟阶级～|两极～。❷使分化。㊟～敌人。

【分布】分散在一定的地区或范围内。

【分号】❶标点符号的一种。形式为“;”。用于复句内部并列分句之间的停顿或分行列举的各项之间。❷分店。㊟只此一家,别无～。

【分句】复句的组成部分。如“太阳下山了,月亮升起来了”这个复句中包含了“太阳下山了”和“月亮升起来了”两个分句。

【分式】一个代数式,如果其字母部分没有开方运算,且分母含有字母,那么这个式子叫做有理分式,简称分式。如

$\frac{1}{m}$, $\frac{a+b}{a-b}$, $\frac{ax^2+bx+c}{dx^2+ex+f}$。

【分米】长度单位。10厘米为1分米,10分米为1米。

【分红】工商企业或其他集体生产单位,把部分盈余按股金或付出的劳动进行分配,称分红。

【分别】❶离别。❷区别。㊟～轻重缓急。❸各个。㊟～通知。

【分体】❶机件可以分开来安放的。㊟～式空调。❷把连在一起的身体分开。㊟连体婴儿要做～手术。

【分身】抽出时间或力量照顾其他方面(多用于否定式)。㊟无法～。

【分析】思维的基本方法之一。把事物分解成几个部分、方面、因素,分别加以考察,找出各部分的本质、属性及彼此之间的联系。与“综合”相对。

【分歧】(思想、见解、主张、意见等)不一致。

【分肥】分取利益(多指不正当的)。

【分泌】人和动物的某些细胞、组织或器官,合成和释放某种或某些特殊化学物质的过程。如唾液腺分泌唾液。也指植物排出代谢产物的过程。如花分泌糖类和芳香物质。

【分居】一家人分开生活。

【分界】界线;划分出界线。

【分保】即“再保险”(1224页)。

【分类】即“划分”②(418页)。

【分洪】为了防止洪水暴涨而泛滥成灾,把洪水引入湖、海或蓄洪区的措施。

【分袂】离别;分手。唐杜牧《重送王十》诗:“分袂还应立马看,向来离思始知难。”袂(mèi):衣袖。

【分神】费心,多花费精力。

【分配】❶按一定的标准分(东西)。㊟～宿舍。❷安排;分派。㊟服从组织～。❸指产品的分配。它是社会再生产过程的一个环节。分配由生产决定,又反过来影响生产。从广义上说,分配还包括生产条件的分配,即生产资料所有制关系,它是生产的前提,决定了产品的分配关系。

【分晓】❶事情的底细或结果。㊟明天便见～。❷清楚;明白。㊟一定问个～。❸道理(见于早期白话)。㊟这个人好没～。

【分赃】分取以不正当手段得来的财物、权益等。

【分娩】女子生孩子。一般指有独立存活力的胎儿及其附属物(胎盘、脐带等)自子宫排出的过程。娩(miǎn)。

【分野】古代人按天上星辰的位置，把地面划分为十二个区域，叫分野。以后也用来指区分事物的范围、界限。㊀政治～｜思想～。

【分毫】形容极小的数量。

【分裂】❶一个整体分成独立的两个或两个以上的部分。❷使一个整体分成独立的两个或两个以上的部分。

【分割】把整体或有联系的东西强行分开。

【分解】❶说明。常用于章回小说每回的末尾。㊀且听下回～。❷见〔分解反应〕(274页)。

【分馏】利用沸点不同分离液态混合物的一种方法。

【分数】❶把单位1分为若干等份，表示其中的一份或几份的数。如把单位1分成5等份，表示其中3份的数就是$\frac{3}{5}$，读作五分之三。3叫分子，5叫分母。❷评定成绩或胜负时所记得分多少的数字。

【分谱】合奏、合唱中单独记录每种乐器或每个声部的乐谱。

【分辨】区分辨别。㊀～好坏。

【分辩】辩白。

【分蘖】小麦、水稻等在地下或近地面的茎基部发生分枝。能抽穗结实的叫有效分蘖，不能抽穗的叫无效分蘖。

【分子式】用元素符号表示物质分子组成的式子。如甲烷的分子式为CH_4。它能表示组成分子的各元素的原子数比和质量比，并能据此计算相对分子质量。

【分子量】即"相对分子质量"(1073页)。

【分子筛】具有均一微孔结构的固体物质。能将大小(或性质)不同的分子分开。在化学工业、石油工业和其他相关部门，广泛用于液体、气体的干燥、分离、净化和回收等，也可用作催化剂。

【分水岭】❶也叫分水线。相邻两个流域的分界。多是山脊或地势较高的地带。❷比喻标志不同事物的主要分界。

【分权制】将经营决策权分散于组织下层的组织结构。

【分列式】受阅部队或分队列队依次从检阅台前通过，接受阅兵首长检阅的仪式。

【分封制】中国古代分封诸侯的制度。周灭商和东征以后，将封地连同居民分赏给王室子弟和功臣。诸侯君位世袭，在其封国内拥有统治权，对天子有定期朝贡和提供军赋、力役等义务。战国时分封的诸侯不世袭，只有征税权。秦统一六国后，废除分封制，实行郡县制。汉初兼采之。七国之乱平定后，封国官吏全由中央任免，只征收租税，封国名存实亡。魏晋以后，历代王朝也还有分封制，其性质已不相同。

【分散系】一种物质或几种物质以粒子形式分散到另一种物质中所形成的混合物。如泥水是泥土粒子分散在水中形成的分散系。

【分散质】分散系中分散成粒子的物质。如泥水中的泥土粒子。

【分税制】根据各级政府的职能和事权范围，划分分属于他们的税种税源，并据此确定他们的税权、税制和税务机关，协调他们之间的财政收支关系。

【分数线】泛指各类考试中所划定的合格或录取的分数界限。它随着考试人数和录取比例、考生成绩水平高低的变化而变化，常用于各类入学、升学、招工、招干等考试中。

【分门别类】根据事物的不同特征进行分类或整理。清俞樾《春在堂随笔》卷六："删繁就简，分门别类，几阅寒暑，始得成帙。"

【分子间力】简称分子力。分子和分子相接近时显示的相互作用力。是物质分子能聚集成固态或液态的主要原因。当分子间的距离极小(10^{-8}厘米左右)时表现为斥力；当分子间的距离增大时表现为引力，并且随距离的增大而很快减小；当分子间的距离超过10^{-7}—10^{-6}厘米时，分子间的相互作用可忽略不计。

【分子结构】原子在分子中的结合方式和空间排列。它决定物质的物理性质和化学性质。

【分子晶体】分子间以分子间作用力结合的晶体。如固态的水、二氧化碳、氨气等。具有熔点和沸点低、硬度小、不导电等特点。

【分化瓦解】❶比喻分裂、崩溃。❷在对敌斗争中，区别对待，利用矛盾，使敌人内部发生分裂。

【分式方程】分母里含有未知数的方程。

【分秒必争】一分一秒也不放过。形容抓紧时间。

【分庭抗礼】古代宾主相见，站在庭院两边相对行礼，表示平等相待。后用来比喻平起平坐、地位相等或互相对立。《庄子·渔父》："万乘之主，千乘之君，见夫子未尝不分庭伉(抗)礼。"抗：对等。

【分崩离析】形容国家或集团四分五裂，不可收拾。《论语·季氏》："邦分崩离析而不能守也。"分崩：分裂。离析：涣散。

【分道扬镳】也说分路扬镳。原指分路而行。后多比喻因目标不同而各走各的路。《北史·魏宗室河间公齐传》："洛阳，我之丰沛，自应分路扬镳。"扬镳：驱马前进。镳(biāo)：马嚼子。

【分解反应】由一种物质生成两种或两种以上其他物质的反应。如氯酸钾受热分解为氯化钾和氧气的反应。

【分子生物学】在分子水平上研究生物大分子，特别是蛋白质和核酸的结构与功能的科学。也包括各种生命过程，如光合作用、肌肉收缩、神经兴奋、遗传特征的传递等的深入到分子水平的物理化学分析。

【分子物理学】物理学的分支学科。依据物质的分子结构、分子间相互作用力和分子运动性质，研究物质热运动规律和应用。

芬 fēn　香；香气。

【芬芳】香；花草的香气。

【芬兰颂】交响诗。西贝柳斯曲。作于1899年。原为募集赫尔辛基新闻福利基金而举行的义演活动中的节目《历史场景》的配乐。该曲因激起人民强烈的爱国热情，使之成为芬兰民族精神的象征，对芬兰民族解放运动起过很大的推动作用。

棻 fēn　有香味的木头。

吩 fēn　〔吩咐〕口头指派或命令；嘱咐。

纷(紛) fēn　众多，杂乱。㊀大雪～飞。

【纷争】纠纷；争执。

【纷扰】纷乱；混乱。㊀思绪～。

【纷乱】杂乱；不规则。

【纷纭】(言论、事情等)繁多而杂乱。㊀众说～|头绪～。

【纷纷】多而杂，接连不断地。㊀议论～|落叶～。

【纷披】散乱张开的样子。㊀枝叶～。纷：散乱。披：披拂，张开。

【纷繁】多而复杂。㊀头绪～。

【纷至沓来】接连不断地到来。沓(tà)：多，重复。

玢 ㊁ fēn　见〔赛璐玢〕(841页)。
㊀ bīn (67页)。

氛(*雰) fēn　气；情景，情况。㊀气～|战～。

【氛围】周围的气氛和情调。

酚 fēn　有机化合物的一类。由羟基与芳香环直接相连而成。最简单的是苯酚。大多数酚类为无色晶体，显酸性。可作防腐剂、杀菌剂。

【酚酞】有机化合物。白色晶体。常用作酸碱指示剂。在碱性溶液中显红色，在酸性溶液中无色。医药上用作轻泻剂。

【酚醛树脂】酚类与醛类缩合产物的总称。有热塑性和热固性两种。用于制酚醛塑料、涂料、黏合剂、电器元件、机械零件等，也可用于高技术中的层压复合材料和烧蚀材料等方面。

𫞩□ fēn　〈方〉不曾。

fén　ㄈㄣˊ

坟(墳) fén　埋葬死人筑起的土堆。

【坟茔】❶坟墓。❷坟地。

汾 fén　见下。

【汾河】黄河主要支流。发源于管涔山，流经山西省中部，在河津市西注入黄河。长约694千米。含沙量大。

【汾酒】中国名酒之一。产于山西汾阳杏花村。以高粱为原料，用大麦与豌豆制曲。酒味清香、醇厚，属清香型大曲酒。

枌☒ fén　白榆树。

蚡☒ fén　❶同"鼢"。❷〔蚡冒〕春秋时楚君名。

羒☒ fén　白色的公羊。

棼 fén　纷乱。㊀治丝益～。

鼢 fén　鼢鼠，哺乳动物。体粗而圆，尾短，眼小，爪利。生活在田野里，善掘洞，以植物的根、地下茎和嫩芽为食，对农作物有害。

蕡☒**(蕡)** fén　果实多的样子。

濆☒**(濆)** fén　水边。

辚[☒]**（轒）** fén 古代车上伞盖的撑弓。

豮[□]**（豶）** fén ❶阉割过的猪。❷〈方〉公猪。泛指雄性牲畜。

焚 fén 烧。㊀～毁|玩火自～。

【焚化】烧掉(尸骨、纸钱等)。

【焚风】气流沿山坡下降而形成的热而干燥的风。多焚风地区,易发生森林火灾。

【焚书】也叫《李氏焚书》。明末李贽著。作者蔑视孔孟,估计此书会遭到统治者"焚而弃之",故名。共六卷。包括书答、杂述、史评及诗等。另有《续焚书》五卷,系门人汪本钶辑集。

【焚书坑儒】公元前213年秦始皇采纳丞相李斯建议,下令焚烧《秦纪》以外的列国史记。另外,除医药、卜筮、种树之书外,其他不属于博士官所藏的《诗》《书》等限期交出烧毁。私自谈论《诗》《书》的处死,以古非今的灭族。禁止私学,欲学法令的以吏为师。次年,查出犯禁的方士、儒生四百六十多人,全部坑杀于咸阳。历史上把这两件事叫做焚书坑儒。

【焚林而猎】烧毁树林,猎取禽兽。比喻只图眼前的小利,不考虑长远利益。《淮南子·主术训》:"故先王之法…不涸泽而渔,不焚林而猎。"

【焚琴煮鹤】即"煮鹤焚琴"(1296页)。

【焚膏继晷】夜里点了油灯,继续白天的事。形容学习、工作勤奋。唐韩愈《进学解》:"焚膏油以继晷,恒兀兀以穷年。"膏:油脂,指灯烛。晷(guǐ):日影,指白天。

fěn ㄈㄣˇ

粉 fěn ❶粉末。㊀面～|洗衣～。❷使完全破碎。㊀～身碎骨。❸粉刷。㊀墙刚～过。❹特指化妆用的粉末。㊀涂脂抹～。❺白色的或带粉末的。㊀～底青鞋|～蝶。❻浅红色。㊀这朵花是～的。❼用淀粉等制成的食品。㊀～丝|凉～。

【粉尘】指工业生产中产生的粉末状污染物。一般把10微米以上的尘粒叫降尘,10微米以下的尘粒叫飘尘。

【粉刺】即"痤疮"(158页)。

【粉饰】涂饰、美化外表,掩盖缺点错误。

【粉领】白领中的职业妇女。

【粉碎】❶破碎得很厉害。㊀茶杯摔得～。❷使破碎。㊀～机。❸使彻底失败或毁灭。㊀～敌人的进攻。

【粉瘤】也叫脂瘤、皮脂腺囊肿。一种皮肤良性小肿瘤。常发生于青壮年的头皮、颜面、前胸、后背等处。圆形带黄或青色,中央有针头大小开口,可挤出白色脂性分泌物。无需治疗。

【粉末冶金】将金属或金属化合物制成金属粉末,用加压和烧结的方法制成金属零件或金属制品。

【粉身碎骨】指死亡(有强调的意味)。㊀为革命～也心甘|敌人胆敢来进攻,定叫他～。

【粉墨登场】化装上台演戏。今多比喻坏人经过一番乔装打扮爬上政治舞台。粉墨:化妆品,这里指化装。

fèn ㄈㄣˋ

分 ㊁fèn ❶成分。㊀水～|盐～。❷工作和职责的范围。㊀本～|～内的事。❸分(fēn)寸,界限。㊀恰如其～。❹同"份"。

㊀fēn (271页)。

【分内】本分以内。

【分外】❶格外;超过平常。㊀～妖娆。❷本分以外。㊀这不是～之事。

份 fèn ❶整体里的一部分。㊀分成三～。❷量词。用于搭配成组的东西。㊀一～报。❸古又同"彬(bīn)"。

坋[□] fèn ❶尘土。❷粉末扬起或附着在其他物体上。❸用于地名,如古坋(在福建)。

忿 fèn 生气;发怒。㊀～～不平。

奋（奮） fèn ❶振作精神,鼓起劲来。㊀～勉|勤～。❷举起。㊀～臂。

【奋斗】为实现一定目标而努力干。㊀为共产主义事业～终身。

【奋发】精神振作,情绪高涨。㊀～有为|～图强。

【奋兴】奋发兴起。

【奋迅】精神奋发,行动迅速。

【奋勉】振作努力。

【奋袂】感情激动,把袖子一甩,准备行动的样子。㊀～而起。

F

【奋勇】振作精神,鼓足勇气。例～前进。
【奋起】❶振作起来。例～直追。❷有力地举起、挥动。例金猴～千钧棒,玉宇澄清万里埃。
【奋不顾身】奋勇直前,不考虑自己的安危。汉司马迁《报任安书》:"常思奋不顾身,以殉国家之急。"
【奋发有为】精神振作,有所作为。
【奋发图强】振作精神,努力奋斗,谋求强盛。
【奋发蹈厉】精神振奋,行动迅猛。蹈:踩,引申为行动。厉:迅速而猛烈。
【奋勇当先】鼓起勇气,站在最前列。

偾(僨) fèn ❶败坏;搞糟。例一言～事。❷紧张;激动。例～兴。

愤(憤) fèn 发怒;因不满意而感情激动。例公～|～慨。
【愤然】气愤发怒的样子。
【愤慨】气愤不平。
【愤激】愤怒而激动。
【愤懑】气愤,心中抑郁不平。懑(mèn)。
【愤世嫉俗】指对黑暗的社会现实和不良的习俗表示愤恨、憎恶。嫉:憎恨。

鲼(鱝) fèn 鱼类。体扁平,呈菱形。胸鳍前部伸延至吻部。尾细长,常具尾刺。种类很多。分布于热带和亚热带海洋中。

粪(糞) fèn ❶屎。❷施肥。例～地|～田。❸扫除。例～除。
【粪土】粪便泥土。比喻不值钱的事物。也指鄙视某一事物,把它看作粪土一样。例～当年万户侯。

瀵 fèn ❶由地底喷出的泉水。❷瀵水,水名,在山西。

fēng ㄈㄥ

丰(❶❷豐) fēng ❶丰富;多。例～收。❷大。例～碑。❸容貌美好。例～姿。
【丰沛】(雨量)充足。例雨量～。
【丰茂】丰美茂盛。例水草～。
【丰采】同"风采"(277页)。
【丰饶】富裕充足。
【丰姿】同"风姿"(277页)。
【丰盈】❶(体态)丰满。❷富裕;物资充足。
【丰润】肌肉丰满,皮肤滋润。
【丰硕】(果实)又多又大。例取得～成果。硕(shuò):大。
【丰盛】又多又好(指物质方面)。例～的饭菜。
【丰腴】(身体)丰满。腴(yú):胖而润泽。
【丰裕】富裕。
【丰登】丰收。例五谷～。登:成熟。
【丰碑】高大的石碑。比喻不朽的业绩。
【丰韵】同"风韵"(277页)。
【丰满】❶丰富充实。例囤仓～|羽毛～。❷(身体或身体的一部分)胖得匀称好看。
【丰都城】迷信的人指阴间地狱。
【丰功伟绩】伟大的功绩。
【丰衣足食】吃穿都很富足。形容生活富裕。
【丰富多彩】形容花样很多,内容丰富。

沣(灃) fēng 沣水,水名,在陕西。

风(風) fēng ❶流动着的空气。自然界的风通常指跟地面大致平行的流动着的空气。❷借风力吹。例～干。❸景象。例～光。❹风气;风俗。例勤俭成～|移～易俗。❺态度;作风。例学～。❻消息。例闻～而动。❼传说的;无确实根据的。例～言～语。❽古代的歌谣。例国～。❾中医学名词。指某些疾病。例抽～。❿古又同"讽"。⓫古又同"疯"。
【风力】风的强弱程度。常用风级表示。自0—12共分13个等级。等级越大,风力越强,风速越大。
【风土】指一个地方的自然环境和风俗习惯。
【风云】比喻变幻动荡的局势。例～突变。
【风车】❶利用风作动力的机械。可以带动其他机器,用来发电、提水、磨面、榨油等。❷即"扇(shàn)车"(857页)。❸玩具。用纸等做成叶轮,迎风转动。
【风水】指住宅地基、坟地等的地理形势。迷信的人认为风水的好坏关系着一家的祸福盛衰。
【风气】社会上或集体中流行的爱好、习惯等。例勤劳节俭的新～。
【风化】❶风俗教化。例有伤～。❷也叫风化作用。地表或接近地表的坚硬岩石在太阳辐射、水、气体和生物的影响下发生的破坏作用。通常分为物理风化和化学风化两种基本类型。❸含有结晶水的物质,在常温下失去结晶水,使结晶破坏的现象。如纯碱块放在干燥空气中变成粉末的现象。

【风月】❶清风明月。泛指美好的自然景色。❷旧指男女情爱之事。

【风头】❶一股定向风的前端。比喻形势的发展方向。❷喜欢出头露面，当众表现自己。也指这种表现(多含贬义)。㊀出～。

【风发】像风一样迅速兴起。今多比喻精神奋发。㊀意气～。

【风尘】❶旧时比喻混乱污浊的社会生活。❷比喻旅途的劳累。❸旧指娼妓的生活。

【风光】❶风景；景象。㊀塞上～。❷体面。

【风传】传闻。

【风华】风采，才华。㊀～正茂。

【风向】❶指风的来向。如由东方吹来的风叫东风。可用风向仪测定。❷比喻情势。㊀看～。

【风行】❶迅速。㊀雷厉～。❷普遍流行；盛行。㊀～全国。

【风色】❶刮风的情势。泛指天气。❷比喻某种形势。㊀先观察一下～再说。

【风池】针灸穴位名。位于颈后枕骨下，入发际的凹陷中。主治头痛、头晕、感冒、头颈颤动、中风等。

【风纪】(军队的)作风和纪律。㊀军容～。

【风声】❶刮风的声音。❷比喻传播着的消息。

【风尚】在一定时期内，大家共同崇尚的社会风气和习惯。㊀以劳动为荣是我们时代的～。

【风味】事物的地方特色。㊀这支歌具有民歌～。

【风物】风光，景物。也指世界上各种事物。

【风采】也作丰采。风度，神采(指一个人的仪表举止)。

【风波】比喻乱子、纠纷。㊀一场～。

【风骨】❶指诗文书画雄健有力的风格、气派。❷指人的品格。含有刚强的意思。

【风便】原指借风之力而得到的便利。后指借他人或其他条件而取得的便利。意思同于便中，即方便的时候。唐罗隐《秋日有寄姑苏曹使君》诗："水寒不寄双鱼信，风便惟闻五袴讴。"㊀～尚祈随时惠示周行。

【风俗】社会上长期形成的通行的风尚、习惯、礼仪等。㊀破除旧～，树立新风尚。

【风度】美好的谈吐、举止、仪容、姿态。

【风姿】也作丰姿。风度，仪态。

【风闻】由传闻而得知。含有没有证实，不一定可靠的意思。

【风洞】用人为产生气流的方法，观测气流或气流与物体之间相互作用的管道形的实验装置。按气流速度不同，分亚声速、跨声速、超声速和高超声速风洞。是空气动力学研究和试验中广泛使用的设备。

【风险】喻指可能发生的危险和灾祸。在经济生活中特指投资或利润可能回收不回来。

【风格】❶作风，品格。❷特指艺术风格。包括作者的个人风格以及时代风格、民族风格、流派风格等。

【风致】❶指容颜和举止。❷风味；风趣。

【风疹】由风疹病毒引起的小儿急性传染病。初发时有低热，耳后等处淋巴结肿大，咽部有红疹等。发热一二日后出疹，始于面部，继而遍及全身，三日内消退。

【风流】❶有才华的；杰出的。㊀数～人物，还看今朝。❷旧指有文采而不受礼法拘束的。㊀名士～。❸有关男女间的放荡行为。

【风浪】水面上的风和波浪。比喻艰险的遭遇。

【风能】指可以被人类利用的风的动能。是一种清洁的可再生资源。古时用风车提水、灌溉等。现在多用风能发电。

【风情】❶男女之间流露出来的爱慕之情(多含贬义)。❷关于风向、风力的情况。❸指风土人情。

【风琴】键盘乐器。形似较小的立式钢琴。演奏者用脚踩踏板鼓动风箱，用手按键盘控制气流振动簧片发音。一般有39—61键，音域达3—5个八度。

【风雅】❶《诗经》中有《国风》《大雅》《小雅》等部分，后世用风雅泛指诗文方面的事。❷文雅。㊀举止～。

【风景】可供观赏的风光、景色。如山水、花草、树木、建筑物及一些自然现象。

【风骚】❶《诗经》和《楚辞》的合称。后来把关于诗文写作的事叫风骚。风，指《诗经》中的"国风"；骚，指屈原的作品《离骚》。❷才华；文采。❸指妇女举止轻佻，不检点。㊀卖弄～。

【风韵】也作丰韵。美好的风度和神态。

【风貌】风格和面貌。

【风趣】幽默诙谐，有趣味(多指语言或文章)。

【风暴】❶大气中的猛烈扰动和剧烈天气变化的统称。如强烈的大风、雷暴、雹暴、雪暴，以及台风和发展强盛的气旋等。❷比喻气势猛烈，震动社会的形势或事件。㊥革命～。

【风镐】一种以压缩空气为动力的轻型采掘工具。用于破碎岩石等。

【风潮】指群众性的反抗运动或事件。

【风霜】比喻长路奔波或生活中所经历的艰难困苦。㊥久经～。

【风靡】像风吹倒草木一样。形容事物流行得快。㊥～一时。靡(mǐ)。

【风化壳】风化作用的产物，残留在地表，构成地表的一层外壳，叫风化壳。它为外力侵蚀、搬运、沉积等作用以及土壤的形成提供了物质基础。参见〔风化〕②(276页)。

【风俗画】表现社会日常生活风俗的绘画。如宋张择端的《清明上河图》。

【风俗歌】中国民歌的一类。指在传统风俗活动中演唱，并直接反映风俗活动的基本内容的歌曲。如春节期间演唱的过年调、送春牛、灯歌；端午节的龙船歌及婚丧唱的喜歌、酒歌、祭孤调等。

【风信子】也叫洋水仙。多年生草本植物。地下有近球形鳞茎。春季开花，钟状，有红、黄、白、蓝、紫等色。可供观赏。花可提取芳香油。

【风景画】以自然景物为题材的绘画。

【风湿病】也叫风湿热。一种慢性、反复发作的全身性疾病。与溶血性链球菌感染有关，寒冷、潮湿、过度疲劳为诱因。主要症状是发热、关节发炎，可引起心脏病变。

【风媒花】以风为媒介完成传粉的花。特点是花小，颜色不鲜艳，花粉干燥而轻，量多，外壁光滑。如稻花。

【风暴潮】由气旋或锋面过境引起的海面异常升高或降低的现象。至海滨浅水区域可猛烈增高数米。

【风力发电】利用自然界风能作原动力驱动风轮发电机组生产电能。风能是可再生的无污染能源。

【风土人情】一个地方特有的气候、物产、风俗、习惯等。

【风云人物】指一个时期内在社会上非常活跃，很有影响的人。

【风云变幻】像风云那样变化不定。比喻变幻动荡的局势，也比喻事物复杂、变化迅速。

【风尘仆仆】形容旅途辛苦劳累。

【风华正茂】风采和才华正在美好的时候。

【风驰电掣】《六韬·龙韬》："奋威四人，主择材力，论兵革，风驰电掣，不知所由。"形容速度极快，像刮风闪电一样。驰：奔跑。掣：闪过。

【风声鹤唳】《晋书·谢玄传》："闻风声鹤唳，皆以为王师已至。"前秦苻坚带兵攻打东晋，被打得大败，逃走时听到风声和鹤叫都以为是追兵。后用来形容人在非常害怕时听到一点声音，就十分恐慌紧张。唳(lì)。参见〔草木皆兵〕(97页)。

【风花雪月】❶原指旧文学里描写的四种自然景色。后指堆砌词藻，内容贫乏的诗文。❷指男女情爱。

【风吹草动】比喻轻微的动荡或变故。

【风沙地貌】风沙对地表物质侵蚀、搬运和堆积作用后所形成的地貌。主要分风蚀地貌和风积地貌。前者如风蚀洼地、风蚀柱、风蚀蘑菇等，后者表现为各种类型的沙丘。

【风雨同舟】在大风雨里同坐一条船。比喻在艰难困苦的条件下，互相帮助，齐心协力，战胜困难。《孙子兵法·九地》："夫吴人与越人相恶也，当其同舟而济，遇风，其相救也如左右手。"

【风雨如晦】《诗经·郑风·风雨》："风雨如晦，鸡鸣不已。"原指白天风雨交加，天色昏暗。后用以形容局势严重，社会黑暗。晦：昏暗。

【风雨飘摇】《诗经·豳风·鸱鸮》："予室翘翘，风雨所漂(今作飘)摇。"原指树上的鸟窝在风雨中摇晃。后用来形容局势动荡不安，很不稳定。

【风卷残云】像大风吹散残云一样。比喻一下子消灭干净。

【风险投资】指对具有高风险、高收益特征的项目进行投资。

【风险评估】管理者具体预计风险因素发生的概率、可能给银行造成的损失或收益的大小，进而定量地确定银行的受险程度。

【风起云涌】宋苏轼《后赤壁赋》："山鸣谷应，风起水涌。"后用"风起云涌"比喻事物迅速发展，声势浩大。

【风烛残年】比喻随时可能死亡的晚年。风烛：风中燃烧的蜡烛。

【风流云散】像风一样流动，如云一样散开。比喻原来在一起的人四下离散。汉王粲《赠蔡子笃》诗："风流云散，一别如雨。"

【风流韵事】指吟诗、作画、下棋、弹琴等风雅而有情趣的事。也指男女间的私情。

【风调雨顺】风雨均匀适度。《旧唐书·礼仪志一》引《六韬》:"武王伐纣…既而克殷,风调雨顺。"后多用来指风雨及时,适合农作物的需要。

【风雷激荡】风雨雷电互相冲击震荡。现多用来比喻气势猛烈浩大。

【风餐露宿】在风里吃饭,露天睡觉。形容旅途或野外生活的辛苦。宋苏轼《游山呈通判承仪写寄参寥师》诗:"遇胜即徜徉,风餐兼露宿。"

【风靡一时】形容一种事物在一个时期内非常风行。靡(mǐ):顺风倒下。

【风马牛不相及】《左传·僖公四年》:"君处北海,寡人处南海,唯是风马牛不相及也。"意思是说齐楚两国距离很远,即使牛马走失,也不致跑到对方的境内。一说马牛不同类,雌雄不相引诱。后用来比喻两件事情毫不相干。风:走失。一说指雌雄相诱。

枫(楓) fēng ❶枫树,也叫枫香树。落叶大乔木。叶互生,掌状,秋季颜色变成艳红,故又名红叶。果球形。树干含供药用的树脂。❷槭属植物也俗称枫。

【枫杨】落叶乔木。叶多为偶数羽状复叶,互生。春末开花,雌雄同株。常生长在溪边及河谷低地。

砜(碸) fēng 有机化合物。由两个烃基与硫酰基结合而成。用于制塑料、制药等。

疯(瘋) fēng ❶神经错乱,精神失常。㊣发~。❷农作物只长枝叶不结果实。㊣~杈|~长。

【疯狂】发疯,猖狂。㊣打退敌人~的进攻。

叻□ fēng 旧表示响度级单位的字。1977年7月中国文字改革委员会、国家标准计量局通知,淘汰"叻",改用"方"。

封 fēng ❶封闭。㊣~口|~山育林。❷界限;限制。㊣~疆|故步自~。❸古代帝王把土地、爵位名号赏赐给宗亲或臣子。㊣分~诸侯|~王。❹量词。用于封起来的东西。㊣一~信。

【封地】即"采邑"(91页)。

【封闭】❶严密盖住或关住。❷查封。❸封闭疗法。

【封泥】也叫泥封。中国古时公私书札多写在竹简、木札上,发出时用绳捆缚,封以黏土,上面加盖印章,以防私拆。

【封建】❶一种政治制度。君主把土地分给同姓诸侯和功臣,让他们在这块土地上建立诸侯国。中国周朝是这种制度。欧洲中世纪,君主把领地分给亲信的人,和这种制度相似,中国也把它叫做封建。❷指封建主义社会形态,或带有封建社会的色彩的。㊣~剥削|头脑~。

【封笔】指作家、书画家等停止创作。㊣~之作。

【封斋】即"斋戒"①(1233页)。

【封锁】用强制力量控制某一区域或地点,使其与外界断绝通行、联系。

【封禅】古代帝王到泰山祭祀天地的典礼。在泰山筑坛祭天叫封,在山南梁父山上辟基祭地叫禅。

【封镜】电影、电视片完成拍摄工作。

【封疆】疆界。

【封山育林】对有条件自然成林的山区,有计划地封闭起来,禁止采伐、放牧,使自然成长或人工辅助育成新林。

【封闭疗法】将某些药物注射到一定穴位或病变组织周围的一种疗法。可以达到止疼、消炎等治疗的目的。

【封豕长蛇】大猪与长蛇。比喻贪婪凶暴的人。《左传·定公四年》:"吴为封豕长蛇,以荐食上国,虐始于楚。"封:大。

【封建主义】指封建的社会制度。在封建制度下,地主阶级把占有的土地出租给农民,迫使农民缴地租,纳贡税,服劳役,遭受残酷的剥削和压迫。广大农民与地主阶级的矛盾,是社会的基本矛盾。占统治地位的意识形态是地主阶级思想,它以维护封建剥削和等级制、宣扬封建道德为特征。

【封建余孽】封建时代遗留下来的,怀念旧制度、旧文化、旧道德,反对改革的顽固派。孽(niè)。

【封建社会】阶级社会的一种形态。参见〔封建主义〕(279页)。

【封神演义】也叫《封神榜》。长篇小说。许仲琳作,一说陆西星作。作者以《武王伐纣平话》为基础,又参考了古籍和民间流传的故事编写而成。共一百回。讲述商末社会纷乱至周武王分封诸侯的故事,有许多叙述战争的情节,着力描写了神、妖使用法宝斗法。

【封闭型经济】不与任何国家或地区发生经济贸易关系的社会经济。

F

葑 ㊀ fēng 芜菁的古称。即蔓菁。
㊁ fèng（282 页）。

崶☒ fēng 古山名。在今广东。

犎☒ fēng 一种颈上高起的野牛。

峰（*峯） fēng ❶山峰。㊀珠穆朗玛～。❷突起的像山峰的事物。㊀驼～|洪～。

【峰会】高峰会议的简称。

烽 fēng 烽火。

【烽火】❶古代边防报警时所烧的烟火。❷比喻战火或战争。

【烽烟】烽火。

【烽燧】烽火。古代边防报警的两种信号，夜里点的火叫烽，白天放的烟叫燧。

【烽火台】也叫狼烟台。古代为燃烧烽烟报警而在边境上所筑的高台。

【烽鼓不息】烽火与战鼓不停止。比喻战乱不止。

锋（鋒） fēng ❶刀剑等兵器的锐利部分。㊀刀～|枪～。❷带头在前列的人。㊀先～|前～。❸比喻说话或文章的锋芒。㊀谈～|笔～。❹气象学名词。性质不同的两种气团的接触界面，叫做锋面。锋面与地面的交线，称为锋线。有时将锋面和锋线统称为锋。

【锋芒】也作锋铓。刀剑的尖端。常用来比喻斗争的矛头。也比喻显露出来的锐气和才干。㊀～所向|初露～。

【锋利】刀口快。也比喻说话、文章尖锐有力。

【锋面】大气中物理性质不同的两种气团相遇，接触部分是一个过渡地带，叫做锋面。锋面附近地区，常常出现风或雨。

【锋铓】同"锋芒"（280 页）。

【锋锐】像锋刃一样锐利。

【锋镝】刀箭。泛指兵器。也比喻战争。锋：刀刃。镝：箭头。

【锋面雨】冷暖性质不同的气流相遇，暖湿空气因密度小，沿锋面上升，其中的水汽在上升过程中冷却凝结形成的降水，叫锋面雨。一般持续时间长、范围广、强度小。

【锋芒毕露】比喻锐气和才干全都显露了出来（多含贬义）。

蜂（*蠭 *逢） fēng ❶昆虫。种类很多。有的成群生活，有毒刺，如蜜蜂、胡蜂；有的单独或成对生活，捕食小虫，如蜾蠃（luǒ）；有的营寄生生活，如寄生蜂；有的危害植物，如叶蜂。❷比喻成群地。㊀～聚。

【蜂鸟】鸟类的一科。有很多种，体型大的像燕子，小的比黄蜂还小。羽毛艳丽。喙细长呈管状，舌能自由伸缩。以花蜜和花上的小昆虫为食，有传粉作用。主要产于南美和中美。

【蜂拥】像蜂群一样拥挤着（前行）。㊀～而至。

【蜂起】像蜂群飞那样纷纷而起。含有数量多、范围广的意思。

【蜂蜜】蜜蜂采集花蜜经酿造加工而成的黏稠液体。黄白色，有甜味。主要成分是葡萄糖和果糖，含少量的蛋白质、维生素等。

【蜂窝移动电话系统】一种小区制移动电话系统，每个小区呈六边形彼此邻接，形同蜂的窝，故名。

酆☒ fēng 同"酆"。

酆 fēng 姓。

féng ㄈㄥˊ

冯（馮） ㊀ féng 姓。
㊁ píng（758 页）。

【冯如】（1883—1912）中国最早的飞机设计师和驾驶员。广东恩平人。童年在美国做工，自学机械学、电学基础理论和机械制造技术。1906 年倡议华侨集资创办飞机制造公司。1909 年试制飞机获得成功。1910 年制成的飞机，在当年旧金山国际飞行比赛中获奖。随后，冯如同三位助手携带两架自制飞机回国，投身孙中山领导的民主革命，任广东革命军陆军飞行队长。1912 年 8 月，在广州作飞行表演，失事牺牲。

【冯子材】（1818—1903）清末将领。字南干，号萃（翠）亭，广东钦州（今属广西）人。早年曾参与镇压太平军。中法战争时在广西边境一带大败法军，收复谅山。甲午战争时，奉命驻守镇江，战后回广西。1901 年调任贵州提督，次年因病去职。

【冯玉祥】（1882—1948）爱国将领。字焕章，安徽巢县(今巢湖市)人。曾先后在北洋陆军中任旅长、师长等职。1924 年在第二次直奉战争中发动北京政变，改所部为国民军，任总司令兼第一军军长。1926 年 9 月，当国民革命军攻抵武汉时，在五原(今属内蒙古)誓师，宣布所部集体加入国民革命军。1927 年 5 月在西安就任国民革命军第二集团军总司令，曾参与蒋介石、汪精卫的反共活动。1928 年起，因与蒋介石集团发生冲突，举兵反蒋，先后爆发了蒋冯战争和中原大战。1931 年九·一八事变后，主张抗日，反对蒋介石的不抵抗政策。1933 年 5 月与中国共产党合作，在张家口组织民众抗日同盟军，任总司令。1936 年任国民政府军事委员会副委员长。抗日战争胜利后，继续采取与中国共产党合作的立场，反对蒋介石的内战、独裁和卖国政策，并与李济深等发起组织中国国民党革命委员会。1946 年出国考察水利，1948 年 9 月，响应中国共产党号召，回国参加新政治协商会议筹备工作，途中在黑海因轮船失火遇难。

【冯国璋】(1859—1919)北洋直系军阀首领。字华甫，直隶河间(今属河北)人。北洋武备学堂毕业。清末协助袁世凯建立和控制北洋军。曾镇压辛亥革命。1913 年反对讨袁，与张勋抢先攻战南京，任江苏都督，掌握东南实权。袁死后，北洋军阀分裂，成为直系军阀首领，任副总统。1917 年张勋复辟失败后，任代理大总统。次年，在同北洋军阀皖系斗争中失败下台。

【冯梦龙】(1574—1646)明末小说家。字犹龙，号顾曲散人、墨憨斋主人，长洲(今江苏吴县)人。所编短篇小说集《警世通言》《醒世恒言》和《喻世明言》(又称《古今小说》)，世称“三言”，对后来的短篇小说的发展起了一定作用。另编有《古今谈概》《平妖传》《新列国志》等。

沨(渢) féng 水声。

逢 féng 遇见；遇到。㊀重～|～山开道|～五进一。

【逢迎】巴结、奉承别人。

【逢人说项】相传唐朝杨敬之，非常器重一个叫项斯的人，在别人面前总要讲项斯的好话，并且写诗表白自己：“平生不解藏人善，到处逢人说项斯。”后用来泛指到处说某人的好话。

【逢场作戏】《景德传灯录》卷六：“竿木随身，逢场作戏。”原指卖艺的人遇到合适场所就进行表演。后指为应酬或凑热闹，偶尔玩玩，并不认真。

缝(縫) ㊀ féng 用针线连缀。㊀～补。

㊁ fèng (282 页)。

艂☒ féng 〔艂舡〕船名。

fěng ㄈㄥˇ

讽(諷) ·fěng ❶用含蓄的话劝告或讥刺。㊀冷嘲热～。❷背书。㊀～诵。

【讽刺】以比喻、夸张等方法对人或事物进行嘲笑、批评或揭露。

【讽诵】抑扬顿挫地诵读。

【讽喻】一种修辞手段。用说故事等方式，含蓄婉转地说明事物的道理。

覂☒ fěng (车马)翻。

唪 fěng 高声念诵。㊀～经(念经)。

fèng ㄈㄥˋ

凤(鳳) fèng 凤凰，古代传说中的百鸟之王。雄的叫凤，雌的叫凰。

【凤梨】也叫菠萝。多年生常绿草本植物。叶剑状，密生，边缘有锯齿。夏季开花，紫色。果实密集在一起，外部呈鳞片状，果肉味甜酸。产于热带，中国台湾、广东、广西、福建均有种植。果实供食用，叶子的纤维可用来纺织或造纸。也指这种植物的果实。

【凤蝶】昆虫。体较大。翅两对，密生各色鳞片，形成各种绚丽花斑，后翅有尾突。体被鳞片和毛。很多种类在幼虫期以柑橘树叶为食。常见的有黑色玉带凤蝶。

【凤仙花】俗称指甲花。一年生草本植物。夏季开花，花两三朵同生叶腋，花色不一。果实椭圆形，以弹力裂开。品种很多，可供观赏。花和种子供药用。也指这种植物的花。

【凤尾竹】也叫观音竹。竹子的一种。秆丛生，高 2—3 米，直径 5—10 毫米。叶片小，

F

披针形。可供观赏。

【凤凰木】也叫火树。落叶乔木。高可达20米。树冠大，叶为二回羽状复叶。夏季开花，花大，红色，有光泽。荚果木质，长可达50厘米。中国南方多有栽培。是优美的庭园树、行道树。

【凤毛麟角】《南史·谢超宗传》："超宗殊有凤毛。"《北史·文苑传序》："学者如牛毛，成者如麟角。"后比喻极其难得而宝贵的东西。也比喻罕见的人才。

奉 fèng ❶恭敬地送给或接受。㊐～上报告一份｜昨～来书。❷尊重；信仰。㊐崇～｜信～。❸供养；伺候。㊐供～｜侍～。❹敬辞。用于自己的举动涉及对方时。㊐～告｜～陪。❺古又同"捧(pěng)"。❻古又同"俸(fèng)"。

【奉公】奉行公事。

【奉劝】郑重劝告。有时含有警告的意思。

【奉行】遵照执行。

【奉还】敬辞。归还。

【奉告】敬辞。告知；告诉。㊐当面～｜无可～。

【奉祀】祭祀。

【奉命】接受上级的命令。㊐～行事。

【奉承】用好听的话恭维别人。

【奉养】侍奉和赡养(长辈人)。

【奉陪】敬辞。相陪；陪伴。现有时有讽刺意味。

【奉公守法】奉行公事，遵守法令。指以公事为重，不徇私情。《史记·廉颇蔺相如列传》："以君之贵，奉公如法，则上下平。"

【奉为圭臬】把某些言论或事物奉为准则。圭(guī)：测日影的器具。臬(niè)：射箭的靶子。圭臬：比喻事物的准则。

【奉行故事】按老规矩办事。《汉书·魏相传》："方今务在奉行故事而已。"故事：老规矩，老章程。

【奉系军阀】北洋军阀派系之一。以奉天(今辽宁)督军张作霖为首领，在日本帝国主义支持下盘踞东北各省。1924年战胜直系军阀后控制北洋政府。1928年张作霖死后，他的军队被蒋介石改编为东北边防军，简称东北军。

【奉若神明】《左传·襄公十四年》："民奉其君…敬之如神明。"指盲目崇拜对方，像迷信的人敬奉神一样。神明：泛指神。

【奉辞伐罪】根据某种理由，讨伐有罪的。《左传·哀公二十三年》："以辞伐罪足矣，何必卜。"《南史·齐高帝纪》："公奉辞伐罪，戒旦晨征。"

俸 fèng 旧指官员等所得的薪金。㊐薪～｜～禄。

甮□ fèng 〈方〉不用。

葑 ㊁ fèng 古书上指菰的根。
㊀ fēng (280页)。

赗⊠(賵) fèng ❶古时送给丧家用于丧事的财物。❷送车马等以帮助办丧事。

缝(縫) ㊁ fèng ❶细长的裂口。㊐裂了一道～儿。❷间隙。㊐见～插针。❸拼合后的痕迹。㊐天衣无～。
㊀ féng (281页)。

fiào ㄈㄧㄠˋ

覅□ fiào 〈方〉不要。

fó ㄈㄛˊ

仏⊠ fó 古同"佛(fó)"。

佛 ㊀ fó ❶佛教徒称修成佛道的人。特指佛教的创立人释迦牟尼。❷佛像。㊐石～｜千～洞。
㊁ fú (285页)。

【佛山】市名。位于广东省珠江三角洲北部。人口40万(1997年)。是珠江三角洲重要的工业基地之一。手工业历史悠久，是中国历史上四大名镇之一。

【佛门】指佛教。㊐～弟子。

【佛牙】相传为释迦牟尼遗体火化后所留下的牙齿。

【佛手】常绿小乔木或灌木。初夏开花，果实冬季成熟，鲜黄色，基部圆形，顶部裂成手指状，有香味。供观赏和药用。也指这种植物的果实。

【佛爷】佛教徒对释迦牟尼的尊称。泛指佛教的神。

【佛陀】梵语音译词。觉悟者。是佛教徒对释迦牟尼的尊称。

【佛事】即"法事"①(252页)。

【佛学】❶即佛教哲学。通常指包含在佛经中的各种教义、教理。来自古印度，东汉初传入中国。后融合儒、道学说，形成中国佛学的多种派别。基本特征是否认客观世界的物质性，宣扬精神、意识第一性。把现实世界说成是无意义的、假的，论证虚构的天国是真的理想世界，教人漠视现实生活，向精神世界寻求解脱。对宋明理学有直接影响。❷以佛教为研究对象的学术研究。

【佛经】❶泛指一切佛教典籍。内容包括经(教义)、律(戒律)、论(论述或注释)，合称三藏。❷特指三藏之一的经藏部分。

【佛教】也叫释教。世界三大宗教之一。相传公元前6—前5世纪时由释迦牟尼所创立。宣扬因果报应，轮回转世，虽主张“众生平等，皆可成佛”，但又说“有生皆苦”，而把解脱痛苦的希望寄托于消极的“涅槃”(意为寂灭)境界。流传于亚洲许多国家。东汉初，佛教传入中国，在这以后，在同儒、道两家思想长期接触、交融的过程中，形成许多宗派，对中国社会有很大的影响。

【佛龛】供奉佛像的小阁子。龛(kān)。

【佛罗伦萨】意大利城市。位于该国西北部，临利古里亚海。是世界文化名城，文艺复兴的发源地，多博物馆、画廊、宫殿、教堂。也是意大利手工艺品和工艺美术品生产中心。名胜古迹很多，以西尼约里亚宫、西尼约里亚广场、翡翠画廊、佛罗伦萨教堂、乔托钟楼、洗礼堂、乌菲尔博物馆等最为著名。

【佛光寺大殿】中国现存规模最大的唐代木构建筑。建于唐大中十一年(857)，在山西五台县。修建者为愿诚和尚。单层四阿顶。面阔七间，进深八架椽。由内外两圈柱组成平面柱网，内外柱等高，檐柱有侧脚及升起。檐口曲线平缓，出檐深远。斗拱尺度雄大，形式古朴。脊槫下不施侏儒柱，仅用叉手，是现存已发现古代木建筑中的构造孤例。殿内遗有释迦、弥勒、普贤、观音等唐代塑像，以及唐、宋壁画和题记。是全国重点文物保护单位。

【佛罗里达半岛】在北美大陆东南海岸，伸入墨西哥湾与大西洋之间，南隔佛罗里达海峡与西印度群岛相望。地势低平，多湖泊、沼泽。气候温暖湿润。属美国。

【佛罗里达海峡】位于美国佛罗里达半岛与西印度群岛北部的古巴、巴哈马之间。连通墨西哥湾和大西洋。最窄处为80千米。

【佛宫寺释迦塔】通称应县木塔。中国仅存的辽代楼阁式木构佛塔。建于辽清宁二年(1056)，在山西应县佛宫寺内。佛塔为八角形楼阁式，底层直径30余米，共有九层(其中五层为明层、四层为结构暗层)，塔高67.31米。塔内柱分内外两层布置，同梁架、斗拱、暗层以及暗层中的斜撑，构成内外筒中筒式的结构体系。屡经强烈地震而不曾毁坏，成为中国古代建筑建造技术的范例。是全国重点文物保护单位。

fóu ㄈㄡˊ

纤[⊠](紑) fóu 形容衣服鲜明。

fǒu ㄈㄡˇ

缶 fǒu ❶一种小口大肚的瓦器。❷即“水盏”(920页)。

瓿[⊠] fǒu 同“缶”。

否 ㊀ fǒu ❶不是这样，表示不同意。❷否定。[例]～决｜～认。❸“是否”“可否”等表示“是不是”“可不可”等意思。
㊁ pǐ(749页)。

【否认】不承认。

【否则】连词。如果不这样。[例]我们必须坚持实事求是的科学态度，～就不能做好工作。

【否决】对议案等不承认，不同意。

【否定】❶不承认事物的存在或事物的真实性。[例]成绩不容～。❷表示否认的，反面的。[例]～判断。❸哲学范畴。指事物内部包含的促使其灭亡并转化为他事物的方面。是新旧事物联系的环节，也是事物发展的决定性环节。与“肯定”相对。

【否决权】❶在资本主义国家中，推翻立法部门已通过的法案或使其延缓生效的权力。通常为国家元首或议会的上院所享有。❷联合国安全理事会在表决实质问题时，都必须包括五个常任理事国在内的九票赞同，议案才能生效。五个常任理事国中任何一国不同意，该案即被否决。这就是通常所说的安理会常任理事国的否决权。

【否定之否定规律】也叫肯定否定规律。唯物辩证法的基本规律之一。指事物发展的全过程要经过两次否定，即从肯定到否定，又从否定到否定之否定。这反映出事物发展具有周期性、曲折性，是螺旋式上升、波浪式前进的过程。

fū ㄈㄨ

夫 ㊀ fū ❶指成年男子。特指从事某种体力劳动的成年男子。㊎渔～|农～。❷丈夫；女子的配偶。㊎～妻|姐～。❸旧指服劳役的人。㊎～役。

㊁ fú（284 页）。

【夫人】古代诸侯的妻子称夫人。明清一二品官的妻子封夫人。现用来尊称别人的妻子。

【夫子】古代对贵族男子的尊称。后演变为对老师或有学问的人的称呼。也用来称思想陈腐的读书人。

【夫权】指封建社会丈夫支配妻子的权力。

【夫婿】旧时妻子称丈夫。

【夫己氏】对不愿指明其姓名的人的称呼。即某甲或某乙的意思。《左传·文公十四年》："齐公子元，不顺懿公之为政也，终不曰公，曰夫己氏。"

【夫子自道】本想说别人的优缺点而事实上却说着了自己。《论语·宪问》："子曰：'君子道者三，我无能焉；仁者不忧，知者不惑，勇者不惧。'子贡曰：'夫子自道也。'"自道：自己说自己。

伕□ fū 同"夫（fū）"③。

呋 fū 化学音译用字。如呋喃。

【呋喃】有机化合物。也是更复杂的有机化合物的一个结构单元。

玞⊠ fū 见〔珷玞〕（1046 页）。

肤（膚） fū 皮肤。㊎～色。

【肤浅】表面，不深刻（常用来说人的认识或学问）。

砆⊠ fū 见〔碔砆〕（1046 页）。

铁⊠**（鈇）** fū ❶铡刀。❷斧头。

衭⊠ fū 衣服的前襟。

麸（麩*麱*粰） fū 麸子，也叫麸皮。小麦磨面筛剩下的碎皮。

趺 fū 同"跗（fū）"。

【趺坐】佛教徒盘膝打坐。

柎⊠ fū ❶花萼与花托。❷钟鼓架子的腿。

跗 fū 脚背。㊎～骨|～面。

【跗骨】组成足的后半部的短骨。相当于手的腕骨。在人体，有七块，排成三列。

痡⊠ fū 山石突出。

尃⊠ fū 古同"敷"。

敷 fū ❶涂上；搽上。㊎外～药。❷展开；铺开。㊎～陈|～设。❸够；足。㊎入不～出。

【敷设】铺（路轨、管道、电缆等）。㊎～铁轨。

【敷陈】铺叙；详加论列。

【敷衍】❶做事不认真，待人不诚恳，只做表面上的应付。❷铺叙。㊎～成文。

稃 fū 谷类作物包着子实的外壳。

孵 fū 鸟类伏在卵上，用体温使卵内的胚胎发育成雏鸟。也指用人工的方法使卵内的胚胎发育成雏鸟。

【孵化】卵生动物的受精卵在一定条件下发育，突破卵膜或卵壳而出，变成幼虫或小动物。

【孵化器】人工孵化禽蛋、鱼卵的专门设备。

鄜□ fū 鄜县，地名，在陕西。今作富县。

fú ㄈㄨˊ

夫 ㊁ fú ❶文言指示代词。那；这。㊎叶公非好龙也，好～似龙而非龙者也。❷发语词。㊎～战，勇气也。❸文言助词。用在句末或句中停顿的地方，表示感叹的语气。㊎悲～！

㊀ fū（284 页）。

扶 fú ❶搀；用手支持。㊎～老携幼。❷把着；按。㊎～杖而行|～着栏杆。❸帮助。㊎救死～伤。

【扶乩】同“扶箕”(285页)。
【扶持】扶助;照顾。
【扶养】❶扶助供养。❷抚养。
【扶病】带病(勉强做某事)。㊀～参加会议。
【扶桑】❶落叶小灌木。是木槿的别种。全年开花,花有红、白、黄等色。可供观赏。❷古代神话中海外的大桑树,说是太阳出来的地方。❸指日本。
【扶掖】扶助。
【扶植】扶助,培植。
【扶疏】❶枝叶茂盛的样子。㊀花木～。❷婆娑起舞的姿态。
【扶箕】也作扶乩。也叫扶鸾。一种迷信活动。两个人扶着放在沙盘上的丁字架,依法移动,吊在丁字架上的一根木棍就在沙盘上画出文字来。迷信的人就把这些文字看作是神的启示。
【扶危济困】也说济困扶危。对处境危难、生活困苦的人给予帮助和救济。
【扶摇直上】形容迅速直升。《庄子·逍遥游》:“鹏之徙于南冥也,水击三千里,抟扶摇而上者九万里。”后比喻仕途得志,地位等迅速上升。扶摇:急剧而上的大旋风。

芙 fú 见下。

【芙蓉】❶荷花的别称。❷木芙蓉。落叶灌木。花和叶为消肿解毒的外敷药。
【芙蕖】荷花的别称。
【芙蓉国】湖南的别称。因湖南湘江一带盛产木芙蓉,故名。
【芙蓉城】❶四川成都的别称。五代后蜀时成都城上遍植木芙蓉,故名。❷古时传说中的仙境。

蚨 fú 见〔青蚨〕(795页)。

市☒ fú 古同“韨”。

芾 ㊁ fú 同“黻”“韨”。
㊀ fèi (270页)。

弗 fú 副词。不。㊀～许。

【弗洛伊德】西格蒙德·弗洛伊德(1856—1939)奥地利精神病医生、心理学家,精神分析学派的创始人。他强调无意识的作用,认为人的神经活动大都以无意识为基础,被压抑的欲望大多以性欲为基础,早期经验是后期行为的根本原因,性错乱是产生神经症的根本原因。著有《释梦》《精神分析引论》等。

佛(*彿*髴) ㊁ fú 见〔仿佛〕(264页)。
㊀ fó (282页)。

刜☒ fú 用刀砍。

拂 fú ❶掸(dǎn)去。㊀～拭。❷轻轻擦过。㊀春风～面。❸甩动。㊀～袖而去(表示生气)。❹违背。㊀～意。❺古又同“弼(bì)”。

【拂尘】拂子。用兽类鬃、尾毛或棕线制成的拂灰尘、驱蚊蝇的用具。
【拂拂】形容风微微地吹动。
【拂晓】天快亮的时候。
【拂菻】中国古代称东罗马帝国。
【拂煦】吹来了温暖。拂:吹动,吹来。煦:温暖,暖意。
【拂钟无声】将钟截断,且不出一点声音。形容剑极锋利。汉陈琳《答东阿王笺》:“秉青萍、干将之器,拂钟无声,应机立断。”

茀 fú 野草塞路。

咈☒ fú 违背。后作拂。

岪☒ fú 半山腰的路。

怫 fú 忧郁;愤怒。

【怫然作色】脸上现出愤怒的神色。《庄子·天地》:“谓己谀人,则怫然作色。”

绋(紼) fú 古代出殡时拉棺材用的大绳。

氟 fú 气体元素,符号F,原子序数9。卤族元素之一。淡黄色,有毒,腐蚀性很强,化学性质很活泼。是制造特种塑料、橡胶和冷冻剂的原料。

【氟石】即“萤石”(1184页)。
【氟利昂】氟氯烷的商品名。
【氟斑牙】也叫斑釉牙。由长期摄入过量氟引起的牙齿病变。常有地方性。一般可分三度,一度牙齿粗糙无光泽,二度牙齿出现黄、褐、黑色斑块,三度牙齿有浅窝或花斑缺损。
【氟氯烷】商品名氟利昂。一类含有氟和氯的烷烃的衍生物,无色、无味、无毒、无腐蚀性、易液化的气体。常用作冰箱等制冷装置中的冷冻剂。由于它对大气臭氧层有破坏作用,易造成光化学烟雾,国际上已规定控制并逐渐停止氟氯烷的生产和使用。

砩□ fú 砩石,即萤石。现作氟石。参见〔萤石〕(1184页)。

艴 fú 形容生气的神情。例~然作色。

鮄□(鯆) fú 见〔鲂鮄〕(264页)。

伏 fú ❶趴。例~案。❷屈服;承认错误或受到惩罚。例~罪|~法。❸隐藏。例埋~|~兵。❹伏天。例入~。❺伏特的简称。

【伏天】三伏的总称。参见〔三伏〕(841页)。

【伏击】预先将兵力荫蔽配置在敌必经通路之侧,等待或引诱敌人进入该地区,突然发起攻击,迅速歼敌于运动中。

【伏打】(1745—1827)意大利物理学家。主要贡献是发明了直流电源——伏打电堆,研制成树脂起电盘、灵敏验电器等多种仪器。

【伏帖】同"服帖"(288页)。

【伏法】因犯罪而被处死。

【伏特】简称伏。电动势、电势差的单位。为纪念伏打而命名。

【伏笔】写作上一种叙事的表现技法。指作者在叙述中,对将要描叙的人物、事件预作提示或暗示,以求前后呼应。这种手法有助于达到结构谨严、情节发展合理的效果。

【伏流】也叫地下河流、潜流、暗流、暗河。指没入地表以下的河段。多发育于石灰岩地区。常见于广西、贵州等省区。特点是河水没入地下,潜流一段后再流出地面。

【伏惟】敬辞。表示有所陈述或愿望。

【伏罪】也作服罪。承认自己的罪过。

【伏辩】罪犯伏罪的供状。

【伏尔泰】(1694—1778)法国18世纪启蒙思想家、作家、哲学家。他的著述猛烈抨击天主教会和封建贵族,对18世纪法国资产阶级革命有积极影响。但政治思想局限于开明君主制。哲学上,他是不可知论者。代表作有《哲学通信》《路易十四时代》等。

【伏特加】俄语音译词。一种烈性酒。酒精含量36%—60%。

【伏特表】也叫伏特计。见〔电压表〕(208页)。

【伏羲氏】也叫庖羲氏。古代神话中的人类始祖。传说人类由他和女娲兄妹相婚而产生。又传他是上古三皇之一,风姓。始作八卦,又教民结网,从事渔猎畜牧。

【伏龙凤雏】潜藏着的蛟龙,初生的凤鸟。原专指诸葛亮和庞统,后泛指才能出众的俊杰。

【伏尔加河】世界最长的内流河,欧洲第一大河。在俄罗斯欧洲部分的东南部,南流入里海。长3 690千米。大部分可通航。

【伏尔加格勒】原名察里津,后名斯大林格勒,1961年改现名。俄罗斯城市。位于该国欧洲部分南部,临伏尔加河。是重要工业基地和水陆交通中心。国内战争时期的察里津保卫战和第二次世界大战中著名的斯大林格勒战役都是在这里进行的。

【伏尔加河上的纤夫】俄国画家列宾的名画。作于1873年。描绘一群纤夫拉着货船在河滩上艰难行进。代表了俄国巡回展览画派同情劳苦大众的倾向和高度的写实技巧。

茯 fú 〔茯苓〕真菌的一种。形似瓜、拳、瓦罐等。表面淡黑色或紫褐色,内部粉白色。多寄生在松树根上。可供药用,主治小便不利、水肿等。

洑 ㊀ fú 回流;漩涡。
㊁ fù(296页)。

栿☒ fú 房梁上附加的小木头。

袱 fú 包裹或覆盖东西用的布单。例包~。

凫(鳧) fú ❶野鸭。❷凫水,游泳。

芣☒ fú 〔芣苢〕草名。即车前。

罘 fú 古代捕捉野兽的网。

【罘罳】也作罦(fú)罳。❶古代设在门外的一种屏风。❷设于屋檐下挡住鸟雀做巢的金属网。罳(sī)。

孚 fú ❶使人信服。例深~众望(深为大家所信服)。❷古又同"孵(fū)"。

俘 fú ❶作战时把敌人捉住。例~获。❷作战时被捉住的敌人。例战~。

【俘虏】❶作战时捉住(敌人)。例~敌军三百。❷作战时被捉住的敌人。

【俘获】俘虏(敌人)和缴获(武器装备等)。

郛 fú 古指外城墙。

莩 ㊀ fú 芦苇秆里的薄膜。
㊁ piǎo(753页)。

浮 fú ❶漂;飘浮。与"沉"相对。[例]~萍|~云|心粗气~。❷表面的。[例]~土。❸行船。[例]~江而下(乘船沿长江而下)。❹空虚;不切实。[例]~华。❺超过;多余。[例]人~于事。❻暂时的。[例]~记|~支。

【浮力】物体在流体(液体和气体)中由于上下表面所处的深度不同而受到的向上托的力。浮力在数值上等于被物体排开的流体的重量。

【浮动】❶在水面上漂流移动。❷不安定;不固定。[例]解放前物价一天涨几次,人心~|~工资。

【浮夸】不符合实际地夸大。

【浮吊】也叫浮式起重机、起重船、水上起重机。装有重型起重机,专供水上起重用的船。一般不能自航。

【浮华】讲究表面华丽而不顾实际。

【浮名】虚名。

【浮财】指金钱、首饰、粮食、衣服、牲畜、农具等可移动的财产。

【浮泛】❶在水面上漂浮。❷空洞;不切实。[例]言词~。

【浮沉】在水中时上时下。比喻随波逐流、消极应付的处世态度,或境遇地位升降起落。[例]与世~|宦海~。

【浮现】旧有的印象重新显现。

【浮图】同"浮屠"(287页)。

【浮浅】浅薄;肤浅。

【浮标】浮在水面的航行标志。用来标示航道边缘和浅滩、礁石等碍航物的位置。

【浮桥】用船、筏或浮箱作为桥墩的桥。用于水陆交通不甚频繁或急需通行的场合。由于浮桥装拆迅速,在军事上广泛采用。

【浮厝】把灵柩暂时停放在地面上,围砌、掩盖起来,待日后正式安葬。

【浮萍】一年生草本植物。浮生在水面,根垂在水里,夏天开白色小花。可作猪饲料和供药用。

【浮屠】也作浮图。梵语音译词。意为佛陀。原指佛教的创始人释迦牟尼。古时曾把佛塔误译为浮屠,故又称佛塔为浮屠。

【浮签】贴在文稿上签注意见的纸条,可以随时揭去。

【浮雕】雕塑的一种。附着在平面材料上,雕塑出凸起的半立体形象。如人民英雄纪念碑浮雕。

【浮躁】轻浮急躁。

【浮世绘】日本民间绘画形式之一。兴盛于日本江户时代(1603—1867)。浮世意指转瞬即逝的漂浮的现世。浮世绘主要描绘市民风俗、美人、风景等,线条简练,色彩明丽。对欧洲印象派、后印象派均有一定影响。

【浮云蔽日】浮云遮住太阳。比喻奸臣当道,坏人掌权。汉陆贾《新语·慎微》:"故邪臣之蔽贤,犹浮云之障日月也。"

【浮文巧语】华丽而空泛的言词。

【浮动汇率】一国货币同他国货币之间不规定平价,任其在外汇市场上根据供求关系自由浮动。一般说来,中央银行没有维持的义务,但实际上,在汇率波动过剧时,仍通过买进或卖出加以维持。参见〔固定汇率〕(340页)。

【浮光掠影】水面上的反光,一掠而过的影子。比喻对事物观察不细致,印象不深。唐褚亮《临高台》诗:"浮光随日度,漾影逐波深。"

【浮家泛宅】以船为家,到处漂泊不定。《新唐书·张志和传》:"颜真卿为湖州刺史,志和来谒,真卿以舟敝漏,请更之。志和曰:'愿为浮家泛宅,往来苕、霅间。'"泛:浮行。

【浮游生物】身体很小,缺乏或仅有微弱游动能力,受水流支配而移动的水生生物。如单细胞动植物、细菌、小型无脊椎动物和某些动物的幼体等。浮游生物是鱼类等的重要饵料,在水产养殖上有一定经济价值。

【浮想联翩】很多想象或感想接连不断地涌出。翩(piān)。

桴 fú ❶小的木筏或竹筏。❷鼓槌。

【桴鼓相应】用鼓槌打鼓,鼓即发声。比喻上呼下应,紧密配合。《汉书·李寻传》:"顺之以善政,则和气可立致,犹桴鼓之相应也。"桴:鼓槌。

罦☒ fú ❶也叫覆车网。一种装设机关的网,能自动捕鸟兽。❷〔罦罳〕同"罘罳"(286页)。

蜉 fú 〔蜉蝣〕昆虫。体细长纤弱,有长尾。幼虫生活在水里,成虫在水面飞行。寿命极短,只有几小时到几天。

F

苻 fú 同"莩(fú)"。

【苻坚】(338—385)十六国前秦国君。又名文玉,字永固,略阳临渭(今甘肃天水市东)人。氐族。任用汉人王猛辅政,劝课农桑,提倡儒学,经济文化得以发展。先后攻灭前燕、前凉、代国,统一北方大部,又夺取益州,进军西域。王猛死后,失去辅佐,亦因胜生骄,公元383年,调动数十万大军,企图一举消灭东晋。淝水一战惨败后,前秦统治瓦解,为羌族首领姚苌所杀。

符 fú ❶符节。㊀兵~|虎~。❷符号。㊀音~。❸相合。㊀言行相~。❹道士画的图形或线条,迷信的人认为有驱鬼避邪、逢凶化吉的作用。㊀护身~。

【符节】古代朝廷派遣使者、传达命令或征调兵将时用做凭证的东西。用竹、木、玉、铜等制成,刻上文字,分成两半,一半存留于朝廷,一半给外任官员或出征将帅。使用时两半相合为信。

【符咒】符箓和咒语的合称。符指画在纸上似字非字的图形。咒是口中诵念的语句。迷信的人认为画符念咒可以驱使鬼神。

【符瑞】古代迷信指吉祥的征兆。

【符箓】道士画的一种笔画屈曲、似字非字并称能驱使鬼神的符号或图形。

【符号论】一种认为人的感觉、表象不是对于客观现实的反映,而是标记客观现实的符号的理论。主要代表是19世纪德国的赫尔姆霍兹。

【符拉迪沃斯托克】见〔海参崴〕(373页)。

服 ㊀ fú ❶衣服。㊀制~|便~。❷承担。㊀~兵役。❸听从;信服。㊀~从|佩~。❹适应。㊀水土不~。❺吃(药)。㊀~药。❻特指丧服。㊀除~。
㊁ fù (293页)。

【服气】由衷地信服。

【服务】为一定的对象工作。㊀为人民~|科学技术为生产~。

【服役】❶服兵役。㊀~期满。❷旧指服徭役。

【服丧】长辈或平辈亲属等死亡后,在一定时期内带孝,表示哀悼。

【服帖】也作伏帖。顺从;驯服。

【服侍】侍候、照料(生活)。

【服饰】衣着和装饰。

【服毒】吃毒药(自杀)。

【服罪】同"伏罪"(286页)。

【服膺】牢牢记在心里。比喻非常佩服。

【服务业】利用一定场所、设备为社会提供劳务的行业。

菔 fú 见〔莱菔〕(578页)。

鹏⊠(鵩) fú 古书上指猫头鹰一类的鸟。

箙⊠ fú 用竹木或兽皮制成的盛箭的器物。

宓 ㊁ fú ❶古通"伏"。❷姓。
㊀ mì (681页)。

【宓妃】传说伏羲氏女,溺死于洛水,为洛水之神。

绂(紱) fú 古代系印章的丝绳。

韨(韍) fú 古代祭服。

祓 fú 古代一种除灾去邪的祭祀活动。有斋戒、沐浴、举火或用牲口的血涂身等形式。也泛指扫除。㊀~除。

袚⊠ fú ❶围裙。❷襦子。

黻 fú ❶古代礼服上绣的青黑相间的花纹。❷同"韨"。

枹□ ㊁ fú 同"桴"②。
㊀ bāo (36页)。

匐 fú 见〔匍匐〕(763页)。

幅 fú ❶布匹、呢绒等的宽度。㊀~面|双~布。❷泛指宽度。㊀~度|振~。❸量词。用于布帛、呢绒、图画等。㊀一~画。

【幅员】领土面积。指国家疆域。宽窄叫幅,周围叫员。

【幅度】原指物体振动或摇摆所展开的宽度。比喻事物变化的最高点和最低点间的距离。㊀增产的~很大。

辐(輻) fú 车轮上连接毂和辋的木棍或钢条。

【辐射】❶从中心向各个方向沿直线伸展出去。❷电磁波或微观粒子流(如电子流、质子流等)从它们的发射体向各个方向传播的过程。也可以指电磁波的能量或微观粒子流本身。

【辐凑】同"辐辏"(288页)。

【辐辏】也作辐凑。车辐的一头聚集在毂(gǔ)上。形容人或物聚集在一块儿。㊀四

F

方～。辏(còu)。

【辐照】机体或物体受到辐射。利用放射性同位素、电磁波辐照可以进行疾病的诊断和治疗。

【辐射育种】利用核辐射处理生物体，诱发突变，选取优良突变体育成新种。原理是生物体分子受射线激发，造成基因突变或染色体畸变，并遗传给后代。

福 fú ❶幸福。与"祸"相对。❷指福建。㊀～橘。

【福地】道教指神仙居住的地方。现多指幸福的地方。

【福利】生活方面的利益。特指单位对职工，社会对民众的经济照顾。㊀为人民谋～|发展社会～事业。

【福星】指象征能带来幸福、希望的人或事物。

【福音】❶好消息。❷基督教徒把耶稣和他的门徒所说的教义叫福音。

【福州市】别称榕。福建省会。位于该省东部，闽江下游外(洋)福(州)铁路终点。人口103万(1997年)。全省政治、经济、文化和交通中心。有脱胎漆器等著名传统手工艺品，是以轻工、机械等为主的综合性工业城市。风景名胜有鼓山、于山、西湖等。

【福建省】别称闽。位于中国东南部，北邻浙江，西接江西，西南邻广东，东隔台湾海峡与台湾省相望。面积12万多平方千米。人口3 299万(1998年)。省会福州市。重要城市还有厦门、南平、三明、漳州、泉州等。

【福费廷】英语音译词。在延期付款的大型设备交易中，出口商把经进口商承兑的、限期在半年以上到五六年的远期票据，无追索权地售予出口商所在地的银行或大金融公司，提前取得现款的资金融通方式。

【福特制】由美国汽车商福特所倡导和创立的一种生产组织管理形式。其主要特点是大规模生产、产品标准化和流水线作业。

【福尔马林】40％左右的甲醛水溶液的俗称。参见〔甲醛〕(468页)。

【福至心灵】旧指运气来了，心思也灵了。

【福如东海】祝颂的话。祝愿一个人的福气像东海那样广大无边。常与"寿比南山"连用。明洪楩《清平山堂话本·花灯轿莲女成佛记》："寿比南山，福如东海，佳期。从今后，儿孙昌盛，个个赴丹墀。"

【福建南音】也叫南音、南管、南乐。中国民间乐种之一。流行于闽南地区、台湾省，并随华侨迁移而传播至南洋各国。南音曲目分指、谱、曲三大部分。有保留曲目近千首。使用乐器有洞箫、品箫、二弦、琵琶、三弦、拍板、南嗳、响盏、扁鼓等。代表乐曲有《四时景》《梅花操》《走马》《百鸟归巢》等。

蝠 fú 见〔蝙蝠〕(59页)。

涪 fú 涪江，水名，嘉陵江的支流，发源于四川，流入重庆。

戜⊠ fú 火盛的样子。

榑⊠ fú 〔榑桑〕扶桑。

幞 fú ❶〔幞头〕古代男子束发用的头巾。❷同"袱"。

襆⊠ fú ❶同"幞"。❷〔襆被〕用包袱包扎衣服、被子等物，即捆行装。

fǔ ㄈㄨˇ

父 ㊁ fǔ ❶老年人。㊀渔～。❷同"甫"②。

㊀ fù (291页)。

㕮⊠ fǔ 〔㕮咀〕❶咀嚼(草药)。❷商量；斟酌。

斧 fǔ ❶斧子；斧头。❷古代兵器。

【斧正】也说斧削。请人修改诗文的客气话。

【斧柯】斧把。比喻政权。

【斧削】即"斧正"(289页)。

【斧锧】古代一种斩人的刑具，形如铡刀。

釜 fǔ 古代的锅。

【釜山】韩国城市。位于韩国东南沿海。人口380万(1990年)。扼朝鲜海峡要冲，是韩国第二大城市，最大海港和南部临海工业中心。

【釜底抽薪】从锅底下抽去燃烧的柴火，使水停沸。比喻从根本上解决问题。北齐魏收《为侯景叛移梁朝文》："抽薪止沸，剪草除根。"明俞汝楫《礼部志稿·奏疏·戚元佐〈议处宗潘疏〉》："谚云：'扬汤止沸，不如釜底抽薪。'"

【釜底游鱼】在锅底游动的鱼。比喻处在极端危险的境地。《后汉书·张纲传》："若鱼游釜中，喘息须臾间耳。"

滏 fǔ 〔滏阳河〕水名。子牙河南源，在河北。

抚(撫) fǔ ❶轻轻地按着。㊀～摩。❷安慰；慰问。㊀～问｜～慰。❸保护。㊀～育。❹同"拊"。

【抚育】❶照料、教育儿童，使其健康成长。❷照管动植物，使其很好地生长。

【抚养】抚育教养。

【抚恤】国家和社会对因公伤残者、牺牲者及病故者的家属进行物质上的优待帮助。

【抚绥】安抚；安定。

【抚琴】弹琴。

【抚掌】拍手。㊀～大笑。

【抚循】同"拊循"(290 页)。

【抚摩】用手轻轻按着并来回移动。

【抚慰】安慰。

【抚今追昔】因眼前的事物而回想过去。

【抚躬自问】反过来问问自己。含有自我检讨的意思。躬(gōng)：自身。

F

甫 fǔ ❶副词。刚；才。㊀一言～毕。❷古代男子的美称。也指字。参见"字"③(1316 页)。㊀台～(旧时询问对方的字的客气话)。

辅(輔) fǔ ❶辅助；帮助。㊀相～而行。❷古指颊。

【辅币】辅助货币的简称。指本位货币单位以下的小额货币。如人民币圆以下的角、分券和金属制造的硬币。

【辅导】帮助和指导。

【辅音】也叫子音。发音时，气流在口腔或咽头受到阻碍，气流比元音强。一般不大响亮。普通话的声母大都是辅音，如 b、p、m、f 等。与"元音"相对。

【辅车相依】颊骨同牙床互相依靠。比喻存亡相依，关系极其密切。《左传·僖公五年》："谚所谓'辅车相依，唇亡齿寒'者，其虞、虢之谓也。"辅：颊骨。车：下牙床。

【辅助单位】在国际单位制中把弧度和球面度称为辅助单位。它们分别是具有专门名称和符号的量纲为 1 的量(平面角、立体角)的导出单位。

脯 ㊀ fǔ ❶肉干。㊀兔～。❷果脯。㊀桃～。
㊁ pú (763 页)。

蜅☒ fǔ 小螃蟹。

䩦☒ fǔ 同"釜"。

簠 fǔ 古代祭祀或宴会时盛谷物的器皿。

黼 fǔ 古代礼服上绣的黑白相间的花纹。

拊 fǔ ❶拍。㊀～掌(拍手)。❷古又同"抚慰"的"抚"。

【拊循】也作抚循。抚慰。

府 fǔ ❶旧时官吏办公的地方，官方收藏文书或财物的地方。㊀官～｜～库。❷旧时官僚贵族的住宅。现也称某些国家政府首脑的办公地方。㊀王～｜总统～。❸敬辞。称对方的籍贯、家庭或住宅。㊀～上。❹旧时行政区划单位。一般一个府下辖若干个县。㊀济南～。❺古又同"腑"。

【府上】敬辞。称对方的家或老家。

【府库】旧时官府收藏文书及财物的地方。

【府君】❶古代对郡相、太守的尊称。❷旧时子孙对其先世或人们对神的尊称。

【府试】清代由各府主持的科举考试，经县试录取的童生可参加。府试录取后即取得参加院试的资格。

【府第】贵族官僚或大地主的住宅。

【府兵制】南北朝西魏开始建立的兵役制度。军士由各级将领统率，另立户籍。至隋唐实行兵农合一，征调农民服兵役，由军府训练府兵。唐太宗时全国共有军府六百多。府兵所需衣粮武器，一律自备。唐中叶后此制渐废。

俯(*頫 *俛) fǔ 向下。与"仰"相对。㊀～首｜～冲。

【俯仰】❶指一举一动。㊀～由人。❷低头和抬头。㊀～之间。

【俯冲】(飞机)以高速度和大角度向下飞。

【俯角】见〔高度角〕(310 页)。

【俯卧撑】发展上肢肌肉力量的手段之一。双手撑地，胸部朝向地面，抬头挺胸，双臂做有节奏的屈伸动作。

【俯仰之间】一低头一抬头的一刹那间。形容时间极短。《汉书·晁错传》："以大为小，以强为弱，在俯仰之间耳。"俯：低头。仰：抬头。

【俯拾即是】低头就可以拣到。形容数量多，到处都有，极易得到。

【俯首帖耳】形容卑恭顺从的样子。唐韩愈

《应科目时与人书》："若俯首帖耳，摇尾而乞怜者，非我之志也。"

【俯首甘为孺子牛】见〔横眉冷对千夫指，俯首甘为孺子牛〕(397页)。

腑 fǔ 见〔脏腑〕(1226页)。

腐 fǔ ❶腐烂；变坏。㊀流水不～｜陈～。❷某些豆制品。㊀～乳｜～竹。

【腐化】❶思想行为腐败堕落。❷使腐败堕落。

【腐生】生物分解已死的生物体或其他有机物，用以维持自身正常生活。大多数霉菌、酵母菌、细菌和放线菌，以及少数高等植物等都营腐生生活。

【腐刑】即"宫刑"(329页)。

【腐朽】腐败朽烂。

【腐竹】卷紧成条状的干豆腐皮。

【腐败】❶腐烂。㊀不吃～变质的食物。❷(思想、行为)堕落。❸指制度、机构、措施等混乱、黑暗。

【腐蚀】❶物质表面与周围介质发生化学反应或电化学反应而受到破坏。通常指金属腐蚀，如生锈。工业生产中常利用腐蚀方法进行加工。❷比喻坏的思想、环境等使人逐渐腐化堕落。

【腐儒】旧指思想、言行不合新时代的读书人。

【腐殖质】土壤中动植物残体经微生物分解转化后，重新合成的复杂的有机物质。它含有多种养分，并有黏结土粒成团粒结构的作用。

【腐殖酸】主要由植物残体在微生物作用下形成的亲水性酸性物质。是土壤和水底沉积物的主要有机成分。也存在于泥炭、页岩和煤中。能与水中的金属离子结合，有利于营养元素向作物传送，并能改良土壤结构，有利于农作物的生长。

【腐生植物】从植物残体的有机物中吸取营养的非绿色植物。如天麻等。

殕☒ fǔ 腐败。

fù ㄈㄨˋ

父 ㊀ fù ❶爸爸。㊀～子。❷对男性长辈的称呼。㊀舅～｜叔～。
㊁ fǔ (289页)。

【父本】参与杂交的亲本之一。在动植物中是参与杂交的雄性个体或产生雄性生殖细胞的个体。

【父兄】❶指父亲和兄长。❷泛指家长。

【父老】敬辞。称老年人。多指乡里故旧。

【父执】父亲的朋友。执：志同道合的人。

【父系】❶在血统上属于父亲方面的。㊀～亲属。❷父子相承的。㊀～家族制度。

【父权制】原始公社制度的最后阶段。因畜牧业和农业的发展，男子代替了妇女在氏族公社中的支配地位，母权制逐步为父权制所代替。对偶婚开始过渡到单偶婚(一夫一妻制)，妻从夫居，世系与财产继承按父系计，形成父系大家族。随着原始公社制度的解体，父系大家族逐渐分裂为若干一夫一妻制的家庭。

讣(訃) fù 报告丧事。㊀～告。

【讣文】同"讣闻"(291页)。

【讣告】报告丧事。也指报告丧事的通知。

【讣闻】也作讣文。旧时报丧的通知。一般附死者的生卒年月和经历，以及丧祭的时间地点。

赴 fù ❶前往；到(某处)去。㊀～宴｜～京。❷投身进去。㊀全力以～。❸古又同"讣"。

【赴敌】出战；跟敌人作战。

【赴难】指国家发生危难时，奋力参加拯救的工作。

【赴汤蹈火】晋嵇康《与山巨源绝交书》："长而见羁，则狂顾顿缨，赴汤蹈火。"形容不畏艰险，奋不顾身。㊀为了解救被俘的同志，我们～，在所不辞。汤：滚开的水。蹈：踩。

付 fù ❶交；给。㊀～款｜交～来人。❷同"副"③。

【付丙】也说付丙丁。(把书信等)用火烧掉。丙丁：指火。

【付印】稿件交付印刷。

【付讫】交清(多指款项)。讫(qì)：终结，完了。

【付排】稿件交印刷部门排版。

【付梓】也说上梓。书稿付印。梓，梓木，可用以刻字。旧时印刷多用木刻版，故称文字上版雕刻为付梓或上梓。

【付之一炬】一把火烧光。唐杜牧《阿房宫赋》："楚人一炬，可怜焦土。"清陈康祺《郎潜纪闻》："遍搜东南坊肆，得三百四十余部，尽付诸一炬。"一炬：一把火。

【付之一笑】用一笑表示回答。形容不计较

F

或不值得理会。宋陆游《老学庵笔记》卷四:“乃知朝士妄想,自古已然,可付一笑。”

【付诸东流】扔在向东流的水里被冲卷走。比喻希望落空或成果丧失。诸:“之于”的合音。

【付诸罔闻】形容对事情不理睬,不当一回事。罔:无,没有。

附(*坿) fù ❶外加的;附带的。㊀~录|~设。❷依靠。㊀依~|~随。❸靠近;贴近。㊀~近|~耳交谈。

【附议】对别人的提议、意见表示同意。

【附耳】嘴贴近别人的耳边(小声说话)。

【附则】附在法规、条约、章程等后面的补充性条文。

【附件】❶配合正式文件而发出的有关文字材料。❷随着文件发出的物品。❸机器的部件、零件。

【附会】也作傅会。把不相干的事物说成有关系,或本来没有这个意思说成有这个意思。㊀牵强~|穿凿~。

F

【附丽】依附。

【附和】不加辨别地跟着别人说或做。㊀随声~。和(hè)。

【附注】书籍或文章中补充说明或解释正文的文字。分夹注、脚注、尾注等方式。

【附录】附在书刊正文后面的有关材料。

【附点】乐谱中加在音符和休止符右边中间的小圆点。用以表示延长原时值的一半。

【附逆】投靠叛逆集团。

【附笔】书信写完后另外加上的话。

【附庸】❶原指中国古代附属于诸侯大国的小国。后指受宗主国统治和奴役的国家。现在也指受别国操纵、控制的国家。❷泛指依附于某一事物而存在的事物。㊀六艺~。

【附着】较小的物体黏着在较大的物体上。

【附属】❶依附归属。❷某一机构、单位所附设或管辖的。㊀~医院|~小学。

【附睾】位于阴囊内,贴附在睾丸后缘的盘曲细长小管。是一段排精管道,有贮藏精子与吸收衰老精子的作用。

【附骥】附骥尾的略语。依附在千里马的尾巴上。比喻依附他人以成名。《史记·伯夷列传》:“颜渊虽笃学,附骥尾而行益显。”司马贞索隐:“苍蝇附骥尾而致千里,以譬颜回因孔子而名彰。”后也用作与人合作的谦辞。

【附加刑】附加于主刑适用的刑罚方法。种类有罚金、剥夺政治权利、没收财产和驱逐出境。既可以同主刑一起适用,也可以单独适用。

【附骨疽】中医病证名。泛指骨髓炎、骨结核等。

【附息股】即“除息股”(138页)。

【附庸国】受宗主国统治和奴役的国家。参见〔宗主国〕(1317页)。

【附着力】两种不同物质接触部分相互吸引的力。是一种分子间力。水能粘在杯子上就是附着力的作用。

【附生植物】附着于其他生物体表面的植物。彼此间一般没有营养上的直接关系。如附着在叶面上的地衣、苔藓,悬垂在松枝上的松萝等。

【附点音符】标在音符后面,表示增加这个音符一半长度的小圆点。如♩. = ♩ + ♪。音符后面有两个附点音符,叫复附点音符。

【附庸风雅】❶旧指官僚、地主、商人为了装点门面,抬高身分,结交知识分子,装做文化人的样子。❷本来不懂,但也跟着别人搞一点诗词歌赋、琴棋书画等风雅的事。

【附赘悬疣】比喻多余无用的东西。《庄子·大宗师》:“彼以生为附赘悬疣。”附赘(zhuì):附生在皮肤上的小肉瘤。悬疣(yóu):皮肤上突起的瘊子。

咐 fù 见〔吩咐〕(274页)。

驸(駙) fù 古代几匹马共同拉一辆车时,边上的马叫驸。

【驸马】汉代官名。指驸马都尉。魏晋以后皇帝的女婿照例加此称号,因此“驸马”成为皇帝女婿的专称。

祔⊠ fù ❶古代祭名。送死者的神主入祖庙,与其先祖共享祭祀。❷合葬。

蚹⊠ fù ❶蛇腹下代足爬行的横鳞。❷蛇皮。

鲋(鮒) fù 古指鲫鱼。

负(負) fù ❶背(bēi)。㊀~重。❷担任。㊀~责。❸遭受。㊀~伤。❹依靠;仗恃。㊀~险固守。❺享有。㊀久~盛名。❻背弃;违背。㊀忘恩~义。❼欠。㊀~债。❽输;败。与“胜”相对。㊀胜~。❾小于零的;得到电子的。

与“正”相对。㊀～极|～数|～号。
【负气】赌气。
【负片】俗称底片。摄影用的黑白或彩色感光片，经曝光、显影、定影后所成的与原景物明暗相反或颜色互补的片子。用于印放照片或影片。
【负心】背弃过去的情谊（多指背弃爱情）。
【负电】也叫阴电。电子所带的电。物体得到多余的电子时带负电。
【负约】违背诺言；失约。
【负极】直流电源上电势较低的接头，或负载（如被充电时的蓄电池等）和仪表接在直流电路中电势较低的接头。电源供电时，电流由负极流入。负载和仪表的负极须与电路中电势较低之点相接，使电流由负极流出。
【负责】❶担负责任。㊀这工作由你～。❷尽到责任；认真，踏实。㊀他对工作很～。
【负担】所承当的工作、责任、费用等。㊀减轻～。
【负疚】自己感觉不安，对不起人。疚（jiù）：内心痛苦。
【负面】消极方面；反面。㊀～效应。
【负载】❶负荷。❷旧指劳役之事。负：背物。载：用头顶物。
【负荷】❶负担。㊀不胜～。❷发动机、电机、电器、锅炉等设备在工作时所产生、消耗的功率。
【负债】❶欠人钱财。❷企业承担的能以货币计，需以资产或劳务偿还的债务。
【负数】指小于零的数。在数前用负号（－）表示，如零下五摄氏度写作－5℃。
【负弩前驱】背着弓箭走在前头开道，表示尊敬。《史记·司马相如列传》：“拜相如为中郎将，建节往使…至蜀，蜀太守以下郊迎，县令负弩矢先驱，蜀人以为宠。”
【负荆请罪】《史记·廉颇蔺相如列传》记载，战国时赵国大将廉颇跟大臣蔺相如不和。后来他认识到了这样对国家不利，便脱了上衣，背着荆条去向蔺相如谢罪，请他用荆条责罚。后用“负荆请罪”指主动向对方赔礼认错，请求对方责罚。
【负隅顽抗】也作负嵎顽抗。依靠险要的地方顽固对抗。㊀尽管敌人～，最终还是被我军全部歼灭。隅、嵎（yú）：山势弯曲险要的地方。
【负薪之忧】背柴的劳累未消失，体力还未恢复。用作自己有病的谦辞。《礼记·曲礼下》：“君使士射，不能，则辞以疾，言曰：‘某有负薪之忧。’”
【负薪救火】背着柴草去救火。比喻用错误的方法消灭灾害，结果反而使灾害扩大。《韩非子·有度》：“其国乱弱矣，又皆释国法而私其外，则是负薪而救火也，乱弱甚矣。”

妇（婦*媍）

fù ❶已婚的女子。㊀少～。❷女子的通称。㊀～科。❸妻子。㊀夫～。❹古指儿媳。
【妇女】成年女子的通称。
【妇道】❶妇女。㊀～人家。❷旧指为妇之道。
【妇孺】妇女和小孩。㊀～皆知。
【妇女节】三八国际劳动妇女节的简称。
【妇科病】妇女身体上容易发生的疾病。常见的有滴虫性阴道炎、慢性宫颈炎、盆腔炎、子宫脱垂、尿瘘、子宫颈癌、卵巢癌、乳腺癌等。
【妇女运动】妇女为在政治、经济、文化和社会各方面争取与男子权利平等而进行的斗争。
【妇姑勃谿】儿媳妇和婆婆争吵。比喻为无关紧要的小事闹矛盾。《庄子·外物》：“室无空虚，则妇姑勃谿。”勃谿（xī）：旧指家庭中的争吵。

阜

fù ❶土山。❷兴盛；多。㊀物～民丰。

皀

⊠ fù 同“阜”。

服

㊁ fù 量词。中药一剂叫一服。
㊀ fú（288 页）。

复（❶-❹復❺複）

fù ❶副词。又；再。㊀草木～苏。❷恢复。㊀～原。❸回；返。㊀反～|循环往～。❹回答；回报。㊀答～|报～。❺繁多的；不单一的。㊀～杂|重～。
【复元】同“复原”②（294 页）。
【复方】❶由两个以上成方配成的中药方。❷指由两种以上药品合成的西药。
【复古】复活古代的某种制度、主张或社会风尚等。
【复本】同一种书刊或文件收藏不止一部时，第一部以外的称复本。
【复叶】在共同的叶柄或叶轴上生着若干小叶的叶。每一小叶有显著分离的基部，有时还各有小叶柄。如七叶树、苜蓿、花生、月季等的叶。

【复句】也叫复合句。由两个或两个以上分句组成的句子。如“太阳下山了,月亮升起来了”“国无论大小,都各有长处和短处”都是复句。与“单句”相对。

【复写】把复写纸夹在白纸中间,一次写成多份。

【复议】再一次讨论已决定的事。

【复兴】衰落之后重新兴盛起来。

【复苏】❶苏醒;恢复知觉。㊀死而~。❷资本主义再生产周期中继萧条之后的一个阶段。其特点是生产逐渐恢复,市场渐趋活跃,物价上涨,利润增加等。

【复员】❶由战时状态转入平时状态。❷军人服役期满或在战争结束后退出现役。

【复利】俗称利滚利。计算利息的一种方法。经过一定期间(如一年),将所生利息加入本金再计利息,逐期滚算。与“单利”相对。

【复述】把说过的话重复叙述一遍。语文教学上指学生用自己的话把读物的内容述说出来,是一种练习口语表达的方法。

【复制】以印刷、复印、临摹、拓印、录音、录像、翻录、翻拍等方式,将作品制作一份或多份。是使用作品的一种方式。

【复命】执行命令后回来报告。也指一般的回报。

【复姓】两个或两个以上字的姓。如欧阳、诸葛、司马等。

【复线】有两组或两组以上轨道的铁道或电车道,相对方向可同时行车。与“单线”相对。

【复查】再检查一次。

【复种】指在同一地块上一年连续种植两茬或两茬以上的作物。

【复活】❶死了又活过来。多用于比喻。❷使复活。㊀不准~旧势力。

【复原】❶恢复原状。❷也作复元。指大病后恢复健康。

【复圆】日食或月食终了的时刻。日食的复圆发生在日面的东边缘;月食的复圆发生在月面的西边缘。复圆过后,太阳或月球恢复原来形状。

【复眼】甲壳类、昆虫类及其他少数节肢动物的视觉器。一般只有一对。每一复眼由少数或多数小眼组成。复眼能感受物体的形状、大小,并可辨别颜色。

【复婚】已经离婚的男女双方又自愿恢复夫妻关系的法律行为。应到婚姻登记机关履行登记手续。

【复数】形如 $a+bi$(其中 a、b 为实数,i 为虚数单位,$i^2=-1$)的数。a、b 分别叫做复数 $a+bi$ 的实部和虚部。

【复辟】原指被赶下台的君主复位,现指被推翻的反动统治者恢复原来的地位或被推翻的旧制度复活。

【复赛】按照规定顺序进行的第二个顺序的比赛。由复赛可决出决赛的参加者。

【复元音】也叫复合元音。在同一个音节中两个或两个以上的元音前后相连在一起组成的元音群。如普通话复韵母中的 ai、ou、üe、iao 等。复元音中各元音的地位并不相等,一般是那个张口比较大、舌位比较低的元音发音最清晰响亮,这个元音是复元音中的主要元音。如上举例子 ai 中的 a,ou 中的 o,üe 中的 e,iao 中的 a。

【复合词】合成词的一种。由两个或两个以上的词根(语素)结合而成的词。如教育、装修、洗衣机等。

【复音词】也叫多音词。由两个或两个以上音节构成的词。如汉语中的波涛(bōtāo)、少年宫(shàoniángōng)、歇斯底里(xiēsī-dǐlǐ)等。

【复活节】基督教传说耶稣被钉死在十字架以后第三日复活。公元 325 年,该教规定每年过春分月圆后第一个星期日为耶稣复活节,信徒举行宗教活动。

【复辅音】指在同一个音节中两个或两个以上的辅音前后相连在一起组成的辅音群。如英语 fly(飞)中的 fl,spring(春天)中的 spr。

【复韵母】由两个或两个以上的音素构成的韵母。组成复韵母的音素可以都是元音,如普通话“该(gāi)”“杯(bēi)”“标(biāo)”里的 ai、ei、iao;也可以是元音加某些辅音,如普通话“人(rén)”“黄(huáng)”里的 en、uang。

【复本位制】金和银同时作为本位货币的制度。在铸币自由流通条件下,金银的持有者都可按国家规定自由铸造货币。这种制度在 16—18 世纪资本主义发展初期比较流行。

【复甲二号】复方炔诺孕酮二号片的简称。妇女长效避孕药。能够较长时间抑制排卵,服药一次可避孕 28 天。

【复式住宅】一种住宅形式。其内部的局部

空间被划分成上下两层,有楼梯相连。一般上部安排卧室、书房等,下部布置厨房、餐厅等。另外的高大空间常用作会客厅和起居室。

【复式教学】教师在一个教室,同一课时内对不同年级的学生用不同的教材交替进行教学的组织形式。一般适宜于居住分散、学生很少、教学设备较差的农村或山区。

【复合材料】两种或两种以上纯物质或均一物质复合而成的固体材料。这种材料比原来单一的材料性能优越,具有综合效果。如将聚乙烯与铝箔复合在一起,得到一种不透光、不透气而有韧性的材料,可用于药物和食品包装。

【复合肥料】用化学方法制成的含有两种或两种以上主要营养元素的肥料。如硝酸钾含氮和钾;硝磷酸钾含氮、磷、钾。

【复合陶瓷】特种陶瓷的一类。主要有金属陶瓷和纤维增强陶瓷。强度高、韧性好,加工性能优异,具有特殊性能。可用于制耐热壳体材料、火箭喷口等。

【复杂劳动】指经过一定时期的培训而具有一定科学文化知识和某种技术专长的劳动者的劳动力耗费。与"简单劳动"相对。它是多倍的简单劳动,在相同的时间内,创造的价值比简单劳动多。

【复员军人】退出现役的中国人民解放军的志愿兵和干部。复员军人一般回参军地区或在服役所在地安置。

【复指成分】句子的特殊成分。指句中称代前面成分的成分。如"童年,这是多么美好的时光啊!"中的"这"。

【复调音乐】由两个或两个以上曲调以对位法的法则结合在一起的多声部音乐。主要特点是各声部都有独立性。

【复分解反应】两种化合物相互交换成分生成另外两种化合物的反应。发生的条件是有挥发性气体、难溶物或难电离物质生成。

【复式记账法】将每笔经济业务以相等的金额同时记入有关的两个或两个以上的科目,从而使有关科目之间形成相互联系的记账方法。

辐⊠(**輹**) fù 古代车箱下缚在轴上的皮带或丝绳。㊀舆脱~。

腹 fù 肚子。㊀~部。

【腹水】腹腔内有液体蓄积的症状。心脏、肝脏、肾脏疾患以及腹腔内疾病等都能引起腹水。

【腹心】❶比喻要害或中心部分。㊀~之患。❷比喻诚意。㊀敬布~。❸心腹,比喻极亲近的人。

【腹地】内地,靠近中心的地区。

【腹诽】也作腹非。嘴上不说而心里讥谤。㊀~心谤。

【腹腔】腹内的体腔部分。人的腹腔位于膈肌以下、骨盆底以上。内有胃、肠、肝、胰、脾、肾、泌尿及内生殖器官等。

【腹稿】心里已想好但还没写出的稿子。

【腹心之疾】也说腹心之患。比喻要害处的祸患。《战国策·魏策三》:"所以为腹心之疾者赵也。"《国语·吴语》:"越之在吴也,犹人之有腹心之疾也。"

【腹有鳞甲】指居心险恶。《三国志·蜀书·陈震传》:"诸葛亮与长史蒋琬、侍中董允书曰:'孝起(陈震字)前临至吴,为吾说正方(李严字)腹中有鳞甲,乡党以为不可近。'"鳞甲:比喻巧诈的心术。

【腹背受敌】前后受到敌人的夹击。

蝮 fù 〔蝮蛇〕也叫草上飞、土公蛇。爬行动物。头三角形,背灰褐色,两侧各有一行黑褐色圆斑。有毒牙。生活在山野或平原,捕食老鼠和其他小动物。

澓⊠ fù 水回旋流动。

覆 fù ❶遮盖。㊀~盖。❷翻。㊀~舟|~巢。❸同"复"③④。

【覆灭】全部被消灭。

【覆没】❶沉没。❷(军队)全部被消灭。㊀全军~。

【覆瓿】西汉末年刘歆(xīn)看见扬雄作的《太玄》,认为深奥难懂,曾对扬雄说:"吾恐后人用覆酱瓿也。"后用作谦辞。比喻著作没价值,只能用来盖酱罐。瓿(bù):小瓮。

【覆辙】翻过车的道路。比喻前人失败的经验教训。㊀重蹈~。辙:车轮轧出的浅沟。

【覆水难收】泼在地上的水再也不能收回了。相传汉时朱买臣,原来家境贫穷,其妻要求离异。后买臣做了大官,其妻又要求复婚。买臣取一盆水泼在地上,让她再收回来,表示夫妻关系已无可挽回。后用来比喻某事已成定局,无可挽回。

【覆盆之冤】翻过来放着的盆子,阳光照不到里面。形容无处申诉的冤枉。

【覆巢无完卵】鸟巢翻倒了就没有不打碎的

鸟蛋。比喻大祸临门,无一幸免。也比喻整体坏了,个体不能侥幸保全。《世说新语·言语》:"大人岂见覆巢之下,复有完卵乎?"

鳆(鰒) fù 即"鲍"(40页)。

馥 fù 香气。

【馥郁】香气浓厚。

洑 ㊀ fù 在水里游。㊞～水。
㊀ fú(286页)。

副 fù ❶第二的;辅助的;次级的;附带的。㊞～品|～手|～产品。❷符合。㊞名～其实。❸量词。用于成套的东西。㊞一～担子|一～对联。

【副手】❶次于主要负责人的人。❷助手。

【副刊】报纸上刊登文艺作品、学术文章等的专页或专栏。因与报纸的主体(即新闻和评论版)既有联系又有相对的独立性,故名。

【副本】❶依书籍或文件的原样而复制的本子。❷收藏一种书,常以其中一部为正本,其余备用的称副本或称复本。与"正本"相对。

【副业】农业上指大田生产以外,附带经营的事业。如养猪、养鸡、编席、采集药材等。

【副词】修饰、限制动词、形容词,表示行为动作或性质状态的程度、范围、时间、频率以及肯定、否定等意义的词。

【副歌】有些歌曲由主歌和副歌两部分组成。主歌常配有数段歌词,副歌只配有一段歌词。在音乐上与主歌形成对比,并集中表达全曲的中心思想。《国际歌》中自"这是最后的斗争"起到结束,就是副歌。

【副反应】同时发生的两种或两种以上的化学反应,在实用上称不需要的反应为副反应或副作用。

【副产品】制造某种物品时附带产生的物品。

【副作用】❶药物在防治某些疾病时发生的不需要的药理作用。❷处理问题时附带产生的不好的后果、影响等。

【副性征】也叫第二性征。人和动物性成熟后所表现出的与性别有关的外表特征。如女子乳部发达、音调高;男子生须、音调低。又如公鸡冠高、善鸣、羽毛艳丽,而母鸡则无此特点。

【副神经】人和脊椎动物的第十一对脑神经。为运动神经。在人体,分布到胸锁乳突肌深面及斜方肌,主管颈部和肩部肌肉的运动。

【副交感神经】植物性神经系统的一部分。由脑干和脊髓第二、三、四骶节的侧角发出神经纤维到器官旁或器官内的副交感神经节,再由此发出纤维分布到平滑肌、心肌和腺体,调节心脏及其他内脏器官的活动。副交感神经和交感神经两者在功能上有相互拮抗的作用。

【副热带高压】中心位于热带与温带之间的高气压。它控制的地区,因空气下沉,一般云雨较少。

富 fù ❶财产多。与"贫""穷"相对。❷资源;财产。㊞财～|～源。❸充裕;充足。㊞～足|～有生命力。

【富农】农村中的资产阶级。土地改革前,一般都占有土地、生产工具和活动资本,自己参加劳动,但经常依靠剥削作为其生活来源的一部或大部。其剥削方式,主要是剥削雇佣劳动,此外兼放高利贷或出租部分土地。

【富丽】宏伟美丽。

【富矿】有益组分富集,品位较高的矿石。

【富态】〈方〉指体态丰盈。常用来赞美、恭维中老年人。

【富饶】物产丰富充裕。饶:富足。

【富庶】物产丰富,人口众多。庶:众多。

【富集】集中、聚集在一个地方。

【富裕】(财物)充裕。㊞这几年,人们都过上了～的日子。

【富源】自然资源。如森林、矿产等。

【富豪】指富有而有权势的人。

【富士山】日本第一高峰。在本州岛的中南部。海拔3 776米,山顶终年积雪。是著名的火山。

【富勒烯】碳元素的同素异形体。化学式C_{60}。分子结构为球形三十二面体,即由20个正六边形和12个正五边形组成。因这个结构的提出受到建筑学家富勒球形薄壳建筑结构的启发,故名。又因其为球形,故又名球烯或足球烯。掺杂有钾、铷、铯的富勒烯具有超导性。

【富兰克林】本杰明·富兰克林(1706—1790)美国科学家、政治家。他研究了大气中的电现象,揭开了雷电之谜并制成避雷针。独立战争时参加过反英斗争,并参与起草《独立宣言》。

【富丽堂皇】形容建筑物华丽雄伟。也形容

场面华丽而盛大。堂皇：气势盛大。

【富国强兵】使国家富有，军备强大。《商君书·壹言》："故国者，其抟力也，以富国强兵也。"

【富营养化】水域内缓慢流动的生物营养成分（如氮、磷等），因长期过量累积，导致水草、藻类等大量繁殖，从而引起水质恶化、鱼群死亡等。这种现象叫富营养化。

【富贵不能淫】《孟子·滕文公下》："富贵不能淫，贫贱不能移，威武不能屈。"指不为金钱、地位所迷惑。淫：迷惑。

赋（賦） fù ❶给。例～予。❷中国古代的一种文体。例《赤壁～》。❸作诗。例～诗。❹古指劳役兵役等，后来指田地税。例田～。

【赋予】交给；给予。例实现四个现代化，是历史～我们的光荣任务。

【赋有】天生具有某种性格、气质等。

【赋役】赋税和徭役。

【赋闲】晋朝潘岳辞官家居，作《闲居赋》。后来称没有职业在家闲着为"赋闲"。

【赋性】天性；生来就具有的个性。

【赋税】田赋和捐税的合称。

傅 fù ❶负责教导和传授技艺的人。例师～。❷辅助；教导。❸附着；加上。例～粉。

【傅会】同"附会"（292页）。

【傅立叶】夏尔·傅立叶（1772—1837）法国空想社会主义者。他尖锐抨击资本主义制度，设想建立一种"和谐"的新制度。对未来社会的描绘包含着许多合理的思想，如消灭城乡对立、消灭脑力劳动和体力劳动的对立等。首次提出妇女解放的程度是衡量人民是否彻底解放的尺度。但在他理想的社会中还保留着私有制，并幻想依靠富翁投资来实现他设想的新社会制度。1832年曾进行小规模试验，第二年就失败了。著有《普遍统一论》《新的工业世界和协作的世界》等。

【傅作义】（1895—1974）中国现代军事家，抗日爱国将领。字宜生，山西临猗人。保定军校毕业，曾为阎锡山部属。1930年参加阎、冯反蒋战争，任津浦线总指挥。1931年任三十五军军长、绥远省政府主席，曾率部参加1933年的长城抗战和绥远抗战。抗日战争时期，任第七集团军总司令、第十二战区司令，率部参加忻口、太原等战役。解放战争时期，任国民党政府华北"剿总"司令。1949年1月接受中共提出的和平解放北平方案，率部起义，为北平和平解放、保护祖国文化古都作出了贡献。1949年后，历任水利部部长、国防委员会副主席、全国政协副主席等职。1974年病逝。

【傅斯年】（1896—1950）中国现代历史学家、教育家。字孟真，山东聊城人。1918年与罗家伦等创办新潮社，提倡新文化。五四运动时担任爱国游行总指挥。后赴英、德留学。1926年回国后，长期担任中央研究院历史语言研究所所长。九·一八事变后，主张抗日，拥蒋反共。抗战胜利后，一度代理北京大学校长。1949年随历史语言研究所去台湾，兼任台湾大学校长。1950年在台北病逝。

缚（縛） fù 捆绑。

赙（賻） fù 拿财物帮助人办丧事。例～金|～赠。

G 《

gā 《丫

夹（夾） ㊂ gā 〔夹肢窝〕也作胳肢窝。腋下。
㊀ jiā（466 页）。
㊁ jiá（468 页）。

旮 gā 〔旮旯〕〈方〉角落；偏僻的地方。㊀墙～｜山～里。旯（lá）。

伽 ㊂ gā 音译用字。如伽马射线。
㊀ qié（790 页）。
㊁ jiā（466 页）。

【伽马刀】也作 γ 刀。利用伽马射线代替手术刀切割人体组织的装置。以钴-60 作为能源，采用聚焦后的窄束射线对肿瘤进行切割，没有创伤，适用于治疗脑部肿瘤、肺癌、肝癌等。伽马：希腊字母 γ 的音译。

【伽马射线】也作 γ 射线。放射性原子核放出的波长很短的电磁波。穿透物质的能力很强，但电离作用很弱。工业上用于金属探伤，医学上用于消毒、治疗肿瘤等。

咖 ㊁ gā 〔咖喱〕英语音译词。一种调味品。色黄，味香辣。用姜黄、胡椒、生姜、茴香、桂皮等制成。
㊀ kā（544 页）。

呷 ㊁ gā 〔呷呷〕同“嘎嘎（gāgā）”（298 页）。
㊀ xiā（1061 页）。

胳 ㊂ gā 〔胳肢窝〕同“夹肢窝”（298 页）。
㊀ gē（314 页）。
㊁ gé（317 页）。

戛（*戞） ㊁ gā 用于地名，如平戛（在云南西部）。
㊀ jiá（468 页）。

嘎（*嘠） ㊀ gā 拟声词。短促而响亮的声音。㊀卡车～的一声刹住了。
㊁ gá（298 页）。
㊂ gǎ（299 页）。

【嘎嘎】也作呷呷。拟声词。鸭子、大雁等的鸣叫声。

gá 《丫́

轧（軋） ㊂ gá 〈方〉❶挤；拥挤。❷结交。㊀～朋友。❸查对（账目）。㊀～账。
㊀ yà（1128 页）。
㊁ zhá（1231 页）。

【轧差】在某一时点，某项被核算的资金或科目的资金来源和运用差额的统称。

钆（釓） gá 金属元素，符号 Gd，原子序数 64。是稀土元素之一。用于反应堆控制材料及新型磁性材料。

尜 gá 〔尜尜〕也作嘎嘎。❶一种儿童玩具。两头小，中间大。❷像尜尜的。㊀～枣｜～汤（用玉米面做的食品）。

嘎（*嘠） ㊁ gá 见下。
㊀ gā（298 页）。
㊂ gǎ（299 页）。

【嘎调】京剧唱腔中用特别拔高的音唱某个字，这种拔高的音叫嘎调。

【嘎嘎】同“尜尜”（298 页）。

噶 gá 见下。

【噶伦】藏语音译词。原西藏地方政府主管官员。多由大贵族充任。

【噶厦】藏语音译词。发布命令的机关，即原西藏地方政府。清乾隆十六年（1751），清政府废原封郡王，命由噶伦四人（三俗一僧）主持噶厦，秉承驻藏大臣和达赖喇嘛的意志，共同管理西藏地方行政事务，成为定制。1959 年西藏叛乱事件发生后解散。

gǎ 《丫̌

尕□ gǎ 〈方〉❶乖僻。❷调皮。

尕 gǎ 〈方〉小。㊐～娃|～李。

嘎(*嘎) ㊂ gǎ 〈方〉❶同"玍"。❷同"尕"。
㊀ gā (298 页)。
㊁ gá (298 页)。

gà ㄍㄚˋ

尬 gà 见〔尴尬〕(303 页)。

魀☒ gà 见〔魌魀〕(303 页)。

gāi ㄍㄞ

该(該) gāi ❶应当。㊐应～。❷指示代词。指前面提到过的人或事物(多用于公文)。㊐～员|～地。❸欠。㊐～他几块钱。❹表示理应如此。㊐～死|～,谁叫他不干好事! ❺在感叹句中,有加强语气的作用。㊐我们的责任,～有多重啊! ❻古又同"赅"。

陔 gāi ❶台阶或近台阶的地方。❷田埂。

垓 gāi 古代数目。指一亿。也泛指极多。

【垓下】古地名。在今安徽灵璧东南沱河北。汉高帝五年(前 202),汉军及诸侯兵围困项羽于此。

【垓心】重重围困的中心(多见于古典小说)。垓:层,重。

【垓下之围】楚汉战争的最后决战。公元前 202 年,刘邦约韩信、彭越等一起出兵,将项羽围困在垓下。项羽粮尽援绝,夜闻四面楚歌,以为汉军已尽占楚地,连夜突围,至乌江(今安徽和县东北),自刎而死。

荄☒ gāi 草根。

绞☒**(絯)** gāi ❶拘束。❷挂起来。

晐☒ gāi 包括;完备。

赅(賅) gāi ❶兼;包括。㊐举此以～彼。❷完备。㊐言简意～。

【赅博】(知识、学问)渊博。

隑□**(隑)** gāi ❶梯子。❷〈方〉斜靠。

gǎi ㄍㄞˇ

改 gǎi ❶变动;更换。㊐～期|～天换地。❷修改。㊐～文章。❸改正。㊐知过必～|～悔。

【改元】指中国历史上皇帝即位时或在位期间改换年号。每个年号开始的一年称元年。如唐玄宗即位初年改元"先天",这年即称先天元年,后改元"开元",又改元"天宝"。

【改火】古代钻木取火,四季所用树木种类不同,故名改火。也用来比喻时节改易。《论语·阳货》:"旧谷(穀)既没,新谷(穀)既升,钻燧改火,期可已矣。"

【改行】放弃原来的行业,去从事另一种行业。

【改观】改变原来的样子,面目一新。㊐改革开放以后,这个乡的面貌大为～。

【改进】改变旧的状况,使有所进步和提高。㊐～工作方法。

【改判】法院更改原来所做的判决。

【改良】❶去掉事物的缺点,使之良好。㊐～品种|～土壤。❷指不触动旧基础的局部的改进。

【改建】在原有基础上加以改造,使适合新的需要(多指厂矿、建筑物等)。

【改组】对原有机构或其主要领导成员进行调整。

【改革】改掉事物中陈旧的、不合理的部分,使之合理、完善,更加适合需要。㊐～教育|文字～。

【改削】删改。

【改造】就原有的事物加以修改或变更,使适合需要。㊐～低产田|～世界观。

【改悔】认识错误并加以改正。

【改善】改变旧有情况使好起来。㊐～人民生活|劳动条件日益～。

【改编】❶改变原来的编制(多指军队)。❷根据原著改写成另一种著作。如把小说改编成电影剧本。

【改锥】也叫螺丝刀。装卸螺丝钉用的手工工具。

【改嫁】指妇女在丈夫死后或离婚后再与别人结婚。

【改辙】❶变更行车的辙口。比喻改变办法。❷指戏曲唱词换韵。

【改土归流】明清王朝在部分民族地区废除土司、实行流官统治的政治措施。即改变过去以当地统治者为世袭官吏(土官)的制度,按照内地做法,委派有一定任期的官吏(流官)实行统治。

【改天换地】也说改地换天。比喻彻底的大规模的变革。常用来指自然或社会的根本变革。

【改头换面】指表面上改变一下,实质上跟原来的一样。唐寒山《寒山诗》二一三首:“改头换面孔,不离旧时人。”

【改过自新】也说悔过自新。改正过错,重新做人。《史记·吴王濞列传》:“(吴王)于古法当诛,文帝弗忍,因赐几杖。德至厚,当改过自新。”

【改邪归正】离开邪路,回到正路上来。指改正错误,重新做人。

【改良主义】资产阶级和小资产阶级的一种政治思想。产生于19世纪中叶。它主张阶级调和、阶级合作,在不触动资本主义制度的条件下,实行微小的社会改良。

【改弦更张】换掉旧的琴弦,再安上新的。比喻去旧更新,改变制度或作法等。《汉书·董仲舒传》:“窃譬之琴瑟不调,甚者必解而更张之,乃可鼓也。”《宋书·乐志》:“琴瑟时未调,改弦当更张。矧乃治天下,此要安可忘。”

【改弦易辙】改换琴弦,变更行车道路。比喻改变方向、作法等。宋王楙《野客丛书·张杜皆有后》:“使其子孙改弦易辙,务从宽厚,亦足以盖其父之愆矣。”

【改革开放】中国共产党1978年十一届三中全会制定的主要政策。改革是全面的改革,指发展对外经济技术交流和合作;在广泛意义上还包括对内开放,即加强和发展国内多种形式的横向经济联系和合作。改革和开放是相辅相成的、相互促进的,目的是促进生产力的发展和社会的全面进步,建设有中国特色的社会主义。

【改朝换代】指旧的朝代为新的朝代所代替。泛指政权更迭。

胲 ㊁ gǎi 〈书〉颊上的肌肉。
㊀ hǎi (370页)。

gài ㄍㄞˋ

丐(*匃*匄) gài ❶乞求。㊎乞～。❷文言中又指给予。

钙(鈣) gài 金属元素,符号Ca,原子序数20。银白色,质轻。含钙的矿物很多,如方解石、石膏等。钙是生物体中的重要元素,人体血液和骨骼中都含钙,缺钙会引起佝偻病、手足抽搐等。

【钙化】有机体组织由于钙盐沉积而变硬。如肺结核病灶的钙化。

芥 ㊁ gài 见下。
㊀ jiè (502页)。

【芥菜】同“盖菜”(300页)。

【芥蓝菜】一年生或二年生草本植物。茎粗而直,叶宽而短。嫩叶和菜薹可食。

盖(蓋) ㊀ gài ❶盖子,器物上部起遮蔽、封闭作用的东西。㊎锅～。❷遮掩;蒙上。㊎遮～|～被子。❸建造。㊎～房。❹打上。㊎～图章。❺超过;压倒。㊎气～山河。❻发语词。㊎～闻|～有年矣。❼文言副词。大概。㊎～近之矣。❽文言连词。表原因。㊎有所不知,～未学也。❾古又同“盍(hé)”。
㊁ gě (318页)。

【盖世】形容高出当代之上。㊎～英雄。

【盖菜】也作芥(gài)菜。一年生草本植物。叶子大,表面多皱纹,可供食用。

【盖然性】可能性。

【盖世太保】德语音译词。德国法西斯的国家秘密警察组织。1933年成立。它是希特勒对本国和被占领国家人民进行残暴统治的工具。

【盖棺论定】指一个人的功过好坏,在他死后才能作出结论。宋李曾伯《挽史鲁公》诗:“盖棺公论定,不泯是人心。”

【盖·吕萨克定律】法国物理学家盖·吕萨克发现的关于气体的实验定律。即一定质量的气体,压强不变时,体积跟热力学温度成正比。这个定律适用于理想气体,实际气体只在压强不太大(与大气压强相比)、温度不太低(与室温相比)时近似地遵循这一定律。

葢☒ ㊀ gài 同“盖(gài)”。
㊁ gě (318页)。

溉 gài 浇灌。㊎灌～。

概(*槩) gài ❶大略。㊎～况|大～。❷一律。㊎不能一～而论。❸情况;景象。㊎胜～(美好景象)。❹气度神态。㊎气～。❺旧时量谷物时用

来平斗斛的刮板。

【概论】简单扼要的说明、叙述(多用于书名)。㊎《化学～》。

【概观】大略地观察;概况(多用于书名)。

【概况】大概的情况。

【概念】反映事物本质属性的思维形式。是人们在实践的基础上,经过感性认识上升到理性认识而形成的。概念都是用词或短语表达的,是词和短语的思想内容,词和短语是概念的语言形式。

【概括】❶总括。㊎大家提了不少意见,但～起来就是两条。❷简单扼要。㊎～地讲讲故事情节。❸把对一类事物中的某些事物所具有的共同的本质属性的认识,推广到对整个这一类事物的认识,从而形成关于这一类事物的普遍概念的过程和方法。与"抽象"相对。

【概要】重要内容的大概(多用于书名)。㊎《文字学～》。

【概略】❶简明扼要;大致。❷大概情况。

【概率】旧称或然率、几率。在自然和社会现象中,有这样一类事件,它在相同条件下由于偶然因素的影响可能发生也可能不发生,这类事件叫做随机事件。就随机事件的个别情况看,它是没有规律的,但通过大量实践后,就其整体来看却呈现出一种严格的非偶然的规律性。实际上对一个随机事件作大量试验时,就会发现随机事件发生的次数与试验次数的比总在一个常数附近摆动,这个常数叫做该随机事件发生的概率。概率的大小反映了随机事件发生的可能性的大小。

【概算】编制预算前对收支指标提出的大概数字,预算就是在这个数字的基础上,经过进一步详细计算而编制出来的。

【概率论】数学的分支学科。研究概率的理论。目的在于根据某些已知的偶然事件(即随机事件)的规律性,来寻找和研究与之有关的一些未知的规律性。

【概莫能外】一律不能例外。㊎矛盾是普遍存在的,一切事物～。

戤□ gài 〈方〉假冒商品牌号以图利。㊎～牌。

gān ㄍㄢ

干(❶-❺乾❶-❺ *乹❶-❺ *乾)

㊀ gān ❶缺乏水分。也指加工制成的干食品。㊎～燥|葡萄～。❷净尽;枯竭;空虚。㊎～杯|天旱河～|外强中～。❸副词。白白地;徒然。㊎～着急。❹通过拜认结成的亲属关系。㊎～亲。❺徒有形式的;虚假的。㊎～笑|～号(háo)。❻天干。㊎～支。❼盾牌。㊎～戈。❽冒犯。㊎～扰|～犯。❾牵连。㊎～连|相～。❿岸;水边。㊎江～|河～。

㊁ gàn (306 页)。

"乾",另音 qián (782 页)。

【干支】天干(甲、乙、丙、丁、戊、己、庚、辛、壬、癸)和地支(子、丑、寅、卯、辰、巳、午、未、申、酉、戌、亥)的合称。中国古代分别拿天干和地支序列中的奇数和奇数、偶数和偶数相配,共组成甲子、乙丑等六十组,用来表示年、月、日、时的次序,周而复始,循环使用。最初用于纪日,后多用于纪年。现在农历纪年仍用干支。

【干戈】干和戈都是古代常用兵器,后用来泛指武器,也比喻战争或动武。㊎大动～。

【干贝】用海产扇贝等的肉柱(闭壳肌)晒干制成的食品。

【干犯】干扰侵犯。

【干冰】固态二氧化碳。白色雪片状。易升华,能吸热,用作制冷剂。

【干扰】❶扰乱。❷指电信通信中,在接收有用电信号时,其他电信号对它所起的妨碍作用。按其来源分宇宙干扰、天电干扰、工业干扰和人为干扰。❸干扰信号的简称。

【干花】用干燥方法使鲜花迅速脱水制成的花。这种花可以较长时间保持鲜花的形态和色泽。

【干连】牵连。

【干旱】因雨量不足而土壤、气候干燥。

【干系】案件中牵连的关系。

【干杯】喝干杯中的酒(用于劝别人喝酒和表示庆祝的场合)。

【干城】《诗经·周南·兔罝》:"赳赳武夫,公侯干城。"比喻保卫国土的将士。干:盾牌。城:城墙。两者均起防卫作用。

【干洗】不用水,用汽油或其他溶剂去掉衣服上的污垢。

【干租】一种租赁方式。指仅出租设备、交通工具等,不配备操纵、维修的人员。与"湿租"相对。

【干涉】❶对别人的事强行过问、干预。㊎

G

反对超级大国～他国内政。❷牵涉；关联。❸两列或多列频率相同、相位差恒定的波相遇，在某些地方振动加强，在另一些地方振动抵消或减弱的现象。声波、光波和其他电磁波等都有这种现象。如水面上浮有薄层的油，由于从薄层上下两面所反射的光波互相干涉，产生灿烂的彩色。

【干预】过问（下属被认为离格的事）。

【干啤】一种低糖低热量的清爽型啤酒。

【干涸】指河道、池塘等的水干枯。涸（hé）。

【干谒】有所请求而去拜见某人。谒（yè）。

【干禄】旧指钻营当官，追名逐利。干：追求。禄：官吏俸给的旧称。

【干酪】牛奶经发酵后，凝固制成的一种食品。一般都含有丰富的蛋白质，供涂面包和调制各种食品用。

【干馏】将烟煤、褐煤、油页岩等隔绝空气加热，使其分解为固体、液体和气体的过程。煤干馏可制取焦炭、焦油和煤气。

【干瘪】枯缩，不丰满。也用来形容文章内容贫乏，枯燥无味。瘪（biě）。

【干薪】旧指官吏、教师、职员等因特殊关系，挂名不工作而领取的薪金。

【干打垒】一种简易的筑墙方法。在两块木板中间填上三合土或黏土拿夯或木棰把它打成坚实的土墙。

G

【干血浆】液体血浆在低温和真空条件下，经干燥制成的淡黄色粉末。供输血用。优点是便于携带，容易保存。

【干扰素】一类抗病毒、抗肿瘤以及免疫调节的糖蛋白。是人和动物的细胞在病毒、细菌等微生物或其产物诱导下产生的。

【干扰弹】装填有干扰器材的各种弹药的统称。主要有箔条干扰弹、红外诱饵弹、箔条与红外混合干扰弹、通信干扰弹、烟幕弹、气幕弹等。可使用专用发射装置、火箭发射架、火炮等发射，或由飞机投掷。

【干旱风】即“干热风”（302页）。

【干热风】也叫干旱风。高温、低湿有一定风力的风。袭来时，气温显著升高，湿度显著降低，作物水分散失大，严重时可使作物枯萎或死亡。可采取事先灌水，设防护林带，合理搭配作物，适时早播等措施抗御危害。

【干将莫邪】汉赵晔《吴越春秋》卷四记载，吴国人干将善作剑，越王献吴王三把宝剑，吴王叫干将改制成两把，一名干将，一名莫邪（干将妻子的名字）。后即用“干将莫邪”泛称宝剑。莫邪也作镆铘。将（jiāng）。邪（yé）。

忓[⊠] gān 干扰。

玕 gān 见〔琅玕〕（582页）。

杆 ㊀ gān 杆子，用木头等制成的派一定用场的细长的东西。[例]旗～｜电线～。

㊁ gǎn（304页）。

肝 gān 肝脏。

【肝火】指容易急躁的情绪，怒气。[例]动～。

【肝炎】肝脏炎性病变的统称。常见的是病毒性肝炎，一般分甲、乙、丙、丁、戊五型。病毒存在于患者粪便及血液中，由饮食及注射传染。患者有发热、乏力、厌食、腹胀、肝区疼痛等症状。部分患者眼巩膜与皮肤呈黄色。该病需隔离病人，对患者粪便及用具进行严格消毒。此外，还有因药物及感染等引起的中毒性肝炎。

【肝脏】人和高等动物的消化腺。为物质代谢的重要器官。人的肝脏位于膈下、腹腔右上方。一般成人仅在深吸气时可摸到其前下缘。成人肝重约为体重的三十五分之一。有储存动物淀粉，把脂肪、蛋白质的代谢产物合成糖，分泌胆汁，对体内有毒物质解毒及在胚胎时造血等功能。

【肝癌】发生于肝脏的恶性肿瘤。原发性肝癌起源于肝细胞或胆管细胞；继发性肝癌多为消化道恶性肿瘤。主要症状是肝脏肿大疼痛、体重减轻等。

【肝肠寸断】形容极度悲痛伤心。《战国策·燕策三》：“吾要且死，子肠亦且寸绝。”

【肝胆相照】比喻彼此之间真诚相见。

【肝脑涂地】❶形容惨死。《史记·刘敬叔孙通列传》：“与项羽战荥阳…使天下之民肝脑涂地。”❷表示竭尽忠诚，不惜任何牺牲。《汉书·李广苏建传》：“（武）常愿肝脑涂地。今得杀身自效，虽蒙斧钺汤镬，诚甘乐之。”

鳱[⊠]（鳱） ㊀ gān〔鳱鹄〕鹊类的鸟。㊁ hàn（379页）。

骭[⊠] gān 同“甘蔗”的“甘”。

矸 gān〔矸石〕也叫矸子。通常指煤生产过程中含在煤中的碎石。可从中回收少量煤炭,也可用作制砖、水泥等的原料。

竿 gān 竹竿子。㊀钓鱼~。

酐 gān 见〔酸酐〕(940页)。

箪□ gān 用于地名,如销箪(在湖南)。

甘 gān ❶甜。与"苦"相对。㊀~泉|同~共苦。❷自愿;乐意。㊀俯首~为孺子牛|不~落后。❸甘肃的简称。

【甘心】从内心深处愿意。㊀~做无名英雄|敌人决不~他们的失败。

【甘地】莫汉达斯·甘地(1869—1948)印度民族运动领袖,国民大会党领导人。有"圣雄"的誉称。曾领导印度人民开展"非暴力不合作"运动,反对英国殖民统治,为印度的民族独立做出了重要贡献。他主张印度教徒跟伊斯兰教徒团结合作,提倡社会改良和男女平等。1948年因反对教派纠纷,被暗杀。

【甘休】甘愿罢休。㊀不达目的,决不~。

【甘苦】❶比喻美好或艰苦的境遇。㊀同~,共患难。❷指生活或工作中深切的感受、体验。㊀没有做过这种工作,就不知道其中的~。

【甘油】有机化合物,分子式 $C_3H_5(OH)_3$。无色、无臭、有甜味的黏稠液体。吸水性强,能溶于水。用于制硝化甘油和有机合成原料。

【甘草】多年生草本植物。茎直立,有毛。荚果弯曲,呈褐色。主根甚长,粗壮,红褐色,有甜味。可供药用,有润肺、止咳和解毒作用。

【甘美】甜美(多形容味道)。

【甘结】旧时交给官府以承担某种义务或责任的保证书。如不能履行诺言,甘愿接受处罚。

【甘蔗】一年生或多年生草本植物。茎圆柱形,分节,表皮光滑,黄绿色或紫色。含丰富甜汁,可食。产于热带和亚热带。是制糖的重要原料。榨汁后剩下的渣,可制隔音板、纸浆等。

【甘愿】心甘情愿。

【甘薯】也叫番薯。一年生或多年生草本植物。蔓细长,匍匐地面。块根含大量淀粉,可供食用。蔓、叶可作饲料。原产于美洲,中国南北各地均有栽培。也指这种植物的根。

【甘霖】形容久旱以后所下的对庄稼十分有利的雨。霖:连下几天的雨。

【甘露】❶甜美的露水。❷草石蚕。有的地区叫甘露。

【甘肃省】简称甘。别称陇。位于黄河上游,东邻陕西,北接蒙古国,东北与内蒙古、宁夏相连,西北邻新疆,南邻青海、四川。面积39万多平方千米。人口2 519万(1998年)。省会兰州市。重要城市还有天水、玉门、金昌、白银、酒泉、敦煌等。

【甘之如饴】甜得像糖一样。比喻对某件事物极为喜爱。也用来表示乐于承受艰难、痛苦。饴(yí):糖浆。

【甘拜下风】原指甘心服从、听命(古代出令的人站在上风的地位,听令的人站在下风的地位)。后泛指真心佩服,自认不如。

坩 gān 盛东西的陶器。

【坩埚】熔化金属或其他物料的耐高温容器。一般用陶土、石墨或白金等制成。埚(guō)。

苷 gān ❶甘草。❷旧称甙(dài)。即糖苷。

泔 gān 〔泔水〕淘米、洗刷锅碗等用过的水。有的地区叫潲水。

柑 gān 常绿灌木或小乔木。果皮较厚,易剥离。因树性与橘近似,常称柑橘。果实较大,橙黄色,味甜酸,除供食用外,果皮可供药用。

【柑果】泛称多室、多籽的,外皮较厚、革质、有油腺的果实。内果皮成薄囊状,多汁,是食用的主要部分。如橘、橙、柚、柠檬等。

【柑橘】柑橘类果树的总称。常绿乔木或灌木。如甜橙、宽皮橘、柚、酸橙、柠檬、佛手、金橘等。是中国南方重要果树。也指这种植物的果实。

疳 gān 中医病证名。1. 疳积,指小儿消化不良、营养失调的慢性病。2. 指小儿虫积。3. 指成人的牙疳(牙根溃烂)。4. 下疳(性病的一种)。

尴(尷) gān 〔尴尬〕❶左右为难,不好处理。❷神态不自然。尬(gà)。

尲⊠**(尲)** gān 〔尲尬〕尴尬。

㶨☒ gān “尴”的异体字。

gǎn ㄍㄢˇ

杆（*桿） ⊜ gǎn ❶器物上较细长的棍状物。有的实心，有的中空。㊀秤～儿｜钢笔～儿。❷量词。用于有杆的器物。㊀一～枪。

⊖ gān（302页）。

【杆菌】杆状或类似杆状的细菌。广泛分布于自然界。腐生或寄生。如大肠杆菌、枯草杆菌等。

秆（*稈） gǎn 某些植物的茎。㊀麻～儿｜高粱～儿。

赶（趕） gǎn ❶追。㊀学先进，～先进。❷加快行动，以争取时间。㊀～路｜～任务。❸驱逐；驱使；驾御。㊀把敌人～跑了｜～猪｜～大车。❹碰上（某种情况）。㊀地刚耩（jiǎng）上，就～上一场好雨。❺前去参加一定的活动。㊀～考｜～场。❻介词。等到（某个时候）。㊀～明儿再说。

【赶考】指科举时代前去参加考试。

【赶场】❶场（cháng）。〈方〉赶集。❷场（chǎng）。旧时艺人同一天在一个地方演出之后赶紧到另一个地方去演出叫赶场。

【赶脚】受人雇用驱赶驴、骡供人骑或驮东西。

【赶集】到集市上去买卖货物。有的地区也叫赶场、赶墟。

【赶时髦】追随社会上最流行的时尚。

擀 gǎn 用棍棒来回碾压。㊀～面条。

簳☒ gǎn 同“笴”。

笴☒ gǎn 箭杆。

敢 gǎn ❶有勇气；有胆量。㊀勇～。❷表示有勇气、有胆量做某事。㊀～想～干。❸表示有根据地推断。㊀我～说，他这件事准办不成｜不～说有十成把握，八九成是肯定有的。❹副词。莫非；怕是。表示揣测又略带惊讶的语气。㊀～是他来了。❺谦辞。表示冒昧地请求。㊀～问｜～请。

【敢情】〈方〉副词。1．表示发现原先没有发现的情况，有“原来”的意思。㊀～他早准备好了。2．表示情理明显，不必怀疑，有“当然”的意思。㊀办托儿所吗？那～好。

澉 gǎn 〔澉浦〕地名。在浙江北部，临杭州湾。

橄 gǎn 见下。

【橄榄】也叫青果、白榄。常绿乔木。核果，椭圆形，除供食用外，又供药用。是中国南方特产果树。也指这种植物的果实。

【橄榄石】镁、铁的硅酸盐类矿物。橄榄绿色，具有玻璃光泽或油脂光泽，硬度6.5—7。是橄榄岩和苦橄岩的主要矿物。

【橄榄枝】见〔和平鸽〕（386页）。

【橄榄球】❶球类运动项目之一。因比赛用球形似橄榄而得名。分英式橄榄球和美式橄榄球两种。比赛中，运动员可用脚踢球、手传球，也可抱球跑。英式橄榄球场地长144米、宽69米，每队上场队员为15人，带球越过对方球门线并置于地面，得4分；踢任意球越过对方球门增2分，其他情况下踢球越过对方球门均得2分。得分多者为胜。全场80分钟。美式橄榄球场地长110米、宽48米，每队上场队员为11人。带球至对方球门前得分区触地得6分，再踢定位球越过对方球门横门增1分；其他情况射门均得3分；持球队员被防守队员挤出端线，守方得2分。得分多者为胜。全场60分钟。❷橄榄球运动使用的球。实心，椭圆形。

感 gǎn ❶感受；觉得。㊀好～｜～到光荣。❷内心受到触动。㊀～动。❸情感。㊀自豪～｜亲切之～。❹感想。㊀观～｜百～交集。❺感谢。㊀请复告为～。❻中医指感受风寒。㊀外～。

【感化】通过劝告或行动影响使人的思想行为逐渐向好的方面变化。

【感召】（政策、精神等的力量）使思想上受到触动而有所觉悟。

【感动】受外界事物影响，内心引起的激动。

【感光】照相胶片或相纸等受光照射而发生化学变化。

【感伤】因有所感触而心里悲伤。

【感纫】感激，佩服。

【感抗】表示电感对交变电流所起阻碍作用的物理量。交变电流的频率越高、电路的电感越大，则感抗越大。单位是欧姆。

【感应】❶受外界影响,引起相应的感情、行动或造成某种结果。❷物理学名词。参见〔电磁感应〕(210页)。
【感怀】心中有所感触,怀念。旧体诗常用作诗题。
【感幸】感激并引为荣幸。㊀不胜~。
【感奋】因受感动而振作奋发。
【感知】❶感觉和知觉。❷指人们对某一客观事物的整个表面特性的直接反映,即知觉。
【感受】❶生活实践中的感想、体会。❷感觉到;受到。
【感性】指感觉、知觉和表象等直观形式的认识。与"理性"相对。㊀~认识|~知识。
【感官】感觉器官。一般指眼、耳、鼻、舌、身等。它们都具有特殊的生理结构和机能,能分别接受外界的不同刺激而产生视觉、听觉、嗅觉、味觉、触觉等。
【感冒】❶也叫伤风、普通感冒。由鼻病毒等引起的传染病。其症状是打喷嚏、鼻塞、流涕、全身不适等,通常不发热。主要通过飞沫传染,秋冬天气突然变冷时易流行。❷中医病证名。因感受风寒、风热所致。
【感染】❶受到传染。❷通过作品、说话或行动,使人引起相同的思想或感情。通常指积极的好的影响。㊀~力强。
【感觉】❶客观事物的个别特性作用于人的感觉器官时在人脑中的直接反映。包括视觉、听觉、嗅觉、味觉、触觉等。是认识的起点。但它只能反映事物表面的个别的特性,是最简单、最低级的反映形式。❷觉得。㊀他~工作还顺利。
【感荷】受惠承情而感谢。荷(hè):承受恩惠。
【感恩】对他人的恩德表示感激。
【感悟】通过接触、实践而有所领悟。
【感情】❶对事物所产生的爱、憎、喜、怒、悲、欢等心理反应。❷对人或事物关切喜爱的心情。㊀他对母校有着深厚的~。
【感慨】有所感触而慨叹。㊀~万千。
【感想】接触外界事物引起的想法。
【感触】因受外界事物的刺激而产生的认识、想法。
【感激】得到别人帮助或鼓励而衷心感谢。
【感戴】感激而拥护(多用于对上级)。戴:尊奉,推崇。
【感叹号】叹号。
【感叹句】用来抒发某种强烈感情的句子。句末用叹号。如"中国人民站起来了!"
【感应圈】利用电磁感应把低压直流电转变为交变高电压的装置。一般由原线圈、副线圈、断续器、电容器等组成。通常原线圈中只要接上几伏的直流电源,副线圈中就可获得千伏以上的电压。
【感恩节】美国、加拿大等国的一个节日。起源于北美洲原英国殖民地普利茅斯。1621年,在严重灾荒后,经农民辛苦劳动获得丰收,举行聚餐庆祝,表示感谢上帝。后逐渐成为美国全国性节日,日期屡有更改,1941年起定为每年十一月的第四个星期四。加拿大1879年首次庆祝感恩节。此后定为每年10月第二个星期一。
【感人肺腑】使人内心深受感动。
【感光材料】在光照下发生物理变化或化学变化,经过处理能得到记录影像的材料。如照相用胶片、X射线胶片、相纸、感光树脂等。
【感同身受】心里感激如同亲身受到(帮助)一样。多用来代人向对方致谢。
【感应电流】由于电磁感应而在导体中产生的电流。
【感性认识】认识的初级阶段和初级形式。是人在实践中通过眼、耳、鼻、舌、身等感官直接同外界事物接触获得的。有感觉、知觉、表象三种基本形式。事物的现象是感性认识的对象和内容,直接感受性则是它的主要特征。它是认识的基础,但只能认识事物的现象,不能认识事物的本质,有待于上升到理性认识。
【感觉器官】人和动物具有感受各种刺激的器官。分触觉器官、嗅觉器官、味觉器官、视觉器官、听觉器官、平衡器官和侧线器等。常指皮肤、眼睛、耳朵等。
【感恩图报】感激他人的恩惠而设法报答。
【感恩戴德】感激别人的恩德(现多含讽刺意)。
【感情用事】不冷静考虑,凭一时的感情冲动处理事情。
【感激涕零】因感激而流泪。形容感激异常(现多含讽刺意)。涕:眼泪。零:落下。
【感应电动势】由于电磁感应引起的电动势。

鳡(鱤) gǎn 也叫黄钻、竿鱼。鱼类。体长可达1米多,青黄色。生活在淡水中。性凶猛,捕食其他鱼类。

G

gàn ㄍㄢˋ

干(幹❶*榦) ㊁ gàn ❶事物的主体或重要部分。㊎树～|骨～|～线。❷做(事)。㊎实～|巧～。❸能干;有才能的。㊎～练|～才。❹指干部。㊎提～|～群关系。

㊀ gān (301页)。

【干才】办事的才能。也指有办事才能的人。

【干劲】做事的劲头。㊎鼓足～。

【干事】专门负责某项具体事务的一般工作人员。㊎宣教～|文体～。事(shi)。

【干线】指交通线、电线、输送管道(水管、输油管之类)等的主要线路。与"支线"相对。

【干练】办事能力强,有经验。

【干将】能干的或敢干的人。

【干部】❶党和国家机关、军队、团体中的公职人员。❷指担任一定领导职务的人员。㊎班～|党团～。

【干流】也叫主流。同一水系中所有支流汇入的河流。大河干流常分为上、中、下游。与"支流"相对。

旰 gàn 晚上。㊎～食(到晚上才吃饭,形容忙碌得连吃饭的工夫都没有)。

【旰食宵衣】即"宵衣旰食"(1080页)。

骭☒ gàn ❶胫骨。❷肋骨。

绀(紺) gàn 黑里透红的颜色。

淦□ gàn 化学用字。如醇淦。

淦 gàn 淦水,水名,在江西。

赣(贑*贛*灨) gàn ❶赣江。❷江西的别称。❸古又同"贡(gòng)"。

【赣江】江西省最大的河流。发源于武夷山的贡水和大庾岭的章水,在赣州市汇合后称赣江,向北纵贯江西省中部,在吴城镇注入鄱阳湖。全长744千米。中上游多礁石险滩,赣州以下可通航。

gāng ㄍㄤ

冈(岡) gāng 山脊;山梁。㊎～峦(luán)起伏|景阳～。

【冈底斯山】横亘于西藏自治区西南部,东与念青唐古拉山连为一体,东西长约1 040千米。平均海拔5 800—6 000米。主峰冈仁波齐峰海拔6 638米。是西藏外流河和内流河的分界线。

刚(剛) gāng ❶坚硬;坚强。㊎～木|～直|～强。❷副词。1.恰好。㊎～合适。2.才。㊎～走。

【刚玉】矿物名。化学式Al_2O_3。硬度仅次于金刚石。晶体常为柱状,一般为蓝灰、黄灰色。红色透明的叫红宝石,蓝色透明的叫蓝宝石。目前已人工制成红宝石,可用作激光材料。普通刚玉可作仪表轴承、研磨材料。

【刚正】刚强正直。

【刚体】在外力作用下,体积和形状都不改变的物体。刚体是一种理想模型,实际物体都不是刚体,但在一定条件下可近似地看作刚体。

【刚劲】(姿态、风格等)挺拔有力。

【刚烈】刚强有气节。

【刚健】(性格、风格、姿态等)坚强有力。

【刚强】(性格、意志)坚强,不怕困难或不屈服于恶势力。

【刚毅】刚强坚定。

【刚果河】非洲大河之一。发源于赞比亚北部,经刚果(金)、刚果、安哥拉,入大西洋。长4 640千米。流域面积376万平方千米。水能资源居世界第一位,流量和流域面积居世界第二位。中游河宽水深,利于航行。上、下游多瀑布。

【刚肠嫉恶】正直刚强,憎恨恶势力。晋嵇康《与山巨源绝交书》:"刚肠嫉恶,轻肆直言。"

【刚直不阿】刚强正直,不迎合,不偏袒。阿(ē)。

【刚果盆地】位于非洲中西部,占据刚果河流域的大部分。面积337万平方千米,是世界上面积最大的盆地。盆地中部海拔300—500米,四周环以海拔700—1 500米的高原、山地。赤道横贯中部,绝大部分属热带雨林气候。

【刚愎自用】固执己见,不接受别人的意见,独断专行。愎(bì):固执,任性。

堈☒(㽘) gāng 同"缸"。

岗(崗) ㊁ gāng 同"冈"。
㊀ gǎng (307页)。

纲(綱) gāng ❶提网的总绳。比喻事物的最主要部分。㊀提～挈(qiè)领|～举目张。❷古指大批运输货物的组织。㊀花石～。❸生物分类系统所用等级之一。在门之下,目之上。㊀鸟～|哺乳～。

【纲目】大纲和细目。㊀调查～。

【纲纪】社会的秩序和国家的法纪。

【纲要】提纲;概要。

【纲常】三纲五常的略语。

【纲领】❶通常指政治纲领。即国家、政党或集团根据自身利益制定的最根本的政治目标和行动方针。❷泛指某方面带根本性的指导原则。

【纲举目张】提起鱼网上的大绳一抛,一个个网眼就都张开了。比喻文章条理分明,也指抓住事物的关键,带动其他环节。汉郑玄《诗谱序》:“举一纲而万目张。”纲:鱼网上的大绳。目:网上的眼。

㭎□(棡) gāng 见〔青㭎〕(795 页)。

钢(鋼) ㊀ gāng 铁和碳的合金。以铁为主要成分,含碳一般在0.2%—1.7%之间。含硫、磷等杂质少。有良好的韧性和机械强度,是工业上极重要的材料。

㊁ gàng (308 页)。

【钢印】机关、团体、学校、企业等部门使用的硬印,盖在公文、证件上面,可以使印文在纸面上凸起。

【钢材】钢坯经一次或多次轧制后具有一定形状及尺寸,能满足机械制造、建筑等使用要求的制品。分型钢、钢板、钢管、钢丝及特殊钢材。

【钢铁】❶钢和铁的合称。❷比喻坚固、坚强。㊀～长城|～意志。

【钢盔】用金属制成的帽子。用来保护头部。

【钢琴】键盘乐器。琴体木制。内设钢板,上置钢丝弦,键盘有 85 键或 88 键,按键击弦发音。分平台式和竖式两种。音域宽广,表现力丰富,能演多声部音乐。是重要的独奏乐器,也常用于伴奏及合奏。

【钢鼓】击奏体鸣乐器。由汽油桶加工而成。有固定音高。用橡皮头锤子敲击演奏。流行于加勒比海地区及南美一带。

【钢锭】钢水浇注在金属模内形成的铸块。主要供轧钢用。

【钢精】也叫钢种。对制造日用器皿的铝的俗称。㊀～锅。

【钢琴谱】用于记录钢琴音乐的乐谱。一般是两行五线谱。上行五线谱用高音谱号,记录右手弹奏的音符;下行五线谱用低音谱号,记录左手弹奏的音符。

【钢化玻璃】也叫淬火玻璃。一种安全玻璃。将普通玻璃加热至具有一定软化程度后,急速均匀冷却而成。机械强度是普通玻璃的 4—6 倍,破碎时碎块呈圆钝棱角,不易伤人。常用作汽车门窗玻璃等。

【钢筋混凝土】内部配置一定数量钢筋的混凝土。用钢筋混凝土制成的构件或结构,具有较大的抗压、抗拉、抗弯、抗剪强度,是一种广泛应用的建筑材料。

亢 ㊁ gāng 古指人颈。

㊀ kàng (551 页)。

江□ gāng 姓。

扛(*摃) ㊁ gāng ❶用两手举重物。㊀力能～鼎。❷〈方〉抬东西。

㊀ káng (551 页)。

肛(*疘) gāng 肛门和肛管的统称。人和多数哺乳动物消化管的最末段。㊀脱～|～裂。

【肛门】直肠末端排泄粪便的口儿。

【肛管】直肠末端和肛门连接的部分。

釭☒(*釭) gāng ❶油灯。❷车毂孔中用以穿轴的金属圈。

缸 gāng ❶盛东西的器具。一般口大底小,用陶、瓷、搪瓷、玻璃等制成。㊀水～。❷形状像缸的器物。㊀汽～。

罡 gāng 见〔天罡〕(971 页)。

堽□ gāng ❶同“冈”。❷用于地名,如堽城屯(在山东)。

gǎng ㄍㄤˇ

岗(崗) ㊀ gǎng ❶高起的土坡。㊀～子。❷守卫的位置。也指在守卫位置上执行任务的人。㊀站～|换～。❸指工作职位。㊀持证上～|下～。

㊁ gāng (306 页)。

【岗位】指站岗的处所。也泛指工作的职位。

G

【岗哨】站岗放哨的人或位置。

【岗楼】碉堡的一种。上有枪眼，哨兵可以居高临下，自内向外射击。

【岗位工资】按照岗位工作的难易程度、劳动的繁重程度和责任大小确定的工资。

【岗位责任制】把完成生产任务和各项工作的有关规定、要求、注意事项，具体落实到每个职工的一种责任制度。它使每个职工都有明确的分工和职责，并对各自所在岗位的生产或工作负责。

颃[☒]（**䴚**） gǎng 盐泽。

港 gǎng ❶江河支流。㊀～汊。❷江、海可以停船的口岸。㊀军～｜商～。❸航空港。㊀飞机离～。❹香港的简称。㊀～澳同胞。

【港口】位于江、河、湖、海沿岸，具有一定自然条件和码头设施，供船舶来往停靠、办理客货运输或其他专门业务的地方。

【港汊】河汊子。

【港湾】具有天然或人工掩护条件和必要的建筑物，供船只停泊或临时避风用的水域。

gàng ㄍㄤˋ

杠（*槓） gàng ❶较粗的棍子。㊀竹～。❷体育器械名。㊀单～｜～铃。❸抬运灵柩的工具。❹阅读或批改时作为标记所画的粗直线；在阅读或批改的文字上有目的地画上直线。㊀凡是重要的地方他都画了红～｜他把多余的词句一一～去。

【杠夫】旧指殡葬时抬运灵柩的职业人员。

【杠头】❶杠夫的头目。❷指爱争辩的人。

【杠杆】❶一种简单机械。在力的作用下能绕固定点转动的杆。在生产和生活中使用杠杆既能省力，又能改变力的方向。❷比喻起平衡或调控作用的事物或力量。㊀经济～。

【杠房】旧时专门出租殡葬所需灵杠、棺罩、孝衣、幡伞等执事的店铺。

【杠铃】举重运动中最基本的器械。标准杠铃由一定规格的横杠、卡箍、杠铃片组成。练习或比赛时按需要将各种不同重量的杠铃片装在横杠的两端。

钢（鋼） ㊁ gàng ❶把刀在布、皮、缸沿等处磨，使刀快一点儿。❷在旧刀口上加上点儿钢，重新回火锻造，使锋利。

㊀ gāng（307 页）。

筻 gàng 〔筻口〕地名。在湖南。

戆（戇） ㊁ gàng 〈方〉傻；笨；鲁莽。㊀～头～脑。

㊀ zhuàng（1303 页）。

gāo ㄍㄠ

皋（*臯 *皐） gāo ❶水边的高地。㊀江～。❷沼泽；有水的洼地。

【皋陶】传说中东夷族的领袖，曾被舜任为掌管刑法的官。陶（yáo）。

槔 gāo 见〔桔槔〕（499 页）。

高 gāo ❶离地面远；上下距离大。与"低"相对。㊀～山｜地势～。❷等级在上；超过一定水准的。㊀～年级｜～标准。❸高度。㊀身～一米六。❹敬辞。称与对方有关的事物。㊀～见｜您老～寿？

【高士】旧指志趣、品德高尚的人。

【高见】敬辞。高明的见解。

【高亢】声音高昂而宏亮。㊀音调～。亢（kàng）。

【高发】发生频率高的（多指疾病、事故等）。㊀交通事故～地段。

【高地】地面突起的部分，在军事上通称高地。如山的高度为 86.9 米，即称 86.9 高地。

【高压】❶高气压或高电压的简称。❷心脏收缩压的俗称。❸用强力压制。㊀～政策。

【高迈】年纪大。

【高论】敬辞。见解高明的言论。

【高更】保罗·高更（1848—1903）法国画家，后印象派的代表。厌倦都市社会的虚伪，1891 年到南太平洋塔希提岛生活。作品多描绘纯朴的岛民的风俗和仪式。代表作有《我们从哪里来？我们是什么？我们到哪里去？》《两个塔希提妇女》等。

【高丽】朝鲜历史上的王朝（918—1392）。中国古代多用来指称朝鲜。丽（lí）。

【高足】敬辞。称别人的学生。

【高尚】❶崇高（指道德、品质）。㊀～的人。

G

❷有良好内容,不是低级趣味的。㊀~的娱乐。

【高明】❶高超;出色(指见解、议论、办法、技艺、本领等)。❷高明的人。㊀另请~。

【高昂】❶(声音、情绪)上升;高扬。㊀歌声~|斗志~。❷(价钱)贵。㊀物价~。

【高炉】也叫炼铁炉。用铁矿石冶炼生铁的熔炼炉。内壁用耐火材料砌成。

【高贵】❶达到高度道德水平的。㊀~品质。❷旧指阶级地位特殊,生活享受优越的。

【高适】(约700—765)唐代诗人。字达夫,渤海蓨(今河北景县)人。曾任散骑常侍。他的诗擅长描写边塞生活,风格雄浑悲壮。有《高常侍集》。

【高差】起算面相同的两点间高程的差。

【高洁】高尚纯洁。

【高祖】❶曾祖的父亲。❷远祖。

【高速】极快的速度。㊀汽车~行驶。

【高原】海拔较高而表面起伏不大的辽阔地区。

【高峰】高的山峰。比喻事物在一定阶段内发展的最高点。

【高峻】(山势、地势等)又高又陡。

【高耸】形容高而直。

【高涨】(物价、情绪、运动等)急剧上升或发展。涨(zhǎng)。

【高调】很高的调子。比喻不切实际或说了而不去做的漂亮话。㊀唱~。

【高难】难度很高的(多指体育、杂技等技巧)。㊀~动作。

【高堂】❶高大的厅堂。❷旧指父母。

【高超】❶很高明;超过一般水平。㊀技艺~。❷宋代治河工人。宋仁宗庆历八年(1048),黄河在澶州(今河南濮阳)附近的商胡决口,高超提出了"三节下埽工作法",为制服这次黄河严重灾害做出了贡献。

【高斯】❶卡尔·弗里德里希·高斯(1777—1855)德国数学家、物理学家和天文学家。对复变函数论、统计数学、椭圆函数论等有重大贡献。研究过地磁强度、电磁场规律,建立了电磁学中的高斯单位制。用自己的算法计算出谷神星的轨道。❷磁感应强度的非法定计量单位。为纪念高斯而命名。1高斯等于10^{-4}特。

【高棉】柬埔寨的别称。

【高雄】市名。位于台湾岛西南部。人口143万(1997年)。是台湾省最大海港和重要的工业中心。具热带风光,有莲池潭、半屏山等风景名胜。

【高程】地面上某点到某一水平面的垂直距离。分绝对高程(即海拔)和假定高程(离假定水平面的垂直距离,即相对高度)。

【高傲】自高自大,极其骄傲。

【高就】指离开原职位就任更高的职位。

【高频】❶频率较高的电磁振荡。❷在无线电频段表中,指3—30兆赫范围内的频率。

【高龄】年龄较大。与"低龄"相对。㊀~产妇|九十~。

【高跷】中国民间舞蹈。北魏时期的百戏中,已有"长跷伎",与今高跷十分相似。表演者身穿各种民族服装或古装,脚踩在装有脚踏装置的木棍上,木棍的长度依表演者需要而定,边走边表演。也指表演高跷用的木棍。

【高粱】一年生草本植物。品种很多。叶和玉米叶相似,但较窄,花序圆锥形,花长在茎的顶端,茎高,子实红褐色或白色。子实除供食用外,还可酿酒和制淀粉。秆可用来编席、造纸等。也指这种植物的种子。

【高慢】傲慢自大,不把别人放在眼里。

【高踞】高高坐在上面。踞:蹲,坐。

【高潮】❶也叫满潮。在潮汐的一个涨落周期内,水面上升达到的最高位置。❷喻指事物在一定阶段内发展的顶点。❸文学作品情节的组成部分之一。指矛盾冲突发展到最尖锐、最紧张,即将得到解决,主题思想、人物性格已有充分展示的阶段。

【高攀】指跟地位比自己高的人交朋友或结亲。

【高山病】也叫高原适应不全症。在海拔3 500米以上,因空气稀薄缺氧引起的疾病。多发生于登山人员中。患者有头晕、耳鸣、恶心、呕吐、脉搏和呼吸加速等症状,严重时四肢麻木甚至昏迷。

【高山族】中国少数民族之一。台湾省有阿美、泰雅、排湾、布农、卑南、鲁凯、曹、雅美和赛夏等分支,过去统称为高山族,总人口约44万(1999年)。散居大陆的有0.3万(1990年),主要分布在福建省。有本民族语言。

【高元音】也叫闭元音。发音时口腔开得最小,舌位升高,舌面距离上颚最近的元音。如普通话单韵母中的i、u、ü。

【高气压】简称高压。同一水平面上,中心气压高于四周的区域。高气压的气流自中心向四周旋转流动,故又名反气旋。反气旋在北半球呈顺时针方向旋转,在南半球呈逆时针方向旋转。高气压中部空气下沉。天气晴朗,风力很小。

【高分子】高分子化合物的简称。

【高尔基】马克西姆·高尔基(1868—1936)苏联作家。生于木工家庭。青少年时在各地流浪,长期生活在社会底层。1906年发表的长篇小说《母亲》,反映了俄国工人阶级的成长和斗争,被视为俄国社会主义现实主义的奠基作。先后发表的主要作品有小说《福玛·高尔杰耶夫》《童年》《在人间》《我的大学》《克里姆·萨姆金的一生》,剧本《小市民》《底层》等。

【高句丽】古国名(?—668)。相传为朱蒙所建。4世纪后强大,公元427年迁都平壤,与新罗、百济争雄。隋初,其王受隋册封为大将军、高丽王。总章元年(668)为唐所灭。唐曾置安东都护府以统之。不久并于新罗。句(gōu)。

【高压电】工业上指电压在3—11千伏的电流。

【高压线】一般指电压在3千伏及3千伏以上的电力线路。远距离输送电能要用高压线。

G

【高压脊】天气图上,高气压延伸出来的狭长区域。高压脊内空气下沉,多晴天。

【高血压】由心血管系统神经体液调节紊乱引起的慢性疾病。成人动脉血压长期持续地超过140/90毫米汞柱(18.7/12千帕)时为高血压。血压长期升高,可能继发心脏、血管、脑、肾和眼底等病变。

【高血糖】空腹血中葡萄糖含量高于1.3克/升叫做高血糖。病理性高血糖见于胰岛素分泌不足的糖尿病;生理性高血糖见于食糖过多或情绪激动时。

【高技术】也叫高新技术。科学技术领域中处于前沿或尖端地位,对促进经济和社会发展、增强国防力量有巨大推动作用的技术。如信息技术、新材料技术、新能源技术、生物技术、航天技术和海洋开发技术等。

【高利贷】索取高额利息的贷款。

【高低杠】❶体操器械之一。在四根支柱上架设两根不同高度的平行横杠。高杠高2.45米,低杠高1.6米,杠间距离可以调节。❷女子竞技体操项目之一。运动员在杠上做回环、摆越、腾越、转体、倒立、空翻等动作。

【高低角】瞄准线与水平面的夹角。瞄准线高于水平面时,高低角为正;瞄准线低于水平面时,高低角为负。

【高纬度】见〔低纬度〕(191页)。

【高岭土】俗称瓷土。高岭石(化学成分为$Al_4[Si_4O_{10}][OH]_8$)及其近似矿物和其他杂质的混合物。因盛产于中国江西景德镇的高岭而得名。白色,质软有滑感,具有吸水、可塑、耐火等特性。是重要的陶瓷原料和耐火材料。

【高度角】在同一竖直面内视线与水平线所成的夹角。视线在水平线上时叫仰角;视线在水平线下时叫俯角。

【高架路】架在地面或道路上空的道路。供机动车辆行驶。高架路设于交通繁忙的平面交叉路口,使交通通畅,提高运输效率,同时节省用地。

【高射炮】从地面或舰艇上对空中目标射击的火炮。主要特点是射界大、发射速度快和射击精度高。必要时也可用于射击地面和水面目标。

【高楼风】也叫街道风。风受高楼的阻碍、切割而改变风速、风向的现象。在高楼的间隙或拐弯处,往往会形成旋风、强风,危及行人安全。

【高聚物】也叫高分子化合物。一类相对分子质量很大(从几千到几十万甚至几百万)的有机化合物。具有高强度、高弹性、高韧性等性能。包括天然高分子化合物(如蛋白质、纤维素、毛、木材等)和合成高分子化合物(如合成纤维、合成橡胶、塑料等)。

【高山流水】❶也说流水高山。《列子·汤问》记载,春秋时伯牙善弹琴,钟子期善听琴。一次伯牙弹琴时,琴声时若高山,时若流水,只有钟子期能领会其中的含意。后来就用"高山流水"比喻知音或知己。也用以比喻乐曲的高雅精妙。❷琴曲。取材于《吕氏春秋》中伯牙鼓琴的故事。清代琴家张孔山弹奏的《流水》是近代流传最广的曲目之一。

【高山滑雪】雪上运动项目之一。运动员脚穿滑雪板、手持滑雪杖,在覆盖积雪的坡道上快速回转、滑降。比赛有速降、小回转、大回转、超级大回转、两项全能等。

【高风亮节】也说高风峻节。形容人品格高尚,有坚贞的节操。宋胡仔《苕溪渔隐丛话·后集》卷一:"余谓渊明高风峻节,固已无愧于四皓，然犹仰慕之，尤见其好贤尚友之心也。”

【高文典册】指朝廷中的重要文书、诏令等。晋葛洪《西京杂记》卷三：“廊庙之下，朝廷之中，高文典册用相如。”

【高尔夫球】❶球类运动项目之一。球场的形状和大小没有统一标准，一般场内设有草地、湖泊、沙地和树林，面积约50公顷，掘有18个洞穴，各个洞穴之间为首尾衔接的球道，长度在200—500米，每个洞穴的起点到终点之间有开球区、通道、障碍物和草坪。比赛时各自在开球区依次将球击出，经通路等走向球的落点，继续击球，直至将球击入洞穴。计分方法有两种：一种是计运动员所有洞穴的总击球数，少者为胜；另一种是计每个洞穴的击球数，击球次数少、洞穴多者为胜。❷高尔夫球运动使用的球。实心。

【高加索山】亚欧两洲界山之一。绵延于俄罗斯与格鲁吉亚、阿塞拜疆边境。东西走向，从黑海北岸到里海西岸。海拔3 000米以上。主峰厄尔布鲁士山海拔5 642米，是欧洲最高峰。

【高压钠灯】一种电光源。通过钠放电时产生的高压钠蒸气而得到可见光。

【高压氧舱】可输入纯氧或净化压缩空气的密封舱体。用于煤气中毒、气性坏疽、破伤风等的治疗，也可在高压氧舱中进行外科手术。

【高阳酒徒】指好饮酒而放荡不羁的人。《史记·郦生陆贾列传》：“初，沛公引兵过陈留，郦生踵军门上谒…使者出谢曰：‘沛公敬谢先生，方以天下为事，未暇见儒人也。’郦生瞋目按剑叱使者曰：‘走，复入言沛公，吾高阳酒徒也，非儒人也。’”高阳：古地名。

【高材疾足】指才能高而行动敏捷。《史记·淮阴侯列传》：“秦失其鹿，天下共逐之。于是高材疾足者先得焉。”高材：才能高。疾足：行动快。

【高层住宅】中国的建筑规范规定，10层以上的住宅建筑为高层住宅。其层数和高度主要是根据大多数防火云梯的高度（30—50米）规定的。12层以上的高层住宅每栋所设电梯不应少于两台。电梯不宜紧邻居室。以平面形式分为单元组合式、廊式、塔式、跃层式等。

【高枕无忧】把枕头垫得高高的，安心地睡大觉。《战国策·魏策一》：“事秦，则楚韩必不敢动，无楚韩之患，则大王高枕而卧，国必无忧矣。”后多用来形容平安无事，无忧无虑。

【高朋满座】高贵的朋友坐满了席位。形容宾客很多。唐王勃《秋日登洪府滕王阁饯别序》：“千里逢迎，高朋满座。”

【高官厚禄】官职高，俸禄丰厚。禄：俸禄，旧指官吏的薪给。

【高视阔步】眼睛向上看，迈着大步走路。形容举动不凡或态度傲慢。

【高城深池】城墙很高，护城河很深。形容防卫坚固。汉晁错《论贵粟疏》：“虽有高城深池，严法重刑，犹不能禁也。”池：护城河。

【高屋建瓴】在高屋的顶上把瓶子中的水倒下来。比喻居高临下、不可阻挡的有利形势。《史记·高祖本纪》：“地势便利，其以下兵于诸侯，譬犹居高屋之上建瓴水也。”建：倾倒。瓴（líng）：盛水的东西。

【高档商品】指价格高、质量好的货物。档：档次；等级。

【高速公路】用沥青混凝土或水泥混凝土铺成的高级公路。路面纵坡极小，能适应汽车120千米以上的时速，双向在四条车道以上，中间设有隔离带，全线封闭，与铁路或其他公路相交处采用立体交叉。沿线有必要的标志、信号以及照明、监控、通信等设备。

【高峰会议】简称峰会。指最高领导人的会议；首脑会议。

【高射炮兵】以高射炮为主要装备，执行地面防空作战任务的兵种。是地面防空兵的组成部分。主要担负保障国家要地、军队和重要设施对空安全的任务。

【高谈阔论】漫无边际的大发议论（多含贬义）。

【高能物理】研究具有很高能量（10^9电子伏以上）粒子的性质、它们之间相互作用的规律以及物质更深层次的结构的学科。

【高等动物】在动物学中，与低等动物无明确的界线。一般指身体结构复杂、组织及器官分化显著、在身体中轴有脊椎骨组成脊柱的动物。但在脊椎动物中，对鱼类而言，称四足类为高等动物；对两栖类以下的无羊膜动物而言，则称爬行类以上的羊膜动物为高等动物；若对爬行类以下的变温动物而言，则称鸟类和哺乳类恒温动物为高等动物；更狭义的专指哺乳类为高等动物。

【高等植物】个体发育过程中具有胚胎时期的植物。包括苔藓、蕨类和种子植物。它们与低等植物的区别是:除有胚外,一般又有茎、叶的分化和由多细胞构成的生殖器官。

【高锰酸钾】俗称灰锰氧。无机化合物,化学式 $KMnO_4$。黑紫色晶体,易溶于水,具有很强的氧化性。可用作氧化剂、消毒剂。

【高歌猛进】放声歌唱,勇猛前进。形容在前进的道路上情绪高涨,斗志昂扬。

【高瞻远瞩】站得高,看得远。比喻眼光远大。瞻(zhān):往上或往前看。瞩(zhǔ):注视。

【高技术战争】大量运用具有高新技术的常规武器装备,并采取相应作战方法的战争。

【高技派建筑】20 世纪 50 年代后期活跃于欧美的建筑流派样式。强调用建筑形式语言表达新技术,倡导将机器美学思想融入建筑之中,注重建筑构件的预制与装配化程度。代表作是巴黎的蓬皮杜文化艺术中心。

【高利贷资本】资本主义产生以前的生息资本。是以贷放货币或实物的方式索取高利的资本。

G

【高分子化合物】即"高聚物"(310 页)。

【高分子复合材料】至少含有一种聚合物组分的复合材料。比强度大,生产成本低,力学性能好,有些还有耐腐蚀、绝缘或导电、隔热、防渗、耐辐射和耐瞬时高温烧蚀等特点。

【高级农业生产合作社】简称高级社。中国农民在初级农业生产合作社的基础上建立的完全社会主义性质的集体经济组织。主要生产资料转为高级社集体所有,社员集体劳动,实行"各尽所能,按劳分配"。参见〔农业社会主义改造〕(726 页)。

膏 ㊀ gāo ❶脂肪,油;肥肉。㊎焚～继晷(guǐ)。❷糊状的东西。㊎牙～|药～。❸中成药剂型之一。在常温时为固体、半固体或半流体的制品。可分为内服膏、外贴膏、外敷膏。㊎益母草～|狗皮～|紫草～。❹肥沃。㊎～壤。
㊁ gào (313 页)。

【膏火】灯火。旧时晚上读书,需掏钱打油点灯,故用膏火指读书的费用。膏:灯油。

【膏肓】指人体心与膈间的部分。参见〔病入膏肓〕(72 页)。

【膏腴】肥沃。腴(yú):肥。

【膏粱】肥肉和细粮。泛指精美的食物。㊎～子弟(指吃肥美食物的富家子弟)。

【膏火自煎】膏能燃烧照明而自受煎熬。比喻有才学的人因才得祸。《庄子·人间世》:"山木自寇也,膏火自煎也。"膏:照明用的油脂。

篙 gāo 用竹竿、杉木等做成的撑船的工具。

羔 gāo 小羊。

【羔羊】小羊。比喻天真无知缺少社会经历的人或弱小者。

糕(*餻) gāo 用米粉或面粉等制成的食品。㊎丝～|年～。

睾 gāo 睾丸,人和脊椎动物的雄性生殖腺。位于阴囊内,产生精子,并分泌雄性激素,以保持雄性特征。

槔☒ gāo "桔"的异体字。

橐☒ gāo ❶收藏盔甲、弓箭的口袋。❷收藏。

鼛☒ gāo 古代一种大鼓。

gǎo ㄍㄠˇ

杲 gǎo ❶明亮。❷高。

搞 gǎo 做;弄;设法获得。㊎～生产|～材料。

缟(縞) gǎo ❶古时一种没有染颜色的白丝织物。❷白颜色。

【缟素】白色的衣服。指丧服。

槁(*槀) gǎo 枯干。㊎～木。

【槁木死灰】枯干的树枝和火熄灭后的冷灰。《庄子·齐物论》:"形固可使如槁木,而心固可使如死灰乎?"后用以比喻意志消沉,毫无生气。

镐(鎬) ㊀ gǎo 刨土的工具。
㊁ hào (384 页)。

稿(*稾) gǎo ❶谷类作物的茎秆。㊎～荐。❷文章或图画的底子。㊎草～|手～。

【稿本】著作的底稿。

【稿荐】稻草或谷草编成的长方形织物,可作床垫或御寒的门帘。

【稿酬】著作或文章发表后，出版单位给作者的报酬。

藁 gǎo 藁城，地名，在河北。

gào ㄍㄠˋ

告 gào ❶用话或文字说明。㊀～诉|通～。❷控告；检举。㊀～状|被～。❸请求。㊀～假。❹表明。㊀自～奋勇|～辞。❺宣布；宣告。㊀～成|～一段落。

【告示】旧指官府所张贴的布告。现有时也借指口头或文字通知。

【告白】旧时（机关、团体或个人）对公众的书面声明或启事。

【告发】向上级或公安机关、法院等揭发检举。

【告老】古指大臣、官吏年老请求退休。泛指年老退休。㊀～还乡。

【告戒】同“告诫”（313页）。

【告劳】向人表示自己的劳苦。㊀不敢～。

【告状】（当事人）请求司法机关审理某一案件。也借指向有关上级、尊长等申诉受到的欺侮或不公正待遇。

【告诉】❶诉（su）。说给别人，使人知道。❷诉（sù）。被害人或其代理人，向法院控告犯罪人和犯罪事实，并请求追究其刑事责任。

【告终】宣告终了；结束。

【告便】婉辞。向人表示自己要离开一会儿。

【告贷】请求别人借给自己钱财。贷（dài）。

【告急】报告情况紧急并请求援救。

【告饶】认输；请求饶恕。

【告诫】也作告戒。警告劝诫（多用于上级对下级或长辈对晚辈）。㊀谆谆～。

【告捷】❶指作战或比赛取得胜利。㊀首战～。❷报告胜利的消息。

【告假】请假。

【告密】告发旁人的秘密活动。

【告竣】宣告结束、完成（多指较大的工程）。竣（jùn）。

【告辞】（向人）辞行。

【告慰】使感到安慰。

【告罄】宣告完了。多指东西用完或货物售空。罄（qìng）：尽。

【告警】报告发生危急的情况。多用于军事或灾情等。

【告往知来】告诉某人已经学过的东西，他能由此推知尚未学的内容。形容聪明。《论语·学而》：“子曰：‘赐也，始可与言诗已矣，告诸往而知来者。’”

【告贷无门】形容经济十分困难，想借钱都无处去借。告贷：向别人借钱。

郜 gào 姓。

诰（誥） gào ❶古代统治者一种训诫勉励的文告。❷封建帝王对臣子任命或封赠的文字。

【诰命】❶古代帝王任命官僚或封赠名号的文件。❷古指受过皇帝封号的贵妇。

锆（鋯） gào 金属元素，符号Zr，原子序数40。灰白色，能延展。用于反应堆中铀棒的外壳及冶炼高强度合金等。

膏 ㊁ gào ❶把油抹在车轴或机械的转动部位上，使润滑。㊀～车。❷把毛笔蘸墨后在砚台上掭。㊀～笔。

㊀ gāo（312页）。

gē ㄍㄜ

戈 gē 古代兵器。横刃长柄。

【戈比】俄罗斯的辅助货币。100戈比等于1卢布。

【戈雅】弗朗西斯科·德·戈雅（1746—1828）西班牙画家，浪漫主义的先驱。作品富于洞察力和想象力，以写实、隐喻或夸张手法讽刺西班牙社会权贵，抨击人类自相残杀的兽性。代表作有《1808年5月3日夜枪杀起义者》《穿衣的玛哈》《裸体的玛哈》等。

【戈壁】蒙语音译词。难生草木的土地。指一种地面几乎全被砾石所覆盖的沙漠。

仡 ㊀ gē 〔仡佬族〕中国少数民族之一。人口4.4万（1990年）。分布在贵州省西部、广西壮族自治区隆林和云南省文山等地区。有本民族语言，兼通汉语和当地人数较多的少数民族语。建立有贵州省道真、务川两个仡佬族苗族自治县等自治地方。

㊁ yì（1166页）。

圪 gē 〔圪垯〕❶球状或块状的东西。多用于土、石等。❷小土丘。多用于地名，如李家圪垯。

纥(紇) ⊜ gē 〔纥纮〕小的球状或块状的东西。多用于纱线、织物等。㊕线～。

⊖ hé(388 页)。

疙 gē 〔疙瘩〕❶皮肤或肌肉上生长的块状物。❷球状或块状的东西。❸比喻想不通或解决不了的问题。㊕思想有～。

咯 ⊜ gē 用于拟声词。如"咯咯""咯噔""咯吱"等。

⊖ kǎ (545 页)。

⊜ lo (633 页)。

㊃ luò (651 页)。

【咯咯】同"格格"(314 页)。

饹(餎) ⊜ gē 〔饹馇〕一种食品,用绿豆面做成饼形,切块炸着吃或炒着吃。㊕绿豆～。馇(zha)

⊖ le (588 页)。

格 ⊜ gē 〔格格〕也作咯咯。拟声词。笑声、鸟叫声或咬牙声。㊕他～～直乐|牙齿咬得～～响。

⊖ gé (316 页)。

胳(*肐) ⊖ gē 见下。

⊜ gé (317 页)。

⊜ gā (298 页)。

【胳膊】肩膀以下手腕以上的部分。

【胳臂】胳膊。

袼 gē 〔袼褙〕用布或纸裱糊成的厚片,用来做布鞋或书套等物。

搁(擱) ⊖ gē ❶放置。㊕书包～在桌子上。❷加进去。㊕盐～多了。❸暂放一边不处理、不进行。㊕这个问题可以先～一～,以后再议。

⊜ gé (316 页)。

【搁浅】❶指船舶进入水浅的地方而不能继续行驶。❷比喻事情遭到阻碍而中途停顿。

【搁置】把事情放下不办。

哥 gē ❶哥哥,称同父母或同辈亲戚比自己年龄大的男子。❷称呼年龄跟自己差不多的男子(含亲热意)。㊕张大～。❸古又同"歌"。

【哥窑】宋代名窑。位于今浙江龙泉市小梅镇大窑村。以烧青瓷著称。传说南宋建窑者章生一所烧的窑为哥窑,其弟章生二所烧的窑为弟窑。龙泉青瓷始于五代,发展于北宋,至南宋进入鼎盛时期。

【哥白尼】尼古拉·哥白尼(1473—1543)波兰天文学家,日心说的创始人。日心说推翻了此前统治天文学的地心说,是天文学上一次重大的革命。

【哥老会】清代民间秘密团体之一。最初以"反清复明"为宗旨,成员多是手工业者、破产农民、遣散军人和游民。太平天国失败后,会众相继参加农民起义和反洋教斗争。不少会员参加了辛亥革命。后来分化为不同支派,组织成分复杂,常为反动势力所利用。

【哥伦布】克里斯托弗尔·哥伦布(约1451—1506)意大利航海家。1492、1493、1498 和 1502 年四次率船队横渡大西洋,到达美洲,开辟了通往美洲的新航路。

【哥萨克】俄罗斯和乌克兰民族内部具有独特历史和文化的一个民族群体。主要分布在黑海沿岸、黑海以北内陆地区。

【哥本哈根】丹麦首都。位于该国东部,临厄勒海峡。人口 48 万(1997 年)。是全国最大城市,经济、文化中心和主要交通枢纽。处于波罗的海航运要冲。有北欧最大的动物园、植物园、国家博物馆和艺术画廊。海边建有世界闻名的美人鱼铜像(出自安徒生童话)。

【哥特式建筑】指 11—15 世纪以法国、德国为中心的欧洲中世纪后期的主流建筑样式。特点是对石材建筑进行结构上的改进,用柱墩、骨架券拱、飞扶壁等组成石造框架,摆脱了承重墙的束缚。以高耸的钟塔及尖塔、细高的彩色玻璃窗强调垂直向天的空间动感和光影的神秘性,以写实的雕塑、细腻的装饰为手法,丰富了建筑的立面层次。主要用于天主教堂,如德国的科隆大教堂、法国的巴黎圣母院等。

【哥达纲领批判】即马克思写于 1875 年的《对德国工人党纲领的几点意见》。恩格斯在马克思逝世后,于 1891 年 1 月首次把它公开发表。《哥达纲领批判》是马克思主义同机会主义进行不调和斗争的经典著作,是继《共产党宣言》之后的又一篇纲领性文献。

【哥德巴赫猜想】德国人哥德巴赫在 1742 年提出的两个猜想:(1)每个大于 2 的偶数都是两个素数之和;(2)每个大于 5 的奇数都是三个素数之和。中国数学家华罗庚、陈景润等对证明这个猜想做过重要贡献。

歌(*謌) gē ❶能唱的文辞或歌曲。㊕诗～|民～。❷歌

唱。例载～载舞。

【歌手】擅长歌唱的人。

【歌曲】供人歌唱的作品。是诗歌和音乐的结合。

【歌行】乐府诗中的一体。指汉魏以下题名为“歌”和“行”的一类诗。格律比较自由，可用五言、七言或杂言。语言通俗流畅。

【歌诀】为了帮助记忆，把事物内容编成容易上口念或唱的句子。例汤头～（学中医入门的书）。

【歌词】歌曲中的词。

【歌咏】唱歌。

【歌颂】用语言文字赞美颂扬。例～伟大、光荣、正确的中国共产党。

【歌剧】综合音乐、诗歌、表演、舞蹈等艺术因素而以歌唱为主要表现手段的戏剧形式。

【歌谣】民间文学中的韵文作品，包括民歌、民谣和儿歌、童谣等。能唱的一般叫民歌；只说不唱的叫民谣。是群众口头流传的诗歌创作形式。

【歌谱】歌曲的谱子。

【歌德】约翰·歌德（1749—1832）德国诗人、剧作家、思想家。曾任魏玛公国枢密顾问。除诗歌外，有日记体小说《少年维特之烦恼》、剧本《葛茨》等，表现了强烈的反封建意识。诗歌体悲剧《浮士德》是其代表作，创作时间前后长达60年，广泛地反映作者所处的德国社会生活。

【歌仔戏】戏曲剧种。是台湾省的主要剧种，并流行于福建的南部和东南亚华侨居住地区。是由漳州、芗江一带的锦歌、采茶和车鼓等民间艺术形式流传到台湾省后汇合发展而来。仔（zǎi）。

【歌功颂德】用语言、诗歌或文字来颂扬功劳和德行（现多含贬义）。

【歌台舞榭】也说舞榭歌台。泛指表演歌舞的娱乐场所。宋辛弃疾《永遇乐·京口北固亭怀古》词：“舞榭歌台，风流总被雨打风吹去。”榭：建在高台上的房屋。

【歌舞升平】唱歌跳舞，庆祝太平（含有粉饰太平的意思）。

鸽（鴿） gē 鸽子，鸟类。品种很多。翅膀小，善飞行，羽毛有白色、灰色、酱紫色等。分家鸽和野鸽。有的家鸽经训练可用来传递书信。野鸽有时伤害农作物。

【鸽子树】即“珙桐”（330页）。

割 gē ❶截断；放弃。例～草｜～爱。❷古指宰杀。例～羊｜～鸡焉用牛刀。

【割让】由于外力威胁或战争失败，被迫把一部分领土让给别国。

【割线】通过圆或其他曲线上任意两点的直线。

【割爱】让出或放弃自己喜爱的东西。

【割胶】指把橡胶树的外皮和韧皮部割开，使胶乳流出来。

【割席】《世说新语·德行》记载，三国时有管宁、华歆（xīn）两人，本是合坐在一张席上读书的同学，后来华歆不专心读书，管宁就同他割席分坐。后人就以“割席”指朋友间的绝交。

【割据】一国之内，拥有武装的政治势力占据部分地区，不受中央政府的管辖，形成分裂对抗的局面。

【割裂】把本来统一的或互相联系的事物（多指抽象的）人为地分割开。

【割鸡焉用牛刀】杀鸡何必用宰牛的刀。比喻对小事不必或不值得花大力气。《论语·阳货》：“子之武城，闻弦歌之声。夫子莞尔而笑曰：‘割鸡焉用牛刀？’”焉（yān）：怎么。

gé ㄍㄜˊ

革 ㊀ gé ❶经过加工的兽皮。例皮～。❷改变。例变～｜～新。❸开除；撤除。例～职。

㊁ jí（455页）。

【革命】❶社会革命的简称。人们改造社会的重大变革。革命改变旧的生产关系和维护这种生产关系的旧的上层建筑，即改变社会制度，解放被束缚的生产力，推动社会向前发展。革命通常要使用暴力。❷重大改革。例技术～。

【革除】❶铲除；去掉。例～陋习。❷开除；撤职。

【革职】撤职。

【革新】革除旧的，创造新的。例技术～。

【革履】皮鞋。

【革故鼎新】去掉旧的，建立新的。《周易·杂卦》：“革，去故也；鼎，取新也。”革：除去。鼎新：更新。

【革命练习曲】钢琴曲。肖邦曲。作于1831年。是其所作《十二首练习曲》中的第12首。1831年作者旅居德国斯图加特时,惊闻波兰革命失败,华沙重新沦为帝俄统治的消息,愤而作此曲。

【革命乐观主义】指革命者对革命事业和前途充满信心的一种精神面貌。无产阶级革命乐观主义,是无产阶级世界观的表现之一,对共产主义事业充满必胜的信心,即使在极端艰难困苦的情况下,也具有坚定的、乐观的和大无畏的革命精神。

【革命英雄主义】革命者为了革命利益和革命理想,不畏艰险,不怕牺牲,敢于冲锋陷阵的思想。是无产阶级世界观的重要表现。

茖□ gé〔茖葱〕多年生草本植物,野生,茎细,叶子长椭圆形,花白色。茎叶可食,也可入药。

阁(閣*閤) gé ❶旧时楼房的一种,一般两层,周围开窗,多建于高处,可凭高远望。❷女子卧室的旧称。㊀闺~|出~(出嫁)。❸指内阁。㊀组~|~员。❹存放东西的架子。㊀束之高~。

"閤",另见"阁"(317 页);另音 hé,见"合"(386 页)。

【阁下】敬辞。称对方。以前多用于书信中,现用于外交场合。

【阁员】内阁的成员。

【阁道】即"栈道"(1237 页)。

【阁楼】在较高的房间内夹建的一层小房间。

搁(擱) ㊁ gé 禁受;承当。㊀这点儿财产~不住你们几个糟蹋。

㊀ gē(314 页)。

格 ㊀ gé ❶格子。㊀方~|米字~。❷标准。㊀规~。❸品质;风度。㊀人~|风~。❹阻碍;限制。㊀~于成例。❺打。㊀~斗|~杀。❻研究;推求。㊀~物。❼某些语言中用词尾变化来表示它与别的词之间的关系的语法范畴。㊀主~|宾~。

㊁ gē(314 页)。

【格斗】激烈地搏斗。

【格外】❶非常;特别。㊀~亲切|~高兴。❷额外;另外。㊀~的负担。

【格式】规格式样。㊀公文~。

【格言】熟语的一种。含有教育意义的精练的定型语句。在书面语中可以找到其出处。如"学而不思则罔,思而不学则殆""虚心使人进步,骄傲使人落后"。

【格局】结构和格式。

【格物】推究事物的道理。

【格律】创作诗词所依照的格式和规则。如中国古典诗歌的律诗、绝句中的平仄、押韵、对仗等。

【格致】❶格物致知的略语。❷清末讲西学的人对物理、化学等自然科学的统称。

【格调】❶文艺作品的艺术特点的综合表现。❷人的风格或品格。

【格什温】乔治·格什温(1898—1937)美国作曲家。早年即开始流行歌曲创作。1924年创作的钢琴与乐队《蓝色狂想曲》获得巨大成功。后又在美国音乐剧创作方面取得了突出成就,他的《波吉与贝丝》被认为是当代最优秀的民族歌剧之一,其创作成功地将民间的黑人歌曲、流行歌曲、爵士音乐与严肃音乐作了高度的融合。其他重要作品尚有《F 大调钢琴协奏曲》、管弦乐《一个美国人在巴黎》等。

【格里历】也叫公历。现在中国和大多数国家通用的历法。以 365 天为一年。因地球绕太阳一周实际为365.2422天,所以每隔四年就要加一闰日。其计算法是:被 4 整除的年为闰年,逢百的年被 400 整除的才是闰年。每年 1、3、5、7、8、10、12 月为 31 天。4、6、9、11 月为 30 天。2 月为 28 天,闰年增加一天,为 29 天。

【格里格】爱德华·格里格(1843—1907)挪威作曲家,挪威民族乐派的代表人物。其创作大多以挪威的自然风光、风俗或童谣传说为题材,同时继承了挪威的民间音乐传统,具有鲜明的民族风格。代表作有为易卜生戏剧《培尔·金特》所写的插曲 22 首(后选编为两部管弦乐组曲)、《a 小调钢琴协奏曲》、钢琴曲《抒情曲集》十集、《e 小调钢琴奏鸣曲》等。

【格林卡】米哈伊尔·格林卡(1804—1857)俄国作曲家,近代俄罗斯乐派的奠基人。所作歌剧《伊凡·苏萨宁》(俄国第一部民族歌剧)、《鲁斯兰和柳德米拉》(根据普希金同名剧写成),管弦乐《卡玛林斯卡亚》等作品,对俄罗斯交响音乐的发展有重要影响。

【格律诗】按照一定的格式和韵律写成的诗。如中国古典诗歌中的律诗、绝句,它们每一首的句数,每一句的字数都是固定的;其中字的平仄,句的押韵,以及某些句子要对仗都有一定的规则。

【格式合同】合同条款由当事人一方预先拟定的合同。对方或总体上接受,或不签定合同。为方便重复使用而设定,在邮电、铁路、航空等国家独资行业常见。
【格杀勿论】旧指对行凶、拒捕或违反禁令的人,可以当场打死,不以杀人论罪。格杀:打死。
【格林尼治】地名。旧译作格林威治。位于英国伦敦东南,泰晤士河畔。英国皇家天文台曾设于此。国际地理学会决定以经过这个天文台的子午线作为计算经度的起点。
【格物致知】中国古代哲学的认识论命题。《礼记·大学》:“致知在格物,物格而后知至。”朱熹承认接触事物(格物)是获得知识(致知)的方法,但又认为心被人欲所蒙蔽,所以知识不够完备。只要通过格物的功夫,去掉人欲,对于天地万物之理就无所不知了。颜元把格物解释为“犯手(动手)实做其事”,认为“手格其物而后知至”,肯定行先于知,这是朴素的唯物主义反映论的观点。
【格格不入】有抵触,不相投合。格格:相互抵触。
【格陵兰岛】世界第一大岛。在北美洲东北,大西洋、北冰洋之间。面积217.5万平方千米。全部是高原,大部分被大陆冰川所覆盖。属丹麦。
【格拉古改革】古罗马历史上为缓和阶级矛盾、巩固奴隶制国家而进行的改革。由提比略·格拉古(前162—前133)和盖约·格拉古(前153—前121)兄弟在任保民官时先后推行。该改革限制贵族占有过多土地,注意照顾平民利益。
【格罗皮乌斯】(1883—1969)建筑师、建筑教育家。原籍德国。他积极提倡设计与工艺相统一,艺术与技术相结合,讲究功能和经济效益,对现代建筑理论的发展起到促进作用。代表作有法古斯鞋楦厂、包豪斯校舍、哈佛大学研究生中心等。
【格林尼治时间】即“世界时”(898页)。

胳 ㊁ gé 〔胳肢〕〈方〉在别人身上抓挠,使发痒。肢(zhi)。
㊀ gē (314页)。
㊂ gā (298页)。

骼 gé 骨头。㊎骨～。

閤□(**閣**) gé 侧门。“閤”,另见“阁”(316页);另音 hé,见“合”(386页)。

蛤 ㊀ gé 见下。
㊁ há (369页)。
【蛤蚧】爬行动物。形状跟壁虎相似,头大,背部灰色而有红色斑点。中医用作强壮剂。
【蛤蜊】软体动物。有两扇卵圆形的贝壳。生活在浅海泥沙中。肉鲜美可食。

颌(**頜**) ㊀ gé 口。
㊁ hé (388页)。

搿□ gé 〈方〉用两手合抱。

鬲 ㊁ gé 〔鬲津〕水名。发源于河北,流入山东(现已淤塞)。
㊀ lì (605页)。

隔 gé ❶遮断;隔开。㊎～成两间房|两村中间～着一条河。❷间隔;距离。㊎～两周再去|相～不远。
【隔声】用构件将声源和接收者隔开。常见的隔声设施有隔墙、隔声罩、隔声幕、隔声屏障等,可降低噪声污染程度。
【隔阂】彼此思想感情不相通,有意见。
【隔绝】隔断,不通往来。
【隔振】利用弹性材料和构件,降低和消除振动传递。
【隔离】使分隔开来,不与外界接触。
【隔扇】房屋内部用来分隔空间的活动隔断。
【隔膜】❶不了解;不熟悉。㊎我离开那里多年,对情况已经很～了。❷隔阂。
【隔岸观火】比喻见人有危难采取观望的态度,不予援助。
【隔靴搔痒】隔着靴子挠痒。比喻说话、做事没有抓住要害,不解决问题。宋严羽《沧浪诗话·诗法》:“意贵透彻,不可隔靴搔痒。”
【隔墙有耳】墙外有人偷听。指秘密外泄。《管子·君臣下》:“古者有二言,墙有耳,伏寇在侧。墙有耳者,微谋外泄之谓也。”

塥 gé 〈方〉水边的沙地。多用于地名,如青草塥(在安徽)。

嗝 gé 气逆出声。㊎打～。

滆□ gé 滆湖,湖名,在江苏南部。

膈 ㊀ gé 膈膜,也叫横膈膜。体腔中分开胸腔和腹腔的膜状肌肉。

G

㊁ gè（319页）。

【膈肌】分隔胸、腹两腔的薄肌。呈穹窿状，中心为腱膜，肌肉呈放射状排列。是主要的呼吸肌。

镉（鎘） gé 金属元素，符号Cd，原子序数48。银白色，能延展，在反应堆中可用作控制棒。也用于电镀、制合金、制电池等。镉的化合物有毒。

葛 ㊀ gé 多年生藤本植物。荚果上密生黄色粗毛。茎和叶可作饲料，块根含淀粉，可供食用和药用。

㊁ gě（318页）。

【葛藤】比喻纠缠不清的关系。

辐[☒]（轕） gé 见〔轇轕〕（490页）。

鬲[☒]（鬲） gé 马跑得快。

gě ㄍㄜˇ

个（個） ㊁ gě 见〔自个儿〕（1313页）。

㊀ gè（318页）。

合 ㊁ gě 市制容量单位。10勺为1合，10合为1升。

㊀ hé（386页）。

各 ㊁ gě 〈方〉性格特别。[例]脾气太～。

㊀ gè（319页）。

哿 gě 称赞。

舸 gě 大船。

盖（蓋） ㊁ gě 姓。

㊀ gài（300页）。

盍[☒] ㊁ gě 同"盖（gě）"。

㊀ gài（300页）。

葛 ㊁ gě 姓。

㊀ gé（318页）。

【葛洪】（约284—364）东晋思想家、医学家、化学家。字稚川，自号抱朴子，丹阳句容（今属江苏）人。他把道教思想系统化、理论化，并和儒家的纲常名教结合，提出"玄"是"道"的本体，立言必须有助于教化，反对无为而治，提倡知人善任。并对化学和医学也有贡献。整理记载了各种炼丹术，保存了早期医学典籍和民间方剂。著有《抱朴子内篇》《抱朴子外篇》《肘后备急方》《神仙传》等。

【葛朗台】法国作家巴尔扎克的长篇小说《欧也妮·葛朗台》的主人公。暴发户，爱钱如命。精明，吝啬，六亲不认，最后在抓金子的冲动中死去。是一个吝啬鬼的艺术典型。

gè ㄍㄜˋ

个（個 *箇） ㊀ gè ❶量词。用于没有专用量词的名词（有些名词除有专用量词外也能用"个"）。[例]一～人｜两～单位。❷单独的。[例]～体｜～人。❸人或物的体积。[例]大～子｜这瓜～儿不小。

㊁ gě（318页）。

【个中】此中；其中。[例]～甘苦。

【个别】❶单个；各个。[例]～交换意见。❷极少数；特殊。[例]～情况。❸哲学范畴。指单个的事物或事物的个性。与"一般"相对。

【个股】指某一种上市公司的股票。

【个性】❶一个人在一定的社会环境和教育的影响下所形成的比较固定的特性。具体表现在气质、性格、智力、意志、情感、兴趣、爱好等方面。❷哲学范畴。指一事物区别于他事物的个别的、特殊的性质。与"共性"相对。

【个案】个别的、特殊的案件或事例。[例]～处理。

【个展】个人艺术作品展览。

【个人股】由个人投资形成的股份。

【个中人】此中人。指曾经亲历其境或深知其中道理的人。宋苏轼《李颀画山见寄》诗："平生自是箇（个）中人，欲向渔舟便写真。"

【个体户】按照国家有关规定，领取营业执照，个人单独从事生产、饮食、修理、销售等行业的个体劳动者。

【个人主义】一切从个人出发的思想和行为。是资产阶级世界观的核心和资产阶级道德的基本原则。

【个人利益】个人物质生活和精神生活的各种需要。正当的个人利益指维持个人生存和发展所必要的、并以不损害他人和集体利益为前提的需要。

【个别价值】由生产商品的个别劳动时间形

成的价值。在资本主义竞争中，它表现为个别生产价格，即个别成本价格与平均利润之和。与“社会价值”相对。

【个别资本】也叫单个资本。相互独立的、分属不同的资本家或资本家集团所有的资本。与“社会资本”相对。

【个体经济】以生产资料个体所有制和个人劳动为基础的经济形式。

【个人所得税】以纳税人的收益额为征税对象的税种。在中国境内有住所，或无住所而在境内居住满一年的个人，从中国境内和境外取得的收益，应缴纳个人所得税。

【个体所有制】即小私有制。指生产资料归个体劳动者占有的所有制形式。如个体农民所有制、个体手工业者所有制等。参见〔小生产〕(1084页)。

【个人英雄主义】个人主义的一种表现。它轻视群众和集体的智慧和力量，夸大个人的作用；自高自大，好出风头，把自己看成是凌驾于群众之上的“英雄”。

各 ㊀gè 指示代词。每个；彼此不同的。㊀～尽所能|～式～样。
㊁gě (318页)。

【各别】❶各不相同；有区别。㊀～对待。❷〈方〉别致；新奇。㊀这台灯的样式很～。❸性格、处事行为特别；与众不同。

【各不相谋】互相之间不商量、不研究，各自按照自己的意见行事。

【各为其主】各人为自己的主子效力。《三国志·魏书·曹爽传》裴松之注引《世说新语》：“及爽解印绶，将出，主簿杨综止之曰：‘公挟主握权，舍此以至东市乎？’爽不从。有司奏综导爽反，宣王曰：‘各为其主也。’宥之，以为尚书郎。”

【各执一词】各人都坚持自己的意见，相持不下。

【各有千秋】原意是都有流传下去的价值。后引申为各有所长，各有优点。千秋：流传久远。

【各自为政】《左传·宣公二年》记载，公元前607年，宋国和郑国打仗，宋国主帅华元在作战之前杀羊犒赏部下，但没有赏给他的御者。这个御者怀恨在心，等到作战的时候，他为华元驾车，说：那时赏羊是你为政，今天赶车就是我为政了。说着就把车赶进了郑国的阵地，使华元成为郑国的俘虏。后来就用各自为政表示各人按照自己的主张办事，不从全局出发，也不与别人协作。

【各向异性】也叫非均质性。晶体的物理性能(如硬度、导热系数、电阻率、折射率等)沿不同方向有所差异的特性。

【各行其是】指思想不统一，各人按照自己的意见、主张去做。其是：他自己以为对的。

【各抒己见】各人充分发表自己的意见。

【各得其所】《周易·系辞下》：“交易而退，各得其所。”原指每个人都得到了满足。后指每一个人或事物都得到恰当的安置。《汉书·东方朔传》：“元元之民，各得其所。”

【各尽所能，按劳分配】社会主义社会个人消费品分配的基本原则。一切有劳动能力的人尽其所能地为社会劳动，国家或集体按照劳动者所提供的劳动的数量和质量分配个人消费品，多劳多得，少劳少得，不劳动者不得食。它是在生产资料社会主义公有制基础上产生的社会主义分配原则。

【各尽所能，按需分配】共产主义的分配原则。每个有劳动能力的人自觉地尽其所能地为社会劳动，社会按照每个人的需要分配个人消费品。实现这一分配原则的条件是：社会生产力的极大增长和社会产品的极大丰富，阶级和阶级差别的彻底消灭，人民具有高度的共产主义思想觉悟和高度的劳动自觉性。

硌 ㊁gè 触到凸起的硬东西感到难受或受到损伤。㊀～脚|～牙。
㊀luò (653页)。

铬(鉻) gè 金属元素，符号Cr，原子序数24。银白色，质硬，耐腐蚀，在湿空气中稳定。用于电镀及制特种合金钢、镍铬丝等。

虼 gè 〔虼蚤〕即“蚤”①(1227页)。

膈 ㊁gè 〔膈应〕〈方〉讨厌；恶心。㊀别提这个人，我～他。应(ying)。
㊀gé (317页)。

gěi ㄍㄟˇ

给(給) ㊀gěi ❶交；送。㊀～你一个任务|～他一本书。❷介词。1.为(wèi)。㊀他主动～我们当导游。2.让。㊀这事应该～大家知道。3.被。㊀窗户～大风吹开了。
㊁jǐ (459页)。

G

gēn ㄍㄣ

根 gēn ❶植物茎干下部长在土里的部分。它把植物固定在地上，能够吸收土壤里的水分和溶解在水中的无机盐，有的植物的根还能储藏养料。㊀树～|草～。❷物体的基部。㊀墙～|～基|耳～。❸事物的本源。㊀追～究底。❹彻底地。㊀～治。❺依据。㊀存～。❻解代数方程式后求出的未知数的值。❼化学上指带电的基。㊀硫酸～。❽量词。用于细长的东西。㊀一～木头。

【根本】❶事物的根源或最重要的部分。❷主要的；重要的。㊀～问题。❸本来；从来。㊀那地方他～没去过。❹完全；彻底。㊀问题已经～解决。

【根由】来历；缘故。

【根式】含有根号(开方运算的符号)的代数式。如$\sqrt[3]{x+a}+2x$。

【根系】一株植物全部根的总称。主根发达的叫直根系，如棉花；主根不明显，茎基部产生许多须状根的叫须根系，如小麦。

【根究】彻底追究。㊀～真相。

【根苗】植物最初生长的部分。比喻事情的来由。

【根底】❶根源；详细的内情。㊀追问～。❷基础；底子。㊀他的外语～很好。

【根治】彻底治好；从根本上治理。㊀这种慢性病是可以～的|一定要～海河。

【根除】彻底除掉。

【根绝】彻底消灭。㊀～血吸虫病。

【根据】❶把某种事物作为结论的前提或语言行动的基础。㊀～气象台预报，今天有雨|～群众的意见，重新修改了计划。❷作为根据的事物。㊀说话要有～。❸指事物本身固有的矛盾。是事物存在和发展的基础。与"条件"相对。

【根基】基础。

【根源】事物产生的根本原因；事物的起源。

【根瘤】豆科植物根部的瘤状突起。由于土壤中的根瘤菌侵入根部皮层和中柱鞘的局部细胞，引起这些细胞的强烈分裂和生长，而使根的局部膨大，形成瘤状突起。

【根雕】利用干枯树根的天然形状加工制作的工艺品。

【根本法】即"宪法"(1071)。

【根状茎】一种变态茎。外形与根相似，横生土中。但有节，节上有退化的鳞叶。如莲藕。

【根据地】在革命过程中，为了最终取得胜利而建立的战略基地。在中国革命战争中，根据毛泽东的战略思想建立了农村革命根据地。

【根瘤菌】侵入豆科植物根部形成根瘤的一类共生固氮菌。它从植物体内吸取养料，同时固定空气中游离的氮，为植物提供氮素养料。如大豆根瘤菌等。

【根深柢固】也说根深蒂固。《韩非子·解老》："柢固则生长，根深则视久。"后用"根深柢固"形容基础牢固，不可动摇，不易变动。柢：树根。

跟 gēn ❶脚或鞋袜的后部。㊀脚～|高～鞋。❷随；紧接着。㊀永远～着共产党|一个～一个。❸连词。和。㊀我～你一同去。❹介词。向；对。㊀～他讲明白。

【跟斗】也叫筋斗。❶身体摔倒。❷身体向下弯曲而翻转的动作。

【跟进】在部队、人员的后方或侧后方，按要求保持一定距离跟随前进。

【跟班】❶随同某一群体(劳动或学习)。㊀～干活儿。❷也叫跟班儿。官员等身边的随从。

【跟踪】紧紧跟随在后面(追赶、监视等)。㊀～追击。踪：脚印。

gén ㄍㄣˊ

哏 gén 〈方〉❶可笑；有趣。㊀这个小品真～。❷笑；趣味儿。㊀逗～。

gěn ㄍㄣˇ

艮 ㊁ gěn 〈方〉❶食物韧而不脆。㊀这种瓜特别～。❷说话语调生硬。

㊀ gèn (320页)。

gèn ㄍㄣˋ

亘(*亙) gèn 空间或时间上延续不断。㊀横～。

【亘古】从古到今。㊀～未有(从来没有过)。

艮 ㊀ gèn 八卦之一。代表山。参见〔八卦〕(16页)。

㊁ gěn (320 页)。

莨 gèn ❶野葛，现叫钩吻。藤本植物。根和叶有剧毒。❷毛莨，多年生草本植物。茎叶有毛，花黄色，植株有毒。

gēng ㄍㄥ

更 ㊀ gēng ❶改变；改换。㊎～改｜～换。❷经历。㊎少(shào)不～事(年纪轻，没有经历过什么事)。❸旧时夜间计时的单位。一夜分为五更，每更约两小时。㊎三～半夜。

㊁ gèng (322 页)。

【更夫】旧时打更巡夜的人。

【更正】改正正式发表的谈话或文章中的错误。

【更生】❶获得新的生命。比喻振兴起来。❷再生。㊎～布。

【更衣】❶换衣服。❷婉辞。旧指上厕所。

【更张】更换琴弦。比喻从根本上加以改变。参见〔改弦更张〕(300 页)。

【更迭】轮流替换。迭(dié)：轮流。

【更始】除旧布新，重新开始。

【更替】更换代替。

【更番】更迭，轮流替换。

【更鼓】旧时报更时所用的鼓。

【更楼】也叫谯(qiáo)楼。旧时专作报更用的楼，设有更鼓。

【更新】革除旧的，变为新的。㊎万象～。

【更漏】古代用滴漏计时，夜间凭漏刻传更，故名。唐许浑《韶州驿楼宴罢》诗："主人不醉下楼去，月在南轩更漏长。"

【更年期】妇女月经停止数月至三年内的一段时期。一般没有特殊症状，但有的可出现更年期综合征，如面潮红、出汗、心悸、血压升高、易激动、忧郁等。男子更年期一般没有明显表现。

【更仆难数】《礼记·儒行》："遽数之不能终其物，悉数之乃留更仆，未可终也。"原是孔子回答鲁哀公关于儒行的问话，意思是儒行很多，一下子说不完，要一个一个说就需要很长的时间，即使中间换了人也未必能说完。后用"更仆难数"形容事物繁多，数不胜数。仆(pú)。

【更令明号】重新申明号令。《韩非子·外储说左上》："楚厉王有警，为鼓以与百姓为戍；饮酒醉，过而击之也，民大惊。使人止之，曰：'吾醉而与左右戏，过击之也。'民皆罢。居数月，有警，击鼓而民不赴，乃更令明号而民信之。"说明取信于民，必须言而有信。

浭□ gēng 浭水，水名，在河北。

庚 gēng ❶天干的第七位。现常用来表示顺序的第七。❷年龄。㊎同～。

【庚帖】也叫八字帖。封建婚姻制度下，男女双方订婚时互换的帖子。上面写有姓名、生辰八字、籍贯、祖宗三代等。

【庚子赔款】简称庚款。1900 年八国联军侵略中国，次年在北京签订《辛丑条约》。强迫中国"赔偿"各国军费银四亿五千万两，规定三十九年付清(到 1940 年)，加上利息共九亿八千二百多万两(各省地方"赔款"未计在内)。1900 年用干支纪年是庚子年，故称这笔赔款为庚子赔款。

赓(賡) gēng 继续。㊎～续。

鹒□**(鶊)** gēng 见〔鸧鹒〕(95 页)。

耕(*畊) gēng 用犁翻地松土。㊎～田｜机～。

【耕地】❶土地利用类型之一。指用来耕作并种植农作物的土地。一般分为水田和旱地(包括水浇地)两类。❷翻松田土。

【耕耘】耕地与除草。泛指田间劳作。也比喻其他方面的辛勤劳动。

絙□**(緪)** gēng ❶〈方〉粗绳索。❷紧；急。

羹 gēng 用蒸、煮等方法烹制的糊状或带浓汁的食品。㊎鸡蛋～。

gěng ㄍㄥˇ

埂 gěng ❶田间稍稍高起的分界线。㊎田～｜畦～。❷土堤。

哽 gěng ❶因感情激动而声气阻塞。㊎～咽。❷食物堵塞喉咙。㊎慢点儿吃，别～着。

【哽咽】因极度悲痛哭时不能痛快地出声。咽(yè)。

绠(綆) gěng 汲水用的绳子。

【绠短汲深】《庄子·至乐》："绠短者不可以汲深。"绳短井深，打不上水来。多用来喻指能力薄弱，担当不了重任。汲：从下往上提水。

梗 gěng ❶植物的枝或茎。㊀菜～。❷直；挺直。㊀～着脖子。❸阻碍。㊀从中作～。

【梗死】医学上指组织因缺血而坏死。如心肌梗死、脑梗死等。

【梗阻】阻塞；拦挡。

【梗直】同"耿直"(322页)。

【梗概】大略的内容或情节。㊀故事～。

【梗塞】❶阻塞；不畅通。❷医学上指局部动、静脉堵塞，血流停止。

鲠(鯁*骾) gěng ❶鱼骨。❷东西卡在嗓子里。

【鲠直】同"耿直"(322页)。

耿 gěng ❶光明。❷正直。㊀～直。

【耿介】正直，不同流合污。㊀性情～。

【耿直】也作梗直、鲠直。直爽，正派。

【耿耿】❶老想着，心情不安。㊀～于怀。❷形容忠诚。㊀忠心～。❸形容明亮。㊀银河～。

颈(頸) ㊁ gěng 用于"脖颈子""脖颈儿"二词中。脖颈子和脖颈儿指脖子的后部。

㊀ jǐng (519页)。

gèng ㄍㄥˋ

更 ㊁ gèng 副词。1.更加；越发。㊀～好地为人民服务。2.再。㊀～上一层楼。

㊀ gēng (321页)。

【更上一层楼】唐王之涣《登鹳雀楼》诗："欲穷千里目，更上一层楼。"现常用来指在已取得成绩的基础上再提高一步。

堩☒ gèng 道路。

暅 gèng 晒。

gōng ㄍㄨㄥ

工 gōng ❶工人；工人阶级。㊀矿～｜～农联盟。❷工作；劳动生产。㊀做～。❸一个劳动力一天的工作量。㊀这工程需用四十个～。❹工程。㊀竣～。❺指工业。㊀化～。❻精巧；精细。㊀～致｜～笔画。❼长于；善于。㊀～书善画。❽功夫；(技术或艺术)修养。㊀唱～｜做～。❾工尺谱记音符号之一。相当于简谱的"3̣"。

【工人】个人不占有生产资料，以工资收入为主，从事生产的劳动者。

【工力】❶也作功力。学习与实践的工夫。❷完成一项工作所需的人力。

【工艺】❶对各种原材料、半成品进行加工、装配或处理，使之成为产品的方法和过程。❷手工艺。㊀～品。

【工区】某些工矿企业部门的基层生产单位。

【工分】即劳动工分。是农业生产合作社和人民公社时期计算社员劳动消耗量和劳动报酬的单位。通常以十个工分为一个劳动日。

【工巧】细致而精巧(多用于工艺品或诗文、绘画)。

【工本】生产物品所需的成本。

【工业】对自然资源的开采、采集和对各种原材料进行加工的社会物质生产部门。按产品的特点和用途，分重工业和轻工业。

【工头】资本家雇用来监督工人劳动的人。也泛指指挥、带领施工工人劳动的人。

【工地】进行建筑、开发、生产等工作的现场。

【工场】作坊。参见〔工场手工业〕(324页)。

【工会】工人阶级的群众性组织。是在工人阶级同资产阶级进行斗争的过程中建立和发展起来的。最早出现于18世纪中叶的英国，以后在其他国家相继建立。社会主义国家的工会，是共产党和政府联系工人的纽带，在社会主义民主生活中具有重要作用。

【工序】指在一个生产岗位上完成制造某一产品或零件的部分工艺。一个零件一般要经过若干道工序才能制成。如制造弹簧片可分为落料、冲压、热处理等几道工序。

【工事】保障军队发扬火力和荫蔽安全的工程建筑物。包括射击、指挥、观察、掩蔽工事和堑壕、交通壕等。按构筑方式不同，分掘开式、暗挖式和堆积式；按性质不同，分永备工事和野战工事。永备工事用较坚固的建筑材料构筑，有较完善的战斗、生活设备；野战工事用就便材料和预制构件构筑，战斗、生活设备比较简单。

【工具】❶泛指劳动生产中使用的器具。❷

用以达到某种目的的东西、手段。㉠语言是交流思想的～。

【工种】工矿企业中按生产劳动的性质划分的种类。如钳工、车工等。

【工科】指高等学校或中等技术学校所设工程技术的系、科、专业。

【工段】❶建筑、交通、水利等工程部门根据工程情况划分的施工组织。❷工厂车间内按生产过程划分的基层生产组织。

【工架】也作功架。戏曲演员表演时的身段和姿势。

【工致】工巧精致。

【工贼】混入工人阶级队伍中的资产阶级代理人或被资产阶级所收买,出卖工人阶级利益,破坏工人运动的分子。

【工笔】中国画的一种画法。特点是用笔工整、细致。与"写意"相对。

【工资】作为劳动报酬按期付给劳动者的货币或实物。

【工部】官署名。隋唐至明清中央行政机构的六部之一。掌管全国工程、交通、水利和屯田等事。

【工读】用自己劳动的收入来供自己读书。

【工程】❶将自然科学的原理和生产实践中所积累的经验应用到工业生产部门而形成的各学科的统称。如冶金工程、土木工程等。❷指具体的基本建设项目。如长江三峡工程。❸泛指某项需要投入巨大人力、财力的工作。㉠希望～|菜篮子～。

【工楷】工整的楷书。

【工龄】工人或职员参加工作的年数。

【工稳】工整妥帖(多指诗文)。

【工潮】工人联合起来为实现某种要求、权利以罢工等形式向资本家或反动政府所发动的斗争风潮。

【工整】细致整齐;不潦草(多指写字做文章)。

【工尺谱】中国传统记谱法之一。常用上、尺、工、凡、六、五、乙,依次记写七声1、2、3、4、5、6、7;高八度各音加"亻"旁为标记,如$\dot{1}$、$\dot{2}$、$\dot{3}$标为仩、伬、仜;低八度各音除六、五、乙分别改用合、四、一外,余均以最末一画带撇以示区别,如$\underset{\cdot}{1}$、$\underset{\cdot}{2}$、$\underset{\cdot}{3}$标为上、尺、工;并以"、""○""·"等多种记号做板眼节奏符号。尺(chě)。

【工业化】机器大工业在国民经济中逐步取得统治地位的发展过程。

【工业国】工业产值和城市人口分别占国民生产总值和人口总量50%以上的国家。

【工作日】❶按规定一天中应该工作的时间。❷按规定应该工作的日子。

【工具书】供参考检索用的书。是按编辑目的收集有关文献资料编成的,如书目、索引、年表、字典、词典、手册、年鉴、百科全书等。

【工笔画】以工细的笔致描绘人物、山水、花鸟的中国画。如五代顾闳中的《韩熙载夜宴图》。

【工程师】技术职称之一。能够独立完成某一专门技术任务的设计、施工工作的专门人员。

【工程兵】主要担负工程保障任务的兵种。由工兵、舟桥、建筑、工程维护、给水工程等专业部队和分队组成。在合同战斗中与其他军兵种密切配合,保障军队荫蔽安全,稳定指挥,实施机动,破坏和限制敌人的机动。

【工人阶级】个人不占有生产资料,靠工资收入为生,从事生产的劳动者所组成的阶级。在资本主义社会里,是受资产阶级剥削压迫的阶级;在中国,工人阶级是国家的领导阶级。工人阶级代表最先进的生产力,具有高度的组织性、纪律性,最有远见,大公无私,富于革命的彻底性,是人类历史上最伟大的一个阶级。

【工人运动】通常指在资本主义社会或殖民地、半殖民地半封建社会中,工人阶级反对本国或外国的统治阶级的剥削压迫,争取解放的革命运动。多采取经济罢工、政治罢工、游行示威等形式。

【工艺美术】造型艺术之一。包括实用美术和特种工艺的设计和制作。

【工艺流程】简称流程。也叫加工流程、生产流程。从原料投产到成品出产,按步骤连续地通过各种设备所进行的加工过程。

【工业卫生】在工矿企业里所进行的全面的医疗卫生工作。包括对职工及其家属的卫生预防、医治疾病等。

【工业地域】由许多具有各种联系的工业所集聚的地域。

【工业产权】对法律所确认的新技术和经济管理成果享有的知识产权:主要包括专利权、商标权。具体保护范围涉及发明专利、实用新型专利、工业品外观设计专利、商标、服务标记、厂商名称、货源标记等。《保

G

护工业产权的巴黎公约》是知识产权国际保护的重要规则，中国于1985年加入。

【工业体系】一国范围内由一系列相互联系的工业部门所构成的有机整体。

【工业经济】工业部门中的经济关系与经济活动。

【工业革命】即“产业革命”(105页)。

【工农联盟】工人阶级和劳动农民在工人阶级政党领导下的革命联合。农民是工人阶级的天然的和可靠的同盟军，只有在工人阶级领导下才能得到解放。而工人阶级也只有和农民结成坚固的联盟，才能领导革命到达胜利。工农联盟是民主革命和社会主义革命取得胜利的重要保证，也是人民民主专政的阶级基础。

【工读学校】对有违法和轻微犯罪行为的未成年青少年进行专门教育的学校。学习年限一般为两年，除与普通学校设有相同课程外，还专门增设了法制教育课程及劳动技能课程。

【工程保障】保障军队战斗行动的一切工程措施。通常包括实施工程侦察，构筑工事，伪装，设置和排除障碍物，构筑和维护道路、桥梁、渡口、给水站，实施破坏作业等。

【工程做法】也叫《工程做法则例》。俗称工部律。书名。中国清代官式建筑营造规范。雍正十二年(1734)刊行。全书共七十四卷。包括房屋营造范例和工料估算限额、详图等内容。明确了以斗口、营造尺为模数的建筑方法。是一部由官方颁布的较系统的建筑工程法则。

【工程塑料】工程上可以作为结构材料，能在较宽的温度范围内承受机械应力，在较为苛刻的化学物理环境中使用的高性能高分子材料。常见的有聚四氟乙烯、聚甲醛、聚碳酸酯等。可代替金属制造机械零部件。

【工场手工业】以分工和手工技术为基础的一种资本主义生产组织形式。是随着资本主义简单协作的发展而产生的。工场手工业的分工，加强了劳动强度，提高了劳动生产率，使许多操作简单化，引起劳动工具日益专门化和完善化，为大机器工业的出现创造了条件。同时，劳动专业化使每个工人只能从事某种局部操作，因而愈来愈从属于资本。

【工农革命军】见〔中国工农红军〕(1277页)。

【工程大气压】工程技术上压强的非法定计量单位。1工程大气压等于98 066.5帕。

功 gōng ❶功劳；功绩。与“过”相对。[例]一等～|～臣。❷成效；成就。[例]事半～倍。❸功夫。[例]基本～。❹能量转换的一种量度。物理学上，外力作用于物体，使物体移动叫做功。

【功力】❶功效。❷同“工力”①(322页)。

【功业】功绩和事业。《史记·殷本纪》：“功业著于百姓，百姓以平。”

【功令】❶古代国家对学者考核和录用的法令或规程。❷旧指政府的法令。

【功名】❶旧指功绩和名位。❷古称科举考中(zhòng)为取得功名。

【功利】功效利益。《韩非子·难三》：“民知诛罚之皆起于身也，故疾功利于业，而不受赐于君。”

【功底】基本功所达到的水平。

【功勋】指对国家和人民所作的重大贡献。

【功架】同“工架”(323页)。

【功效】功能，效果。

【功能】指器官或物体所发挥的有利的作用。[例]肝～|这种电器～齐全。

【功率】表示做功快慢程度的物理量。数值上等于单位时间内所做的功或所消耗的功。单位有瓦特、千瓦等。

【功绩】功劳和成绩。

【功亏一篑】《尚书·旅獒》：“为山九仞，功亏一篑。”意思是说堆九仞高的土山，只差一筐土而没有堆成。比喻事情最后由于松劲或缺少条件而没有成功。含惋惜之意。仞(rèn)：古时以七尺或八尺为一仞。篑(kuì)：筐。

【功成不居】《老子·二章》：“生而不有，为而不恃，功成而不(一作弗)居。”后用以表示立了功而不把功劳归于自己。

【功成行满】指功德成就，道行圆满。元岳伯川《铁拐李》楔子：“等他功成行满，贫道再去点化他”。功：功德，指念经行善之事。行(xíng)：道行(héng)。

【功成名遂】也说功成名就。原指有了功绩，才有名声。后指功绩、名声均已取得。《墨子·修身》：“名不徒生，而誉不自长，功成名遂，名誉不可虚假。”遂(suì)：成就。

【功利主义】通常指一种资产阶级的伦理学说。主要代表是19世纪英国的边沁和穆勒。把资产阶级的狭隘的个人利益、利己主义看作人类行为的普遍的道德准则。马克思主义者主张无产阶级的革命的功利主义，以最广大人民群众的目前利益和将来利益的统一为出发点。

【功败垂成】事情在快要成功的时候遭到失败。含有惋惜的意思。《晋书·谢玄传论》："降龄何促，功败垂成。"垂：接近。

【功能材料】具有优良的物理、化学和生物性能的材料。可用于制造具有传导信息、储存或记录、转化或变换能量的功能元、器件。按性能可分为磁性材料、电阻材料、光学材料等；按材质可分为特殊合金、精密合金、特种陶瓷、功能高分子等。

【功率因数】交流电路中，有功功率与视在功率的比值，小于1。有功功率是能做功的那部分功率，视在功率是电压和电流的乘积。提高功率因数能充分利用发电设备的容量，减少线路损耗。

【功德无量】称颂人功劳卓著，对人恩德极大。《汉书·丙吉传》："所以拥全神灵，成育圣躬，功德已亡(无)量矣。"

【功薄蝉翼】功劳像蝉的翅膀那样微薄。形容功劳很小。常用作谦辞。汉蔡邕《让高阳乡侯章》："臣事轻葭莩，功薄蝉翼。"

【功能高分子】20世纪70年代发展起来的一类具有特殊功能的新型高分子化合物。这类材料在原有合成或天然高分子的力学性能的基础上，又具有光敏性、导电性、抗高能辐射性、耐高真空性、选择分离性能等，还可向高分子药物及仿生高分子方面发展。

【功能高分子材料】通过物理、化学方法，或通过物理、化学变化，使高分子化合物成为具有特殊功能的材料。如导电高分子、高分子半导体、光敏高分子、压电及热电高分子、液晶高分子、信息高分子、反应性高分子、离子交换树脂、高分子分离膜、高分子催化剂、生物高分子、模拟酶、高分子药物及人工器官等。

红(紅) ㊁ gōng 见〔女红〕(728页)。

㊀ hóng (398页)。

攻 gōng ❶攻击；攻打。与"守"相对。[例]～无不克。❷指责；驳斥。[例]群起而～之。❸致力学习；钻研。[例]近年来，他正集中精力～外语。

【攻心】❶从思想上进攻。讲清道理，说明利害，使对方转变。[例]政策～。❷中医指毒气、邪气等侵袭身体致使生命危险。[例]毒气～。

【攻击】❶主动进攻敌人的战斗；进攻。❷指恶意指摘、诽谤。

【攻讦】揭发、攻击别人的阴私、丑事。讦(jié)。

【攻克】打下敌方占据的城镇、据点。

【攻势】进攻的态势。也指进攻的行动。

【攻读】努力读书或钻研某一门学问。

【攻错】原意是指琢磨。《诗经·小雅·鹤鸣》："他山之石，可以为错。"又："他山之石，可以攻玉。"后来用"攻错"比喻借鉴别人的长处，改正自己的缺点。错：磨玉之石。攻：加工。

【攻守同盟】原指国与国之间订立的、在发生战争时共同进攻或防守的盟约。现常指一起犯罪或一起犯严重错误的人暗中约定，相互隐瞒，采取一致行动。

【攻其无备】也说攻其不备。趁对方没有防备的时候进行攻击。《孙子兵法·计篇》："攻其无备，出其不意。"

【攻苦食淡】做艰苦的工作，吃清淡的食物。形容刻苦自励。《史记·刘敬叔孙通列传》："吕后与陛下攻苦食啖。"裴骃集解引徐广曰："啖，一作淡。"

【攻城略地】攻占城市，掠夺土地。《淮南子·兵略训》："攻城略地，莫不降下。"略：抢，掠夺。

弓 gōng ❶射箭或发弹丸的器械。❷弯曲。[例]～着腰。❸旧时丈量土地的计算单位。一弓等于五尺。

【弓子】形状或作用像弓的东西。[例]胡琴～|棉花～。

【弓形】一段圆弧与其所对弦围成的图形。

【弓形虫病】由鼠弓形虫引起的人畜共染病。通过动物(特别是猫)污染食物传播，也可通过胎盘传染。轻的常有短暂的发热、肌肉酸痛等症状，重的可引发淋巴结肿大、高热、脑炎、心肌炎、肝炎等。

躬(*躳) gōng ❶自身；亲自。[例]～行|～耕。❷弯下身子。[例]～身。

【躬亲】亲自去做。[例]事必～。

公 gōng ❶属于国家或集体的。与"私"相对。[例]～物|～事|～款。❷共同的；大家议定的。[例]～分母|～议|～约。❸属于国际间的。[例]～海|～历。❹公正。[例]秉～处理。❺公事。[例]办～|～余。❻让大家知道。[例]～告|～之于世。

❼雄性的(动物)。㊞～鸡。❽公公;丈夫的父亲。也用来称祖父。㊞～婆|外～。❾公爵,古代贵族五等爵位(公、侯、伯、子、男)中的第一等。
【公干】公事。
【公子】古称诸侯、官僚、贵族的儿子。后用来尊称别人的儿子。
【公开】不加隐蔽;面对大家。与“秘密”相对。
【公元】公历纪元。以传说耶稣的诞生年为公元元年,相当于中国西汉平帝元始元年,这年以前称公元前。现为世界多数国家所采用,故名。
【公历】通称阳历。即“格里历”(316页)。
【公仆】为公众办事的人。
【公斤】质量单位。1公斤等于1 000克。
【公分】❶厘米的旧称。❷克的旧称。
【公文】机关、团体或部队中用来向上呈报、向下布置或向外联系事务的正式文件。
【公尺】米的旧称。
【公允】公正恰当,不偏袒。
【公布】公开发布,使大家知道。
【公主】君主的女儿。
【公司】依法设立的以营利为目的的企业法人。基本类型有有限责任公司和股份有限公司。国有独资公司是有限责任公司。
【公民】具有一个国家的国籍,依据宪法和法律平等享有权利和承担义务的自然人。
【公式】❶用数学符号表示各个量之间关系的式子。具有普遍性,适合于同类关系的所有问题。如表示圆的面积 S 和它的半径 r 之间关系的公式为 $S=\pi r^2$。❷泛指经过概括的简要规则。㊞“团结—批评—团结”是正确处理人民内部矛盾的～。
【公决】由公众来裁定。
【公关】公共关系的简称。
【公安】社会治安。
【公论】公众的评论。
【公约】❶国家间关于经济、技术或法律等方面专门问题的多边条约。如1874年的《万国邮政公约》、1930年的《国际船舶载重线公约》、1949年关于保护战争受难者的四个《日内瓦公约》。关于某项重大政治问题的国际条约,也有以公约为名称的。❷集体拟定的要求其成员必须遵守的章程。㊞服务～|卫生～。
【公报】❶国家机关、政党或团体对有关重要事件、会议所发表的公开报道。❷由一国政府编印的专门登载法律、法令、决议、命令、条约、协定和其他文件的刊物。❸两个或两个以上的国家、政府、政党、团体的代表在会谈中或会谈后所发表的正式报道和文件。共同发表的一般称联合公报或新闻公报。
【公里】长度单位。1公里等于1 000米。
【公告】宣布重大事件的文告。
【公亩】地积的非法定计量单位。1公亩合100平方米。
【公证】公证机关根据当事人的申请,依照法定程序对法律行为和具有法律意义的事实与文件确认其真实性及合法性的专门活动。属于非诉讼活动,不能为当事人直接解决纠纷。
【公诉】人民检察院以国家公诉人的身分向人民法院提起的诉讼。对侦查终结的案件,检察院认为犯罪事实已经查清,证据确实、充分,依法应当追究犯罪嫌疑人的刑事责任而向有管辖权的人民法院提起诉讼。与“自诉”相对。
【公顷】地积单位。1公顷合10 000平方米。
【公转】一个天体围绕另一个天体的运动。行星绕太阳运动,卫星绕行星运动都叫公转。地球公转周期是一年。
【公国】欧洲封建时代的诸侯国家。以公爵为国家元首。
【公制】国际公制的简称。
【公使】由一国元首派往他国的、仅低于大使级的常驻外交代表。通常都授予“特命全权公使”衔。所受礼遇仅次于大使,外交特权与豁免和大使同。现在各国间互派公使的已属罕见,绝大部分国家间都是互派大使。此外,也有在大使馆中设公使一职的,是介于大使和参赞之间的外交官。
【公例】❶一般的规律。❷一般的可作为根据的事例。
【公法】古罗马法学家提出并沿用至今的一种法的分类。一般认为,凡涉及到公共权力、公共关系、公共利益和上下级关系、管理关系、强制关系的法,即为公法;而凡属个人利益、个人权利、自由选择、平权关系的法,即为私法。
【公审】指法院公开审理案件。
【公函】彼此没有领导和被领导关系的机关、团体之间的来往信件。
【公帑】公款。帑(tǎng)。

【公厘】毫米的旧称。

【公差】❶差(chā)。机械制造中,根据不同的精度要求,对零件规定的最大和最小极限尺寸的差。对零件精度要求越高,公差就越小。❷差(chā)。等差数列中相邻两项的差。❸差(chāi)。临时派遣去做的公务。❹差(chāi)。差役。

【公室】古称诸侯的家族。上与“王室”相区别,下与“私门”相区别。

【公债】国家举借的债。分内债和外债。内债是国家向国内公民举借的债务,通常以发行公债券的方式募集。外债是在国外举借的债,基本形式是向外国借款和发行国际债券。

【公卿】原指三公九卿,后泛指朝廷中的高级官员。

【公海】世界上的全部海洋,除分别属于各沿海国家的内海、领海和国家管辖范围以内的海域外,都是公海。公海不受任何国家主权的管辖,各国有平等使用公海的权利。

【公害】指由于任意排放三废,乱伐森林,滥开地下资源等,而使环境受到严重污染和破坏的现象。包括大气污染、水质污染、土壤污染、食品污染、放射性污染等,以及造成噪声、地面下沉、恶臭、震动等社会性的危害。

【公案】❶旧时官吏审理案件时用的桌子。❷旧指情节复杂的疑难案件。❸泛指社会上有争执的事件。❹话本小说分类之一。后又发展为公案小说。

【公绥】旧时书信用语。公务绥和。意思与今天的“工作顺利”相近。

【公理】❶作为推理前提的不需要加以证明的命题。如“经过两点只能引一条直线”就是几何学中的公理。许多公理是人们从反复实践中总结出来的,反映着在一定范围内明显的客观真理性。❷符合大多数人民利益的公认的道理。

【公堂】❶古代贵族的大屋。《诗经·豳风·七月》:“跻彼公堂,称彼兕觥。”❷指法庭。㊟对簿~。

【公祭】政府机关或人民团体为对社会有过贡献的死者举行祭奠,表示哀悼。

【公馆】旧称城市中官员和富人的住宅。

【公牍】公文。

【公然】毫无顾忌地;明目张胆地。

【公道】❶公平的道理。㊟主持~。❷公平合理。㊟价钱~。

【公愤】群众共同的愤怒。

【公寓】❶房间成套、设备较好、出租给许多家庭居住的城市楼房。❷旧时城市里的一种出租的住所,类似旅馆,但房租按月计算。

【公祺】书信用语。意思是公务顺利。

【公墓】公共的坟地。

【公路】指城乡间主要供汽车行驶的道路。

【公粮】农业生产者或农业生产单位每年缴纳给政府的作为农业税的粮食。

【公演】(面向社会)公开演出。

【公德】公共道德。

【公廨】旧时官府衙门的别称。廨(xiè):官署。

【公务员】❶政府机关的工作人员。❷旧时称机关、团体中做勤杂工作的人员。

【公民权】公民依法享有的政治、经济、文化和人身等方面的权利。其中,由宪法规定的称为公民基本权利。

【公有制】生产资料公有制的简称。

【公因数】也叫公约数。一个正整数是几个正整数的因数时,这个数称为这几个数的公因数。公因数中最大的一个称为最大公因数。如 1,2,7,14 都是 28,42,70 的公因数,14 是它们的最大公因数。

【公孙龙】(约前 320—前 250)战国时期哲学家,名家代表。赵国人。著名论题有“离坚白”“白马非马”。着重分析一般与个别的关系,强调概念的差别性,对古代逻辑发展有一定贡献。但过分夸大差别的一面,又导致了形而上学的诡辩。著有《公孙龙子》。

【公积金】从总收入中按规定比例提成的,用于扩大再生产等方面的资金。如用于购置农机具、耕畜,进行农田基本建设的投资和扩大企业投资等。

【公倍数】一个正整数是几个正整数的倍数时,这个数称为这几个数的公倍数。公倍数中最小的一个称为最小公倍数。如 2,4,6 的公倍数有 12,24,36 等,12 是它们的最小公倍数。

【公益金】社会主义集体经济组织从总收入中,按规定比例提成,用于集体福利和社会保险的资金。

【公输般】即“鲁班”(639 页)。

【公子哥儿】原称官僚或有钱人家不知人情世故的子弟,后泛指娇生惯养、游手好闲的年轻男子。

【公门桃李】对某人引进的后辈、栽培的学

生的尊称。《资治通鉴·唐纪则天顺圣皇后久视元年》:“或谓仁杰曰:‘天下桃李,悉在公门矣。’”

【公开教学】也叫观摩教学。教师间有目的地互相听课的活动。包括:(1)示范课,由有教学经验的教师进行示范;(2)研究课,经集体研究、个人设计教案并任教,具有试验性质;(3)汇报课,主要由青年教师担任,有利于对青年教师的培养。

【公车上书】1895年甲午中日战争,中国战败,清政府与日本签订不平等的《马关条约》,引起全国人民的反对。4月,康有为等一千三百多名正在北京参加会试的举人联名向光绪皇帝上“万言书”,要求拒签中日和约、迁都抗战、变法维新。史称“公车上书”。因举人入京应试习称“公车”,故名。

【公平责任】法院根据事实情况,在双方当事人都没有过错,也不能适用无过错责任归责,但受害人的损失不予以补偿显然有失公平时,要求双方当事人共同分担损失的一种责任形式。

【公平原则】民事法律关系的内容应当公平,对于不公平的将予以否定的法律原则。民法上就有显失公平的行为是可变更、可撤销的民事行为。

G

【公司重组】在公司因财务困难而面临停业危险时,通过调整其债权人、股东及其他利害关系人的权利义务,以使公司得以维持并复兴的过程。

【公司债券】公司依照法定条件和程序发行的,约定在一定期限内还本付息的有价证券。与股票相比,公司债券利率固定,风险较小。

【公民权利】也叫宪法权利。宪法规定的公民享有的权利。包括平等权、政治权利、宗教信仰自由、人身自由、社会经济权利、文化教育权利和监督权。

【公共关系】简称公关。团体或个人在社会活动中的相互关系。

【公共财政】为满足社会公共需要而形成的一种特定的社会分配关系。

【公私合营】中国对资本主义工商业实行社会主义改造采取的国家资本主义的高级形式。开始是个别企业的公私合营,1956年资本主义工商业实行全行业公私合营,生产资料全部转归国家所有,资本家的股金由国家付给定息。1966年9月,国家规定的支付给资本家的定息年限已满,停止支付定息,使公私合营企业完全变为社会主义全民所有制企业。

【公证遗嘱】遗嘱人经公证机关办理的遗嘱。

【公费医疗】为保证国家职工和高等学校学生的健康,中国政府实行的一种基本免费的医疗预防制度。

【公益广告】指维护社会公众利益的非盈利性广告。以公益性、服务性、慈善性为特点。

【公诸同好】把自己喜爱的物品拿出来,使有共同爱好的人都能欣赏。诸:“之于”的合音。好(hào):爱好。

【公安派出所】简称派出所。中国市、县公安局管理治安工作的派出机关。

【公社社员墙】1871年5月29日,巴黎公社的约200名战士在市区东部拉雪兹神甫墓地东北角的夏洛纳墙下,同敌军浴血奋战,全部壮烈牺牲。为纪念公社的英烈,人们把这堵墙称为公社社员墙。

【公开市场业务】中央银行三大传统政策工具之一。由中央银行通过买卖国债或其他证券来吞吐货币,调节货币流通数量。

【公开市场操作】中央银行在金融市场上买卖有价证券和票据,控制货币供应量,以达到货币政策目标的做法。

㖔[文] ㊀ gōng 众口。
㊁ sòng (934页)。

蚣 gōng 见〔蜈蚣〕(1042页)。

供 ㊀ gōng 供给(jǐ);提供东西或条件给需要的人应用。[例]~应|~参考|这间房子~厂长午间休息。
㊁ gòng (331页)。

【供求】供给与需求(多指商品)。[例]~关系。

【供应】提供物资,以满足需要。

【供养】供给长辈或年长者生活所需。

【供给】把物资、资金等提供给需要者使用。给(jǐ)。

【供给制】直接供给生活资料的分配制度。中国革命战争年代和解放初期,对党政工作人员和部队指战员的生活必需品按照一定标准施行供给制,干部和战士、勤杂人员过着大致相同的平等生活。对保证战时生活,加强革命团结,发扬艰苦奋斗的革命精神起了重大作用。1950年供给制大部分改为包干制，即由国家发给一定数量的实物和货币，由领取人自行处理。1955年供给制和包干制都改为工资制。

【供不应求】指需求的多，供应赶不上。

【供求关系】市场供给量与市场需求量之间的比例关系。是决定商品均衡价格及其变化的主要因素。

【供给弹性】也叫供给的价格弹性。指某种商品的供给对该种商品价格变化的反应程度。可用商品供给变动的百分比与该商品价格变动的百分比的比值来表示。

【供销合作社】劳动群众在部分生产资料集体所有的基础上组织起来的商业互助合作组织。在不同的社会经济制度下，具有不同的性质。

恭 gōng 恭敬；有礼貌。㊀～贺。

【恭顺】恭敬顺从。

【恭候】敬辞。恭敬地等候。㊀～光临。

【恭惟】同"恭维"（329页）。

【恭维】也作恭惟。奉承；以好听的话捧人。

【恭敬】对长者或宾客尊敬而有礼貌。

【恭谨】恭敬谨慎。

塨☒ gōng 用于人名，如李塨（清代人）。

鹀☐（鳿） gōng 鸟类。小的像鹌鹑，大的像家鸡，善走，不善飞。产于巴西、阿根廷等地。

龚（龔） gōng 姓。

【龚自珍】（1792—1841）清代思想家、文学家。号定盦，浙江仁和（今杭州）人。鸦片战争前，积极支持林则徐的禁烟斗争，提出应准备武装抵抗侵略。他的诗文揭露了当时封建社会的腐朽，主张改革弊政，提倡经世致用。文章奥博纵横，诗歌瑰丽奇肆。有《龚自珍全集》。

髸☒ gōng 头发蓬乱。

肱 gōng 手臂由肘到肩的部分。也泛指胳膊。㊀曲～而枕。

【肱骨】人和脊椎动物的上臂骨。人的肱骨分上端、下端和体三部分。

宫 gōng ❶古代帝王居住的房屋。㊀故～｜行～。❷神话中神仙居住的房屋；庙宇的名称。㊀月～｜雍和～。❸上古指一般的房屋。❹一些文化娱乐场所的名称。㊀劳动人民文化～。❺古代五音（宫、商、角、徵、羽）之一。相当于简谱的"1"。

【宫女】旧时被征选在宫廷里服役的女子。

【宫刑】也叫腐刑。古代阉割生殖器的残酷肉刑。

【宫廷】古代帝王居住办公的地方。也指君主国以帝王为中心的统治集团。

【宫灯】一种六角或八角形的挂灯。因旧时多用于宫廷，故名。

【宫观】道宫和道观的合称。道教祀神、修炼和作法事的地方。宫观建筑大同小异，一般是前有山门、华表，山门内有正殿、陪殿，祀道教尊神。道教的日常宗教功课、作道场、开坛传戒、庆贺神仙诞辰等多在宫内进行。

【宫闱】后妃的住所。闱（wéi）。

【宫室】古时房屋的通称。后来特指帝王的宫殿。

【宫调】中国传统音乐的调式。中国古代以宫、商、角、变徵（zhǐ）、徵、羽、变宫为七声（相当于简谱的1、2、3、4、5、6、7七个音）。以其中任何一声为主音都可构成一种调式。以宫为主音的调式称为宫调。

【宫娥】宫女。

【宫阙】帝王所居宫殿的总称。阙（què）。

【宫殿】帝王居住的高大华丽的房屋。

觥 gōng 古代用兽角做的酒器。

【觥筹交错】形容许多人相聚饮酒尽欢的情形。宋欧阳修《醉翁亭记》："射者中，弈者胜，觥筹交错，起坐而喧哗者，众宾欢也。"筹：计算饮酒量的竹片。交错：杂乱地堆在一起。

匑☒ gōng 〔匑匑〕恭敬的样子。

gǒng ㄍㄨㄥˇ

巩（鞏） gǒng 牢固；坚固。

【巩固】❶坚固；牢靠。㊀基础～。❷使坚固。

【巩膜】俗称眼白。眼球的表层。色白而坚韧，有支持和保护眼球内部组织的作用。

汞 gǒng 通称水银。金属元素，符号Hg，原子序数80。常温下是银白色液体，能溶解金、银等多种金属，形成的合金叫汞齐。汞和它的大多数化合物都有毒。用以制水银灯、温度计、气压计、控制器及雷汞等。

【汞中毒】服用含汞化合物或长期吸入汞蒸气引起的中毒。急性中毒有腹痛、腹泻、血尿等症状。慢性中毒主要表现为口腔发炎、肌肉震颤和精神失常等。

拱 gǒng ❶两手在胸前合抱,表示敬意。㊀～立。❷环绕。㊀众星～月。❸肢体弯曲作弧形。也指建筑物上呈弧形的结构。㊀～腰|～桥。❹顶起。㊀芽儿～出土了|猪～圈(juàn)。

【拱门】弧形的门。

【拱卫】在周围警戒保卫。

【拱手】两手相抱,表示敬意。

【拱券】桥梁、门窗等上面作成弧形的部分。券(xuàn)。

【拱桥】桥洞呈弧形的桥。如赵州桥就是著名的拱桥。

珙 gǒng 大璧玉。

【珙桐】也叫鸽子树。落叶乔木。头状花序,基部有两个乳白色苞片。开花时,白色苞片布满树梢,如群鸽栖息。供观赏。是中国国家重点保护植物。

栱□ gǒng 见〔料栱〕(224页)。

G

gòng ㄍㄨㄥˋ

共 gòng ❶相同的;共同具有的。㊀～识|～性。❷一起;一齐。㊀同舟～济|和平～处。❸一起承受。㊀同甘～苦。❹副词。总共。㊀～有五十人。❺共产党。❻古又同"恭(gōng)"。❼古又同"供(gōng)"。❽古又同"拱(gǒng)"。

【共工】中国神话人物。《淮南子·天文训》说他与颛顼争夺帝位,发怒而触撞不周山,竟使天崩地裂。

【共生】两种生物共同生活在一起,互为利用,相依生存。如根瘤菌和豆科植物就是共生。

【共犯】❶共同犯罪。❷共同犯罪人的简称。分首要分子、主犯、从犯、胁从犯、教唆犯。

【共有】由两个以上的权利人共同享有某项财产所有权。分按份共有和共同共有。

【共识】共同的、一致的认识。㊀双方经过谈判,已达成～。

【共事】在一起工作。

【共鸣】❶见〔共振〕(330页)。❷比喻由别人的某种思想感情引起而产生了相同的思想感情。

【共性】哲学范畴。指某类事物所共有的、普遍的性质。与"个性"相对。

【共保】几个保险人共同承保一笔保险业务。

【共振】也叫谐振。两个振动频率相同的物体,其中一个发生振动时,另一个被引起振动,这种现象叫做共振。在声学中也叫共鸣。

【共栖】两种能独立生存的生物以一定的关系生活在一起。如海葵有时附着在寄居虾的贝壳壳口周围,可利用它作为运动工具,并以它吃剩的残屑为食;寄居虾可受到海葵刺细胞的保护。

【共同社】共同通讯社的简称。日本最大的通讯社。前身是1936年成立的同盟通讯社。1945年成立。总社在东京。

【共价键】原子间通过共用电子对所形成的相互作用。分非极性键和极性键。

【共产党】无产阶级政党。根据马克思、列宁的建党学说建立起来的无产阶级的先锋队和最高组织形式。它的指导思想和理论基础是马克思列宁主义,组织原则是民主集中制。基本纲领是领导无产阶级和其他一切被压迫的劳动人民,团结一切可以团结的力量,经过无产阶级革命或无产阶级领导的人民革命,建立无产阶级专政,实现社会主义和共产主义。

【共和国】指国家权力机关和国家元首由选举产生的国家。与"君主国"相对。参见〔共和制〕(330页)。

【共和制】共和政体。泛指国家权力机关和国家元首由选举产生的国家政权组织形式。

【共同犯罪】两人以上共同故意犯罪。两人以上共同过失犯罪,不以共同犯罪论处,应当负刑事责任的,按照他们所犯的罪分别处罚。

【共同条令】军队各级组织和全体人员都必须执行的条令。中国人民解放军的共同条令包括《内务条令》《纪律条令》《队列条令》等。

【共同纲领】❶政党或集团之间经过协商制定的共同遵守的斗争目标和行动方针。它是这些政党或集团统一行动的政治基础。

❷《中国人民政治协商会议共同纲领》的简称。

【共同海损】在同一海上航程中，船舶、货物和其他财产遭遇共同危险时，船长为了人员及绝大部分货物的安全，而有意、合理地采取措施所直接造成的特殊牺牲和支付的特殊费用。

【共同基金】❶指按照公司法规定所设立的、具有独立法人资格并以赢利为目的的投资基金公司。❷指由投资基金公司发行的投资基金证券。

【共同富裕】在按劳分配条件下，随着生产力发展，全体社会成员生活日益富裕的必然趋势。

【共产主义】❶指共产主义社会。包括社会主义和共产主义两个发展阶段。在共产主义高级阶段中，彻底消灭了阶级和阶级差别；实行生产资料全民所有制；全体人民具有共产主义思想觉悟；生产力高度发展，社会产品极其丰富，实行“各尽所能，按需分配”的原则；劳动不仅仅是谋生的手段，而且成了生活的第一需要。实现共产主义，是人类社会发展的必然趋势，是无产阶级革命的最终目的。❷无产阶级的思想体系，即马克思主义。

【共产国际】即“第三国际”(200 页)。

【共价化合物】原子间通过共价键而形成的化合物。如氢气、水、二氧化碳等。

【共产党宣言】科学共产主义的第一个纲领性文献。马克思、恩格斯合著。写于 1847 年 12 月至 1848 年 1 月。宣言用历史唯物主义观点阐明了人类社会发展的必然规律，论述了共产党的性质、特点、基本纲领和策略原则，为马克思主义的建党学说奠定了基础。编入《马克思恩格斯全集》第四卷。

【共产主义小组】具有初步共产主义思想的知识分子，从 1920 年 5 月起，先后在上海、北京、长沙、汉口、广州、济南等地及留法、留日学生中建立的组织。各地共产主义小组建立后，在工人群众和学生中，宣传马克思列宁主义，领导工人斗争，创办工人夜校，出版革命刊物，使马克思列宁主义日益与工人运动相结合，为中国共产党的诞生作了思想上和干部上的准备。

【共产主义道德】无产阶级调整和处理个人与个人，个人与社会之间关系的行为规范和准则。其核心内容是无产阶级的集体主义和全心全意为人民服务的无私奉献精神。

【共产主义者同盟】第一个建立在科学社会主义基础上的无产阶级革命组织。在马克思和恩格斯领导下，1847 年 6 月在伦敦由正义者同盟改组而成。它的纲领是《共产党宣言》，口号是“全世界无产者，联合起来！”它团结各国革命工人，宣传马克思主义，其盟员积极参加了 1848 年欧洲革命。1852 年 11 月 17 日宣告解散。

【共产党和工人党情报局】1947 年 9 月，由保加利亚、罗马尼亚、匈牙利、波兰、苏联、法国、捷克斯洛伐克、意大利、南斯拉夫等欧洲九个国家的共产党和工人党在波兰华沙成立。任务是加强上述这些党之间的联系，必要时根据互相协议的原则配合行动。它的机关报是《争取持久和平，争取人民民主！》。1956 年 4 月结束活动。

供 ㊁ gòng ❶把祭品陈列在祖先、神佛的像或牌位前以示敬奉。㊎案上～着水果。❷旧时祭祖先或求神拜佛用的祭品。㊎上～。❸受审者口述案情。也指叙述案情的话或文字。㊎～认|口～。

㊀ gōng (328 页)。

【供认】犯罪嫌疑人在被审讯时承认罪行。

【供状】指书面的供词。

【供词】指刑事被告人就其被指控的犯罪行为以口头或书面所作的陈述。书面的供词一般也叫供状。

【供奉】❶敬奉；供养。❷古时以某种技艺侍奉帝王的人。㊎内廷～。

【供养】用供品祭祀(神佛或祖先)。

【供职】指担任工作。

洪☒ gòng 凝结。

贡(貢) gòng 古时属国或官吏献东西给君主。也指进献的东西。㊎～奉|进～。

【贡士】明清两代科举制度中，会试被录取者称贡士。

【贡生】明清两代由府、州、县学推荐到京师国子监读书的生员(秀才)称贡生。

【贡院】也叫棘闱。科举时代定期举行乡试、会试的场所。

【贡税】中国古代臣民向君主缴纳的贡物和赋税的合称。

【贡献】❶把力量、经验等献给国家和人民。❷对人民、国家和人类社会所作的有益的

G

事情。㊎中国应当对于人类有较大的～。

唝(嗊) gòng〔唝吥〕地名。在柬埔寨。今译作贡布。吥(bù)。

gōu ㄍㄡ

勾 ㊀ gōu ❶画出钩形符号,表示取消或截取。㊎一笔～销|～出景物描写部分。❷抹(墙缝);描画(线条)。❸串通。㊎～通。❹招引;引出。㊎～起了对往日的回忆。❺用淀粉等调和使变稠。㊎～芡。❻中国古代数学指直角三角形较短的直角边。❼古又同"钩"。

㊁ gòu(333 页)。

【勾引】引诱(他人做坏事)。

【勾兑】把不同的酒、果汁等按比例调制成各种口味的酒。

【勾画】勾勒描绘;用简短的文字描写。

【勾栏】宋元时称游艺场所。后来指妓院。

【勾结】互相串通在一起(干坏事)。

【勾留】停留;耽搁。

【勾勒】用线条画出轮廓。也指用简练的文字描绘出人或物的形象。

【勾搭】引诱或相互串通一起(做坏事)。叠用作勾勾搭搭。

【勾践】(？—前 465)春秋末年越国国君。曾被吴王夫差打败,囚于吴国。他卧薪尝胆,奋发图强,任用范蠡、文种等人整顿国政,十年生聚,十年教训,终于转弱为强,在公元前 473 年灭了吴国。继而大会诸侯,成为霸主。

【勾心斗角】也作钩心斗角。唐杜牧《阿房宫赋》:"各抱地势,钩心斗角。"原形容宫殿建筑的结构交错精致。后用来比喻各用心机,互相排挤、攻击。心:宫室的中心。角:檐角。

【勾股定理】数学定理。即直角三角形斜边的平方等于两直角边的平方的和。中国古代称直角的两边为勾和股,斜边为弦。在公元前 1 世纪左右成书的《周髀算经》中,已有勾股定理的一般叙述。

沟(溝) gōu ❶水道。㊎山～|阴～|垄～。❷浅槽;像沟一样的洼处。㊎车～|瓦～。

【沟洫】田间灌溉或排水的水道。洫(xù)。

【沟通】使彼此相通。㊎～南北的交通大动脉|～意见。

【沟壑】坑谷,山沟。壑(hè)。

【沟灌】通过垄沟和在作物的行间挖的沟给作物灌水。适于行间大的作物。

钩(鈎*鉤) gōu ❶钩子,悬挂或探取东西用的器具。㊎秤～|钓～。❷用钩子悬挂或钩取东西。❸探求。㊎～沉。❹汉字的一种笔画。末端呈钩形,有"乛、㇄、乚"等多种。❺一种缝纫方法。多指缝合衣边。㊎～贴边。❻用钩针编织。㊎～一顶毛线帽子。❼数目"9"的另一种说法。

【钩玄】探求精深的道理。

【钩虫】寄生虫。成虫线形,很小,乳白色或淡红色,口部有钩。寄生在人体小肠,引起贫血、丘疹等。

【钩稽】审查核算。

【钩心斗角】同"勾心斗角"(332 页)。

【钩玄提要】也说钩元提要。探索精微,摘出纲要。唐韩愈《进学解》:"记事者必提其要,纂言者必钩其玄。"钩:探索。玄:精微之处。提:举出,摘出。要:纲要。

【钩章棘句】形容文辞艰涩,不流畅。《宋史·选举志一》:"时进士益相习为奇僻,钩章棘句,浸失浑淳。"棘(jí)。

【钩深索隐】指钻研深奥的学问,探索隐秘的事情。《周易·系辞上》:"探赜索隐,钩深致远。"清陈祚明《采菽堂古诗选》卷一七:"钩深索隐,穷态极妍。"

【钩端螺旋体病】由钩端螺旋体引起的急性传染病。通过接触受感染的鼠、猪等的尿液传播,螺旋体从皮肤或黏膜裂口进入人体而发病。主要症状是高热,全身肌肉痛,小腿腓肠肌更甚,严重的出现黄疸、皮肤黏膜充血、出血及肝、肾功能衰竭等。接种菌苗可减少发病。

句 ㊁ gōu 见〔高句丽〕(310 页)。
㊀ jù (532 页)。

佝 gōu〔佝偻病〕由维生素 D 缺乏引起的婴幼儿慢性营养不良症。患者骨骼变形,如方形头颅、肋骨串珠状、脊柱弯曲、鸡胸、下肢弓形等。多晒太阳,补充钙质和维生素 D 可防治。

饲⊠(飼) gōu 牛吃饱。㊎～草(吃草的畜牲,用作骂人的话)。

枸 ㊀ gōu〔枸橘〕即"枳"(1265 页)。
㊁ gǒu (333 页)。
㊂ jǔ (531 页)。

缑(緱) gōu 古代刀剑等柄上所缠的绳。

𬭤☒(鞲) gōu 古代士卒的臂套。

篝 gōu 竹笼。

【篝火】原指用笼子罩着的火。现指在空旷的地方或野外架木柴燃烧的火堆。

【篝火狐鸣】原指陈涉用竹笼罩住火,若隐若现,又学狐狸叫声,假托狐鬼之事以鼓动人们起事。后比喻筹划起事。《史记·陈涉世家》:"夜篝火,狐鸣呼曰:'大楚兴,陈胜王。'"篝:笼子。

䑦☒ gōu 〔䑦艬〕大船。

鞲 gōu 同"𬭤"。

【鞲鞴】活塞。蒸汽机、内燃机的汽缸里或唧筒里往复运动的机件。鞴(bèi)。

gǒu ㄍㄡˇ

苟□ gǒu 姓。

苟 gǒu ❶姑且;暂且。㊀～安。❷草率;随便。㊀一丝不～。❸文言连词。如果;假使。㊀～不教,性乃迁。

【苟且】❶只顾眼前,得过且过。㊀～偷生。❷敷衍了事,不认真。㊀决不～从事。

【苟同】随便地同意。㊀未敢～。

【苟全】苟且保全(性命)。

【苟且偷安】贪图目前安逸,得过且过,不顾将来。

【苟延残喘】比喻暂时勉强维持生存(含贬义)。明马中锡《中山狼传》:"今日之事,何不使我得早处囊中,以苟延残喘乎!"苟延:勉强延续。残喘:临死前的喘息。

【苟全性命】勉强保全性命。三国蜀诸葛亮《出师表》:"苟全性命于乱世,不求闻达于诸侯。"

【苟合取容】苟且迎合,取悦于人。汉司马迁《报任安书》:"四者无一遂,苟合取容,无所短长之效,可见于此矣。"苟合:无原则地附合。

岣 gǒu 〔岣嵝〕山名。衡山的主峰,在湖南。也指衡山。

狗 gǒu ❶哺乳动物。外形似狼,种类很多。听觉、嗅觉灵敏,易受训练,可守户或助猎、牧羊,有的还可训练成警犬。❷比喻帮助作恶的人。㊀走～。

【狗熊】即"黑熊"(394页)。

【狗尾草】一年生草本植物。秆高30—100厘米。花序呈圆柱状,形似狗尾,故名。是田间常见的杂草。

【狗仗人势】比喻仗势欺人(骂人话)。

【狗头军师】指爱给人出主意而主意并不高明的人(含贬义)。

【狗血喷头】形容骂人骂得很厉害。

【狗尾续貂】《晋书·赵伦传》记载,古代皇帝的侍从官员用珍贵的貂尾作帽子的装饰。由于当时封官太滥,貂尾不够用,只好用狗尾巴来补充。因此,民间流传有"貂不足,狗尾续"的谚语。后即以"狗尾续貂"比喻拿不好的东西接在好东西的后面,显得好坏不相称(多指写文章)。

【狗苟蝇营】即"蝇营狗苟"(1185页)。

【狗急跳墙】比喻走投无路时采取不顾一切的行动。

【狗彘不若】比喻品行恶劣,连猪狗都不如。《荀子·荣辱》:"乳彘触虎,乳狗不远游,不忘其亲也。人也,忧忘其身,内忘其亲,上忘其君,则是人也,而曾狗彘之不若也。"彘:猪。

耇☒ gǒu 年老;高龄。

枸 ㊁gǒu 〔枸杞〕落叶小灌木。茎丛生,有短刺。浆果卵圆形,红色,叫枸杞子,供药用,有滋肝补肾、安神明目作用。根皮入药称地骨皮。宁夏等地多有栽培。杞(qǐ)。

㊀gōu(332页)。

㊂jǔ(531页)。

笱 gǒu 捕鱼用的竹笼。

gòu ㄍㄡˋ

勾 ㊁gòu 〔勾当〕事情(现多指坏事)。当(dàng)。

㊀gōu(332页)。

构(構❶❷ * 搆) gòu ❶造;结成。㊀～图|～怨。❷作品。㊀佳～。❸构树,即楮(chǔ)。

【构件】在机械中指组成机构的各个相对运动的部分。它可以是单一的整体(如内燃机的曲轴)，也可以是一些零件固定联接而成的整体(如内燃机的连杆)。在建筑中指结构的组成单元，如梁、柱等。

【构乱】制造叛乱。

【构兵】旧指双方出兵打仗。

【构图】在美术创作中，为了使作品取得预期的艺术效果而将表现的形象进行设计、组织，构成完整的画面，叫做构图。中国画传统称章法、布局。

【构建】建立(一般用于抽象事物)。㊣～新的哲学体系。

【构思】指作者在写文章或创作文艺作品过程中所进行的某种思维活动。包括确定主题、选择题材、研究布局结构和探索适当的表现形式等。

【构陷】要弄阴谋诡计，陷害别人。

【构筑】修筑(堡垒、工事等)。

【构想】富有创造性的设想。

【构词法】由语素构成词的规则和方法。

【构筑物】一般指不直接在内进行生产和生活活动的建筑物。常见的构筑物有烟囱、水塔、桥梁、堤坝和圆柱形的粮仓等。

【构造地震】也叫断层地震。地震的一种。由地壳的断裂变动造成。这种地震最为常见，危害也最大，因而也是地震预报预防的重点。

G

购(購) gòu 买。㊣采～|～销两旺。

【购并】以购买方式兼并。

【购置】购买添置。

【购买力】指一定时期内个人或社会集团购买商品的能力，即拥有的货币量。也指单位货币购买商品的能力。

【购买力平价】20世纪初瑞典经济学家卡塞尔提出的关于两国货币的购买力决定汇率的汇率决定理论。

诟⊠(詬) gòu 见〔谖诟〕(1059页)。

够(*夠) gòu ❶数量上可以满足需要。㊣钱～了|时间不～。❷达到某种标准或程度。㊣～格|身高不～。❸用手等伸向目的物去接触或拿来。㊣～不着|好不容易才～下来了。❹副词。表示程度高。㊣天～冷的|他～忙了，别再给他添麻烦了。

【够呛】同"够戗"(334页)。

【够戗】〈方〉也作够呛。❶十分厉害。㊣他病得～。❷对话时，表示一种否定的回答。㊣他十二点以前能赶回来吗？——～。戗(qiàng)。

雊⊠ gòu 雄性野鸡鸣叫。

诟(詬) gòu ❶耻辱。❷辱骂。

【诟病】指责。

垢 gòu ❶脏；脏东西。㊣蓬头～面|污～。❷通"诟"①。㊣含～忍辱。

茩⊠ gòu 见〔蔆茩〕(1090页)。

姤⊠ gòu ❶相遇。❷善；美好。

冓⊠ gòu ❶同"结构"的"构"。❷宫室的深幽处。㊣中～。

遘 gòu 相遇；碰上。

媾 gòu ❶连合；结成婚姻。㊣婚～。❷交好。㊣～和。❸雌雄交配。㊣交～。

【媾和】交战双方缔结和约，结束战争状态。

觏(覯) gòu 遇见。㊣罕～(不常见)。

彀 gòu ❶把弓张满。❷圈套；牢笼。㊣入～。❸通"够"。

【彀中】原指箭射出去所能达到的范围，后用以比喻牢笼、圈套。㊣入我～。

gū ㄍㄨ

估 ㊀ gū 大致推算。㊣～产。
㊁ gù (340页)。

【估计】根据某些情况，对事物的性质、数量、变化等做大概的推断。

【估价】❶估计商品的价格。❷对人或事物给以评价。

【估量】估计。

咕 gū 拟声词。母鸡、斑鸠等的叫声。

沽 gū ❶买。㊣～酒。❷卖。㊣待价而～。

【沽名钓誉】使用各种不正当手段以谋取好的名声和荣誉。

姑 gū ❶姑母；称父亲的姐妹。❷丈夫的姐妹。㊣～嫂。❸古称丈夫的母亲。㊣翁～(公婆)。❹出家女子或从事迷信职业的妇女。㊣尼～|三～六婆。❺副词。

暂且。例～置勿论(暂时放在一边不谈)。
【姑子】尼姑。
【姑父】姑母的丈夫。
【姑且】副词。表示暂时地,只好如此。例我的意见～保留,以后再讨论。
【姑母】姑姑。
【姑爷】岳家称女婿。
【姑表】一家的父亲和另一家的母亲是兄妹或姐弟的亲戚关系(区别于"姨表")。
【姑姑】父亲的姐妹。
【姑息】无原则地宽容、迁就。
【姑奶奶】❶父亲的姑母。❷娘家称已经出嫁的女儿。
【姑老爷】岳家对女婿的尊称。
【姑妄言之】《庄子·齐物论》:"予(余)尝为女(汝)妄言之,女以妄听之。"后用姑妄言之指姑且随便说说,所说的不一定可靠或不一定有道理。姑:姑且。妄:随便。
【姑息养奸】无原则地宽容,等于助长坏人坏事蔓延发展。养:扶植,助长。奸:指坏人坏事。

菇 gū 某些真菌。如蘑菇、香菇等。

轱(軲) gū 〔轱辘〕❶车轮。❷滚动。

鸪(鴣) gū 见〔鹧鸪〕(1248页)。

蛄 ㊀ gū 见〔蝼蛄〕(636页)、〔蟪蛄〕(437页)。
㊁ gǔ (337页)。

辜 gū 罪。例无～|死有余～。

【辜负】也作孤负。对不住别人的好意、帮助、期望。例决不～人民对我们的期望。

酤 gū 古指买酒或卖酒。也泛指酒。后作沽。

苽☒ gū 同"菰"。

呱 ㊁ gū 〔呱呱〕拟声词。婴儿的哭声。例～坠地。
㊀ guā (343页)。
㊂ guǎ (343页)。

孤 gū ❶死去父亲或父母双亡的孩子。例～儿。❷单独。例～立|～军深入。❸中国古代王侯的自称。
【孤本】指流传下来只剩单独一本的古籍。
【孤立】❶同其他事物不相联系。例不能～地看问题。❷脱离大多数,得不到同情和支持。例处境～。❸使失去支持、援助。例～敌人。
【孤行】独自专断行事。例不要一意～。
【孤负】同"辜负"(335页)。
【孤高】骄傲,不合群。
【孤寂】孤独寂寞。
【孤傲】性情高傲,和其他人合不来。
【孤僻】性情乖僻,和其他人合不来。
【孤孀】寡妇。
【孤哀子】旧指父母都去世了的人。
【孤芳自赏】把自己看成一朵香花而自我欣赏。比喻自命清高。芳:花。
【孤苦伶仃】无依无靠,孤单困苦。
【孤注一掷】赌徒把全部赌本都押上,来拼最后的输赢。比喻在危急的时候,使出全部力量冒险一试。《元史·伯颜传》:"宋将士曰:'备吾甲兵,决之今日,我宋天下,犹赌博孤注,输赢在此一掷耳。'"注:赌博时所下的钱物。掷(zhì)。
【孤陋寡闻】指学识浅薄,见闻狭窄。《礼记·学记》:"独学而无友,则孤陋而寡闻。"
【孤家寡人】孤(传统戏词中作"孤家")、寡人都是中国古代帝王的自称。现用"孤家寡人"指脱离群众、孤立无助的人。
【孤掌难鸣】一个巴掌拍不响。比喻一个人力量薄弱难以成事。
【孤雏腐鼠】孤独的幼鸟,腐烂的老鼠。比喻微不足道的人或物。《后汉书·窦宪传》:"今贵主尚见枉夺,何况小人哉!国家弃宪如孤雏腐鼠耳。"
【孤雌生殖】也叫单性生殖。在有性生殖的动植物中,卵子不经受精而发育成子代的生殖方式。有些后代全属雄性,如雄蜂;有些后代全属雌性,如蚜虫。

菰 gū ❶多年生水生草本植物。生在浅水里,开淡紫红色小花。嫩茎经菰黑粉菌寄生后膨大,叫茭白,果实叫菰米,均可食。❷"菇"的异体字。

軱☒**(軱)** gū 大骨。

罛☒ gū 古代一种大鱼网。

觚 gū ❶古代一种盛酒器具。❷古代用来写字的木简。例操～(指写文章)。❸棱角。

骨 ㊁ gū 见下。
㊀ gǔ (338页)。

G

【骨朵】尚未开放的花朵。
【骨碌】滚动。㊀他一～从床上爬起来。

蓇 gū〔蓇葖〕❶一种果实。成熟时果皮在一面裂开。如芍药的果实。❷骨朵。

唃☒ ㊀ gū 用于拟声词，如唃碌碌等。
㊁ wā（1003页）。

箍 gū ❶用竹篾或铁条等把圆形器物束紧。㊀～木桶。❷束紧器物的圈。㊀金～|铁～。

gǔ ㄍㄨˇ

古 gǔ ❶时代久远的；经历多年的。㊀～代|～为今用|～城|～画。❷时代久远的事物。㊀怀～|考～。❸真挚；纯朴。㊀～朴|人心不～。❹指古体诗。㊀五～|七～。

【古人】❶也叫早期智人。介于猿人和新人之间的人类，为人类发展的第三阶段。生活于距今约二十余万年至约四万年前。中国古人化石有大荔人、丁村人、马坝人、龙骨山人等。❷泛指古代的人。
【古风】❶古代的风俗习惯。❷即"古体诗"（336页）。
【古文】❶泛指文言文。❷唐代韩愈、柳宗元等反对六朝以来的骈体文的文风，提倡先秦和汉代所使用的散体的文言文，并把它叫做古文。❸指春秋战国时期秦以外的六国文字，即东土文字。
【古朴】朴素而有古代的风格。
【古玩】古代留传下来的可供摆设欣赏的器物。
【古拙】古朴，不华丽（多指艺术品）。
【古板】思想、作风固执守旧，呆板少变通。
【古典】古代流传下来被认为在一定的时期内具有代表性或典范性的。㊀～文学。
【古诗】❶即"古体诗"（336页）。❷泛指古代诗歌。
【古迹】古代遗留下来的建筑物或其他各种遗迹。㊀名胜～。
【古音】❶泛指古汉语的语音。❷清代以前的音韵学家称周秦两汉的语音为古音，隋、唐、宋代的语音为今音。现在的音韵学者称前者为上古音，后者为中古音。
【古董】也作骨董。❶古代留传下来的可供玩赏的字画、器物等。❷比喻过时的东西或顽固守旧的人。
【古雅】古朴雅致（多指器物或诗文）。
【古稀】唐杜甫《曲江》诗："酒债寻常行处有，人生七十古来稀。"后用"古稀"指七十岁。㊀～之年。
【古奥】古老深奥，不通俗，不容易懂。
【古籍】古书。
【古今字】指古今同字异形而又有意义区别的一组字。古时只有某一个字，后来为了表示其某些意义而造出今字。如古字"莫"，后造今字"暮"来表示"莫"的"暮"义，"莫"和"暮"成了一对古今字。
【古风式】特指古希腊雕刻的早期风格。泛指古拙的艺术风格。
【古文字】古代的文字。古汉字包括甲骨文、金文、籀文、小篆等。
【古文经】汉代发现的用先秦古文写成的儒家经典。和当时流传的用汉隶书写的今文经相对。古文经书主要有《尚书》《礼记》《论语》《毛诗》《左氏春秋》等。因与今文经在经师源流、传授方法和解义注释等方面有所不同，便产生了今古文经学之争。
【古生代】显生宙的第一个代。约开始于5.7亿年前，结束于2.5亿年前。分寒武纪、奥陶纪、志留纪、泥盆纪、石炭纪、二叠纪。
【古生界】显生宇的第一个界。指古生代时期所形成的地层。分为寒武系、奥陶系、志留系、泥盆系、石炭系、二叠系。
【古生物】生存在地球历史的地质年代中而现已大部灭绝的生物。如三叶虫、恐龙等。
【古乐府】指汉魏六朝的乐府诗，以区别于后来的新乐府。
【古兰经】也译作可兰经。伊斯兰教的最高经典和伊斯兰教法立法的主要依据之一。古兰：阿拉伯语音译词，诵读。
【古体诗】也叫古风、古诗。近体诗产生以前除楚辞以外的各种诗歌的统称。格律自由，不拘对仗、平仄，押韵较宽，篇幅长短不限，有四言、五言、七言和杂言体。后世用五言和七言最多。与"近体诗"相对。
【古近纪】旧称老第三纪、早第三纪。新生代的第一个纪。约开始于6 500万年前，结束于2 300万年前。在这个时期，哺乳动物除陆地生活的以外，还有空中飞的蝙蝠，水里游的鲸类。海生无脊椎动物货币虫、软体动物和六射珊瑚等繁盛，被子植物繁荣。
【古近系】旧称下第三系。新生界的第一个系。指古近纪时期所形成的地层。
【古文观止】古文选本。清康熙年间吴楚

材、吴调侯选编。上起东周，下迄明末，共选文章220篇，分为12卷，能照顾各种体裁和风格，具有一定代表性，每篇有简要评论，故流传甚广。

【古文尚书】也叫《逸书》。儒家经典《尚书》的一种。据说是汉武帝末年鲁共王从孔子住宅的壁中发现，因用秦汉以前的古文书写，故名。现只存篇目，佚文见《汉书·律历志》等书。今本《十三经注疏》中的古文尚书，是东晋梅赜所献的伪《古文尚书》。

【古田会议】1929年12月在福建上杭县古田镇召开的中国共产党红军第四军第九次代表大会。会议通过了毛泽东写的《中国共产党红军第四军第九次代表大会决议案》，也叫《古田会议决议》。

【古色古香】形容字画、器物等带有古代的色彩、情调。

【古典主义】17—19世纪初流行于西欧（主要是法国）的一种文艺思潮。它以古希腊罗马文学为典范，作品题材也常常取自古希腊罗马历史和传说，因而得名。它的艺术方法有严格烦琐的规定，如戏剧创作的三一律（即单一的情节；同一地点；时间在一天之内）等。代表人物有法国的剧作家高乃依、拉辛、莫里哀和理论家布瓦洛等。

【古往今来】从古时到现在。晋潘岳《西征赋》："古往今来，邈矣悠哉！"

【古调不弹】唐刘长卿《听弹琴》诗："泠泠七弦上，静吹松风寒。古调虽自爱，今人多不弹。"古代的曲调不再弹了。比喻淳朴的古老风尚不多见了。现用以比喻过时的东西不再受欢迎。

【古代辩证法】指产生于古代奴隶社会的一种自发的朴素的辩证法。是辩证法的最初形态。笼统地认识到世界上万事万物是相互联系、相互作用的整体，都在运动、发展、变化着；事物的内部包含着对立的方面（如冷和热、阴和阳、正和反等），对立面可以互相转化，一切都是斗争所产生的。猜测到客观世界辩证发展的总轮廓，但不能具体说明世界的辩证发展。

【古今图书集成】大型类书。原名《古今图书汇编》。清康熙时陈梦雷等原辑，雍正时命蒋廷锡等重新编校，改为此名。一万卷，目录四十卷，分历象、方舆、明伦、博物、理学、经济六编，下分三十二典，六千一百零九部。每部先汇考，次总论，有图表、列传、艺文、纪事、杂录、外编等项目。内容广泛，资料丰富。

【古典政治经济学】即资产阶级古典政治经济学。是西欧资本主义产生时期的资产阶级政治经济学。产生于17世纪中叶，完成于19世纪初。主要成果是奠定了劳动价值论的基础，并在不同程度上探讨了剩余价值的各种形式，如利润、利息和地租等问题。受资产阶级立场和历史条件的限制，它不了解资本主义发展规律，把资本主义经济关系和各种经济范畴都看成是自然的、永恒的，不可避免地存在着庸俗的因素。古典政治经济学在英国从威廉·配第开始，中经亚当·斯密的发展到李嘉图结束；在法国从布阿吉尔贝尔开始，到西斯蒙第结束。

【古为今用，洋为中用】毛泽东提出的正确对待古代文化和外国文化的方针。基本精神是对古代文化和外国文化应批判地吸收其中一切有益的用得着的东西，以创造民族的社会主义新文化。

【古代世界七大奇迹】欧洲人和西亚人对古代世界七种著名建筑物和雕塑的总称。通常指埃及的金字塔、巴比伦的空中花园、以弗所的阿尔泰迷斯神庙、奥林匹亚的宙斯神像、小亚细亚的摩索拉斯陵墓、地中海罗得岛的太阳神巨像以及埃及亚历山大城法罗斯岛的灯塔。

【古尔班通古特沙漠】在新疆维吾尔自治区准噶尔盆地中。面积4.73万平方千米。沙丘较少。

诂（詁） gǔ 用当代的话解释古代文献词语的意义。㊀训～|释～。

牯 gǔ 公牛。

罟 gǔ 网。

钴（鈷） gǔ 金属元素，符号Co，原子序数27。银白色，能磁化。用于冶炼超硬耐热合金和磁性合金，也用作催化剂。其同位素^{60}Co有放射性，用于治疗癌症。

【钴鉧】熨斗。

蛄 ⊜ gǔ 见〔蝲蝲蛄〕（577页）。
⊖ gū （335页）。

羖☒ gǔ "羖"的异体字。

G

嘏 gǔ （又音 jiǎ）福。

盬□ gǔ 盬子，一种周围陡直的深锅。用沙土或铁制成，一般用来蒸煮食物。

鹽☒ gǔ ❶盐池。❷吸；饮。❸不坚固。

扢☒ ㊀ gǔ 摩；揩擦。
㊁ xì（1059 页）。

谷（❷-❹穀） ㊀ gǔ ❶两山或两块高地中间的低洼地。㊎峡～|万丈深～。❷谷类作物的总称。也特指粟。㊎五～|～草。❸古代百谷的统称，即农作物的统称。❹〈方〉稻。也指稻的子实。
㊁ yù（1205 页）。

【谷水】同"瀔水"（340 页）。

【谷地】两个山脊或几个山脊之间的低凹地域。如山谷、河谷等。

【谷坊】在沟底或山溪中逐级修筑的小的拦水建筑物。用以缓和水流，防止冲刷。坊后的淤地，可种植作物。

【谷雨】节气名。在每年公历 4 月 20 日前后。谷雨时节，中国大部分地区雨量增加。

【谷底】山谷或河谷的底部。比喻事物发展的最低点或衰落时期。㊎纺织行业走出～。

汩 gǔ〔汩汩〕水流的声音；水流的样子。

股 gǔ ❶大腿。❷机关、企业、团体组织内的部门名称。㊎宣传～。❸指集合资金的一份或财物平均分配的一份。㊎～金|按～均分。❹量词。用于成条的东西。㊎一～线|拧成一～劲。❺中国古代数学指直角三角形中较长的直角边。

【股本】股份公司用发行股票方式组成的资本。也指其他合伙经营的工商企业的资本或资金。

【股东】购买公司股票或持有公司股份的公司出资人。股东对公司享有资产收益权、重大事务的表决权和知情权等。

【股市】金融市场的组成部分。是进行股票发行和交易的市场。股票发行的市场也叫一级市场，股票交易的市场也叫二级市场。

【股民】在股票市场上从事股票买卖的投资者。

【股权】股东依其对股份公司的投资而享有的权益及义务。

【股份】以货币量计算的均等资本单位或单位资本。单位资本的总和构成公司的股本。股份有限公司将发行资本分为等额股份，由投资人购买来募集资本。转让股份必须在证券交易所进行。公司董事、监事、经理所持本公司股份在任职期间不得转让。

【股灾】股市行情大跌给股民造成的严重损失。

【股评】关于股票行情的分析和评论。

【股金】投入股份制企业的股份资金。

【股肱】大腿和胳膊。古代用以比喻左右得力的帮手。肱（gōng）。

【股指】股票价格指数的简称。表明股票交易市场价格变动状况的一种价格指数。

【股骨】人和脊椎动物的大腿骨。在人体，是全身最长、最结实的骨。上端为股骨头，股骨头下方较细长部分为股骨颈，为年老时易发生骨折之处。

【股栗】由于过度的恐惧两腿发抖。

【股息】上市公司依据股东的出资，定期向股东支付的一定利率的利息。与股利不同，股利包括股息和红利。

【股票】股东对公司出资的权利凭证。由公司签发，可以证明股东所持股份和股权。分记名股票和无记名股票。

【股东会】由全体股东组成的公司最高权力机构。股东会对公司增加或减少注册资本，审议财务报表，分立、合并、解散，变更公司形式，修改公司章程等事项，须经代表三分之二以上表决权的股东通过。

【股份制】通过股份公司的形式筹集社会闲散资金，自主经营、自负盈亏，按股计息分红的一种企业组织和管理制度。

【股份公司】一些资本所有者通过发行和推销股票而联合经营的企业。股东凭股票取得利润。

【股份资本】股份公司的资本。即通过发行股票将分散的个人资本联合而形成的资本。

【股份银行】采用股份公司的组织形式建立的银行。

【股指基金】一种以股票指数为买卖对象来获取投资收益的投资基金。

【股骨颈骨折】股骨颈部的骨裂或折断。往往由跌倒所致，常见于老年人。

骨 ㊀ gǔ ❶骨骼。❷像骨骼一类的支架。㊎船的龙～。❸比喻人的品质。

例～气。

㊁ gū (335 页)。

【骨力】❶指书画诗文雄健的风格。例他的字很有～。❷指骨气、毅力。❸指体力。

【骨干】❶由骨头组成的身体的支架。参见〔骨骼〕(339 页)。❷比喻在总体中起主要作用的人或事物。例领导～。

【骨气】坚强不屈的气节。例我们中国人是有～的。

【骨头】❶人和脊椎动物体内支持身体、保护内脏的坚硬组织。❷比喻人的品质。例硬～。

【骨肉】比喻血统关系近的亲人。例～团聚。

【骨折】由外伤或骨组织本身损伤,引起骨骼折断、错位或成碎片。

【骨盆】人和哺乳动物特有的、极为结实的环状骨架。人的骨盆由后方的骶骨、尾骨和左右两髋骨构成。骨盆内为盆腔,藏有膀胱、直肠,女性还有子宫、阴道等器官。成年女性骨盆较浅而宽大,此特征与分娩功能相适应。

【骨董】同"古董"(336 页)。

【骨殖】死人的骨头。殖(shi)。

【骨龄】指人体生长发育中主要骨骼的骨化愈合年龄。因部位、性别和年龄的不同而不同。骨龄是优秀运动员选材的指标之一。

【骨膜】骨表面的结缔组织膜。富含神经、血管,有营养骨质的作用。含有成骨细胞,骨受伤时,有再生骨质的作用。

【骨骼】人和动物全身坚硬的骨架。人的骨骼有维持体形、保护内部器官、支持体重及起到运动的杠杆作用。人体骨骼一般由 206 块骨组成,大部分成对。

【骨鲠】刚直,正直。

【骨髓】一种存在于骨内腔隙的柔软组织。分红骨髓和黄骨髓两种。红骨髓能制造血细胞,以补充血液中血细胞的损耗。黄骨髓主要由脂肪细胞构成,正常时无造血功能。

【骨骼肌】也叫横纹肌、随意肌。肌肉的一种。肌细胞呈细长圆柱形,细胞核多个。有明暗相间的带或横纹,多附着在骨骼上,其活动受人的意志支配。

【骨髓炎】由球菌感染引起的骨髓或骨和骨髓的炎症。多数是血源性的,也有因外伤造成的。急性骨髓炎有高热、局部疼痛等症状。

【骨肉相连】像骨头和肉一样互相连接着。比喻关系非常密切,不可分离。

【骨关节炎】也叫骨关节病、退行性关节炎。一种慢性关节病。关节骨端与软骨变肥厚,有骨赘生成。病因有外伤、体重过重使关节慢性创伤和磨损、姿势不正等。主要症状是关节僵硬、不适和疼痛、运动受阻等。

【骨质疏松】一种骨病。病因为单位体积内骨组织量减少。有老年性的,也有继发于肝脏疾病、糖尿病的。主要症状是持续性周身痛,容易骨折(尤其是腰椎的压缩性骨折)等。

【骨鲠在喉】鱼骨头卡在嗓子里。比喻心里有话,非说出来不可。

馉(餶) gǔ〔馉饳〕一种面制食品。饳(duò)。

榾□ gǔ〔榾柮〕〈方〉短小的木头。柮(duò)。

鹘(鶻) ㊁ gǔ〔鹘鸼〕也叫鹘鸠。古书上说的一种候鸟。鸼(zhōu)。

㊀ hú (409 页)。

贾(賈) ㊁ gǔ ❶旧指商人。例行商坐～。❷做买卖。又单指买或卖、付出。例多财善～|～马(买马)|余勇可～。❸招引。例～祸|～害。

㊀ jiǎ (469 页)。

唃☒ gǔ 古代音译用字。如唃厮啰(997—1065,宋代藏族的一个首领)。

羖☒ gǔ 公羊。

蛊(蠱) gǔ 古代传说可以害人的毒虫。

【蛊惑人心】毒害,迷惑人心。蛊惑:使迷惑。

淈☒ gǔ 搅浑;扰乱。

鹄(鵠) ㊀ gǔ 箭靶子。例中(zhòng)～。

㊁ hú (409 页)。

【鹄的】箭靶子的中心。比喻目标。的(dì)。

祻□ gǔ 用于地名,如崞祻塘(在安徽)。

鼓(*皷) gǔ ❶击乐器。一般以木为帮,有单面蒙皮膜的,也

有双面蒙皮膜的，用槌击奏。形制大小不一。如大鼓、小鼓、定音鼓、腰鼓等。❷形状、声音、作用等像鼓的东西。[例]石～|耳～。❸敲；拍。[例]～琴|～掌。❹用机械或风箱扇（风）。[例]～风。❺发动；激起。[例]～动|～足干劲。❻凸起。[例]～起一个大包。

【鼓动】激发人的情绪使之行动起来。

【鼓励】激发，勉励。

【鼓吹】❶宣传提倡。❷吹嘘。

【鼓角】战鼓和号角。

【鼓胀】同"臌胀"（340页）。

【鼓楼】旧时城市中设置大鼓的楼，楼内按时敲鼓报告时辰。

【鼓舞】❶使信心或勇气增强，使振奋。[例]～士气。❷激动兴奋。[例]欢欣～。

【鼓膜】外耳道和中耳腔之间的卵圆形薄膜。声波震动鼓膜，经与其相贴连的听小骨放大，传入内耳后，引起听觉。

【鼓噪】古指出战时擂鼓呐喊，以壮声势。现泛指喧嚷，起哄。

臌 gǔ 鼓胀。[例]水～|气～。

【臌胀】也作鼓胀。中医病证名。主要症状是腹部肿大，头面四肢消瘦。一般多见于肝硬化后期。

G

瞽 gǔ 瞎；盲。[例]～者。

毂（轂） gǔ 车轮中心有圆孔可以插轴的部分。

榖 gǔ 即"楮"①（139页）。

瀔[] gǔ〔瀔水〕❶也作谷水。地名。在湖南。❷水名。在河南。

gù ㄍㄨˋ

估 ㊁ gù〔估衣〕出售的旧衣服。
㊀ gū（334页）。

固 gù ❶结实；牢固。[例]坚～|稳～。❷使固定、牢固。[例]～沙|～防。❸坚持。[例]～守阵地|～请。❹本来。[例]～有。❺闭塞；浅薄。[例]～陋。

【固习】同"痼习"（341页）。

【固执】坚持自己的意见不肯改变（多指坚持不正确或已经不适应新的情况的意见）。

【固体】有一定体积和形状的物体。包括分子作有规则排列而构成的晶体和分子混乱分布而构成的非晶体。钢、砖、木材等在常温下都是固体。

【固态】指物质的固体状态。特征是物质有固定的形状和体积，其中的分子（原子或离子）只能在各自的平衡位置附近作微小的振动。

【固陋】指见闻不广。

【固氮】空气中分子态的氮，通过微生物的作用转化还原成能被植物利用的氨态氮的过程。能为植物提供氮素营养。

【固然】连词。1. 表示承认某个事实，引起下文转折。[例]这项工作～有困难，但充分发动群众就一定能完成。2. 表示承认甲事实，也肯定乙事实。[例]建设社会主义，没有高度的民主～不行，没有高度的集中也不行。

【固醇】也叫甾醇。有机化合物的一类。以游离状态或同脂肪酸结合成酯存在于生物体内。最重要的有动物体内的胆固醇、植物体内的豆固醇、麦角中的麦角固醇。

【固沙林】在沙荒和沙漠地带为了固定流沙和防止风沙危害而营造的防护林。

【固溶胶】以液体、固体或气体为分散介质分散在固体介质中所形成的胶体。如珍珠是水滴分散在固体介质中的固溶胶，有色玻璃是某些固体金属粒子分散在固体介质中的固溶胶。

【固步自封】同"故步自封"（342页）。

【固若金汤】形容防守非常坚固。金：金城，指坚固的城墙。汤：汤池，指防守严密的护城河。

【固定汇率】指一国的货币汇价，应根据国际货币基金组织的规定，只能在平价上下一定的幅度内波动。当汇率涨跌到上限或下限时，中央银行有义务进行维持。如果一种货币宣布贬值或升值时，就重新订出平价。由于美元危机深化，以美元为中心的国际货币体系走向崩溃，自1973年以来，各国都先后放弃固定汇率，改用浮动汇率。

【固定成本】在一定范围内不随产量变动而变动的成本。如固定资产折旧费、办公费等。与"变动成本"相对。

【固定资本】表现为劳动资料的生产资本。其特点是投入生产过程之后要在生产过程中长期地发挥作用，其价值是一部分一部分地被转移到产品中去，并随产品的销售一部分一部分地周转回来。与“流动资本”相对。

【固定资产】可供长期使用并保持实物形态的劳动资料和消费资料。前者叫生产固定资产,如工具、厂房、机器、设备、动力以及各种生产建筑物等。后者叫非生产固定资产,如国家机关、文教卫生事业所用的房屋、财产和各种设备等。

【固定短语】结构稳定、组合成分不能随意更换或拆开的现成短语。其句法功能相当于一个词。常见的有专名和熟语。如清华大学、文汇报、落花流水、不管三七二十一等。

【固定唱名法】唱名法的一种。以绝对音高为基础,C音均唱作do,D音均唱作re,以此类推。不同于首调唱名法,D音、E音等均可唱作do。

【固体废弃物污染】指工厂废渣和城市生活、建筑等垃圾,未经处理露天堆放而造成环境质量下降的现象。会导致水污染和大气污染,甚至会滋生传染病。

堌 gù 堤。多用于地名,如龙堌(在江苏)、牛王堌(在河南)。

崮 gù 四周陡峭,顶上较平的山。多用于地名,如孟良崮(在山东)。

锢(錮) gù ❶用金属溶液填塞金属器物空隙。㊀～漏。❷禁闭;使隔绝。㊀禁～。

【锢疾】同“痼疾”(341页)。

痼 gù 长期不易治愈的;也指不易克服的。㊀～疾|～习。

【痼习】也作固习。长期养成不易改变的习惯(多指不好的)。

【痼疾】也作锢疾。经久不易治愈的疾病。

【痼癖】长期养成的不易改掉的癖好。

鲴(鯝) gù 鱼类。体侧扁,长约30厘米,口小。食藻类和其他水生植物。中国淡水河湖中均有。

故 gù ❶意外的事情。㊀事～|变～。❷原因;缘故。㊀何～。❸有意;故意。㊀明知～犯。❹过去的;原来的。㊀～宫|～乡。❺老朋友;旧交。㊀沾亲带～。❻死亡。㊀病～|～去。❼连词。所以。㊀因染时疫,～未如期赴任。

【故人】❶旧友;老朋友。《礼记·檀弓下》:“孔子之故人曰原壤。”唐王维《送元二使安西》诗:“西出阳关无故人。”❷旧妻。南朝陈徐陵《玉台新咏·古诗八首》:“新人工织缣,故人工织素。”❸死去的人。❹前夫。《玉台新咏·无名氏〈古诗为焦仲卿妻作〉》:“怅然遥相望,知是故人来。”

【故土】指故乡。

【故乡】老家;家乡;出生或久居的地方。

【故友】❶已经过世的朋友。❷旧日的朋友。㊀～重逢。

【故旧】指旧交、旧友。

【故地】旧地;过去居住过或工作过的地方。

【故伎】同“故技”(341页)。

【故交】老朋友。

【故技】也作故伎。老花招;老办法。㊀～重演。

【故里】家乡。

【故园】故乡。

【故我】旧我;过去的我。

【故事】❶事(shì)。旧事。㊀～重提。❷事(shì)。例行的事。㊀虚应～。❸事(shi)。前后连贯,有吸引力,能感染人,可用做讲述对象的事情(包括真实的或虚构的)。❹事(shi)。文学作品中用来体现主题思想的情节。

【故态】旧日的行为态度。

【故知】老朋友。

【故实】过去的有历史意义的事实。

【故居】曾经居住过的房子。

【故剑】指结发之妻。《汉书·外戚传上》记载,汉宣帝在民间时,曾娶许广汉女,宣帝即位,公卿议立霍光女为皇后,宣帝下诏“求微时故剑”。大臣们领会他的意思,于是议立许氏为皇后。后有不忘故剑之说。

【故宫】泛指过去的皇宫。如北京故宫、沈阳故宫等。特指北京故宫。北京故宫是中国明清两代皇宫(旧称紫禁城)。始建于明成祖永乐四年(1406)。城内现有殿宇厅堂等建筑九千多间,是现存规模最大、保留最完整的中国古代木构建筑宫殿建筑群。今为故宫博物院,是全国重点文物保护单位。

【故都】过去的国都。

【故智】以前使用过的计策。

【故意】❶有意;存心。❷刑法上指犯罪行为人对于他所实施的危害社会的行为和结果的心理态度。参见〔故意犯罪〕(342页)。❸民法上指过错的一种形式。即义务人明知其行为将侵害他人的权利而希望或放任这种结果的发生。应负赔偿的责任。

G

【故障】机械、仪器等发生的障碍或毛病。泛指事情进行中出现的障碍。
【故纸堆】指大量的陈旧的古书(含贬义)。
【故事片】也叫艺术影片。即由演员扮演的具有完整故事情节的影片。
【故弄玄虚】故意玩弄让人捉摸不透的那一套,使人迷惑。
【故步自封】也作固步自封。比喻保守,安于现状,不求进步。故步:旧的步子。封:限制住,停止。
【故态复萌】老样子又逐渐恢复。形容重犯老毛病。
【故意犯罪】明知自己的行为会发生危害社会的结果,并且希望或放任这种结果发生而构成的犯罪。分直接故意犯罪和间接故意犯罪。故意犯罪应当负刑事责任。
【故意伤害罪】行为人非法损害他人身体健康的犯罪行为。

顾(顧) gù ❶回头看;泛指看。㊀回～|举目四～。❷拜访。㊀三～茅庐。❸照管;注意。㊀奋不～身|～大局。❹商店或服务行业称前来购买货物或要求服务。㊀惠～|～客。❺文言副词。反而。㊀足反居上,首～居下。❻文言连词。但是;只是。㊀虽年高,～精神不减。

G

【顾及】考虑到;照顾到。
【顾全】顾及,使不受损害。㊀～大局。
【顾问】供个人或机关团体等咨询的专门人员。
【顾忌】因有顾虑,不敢尽情说话或行动。
【顾眄】回头看。眄(miàn)。
【顾盼】向两旁或周围看来看去。㊀左右～。
【顾虑】怕带来不利后果,而不敢照自己的本意说话或行动。
【顾绣】沿用明代顾氏绣法制成的刺绣。
【顾惜】爱惜。
【顾炎武】(1613—1682)明清之际思想家、学者。字宁人,江苏昆山亭林镇人,世称亭林先生。少年时参加"复社"反宦官权贵斗争。清兵南下,曾参加抗清起义,一生不忘恢复明朝。学问广博,著述宏富,主张物质的"气"是宇宙实体,是第一性的。反对理学家空谈心、理、性、命,提倡经世致用。在音韵学上,对分析古韵部目等方面有承前启后之功。治经侧重考证,开清代朴学风气。著有《日知录》《天下郡国利病书》《肇域志》《音学五书》《亭林诗文集》等。
【顾恺之】(约345—406)东晋画家。字长康,小字虎头,晋陵无锡(今属江苏)人。提倡绘画"以形写神",画人物注重点睛以表现其精神状态。著有《论画》《魏晋胜流画赞》《画云台山记》等画论。
【顾此失彼】顾了这个,丢了那个。形容照顾不过来。
【顾曲周郎】原指周瑜精于音乐。后泛指爱好音乐或有很高音乐素养的人。《三国志·吴书·周瑜传》:"瑜少精意于音乐,虽三爵之后,其有阙误,瑜必知之,知之必顾,故时人谣曰:'曲有误,周郎顾。'"周郎:指周瑜。
【顾名思义】从事物的名称联想到它的含义。《三国志·魏书·王昶传》记载,王昶给他的子侄等起名字都用谦实等词,并写信给他们说:"欲使汝曹顾名思义,不敢违越也。"
【顾盼自雄】左看右看,自以为了不起。形容得意忘形。清纪昀《阅微草堂笔记》卷一六:"少年恃其刚悍,顾盼自雄,视乡党如无物。"顾盼:左看右看。
【顾影自怜】晋陆机《赴洛道中作二首》诗:"伫立望故乡,顾影凄自怜。"原意是回头望着自己的影子而怜惜自己。形容孤独失意。后也用来形容自我欣赏的样子。

梏 gù 古代刑具。即木制的手铐。㊀桎～。

牿⊠ gù 绑在牛角上使牛不能触人的横木。

雇(*僱) gù ❶出钱请人做事。㊀～保姆。❷被人雇佣。㊀～员。❸付一定的报酬让人驾车、船等给自己服务。㊀～车|～船。

【雇工】❶雇用人做工。㊀现在允许私人～。❷受雇用的劳动者。
【雇农】农村中的无产阶级。如中国旧时农村中的长工、月工、零工。他们一般全无土地和农具,有些有极小部分的土地和农具,完全或主要依靠出卖劳动力为生。
【雇员】机关、企业中受雇的人员。旧时也指待遇较低的职员或编制以外的临时工作人员。
【雇佣】用货币购买劳动力。
【雇佣劳动】也叫工资劳动。受雇于资本家的工人的劳动。雇佣劳动者和奴隶、农奴不同,在人身上是自由的,可以自由地改换雇主。但是由于工人不占有生产资料,他们为了生活不得不出卖劳动力，为资本家创造剩余价值，成为实际上受资本束缚的雇佣奴隶。

guā ㄍㄨㄚ

瓜 guā 葫芦科蔬菜的统称。茎蔓生。如西瓜、南瓜、冬瓜、黄瓜、甜瓜、丝瓜、苦瓜等。

【瓜分】像切瓜一样地分割或分配。特指若干帝国主义国家分割别国的领土。

【瓜代】《左传·庄公八年》记载，春秋时齐国在头一年瓜熟的时候，派兵防守边境，约定"及瓜而代"，就是说到明年瓜熟时派部队去替换他们回来。后来将任职期满换人接替叫瓜代。

【瓜葛】瓜和葛都是蔓(wàn)生植物，能缠绕或攀附在别的物体上。比喻辗转相连的社会关系。也指两件事情有牵连。

【瓜田李下】古乐府《君子行》："瓜田不纳履，李下不整冠。"意思说，经过瓜田时不要弯身提鞋，走到李树下不要举手整帽子，免得被人怀疑偷瓜、偷李。后来以"瓜田李下"比喻容易引起嫌疑的场所或情况。

【瓜李之嫌】比喻处在嫌疑的境地。《旧唐书·柳公权传》："瓜李之嫌，何以户晓？"瓜李：瓜田李下。

【瓜熟蒂落】瓜熟了，蒂自然脱落。比喻时机、条件成熟，就能顺利成功。蒂：连接枝茎与瓜果的部分。

呱 ㊀ guā 拟声词。㊀～哒|～～。
㊁ gū(335 页)。
㊂ guǎ (343 页)。

胍 guā 也叫亚氨基脲。含氮有机化合物，化学式 $HN{=}C(NH_2)_2$。无色晶体，有吸湿性。用于制磺胺药物及染料等。

踻⊠ guā ❶脚掌上的纹路。❷爬。

刮(❹颳) guā ❶用刀等去掉物体表面的东西。㊀～胡子|～去表皮。❷用片状物在物体表面涂抹黏稠的东西。㊀～泥(nì)子。❸榨取。㊀搜～。❹吹。㊀～大风。

【刮痧】中国一种民间疗法。用铜钱等物蘸水或油刮患者的胸、背等处，使局部皮肤充血，以减轻胃、肠等内部炎症。

【刮目相看】《三国志·吴书·吕蒙传》裴松之注引《江表传》："士别三日，即更刮目相待。"意思是离别三天，就应该用新的眼光看待。指别人已有进步，不能再用老眼光来看待。

【刮垢磨光】刮去污垢，磨出光亮。原指培养人才时磨砺而使之高尚纯洁。唐韩愈《进学解》："方今圣贤相逢，治具毕张，拔去凶邪，登崇畯良。占小善者率以录，名一艺者无不庸。爬罗剔抉，刮垢磨光。"后比喻使旧事业重显光辉或仔细琢磨，精益求精。

苦□ guā 〔苦蒌〕同"栝楼"(343 页)。

栝 ㊀ guā ❶古书上指桧(guì)树。❷箭末扣弦处。
㊁ kuò (574 页)。
㊂ tiǎn (975 页)。

【栝楼】也作苦蒌。多年生攀缘草本植物。花白色，果椭圆形。果实入药，有化痰清热、散气通便的作用。其块根称天花粉，用于治疗口渴舌燥、肺热燥咳等。与其他药物并用有较好的抗早孕效果。

鸹(鴰) guā 见〔老鸹〕(586 页)。

骟⊠(騧) guā 黑嘴的黄马。

锅⊠(緺) guā 紫青色的绶带。

劀⊠ guā 刮去。

guǎ ㄍㄨㄚˇ

呱 ㊂ guǎ 见〔拉呱儿〕(575 页)。
㊀ guā (343 页)。
㊁ gū (335 页)。

剐(剮) guǎ ❶划破。㊀衣服～破了。❷凌迟。

寡 guǎ ❶少；缺少。㊀失道～助|优柔～断。❷妇女死了丈夫。㊀～妇。❸淡而无味。㊀清汤～水。

【寡人】中国古代君主的自称。

【寡头】❶掌握政治、经济大权的少数首脑人物(含贬义)。❷即"寡头市场"(343 页)。

【寡不敌众】人少的一方敌不过人多的一方。

【寡头市场】也叫寡头。少数几家厂商控制

某个行业的产品生产和销售的市场结构类型。形成的主要原因有：某些产品的生产必须在相当大的生产规模上进行才能达到最好的经济效益；行业中几家企业对生产所需的基本资源的供给的控制；政府的扶植和支持等。寡头市场在资源配置的效率方面介于完全竞争和完全垄断之间。

【寡闻少见】也说寡闻鲜见。指见闻不广，学识浅陋。汉王褒《四子讲德论》："俚人不识，寡见鲜闻。"

【寡廉鲜耻】不廉洁，不知羞耻。现多指不知羞耻。鲜(xiǎn)：少。

guà ㄍㄨㄚˋ

卦 guà 古代占卜用的符号。也泛指用其他方式预测到的吉凶祸福的象征性结果。例占～|算～。参见〔八卦〕(16页)。

褂 guà 一种中式单上衣。例大～|花布～。

诖(詿) guà 欺骗；贻(yí)误。

【诖误】也作挂误。因过失或被牵连而受到处分。

挂(*掛❸*罣) guà ❶悬挂；吊起。例～图|～帘子。❷钩住；牵连。例～车|树枝～住衣服。❸惦记；想念。例～念|牵～。❹登记。例～号。❺打电话。也指把听筒放回电话机上，使电路切断。例先～个电话约定一下|话没说完，对方已把电话～了。❻表面带着；蒙上。例满脸～着愁容|玻璃窗上～了一层霜。❼量词。例一～鞭炮。

【挂帅】当元帅。比喻做领导的亲自抓某项具体工作。例这项工作由老王～。

【挂失】遗失证件或票据时，到原发出单位登记，声明作废。

【挂怀】心里惦记，放心不下。

【挂齿】挂在嘴边上。指谈起，提及。例不足～。

【挂单】指游方和尚到庙里投宿暂住。

【挂钩】比喻原来没有关系的两个单位建立联系。例工厂和学校～。

【挂误】同"诖误"(344页)。

【挂累】牵连，连累。

【挂彩】❶也叫结彩。悬挂彩绸，表示庆贺。例张灯～。❷也叫挂花。指作战负伤流血。

【挂锄】把锄头挂起来。指大秋作物田间管理工作结束，只待秋收。

【挂牌】❶挂出招牌。指医生、律师等开业。❷服务性行业人员上班时胸前佩戴标牌。

【挂碍】牵挂，牵掣(chè)。

【挂靠】某一机构或团体在名义或组织关系上隶属于另一个部门。例～户。

【挂一漏万】形容列举不全，遗漏很多。唐韩愈《南山》诗："团辞试提挈，挂一念万漏。"

【挂羊头卖狗肉】比喻用好的名义做招牌，实际上兜售不好的货色。

絓⊠(絓) guà 绊住；受阻。

罣⊠ guà 同"挂"③。

坬⊠ ㊀guà 土堆。
㊁wā (1003页)。

guāi ㄍㄨㄞ

乖 guāi ❶违背；抵触。例与原意相～。❷(性情、行为)不正常；不合情理。例～戾|～张。❸机灵；伶俐。例～觉|～巧。❹孩子懂事，不淘气。例这孩子真～。

【乖巧】❶顺人心意，讨人喜欢。❷机灵；伶俐(指儿童)。

【乖舛】荒谬；错误。舛(chuǎn)。

【乖异】指人的性情特异反常。

【乖违】❶违背。❷隔绝。❸不如意。

【乖张】脾气或行为古怪，不合情理。

【乖戾】性情或行为别扭，不合人情。戾(lì)。

【乖剌】性情别扭，不讲理。剌(là)。

【乖觉】聪明机智。觉(jué)。

【乖谬】荒谬，不合理。

【乖僻】古怪、孤僻，和别人合不来。例性情～。

掴(摑) guāi (又音 guó)用巴掌打、拍。例～了他一耳光。

guǎi ㄍㄨㄞˇ

拐(❹*柺) guǎi ❶转弯。例往东～。❷用欺骗的手段弄走。例～骗。❸腿脚有毛病，走路不稳。

㊀他走路一～一～的。❹拐杖；拐棍。㊀手里拄着一支～。❺数目“7”的另一种说法。

【拐棍】走路时拄的棍子。手拿的一头多是弯曲的。

【拐弯抹角】形容走路时曲折很多。比喻讲话不爽直。

【拐骗儿童罪】行为人拐骗不满14周岁的未成年人，使其脱离家庭或监护人的犯罪行为。

罫☒ ㊀ guǎi 棋盘上的方格。㊁ huà(419页)。

guài ㄍㄨㄞˋ

夬 guài《易经》六十四卦的一个卦名。

怪(*恠) guài ❶奇怪。㊀～事|古～。❷埋怨；责备。㊀这事不能～他。❸副词。非常；很。㊀～好听的。❹神话传说或迷信中的怪物、妖魔。

【怪异】奇异反常。

【怪诞】❶荒唐古怪。❷现代文学艺术的一种特殊创作手法。即用现实生活中不可能发生的怪异事物表现现实生活，形成强烈的对比，以表现生活本质。例如，卡夫卡的《变形记》写主人公突然变成了大甲虫，引起了一家人的情感变化，表现现代社会的人性异化。

【怪圈】比喻难以摆脱的某种恶性循环。㊀片面追求升学率的～，造成了教育大目标的失落。

【怪僻】古怪孤僻(多指人的性情)。

【怪癖】希奇古怪的嗜好。

【怪诞不经】古怪荒唐，不合常理。诞：荒唐。经：常理。

guān ㄍㄨㄢ

关(關) guān ❶闭合；放在里面使不能出来。㊀～门|～在笼子里。❷古代在险要的地方设置的守卫处所。㊀～口|娄山～。❸重要的转折点或不易度过的时机。㊀紧要～头|难～。❹指海关。㊀出～。❺牵连；关系。㊀事～成败。❻旧指发放或领取薪饷。㊀～饷。❼城门外一带。㊀～厢|城～。❽使机器停止运转，使家电等中止工作状态。㊀～机|～电视。

【关于】介词。由其组成的介词结构，一般用来表示动作所涉及的事物或事物所涉及的范围，有时用作文章的标题。㊀～今年的生产计划，已作了全面安排|《～重庆谈判》。

【关山】❶山名。位于宁夏南部。有大关山、小关山。大关山即六盘山主峰，小关山平行于六盘山之东，南延为崆峒山。❷泛指高峻险要的地方。

【关子】❶小说、戏剧情节中最紧要、最吸引人的地方。❷比喻事情的关键。

【关切】亲切地关心。

【关中】❶指陕西省关中平原(也叫渭河平原或关中盆地)。东起潼关，西至宝鸡，南接秦岭，北抵陕北高原，东西长约300千米，号称八百里秦川。以土地肥沃，农产富饶著名。❷古地区名。1. 指函谷关以西、陇关以东的地区。2. 指函谷关以西战国末秦国故地，包括秦岭以南的汉中、巴蜀在内(但一般说法不包括秦岭以南的汉中、巴蜀)。3. 指今陕西地区。

【关内】指与关外相对而言的地区。参见〔关外〕(345页)。

【关心】把人或事经常放在心上。㊀互相～|～国家大事。

【关节】❶两骨或两骨以上的可动连接部分。如肩关节、膝关节等。❷起关键作用的环节。㊀认真分析，找出～。❸旧指暗中行贿、说人情串通官府的事。㊀暗通～。

【关东】❶也叫关外。泛指东北各省。因位于山海关以东，故名。❷古称函谷关以东的地方。一般指现在河南、山东等地。

【关外】❶泛指重要关口以外地区。❷秦、汉、唐等定都在陕西，称函谷关或潼关以东地区为关外。❸即“关东”①(345页)。❹旧称四川省康定县以西为关外。康定县是通往西藏的重要关口。

【关防】❶防止泄露机密。❷旧时政府机关或部队用的印信，多为长方形。❸旧指驻兵防守的要塞，也指防守，防备。

【关羽】(？—220)三国时期蜀汉将领。字云长，河东解县(今山西临猗西南)人。曾为曹操所俘。后归蜀，从刘备起兵在樊城大破曹军。吴军偷袭荆州，败走麦城被杀。他的事迹长期在民间流传，被称为“关公”，并被神化，尊为“关帝”。

【关系】❶人或事物之间的相互联系。㊀同

志～|工业和农业的～。❷牵涉;影响。[例]这件事～到人民的生活。❸表明某种关系的证件。[例]组织～。

【关怀】关心,含有帮助、爱护、照顾的意思(多用于上对下或集体对个人)。[例]感谢党的～。

【关注】关心重视。

【关饷】旧指军警发放或领取薪金。也泛指发工资。

【关说】指代人陈说或从中给人说情。

【关爱】关心爱护。[例]这些品学兼优但家境贫困的学生,得到了社会各界的～和帮助。

【关厢】城门外的大街和附近的地区。

【关联】事物间的联系与影响。

【关税】对进出关境的物品征收的税。由国家设在关境上(指港口、车站、机场等)的海关按政府制定的税则征收。按征收对象,分进口税、出口税和转口(途经本国,运往别地)税;按征收目的,分财政关税和保护关税;按征收标准分从价(按商品价值征)税和从量(按商品数量征)税等。

【关隘】险要的关口。

【关碍】妨碍;阻碍。

【关照】❶关心照顾。❷通知;告诉。[例]请～收发室,有信先代为留存。

G

【关键】事物最关紧要的部分;对事物发展变化起决定作用的环节。

【关天培】(1781—1841)鸦片战争时期抗英将领。字仲因,江苏山阳(今淮安)人。曾任广东水师提督。积极协助林则徐禁烟,训练水师,多次击退英国侵略军。1841年2月,英军袭击虎门炮台,他率部抵抗。终因寡不敌众,与将士数百人壮烈牺牲。

【关节炎】关节部位的炎症。主要症状是表面皮肤肿胀、发热、发红、疼痛、行动受限等。包括类风湿性关节炎、骨关节炎、痛风等。

【关节镜】观察关节病变的一种医疗器械。其中装有不同角度的镜面,可借套管插入病变部位。用于诊断半月板病变、软骨面损伤、关节腔内异物等。

【关东军】日本帝国主义占据中国东北的侵略军。1905年日俄战争后,日本强占东北辽东半岛一部关东州一带。1919年在旅顺口设关东军司令部。1928年制造皇姑屯事件,1931年发动九·一八事变,侵占中国东北全境,1937年发动全面侵华战争。兵力曾达百万人,是日本陆军最主要的精锐部队。1945年8月,占据中国东北的七十五万关东军,被苏联红军和中国军民消灭。

【关汉卿】(约1210—1300)元代戏曲家。号已斋叟,大都(今北京)人。著有杂剧六十余种,现存《拜月亭》《望江亭》《救风尘》《窦娥冤》等十余种。他的剧作反映了古代统治阶级的腐朽黑暗,表现了下层市民特别是青年妇女的苦难遭遇和斗争精神。他是中国戏曲史上最早的文人作家之一,对后世戏曲的发展有重大影响。

【关系户】不顾原则,长期在交往中相互给予好处、便利的单位或个人。

【关系营销】指企业对有现实或潜在兴趣与影响的任何群体采取的一系列旨在搞好关系,从而有助于产品或服务销售的企业营销方式。

【关联交易】指某项商品或资产的交易双方具有从属等密切关系。

【关联词语】汉语中对连词和在语句中起连接作用的副词或短语的统称。多指连接复句中分句的词语。如"因为…所以""无论…都""即使…也""不…不""才""越""另一方面""换句话说"等。

【关税壁垒】一国为了阻止某种商品的进口而对其征收高额关税。

观(觀)

㊀ guān ❶看。[例]走马～花。❷景象;样子。[例]壮～|外～。❸对事物的认识、看法。[例]苦乐～|世界～。

㊁ guàn (350页)。

【观止】见〔叹为观止〕(957页)。

【观风】观察形势和情况的变化,相机行事。

【观礼】应邀参加观看盛大的庆祝活动和典礼仪式。

【观光】到外地或外国去访问参观。

【观念】❶泛指客观世界在人头脑中的反映。与意识、精神、思想等相同。❷指在感觉和知觉基础上形成的客观事物的外部特征在人脑中重现的形象。

【观点】从一定的立场或角度出发,对事物所持的看法。[例]阶级～|历史～。

【观音】也叫观音大士。佛教菩萨之一。佛经说其能救苦救难,普渡众生。原称观世音,唐时避唐太宗李世民讳,改称观音。

【观测】❶观察并测量(天文、地理、气象、方向等)。❷观察并测度(情况)。

【观望】❶张望。❷以半信半疑的心情,在

一旁观看事物的发展变化。

【观赏】观看欣赏。

【观感】看到事物以后所产生的印象和感想。

【观照】也叫静观。美学名词。指人(主体)在超功利的状态下对事物(客体)特性进行观察、体验、判断、审视等特有的心理活动。早在古代希腊,柏拉图就已使用观照一词。他认为,审美就是对美本身的一种凝神观照。

【观察】对事物、现象进行仔细地察看。

【观摩】观看成绩,研究切磋,以达到交流经验、互相学习的目的。

【观瞻】外观和对外观产生的反映。㊎以壮～|有碍～。

【观音土】也叫观音粉。一种白色黏土。旧时灾民常以此充饥,吃后不能消化,多因而致死。

【观通站】观察通信站的简称。海军中担负观察通信勤务的基层单位。设于海岸或岛屿的制高点。主要任务是观察海上、空中情况,担任对舰艇的引导、导航以及舰艇同岸上指挥机关之间的通信联络。

【观察员】一国派往国际会议或国际组织参加其部分活动的代表。一国与某国际会议讨论的问题或国际组织的工作有关系,但因某种原因不便或不能派全权代表参加,有时可以派观察员参加,以便进行联系、发表意见、了解情况等。有些国际组织也可派观察员参加特定的国际会议或国际组织的活动。按照国际惯例,观察员一般有发言权,但无表决权。

【观察哨】也叫瞭望哨。观察敌情的哨兵或哨所。

【观察家】政治评论家。报刊上常作为对当前重要国际问题发表评论的作者署名。

【观过知仁】察看人的过失,即可辨别贤愚。《论语·里仁》:“人之过也,各于其党。观过,斯知仁矣。”

【观者如堵】观看的人像围墙一样。形容观众很多。《礼记·射义》:“孔子射于矍相之圃,盖观者如堵墙。”

纶(綸) ㊁ guān 〔纶巾〕古代一种青丝编织成的头巾。

㊀ lún (647页)。

官 guān ❶在国家机关或军队中,经任命达到一定级别的公职人员。㊎做～|军～|外交～。❷指属于政府的。㊎～办|～费|～方。❸生物体上有特定功能的部分。㊎五～|感～。

【官人】❶以官职授人。❷本指做官的人,后来也用以称普通的男子。❸旧小说、戏剧中妻子对丈夫的称呼。

【官气】官僚作风。

【官方】指政府方面。与“民间”相对。

【官司】❶指诉讼。㊎打～|吃～。❷旧时泛称官吏或政府。

【官场】❶旧指政界;官吏阶层及其活动范围。❷旧时官家设立的市场。

【官吏】旧时在政权机构里管理国家事务的人。

【官阶】也叫官等。区分国家官职的等级制度。如中国封建社会将官职分为九个官阶,即九品。自一品至九品,每品又分正、从二级,共十八等。

【官邸】指政府提供给高级官员的住所。与“私邸”相对。邸(dǐ)。

【官府】行政机关的旧称。多指地方行政机关,也是对封建官吏的称呼。

【官学】中国历史上指各级官府所办的学校,如太学、国子监、社学等。与“私学”相对。

【官话】旧指以北京为中心的北方话。其通行地区长期是中国政治、经济、文化中心地带,官场上办事实际都使用北方话,故名。现用来统称北方话(官话区)诸方言。如华北官话、西北官话、西南官话、江淮官话。

【官能】生物体器官的功能。如听觉是耳朵的官能,视觉是眼睛的官能等。

【官票】清代咸丰年间发行的一种纸币。

【官衔】官员职位的名称。

【官窑】宋代名窑。有北宋汴京官窑、南宋修内司官窑和郊坛下官窑之分。官窑所烧青瓷,是南宋瓷器中的上品。

【官腔】旧指官场中的门面话。今指不顾实际,利用规章、手续来敷衍、推托的话。㊎打～。

【官僚】❶旧指地位较高的官员。❷指有官僚主义作风。

【官能团】也叫功能团。有机化合物分子内所含的能表现某种特性的原子团。如甲酸、乙酸中含有共同的官能团(羧基—COOH),都具有酸性。

【官官相护】指官吏互相包庇。

【官样文章】旧时官场例行的公文,有固定的格式和套语。比喻装模作样,内容空虚,

G

敷衍了事的言论或措施。

【官渡之战】曹操战胜袁绍统一北方的关键性战役。东汉末年，袁绍据有冀、青、幽、并四州，是北方最大的豪强割据势力。公元199年率兵十余万南下攻曹。曹操以两万左右的兵力，在官渡（今河南中牟东北）与袁军相持。这时袁军势大，曹操兵少粮缺。次年曹操利用袁军轻敌无备，偷袭其后方，焚烧其辎重，乘袁军慌乱，迅猛出击，歼灭了袁军主力，奠定了统一北方的基础。

【官僚主义】不关心群众利益，不做调查研究，脱离社会实践，只知道高高在上地发号施令的思想作风和工作作风。

【官僚资本】买办的、封建的国家垄断资本在中国的通称。参见〔官僚资本主义〕(348页)。

【官场现形记】长篇小说。清末李宝嘉著。共六十回。以谴责晚清官场的黑暗为主题。由相对独立的短篇故事连缀而成。

【官僚买办资本】半殖民地半封建国家中，依附于外国垄断资本并为其服务的国家垄断资本。

【官僚资本主义】半殖民地半封建国家中国家政权与买办的、封建的资本主义相结合所形成的一种国家垄断资本主义。在旧中国它是国民党统治的经济基础。中国共产党掌握政权后，立即没收全部官僚资本，把它变为社会主义国营经济，为社会主义革命和建设奠定了物质基础。

【官僚资产阶级】殖民地、半殖民地半封建社会中，同国家政权结合在一起的买办资产阶级。如蒋介石、宋子文、孔祥熙、陈立夫和陈果夫四大家族就是旧中国这个阶级的总代表。

倌 guān ❶专管饲养某些家畜的人。㊀羊～|猪～。❷旧指茶、酒、饭馆中的服务人员。㊀堂～。

棺 guān 棺材。装殓尸体的器具，一般用木材制成。

冠 ㊀ guān ❶帽子。㊀衣～整齐。❷像帽子一样的东西。㊀树～|鸡～。
㊁ guàn (350页)。

【冠心病】冠状动脉粥样硬化性心脏病的简称。心脏病的一种，多因冠状动脉病变引起的心肌血液供应不足所致。主要症状是心绞痛、心肌梗塞、心律失常、心力衰竭等。

【冠状动脉】供给心脏养分的动脉。起于主动脉，分左右两条，环绕在心脏的表面，形状像王冠，故名。

【冠冕堂皇】形容外表庄严体面的样子(含贬义)。冠冕：古代帝王、官员戴的帽子。堂皇：很有气派。

【冠盖相望】也说冠盖相属。形容政府的使者或官员来往不断。《战国策·魏策四》："齐楚约而欲攻魏，魏使人求救于秦，冠盖相望，秦救不出。"冠盖：古时官员的冠服和车篷。相望：相互能看到，形容连续不断。

【冠履倒置】也说冠履倒易。比喻上下颠倒，尊卑不分。《后汉书·杨赐传》："冠履倒易，陵谷代处。"履(lǚ)：鞋子。

蒄□ guān 化学用字。原意为冠苯。因该化合物的分子结构类似于一花冠，故名。后特造"蒄"字表示冠苯，指分子式为$C_{24}H_{12}$的一种碳氢化合物或相应母体结构。

矜 ㊂ guān ❶同"鳏"。❷同"瘝"。
㊀ jīn (504页)。
㊁ qín (793页)。

莞 ㊂ guān 俗称席子草。水葱一类的植物。
㊀ guǎn (348页)。
㊁ wǎn (1009页)。

瘝☒ guān 病；痛苦。

鳏(鰥) guān 指老而无妻或死了妻子的男人。

【鳏寡孤独】泛指失去依靠，需要照顾的人。寡：死了丈夫的妇女。孤：幼而无父。独：老而无子。

guǎn ㄍㄨㄢˇ

莞 ㊀ guǎn 用于地名，如东莞(在广东)。
㊁ wǎn (1009页)。
㊂ guān (348页)。

馆(館*舘) guǎn ❶供宾客或旅客住的房舍。㊀宾～|旅～。❷外交使节办公的处所。㊀使～。❸某些服务性商店的名称。㊀理发～|茶～。❹某些文化活动的场所。㊀文化～|图书～。❺指旧时的私塾。㊀家～。

【馆阁体】也叫台阁体。楷书书体名。明清科举要求字体方正、圆润、光洁、整齐。因当时馆阁及翰林院中的人擅写这种字体，

G

故名。

琯 guǎn 古代管乐器。玉制。

辖☒(輨) guǎn 包裹在毂头外面的金属。

痯☒ guǎn 疲劳。

管(*筦) guǎn ❶古代一种乐器。《诗经·商颂·那》:"嘒嘒管声。"❷吹奏乐器的统称。[例]~乐。❸圆筒形的东西。[例]钢~。❹管状的电器件。[例]晶体~。❺负责经理;管辖。[例]~账|这个市~五个区六个县。❻过问;干预。[例]不合理的事就得~。❼约束。[例]~教。❽保证;负责供给。[例]~换~退|~吃~住。❾介词。和"把"相似。[例]北方人~糯米叫江米。❿量词。用于细长的圆筒形东西。[例]一~笔。

【管子】❶子(zǐ)。即管仲。❷子(zǐ)。书名。相传春秋时期齐国管仲撰。实为后人采拾管仲言行,附以他书汇集而成。共存二十四卷。原本八十六篇,今存七十六篇。❸子(zi)。圆而细长中间空的东西。[例]水~。❹子(zi)。古代乐器。即觱篥。簧管乐器。管身木制,七音孔,上插苇哨,有单管或双管并吹两种。发音高亢浑厚。常用于吹打乐及独奏。

【管井】口径较小,多用机械钻凿和提水的水井。井壁主要用钢管、铸铁管或混凝土管等做成。

【管见】从管中看到的。比喻浅陋的见识。用作谦辞,称自己的见解。

【管仲】(?—前645)春秋时期齐国政治家。名夷吾。齐桓公任用他整顿国政。他按土地好坏分等征税,用官府力量发展盐铁业,铸钱调剂物价,改革军事制度,把县、乡、邑等行政机构和军事组织统一起来,为齐桓公称霸打下基础。后人将其言论收入《管子》。

【管押】对违法或犯罪的人依法看管关押。

【管制】❶强制管理。[例]~灯火。❷对犯罪分子不实行关押,但限制其一定的自由,受公安机关管束和人民群众监督,在原单位或居住地进行改造的刑罚。是中国特有的刑种。期限为3个月以上2年以下。

【管带】古代官名。清末军制,称统辖一营的长官。也指海军的舰长。

【管涌】堤坝的渗流达到一定程度时,较小的土粒逐渐随水带出,土粒之间的空隙扩大,以致形成空洞,发生集中涌水的现象。铺设反滤层可防止管涌。

【管理】❶指一定组织中的管理者,通过实施计划、组织、人员配备、指导与领导、控制等职能来协调他人的活动,使别人与自己一起实现既定目标的活动过程。❷照管并约束。[例]~罪犯。

【管道】用钢材或其他材料制成管子,在工业上、交通运输上或建筑上用来输送或排除石油、煤气、天然气、水、水蒸气等。

【管窥】从管子孔里看东西。比喻见到的不全面。

【管辖】❶管理统辖。❷诉讼上指上下级法院之间和同级法院之间受理第一审民事、刑事、行政案件的分工和权限以及刑事诉讼过程中公安、检察、法院三机关之间的分工和权限。

【管风琴】大型键盘乐器。用手与脚操纵键盘,利用压力使气流通过一系列音管发声。是欧洲古老的乐器,为教堂所用,至17、18世纪成为当时重要的独奏乐器。现在管风琴大多使用电力控制发声。

【管乐器】也叫吹奏乐器。指利用气流在管体内振动而发音的乐器。分两类:簧管乐器(如唢呐、管)、无簧管乐器(如笛、箫)。西洋管乐器也根据质地分铜管乐器(如小号、圆号)、木管乐器(如单簧管、大管)两类。

【管辖权】法律上指法院审理案件的权限以及刑事诉讼过程中公安、检察、法院三机关之间的分工和权限。

【管中窥豹】《世说新语·方正》:"此郎亦管中窥豹,时见一斑。"意思是从竹管里看豹,有时也能看见豹身上的一块斑纹。后来常与"可见一斑"连用,比喻可以从观察到的一部分推测全貌。也比喻看不到事物的全貌,只能是片面的了解。

【管弦乐队】编制较大、由众多管弦乐器组成的大型乐队。一般分弦乐组、木管组、铜管组和打击乐组。依木管组乐器件数,分单管编制(长笛、双簧管、单簧管、大管各一支)和双管编制。根据不同音乐作品的要求,还可增加竖琴、钢琴等。

【管道运输】经输送设备(如各种泵)驱动货物,使其通过管道输向目的地的运输形式。运输的货物主要是油品、天然气、煤浆以及其他矿浆等。

G

【管鲍之交】春秋时，齐人管仲和鲍叔牙相知最深。后常以“管鲍之交”比喻交谊深厚的朋友。《列子·力命》：“管仲尝叹曰：‘…生我者父母，知我者鲍叔也。’此世称管鲍善交者。”

【管窥蠡测】《汉书·东方朔传》：“以管窥天，以蠡测海。”从竹管孔里张望天空，用贝壳做的瓢来测量海水。比喻对事物的观察和了解很狭窄浅薄。蠡(lí)。

鳤(鱛) guǎn 鱼类。体长圆筒形，长可达 60 厘米，头小而尖。主产于中国长江流域及其以南地区。

guàn ㄍㄨㄢˋ

毌☒ guàn 古同“贯”。

贯(貫) guàn ❶穿通。㉑～穿｜融会～通。❷连贯；连接。㉑鱼～而行。❸古代铜钱一千枚叫一贯。❹原籍；出生地。㉑籍～。❺古又同“惯”。

【贯众】多年生蕨类植物。根茎粗大，密被棕褐色鳞片，叶在根茎顶端簇生，羽状复叶，边缘有锯齿。根茎供药用，有杀虫、清热、解毒、止血等作用。

【贯串】从头到尾地穿过。

【贯彻】彻底实现(方针、政策、精神等)。㉑坚决～党的各项方针、政策。

【贯注】❶集中(精神、精力)。㉑全神～。❷连贯(多指行文、说话)。㉑一气～。

【贯穿】穿过，连通。

【贯通】❶全部透彻地理解、领悟。㉑豁然～。❷沟通；连接。

掼(摜) guàn 〈方〉❶扔。㉑往地下一～。❷摔；跌。㉑～倒在地。

【掼纱帽】〈方〉扔掉乌纱帽。比喻由于气愤或有情绪而辞职不干。纱帽：古代官帽。

惯(慣) guàn ❶习以为常；积久成性。㉑习～｜～例｜我劳动～了，呆在家里还不舒服呢！❷放任；纵容。㉑娇生～养。

【惯犯】指屡次犯罪、恶习难改的犯罪分子。

【惯技】经常使用的手段(含贬义)。

【惯例】沿袭成习的一向做法。

【惯性】物体具有的保持原有运动状态的性质。如汽车开动时乘客会倒向车后方，而急刹车时，乘客会倒向车行的方向，就是因为物体具有惯性。

【惯窃】经常盗窃的人。

【惯家】行家；老手。

【惯用语】熟语的一种。口语中习用的一种固定短语。多为三音节，常用比喻义或引申义，简明生动，活泼有趣。如“拍马屁”“走后门”“捞油水”等。

【惯性制导】利用装在弹体上的惯性仪表对导弹的控制和引导。惯性仪表通常包括陀螺装置、加速度表等。惯性制导不受外界干扰，隐蔽性好，但制导误差会随着时间的增长而加大。

【惯性定律】牛顿第一定律。参见〔牛顿运动定律〕(724 页)。

丱☒ guàn 古时儿童束发成两角的样子。㉑总角～兮。

观(觀) ㊁ guàn 道教的庙宇。㊀ guān (346 页)。

冠 ㊁ guàn ❶把帽子戴在头上。❷居第一位。㉑～军｜产量为全省之～。❸在前面加上某种称谓或名号。㉑～名权｜他反对在名字前～以著名学者字样。㊀ guān (348 页)。

【冠军】体育运动等比赛中获第一名的优胜者。

涫 guàn ❶水沸。❷通“盥”。

悺☒ guàn 忧虑。

祼 guàn 古代祭名。祭祀时把奉献的酒浇在地上。

盥 guàn 洗手；洗脸。㉑～洗室。

【盥漱】洗脸漱口。

灌 guàn ❶浇。㉑引水～田。❷注入；倒进去。㉑～一瓶热水｜～一口袋粮食。

【灌木】无明显主干且较低矮的木本植物。基部多分枝或丛生。如酸枣、紫穗槐等。

【灌注】浇进；注入。

【灌浆】❶谷类作物子粒中营养物质积累的过程。❷建筑上指把灰浆浇灌到已砌起的砖石空隙中，使建筑物更坚固并能防止渗漏。❸指疱疹中的渗出物变成的脓，在患天花病或接种牛痘时常见这种现象。

【灌溉】利用渠道或管道输水到农田，满足

耕作及作物生长的需要。
【灌输】❶引水到田地。❷输送(多指知识、思想)。
瓘 guàn 一种玉。
爟⊠ guàn ❶生火。❷烽火。
鹳(鸛) guàn 鸟类。形状像鹤也像鹭,嘴长而直,翼大,尾圆短。生活在近水地区。中国有白鹳、黑鹳。
礶⊠ guàn 同"罐"。
罐(*鑵) guàn 盛东西的一种器物。㊀水~|茶叶~|煤气~。
【罐笼】矿井中运送矿石、材料、机器或工作人员的笼状升降容器。用途与电梯相似。
【罐装】用铁皮罐或玻璃瓶密封包装的。㊀~食品。

guāng ㄍㄨㄤ

光 guāng ❶通常指可见光。在光学技术上也包括不能引起视觉的红外线和紫外线。❷明亮。㊀~明|~泽。❸光荣;荣誉。㊀为国增~。❹使光荣。㊀~宗耀祖。❺景物;光景。㊀春~|观~。❻光滑;平滑。㊀磨~。❼露着。㊀~膀子。❽一点不剩。㊀一扫而~。❾指好处。㊀沾~。❿敬辞。表示对方的行为使自己感到光荣。㊀~临|~顾。⓫副词。只;单。㊀~一个人干不行。
【光大】使显赫兴盛。㊀发扬~。
【光子】也叫光量子。组成光的粒子。光子的静止质量为零,具有一定的动量和能量。光子的动量和能量随其频率而变化,频率越大,动量、能量越大。
【光火】〈方〉恼火;发怒。
【光卡】也叫激光卡。将激光与读取装置结合在一起,应用尖端科学技术的信用卡。特点是存储量大,保密性强。
【光芒】辐射的强烈光线。㊀~四射。
【光年】计量天体距离的单位。1光年即光在一年中所走的距离,约等于9.4605×10^{15}米。
【光华】光彩明亮。
【光阴】时间。
【光纤】光导纤维的简称。
【光驱】电子计算机光盘驱动器的简称。能使光盘匀速转动,以便读出上面存储的信息。
【光明】❶亮光。❷明亮。❸比喻正义的、有希望的。㊀~大道。❹胸襟坦白,没有私心。㊀~磊落。
【光波】光是一种电磁波,故名光波。光波和声波相似,能产生干涉和衍射现象。
【光泽】物体表面反射出来的亮光。
【光学】物理学的分支学科。研究光的本性,光的发射、传播和接收,光和其他物质的相互作用的规律和应用。
【光宠】赐给的荣耀或恩惠。
【光荣】❶被公认为值得尊敬的。❷荣誉。
【光标】在电子计算机显示屏上用来指示操作位置的标志。是由许多光点组成的符号,常用的有"|""+"等。
【光栅】一种精密的光学元件。是一块刻有大量的互相平行、等宽、等距的细线的玻璃片或镀金属膜的片。广泛用来代替棱镜进行光谱的研究和光的波长测量。栅(shān)。
【光临】敬辞。称宾客来到。㊀敬请~指导。
【光复】收复(被侵占的国土),恢复(已亡的国家或旧典章、文物)。《晋书·桓温传》:"光复旧京,疆理华夏。"
【光洋】银圆。
【光速】光(电磁波)传播的速度。一般指光在真空中的传播速度。各种频率的光在真空中的速度都一样,为299 792 458米/秒,是自然界重要常数之一。光速在任何惯性系中都等于这一常数,任何物体的速度都不能超过光在真空中的速度。在介质中,各种频率的光传播速度各不相同,但都比在真空中小。
【光顾】敬辞。光临照顾。商家对顾客常用。
【光球】太阳明亮发光的表层。厚度约为500千米,表面温度约6 000开。太阳光基本上都从这一层发出,黑子也出现在这一层。
【光圈】摄影镜头内调节光孔大小的装置。用以控制镜头的通光量和调节景深。
【光盘】视频记录媒体的一种。用激光束记录和读取信息,再现被记录的声音、静止图像和电影、电视等活动图像。
【光彩】❶颜色和光泽。㊀~夺目。❷光荣。

G

【光绪】清德宗爱新觉罗·载湉的年号(1875—1908)。

【光辉】❶闪烁的耀眼的光彩。㊀太阳的～。❷光明灿烂的。㊀～的一生|～的榜样。

【光景】❶风光;景色。❷境况;状况;情景。❸对时间、数量的约计。㊀约五分钟～|半夜～,起了大风。

【光焰】火的光芒。焰:火苗。

【光缆】一种大容量光信号传输线路。由若干对光纤集合起来制成。采取适当的结构形式,使既能符合光波传输要求,也能满足机械和环境要求。

【光谱】复色光通过棱镜或光栅分光后,按波长或频率的大小依次排列的图案。如太阳光通过三棱镜后,形成按红、橙、黄、绿、蓝、靛、紫次序连续分布的彩色光谱。各种元素都有它独特的光谱。

【光电管】俗称电子眼。应用光电效应原理制成的光电转换器件。在玻璃(或石英玻璃)管内半面涂上光电材料作为阴极,在管的中央装有金属阳极,管中的空气被抽去,或充入少量惰性气体,就制成了光电管。有光射入光电管时,阴极发射电子,电路中就出现电流。可制成各种光控装置,实现自动控制。

G

【光冲量】核爆炸时火球在整个发光时间内,投射到与光线传播方向相垂直的单位面积上的能量。通常以焦/厘米^2 为计量单位。

【光污染】指生产、生活用强光,或玻璃等建筑物强烈反射光,影响人们正常工作和生活的现象。

【光导管】即“光敏电阻”(353 页)。

【光呼吸】植物绿色组织在光照下吸收氧气和释放二氧化碳的过程。

【光周期】光照与黑暗(昼夜)交替出现,影响植物生长发育所经过的时间叫光周期。光周期对植物开花、贮藏器官形成、茎的延长等都有影响。

【光复会】清末革命团体。1904 年蔡元培、陶成章、章炳麟等在上海创立。以“光复汉族,还我山河,以身许国,功成身退”为宗旨,联系江、浙两省会党,准备起义。部分会员加入同盟会。但仍以光复会名义独立活动。武昌起义时,光复会组织的光复军在江苏、浙江、广东等地响应。1912 年陶成章被刺杀后解体。

【光通信】也叫激光通信。将话音、数据、图像等信息变换成激光的强弱变化等进行传送的通信方式。可通过空间传送或通过光纤传送。具有通信容量大、保密性好、抗电磁干扰等优点。

【光通量】单位时间内通过某一面积的光能(以引起人眼明暗感觉的强弱为标准进行测量)。单位是流明。

【光量子】即“光子”(351 页)。

【光辐射】❶物理学上指电磁辐射中可见光的辐射。❷军事上指核武器爆炸的闪光以及从火球发出的强光和炽热。能灼伤人、畜,烧毁物体。其强度随距离的增大而减弱。凡能挡住光线的物体,都能削弱其作用。

【光谱仪】记录光谱的精密光学仪器。在可见光和紫外光区域,多用照相法记录光谱,故又名摄谱仪;在红外光区域,一般用光敏或热敏元件代替照片记录光谱。

【光天化日】清陆陇其《答仇沧柱太史书》:“不才庸吏得于光天化日之下,效其驰驱。”原来形容太平盛世。后多用以形容大庭广众、人所共见的场合。

【光风霁月】雨过天晴明朗洁净的景象。比喻人的胸怀坦白开朗。宋陈亮《贺周丞相启》:“风光霁月,足以荡漾英游。”《宋史·周敦颐传》:“胸怀洒落,如光风霁月。”霁(jì):雨止。

【光电材料】容易产生光电效应的材料。可用来制造光电转换器件。如锂、钠、钾、铷、铯以及半导体材料等。

【光电转换】把光能转换为电能或把光信号转换为电信号。把光能转换为电能,可利用光电池;把光信号转换为电信号,可利用光电管、光敏电阻和光敏二极管等。

【光电效应】用频率超过某一数值的光照射金属时,能从金属中释放电子的现象。在自动控制、电视等方面有广泛应用。

【光合作用】绿色植物利用光能,使二氧化碳和水合成有机物并释放氧的过程。绝大多数生物都直接或间接地靠光合作用所提供的物质和能量而生存。农业上的许多丰产措施,实质上是充分利用光能,促进作物的光合作用,从而获得高产量。

【光导纤维】简称光纤。一种极细的能导光的纤维丝。它是利用石英或塑料等在高温下拉制而成的。纤维表层的折射率比中心折射率小,当光波从纤维丝的一端进入后,经过多次全反射,将顺着纤维丝的方向传输。排列整齐时可传输图像。光导纤维在医疗器械、电子光学仪器、光通讯线路等方面有重要应用。

【光纤技术】研究光信息在光导纤维中的传输机理、光纤的制造及其应用的技术。主要包括光纤、光纤器件和光缆的研制技术,光电信息的转换、传输和处理技术等。

【光纤通信】以激光为光源,以光纤为传输介质传输信息的通信方式。具有传输信息量大、抗电磁干扰等优点。

【光明日报】中国全国性综合性报纸。1949年6月16日在北平创刊。初由中国民主同盟主办,1953年起由各民主党派、全国工商联共同主办。1957年起改由中共中央宣传部、中共中央统战部领导。现为中共中央领导下的日报,向国内外发行。主要对象为知识分子。

【光明正大】心地光明,言行正派。

【光明磊落】胸怀坦白,光明正大。

【光怪陆离】形容五光十色,形象奇异。陆离:色彩繁杂。

【光宗耀祖】指为宗族、祖先增添光彩。

【光前裕后】给前人增光,为后代造福。形容功业伟大。多用作颂辞,颂扬人由寒微而达到富贵。

【光敏电阻】也叫光导管。利用半导体受光照后导电性能显著变化的特性制成的器件。它能使光信号转变为电信号。主要用在自动控制、电视、电影等设备中。

【光彩夺目】形容光泽颜色耀眼好看。

【光谱分析】应用光谱学原理和实验方法以确定物质结构和化学成分的分析方法。分定性分析(查明样品中所含的元素)和定量分析(确定这些元素的含量)两种。在近代工业及科学研究中获得广泛应用。

【光化学烟雾】汽车尾气以及其他工业设施所排放的碳氢化合物、氮氧化合物等,在阳光中紫外线的作用下,发生光化学反应,从而产生的富含有毒气体的烟雾。它会显著降低大气能见度,刺激人的眼、喉、鼻,使人头痛呕吐,对动植物也有危害。

【光记录材料】以激光引起物质的化学或物理变化来实现信息记录的介质(钆—钴合金)。其理论存储密度极高,写入和读出的速度很快。

【光效应艺术】也叫奥普艺术。1960年兴起于欧美的抽象艺术。主要利用设计严谨精确的抽象线条排列成几何形,通过光学和视觉作用产生颤抖、波动、闪烁、变形等视幻效应。代表人物有瓦萨雷利等。

咣 guāng 拟声词。撞击振动的声音。㊀他～的一下关上了大门。

洸□ guāng 见〔浛洸〕(376页)。

珖⊠ guāng 玉名。

桄 ㊀ guāng〔桄榔〕也叫砂糖椰子。常绿大乔木。羽状复叶丛生于干端。花序的汁可制糖,茎髓可制淀粉,叶柄的纤维可制绳。

㊁ guàng (355页)。

胱 guāng 见〔膀胱〕(738页)。

铫□(銧) guāng 镭的旧称。

guǎng ㄍㄨㄤˇ

广(❶-❹廣) guǎng ❶宽阔。㊀～场。❷多。㊀大庭～众。❸扩大;推广。㊀以～流传。❹指广东、广州(在“两广”中兼指广西)。㊀～货|京～线。❺古又同“庵(ān)”。

【广义】范围较宽的定义。与“狭义”相对。

【广告】一种通过登报、广播、电视、招贴等方式介绍商品、服务内容等的宣传形式。

【广岛】日本城市。位于日本本州岛西南部。1945年8月6日美国在这里投下了第一颗原子弹。

【广泛】范围大,方面广。㊀内容～。

【广度】向周围伸展的程度(用于抽象事物)。㊀我们要向科学的深度和～进军。

【广袤】东西叫广,南北叫袤。指土地面积。袤(mào)。

【广博】范围大,方面多(多指人的知识、学问)。

【广韵】韵书。宋代陈彭年等人根据隋代陆法言《切韵》重修。收二万六千多字,按韵排列,每字下附有简单注释。全书五卷,二百零六韵,是汉语音韵学的一部重要著作,也是研究中古音的重要工具书。

【广漠】形容地方广大空旷。

【广播】通过无线电波或导线传送节目的大众传播媒介。通过无线电波传送的,叫做无线广播；通过导线传送的，叫做有线广播。

【广东省】别称粤。位于中国南部，北邻湖南、江西，西邻广西，东邻福建，南滨南海。除大陆部分外，还包括东沙群岛等大小岛屿及礁滩。面积18万多平方千米。人口7 143万(1998年)。省会广州市。重要城市还有深圳、珠海、汕头、佛山、江门、东莞、湛江等。

【广州市】别称穗、羊城。广东省会。位于珠江三角洲北部。人口327万(1997年)。是珠江水运的总汇，京广、广三、广九等铁路在此相交。是全省政治、经济、文化和交通中心，华南最大城市和对外贸易港。市内著名的革命纪念地有广州农民运动讲习所旧址陈列馆、中山纪念堂、广州起义烈士陵园、三元里抗英纪念碑、黄花岗七十二烈士墓等。风景名胜有越秀山、白云山、镇海楼、光孝寺、六榕塔等。

【广陵散】琴曲。相传嵇康因反对司马氏专政而遭杀害，临刑前曾从容弹奏此曲。现存琴谱最早见于明代《神奇秘谱》。取材于聂政刺韩王故事。散(sǎn)。

【广域网】指由若干局域网相互连接而成的计算机网络。可分专用网(为某企业或部门服务)和公用网(为社会公众服务)两类。一般分布在几十千米以上的区域范围内。

【广寒宫】传唐玄宗曾梦游月中广寒清虚之府。见唐柳宗元《龙城录·明皇梦游广寒宫》。后人因称月中仙宫为广寒宫。

【广播剧】一种适应广播特点的戏剧形式。以对白为主，并配以解说词、音乐、音响效果等手段，通过创造听觉形象，展开戏剧情节，塑造人物，表达主题思想。

【广土众民】地域辽阔，人口众多。《孟子·尽心上》："孟子曰：'广土众民，君子欲之，所乐不存焉。'"

【广东音乐】中国民族器乐合奏的一种。流行于广东、香港、澳门等地。属于丝竹乐，由粤剧中的过场音乐发展而来。以二弦为主要乐器，辅以提琴(即大板胡)、三弦、月琴、笛子，称为五架头。代表曲目有《雨打芭蕉》《旱天雷》《赛龙夺锦》《步步高》等。

【广州起义】第二次国内革命战争初期，中国共产党在广州领导的起义。1927年12月11日，张太雷、叶挺、叶剑英等领导广州的工人武装和革命士兵三万余人举行起义，经过三昼夜英勇奋战，全歼国民党守军，占领广州，建立了工农兵苏维埃政府(广州公社)。在国民党反动军队优势兵力反扑下，起义于13日失败。

【广陵散绝】比喻优良传统断绝或后继无人。《世说新语·雅量》："嵇中散(嵇康)临刑东市，神气不变，索琴弹之，奏《广陵散》，曲终曰：'袁孝尼尝请学此散，吾靳固不与，《广陵散》于今绝矣。'"

【广播体操】简称广播操。通过广播指挥的在音乐伴奏下的群众性徒手体操。

【广义相对论】把狭义相对论推广到非惯性参考系，并把引力结合进去的关于时间、空间和引力场的统一理论。是爱因斯坦于1916年提出的。狭义相对论只是广义相对论在引力场很弱时的特殊情况。

【广谱抗生素】广泛作用于多种微生物的抗生素。如金霉素、土霉素等，对细菌、立克次体、衣原体、支原体、螺旋体、原虫等都有抑制作用。

【广东革命政府】第一次国共合作时期在广州建立的革命政权。其前身是1923年在广州成立的、以孙中山为首的大元帅府。第一次国共合作后，在中国共产党的建议下，于1925年7月1日改组为国民政府，成为当时革命统一战线的政权。通称广东革命政府。1927年1月迁至武汉。

【广播电视大学】简称电大。运用广播和电视等技术手段进行远距离教学的成人高等学校。中国在北京设总校，各省市自治区设分校。

【广西壮族自治区】别称桂。位于华南地区，东邻广东，东北邻湖南，北邻贵州，西邻云南，西南接越南，南滨北部湾。面积23万多平方千米。人口4 675万(1998年)。首府南宁市。重要城市还有柳州、桂林、梧州、北海、玉林等。

【广州农民运动讲习所】第一次国内革命战争时期中国共产党培养农民运动干部的教育机构。1924年7月在广州创办。共办六期。彭湃、毛泽东等任所长，周恩来、恽代英、萧楚女等担任教员。教学内容以学习马克思列宁主义和研究中国革命的基本问题——农民问题为中心。为党培养了许多农民运动骨干。

犷(獷) guǎng 粗野。㊀粗～|～悍。

guàng ㄍㄨㄤˋ

俇⊠ ㊀ guàng 〔俇俇〕心神不定。
㊁ kuāng（570 页）。

逛 guàng 游览；闲游。[例]～公园。

【逛荡】❶游荡。❷晃荡。荡（dang）。

桄 ㊀ guàng ❶桄子，绕线的器具。❷量词。一束线叫一桄。
㊁ guāng（353 页）。

guī ㄍㄨㄟ

归（歸） guī ❶返回；还给。[例]～国｜物～原主。❷聚拢；集中在一起。[例]千条江河～大海｜～结。❸属于。[例]这事～他管。❹珠算中称一位数的除法。[例]九～。❺古又同“馈（kuì）”。❻古又借用为“惭愧”的“愧（kuì）”。

【归口】❶分类划归到某个系统。[例]～管理。❷回到原来的行业或专业。

【归天】婉辞。指人死。

【归心】❶盼望回家的心情。❷心悦诚服而归附。

【归宁】旧指已婚妇女回娘家看望父母。

【归并】❶把甲并到乙里边；并入。❷合在一起；归拢。

【归附】原来不属于这一方面的投奔到这一方面来。

【归纳】即“归纳推理”（355 页）。

【归侨】回国的侨民。

【归依】同“皈依”（357 页）。

【归咎】把罪过或错误推给某人或某方面。[例]自己错了，不要～于人。咎（jiù）。

【归赵】见〔完璧归赵〕（1007 页）。

【归省】旧指回家探望父母。省（xǐng）。

【归顺】归附顺从；投降。

【归除】珠算中指除数是两位或两位以上的除法。

【归结】❶总括。[例]他的意见可～为三个方面。❷结局。

【归档】把文件、材料分类放进档案保存起来。

【归案】隐藏或逃走的犯罪嫌疑人被逮捕、押解或引渡到有关司法机关，以便审讯结案。

【归宿】最后的着落；结局。

【归罪】把罪责推到别人身上。

【归纳法】即“归纳推理”（355 页）。

【归谬法】一种反驳方法。先假定被反驳的观点是正确的，再从它推出明显荒谬的结论，从而证明它是错误的。

【归马放牛】《尚书·武成》：“乃偃武修文，归马于华山之阳，放牛于桃林之野，示天下弗服。”意思是将作战用的牛马，加以放牧，不再使用于战争。后因以比喻不再用兵。

【归心似箭】想回家的心情像射出的箭一样急。形容回家心切。

【归纳推理】也叫归纳法、归纳。通常指从一系列个别的、特殊性的前提推出一般的、普遍性的结论的推理。前提与结论之间的联系是或然性的，其结论的真实性必须由实践来证明。

【归真反璞】也说反璞归真。去其外饰，反回原貌。《战国策·齐策四》：“归真反璞，则终身不辱。”真：本来面目。璞（pú）：含玉的石头。

【归根结底】也作归根结柢。也说归根结蒂（dì）。归结到根本上。

圭 guī ❶古代帝王诸侯在举行典礼时拿的一种玉器。❷古代测日影的仪器。[例]～表｜～臬。❸古代量名。一圭容0.5毫升。

【圭针】圭臬南针。比喻方向性的指导。[例]锡以～。

【圭表】中国古代的一种天文仪器。包括圭和表两部分：表是直立的标杆，圭是平卧的尺。其构造是把圭平放在石座上，把表分别立在圭的南北两端。根据日影长短的变化可以测定节气。

【圭臬】古时测日影的器具。比喻准则、法度。[例]奉为～。臬（niè）：测日影的表。

邽 guī 用于地名，如下邽（在陕西）。

闺（閨） guī ❶上圆下方的小门。❷旧指女子住的内室。[例]～房。

珪⊠ guī 同“圭”①。

硅 guī 旧称矽。非金属元素，符号 Si，原子序数 14。自然界最丰富的元素之一，石英、砂子是硅的化合物。高纯单晶硅是半导体材料。硅钢片是制造电机、变压器的重要材料。

【硅谷】美国的高技术工业中心。位于西海岸加利福尼亚州北部,在旧金山和圣何塞两城之间,长48千米,宽16千米。是袖珍计算器、激光技术、微处理机等电子产品和技术的诞生地。因电子工业的基本材料是硅片,故名。

【硅肺】由长期吸入含游离二氧化硅的灰尘引起的肺部纤维化的职业病。患者早期症状不明显,严重的有气喘、咳嗽和胸痛等症状,甚至丧失劳动能力。

【硅胶】由硅酸凝胶适当脱水而成的颗粒大小不同的多孔材料。具有开放的多孔结构,比表面(单位质量的表面积)很大,能吸附许多物质,是良好的干燥剂、吸附剂和催化剂载体。硅胶的吸附作用主要是物理吸附,可以再生和反复使用。

【硅藻】藻类的一类。藻体一般为单细胞,有时集成群体。广泛分布于淡水、海水和湿土上,是鱼类和无脊椎动物的食料。

【硅化木】由古植物的木材部分经石化而成的化石。化学成分主要为二氧化硅。木材内部构造一般保存。保存较好的磨制成薄片后,可显示细胞的形状及细胞壁的构造。

【硅材料】指硅晶体。是目前应用最广泛的重要半导体材料。

G

【硅酸盐】二氧化硅和金属(主要是钠、钾、镁、钙、铝等)氧化物以不同比例组成的化合物的统称。是矿物中种类最多、分布最广的一类,如长石、石棉、云母、滑石等。硅酸盐制品和材料广泛应用于各种工业中。

【硅橡胶】主链由硅氧原子交替组成,在硅原子上带有有机基团的合成橡胶。不易老化,耐高温和低温(-60—+180℃),无味无毒,无致癌性,有较好的生物相容性和抗凝血性,机械性能差。用于制火箭、飞机等的零件和电绝缘材料等,也用于医用导管、人工关节、人造血管、人造心脏等。

【硅酸盐工业】以硅酸盐为主要成分,经配料和高温处理,制造各种成品及材料(如玻璃、陶瓷、水泥、耐火材料、磨料等)的工业。

袿☒ guī ❶妇女的上衣。❷衣袖。

鲑(鮭) ㊀ guī 鱼类。体大,略呈纺锤形,鳞圆而细。常见的如大马哈鱼。

㊁ xié (1088页)。

龟(龜) ㊀ guī 爬行动物。背腹有甲。有些种类的龟,头、尾和脚可缩入甲内。在水中或陆上都能生活,寿命很长。有的龟甲可供药用。

㊁ jūn (541页)。

㊂ qiū (803页)。

【龟鉴】比喻可以起借鉴作用的事物。龟:龟甲,古时用来占卜。鉴:镜子。

【龟缩】像乌龟那样把头缩到甲壳里。比喻胆怯退缩。

【龟毛兔角】也说兔角龟毛。乌龟身上生毛,兔子头上长角。古代认为这是战争的征兆。后比喻不可能存在或有名无实的东西。晋干宝《搜神记》卷六:"商纣之时,大龟生毛兔生角,兵甲将兴之象也。"

【龟鹤遐寿】祝人长寿的颂辞。《抱朴子·对俗》:"知龟鹤之遐寿,故效其道引以增年。"遐(xiá)。

妫(媯) guī 妫河,永定河支流。发源于北京延庆,在河北怀来入永定河。

规(規*槼) guī ❶画圆形的工具。㊎圆~。❷法则;章程。㊎校~。❸计划;谋划。㊎~划|~避。❹劝告。㊎~劝。

【规劝】以道理劝说,使改正错误。

【规划】❶比较全面的长远的发展计划。❷制定全面的长远的发展计划。

【规则】❶大家共同遵守的具体规定。㊎交通~。❷指形状、结构的整齐、对称,合乎一定方式。㊎这组建筑群的布局很有~。

【规约】相互协议所定的共同遵守的条约。

【规范】❶标准;法式。㊎语音~。❷模范;典范。

【规定】❶事先对事物在数量、质量或方式、方法等方面定出要求。㊎~生产任务|~具体措施。❷决定。㊎中国的现实状况~了农业在国民经济中的重要地位。

【规矩】规和矩,本来是画圆形和方形的两种工具,引申为一定的标准、行为准则。也指恪守本分。

【规复】恢复(机构等)。

【规律】也叫法则。事物发展中本质的、必然的联系。具有必然性、普遍性和稳定性。它的存在和作用都是不依人的意志为转移的。人们能够认识它,运用它,却不能创造它,消灭它。

【规格】规定的要求或条件。在生产上是指对产品或原料所规定的尺寸、精密度、重量、性能等。

【规章】国家行政机关制定的规范性文件。依据制定机关的不同可分为国务院部门规章和地方政府规章两大类。前者指国务院组成部门及直属机构在其职权范围内制定的规范性文件；后者指省、自治区、直辖市和较大的市的人民政府依照法定程序制定的规范性文件。

【规谏】忠言劝戒。

【规程】为进行操作或执行某种制度而作的具体规定。㊀操作～。

【规模】（事业、机构、工程、运动等）的格局或范围。㊀粗具～｜～宏大。

【规避】想方设法躲开、回避。

【规范化】使事物合乎规定的标准。

【规定性】指一事物区别于他事物的特性。一切事物都是质的规定性和量的规定性的统一。质从事物的本质上表明不同事物之间的区别，量从事物存在和发展的规模、程度、速度等方面表明同类事物之间的区别。

【规行矩步】按规矩走路。比喻说话行动拘谨，严格按规矩办事。《晋书·张载传》："今士循常习故，规行矩步。"规、矩：法则，规则。

【规求无度】一味贪求，没有限度。形容贪得无厌。《左传·昭公二十六年》："侵欲无厌，规求无度。"规求：贪求。

【规矩准绳】也说规矩绳墨。指应该遵守的标准、法则。汉王符《潜夫论·赞学》："譬犹巧倕（chuí，巧匠名）之为规矩准绳以遗后工也。"规矩：画圆形、方形的工具。准绳：水准和绳墨，量平直的工具。

【规章制度】国家机关、团体、企业事业单位所制定的各项规则、章程和制度。

【规模经济】随着生产规模的扩大，厂商的收益得到增加的状况。分内在规模经济和外在规模经济。前者指厂商自身生产规模扩大所带来的收益增大，后者指行业规模扩大所带来的收益增大。

【规模不经济】与规模经济相反。参见〔规模经济〕（357页）。

槻□（槻）　guī　常绿乔木。叶椭圆形，花小而色淡黄，结小形核果。木材可以做弓。

鬶（鬹）　guī　古代一种形状像鼎的陶制炊具。有三个空心的足。

皈　guī　同"归"。用于"皈依"。

【皈依】也作归依。❶佛教的入教仪式。表示对佛、法（教义）、僧三者归顺依附，故也叫三皈依。❷泛指全心全意地信奉佛教或参加其他宗教组织。

逯☒　guī　"归"的异体字。

帰☒　guī　"归"的异体字。

瑰☒　㊁ guī　瑰山，古山名，即今古口山，在河南。
㊀ wěi（1023页）。

瑰（*瓌）　guī　❶珍奇。㊀～异。❷像玉的石头。

【瑰丽】极其美丽。

【瑰玮】奇特。也用来形容文章写得华丽。

【瑰宝】珍奇的宝物。

巂□　㊀ guī　鸟名。即子规。
㊁ xī（1056页）。

guǐ　ㄍㄨㄟˇ

氿□　㊁ guǐ　从山的侧面流出的泉水。
㊀ jiǔ（525页）。

宄　guǐ　坏人。㊀奸～。

轨（軌）　guǐ　❶原指车子两轮之间的距离，后指车轮碾过的痕迹。❷一定的运行路线。㊀～迹。❸比喻事物正常的规则、法度、秩序。㊀正～｜越～。❹轨道。也指铺设轨道用的条形钢材。㊀火车出～了｜铺～工程。

【轨范】行动所遵守的标准。

【轨枕】在铁路上直接支承钢轨的结构物。用以保持钢轨的正确位置，并将车轮压力传布于道床。有木枕、钢枕及钢筋混凝土枕等。

【轨迹】❶一个物体按某种规律运动时，它所经过的路线就是这个物体运动的轨迹。如人造地球卫星按计划运行的路线，就是它的轨迹。几何学中，把所有满足某种条件的点所构成的图形叫做具有这种性质的点的轨迹。❷比喻人生经历的或事物发展的道路。

【轨道】❶供火车、电车等行驶而铺设的铁轨。❷物体运动的路线，多指有一定规则的。❸比喻应遵守的规范、程序。㊀走上～。

【轨辙】车轮轧出的痕迹。比喻往事或曾有

人走过的道路。
【轨道倾角】通常指一个天体的轨道面和赤道面之间的交角,但对人造地球卫星而言则指它的轨道面和地球赤道面之间的交角。

匭(匭) guǐ ❶匣子。㊀票～。❷武则天时代专设鼓励民间"言政得失"和求职、自荐或伸冤的铜质意见箱。

庋 guǐ ❶放东西的架子。❷放置;保存。㊀～藏。

佹☒ guǐ ❶乖戾;奇怪。㊀～诗。❷偶然。㊀～得～失。

诡(詭) guǐ ❶欺诈;奸滑。㊀～计。❷奇怪;奇异。㊀～异。
【诡计】狡诈的计谋、花招。㊀～多端。
【诡异】奇异。
【诡诈】狡诈。
【诡秘】行动、态度隐秘,不易捉摸。㊀行踪～。
【诡谲】❶奇异多变。❷狡诈多端。谲(jué)。
【诡辩】故意歪曲事实,违反辩证法和逻辑规律,用似是而非的议论,为某种荒谬的言行进行辩解。

G

垝☒ guǐ 倒塌;缺损。

姽 guǐ 〔姽婳〕形容女子闲静美好。婳(huà)。

鬼 guǐ ❶迷信的人认为人死后的灵魂叫鬼。❷不可告人的打算或勾当。㊀捣～|～～祟祟。❸称有不良嗜好或行为的人(含轻蔑意)。㊀酒～|烟～。❹指小孩机灵。㊀这孩子真～!|小～。❺星名。二十八宿之一。
【鬼火】磷火的俗称。
【鬼胎】指不可告人的念头。㊀心怀～。
【鬼祟】偷偷摸摸,行为诡秘,不光明正大。祟(suì)。
【鬼蜮】比喻用心险恶、暗中害人的坏人。㊀～伎俩。蜮(yù)。
【鬼魅】鬼怪。魅(mèi)。
【鬼门关】迷信说法指阴阳交界的关口。比喻凶险的地方或难于度过的时刻。
【鬼剃头】斑秃的俗称。
【鬼使神差】迷信的人认为有些很凑巧的事情是由于鬼神在暗中指使而造成的。后用鬼使神差形容事情的发生完全出于意外,或不自觉地做了原先没想做的事。
【鬼斧神工】也说神工鬼斧。《庄子·达生》:"梓庆(一个叫庆的木匠)削木为鐻,鐻成,见者惊犹鬼神。"后因用鬼斧神工形容建筑、雕塑等的技艺非常精细巧妙,好像不是人工所能制成。
【鬼神不测】鬼神也预料不到。形容极其神奇奥妙。《三国演义》第四十九回:"瑜骇然曰:'此人有夺天地造化之法、鬼神不测之术!若留此人,乃东吴祸根也。'"
【鬼哭狼嚎】形容叫声很凄厉。
【鬼蜮伎俩】《诗经·小雅·何人斯》:"为鬼为蜮,则不可得。"后用"鬼蜮伎俩"比喻居心险恶,暗中伤人的卑劣手段。蜮:传说中一种能含沙射影害人的动物。伎俩:花招,手段。

磈☒ ㊀ guǐ 〔磈硊〕形容山石险怪。
㊁ wěi (1023页)。

癸 guǐ 天干的第十位。现常用来表示顺序的第十。

殳☒ guǐ 同"簋"。

晷 guǐ ❶日影。比喻时间。㊀日无暇～(整天没有空闲的时间)。❷日晷。

簋 guǐ 古代盛食物的器具。

guì ㄍㄨㄟˋ

柜(櫃) ㊀ guì ❶柜子,存放东西的家具。㊀衣～|书～|文件～。❷商店售货台。
㊁ jǔ (530页)。

炅 ㊁ guì 姓。
㊀ jiǒng (523页)。

刿(劌) guì 刺伤。

鳜□**(鱖)** guì 鱼类。体小,侧扁,银白色,有黑色小点,吻尖,口大。生活在溪水中。

刽(劊) guì 砍;斩。
【刽子手】旧时直接执行死刑的人。现比喻镇压革命或屠杀人民群众的凶手。

桧(檜) ㊀ guì 〔桧柏〕也叫圆柏。常绿乔木。树冠塔形,叶有鳞形、刺形两种。木材细致,有香气。
㊁ huì (435 页)。

贵(貴) guì ❶价钱大;价值高。㊀昂～|春雨～如油。❷值得珍视、重视。㊀宝～|难能可～。❸以某种情况为可贵。㊀人～有自知之明|兵～神速。❹享有特殊利益和优越地位的人。㊀权～。❺敬辞。称与对方有关的事物。㊀～姓。❻贵州的简称。㊀云～高原。

【贵妃】位次于皇后的妃子。

【贵庚】敬辞。问人年龄。

【贵胄】旧指贵族的后代。胄(zhòu):后代人。

【贵恙】敬辞。称对方的病。恙(yàng):病。

【贵宾】尊贵的客人。现多指外宾。

【贵族】奴隶社会或封建社会以及当代君主国家中享有世袭特权的统治阶级的上层。

【贵州省】简称贵。别称黔。位于云贵高原东部,北邻四川、重庆,西邻云南,南邻广西,东邻湖南。面积 17 万多平方千米。人口 3 658 万(1998 年)。省会贵阳市。重要城市还有遵义、都匀、安顺、凯里、毕节等。

【贵阳市】别称筑。贵州省会。位于该省中部。人口 128 万(1997 年)。黔桂、川黔、湘黔、贵昆等铁路在此交会。是全省政治、经济、文化和交通中心。有机械制造、冶金、化工、卷烟等工业。风景名胜有黔灵山、花溪、甲秀楼、文昌阁等。

【贵金属】在地壳中储量少,开采和提取较困难的金属。因价格比一般金属贵,故名。多数具有较强的化学稳定性、很好的延展性等特点。如金、银、铂、铱、锇等。

匮(匱) ㊁ guì 同"柜(guì)"。
㊀ kuì (572 页)。

瞶⊠(瞶) guì ❶瞎子。❷眼睛昏花。

桂 guì ❶桂花树,木犀的通称。❷肉桂树,常绿乔木。树皮即桂皮或称肉桂,有香味,可供药用,又作调料。❸广西的别称。

【桂月】农历八月。

【桂林】市名。位于广西壮族自治区东北部,城临漓江,湘桂铁路经此。人口 45 万(1997 年)。风景秀丽,向有"桂林山水甲天下"之誉。

【桂冠】用月桂叶编成的帽子。古希腊人把它授予优秀的诗人或竞技的优胜者,作为一种荣誉的标志。后来欧洲习俗以桂冠为光荣的称号。冠(guān)。

【桂圆】即"龙眼"(633 页)。

【桂子飘香】桂花散发出阵阵香气。形容中秋节前后的佳景。宋陆游《老学庵笔记》卷二:"张子韶对策有桂子飘香之语。赵明诚妻李氏(李清照)嘲之曰:'露花倒影柳三变,桂子飘香张九成。'"

【桂林山水】广西桂林及其附近石灰岩地区各种类型的喀斯特地貌景观和河湖景观的总称。以山青、水碧、石奇、洞异著称。

硊□ ㊀ guì 用于地名,如石硊(在安徽)。
㊁ wěi (1023 页)。

跪 guì 屈膝;使膝盖着地。㊀～姿射击。

鳜(鱖) guì 鳜鱼,鱼类。口大,下颌突出。鳞细小,圆形。体黄绿色,有鲜明的黑斑。生活在淡水中。是中国名贵鱼之一。

gǔn ㄍㄨㄣˇ

衮 gǔn 古代帝王的礼服。

【衮服】天子的礼服。

【衮衮】连续不断;众多。

【衮衮诸公】唐杜甫《醉时歌》:"诸公衮衮登台省,广文先生官独冷。"后以"衮衮诸公"指居高位而无所作为的官僚政客。

滚 gǔn ❶滚动;翻转。㊀打～。❷水流翻腾。㊀长江～～。❸液体受热沸腾。㊀～水。❹要人立刻走开、离开(含斥骂意)。㊀～出去!

【滚梯】自动扶梯的俗称。

【滚滚】形容急速地滚动或翻腾。㊀车轮～|大江～东去。

【滚翻】体操动作之一。指躯干依次接触地面或器械,也经过头部的翻转动作。分前滚翻、后滚翻和侧滚翻。

【滚水坝】即"溢流坝"(1170 页)。

【滚瓜烂熟】形容记得非常牢固,念或背得非常流利。

磙 gǔn 磙子,用石头或铁等制成的滚轧器具,用来轧场(cháng)、修路等。

绲(緄) gǔn ❶一种缝纫方法。沿着衣物的边缘缝上布条、带子等。㊀袖口～边。❷织成的带子。

辊（輥） gǔn 机器上能转动的圆柱形机件。㊀皮～花|～轴。

鲧（鯀） gǔn ❶古书上说的一种大鱼。❷古人名。传说是夏禹的父亲。

gùn ㄍㄨㄣˋ

棍 gùn ❶棒;棍子。㊀棱镖短～。❷坏人;无赖。㊀恶～|赌～。

【棍术】武术器械练习之一。棍属长器械,有长棍、齐眉棍、梢子棍、三节棍等。棍法有劈、盖、压、点、扫、撩、拨等。棍术迅疾泼辣,声势威猛。"棍扫一大片"是棍术的基本风格。

guō ㄍㄨㄛ

过（過） ㊁ guō 姓。
㊀ guò（367页）。
㊂ guo（368页）。

彍⊠（彍） guō 拉满了弓弩。

呙（咼） guō 姓。

埚（堝） guō 见〔坩埚〕(303页)。

涡（渦） ㊁ guō 涡河,淮河的支流。在安徽北部。
㊀ wō（1032页）。

锅（鍋） guō ❶烧水煮饭等用的器具。❷器物上形状像锅的部分。㊀烟袋～。

郭 guō 古代在宫城的外围加筑的外城。㊀城～。

【郭熙】北宋画家。字淳夫,河阳温县(今属河南)人。工山水,学李成,能创新,与李成并称李郭。传世作品有《早春图》和画论《林泉高致》。

【郭璞】(276—324)东晋文学家、训诂学家。字景纯,河东闻喜(今属山西)人。博学多才,擅长诗赋,所作《游仙诗》,通过追求仙境,表现忧生避祸的心情和轻视富贵的思想。著有《尔雅注》《方言注》《山海经注》《穆天子传注》等。有《郭弘农集》。

【郭小川】(1919—1976)中国现代诗人。原名恩大,河北丰宁人。早年参加抗日救亡运动,1941年在延安马列学院学习文艺。1950年出版诗集《平原老人》,1958年发表《投入火热的斗争》《致青年公民》等雄浑豪放的朗诵诗。他注意吸取民歌、古典诗歌和新诗的营养,形成了雄健清新的风格。代表作有《月下集》《将军三部曲》《甘蔗林——青纱帐》《昆仑行》《团泊洼的秋天》等。有《郭小川诗集》。

【郭守敬】(1231—1316)元代天文学家、水利学家、数学家。字若思,顺德邢台(今属河北)人。精通历算和水利。修治许多河渠。创造出简仪、候极仪等十三种观测天象的仪器。和王恂等一起编制了《授时历》,所采用的回归年长(365.24258)同现代公历基本相同。

【郭沫若】(1892—1978)中国现代文学家、历史学家、古文字学家、社会活动家。原名开贞,四川乐山人。1914年去日本学医,后弃医从文。1918年开始写诗,1921年出版诗集《女神》,表现了五四时期狂飙突进的创造新世界的时代精神,并与郁达夫等组织创造社。1926年参加北伐战争,1927年参加南昌起义。1928年旅居日本,从事中国古代史和古文字研究,著有《中国古代社会研究》《甲骨文字研究》等。抗日战争爆发后回国从事抗日救亡运动,并创作爱国主义的历史剧《屈原》。1949年后著有历史剧《蔡文姬》等和多部诗集,主编《中国史稿》。有《郭沫若全集》。

崞 guō〔崞阳镇〕地名。在山西北部。原为崞县,1958年撤销。

啯□（嘓） guō 拟声词。喝汤水等的下咽声。

蝈（蟈） guō〔蝈蝈〕昆虫。螽斯的一种。翅短,腹大。雄的前翅基部可摩擦发声。吃植物的嫩叶和花,危害农作物。

聒 guō 声音嘈杂。㊀～耳。

【聒噪】声音杂乱;吵闹。

guó ㄍㄨㄛˊ

囯⊠ guó "国"的异体字。

国（國） guó ❶国家。㊀保家卫～。❷代表或属于本国的。特指

中国的。㊣～旗|～产|～画。❸在一国内最出色的。㊣～色|～手。❹古指都城。

【国人】❶西周、春秋时对居住于国都的人的通称。一般指周族的自由民。❷本国人。

【国力】国家的实力。

【国土】狭义指国家主权管辖的地域空间，即领土，包括领陆、领水和领空。广义指国家主权管辖范围内的全部资源的总和。

【国门】❶国都的城门。❷国家的大门。比喻国境。

【国手】精通某种技能，在国内数一数二的人(多指名医、棋手等)。

【国风】《诗经》的组成部分。包括《周南》《召南》《邶风》《卫风》等，称十五国风，一百六十篇。多为四言诗。大多是周初至春秋中叶的民歌，对当时社会、政治生活作了广阔的反映，也有一些描写男女爱情的作品。内容多具有人民性。

【国书】一国元首派遣或召回大使、公使时，致送驻在国元首的正式文书。前者叫派遣国书，后者叫召回国书。派遣国书由大使或公使亲自向驻在国元首递交。按照国际惯例，外交使节在递交派遣国书后，才被认为开始执行职务。目前中国已将召回国书与派遣国书合并为一个国书，由新任大使递交。

【国本】立国的根本。

【国术】中国传统的武术。

【国号】国家的称号。中国历代因王朝更易，皆改定国号，如汉、唐、宋等。

【国乐】指中国传统的音乐。

【国民】❶公民。作为法律名词，多数国家用“公民”，仅少数国家用“国民”，如日本。❷国人；本国的人民。

【国会】即“议会”(1167页)。

【国色】❶一国中容貌最美丽的女子。❷指牡丹花。

【国庆】❶指开国纪念日。中华人民共和国国庆日是10月1日。❷古指帝王的登基或诞辰。

【国防】国家为捍卫主权、统一、领土完整和安全，防备外来侵略和颠覆而进行的军事及与军事有关的政治、经济、外交、科技、教育等方面的活动和建立的相关设施。

【国体】指国家政权的阶级性，即社会各阶级在国家中的地位。中国的国体是工人阶级领导的以工农联盟为基础的人民民主专政的社会主义国家。

【国库】办理中央财政收入、支出的机构。

【国君】君主国家的最高统治者。

【国际】国与国之间，世界各国之间。㊣～关系|～地位。

【国画】中国画的简称。

【国事】有关国家的大事。

【国法】国家的法纪。

【国学】❶称中国的传统学术文化。❷古指国家办的学府。如太学、国子监等。

【国帑】国家的公款。帑(tǎng)：古指银库和库里的钱财。

【国故】旧指中国固有的文化。

【国柄】国家大权。

【国殇】旧指在保卫国家的战争中牺牲的人。殇(shāng)。

【国是】国家大计。

【国界】划分国家主权管辖空间的标志。在地图上表现为把相邻国家分开的界线。一个国家的国界，代表该国主权和行政控制所能达到的范围。

【国度】国家。

【国音】旧指国家审定的汉语标准音。

【国语】❶由历史形成并由政府规定的一种标准化的全国通用的共同交际语。是国家在政治、文化、教育各方面使用的语言。中国的国语现通称普通话。❷书名。相传春秋时左丘明著。二十一卷。以记西周末年和春秋时期周、鲁等国贵族的言论为主。

【国耻】国家被侵略所受的耻辱，如被迫割地赔款、订立不平等条约等。

【国格】指国家的荣誉、尊严、声望和影响(多体现在涉外活动中)。

【国贼】危害国家或出卖国家主权的败类。

【国债】国家通过借款、发行债券等方式所欠的内外债务。

【国家】❶一个国家政权所领有的区域。㊣我国是一个土地辽阔、资源丰富的～。❷阶级统治的工具。是占统治地位的阶级为维护本阶级的利益、巩固其统治，对被统治阶级施用暴力的机器。由国家立法机关、国家行政机关、检察机关、军队、警察、法庭、监狱等组成。

【国宴】国家元首或政府首脑为招待国宾或在节日为招待各界人士而举行的隆重宴会。

【国宾】接受国家元首或政府首脑的正式邀请，到该国进行访问的外国元首或政府首脑。

【国难】国家的危难。特指由外国侵略造成的国家灾难。

【国教】由国家政权确认并取得统治特权的宗教。如基督宗教在欧洲各国曾长期成为国教。

【国戚】帝王的外戚,即后妃的家族。

【国脚】指国家足球队的队员。㊀广东队兵多将广,拥有五名~。

【国情】指一个国家的政治、经济、文化等方面的基本情况。

【国联】国际联盟的简称。

【国葬】以国家名义为有特殊功勋的人举行的葬礼。

【国策】国家的基本政策。

【国道】由国家规划修建和管辖的干线公路。㊀301~|京张~北京段。

【国境】❶一个国家的领土范围。❷指国家的边境。

【国歌】代表一个国家的歌曲。由政府制定或采用。中国以《义勇军进行曲》为国歌。

【国旗】代表一个国家的旗帜。体现国家的主权和尊严。中国的国旗是五星红旗,红色象征革命,五星象征中国共产党领导的以工农联盟为基础的全国各族人民的大团结。

【国粹】指一个国家固有文化中的精华。

【国徽】代表一个国家的标志。中国的国徽中间是五星照耀下的天安门,周围是谷穗和齿轮。它象征着工人阶级领导的以工农联盟为基础的中华人民共和国,代表着我们伟大的社会主义祖国的尊严。

【国籍】一个人作为一个国家的成员而隶属于该国的法律上的身分。国籍与公民资格常用于同一意义。凡具有某国国籍的人就是该国公民,享有外国人不能享有的一些权利,如选举权、被选举权等,也履行外国人不必履行的一些义务,如服兵役等。

【国子监】中国古代负责教育管理的最高机关,也兼为最高学府。始于晋,称国子学,隋以后改称国子监,清末废除,改设"学部"。

【国务院】❶中国最高国家权力机关的执行机关,即最高国家行政机关,也就是中央人民政府。由总理、副总理若干人,国务委员若干人,各部部长、各委员会主任、审计长、秘书长组成。国务院实行总理负责制,总理领导其工作。国务院对全国人民代表大会及其常务委员会负责并报告工作。❷民国初年的内阁。以国务总理为首。❸美国联邦政府中主管外交的部门。国务卿主管全院工作,并设副国务卿和助理国务卿若干人。

【国务卿】美国的首席部长。主管外交,相当于其他国家的外交部长,但掌管合众国国玺,总统发布某些文告时,他有辅助签名之责。

【国库券】简称库券。由国库直接发行的一种短期债券。性质与公债相近,但期限较短,发行的主要对象是个人、国有企业、集体企业、企业管理部门和地方政府,以便主要在中央与地方之间,国家、企业与个人之间,组织多余资金来解决财政问题。

【国际法】国际公法的简称。

【国际歌】全世界无产阶级的革命战歌。法国工人诗人鲍狄埃 1871 年 6 月作诗,工人作曲家狄盖特 1888 年 6 月谱曲。

【国标舞】国际标准交谊舞的简称。也叫舞厅舞。具有国际统一标准的社交性舞蹈。由英国皇家舞蹈教师协会于 20 世纪 20—50 年代对交谊舞的舞种、舞步、舞姿进行整理、规范而成。现分摩登舞和拉丁舞两大系列。前者包括华尔兹、维也纳华尔兹、探戈、狐步、快步五种舞蹈;后者包括伦巴、桑巴、恰恰、牛仔、斗牛五种舞蹈。

【国统区】抗日战争、解放战争时期国民党政权统治的地区。

【国家股】由政府投资购买的股份公司股票。

【国家法】一些国家的法学家对由国家制定的法律的总称。

【国人暴动】西周晚期的一次民众武装暴动。国人指住在都城及其附近的居民。周厉王时,任用荣夷公实行专制,控制言论,随意杀戮。国人忍无可忍,于公元前 841 年举行武装起义,厉王狼狈逃窜。厉王被推翻后,诸侯推举周、召二公共同行政,史称共和行政。

【国士无双】才能超群,国内无人可比。《史记·淮阴侯列传》:"诸将易得耳。至如信者,国士无双。"国士:国内杰出的人物。

【国土整治】指对国土资源的考察、开发、利用、治理和保护,以及为此目的而进行的国土规划、国土立法、国土管理等工作。

【国计民生】国家经济和人民生活。

【国务委员】中国国务院相当于副总理的组

G

成人员。协助总理工作。由国务院总理提名,全国人大决定,中华人民共和国主席任命。

【国民收入】一国从事物质生产的劳动者在一定时期(如一年)新创造的价值。即从全年的总产值中,扣除用于补偿消耗了的生产资料价值以外的全部价值。其实物形式是全部消费资料和用作扩大再生产和增加后备等的生产资料。一切非物质生产部门都不创造国民收入。在西方经济学中,广义的国民收入包括国民生产总值、国民生产净值、国民收入、个人收入和个人可支配收入等五个总量;狭义的国民收入指按生产要素报酬计算的各种收入的总和,它等于从国民生产净值中扣除间接税和企业暂移支付再加政府补助金,即工资、利息、租金、利润之和。

【国民经济】指一国的生产、流通、分配和消费的总体。包括工业、农业、建筑业、运输业、邮电业、商业、信贷业、文化教育、科学研究、医药卫生等。

【国民政府】一般指第一次国共合作时期在广州和武汉建立的革命政权。其前身为以孙中山为首的大元帅府,1925 年 7 月 1 日改组为国民政府,通称广州革命政府。北伐军攻克武汉后,1927 年 1 月国民政府由广州迁至武汉,通称武汉国民政府。接受其管辖的有全国南北十一个省。积极支持反帝反封建运动,支持湖南、湖北农民运动。蒋介石发动四·一二反革命政变后,在南京另立国民政府。七·一五政变后,武汉和南京两个国民政府合二为一,通称南京国民政府,又称国民党政府,成为完全代表帝国主义、封建主义和官僚资本主义利益的政权。

【国民待遇】一个国家对外国自然人或法人在某些事项上给予与本国自然人或法人同等的待遇。

【国有企业】简称国企。全部或大部分财产由国家所有并控制的企业。在中国,即指社会主义全民所有制企业。原由国家直接经营,称为国营企业。后国家原则上不直接经营企业,改称国有企业。

【国有经济】生产资料为国家所有的经济形式。国有经济的性质是由国家的性质决定的,在私有制社会里,国有经济只具有从属地位,而在社会主义公有制社会里,国有经济则具有主体和主导地位。与“民营经济”相对。

【国色天香】形容牡丹花的香色可贵,不同于一般花卉。唐李正封《咏牡丹花》诗:“天香夜染衣,国色朝酣酒。”后也用以形容女子的美丽。

【国防力量】国家在国防领域内所拥有的各种力量的总称。包括国防实力和国防潜力。武装力量是国防力量的主体。

【国防动员】也叫战争动员。国家为准备战争和实施战争而在相应范围内采取的紧急措施。包括该范围由平时状态转入战时状态,统一调动人力、物力、财力等。

【国防设施】用于国防目的的工程建筑和设备及其相应的管理机构的总称。主要包括各种军事设施以及可以用于军事目的的交通、运输、通信等设施。

【国防观念】保卫国家安全、履行国防义务的思想意识。

【国防体制】国家为进行国防建设和斗争而确定的组织体系及相应制度。主要包括国防领导体制、武装力量体制、国防动员体制、国防经济体制、国防科技与武器装备发展体制等。

【国防建设】国家为提高国防能力而进行的各方面建设。主要包括武装力量建设,边防、海防、空防、人防及战场建设,国防科技与国防工业建设,国防法规与动员体制建设,国防教育以及与国防相关的交通运输、邮电、能源、水利、气象、航天等方面的建设。

【国防战略】国家筹划和指导国防建设与斗争全局的方略。是国家战略的组成部分,由国家依据国际国内形势和客观条件及国防的需要制定。

【国防教育】国家为巩固和加强国防而对公民进行的普及性教育。主要包括国防思想、军事知识等方面的教育。目的是使公民增强国防观念,掌握国防知识和必要的军事技能,发扬爱国主义精神,自觉履行国防义务。

【国步艰难】国家处于危难之中。清冯桂芬《复庄卫生书》:“际兹国步艰难,方当拨乱反正。”国步:国家的命运。

【国库资金】中央政府发行国家债券所取得的资金。

【国际分工】生产社会化超越一国范围而形成的国与国之间的分工。

【国际公制】简称公制。也叫米制。一种计

量单位制。创始于法国,1875 年 17 个国家的代表在法国巴黎开会议定为国际通用的计量制度。其主要单位:长度单位为米;质量单位为千克;容量单位为升。中国国务院 1959—1984 年曾规定以国际公制为中国的基本计量制度。

【国际公法】简称国际法。旧称万国公法。调整国家间相互关系的有约束力的原则、规则的总称。其主要特点是:主体(权利和义务的承担者)是国家而不是个人;主要渊源是国际条约和国际惯例以及国际组织的某些决议,没有统一的立法机关、统一的法典和统一集中的强制执行机关,通过各国的协议来制定、修改和执行国际条约、国际惯例以及国际组织的某些决议。现代国际法的基本原则是相互尊重主权和领土完整、互不侵犯、互不干涉内政、平等互利、和平共处等。

【国际主义】无产阶级国际主义的简称。马克思主义关于国际无产阶级团结的思想。是国际共产主义运动的指导原则之一。它要求全世界无产阶级和劳动人民在反对压迫剥削,争取民族解放,进行社会主义革命和建设共产主义的斗争中,紧密团结、互相支援。

【国际共管】几个国家对某一特定地区或国家实行共同的统治或管理。

【国际仲裁】争端当事国同意将他们之间的争端交由双方选定的仲裁人所组成的仲裁庭来裁判并承诺服从其裁决。提交国际仲裁的争端一般是法律性质的争端。是和平解决国际争端的一种法律方式。

【国际价值】商品在世界市场上的价值量。

【国际收支】一国在一定时期内同其他国家在贸易、非贸易(如保险、运输、利息、旅游等)往来中,从国外收入的款项和对国外支出的款项。收入多于支出,叫国际收支顺差;支出多于收入,叫国际收支逆差;收支大致相等,叫国际收支平衡。

【国际私法】调整含有涉外因素的民事法律关系,解决应当适用何国法律的一系列规范的总称。主要渊源是国内法,其次是条约和国际惯例。以冲突规范为主要内容,故又名冲突法,不是实体法。

【国际纵队】参加西班牙民族民主革命的国际志愿军。1936 年西班牙内战爆发后,各国共产党人和进步人士响应共产国际的号召,于同年 10 月组成国际纵队,援助西班牙共和国政府对法西斯军队作战。来自五十三个国家的三万多人参加,于 1938 年 9 月撤离。

【国际金融】国际交往中所形成的与货币资金运动有关的经济活动。

【国际法院】见〔海牙国际法院〕(374 页)。

【国际贸易】也叫世界贸易。即跨国界的交易,包括商品交易、证券交易、商业信息交易等。

【国际音标】1888 年国际语音学会制定的标音符号。后经多次修订。语音中每一个最小单位(音素)都有一个音标来代表,可以用来标记任何语言的语音。为了和别种字母相区别,使用时通常在音标两边标上方括弧,如[b]。

【国际象棋】棋类运动项目之一。棋盘纵横各 8 格,共有 64 个小方格,深浅两色相间。两人对局,分为白方和黑方。在棋盘的规定位置各布放 16 个棋子,各有一王、一后、双车、双象、双马、八兵。按规定的走法轮流走子,白方先行,以把对方“将死”为胜。

【国际惯例】各国交往和长期实践中形成并通用的、具有法律约束力的不成文的习惯和规则。法律适用中在国内法和国际条约无规定时,以相关的国际惯例作为补充适用的规范。

【国际联盟】简称国联。也叫国际联合会。第一次世界大战后成立的国际组织。1920 年 1 月根据巴黎和会通过的《国际联盟盟约》成立。总部设在日内瓦。第二次世界大战爆发后无形瓦解,1946 年 4 月 18 日宣告解散。

【国事访问】一国元首或政府首脑接受他国元首或政府首脑的邀请所进行的正式访问。

【国法大全】也叫民法大全。《优士丁尼安法典》《学说汇纂》《法学阶梯》和《优士丁尼安新敕》的总称。前三部为东罗马帝国皇帝优士丁尼安在位时(527—565)下令编纂,后一部是他自公元 535 年起颁布的敕令汇编。对私法有深远影响,是商品生产者社会的第一个世界性法律。是研究罗马法的主要史料,后世所称的罗马法主要指此书。

【国脉民命】国家的前途和人民的生存。

【国语辞典】中型语文词典。中国大辞典编纂处汪怡等编,黎锦熙等校订。1937 年起由商务印书馆分册陆续出版。以近现代语词为主，简明实用。字音以1932年公布的国音标准(即北平音系)为据。词目按所注国音的注音符号顺序排列。重在正音、定词。释义简要。

【国泰民安】国家太平，人民安乐。泰：平安，安定。

【国家元首】指国家对内对外的最高代表。不同类型国家的国家元首有不同名称，如国王、皇帝、总统、主席等。其职权也不完全相同。

【国家风险】在国际信贷和国际投资中，由于借款国或被投资国发生某种特殊事件，导致借款国政府、企业、个人不能按期归还或无法归还银行贷款或债务的国际违约风险。

【国家主权】一个国家应享有的独立自主地处理国内外事务的权力。在现代国际关系中，相互尊重国家主权是各国都应遵循的一项基本原则。

【国家机关】行使国家权力、管理国家事务的机关。包括国家的权力机关、行政机关、审判机关、检察机关以及军队、警察、监狱等暴力机关。

【国家机构】为实现国家权力而建立的一整套国家机关的总称。中国的国家机构包括全国人民代表大会、中华人民共和国主席、国务院、中央军事委员会、地方各级人民代表大会和地方各级人民政府、民族自治地方的自治机关以及各级人民法院和人民检察院。

【国家制度】主要指国体与政体。中国是工人阶级领导的以工农联盟为基础的人民民主专政的社会主义国家。一切权力属于人民，人民行使国家权力的机关是各级人民代表大会。

【国家结构】国家的整体与部分之间的组成关系。基本上有单一制和联邦制两种形式。单一制国家由若干行政区域组成，联邦制国家由若干成员国(或邦、州)联合组成。

【国家债务】政府作为债务主体所形成的债务。

【国家赔偿】国家机关及其工作人员违法行使行政、侦查、检察、监狱管理等职权，侵犯公民、法人和其他组织的合法权益并造成损害的，由法定的赔偿义务机关对受害人予以赔偿的法律制度。包括行政赔偿和刑事赔偿。

【国情咨文】一般指美国总统对国内外情况和政策措施向国会提出的报告和建议。通常在每年年初国会开幕时提出，是美国政府的施政纲领。

【国民革命军】第一次国共合作时期国民政府组织的军队。1925年7月广州国民政府将所属军队改编为国民革命军，共编成8个军，蒋介石任总司令。军中建立党代表制和政治部。中国共产党人在军中担任许多重要职务。国民革命军取得了北伐战争的胜利。1927年国民党中的反动派叛变革命后，仍然沿用国民革命军这一名称。

【国会纵火案】1933年2月27日希特勒党徒焚烧柏林国会大厦，反诬共产党人纵火，大肆逮捕共产党员和革命人士的案件。

【国际式建筑】20世纪20年代具有现代主义特点的建筑样式。源于欧美，后流行于许多国家。其特征是：在平面上采用不对称布局，立面墙面光洁简单，几乎不施装饰线角，檐部简洁，多为平屋顶，常用架空底层、开横向带形玻璃窗等设计手法。建筑实例有法国的萨伏依别墅。

【国际单位制】以米制为基础的计量单位制。国际计量大会在1960年通过，以长度的米、质量的千克、时间的秒、电流量的安培、热力学温度的开尔文、物质的量的摩尔、发光强度的坎德拉七个单位为基本单位和以平面角的弧度、立体角的球面度两个单位为辅助单位。这七个基本单位和两个辅助单位，可以构成不同科学技术领域中所需要的全部单位。

【国际经济法】调整国际经济交往中关于商品、技术资本、服务在流通、结算、信贷、税收等领域的社会关系的法律规范的总称。包括国际贸易、国际投资、国际货币与金融、国际税收与国际经济组织等方面的法律制度。

【国家与革命】全称《国家与革命(马克思主义关于国家学说与无产阶级在革命中的任务)》。列宁著。成书于1917年8月。编入《列宁全集》第二版第31卷。本书对马克思主义的国家学说作了经典性的论述。

【国内生产总值】一定时期内一国居民在本国范围内所生产的全部最终产品和劳务的市场价值总额。

【国民生产总值】一定时期内一国居民在国内和国外所生产的全部最终产品和劳务的市场价值总额。即等于国民生产净值加上折旧。

【国际劳务合作】国际间由一国企业或有关单位提供劳务，按合同规定与另一国企业或承包人合作的一种形式。

【国际清算银行】由主要发达国家和部分发展中国家的中央银行和商业银行共同成立的国际金融组织。最初主要办理国际结算，接受各国中央银行的存款，代理买卖黄金、外汇和有价证券等业务。现在主要从事各国中央银行货币政策的协调、银行业监管合作等事务。

【国家工作人员】国家机关中从事公务的人员。

【国家权力机关】指国家行使其权力的机关。有最高国家权力机关和地方国家权力机关。在中国，全国人民代表大会是最高国家权力机关，地方各级人民代表大会是地方各级国家权力机关。

【国家资本主义】由国家控制的一种资本主义经济形式。它的性质和作用决定于国家的性质。在资本主义国家，由于国家本身掌握在资产阶级手里，国家资本主义是变相的私人资本主义。到帝国主义阶段，就成了国家垄断资本主义。在社会主义国家，国家资本主义是在国家管理之下，用各种形式和社会主义经济联系着的，并受工人监督的资本主义经济。是变资本主义经济为社会主义经济的过渡经济形式。

【国际日期变更线】日界线的旧称。

【国际标准化组织】由各国标准化团体组成的世界性联合会。

【国际货币基金组织】根据1944年7月国际货币金融会议通过的《国际货币基金协议》建立的国际金融组织。

【国家体育锻炼标准】1982年7月12日中国国务院批准的体育锻炼标准。旨在鼓励和推动人民群众，特别是青少年、儿童积极参加体育锻炼，以增强体质，提高运动技术水平。分为儿童组、少年乙组、少年甲组和成年组四个组。达标等级分及格、良好、优秀三个级别。

【国家垄断资本主义】垄断资本和国家政权合为一体的垄断资本主义。垄断组织利用国家权力，全面干预社会经济生活，为垄断资本服务。如实行对其有利的国有化，利用立法吞并中小资本，用跨国公司、康采恩等形式争夺国际市场等。国家垄断资本主义的发展是垄断资本统治发生危机和资本主义基本矛盾激化的结果。与“私人垄断资本主义”相对。

帼（幗）　guó　古代妇女的头巾。常用“巾帼”指代妇女。

涸□（漍）　guó　用于地名，如北涸（在江苏）。

腘□（膕）　guó　膝部的后面。

铪☒（鐴）　guó　铁器。

聝☒　guó　同“馘”。

馘　guó　古代战争中割取敌人的左耳（用来计算战功）。

虢　guó　周朝国名。

【虢季子白盘】西周晚期青铜器。长方形，长130.2厘米，宽82.7厘米，高41.3厘米。有铭文111字，记述虢季子白奉周王命令出征玁狁有所虏获及受赏的事，是现已发现的最大青铜盘。

guǒ　ㄍㄨㄛˇ

果（❶*菓）　guǒ　❶果实。㊟开花结～。❷事情的结局；结果。与“因”相对。㊟前因后～。❸坚决。㊟～断。❹副词。果然。㊟～不出所料。

【果决】果敢坚决。

【果报】因果报应的略语。

【果实】❶被子植物的花经传粉、受精后，由雌蕊或有花的其他部分发育而成的器官。外有果皮，内有种子。❷喻指经劳动或斗争得到的胜利品或收获。㊟胜利～。

【果茶】用果肉制成的饮料。

【果真】果然，真的。㊟～不出你所料|～是这样么？

【果胶】一类天然高分子化合物。植物细胞间质的重要成分。是制造果酱、果冻、化妆品、乳化剂、脱水剂等的原料。

【果脯】将桃、杏、梨、枣等切开或整个加糖或蜜制成的食品。

【果断】当机立断，不犹豫。

【果敢】有决断，敢作敢为。

【果然】❶副词。表示事情的结果与所料所说相符。㊟～不出所料。❷连词。假设事情的结果与所料所说相符。㊎～你愿意去，我就放心了。

【果腹】使肚子饱。㊎食不～。

【果蝇】也叫黄果蝇。昆虫。小型蝇类，常在腐烂水果和发酵物周围飞舞。由于容易饲养，生活周期短，突变性状多，适宜作遗传学等的实验材料。

【果糖】单糖的一种。是常见糖类中最甜的单糖。果汁和蜂蜜中含量较高。

【果子狸】也叫花面狸。哺乳动物。大小似家猫。四肢较短。体背灰棕色。从鼻端到头后部以及眼上下各有一条白纹。夜间活动。食谷物、果实、小鸟、昆虫等。分布于中国长江流域及以南地区。

【果戈理】尼古拉·果戈理(1809—1852)俄国批判现实主义作家。代表作有长篇小说《死魂灵》，短篇小说《外套》《狂人日记》，喜剧《钦差大臣》等。善于讽刺，对俄国批判现实主义文学的发展有很大影响。

【果不其然】果然如此。指事物的发展、变化与所预料的相合。

猓☒ guǒ 〔猓然〕长尾猿。

馃(餜) guǒ 〔馃子〕〈方〉❶油饼、油条一类食品。❷点心。

蜾 guǒ 〔蜾蠃〕昆虫。寄生蜂的一类。腰细。用泥土在墙上或树枝上作窝。捕螟蛉产卵其体内，以作为幼虫的食物。蠃(luǒ)。

裹 guǒ ❶包住。㊎～伤口。❷卷进去。㊎～进去。

【裹胁】用胁迫手段使人跟从(做坏事)。

【裹挟】被卷进去。挟(xié)。

【裹足不前】脚被缠住，不能前进。比喻由于害怕或有顾虑而停步不前。秦李斯《谏逐客书》："使天下之士，退而不敢西向，裹足不入秦。"

椁(*槨) guǒ 古代棺材外面的套棺。

guò ㄍㄨㄛˋ

过(過) ㊀ guò ❶从这里到那里；经过。㊎～河。❷使经过(某种处理)。㊎～滤｜～磅。❸经历；度过。㊎再～十天就到春节了｜～冬。❹从一方转移到另一方。㊎～门媳妇｜～账。❺超越。㊎～期｜～半数｜～费(过分消费)。❻错误。与"功"相对。㊎知～必改。

㊁ guō (360 页)。

㊂ guo (368 页)。

【过从】往来；交往。㊎～甚密。

【过户】房产、车辆、记名有价证券等在所有权转移以后，依照法定手续更换物主的姓名。

【过目】看一下。㊎这个文稿请你～(有审阅的意思)｜～成诵。

【过失】❶因疏忽而发生的过错。❷刑法上指行为人在犯罪时的一种心理态度。参见〔过失犯罪〕(368 页)。❸民法上指过错的一种形式。即应注意、能注意而不注意的状态。

【过场】❶也叫过场戏。戏剧中的过渡场次。在剧情发展过程中只起着承上启下、补充、铺垫、引出等作用。它本身构不成剧情发展的重要段落，但是全剧的有机组成部分。❷舞台提示用语。指剧中人物穿场而过。

【过问】管；干预。

【过往】互相往来。

【过录】把底本上的文字照样抄写一遍。

【过细】十分仔细。

【过甚】过分；夸大。㊎～其词。

【过奖】过分地夸奖。对别人的夸奖表示客气的话。

【过热】比喻发展势头过猛，增长过快。㊎经济～。

【过虑】过分的不必要的忧虑。

【过继】给没有儿子的伯叔、堂伯叔或亲戚去当儿子；把自己的儿子给没儿子的兄弟、堂兄弟或亲戚当儿子。

【过堂】旧指在公堂(法庭)上受审问。

【过敏】❶人接触致敏物质引起变态反应的现象。如食物过敏(鱼、虾等)、药物过敏(青霉素等)、植物过敏(花粉)等。可引起哮喘、鼻炎、水肿、荨麻疹等，甚至休克、死亡。动物也有类似反应。❷指人对某些事情过于敏感，警惕性过高。

【过望】超过原来的希望。㊎大喜～。

【过硬】经得起严格的考验或检验。㊎～的本领。

【过剩】超过某种限度或需求而剩余。

【过程】事情进行或事物发展所经过的程序。

【过渡】事物由一个阶段、一种状态逐渐变

G

化发展到另一个阶段、另一种状态。

【过谦】过分谦让。

【过滤】将固体物质与液体或气体的混合物,通过滤纸、滤布、泡沫塑料等多孔物质(过滤介质),把固体物质截留,而使液体、气体通过,用以分离混合物的过程。

【过誉】称赞超过了实际情况。对别人的称赞表示客气的话。

【过激】过于激烈。㊀言词~。

【过门儿】戏曲、曲艺以及歌唱音乐中,在唱腔、歌曲的开始或间歇处,由乐器奏出的音乐片段。具有承前启后、定腔、定调、酝酿情绪、陪衬表演等作用。

【过街楼】泛指跨越街道两侧的架空多层建筑。地面一层有门洞,可供车辆、行人通行。

【过为已甚】做得过分,超过恰当的分寸。

【过目成诵】看一遍就能背诵。形容记忆力很强。《宋史·刘恕传》:"恕少颖悟,书过目即成诵。"成诵:能背诵出来。

【过失犯罪】应当预见自己的行为可能发生危害社会的结果,因为疏忽大意而没有预见,或已经预见而轻信能够避免,以致发生这种结果的犯罪。分疏忽大意的过失犯罪和过于自信的过失犯罪。过失犯罪,法律有规定的才负刑事责任。

G

【过当防卫】指明显超过必要限度造成重大损害的防卫行为。当(dàng)。

【过犹不及】《论语·先进》:"过犹不及。"汉贾谊《新书·容经》:"故过犹不及,有余犹不足也。"指事情做得过分了,就像做得不够一样,都是不好的。犹:如,同。不及:不足。

【过氧化物】含有过氧基(—O—O—)的化合物。其中氧以O_2^{2-}态存在,也可以看成是过氧化氢的衍生物。包括金属过氧化物、过氧化氢、过氧酸盐和有机过氧化物。过氧化物都是强氧化剂。

【过眼烟云】也说过眼云烟。宋苏轼《宝绘堂记》:"譬之烟云之过眼,百鸟之感耳,岂不欣然接之,去而不复念也。"原比喻身外之物,可以不加重视。后多用以比喻容易消逝的事物。

【过敏反应】由微生物及其产物、异种蛋白质等刺激有机体而引起的特殊反应。常有发热、发炎、荨麻疹、哮喘等症状。

【过剩经济】市场总供给大于市场总需求时的经济。其特点是经济增长缓慢,失业率增加。

【过渡元素】也叫过渡金属。元素周期表中IIIB族到IIB族的元素。其中包括镧系和锕系,共有六十多种元素,都是金属。

【过渡时期】指从资本主义社会向社会主义社会转变的特定历史阶段。在中国,指从1949年中华人民共和国成立,到1956年完成资本主义工商业和农业的社会主义改造这一特定历史时期。

【过错责任】以当事人的主观过错作为侵权行为构成要件的一种归责原则。与"无过错责任"相对。中国民法的侵权责任以过错为原则,无过错为例外。

【过剩近似值】大于准确值的近似值。如3.15是圆周率π(3.1415926…)精确到0.01的过剩近似值。

【过屠门而大嚼】三国魏曹植《与吴季重书》:"过屠门而大嚼,虽不得肉,贵且快意。"意思是经过肉铺门前,嘴里空嚼一阵,虽未吃到肉,心里也感到痛快一些。比喻需要得到的东西而得不到,只能凭幻想来安慰自己。

【过失致人死亡罪】行为人因过失而导致他人死亡的犯罪行为。

【过失致人重伤罪】行为人因过失而造成他人身体健康受到严重伤害的犯罪行为。

【过渡时期总路线】1953年中国共产党提出的党在过渡时期的总路线。内容是:从中华人民共和国成立,到社会主义改造基本完成,这是一个过渡时期。党在这个过渡时期的总路线和总任务,是要在一个相当长的时期内,基本上实现国家工业化和对农业、手工业、资本主义工商业的社会主义改造。这条总路线的实质是解决生产资料所有制问题。到1956年中国基本上完成了对资本主义工商业、农业和手工业的社会主义改造的任务,接着,第一个五年计划的完成,奠定了中国社会主义工业化的初步基础。

guo ·ㄍㄨㄛ

过(過) ㊂ guo 助词。用在动词后边,表示完毕或曾经(发生)。㊀表彰会已经开~了|去~北京。

㊀ guò (367页)。

㊁ guō (360页)。

H 厂

hā 厂丫

哈 ㊀ hā ❶张口呼气。㊥～气。❷拟声词。笑声。㊥～～大笑。❸叹词。表示满意。㊥～！试验成功了。❹稍微弯着(腰)。㊥～腰。

㊁ hǎ (369 页)。

㊂ hà (370 页)。

【哈吉】阿拉伯语音译词。朝觐者。伊斯兰教对到过麦加朝觐的穆斯林的一种称号,已成为一种头衔。常冠于朝觐者的姓名前。

【哈维】威廉·哈维(1578—1657)英国生理学家、医生,实验生理学的先驱者。他根据实验研究,证实了动物体内的血液循环现象,奠定了动物生理学的基础。著有《心血运动论》《发生论》。

【哈瓦那】古巴首都。位于古巴岛西北岸。人口 220 万(1997 年)。是全国政治、经济、文化、交通中心,也是西印度群岛的最大城市和著名良港。制糖、烟草工业著名。

【哈尼族】中国少数民族之一。人口 125 万(1990 年)。主要分布在云南省红河两岸的山区。有本民族语言,部分通汉语文,1949 年后设计了拉丁字母形式的文字方案。建立有红河哈尼族彝族自治州等各级自治地方。

【哈里发】阿拉伯语音译词。继承人。特指伊斯兰教创立人穆罕默德的继承人。中世纪政教合一的阿拉伯国家和奥斯曼帝国的国家元首也称哈里发。也用来指中国清真寺中学习经文的人。

【哈密瓜】中国新疆哈密等地出产的一种甜瓜。瓜较大,卵圆形。果皮黄色或青色,有网纹。果肉绵软香甜。

【哈喇子】〈方〉流出来的口水。

【哈尔滨市】黑龙江省会。位于该省南部松花江南岸。人口 257 万(1997 年)。是京哈、滨洲、滨绥等铁路的交点。为全省政治、经济、文化和交通中心。是以制造动力设备为主的重要工业城市。冬季冰灯著名,有冰城之称。风景名胜有太阳岛、防洪纪念塔等。

【哈萨克族】中国少数民族之一。人口 111 万(1990 年)。主要分布在新疆维吾尔自治区北部,少数在青海省、甘肃省西部。有本民族语言文字。主要从事畜牧业。多信奉伊斯兰教。建立有伊犁哈萨克自治州等各级自治地方。国外的哈萨克族人主要分布在哈萨克斯坦。

【哈雷彗星】一颗著名的周期彗星,肉眼能看到的大彗星之一。绕太阳一周的时间是 76 年。中国春秋时代就有关于这颗彗星的记载。英国天文学家哈雷计算出它的轨道,故名。

【哈勃空间望远镜】一种空间望远镜。为纪念观测宇宙学创始人哈勃而命名。通光口径为 2.4 米,设置在地球轨道上,用于从紫外线到近红外线波段(115—1 010 纳米)探测宇宙目标。1990 年 4 月 24 日由美国“发现者”号航天飞机送入地球轨道。

铪(鉿) hā 金属元素,符号 Hf,原子序数 72。银白色,性质与锆相似。用于核反应堆的控制棒。其合金可制灯丝、电热丝等。

煆☒ hā 同“哈(hā)”④。

há 厂丫́

虾(蝦) ㊁ há 〔虾蟆〕同“蛤蟆”(369 页)。

㊀ xiā (1061 页)。

蛤 ㊁ há 〔蛤蟆〕也作虾蟆。青蛙和癞蛤蟆的统称。

㊀ gé (317 页)。

hǎ 厂丫̌

哈 ㊁ hǎ 姓。

㊀ hā (369 页)。

H

㊂ hà（370页）。

【哈达】藏语音译词。藏族和部分蒙古族人民在敬神以及欢迎、馈赠等日常礼节交往上使用的丝巾。赠送哈达是表示敬意和祝贺。

【哈巴狗】也叫巴儿狗、狮子狗。一种体小、腿短、毛长，供玩赏的狗。常用来喻指温顺的奴才。

奤□ hǎ〔奤夿屯〕地名。在北京。

hà ㄏㄚˋ

哈 ㊂ hà〔哈士蟆〕满语音译词。也译作哈什蚂。两栖动物。蛙的一种。体长6—7厘米，背面土黄色，有黄色和红色斑点。分布于中国东北、西北等地。干燥体和雌蛙输卵管的干制品，中医用作养阴药。

㊀ hā（369页）。

㊁ hǎ（369页）。

hāi ㄏㄞ

哈☒ hāi ❶同"咳（hāi）"。❷嗤笑。

咳 ㊁ hāi 叹词。表示招呼、提醒、惋惜、后悔等。可以读成不同声调以表示不同的感情或含义。

㊀ ké（556页）。

嗨 ㊀ hāi 同"咳（hāi）"。

㊁ hēi（395页）。

hái ㄏㄞˊ

还（還） ㊁ hái 副词。1．仍旧。㊀夜深了，他～在伏案工作。2．再；又。㊀另外～有一件事。3．更。㊀今年的小麦比去年长得～好。4．尚且。㊀老年人～这样干，我们更应加油干了。5．尚；勉强可以。㊀身体～算不错。6．用来加强反问语气。㊀你～不休息？

㊀ huán（421页）。

孩 hái ❶幼童。❷子女。

【孩提】指幼儿时期。

骸 hái ❶骨头。㊀四肢百～。❷借指身体。㊀形～。

【骸骨】人的骨头（多指尸骨）。

hǎi ㄏㄞˇ

胲 ㊀ hǎi （俗读 hài）也叫羟胺。有机化合物，化学式 NH_2OH。氮原子上的氢被烃基取代的化合物也统称为胲。

㊁ gǎi（300页）。

海 hǎi ❶靠近大陆，比洋小的水域。㊀渤～｜地中～。❷有些湖泊也叫海。㊀青～｜里～｜中南～。❸比喻数量多，面积大。㊀人山人～｜火～。❹形容容量大。㊀～碗｜～量。❺海里出产的。㊀～蜇。

【海口】❶河流通海之处。❷指漫无边际的大话。㊀夸～。❸即海口市。

【海马】鱼类。一般体长10厘米左右，因头部有点像马，故名。生活在水域海藻丛中。是一种名贵的药材，有健身、止痛、强心等作用。

【海天】唐杜牧《闻角》诗："城角为秋悲更远，护霜云破海天遥。"宋赵偕《送叶伯奇入官》诗："朔风冽冽，海天茫茫，良朋告别，我心皇皇。"后人每用"海天在望"表达朋友思慕的感情。意思是朋友相别有如海天般遥远，但想望中的朋友却时刻萦绕在心头。

【海区】海洋的一定区域。有按自然地理指称的，如渤海海区、太平洋海区等；有根据军事需要划定的，如作战海区、训练海区等；还有根据科研、生产需要划定的，如试验海区、捕捞海区等。

【海牙】荷兰城市。位于该国西部近海处。是荷兰政府所在地（法定首都是阿姆斯特丹），商业金融中心。国际法院设此。

【海内】古人认为中国疆土四面环海，因此称国境以内为海内。

【海龙】也叫杨枝鱼。鱼类。体细长，一般为10—20厘米，有环状骨板，暗褐色。吻呈长管状。产于热带和温带海域，干燥体可供药用。

【海外】指国外。

【海关】根据国家法令对进出国境的物品和运输工具进行监督检查、征收关税并查禁走私的国家行政管理机关。

【海军】以舰艇部队为主体，主要在海上作战的军种。具有在水面、水中、空中作战的能力。能单独在海上作战，又能与陆军、空军协同作战。参见〔兵种〕（69页）。

【海防】国家为保卫主权、领土完整和安全，维护海洋权益,防备外来侵略,在沿海地区和海疆进行的防卫和管理活动。

【海运】利用货船在国内外港口之间,通过一定的航区和航线进行的货物运输方式。是国际货物运输中最主要的方式。

【海报】戏剧、电影、体育比赛等的招贴通告。

【海里】计量海洋上距离的长度单位。1海里合1 852米。原也作浬,今废。

【海员】海洋轮船上的工作人员。

【海龟】爬行动物。外形和普通龟相似,体大,上颌平出,下颌略向上钩曲,颚缘有锯齿状缺刻。背甲橄榄色或棕褐色,腹甲黄色。四肢呈鳍状。以鱼、虾及海藻为食。广布于大西洋、太平洋和印度洋近海上层。

【海况】风力作用下的海面外貌特征。根据视野内的海面状况、波浪的波峰形状和破碎程度以及浪花飞沫出现的多少等,可将海况划分为10级。有时也泛指海水的成分、温度、盐度、密度以及海流、波浪等情况。

【海沟】指海底深度超过6 000米的像沟形的狭长地带。多分布于大洋边缘,紧依岛屿或大陆沿岸山脉的外侧。

【海拔】从平均海平面起算的高度。如珠穆朗玛峰的海拔为8 848.13米。

【海事】❶泛指一切有关海上的事务。如航海、造船、验船、海运权利、海运法规、信号标准、海员教育、国际海上公约、海损事故处理等等。❷指船舶在水上航行或停泊中所发生的事故。如搁浅、触礁、沉没、盗劫、失火、碰撞等,以及其他自然灾害等所造成的事故。

【海味】海里出产的食品。多指珍贵的。㊀山珍～。

【海岭】也叫大洋中脊。绵延于大洋底部的海底山脉。多火山、断层。

【海图】以海洋为主要对象而编制的地图。一般着重表示海区、海岸、海底地貌、航海要素等;有的突出表示某些海洋要素或海洋资源。

【海狗】也叫膃肭兽。哺乳动物。身体圆长,四肢短而呈鳍状。体黑色,腹白。有耳壳。生活在海里,能在陆地上爬行。主要生活在太平洋北部寒带海域。中国黄海和东海偶见。

【海河】中国华北地区最大水系。由潮白河、永定河、大清河、子牙河、卫河五大河汇合而成,东流到天津新港入渤海。以卫河为源,长1 090千米。五大河发源于燕山、太行山或黄土高原,支流多,含沙量大。

【海波】即"大苏打"(166页)。

【海参】棘皮动物。体圆柱形,体表常有肉质突起,有黑、褐各色。生活在海底。蛋白质含量多,是珍贵食品。

【海带】海生褐藻的一种。形状像带子,最长可达7米。生长在浅海里。中国北部及东南沿海均大量养殖。含褐藻胶和碘质,供食用和药用。常吃可预防甲状腺肿大。工业上用来提取碘、褐藻胶及甘露醇等。中医入药时叫昆布。

【海鸥】鸟类。上体羽毛主要呈苍灰色,下体为白色。食小鱼及其他水生动物。生活在海边和内陆河流湖泊附近。

【海战】敌对双方在海上进行的战役或战斗。通常由双方海军或以海军为主体的兵力实施。

【海星】棘皮动物。体扁平,多呈星形,背部颜色鲜明。口长在身体下部中央,吃蛤蜊、牡蛎等。生活在浅海石缝中。

【海峡】夹在两个陆地之间连接两个海域的狭窄水道。如连接东海和南海的台湾海峡、连接安达曼海和南海的马六甲海峡等。

【海盆】也叫洋盆。大洋底部的盆地。是大洋底的主体部分。边缘一般有海岭或海沟。

【海狮】哺乳动物。前、后肢呈鳍状。雄的体长2.5—3.25米,雌的较小。体被粗毛,黄褐色。面部略像狮子,有的种类雄的颈上有长毛,故名。食鱼、乌贼、贝类等。产于北美、南美和日本海北部。

【海蚀】海水对海岸及近岸海底的冲击和侵蚀。

【海派】❶指上海一派京剧演员的表演风格。与"京派"相对。❷指具有上海特色的文化流派。

【海洋】地球上连成一片的海和洋的统称。海一般邻靠陆地。洋远离大陆,世界上有太平洋、大西洋、印度洋和北冰洋。海洋覆盖地球总面积的71%左右,水储量约占地球总水量的97%,是人类赖以生存和发展的水圈主体。

【海损】船舶在运输中遇险所造成的一切损失。

【海顿】弗朗茨·约瑟夫·海顿(1732—1809)奥地利作曲家,维也纳古典乐派代表人物之一。其创作对古典交响曲、弦乐四重奏形式和古典主义音乐风格的确立，贡献最大。一生共创作交响曲《告别》《惊愕》《时钟》《伦敦》等一百多部，以及大量弦乐四重奏、钢琴奏鸣曲、各种独奏乐器的协奏曲、清唱剧等。

【海豹】哺乳动物的一科。有许多种。体型大小不一，最大的象海豹体长可达5—6米。四肢呈鳍状。游速快，善潜水。生活在温带和寒带沿海地区，多数在北半球。主食鱼类和贝类。

【海涅】亨利希·海涅(1797—1856)德国诗人、政论家。生于犹太商人家庭。代表作《哈尔茨山游记》讽刺德国小市民的庸俗，表达了对劳动人民的同情。1843年结识马克思后，创作了大量卓越的政治诗歌，如《西里西亚纺织工人》，长诗《德国——一个冬天的童话》等，鞭挞普鲁士封建王朝的统治，号召人民起来斗争。

【海涂】也叫滩涂。海边潮间带广阔而平坦的软泥沙地带。由于潮水涨落而时淹时露，适于养殖贝类，可围垦。

【海流】即“洋流”(1142页)。

【海域】指海洋的一定范围(包括水上和水下)。

【海啸】由地震、火山爆发或风暴引起的特大海浪。它传至近岸时，浪高有时可达十余米，对沿岸地区往往造成巨大灾害。

【海豚】哺乳动物。体形似鱼，长2—2.6米，有背鳍。鼻孔长在头顶上，嘴尖，体侧通常有两条暗纹。常群游于海面，以小鱼、虾、蟹等为食。

【海象】哺乳动物。雄的体长可达3米，雌的较小。头圆、嘴短而阔；上犬齿似象牙，用以掘食和攻防；四肢呈鳍状。分布于北极圈内。

【海盗】出没在海洋上的强盗。

【海涵】敬辞。气量大，像大海一样能包容。用于请人原谅的场合。

【海绵】❶海绵动物。❷指海绵的骨骼。❸用橡胶或塑料模仿海绵骨骼制成的弹性多孔材料。㊞～拖鞋。

【海葬】处理遗体的一种方法。将尸体或骨灰投入海洋。

【海葵】腔肠动物。身体圆筒形。触手在口周围排成数轮，在海水中伸展形如葵花，故名。固着于海中岩石上生活。

【海棠】落叶乔木。春季开花，花未放时深红色，开后淡红色。果实球形，黄色，味酸甜。产于中国。可食，也可供观赏。也指这种植物的果实。

【海量】❶宽宏的度量。❷很大的酒量。

【海港】沿海港口的通称。一般利用岛屿、岬角等自然屏障或防波堤等人工建筑物以防风浪。港内有广阔水面和较深的航道，岸上有各种相应设施。

【海湾】海洋局部伸进陆地的部分。如山东的胶州湾。

【海瑞】(1514—1587)明代政治家。字汝贤，自号刚峰，广东琼山(今属海南)人。回族。曾任浙江淳安知县、户部主事、应天巡抚，因疏浚吴淞江，推行一条鞭法，受到大官僚地主的攻讦，被革职。万历十三年(1585)再起，先后任南京吏部右侍郎和南京右佥都御史，严惩贪污，平反冤狱。著有《海刚峰集》。

【海蜇】腔肠动物。身体半透明，上呈伞状，下有口腕，在海面浮动。中国沿海各地均产。可食。

【海塘】沿海地带为防止海潮侵袭而修筑的堤岸。

【海禁】不准和外国通过海上进行贸易的禁令(明清两代都曾有过这种禁令)。

【海鲜】指供食用的新鲜的海产品。

【海燕】❶鸟类。体形似燕，喙端钩状，羽毛黑褐色，趾有蹼，爪黑色。常在海面上游泳或掠飞，吃小鱼、虾等。❷棘皮动物。腕短，通常5枚。全身呈五角星形。腹面平，橘黄色。背面稍隆起，密布颗粒状短棘，有朱红与深蓝色斑纹交杂排列。中国北方沿海多见。

【海獭】哺乳动物。前肢短，后肢长，趾间有蹼，成鳍状，善游泳和潜水。生活在海中，仅在休息和生育时上陆。獭(tǎ)。

【海疆】国家所属和管辖的海域的统称。包括领海、毗连区、专属经济区及大陆架等。

【海口市】海南省会。位于海南岛东北部南渡江口。人口42万(1997年)。为全省政治、经济、文化和交通中心。是一座富于热带风光的海滨城市。

【海王星】太阳系九大行星之一。绕太阳一周的时间为164.79年。以距离太阳由近及远的次序计是第八颗。它有8颗卫星，周围有光环。

【海岛棉】一年生草本或多年生灌木。株形高大，生育期长，纤维长而细，可纺细纱。原产于南美洲，后移入北美东南沿海岛屿种植,故名。

【海陆风】海滨地区一天之中风向定向变化的风。白天,风从海上吹向陆地,称海风;夜间,风从陆地吹向海上,称陆风。

【海明威】恩斯特·米勒·海明威(1899—1961)美国作家。生于医生家庭,在两次世界大战中任战地记者。1926年因发表长篇小说《太阳照样升起》而闻名。后发表剧本《第五纵队》、小说《丧钟为谁而鸣》,1952年发表小说《老人与海》。作品善于刻画,长于写景,语言简洁精练,有"电报式"之称。1954年获诺贝尔文学奖。

【海岸线】海洋与陆地的分界线。随着潮水涨落而变动。通常指多年平均海水高潮面所能达到的岸线。

【海参崴】俄罗斯称符拉迪沃斯托克。俄罗斯太平洋沿岸重要港口城市。崴(wǎi)。

【海南岛】中国第二大岛。属海南省。在南海北部,北隔琼州海峡与雷州半岛相望。面积3.22万平方千米。气候终年炎热,盛产热带作物。是中国最大的经济特区。

【海南省】别称琼。位于中国最南部,北隔琼州海峡与广东相望。包括海南岛以及西沙群岛、南沙群岛、中沙群岛等岛屿。面积3.4万多平方千米。人口753万(1998年)。省会海口市。重要城市还有三亚、琼海、文昌、通什(zhá)等。

【海洛因】俗称白粉、白面儿。由吗啡制成的一种毒品。白色晶体。

【海洋法】国际法的重要组成部分。指有关各种海域的法律地位和各国在各种海域从事航行、资源开发和利用、海洋科研等活动,以及海洋环境保护的原则、规则和规章、制度的总称。包括有关内海、领海、毗连区、经济区、渔区、大陆架、公海、国际海底、用于国际航行的海峡等海域的一系列制度。

【海洋能】由海水运动和海水理化性质差异而产生的能量的统称。前者如潮汐能、波浪能,后者如温差能、盐差能。总量巨大,很具开发前途。

【海上保险】按照约定由保险人对被保险人因海上风险和意外事故所造成的财产损失或引起的民事赔偿责任给予赔偿的保险。

【海上禁区】沿海国在主权管辖的海区内划定的禁止或限制某些活动的水域。包括禁航区、禁锚区和禁渔区等。分永久禁区和临时禁区。根据武器试验和军事演习的需要,也可在公海上划定临时禁区。海上禁区通常由国家政府机关或军事当局批准并发表公告。

【海水淡化】把含盐浓度较高的苦咸水、海水等,用蒸馏、离子交换、反渗透、电渗析等方法进行除盐,使其变为适于工业生产和饮用的淡水的过程。海水淡化对解决缺乏淡水的工矿区或远洋航行轮船的供水问题具有重要意义。

【海市蜃楼】❶即"蜃景"(876页)。❷比喻虚幻不存在的东西。蜃(shèn)。

【海地革命】18世纪末海地人民反对法国殖民统治和推翻奴隶制的革命运动。1791年,海地人民举行武装起义,反对法国殖民统治。在黑人领袖杜桑·卢维杜尔领导下,先后打败乘机侵入海地的英国、西班牙和法国军队。1804年1月1日,海地宣布独立,成为拉丁美洲的第一个独立国家。

【海军基地】❶担负所辖海区作战任务、保障海军兵力训练和进行日常战斗活动的军事基地。建有舰船停泊场、机场以及供应、修理、医疗、通信等设备和相应的防御设施。❷海军的一级建制单位。下辖水警区、舰艇部队、岸防兵部队和防空部队等。

【海事仲裁】解决海上船舶救助、碰撞、租赁、运输、保险等方面争议的一种方式。当事人依据仲裁协议将争议提交仲裁委员会审理,其裁决是终局的,任何一方当事人均不得向法院起诉。中国海事仲裁委员会设在北京。

【海事法院】审理海事、海商案件的专门人民法院。与中级人民法院同级,但不受理普通刑事、民事案件。其上诉审法院为海事法院所在地的省、直辖市的高级人民法院。中国在大连、天津、青岛、上海、广州、厦门、海口、武汉、宁波等地设有海事法院。

【海岸地貌】海岸在波浪、潮汐等外营力作用下所形成的地貌。主要分海蚀地貌和海积地貌。前者如海蚀洞、海蚀崖、海蚀平台、海蚀柱等,后者如水下沙坝、离岸堤、沙嘴等。

【海底捞月】比喻白费力气,根本达不到目的。

【海底捞针】即"大海捞针"(169页)。

【海枯石烂】海水枯干,石头粉碎。形容经历极长的时间。多用于誓言,表示意志坚定,永不改变。明瞿佑《剪灯新话·绿衣人传》:"海枯石烂,此根难消;地老天荒,此情不泯。”

【海洋生物】以海洋水体为栖居环境的动物、植物和微生物。分浮游生物、游泳生物和底栖生物三大类。为人类提供食物、药物和化工原料等,对海洋生态系统有重要影响。

【海洋权益】主权国家在海洋中享有的各种权力和利益。主要包括在领海的主权,在毗连区、专属经济区、大陆架等的经济权利和管辖权,在别国领海以外的自由航行、飞越权以及在别国领海的无害通过权。

【海洋污染】指人类直接或间接地把废弃的物质或能量排入海洋,超过海洋自净能力,导致海洋环境质量下降的现象。会危害海洋生物的生长、繁殖和人类的健康。

【海洋法规】有关各种海域的法律地位和各国在各种海域从事海洋活动的法律规范。涉及海洋航行、资源开发利用、科学研究以及环境保护等方面。主要包括有关内海、领海、毗连区、专属经济区、大陆架、公海、国际海底、用于国际航行的海峡等海域的一系列法律、法规等。

【海洋资源】海洋中各种可被人类利用的资源的统称。一般可分为海洋化学资源、海洋生物资源、海底矿产资源和海洋能源四类。

【海盗行为】指船舶的船员、飞机的机组人员或乘客,为私人目的,在公海上或在任何国家管辖范围以外的地方,对船舶、飞机、人或财物,进行非法的袭击、劫持、扣留、掠夺等暴力行为。

H

【海绵动物】动物界的一门。体壁只由内、外两层细胞构成。体形多样。单体或相联成群体,固着生活,骨骼柔软富弹性,多栖息于海洋中。如毛壶、马海绵等。

【海绵橡胶】即“泡沫橡胶”(740页)。

【海阔天空】宋阮阅《诗话总龟》前集卷三〇引《古今诗话》中记载唐代和尚玄览诗:“大海从鱼跃,长空任鸟飞。”一作“海阔从鱼跃,天空任鸟飞。”原形容大自然的广阔。后常用“海阔天空”比喻想象或说话等无拘无束或漫无边际。

【海湾战争】1991年以美国为首的多国部队对伊拉克发动的战争。由伊拉克入侵科威特引起。伊拉克军队在遭到重大损失后撤出了科威特,并被迫签订了海湾战争停火协议。

【海誓山盟】即“山盟海誓”(855页)。

【海德格尔】马丁·海德格尔(1889—1976)德国哲学家,存在主义的创始人之一。其哲学的中心问题是存在问题,并从人的生存方面来展示存在问题。著有《存在与时间》《形而上学导论》《林中路》等。

【海德堡人】猿人化石。1907年发现于德国海德堡东南,故名。所发现的化石为下颌骨一具。其齿弓短宽并向后张开,齿列齐平而无齿隙。海德堡人是欧洲最早猿人之一,地质年代为第四纪早期。

【海上交通线】舰船进行海上交通运输的航行路线。

【海军陆战队】主要担负两栖作战任务的海军兵种。配有登陆工具和适应登陆作战的武器、器材。主要用以在登陆作战中担任先头部队,夺取和巩固登陆场,也可担负基地和海岸的防御任务。

【海军航空兵】以飞机为基本装备,主要在海上和濒海上空作战的海军兵种。通常由舰基航空兵和岸基航空兵组成。主要任务是攻击敌方海上、空中目标,袭击敌方和保护己方的海军基地、港口、沿海机场和海上交通线,争夺海洋战区和濒海地区的制空权和制海权,从空中掩护、支援己方舰艇的作战行动等。

【海底扩张说】关于全球大洋壳形成、发展和消亡的学说。美国学者赫斯和迪茨提出。认为海岭是新的大洋地壳的诞生处。地幔物质从海岭顶部的巨大开裂处涌出,到达顶部冷却凝结,形成新的大洋地壳。继续上升的岩浆又将早先形成的大洋地壳向两边推挤,使海底不断更新和扩张。扩张的大洋地壳遇到大陆地壳时便俯冲到大陆地壳之下的软流层中,逐渐熔化、消亡。

【海洋性气候】受海洋气团影响明显的气候。一年或一天之内气温变化不大,全年雨量分布较匀,湿度较大,云雾较多。多出现在纬度40°—60°的大陆西岸。

【海上采油平台】为海上石油生产建造的海上固定建筑物。用钢桩将桁架式钢质导管架固定在海中,在导管架上搭起平台,装上采油设备即组成海上采油平台。

【海牙国际法院】联合国的主要司法机关。审理国与国之间关于法律争端的诉讼案件。第二次世界大战后设立,总部设在荷兰海牙,前身是第一次世界大战后国际联盟设立的常设国际法院。由15位法官组成。历史上的中国籍法官有王宠惠、徐谟、顾维钧、倪征𣋉、史久镛。

【海内存知己，天涯若比邻】唐王勃《杜少府之任蜀州》中的诗句。意思是四海之内有知己朋友，虽然远在天边，也像近邻一样的亲近。

醢 hǎi ❶古代用肉、鱼等制成的酱。❷古代的一种酷刑。把人杀死后剁成肉酱。

hài ㄏㄞˋ

亥 hài ❶地支的第十二位。❷亥时，旧式记时法，相当于二十一点到二十三点。

骇(駭) hài 惊吓；震惊。㊀惊涛～浪|～人听闻。

【骇异】惊异；惊奇。

【骇怪】惊讶。

【骇然】惊讶的样子。

【骇愕】吃惊发愣的样子。

【骇人听闻】(暴行等)使人听了非常震惊。

氦 hài 气体元素，符号 He，原子序数 2。无色无臭，密度很小，化学性质很不活泼，是一种稀有气体。可填充电子管、潜水服，也用于反应堆和加速器等。

害 hài ❶祸害；坏处。与"利"相对。㊀为民除～|对身体有～。❷有害的。㊀～虫|～鸟。❸使受损害；杀死。㊀～人不浅|遇～。❹染，患；发生。㊀～病|～羞。❺古又通"曷(hé)"。

【害虫】指直接和间接危害人类的昆虫及螨类等。有的害虫传染疾病，如苍蝇、蚊子；有的危害农作物，如蝗虫、螟虫；有的危害建筑物，如白蚁。

【害喜】指因怀孕而引起的恶心、呕吐、饮食异常等现象。

【害群之马】《庄子·徐无鬼》："夫为天下者，亦奚以异乎牧马者哉？亦去其害马者而已矣！"后用"害群之马"比喻危害集体的人。

嗐□ hài 叹词。表示惋惜、感伤、悔恨等。

hān ㄏㄢ

犴 ㊀ hān 哺乳动物。驼鹿，一种大型鹿。角横生，成板状，分叉很多。产于亚寒带针叶林地区。

㊁ àn (10 页)。

顸(頇) hān 〈方〉粗。㊀这线太～。

鼾 hān 睡着时粗重的呼吸声。㊀～声|打～。

蚶 hān 软体动物。有两扇贝壳，厚而坚硬，上有瓦垄状突起。生活在海底泥沙中。贝壳可供药用，肉味鲜美。

酣 hān 饮酒尽兴。泛指尽兴、畅快、痛快等。㊀～饮|～睡。

【酣畅】十分畅快(指饮酒、睡眠或文笔等)。

【酣战】紧张激烈的战斗。

【酣梦】熟睡中的美梦。

【酣睡】熟睡。

谽☒ hān 〔谽谺〕山谷深的样子。

憨 hān ❶傻；痴呆。❷朴实；天真。㊀～态可掬。

【憨直】朴实直爽。

【憨厚】朴实，诚恳。

【憨笑】带着傻气地笑。

hán ㄏㄢˊ

邗 hán 见下。

【邗江】地名。在江苏。

【邗沟】里运河的古称。

汗 ㊁ hán 可汗的简称。

㊀ hàn (379 页)。

邯 hán 见下。

【邯郸】市名。位于河北省南部，京广、邯长铁路交会于此。人口 98 万(1997 年)。是以钢铁、煤炭、纺织为主的工业城市。有赵武灵王丛台、响堂山石窟等古迹。

【邯郸学步】《庄子·秋水》记载，有一个燕国人到赵国的首都邯郸去，看到那里人走路的姿势很美，就跟着学起来。结果不但学得不像，而且把自己原来的走法也忘了，只好爬着回去。比喻生搬硬套，机械地模仿别人，不但学不到别人的长处，反而会把自己原有的本事也丢掉。

含 hán ❶把东西放在嘴里，不吐出来也不咽下去。㊀～一片药。❷(事物)里面存有。㊀～水分|这句话～意很深。❸带着某种思想感情不完全表露出来。㊀～笑|～怒。

【含义】也作涵义。字、词、语句等所包含的意义。

【含苞】指花骨朵还未开放的情状。㊀～待放。

【含胡】同"含糊"(376页)。

【含恨】心里怀着怨恨或仇恨。㊀～死去。

【含蓄】也作涵蓄。❶表达得委婉,耐人寻味。❷说话时不把情意全部表达出来。

【含糊】也作含胡。❶话说得笼统不明确。㊀～其辞。❷做事敷衍马虎。

【含氧酸】酸根中含有氧原子的酸。如硫酸(H_2SO_4)、硝酸(HNO_3)等。

【含羞草】草本或小灌木。枝上有毛和刺,羽状复叶,触及它时,小叶折合,叶柄下垂。全草可供药用。

【含血喷人】嘴里含着血,喷在别人身上。宋释晓莹《罗湖野录》卷二:"含血潠(xùn)人,先污其口。"潠即喷的意思。后作含血喷人。比喻用恶毒的手段,捏造事实,诬陷别人。

【含辛茹苦】原作茹苦含辛。宋苏轼《中和胜相院记》:"佛之道难成,言之使人悲酸愁苦…无所不至,茹苦含辛,更百千万亿生而后成。"形容受尽种种辛苦。茹:吃。

【含沙射影】古代传说,水中有一种叫蜮的动物,看到人的影子就含沙子喷射,被喷着的人就会得病。南朝宋鲍照《苦热行》诗:"含沙射流影,吹蛊痛行晖。"后用"含沙射影"比喻在言语、文章里暗中影射攻击或陷害人。

【含英咀华】口中含着花细细咀嚼。比喻读书时细细琢磨领会文章的精华。唐韩愈《进学解》:"沈浸醲郁,含英咀华。"咀(jǔ):细嚼。

【含垢忍辱】也说忍辱含垢。《后汉书·曹世叔妻传》:"忍辱含垢,常若畏惧。"形容忍受耻辱。垢:污秽。

浛□ hán 〔浛洸〕地名。在广东。

琀☒ hán 古代放在死者口中的玉。

晗 hán 天将明。

焓 hán 热力学名词。表示物质热力学性质的一个参数,数值上等于体系里面所含的内能加上压力与体积的乘积。单位是焦耳。

函(*圅) hán ❶匣;封套。㊀石～|全书共四～。❷信件。㊀来～|～授。❸包容;包含。

【函丈】《礼记·曲礼上》:"席间函丈。"意思是老师讲席与学生座席之间要留出一丈的空地。后以"函丈"作为对老师的尊称。

【函授】以通讯辅导为主的教学方式。

【函数】如果变量 y 和变量 x 有如下依赖关系:对于 x 在某一范围内的每一个值,y 都有确定的对应值,则称 y 为 x 的函数。如圆的半径 r 确定后,圆的面积 s 也就确定了:$s=\pi r^2$,故圆面积是半径的函数。

【函谷关】古关名。❶先秦时置。故址在今河南省灵宝县新城北五垛村,东起崤山,西至潼津,通名函谷。因关在谷中,深险如函得名。公元前207年刘邦入咸阳,守函谷关以拒诸侯。❷汉置。汉元鼎三年(前114)将先秦所置之函谷关东移,故址在今河南新安东。

【函数值】如果 y 是 x 的函数,当 $x=a$ 时,y 的对应值叫做在点 a 的函数值。

崡☒ hán 同"函谷关"的"函"。

涵 hán ❶包容;包含。㊀～义。❷涵洞。㊀桥～(桥和涵洞)。

【涵义】同"含义"(376页)。

【涵养】指身心方面的修养功夫。有时也指控制情绪的能力。

【涵洞】横穿在道路下面供过水用的通道。

【涵容】包容;包涵。

【涵盖】包括;包容;涉及。㊀～面。

【涵蓄】同"含蓄"(376页)。

【涵管】管状的涵洞,也指形成涵洞的管道。

韩(韓) hán 周朝国名。1.(前11世纪中叶—?)。在今陕西韩城一带。春秋时为晋所灭。2.(前403—前230)。战国七雄之一。在今河南中部、山西东南部。为秦所灭。

【韩非】(约前280—前233)战国末期哲学家,法家思想集大成者。韩国人,荀子的学生。主张法治和中央集权。提出以法为中心的法、术、势三者合一的君主统治术。在哲学上发展了荀子的唯物主义思想。有《韩非子》。

【韩信】(?—前196)西汉军事家。淮阴人。初属项羽,后归刘邦为大将,帮助刘邦打败项羽,建立了汉政权。先后封齐王、楚王。汉朝统一后为吕后所杀。

【韩愈】(768—824)唐代文学家、哲学家。字退之,河阳(今属河南)人。郡望昌黎,谥文,世称韩昌黎、韩文公。官至吏部侍郎。思想上以儒家道统的继承者自居,力排佛老,对后来的宋明理学有重要影响。文学上提倡古文运动,主张以散文代替骈文。对文体和文学的革新有重大贡献,被列为唐宋八大家之首。有《昌黎先生集》。

【韩世忠】(1089—1151)南宋将领。绥德(今属陕西)人。早年曾参加镇压方腊起义。先后在河北和长江下游一带抗击金军。1130年黄天荡(今南京东北江面)战役,以水师八千阻击金兵十万。1134年又在大仪(今属江苏仪征)大破金和伪齐(金占江北后所立的傀儡政权)联军。后因高宗赵构、宰相秦桧对金妥协投降,被解除兵权。

【韩非子】❶即韩非。❷书名。韩非死后,后人搜集其遗著,并加入他人论述韩非学说的文章编成。共二十卷,五十五篇。提出法治主张,为秦始皇建立统一的中央集权的封建国家提供了理论根据。文章结构细密,逻辑谨严。其中寓言部分在文学上有一定价值。

【韩熙载夜宴图】五代南唐顾闳中的传世名作。描绘南唐后主李煜时中书舍人韩熙载与宾客、门生、女伎等夜宴的场面,构图曲折,人物多样,赋色华丽,线条精工。现藏故宫博物院。

寒 hán ❶冷。㊀～风｜防～保暖。❷穷困无社会地位。㊀贫～｜～门。

【寒门】旧指贫寒的家庭。

【寒心】❶情绪受到打击而感到灰心、痛心。❷害怕。

【寒伧】同"寒碜"(377页)。

【寒带】地球上极圈到极点之间的地带。这里获得太阳的热量最少,终年寒冷。在北半球的叫北寒带,在南半球的叫南寒带。

【寒战】也作寒颤。寒噤。

【寒秋】深秋。

【寒食】节名。在清明前一天。古人从这天起,三天不生火做饭,故名。有的地区把清明叫做寒食。

【寒峭】寒气逼人。

【寒流】❶水温低于流经海域的洋流。通常自高纬度流向低纬度,对气候有一定降温、减湿作用,使附近多雾而少雨。如秘鲁寒流和千岛寒流。❷即"寒潮"(377页)。

【寒碜】也作寒伧。❶丑陋;难看。㊀长相～。❷丢脸;不体面。❸被人讥讽、挖苦、揭短,使失去体面。㊀叫人～了一顿。

【寒暄】指见面时谈天气冷暖、生活琐事等应酬话。

【寒微】旧指家世出身贫苦、社会地位低下。

【寒酸】形容表现出来的贫苦不大方的姿态。㊀～相。

【寒潮】也叫寒流。从寒带和高纬度大陆向低纬度地区侵袭的强烈冷空气。所经地区,在短期内气温急剧下降,伴有强风,并常有雨雪。冷锋过后,天气晴朗,风力微弱,常出现冰冻或霜冻。

【寒噤】因受冷或受惊而身体颤动。

【寒颤】同"寒战"(377页)。

【寒露】节气名。在每年公历10月8日或9日。中国大部分地区天气凉爽。

【寒武纪】古生代的第一个纪。约开始于5.7亿年前,结束于5.1亿年前。在这个时期里,红藻、绿藻等开始繁盛,生物群以无脊椎动物,尤其是三叶虫、低等腕足类和古杯动物为主。

【寒武系】古生界的第一个系。指寒武纪时期形成的地层。

【寒来暑往】冬天来了,夏天过去了。形容岁月过得很快。《周易·系辞下》:"寒往则暑来,暑往则寒来,寒暑相推而岁成焉。"

hǎn ㄏㄢˇ

罕 hǎn 稀少。㊀希～｜～见。

【罕觏】难得遇见。觏(gòu):遇见。

喊 hǎn ❶高声叫;呼。㊀～话｜～口号。❷叫(人)。㊀～他一声。

蔊□ hǎn 〔蔊菜〕一年生草本植物。全株无毛。叶长椭圆形。花小,黄色。茎叶作野菜或饲料,全草和种子均可供药用。

阚(闞) ㊁ hǎn 虎叫声。㊀ kàn (550页)。

㘚☒(㘚) hǎn 同"阚(hǎn)"。

hàn ㄏㄢˋ

汉(漢) hàn ❶汉水。㊀江淮河～。❷汉族。㊀～语。❸天河;

银河。㊀银～。❹成年男人。㊀老～|好～。❺朝代名。1.(前 202—220)。刘邦灭秦后建立。建都长安(今陕西西安)。公元 8 年王莽代汉称帝,国号新(8—23)。自刘邦称汉王起,包括"新",史称前汉或西汉。公元 25 年刘秀重建汉朝,建都洛阳,史称后汉或东汉。为曹魏所灭。西汉、东汉合称两汉。2. 三国之一(221—263)。刘备建立。在今川、云、贵及陕西南部。建都成都,国号汉,史称蜀汉或蜀。为曹魏所灭。3. 五代之一(947—950)。沙陀族刘知远建立。建都汴(今河南开封),史称后汉。为后周所灭。4. 十国之一(917—971)。刘龑(yǎn)建立。建都广州,国号大越,次年改"汉",史称南汉。为北宋所灭。5. 十国之一(951—979)。刘旻(mín)建立。建都太原,国号汉,史称北汉。为北宋所灭。

【汉人】❶汉族人的统称。❷元朝时特指原属金朝统治下的汉人和女真、契丹、渤海等人以及南宋灭亡前归附的四川、云南的汉族人。政治待遇低于蒙古人、色目人,高于南人。

【汉口】见〔武汉市〕(1046 页)。

【汉水】也叫汉江。长江主要支流。发源于陕西省宁强县,在湖北省武汉市注入长江。长 1 532 千米。

【汉书】史书名。东汉班固撰。包括十二本纪、八表、十志、七十列传,共一百篇(其中《天文志》及八表是固妹班昭及马续续写而成),共一百二十卷,主要记载了汉高祖刘邦元年(前 206)至王莽地皇四年(23)二百三十年的历史。是中国第一部纪传体的断代史。该书保存了丰富资料,对研究西汉政治、军事、文化等有重要参考价值。

【汉字】汉语的书写符号。世界上最古老的文字之一。现存最古老、可识的汉字是三千多年前殷商的甲骨文和稍后的金文。汉字一般一个字代表一个音节,目前使用的汉字可分为没有表音成分的纯粹表意字(如日、刃、休)和有表音成分的形声字(如粮、油、钢)两大类,其中形声字占多数。1949 年以来,中国积极进行了汉字改革工作,在原有体系内部简化汉字,推广普通话和推行《汉语拼音方案》。

【汉阳】见〔武汉市〕(1046 页)。

【汉奸】指投靠侵略者、出卖祖国利益的中华民族的败类。

【汉学】❶清代把研究文字、音韵、训诂、考据这几门学问统称为汉学。因继承汉代学者注重文字和名物制度的研究传统,故名。❷外国人统称研究中国文化、历史等方面的学问为汉学。

【汉城】韩国首都。位于朝鲜半岛中部偏西。人口 1 047 万(1996 年)。是韩国政治、经济、文化中心,也是朝鲜半岛最大城市。北依汉山,南邻汉江,形势险要,为军事要塞和水陆交通枢纽,也是重要工业中心。

【汉语】汉族的语言。是中国各民族之间的共同交际语,也是世界上使用人数最多的语言。联合国正式语文和工作语文之一。汉语历史悠久,保存了数千年来极为丰富的文献。汉语属汉藏语系,其标准语是普通话。

【汉剧】戏曲剧种。流行于湖北全省及河南、陕西、湖南、广东等省的部分地区。约有三百年历史。唱腔以西皮、二黄为主。对京剧的形成起了较大的作用。

【汉族】中国各民族中人口最多的民族。由古代华夏族和其他各民族逐渐发展而成。遍布全国,人口约 10.7 亿(1990 年),约占总人口的 92%。汉族有悠久的历史和丰富的文化遗产,它和各兄弟民族之间在长期的历史进程中,发展了政治、经济联系和文化交流,共同缔造了伟大的祖国。

【汉赋】汉代的赋。吸收了楚辞的体制辞藻和纵横家的铺张手法而形成,在汉代流行。长篇的赋叫大赋,描写都城宫苑和帝王生活,气魄宏大,词采富丽。短篇的赋叫小赋,多为抒情小品。

【汉堡】德国城市。位于该国北部易北河畔。人口 165 万(1992 年)。是全国第二大城市、最大海港和造船工业基地,也是文化名城。

【汉白玉】纯白的大理石。质地致密,是上等建筑材料。参见〔大理石〕(167 页)。

【汉武帝】即"刘彻"(626 页)。

【汉高祖】即"刘邦"(626 页)。

【汉光武帝】即"刘秀"(626 页)。

【汉语大字典】大型字典。徐中舒主编。共八卷。1986—1990 年由湖北辞书出版社和四川辞书出版社联合出版。共收单字 56 000个左右,并收列有代表性的甲骨文、金文、小篆、隶书的字形。注音以现代读音为主,并标注中古反切和上古韵部。释义兼及常用义、生僻义和语素义。注重形音义的配合，具有存字、存音、存源的特点。

【汉语大词典】大型语文词典。罗竹风主编。全书正文十二卷，共收词语37.5万余条，约5 000万字，另有《附录·索引》一卷。第一卷1986年由上海辞书出版社出版，第二卷起改由汉语大词典出版社出版，1994年出齐。这是中国第一部古今兼收，源流并重的大词汇量的汉语词典。

【汉语拼音方案】给汉字注音和拼写普通话语音的方案。1958年2月11日第一届全国人民代表大会第五次会议批准推行。这个方案采用拉丁字母，是帮助学习汉字和推广普通话的工具。1982年国际标准化组织决定作为拼写汉语的国际标准。

【汉谟拉比法典】也叫石柱法。古代巴比伦奴隶制国家的法典。公元前18世纪由巴比伦皇帝汉谟拉比颁布。用楔形文字刻在石柱上。该法典对刑事、民事、贸易、婚姻、继承、审判制度都作了规定。

闬☒(閈) hàn 里巷的门。

汗 ㊀ hàn 汗腺分泌物。水分占98%—99%，其余为氯化钠、少量尿素及其他盐类。

㊁ hán (375页)。

【汗青】古代用来记事的竹简，是用青竹烤去水分做成的。烤时竹子上冒出的水像汗一样，所以古人称竹简为汗青。后用来泛指书籍史册。宋文天祥《过零丁洋》诗："人生自古谁无死，留取丹心照汗青。"

【汗腺】皮肤附属腺之一。一端为分泌部，分泌汗液，另一端为排泄部，直接开口于皮肤表面，称汗孔。汗液的排出，可调节体温、排放代谢废物。

【汗漫】广泛，不着边际。㊙～之言(不着边际的话)。

【汗马功劳】《韩非子·五蠹》："弃私家之事，而必汗马之劳。"后用汗马功劳形容立下战功。现也指在工作中做出贡献。汗马：战马因奔驰而流汗。

【汗牛充栋】唐柳宗元《陆文通先生墓表》："其为书，处则充栋宇，出则汗牛马。"意思是藏书极多，存放时能充满整个屋宇，外运时能累得牛流汗。后以"汗牛充栋"形容书籍极多。充：装满。栋：房屋。

【汗流浃背】出汗多，湿透脊背。《后汉书·伏皇后纪》："操(曹操)出顾左右，汗流浃背。"原形容极度惶恐或惭愧。现常用来形容满身大汗。

【汗颜无地】形容极其羞愧，无地自容的样子。唐韩愈《朝归》诗："服章岂不好，不与德相对，顾影听其声，赪颜汗渐背。"汗颜：因羞惭而脸上出汗。

旱 hàn ❶缺雨、雪。㊙天～|防～抗～。❷陆地上的；没有水的。㊙～路|～稻。

【旱灾】因缺雨所造成的农业灾害。

【旱魃】旧时传说中引起旱灾的怪物。魃(bá)。

【旱獭】哺乳动物。体粗壮，头阔而短，耳小而圆，四肢短而强，前肢的爪特别发达，尾短。体背一般为土黄色，杂以褐色，腹面黄褐色。生活在草原、旷野、岩石和高原地带。穴居、群栖，以植物为食。是鼠疫、布氏杆菌病和兔热病的传播者。

垾□ hàn 小堤。多用于地名，如中垾(在安徽)。

捍(*扞) hàn 保卫；抵御。㊙～卫|～御。

【捍格】相抵触。㊙～不入。

悍(*猂) hàn ❶勇猛。㊙强～。❷凶暴。㊙凶～。

【悍然】粗暴蛮横，不顾一切的样子。

焊(*銲*釬) hàn 连接或修补金属(或非金属)器物的一种方法。㊙电～|塑料～接|～铁壶。

睅☒ hàn 眼睛突出。

鸮☒(鴅) ㊁ hàn 〔鸮鸮〕古书上指一种鸟。

㊀ gān (302页)。

菡 hàn 〔菡萏〕荷花的别称。萏(dàn)。

颔(頷) hàn ❶下巴。❷点头，表示同意。㊙～首。

撖 hàn 姓。

暵☒ hàn ❶干枯。❷晒干。

熯□ hàn 〈方〉焙；用极少的油煎。

撼 hàn 摇动。㊙摇～|蚍蜉～大树。

憾 hàn 悔恨失望，心中感到不满意。㊙遗～|引以为～。

H

【憾事】认为不完美而内心感到遗憾的事情。

翰 hàn 长而硬的羽毛，古代用来写字。后来借指毛笔、文字、书信等。㊀～墨|华～(对他人来信的美称)。

【翰林】唐代为朝廷撰拟文书的官。唐玄宗设翰林学士，成为皇帝机要秘书，曾为内相。明清设翰林院，掌修国史，记载皇帝起居，草拟制诰。其长官以大臣充任，称“掌院学士”。

【翰海】同“瀚海”(380页)。

【翰墨】笔和墨。借指文章书画等。

瀚 hàn 广大。

【瀚海】也作翰海。含义随时代而变。汉魏六朝时指北方的海名。唐代指蒙古高原大沙漠以北及其迤西今准噶尔盆地一带广大地区。元代指古金山(今阿尔泰山)。明以来用以指戈壁沙漠。一说是杭爱(山)的音译。

hāng 厂尢

夯 ㊀ hāng ❶砸实地基用的工具。㊀打～。❷用夯砸。㊀～地。

㊁ bèn (49页)。

【夯歌】打夯时唱的歌。

H

háng 厂尢́

行 ㊁ háng ❶行列；排。㊀单～。❷商店、企业等营业单位。㊀银～。❸行业。㊀同～。❹指兄弟、姐妹的次序。㊀排～。❺量词。用于成行的东西。㊀一～白鹭上青天|两～热泪。

㊀ xíng (1101页)。

㊂ hàng (382页)。

㊃ héng (396页)。

【行气】书法指字行间布局的艺术性。

【行东】旧指中国旧式商行或手工业作坊中的业主。

【行市】行情。

【行列】人或物排列的行与列的合称(直排叫行，横排叫列)。也泛指队伍。㊀行进～|革命～。

【行当】❶行业。❷戏剧演员分工的类别。主要根据角色类型来划分，如传统京剧的生、旦、净、丑等。

【行伍】古代军队编制。五人为伍，二十五人为行。后用行伍泛指军队。㊀～出身。

【行会】旧译作基尔特。封建社会城市手工业者或商人的同业组织。目的在于保持本行业在生产和商品销售中的垄断地位，保护成员利益。随着资本主义的兴起，这种封建垄断性的组织变成了生产力发展的障碍，逐渐衰微瓦解。

【行话】各种行业的人在本行业中的专门用语。

【行帮】旧时同一行业的人为了维护自己的利益而结成的小团体。就行业分，有商帮、手工帮、苦力帮等；就地域分，有本帮和客帮。行业和地域两重关系常交织在一起。如旧时上海的酒业就有绍兴和湖南两帮。

【行栈】代人存放货物并为人介绍买卖的地方。

【行家】内行人。

【行距】相邻两行之间的距离，一般指两行植株之间的距离。

【行情】指市面上商品的一般价格或金融市场上利率、汇水的一般情况。

【行款】书写或排印文字的行列款式。

【行会师傅】即作坊主或行东。行会是中世纪意、法、英、德等国手工业者按照行业结成的组织。手工业主参加劳动，但也剥削帮工和学徒，是手工业行会中享有全权的会员。帮工通过行会的技术考核也可取得师傅资格，独立开设作坊。行会的师徒制度有利于技艺的传授发展。

绗(絎) háng 一种缝纫的方法。使棉衣、棉被的面儿、里子、棉花固定。

吭 ㊀ háng 喉咙。㊀引～(拉长了嗓音)高歌。

㊁ kēng (561页)。

迒[⊠] háng ❶野兽、车辆经过的痕迹。❷道路。

杭 háng ❶浙江杭州的简称。❷古又同“航”。

【杭育】叹词。重体力劳动者集体操作时呼喊的有节奏的声音。

【杭州市】浙江省会。位于钱塘江北岸，大运河南端。人口132万(1997年)。沪杭、浙赣等铁路在此交会。是全省政治、经济、文化和交通中心。丝绸、织锦、茶叶和传统工艺品在国际市场享有盛誉。为中国古都之一。市区西部的西湖是著名的风景区和游览胜地。

衖[☒] háng〔衖衖〕❶行业。指各种营生,也指从事各种营生的人。❷妓院;妓女。❸金元时指杂剧艺人的居处。也指杂剧艺人。衏(yuàn)。

航 háng ❶船。❷行船。也指飞机、宇宙飞船的飞行。[例]~海|~空|~天。

【航天】也叫宇宙航行、空间飞行。在地球大气层之外的空间或太阳系内部行星之间的空间航行。

【航次】船舶载运或拖带货物、旅客完成一次完整的运输过程为一个航次。分单程航次和往返航次。

【航运】水上运输事业。分内河航运、沿海航运、远洋航运。

【航空】人类在大气层中从事飞行的活动。航空用的飞行器有飞机、直升机、滑翔机等。

【航线】船舶或飞机航行的路线。

【航标】为引导、辅助船舶安全和便捷地航行而设在岸上或水上的标志。如导标、浮标等。

【航测】运用航空遥感技术进行的测绘。

【航海】船舶在海洋上航行。

【航程】飞机、船舶等由起点到终点所经过的路程。

【航道】在江河、湖泊、港湾等水域内供船舶及排筏等航行的通道。它具有满足船舶航行需要的水深及宽度,一般设有航标等导航设备。

【航模】飞机模型;船只模型。

【航天员】也叫宇航员。驾驶、维修和管理航天器并在航天过程中从事科学研究或军事活动的人员。

【航天器】在太空沿一定轨道运行并执行探索、开发、利用太空等任务的飞行器。分无人航天器和载人航天器。无人航天器包括人造地球卫星、空间平台和空间探测器等;载人航天器包括载人飞船、空间站、航天飞机等。

【航空兵】以军用飞机和直升机为基本装备,在空中作战和执行空中保障任务的兵种。现代军队陆军、海军、空军都有各自的航空兵。空军航空兵通常包括歼击航空兵、歼击轰炸航空兵、轰炸航空兵、强击航空兵、侦察航空兵、运输航空兵和其他专业航空兵部队。

【航空病】❶也叫高空病。在飞行高度超过3 500米而缺乏防护(如供氧、密闭座舱等)的情况下所发生的缺氧症。症状与高山病相同。❷也叫晕机病。由于飞机上升过速,气压急剧下降而引起的减压病。主要症状是恶心、呕吐、眩晕等。

【航空港】在固定航线上供飞机起降的综合性民用机场建筑群。

【航空器】主要依靠空气浮力或气动升力而升空,仅能在大气层中航行的飞行器。分空气浮力航空器(如气球、飞艇等)和气动升力航空器(如飞机、滑翔机、直升机等)。

【航天飞机】航天器的一种。有机翼,靠运载火箭发射进入太空轨道,返回地面时能在机场跑道水平着陆,并可重复使用,兼有载人、运货功能。

【航天技术】也叫空间技术。探索、开发和利用太空以及地球以外天体的技术。主要包括航天器和航天运输系统的研制、试验、发射、运行、返回、控制、生命保障及应用技术等。

【航天育种】也叫太空育种。一种新的育种方法。利用返回式卫星搭载农作物种子,使它在太空小重力、低气压、强辐射等特殊条件下内部发生变异,返回地面后进行育种试验,培育出高产、优质、抗病虫害的新品种。

【航天遥感】以卫星、飞船、火箭为传感器运载工具的遥感。参见〔遥感〕(1146页)。

【航空母舰】以舰载机为主要武器并作为其海上活动基地的大型军舰。满载排水量约2—10万吨。有机库、升降机、飞行甲板、飞机弹射器等特种设施。可运载飞机数十架至百余架。以母舰为中心,最大作战范围200—1 000千米,能远离海岸机动作战。按任务和所载飞机性能分,有攻击航空母舰、反潜航空母舰;按动力分,有常规动力航空母舰和核动力航空母舰。

【航空遥感】以飞机、气球为传感器运载工具的遥感。参见〔遥感〕(1146页)。

【航空管制】也叫飞行管制。有关部门根据国家颁布的飞行规则,对空中飞行的航空器实施的监督控制和强制性管理。目的是维持飞行秩序,防止航空器互撞和航空器与地面障碍物相撞。

【航空模型运动】军事体育项目之一。放飞、操纵自制的模型飞机,以其留空的时间、高度、距离等确定比赛成绩。比赛对模型飞机的几何尺寸、重量、翼载荷、动力等方面均有严格规定。

【航海模型运动】军事体育项目之一。设计、制作和水上放航、操纵舰船模型，以其外观、航向、航速等确定比赛成绩。比赛分A、B、C、D、E、F六个组，共36个级别。A、B组为圆周竞速艇模型；C组为外观舰船模型；D组为自航帆船模型；E组为自航舰船模型；F组为遥控舰船模型。

颃(頏) háng 见〔颉颃〕(1088页)。

hàng ㄏㄤˋ

行 ㊂ hàng 见〔树行子〕(913页)。
㊀ xíng (1101页)。
㊁ háng (380页)。
㊃ héng (396页)。

沆 hàng 形容大水。

【沆瀣】夜间的水气。瀣(xiè)。

【沆瀣一气】宋钱易《南部新书·戊集》记载，唐朝有个主考官崔沆，录取了他的门生崔瀣。当时有人嘲笑他们："座主门生，沆瀣一气。"后用来比喻臭味相投的人勾结在一起。

巷 ㊁ hàng 巷道。
㊀ xiàng (1077页)。

【巷道】为了勘探、采矿、运输、通风、排水以及人员通行、战备等需要，在地下开凿的通道。

H

hāo ㄏㄠ

蒿 hāo 多年生或二年生草本植物。如青蒿、茵陈蒿等。均可供药用。

【蒿目时艰】《庄子·骈指》："蒿目而忧世之患。"意思是举目看到时事艰危而感到忧虑不安。后用"蒿目时艰"形容对时局的担心。蒿目：尽量向远看。

嚆 hāo 呼叫。

【嚆矢】一种带响声的箭，射时箭未到而声先响。比喻事情的开始或预兆。

薅 hāo ❶拔；除去。[例]～草。❷〈方〉揪。[例]～住。

háo ㄏㄠˊ

号(號) ㊁ háo ❶呼喊。[例]呼～。❷大声哭。[例]哀～。
㊀ hào (383页)。

【号啕】也作嚎啕。放声大哭。

哠☒ ㊁ háo 同"号(háo)"。
㊀ xiāo (1081页)。

貉☒ ㊁ háo 同"貉(háo)"。
㊀ hé (392页)。

貉 ㊁ háo 同"貉(hé)"①。用于"貉子""貉绒"。
㊀ hé (392页)。
㊂ mò (698页)。

蚝(*蠔) háo 牡蛎。

毫 háo ❶细毛。[例]～毛｜明察秋～。❷指毛笔。[例]挥～。❸秤或戥子上的提绳。[例]头～。❹数量极少，一点。[例]～不利己｜～无头绪。❺市制长度、地积和质量单位。10丝为1毫，10毫为1厘。

【毫子】旧时广东、广西等地区使用的一角、二角、五角的银币。多指二角的。

【毫毛】人或鸟兽身上的细毛。多用于比喻。[例]看你敢动我一根～！

【毫升】容量单位。1 000毫升为1升。

【毫巴】气象上压强的非法定计量单位。1毫巴等于100帕。

【毫末】指极细微。《老子》："合抱之木，生于毫末。"

【毫米】旧称公厘。长度单位。1 000毫米等于1米。

【毫克】质量单位。1 000毫克等于1克。

【毫厘】一毫一厘。形容极小的数量。[例]～不爽(一点也不差)。

【毫素】笔和纸。也指著作。

【毫无二致】丝毫没有什么两样，即完全一样。

【毫米汞柱】压强的非法定计量单位，目前在量血压时仍习惯使用。即1毫米汞柱产生的压强。1毫米汞柱等于133.3帕。

【毫厘千里】"差之毫厘，谬以千里"的略语。

壕□ háo 〔壕口〕地名。在内蒙古。

豪 háo ❶具有杰出才能的人。[例]～杰。❷有气魄，不拘束。[例]～放｜～迈。❸强横。[例]巧取～夺。

【豪门】旧指有钱有势的家庭。

【豪气】勇往直前的英雄气概。

【豪迈】豪放不羁，气魄大。

【豪华】❶指生活上奢侈，过分铺排。❷

特别堂皇华丽(多指建筑、设备、装饰等)。
【豪兴】极好的兴致。兴(xìng)。
【豪饮】放开酒量痛饮。
【豪杰】才能出众的人。
【豪侠】旧指勇敢而讲义气的人或行为。
【豪放】气魄大而无所拘束。
【豪绅】旧指在地方上依仗权势欺压民众的绅士。
【豪爽】豪放直爽。
【豪猪】也叫箭猪。哺乳动物。全身黑色或褐色,杂有灰白短毛。自肩部至尾长着许多长而硬的刺。以植物为食。常危害农作物。
【豪情】崇高奔放的情怀。
【豪强】❶强横。❷依仗权势欺压民众的人。
【豪横】强横,仗势欺人。横(hèng)。
【豪门巨室】有钱有势的大家望族。
【豪言壮语】充满英雄气概的话。
【豪放不羁】形容人性情豪爽,不受拘束。《北史·张彝传》:"彝少而豪放,出入殿庭,步眄高上,无所顾忌。"羁:拘束。

壕 háo 沟。㊀战～|～沟。

嚎 háo ❶大声叫或哭。㊀狼～。❷同"号(háo)"。

【嚎啕】同"号啕"(382页)。

濠 háo ❶护城河。❷濠水,水名,在安徽。

籇☒ háo 船竿。

诡☒**(謼)** ㊁ háo 古同"号(háo)"。㊀ xià (1064页)。

嗥(*嘷*獋) háo 野兽吼叫。

hǎo ㄏㄠˇ

好 ㊀ hǎo ❶优点多的;使人满意的。与"坏"相对。㊀～人|～事情|这里风景很～。❷友爱;和睦。㊀友～。❸容易;便于。㊀这个问题～解决|请给我留下呼机号,有事我～呼你。❹副词。1. 很。㊀～快。2. 强调多。㊀～几个人。❺完成。㊀计划订～了。❻表示赞成、答应或结束的语气。㊀～,就这么办吧!

㊁ hào (384页)。

【好不】副词。表示程度深(除"好不容易"外,一般表示肯定的意思),只用于双音节形容词前面。与"多么""很"相似。㊀～热闹|～痛快。
【好歹】❶好坏。㊀不知～。❷婉指发生生命危险。㊀万一有个～,怎么办? ❸将就;凑和(做某事)。㊀～有个地方睡就行。❹不管怎样;无论如何。㊀～也要把这件事做完。
【好手】能力强或精于某种技艺的人。
【好生】❶〈方〉好好地。㊀上课时要～听讲。❷很;多么(多见于早期白话)。㊀～了得。
【好汉】勇敢有为的男子。
【好在】表示具有某种有利的条件或情况。㊀以后再谈吧,～我们是常见面的。
【好转】向好的方面转化。
【好感】对人对事喜欢的心情。
【好力宝】也叫好来宝。蒙古族的一种曲艺。流行于内蒙古地区,以蒙古族语言演唱。通常是一人自拉自唱,也可以二人或多人采取对唱、合唱、轮流说唱等形式,有时还夹有快板节奏的数说。主要伴奏乐器是四胡或马头琴。
【好莱坞】美国电影制片业中心。位于加利福尼亚州洛杉矶市的西北郊区。
【好望角】非洲大陆最西南端的岬角。15世纪末,欧洲殖民者发现从这里可通向富庶的东方,故名。
【好端端】❶好好儿的。指情况正常。❷无端;没来由。
【好好先生】一团和气、不问是非曲直的老好人。
【好事多磨】美满的事情往往遭到挫折或磨难而不易成就。

郝 hǎo 姓。

hào ㄏㄠˋ

号(號) ㊀ hào ❶名称。㊀国～|牌～。❷标志。㊀记～|问～。❸次第;等级。㊀编～|中～。❹命令。㊀发～施令。❺铜管乐器的通称。㊀吹～。❻商店。㊀只此一家,别无分～。❼指某种人。㊀病～|伤～。

㊁ háo (382页)。

【号子】也叫劳动号子。民歌的一种。在集体劳动中为协同动作所唱的歌。曲调高亢,节奏齐整;多为一人领唱,众人应和。如船夫号子、打夯号子等。

【号令】❶军队中用口说或军号等传达命令。㊞~三军。❷指挥军队行动的命令和指示。特指战斗时指挥作战的命令。

【号外】报社在正常编号出版以外临时增印的报纸,目的在及时、迅速地报道特别重要的新闻。

【号召】向群众发出口头或书面的召唤,以完成某一任务。

【号衣】旧时兵士、差役等所穿的带有标记的衣服。

【号角】❶古时军队中传达命令的响器。后泛指喇叭一类的东西。❷比喻某种信号。

【号房】❶指军队驻扎前安排住房的工作。❷旧指传达室或做传达工作的人。

【号脉】即"切脉"(791页)。

【号炮】用以传达信号的炮。

【号称】❶以某名著称。㊞四川~天府之国。❷名义上是。㊞所有~强大的反动派统统不过是纸老虎。

【号数】❶表示次序的数字。❷纺织中表示棉纱线粗细程度的纤度单位。1 000米长的纱线重多少克,其纤度就是多少号。号数愈小,纱线愈细。

好 ㊁ hào 爱好;喜欢。㊞~学|~强|~客。

㊀ hǎo (383页)。

H

【好事】爱多事;好管闲事。

【好奇】对不了解、不熟悉的事物觉得新奇而感兴趣。

【好尚】喜好,崇尚。

【好胜】处处想胜过别人。

【好客】乐于客人到来,对客人热情、周到。

【好恶】对事物爱憎的情感。恶(wù)。

【好大喜功】宋罗泌《路史·前纪》:"昔者汉之武帝,好大而喜功。"指一意想做大事,立大功。

【好为人师】形容不谦虚,喜欢以教育者自居。《孟子·离娄上》:"人之患在好为人师。"为:做,当。

【好问决疑】勤于向别人请教,以解决疑难问题。

【好高骛远】脱离实际地追求目前不可能实现的过高、过远的目标。《宋史·程颢传》:"病学者厌卑近而骛高远,卒无成焉。"骛:追求。

【好逸恶劳】贪图安逸,厌恶劳动。

【好整以暇】《左传·成公十六年》:"日臣之使于楚也,子重问晋国之勇,臣对曰:'好以众整。'曰:'又何如?'臣对曰:'好以暇。'"后用"好整以暇"形容既严整而又从容。多指繁忙之中表现得从容不迫。整:严整,有秩序。暇:从容。

昊 hào 形容天的广大。也指天。

淏 hào 形容水清。

耗 hào ❶减损,消耗。㊞损~|油~|他们谈了一晚上,把灯里的油都~干了。❷拖延。㊞~时间。❸音信(现多指坏的)。㊞噩(è)~。

【耗子】〈方〉老鼠。

【耗损】消耗损失。㊞库存~。

【耗竭】消耗光了。

浩 hào ❶盛大;巨大。㊞~大|~繁。❷多。㊞~博|~如烟海。

【浩气】正气。指正大刚直的精神。㊞~凛然。

【浩叹】因感慨深长而大声叹息。

【浩劫】大灾祸;大灾难。

【浩荡】水势广大的样子。形容声势壮大。

【浩渺】水面辽阔,无边无际的样子。㊞烟波~。

【浩繁】浩大而繁多。

【浩瀚】❶水盛大的样子。㊞大海辽阔~。❷广大,漫无边际。㊞~的沙漠。❸繁多。㊞典籍~。

【浩如烟海】形容文献、资料等非常丰富。清周永年《儒藏记》:"或曰:'古今载籍,浩如烟海。'"浩:广大,众多。

皓(*皜*暠) hào 洁白。㊞~齿|~月当空。

【皓矾】含结晶水的硫酸锌的俗称。化学式 $ZnSO_4 \cdot 7H_2O$。无色晶体,易溶于水,加热至280℃失去结晶水而成白色粉末。用于制立德粉,也用作媒染剂、收敛剂、木材防腐剂等。

【皓首】满头白发(指老人)。

鄗☒ hào 鄗县,古地名,在今河北柏乡北。

滈☒ hào 古水名。在今陕西长安。

镐(鎬) ㊁ hào 镐京。

㊀ gǎo (312页)。

【镐京】西周都城。在今陕西长安西北。公元前771年,镐京为犬戎攻破,周王朝迁都洛邑(今河南洛阳)。

皞[☒] hào 明亮。

颢(顥) hào 白而亮的样子。

灏(灝) hào 水势大。

hē ㄏㄜ

诃(訶) hē 音译用字。如契诃夫。"訶",也作"呵(hē)"①的异体字。

【诃子】也叫藏青果。常绿乔木。果实椭圆形,可供药用。

呵 ㊀ hē ❶怒责。[例]～责。❷呼气。[例]～手|一气～成。❸叹词。表示惊讶、赞美等。[例]～,这南瓜长得真大!❹拟声词。笑声。[例]～～地笑。

㊁ ā (3页)。

㊂ kē (554页)。

【呵叱】同"呵斥"(385页)。

【呵斥】也作呵叱。大声斥责。

【呵喝】为了申斥、恫吓、禁止而大声喊叫。

嗬 hē 同"呵(hē)"③。

欱[☒] hē 同"喝(hē)"。

喝 ㊀ hē 吸食液体或流体食物。[例]～水|～粥。

㊁ hè (393页)。

蠚[□] hē 〈方〉蜇;刺。

hé ㄏㄜˊ

禾 hé ❶谷类植物的统称。❷古代特指粟。

【禾本科】被子植物的一科。多数为草本植物,少数为木质植物。茎有明显的节,节间多中空。叶互生,叶片常狭长,有平行脉,叶鞘抱茎。花多、小而不明显,两性。果实通常为一颖果。禾本科包括很多重要的经济植物。粮食作物如稻、小麦、大麦、玉米等;制糖原料如甘蔗;竹类可做建筑和工业的各种用材;另有很多种类可做造纸和纺织原料,或做牧草、防沙固堤和园林绿化。

訸[☒](訸) hé 同"和谐"的"和"。

和(❶－❸*龢❶－❸*咊) ㊀ hé ❶温和,不猛烈。[例]～颜悦色|～风细雨。❷协调,亲睦。[例]～谐|～美。❸争端平息。[例]讲～|～解。❹(下棋或赛球)不分胜负。[例]～局。❺连带。[例]～衣而卧。❻介词。表示相关、比较、指示动作的对象等。[例]你～他说一下|他弟弟～这桌子一样高。❼连词。表示联合关系。[例]我～他都去|爸爸、妈妈～姐姐。❽加法所得的结果。

㊁ hè (392页)。

㊂ huó (439页)。

㊃ huò (442页)。

㊄ hú (407页)。

【和风】温和的风。[例]～丽日。

【和文】日文。日本一名大和,因此日本文又称和文。

【和平】❶指没有战争的状态。与"战争"相对。❷温和,不猛烈。[例]药性～。

【和会】战争双方为了结束战争状态而举行的会议,一般在休战之后举行。

【和约】交战国在法律上结束战争状态的条约。内容通常包括:宣告结束战争状态,恢复和平关系,遣反战俘,领土划界,赔偿,惩办战犯,战前条约效力的确定,履行和约的保证以及其他政治、经济和军事条款。

【和声】音乐中指两个以上的音同时发响。其作用是配合曲调,增强表现力。

【和局】平局。不分胜负的局面(多指体育比赛)。

【和尚】中国对佛教僧侣的通称。

【和畅】(风)温和舒畅。[例]春风～。

【和服】日本的民族服装。

【和弦】三个或三个以上的音同时发声。由三个音构成的称为三和弦,在三和弦的基础上加入七度音、九度音则分别构成七和弦、九和弦。

【和亲】汉族封建朝廷与少数民族首领,以及少数民族首领之间具有一定政治目的的联姻。如汉和匈奴、西域的和亲,唐与吐蕃的和亲。在客观上起了促进民族间友好关系和经济、文化交流的作用。

【和谈】和平谈判。

【和谐】配合得适当,谐调。[例]这几个音配在一起很～。
【和婉】(言词)温和委婉。
【和缓】❶平和。㊕态度～。❷紧张的气氛减低了。㊕局势～了。
【和睦】相处得融洽友爱,无争吵。㊕民族～|家庭～。
【和煦】温暖。㊕春风～。
【和蔼】态度温和。㊕～可亲。
【和羹】为羹汤调味。《尚书·说命下》:“若作和羹,尔惟盐梅。”原指盐多则咸,梅多则酸,盐梅适当,就成和羹。后用以比喻大臣辅佐帝王综理朝政。
【和氏璧】《韩非子·和氏》记载,春秋时楚人卞和,在山中得一璞玉,献给厉王,王使玉工辨认,说是石头,以欺君罪割断卞和的左足。后武王即位,卞和又将璞玉献上,仍以欺君罪割断他的右足。后来文王即位,卞和抱着璞玉,在荆山脚下哭泣。文王使人剖璞,果得宝玉。因称和氏璧。《史记·廉颇蔺相如列传》:“和氏璧,天下所共传宝也。”
【和平鸽】《圣经》中作为显示平安的好征兆。《创世记》说,大地曾被洪水全部淹没。留在方舟(船)里保全生命的诺亚放出一只鸽子,鸽子衔着鲜嫩的橄榄枝飞回来,证实洪水已经退去,大地已经复苏。后来西方人就把鸽子和橄榄枝当作和平的象征。
【和风细雨】和煦的风,细细的雨。比喻在批评中摆事实,讲道理,方式缓和,不粗暴。
【和光同尘】《老子·四章》:“和其光,同其尘。”意思是涵蓄着光耀,混同着尘垢,与好坏都能相合,不自立异。后多指不露锋芒,与世无争的处世态度。和光:把所有的光中和在一起。同尘:与尘俗混同。
【和玺彩画】中国木结构建筑装饰彩绘的一种。是清代最高等级的彩画形式。绘于横向连接柱子的构件上,两端有齿形折线,画面以龙、珠宝为主要纹样,用于皇家宫殿、坛庙等重要建筑的主殿。如故宫太和殿的彩画。
【和衷共济】大家一条心,共同渡过江河。比喻同心协力,克服困难。衷:内心。济:渡水。
【和盘托出】连同盘子一起端出来。比喻完全说出来或拿出来,毫无保留。
【和颜悦色】形容和蔼喜悦的脸色。也形容态度和蔼可亲。
【和平号空间站】俄罗斯第三代空间站。由六个圆柱形舱体和两个宇宙飞船组成。这些舱体和宇宙飞船是从1986年2月开始陆续发射到空间轨道上拼装在一起的,于1993年竣工。总长46米,总质量115吨。在空间站上可进行天体物理、大气物理、地球资源的观测,进行多种材料的实验,生产小批量蛋白质、半导体晶体等。
【和平共处五项原则】中国倡导的处理不同社会制度国家相互关系的基本原则。1954年首次提出,后为世界上许多国家所接受。这些原则是:互相尊重主权和领土完整,互不侵犯,互不干涉内政,平等互利,和平共处。

盉 hé ❶调和五味。❷古铜器名。形状像现代的壶。

合(❸閤) ㊀ hé ❶闭;对拢。㊕～眼|～围。❷聚;集;共同。与“分”相对。㊕～力|～办。❸全。㊕～城|～村。❹符合。㊕～情～理。❺折合。㊕一公顷～多少市亩? ❻应当;应该。㊕事～今日办者,不拖至明日。❼工尺谱记音符号之一。相当于简谱的“5̣”。

㊁ gě (318页)。

“閤”,另音 gé,见“阁”(317页)、“阁”(316页)。
【合十】佛教的一种敬礼方式。两掌在胸前对合。十:十指。
【合力】❶两个或两个以上的力的共同作用效果,可以用一个力来代替,这个力就是那几个力的合力。❷一起出力。㊕同心～。
【合子】❶子(zǐ)。两性配子融合后所形成的新细胞。如卵和精子融合后所形成的受精卵。❷子(zi)。类似馅儿饼的一种食品。
【合龙】修筑堤坝或围堰(yàn)时,最后留下的缺口叫龙口。封口截流叫合龙。
【合成】❶由部分组成整体。❷用化学方法把单质或简单的化合物制成比较复杂的化合物,或制成与天然产物相同或类似的化合物的过程。如合成橡胶、合成塑料、合成纤维等都是用合成方法制得的。
【合同】❶同(tong)。也叫契约。双方(或数方)当事人依法订立的有关权利义务的协议。对当事人具有约束力。❷同(tóng)。军事上指以某一兵种为主,其他军兵种、专业兵种的相互协同。
【合会】也叫邀会、来会、成会。一种自发的民间信用互助形式。基本做法是:首先由急需资金的人充当发起人(称会首或会头),他们凭借个人的信用,请收入较为充

H

裕而又有信用的人担保，邀集亲友、邻里、同事等数人至数十人(称会脚)组成一会，约定每人每次应缴会款和举会时间。第一次交纳的会款一般归会首，以后依不同方式，决定会脚收款顺序。按预先排定的次序轮收的，称为轮会；按摇签方式确定的称为摇会；用投标竞争方法决定的称为标会。

【合欢】❶情侣欢聚。❷也叫马缨花。落叶乔木。羽状复叶，小叶夜间合拢。花淡红色，荚果扁平。

【合围】❶包围；围住。❷合抱。

【合谷】针灸穴位名。位于手背第一、二掌骨间隙之中点处。主治头面部疾病。

【合抱】两臂围拢的圆周。常用以形容树木、柱子等之粗大。

【合金】由一种金属跟其他金属(或某些非金属)相互结合而成的具有金属特性的物质。

【合宜】合适；适当。

【合亟】旧时公文用语。理应赶快。亟(jí)。

【合卺】旧时成婚时的一种仪式。将匏瓜锯成两个瓢，新郎新娘各执一个饮酒。后以合卺指成婚。卺(jǐn)：盛酒的瓢。

【合奏】器乐演奏形式之一。常将多种乐器按不同种类分为几组，各组分别担任某些声部，同演奏某一乐曲。如管乐合奏、管弦乐合奏等。

【合饹】同“饸饹”(388 页)。

【合度】合适；适宜。

【合资】双方或多方共同投资。㊀中外～企业。

【合流】❶几条河流汇合在一起。❷比喻在思想行动上趋于一致(多含贬义)。

【合唱】由两组或两组以上的歌唱者，同时演唱两个或两个以上声部的歌曲。如男声合唱、女声合唱、童声合唱、混声合唱。

【合数】一个正整数，如果除 1 和它本身以外，还能被其他正整数整除，就叫合数。如 6 是合数，除了 1 和 6 以外，还能被 2 和 3 整除。

【合辙】❶车子的两轮正好进入辙口。❷戏曲、小调、唱词的韵脚相合叫合辙。辙：戏曲、小调、唱词的韵。

【合璧】圆形有孔的玉叫璧，半圆形的玉叫半璧，两个半璧合成一个圆形的璧叫合璧。比喻事物凑到一块儿配合得宜。㊀诗画～。

【合议制】由审判员或由审判员与人民陪审员共同组成合议庭审理案件的审判组织形式。组成人数必须是单数。适用于第一审、第二审民事、行政和刑事案件。与“独任制”相对。

【合成气】纯氧和水蒸气在加压下通过灼热的煤，有苯、酚等物质挥发出来，并生成一种质量好的燃料气($40\%H_2$、$15\%CO$、$15\%CH_4$ 和 $30\%CO_2$)，这种燃料气通常叫做合成气。

【合成词】由两个或两个以上的语素构成的词。包括复合词(由两个或两个以上词根合成，如庆祝、友谊)和派生词(由词根加词缀构成，如阿姨、钳子)两类。

【合同工】在国家劳动工资计划指标外，通过签订劳动合同招用的临时性工人。

【合作社】群众联合组成的集体经济组织。在不同的社会经济条件下，有各种不同性质的合作社。

【合金钢】含有一种或多种适量合金元素而具有某些特殊性能的钢。合金元素可以是金属元素，也可以是非金属元素。合金钢按所含合金元素分镍铬钢、硅锰钢、硼钢等；按用途分不锈钢、弹簧钢、高速钢等。

【合肥市】安徽省会。位于该省中部，淮南、合九铁路交会处。人口 97 万(1997 年)。是全省政治、经济、文化和交通中心。有钢铁、机械、化工等工业。风景名胜有逍遥津、教弩台、包公祠等。

【合家欢】也叫全家福。一家人在一起合照的相片。

【合成石油】人造石油的一种。以氢和一氧化碳为原料，在一定温度(180—200℃)、压力(1×10^5—25×10^5 帕)下，加入催化剂合成得到的类似石油的产品。主要成分为各种直链烃。

【合成军队】由诸军种或诸兵种编成的军队。也指以一个兵种为主体，同其他兵种及专业兵共同组成的部队、分队。

【合成纤维】化学纤维的一类。以煤、石油、天然气和农副产品为原料，用化学和机械方法加工制得。一般强度高，密度小，耐磨，耐酸碱，不霉蛀，但吸湿性差。如锦纶、涤纶、腈纶、维纶、氯纶、丙纶等。

【合成材料】泛指用化学方法合成或加工制得的高分子材料。如合成塑料、合成纤维、合成树脂等。

【合成药物】用化学合成或生物合成等方法制成的药物。与“天然药物”相对。

【合成橡胶】具有高弹性的合成高分子化合物。其基本原料为天然气、石油。品种很多,常见的有丁苯橡胶、顺丁橡胶、丁腈橡胶、氯丁橡胶等。可制成各种橡胶制品。

【合伙企业】依照合伙企业法在中国境内设立的由各合伙人订立合伙协议,共同出资、合伙经营、共享收益、共担风险,并对合伙企业债务承担无限连带责任的企业。与法人同为常见的民事主体。

【合作经济】劳动者自愿集资联合起来自主从事经营活动的经济形式。

【合纵连横】战国时公孙衍、苏秦游说齐、楚、燕、韩、赵、魏六国联合抗秦,称为合纵;张仪游说六国,分化各国,使其中某几国服从秦国,攻其他国家,称为连横。六国地连南北,南北为纵,故六国联合谓之合纵;秦国偏西,六国居东,东西为横,故六国中某国与秦国交好谓之连横。

【合法行为】符合法律规定,能发生行为人所要达到的法律效果的行为。如依法签订合同、书立遗嘱等。正当防卫或紧急避险也是合法行为。

【合浦珠还】《后汉书·孟尝传》记载,靠近合浦的海里本来出产珍珠,由于太守贪财,榨取无厌,珍珠迁到了交阯。后来孟尝做太守,革除了弊政,珍珠就又回到了合浦。后用"合浦珠还"比喻人去而复回或物失而复得。

H

【合成洗涤剂】具有与肥皂类似作用的化学合成产品的统称。用石油、硫酸、烧碱、氯气、苯等原料制成,能节约动植物油脂。在硬水中使用有良好的洗涤性能,用途广泛。近年研究发现,很多合成洗涤剂会对水体造成污染。

【合伙制企业】由两个或两个以上公民按照协议共同出资、共同经营、共负盈亏责任的企业。与公司不同,它不具有法人资格,各合伙人仍然是权利与义务的主体。

【合众国际社】美国通讯社。1958年由合众社兼并国际新闻社而成。总部设在纽约。1982年转让给美国新闻传播公司。1986年由墨西哥瓦兹奎兹收购。

【合唱交响曲】贝多芬所创作的《第九交响曲》的通称。全曲由四个乐章组成,因其末乐章用混声合唱形式,故名。声乐部分系根据德国诗人席勒的长诗《欢乐颂》谱成。

郃□ hé 〔郃阳〕地名。在陕西东部。今作合阳。

饸(餄) hé 〔饸饹〕也作合饹。也叫河漏。一种面食,多用荞麦面或高粱面轧(yà)成条儿,煮着吃。饹(le)。

盒 hé 盒子。例饭～|铅笔～。

颌(頜) ㊀ hé 构成口腔上部和下部的骨头和肌肉组织。上部叫上颌,下部叫下颌。

㊁ gé (317页)。

【颌骨】人的面颅组成骨之一。位于面颅前下方。

纥(紇) ㊀ hé 见〔回纥〕(432页)。

㊁ gē (314页)。

龁(齕) hé 咬。

何 hé ❶疑问代词。什么;哪里。例～事?|欲～往? ❷文言副词。为什么。例夫子～哂由也?|汝～不受乎? ❸古又同"荷(hè)"。❹古又同"呵(hē)"。

【何以】❶拿什么。例～教我? ❷为什么。例前已商定,今～变卦?

【何必】副词。表示说话人认为某种事情没有必要或不一定必要。多用于反问句。例发动大家做嘛,你～一个人忙呢?

【何许】哪里;什么样的。例～人?

【何如】❶怎么样。例由你来完成这项工作,～? ❷用反问的语气表示不如。例这种设备与其靠外地供应,～就地取材,自己制造。

【何况】连词。表示更进一层,甲事如此,乙事当然更是如此。例变化大啊,几天就是一个样,～几年?

【何妨】用反问的语气表示不妨,没什么妨害。

【何其】文言副词。多么。例～相似|～天真!

【何尝】副词。表示婉转的否定,带有反问和辩解的语气。相当于"未曾""哪里""并不是"等。在肯定形式前表示否定;在否定形式前表示肯定。例他～不想看文艺演出,只是没工夫罢了。

【何殊】有什么不同?意思是没有什么两样。

【何谓】❶什么叫做;什么是。例～无私无畏? ❷指什么;是什么。例此言～也?

【何等】❶疑问代词。什么样的。例～儿郎

造次入此？❷副词。用感叹语气强调和赞叹程度深，不寻常。与“多么”相似。[例]这是～可贵的精神。

【何啻】用反问语气表示不止。[例]～天壤之别。啻(chì)。

【何香凝】(1878—1972)中国民主革命家、画家。原名谏，广东南海人。廖仲恺夫人。1905年在日本参加同盟会，追随孙中山致力于推翻满清的斗争。民国以后，积极参加讨袁护法运动。1924年坚决支持孙中山的新三民主义革命纲领和改组国民党，主张同中国共产党合作，任国民党中央执行委员和妇女部部长。1927年蒋介石叛变革命后，坚决辞去国民党政府的一切职务。抗日战争时期，响应中国共产党提出的抗日民族统一战线的号召，从事抗日民主运动。皖南事变后发表宣言，严厉斥责蒋介石策动内战的阴谋。1947年与李济深等筹组中国国民党革命委员会。1949年出席中国人民政治协商会议第一届全体会议。中华人民共和国成立后，曾任人大常委会副委员长，政协副主席，中国国民党革命委员会中央副主席、主席等。能诗善画，曾任中国美协主席。1972年9月1日在北京逝世。有《何香凝诗画集》。

【何首乌】多年生缠绕草本植物。地上茎细长，能缠绕物体，叶互生。秋天开花，黄白色。块状根茎，有滋补作用，也供药用。

【何去何从】离开哪里，走向哪里？指在重大问题上选择什么方向。《楚辞·卜居》：“此孰吉孰凶，何去何从？”去：离开。从：跟随。

【何足挂齿】哪里值得一提，即不值得一提。挂齿：谈及，提及。

【何莫不然】怎么会就不这样。意思是也会有同样情况。

【何梅协定】见〔华北事变〕(415页)。

【何塞·马蒂】(1853—1895)古巴民族英雄、独立运动领袖和诗人。长期致力于反对西班牙殖民统治的民族革命斗争。曾创立古巴革命党。

【何乐而不为】为什么不愿意干呢？用反问的语气表示愿意做。

荷 ㊀ hé 荷花。参见“莲”(607页)。
㊁ hè (392页)。

【荷马】(约前9世纪—前8世纪)古希腊诗人。把流传于民间口头传唱的史诗《伊利昂纪》和《奥德修纪》整理定型，后人称为《荷马史诗》。

【荷包】随身携带，装零钱和零星东西的小袋子。

【荷尔蒙】英语音译词。激素的旧称。

【荷兰豆】一年生或二年生草本植物。是豌豆的变种，原产欧洲。嫩荚肥厚多汁，口感爽脆，可供食用。

【荷马史诗】荷马根据民间传说，编成《伊利昂纪》和《奥德修纪》两部史诗。《伊利昂纪》以公元前12世纪初希腊人攻打小亚细亚特洛伊城的战争为题材。《奥德修纪》叙述特洛伊战争中的希腊将领奥德修斯于战争结束后，在海上漂流十年终于回到家乡的惊险遭遇。后来人们把这两部史诗统称为《荷马史诗》。它是欧洲文学史上最早、影响也较大的作品。对于了解古希腊的氏族社会及其开始瓦解的情况有一定的价值。

【荷马时代】也叫英雄时代。指公元前12世纪—前8世纪希腊氏族制度解体阶段。《荷马史诗》全面反映了当时的社会经济面貌。

河 hé ❶水道的通称。[例]江～湖海|运～。❷特指黄河。[例]～套。

【河山】指国家的疆土。[例]锦绣～。

【河川】大小河流的总称。

【河马】哺乳动物。体肥重。长3—4米，重达3—4吨。皮肤裸露，黑褐色。头大，嘴阔，耳小，尾短。大部分时间生活在水中，食草类和水生植物。分布于非洲的河流和湖沼地带。

【河内】❶古地区名。指今河南省黄河以北地区。❷越南首都。位于该国北部。人口300万(1997年)。是越南历史名城，现为全国政治、经济、文化和交通中心。

【河东】❶古地区名。战国、秦、汉时，指黄河(北南流向)以东地区(今山西西南部)。唐以后泛指今山西全省。❷古郡名。郡治秦至西晋时在今山西夏县西北，隋唐时在今山西永济西。❸唐道名。

【河汉】❶银河。❷指不符合实际的大话，转指不相信或忽视(某人的话)。[例]幸勿～斯言。

【河曲】❶河流的迂回曲折的河段。❷古地名。在今山西永济。

【河防】❶防止河流水患的工程。特指黄河的河防。❷指黄河的军事防御。

【河伯】古指河神。

【河谷】河流两岸之间较低的部分。包括河床和两边的坡地。

【河床】也叫河槽。河流两岸之间过水的部分。

【河套】黄河的冲积平原。在内蒙古自治区和宁夏回族自治区境内。面积约2.5万平方千米,海拔1 000—1 100米左右。可分三部分:宁夏平原在贺兰山以东,后套平原在狼山以南,土默川平原在大青山以南。河套地区土壤肥沃,沟渠纵横,是著名的农业区。

【河狸】旧称海狸。哺乳动物。体肥胖,长约0.8米。后肢发达,具蹼。尾扁阔,无毛,具鳞。基部有两个腺囊,其分泌物称河狸香。善游泳。穴居于森林地区的河边,洞口开于水中。产于中国新疆等地。是中国国家重点保护动物。

【河流】地表水在重力作用下,经常(或间歇)沿着陆地表面上的线形凹地流动,称为河流。

【河豚】也叫鲀。鱼类。头圆形,口小,背部黑褐色,腹部白色,鳍紫红色。肉味鲜美,但卵巢和肝脏有剧毒。中国沿海和某些内河有出产。

【河梁】桥。也借指送别之地。

【河漏】即“饸饹”(388页)。

【河北省】别称冀。位于华北平原北部,北邻辽宁、内蒙古,西邻山西,南邻河南、山东,东滨渤海。面积19万平方千米。人口6 569万(1998年)。省会石家庄市。重要城市还有唐山、邯郸、保定、张家口、秦皇岛、承德等。

H

【河南省】别称豫。位于黄河中下游,北邻河北、山西,西邻陕西,南邻湖北,东邻安徽、山东。面积16万多平方千米。人口9 315万(1998年)。省会郑州市。重要城市还有洛阳、开封、平顶山、新乡、安阳、南阳、信阳等。

【河漫滩】紧靠河道两旁的平地。由洪水带来的泥沙淤积而成。地势低平,汛期易遭水淹。枯水期可种植庄稼、放牧牲畜。

【河北梆子】戏曲剧种。形成于清代。由山西梆子、陕西梆子传入河北,与当地的老调结合演变而成。流行于北京、天津、河北全省及东北部分地区。音调高亢。

【河外星系】在银河系以外,与银河系类似的天体系统。目前观测到的河外星系大约有10亿个。

【河西走廊】在甘肃省西北部祁连山以北,合黎山、龙首山以南,乌鞘(shāo)岭以西。东西长约1 000千米,南北宽100—200千米,因位于黄河以西,故名。平均海拔1 400米左右,其中绿洲断续分布,自古是通往新疆及中亚的要道。

【河南坠子】曲艺的一种。流行于河南及北方各地。演唱者自击木简板,主要伴奏乐器是坠子弦。

【河清海晏】也说海晏河清。黄河的水澄清,大海风平浪静。用以比喻天下太平。唐郑锡《日中有王字赋》:“河清海晏,时和岁丰。”河:黄河。晏:平静。

【河姆渡遗址】中国新石器时代的文化遗址。因1973年在浙江余姚河姆渡发现,故名。河姆渡人生活在母系氏族公社的繁荣时期,距今约七千年。遗址发现大片干栏式建筑和水井遗迹,出土大量骨石农具、陶器、早期漆器和象牙雕刻品。特别是发现了大量稻谷遗存,证明中国是世界上最早栽培水稻的国家。

菏 hé 〔菏泽〕地名。在山东西部。

劾 hé 揭发别人的罪状。[例]弹～。

阂(閡) hé 阻隔不通。[例]隔～。

核(❹*覈) ㊀ hé ❶果实中坚硬并包含果仁的部分。❷像核的东西。[例]细胞～。❸原子核的简称。[例]～武器。❹仔细地对照、考察。[例]审～。㊁ hú(409页)。

【核力】核子间的相互作用力。核子相距0.3×10^{-15}—2×10^{-15}米时,核力为很强的引力;核子间距离小于0.3×10^{-15}米时,核力为斥力;核子间距离大于2×10^{-15}米时,核力迅速减弱为零。核力的大小与电荷无关。

【核子】原子核中质子和中子的统称。

【核心】中心;主要部分。[例]领导～|～作用。

【核对】审核查对。

【核果】液果的一种。外果皮薄,中果皮肥厚多汁,内果皮硬化形成坚硬的核,核内常含一枚种子。如桃、杏等的果实。

【核定】审核后定下来。

【核实】审核证实。

【核素】具有一定的质子数和质量数的一类原子核。核素的表示方法,是在元素符号的左上角标明质量数，左下角标明原子序数。如核素$^{16}_{8}O$表示质量数为16的氧核。
【核桃】也叫胡桃。落叶乔木。品种很多，雌雄同株，结果期长，果实球形。种仁富营养，含油量高，除食用外，也供榨油或药用。是中国重要的出口干果。也指这种植物的果实。
【核准】审核批准。
【核能】也叫原子能。原子核核结构发生变化放出的能量。通常指重核（如钚、铀等）裂变和轻核（氘、氚等）聚变时所发出的巨大能量。参见〔裂变〕（618页）、〔聚变〕（533页）。
【核弹】原子弹、氢弹等武器的统称。
【核酸】高分子化合物的一类。由许多个核苷酸连接而成，存在于病毒、细菌以及高等动植物细胞中。分核糖核酸（RNA）和脱氧核糖核酸（DNA）。是生命的最基本物质之一，对生物的生长、遗传、变异等起着重要作用。
【核算】企业经营上的审核计算。
【核糖】单糖的一种。核糖核酸的组成成分之一。
【核反应】带电粒子、中子或光子与原子核相互作用，导致核的状态或结构发生改变的过程。
【核防御】对来袭核武器的防御。分积极核防御和消极核防御。积极核防御是使用核或非核手段，在安全空域拦截、摧毁来袭的核武器及其运载工具，或使其失控、自毁，使己方免遭核袭击损伤；消极核防御是采取积极核防御以外的措施，如抗核加固，隐蔽、伪装、疏散，设置假目标等，以避免或减弱核袭击造成的损伤。
【核医学】也叫原子医学、原子核医学。医学的分支学科。研究放射性核素和加速器在医学上的应用。
【核武器】也叫原子武器。利用原子核反应瞬时释放的能量产生爆炸作用，有大规模杀伤破坏效应的武器。有原子弹、氢弹。可用导弹、火箭、火炮或飞机投射。按作战使用范围，分战略核武器和战术核武器。可采用空中爆炸、地（水）面爆炸、地（水）下爆炸等方式。爆炸后，产生冲击波、光辐射、早期核辐射（贯穿辐射）和放射性沾染四种杀伤破坏因素。
【核物理】原子核物理学的简称。
【核试验】为研制、改进核武器或研究、验证核武器效应等进行的核爆炸试验。分大气层核试验、地下或水下核试验和高空核试验。
【核威胁】可能在战争中使用核武器而对对方构成的威胁。构成核威胁的主要条件是：威胁方拥有核武器的数量和质量，使用核武器的能力、可能性和准备状况。
【核战争】指使用核武器进行的战争。
【核战略】也叫核战争战略。筹划和指导核力量的建设与运用的方略。
【核弹头】装有核材料的导弹弹头。包括原子弹头和氢弹头。一般由核战斗部及承载壳体组成，有的还包括制导、突防等装置。
【核蛋白】由蛋白质和核酸结合而成的一种复合蛋白。因核酸种类不同，可分为核糖核酸核蛋白和脱氧核糖核酸核蛋白两类。存在于细胞中。
【核辐射】从原子核发射α射线、β射线、γ射线或中子的现象。
【核磁矩】原子核中质子、中子等具有的磁矩（表示一个电流回路磁效应大小和方向的物理量）的总和。单位为安·米^2。
【核潜艇】以核动力推进的潜艇。能长期连续地在水中进行战斗活动。按装载的武器，分弹道导弹核潜艇、飞航导弹核潜艇和鱼雷核潜艇等。
【核糖体】细胞内的颗粒状结构。游离于细胞质中，或排列在内质网上。由核糖核酸和蛋白质组成，是细胞合成蛋白质的场所。
【核反应堆】原子核反应堆的简称。
【核磁共振】核磁矩在外加交变磁场作用下剧烈吸收能量的现象。利用核磁共振可测定有机物的结构，可用于脑部疾病、血管病和肿瘤进行检查与诊断。
【核糖核酸】核酸的一类。因分子中含有核糖而得名。存在于一切细胞的细胞质和细胞核中，也存在于大多数已知的植物病毒、部分动物病毒和一些噬菌体中。由许多核苷酸连接而成。

曷 hé 文言疑问代词。谁；什么。㊐藐藐孤女，～依～恃？|～为不去？

饸☒（餄） ㊀hé 一种面食，即馓子。㊁ài（7页）。

锅☒（鍋） hé 见〔秣锅〕（696页）。

鹖☒（鶡） hé 古书上说的雉一类的鸟。

鞨 hé 见〔靺鞨〕（696页）。

H

狢[☒] ㊀ hé 同"貉(hé)"。
㊁ háo (382 页)。

貉 ㊀ hé ❶也叫狗獾。哺乳动物。外形像狐,但体较胖,尾较短。穴居河谷、山边和田野间。❷古又同"貊(mò)"。
㊁ háo (382 页)。
㊂ mò (698 页)。

盍(*盇) hé 文言副词。何不;为什么。[例]～往观之|～不为行?

阖(闔) hé ❶全;总共。[例]～家|～城。❷关闭。[例]～户。

涸 hé 积水无存。[例]干～|枯～。

【涸辙之鲋】《庄子·外物》记载,庄周在路上看见干车沟里有条小鱼,小鱼请求庄周弄一些水来救活它。庄周答应到南方去把西江的水引来。小鱼说,要按你那样做,等到做成了,那你就到卖干鱼的店里去找我吧!后用"涸辙之鲋"比喻处在困境中急待救援的人。涸:水干,枯竭。辙:车辙。鲋(fù):鲫鱼。

翮 hé ❶鸟翎的茎;翎管。❷借指鸟的翅膀。[例]奋～高飞。

覈[☒] ㊀ hé 同"核实"的"核"。
㊁ qiào (790 页)。

H

hè ㄏㄜˋ

吓(嚇) ㊁ hè 恫吓;恐吓。
㊀ xià (1063 页)。

和 ㊁ hè ❶声音相应。[例]一唱百～。❷依照别人的诗词的题材、格律来写作诗词。[例]～诗。
㊀ hé (385 页)。
㊂ huó (439 页)。
㊃ huò (442 页)。
㊄ hú (407 页)。

【和韵】应和他人诗作,用其原韵的叫和韵。包括用韵、次韵、依韵三种。用韵依原韵,而不依其次序。次韵即步韵,依原韵,并依其次序。依韵依原韵,而不依其原字。

佫[☒] hè 姓。

贺(賀) hè 庆祝。[例]祝～|～电。

【贺龙】(1896—1969)中国无产阶级革命家、军事家,中国人民解放军创建人和领导人之一。字云卿,湖南桑植人。1926 年参加北伐战争,历任国民革命军师长、军长等职。1927 年参加领导八一南昌起义,任起义军总指挥,在部队南下广东途中加入中国共产党。后与周逸群、段德昌等在湘鄂西建立革命武装,历任红军第二军总指挥、前委书记、第二军团总指挥等职。1934 年在贵州东部与任弼时领导的红六军团会合后开辟了湘鄂川黔革命根据地。历任红二、六军团总指挥兼湘鄂川黔军区司令员,中共湘鄂川黔军委分会主席,红二方面军总指挥等职。1935 年参加长征。抗日战争时期任八路军一二〇师师长,创建晋绥抗日根据地。1940 年任晋绥军区司令员、陕甘宁晋绥五省联防军司令员。第三次国内革命战争时期,任西北军区司令员、中共中央西北局第二书记。1949 年后,任西南军政委员会副主席、西南军区司令员等职,后任中央军委副主席、国务院副总理兼国家体委主任等职。1955 年被授予元帅军衔。是中共七届中央委员、八届中央政治局委员。"文化大革命"中遭林彪、"四人帮"残酷迫害,1969 年 6 月 9 日逝世。

【贺电】祝贺的电报。

【贺礼】祝贺时赠送的礼物。

【贺岁】贺年。[例]～片。

【贺年】向人祝贺新年。

【贺词】在喜庆的仪式上表示祝贺的话。

【贺表】古代遇有吉庆武功等事,臣向君上的颂扬书。

【贺信】向人表示祝贺的信件。

【贺喜】向有喜事的人表示祝贺。

【贺兰山】在宁夏回族自治区西北部和内蒙古自治区交界处。南北走向,一般海拔 2 000米以上。

【贺绿汀】(1903—1999)中国作曲家、音乐教育家。代表作有钢琴曲《牧童短笛》《摇篮曲》,歌曲《游击队歌》《垦春泥》《嘉陵江上》,管弦乐曲《晚会》《森吉德玛》等。在理论方面,著有《贺绿汀音乐论文选集》。

荷 ㊁ hè ❶背;扛。[例]～枪|～锄。❷负担。[例]重～。❸书信用语。表示感谢。[例]感～|为～。
㊀ hé (389 页)。

【荷载】即"载荷"(1224 页)。

【荷荷】怨恨的声音。[例]徒呼～。

【荷枪实弹】扛着上好子弹的枪。形容全副

武装，处于高度戒备状态。

喝 ㊁ hè 大声喊叫。㊣大～一声。㊀ hē（385页）。

【喝令】大声命令。

【喝彩】大声叫好。

【喝道】古代官员出门时，让前面引路的差役喝令行人让路，以显示威风。

【喝倒彩】也说喊倒好儿。一种恶习。表演中出现错误或漏洞时，某些人故意叫好，使演员难堪。

猲☒ ㊀ hè 威吓。㊁ xiē（1086页）。

褐 hè ❶粗布或粗布衣服。❷黑黄色。

【褐土】也叫褐色土。中纬度气候温暖、半湿润条件下形成的具有褐色土层的土壤。近中性，土质较黏，肥力较高。在中国主要分布于华北和西北部分地区。

【褐藻】藻类植物的一类。藻体一般为多细胞，有些种类体型很大，构造也较复杂。主要分布于海中，寒冷地区的海中尤为繁盛。常见的有海带、鹿角菜、裙带菜等。

【褐马鸡】也叫鹖鸡。鸟类。通体乌褐色，头颈转黑，眼周裸出，呈红色，耳羽白色，向后延长成角状，突出于头后。分布于山西、河北。是中国国家重点保护动物。

嗃☒ ㊀ hè 〔嗃嗃〕严厉的样子。㊁ xiāo（1082页）。

熇☒ hè 〔熇熇〕火势旺盛。

翯 hè 白而有光泽。

【翯翯】羽毛白而有光泽的样子。

赫 hè ❶显耀；盛大。㊣显～｜声势～～。❷赫兹的简称。

【赫奕】显耀盛大的样子。

【赫兹】❶亨利希·鲁道夫·赫兹（1857—1894）德国物理学家。主要贡献是用实验证明了电磁波的存在，并指出它的反射、折射和偏振性质与光波相似。❷简称赫。频率单位。为纪念赫兹而命名。每秒振动（或振荡）一次为1赫。

【赫然】❶发怒的样子。㊣～震怒。❷突然使人一惊的样子。

【赫赫】显著盛大的样子。

【赫尔岑】亚历山大·赫尔岑（1812—1870）俄国作家、革命活动家。他反对沙皇专制和封建农奴制。代表作有《谁之罪》等。

【赫胥黎】托马斯·亨利·赫胥黎（1825—1895）英国生物学家、哲学家，第一个提出人类起源问题的学者。竭力支持和宣传达尔文的进化论。肯定物质永恒、能量不灭，同时又说物质实体和灵魂、上帝一样都是不可知的，是一个羞羞答答的唯物主义者。著有《人在自然界中的位置》《进化论与伦理学》（旧译《天演论》）等。

【赫哲族】中国少数民族之一。人口0.4万（1990年）。分布在黑龙江省同江、抚远、饶河等市县沿江地带。有本民族语言，兼通汉语文。善渔猎。

【赫尔辛基】芬兰首都。位于该国南部，临芬兰湾。人口53万（1996年）。是全国政治、经济、文化中心和最大港口。水面和绿地面积比例大，人口居住密度低。建筑物多用浅色花岗岩建成。

【赫鲁晓夫】尼基塔·赫鲁晓夫（1894—1971）苏联领导人。1918年加入布尔什维克党，1939年进入党的领导核心。1953年斯大林逝世后，担任苏共中央第一书记和苏联部长会议主席等职。1964年被免职。

鹤（鶴） hè 鸟类的一科。种类较多。体形大，头较小，颈、喙及足均长。常活动于平原水际或沼泽地带。如丹顶鹤。

【鹤立】❶瘦高的人站立的样子。❷翘首企盼的样子。

【鹤驾】原指仙人驾鹤升天。后来挽词中常用为死的讳称。

【鹤立鸡群】《世说新语·容止》："嵇延祖卓卓如野鹤之在鸡群。"后多用"鹤立鸡群"形容一个人的仪表或本领出众。

【鹤发童颜】满头白发，面色红润。形容老年人气色好。

壑 hè 坑谷；深沟。㊣沟～。

hēi ㄏㄟ

黑 hēi ❶像煤那样的颜色。❷暗。㊣天～了。❸秘密的，非法的。㊣～话｜～市。❹坏；狠毒。㊣～心。❺黑龙江省的简称。

【黑子】太阳黑子的简称。

【黑马】❶黑色的马。❷原来不引人注目，而在比赛中一举夺得冠军的马。英国作家本杰明·迪斯雷利在小说《年轻的公爵》中写了一段赛马的故事:在一次比赛中,一匹普通的黑马超过了夺魁呼声最高的骏马,夺得了第一名。后用来喻指在体育比赛、政治角逐等活动中实力出乎意料的竞争者或优胜者。

【黑市】暗中进行违法买卖的市场。

【黑头】传统戏曲中净角的一种。因勾黑脸谱而得名。重唱工。

【黑字】国际收支平衡表中反映出来的贷方余额。

【黑货】指漏税或非法转运、买卖的货物。

【黑店】旧小说里称谋财害命的客店。

【黑话】也叫隐语。帮会、流氓、盗匪等所用的秘密话。

【黑帮】指社会上秘密结合起来的犯罪团伙组织。

【黑洞】广义相对论预言存在的物质和辐射只进不出的一种天体。是天体演化的归宿之一。目前,黑洞尚未得到最终确认,但有较多的证据表明,在天鹅座和天蝎座中可能存在黑洞。

【黑客】英语音译词。❶指具有很高的计算机技能,善于发现网络系统的缺陷的人。❷指利用计算机技能,通过网络非法闯入他人的计算机系统,偷阅、篡改或窃取对方保密的数据资料,进行破坏活动的人。

【黑哨】指足球、篮球等球类比赛中,裁判故意偏袒一方的行为。因比赛做出裁判时吹哨,故名。

【黑海】欧洲东南部和小亚细亚之间的内海。西南经土耳其海峡通地中海。面积42万平方千米。

【黑幕】不可告人的丑恶的内情。

【黑暗】❶不光明。❷比喻反动,腐朽。

【黑熊】也叫狗熊。哺乳动物。体形肥大。长约1.7米。尾甚短。体黑色,胸部有半月形白纹。颈部和肩部毛较长。有冬眠现象。能游泳,善爬树,也能直立行走。多栖息于树林中。食性杂。广布于中国。

【黑火药】含有硝酸钾的火药的统称。一般由75%硝酸钾、15%木炭和10%硫黄组成。易燃、易受潮,爆炸时有黑烟。用于制导火索、烟火、爆竹及猎枪弹的发射药等。是中国古代四大发明之一。

【黑龙江】❶亚洲大河之一。以石勒喀河为源,全长4 370千米,中国境内长3 101千米。自额尔古纳河和石勒喀河汇合点至乌苏里江汇入点,为中国和俄罗斯界河。❷即黑龙江省。

【黑叶猴】哺乳动物。体长约50厘米。头小,尾较体长,四肢细长。头顶有毛冠,体背的毛较腹面长而密,臀疣较大。全身黑色,有光泽。耳基至两颊有白毛。产于中国云南、广西等地。是中国国家重点保护动物。

【黑光灯】以辐射紫外线为主的低气压汞蒸气荧光灯。因紫外线人眼看不见,故名。主要用于诱杀农业害虫。

【黑名单】反动统治者或反动团伙为确定迫害对象而编列的人名单。

【黑匣子】飞行记录仪的俗称。分驾驶员座舱录音器和飞行资料记录器。前者能记录驾驶人员从起飞后到着陆前的相互对话。录音磁带能防火、防水、防震。后者可记录飞行时的各种数据。飞行记录仪装在一种耐高温、高压、防水和耐腐蚀的黑色金属盒子里。现代飞机的黑匣子已涂成橙色或黄色,但习惯上仍叫黑匣子。

【黑钙土】温带半干旱条件下形成的暗灰色至黑色的土壤。团粒结构明显而稳定,土层深厚、肥沃。在中国主要分布于黑龙江、吉林两省的西部,以及新疆、甘肃、内蒙古的部分地区。

【黑热病】由黑热病原虫引起的寄生虫病。通过白蛉子叮咬传播。主要症状是长期不规则发热、肝脾肿大、贫血等。

【黑格尔】乔治·黑格尔(1770—1831)德国古典哲学代表人物。创立了庞大的客观唯心主义体系,断言早在世界形成之前,就存在着一个"绝对观念",世界上的一切都是它的表现,是由它演化而来的。在其唯心主义的体系中,包含着丰富的辩证法思想,猜测到了事物的内在联系和矛盾发展。其哲学成为马克思主义哲学的理论来源之一。著有《逻辑学》《哲学全书》等。

【黑粉病】由真菌中的黑粉菌侵染寄生造成的植物病害。因病部有大量黑粉而得名。不同植物和植物的不同部位感染不同种菌致病,如玉米黑粉病、小麦秆黑粉病等。

【黑家鼠】也叫屋顶鼠。哺乳动物。体长15—21厘米。尾较体长。背部近黑色,腹面暗灰色。居于室内壁间或天花板上。盗取食物,咬坏衣物,传播鼠疫等疾病。

【黑颈鹤】鸟类。体形大,头顶裸露,颈、尾羽均黑色,其余羽毛为灰色。产于青海、四川等地。是中国国家重点保护动物。

【黑猩猩】哺乳动物。直立时高可达1.5米，毛黑色。头较圆，面部灰褐色，无毛。眉骨高。生活在非洲森林中，群居树上，有筑巢习性，食野果、小鸟和昆虫。是和人类最相似的高等哺乳动物，可用来做高等动物的生理学和心理学试验。

【黑旗军】❶太平天国革命时期，白莲教起义军五大支即五大旗(黄、红、白、绿、黑)之一。曾在河北、山东一带进行反清活动，后与捻军会合抗击清军。❷广西天地会起义军余部刘永福1866年组织的武装。以七星黑旗为军旗，故名。中法战争时英勇抗击法国侵略者，多次获胜。后清政府诱招刘永福，并不断裁减黑旗军人数。甲午中日战争爆发，调到台湾驻防。《马关条约》签订后，黑旗军和台湾各地义军顽强抵抗日本侵略者，除刘返回大陆外，其所部黑旗军全部牺牲。

【黑龙江省】简称黑。位于中国东北地区北部，南邻吉林，西邻内蒙古自治区，北面和东面与俄罗斯接界。面积46万多平方千米。人口3 773万(1998年)。省会哈尔滨市。重要城市还有齐齐哈尔、伊春、牡丹江、佳木斯、黑河等。

【黑色人种】也叫尼格罗人种。世界三大人种之一。肤色黝黑，头发卷曲，嘴唇较厚，体毛很少。主要分布在非洲撒哈拉以南地区，以及美洲、大洋洲和亚洲东南部。

【黑色金属】工业上对铁、锰和铬的统称。有时也包括钢和其他以铁为主的合金。

【黑色食品】外观黑色或黑褐、黑紫色的粮食、菌类和调味品的统称。粮食如黑米、黑芝麻，菌类如木耳、香菇，调味品如豆豉。富有营养且风味、色泽独特。

【黑陶文化】即“龙山文化”(634页)。

【黑色星期一】对1987年10月19日(美国为星期一)西方股票市场危机的称呼。当天，西方各国主要股市均出现罕见的暴跌。

【黑云压城城欲摧】唐李贺《雁门太守行》诗：“黑云压城城欲摧，甲光向日金鳞开。”意思是黑云压在城上，好像要把城摧毁。后用来比喻恶势力造成的紧张局面。

嘿 ㊀ hēi 叹词。1. 表示招呼或提起注意。[例]～，到哪儿去啊？｜～，小心头顶！2. 表示惊异。[例]～，迎春花都开了！3. 表示得意。[例]～，没想到咱也有今天！
㊁ mò (698页)。

【嘿嘿】拟声词。笑声。

锞[□](**鍶**) hēi 人造金属元素，符号Hs，原子序数108。有放射性，由人工核反应获得。

嗨 ㊁ hēi 同“嘿(hēi)”。
㊀ hāi (370页)。

hén ㄏㄣˊ

痕 hén 痕迹。[例]伤～｜裂～。

【痕迹】事物留下的印痕。

hěn ㄏㄣˇ

佷[⊠] ㊀ hěn ❶凶狠。❷刚愎；乖戾。
㊁ héng (396页)。

很 hěn 副词。表示程度相当高。[例]～好｜好得～。

狠 hěn ❶凶恶；残忍。[例]～毒｜心～。❷坚决；严厉；厉害。[例]～抓政策落实｜～～打击敌人。❸用全力拼。[例]～命地干。

【狠毒】凶狠毒辣。

hèn ㄏㄣˋ

恨 hèn ❶仇视；怨恨。[例]仇～｜～之入骨。❷懊悔。[例]悔～｜遗～。

【恨事】遗憾的事。

【恨之入骨】也说恨入骨髓。痛恨到了极点。

【恨海难填】怨恨如海，难以填塞。比喻怨气难平。《山海经·北山经》：“炎帝之少女名曰女娃。女娃游于东海，溺而不返，故为精卫，常衔西山之木石，以堙于东海。”精卫：古代神话中的鸟名。

【恨铁不成钢】形容对所期望的人不长进感到不满，迫切希望他变好。

hēng ㄏㄥ

亨 hēng ❶通达；顺利。[例]～通。❷亨利的简称。❸古又同“烹(pēng)”。❹古又同“享(xiǎng)”。

【亨利】简称亨。电感单位。为纪念美国物

H

理学家亨利而命名。

【亨德尔】乔治·弗里德里希·亨德尔(1685—1759)德国作曲家,巴罗克音乐时期代表人物之一。1726年入英国籍。其创作集中了18世纪音乐风格的精华,宏大瑰丽,又均衡完美。作品有《奥兰多》《赛尔斯》等近50部歌剧,以及《以色列人在埃及》《弥赛亚》等23部清唱剧。他的器乐作品以管弦乐曲《水上音乐》和《焰火音乐》最著名。

【亨利·摩尔】(1898—1986)英国雕塑家。作品受立体派、超现实主义和抽象雕塑的影响,表现超自然的泛灵论活力。经常在实体中挖出空洞,巧妙处理虚实相生的关系。代表作有《斜倚的人体》《国王与王后》等。

哼 ㊀ hēng ❶鼻子发出声音。[例]他病很重,却从不～一声。❷低声随口地唱。[例]一面走,一面～着小曲儿。
㊁ hng (398页)。

【哼哈二将】中国佛教寺院的山门护法神。《封神演义》把他们描写成一个鼻子哼出白气,一个口中哈出黄气,有无比威力。后用以比喻有权势者手下得力而恃强凌弱的两个人。

脝[☒] hēng 见〔膨脝〕(745页)。

héng ㄏㄥˊ

行 ㊃ héng 见〔道行〕(184页)。
㊀ xíng (1101页)。
㊁ háng (380页)。
㊂ hàng (382页)。

珩 héng 古人佩带的一种玉。

桁 héng 檩(lǐn)。

【桁架】由若干杆件组成的构架。用以跨越空间,承受重量。广泛用于房屋结构和桥梁工程,比实体梁用料省、重量轻,能适应较大的跨度。可由钢、木或钢筋混凝土等材料构成。

鸻(鴴) héng 鸟类。羽毛多为沙灰色,翼和尾部都短。足细长。喙短而直。多生活在水边。

佷[☒] ㊁ héng 〔佷山〕古地名。在今湖北。
㊀ hěn (395页)。

恒(*恆) héng ❶永久;持久。[例]永～|持之以～。❷经常的;普通的。[例]～情|～言。

【恒山】五岳中的北岳。位于山西省东北部。主峰海拔2 017米。多名胜古迹。

【恒牙】也叫恒齿。人和多数哺乳动物乳牙脱落后长出的牙齿。成年人的恒牙为28—32个,包括切牙上下颌各4个,尖牙上下颌各2个,前磨牙上下颌各4个,磨牙上下颌各4—6个。

【恒心】持久不变的意志。

【恒河】南亚最大河流。发源于喜马拉雅山南麓,流经印度北部,东南流经孟加拉国注入孟加拉湾。长2 700千米,流域面积106万平方千米。流域内平原广阔,农业发达,人口稠密。

【恒定】永远固定不变。

【恒星】由炽热气体组成的、能自己发光的天体。夜空中所见的星星,绝大多数是恒星。恒星也在不断地运动,只是由于离地球太远,在短时期内感觉不到它们之间相互位置的改变,故名。太阳是距离地球最近的恒星。

【恒娥】也作姮娥。嫦娥。

【恒量】常量。

【恒星日】地球自转一周实际所需的时间。即某一恒星连续两次经过同一条子午线正上空所需的时间。一个恒星日等于23时56分4秒。

【恒星月】月球绕地球一周实际所需的时间。也就是以某一恒星为基准,月球两次经过该恒星所需的时间。一个恒星月等于27天7时43分11.5秒。

【恒星年】地球绕太阳一周实际所需的时间。也就是从地球上观测,以太阳和某一个恒星在同一位置上为起点,当观测到太阳再回到这个位置时所需的时间。一恒星年等于365天6时9分10秒。

【恒生指数】香港股票市场上历史最久、影响最大的股票价格指数。由恒生银行发布。

【恒河沙数】佛经用语。佛说法时,常以印度恒河里的细沙比喻数目极多。《金刚经·无为福胜分第十一》:"但诸恒河尚多无数,何况其沙…以七宝满尔所恒河沙数三千大千世界,以用布施。"数(shù)。

【恒定电流】大小和方向都不随时间变化的电流。通常直流电路中的电流,如果大小不随时间变化，就是恒定电流。恒定电流的规律是研究其他电流规律的基础。

【恒温动物】俗称温血动物。具有完善的体温调节机制，能在环境温度变化时保持体温相对稳定的动物。如鸟类和哺乳类等。与“变温动物”相对。

姮□ héng〔姮娥〕同“恒娥”(396页)。

横 ㊀ héng ❶与地面平行的。与“直”“竖”相对。㊀～梁｜～写｜～剖面。❷地理上指东西向的。㊀～渡太平洋。❸纵横杂乱。㊀蔓草～生。❹凶狠不讲理。㊀～征暴敛。❺汉字的一种笔画。即“一”。

㊁ hèng (397页)。

【横生】❶纵横杂乱地生长。㊀草木～。❷意外地发生。㊀～枝节。❸层出不穷地出现。㊀妙趣～。

【横扫】全面有力地扫除、扫荡(多指打击消灭敌人)。

【横亘】横着延伸(指桥梁、山冈等)。亘(gèn)。

【横向】互不隶属的平行的方向。㊀发展企业之间的～联系。

【横行】❶倚仗暴力做坏事。㊀～无忌。❷广行；遍行。

【横披】长条形的横幅字画。

【横波】见〔机械波〕(446页)。

【横空】横亘于天空(形容高大)。

【横贯】横着一直通过去。

【横竖】副词。反正，表示肯定语气。㊀不符合群众利益的事，他～是不肯做的。

【横流】❶河水冲决堤岸而漫流。比喻放纵，任意。❷流出；溢出。㊀涕泗～。

【横幅】横的字画、标语、锦旗等。

【横溢】❶(江河)泛滥。❷充分地表露出来。㊀才华～。

【横断山】西藏自治区东部及四川省、云南省西部南北走向山脉的总称。北高南低，北部山岭海拔5 000米左右，南部降至4 000米左右。高山深谷相间，山岭与河谷高差达1 000—2 500米。

【横生枝节】表示意外地插进了一些问题，使主要问题不能顺利解决。枝节：比喻细小的或旁出的事情。

【横扫千军】形容一举击败和歼灭了大量的敌人。

【横行无忌】胡作非为，毫无顾忌。

【横行霸道】蛮不讲理，仗势作恶。《红楼梦》第九回：“一任薛蟠横行霸道，他不但不去管约，反‘助纣为虐’讨好ル。”

【横冲直撞】乱冲乱闯。

【横征暴敛】强横地征收捐税，残暴地搜刮民财。清吴趼人《痛史》第二十四回：“名目是规画钱粮，措置财赋，其实是横征暴敛，剥削脂膏。”敛(liǎn)。

【横眉怒目】也说横眉努目、横眉立目。怒视的样子。

【横眉冷对千夫指，俯首甘为孺子牛】鲁迅《自嘲》诗中的诗句。意思是怒目冷对反动势力，甘心情愿做人民大众的“牛”。横眉：怒目而视的样子。千夫：这里指反动势力。指：指责。孺子：原意指小孩，这里指人民大众。

衡 héng ❶秤杆。泛指称重量的器具。❷称量(liáng)。㊀～其轻重。❸衡量。㊀～其得失。❹古又同“横(héng)”。

【衡山】五岳中的南岳。位于湖南省中部。有72峰，主峰祝融峰海拔1 290米。多名胜古迹。

蘅 héng〔蘅芜〕一种香草。

hèng ㄏㄥˋ

啈☒ hèng ❶哄骗。❷厉声吩咐。

横 ㊁ hèng ❶凶暴。㊀蛮～｜～话。❷意外的，灾难性的。㊀～祸。

㊀ héng (397页)。

【横议】发表大胆而无顾忌的议论。《孟子·滕文公下》：“诸侯放恣，处士横议。”

【横死】非正常的死亡。如自杀、被谋害或遇险而死。

【横财】意外得来的或用不正当的手段得来的钱财。

【横事】凶事；意外的灾祸。

【横逆】强暴无理的举动。

【横祸】意外的祸患。

【横蛮】蛮横。

【横暴】蛮横凶暴。

hm ·ㄏㄇ

噷□ hm 叹词。表示禁止、申斥或不满意。

hng ·ㄏㄫ

哼 ㊁ hng 叹词。表示很不满意或不信任等。
㊀ hēng (396 页)。

hōng ㄏㄨㄥ

吽□ ㊀ hōng 佛教咒语用字。
㊁ hǒu (403 页)。

轰(轟) hōng ❶用大炮打，轰击。㊀炮～。❷驱逐；驱赶。㊀～散。❸拟声词。大炮声或倒塌声。㊀～～的炮声。

【轰动】也作哄动。指所发生的事一下子惊动很多人。

【轰鸣】发出轰轰隆隆的巨大响声。

【轰炸】从飞机上投掷炸弹、鱼雷和发射导弹，对地面和水上、水中各种目标进行空中突击。是从空中消灭敌方有生力量，摧毁敌方技术兵器及其他重要目标的主要手段。

【轰炸机】以炸弹、鱼雷、空地导弹为基本武器，从空中对地面(水面或水下)目标实施轰炸的作战飞机。分战略轰炸机和战术轰炸机；按飞机的载弹量，分轻型、中型、重型三种；按战术性能，分前线轰炸机和远程轰炸机。

【轰轰烈烈】形容声势浩大，气势宏伟。

哄 ㊀ hōng 许多人同时发出声音。㊀乱～～|～堂大笑。
㊁ hǒng (402 页)。
㊂ hòng (403 页)。

【哄动】同"轰动"(398 页)。

【哄传】纷纷传说。

【哄堂大笑】形容满屋子的人同时大笑。

烘 hōng ❶用火烤或烤火取暖。㊀～干衣服|～手。❷衬托。㊀～托。

【烘托】❶中国画的一种技法。用水墨或色彩在物象的轮廓外面渲染衬托，使物象明显突出。❷文学艺术创作中从侧面着意描写，作为陪衬，使所要表现的事物鲜明突出。也泛指陪衬，使明显突出。

【烘焙】用火焰或热锅烤。

【烘云托月】本指绘画的技法，渲染云彩以衬托月亮。比喻着意描绘和渲染周围事物以突出中心的写作方法。

訇 hōng ❶形容大声。㊀～然。❷见〔阿訇〕(1 页)。

渹☒ hōng 〔渹溚〕波浪撞击声。溚(huò)。

硧☒ hōng 同"訇"。

锢☒**(鍧)** hōng 〔铿锢〕钟鼓声。

薨 hōng 古指诸侯或大官死去。

hóng ㄏㄨㄥˊ

弘 hóng 大。㊀～旨|～愿。

【弘旨】同"宏旨"(401 页)。

【弘论】同"宏论"(401 页)。

【弘图】同"宏图"(401 页)。

【弘愿】同"宏愿"(401 页)。

泓 hóng 水深而广。

红(紅) ㊀ hóng ❶像鲜血那样的颜色。❷象征革命。㊀～军。❸象征顺利成功。㊀开门～。❹受到宠信。㊀～人。
㊁ gōng (325 页)。

【红区】第二次国内革命战争时期中国共产党建立的农村革命根据地的通称。因根据地的工农民主政权为革命政权，故名。

【红火】形容兴旺、热闹。

【红叶】枫树、槭树、黄栌等的叶子秋天变成红色，叫红叶。

【红场】俄罗斯首都莫斯科中心的一个广场，在克里姆林宫东北。群众集会、检阅多在此处举行。

【红尘】旧指繁华热闹的处所。也指人世间。

【红军】❶中国工农红军的简称。❷1946年前的苏联军队称红军。

【红运】也作鸿运。好运气。遇到好机会或在某一个时期内一切如意说"走红运"。

【红汞】也叫汞溴红。其 2% 水溶液俗称红药水。

【红花】❶也叫草红花。一年生草本植物。茎直立，叶互生，聚生头状花序。花为橘红色，供药用，有活血通经、消瘀止痛的作用。

H

❷红颜色的花。

【红杉】落叶乔木。高可达30米。叶线形。球果卵状圆柱形,紫色。产于中国西北、西南高山地带,常形成单纯林,或与云杉等混交。木材坚韧,供建筑等用。

【红豆】红豆树,落叶乔木。羽状复叶,圆锥花序,种子鲜红色,有光泽。产于亚热带。也指这种植物的种子。古代文学作品中常用红豆作为相思的象征。

【红利】在合股经营的企业中,企业股东由企业所取得的超过股息部分的利润或企业分给职工的额外报酬。红利没有定率,视利润多少而定。

【红松】也叫果松、海松。常绿乔木。高可达40米。小枝有绒毛。叶五针一束,粗硬。球果卵状圆锥形。种子大,无翅。产于中国东北长白山到小兴安岭地区。木材优良,树皮可提取栲胶,树干可采松脂,种子可食用,又可榨油。

【红矾】指重铬酸钾($K_2Cr_2O_7$)、重铬酸钠($Na_2Cr_2O_7$)。橙红色结晶,易溶于水,有氧化性。用于鞣革、制颜料等。它的浓溶液加入浓硫酸后,即得实验室常用的铬酸洗涤液。

【红契】旧指买卖田地房产经纳税而加盖官印的契约。

【红帮】同"洪帮"(402页)。

【红茶】也叫发酵茶。茶叶的一大类。是经过萎凋、揉捻、发酵、干燥等工艺处理的茶叶。汤色红亮,茶味甜醇。以祁红、滇红、闽红、川红为最著名。

【红柳】即"柽柳"(120页)。

【红海】阿拉伯半岛和非洲之间的内海。南由曼德海峡通印度洋,北经苏伊士运河通地中海。面积约45万平方千米。因地层断裂而成,两岸地势高耸,中部水深,最深处达2 604米。水温和盐度都较高。

【红润】皮肤红而滋润。

【红案】厨工的分工上指做菜(切菜与烹调)的工作。与"白案"相区别。

【红娘】《西厢记》中的人物。崔莺莺的侍女。在莺莺、张生间传递消息,促成了他们的结合。民间常用作帮助别人结成美满婚姻的人的代称。

【红教】也叫宁玛教派。藏传佛教中的一个教派。因喇嘛着红色法衣得名。创立于8世纪,一度盛行。15世纪黄教出现后,势力渐衰。

【红移】光谱线向波长较长的红端的位移。光源(发光的天体)背离观察者运动,会发生红移。红移量越大,表明光源离开观察者的速度越快,距离越远。巨大的引力也可以引起红移。

【红盘】旧指春节后开始营业时的价格。

【红牌】❶指某些球类比赛中裁判员处罚严重犯规的运动员、教练员而出示的红色标志牌。受红牌处罚的运动员、教练员须立即退出赛场或教练席。㊀亮~。❷比喻对违反法规的行为实施的禁令。㊀该厂因污染严重,日前被环保部门出示了~。

【红装】❶泛指妇女艳丽的装束。㊀不爱~爱武装。❷指青年妇女。

【红榜】光荣榜。

【红旗】❶红色的旗,一般用作革命的象征。❷评比中奖励优胜者的红旗,比喻先进。㊀~单位。

【红颜】❶指美女。❷旧指少年。

【红藻】藻类植物的一类。藻体不大,呈片状、带状、树枝状等。紫红、红、褐或绿色。多营附着生活。一般分布于较暖的海中。常见的有紫菜、麒麟菜、石花菜等。

【红壤】亚热带干湿季分明地区及排水良好的地形部位发育的红色土壤。含较多的铁铝氧化物,质地黏重,肥力低,酸性强。在中国主要分布于长江中下游以南的亚热带地区。

【红巾军】❶南宋初北方人民抗金武装。1127年建立。以头裹红巾为标志。先后活动在河北、山西、陕西一带。❷元末农民起义军。头裹红巾为标志。由韩山童、刘福通等领导。韩山童牺牲后,刘福通继续领导战斗,自山东向河南进击,队伍发展到十几万人。各地响应的,安徽有郭子兴,湘汉间有孟海马,湖北有徐寿辉等。❸即1854年广东天地会起义军。

【红卫兵】"文化大革命"期间大中学校学生的群众组织。也指加入该组织的成员。1966年5月下旬,北京清华附中的一些学生率先成立,自称是"保卫红色政权的卫兵",受到毛泽东的支持。8月18日,毛泽东佩戴红卫兵袖章在天安门接见来自各地的上百万红卫兵和群众。红卫兵受到林彪、江青等"打倒一切"的煽动,实际上成为当时造成全国动乱的重要力量。

【红外线】波长在红光和无线电波之间的电磁波。它不能引起视觉,有显著的热效应。

可用来焙制食品、烘干油漆和进行医疗,军事上可用来探测目标和通讯。

【红血球】红细胞的旧称。

【红灯区】某些国家或地区把城市中色情场所集中的地区叫红灯区。

【红豆杉】常绿乔木。高达30米。小枝至秋季变黄绿色或淡红褐色。种子扁卵形。雌雄异株。是中国特有树种,分布于西北至西南一带。

【红彤彤】形容红的颜色非常鲜艳夺目。彤(tóng)。

【红细胞】旧称红血球。血细胞的一种。因内含血红蛋白,故名。人的红细胞无核,扁圆中薄,呈双凹形。是运输氧、二氧化碳等气体的细胞。

【红茶菌】一种饮料。由乳酸菌、酵母菌、红茶、白糖经发酵而成。内含维生素、氨基酸等。

【红药水】含2%红汞的外用防腐收敛药水。防腐作用较弱,刺激性小,可用于消毒及表浅创面。不可与碘酊同时涂用。

【红树林】在热带、亚热带淤泥沉积的海岸,以红树为主体组成的生态系统。有防浪护坡、净化水污染等作用。

【红点颏】鸟类。体长达16厘米。雄鸟喉部羽毛亮红色,眼部有一白色条纹;雌鸟喉部羽毛白色,眼部有淡黄色条纹。是食虫益鸟。

【红铃虫】棉花害虫。主要钻入棉蕾、棉铃为害。幼虫淡红色,收棉时随子棉进入仓库。可在田间及仓库喷药和释放寄生蜂防治。

【红眼病】❶急性结膜炎的俗称。参见〔结膜炎〕(499页)。❷羡慕别人的名或利而心怀忌妒的毛病。

【红领巾】❶中国少年先锋队队员佩带的标志。它以三角形的红色领巾象征革命红旗的一角,意味着这是用革命烈士的鲜血染成的。❷指少先队员。

【红楼梦】也叫《石头记》《金玉缘》。长篇小说。一百二十回。前八十回曹雪芹作,后四十回一般认为是高鹗所续。小说以爱情故事为中心线索,描述了贾府从繁盛到衰败的过程中贾宝玉和一群红楼女子的悲剧命运,广泛地反映了封建社会生活和历史趋势。规模宏大,结构严谨,语言优美生动,塑造了众多的典型艺术形象,成为中国古典小说的艺术顶峰。

【红筹股】在香港注册、上市的中国国有企业或其控股的上市公司发行的股票。

【红旗渠】河南林州市太行山上人工开凿的一条盘山渠道。全长1 500千米。引漳河水灌田,可灌田约4万公顷。

【红缨枪】装饰着红缨的一种长矛。

【红十字会】一种志愿的、国际性的救护、救济团体。战时救护伤病军人和平民,平时也救济自然灾害和其他灾害的受难者。1864年《万国红十字会公约》规定以在白底上加红十字作为它的标志。各国红十字会的名称不尽相同。在伊斯兰国家称为红新月会,标志是白底红新月;在伊朗称为红狮和太阳会,标志是红狮与太阳。对于后两种标志,公约同样予以承认。

【红山文化】中国北方地区的新石器时代文化。距今约五千多年。1935年在内蒙古赤峰地区的红山首先发现,故名。后陆续在内蒙古、吉林、辽宁和河北北部广大地区发现许多同类文化遗址。以发现大批玉器、女神庙和积石冢群而闻名。有的学者认为红山文化已进入初级文明社会,与中原仰韶文化关系比较密切。

【红外制导】以目标辐射的红外线作为制导信息的制导。常用于空空导弹和地空导弹。

【红衣主教】即"枢机主教"(909页)。因穿红色礼服,故名。

【红豆相思】比喻男女之间互相爱慕思念。唐王维《相思》诗:"红豆生南国,春来发几枝。愿君多采撷,此物最相思。"

【红铜时代】即"金石并用时代"(508页)。

【红斑狼疮】一种侵犯皮肤和内脏的自身免疫性疾病。侵犯皮肤的,脸上常出现淡红色斑;侵犯心、肾等内脏的,有发热、疲乏、关节酸痛等症状。可反复发作。

【红新月会】见〔红十字会〕(400页)。

【红外线摄影】利用物体辐射或反射的红外线,把影像记录在能感受红外线的感光片上的摄影方法。广泛应用于科学研究、军事等方面。

荭(葒) hóng 〔荭草〕一年生高大草本植物。全株有毛,叶大,花白色或粉红色。果实供药用。

虹 ㊀ hóng 雨后天空出现的彩色圆弧,有红、橙、黄、绿、蓝、靛、紫七种颜色。是空中的小水珠经日光照射发生折射和反射作用而形成的。常出现在与太阳相对的方向。

H

㊁ jiàng（486 页）。

【虹膜】眼球前部含色素的环形薄膜。由结缔组织细胞、肌纤维、血管等组成。中心是瞳孔。

【虹鳟】鱼类。体侧扁，背面和鳍暗绿色或褐色，有小黑斑，中央有一红色纵带。原产北美，中国东北、华北有养殖。

【虹吸现象】依靠大气压力，利用曲管将液体经过高出液面的地方引向低处的现象。虹吸现象有很多应用，如中国河南、山东一带，常用以引黄河的水越过河堤来灌溉农田。

魟□（魟） hóng 鱼类。体扁平，尾呈鞭状，有毒刺。生活在海中。

鸿（鴻） hóng ❶大雁。㊀～毛。❷大。㊀～图。❸指书信。㊀来～。

【鸿门】古地名。在今陕西临潼东北。楚汉之际，刘邦至此参加项羽所举行的宴会，史称鸿门宴。

【鸿毛】大雁的毛。比喻事物轻微或不足道。

【鸿运】同“红运”（398 页）。

【鸿沟】原指秦末楚汉两军对峙时分界的一条河。后比喻明显的分界。

【鸿图】同“宏图”（401 页）。

【鸿雁】也叫大雁。鸟类。雄鸟体长可达 82 厘米，雌鸟较小。喙扁平，黑色。雄鸟喙基有一膨大的瘤。体羽棕灰色。

【鸿鹄】大雁和天鹅，都是飞得又高又远的鸟。借以比喻志向远大的人。鹄（hú）。

【鸿蒙】古书中指宇宙形成之前的混沌状态。蒙（méng）。

【鸿儒】渊博的学者。

【鸿门宴】公元前 206 年刘邦先入关灭秦，进驻咸阳，并派兵守函谷关，以拒项羽西进。项羽率 40 万大军至，破函谷关，进驻鸿门（今陕西临潼东北），准备袭击刘邦。刘邦因势力悬殊，采纳张良建议，结交项羽叔父项伯，请予调解，以作缓兵计，并亲至鸿门会见项羽。在宴会上，项羽谋士范增令项庄舞剑，欲刺杀刘邦。项伯急拔剑起舞，以身掩护，后刘邦部将樊哙带剑执盾闯入卫护，刘邦得以脱险。这次宴会史称鸿门宴。后用以指暗藏杀机、加害客人的宴会。

【鸿飞冥冥】鸿雁飞向遥远的天空。比喻远避祸患。汉扬雄《法言·问明》：“鸿飞冥冥，弋人何慕焉？”冥冥：高远。

【鸿鹄之志】比喻远大的志向。《史记·陈涉世家》：“陈涉太息曰：‘嗟乎！燕雀安知鸿鹄之志哉！’”

【鸿篇巨制】指规模宏大的文学艺术作品。

呟⊠ hóng 见〔噌呟〕（120 页）。

闳（閎） hóng ❶巷门。❷宏大。

【闳中肆外】形容文章内容丰富，文字上发挥得淋漓尽致。唐韩愈《进学解》：“先生之于文，可谓闳其中而肆其外矣。”闳：博大。肆（sì）：奔放，淋漓尽致。外：指笔法、辞藻的表现力。

宏 hóng 广大。㊀宽～｜～大。

【宏达】（学识）广博通达。

【宏伟】雄壮而伟大。㊀气势～｜～的蓝图。

【宏旨】也作弘旨。大旨；主要的意思。㊀无关～。

【宏论】也作弘论。见识广博的言论。

【宏图】也作弘图、鸿图。远大的设想，宏伟的计划。

【宏愿】也作弘愿。伟大的志愿。

【宏观世界】通常指星系、行星及地球上各种肉眼能见到的物质世界。物理学中，宏观物体一般指大于一亿分之一厘米的物体。

【宏观经济】国民经济中全局性的经济活动与经济关系。

【宏观经济学】也叫总量经济学。经济学的分支学科。研究整个国民经济活动中各总量的决定及其变动。包括国民收入、经济增长与波动、失业、通货膨胀等总体性经济问题。与“微观经济学”相对。

浤⊠ hóng 〔浤浤〕形容波涛汹涌。

纮⊠（紘） hóng ❶古代帽子上的带子。❷维系；连结。❸通“宏”。

鋐⊠（鋐） hóng 金属撞击的声音。

竑 hóng 广大。

耾⊠ hóng 〔耾耾〕大声。

H

翃[⊠] hóng 飞；虫飞。

洪 hóng ❶大。㊀～亮｜～钟。❷洪水。㊀防～｜山～暴发。

【洪门】即“洪帮”(402页)。

【洪水】由暴雨或冰雪融化汇集到江河而形成的大水。

【洪炉】大炉子。多比喻能陶冶人、锻炼人的环境。㊀革命的～。

【洪帮】也作红帮。也叫洪门。清初由明代遗民组织的以“反清复明”为宗旨的秘密会党组织。主要分布在长江、珠江、黄河流域和西南、西北边疆一带。曾参加过反抗清代民族压迫和帝国主义侵略的斗争。海外华侨中的洪帮，后建立致公党等组织。

【洪荒】指太古时代。

【洪钟】大钟。㊀声如～。

【洪亮】(声音)响亮。㊀嗓音～。

【洪峰】❶河流在涨水期间达到的最高水位。也指涨到最高水位的洪水。❷洪水涨落的整个过程。

【洪流】巨大的水流。也比喻不可抗拒的社会发展趋势。㊀革命的～不可阻挡。

【洪堡】亚历山大·冯·洪堡(1769—1859)德国自然科学家，近代地理学创建人之一。曾赴拉丁美洲、西伯利亚、中亚等地考察。在区域地理、自然地理、植物地理、气候、地质、地球物理等方面做了许多工作。认为自然界是一个巨大整体，各种自然现象相互关联。并注重比较观察的事实，以揭示自然现象间的因果关系。著有《新大陆热带地区旅行记》《宇宙：物质世界概要》《植物地理学论文集》等。

【洪仁玕】(1822—1864)太平天国后期领袖之一。洪秀全族弟。广东花县人。最早的拜上帝会成员。1859年总管太平天国政务，封干王。他提出了一个带有资本主义色彩的统筹全局的政纲《资政新篇》。1864年天京陷落后，在江西被俘牺牲。

【洪秀全】(1814—1864)太平天国革命领袖。原名仁坤，广东花县人。1843年创立拜上帝会，利用宗教形式进行革命活动。1845年前后，写了《原道救世歌》等，奠定了太平天国革命的理论基础。1851年在广西桂平金田村发动起义，建立太平天国，被举为天王。1853年太平军攻克并定都南京，颁布了《天朝田亩制度》，继续扩大武装。派兵北伐和西征，革命势力到达十八省。第二次鸦片战争后，他率领广大军民英勇抗击清政府和外国侵略势力。1862年5月天京被围，他和守城战士坚持战斗了两年。1864年6月去世。

【洪泽湖】中国第四大淡水湖。位于江苏省西部，有淮河通过。面积1 577平方千米。过去湖滨地带常闹水灾，20世纪50年代筑闸控制洪水，并引水入苏北灌溉总渠，转害为利。

【洪水猛兽】比喻极大的祸害。《孟子·滕文公下》：“昔者，禹抑洪水而天下平，周公兼夷狄、驱猛兽而百姓宁。”

【洪宪帝制】袁世凯恢复帝制的复辟活动。袁世凯1912年就任临时大总统后，加快了复辟帝制的活动。1915年初总统府的美、日顾问撰文认为共和国体不适合中国国情，同年8月由“筹安会六君子”鼓吹帝制，通电各省派代表进京“请愿”改变国体。12月12日袁世凯宣布恢复帝制，改国号为“中华帝国”，废除民国纪元，以1916年为洪宪元年，准备元旦称帝。全国人民奋起反对，各地起兵讨袁，袁被迫于1916年3月22日取消帝制。

渱 hóng 同“荭”。

鉷[⊠](鉷) hóng 弩弓上射箭的装置。

葓 ㊁ hóng 见〔雪里蕻〕(1119页)。
㊀ hòng (403页)。

黉(黌) hóng 古指学校。

䡌[⊠] hóng 见〔硼䡌〕(744页)。

hǒng ㄏㄨㄥˇ

哄 ㊁ hǒng ❶说假话骗人。㊀～骗。❷用言语或行动引人高兴。㊀～小孩。
㊀ hōng (398页)。
㊂ hòng (403页)。

hòng ㄏㄨㄥˋ

讧(訌) hòng 由争吵而致溃败。㊀内～。

哄（*閧*鬨） ㊂ hòng 吵闹；吵嚷。㊞起～|一～而散。
㊀ hōng（398 页）。
㊁ hǒng（402 页）。

蕻 ㊀ hòng ❶茂盛。❷〈方〉指某些蔬菜的长茎。㊞菜～。
㊁ hóng（402 页）。

澒☒（澒） hòng 〔澒洞〕大水弥漫无际。

hōu ㄏㄡ

齁 hōu ❶鼻息。㊞～声。❷吃太甜太咸等食物使喉咙不舒服。㊞～得难受。❸〈方〉副词。很；非常（多表示不满意）。㊞～咸|～热|～讨厌的。

hóu ㄏㄡˊ

侯 ㊀ hóu ❶侯爵，古代贵族五等爵位（公、侯、伯、子、男）中的第二等。❷旧时泛指做大官的人。㊞～门。
㊁ hòu（405 页）。

喉 hóu 上接咽头下连气管的器官。有通气和发音的功能。

【喉舌】泛指说话器官。比喻代言机构。㊞我们的报纸是人民的～。

猴 hóu 哺乳动物。种类很多。群居山林中，采食野果、野菜等。

【猴市】股市中有大批投机者快速买进又卖出股票，使股指在某一价区像猴子一样上窜下跳的股市动态。

【猴头菌】真菌的一种。外形像猴头，故名。白色，干后浅褐色。生于林间树木上，可供食用。

睺☒ hóu 〔罗睺〕古代的星座名。

瞃☒ hóu 半盲。

瘊 hóu 〔瘊子〕即"疣"（1192 页）。

篌 hóu 见〔箜篌〕（562 页）。

糇（*餱） hóu 古称干粮。㊞～粮。

骺 hóu 骨骺，长形骨的两端。

hǒu ㄏㄡˇ

吽□ ㊁ hǒu 牛叫；牛叫声。
㊀ hōng（398 页）。

吼 hǒu ❶兽大声叫。㊞狮～。❷人因愤怒、情绪激动而呼喊。㊞怒～。

犼☒ hǒu 古书上说的一种像狗的野兽。能吃人。

hòu ㄏㄡˋ

后（❶－❹後） hòu ❶（空间）在背面的。㊞村～|～门。❷（时间）未来的；较晚的。㊞～天|～来居上。❸（次序）靠近末尾的。㊞～排座位。❹后代；子孙。㊞无～|名门之～。❺上古称君王。㊞商之先～（先王）。❻帝王的妻子；皇后。㊞～妃。

【后卫】❶军队行军时担任后方警戒的部队。任务是防止敌人来自后方的追击或袭击，掩护主力行动的安全。❷某些球类比赛中主要担任防守的队员。

【后天】❶指人或动物离开母体单独生活和成长的时期。㊞先天不足，～失调。❷哲学上指（知识）来自实践，来自经验，依赖于实践。与"先天"相对。❸明天的明天。

【后方】❶战时远离前线的地域。特指战役或战略的后勤及装备技术保障。❷后面；后头。

【后世】某一时代以后的时代。

【后汉】❶即"东汉"（218 页）。❷五代之一。参见"汉"⑤（377 页）。

【后台】❶剧场舞台后面的部分。常用于演员化装、更衣、摆放道具等。也指戏剧演出的幕后工作部分。❷比喻在背后操纵、支持或提供援助的人或集团（多含贬义）。

【后尘】走路时后面扬起来的尘土。比喻别人的后面。㊞步人～。

【后进】进步比较慢的。也指学识或资历较浅的人。

【后事】❶以后的事情。❷丧事；在人死后要办的各种事宜。

【后果】最后结果（多用在坏事方面）。

【后金】明朝中国东北女真族建立的地方政权。1616 年努尔哈赤统一女真各部，于赫图阿拉（今辽宁新宾）称汗，国号金，年号天命，史称后金，与明朝抗衡。1636 年，努尔哈赤子皇太极改国号为清。

【后周】五代之一。参见“周”⑦(1287页)。

【后备】为补充而准备的。㊀～部队。

【后赵】十六国之一(319—350)。羯族石勒建立。建都襄国(今河北邢台西南),后迁邺(今河北临漳西南),史称后赵。为冉魏所灭。

【后盾】指后面支持援助的力量。

【后羿】中国神话人物。相传尧时十日并出,植物枯死,猛兽长蛇为害。羿射去九日,射杀猛兽长蛇,为民除害。嫦娥为其妻。羿(yì)。

【后起】继起的;新出现的。㊀～之秀。

【后晋】五代之一。参见“晋”②(512页)。

【后唐】五代之一。参见“唐”(958页)。

【后患】今后的祸患。

【后梁】五代之一。参见“梁”④(610页)。

【后缀】加在词根后面表示附加意义的语素。如桌子、椅子中的“子”,文学家、科学家中的“家”。

【后援】援军。泛指支援的力量。

【后勤】后方勤务的简称。从物质、财务、卫生、技术、运输等方面保障军队需要的勤务。也泛指一般工作中负责财务、物资、生活管理方面的工作。

【后嗣】后代子孙。

【后蜀】十国之一。参见“蜀”①(912页)。

【后裔】后代子孙。裔(yì)。

【后溪】针灸穴位名。位于小指外侧。取穴时轻握拳。在第五掌指关节后,手掌横纹尽头突起的地方。主治腰颈扭伤、耳聋、面肌抽搐等。

【后稷】中国古代传说中教民耕种的人。名弃。相传是周族的始祖,周族人认为他始种稷和麦,尊其为百谷之神。尧舜时任农官,受封于出生地邰(今陕西武功)。

【后熟】许多植物的种子脱离母体后,需要在一定的外界条件下经过一定时间达到生理上的成熟。后熟作用过程中,常伴随一系列的生理生化变化,如酸度的变化、呼吸强度的变化等。

【后鞧】驾辕牲口屁股后头的皮带。鞧(qiū)。

【后元音】发音时舌位后缩、舌面对着软腭抬起而构成的元音。如普通话单韵母中的u、o、e。

【后汉书】史书名。南朝宋范晔撰。共一百二十卷,包括本纪十卷,列传八十卷,志三十卷(志为晋司马彪撰)。记载了东汉近二百年(25—220)的历史。

【后备军】由预备役军人组成的武装力量。也指某些职业队伍的补充人员。

【后遗症】❶病愈后所遗留的某种组织、器官的缺损或功能障碍。如患小儿麻痹症的下肢瘫痪。❷比喻事情过后或处理问题时留下的消极影响。

【后生可畏】《论语·子罕》:“后生可畏,焉知来者之不如今也?”意思是年轻人往往能够超过老一辈,是可敬畏的。畏:畏惧。这里指敬畏。

【后印象派】也叫后印象主义。指1884—1905年前后出现的有革新倾向的画派。脱离印象派的客观光色记录而走向主观情感的表现,成为西方现代艺术的先驱。代表画家有法国的塞尚、高更和荷兰的凡·高等。

【后发制人】指先让一步,等对方动手暴露了弱点,再加以反击,制服对方。制:制服,控制。

【后来居上】《史记·汲郑列传》:“陛下用群臣,如积薪耳,后来者居上。”原来是表示不满的话,认为帝王用臣不能像堆柴禾那样,把新进的放在旧臣之上。后用以指后起的超过了先前的。

【后备力量】❶指国家经过动员后所有可以直接参加和支援战争的人。主要包括预备役部队、民兵和其他服预备役的人员,以及经过军事训练的大、中学校学生。❷指某些职业队伍的补充力量。

【后起之秀】《晋书·王忱传》:“卿风流俊望,真后来之秀。”后用“后起之秀”指后出现的或新成长起来的优秀人物(多指年轻人)。

【后顾之忧】《魏书·李冲传》:“朕以仁明忠雅,委以台司之寄,使我出境后无后顾之忧。”指来自后方的或事后的忧患。顾:回头看。忧:忧患,担心。

【后继有人】有人接续前头的人所从事的事业。

【后福特制】继福特制之后的一种生产组织管理形式。其主要特点是依据消费者的需要,进行小批量及个性化的产品生产。

【后工业社会】继工业化社会之后的社会形态。是美国社会学家丹尼尔·贝尔提出的概念。

【后现代艺术】20世纪70—80年代于西方兴起的当代艺术。是对现代艺术的继续、反拨和超越,与西方后工业社会的发展同

H

步，标榜“激进的折衷主义”，包括后现代古典主义、新表现主义、超前卫艺术等。

【后浪推前浪】比喻新生的事物推动或替换旧有的事物，不断前进。

【后现代建筑思潮】20世纪70—80年代出现的建筑思潮。反对现代主义的割断历史、只重技术、忽视人的情感需要的做法，强调建筑遗产和传统的重要性，注意建筑与环境的关系，讲究隐喻，推崇不完整、不统一、不和谐的创作原则。美国建筑师文丘里所著《建筑的复杂性与矛盾性》被认为是后现代建筑思潮的宣言。

郈 hòu 古地名。在今山东。

垕□ hòu 同“厚薄”的“厚”。也用于地名，如神垕（在河南）。

逅 hòu 见〔邂逅〕（1090页）。

鲘□（鮜） hòu 〔鲘门〕地名。在广东。

厚 hòu ❶扁平物体上下两面之间的距离大。与“薄”相对。㊀～木板。❷厚度。㊀下了两寸～的雪。❸感情深。㊀情谊～｜相交甚～。❹厚道。㊀忠～｜宽～。❺重视；优待；推崇。㊀～待｜～遇｜～今薄古。

【厚朴】落叶乔木。叶密集于小枝顶端，花单生枝顶，黄白色，有香气。树皮和根皮供药用，能温中、下气、燥湿、消痰。

【厚谊】深厚的情谊。

【厚望】很大的期望。

【厚道】待人诚恳、宽厚，不刻薄。

【厚颜】脸皮厚，不知羞耻。

【厚此薄彼】重视或优待这个，轻视或冷淡那个。形容给予的待遇截然不同。

侯 ㊁ hòu 见〔闽侯〕（689页）。
㊀ hóu（403页）。

候 hòu ❶等待。㊀～车室｜请您稍～一会儿。❷看望；问候。㊀致～。❸时节。㊀季～｜～鸟。❹事物变化的情况或程度。㊀征～｜火～。

【候鸟】随季节不同而定时迁徙的鸟类。春夏季在某个地区繁殖，秋季飞到较暖的地区越冬，第二年春再飞回原地的鸟，叫夏候鸟，如黄鹂、杜鹃等。冬季在某个地区生活，春季飞到较远且较冷的地区繁殖，秋季又飞回原地的鸟叫冬候鸟，如野鸭、鸿雁等。

【候光】敬辞。等候光临。

【候补】❶等候递补缺额。❷正式人员以外的预备人员。㊀～委员。

【候教】敬辞。等候指教。

【候温】每候（五天为一候）的平均气温。气候上作为划分四季的标准。候温大于或等于22℃，其中第一个大于或等于22℃的日期为夏季起始日；候温小于或等于10℃，其中第一个小于或等于10℃的日期为冬季起始日；冬、夏之间分春、秋两季。

【候选人】在选举中被提出供选举人选举的对象。

堠 hòu 古代瞭望敌情的土堡。

鲎（鱟） hòu 节肢动物。头胸甲像马蹄形，腹甲略呈六角形，尾像剑。生活在海底。可供食用。

hū ㄏㄨ

乎 hū ❶文言助词。1. 表示疑问的语气。相当于白话的“吗”或“呢”。㊀可～？2. 表示推测的语气。相当于现代汉语的“吧”。㊀日食饮得无衰（减少）～？❷动词后缀。作用同“于”。㊀出～意料｜合～规律。❸形容词或副词后缀。㊀洋洋～大观｜确～重要。

呼（*虖 *嘑 *謼） hū ❶喊。㊀高～｜欢～。❷唤；叫。㊀～之即来。❸往外出气。与“吸”相对。❹拟声词。风声。㊀北风～～地吹。

【呼号】❶号（háo）。大声哭喊。❷号（hào）。无线电中使用的各种代号。

【呼机】寻呼机的简称。

【呼吁】呼求援助、支持、同情等。

【呼吸】❶生物体与外界环境进行气体交换的过程。人和高等动物的呼吸包括内呼吸（体液与组织细胞的气体交换）与外呼吸（外界空气与血液的气体交换）。❷一呼一吸。比喻极短的时间。㊀成败在～之间。

【呼声】呼喊的声音。比喻群众的意见和要求。

【呼应】❶双方互相响应。❷文章前后相照应。

【呼哨】也作唿哨。把手指放在嘴里用力吹时发出的尖锐音响，或物体迅速运动时发出的像哨子的声音。

H

【呼啸】发出高而长的声音。㊞北风～。啸(xiào)。
【呼噪】嘈杂地喊叫。
【呼韩邪】(？—前31)西汉时期匈奴族首领。公元前58年即单于位,后归附汉朝。元帝时,与汉和亲,王昭君出塞,呼韩邪封为宁胡阏氏。
【呼之欲出】也说呼之或出。宋苏轼《郭忠恕画赞》:"恕先在焉,呼之或出。"形容人像画得逼真,像活人一样,似乎叫他一声,他就会从画里走出来。后也指文学作品中人物的描写十分生动。
【呼幺喝六】❶掷骰子时的呼喊声。幺为输点,六为赢点,一般对方掷时喊"幺",自己掷时喊"六"。泛指赌博时的喧哗声。幺(yāo):一。❷形容大声呵斥、盛气凌人的样子。
【呼天抢地】高声喊天,用头撞地。形容极度悲伤。《儒林外史》第十七回:"匡超人呼天抢地,一面安排装殓。"抢(qiāng):撞。
【呼风唤雨】使天刮风下雨。旧指神仙道士的法术。比喻支配自然的力量。有时也比喻对群众的煽动。
【呼吸系统】人或高等动物体内所有呼吸器官的总称。由鼻、咽、喉、气管、支气管、肺等组成。有进行体内与外界的气体交换的作用。
【呼图克图】清朝中央政府授予藏族和蒙古族地区藏传佛教大活佛的封号。
【呼朋引类】招呼聚集同类的人(多含贬义)。明张岱《陶庵梦忆·扬州清明》:"博徒持小杌坐地…呼朋引类,以钱掷地,谓之跌成。"引:带领。
【呼和浩特市】内蒙古自治区首府。位于该区中部偏南,京包铁路线上。人口73万(1997年)。为全区政治、经济、文化和交通中心。是以毛纺织、制革、甜菜制糖、机械制造和畜产品加工等为主的综合性工业城市。有五塔寺、昭君墓等古迹。

轷(軤) hū 姓。

烀 hū 一种烹饪方法。把食物放在锅里,加少量的水,盖紧锅盖,加热使变熟。㊞～白薯。

滹 hū 〔滹沱河〕水名。在河北西部。

戏(戲*戲) ㊁ hū 见〔於戏〕(1036页)。
㊀ xì (1059页)。

幠□(幠) hū ❶〈方〉覆盖。❷宽大。

膴☒(膴) ㊀ hū ❶去骨的干肉。❷古代祭祀用的大块鱼肉。
㊁ wǔ (1045页)。

昒☒ hū 〔昒昕〕黎明;拂晓。昕(xīn)。

曶☒ hū ❶迅速;瞬息之间。❷古同"笏(hù)"。❸楚庄王的剑名。

忽 hū ❶粗心,不注意。㊞疏～|～视。❷副词。忽然。㊞～高～低。❸市制长度、重量单位。10忽是1丝,10丝是1毫。
【忽而】副词。忽然(大多用于相对或相近的动词、形容词之前)。㊞他～哭～笑|歌声～高～低。
【忽视】(对某事物或情况)疏忽;不重视。
【忽略】疏忽;没注意到。
【忽然】副词。表示事件或动作来得迅速而又出乎意料。㊞小王走着走着,～不走了。
【忽必烈】(1215—1294)即元世祖。元王朝建立者。1260年在开平(今内蒙古正蓝旗东闪电河北岸)即大汗位。1264年迁都燕京(今北京)。1271年定国号大元。1279年灭南宋,统一全国。在位期间设立行省制度,加强中央对边疆地区的管理。注重屯垦,兴修水利,设水陆驿站,发展交通,密切了全国各地区间的联系。

唿 hū 〔唿哨〕同"呼哨"(405页)。

㹱☒ hū 〔㹱狸〕近代白话小说中指鳄鱼。狸(lǜ)。

淴□ hū 〔淴浴〕〈方〉洗澡。

惚 hū 见〔恍惚〕(430页)。

糊 ㊂ hū 用糊(hú)状物粘合涂抹。㊞把这个墙窟窿用泥～上|～了一层泥。
㊀ hú (409页)。
㊁ hù (412页)。

hú ㄏㄨˊ

囫 hú 见下。

H

【囫囵】整个;完整。

【囫囵吞枣】把枣子整个吞下去。比喻读书等不经消化理解,笼统接受。

和 ㊄ hú 打牌用语。表示在一轮较量中,按规定取胜。

㊀ hé (385 页)。

㊁ hè (392 页)。

㊂ huó (439 页)。

㊃ huò (442 页)。

狐 hú 通称狐狸。哺乳动物。体似狗而瘦小,尾长。性狡猾,尾基部有分泌腺,遇敌能放出恶臭。毛皮珍贵。

【狐肷】指狐狸的胸腹部和腋下的毛皮。肷(qiǎn)。

【狐媚】谄媚;用恭维、奉承的手段迷惑人。

【狐疑】传说狐性多疑,所以称多疑叫狐疑。

【狐步舞】一种社交舞蹈。20 世纪初从欧美开始流行。有快、慢之分,国标舞中指慢狐步。音乐为 4/4 拍。舞者步幅大而平滑,不并步,步态悠闲,富于流动感,舞蹈优雅飘逸。

【狐死首丘】传说狐狸死时,头还向着巢穴所在的土丘。比喻怀念故乡或归葬故土。《楚辞·九章·哀郢》:"鸟飞反故乡兮,狐死必首丘。"

【狐凭鼠伏】像狐狸、老鼠一样,凭借洞穴掩护而潜伏着。《广东军务记·三元里平夷录》:"逆夷各狐凭鼠伏,潜避两炮台中,不敢出入。"

【狐埋狐搰】《国语·吴语》:"狐埋之而狐搰之,是以无成功。"意思是狐性多疑,才埋藏的东西,又掘出来看看。比喻人疑虑太多,不能成事。搰(hú):挖掘。

【狐狸尾巴】古代传说某些狐狸能够变成人形来迷惑人,但它的尾巴却始终不能变掉,成为妖怪原形的标志或辨认妖怪的实证。后因用"狐狸尾巴"比喻坏主意或坏行为的证据。

【狐假虎威】《战国策·楚策一》记载,有一次一只老虎抓到一只狐狸要吃掉它。狐狸说:"你是不敢吃我的。天帝让我当百兽之长,你要吃我,就是违背了天命。不信你可以跟在我后面走一趟,看看百兽见了我是否都逃避。"老虎跟在它后面走了一趟,果然看到百兽都逃跑了。虎不知百兽原来是怕自己,反而真的认为是怕狐狸了。后因用"狐假虎威"比喻倚仗别人的势力来吓唬人。假(jiǎ):借。

【狐裘羔袖】狐狸皮的大衣,用小羊羔皮配做两只袖子。比喻大处很好,小处与之不相称。《左传·襄公十四年》:"余狐裘而羔袖。"裘:皮衣。

【狐群狗党】比喻勾结起来的一帮坏人。

【狐疑不决】形容遇事疑虑过多,拿不定主意。《后汉书·刘表传》:"表狐疑不断,乃遣(韩)嵩诣(曹)操,观望虚实。"狐疑:像狐狸那样多疑。

弧 hú ❶圆周的一部分。[例]~形|~线。❷木弓。

【弧度】旧称弪。表示角度大小的一种单位。当圆周上某一段圆弧的弧长等于该圆的半径时,称此圆弧所对的圆心角的大小为 1 弧度。1 弧度约等于 57°17′44.8″。

【弧光灯】利用弧光放电时产生的电弧作光源的照明装置。是一种强光源,多用作探照灯等的光源。

【弧光放电】产生电弧的气体放电现象。其特点是电压较低(几十伏),电流较强(几安到几十安),产生的温度很高(几千到上万摄氏度)。接在较大功率的电源上的两根碳棒,接触后再分开一定距离,在两碳棒间即可出现放电,产生耀眼的弧光。

胡(❹鬍❻*衚) hú ❶中国古代泛指居住在北部和西部的民族。❷古代泛指来自外族或外国的。[例]~琴|~椒。❸副词。随意地;无道理地。[例]~来。❹胡须。❺文言疑问代词。为什么;何故。[例]~不归? ❻见〔胡同〕(407 页)。

【胡同】巷子;小街道。

【胡杨】落叶乔木。高可达 15 米。叶形多变异,无毛,呈灰色或淡绿色。多生于水源附近。分布于中国西北一带,是西北河流两岸或水位较高地方的重要造林树种。

【胡诌】随口瞎编;胡说。

【胡适】(1891—1962)中国现代学者。字适之,安徽绩溪人。1910 年赴美国留学,是实用主义哲学家杜威的学生。回国后任北京大学教授,曾提倡文学改革。是新文化运动的著名人物,提倡以白话文代替文言文,所写《文学改良刍议》,颇有影响。参加编辑《新青年》,出版中国最早的新诗集《尝试集》。1919 年发表《多研究些问题,少谈些"主义"》,以改良主义反对马克思主义。倡导"大胆假设、小心求证"的研究方法,影响很大。反对国民党的独裁与文化专制主义,倡导自由主义。创办《独立评论》,主张全盘西化。1946年后曾任国民大会主席,提出《戡乱条例》。曾任国民党的驻美大使、台湾“中央研究院”院长。1962年在台湾病逝。著有《中国哲学史大纲》(上卷)《胡适文存》等。

【胡笳】古代簧管乐器。汉代流行于北方。

【胡麻】油用亚麻。茎比纤维用亚麻粗而短,分枝和果实较多,子粒也较大。

【胡椒】多年生藤本植物。节膨大。叶互生,卵状椭圆形。浆果球形,黄红色。未成熟果实干后果皮皱缩而黑,称黑胡椒;成熟果实脱去皮后呈白色,称白胡椒。果实有辛辣味,用作调味品,也可供药用。也指这种植物的果实。

【胡蜂】俗称马蜂。昆虫。体黄色及红黑色,具黑色及褐色斑点及条带。尾部有毒刺,能蜇人。合群生活。工蜂常采集花蜜或捕捉其他虫类作为幼蜂的食物。

【胡萝卜】二年生草本植物。茎直立,羽状复叶,开白色小花,种子长圆形。根长圆锥形,肉质,是营养丰富的蔬菜。也指这种植物的根。

【胡耀邦】(1915—1989)中国无产阶级革命家、政治家,中国共产党和中华人民共和国领导人。湖南浏阳人。1929年参加共青团,1933年转入中国共产党,曾在中央苏区任少共中央局秘书长。1934年参加长征。抗战时任抗大政治部副主任、中央军委总政治部组织部部长。解放战争时任纵队政委、兵团政治部主任。1949年后历任共青团中央第一书记、中共中央西北局第二书记、陕西省委第一书记。“文化大革命”中遭“四人帮”迫害。1977年任中共中央党校副校长、中共中央组织部部长,中纪委第三书记、中共中央秘书长等,曾组织推动关于真理标准问题讨论、平反冤假错案、落实干部政策,为实现党的工作重心转移做出重要贡献。1980年后任中共中央总书记、中共中央主席。1987年辞去中共中央总书记职务。1989年4月15日在北京病逝。

【胡司战争】15世纪捷克人民要求社会改革和民族解放的斗争。1415年捷克的爱国者与宗教改革家胡司被教皇处以火刑,激起捷克人民的愤怒。1419年布拉格人民武装起义,胡司战争开始。这次战争一直持续到1452年。

【胡西塔尔】擦奏弦鸣乐器。音色沙哑,擅于演奏有浓郁民族风味的维吾尔族民歌曲调。流行于新疆维吾尔族地区。

【胡志明市】旧称西贡。越南城市。位于该国南部。人口418万(1992年)。是全国最大城市和海港,也是越南南方工业、交通中心和大米主要贸易中心。

【胡克定律】英国物理学家胡克发现的弹性形变的定律。即弹性体在弹性限度内产生的形变与所受外力的大小成正比。

【胡作非为】不顾法纪或舆论,任意干坏事。

【胡萝卜素】有机化合物,分子式 $C_{40}H_{56}$。深紫红色或深红色结晶,含在胡萝卜、番茄、蛋黄或乳汁里。在人体内能转化成维生素A。

葫

hú 见下。

【葫芦】一年生攀缘草本植物。果实可供食用,老熟后可作盛水等器具。也指这种植物的果实。

【葫芦科】被子植物的一科。一年生或多年生草质藤本植物。常有螺旋状卷须。叶大,互生,通常为单叶,深裂。花单性。多数有肉质瓠果,有的为纸质囊状干果。葫芦科植物主要供食用,如黄瓜、南瓜、西瓜、冬瓜等;有的供药用,如栝楼、木鳖等;有的种子含油丰富,可供食用,如油渣果等。

【葫芦笙】簧振气鸣乐器。彝、苗、佤、纳西、黎、拉祜、普米等民族的乐器。由笙苗和笙斗组成,笙斗用葫芦制作,笙苗是细竹管。5—8根不等。每根笙苗开二孔。多用于舞蹈伴奏,且吹奏者多为领舞者。

【葫芦藓】苔藓植物。植株矮小,有直立的茎,茎上生着许多鲜绿色的小叶,叶片很薄,雌雄异株,没有根,只有丝状的假根生在土壤里。

猢

hú 〔猢狲〕猴子的别称。也指猕猴。

湖

hú ❶湖泊,四周为陆地的广阔水域。㊙洞庭~|昆明~。❷指湖南、湖北。㊙~广。❸指浙江湖州。㊙~笔。

【湖田】在湖泊地区开辟的水田,四周筑有围埝。

【湖色】淡绿色。

【湖州】市名。位于浙江省北部,太湖之滨,宣杭铁路过境。人口27万(1997年)。丝绸、湖笔、绫绢、羽毛扇等有名。

【湖沼】湖泊和沼泽。

H

【湖泽】湖泊。泽：水聚积的地方。
【湖绉】浙江湖州出产的有皱纹的丝织品。
【湖笔】浙江湖州出产的毛笔。这种笔以圆、齐、健、尖为特色，人称湖颖。历史悠久，驰名中外。
【湖北省】别称鄂。位于长江中游，北邻河南，西北邻陕西，西邻重庆，南邻湖南、江西，东邻安徽。面积18万多平方千米。人口5 907万（1998年）。省会武汉市。重要城市还有黄石、宜昌、荆州、襄樊、十堰等。
【湖南省】别称湘。位于长江中游南岸，北邻湖北，西邻重庆、贵州，南邻广西、广东，东邻江西。面积21万多平方千米。人口6 502万（1998年）。省会长沙市。重要城市还有株洲、衡阳、湘潭、岳阳、邵阳等。

瑚 hú 见〔珊瑚〕（855页）。

煳 hú 烧烤得过火而焦黑。㉄烤～了。

鹕（鶘） hú 见〔鹈鹕〕（966页）。

蝴 hú 见下。

【蝴蝶】昆虫。成虫体较蛾细长，翅膀阔大。多白天活动，静止时翅竖立在背上。幼虫多为农业害虫。
【蝴蝶花】❶多年生草本植物。叶剑形，初夏开花，蝶形，淡紫色，较鸢尾的花小。通常丛生于山林边缘。可供观赏。❷即“三色堇”（842页）。

糊（❷*餬❷*粘） ㊀ hú ❶用黏性物把不同的东西粘在一起。㉄～窗户。❷粥类。㉄玉米面～～。❸同“煳”。
㊁ hù（412页）。
㊂ hū（406页）。

【糊口】旧指勉强维持生活。

醐 hú 见〔醍醐〕（967页）。

壶（壺） hú 一种盛水或盛其他液体的用具。㉄茶～|油～。

【壶口瀑布】位于山西省吉县与陕西省宜川县交界处的黄河上。宽约30米，落差约50米。

核 ㊁ hú 同“核（hé）”①②。用于某些口语词，如“梨核”“煤核”等。
㊀ hé（390页）。

斛 hú 量器名。古时以十斗为斛，后来又以五斗为斛。

槲 hú 落叶乔木。叶大，果实卵形，含淀粉，可酿酒。树皮是栲胶原料。

搰⊠ ㊀ hú ❶掘。❷搅浑；搅乱。
㊁ kū（566页）。

【搰搂】〈方〉抚摩；拂拭。

鹘（鶻） ㊀ hú 隼。
㊁ gǔ（339页）。

【鹘突】❶糊涂。❷疑惑不定。

鹄（鵠） ㊁ hú 天鹅。
㊀ gǔ（339页）。

【鹄立】像天鹅延颈而立，直立。
【鹄望】直立而望。形容盼望等待。

縠⊠ hú 有皱纹的纱。

觳 hú 〔觳觫〕因恐惧而发抖。觫（sù）。

hǔ ㄏㄨˇ

虎 hǔ ❶哺乳动物。毛黄褐色，有黑色条纹。性凶猛，一般夜出捕食动物，有时伤人。中国的虎以东北虎和华南虎最为著名。是中国国家重点保护动物。❷形容勇猛威武。㉄～将|～视。❸同“唬（hǔ）”。

【虎口】❶比喻危险的境地。❷大拇指和食指之间相连接的部分。
【虎市】股票价格巨幅震荡且变化莫测，蕴藏着巨大市场风险的股市动态。
【虎穴】老虎的窝。比喻危险境地。㉄深入～。
【虎帐】古指将军的营帐。
【虎贲】古指勇士、武士。贲（bēn）。
【虎威】指武将的威风。
【虎将】勇将。
【虎符】中国古代帝王调兵用的凭证。用铜铸成虎形，分为两半，两半都铸有相同的铭文，右半存于朝廷，左半交给带兵将帅。调发军队时须持符验合，作为凭证。战国到隋代盛行，唐代改用鱼符。
【虎鲨】鱼类。体较粗，黄褐色，具多条暗褐色横纹。头近方形。卵生。栖息近海底层，食贝类和甲壳类。
【虎鲸】哺乳动物。身体纺锤形，雄的长6.5—10米，雌的长6—8米。头圆，齿粗大，背黑，腹白。性凶猛，常成群活动。捕食鱼类、海豚、海豹等，为海洋中有害兽类。

【虎列拉】英语音译词。霍乱。

【虎跳峡】也叫虎跳涧。位于云南省丽江纳西族自治县石鼓东北约50千米处的金沙江上。峡长16千米，落差196米，江面最窄处仅30米。右岸为玉龙雪山，左岸为哈巴雪山，谷深达2 500—3 000米。

【虎口余生】也说虎口逃生。比喻经历极大危险，侥幸保全生命。

【虎门条约】英国强迫清政府签订的不平等条约，是《南京条约》的补充条款。1843年10月在广州虎门签订。共十六款。主要内容有：(1)给予英国以片面最惠国待遇，即任何国家在中国获得的权利，英国都可同样享受。(2)允许英国人在广州、福州、厦门、宁波、上海五口租地建屋，永久居住。这一特权成为后来帝国主义者在中国强占"租界"的借口。

【虎门销烟】中国近代史上的一次爱国行动。1839年3月，禁烟钦差大臣林则徐到广州，与两广总督邓廷桢合力惩治鸦片走私，责令外国鸦片商人交出全部鸦片。英国等国鸦片贩子被迫交出鸦片237万余斤。从6月3—25日，林则徐亲自主持，在广州虎门海滩当众销毁。

【虎头蛇尾】比喻做事有始无终，起初声势很大，后来就马马虎虎，劲头越来越小。

H

【虎尾春冰】《尚书·君牙》："心之忧危，若蹈虎尾，涉于春冰。"踩虎尾，走春冰。比喻十分危险。

【虎视眈眈】像老虎要扑食那样注视着。形容贪婪地恶狠狠地盯着。《周易·颐》："虎视眈眈，其欲逐逐。"眈眈（dāndān）：注视的样子。

【虎踞龙蟠】也说龙蟠虎踞。《太平御览》引《丹阳记》：三国时诸葛亮说："钟阜龙盘，石城虎踞。"意思是钟山（紫金山）像盘绕的苍龙，石城像蹲着的猛虎。形容地势雄壮险要。也特指南京。

唬 ㊀ hǔ 虚张声势吓人或蒙混人。㊃你别～我！
㊁ xià（1064页）。

琥 hǔ 雕成虎形的玉。

【琥珀】一种树脂化石。黄至红褐色，一般透明，质软性脆，比重小，摩擦带电，熔化时有松香味。多产于煤层中。可制装饰品及琥珀酸等，中药用作安神镇静剂。珀（pò）。

浒（滸） ㊀ hǔ 水边。
㊁ xǔ（1111页）。

hù ㄏㄨˋ

互 hù 副词。互相；彼此。㊃～助｜～教～学。

【互市】指国与国之间或不同民族之间的通商贸易。

【互训】训诂学中用同义词互相注释词义的方法。如《尔雅·释宫》"宫谓之室，室谓之宫"。

【互利】对双方都有利。

【互质】互素的曾称。

【互相】副词。表示彼此对待的关系。㊃～尊重。

【互素】曾称互质。两个正整数，除1以外，没有其他公因数时，它们的关系叫做互素。这两个正整数叫做互素数。如6和35是互素数。

【互换】❶互相交换。❷交易双方按照市场行情签定预约，在约定期限内相互交换债权或债务，以分享对方在另一市场中的好处的金融交易行为。包括货币互换和利率互换。

【互惠】❶互相给予好处。❷国际法的一项原则。指国家之间根据协议相互给予彼此公民或组织以一定的对等的权利和待遇。当甲国给予乙国的公民、企业等以某种优待时，乙国亦应给甲国的公民、企业等以同等的待遇。

【互感】由于一个电路中电流变化，而在附近另一电路中引起感生电动势的现象。变压器就是利用互感作用原理制成的。

【互助组】中国劳动农民在个体经济基础上建立的劳动互助组织。分临时互助组和常年互助组。在农业合作化运动中发展成为初级农业生产合作社。

【互补色】也叫补色。红、黄、蓝三原色中任一种原色跟它对应的间色（某两种原色互相混合的颜色）构成互补色。如红与绿、黄与紫、蓝与橙等。互补色并列时对比强烈也叫对比色。

【互联网】由若干个电子计算机网络相互联接而成的网络。目前世界上最大的互联网是因特网。参见〔因特网〕（1172页）。

【互惠国】在国际贸易中，互相给予对方贸

易上的优惠待遇的两国。

【互生叶序】叶序的一种。茎的每节只生一叶。如桃、蚕豆等的叶序。

【互通声气】彼此互通消息。

【互惠待遇】两国根据协议相互给予一定的同等的优惠待遇。如在贸易、关税等方面，甲国给予乙国或乙国公民、企业某种优惠待遇，乙国亦应给予甲国或甲国公民、企业同样的优惠待遇。它反映了国家平等的原则。

沍 hù ❶冻。㊀清泉～而不流。❷闭塞。

楛⊠ hù 见〔楛楛〕(55页)。

户 hù ❶一扇门。泛指门。㊀夜不闭～。❷人家；住户。㊀全村二百～。❸户头。㊀存～|开个～。

【户头】有账目出入关系的分户名称。㊀在银行里立个～。

【户型】也说房型。房屋内部格局的类型，如两室一厅、三室两厅等。

【户部】官署名。隋唐至明清中央行政机构的六部之一。掌管全国土地、户籍、赋税、财政等事。

【户籍】地方民政机关掌握的居民登记册。转指作为本地区居民的身分。

【户枢不蠹】见〔流水不腐，户枢不蠹〕(630页)。

【户限为穿】门槛都踏破了。形容进出的人很多。唐张彦远《法书要录》："智永禅师住吴兴永欣寺，人来觅书者如市，所居户限为穿穴。"户限：门槛。

【户内使用面积】俗称关门面积。指住宅门户以内的全部可供使用的面积。它不包括建筑结构面积和公共交通面积。

护(護) hù ❶保卫；保护。㊀～路|救～。❷掩蔽；包庇。㊀～短|庇～|袒～。

【护工】受雇护理病人生活的人员。

【护坡】在路基、堤坝及河渠等处的坡面上，用石块、水泥或草皮等修建的斜坡防护层。

【护封】包在图书外面的纸，一般印有书名或图案，有保护和装饰作用。

【护持】保护维持。

【护航】护送船只或飞机航行。

【护理】❶观察和了解病情，照顾病人。❷保护管理，使不受损害。㊀精心～越冬小麦。

【护渔】国家为保护海上渔业生产和渔业资源不受外国的侵扰，由海军进行的巡逻警戒活动。现多通过国际渔业协定和外交途径来解决争端。

【护照】一国主管机关发给本国公民证明其国籍和身分的证件。一般有外交护照、公务护照和普通护照三种。

【护卫舰】以导弹、舰炮和反潜武器为主要装备的轻型或中型军舰。主要用于舰艇编队反潜、防空以及护航、巡逻、警戒、侦察、支援登陆作战等。

【护身符】迷信的人认为可以驱鬼除邪，保护自身的符箓(一种类似图画的符号)。也比喻可以仗恃的人或东西。

【护国军】护国运动中组织的讨袁军。1915年袁世凯复辟帝制的活动遭到全国人民反对，12月25日，蔡锷在云南发起讨袁护国运动，组织护国军，与唐继尧、李烈钧联名宣布云南独立，并率军向北、向东进攻。次年形成全国规模的反袁斗争。1916年6月，袁世凯病死，护国军遂撤消。

【护国运动】也叫反袁运动。反对袁世凯称帝的斗争。1915年12月袁世凯复辟称帝，激起全国人民反对。孙中山领导中华革命党在沿海各省积极开展讨袁斗争。25日云南蔡锷等组织护国军起兵讨袁，南方各省纷纷宣布独立，通电迫袁退位。同时北洋军主要将领也乘机要挟袁交出权力，袁的统治迅速瓦解。1916年3月袁被迫取消帝制，6月病死，护国运动结束。

【护法运动】孙中山领导的反对段祺瑞军阀统治、维护《临时约法》的武装斗争。1917年张勋复辟失败后，皖系军阀段祺瑞重作国务总理，拒绝恢复民国元年孙中山领导公布的《临时约法》，并解散国会。孙中山率领海军舰队到广州，组织"护法军政府"，任大元帅。提出"拥护约法，恢复国会"的政治口号。这时西南军阀也打起护法旗号，反对北洋军阀政府。次年，西南军阀与北方直系军阀勾结起来，迫使军政府改组，孙中山被排挤，护法运动失败。

沪(滬) hù 上海的别称。

【沪剧】戏曲剧种。流行于上海和江苏、浙江的部分地区。在上海浦东民歌东乡调的基础上，经过上海滩簧、申曲等阶段发展而成。抗日战争后始称沪剧。

【沪杭铁路】从上海市到浙江杭州，长189

千米。北接京沪铁路，南连浙赣铁路。是中国东南铁路干线之一。

戽 hù ❶戽斗。泛指汲水浇田的农具。❷用戽斗汲水。㊀～水。

【戽斗】一种汲水浇田的农具。形状略像斗，两侧有绳，两人牵绳，提斗汲水。

扈 hù 随从；跟在后面。㊀～从。

【扈从】旧指帝王或官吏外出时的随从。

唿☒(**嚛**) hù ❶强烈的辣味。❷大喝大饮的声音。

岵 hù 多草木的山。

怙 hù ❶依靠；仗恃。❷坚持。㊀～恶不悛。

【怙恃】❶依仗；凭借。❷《诗经·小雅·蓼莪》："无父何怙，无母何恃！"后来用"怙恃"借指父母。㊀早失～。

【怙恶不悛】《左传·隐公六年》："长恶不悛，从自及也。"《宋史·王化基传》："怙恶不悛，恃远肆毒。"指坚持作恶，死不悔改。怙：坚持。悛(quān)：悔改。

祜 hù 福。

楛☒ ㊀ hù 古书上指荆一类的植物。枝条可制箭杆。
㊁ kǔ (566页)。

糊 ㊂ hù 像粥样的东西。㊀辣椒～。
㊀ hú (409页)。
㊁ hū (406页)。

【糊弄】❶欺骗；蒙骗。❷将就；凑合。❸敷衍；搪塞。

笏 hù 古代大臣朝见皇帝时拿的手板。用玉、象牙或竹制成，上面可以记上朝时将说的事。

瓠 hù 瓠瓜，也叫瓠子。一年生攀缘草本植物。葫芦的变种。茎蔓生，果实长圆形，绿白色，嫩时可食。

【瓠果】由下位子房与花托形成的果实。如西瓜、黄瓜等的果实。

鄠□ hù 古地名。在今陕西户县北。户县本作鄠县。

嫭☒ hù 美好；美女。

濩☒ ㊁ hù ❶分布；散布。❷〔濩落〕形容水广大。渃(ruò)。
㊀ huò (443页)。

鹱(**鸌**) hù 鸟类。体大，喙前端呈钩状，趾间有蹼。善飞翔，也能游泳。生活在海岸边，捕食鱼类和软体动物。

鳠□(**鱯**) hù 鱼类。体细而长，灰褐色，有黑色斑点，无鳞，口部有四对须。生活在淡水中。

huā ㄏㄨㄚ

化 ㊁ huā 耗费；用掉。现在通常写作花。
㊀ huà (417页)。

花(*苍*蘤) huā ❶植物的繁殖器官。也泛指可供观赏的开花的植物。❷像花的东西。㊀雪～|火～|浪～。❸供观赏的烟火。㊀礼～。❹天花。㊀出～。❺作战时受的伤。㊀挂～。❻用来迷惑人的，不真实的。㊀～招|～言巧语。❼颜色错杂。㊀～衣服|～白头发。❽模糊不清。㊀眼～。❾用；耗费。㊀～钱。❿棉花。

【花儿】中国民歌中山歌的一种。流行于甘肃、宁夏和青海接壤地带。当地的回、汉、撒拉、土、东乡、保安、裕固、藏族同用汉语演唱。从唱词结构上，可分为河湟花儿和洮岷花儿。

【花卉】❶花草的总称。❷以花草为题材的中国画。

【花旦】传统戏曲中旦角的一种。扮演天真活泼或放荡泼辣的年轻女子。

【花甲】古以十天干配十二地支，六十为一循环，有六个甲，即甲子、甲戌、甲申、甲午、甲辰、甲寅。此一循环，称周甲，又称花甲。古以此法纪年，六十年周而复始。后用"花甲"指六十岁。㊀年逾～。

【花白】(须发)黑白间杂。

【花托】花梗顶端生长花萼、花冠和雌蕊、雄蕊的部分。花托形状因植物种类而异，常见的有圆锥状、杯状等。

【花色】❶花样和颜色。❷同一品种的物品从外表上区分的种类。

【花灯】❶装饰美丽的彩灯。特指元宵节供观赏的各种各样的灯。❷中国汉族民间歌舞。一般是表演者提灯握扇，边歌边舞。

【花红】❶即"林檎"(619页)。❷旧俗在喜庆人家服役的人往往插金花，披大红，叫做花红。也指办喜事人家或客人给佣仆的赏金。❸旧中国企业分给董事、监事及职工作为“额外报酬”的那部分利润。一般是在利润中提出一定成数，按职位高低及薪额多少进行分配。

【花芽】能发育成花或花序的芽。外形一般较叶芽饱满。

【花序】花着生在花轴上的序列。例如总状花序、圆锥花序、伞房花序、头状花序等。

【花押】旧指公文契约上的草书签名。

【花招】也作花着。❶武术中的灵巧好看的动作。❷骗人的狡猾手段、计策。㊀耍～。

【花季】喻指十五六岁的阶段。㊀～少女|～少年。

【花衫】传统戏曲中旦角的一种。扮演性格比花旦庄重、比青衣活泼的妇女。

【花茶】以精制茶为原料，用不同香花窨制成的茶叶。常用的香花有茉莉、玫瑰、玳玳、桂花、珠兰、玉兰等。汤色同原茶，既有茶香，又有花香。

【花冠】❶花瓣的总称。❷用花朵编成的或装饰起来的帽子。

【花样】❶花纹的式样。泛指一切式样或种类。❷花招。

【花轿】旧式结婚新娘坐的轿子。

【花哨】❶颜色鲜艳多彩(多指服饰)。❷花样多。哨(shao)。

【花粉】种子植物雄蕊花粉囊内的粉末状物。它在雌蕊柱头上或在花粉囊内萌发后形成花粉管，内有精子。

【花消】同“花销”(413页)。

【花圈】用纸花或鲜花扎成的祭奠死者的圆形物品。

【花脸】也叫花面。传统戏曲行当中净的俗称。

【花着】同“花招”(413页)。

【花塔】中国佛塔主要类型之一。形成于唐代。其形制主要由楼阁式塔演变而来，也受印度和东南亚国家佛教寺塔雕刻的影响。塔身的下部为楼阁式的基座或须弥座，上部通体遍刻佛龛，还有狮子、象、猴子、蛙等雕饰纹样，形如巨大的花束，十分华丽。典型的有北京房山水落洞花塔和山西太原的日光佛塔。

【花萼】包在花冠外面的部分。通常绿色，由若干萼片组成，在花芽期有保护作用。花开时托着花冠。萼(è)。

【花棒】落叶灌木。羽状复叶，花蝶形，深紫色，荚果。是固沙造林的重要树种。果实可制饲料。

【花销】也作花消。❶花费。❷泛指一个人或一个家庭开支的费用。❸旧指交易时的佣金或捐税等。

【花腔】有意把歌曲或戏曲的基本腔调复杂化的唱法。也用以比喻表面动听而实际虚假的话。

【花絮】比喻各种有趣的零碎新闻。

【花旗】旧指美国。由美国国旗的形象而得名。

【花篮】盛有鲜花的篮子。一般用竹篾或荆条编成，也有用纸、塑料等编扎的。通常用作表示祝贺的礼物，有时也用于祭奠。

【花雕】上等的绍兴黄酒。因装在雕花的坛子里而得名。

【花木兰】中国北朝乐府民歌《木兰诗》中的主人公。木兰女扮男装，替父从军，征战建功，表现了古代劳动妇女的英雄气概和爱国精神。民间常用作巾帼英雄的代称。

【花石纲】宋徽宗赵佶为修建宫殿园林，派专官在苏杭设立“应奉局”，搜罗江浙一带民间奇花异石，用船运到都城开封。每十只船组成一队叫一纲，运送花石的船队称花石纲。

【花鸟画】以各种花卉和鸟类等为题材的绘画。是中国画的一个门类。

【花名册】专门登记人员姓名的册子。花：错杂繁多。

【花岗岩】侵入岩的一种。由岩浆侵入地下深处凝固而成。主要由长石、石英和黑云母等矿物的晶体颗粒组成。很常见。是良好的建筑材料。

【花青素】水溶性的植物色素。存在于植物的细胞液中。颜色随细胞液酸碱度的变化而改变。细胞液为碱性时呈蓝或紫色；为酸性时呈红色。一般花、叶、果实的蓝、紫、红等不同颜色，主要由花青素决定。

【花鼓戏】戏曲的一类。从民间歌舞花鼓发展而成。是流行在湖北、湖南、安徽、陕西等省的各种花鼓戏的统称。

【花鼓舞】也叫打花鼓。中国汉族民间舞蹈。各地表演形式不同：有男女二人对舞，一人打小锣，一人击小鼓，边打边歌边舞的凤阳花鼓；有在鼓槌上系一长穗，在舞动中以穗击鼓的山东花鼓等。

【花天酒地】形容吃喝嫖赌、荒淫腐化的生活。

【花团锦簇】像花朵、锦绣汇聚在一起。形

容五彩缤纷、灿烂绚丽的景象。

【花好月圆】比喻美好圆满的生活。多用作新婚颂辞。

【花花公子】指衣着华丽,游手好闲,只知吃喝玩乐的人。

【花花世界】指繁华的地方或寻欢作乐的场所(多含贬义)。清钱彩《说岳全传》第十五回:"每想中原花花世界,一心要夺取宋室江山。"也泛指人世间。清张南庄《何典》第一回:"中界便是今日大众所住的花花世界。"

【花言巧语】原指铺张修饰而内容空泛的言语或文章。后多指用来骗人的虚假而动听的话。宋朱熹《朱子语类》卷二〇:"'巧言'即今所谓花言巧语,如今世举子弄笔端做文字者也。"

【花枝招展】像花枝迎风摆动一样。形容妇女打扮得十分艳丽。《红楼梦》第六十二回:"袭人等捧过茶来,才吃了一口,平儿也打扮得花枝招展的来了。"

【花样滑冰】冰上运动项目之一。在音乐伴奏下,运动员穿冰鞋在冰面上表演一系列的规定或自选动作。分单人滑和双人滑两种。

【花样游泳】游泳运动项目之一。只设女子比赛。比赛设有单人、双人和集体(4—8人)三个项目,均在长12米、宽12米、水深3米的池中进行。比赛分规定动作和自选动作两种。规定动作只作为单人基本技术比赛,分六组,其中三组难度系数在1.7以下,三组在1.8以上。单人、双人、集体项目为自选动作的比赛,动作可自由创编或在规定动作中选编。

【花朝月夕】花晨月夜。形容良辰美景。也特指农历二月十五日和八月十五日。《旧唐书·罗威传》:"每花朝月夕,与宾佐赋咏,甚有情致。"

【花街柳巷】也说花街柳陌。妓院的代称。《水浒传》第六回:"花街柳陌,众多娇艳名姬;楚馆秦楼,无限风流歌妓。"花、柳:指娼妓。

【花旗银行公司】也叫城市公司。美国大银行持股公司。总部设在纽约。

【花园口决堤事件】抗日战争时期国民党军队为阻止日军西侵而炸开黄河大堤的事件。1938年6月,日军侵占开封,逼近郑州,蒋介石下令炸毁郑州以北的花园口黄河大堤。结果造成黄河在花园口改道南流,淹没豫皖苏平原44县,89万人死亡,1 250万人流离失所,使这个地区成了连年灾荒的黄泛区。

哗(嘩) ㊁ huā 拟声词。物体撞击声或流水声。㊃水～～地流。

㊀ huá (416页)。

砉 ㊁ huā 拟声词。迅速动作的声音。

㊀ xū (1109页)。

huá ㄏㄨㄚˊ

划(❶劃) ㊁ huá ❶从物体表面擦蹭过去。㊃～火柴|～了一道口子。❷拨水前进。㊃～船。❸合算。㊃～得来。

㊀ huà (418页)。

㊂ huai (420页)。

【划拳】也作搳拳、豁拳。一般指喝酒时两人伸指叫数,猜准对手所出的指数并呼出两人所伸手指的和数为胜,输的人喝酒。

【划算】❶盘算。㊃～来,～去。❷合算。

华(華) ㊀ huá ❶指中国。㊃～侨|～夏。❷光辉;光彩。㊃月～|～丽。❸文饰,虚浮。㊃朴实无～|～而不实。❹敬辞。称与对方有关的事物。㊃～翰|～章。❺古又同"花(huā)"。㊃朝～夕拾。

㊁ huà (418页)。

【华人】指中国人,也包括已加入或取得了所在国国籍的中国血统的外国公民。

【华工】旧指在国外做工的中国工人。

【华中】一般指秦岭—淮河以南、南岭以北、武夷山以西、邛崃山以东地区。包括湖北、湖南、江西三省。

【华东】一般包括山东、江苏、安徽、浙江、江西、福建、台湾七省和上海市。

【华北】一般包括北京、天津两市,河北、山西两省及内蒙古自治区。

【华发】白的头发。

【华年】青春。

【华灯】雕饰华美或光华灿烂的灯。㊃～初上。

【华阳】❶旧县名。在四川成都东南部。❷古以华山之南为华阳地区。相当于今陕西秦岭以南,四川和云贵一带。晋常璩所著《华阳国志》,即记载此地区历史。

【华丽】美丽有光彩。

H

【华里】市里的旧称。
【华沙】波兰首都。位于该国中部偏东。人口163万(1996年)。是全国政治、经济、文化、交通中心。人均绿地面积居世界大城市前列。
【华表】一种巨大的石柱。柱身多雕刻龙凤图案,有的上部横插雕花石板。古代设在宫殿、城阙等建筑物的前面以为装饰。
【华侨】侨居国外的具有中国国籍的人。不包括临时到国外工作、访问、学习和旅行的人员,以及国家派驻外国的公务人员。已经参加或取得外国国籍的中国血统的人,是外国公民,不是华侨。
【华诞】敬辞。称别人的生日。
【华南】一般包括南岭以南的广东、广西、海南三省区。
【华胄】❶华夏后裔。指汉族。❷指贵族的后代。
【华贵】❶华丽贵重。❷豪华富贵。
【华美】华丽。
【华夏】中国的古称。
【华章】敬辞。华美的诗文。多用于称颂。
【华盖】❶古代帝王车上的伞盖。❷古星名。迷信者以为犯了华盖星就会命运不好,叫交华盖运。
【华裔】指在国外的中国人后裔。有的习惯于称华侨在侨居国所生的而又取得了所在国国籍的子女为华裔。
【华翰】敬辞。称他人的来信。
【华尔街】纽约市的一条街,美国大金融机构的集中地。常用作美国金融界或财阀的代称。
【华兴会】清末革命团体。1904年黄兴、陈天华等在长沙创立。提出"驱除鞑虏、复兴中华"的政治纲领,联系湖南会党,准备在这年11月发动长沙起义。因事机泄露,清政府下令搜捕革命党人,黄、陈等流亡日本。次年与孙中山领导的兴中会等团体联合组成统一的资产阶级革命政党——中国同盟会。
【华盛顿】❶美国首都。位于该国东部。人口约54万(1996年)。为纪念美国第一任总统华盛顿而命名。最高建筑是华盛顿纪念塔。著名建筑还有白宫、国会大厦、五角大楼、林肯纪念堂等。❷乔治·华盛顿(1732—1799)美国第一任总统(1789—1797年在任)。原为弗吉尼亚州富有的种植园主。在1775年开始的北美独立战争中任大陆军总司令。1781年英军投降,美国独立战争胜利。1787年主持制定联邦宪法,奠定了合众国的基础。1789年当选美国总统。
【华彩段】在协奏曲某乐章或咏叹调接近结尾处,由演奏(唱)者根据乐曲主题,以高难度技巧性的演奏(唱)即兴发挥的段落。节奏自由、效果辉煌。
【华氏温标】温标的一种。规定在一个大气压下水的冰点为32度,沸点为212度,中间分为180等份,每等份代表1度。因德国物理学家华伦海特制定而命名。单位是华氏度,用符号℉表示。与摄氏温标的关系是:0℃相当于32℉;100℃相当于212℉。
【华北平原】在黄河下游,主要由黄河、淮河、海河等河流冲积而成。面积约30万平方千米。地势平坦,大部分海拔在50米以下。向为中国重要农业区。
【华北事变】1935年日本侵略华北和以蒋介石为首的国民党政府在华北辱国丧权的一连串事件。5月,日本向国民党政府要求在华北的统治权。6月,国民党在华北的代表何应钦与日本华北驻屯军司令官梅津美治郎签订《何梅协定》。按这个协定,中国在河北和察哈尔的主权大部丧失。10月,日本帝国主义在河北香河指使汉奸暴动。11月,策动汉奸进行所谓"华北五省自治运动",嗾使汉奸殷汝耕在河北东部二十二个县成立傀儡政权"冀东防共自治政府"(即冀东事变)。国民党政府指派宋哲元等成立"冀察政务委员会",以适应日本帝国主义关于"华北政权特殊化"的要求。
【华尔兹舞】舞厅舞的一种。源于奥地利的民间舞蹈,19世纪成为欧洲最流行的舞厅舞,至今不衰。音乐为3/4拍,有快慢之分。舞时两人多旋转动作,舞步自由流畅,高低起伏,舞蹈优雅华美。
【华而不实】只开花而不结果。比喻表面好看,但没有实际内容。《左传·文公五年》:"且华而不实,怨之所聚也。"华:同"花",开花。
【华屋山丘】宏伟壮丽的建筑化为土堆。比喻迅速衰亡。三国魏曹植《箜篌引》诗:"生在华屋处,零落归山丘。"
【华中根据地】抗日战争时期,中国共产党领导的革命根据地之一。1938年由新四军在江苏茅山始建苏南根据地。1940年,根据地扩大至江苏、安徽、湖北大部和河

H

南、浙江一部分,总称华中根据地。人口六千余万。根据地建立抗日民主政权,实行减租减息政策。自1938—1944年,与日伪军作战一万七千多次,歼敌二十四万余人。

【华北野战军】解放战争时期中国人民解放军主力部队之一。原为晋察冀解放区的八路军。1945年冬整编为晋察冀野战军。1948年和晋冀鲁豫野战军一部合编为华北野战军。聂荣臻任司令员,薄一波任政治委员,曾先后发动正太、清风店、石家庄、临汾、晋中等战役,取得巨大胜利。1948年解放了绥远省全部。1948年11月至1949年1月,同东北野战军协同作战,取得平津战役的胜利。后又攻克太原,并以一部兵力参加向大西北的进军。

【华沙幸存者】大合唱。勋伯格曲。作于1947年。歌词由曲作者自撰。该曲生动地揭露了第二次世界大战时德国法西斯在华沙集中营迫害犹太人的惨绝人寰的暴行。用十二音技法谱写。

【华沙条约组织】根据1955年5月缔结的《华沙条约》建立起来的、与北约相抗衡的军事集团。成员先后有:保加利亚、匈牙利、阿尔巴尼亚、民主德国、波兰、罗马尼亚、苏联、捷克斯洛伐克。总部设在莫斯科。1991年华沙条约组织解散。

搳⊠(**撶**) huá 同"划(huá)"。拨水行船。

哗(**嘩*****譁**) ㊀ huá 人多声杂,乱吵嚷。㊐喧~|大~。㊁ huā (414页)。

【哗变】指军队突然叛变。

【哗然】形容听到不满的言论或消息以后,人们纷纷议论、吵吵嚷嚷的样子。㊐举座~|舆论~。

【哗众取宠】用浮夸的言行迎合众人,以博取众人的好感或拥护。《汉书·艺文志》:"然惑者既失精微,而辟者又随时抑扬,违离道本,苟以哗众取宠。"哗:喧哗。哗众:使众人兴奋激动。

骅(**驊**) huá 〔骅骝〕赤色的好马。骝(liú)。

铧(**鏵**) huá 犁的主要部件之一。起掘土作用。

猾 huá 狡猾。

滑 huá ❶光溜;滑溜。㊐光~|下雨路~。❷滑动;溜动。㊐~冰|~雪。❸不诚实;狡诈。㊐奸~|~头。

【滑车】原指绳索依次绕过若干滑轮所组成的简单起重牵引装置。结构轻巧,便于操作和移动。现在凡属简单的吊挂式起重机械,统称滑车。

【滑水】水上运动项目之一。运动员或赤脚,或站在水橇、滑水板上,由摩托艇牵引在水面上随浪滑行,并做出各种动作或绕障碍浮标等。分滑水板和水橇运动两类。

【滑石】硅酸盐矿物。化学成分为$Mg_3[Si_4O_{10}][OH]_2$。有白、淡粉、淡绿等色,具有脂肪光泽与滑腻感,硬度1—1.9。用于造纸及橡胶等工业,是痱子粉的主要成分,中医学上用作清热、利湿药。

【滑冰】❶冰上运动项目之一。比赛时穿冰鞋在冰上滑行。分速度滑冰、短跑道速度滑冰、花样滑冰、冰上舞蹈等。❷泛指在冰上滑行。

【滑坡】山坡或斜坡的岩体或土体在重力作用下沿一定的滑动面整体下滑的现象。会破坏或掩埋坡上和坡下的农田、建筑物和道路等,造成人员伤亡。

【滑轮】一种简单机械。是可绕中心轴转动的、周缘有槽的轮子。穿上绳子或链条后使用,能省力或改变力的方向,多用来提起重物。

【滑润】光滑润泽。

【滑雪】❶雪上运动项目之一。脚蹬滑雪板、手持滑雪杖在雪上滑行。比赛分高山滑雪、越野滑雪、自由式滑雪和冬季两项(越野滑雪加射击)、北欧两项(跳台滑雪加越野滑雪)等。❷泛指在雪上滑行。

【滑翔】不依靠动力,利用空气的浮力在空中飘行。

【滑腻】光滑细腻。

【滑稽】言行逗人发笑。(古书中读gǔjī)。

【滑膛炮】身管内壁无膛线的火炮。炮弹发射后靠尾翼保持飞行状态的稳定。迫击炮、无坐力炮和大口径反坦克炮多为滑膛炮。

【滑车神经】人和脊椎动物的第四对脑神经。为运动神经。在人体,自中脑的滑车神经核发出,到达眼眶。支配眼球的上斜肌。

【滑铁卢战役】1815年6月欧洲反法联军在比利时滑铁卢最终击溃法皇拿破仑一世军队的战役。拿破仑因此被迫退位。拿破仑帝国彻底覆灭。参见〔百日王朝〕(27页)。

鲭□(鲭) huá ❶鱼类。体侧扁，银灰色，头部略尖，尾鳍分叉。生活在淡水中。❷古代传说中一种能发光的飞鱼。

搳□ huá 〔搳拳〕同“划拳”(414页)。

豁 ㊂ huá 〔豁拳〕同“划拳”(414页)。
㊀ huō (439页)。
㊁ huò (444页)。

huà ㄏㄨㄚˋ

化 ㊀ huà ❶改变；变化。㊙～装｜～险为夷。❷后缀。表示转变成某种性质或状态。㊙绿～｜机械～。❸感化。㊙潜移默～。❹融解；消除。㊙～冻｜～痰。❺烧掉。㊙火～。❻指化学。㊙数理～。
㊁ huā (412页)。

【化石】保存在地层里的古代生物的遗体或遗迹。是地壳发展历史的重要记录，也是生物进化的可靠证据。

【化外】古称教化没有达到的地方。

【化名】改用假名字。也指假名字。

【化妆】用脂粉等打扮容貌。

【化纤】化学纤维的简称。

【化身】❶佛教徒称佛出现在人间的形体。❷一般指体现人、事物或观念的具体形象。

【化疗】用化学合成药物治疗。其用药可分为烷化剂、抗代谢药、抗生素、植物碱、杂类及激素六类。用于治疗癌症。

【化肥】化学肥料的简称。

【化学】研究物质的组成、结构、性质以及变化规律的科学。可分为无机化学、有机化学、物理化学、分析化学、高分子化学、生物化学、放射化学、地球化学等分支学科。

【化验】用物理的或化学的或物理化学的方法检验物质的成分和性质。

【化募】也说募化。❶旧时让人捐钱，办公共的事。❷化缘。

【化装】❶为了适应演出的需要，用油彩、脂粉、毛发制品等把演员装扮成特定的角色或给演员作容貌的修饰。❷假扮。

【化缘】佛教和道教认为布施的人可与仙佛结缘，故称僧、尼、道士向人求布施为化缘。

【化境】形容技艺高超，达到绝妙的境界。

【化合价】也叫原子价。表示一个原子(或原子团)能和其他原子(或原子团)相结合的数目。以氢元素的化合价定为＋1作标准。如一个氧原子能跟两个氢原子化合，氧元素的化合价就是－2。

【化合态】元素以化合物方式存在的状态。

【化合物】由两种或两种以上元素所组成的纯净物。每种化合物具有一定的特性，既不同于其所含的元素，也不同于其他化合物。

【化学式】用元素符号表示单质或化合物的组成的式子。包括实验式、分子式、结构式、示性式等。

【化学战】使用化学武器杀伤人畜、毁坏植物的作战。

【化学键】物质中原子间强烈的相互吸引作用。通常分为离子键、共价键、金属键等。

【化为乌有】变得什么都没有了。汉司马相如作《子虚赋》，赋中虚构了三人对话，其中一个叫“乌有先生”，意思是哪有此人此事？宋苏轼《章质夫送酒六壶，书至而酒不达，戏作小诗问之》诗：“岂意青州六从事，化为乌有一先生。”乌有：虚幻；不存在。

【化为泡影】比喻完全落空。

【化石燃料】也叫矿物燃料。地层中的植物、动物遗体，经历漫长的地质变化，在温度、压力和微生物的作用下形成的可燃性矿物。包括煤、石油、天然气等。

【化合反应】由两种或两种以上物质生成另一种新物质的反应。如钠在氯气中燃烧生成氯化钠的反应。

【化肥污染】农田施用大量化学肥料引起的水体、土壤和大气污染。施用的化肥不能全部被农作物吸收利用，流失的化肥成为环境污染物质，引起水体富营养化、土地板结、酸化等。

【化学工业】利用石油、天然气、煤、食盐、农副产品等各种原料进行化学加工，生产化学产品的工业。如基本化学工业、高分子化学工业等。

【化学元素】见〔元素〕(1209页)。

【化学反应】物质发生变化生成与原物质的组成和性质都不同的新物质的过程。化学反应过程中，常伴有发光、放热、变色、放出气体等现象。

【化学平衡】在一定条件下，可逆反应的正向反应速率与逆向反应速率相等，两个相反化学反应所达到的动态平衡状态称为化学平衡。工业上常通过改变温度、压力、浓度等条件，使平衡向有利于生产的方向移动。

【化学纤维】简称化纤。以天然或合成高分子化合物为原料制成的纤维。分人造纤维和合成纤维两类。如人造棉、涤纶等。

【化学武器】以毒剂的毒害作用杀伤有生力量的武器。主要指毒剂及装填有毒剂的炮弹、炸弹、导弹、地雷、飞机布洒器等。

【化学肥料】简称化肥。运用化学方法加工制成的肥料。大部分属无机肥料。如硫酸铵、硝酸铵等。

【化学变化】物质变化的一种类型。变化时,物质的化学组成、性质、特征都改变,生成了新的物质。如木材燃烧放出光和热后剩下灰烬;铁在空气中生锈。

【化学性质】涉及物质化学组成的改变的性质。这种性质在化学反应中才表现出来,如铁生锈。

【化学玻璃】主要用作化学仪器的玻璃。主要成分是二氧化硅。耐化学侵蚀,耐急冷急热。一般是用硅硼质或硼硅锌质原料制成的。广泛用于制造各种化学实验仪器、化工设备等。

【化险为夷】使危险转变为平安。

【化学方程式】用化学式表示化学反应的式子。如钠和氯气反应的化学方程式为:$2Na + Cl_2 = 2NaCl$。

【化学计量数】指化学方程式中反应物或生成物的系数。表示化学反应中反应物或生成物粒子数之间的量的关系。

【化干戈为玉帛】变战争为和平。玉帛:古代诸侯会盟朝聘时的礼物。

H

华(華)

㊁ huà 姓。
㊀ huá (414 页)。

【华山】五岳中的西岳。位于陕西省东部。六峰耸峙,主峰落雁峰(南峰)海拔 2 160 米。以险著称,多名胜古迹。

【华佗】(? —208)东汉末医学家。又名旉(fū),字元化,今安徽亳(bó)州人。精通内、妇、儿、针灸各科,并对针、药不能治的病使用了手术治疗。历史上记载他让病人用酒冲服麻沸散,全身麻醉后进行剖腹手术。并创造了模仿虎、鹿、熊、猿、鸟等动物动作的"五禽戏",以锻炼身体。

【华罗庚】(1910—1985)中国数学家、教育家,中国解析数论、典型群、矩阵几何学、自守函数论与多复变函数论等方面研究的创始人与开拓者。江苏金坛人。他的关于完整三角和的研究成果被国际数学界称为"华氏定理"。著有《堆垒素数论》《数论导引》《高等数学引论》以及《优选法评话及其补充》《统筹法评话及补充》等。

【华彦钧】(1893—1950)中国民间音乐家。又名阿炳。江苏无锡人。出身贫寒,双目失明。擅长多种民族乐器,尤以二胡、琵琶见长,演奏风格清劲。代表作有二胡曲《二泉映月》《听松》《寒春风曲》和琵琶曲《大浪淘沙》《昭君出塞》《龙船》等。

桦(樺)

huà 落叶乔木或灌木。树皮多呈薄片状剥落。木材致密,可作建筑、家具、胶合板等用材。

划(劃)

㊀ huà ❶划分;分开。㊕~清界限。❷拨给;转拨。㊕~账。❸计划。㊕策~。❹同"画"③。
㊁ huá (414 页)。
㊂ huai (420 页)。

【划一】❶统一;一律。㊕整齐~。❷使一致。㊕~体例。

【划分】❶把整体分成几部分。㊕~施工地段。❷也叫分类。是通过揭示概念的外延来说明概念的逻辑方法,也就是根据一定的性质,把一个概念所反映的那一类事物分成若干小类的逻辑方法。如根据工种把工人分为车工、钳工、电工、木工等。

【划时代】(由于出现了具有伟大意义的新事物)在历史上开辟一个新时代。㊕~的事件。

画(畫)

huà ❶图画;画成的艺术品。㊕中国~|油~。❷描绘;用笔做图形。㊕~花|~表格。❸汉字一笔也叫一画。

【画皮】《聊斋志异》中有《画皮》一篇,讲一个恶鬼用彩笔在人皮上画了眉目手足,披上后伪装成美女去害人。后用以比喻掩盖狰狞面目或丑恶本质的美丽外表。

【画师】❶画家。❷以绘画为职业的人。

【画押】旧指在文书、契约或供词上面签名、按指印或画"十"字表示负责或承认。

【画供】犯人在供状上签字画押,表示承认供词属实。

【画面】画幅或银幕等上面显现出的图像。

【画屏】上面绘制着图画的屏风。

【画眉】鸟类。背羽绿褐色,下体黄褐色,眼圈白色,向后延伸像娥眉。鸣声婉转,雄鸟好斗。常生活在树林中,以昆虫和植物种子为食。可供观赏。

【画院】古代特指供奉宫廷的绘画机构。现某些专门画中国画的机构也称画院。

【画舫】装饰华丽的游船。
【画廊】❶收藏并展览绘画、雕塑作品的场所。❷从事美术品经营的商店。
【画策】出主意;筹划计谋。
【画境】图画中的境界;风景优美的地方。㊟俨如置身～。
【画谱】学习中国画使用的范本。也指与绘画史有关的文字著作。
【画外音】影片中不是由画面中的人或物发出,而是来自画面外的声音。
【画龙点睛】传说南朝梁张僧繇在墙上画了四条龙,没有画眼睛。后来在别人要求下给其中两条龙点上了眼睛,这两条龙就飞上天了(见唐张彦远《历代名画记》卷七)。后用"画龙点睛"比喻说话、画画、写作时在关键地方点明要点,使内容更加生动有力。
【画地为牢】在地上画个圆圈当作监狱。汉司马迁《报任安书》:"故士有画地为牢,势不可入。"后用以比喻只许在规定的范围之内活动。
【画虎类狗】也说画虎类犬。画老虎不成,反像狗了。《后汉书·马援传》:"效季良不得,陷为天下轻薄子,所谓画虎不成反类狗者也。"后用"画虎类狗"比喻盲目追求不切实际的目标,不但一无所成反而留下了笑柄。也比喻模仿得不到家反而弄得不伦不类。
【画饼充饥】用画的饼解饿。《三国志·魏书·卢毓传》:"选举莫取有名,名如画地作饼,不可啖(dàn)也。"后用"画饼充饥"比喻以空想来安慰自己。也用以比喻只有虚名而没有实惠。
【画蛇添足】《战国策·齐策二》记载,楚国有一个人请人喝酒,酒少人多,大家约定:在地上画蛇,谁先画好,谁喝酒。一个人先画成,左手拿过酒准备喝,同时用右手为蛇画脚,并说:"我还能给蛇画脚呢!"脚还没有画完,另一个人已把蛇画好,说:"蛇本来是没有脚的,你怎么给它添上脚呢?"于是拿过酒一饮而尽。后用"画蛇添足"比喻做多余的事,反而弄巧成拙。

婳(嫿) huà 见〔姽婳〕(358页)。

繣⊠**(纗)** huà ❶系东西的绳子。❷〔纬繣〕违拗;乖戾。

话(話*語) huà ❶语言。㊟他说的～我能听懂。❷说;谈。㊟抚今追昔～当年。

【话本】宋元间的民间艺人说话(讲故事)的底本。后来文人也模仿它写话本,称为拟话本。章回小说即由话本发展而来。
【话旧】与久别的朋友叙说往事。
【话别】临别时聚谈。㊟握手～。
【话柄】被别人当作谈笑资料的言行。
【话剧】一种以对话和动作为主要表现手段的戏剧形式。20世纪初,在旧剧改良和西方戏剧的影响下开始在中国出现,当时叫新剧或文明戏,20年代改称话剧。
【话锋】话头,谈话中所指向的方面。
【话题】谈话的中心。
【话不投机】话说不到一起。指意见或见解不一致。

罫⊠ ㊁ huà 阻碍。
㊀ guǎi (345页)。

摦⊠ huà 宽且大。

huái ㄏㄨㄞˊ

怀(懷) huái ❶胸部;胸前。㊟坦胸露～|孩子睡在妈妈～里。❷想念。㊟～念。❸心里存着。㊟胸～祖国。❹心意;心胸。㊟旅夜书～|襟～坦白。❺腹中有(胎)。㊟～孕。

【怀古】追怀古代的事情(多用为歌咏古迹的诗题)。㊟《赤壁～》。
【怀旧】想念老朋友或过去的事情。
【怀抱】❶胸前;怀里。㊟孩子扑向母亲的～。❷心里怀有。㊟～着崇高理想。❸抱在怀里。
【怀念】思念。
【怀恨】记恨;内心怨恨。
【怀柔】指统治者用温和的政治手段笼络别的国家或本国的非主体民族,使归附自己。
【怀素】(725—785)唐代书法家。字藏真,湖南长沙人。幼年出家。精研书法,擅长草书。所写《怀素自叙帖》,字体属狂草,对后来的草书影响较大。
【怀恋】思念;怀念。
【怀想】怀念。
【怀疑】❶心里疑惑,不相信。❷猜测。
【怀才不遇】有才能而不受重用。指人不得志,没有机会施展自己的才能。清夏敬渠《野叟曝言》第一回:"高曾祖考,俱是怀才不遇的秀才。"
【怀瑾握瑜】怀里藏着美玉,手里握着美玉。

比喻具有纯洁无瑕的品德。《楚辞·九章·怀沙》:“怀瑾握瑜兮,穷不知所示。”瑾、瑜:美玉。

【怀璧其罪】因身藏璧玉而获罪。原指钱财能招来祸患。后也比喻因有才能而遭到别人嫉害。《左传·桓公十年》:“初,虞叔有玉,虞公求旃。弗献,既而悔之,曰:‘周谚有之:匹夫无罪,怀璧其罪。吾焉用此,其以贾害也。’乃献。”

佪[文] ㊁ huái 〔徘佪〕徘徊。
㊀ huí (433 页)。

徊 huái 见〔徘徊〕(734 页)。

淮 huái 淮河。

【淮军】清朝官吏李鸿章组建的镇压太平军的军队。1860 年李经曾国藩推荐在安徽庐州招募淮勇,仿湘军制建立淮军。1862 年淮军在上海配合华尔洋枪队镇压太平军。1865 年,淮军扩大至六万余人,全部洋式装备,成为清政府镇压捻军主力,后形成强大的淮系武装集团。中法战争与甲午战争中,淮军一败涂地。李鸿章死后,袁世凯的北洋军取代了淮军的地位。

【淮河】中国大河之一。发源于河南省桐柏山,向东流经安徽省,在江苏省分别注入黄海和长江。长约 1 000 千米。是中国一条重要的地理南北分界线。

【淮海】指以徐州为中心的淮河以北及连云港(旧称海州)以西的地区。包括苏、皖、豫、鲁四省的各一部分。

【淮南子】也叫《淮南鸿烈》。书名。西汉淮南王刘安及其门客编著。内篇论道,外篇杂说。现只流传内二十一篇。书中以道家思想为主,糅合了儒、法、阴阳五行等家思想,一般认为它是杂家著作。

【淮海战役】解放战争时期三个最大战役之一。此次战役,国民党军在以徐州为中心的广大地区集结的和以后增援来的兵力共 80 万人。人民解放军的华东野战军、中原野战军和华东军区、中原军区以及华北军区所属冀鲁豫军区的地方武装,共 60 余万人。战役于 1948 年 11 月 6 日发起。分三个阶段。第一阶段是华东野战军围歼敌第七兵团,迫使敌三个半师在台儿庄、枣庄地区起义。第二阶段是中原野战军在宿县西南双堆集地区歼敌第十二兵团;华东野战军将由徐州西逃的敌三个兵团包围于永城东北青龙集、陈官庄地区,并将其一个兵团歼灭。第三阶段是华东野战军歼灭永城东北青龙集、陈官庄地区被围之敌。战役于 1949 年 1 月 10 日结束,历时 65 天,歼敌 55.5 万人,解放了长江以北的华东、中原地区,使国民党统治中心南京处于人民解放军的直接威胁之下。

【淮橘为枳】淮南的橘树,移植到淮河以北就变为枳树了。比喻随着环境的改变,事物的性质也变了。《晏子春秋·杂下》:“婴闻之,橘生淮南则为橘,生于淮北则为枳。叶徒相似,其实味不同。所以然者何?水土异也。”枳(zhǐ)。

槐 huái 落叶乔木。枝绿色,荚果肉质。木材坚硬,是优良的农具、车辆用材。花蕾可制染料,并可提制芦丁,供药用。

踝 huái 踝骨,脚腕两旁凸起部分。由胫骨和腓骨下端鼓出部分形成。

耲 huái 〔耲耙〕中国东北地区一种用来破垄、播种的农具。

huài ㄏㄨㄞˋ

坏(壞) huài ❶歹毒;恶劣。与“好”相对。[例]要和～人、～事作斗争。❷破坏。[例]损～。❸受损,变得无用。[例]洗衣机～了|玩具摔～了。❹表示程度深。[例]急～了|忙～了。

【坏死】机体某部分组织变质而死亡。常由于缺血、缺氧、毒物或细菌作用造成。坏死组织多失去原有颜色、光泽、弹性、温度及知觉等。

【坏账】企业确认无法收回的应收账款。

【坏血病】由缺乏维生素 C 引起的一种出血性疾病。主要症状是牙龈、胃肠道和泌尿道出血,也有骨膜下出血引起四肢胀痛。多吃水果、蔬菜或补充大量维生素 C 可防治。

咶[文] huài 〔咶咶〕唠叨。咶(jī)。

huai ·ㄏㄨㄞ

划(劃) ㊂ huai 见〔刮划〕(23 页)。
㊀ huà (418 页)。
㊁ huá (414 页)。

huān ㄏㄨㄢ

欢(歡*懽*讙*驩) huān ❶快乐；高兴。例～送|～呼。❷〈方〉起劲；活跃。例雨下得越来越～|文娱活动搞得挺～。

【欢心】喜悦或赏识的心情。

【欢畅】欢乐；痛快。

【欢呼】欢乐地呼喊。

【欢娱】欢乐。

【欢跃】欢呼跳跃。

【欢腾】高兴得欢呼跳跃。

【欢聚】快乐地聚会在一起。

【欢声雷动】欢呼的声音像雷声一样响彻大地。形容热烈欢呼的动人场面。

【欢欣鼓舞】形容非常高兴振奋。宋苏轼《上知府王龙图书》："自公始至，释其重荷…是故莫不欢欣鼓舞之至。"欢欣：喜欢，快乐。鼓舞：兴奋。

貆☒ ㊀ huān 同"獾"。
㊁ huán (423 页)。

獾(*貛*讙) huān 也叫猪獾。哺乳动物。头尖、吻长，体毛灰色，有的略带黄色。脂肪炼的油可用来治疗烫伤，毛皮可做衣褥。

huán ㄏㄨㄢˊ

还(還) ㊀ huán ❶返回；恢复。例～乡|～原。❷回报。例～礼|～击。❸归还；偿付。例～书|～债。❹古又同"旋(xuán)"。
㊁ hái (370 页)。

【还击】回击。

【还本】归还借款、公债等的本金。

【还阳】从阴间回到阳间。指人死而复活(迷信)。

【还俗】指僧尼道士等脱离寺庙的宗教生活，回到家中过一般人的生活。

【还原】❶事物恢复或显露原状。❷见〔还原反应〕(421 页)。

【还魂】迷信指死而复活。借指已死亡的事物重新出现。例借尸～。

【还愿】❶履行求神保佑时许下的诺言。❷比喻做已经答应做的事。

【还乡团】解放战争时期，一些解放区的地主、恶霸逃到国民党统治区，国民党把他们组织成为"还乡队""还乡团"等反动武装，让其"还乡"进行反攻倒算。

【还原剂】见〔氧化剂〕(1143 页)。

【还原性】一种物质(分子、原子或离子)使别种物质发生还原反应的性质。

【还原音】也叫本位音。经过升高或降低半音之后回到原来高度的音。在音符前面用还原记号"♮"标记。

【还原反应】物质(分子、原子或离子)得到电子的反应。元素化合价降低。还原反应与氧化反应总是同时发生。参见〔氧化还原反应〕(1144 页)。

环(環) huán ❶圆圈形的东西。例铁～|花～。❷围绕。例～城赛跑。❸环节。例发展教育事业，是振兴中华的重要一～。

【环节】❶指蚯蚓、蜈蚣等低级动物组成身体的环状结构。❷互相关联的许多事物中的一件。例中心～。

【环行】围绕某一个地方走或行驶。

【环岛】环形道路中心的圆形设置，像岛一样，一般中间辟有绿地。

【环抱】围绕着。例群山～。

【环视】向四周看。

【环线】环形路线。例地铁～。

【环食】也叫日环食。见〔日食〕(827 页)。

【环顾】环视四周。

【环球】❶围绕地球。例～飞行。❷同"寰球"(423 页)。

【环境】❶周围的地方和事物。例搞好～卫生。❷所处的情况和条件。例改造客观～。

【环境权】公民在良好、适宜的环境中生活的权利。包括生命健康权、财产安全权、生活和工作环境舒适权。

【环境战】也叫地球物理战。利用人为改变环境状态所产生的效应达到军事目的的作战。如人为影响局部地区天气、气候，破坏地貌、地物，改变大气层电磁性质以及破坏臭氧层等，以造成有利于己而不利于敌的作战环境，或直接杀伤敌人有生力量。

【环节动物】动物界的一门。身体长圆柱形或长而扁平，左右对称，由前后相连的许多环节合成。分布于海水、淡水和土壤中，少数寄生。如蚯蚓、沙蚕、水蛭等。

【环氧树脂】含有环氧基团的热固性树脂。与固化剂等作用后，生成不熔、不溶的硬质产物而具有优良的物理、机械性能及电绝

H

缘性和耐化学腐蚀性。对金属和非金属黏合力强。用作黏合剂，并用于制作增强塑料或浇铸电器设备等。

【环幕电影】银幕呈360°环形的电影。用九台摄影机同步拍摄，又用九部放映机同步放映，观众置身于中心部位，可随意走动和转动头部环视。由于视野开阔和多路立体声效果，观众有强烈的身临其境的感觉。

【环境自净】污染物在环境中经迁移转化等作用，逐渐降低其浓度或总量的过程。环境自净的能力是有限的，超出自净能力就形成环境污染。

【环境污染】人类活动向环境排入废弃物，使环境质量下降的现象。会影响动植物的生长繁殖和人们的正常生产和生活，危害人体健康。按环境要素可分为大气污染、水污染、土壤污染等；按污染物性质可分为固体废弃物污染、噪声污染等。

【环境灾害】指在自然力和人类活动影响下，自然环境发生异常运动和变化，使人群和生物种群受到损害的现象。也特指人类活动产生的环境问题所造成的灾害。

【环境规划】在发展生产的同时，为了保护环境，维护生态平衡，根据环境保护的工作方针和目标制订的一系列规定和计划。

【环境质量】指环境或环境要素（如大气、水等）对于人们生活和社会经济发展的适宜程度。

【环境治理】对被污染或被破坏的环境所进行的综合整治工作。

【环境经济】涉及生态环境开发、利用及保护的经济活动与经济关系。

【环境标志】对在生产、使用和处理、处置过程中符合特定的环境保护要求的产品所标签的一种图案标志。一般一个国家或国家集团有一种固定的环境标志。

【环境要素】也叫环境基质。构成环境整体的各个独立的、性质不同的基本物质组分。人类环境包括大气、水、生物、阳光、岩石和土壤等要素。

【环境科学】研究人类与环境的相互关系的综合性科学。主要探索环境演化规律及其影响；揭示人类活动与环境和生态相协调，实现可持续发展的途径和方法；并对环境问题及对人类生存的影响等进行系统研究。

【环境保护】为使自然环境和人类居住环境不受破坏和污染，并能更适合人类生活和野生生物生存而做的工作。主要有合理开发利用和管理自然资源，防治生态破坏和环境污染等。

【环境监测】借助物理的、化学的分析方法以及生物指示等检测手段，掌握环境污染的状况及发展趋向。其主要对象有两方面：一是对排放有害物质的污染源的监测；二是对水源、大气、土壤等污染状况的监测。专门对水质、大气等某一方面的监测，分别叫水质监测、大气监测等。

【环境监理】依据环境保护法律和法规、制度和标准，对辖区内污染源排放情况及污染和生态破坏事件实施的现场监督、检查和处理。是环境保护行政部门实施管理和强化执法的行为。

【环境资源】人类赖以生存、生活和生产所需的各种物质组分的总和。通常包括土地、生物、岩石、矿物以及大气、水和阳光等自然资源，也包括气候、地质地貌、生物多样性以及人工景观、人文遗迹等环境状态。

【环境管理】运用行政、法律、经济、教育和科学技术等手段，协调社会经济发展同环境保护之间的关系，防治环境污染和维护生态平衡。是对经济发展、人口增长、自然资源开发利用和环境保护进行统筹规划管理，以实现可持续发展。

【环境激素】扰乱人或动物的内分泌系统，影响其生殖、发育和行为的环境污染物质。主要是一些具有环状分子结构的化学合成物质。如二噁英类、酚类等。

【环境壁垒】也叫绿色壁垒。为保护本国和本地区环境、经济利益而附加的贸易条件和限制措施。

【环境保护法】国家为保护环境和自然资源，防治污染、生态破坏和其他公害而制定的法律规范。

【环境人口容量】在可预见的时期内，一个国家或地区所能持续供养的人口数量。受自然资源、科技发展水平、人口的文化生活和消费水平等因素的制约。

【环境质量标准】国家为保护人群健康和生存环境，对环境中的污染物（或有害因素）容许含量所作的规定。是衡量环境受污染程度的尺度。

郇 ㊁ huán 姓。
㊀ xún（1121页）。

洹 huán 洹水，也叫安阳河。水名。在河南北部。

桓 huán 姓。

貆☒ ㊀ huán ❶幼小的貉。❷豪猪。㊁ huān (421 页)。

萑 huán 古书上指芦苇一类的植物。

锾(鍰) huán ❶古代质量单位。一锾等于六两。❷罚金。㊞罚～。❸同"环"。

圜 ㊀ huán 环绕；围绕。㊁ yuán (1214 页)。

阛☒(闤) huán 环绕市区的墙。

【阛阓】街市。阓(huì)。

澴 huán 澴水，水名，在湖北北部。

寰 huán 广大的地域。㊞～球。

【寰宇】全世界。

【寰球】也作环球。全世界。

嬛☒ huán 见〔郇嬛〕(582 页)。

缳(繯) huán ❶绳套子。❷绞杀。㊞～首。

轘□(轘) ㊁ huán 〔轘辕〕山名。在河南。㊀ huàn (424 页)。

鹮(鹮) huán 鸟类。体大，喙长而弯，腿长，足粗健。习性似鹭。如朱鹮、白鹮。

镮☒(鐶) huán 同"环"。

鬟 huán 妇女梳的环形的发髻。

瓛☒(瓛) huán 也叫桓圭。古代三公朝天子所执的圭。

豲☒ huán 豪猪。

huǎn ㄏㄨㄢˇ

睆☒ huǎn 明亮。

缓(緩) huǎn ❶慢；不紧张。与"急"相对。㊞～行|～冲。❷推迟；延迟。㊞～期|刻不容～。❸恢复。㊞昏过去又～过来。

【缓刑】按法律规定暂不执行刑罚，给予一定的考验期，由公安机关考察，所在单位或基层组织予以配合，犯罪人接受考验的刑罚宣告制度。人民法院对于被判处拘役、三年以下有期徒刑的犯罪分子，根据其犯罪情节和悔罪表现，适用缓刑确实不致再危害社会的，才可以宣告。缓刑期间没有再犯新罪，原判刑罚不再执行；如又犯新罪，则应当撤销缓刑，对新罪作出判决，把新罪与前罪按数罪并罚处理。

【缓冲】使冲突缓和。

【缓军】延缓进军，以待敌情变化。《三国志·魏书·荀攸传》："不如缓军以待之，乃诱而致也；若急之，其势必相救。"

【缓和】❶(局势、气氛等)变得不紧张。❷使和缓。

【缓急】❶急迫、困难的事。㊞～相助。❷不急迫和急迫。㊞轻重～。

【缓颊】婉言劝解或替人求情。颊(jiá)。

【缓蚀剂】能抑制侵蚀性介质对金属腐蚀作用的物质。如尿素等。

【缓不济急】指慢的行动或办法不能帮助解决急切的事情。㊞临渴掘井，～。

【缓冲溶液】能对溶液的酸碱度起稳定作用的溶液。在这种溶液中加入少量酸、碱或稀释时不显著改变其酸碱度。其目的是保持氢离子在一定范围内的稳定性。在工农业等方面广泛应用。

【缓兵之计】延缓敌方进军的计谋。也比喻使事态缓和，以便对付。

huàn ㄏㄨㄢˋ

幻 huàn ❶空虚的；不真实的。㊞～想。❷不寻常的变化。㊞变～。

【幻化】奇异地变化。

【幻灭】幻想、希望等破灭、落空。

【幻灯】通过一种光学装置(幻灯机)，把一定大小的图片或透明正片上的影像放大，使成像于银幕或屏幕上。有直射幻灯、反射幻灯、显微幻灯数种。用于宣传教育、科学普及、剧场放映背景天幕等。

【幻觉】在没有真实的客观刺激作用下产生的虚幻的知觉。

【幻象】幻觉中的形象。

【幻景】虚幻缥缈或想象中的景象。

【幻想】人对未来远景的一种想象。符合事

H

物发展规律的有益的幻想是工作的推动力;违反事物发展规律,不切实际的幻想是空想。
【幻境】虚幻的境界。
【幻影】幻想中的景象。
【幻想交响曲】交响曲。柏辽兹曲。作于1830年。副题为“一个艺术家生涯中的插曲”。全曲由五个乐章组成。曲中以一固定乐思代表其恋人,并贯穿全曲。

奂 huàn ❶文采鲜明。❷盛;多。

换 huàn ❶交换;互易。例～工。❷更改;改变。例～茬|～了人间。
【换文】两国政府或政府部门间互相交换的载有双方达成协议内容的照会。换文可以用来补充某项条约,也可以单独用来确认就某项具体问题达成的协议,如建立外交关系的换文、关于承认商标或商标注册问题的换文等。
【换防】指部队调换防地。
【换茬】一种作物收获后,换种后一种作物。
【换算】把某种单位的数量折合成另一种单位的数量。
【换汇成本】建设项目的国民经济评价中收取外汇效果的分析指标。
【换汤不换药】比喻名称或表面上虽然改变了,实际上还是老一套。

H

唤 huàn 呼唤。
【唤起】呼之使奋起。例～民众。
【唤醒】叫醒;使醒悟。

涣 huàn 消;散。例～散。
【涣涣】形容水势浩大。
【涣然冰释】《老子·十五章》:“涣兮若冰之将释。”后用“涣然冰释”形容嫌疑、误会像冰化了一样,一下子就消除了。

焕 huàn 光明;光彩。
【焕发】光彩外现的样子。例精神～。
【焕然】鲜明;光亮。形容有光彩。例～一新。

痪 huàn 见〔瘫痪〕(955页)。

宦 huàn 官吏。也指做官。例达官显～|仕～。
【宦官】也叫太监。古代被阉割过的、在帝王宫廷内服务的男子。
【宦海】官场。
【宦游】指为求做官而四方奔走,也指在外做官。

浣(*澣) huàn ❶洗。例～衣|～纱。❷唐代规定,官吏十天一次休息沐浴,将每月分为上浣、中浣、下浣。后来借作上旬、中旬、下旬的别称。
【浣花溪】位于四川省成都市西郊,为锦江支流。溪旁有唐诗人杜甫的草堂,号浣花草堂。

鲩(鯇) huàn 鱼类。即草鱼。

患 huàn ❶灾祸。例有备无～|防～未然。❷忧虑。例不能～得～失。❸生病。例～者。
【患难】艰苦危险的处境。例同甘苦,共～。
【患难之交】在患难中结成的朋友。
【患难与共】同心协力,共同承担危险和困难。三国魏曹植《求自试表》:“而臣敢陈闻于陛下者,诚与国分形同气,忧患共之者也。”
【患得患失】没得到时怕得不到,得到后又怕失掉。《论语·阳货》:“其未得之也,患得之,既得之,患失之。”原指忧患禄位之得失。后用来形容对个人得失看得太重。

漶 huàn 见〔漫漶〕(664页)。

逭 huàn 逃走。

豢 huàn 喂养(牲畜)。
【豢养】喂养(牲畜)。比喻收买培植爪牙。

鲩☒(鯶) huàn 同“鲩”。

擐 huàn 穿。例～甲执兵(穿着铠甲,拿着兵器)。

镮□(轘) ㊀ huàn 古代的一种酷刑。即车裂。
㊁ huán(423页)。

huāng ㄏㄨㄤ

肓 huāng 古指人体内心脏下膈膜上的部位。

荒 huāng ❶荒地。例生～|熟～|开～。❷荒芜。例地都～了。❸荒凉。例

～郊|～岛。❹荒歉。㊙～年。❺严重缺乏。㊙粮～|水～。❻不合情理。㊙～谬|～诞。
【荒芜】土地无人照管,长满了野草。
【荒诞】离奇,完全不符合实际;不近情理。
【荒唐】❶思想离奇,说话毫无根据,做事很不近情理。❷行为放荡。
【荒凉】人烟稀少,冷清寂静。
【荒淫】贪恋酒色。
【荒疏】因久不练习而生疏(多指学业和技术)。
【荒漠】❶荒凉而漫无边际。❷荒凉的沙漠或旷野。
【荒谬】毫无道理,极端错误。
【荒歉】农作物没有收成或收成很少。
【荒僻】荒凉,偏僻。
【荒漠化】由于气候变化和人类活动等因素造成的土地退化过程。荒漠化造成土地生物和经济生产潜力减少,甚至基本丧失。
【荒时暴月】指灾荒或青黄不接的时候。㊙解放前一遇到～,穷苦人的生活就更加悲惨了。暴:凶。
【荒诞无稽】十分荒唐离奇,毫无根据。
【荒诞不经】荒唐离奇,不合常理。
【荒淫无耻】荒唐淫乱,不知羞耻。形容生活糜烂。
【荒谬绝伦】荒唐错误到了极点。伦:类。

塃 huāng 开采出来的矿石。

慌 huāng ❶急;不沉着。㊙～张|～忙。❷恐惧;不安。㊙惊～|心～。❸表示难以忍受。㊙闷得～。
【慌张】心里不沉着,动作忙乱。

huáng ㄏㄨㄤˊ

皇 huáng ❶传说中的上古帝王。㊙三～。❷皇帝;封建君主。❸大。㊙～～巨著。❹古又同"遑"。❺古又同"惶"。
【皇历】也作黄历。历书的旧称。是排列月、日、干支、节气等供查考的书。
【皇权】皇帝的权力。
【皇后】皇帝的妻子。
【皇甫】复姓。
【皇皇】❶同"惶惶"(425页)。❷同"遑遑"(425页)。❸形容盛大。㊙～巨著。
【皇帝】中国古代最高统治者的称号。也用来称某些君主国家的最高统治者。
【皇室】皇帝的家族。
【皇朝】古代对本朝的尊称。
【皇储】已经确定继承皇位的人。
【皇太子】已经确定继承帝位的皇子。一般为皇帝的嫡长子。
【皇太后】皇帝的母亲。
【皇太极】(1592—1643)即清太宗。曾襄理国政,统兵征战,颇有战功,1626年被推为后金汗,1636年改国号为清,在满洲八旗制基础上,继建汉军八旗和蒙古八旗,统一女真各部。1640年,大举进攻锦州、松山,两年后占领山海关外土地,为入关夺取全国政权奠定了基础。
【皇姑屯事件】1928年日本关东军谋杀张作霖事件。张作霖因未满足日本在东北筑路、移民和中国停止在葫芦岛建港等要求,与日本发生冲突。日本关东军乘张作霖与蒋介石作战失败由北京退往东北时,在沈阳皇姑屯车站预先埋设炸弹,1928年6月4日晨张作霖被炸成重伤而身亡。

凰 huáng 见"凤"(281页)。

隍 huáng 没有水的城壕。

喤 huáng 〔喤喤〕拟声词。钟鼓声、小孩哭声等。

崲□ huáng 见〔岯崲湖〕(748页)。

遑 huáng 空闲;闲暇。㊙不～。
【遑遑】也作皇皇。匆忙不安定的样子。

徨 huáng 见〔彷徨〕(737页)。

锽☒(**鍠**) huáng 见〔铱锽〕(1237页)。

湟 huáng 湟水,水名,在青海东部。

惶 huáng 害怕。㊙惊～。
【惶恐】惊慌恐惧。
【惶惑】恐惧疑惑,不知如何是好。
【惶惶】也作皇皇。恐惧不安。㊙～不可终日。
【惶遽】惊慌不知所措。

瑝☒ huáng 玉声。

H

煌 huáng 光亮。㊀灯火辉～。

【煌煌】明亮的样子。也形容光彩鲜明。

锽(鍠) huáng 〔锽锽〕拟声词。钟鼓声。

蝗 huáng 蝗虫，俗称蚂蚱。昆虫。口器坚硬，前翅狭窄而坚韧，后翅宽大而柔软，后肢发达，善于跳跃。能成群远飞的叫飞蝗，不能远飞的叫土蝗。食庄稼，是害虫。

篁 huáng 竹林。泛指竹子。㊀丛～｜修～(长竹子)。

艎☒ huáng 见〔艅艎〕(1199页)。

鳇(鰉) huáng 鱼类。体形与鲟相似，长可达5米，背灰绿色。分布于黑龙江流域。肉鲜美，卵尤名贵。

黄 huáng ❶像向日葵花那样的颜色。㊀红～相间。❷指黄河。㊀～泛区｜引～济卫。❸指某些黄颜色的东西。㊀蛋～｜牛～。❹指色情的。㊀查禁～书｜扫～。❺指黄帝。㊀炎～子孙。

【黄土】在第四纪形成的一种黄色、棕黄色的尚未完全固结的沉积物。颗粒很细，质地均一，多钙质，多孔隙，多裂缝，透水性强，遇水容易沉陷。主要分布于中纬度大陆内部干旱及半干旱地带。如中国的黄土高原。

【黄山】❶中国名山。位于安徽省南部。大小72峰，最高处莲花峰海拔1 873米。集雄、奇、险、秀于一身。以奇松、怪石、云海、温泉著称。❷市名。原名屯溪，为黄山旅游而改现名。

【黄历】同“皇历”(425页)。

【黄玉】含氟铝硅酸盐的矿物。化学成分为$Al_2[SiO_4][F(OH)]_2$。多浅黄色，有强玻璃光泽，硬度8。可作耐火材料，透明的可作宝石。

【黄龙】❶地名。在陕西中部偏北。❷古地名。在今吉林农安西南。金天眷三年(1140)改为济州。南宋初抗金名将岳飞对部下说：“直抵黄龙府，与诸君痛饮耳。”❸古城名。即龙城。十六国北燕建都于此，南朝宋称为黄龙国。

【黄页】通信业指工商企业的电话号簿，有时也包括住宅电话号码在内。

【黄色】❶黄的颜色。❷腐化堕落的。特指色情。㊀～小说。

【黄羊】也叫蒙古羚。哺乳动物。体长可达1.3米。角短，颈细长，尾短，肢细。体毛以棕黄色为主，腹部白色。栖息于丘陵、平原、草原和半荒漠地带。分布于中国北方地区。

【黄兴】(1874—1916)中国民主革命家。原名轸，字廑午，号克强，湖南善化(今长沙)人。早年留学日本时，积极参加爱国运动。1904年与陈天华、宋教仁等在长沙组织华兴会。次年任同盟会总部执行部庶务，代表孙中山主持总部日常工作。1911年4月黄花岗起义，率敢死队攻入总督署，起义失败后去香港。10月武昌起义，被推为战时民军总司令。次年1月南京临时政府成立，任陆军总长。临时政府北迁，出任南京留守。1913年7月孙中山发动讨袁之役，任江苏讨袁军总司令。讨袁失败后流亡日本。1916年在上海病逝。有《黄兴集》。

【黄芩】多年生草本植物。茎方形，叶对生，花唇形，蓝色。根入药，有清热、燥湿、解毒、安胎等作用。芩(qín)。

【黄芪】多年生草本植物。茎横卧在地面上，开淡黄色蝶形花。根入药，有补气、利尿、消肿、止汗等作用。芪(qí)。

【黄连】多年生草本植物。根状茎含小檗碱，味苦，供药用，能清热解毒。

【黄忠】(？—220)三国时期蜀汉将领。字汉升，南阳(今属河南)人。原是刘表部将，后归刘备，屡建大功，后世小说(如《三国演义》)、戏曲中把他描写为一个勇敢善战的老将，民间常以“老黄忠”喻指老当益壮的人。

【黄金】指金子，因颜色金黄，故名。

【黄昏】从太阳落山到天黑的一段时间。

【黄鱼】也叫黄花鱼。鱼类。头大，身体侧扁，尾巴狭窄，侧线以下有分泌黄色物质的腺体。栖息于外海，春季游向近海产卵，鳔能发声。包括小黄鱼、大黄鱼等。参见〔小黄鱼〕(1084页)、〔大黄鱼〕(167页)。

【黄卷】古书。也指佛经。

【黄河】中国第二长河。发源于青海省巴颜喀拉山北麓，流经四川、甘肃、宁夏、内蒙古、陕西、山西、河南等省区，在山东省北部入渤海。长5 464千米。流域面积约75万平方千米。中上游多峡谷，富水能资源。中游流经黄土高原，含沙量大。下游进入平原，水流缓慢，泥沙淤积，部分河段河床高出两岸，形成地上河。

【黄栌】也叫栌木。落叶灌木。叶卵形或倒卵形,晚秋变成红色。果实肾脏形,木材黄色,可提取黄色染料。

【黄柏】同“黄檗”(427页)。

【黄泉】也叫九泉。地下的泉水。指人死后埋葬的地方。迷信的人指阴间。

【黄帝】传说是中原各族的共同祖先。姬姓,号轩辕氏、有熊氏,少典之子。曾打败炎帝和蚩尤,由部落首领拥戴为部落联盟领袖。传说古代文字、历法、养蚕、舟车、音律、医学、算数等都创始于黄帝时期。

【黄屋】古代帝王所乘坐的车的黄缯车盖。也指帝王的车。

【黄埃】黄色的尘土。

【黄莺】即“黄鹂”(427页)。

【黄钺】以黄金为饰的斧。古代为帝王专用或赐给专主征伐的重臣。

【黄疸】❶因胆色素代谢障碍而使皮肤、眼巩膜、尿液等黄染的现象。见于黄疸性肝炎等。❷也叫黄瘅、黄病。中医病证名。病因是湿热、寒湿、瘀血、血亏等。症状同①。

【黄海】毗邻中国大陆的三大海域之一。北起鸭绿江口,南以长江口北岸至朝鲜济州岛一线与东海分界,西以渤海海峡与渤海相通,东邻朝鲜半岛。面积约40万平方千米。因近岸海水呈黄色而得名。

【黄教】藏传佛教的一派。本名格鲁巴,意为善律派。因其僧人(喇嘛)戴黄色帽,故俗名黄教。15世纪宗喀巴所创,是藏传佛教中最大的一派。

【黄麻】一年生草本植物。叶卵形,开黄色小花,结蒴果,球形。茎皮纤维主要用作织制麻袋、地毯、麻布或供造纸等。

【黄盖】(? — 约215)三国时期吴国将领。字公覆,零陵泉陵(今湖南永州)人。赤壁之战,曾向周瑜献火攻计,大破曹军。

【黄巢】(? —884)唐末农民起义领袖。曹州冤句(今山东曹县西北)人。公元875年率领数千人在曹州(今山东曹县)起义。与王仙芝汇合后,起义力量更加壮大。公元878年王仙芝死后被推为领袖,称冲天大将军。公元881年攻下唐都城长安,建立农民政权,国号大齐。起义军没有建立根据地,又未乘胜追歼唐朝残余势力,使唐王朝得以重新纠集力量向起义军反扑,被迫撤出长安。公元884年在泰山狼虎谷战败自杀。

【黄斑】眼球后部视网膜正中央正对瞳孔处的部分。略呈圆形,黄色。黄斑中央有一浅凹,此处视觉细胞较集中,物体的影像正落在这一点上时,看得最清楚。

【黄鹂】也叫黄莺、鸧鹒。鸟类。体羽黄色,眼至头后部黑色,翅和尾的中央黑色,叫声好听。捕食林中害虫。

【黄筌】(约903—965)五代后蜀画家。字要叔,四川成都人。专工花鸟,色调富丽。与江南徐熙并称黄徐,有“黄家富贵,徐熙野逸”之评。

【黄牌】❶指某些球类比赛中裁判员向犯规的运动员、教练员出示的、表示一般警告的黄色牌子。㊀~警告。❷比喻对违反规定的行为作出的警告或提醒。

【黄道】地球一年绕太阳公转一周,而从地球上看好像是太阳一年在天空中由西向东移动一圈,所看到的太阳移动的路线,即地球公转轨道平面和天球相交的大圆,叫做黄道。黄道平面和赤道平面成23°26′的角,相交于春分点和秋分点。

【黄檗】也作黄柏。落叶乔木。皮厚,叶小卵形或卵状披针形,花黄色,果实黑色。枝茎可提炼黄色染料,树皮可供药用。

【黄鼬】俗称黄鼠狼。参见“鼬”(1197页)。

【黄壤】亚热带全年湿润地区及低湿的地形部位发育的黄色土壤。含水量高,所含铁质水化而成黄色,酸性大,表层常有灰黄色腐殖质层。在中国主要分布于长江中下游以南的亚热带地区。

【黄鳝】鱼类。体长达50余厘米,黄褐色,有暗色斑点,无鳞。栖息于池塘、小河等处,常潜伏在泥洞或石缝中。是中国常见的淡水食用鱼。

【黄龙寺】位于四川省北部岷山里的一条沟谷中。有前、中、后三寺,现仅存后寺。前后寺间有数以千计的水池,层叠成梯湖。池水清澈,色彩斑斓。周围林木茂密。

【黄包车】旧时一种人力车。车身前有两个长柄,供拉车用。

【黄曲霉】菌落呈黄至黄绿色的一种霉菌。生活于玉米、花生及土壤中。其代谢物有剧毒,人误食可出现发热、呕吐、黄疸、肝大等症状,并有致癌作用。

【黄克诚】(1902—1986)中国无产阶级革命家、军事家。湖南永兴人。1925年加入中国共产党。曾参加北伐战争,参与领导永兴起义,后到井冈山。参加了长征。抗日战争时期,曾任八路军旅政委、纵队司令员、新四军第三师师长兼政委。抗战胜利后,任西满军区司令员、东北民主联军副司令员、东北野战军第二兵团政委等职。新中国成立后,历任湖南省委书记、军区司令员兼政委、解放军副总参谋长、中央军委秘书长、国防部副部长、总参谋长。1955 年被授予大将军衔。1959 年与彭德怀等被错定为"反党集团"成员,"文化大革命"中又遭迫害。1978 年在中共十一届三中全会上得到平反,并重新担任领导职务。

【黄连素】抗菌药。从植物黄连、黄柏、三棵针中提取,也可人工合成。用于治疗痢疾、眼结膜炎、中耳炎等。

【黄体酮】也叫孕酮。由卵巢中黄体所分泌的激素。是保持正常妊娠所必需的激素。药用的为合成品,用于治疗习惯性流产、子宫功能性出血等。

【黄昏恋】指老年人的恋爱婚姻。

【黄炎培】(1878—1965)中国民主革命家、教育家。字任之,上海川沙(今上海浦东新区)人。同盟会会员。辛亥革命后任江苏省教育司长、江苏省教育会副会长。1915 年赴美考察教育,回国后在上海创立中华职业教育社,任理事长。抗日战争期间,曾任国民参政会参政员。1940 年底,曾参与发起筹组中国民主政团同盟。1945 年访问延安,同年底发起筹组中国民主建国会。1949 年出席政协第一届全体会议。后历任政务院副总理兼轻工业部部长、全国人大常委会副委员长、全国政协副主席、中国民主建国会主任委员。1965 年 12 月 21 日在北京病逝。

【黄宗羲】(1610—1695)明清之际思想家、史学家。字太冲,号南雷,世称梨洲先生,浙江余姚人。曾招募义兵组织抗清。明亡后隐居著述。所著《明儒学案》《宋元学案》是中国最早有系统的学术史。《明夷待访录》中反对君主专制,论述深刻尖锐。一生著述宏富。后人编有《黄梨洲文集》。

【黄庭坚】(1045—1105)北宋诗人、书法家。字鲁直,号山谷道人,分宁(今江西修水)人。出于苏轼门下,而与苏轼齐名。他的诗偏重形式技巧,追求奇拗硬涩的风格。在宋代影响很大,开创了江西诗派。有《山谷集》。书法纵横奇崛,自成一家。

【黄埔系】国民党派系之一,蒋介石的嫡系。蒋介石利用黄埔军官学校校长的地位,先后组织孙文主义学会、黄埔同学会、力行会等组织,网罗该校教官和学生,作为其控制党、政、军的骨干分子。对这些人一般称为黄埔系。

【黄铁矿】矿物名。化学成分为 FeS_2。多为立方体状晶体,有近似黄金的光泽和颜色,条痕黑带微绿,性脆,较硬。是制取硫酸的重要原料。

【黄浦江】长江下游支流。流经上海市区,在吴淞口注入长江。长 113.4 千米。下游江阔水深,是上海港的主要组成部分。

【黄宾虹】(1865—1955)中国现代画家。浙江金华人。擅长山水画,画风浑厚华滋,别具一格。中国画史论研究也颇有建树。

【黄继光】(1930—1952)抗美援朝烈士。四川中江人。1951 年参加中国人民志愿军。1952 年加入中国新民主主义青年团。同年 10 月 20 日在朝鲜上甘岭战斗中,用胸膛堵住敌人的机枪射孔,保证部队完成战斗任务。部队党委追认他为中国共产党党员。中国人民志愿军领导机关为他追记特等功,授予"中国人民志愿军特级英雄"称号。并获"朝鲜民主主义人民共和国英雄"称号及金星奖章、一级国旗勋章等。

【黄梅天】中国长江下游的梅雨季节。因为在夏初梅子黄熟的时候,故名。

【黄梅戏】戏曲剧种。流行于安徽及江西、湖北部分地区。主要曲调由湖北黄梅传入,故名。

【黄道婆】(约 1245—?)也叫黄婆。元代女纺织家。松江乌泥泾(今上海市郊)人。出身贫苦,幼年为童养媳。后弃家流落到崖州(今海南三亚)。在黎族人民帮助下,学会轧棉、纺织技术。晚年回乡,传授纺织技术并改进纺织工具,使松江一带棉纺织业繁荣发展起来。

【黄鼠狼】黄鼬的俗称。

【黄粱梦】唐沈既济《枕中记》叙述卢生在旅店中遇一道士,给他一个枕头,让他睡觉。这个时候,店主人刚做上一锅黄米饭。他熟睡后在梦中享尽了荣华富贵,一觉醒来黄米饭还没熟。后用"黄粱梦"指如意算盘落空。也比喻虚幻的梦想。

【黄遵宪】(1848—1905)清末诗人。字公度,广东嘉应(今梅州)人。曾任驻日使馆参赞、驻美国旧金山总领事等职。回国后参加康、梁为首的改良派政治活动。诗歌具有爱国主义思想,提出"我手写我口"的创作主张,是当时“诗界革命”的提倡者、实践者。著有《人境庐诗草》《日本国志》等。

【黄鹤楼】故址在湖北省武汉市武昌蛇山的黄鹄矶头。相传始建于三国吴黄武二年(223),历代屡毁屡建。1985年重建的黄鹤楼在蛇山之巅,高50.4米,共五层。

【黄土地貌】黄土地区在以流水为主的外营力作用下所形成的地貌。主要有不同规模的沟谷地貌和塬、梁、峁等沟间地貌。

【黄土高原】西至祁连山东端,东至太行山,北起长城,南达秦岭。包括黄河中上游的山西省全部、陕西省北部、甘肃省东部、宁夏回族自治区东南部以及河南省西部。海拔800—2 000米,面积40多万平方千米,是世界黄土分布最广的地区。土质疏松,土层厚。由于植被遭到破坏,水土流失严重,千沟万壑,水土保持工作艰巨。

【黄口小儿】也说黄口孺子。婴儿。用来讥讽人年幼无知。黄口:幼鸟的嘴。

【黄巾起义】东汉末全国性的农民大起义。起义军头裹黄巾,被称为黄巾军。当时豪强地主兼并土地,宦官专权,政治腐朽黑暗。广大农民无法生活。巨鹿(今河北平乡)人张角以传太平道为名,在农民中进行起义宣传。十余年间,组织群众数十万人,遍布青、徐、幽、冀、荆、扬、兖、豫八州。公元184年在张角领导下各地同时举行起义。后来张角病死,主力军由其弟张宝、张梁领导。二人先后牺牲,分散各地的起义军坚持战斗二十多年。

【黄发垂髫】指老年人和儿童。晋陶潜《桃花源诗并记》:“男女衣著,悉如外人;黄发垂髫,并怡然自乐。”黄发:老年人头发由白转黄。垂髫:儿童下垂的短发。髫(tiáo)。

【黄色人种】也叫蒙古人种。世界三大人种之一。皮肤呈淡黄色或棕黑色,头发黑直,面庞扁平,体毛中等。主要分布在东亚、东南亚、西伯利亚和中亚。美洲的印第安人和北极地区的因纽特人也属黄色人种。

【黄色炸药】苦味酸的俗称。

【黄赤交角】地球公转轨道平面(黄道平面)与赤道平面的交角,为23°26′。由于存在黄赤交角,地球上不同纬度地区才有了昼夜长短和正午太阳高度的周年变化,从而导致四季更替。

【黄花晚节】比喻人能保持晚节。宋韩琦《九日小阁》诗:“莫嫌老圃秋容淡,且看黄花晚节香。”黄花:菊花。菊花能傲霜耐寒,用以比喻人有节操。晚节:晚年的操行。

【黄金分割】也叫中外比。将已知线段内分为二线段,使其中的一线段是原线段与另一线段的比例中项。通常认为这种比例在造型艺术上有美学价值,故名。

【黄金市场】买卖黄金的场所。主要的黄金市场在英国伦敦,其次是瑞士的苏黎世、美国的纽约和法国的巴黎等地。

【黄金时代】❶历史上政治、经济、文化最繁荣昌盛的时期。❷人生中最可宝贵的一段时期。

【黄金储备】各国政府为应付国际支付而集中掌握的黄金。自第一次世界大战后资本主义各国先后放弃金本位制,各国纸币不再兑换黄金。但在国际支付中黄金仍然是支付和清算的最后手段,因此,各国中央银行和政府都必须掌握一定数量的黄金,以满足国际支付上的需要。

【黄钟毁弃】中国古代音乐有十二律,阴阳各六律。黄钟为阳六律中的第一律。这里的黄钟指一种器大声洪的乐器。黄钟毁弃比喻贤才遭受打击或摈弃。《楚辞·卜居》:“黄钟毁弃,瓦釜雷鸣;谗人高张,贤士无名。”

【黄帝内经】简称《内经》。中国现存最早的一部医书。作者不详。成书于战国时期。原书共十八卷,包括《灵枢》《素问》两部分。本书比较全面地总结了两千多年前中国的医学理论和实践经验,对祖国医学的发展有很大影响。

【黄埔条约】也叫《中法五口贸易章程》。法国强加给中国的第一个不平等条约。1844年8月法国强迫清政府在广州黄埔签订。共三十六款。法国除取得英、美在《南京条约》和《望厦条约》中所夺得的主要特权外,还可以在通商口岸建造教堂。

【黄雀伺蝉】见〔螳螂捕蝉,黄雀在后〕(960页)。

【黄巢起义】唐代末年的一次大规模的农民起义。初起于公元875年,领导者王仙芝、黄巢。王仙芝死后,黄巢独立作战,自称黄王,号称冲天大将军。随后起义军转战广东、广西、湖南、湖北、福建、江西各地。公元881年攻克长安,即皇帝位,国号大齐,年号金统。不久为唐军包围,公元883年退出长安。次年黄巢率残军退至山东泰山狼虎谷,兵败被杀(一说为其甥林言所杀)。

【黄道吉日】也叫黄道日。旧时迷信者认为

宜于办事(如出行、动土、结婚、埋葬等)的好日子。

【黄花岗起义】也叫辛亥广州起义。1911年4月27日同盟会在广州发动武装起义，由黄兴等带领敢死队一百多人攻入总督署，双方展开激战。因寡不敌众，起义失败。后广州人民将死难战士七十二人合葬在广州市郊黄花岗，遂称黄花岗七十二烈士。

【黄果树瀑布】亚洲最大的瀑布。位于贵州省西部白水河上。宽约81米，落差74米。

【黄河三角洲】黄河泥沙在河口附近沉积的低平原。在山东省。以宁海为顶点，西北至徒骇河，南至淄脉沟，面积5 400平方千米。地势极为平坦，大部分海拔不到3米。

【黄河大合唱】大合唱。光未然词，冼星海曲。全曲九个乐章：(1)序曲；(2)黄河船夫曲；(3)黄河颂；(4)黄河之水天上来；(5)黄水谣；(6)河边对口曲；(7)黄河怨；(8)保卫黄河；(9)怒吼吧！黄河。作品以黄河为背景，歌颂中华民族抗日斗争的英勇顽强，塑造出巨人般形象。是中国最优秀的大合唱作品之一。

【黄道十二宫】中国古代把黄道带分为十二等份，叫做黄道十二宫。每宫包括一个星座。从春分点起，依次为白羊、金牛、双子、巨蟹、狮子、室女、天秤、天蝎、人马、摩羯、宝瓶、双鱼。由于春分点移动，现在十二宫和十二星座已不一致。

【黄埔军官学校】全称中国国民党陆军军官学校。1924年孙中山在苏联和中国共产党的帮助下在广州黄埔创办。孙中山任总理，蒋介石任校长，廖仲恺任国民党党代表。中国共产党人周恩来、叶剑英、恽代英、萧楚女等，先后在该校担任过政治领导工作和其他重要工作。不少学员是共产党员和青年团员，他们是该校的革命骨干力量。1928年迁往南京，1930年停办。

潢 huáng ❶积水池。❷染纸。

璜 huáng 古代一种玉器。半圆形。

熿☒ huáng 同“煌”。

磺 huáng 硫磺，旧同“硫黄”。硫的俗称。

【磺酸】有机酸，通式 R—SO_3H(R代表烃基)。强酸性，有较大的水溶性。用于制染料、药物、洗涤剂等。

【磺胺药】抗菌药。由人工合成。抗菌谱广，可口服，吸收较快，有的性能较稳定。可分为全身感染用(如磺胺甲噁唑、磺胺嘧啶)、肠道用(如磺胺咪、琥磺噻唑)、外用(如磺胺醋酸钠、甲磺灭脓)三类。

鐄☒(**鐄**) huáng ❶大钟。❷钟声。

癀 huáng 〔癀病〕牛、马等家畜的炭疽(jū)病。

蟥 huáng 见〔蚂蟥〕(660页)。

簧 huáng ❶乐器里用为振动发声的薄片。㊀笙～|风琴～片。❷器物上有弹力的机件。㊀弹～|锁～。

【簧舌】簧鼓。

【簧鼓】惑乱人心的花言巧语。

鳇☒(**鰉**) huáng 同“鳇”。

huǎng ㄏㄨㄤˇ

恍(*****怳**) huǎng 仿佛；好像。㊀～如梦境。

【恍惚】❶形容精神不集中或神志不清。㊀精神～。❷形容不清楚，不真切。㊀～记得。

【恍然】忽然醒悟的样子。

【恍如隔世】仿佛隔了一世。多感慨因人事变迁很大而感到一切都陌生了。恍：仿佛。世：古指三十年为一世。

【恍然大悟】一下子完全明白了或觉悟过来了。

晃 ㊀ huǎng ❶明亮；闪耀。㊀明～～的刺刀。❷形影很快地闪过。㊀窗外～过去了一个人影儿。
㊁ huàng (431页)。

幌 huǎng 帐幔；帘帷(wéi)。

【幌子】❶也叫望子。旧时挂在店铺门外高处，表明店铺性质的标志。❷比喻为了掩盖真实意图而假借的名义。

熀☒ huǎng 见〔炉熀〕(570页)。

谎(**謊**) huǎng ❶假话；不真实的话。㊀弥天大～。❷假的；不真实的。例～言｜～报军情。

【谎价】卖货时所要的高于一般成交价格的价钱。

【谎花】指瓜类等植物开的不结果实的花。

huàng ㄏㄨㄤˋ

晃（*搌）㊀ huàng 摇动；摆动。例～荡｜～悠。

㊁ huǎng（430 页）。

滉☒ huàng 水深而广。

榥☒ huàng 窗口；窗棂。

熿☒ huàng 同“晃（huàng）”。

兟☒ huàng 容光焕发。

huī ㄏㄨㄟ

灰 huī ❶物体燃烧后的剩余物。例炉～｜烟～。❷尘土。例～尘。❸特指石灰。例抹～。❹像木柴灰那样的颜色。❺消沉失望。例～心。

【灰心】（因遭到困难或失败）意志消沉。例成功不骄傲，失败不～。

【灰色】❶灰颜色。❷比喻消极颓废。❸比喻态度暧昧。

【灰烬】物体燃烧后的剩余物。

【灰暗】光、色暗淡，不鲜明。

【灰化土】亚寒带针叶林地带的代表性土壤。土壤剖面上有一个灰白色的灰化层。酸性强，肥力低。

【灰锰氧】高锰酸钾的俗称。

诙（詼）huī 戏谑；嘲笑。

【诙谐】说话有趣，逗人发笑。

咴 huī〔咴儿咴儿〕拟声词。马、驴等的叫声。

恢 huī 广大；宽广。例～弘。

【恢复】回到原来的样子；失而复得。例～原状｜～失地。

【恢恢】形容极其宽广。例天网～。

【恢恢有余】形容技巧高，本领大，处理问题毫不费力。《庄子·养生主》：“彼节者有间，而刀刃者无厚，以无厚入有间，恢恢乎其于游刃必有余地矣。”恢恢：宽广，宽宏。参见〔游刃有余〕（1194 页）。

抝☒（撝）huī ❶分开；挥散。❷古同“指挥”的“挥”。

挥（揮）huī ❶摇动；舞动。例～手｜～舞｜～刀。❷拂去；抹掉。例～汗。❸抛出；散出。例～金如土｜～发。

【挥斥】（意气）奔放。

【挥发】液态或固态物质在常温下转变为气态的过程。

【挥师】指挥并带领军队。例～南下。

【挥洒】挥笔洒墨。多指写字作画运笔自如。例～如意。

【挥毫】书画家或作家用毛笔写字、作诗或画画儿。例～泼墨。

【挥霍】任意浪费钱财。

【挥戈返日】挥舞兵器，赶回太阳。形容英勇战斗，扭转危局。《淮南子·览冥训》：“鲁阳公与韩构难，战酣日暮，援戈为抝（挥）之，日为之反（返）三舍。”抝（huī）。戈：古代的一种兵器。

【挥汗成雨】众人用手抹汗，洒下去像下雨一样。原形容人很多。《战国策·齐策一》：“临淄之途…举袂成幕，挥汗成雨。”后也用以形容因天热或劳动出汗很多。

【挥金如土】把钱财当成泥土一样任意挥霍。形容挥霍浪费到了极点。

【挥毫落纸】挥动毛笔写字或作画。唐杜甫《饮中八仙歌》诗：“挥毫落纸如云烟。”毫：毛笔。

珲（琿）㊀ huī 见〔瑷珲〕（7 页）。㊁ hún（438 页）。

晖（暉）huī 阳光。例朝～。“暉”，也作“辉”的异体字。

辉（輝 *煇）huī ❶闪耀的光。例光～｜余～。❷照耀。例日月交～。

【辉石】辉石类矿物的总称。属硅酸盐类矿物。黑色或绿黑色，具玻璃光泽，硬度 5—6。是组成岩浆岩的常见矿物。

【辉映】❶光彩照耀，映射。例节日灯火，交相～。❷事物互相对照、衬托。例前后～。

【辉煌】光辉灿烂。也用来形容有显著成绩。例灯火～｜战果～。

【辉赫】辉煌盛大。

H

【辉光放电】产生辉光的气体放电现象。其特点是电压较高(几百伏至一千伏左右),电流较小(几毫安)。辉光的颜色随气体而异。利用辉光放电可制作霓虹灯。

翚(翬) huī ❶飞翔。❷古书中指一种有五彩羽毛的野鸡。

虺 ㊁ huī 〔虺隤〕疲劳生病的样子。隤(tuí)。
㊀ huǐ (434 页)。

豗☒ huī 撞击。

袆(褘) huī 古代皇后的祭服。

麾 huī ❶古代指挥军队用的旗子。❷指挥(军队)。㊎～军前进。

【麾下】旧时对将帅的尊称。也称将帅的部下。

徽(*㣲) huī ❶标记;符号。㊎国～|～章。❷美。㊎～号。

【徽号】美称。㊎大家送给他一个"作家"的～。

【徽章】佩带在身上表示身分的标志。

【徽商】明代兴起的徽州府籍的商人集团。其商业活动遍及全国,主要经营盐、米、丝、茶、纸、墨、木材、典当和对外贸易。以盐商、文具商、典当商为最著名,颇具垄断之势。往往引聚宗族以扩大经营,建宗祠,立会馆,筑书院,培养士子,亦商亦儒。

【徽墨】旧徽州府歙(shè)州(今安徽歙县)出产的墨。有"落纸如漆,万载存真"之说,历史悠久,闻名全国。

隳 huī 毁坏。㊎～人之城郭。

huí ㄏㄨㄟˊ

回(❸迴❸*廻❸*逥) huí ❶还;返。㊎～国|～乡。❷掉转。㊎～头。❸旋转;环绕。㊎～旋|峰～路转。❹答复;报复。㊎～话|～击。❺量词。一次叫一回。❻中国古典长篇小说分的章节。❼回族。

【回天】形容力量大,能扭转很难挽回的局面。

【回历】伊斯兰教历的旧称。

【回火】❶金属热处理工艺之一。将淬(cuì)火后的金属工件在适当温度下加热、保温,然后冷却。用以提高延性或韧性。❷指气焊等过程中,氧炔吹管等的火焰向反方向燃烧。这种现象常会引起事故。

【回忆】回想(往事等)。

【回归】❶后退。❷回到;返回。㊎～大自然|香港、澳门已经～祖国。

【回扣】商品或服务销售中,替卖主"出力"的人向卖主索取的钱。这钱实际是从买主付给的价款中扣出来的。

【回执】收到信件或物品后交回的收据。

【回师】部队依照作战意图返回。

【回合】古时打仗交锋的一个来回。后指双方较量一次。

【回交】杂种子一代与其两个亲本类型中任何一个进行杂交的方法。在动植物育种工作中,常采用回交来加强杂种个体中某一亲本性状的表现。

【回纥】古族名。原游牧于今鄂尔浑河流域。至 7 世纪初,始称回纥。唐天宝三年(744)建汗国于今鄂尔浑河流域,与唐保持友好和从属关系。贞元四年(788)改称回鹘(hú)。开成五年(840)汗国灭后,大部西迁今新疆地区,与附近各族长期相处,发展形成后来的维吾尔族。

【回护】曲为辩护;袒护。

【回声】遇到障碍物被反射或散射回来而再度被听到的声音。

【回环】盘曲环绕。

【回青】返青。

【回味】❶食物吃过后的余味。❷在回忆中细细体会其中的意思。

【回购】卖出一种证券,并约定于未来某一时间以约定的价格再购回该证券。

【回春】❶冬尽春来。㊎大地～。❷比喻医术高明或药物灵验,能治好重病。㊎妙手～。

【回荡】回旋荡漾。

【回拜】回访。

【回复】❶回答;答复。❷恢复(原状)。

【回音】❶回声。❷答复的话或信。

【回首】❶回头。❷回想;回忆。

【回绝】答复对方,表示拒绝。

【回顾】❶回过头看。❷回想(往事)。

【回教】中国对伊斯兰教的旧称。

【回笼】❶重蒸已凉的熟食。❷流通的货币回到发行银行。

【回廊】曲折环绕的走廊。

【回族】中国少数民族之一。人口 861 万

(1990年)。分布在全国各地,使用汉语文。多信奉伊斯兰教。建立有宁夏回族自治区等各级自治地方。

【回旋】❶盘旋。❷比喻可进退,可商量。㊀有~余地。

【回敬】回报别人的好意或馈赠。

【回翔】转着圈儿来回飞。

【回禄】指火神,也指火灾。

【回溯】回想;回顾。

【回潮】❶已经晒干或烤干的东西受潮后重新变湿。❷比喻业已消失的事物重新出现。

【回避】❶让开,避开。❷为保证案件的公正审理,法律规定与案件有一定利害关系和其他关系的审判人员、检察人员、侦查人员不得参与本案审理的诉讼制度。此规定也适用于书记员、翻译人员、鉴定人、勘验人。

【回马枪】趁敌不备,掉转马头杀过去。也比喻向旧营垒或对同伙反戈一击。

【回忆录】散文的一种。用叙述或描写的方法追记自己或自己所熟悉的人物的生活经历和社会活动。篇幅有长有短,带有文献性质。

【回归年】也叫太阳年。即太阳直射点回归运动的周期。一回归年等于365天5时48分46秒。

【回归线】地球上23°26′的两条纬线。太阳直射的范围在这两条纬线之间。在北半球的叫北回归线,在南半球的叫南回归线。它们是地球上热带和温带的分界。

【回归热】由回归热螺旋体引起的急性传染病。通过虱叮咬传播。主要症状是高热、剧烈头痛、肝脾肿大,严重的可有黄疸。发病和间歇各约七天,常反复几次。

【回旋曲】以回旋曲式创作的乐曲。特点是基本主题的旋律屡次反复。主要用于器乐独奏。

【回天之力】原指言论正确,影响深远。后泛指能战胜困难、挽回危局的巨大力量。《新唐书·张玄素传》:"张公论事,有回天之力。"宋孙光宪《北梦琐言》卷六:"军容田令孜有回天之力,中外侧目。"

【回归分析】用于揭示某一变量与另外一个或多个变量之间的不确定性的数量关系的一种统计分析技术。

【回头是岸】原为佛教用语:"苦海无边,回头是岸。"指有罪的人只要回心转意,痛改前非,就能登上"彼岸",获得超度。后来借指犯了错误的人只要悔改,就有出路。

【回光返照】日落时由于反射作用而天空短时发亮。常用以指人临死前精神的暂时兴奋或事物灭亡前呈现的暂时虚假的好转现象。《景德传灯录》卷三〇:"石头和尚《草庵歌》,回光返照便归来,廓达灵根非向背。"

【回肠九转】形容极度焦虑、忧伤,十分痛苦。汉司马迁《报任安书》:"是以肠一日而九回。"唐刘禹锡《望赋》:"秋之景兮悬清光,偏结愤兮九回肠。"

【回肠荡气】也说回肠伤气、荡气回肠。战国楚宋玉《高唐赋》:"感心动耳,回肠伤气。"三国魏曹丕《大墙上蒿行》诗:"感心动耳,荡气回肠。"形容文章、乐曲等十分婉转动人,耐人寻味。荡:动摇。

【回嗔作喜】由生气转为喜悦。嗔(chēn):生气。

【回旋加速器】高能物理实验中用来加速带电粒子的装置。被加速的带电粒子(如质子、氘核和氦核)在加速器中沿圆弧轨道运动,用一定频率的高频电场使它加速,能量可达几十兆电子伏。

佪☒ ㊀ huí 见〔儃佪〕(105页)。
㊁ huái (420页)。

垧□ huí 〔垧瑶〕地名。在福建。

茴 huí 〔茴香〕多年生草本植物。叶分裂成线形,花黄色。嫩茎、叶可食,果实可制香料,也可供药用。

咟□ huí 拟声词。佛教徒念咒语的声音。

洄 huí ❶水流回旋。❷逆流。

【洄游】某些水产动物由于环境影响、生理性需要,形成定期、定向的规律性移动。如鱼类等在不同生活阶段的产卵洄游、索饵洄游、越冬洄游以及垂直移动等。

恛☒ huí 见下。

【恛恛】昏乱的样子。

【恛惶】彷徨。

蛔(*痐*蜖*蚘*蛕) huí 蛔虫,寄生虫。线形,白色或米黄色。成虫寄生在人或其他动物的肠子里。能引起多种疾

H

病，损害健康。

【蛔虫病】由蛔虫寄生于人小肠而引起的寄生虫病。因进食带虫卵的食物而感染。患者上腹或脐周疼痛，恶心，消瘦。易并发肠梗阻和胆道蛔虫症。

huǐ ㄏㄨㄟˇ

虺 ㊀ huǐ 古书上说的一种毒蛇。㊁ huī（432 页）。

【虺虺】古指雷声。

悔 huǐ ❶觉悟到自己过去做得不对。㊎后～｜～过。❷古指灾祸。

【悔过】悔恨自己的过错，决心改正。㊎～自新。

【悔改】认识到所犯的错误并加以改正。

【悔恨】懊悔。

【悔悟】有所悔恨而醒悟。

【悔祸】为造成灾祸而后悔。《左传·隐公十一年》："天其以礼，悔祸于许。"㊎～之心。

【悔罪】认识到并痛恨以前的罪过。

【悔之不及】后悔（那个事）也来不及了。

【悔不当初】（因事与愿违而）后悔开始不该这样做。唐薛昭纬《谢银工》诗："早知文字多辛苦，悔不当初学冶银。"悔：后悔。当初：开始，开头。

【悔过自新】即"改过自新"（300 页）。

毁（❷*燬❸*譭） huǐ ❶破坏；损坏。㊎好好一个物件，让你给～了。❷烧掉。㊎焚～。❸诽谤。㊎～谤。

【毁灭】彻底地破坏；消灭。㊎给来犯之敌以～性打击。

【毁伤】毁坏，伤害。

【毁弃】毁坏，抛弃。

【毁谤】不怀好意地说别人坏话。

【毁誉】毁谤和称赞；说坏话和说好话。㊎不计～｜～参半。

【毁于一旦】在一天之内就毁掉了。形容在极短的时间内把来之不易的东西一下子毁掉了。《后汉书·窦融传》："百年累之，一朝毁之。"

【毁家纾难】《左传·庄公三十年》："鬬穀（gòu）於（wū）菟（tú）为令尹，自毁其家，以纾楚国之难。"后用"毁家纾难"指捐献全部家产，帮助国家减轻危难。纾（shū）：缓和。难（nàn）。

huì ㄏㄨㄟˋ

卉 huì 草的总称。多指供观赏的花草。㊎花～。

汇（滙❷彙*滙） huì ❶河流会合。㊎～为巨川。❷聚集。㊎～总。❸通过银行或邮局把款项划拨到别处。㊎～款｜电～。❹指外汇。㊎创～｜套～。

【汇市】金融市场的组成部分。是经营外国货币和以外币计价的票据、有价证券买卖的市场。

【汇价】即"汇率"（434 页）。

【汇报】汇集情况向上级（或群众）报告。

【汇兑】即汇款。银行或邮局根据汇款者委托，不依靠现金的转移，而通过两地银行或邮局间划拨的办法，将款转给指定地点的收款人。方式有信汇、票汇、电汇等。在中国，个人汇兑由邮局办理，企业单位之间的汇兑由中国人民银行办理，国际汇兑由中国银行办理。

【汇流】水流等汇合。

【汇展】汇集各地产品展览。

【汇票】出票人签发的，委托付款人在见票时或在指定日期无条件支付确定的金额给收款人或持票人的票据。分银行汇票和商业汇票。

【汇率】也叫汇价、外汇行市。指两种货币之间的比价、兑换率。有两种标价方法：直接标价，即 1 单位或 100 单位外币合多少本国货币；间接标价，即 1 单位本国货币合多少外币。一国货币法定含金量和他国货币法定含金量之比，是决定货币对外汇率的基础。

【汇集】聚集在一起。

【汇编】把分散而性质相近的文章或文件等编在一起。也指汇编而成的书。㊎资料～。

【汇丰银行】也叫香港上海汇丰银行。英国设在海外的私营银行。总部设在香港。是世界最大的跨国银行之一，享有港币的发行权。

【汇率风险】国际经济、贸易、金融活动中，以外币计价的收付款项、资产与负债因汇率变动而蒙受意外损失或丧失所期待的利益的可能性。

会(會) ㊀ huì ❶聚合。㊎～齐|～合。❷有一定目的的聚会或集会。㊎开～|茶话～。❸城市;行政中心。㊎都～|省～。❹为一定的目的而成立的团体或组织。㊎工～|互助～。❺能够;可能。㊎他～游泳|永远不～忘。❻理解。㊎误～|～意。❼付钱。㊎～账。❽时机。㊎机～|适逢其～。❾见面。㊎～见|～客。❿一小段时间。㊎一～儿。

㊁ kuài (568页)。

【会元】明清两代科举制度中,会试录取的第一名。

【会心】心里领会了别人没有明说的意思。㊎～地笑了。

【会厌】弹性软骨。位于舌根后方,喉口的前方,形似舌。吞咽食物时,会厌盖住喉口,防止食物进入气管内。

【会师】几支兄弟部队或友军在某地会合。

【会同】❶跟有关的方面一道(去做)。❷古代诸侯朝见天子或互相见面的通称。

【会合】聚集到一起。㊎两军～后继续前进。

【会阴】肛门与外生殖器之间的部分。

【会社】❶旧指政治、学术团体。如同盟会、华兴会和南社等。❷日文指公司。

【会诊】几个医生共同诊断治疗疑难病症。

【会审】会同审理或会同审查。

【会试】明清两代由各省举人参加的在京城举行的科举考试。每三年即乡试的次年春举行一次,录取后称贡士,第一名称会元。会试录取后即取得参加殿试的资格。

【会话】对话(多用于学习别种语言或方言)。

【会战】❶战争双方集中主力在一定地区和时间内所进行的大规模决战。❷国家、地区或企业为了迅速解决某项生产或技术问题,调动各方面力量,突击完成任务。

【会谈】双方或多方到一起商谈。

【会通】融会贯通。

【会晤】会见;会面。

【会衔】几个机关在共同发出的公文上一齐署名。

【会馆】旧时同省、同府、同县或同业的人,在京城、省城等设立的馆舍,供同乡、同业的人聚会或寄居。

【会商】几方在一起商量。

【会盟】古指诸侯或国君相互会面并结盟。

【会意】也叫象意。六书之一。指把两个以上的字合在一起来表示一个意义的造字法。如"休",古作"㑾",由人、木(即树)两字合成,人倚树旁,表示休息。

【会演】若干文艺团体为互相学习和观摩在一定期间内所举办的演出活动。

荟(薈) huì 草木茂盛。

【荟萃】聚集;会集(指优秀的人或精美的物)。㊎人才～。

浍(澮) ㊁ huì 浍河,水名,发源于河南,流经安徽,入洪泽湖。

㊀ kuài (568页)。

绘(繪) huì 画。㊎描～|～画。

【绘画】造型艺术之一。用笔等工具和墨、颜料等材料,在物质平面上绘制可视的形象。根据材料、技术、题材的不同可分为不同的画种。常见的有中国画、油画、年画、连环画、宣传画、版画等。

【绘声绘色】也说绘声绘影。形容叙述或描写生动逼真。

桧(檜) ㊁ huì 用于人名,如秦桧(南宋大奸臣)。

㊀ guì (358页)。

烩(燴) huì ❶一种烹饪方法。把原料和调料放入锅中,加一定量的水,用温火煮熟,最后勾芡。❷把饭菜等混合在一起,加水煮熟或煮热。㊎～饼。

讳(諱) huì ❶因有所顾忌不敢说或不愿说。㊎直言不～|～疾忌医。❷旧时对帝王将相或尊长不敢直称其名,叫讳。也指所讳的名字。

【讳言】因有所忌讳而不说。

【讳莫如深】鲁公子庆父谋杀太子般而出奔齐国,《春秋》一书不明记其事,认为事件重大,提起来会伤臣子之心,所以讳而不言。《穀梁传·庄公三十二年》说:"讳莫如深,深则隐。"后即用以形容事情隐瞒得很严,唯恐别人知道。莫:没有。

【讳疾忌医】也说护疾忌医。宋周敦颐《通书·过二十六》:"今人有过,不喜人规,如护疾而忌医,宁灭其身而无悟也。"不肯说自己有病,害怕医治。比喻掩饰缺点、错误,害怕批评,不愿改正。讳:隐瞒。忌:害怕。

沬⊠ ㊁ huì 洗脸。

㊀ mèi (673页)。

【沬血】浴血。

H

荟☒(薉) huì ❶田地荒芜。❷同"秽"。

哕(噦) ㊁ huì 鸟鸣声。㊀ yuě (1215 页)。

【哕哕】拟声词。铃声。

秽(穢) huì ❶肮脏。㊀~土|污~。❷丑恶。㊀~行|~事。❸田中多草。㊀芜~。

【秽行】丑恶淫乱的行为。

【秽迹】丑恶的事迹。

【秽闻】丑恶的名声。

翙(翽) huì 〔翙翙〕拟声词。鸟飞声。

诲(誨) huì 教导;诱导。㊀教~|~人不倦。

【诲人不倦】耐心地、不厌倦地教导别人。《论语·述而》:"学而不厌,诲人不倦。"诲:教导。倦:厌倦。

【诲淫诲盗】《周易·系辞上》:"慢藏诲盗,冶容诲淫。"原意是自己的财物不经心保管,无异于招致别人来偷盗;女子打扮得很妖媚,无异于引诱别人来调戏。后多用"诲淫诲盗"指教唆引诱人去干奸淫盗窃等坏事。

晦 huì ❶昏暗。❷不明显。㊀隐~。❸黑夜。㊀风雨如~。❹农历每月最后一天。㊀朝菌不知~朔。

【晦气】倒霉;不吉利。

【晦明】黑夜和白天。

【晦朔】❶农历每月的末一天和下个月的第一天。❷从黑夜到天明。㊀朝菌不知~。

【晦涩】指诗文等作品意义表达得隐晦不明。

恚 huì 恼恨;发怒。㊀忿~。

贿(賄) huì ❶贿赂。❷财物。

【贿选】用财物收买选举人,使他们选举自己。

【贿赂】用财物收买握有某种权力的人。也指这种财物。

【贿赂公行】公开地行贿受贿。《左传·昭公六年》:"乱狱滋丰,贿赂并行。"《北史·柳彧传》:"前在赵州暗于职务,政由群小,贿赂公行。"贿赂:用财物买通别人。

彗 huì 扫帚。

【彗星】俗称扫帚星。围绕太阳运行的一种天体。呈云雾状。主要部分是彗核,一般认为它由冰物质组成。当彗星接近太阳时,受太阳影响形成彗尾。形状特殊。肉眼所见不多。已发现围绕太阳运行的彗星有1 600颗以上。公元前613年中国已有哈雷彗星的最早记载。

蔧☒ huì 〔王蔧〕植物名。即地肤。

嘒☒ huì ❶形容微小。❷拟声词。蝉叫声或乐声。

慧 huì 聪明。㊀智~。

【慧心】佛教用语。指能悟道的心。后泛指智慧。

【慧眼】佛教用语。指能认识过去和未来的眼力。后泛指敏锐的眼力。

【慧黠】聪明而狡猾。黠(xiá)。

槥☒ huì 薄而小的棺材。

篲☒ huì 同"彗"。

惠 huì ❶给予或受到的好处。㊀互~。❷敬辞。用于对方对待自己的行动。㊀~存|~临。❸柔和。㊀~风。❹古又同"慧"。

【惠存】敬辞。请对方保存。赠送纪念品时用。

【惠临】敬辞。称别人到自己这里来。

【惠施】(约前370—约前310)战国时期哲学家,名家代表。宋国人。与庄子为友,曾做过魏相,主张联合齐楚。论证了"合同异",认为一切事物的差别、对立都是相对的,具有素朴的辩证法思想。但由于夸大事物的同一性而导致相对主义的诡辩。其言行片断散见于《庄子》《荀子》《韩非子》《吕氏春秋》等。

【惠灵顿】新西兰首都。位于北岛西南端,隔库克海峡与南岛相望。人口16万(1996年)。是全国政治、文化中心和重要的工业中心。全国第二大港口。畜产品加工工业发达。市区依山傍海,多风日,有风城之称。主要建筑多为木质结构。

【惠特曼】瓦尔特·惠特曼(1819—1892)美国诗人。生于农民家庭。1855年出版《草叶集》,以后每次再版都增加新作。诗作揭露了黑暗的农奴制,号召人民粉碎奴隶制,批判了美国的资产阶级民主和道德的堕落。诗歌热情奔放,不受格律束缚,用新形式表达了民主、自由的思想。

【惠风和畅】柔和的风使人感到温暖、舒适。晋王羲之《兰亭集序》:“是日也,天朗气清,惠风和畅。”惠:柔和。

【惠然肯来】敬辞。欢迎客人光临。

【惠斯通电桥】一种测量电阻的电桥。把三个已知电阻和一个待测电阻连成四边形电路,其中两个对角端接电源,另两个对角端接灵敏电表。当灵敏电表中无电流通过时,四个电阻有一定比例关系,根据已知电阻的阻值,可求出待测电阻的值。这种电桥因由英国物理学家惠斯通发明而命名。

僡⊠ huì 同“惠”。

蕙 huì ❶俗称佩兰。多年生草本植物。秋初开红花,很香。❷蕙兰,多年生草本植物。叶似草兰而瘦长,一茎可开八九朵花,色、香都较兰为淡。

潓⊠ huì 潓水,古水名,在今安徽。

憓⊠ huì 同“惠”。

蟪 huì 〔蟪蛄〕也叫伏天儿。昆虫。蝉的一种。体较小,紫灰色,体、翅部有斑纹,雄性腹部有发音器,能鸣。危害林木及果树。

喙 huì ❶鸟兽的嘴。❷借指人的嘴。㊀百～莫辩|无庸置～(无须插嘴)。

阓⊠(闠) huì 进入市区的门。常借指市区。㊀阛～(街市)。

溃(潰) ㊁ huì 疮溃烂。㊀～脓。㊀ kuì (572 页)。

缋⊠(繢) huì ❶成匹布的头尾。❷同“绘”。

靧⊠(靧) huì 洗脸。

颒⊠(頮) huì 洗脸。

hūn ㄏㄨㄣ

昏(*昬) hūn ❶太阳落山,天刚黑的时候。㊀黄～。❷黑暗。❸神志不清;糊涂。㊀～聩。❹古又同“婚”。

【昏眩】头脑昏沉;眩晕。

【昏黄】暗淡、模糊的黄色(多指天色或灯光)。

【昏庸】糊涂而愚蠢。

【昏厥】由于脑贫血、精神过度紧张等原因突然昏倒,失去知觉。

【昏聩】眼花耳聋。比喻糊涂,不明事理。

【昏天黑地】❶形容天色昏暗。❷指神志不清的感觉。❸比喻人生无目标、无方向。

【昏镜重磨】将昏暗的镜子重新磨亮。比喻重见光明。

阍(閽) hūn ❶宫门。㊀叩～。❷指看门。㊀司～。

惛⊠ hūn 不明了;糊涂。

婚 hūn ❶男女经过合法手续结为夫妻。㊀未～。❷婚姻。㊀结～。

【婚变】指夫妻离异等婚姻变故。

【婚姻】指男女结成的夫妻关系。

【婚检】指婚前健康检查。

【婚生子女】公民基于合法的夫妻关系所生育的子女。

棔⊠ hūn 合欢树。

婚⊠ hūn 同“婚”。

荤(葷) hūn ❶有鸡、鸭、鱼、肉或有动物油的食物。与“素”相对。㊀～菜。❷葱、蒜等带刺激性的蔬菜。

hún ㄏㄨㄣˊ

馄⊠(餛) ㊁ hún 同“馄”。㊀ yùn (1220 页)。

浑(渾) hún ❶水不清;污浊。㊀～浊。❷糊涂,不明事理。❸全;完全。㊀～身是劲|～似(完全像)。❹天然的。㊀～厚|～朴。❺古又同“滚(gǔn)”。㊀财货～～如泉源。

【浑仪】见〔浑天仪〕(438 页)。

【浑朴】浑厚朴实。

【浑厚】❶质朴老实。㊀为人～。❷朴实厚重(用以形容诗文书画的笔力和风格)。㊀笔力～|色调～。

【浑浊】即“混浊”(438 页)。

【浑圆】很圆。㊀～的月亮。

【浑家】称妻子(多见于早期白话)。

【浑象】见〔浑天仪〕(438 页)。

【浑然】形容完整不可分割。㊀～一体。

【浑天仪】浑象和浑仪的统称。浑象是中国古代用来表示天空所见星象的仪器，类似现在的天球仪，东汉时张衡创制。浑仪是中国古代测量星辰位置的仪器，西汉落下闳制造。

【浑水摸鱼】也说混水摸鱼。比喻乘着混乱捞取利益。

【浑身解数】全身的武艺。解数：武术的架式，也泛指手段、本事。解(xiè)。

【浑俗和光】指与世俗混同，不露锋芒。元王实甫《西厢记》第一本第二折："老相公在官时浑俗和光。"

【浑浑噩噩】原意是浑厚而严正。汉扬雄《法言·问神》："虞夏之书浑浑尔，《商书》灏灏尔，《周书》噩噩尔。"后用以形容质朴天真。现多形容糊里糊涂，什么事也不懂的样子。噩(è)。

【浑然一体】也说混然一体。融和成一个整体。形容完整不可分割。

珲(琿) ㊀ hún 美玉。㊁ huī (431 页)。

【珲春】地名。在吉林东部。

馄(餛) hún 〔馄饨〕用薄面片包上馅儿煮熟连汤吃的食品。

混 ㊁ hún 糊涂；不明事理。㊀ hùn (438 页)。

【混水摸鱼】即"浑水摸鱼"(438 页)。

魂(*䰟) hún ❶灵魂。迷信指能离开肉体单独存在的精神。❷借指精神或情绪。[例]神～颠倒。

【魂魄】迷信指附在人体内的精神灵气。认为魂能离开躯体单独存在，魄不能离开躯体。

【魂飞魄散】也说魂飞魄丧。形容惊恐万分，非常害怕。

【魂不附体】形容人因受到重大震惊而惊恐万状，失去常态。

hùn ㄏㄨㄣˋ

诨(諢) hùn 开玩笑的话。[例]打～｜～名(外号)。

圂[⊠] hùn 猪圈；厕所。

溷 hùn ❶污秽。[例]～浊。❷厕所。❸猪圈。❹"混(hùn)"的异体字。

慁[⊠] hùn ❶忧虑。❷扰乱。

混 ㊀ hùn ❶搀杂在一起。[例]～杂｜～为一谈。❷冒充。[例]蒙～｜鱼目～珠。❸敷衍了事；得过且过地生活。❹古又同"滚(gǔn)"。

㊁ hún (438 页)。

【混同】❶把不同的事物混杂在一起，同等看待。❷法律上指一项债的债权和债务由于某种原因归于一个民事主体，使债务消除。如公司合并可能出现混同。

【混沌】❶中国古代传说中指天体未形成以前模糊一团的景象。[例]～初开。❷形容人蒙昧无知。

【混纺】不同类别的纤维混合在一起纺纱。目前化学纤维常相互间或同天然纤维混纺，有提高质量、降低成本、增加品种等效果。

【混战】对象不明或对象常变的战争或战斗。[例]一场～｜军阀～。

【混浊】也说浑浊。指水或空气等含有杂质，不明净、不新鲜。

【混淆】混杂，使界限模糊。[例]真伪～｜～黑白。

【混血儿】不同种族的男女结合所生的孩子。

【混合物】由两种或两种以上物质以任何比例混合在一起的物质。其中各组分仍保持着原有的化学性质。

【混交林】由两种或两种以上树种组成的森林。可提高森林生产率，增加防护效益。

【混凝土】由水泥、砂和石子按一定比例加水拌和制成的建筑材料。有良好的抗压强度和耐久性。

【混合面儿】抗日战争时期，沦陷区当局向民众配售的一种面粉。由劣质粮食、豆饼、麸糠及其他杂物混合研磨而成。

【混为一谈】也说并为一谈。把不同的事物混杂在一起，说成是相同的事物。唐韩愈《平淮西碑》："万口和附，并为一谈。"

【混世魔王】比喻扰乱世界，给人民带来严重危害的恶人。

【混合农业】一般指将饲养牲畜和种植农作物混合经营，并采取耕作、放牧轮作的农业生产类型。主要分布在欧洲、北美、南非、澳大利亚和新西兰等地。

【混合经济】在资本主义制度下，国有经济与私有经济并存的经济结构。

【混淆视听】用假象或谎言使人们视听混乱，分辨不清是非。

huō ㄏㄨㄛ

剨☒ huō 同“騞”。

騞☒（騞） huō 騞然，破裂声。

耠 huō 用耠子翻土。

【耠子】一种旱地开沟松土的农具。用于播种前开沟起垄或庄稼后期锄草。

锪（鍃） huō 一种金属加工方法。在机床上用专门的工具对工件上已加工的孔进行再加工，刮平端面或者切出锥形或圆柱形的凹坑。

劐 huō ❶用刀剪等划开。❷用耕具划开土壤。❸同“耠”。

嚄 huō 叹词。可以读成不同声调以表示惊讶等。

豁 ㊀ huō ❶残缺；裂开。[例]～口。❷舍弃；发狠付出。[例]～出几天时间。
㊁ huò（444页）。
㊂ huá（417页）。

嚯□ huō 〔嚯唧〕拟声词。物体相撞的声音。

攉 huō 把堆积的东西铲起倒（dǎo）到另一处去，特指把采出的煤或矿石等铲起来倒到另一处或容器中。[例]～土｜～煤机。

huó ㄏㄨㄛˊ

和 ㊂ huó 在粉状物中加液体搅拌或揉弄，使其有黏性。[例]～面｜～泥。
㊀ hé（385页）。
㊁ hè（392页）。
㊃ huò（442页）。
㊄ hú（407页）。

佸☒ huó 聚会；至。

活 huó ❶生存；有生命的。[例]～到老，学到老｜～细胞。❷不呆板，不固定，可移动的。[例]～泼｜～页｜～塞。❸逼真地。[例]神气～现。❹泛指工作。[例]干～儿。

【活力】❶生机蓬勃的力量。❷精力。

【活动】❶肢体动弹；运动。[例]～筋骨｜每天早晨坚持室外～。❷动摇；不稳定。[例]这个零件～了。❸灵活，不固定。[例]～模型｜～房屋。❹为达到某种目的而采取的行动。[例]政治～｜文体～。❺指钻营、说情、行贿等。

【活页】❶一般指单独成篇的，没有经过装订的散页。[例]～文选。❷可拆开和穿起的簿册。

【活字】以前印刷上用的泥质、木质或金属的方柱形物体，一头铸有或刻有单个的字或符号，排版时可以自由组合，灵活运用。

【活佛】藏传佛教依转世制度而取得地位的高级僧侣的俗称。参见〔转世〕（1300页）。

【活现】活生生地显现出来。[例]看见他舍己为人的行动，雷锋的形象又～在我的眼前。

【活泼】生动自然，不呆板。

【活契】旧时出卖房地产时，在契约上规定在一定期限内原主可以赎回，这种契约叫活契。

【活跃】❶参与积极，主动性充分表现出来。[例]～分子。❷气氛热烈。[例]场面很～。❸使活跃。[例]～生活。

【活脱】（相貌、举止等）十分相似。

【活塞】在气缸内作往复运动的圆盘形或圆柱形机件。

【活化石】某些生物曾繁盛于某一地质时期，种类多，分布广，在某一时期后几乎绝迹，仅残存于现代个别地区，这类生物叫做活化石。如银杏、水杉和大熊猫等。

【活火山】见〔火山〕（440页）。

【活报剧】也叫活报（意思是活的报纸）。戏剧形式之一。特点是用速写的手法反映时事，对反面人物常作漫画式的描绘。形式活泼自由，可在街头广场演出。

【活劳动】物质资料生产过程中劳动者的体力和脑力消耗。是生产的决定性因素。离开了活劳动，生产资料本身就不能创造出任何东西。在商品生产中，创造价值的只能是活劳动。与“物化劳动”相对。

【活性炭】经过活化处理的无定形碳。有很强吸附能力，结构疏松多孔，能吸附气体、蒸汽、溶解在液体中的物质或悬浮在液体中的固体微粒。用途广泛，在防毒面具中用以过滤有毒气体；工业上常用以脱色、净化、分离及作催化剂载体。

【活化分子】化学反应中互相碰撞的反应物

分子必须具有一定的能量(高于分子的平均能量),达到一种过渡态(活化状态),反应才能发生,达到这一状态的分子叫做活化分子。

【活字印刷】用单个的活字排成版进行印刷。北宋庆历(1041—1048)年间毕昇首先发明。开始时活字用泥烧制,后又出现木刻活字,现代印刷用的活字是用铅合金浇铸的。活字印刷是中国四大发明之一。随着电子计算机和照相制版技术的发展,活字印刷已逐渐被取代。

【活灵活现】也说活龙活现。形容描绘生动,神情逼真,使人有亲眼所见的感觉。

【活性染料】含有化学性质活泼的原子或原子团,能与纤维发生化学反应的有机染料。具有较高的耐洗、耐晒等性能。

huǒ ㄏㄨㄛˇ

火 huǒ ❶燃烧时所发出的火焰。❷形容像火一样的颜色。[例]~红。❸紧急。[例]~速。❹中医指热症。[例]上~|败~。❺发怒;怒气。[例]冒~|心头~起。❻枪炮弹药。[例]军~|向敌人猛烈开~。❼兴旺;热烈。[例]生意很~|这首歌近来唱得特别~。❽同"伙"。[例]~伴。

【火力】❶由可燃体产生的动力。[例]~发电。❷军事上指弹药经过发射、投掷或引爆后形成的杀伤力和破坏力。❸指人体的抗寒能力。[例]年轻人~壮。

【火山】通常指地壳内部喷出的熔岩及碎屑物质堆积而成的锥形山,也包括有喷发活动而无山形者。顶部常有一个漏斗状洼地,叫火山口。在人类历史时期,作周期性喷发的叫活火山;没有重新喷发过的叫死火山;长期熄灭有时又突然喷发的叫休眠火山。

【火车】指铁路列车。因铁路列车最初仅由蒸汽机车牵引,以火力(热能)产生牵引动力,故名。

【火化】处理遗体的一种方法。即火葬。

【火印】把烧热的铁器或铁质的图章烙在木器、竹筹等物体上留下的标记。

【火鸟】二场芭蕾舞剧。斯特拉文斯基曲。作于1910年。福金等人编舞。舞剧情节取材于俄罗斯神话故事。1911年作曲家将舞剧音乐改编为管弦乐组曲。1919年改编的第二组曲,由四首乐曲组成:(1)引子及火鸟之舞;(2)公主之舞;(3)妖魔之舞;(4)催眠曲与终曲。

【火网】形容弹道纵横交织的密集火力。通常是将各种火器依其性能及敌情、地形作适当配置,进行有组织的多方向射击而形成的。

【火舌】喷吐的火苗。

【火并】同伙决裂,自相杀伤或并吞。

【火攻】战争中以纵火手段攻击敌人的战法。

【火表】电能表的俗称。

【火炬】火把。

【火线】❶作战双方对峙、火力所能达到的前沿地带。❷照明电路中电势高的导线。用测电笔的前端接触火线时,测电笔的氖泡发光。

【火药】能在绝氧条件下进行迅速而有规律的燃烧,并释放出大量热能和气体的物质。具有爆破和推动作用。可用作引燃药或发射药。黑色火药是中国四大发明之一。

【火星】❶古称荧惑。太阳系九大行星之一。绕太阳一周的时间是687天。以距离太阳由近及远的次序计是第四颗。由于它呈现红色,荧荧如火,亮度常有变化,故名。它有两颗很小的卫星。❷火星儿;极小的火。

【火炮】口径在20毫米以上,用火药的爆发力发射弹丸的重火器。按炮膛构造,分线膛炮和滑膛炮。中国古代"炮"为发石机,史载出现于公元前5世纪。7世纪中国发明火药后,逐渐开始用机械抛射火药弹。现代常用的火炮有迫击炮、榴弹炮、加农炮、加农榴弹炮、反坦克炮、无坐力炮、火箭炮和高射炮等。

【火种】供引火用的长久不熄的火。也用来喻指引起事物发生、发展的根源。[例]革命的~。

【火急】万分紧急。

【火炽】旺盛,热烈,紧张。炽(chì)。

【火速】副词。(因事情紧急)用最快的速度(做某事)。[例]~动身。

【火候】❶烧火时火力的强弱和时间的长短。❷比喻品德、学问、技能的修养程度。❸比喻关键的时刻。

【火烛】泛指可以引起火灾的火,如灯烛之类。[例]小心~。

【火葬】处理遗体的一种方法。用火焚烧尸体。

【火焰】火苗。

H

【火漆】用松脂和石蜡加颜料制成的黏性物质。遇冷凝固，遇热熔化。可用来封瓶口、信件等。

【火箭】❶借推进剂燃烧产生推力而飞行的运载工具。用以发送弹头、人造卫星等。❷中国古代的一种攻战的器具。箭上附有引火物，利用火药喷射，使箭前进。

【火器】借火药或其他装料的燃烧产生气体来发射弹头或喷射火焰的武器。用以杀伤敌人有生力量和破坏敌方军事设施。

【火山岛】岛屿的一种。海底火山喷出物堆积而成。如太平洋中的夏威夷群岛。

【火山湖】火山口积水而成的湖泊。外形近圆形或马蹄形，深度较大。如白头山天池。

【火不思】也叫浑不似。拨奏弦鸣乐器。形似琵琶，但琴杆细长。在北方的蒙古族及西南的纳西族中使用。

【火电站】用煤、石油、天然气等燃烧产生动力生产电能的工厂。输出电能的同时，也向环境排放废水、废渣和含大量二氧化硫、氮氧化物的烟尘。

【火地岛】在南美洲南部，北隔麦哲伦海峡与南美大陆相望。分属智利和阿根廷。

【火成岩】也叫岩浆岩。由地下深处熔融的岩浆喷出地表或侵入地下一定深度，冷却凝结而成。前者称喷出岩，后者称侵入岩。

【火把节】白、彝、傈僳、纳西、拉祜等民族的传统节日。一般在农历六月二十四日。这一天，各村寨中竖起大火把，各家门上插着小火把。入夜点燃，人们举着火把奔跑在田间，表示驱除虫害。此外，人们盛装相贺，进行斗牛和其他娱乐活动。

【火箭炮】发射较大口径火箭弹的炮兵武器。有多轨式和多管式等。能在短时间内依次发射数发以至数十发火箭弹。火力猛，威力大，机动性能较好，适用于对大面积目标射击。

【火箭弹】以火箭发动机推进的非制导弹药。由战斗部(弹头)、推进装置和稳定装置组成。有火箭炮发射的火箭弹、单兵发射的反坦克火箭弹、航空器发射的火箭弹和舰艇发射的火箭弹等。

【火箭筒】单人使用的发射火箭弹的轻型反坦克武器。筒内无膛线，发射时无后坐力。用以摧毁近距离的装甲目标和坚固工事。

【火力发电】利用煤、柴油、天然气等燃料燃烧时产生的热能，推动汽轮机、柴油机或燃气轮机，带动发电机发电。

【火力侦察】用火力袭击敌人，迫敌或诱敌还击，以发现其火力配系等情况。

【火力配系】对参战的各种火器作适当配置和分工所构成的火力系统。通常根据作战任务、敌情、地形和火器性能确定。包括反坦克火力配系、防空火力配系、防步兵火力配系等。

【火力准备】进攻前或冲击前对敌实施的火力突击。主要由炮兵、航空兵、舰艇部队、导弹部队等实施。分预先火力准备和直接火力准备。预先火力准备指进攻前一天至数天进行的火力突击；直接火力准备指冲击发起前进行的火力突击。

【火上浇油】也说火上加油。比喻使别人更加愤怒，使事态更加严重。

【火山地震】地震的一种。由火山活动造成。这种地震影响较小。

【火山爆发】地下深处的岩浆在压力作用下，沿地壳薄弱地带喷出地表的现象。会引发地震。喷出的火山灰和熔岩流常会破坏田园、建筑，但也带来肥沃的火山灰土和硫磺等有用矿物。

【火中取栗】 17世纪法国作家拉·封丹的寓言诗《猴子和猫》中说：狡猾的猴子骗猫为它取出火中的栗子，结果猫不但没吃着，反而烧掉了脚上的毛。比喻被别人利用去干冒险的事，而自己得不到好处。栗：栗子。

【火花放电】产生火花的气体放电现象。当两极间电压很高，使中间的空气被击穿时，产生强烈的放电现象，空气温度迅速上升，出现火光和爆裂声。火花放电可用在金属电火花加工和内燃机的点火装置等方面。雷电是自然界大规模火花放电的现象。

【火树银花】形容灯光和烟火灿烂绚丽。多用于节日夜晚。唐苏味道《正月十五夜》诗："火树银花合，星桥铁锁开。"

【火耕水耨】一种原始的耕种方法。《史记·货殖列传》："楚越之地，地广人希(稀)。饭稻羹鱼，或火耕而水耨。"火耕：放火烧去杂草，垦田种植谷物。水耨(nòu)：将水灌入农田以消灭杂草。

【火烧眉毛】比喻事到眼前，情势万分急迫。

伙(❶-❸夥)

huǒ ❶同伴；由同伴组成的一群人。[例]～伴|合～。❷共同；联合。[例]～同|～办。❸被雇佣的人。[例]店～|～计。❹伙食。[例]～房|包～。

"夥"，另见(442页)。

H

【伙计】❶搭伙做事的人。❷伙伴(当面称呼,表示亲热)。❸旧指店员。

【伙同】跟别人在一起(共同做某事,多指做坏事)。

⿰口伙□ huǒ 〈方〉处;这里;那里。

钬(鈥) huǒ 金属元素,符号 Ho,原子序数 67。是稀土元素之一。其化合物可作新型磁性材料的添加剂。

漷□ huǒ 漷县,地名,在北京通州区东南。

夥 huǒ 多。
另见“伙”(441 页)。

huò ㄏㄨㄛˋ

或 huò ❶连词。或者,表示选择关系。[例]你～他谁都可以|～早～晚。❷副词。也许,表示不肯定的语气。[例]明日～可到达。❸文言指示代词。某人;有的人。表示不定指。[例]～曰(某人说,有的人说)。

【或则】连词。或者。

【或许】副词。1. 表示猜测或不能肯定的语气。[例]你听了～会大吃一惊|～他没收到我的信? 2. 委婉地表示肯定。[例]我再重复一下这个问题,对你们来说,～不是无益的。

【或者】❶副词。或许;也许。表示揣测口气。[例]你快走,～还赶得上。❷连词。在叙述句里,表示选择关系。[例]～你去,～他去,都行。

【或然】有可能而不一定。[例]～性。

【或然率】概率的旧称。

惑 huò ❶疑惑;迷惑。[例]惶～|大～不解。❷欺骗。[例]谣言～众。

【惑乱】使迷惑混乱。[例]～人心。

⿰火惑⊠ huò 〔荧⿰火惑〕荧惑,星名。中国古代天文学上指火星。

和 [四]huò ❶搀合。[例]～药。❷量词。用于洗衣、煎药等的次数。[例]洗了两～。
㊀ hé (385 页)。
㊁ hè (392 页)。
㊂ huó (439 页)。
㊄ hú (407 页)。

【和弄】❶搅拌。❷挑拨。

【和稀泥】比喻无原则地调和或折中。

货(貨) huò ❶货币;钱。[例]通～(市场上流通的货币)。❷货物;商品。[例]百～|送～上门。❸卖。

【货币】固定充当一般等价物的特殊商品。在商品生产条件下,货币作为商品价值的代表,直接体现社会劳动,可以表现其他一切商品的价值和购买其他一切商品。它反映商品生产者之间的生产关系。共有五种职能:价值尺度、流通手段、贮藏手段、支付手段、世界货币,前两种为基本职能。随着商品经济的发展,货币的形式也在发展,最初是贵金属,后出现了纸币、电子货币等。

【货色】❶货物的品种或质量。❷指人或思想言论、作品等(多含贬义)。

【货郎】称以推车、担担等方式走街串巷售卖针头线脑等小日用品的人。

【货栈】营业用的货场或货房。

【货贿】也说货赂。金钱财物。

【货源】货物的来源。[例]～充足。

【货币工资】以货币形式支付的工资。与“实物工资”相对。

【货币升值】❶指货币在国内购买力的提高。❷指增加本国货币的含金量或直接提高本国货币对外币的比价。有的国家为了阻止外币大量流入,抢购自己暂时比较稳定的货币,以避免加剧本国通货膨胀,有时就采取货币升值加以抵制。货币升值后,本国货币对外币比价提高,导致出口商品价格上扬,外销竞争能力削弱,进口商品价格降低,同本国商品的竞争能力增强,使国际收支陷于不利地位。货币升值也是货币不稳定的表现。

【货币发行】发行银行投放货币。

【货币交换】以货币为媒介的商品交换。

【货币贬值】❶指货币在国内购买力的降低。❷指减少本国货币单位的含金量或直接降低对外币的比价。有的国家在外贸入超、资金外流、国际收支出现逆差、黄金储备下降的情况下,为了增强出口商品竞销能力,改善国际收支状况,往往采用货币贬值的手段。

【货币制度】国家为保持币值稳定、保障货币流通正常化而对货币的有关要素、货币流通的组织与调节等以法律形式加以规定所形成的体系。

【货币供给】在一定时期,一国经济中的货币存量。

【货币政策】货币当局为实现一定的宏观经

济目标而采取的各种控制和调节货币供应量或信用的方针、政策和措施的总称。

【货币资本】以货币形式存在的资本。是资本运动的第一推动力，其职能是为剩余价值生产购买生产要素。

【货币流通】由商品流通过程所产生的货币的运动。是商品流通的媒介。

【货币需求】人们对执行货币职能（流通手段、支付手段、价值贮藏手段）的货币的需要或要求。

【货币国际化】某国货币成为国际通用货币或是外国政府的外汇储备货币。

【货币购买力】单位货币在一定的价格水平下能买到的商品或支付劳务费用的能力。

泧☒（濊） huò 〔泧泧〕拟声词。撒网入水声。

获（❶❸獲❷穫） huò ❶得到；擒住。㊎～胜｜捕～。❷收割庄稼。㊎收～。❸能够。㊎不～前来。

【获得】取得；得到（多用于抽象事物）。

【获悉】书信、电文等用语。得到消息；知道（某事或某情况）。

【获释】得到释放。

祸（禍 *旤） huò ❶灾难；不幸的事或情况。与"福"相对。㊎灾～｜闯～。❷损害。㊎～国殃民。

【祸心】作恶的念头、打算。

【祸殃】灾祸。

【祸胎】指灾难发生的根源。

【祸首】造成祸患的首要人物。㊎罪魁～。

【祸根】引起灾祸的根源。

【祸端】引起灾祸的原由。

【祸不单行】指不幸的事接连发生。汉刘向《说苑·权谋》："此所谓福不重至，祸必重来者也。"祸：灾难。

【祸不旋踵】祸患即将到来。《北史·袁跃传》："若违忤要势，祸不旋踵，虽以清白自守，犹不免请谒之累。"旋踵：旋转脚跟。不旋踵：来不及转身，比喻时间极短。

【祸至无日】祸害到来就在眼前了。《左传·宣公十二年》："楚自克庸以来，其君无日不讨国人而训之，于民生之不易，祸至之无日，戒惧之不可以怠。"无日：没多少日子。

【祸国殃民】使国家受害，百姓遭殃。

【祸起萧墙】祸患起于内部。《论语·季氏》："吾恐季孙之忧，不在颛臾，而在萧墙之内也。"萧墙：院子里的照壁墙，比喻内部。

【祸兮福所倚，福兮祸所伏】《老子·五十八章》："祸兮福之所倚，福兮祸之所伏。"意思是祸与福互相依存，可以相互转化。比喻坏事可以引出好的结果，好事也可以引出坏的结果。兮：文言助词。相当于现代汉语的"啊"。倚：依靠。伏：隐藏。

濩☒ huò 见〔溷濩〕（398 页）。

謋☒（謋） huò 〔謋然〕形容迅速分裂。

嗀☒ huò 呕吐。

擭☒ huò ❶装有机关的捕兽木笼。❷捕取。

濩☒ ㊀ huò ❶形容屋檐流水。❷煮。㊁ hù（412 页）。

臒☒ huò ❶作颜料用的红石。❷泛指好颜色。

镬（鑊） huò ❶〈方〉锅。❷古代的一种大锅。

蠖 huò 见〔尺蠖〕（127 页）。

霍 huò 迅速；快。㊎～然而愈｜～地转身。

【霍乱】由霍乱弧菌引起的烈性传染病。由于摄入被病菌污染的饮食而感染，多见于夏秋季。主要症状是吐泻大量米汤样排泄物，严重失水，以致虚脱。

【霍然】❶突然；忽然。❷指疾病迅速消除。

【霍霍】❶拟声词。磨刀等的声音。㊎磨刀～。❷闪动迅速的样子。㊎电光～。

【霍去病】（前 140—前 117）西汉军事家。河东平阳（今山西临汾西南）人。武帝刘彻时因功封为骠骑将军。当时中国北方匈奴不断骚扰内地，霍去病于公元前 121 年两次率军大败匈奴，控制河西地区，打开了通往西域的道路。公元前 119 年他和卫青打败匈奴主力。刘彻准备为他营建府第，他以战事未了而拒绝。先后六次出击，解除了匈奴对西汉政权的威胁。

【霍尔效应】通有电流的导体或半导体放在与电流方向垂直的磁场中，在垂直于电流和磁场的方向，物体两侧产生电势差的现象。这种现象因美国物理学家霍尔发现而命名。

【霍奇金病】旧译作何杰金病。发生于淋巴组织的恶性肿瘤。以颈、腋、腹股沟、胸或腹部的淋巴结无痛肿大为特征,并影响到脾、骨等。主要症状是体重下降、发热、夜汗、瘙痒等。

【霍去病墓石刻】西汉石雕。在今陕西兴平霍去病墓旁,共有石刻人、马、牛、虎等十六件,雕刻风格浑朴厚重,气魄深沉雄大。其中《马踏匈奴》最为著名。

【霍尔木兹海峡】位于伊朗与阿曼两国之间。连通波斯湾和阿曼湾。最窄处为26海里。是波斯湾沿岸石油海上外运的咽喉要道。

藿 huò 豆类作物的叶子。

【藿香】一年生或多年生草本植物。茎叶可提取芳香油,入药有发汗解表、健胃止呕等作用。

嚯 huò 叹词。表示惊讶或赞叹。㊃~,你们干得真不错!

臛☒ huò 肉羹。

㸌☒ huò 火光闪烁的样子。

矐☒ huò 用石灰或马粪熏眼睛,使人失明。

靃☒ ㈠ huò 同"霍"。

㈡ suǐ (942页)。

豁 ㈢ huò ❶取消;免除。㊃~免。❷开阔;通达。㊃~然开朗。

㈠ huō (439页)。

㈢ huá (417页)。

【豁达】开朗;度量大。

【豁免】免除;取消。

【豁亮】宽敞,明亮。

【豁然】形容开阔通达。

【豁达大度】形容人胸襟开阔,宽宏大量,能够容人。晋潘岳《西征赋》:"观夫汉高之兴也,非徒聪明神武,豁达大度而已也。"豁达:性格开朗。大度:气量大。

【豁然开朗】原形容由狭窄幽暗一变而为开阔明亮。晋陶潜《桃花源记》:"初极狭,才通人;复行数十步,豁然开朗。"后用以比喻顿时明白或领悟过来。

濩☒ huò 〔濩濩〕流水声。

J　ㄐ

jī　ㄐㄧ

几(❷**幾**)　㊁ jī　❶小桌子。[例]茶～|窗明～净。❷将近;差一点。[例]月～望(月亮将近十五满月)|～死者数(shuò)(好几次都差一点死掉)。

㊀ jǐ(458页)。

【几乎】副词。1.接近于;差不多。[例]出席大会的～有一万人。2.差点儿。[例]～摔倒。

【几希】很微小;相差无几。

【几率】概率的旧称。

讥(**譏**)　jī　讽刺;挖苦。[例]～笑。

【讥讽】用含蓄尖刻的话嘲笑刺激人。

【讥诮】用冷言冷语讽刺挖苦。

【讥笑】讽刺嘲笑。

叽(**嘰**)　jī　拟声词。小鸟或小鸡的叫声。[例]小鸟～～叫。

饥(❶**飢**❷**饑**)　jī　❶饿。❷庄稼收成不好或没有收成。[例]～馑。

【饥荒】❶荒年,庄稼没有收成。❷家庭或个人经济上出现了周转不灵。❸债。[例]拉～。

【饥馑】灾荒之年,庄稼没有收成。《尔雅·释天》:"谷不熟为饥,蔬不熟为馑。"《管子·五辅》:"天时不祥,则有水旱;地道不宜,则有饥馑;人道不顺,则有祸乱。"

【饥不择食】饿极了的时候,就不挑拣食物了。比喻急需的时候顾不得选择。

【饥肠辘辘】肚子饿得咕咕作响。形容十分饥饿。

【饥寒交迫】冷饿交加。

玑(**璣**)　jī　❶不圆的珠子。[例]珠～。❷古代的一种天文仪器。[例]～衡。

机(**機**)　jī　❶机器。[例]打字～|拖拉～。❷事情变化的枢纽;有关事情成败的重要环节。[例]事～|军～|～要。❸机会。[例]时～|随～应变。❹生活机能。[例]有～体。❺能迅速适应事物的变化的;灵活。[例]～智|～警。❻飞机。[例]客～|战斗～。

【机井】指用柴油机、电动机等作动力带动水泵抽水的井。大多是利用中层和深层地下水,一般用钻机打成。

【机车】俗称火车头。铁路运输的牵引动力机械。主要有蒸汽机车、内燃机车和电力机车三大类,另外还有燃气轮机车等。

【机心】❶诡诈狡猾的用心。❷钟表壳内的全部机件。

【机动】❶在进行工作或处理问题时根据实际情况及时作适宜的变动。[例]～灵活。❷准备灵活使用的。[例]～时间。❸军事上指军队作战时,为了适应情况,争取主动,所采取的灵活的转移兵力和变换战术的行动。❹用机器开动的。[例]～车。

【机会】恰好的时候;时机。

【机关】❶办事单位或机构。[例]党政～|军事～|科学研究～。❷周密而巧妙的计谋。[例]识破～。❸指机械发动的部分。❹用机械控制的。

【机床】也叫工作母机、工具机。对金属或非金属材料进行机械加工的机器。一般指金属切削机床,如车床、刨床、铣床等。

【机枪】也叫机关枪。利用部分火药气体的压力推动机件使之连发射击并有枪架(脚架)或其他固定装置的枪。有轻机枪、重机枪、高射机枪和飞机、舰艇、坦克专用机枪等。

【机构】❶若干具有确定相对运动的构件的组合。用来传递和转换运动。如齿轮机构、凸轮机构、连杆机构等。❷泛指机关、团体等工作单位或其内部组织。

【机杼】❶织布机。❷比喻文章的构思布局。[例]写文章须自出～。杼(zhù)。

【机制】❶机器的构造和工作原理。❷借指有机体各部分的构造、功能、特性及其相互联系和相互作用等。❸指用机器加工制造的。
【机油】即“润滑油”(837 页)。
【机宜】指针对客观情势处理事务的策略、办法。㊀面授~。
【机降】用飞机或直升机装载人员、装备、物资直接落于地面的空降行动。
【机要】❶机密重要的。❷文章的主旨。
【机能】细胞、组织或器官的作用和功能。
【机械】❶一切具有确定的运动系统的机器和机构的总称。如机床、拖拉机等。❷呆板;不灵活。
【机敏】机警灵敏。
【机密】❶重要而秘密。㊀~文件。❷重要而秘密的事。㊀保守国家~。
【机谋】计谋;计策。
【机遇】机会,(好的)境遇。
【机锋】佛教禅宗用语。指问答迅捷不露迹象又含有深意的语句。
【机智】指头脑聪明灵活,能迅速地应付事态变化。
【机缘】一般指机会和缘分。
【机器】用来产生、转换或利用机械能的机械。通常由动力部分、传动部分、工作部分组成。如起重机、机床等。有时也泛指在人的操纵下工作的机构。如计算机。
【机警】机智灵敏,对情况的变化觉察得快。
【机关报】由政党、国家机关或群众组织主办并宣传其政治主张的报纸或刊物。
【机顶盒】指电视机顶盒。放在电视机顶端,可增加电视机功能的装置。如可接收数字电视信号,或用来连接互联网,收发电子邮件,看激光视盘等。
【机耕船】一种自走式水田耕作船。船体通常由薄钢板制成,靠叶轮驱动,船后悬挂1—2 个犁体。适用于湖区等水田耕地。
【机械手】按固定程序进行工作的自动传送与装卸的装置。主要用于为自动机床上下工件,在自动生产线上的机床之间传送工件,为加工中心机床自动换刀等,也常用于有危险、有污染的工作环境中。
【机械论】❶通常指以机械力学的观点来解释一切现象的机械唯物主义。❷一种形而上学的观点和思想方法。用孤立的、静止的、片面的观点去观察事物,抓住事物的某一侧面或某一时的表现加以绝对化。或者不从具体情况出发,不顾时间、地点、条件的不同,机械地搬用某种原理、经验。
【机械波】机械振动在介质中传播而形成的波。按介质中质点振动方向和波传播方向间的关系,可分为横波和纵波两种:质点振动方向与波传播方向垂直的波叫做横波;质点振动方向与波传播方向在一条直线上的波叫做纵波。固体中既能传播横波,又能传播纵波;液体和气体中只能传播纵波。
【机械能】机械运动的能量。包括动能和势能。参见〔动能〕(222 页)、〔势能〕(901 页)。
【机会主义】源出法语,意为应付或妥协。用来形容 19 世纪法国政治舞台上的一些没有固定政治见解、随机应变的政客。后来指工人运动、无产阶级政党内部的反马克思主义的思潮或路线。有两种表现形式:右倾机会主义和“左”倾机会主义。它们的阶级根源都是资产阶级或小资产阶级思想在政治上的反映;认识根源都是以主观和客观相分裂、认识和实践相脱离为特征。两者在一定条件下可以互相转化。
【机会成本】指将某种资源用在一种用途上以取得收入时所失去的将同一资源用在其他用途上可能取得的收入或价值。
【机变如神】随机应变,神奇莫测。宋陆游《南唐书·宋齐丘列传》:“世言江南精兵十万,而长江天堑可当十万;国老宋齐丘,机变如神,可当十万。”
【机械运动】物体之间或物体内各部分之间相对位置发生改变的过程。如车辆的前进、地球的转动等。
【机械振动】见〔振动〕(1252 页)。
【机械效率】机械输出的有用功和外界输入给机械的总功之比。任何机械在工作时由于摩擦等原因,必然会有能量损失,因此机械效率必定小于 100%。
【机器翻译】也叫计算机翻译。利用计算机模拟人的翻译活动,将一种语言或文字转换成另一种语言或文字的过程。
【机械化部队】陆军中能以建制内的装甲战斗车辆实施机动和战斗的部队。如机械化步兵部队、坦克部队、自行炮兵部队等。
【机械唯物主义】也叫形而上学唯物主义。唯物主义哲学发展的一个阶段。即欧洲16—18 世纪以机械性和形而上学性为特点的唯物主义哲学。承认世界是物质的,意识是物质的反映;但却企图用纯粹力学的原理来解释一切现象,用片面、孤立、静止的观点观察世界,在说明社会历史现象

J

时陷入唯心史观。

【机械能守恒定律】机械运动的重要定律之一。指只有重力和弹力对物体做功时，物体的动能和势能（重力势能或弹性势能）相互转化，但物体的机械能保持不变。

【机不可失，时不再来】指时机难得，不能放过。

【机关算尽太聪明，反算了卿卿性命】语见《红楼梦》第五回。意思是为了损人利己，用尽心机，要尽手腕，结果弄巧成拙，反而断送了自己的性命。机关：周密而巧妙的计谋。卿卿：一种亲昵的称呼。

肌 jī 肌肉，人体和动物体的一种组织。由许多肌纤维集合而成。分横纹肌、平滑肌和心肌三种。

【肌体】身体。

【肌肤】肌肉皮肤。

【肌理】❶皮肤的纹理。❷油画色彩的表面效果。

【肌肉注射】将药液注入肌肉。常用注射部位是臀大肌或三角肌。

机☒**（禨）** ㊀ jī 向鬼神求福去灾。㊁ jì（462 页）。

矶（磯） jī 水边突出的岩石或江河当中的石滩。㊀燕子～（在江苏）|采石～（在安徽）。

鞿☒**（羈）** jī 马缰绳。

丌☒ jī ❶垫东西的架子。❷同“基础”的“基”。

击（擊） jī ❶打；敲。㊀～鼓|旁敲侧～。❷攻打。㊀袭～|声东～西。❸碰。㊀撞～|肩摩毂（gǔ）～。❹接触。㊀目～。

【击节】打拍子。后用来形容对别人的诗、文或艺术等的赞赏。㊀～称赏。节：一种乐器。

【击剑】体育运动项目之一。运动员一手持细长的弹性钢剑，头带面罩，身穿规定服装，在长方形的场地上进行比赛。按规定时间和刺（劈）中（zhòng）的剑数决定胜负。根据剑的构造和刺（劈）中部位的不同，分花剑、佩剑和重剑。

【击破】打垮；打败。㊀各个～。

【击毙】（多指用枪）打死。

【击溃】打垮；打散。

【击乐器】也叫打击乐器。通过物体碰撞、摩擦而发声的乐器。分体鸣乐器（如锣、钹）、膜鸣乐器（如鼓）两种。也可分固定音高击乐器（如木琴、定音鼓）和无固定音高击乐器（如梆子、八角鼓）。

【击溃战】只将敌人击退而未全歼或大部歼灭的作战。

【击其惰归】《孙子兵法·军争》：“善用兵者，避其锐气，击其惰归。”意思是等敌人疲劳沮丧、兵无斗志而有归心的时机，再打击他们。

圾 jī 见〔垃圾〕（575 页）。

芨 jī 见〔白芨〕（23 页）。

乩 jī 见〔扶乩〕（285 页）。

刉☒ jī 刺破；割。特指用锥刀取牲血以祭祀。

鸡（鷄 *雞） jī 鸟类。喙短锐，有冠与肉髯，翼不发达，足健壮。家鸡分蛋用、肉用和兼用三类。

【鸡虫】鸡虫得失的略语。意思是事属细微，其得失无关紧要。唐杜甫《缚鸡行》：“小奴缚鸡向市卖，鸡被缚急相喧争。家中厌鸡食虫蚁，不知鸡卖还遭烹。鸡虫于人无厚薄，吾叱奴人解其缚。鸡虫得失无了时，注目寒江倚山阁。”

【鸡肋】❶鸡的肋骨，吃起来肉不多，扔了又可惜。比喻没有什么价值和意义，但又不忍舍弃的事物。《后汉书·杨修传》：“夫鸡肋，食之则无所得，弃之则如可惜。”❷比喻瘦弱。《晋书·刘伶传》：“鸡肋不足以安尊拳。”

【鸡胸】由佝偻病形成的胸部突出像鸡胸脯的体征。

【鸡眼】脚趾或脚掌皮肤的锥状角质物。很硬。行走时因尖端压迫神经末梢而疼痛。

【鸡精】也叫鸡粉。由鸡肉粉、麦芽糊精、水解蛋白等加工而成的营养丰富的调味品。

【鸡内金】鸡肫的内皮。黄色。入药有健脾胃、消食滞等作用。

【鸡毛房】旧时私人或公益团体所开办的供乞丐或穷苦人取暖的地方。

【鸡毛信】古时驿站传递公文、信件，在急件上插上鸡毛，故名。

【鸡血石】一种含辰砂而呈红色斑块的岩石。因朱红如鸡血，故名。主要产于浙江省临安市和内蒙古自治区林西县、巴林右旗。是上等的石雕和印章材料。

【鸡冠花】一年生草本植物。品种很多。夏秋开花，花红色、紫色、黄色等，形状像鸡冠，故名。可供观赏。也指这种植物的花。

【鸡口牛后】《战国策·韩策一》："宁为鸡口，无为牛后。"意思是宁可在小者之前，不在大者之后。后比喻宁在局面小的地方自主，不愿在局面大的地方受人支配。

【鸡犬不宁】唐柳宗元《捕蛇者说》："悍吏之来吾乡，叫嚣乎东西，隳突乎南北，哗然而骇者，虽鸡狗不得宁焉。"后以"鸡犬不宁"形容骚扰十分厉害，连鸡狗都不得安宁。

【鸡犬升天】道家传说，汉朝淮南王刘安修炼成仙后，剩下的丹药散在庭院里，鸡和狗吃了也都升了天。语出晋葛洪《神仙传·刘安》。后来用"鸡犬升天"比喻一个人做了大官，同他有关系的人也跟着得势(含贬义)。

【鸡毛蒜皮】比喻轻微琐碎无关紧要的小事。

【鸡尾酒会】酒会的一种。始于拉丁美洲。传说某酒店主丢失了一只心爱的鸡，后被一少年寻得归还。为了报答这位少年，店主把自己的女儿嫁给他。结婚那天，贺喜的宾客很多，因客人所要喝的酒不一样，只好把各种酒混合在一个缸内，并插上一根鸡尾上的羽毛，分请大家饮用。后来就把由两种或两种以上的酒或由酒搀入鲜果汁配制而成的饮料叫鸡尾酒，以这种酒招待宾客的酒会叫鸡尾酒会。在这种酒会上客人一般都站着饮食而且能随意走动，便于进行广泛的社交活动。一说由于各种酒颜色之美犹如雄鸡之尾羽，故名。

【鸡鸣狗盗】《史记·孟尝君列传》记载，战国时齐国的孟尝君被秦王扣留，幸亏他的门客中有会装狗的潜入秦宫偷出献给秦王的狐裘，再暗中献给秦王宠妃，孟尝君才得以释放；后来又靠另一个门客装鸡叫骗开城门，逃回齐国。后用"鸡鸣狗盗"比喻卑微的技能。也指偷盗行为。

【鸡零狗碎】形容事物零零碎碎。

【鸡新城疫】也叫亚洲鸡瘟。由病毒引起的鸡的急性传染病。接触传染。病症是闭眼、摇头、流涎、嗉胀、腹泻、呼吸困难。每年定期注射鸡新城疫弱毒疫苗可预防。

【鸡犬之声相闻，老死不相往来】相距很近，但是从不来往。《老子·八十章》："邻国相望，鸡犬之声相闻，民至老死不相往来。"形容彼此不了解，不互通音讯。

其 ㊁ jī 用于人名，如郦食(yì)其(西汉人)。

㊀ qí (769页)。

基 jī ❶基础。㊟房～｜根～。❷最低层的；基本的。㊟～层。❸化合物的分子中所含的一部分原子，被看作是一个单位时就叫基。㊟羟～(—OH)｜氨～(—NH_2)。❹根据。㊟～于上述原因。

【基本】❶根本的；主要的。㊟～矛盾｜～群众。❷大体上。㊟～完成。

【基石】作为建筑物基础的石头；基础。也比喻中坚力量。

【基业】❶指事业的基础；根基。❷指家产；产业。

【基地】作为某种事业基础的地区或地方。

【基因】生物体携带和传递遗传信息的基本单位。主要存在于细胞核内的染色体上。多数生物的基因由脱氧核糖核酸构成，只有某些病毒基因由核糖核酸构成。

【基多】厄瓜多尔首都。位于该国北部。人口179万(1997年)。是政治、文化中心，全国第二大城市、交通枢纽和重要的工业中心。也是南美洲的历史文化名城。古老的耶稣会教堂，是反映拉丁美洲不同历史时期艺术的宝库。市北有著名的赤道纪念碑。

【基佐】弗朗索瓦·皮埃尔·纪尧姆·基佐(1787—1874)法国政治家、历史学家。法国七月王朝时期(1830—1848)曾任内阁大臣、首相。主张君主立宪。在史学研究中曾以阶级斗争的观点解释法国大革命中各阶层、各集团之间的斗争。代表作有《法国文明史》等。

【基层】各种组织中最下层的一级。

【基金】为兴办、维持或发展某种事业而储备的资金或专门拨款。如教育基金、生产基金等。

【基肥】也叫底肥。播种或移植前结合耕翻土地施用的肥料。它供给作物生长期中长期需要的养分。

【基线】❶用精确度很高的金属尺在地面上直接测定两点间的距离，作为测量时构成三角形计算边长的基准线段。❷沿海国家领海起点的一条界线。国际上有两种划法：以沿岸海水最低落潮点作为基线，称为低潮线基线；以沿海外缘和沿海岛屿作为基点，连接成线，称为直线基线。沿海国家有权根据本国海岸具体特点，确定采用一种或兼用两种来划定自己的领海。

【基点】根本；基础；起点。

【基音】乐音中振幅最大、频率最低的音。由发音体整体振动所产生。

【基础】❶建筑物的地基。❷事物发展的根本或起点。㊀农业是国民经济的～|在现有～上提高一步。

【基准】测量时的起算标准。泛指依据的标准。

【基站】无线通信系统的一个组成部分。通常装备有无线收发信机、天线等设备。主要功能是实现不同用户间的无线接续。

【基调】❶音乐作品中的主要调子。❷基本精神或基本说法。

【基辅】乌克兰首都。位于该国北部。人口266万(1998年)。是全国政治、经济、文化和交通中心。有索菲亚大教堂等古建筑。

【基隆】市名。位于台湾岛北部。人口30多万(1997年)。是台湾省第二大港口城市。

【基督】希腊语音译词。救世主。基督教说耶稣是“救世主”，故称为耶稣基督。

【基数】❶一、二、三…十…百…千…万…等普通整数。❷统计中用作计算标准的数目。❸军事上指弹药、油料和战救药材等物资配备的计算单位。如规定一定数量的炮弹为一门炮的一个弹药基数。用基数作单位便于计算。

【基本功】从事某种工作所必需具备的基础知识、基础理论和基本技能。

【基本量】为确定一个单位制时选定的彼此独立的量。国际单位制中以长度、质量、时间、电流、热力学温度、物质的量、发光强度七个量为基本量。

【基诺族】中国少数民族之一。人口1.8万(1990年)。分布在云南省西双版纳景洪市。有本民族语言。

【基督教】❶即基督宗教。世界三大宗教之一。原为犹太教一宗派。信奉上帝(或称天主)和救世主耶稣，以犹太教经典作为《旧约全书》，基督教会编纂的经典作为《新约全书》，合称《圣经》。包括天主教、东正教、新教三大派别。1—2世纪开始流传于罗马帝国。4世纪被定为国教。在欧洲封建化的过程中，传播到欧洲各国，成为欧洲封建社会的重要支柱。1054年分裂为罗马公教(即天主教)和东正教。16世纪又从罗马公教中分裂出许多新教派，合称新教。欧洲国家向外殖民扩张时，传到亚洲、美洲。按其信仰人数和地域分布情况，为当今世界上最大的宗教。❷在许多国家，特别是中国，专指新教。

【基本矛盾】也叫根本矛盾。指贯穿于事物发展过程始终、规定全过程的本质、并对全过程起支配作用的矛盾。

【基本词汇】词汇中最主要的组成部分。同一般词汇相比，它的历史最悠久，通行面最广，构造新词能力最强。如汉语的人、山、高、大、打、不等。基本词汇和语法结构是语言的基础。

【基本单位】指在一个单位制中基本量的主单位。是构成单位制中其他单位的基础。

【基本建设】国民经济中固定资产的建造与购置。有生产性基本建设(如建造厂房、购置设备、兴修水利等)和非生产性基本建设(如学校、医院、住宅等建设)等。

【基本粒子】粒子的旧称。

【基本路线】在一定历史时期内指导各方面工作的根本方针、原则，即总路线。自中国共产党第十三次全国代表大会开始，特指在社会主义初级阶段建设有中国特色的社会主义的基本路线。即中国共产党领导和团结全国各族人民，以经济建设为中心，坚持四项基本原则，坚持改革开放，自力更生，艰苦奋斗，为把中国建设成为富强、民主、文明的社会主义现代化国家而奋斗。其主要内容可概括为一个中心(经济建设)、两个基本点(坚持四项基本原则，坚持改革开放)。

【基因工程】也叫基因重组技术。指利用高新技术，将细胞中带有遗传功能的基因加以剪切和连接，使染色体出现性质的变化，进而培育出符合人类需要的动植物或生物制品。

【基因疗法】一种治疗方法。人体基因缺陷或变异是引发疾病的重要原因之一。基因治疗有两种方式：(1)对患者进行修正的体内基因治疗；(2)对生殖细胞进行修正的胚体基因治疗。前者可使患者本人康复，后者修正后的特性可传给下一代。目前基因疗法还处在初创阶段。

【基因学说】美国摩尔根等所建立的遗传学

理论。认为基因是组成染色体的遗传单位,并证明基因在染色体上作线性排列。在个体发育中,一定的基因在一定的条件下,控制着一定的代谢过程,从而体现在一定的遗传特性和特征的表现上。基因可通过突变而导致性状的变异。

【基因突变】也叫点突变。基因内部发生了可遗传的结构变化。基因突变既可自发产生,也可诱发产生。

【基础工业】指为发展国民经济提供原材料、燃料、动力和重型机械等的工业。

【基础代谢】人和动物在清醒仰卧的安静状态中,测得的单位时间内的能量消耗水平。通常以氧消耗率为指标。与性别、年龄、体重、身长、健康状况等因素有关。临床上多用于诊断内分泌疾病,特别是甲状腺疾病。

【基础设施】为生产、流通部门提供服务的各个部门和设施。

【基础科学】研究自然现象和物质运动基本规律的科学。包括数学、物理学、化学、天文学、地学、生物学六大学科。是在生产实践和科学实验的基础上产生的。它不断探索未被发现的自然现象,不断认识未被认识的自然规律。它是整个科学技术中的自然科学的理论基础。

【基辅罗斯】东斯拉夫人的早期封建国家。公元882年诺夫哥罗德王公奥列格兼并基辅后建立。疆域北起芬兰湾和拉多加湖,南至第聂伯河中下游沿岸地区。12世纪20—40年代解体。

【基督宗教】见〔基督教〕(449页)。

【基因多样性】也叫遗传多样性。指同一生物群体中存在的多种变异类型。越是低等生物,其基因种类和数量越少,变异类型也少。基因多样性为生物进化提供素材,是生物多样性的基础。

J

期(*朞) ㊀ jī 周年或满一定的时期。㊥~年(一周年)|~月(一个月)。

㊁ qī(767页)。

錤☒(鍕) jī 同"镃基"的"基"。

箕 jī ❶簸箕。❷簸箕形的指纹。❸星名。二十八宿之一。

【箕裘】比喻祖先的事业。《礼记·学记》:"良冶之子,必学为裘;良弓之子,必学为箕。"良冶:善于冶金的人。良弓:善于造弓的人。箕:用荆条、柳条编织的器具。裘:用毛皮缝制的衣服。

踑☒ jī 足迹。

栟☒ jī 柱上的横木。

笄 jī 古代束发用的簪子。

奇 ㊀ jī ❶单数;不成对的。与"偶"相对。㊥~数|~偶。❷零数。㊥河宽三丈有~。

㊁ qí(770页)。

【奇零】也作畸零。整数以外的尾数。

【奇数】不能被2整除的整数。如+1、-1、+3、-3等。正奇数也叫单数。

剞 jī〔剞劂〕❶雕刻用的曲刀。❷雕版;刻书。劂(jué)。

犄 jī 见下。

【犄角】❶角(jiao)。兽角。㊥牛~。❷也说掎角。古时捕鹿,一方执角,另一方拉腿。后用"犄角"比喻作战时分出小部分兵力,夹击或牵制敌人。❸(~儿)。棱角。㊥桌子~。❹(~儿)。角落。㊥屋子~。

畸 jī ❶不正常的。㊥~形。❷偏。㊥~轻~重。❸数的零头。㊥~零。

【畸人】旧指不合时俗的人。

【畸形】❶生物的整个机体或某一部分发育异常。❷事物发展不均衡或不正常。

【畸零】同"奇零"(450页)。

【畸轻畸重】偏轻偏重。指事物发展不平衡,或对事物的态度有所偏重。

觭☒ jī ❶偏向;侧重。❷通"奇(jī)"。单数。

羁☒ jī 同"羁"。

隮☒(隮) jī ❶同"跻"。❷虹。

跻(躋) jī 登;上升。

韲☒ jī "齑"的异体字。

齑(齏) jī ❶捣碎的姜、蒜或韭菜的细末。❷细;碎。㊥~粉。

【齑粉】碎末儿。

虀☒ jī "齑"的异体字。

毄[⊠] jī 同"击"。

轚[⊠] ㊀ jī 打击。
㊁ jì(464 页)。

墼 jī ❶未烧的砖坯。[例]土～。❷用碎末抟成的块状物。[例]炭～。

咭 jī 同"叽"。

聐[⊠] jī〔聐聐〕拟声词。杂乱刺耳或细碎的声音。

唧 jī ❶吸水或喷水。[例]～筒｜～他一身水。❷拟声词。虫叫或小声说话的声音。[例]虫声～～｜～咕。

积(積) jī ❶聚集。[例]～少成多｜～肥。❷长时间积下来的(指坏的)。[例]～习｜～弊。❸中医指小儿消化不良的病。[例]食～。❹乘法所得的结果。[例]乘～。

【积习】长时期逐渐形成的习惯(多指不良的)。

【积分】❶累积的分数。❷见〔微积分〕(1017 页)。

【积压】长期积存,未加使用或处理。

【积劳】长期的连续的劳累。[例]～成疾。

【积极】❶进取向上,起正面促进作用的。[例]～分子。❷主动,努力,热心。[例]～工作。

【积肥】积攒肥料。

【积怨】指多日累积起来的怨恨。

【积累】❶逐渐聚集。❷把劳动产品或其价值的一部分用于扩大再生产的过程和行为。❸国民收入中用于扩大再生产的部分。

【积淀】❶长期积累沉淀(多指某种思想、文化、经验等)。[例]多年～的艺术功底。❷积累沉淀形成的思想、文化、经验等。[例]历史的～。

【积温】一定时期内,符合特定条件和特定要求的温度累积值。常使用活动积温,即植物某一发育期或整个生长期中,高于生物学最低温度的那些天的日平均温度的总和。积温主要用于农业气象预报和农业气候分析。

【积蓄】❶积存。❷积存的财物。[例]村里家家有～。

【积弊】长期形成并延续下来的弊病。

【积分学】微积分学的一部分。研究积分的性质、运算及其应用。求曲线的弧长、图形的面积和体积等,都是积分的典型问题。

【积雨云】垂直发展旺盛的高大云块。内部由云滴、过冷云滴和冰晶组成。积雨云出现时,常伴有雷电、阵雨和阵风;发展猛烈时,还会出现冰雹和龙卷风。

【积不相能】长期以来不相和睦。《左传·襄公二十一年》:"范鞅…故与栾盈为公族大夫而不相能。"《后汉书·吴汉传》:"君与刘公积不相能,而信其虚谈,不为之备,终受制矣。"积:长时间积累的。能:亲善。

【积羽沉舟】羽毛积多了也会把船压沉。比喻坏事虽小,积累起来,也会产生严重的后果。《战国策·魏策一》:"臣闻积羽沉舟,群轻折轴。"

【积劳成疾】因长期连续的劳累而得了病。

【积极修辞】指适应题旨情境需要,积极运用各种表达方式,利用语言文字的一切可能性和相关因素,使语言形象生动,富有表现力的一种修辞手法。与"消极修辞"相对。

【积非成是】谬误长期流传下去,反被认为是正确的。

【积重难返】积习深重,不易改变。多指恶习或弊端已发展到难以革除的地步。积重(zhòng):积习深重。

【积累基金】国民收入使用额中用于扩大再生产、非生产性建设和物资储备的那一部分。

【积铢累寸】也说铢积寸累。形容一点一滴地积累起来,就能积少成多。铢(zhū):古代很小的重量单位,二十四铢为一两。

【积毁销骨】《史记·张仪列传》:"众口铄金,积毁销骨。"指谣言坏话久而久之可以致人于死地。毁:坏话。销:熔化。

屐 jī ❶木底鞋。❷泛指鞋。

姬 jī ❶古代对妇女的美称。❷古称妾为姬。❸旧指以歌舞为业的女子。[例]歌～。

赍(賫*賷*齎) jī ❶怀着。[例]～志而没(mò)(志未遂而死去)。❷把东西送给别人。

嵇 jī 姓。

【嵇康】(223—262 或 224—263)三国魏文学家、思想家、音乐家。字叔夜,谯郡铚(今安徽宿州西南)人。曾任(魏)中散大夫,是

J

"竹林七贤"之一。他生活在魏晋易代之际,不满当时腐朽残暴的统治,公开揭露统治者"矜威纵虐",不肯同流合污,后遭司马昭杀害。诗风清峻,文章说理透彻,笔锋犀利。但作品中也杂有消极避世的思想。善鼓琴,以奏《广陵散》著名,曾作《琴赋》。有《嵇中散集》。

稽 ㊀ jī ❶停留。㊀~留|~延。❷考核。例~查|无~之谈。❸计较。例反唇相~。

㊁ qǐ(774页)。

【稽考】查对考核。

【稽延】延缓耽误,迟迟不进行。

【稽迟】拖延;滞留。

【稽查】检查(违禁活动)。也指担任这项工作的人员。

【稽留】停留。

缉(緝) ㊀ jī 搜捕;捉拿。例~私|通~。

㊁ qī(768页)。

【缉私】检查走私行为,缉捕走私罪犯。例~船|~人员。

【缉毒】检查贩卖毒品行为,缉捕贩毒罪犯。例~斗争|~人员。

【缉拿】搜查捉拿。

【缉穆】即"辑睦"(457页)。

禨⊠**(禨)** jī 衣服上的褶儿。

畿 jī 靠近国都的地方。例京~。

激 jī ❶(水)受阻或震荡而向上飞溅。例~起浪花。❷冷水突然刺激身体使得病。例他被雨~着了。❸使发作;使感情冲动。例刺~。❹急剧;强烈。例~战|~流。❺受某种影响而感情冲动。例~于义愤。

【激切】言语激烈而率直。

【激化】(矛盾)向激烈尖锐的方面发展。

【激发】❶激励使奋起。例帝国主义的封锁~了中国人奋发图强的精神。❷使原子、电子等的能量由较低的状态变为能量较高的状态。

【激动】❶感情冲动。❷使感情冲动。例~人心。

【激扬】❶激浊扬清的略语。❷激励。❸激昂。

【激光】旧称莱塞。由激光器产生的一种单色性很强、能量高度集中并朝着单一方向发射的光。可用于材料的打孔、焊接,以及精密测量、测距、雷达、医疗卫生等方面。

【激进】急进(多用在对待社会改革、政治革命的态度方面)。

【激励】激发鼓励。

【激奋】激动振奋。

【激昂】(情绪)激动高昂。例慷慨~。

【激荡】动荡,不平静。例心潮~。

【激战】激烈战斗。

【激将】用反话激人(做事)。将(jiàng)。

【激怒】刺激使发怒。

【激素】旧称荷尔蒙。人和动物的内分泌腺分泌的物质。是调节新陈代谢、维持正常生理活动所必需的。任何一种激素的过多或不足,都会引起内分泌疾病。甲状腺素、肾上腺皮质激素、胰岛素等都是激素。

【激烈】剧烈;猛烈。

【激流】湍(tuān)急的水流。

【激情】强烈冲动的情感。

【激越】声音高亢(kàng)清远。

【激愤】激动而愤慨。

【激增】猛然增加。例人数~。

【激光刀】利用激光代替手术刀切割人体组织的一种装置。切口出血少,不易感染,速度快,切口平滑。常用的有二氧化碳激光刀、氩激光刀等。

【激光枪】发射激光束毁伤目标的手提式装置。能使对方致盲或致伤。发射时不需计算提前量,射程可达千米。

【激光器】旧称莱塞。用来产生激光的装置。利用固体(如红宝石)、气体(如氦—氖)、半导体(如砷化镓)及其他介质中的受激辐射效应而产生激光。

【激光反导】使用激光武器拦截、摧毁来袭的弹道导弹。

【激光武器】利用激光束直接毁伤目标的武器。由激光器及其能源系统、精密瞄准跟踪系统以及激光束控制与发射系统组成。主要特点是以光速射向目标,不必计算提前量;射击精确,不受电磁干扰。但威力随距离增加而降低,不能全天候作战。

【激光制导】利用激光技术获得导引信息,并按选定的导引规律进行的制导。分激光波束制导和激光寻的(dì)制导。

【激光视盘】直径12厘米、厚约1.2毫米的数字化光盘。以单面记录。采用视频压缩后,可在一张盘上记录74分钟的活动图像及其伴音。

【激光通信】即“光通信”(352页)。

【激光唱片】指存放数字音频信号的光盘。

【激光照排】印刷业上指利用激光扫描成像技术进行照相排版。整个系统由输入部分、电子计算机信息处理部分和激光扫描记录部分组成。

【激浊扬清】比喻抨击、清除坏的,表彰、发扬好的。《尸子·君治》:“扬清激浊,荡去滓秽,义也。”激:冲去。浊:脏水。清:清水。

【激活作用】酶原或酶受某些物质的作用产生或提高活力的现象。如肠激酶激活胰蛋白酶原,镁离子激活磷酸酯酶。

羁(羈*覊) jī ❶马笼头。㊞无～之马。❷拘束;束缚。㊞～押|放荡不～。❸停留(在外地);寄居他乡。㊞～留|～旅。

【羁押】❶拘押;关押。❷法律上指法院、检察院和公安机关把尚未判决的犯罪嫌疑人、被告人关押在看守所或其他规定场所,限制其人身自由的一种执行强制措施的方法。被拘留、逮捕的人羁押在看守所。

【羁绊】束缚;被缠住不能脱身。

【羁留】❶长期停留(在外地)。❷拘押。

【羁旅】❶长久在他乡作客。❷指在外作客的人。

【羁縻】笼络牵制(旧多指笼络牵制藩属)。縻(mí)。

【羁縻府州】唐宋明各朝在边疆民族地区,设置府、州、县等地方行政单位,任命归附的当地统治者为官吏,这种行政单位唐叫羁縻府州,宋称羁縻州县,明置羁縻卫所。

jí ㄐㄧˊ

及 jí ❶赶上;到;达到。㊞我不～他|由表～里|～格。❷乘;趁着。㊞～时|～早。❸推广到;照顾到。㊞老吾老,以～人之老|攻其一点,不～其余。❹连词。连接并列的名词或名词性短语。㊞图书、仪器、标本～其他。

【及至】连词。等到,表示出现某种新情况,事情才发生变化。㊞～群众发动起来了,这些问题就迎刃而解了。

【及早】赶早;趁早。

【及时】❶适时的。㊞～雨。❷不拖拉;立即。

【及冠】古代男子满二十岁时举行加冠的礼节,因称男子满二十岁为及冠。也指已到了成人的年龄。

【及笄】古代女子满十五岁结发,用笄贯之,因称女子满十五岁为及笄。也指已到了可以结婚的年龄。

【及第】古称科举考试中选。特指考取进士。明、清两代只用于殿试前三名。

【及龄】达到规定年龄。

【及时雨】正是时候的雨;适合需要的雨。比喻正好符合人们愿望的事物。

【及格赛】体育比赛的一种。当田径、游泳等项目参加比赛人数过多时,先进行测试成绩的比赛,达到规定成绩指标或规定名额以内者,才有资格参加正式比赛。

【及瓜而代】等到明年瓜熟时派人接替。指任职期满由他人继任。《左传·庄公八年》:“齐侯使连称、管至父成葵丘。瓜时而往,曰:‘及瓜而代。’”及:到。代:代替。

【及时行乐】抓紧时机寻欢作乐。汉乐府《西门行》诗:“夫为乐,为乐当及时。”

【及锋而试】趁士气高昂时,及时作战。后泛指抓住有利时机,及时采取行动。《汉书·高帝纪上》:“吏卒皆山东之人,日夜企而望归,及其锋而用之,可以有大功。”及:当,趁着。锋:锋利,比喻士气旺盛。

伋 jí 用于人名,如孔伋(孔子之孙)。

岌 jí 山高的样子。

【岌岌】❶山高。❷形容危险的样子。

【岌岌可危】形容十分危险,快要倾覆或灭亡。

汲 jí 从下往上打水。㊞～水。

【汲引】旧指提拔、举荐人才。

【汲取】吸收;摄取。㊞～营养。

级(級) jí ❶等级。㊞高～|年～。❷台阶儿。㊞石～。❸量词。用于塔或台阶。㊞七～浮屠(七层的塔)|三十九～台阶。

【级数】也叫无穷级数。把一个数列 $a_1, a_2 \cdots a_n \cdots$ 的项依次加起来所得的表达式 $a_1 + a_2 + \cdots + a_n + \cdots$ 叫做级数。如 $1 + \frac{1}{2} + \frac{1}{3} + \cdots + \frac{1}{35} + \cdots$ 是一级数。

J

【级差地租】地租的形式之一。因土地的肥力、位置的差异以及投资于土地的资本具有不同的生产率而产生。其原因是土地经营的垄断。数值上等于农产品的个别生产价格低于社会生产价格的差额。

极(極) jí ❶顶端;最高点;尽头处。㊀登峰造~|无所不用其~。❷尽;达到顶点。㊀~力|~目|物~必反|穷奢~侈。❸最终的;最高的。㊀~端|~度。❹特指地球的南北两端;磁体的两端;电源或电器上电流流入或流出的一端。㊀南~|北~|阳~|阴~。❺副词。表示最高程度。㊀~重要|~大|忙~了。

【极目】用尽眼力远望。

【极刑】指死刑。

【极地】极圈以内的地区。

【极权】独裁政权。

【极光】经常出现在高纬度地区高空的一种辉煌瑰丽的彩色景象。一般呈带状、弧状、幕状或放射状。由太阳发出的高速带电粒子,因地球磁场作用而折向南北两极附近,使高层空气分子或原子激发而产生。

【极其】十分;非常。

【极板】电解装置或蓄电池中的板形电极。用铜、铅、锌、石墨等制成。

【极夜】太阳终日在地平线下的现象。极夜出现在南、北纬66°34′—90°间。纬度越高,极夜时间越长,至极点附近长达半年。

【极限】❶最高的限度;不容再加的限度。❷如果变量 x 按照某一规律变化而无限地接近或达到一常数 c,就称 c 是 x 的极限,记做 $\lim x=c$,或 $x\to c$。如圆内接正多边形的边数无限增加时,正多边形的面积的极限等于圆面积。

【极点】顶点;最高的程度。

【极品】最上等的。㊀~狼毫(一种毛笔)。

【极度】❶最高度;无以复加的程度。❷极点。

【极昼】太阳终日在地平线上的现象。极昼出现在南、北纬66°34′—90°间。纬度越高,极昼时间越长,至极点附近长达半年。

【极值】如果一个函数在某点的函数值大于或小于它附近任何一点的函数值,那么这点的函数值叫做该函数的极大值或极小值,统称极值。

【极圈】地球上66°34′的两条纬线所形成的圈。在南半球的叫南极圈,在北半球的叫北极圈。它们是温带和寒带的分界。

【极端】❶事物之尽头;顶点。❷偏向一边的言行。㊀各走~。❸非常;极其。㊀对同志~热忱。

【极乐鸟】也叫风鸟。鸟类。体态和羽毛华美。雄的翼下两侧有很长的绒毛,尾部中央有一对长羽。鸣声好听。产于新几内亚。可供观赏。

【极乐世界】也叫净土。佛教幻想的世界。那里没有众苦,但受诸乐,不受尘世污染,故名极乐。因远在西方,故又俗称西天。与"尘世"相对。

【极性分子】正负电荷重(zhòng)心不重(chóng)合的分子,即具有永久偶极的分子。如氯化氢分子。

笈 jí ❶书箱。㊀负~从师。❷书籍。㊀秘~。

【笈多式佛像】印度笈多王朝(320—550)时代的佛像。分薄衣贴体的马图拉式佛像和恍若裸体的萨尔纳特式佛像,对亚洲诸国包括中国的佛像产生了深远影响。

吉 jí ❶吉利;吉祥。与"凶"相对。㊀逢凶化~。❷吉林的简称。

【吉他】拨弦乐器。张弦六根,故又名六弦琴。用右手指拨奏。常用以伴奏民间舞蹈和歌唱。

【吉兆】吉祥的预兆。

【吉利】吉祥,顺利。

【吉金】原指可以铸造钟、鼎、彝器(酒器,也泛指祭器)的金属。后来用为钟鼎彝器的统称。

【吉剧】戏曲剧种。流行于吉林全省及辽宁、黑龙江部分地区。1958年后,在东北二人转的基础上,吸收了东北其他民间歌舞的某些特点并借鉴其他地方戏曲,逐步发展而成。

【吉期】好日子。特指结婚的日子。

【吉普】也叫吉普车。英语音译词。一种前后轮都驱动的小型越野汽车。机动性强,能在高低不平的道路上行驶。

【吉林省】简称吉。位于中国东北地区中部,南邻辽宁,北与黑龙江省相连,西与内蒙古自治区交界,东邻俄罗斯,东南与朝鲜接壤。面积18万多平方千米。人口2 644万(1998年)。省会长春市。重要城市还有吉林、四平、辽源、通化、延吉等。

【吉祥物】大型运动会的举办地选择本地有代表性的动物,经过艺术加工,作为运动会的象征物,给运动会增加喜庆气氛,这种象征物叫做吉祥物。

【吉鸿昌】(1895—1934)抗日爱国将领。原名恒立,字世五,河南扶沟人。原为冯玉祥西北军中的高级将领,1933 年联合冯玉祥、方振武等在张家口组成察绥民众抗日同盟军,任第二军军长兼北路前敌总指挥,把日军完全驱逐出察哈尔。1934 年加入中国共产党。因坚决抗日,反对蒋介石卖国,在北京被国民党反动派杀害。

【吉隆坡】马来西亚首都。位于该国的西部。人口约 150 万(1996 年)。是全国政治、经济、文化中心,马来半岛的交通枢纽。

【吉卜赛人】也叫茨冈人。以过游荡生活为特点的一个民族。原住印度西北部,10 世纪前后开始外移,遍布世界各洲。茨冈语属印欧语系新印度语族。吉卜赛人现已改说各所在地的语言,信奉当地流行的宗教。擅长歌舞。

【吉日良辰】好日子,好时辰。多指喜庆日子。屈原《九歌·东皇太一》:“吉日兮辰良,穆将愉兮上皇。”吉日:吉利的日子。良辰:美好的时刻。

【吉光片羽】也说吉光片裘。吉光是传说中的一种神兽。晋葛洪《西京杂记》卷一:“武帝时西域献吉光裘,入水不濡。”吉光片羽就是吉光身上的一片毛。常用来喻指残存的艺术珍品。明焦竑《李氏焚书序》:“断管(毛笔)残沈(墨汁),等于吉光片羽。”

佶 jí 壮健的样子。

【佶屈聱牙】也作诘屈聱牙。形容文章艰涩,读起来不顺口。唐韩愈《进学解》:“周诰殷盘,佶屈聱牙。”佶屈:曲折,引申为不顺。聱牙:拗口。

诘(詰) ㊁ jí 〔诘屈聱牙〕同“佶屈聱牙”(455 页)。
㊀ jié (497 页)。

姞 jí 姓。

即 jí ❶靠近;接触。[例]若~若离。❷到;开始从事。[例]~位。❸就是。[例]非此~彼。❹副词。1. 立刻;马上。[例]一触~发|胜利~在眼前。2. 加强肯定的语气。[例]问题的关键~在于此。❺当时;眼前。[例]~日|成功在~。❻就着。[例]~景生情。

【即日】❶当(dàng)天。❷最近几天内。

【即令】连词。即使。

【即兴】未经事前酝酿,就眼前的情景、感受(而创作、表演、讲话)。[例]~诗。

【即时】立即;即刻。

【即位】指开始做帝王或诸侯。

【即若】连词。即使。

【即或】连词。即使。

【即使】连词。表示假设的让步(以进一步证实或加强主句的意思)。[例]~我们的工作取得了极其伟大的成绩,也没有任何值得骄傲自大的理由。

【即便】连词。即使。

【即将】副词。将要;就要。[例]~远航。

【即席】❶在宴会上就座。❷当场。[例]~讲话。

【即景】就眼前的景物(作诗文或绘画)。[例]~诗|农村~。

【即景生情】为眼前景物所触动,产生某种思想感情。

【即以其人之道,还治其人之身】就用他本人的办法,回过来对付他本人。《礼记·中庸》:“故君子以人治人,改而止。”宋朱熹《四书集注》:“故君子之治人也,即以其人之道,还治其人之身,其人能改,即止不治。”

亟 ㊀ jí 副词。急迫。[例]缺点~应纠正。
㊁ qì (776 页)。

【亟宜】应该赶快(处理、办理)。

【亟盼】急切希望。

殛 jí 杀死。[例]雷~。

革 ㊁ jí 危急。[例]病~。
㊀ gé (315 页)。

急 jí ❶急躁;着急。[例]~性子|~着赶路。❷使着急。[例]眼看要开演了,小王还不来,真~人。❸匆促;迅速。与“缓”相对。[例]~促|水流很~。❹迫切;情况严重。[例]~事|情况紧~。❺紧急严重的事情。[例]救~|当务之~。❻热心做;热心帮助。[例]~公好义|~人之难。

【急切】非常迫切。

【急务】须紧急办理的事务。

【急促】❶间歇短而速度快。[例]脉搏~。❷短促。[例]时间~。

【急剧】迅速剧烈。

【急难】❶情况或处境危急困难。❷热心帮助人摆脱困境。

【急救】对患急性病或受重伤的人进行紧急救治。

J

【急遽】急速。
【急躁】❶着急不安。❷性子急,不慎重。
【急先锋】比喻领头冲在前面的人。
【急行军】最快速度的行军。部队执行紧急任务时采用。必要时进行轻装。
【急刹车】使转动的机器、前进的车辆迅速停止。比喻使正在进行中的事情突然停下来。
【急就章】❶为了应急需而匆促写成的书面材料或草草办完的事情。❷也叫《急就篇》。书名。西汉史游撰。是一部教学童识字的七言韵语字书。全书三十四章,有姓名、衣服、饮食、器用等分类。
【急不暇择】在紧急情况下来不及选择。
【急中生智】在情况紧急时或在危急中突然想出应付的办法。
【急公好义】热心给大家办好事,肯帮助人。
【急风暴雨】比喻来势迅猛,声势浩大。
【急功近利】急于追求眼前的成效和利益。汉董仲舒《春秋繁露·对胶西王》:"仁人者正其道不谋其利,修其理不急其功。"
【急如星火】像流星的光一样极快地闪过。比喻情势紧迫。晋李密《陈情表》:"郡县逼迫,催臣上道;州司临门,急于星火。"星火:流星的光。
【急转直下】情况突然发生变化,并且顺着变化的趋势迅速发展下去。
【急起直追】立即行动起来迅速地赶上去。
【急流勇退】原指船在急流中迅速退出。后多用以比喻做官的人在得意时及早引退,明哲保身。宋苏轼《赠善相程杰》诗:"火色上腾虽有数,急流勇退岂无人。"
【急来抱佛脚】俗语说:"平时不烧香,急来抱佛脚。"比喻不早做准备,事到临头才急着想办法。
【急性胃肠炎】胃、小肠和结肠壁的急性炎症。多由饮食不当、进食腐败变质或细菌污染的食物引起。发病急,有呕吐、腹疼、腹泻等症状。

疾 jí ❶病。㊎~病。❷痛苦;疼痛。㊎关心群众的~苦|痛心~首。❸痛恨。㊎~恶如仇。❹快;迅速;猛烈。㊎~走|~风。
【疾驰】迅速奔驰。
【疾患】疾病。
【疾言厉色】也说疾言遽色。言语急促,神色严厉。形容对人发怒时说话的神情。《后汉书·刘宽传》:"虽在仓卒,未尝疾言遽色。"
【疾首蹙额】头痛皱眉、恨怒愁苦的样子。常用来形容对坏人坏事的憎恨厌恶。《孟子·梁惠王下》:"举疾首蹙頞(è,鼻梁)而相告曰:'吾王之好鼓乐,夫何使我至于此极也。'"蹙(cù)。
【疾恶如仇】也作嫉恶如仇。痛恨坏人、坏事如同仇敌。《晋书·傅咸传》:"刚简有大节,风格峻整,识性明悟,疾恶如仇。"
【疾风扫落叶】比喻力量强大,行动迅速,像猛烈的风刮走落叶一样。
【疾风知劲草】也说疾风劲草。只有在大风中才能看出什么样的草是强劲的。比喻只有在关键的时刻才能显示出一个人的坚强意志,经得起考验。《后汉书·王霸传》:"光武谓霸曰:'颍川从我者皆逝,而子独留努力,疾风知劲草。'"劲(jìng)。

蒺 jí 〔蒺藜〕一年生草本植物。茎平卧。果实有刺,可入药,主治头痛、风痒等。也指这种植物的果实。

嫉 jí ❶忌妒。㊎~贤妒能。❷憎恨。㊎~恶如仇。

喈⊠ ㊂ jí 〔喈喈〕鸟叫声。
㊀ jiè (503 页)。
㊁ zè (1229 页)。

踖⊠ jí 见〔踧踖〕(155 页)。

棘 jí ❶酸枣树,落叶灌木。有刺,果小味酸。种子供药用,治神经衰弱等。树可作嫁接大枣树的砧木。❷带刺草木的通称。㊎荆~。❸刺;扎。㊎~手。
【棘手】荆棘刺手。比喻事情难办。
【棘皮动物】动物界的一门。全部海生。成体呈辐射对称。具内骨骼。如海参、海胆、海星等。

戢 jí ❶收敛;收藏。㊎~翼。❷停止。㊎~怒。

蕺 jí 蕺菜,也叫鱼腥草。多年生草本植物。茎和叶有腥味,可供药用,嫩茎叶可食。

濈⊠ jí 〔濈濈〕聚集在一起。

楫(*檝) jí 划船的桨。

辑(輯) jí ❶聚集材料编书。㊎编~|~录。❷聚集很多资料而成的书。㊎专~|特~。

【辑录】收集抄录有关著作或资料并编印成书。

【辑睦】也说缉睦。和睦。

咠□ ㊀ jí 众口。
㊁ léi (588 页)。

集 jí ❶聚;会合。㊐会~|~思广益。❷汇集单篇作品编成的书、册等。㊐诗~|文~|画~|选~。❸农村定期交易的市场。㊐赶~。❹集合的简称。

【集中】❶把分散的聚集在一起。㊐~优势兵力,各个歼灭敌人。❷见〔民主集中制〕(687 页)。

【集市】在农村或小城镇中定点、定时进行贸易的市场。

【集权】集中权力。

【集团】为了一定目的组织起来的共同行动的团体。

【集合】❶把分散的人或物聚在一起。❷简称集。具有某种属性的事物的全体称为集合。组成集合的每个事物称为该集合的元素,研究集合的运算及其性质的数学分支称为集合论或集论。

【集邮】收集和保存各种邮票。

【集体】许多人合起来的有组织的整体。

【集注】❶集中注意。❷汇集前人(对某部书的)注解叫集注。有时附以汇集者的见解。

【集结】指部队集合聚拢在某一地方或某一地带。

【集部】中国古代图书分为经、史、子、集四部分,集部收各种体裁的文学著作。

【集锦】指编辑在一起的精彩的诗文、书画、图片等。也指集合各种花样的图案。

【集聚】集合;聚合。

【集大成】融会各家成就而达到完备的程度。

【集中营】帝国主义和反动派集中监禁、迫害革命者、战俘、无辜民众的场所。

【集团军】由若干个师、旅编成的军队一级组织。一般隶属于大军区或方面军。陆军集团军设有领导机关,编有战斗部队和勤务保障部队。由步兵、装甲兵、炮兵、防空兵、工程兵、通信兵、防化兵、电子对抗兵、陆军航空兵等兵种或专业兵组成,是基本战役军团。

【集装箱】一种可以反复使用的货物运输装货容器。具有统一规格、型号,在一种或几种运输方式联运换装时,货物无须在途中倒装,因而可加速运输周转,节约时间,降低成本。按用途可分为通用和专用两种。

【集市贸易】定期或不定期在相对固定的场所进行的自由交易活动。集市贸易是市场经济的发源地,是中国农村地区乡镇主要的贸易方式。

【集成电路】将晶体管、电阻、电容等元件及其连线一起制作在一块半导体硅片上,能完成一定功能的电路。具有体积小、重量轻、引出线和焊点数目少、耗电省、可靠性高、成本低、便于批量生产等优点。

【集团电话】一种将多部内线电话连接起来,共用少数几条外线的小型电话交换机。由微型计算机控制接续,不需话务员介入,并有呼叫转移、遇忙回叫等功能。

【集约经营】指在一定面积的土地上,集中投放较多的劳力和资金,实行精耕细作,通过提高单位面积产量来增加农作物总产量的农业经营方式。

【集体主义】一切从人民群众集体利益出发的思想。是共产主义道德的基本原则。它要求在处理个人和集体的关系时,把集体利益放在第一位,个人利益服从集体利益。集体主义反对一切形式的利己主义,但承认和尊重正当的个人利益,并为个人的全面发展创造条件。

【集体经济】以生产资料为劳动群众集体所有为基础的经济形式。

【集苑集枯】有的鸟喜欢栖于枝叶繁茂的树上,有的鸟却喜欢栖于枯树之上。比喻人的志趣不同,趋向各异。苑(yuàn):茂盛的树木。

【集思广益】集中大家的意见和智慧,可以收到更大更好的效果。三国蜀诸葛亮《与群下教》:"夫参署者,集众思,广忠益也。"宋许月卿《次韵陈肇芳竿赠李相士》诗:"集思广益真宰相,开诚布公肝胆倾。"

【集腋成裘】把许多狐腋缝在一起就可做成一件皮袄。比喻聚少成多,积小为大。《慎子·知忠》:"庙廊之材,非一木之枝;狐白之裘,非一狐之腋。"腋:腋下,这里指狐腋下的皮毛。裘:皮袄。

【集成电路卡】也叫智能卡。把智能化集成电路芯片嵌在塑料基片中封装而成的卡。外形跟磁卡相像,能够写入数据和存储数据,可以有条件地供外部读取。

【集体所有制】生产资料和劳动产品归劳动者集体所有的一种社会主义所有制形式。

嵴 jí 山脊。

瘠 jí ❶身体瘦弱。❷(土地)不肥沃。㊀～薄|～土。

鹡(鶺) jí〔鹡鸰〕鸟类。中国常见的白鹡鸰,头黑额白,背黑腹白。鸣声尖锐。主食昆虫。是益鸟。

踖 jí 小步。㊀～步。

藉 ㊁ jí 践踏;凌辱。
㊀ jiè (503页)。
另见"借"(503页)。

【藉藉】也作籍籍。纷乱的样子。常形容众口喧哗或声名甚盛。

籍 jí ❶书;书册。㊀古～|经～。❷登记隶属关系的册簿。引申指隶属关系。㊀国～|党～|户～。❸祖居或本人出生的地方。㊀原～|祖～。

【籍贯】祖居或个人出生的地方。

【籍籍】同"藉藉"(458页)。

jǐ ㄐㄧˇ

几(幾) ㊀ jǐ ❶询问数量多少的疑问词。㊀～个人?|来了～天?❷表示不定的数目。㊀十～岁|所剩无～。
㊁ jī (445页)。

【几多】多少(多用于问话)。

【几许】多少。

【几何】❶多少。㊀价值～。❷数学的分支学科。研究物体的形状、大小和位置及它们的相互关系。

【几何体】如果只研究一个物体的形状和大小,而不考虑它的其他性质,就把这个物体叫做几何体。

【几内亚湾】西非沿岸大西洋的一部分。位于帕尔马斯角与洛佩斯角之间。湾内最深处达6 363米。湾内有许多火山岛,沿岸多浅滩、潟湖和茂密的红树林。

【几何级数】❶即"等比级数"(189页)。❷等比数列的旧称。

【几何原本】书名。古希腊数学著作。欧几里得著。成书于公元前3世纪。共十三卷。其中有五卷讲述比例和算术理论,其余各卷讲述几何学知识。它最早使用公理化方法,从公理和公设出发,用演绎法叙述平面几何学。长期以来一直被认为是几何学的标准教科书。中国最早的译本,是明代徐光启与天主教传教士利玛窦合译的《几何原本》前六卷,于1607年在北京出版。这是欧洲文艺复兴以后,西方数学输入中国的开始。后几卷由清代数学家李善兰和传教士伟烈亚力合译,于1857年出版。

虮(蟣) jǐ 虮子,虱子的卵。

麂 jǐ 哺乳动物。小型鹿类。仅雄的有角。黑麂是中国国家重点保护动物。

己 jǐ ❶代词。自己。❷天干的第六位。现常用来表示顺序的第六。

【己所不欲,勿施于人】自己所不愿意接受的,不要施加到别人身上。《论语·颜渊》:"己所不欲,勿施于人。"欲:想要,希望。施:加。

纪(紀) ㊁ jǐ 姓。
㊀ jì (460页)。

鱾(紀) jǐ 鱼类。体侧扁,呈椭圆形,绿褐色。生活在海底岩石礁间。

泲⊠ jǐ 古水名。即济水。

挤(擠) jǐ ❶用压力使从孔隙中出来。㊀～牛奶|～牙膏。❷(人、物)紧紧靠拢在一起,(事情)集中在同一时间内。㊀拥～|街上的人很～|年底,事情全～在一块儿了。❸在拥挤的环境中用身体排开人或物。㊀费了好大劲,才～出来。

【挤兑】市面银根转紧或银行信用发生动摇时,持有银行券者都纷纷到银行里挤着兑现(金币或银币)。在纸币制度下,为避免银行倒闭风险而蜂拥提取存款叫挤提。

济(濟) ㊁ jǐ 济水,古水名。发源于河南,流经山东入渤海。今河南济源,山东济南、济宁、济阳,都从济水得名。
㊀ jì (462页)。

【济济】形容众多。㊀人才～。

【济南市】山东省会。位于该省西部。人口170万(1997年)。京沪、胶济铁路在此交会。是全省政治、经济、文化和交通中心。工商业发达。市内多泉水,有泉城之称。风景名胜有千佛山、大明湖、趵突泉等。

【济济一堂】形容许多人聚集在一起。《尚书·大禹谟》:"济济有众。"济济:众多的样子。堂:大厅。

给(給) ㊀ jǐ ❶供给;供应。㊣粮食自～|补～。❷丰裕充足。㊣家～户足。

㊁ gěi (319 页)。

【给予】给;提供。㊣～关怀|～援助。予(yǔ)。

【给付】❶付给(应付的款项等)。❷保险人对索赔人提交的单证进行审核,根据合同约定赔付保险金。

【给养】指军队中主副食、燃料以及牲畜饲料等生活必需物资。

【给水工程】也叫上水工程。供给生活用水和工业用水等的工程。其设施通常由取水构筑物、水厂、输水管道、配水管网等组成。

脊 jǐ ❶背中间的骨头;脊柱。㊣～椎|～髓。❷中间高起像脊柱的部分。㊣屋～|山～。

【脊柱】俗称脊梁骨。人和脊椎动物的中轴骨骼。由若干形状不规则的椎骨借椎间盘、韧带互相连接而成。有支持躯干、保护内脏器官的作用。

【脊髓】人和脊椎动物中枢神经系统的一部分。位于椎管中,上连延髓,在第一、二腰椎处终止。是周围神经与脑连络的通路,也是许多简单反射活动的中心。成对的脊神经从其两侧发出,与机体大部分相联。

【脊神经】从脊髓两侧发出的成对神经。人的脊神经共有 31 对。分布于头、颈、胸、腹壁、腰和四肢。

【脊索动物】动物界最高等的一门。成体或幼体背侧有一脊索,故名。分原索动物和脊椎动物。

【脊椎动物】身体内有由脊椎骨所组成的脊柱,背部有发达的中枢神经系统的动物。分鱼类、两栖类、爬行类、鸟类、哺乳类等。

【脊髓灰质炎】也叫小儿麻痹。由脊髓灰质炎病毒引起的急性传染病。常发生于夏秋季,经消化道传染。多见于小儿。主要侵犯脊髓和脑干的运动神经元。主要症状是弛缓性瘫痪。定期口服脊髓灰质炎疫苗可预防。

掎 jǐ ❶拉住;拖住。引申为牵制。❷通"倚(yǐ)"。支撑。

【掎角之势】比喻互相配合,夹击敌人的态势。《左传·襄公十四年》:"譬如捕鹿,晋人角之,诸戎掎之,与晋踣之,戎何以不免?"掎角:指拉住腿,抓住角。

戟 jǐ 古代兵器。在长柄的上端装有金属的枪尖,旁边附有月牙形锋刃。

【戟指怒目】竖起食指和中指指着人,眼睛瞪得大大的。形容怒骂时的样子。

撠☒ jǐ ❶击刺。㊣搏～。❷抓住;握住。

jì ㄐㄧˋ

计(計) jì ❶计算。㊣不～其数。❷主意;策略。㊣眉头一皱,～上心来。❸计划;打算;考虑。㊣设～|为安全～。❹测量或计算度数、时间等的仪器。㊣晴雨～|体温～。

【计议】商议,考虑。㊣从长～。

【计成】(1579—?)明末江南造园家、诗人。吴江(在今江苏)人。所造园林及叠山以形象佳妙、宛如真境而闻名。先后建有寤园、石巢园、影园等。1634 年所著《园冶》一书,是中国现存最早的造园著作。

【计划】❶行动前预先拟订的行动内容、目标、办法、步骤等。❷订计划。❸打算;考虑。

【计较】❶争论。❷打算;商量。❸计算比较。㊣从不～个人得失。

【计量】❶用一个规定的标准已知量,如长度、重量、温度、压力、电流等,和同一类型的未知量相比较而加以测定。❷计算。㊣影响之大,是不可～的。

【计策】行动的方法和策略。

【计算】❶计数;通过已知数求出未知数。❷筹划;打算。❸算计;暗中谋划损害别人。

【计算尺】一般指对数计算尺,即利用对数性质制成的一种计算工具。可以用来进行乘、除、乘方、开方、求三角函数值等运算。形似直尺,由尺身、滑尺和指示滑标三部分组成。

【计算机】电子计算机的简称。

【计日程功】❶按照日程,要求工作进度。❷工作的进度和成效,可以按日子计算。形容进展有把握,可以如期完成。程:量,计算。

【计出万全】形容计划细密周到,没有任何漏洞。《汉书·晁错传》:"帝王之道,出于万全。"

【计划生育】采用科学方法,有计划地生育子女。

【计划经济】在生产资料的社会主义公有制基础上,通过集中统一计划来进行领导和管理的国民经济运行方式。

【计划调节】通过制定与执行国民经济和社会发展计划,自觉地调节和决定经济的发展。

【计件工资】按工人所生产的产品件数或完成的作业量,依照一定单价交付的工资。

【计时工资】按工人的劳动时间支付的工资。分小时工资、日工资、周工资和月工资等。

【计量单位】用以量度同类量大小的标准量。如把光在真空中1/299792458秒所经过的行程作为量度长度的标准,并称为"米",这个标准长度就是长度的计量单位。

【计量经济学】经济学的分支学科。对经济进行定量研究。根据经济理论,运用数理统计方法处理经济经验数据,进行经济预测与实证研究。

【计算机网络】简称网络。多台独立的计算机通过软件、硬件设备,实现资源共享和信息交换的系统。广泛应用于通信、航空、航天、制造、交通运输、商务、办公自动化、军事等领域,提供电子邮件、电子数据互换、文件传送、虚拟终端、电视会议、网上购物等服务。

【计算机安全】为防止意外或人为非法使用、破坏计算机系统及信息资源,而对计算机硬件、软件和数据采取的保护措施。包括实体安全、软件安全、数据安全和运行安全。

J

【计算机病毒】俗称电脑病毒。指人为的、用计算机高级语言编成的、可以存储和执行的非法程序。它隐藏在计算机系统可存取的信息资源中,利用系统信息资源复制和传播,影响和破坏计算机系统的正常运行。

【计算机翻译】即"机器翻译"(446页)。

【计划单列城市】中国直辖市和省会城市以外的、在全国经济发展中具有重要地位而由国务院进行单列管理的城市。计划单列城市在制定、执行和审批经济计划方面具有相当于省一级的权限。如大连、青岛、宁波等。

【计算机辅助设计】指利用电子计算机所进行的各种设计工作。广泛应用于集成电路、大规模集成电路等的设计。

【计算机断层扫描】一种利用X射线扫描并用计算机显示图像以便观察的诊断方法。用于诊断脑血管疾病,颅脑损伤或病变,肝、胆、胰、脾、肾疾病和腹部外科疾病等。

疳□(**癤**) jì 同"记"⑤。

记(**記**) jì ❶把印象保持在脑子里。㊀~忆|惦~。❷把事物或话语写下来。㊀~录|登~|~工。❸记载或描写事物的书或文章。㊀日~|游~。❹标识(zhì);记号。❺生下来皮肤上就有的深色的斑。❻量词。用于某些动作的次数。㊀打了他一~耳光。

【记忆】❶对认识过的事物能够回忆。❷心理学范畴。指人对经验过的事物的一种反映,包括识记(对当前事物的认识并记住)、再认(该事物重新出现后能够认识出来)和重现(把头脑中的印象回想起来)。

【记者】报社、通讯社、广播电台、电视台等新闻机构中担任采访、新闻写作、摄影的专业人员。

【记取】记住(可作借鉴的经验教训)。

【记录】❶把说的话、做的事写下来。❷当场记录下来的材料。❸在一定阶段和范围内,用数字表明某一项目成绩的记载。❹做记录的人。

【记要】同"纪要"(461页)。

【记载】❶把经过的事情写在纸上。❷记载事情的文章。

【记叙文】以记叙为主要表达方法的写人、记事、绘景、状物的文体。通常要求具备六要素:时间、地点、人物、事件(经过)、原因、结果。记叙文的样式有消息、通讯、游记、人物特写、回忆录等。

【记忆合金】形状记忆合金的简称。具有记忆功能的合金材料。如钛镍合金、铜锌合金等。记忆合金在某一温度下受力变形,去除外力仍保持变形后的形状,在另一温度下能自动恢复变形前的形状。可用于热一机械器件和恒温控制器等,医疗上可用于矫形等。

【记忆犹新】过去的事,至今印象还非常清晰,如刚发生过的一样。犹:还。

纪(**紀**) ㊀jì ❶古时把十二年算作一纪。今指一百年为一世纪。❷纪律。㊀军~。❸地质年代分期的第三级。如古生代分成寒武纪等六个纪。

❹同“记”。主要用于“纪元”“纪念”“纪年”“纪要”等词语中。

㊁ jǐ（458 页）。

【纪元】历史上纪年的起算年代。中国纪元，始于西周共和元年（前 841），自汉武帝建元元年（前 140）以后，历朝皇帝都立年号纪元，即以皇帝即位或中途改换年号的第一年为元年。现世界多数国家采用的公元纪年，以传说耶稣诞生年为元年。

【纪年】❶以年月顺序为中心编写历史的一种方法。❷记载年代。中国古代用干支纪年，从汉武帝开始至清朝末年又兼用皇帝的年号纪年。现在各国通用的是公历纪年，以相传耶稣诞生年为第一年。

【纪行】记载旅途中见闻的文字或图画（多用于标题）。㊎旅欧～。

【纪纲】❶法度。❷古指统领仆隶的人。

【纪要】也作记要。记录要点的文字。㊎新闻～|会谈～|工作～。

【纪律】党政机关、团体、部队、企业、学校等所制订的，为所属人员必须遵守的行动规则。

【纪传体】古代史书以人物传记为中心记载史事的一种体裁。纪传体创始于西汉司马迁《史记》，包括本纪、世家、表、书（志）、列传等部分。后历代封建王朝的史书多沿用。

【纪念币】具有特定主题的限量发行的货币。

【纪念碑】为纪念某种重大事件和功绩或纪念烈士而修建的石碑。㊎人民英雄～。

【纪录片】真实地报道当前国际国内时事和政治、经济、文化、军事等方面活动的影片。

【纪事本末体】古代史书的一种体裁。以重要历史事件为题，按年月顺序叙事，有本有末，独立成篇。创始于南宋袁枢的《通鉴纪事本末》。

忌 jì ❶嫉妒；憎恨。㊎猜～|～恨。❷怕。㊎顾～。❸禁戒。㊎～生冷。❹戒除。㊎～酒。

【忌口】也说忌嘴。因病或其他原因不宜吃某些食物。

【忌日】❶也叫忌辰。指先辈或长者去世的日子。旧俗在这一天忌举行宴会或娱乐活动。❷迷信的人指不宜做某事的日子。

【忌讳】❶由于迷信、风俗习惯或个人成见等原因，对某些言语举动或事情有所顾忌而形成的禁忌。❷对可能产生不良后果的事力求避免。㊎患痢疾最～吃生冷油腻。

【忌辰】即“忌日”①（461 页）。

【忌刻】对人忌妒刻薄。

【忌惮】畏惧；惧怕。㊎肆无～。

跽 jì 长跪。古人坐时臀部贴脚后跟，臀部离开脚后跟，腰伸直，就是跽。

伎 jì ❶通“技”。技艺；才能。❷古又同“妓”。以歌舞为业的女子。❸古又同“忮（zhì）”。

【伎俩】花招；不正当的手段。

技 jì 本领；手艺。㊎～能|～术。

【技工】有专门技术的工人。

【技艺】❶技巧性的表演艺术。❷手艺。

【技击】用于搏斗的武术。

【技巧】巧妙的技术或熟练地运用技术的能力。

【技术】进行生产活动或其他活动的知识技能和操作技巧。

【技师】技术人员的职称之一。相当于初级工程师或高级技术员的技术人员。

【技法】艺术创作的技巧和方法。㊎国画～|鲁迅刻画人物的～。

【技能】掌握和运用某种技术的能力。

【技痒】形容具有某种技能，遇到机会就想试一试。㊎他见到打篮球，就不免～。

【技术员】技术人员的职称之一。在工程师的指导下，能够完成一定技术任务的技术人员。

【技术兵】使用专业技术装备，以专门技能执行任务的士兵。

【技巧运动】体育运动项目之一。场地总长度不小于 40 米，宽 3 米。运动员做滚翻、空翻、倒立、跳跃等动作。比赛项目有男子双人、女子双人、混合双人、男子四人、女子三人等。依其技术结构的不同，分为静力性动作和动力性动作。

【技术开发】改进老产品、老工艺，发展新产品、新工艺的一系列有计划、有组织的技术研究活动。

【技术改造】采用新技术、新工艺、新设备等对现有技术装备进行提升或部分更新。

【技术革命】指生产技术的重大的根本性的变革。例如，在世界上蒸汽机的广泛使用；电力被广泛用于动力、照明、通讯及自动控制；原子能、电子计算机和空间技术的发现和利用。

【技术革新】指生产技术上的渐变性的改

进。如对生产工具、工艺流程以及所用原料局部的改革和改进。

【技术贸易】具有一定交换价值的技术商品的进出口贸易。

【技术密集型企业】生产中技术装备、产品设计及工程过程复杂,机械化、自动化程度较高的企业。如汽车制造、计算机设备生产等类企业。

芰 jì 菱;菱角的古称。

妓 jì ❶古指以歌舞为业的女子。❷妓女。

齐(齊) ㊁ jì ❶调味品。❷(今多读qí)合金。㊀锰镍铜～。
㊀ qí (768 页)。

剂(劑) jì ❶配制成的药剂。㊀清凉～|针～。❷某些起化学或物理作用的物质。㊀防腐～|杀虫～。❸量词。用于中药。㊀一～药。

【剂型】药品经过加工制成便于使用和保藏的成品的不同型式。有注射剂、溶液剂、片剂、丸剂、散剂、浸膏等。

荠(薺) ㊀ jì 见下。
㊁ qí (769 页)。

【荠苎】一年生草本植物。茎细弱,多分枝。叶可提取芳香油。苎(níng)。

【荠菜】一年生或二年生草本植物。叶在基部丛生,嫩叶为优质野菜。全草可供药用。

哜[⊠](嚌) ㊀ jì 尝。
㊁ jiē (495 页)。

济(濟) ㊀ jì ❶渡;过河。㊀同舟共～。❷对困难的人给予帮助。㊀救～|接～。❸补益。㊀无～于事。
㊁ jǐ (458 页)。

【济事】❶做到;办到;成事。㊀非少数人所能～。❷中用;顶事。

【济困扶危】即"扶危济困"(285 页)。

斋[⊠](齋) jì 炊火猛烈。引申为盛(shèng);激烈。

霁(霽) jì ❶雨、雪后天气转晴。❷怒气消除。㊀色～。

鲚(鱭) jì 也叫风尾鱼、烤子鱼。鱼类。体侧扁,银白色,雌的体长约 20 厘米,雄的约 10 厘米。产于中国的有凤鲚、刀鲚等。

机[⊠](機) ㊀ jì 洗发(fà)后饮酒。也指洗发(fà)后饮的酒。
㊁ jī (447 页)。

系(繫) ㊁ jì 打结;扣。㊀～红领巾|～纽扣。
㊀ xì (1060 页)。

际(際) jì ❶交界或靠边的地方。㊀边～|天～。❷彼此之间。㊀国～。❸时候。㊀值此之～。❹适逢其时;正当。㊀～此盛会。❺中间;里边。㊀脑～|胸～。

【际会】遇合。㊀风云～。

【际涯】边缘;边际。㊀横无～。

【际遇】指生活中遇到的事(多指顺利的事)。

季 jì ❶古时兄弟排行,以伯、仲、叔、季作次序,季是最小的。❷最末的(指时间)。㊀清～(清朝末年)|～春。❸一年的四分之一,三个月为一季。㊀春～|第三～度|换～。❹一年中具有某些特点的一段时期。㊀雨～|旺～。

【季风】以一年为周期,盛行风向随季节明显改变的风。冬季多由大陆吹向海洋,夏季多由海洋吹向大陆。形成季风的主要原因有海、陆面上温度的季节性差异,以及气压带、风带位置的季节移动等。

【季节】❶季候和节气。㊀春耕～。❷一年里的某一段有显著风物特征的时期。㊀梅雨～|严寒～。

【季军】体育运动等比赛中获第三名的优胜者。

【季度】以一季(三个月)作为计时单位(进行工作安排)叫季度。㊀超额完成第三～计划。

【季风气候】受季风环流影响显著的气候。夏季主要受海洋气团影响,高温多雨。冬季主要受大陆气团影响,气温低而干燥。因所处地理位置不同,又可分为温带季风气候,如中国华北、东北;亚热带季风气候,如中国秦岭以南;热带季风气候,如印度。

【季孙之忧】原指季孙氏的忧患。后借指内部的忧患。《论语·季氏》:"吾恐季孙之忧,不在颛臾,而在萧墙之内也。"季孙:鲁国大夫。参见〔萧墙之祸〕(1082 页)。

【季米特洛夫】格奥尔基·季米特洛夫(1882—1949)保加利亚共产党领导人,国际共产主义运动活动家。1902 年加入工人社会民主党。1923 年领导九月起义,失败后流亡国外。1933 年在德国希特勒制造"国会纵火案"时被捕,在莱比锡法庭上英勇斗争。1934年获释到苏联。1935—1943年任第三国际执行委员会总书记。1942年创立保加利亚祖国阵线,组织反法西斯游击战争。保加利亚解放后任保共总书记和部长会议主席。

悸 jì 因害怕而心跳加剧。例惊～|心有余～。

垍 jì 坚硬的土。

洎 jì 到;及。例自古～今。

臮⊠ jì 同"暨"。

迹(*跡*蹟) jì ❶脚印;痕迹。例足～|笔～。❷前人遗留下的事物(主要指建筑、器物等)。例古～|遗～。❸印痕(就人的行事方面而言)。例事～|劣～。

【迹象】痕迹和现象。指能显示趋向的苗头。

既 jì ❶副词。已经。例～往不咎。❷连词。1. 既然。例～要革命,就要有一个革命党。2. 与"且""又""也"等词呼应,表示两种情况同时出现。例～高且大|～要有冲天干劲,又要有科学态度。

【既而】文言副词。表示前文所说的情况过了不久之后。例～雨霁月出。

【既然】连词。表示先提出已经存在的事实或已经肯定的结论,而后加以推论,往往在下半句中用"就""那么"等词呼应。例～知道错了,就应当赶快纠正。

【既往不咎】也说不咎既往。《论语·八佾》:"成事不说,遂事不谏,既往不咎。"意思是已经做完和做过的事,就不要再去说它了。后指对以往的错误不再责备追究。咎(jiù):怪罪,处分。

【既来之,则安之】《论语·季氏》:"既来之,则安之。"原意是:既然把他们招抚来,就要把他们安顿下来。后多指既然来到这里,就要在这里安下心来。既:已经。来之:使之来。安之:使之安。

塈 jì ❶用泥涂屋顶。❷休息。❸取。

穊⊠ jì ❶密植谷物。例深耕～种。❷稠密。

暨 jì 连词。和;及;与。

觊(覬) jì 希望;希图。

【觊觎】非分地希望或企图得到。觎(yú)。

继(繼) jì 连续;接续。例～续|前赴后～。

【继父】妇女带着子女再嫁,再嫁的丈夫是她原有的子女的继父。

【继母】男子已有子女后续娶,续娶的妻子是他原有的子女的继母。

【继武】两人走路时足迹相连。比喻继续前人的事业。武:半步。

【继承】❶后人接续前人未完的事业。例～先烈的遗志。❷法律上指继承人依法取得被继承人的遗产或权利。分遗嘱继承和法定继承。❸泛指接续前人的作风、传统等。

【继续】❶连续下去,不间断。❷指与某事有连续关系的另一事。

【继子女】再婚的人其前夫或前妻所生的子女,是继子女。只有同继父母形成现实扶养关系的,才能对其继父母的遗产享有继承权。

【继电器】起控制和保护作用的一种电器。当电压、电流、温度、压力等超过或低于某一数值时,继电器接通或断开被控制的电路,对设备起控制或保护作用。广泛用在控制、信号、自动化和电信上。

【继承权】继承人依法取得被继承人遗产的权利。因被继承人死亡并留有合法财产而产生。分法定继承权和遗嘱继承权。男女平等享有,可以放弃,也可以依法剥夺。

【继往开来】继承前人的事业,开拓未来的局面。

偈 ㊀ jì 佛经里的唱词。
㊁ jié (500页)。

徛□ jì ❶〈方〉站立。❷排列水中供徒步渡河的石头。

寄 jì ❶托付。例～卖|～存。❷托人递送。现在专指通过邮局递送。例～信|～包裹。❸依附(于别人)。例～生|～食|～居|～宿。

【寄予】❶寄托。例老师对我们～极大的希望。❷给予(同情、关怀等)。例～同情。

【寄生】❶一种生物依附在另一种生物上的生活方式。动物如蛔虫,植物如菟丝子等都营寄生生活。❷指自己不劳动而靠剥削他人生活。例～生活。

【寄主】即"宿主"(939页)。

【寄托】❶托放。❷把理想、希望和感情等放在某一方面(依靠它来实现)。㊕国家把希望～在青年一代的身上。
【寄居】较长时间地住在别人家里或外地。
【寄语】传话;捎信儿。
【寄情】把感情寄托在某一事物上。
【寄寓】寄居;住在外地或别人家里。
【寄意】寄托或传达自己的心意。
【寄生虫】❶寄生于别的生物体的虫类,如跳蚤、虱子、蛔虫、血吸虫等。❷比喻依靠剥削别人劳动为生的阶级或个人。
【寄生蜂】寄生于其他昆虫的幼虫、蛹或卵中的蜂类。如金小蜂、赤眼蜂等。
【寄居蟹】也叫寄居虾。节肢动物。头胸甲狭长卵圆形,前半部光滑而坚硬,第一对足为螯足,右螯比左螯大。腹部长而柔软,不分节。成体寄居空螺壳内,头胸部能伸出壳外,在海底或海滩上爬行。
【寄人篱下】《南史·张融传》:"丈夫当删诗、书,制礼乐,何至因循寄人篱下?"原指写诗作文因袭他人。后转指在别人的势力庇护之下或依附别人过活。寄:依附。篱:篱笆。
【寄生植物】寄生或半寄生于其他植物体上,从寄主吸取营养的高等植物。如菟丝子、列当、桑寄生、槲寄生等。
【寄售贸易】出口人先将货物运至国外约定的代售人处,代售人根据寄售协议的规定条件,在当地代为出售的一种贸易方式。

祭 ㊀ jì ❶对死者表示追悼的仪式。㊕～奠|公～。❷古代杀牲供奉鬼神。㊕～祀|～天。
㊁ zhài (1234页)。

【祭文】祭神或祭奠死者时朗读的文章。
【祭司】指宗教中供奉神祇(qí)的神官或为宗教服务的专职人员。
【祭祀】旧俗在一定时节备供品向神明或祖先致祭,表示崇敬、纪念并求保佑。
【祭奠】为死去的人举行仪式,表示追念。

漈☒ jì 水边。

穄 jì 穄子,即糜子。参见"糜(méi)"(672页)。

鰶□(鰶) jì 鱼类。体侧扁,长椭圆形,银灰色。体长约20厘米。分布于中国沿海等地。

寂 jì 静,没有声音;孤单冷清。㊕～静|孤～。

【寂寞】❶清静,无声。❷孤独,冷清。
【寂寥】❶寂静空旷。❷冷落萧条。

漃☒ jì〔漃漻〕形容水清净。漻(liáo)。

绩(績❷*勣) jì ❶把麻和棉搓(cuō)捻成线。㊕纺～|～麻。❷功业;成果。㊕成～|战～。

惎☒ jì ❶毒害。❷忌恨。❸教导。

蓟(薊) jì 多年生草本植物。分大蓟和小蓟。小蓟也叫刺儿菜。均可供药用,有止血、凉血作用。

罽☒ ㊀ jì 绑缚。引申为豢养牲畜。
㊁ jī (451页)。

稷 jì ❶米质不黏的糜子。❷古代把谷子叫稷。❸古代以稷为百谷之长,封建帝王奉祀为谷神。

鲫(鯽) jì 鱼类。体侧扁,背脊隆起,长可达20多厘米,头小、无须。可淡水养殖,是中国重要食用鱼。

髻 jì 梳在头上的发结。

冀 jì ❶希望。❷河北的别称。

【冀东事变】见〔华北事变〕(415页)。

骥(驥) jì 跑得快的好马。喻指有才能的人。

罽 jì ❶用毛做成的毡子一类的东西。❷〔罽宾〕古西域国名。

檵 jì 常绿灌木或小乔木。枝叶可以提制栲胶,子实可以榨油。花和茎、叶可入药。

jiā ㄐㄧㄚ

加 jiā ❶两个或两个以上的东西或数目合在一起。与"减"相对。❷增加。㊕～强|～快。❸添上。㊕～符号|～注解。❹给以。㊕严～管束|不～考虑。❺加拿大的简称。

【加工】把原材料或半成品制成成品或使达到规定的要求。也指把成品做得更加精致、完美。
【加仑】英美制容量单位。1英加仑约为4.546升,1美加仑约为3.785升。
【加委】主管机关对所属单位或群众团体推举出来的公职人员加以确认并办理委任

手续。

【加速】❶加快速度。[例]～前进。❷即加速度。

【加剧】程度更加严重。

【加冕】君主即位时所举行的加冠礼。冕:君主所戴的帽子。

【加密】对语音、数据或图像信息进行编码以使信息安全保密。信息的授权接收者可通过约定的解码方式接收到对方发送的信息。

【加盟】指加入某一组织或团体。[例]该队有外籍球员～。

【加塞儿】〈方〉指晚来的人不遵守公共道德,硬挤到已排好的长队中间。[例]嗨,小伙子,别～,后边排队去!

【加农炮】一种火炮。身管长、初速大、射程远、弹道低伸、可行低射界(射角在45°以下)射击。适用于射击垂直目标、装甲目标和远距离目标。坦克炮、反坦克炮、高射炮、舰炮、海岸炮等,都属加农炮类型。加农:英语音译,炮。

【加速度】表示速度变化快慢和方向的物理量。在某段时间内速度的变化与这段时间的比值,称为这段时间的平均加速度;如果这段时间极短,则称为这个时刻的瞬时加速度。从空中自由下落的物体加速度约为9.8米/秒^2。

【加速器】一种能将带电粒子(电子、质子以及其他带电粒子)加速到很高速度的装置。主要用来做原子、原子核、粒子物理实验研究,也用于工业无损探伤、医治肿瘤、种子辐照和抗辐射材料辐照等。

【加拿大】位于北美洲北部。北临北冰洋,东临大西洋,西临太平洋,南和西北邻美国。面积居世界第二位,地广人稀。经济发达。

【加雅涅】四幕芭蕾舞剧。哈恰图良曲。作于1942年。杰尔扎温编剧,阿尼希莫娃编舞。作曲家曾将剧中音乐编成三套管弦乐组曲,共由12首乐曲组成。其中以《马刀舞曲》《玫瑰女郎之舞》最为著名。

【加富尔】卡米洛·本索·加富尔(1810—1861)撒丁王国首相(1852—1859年、1860—1861年在任)。1852年出任撒丁王国首相后,力主意大利的统一和工业化,希望使撒丁王国强大,以成为意大利统一事业的领导。但他不相信意大利依靠自己的力量可以完成统一,希望借助外国特别是近邻法国的帮助。在其任期内,意大利基本上完成统一。

【加碘盐】加入一定比例碘化合物和稳定剂的食盐。食用加碘盐是防止地方性碘缺乏症的有效方法。

【加工工业】也叫制造业。对农产品或半成品进行加工的工业。

【加尔文宗】16世纪法国宗教改革者加尔文在瑞士创立的宗派。属新教中的一种。该教主张“信仰得救”,反对天主教会的教阶制度和繁杂的宗教仪式;宣传“命定论”,即人们的成功与失败都是上帝安排好的。后在西欧得到广泛传播。

【加尔各答】印度城市。位于该国东部。市区人口1 092万(1991年,包括郊区)。是全国重要经济、交通、文化中心之一,也是全国最大的麻纺织工业中心和重要海港。

【加成反应】有机物分子中双键(或三键)两端的碳原子与其他原子或基团直接结合生成新的化合物的反应。是不饱和化合物的一种特征反应。可分为离子型加成、自由基加成、环加成和异相加成等。

【加里波第】朱塞佩·加里波第(1807—1882)19世纪意大利革命家、军事家。30年代参加反对外国统治和封建专制的斗争。失败后,前往南美参加巴西、乌拉圭等地民族解放斗争。1848年回国参加革命,次年领导保卫罗马共和国的战斗。1860年率志愿军支援西西里农民起义,推翻那不勒斯王国。三次率军攻打罗马城,为完成意大利的统一做出了重大贡献。

【加拉加斯】委内瑞拉首都。位于该国北部。人口343万(1996年)。是全国政治、经济、文化中心。

【加拿大元】加拿大的法定货币。

【加勒比海】大西洋的属海。位于南美大陆、中美地峡和大、小安的列斯群岛之间。面积275.4万平方千米。南经巴拿马运河通太平洋,西北经尤卡坦海峡连墨西哥湾。是大西洋与太平洋间航运必经海域,有“美洲地中海”之称。

【加聚反应】加成聚合反应的简称。含不饱和键的单体经加成反应彼此互相连接形成高分子的反应。一般是烯烃及其衍生物打开双键自相加成为高分子的反应。如$n\,CH_2{=}CH_2 \longrightarrow \lbrack CH_2{-}CH_2 \rbrack_n$。

【加德满都】尼泊尔首都。位于该国中部。人口约50万(1996年)。是全国政治、经济、文化和交通中心。也是农畜产品集散地，以地毯、纺织、皮革等手工业著名。多佛教寺庙。

【加权平均数】考虑各个变量在总体中的出现次数或所占比重不同，给以不同权数而计算出来的算术平均数。

【加法交换律】两个数相加，交换加数的位置，它们的和不变。用字母表示：$a+b=b+a$。

【加法结合律】三个数相加，先把前两个数相加，再加上第三个数；或者先把后两个数相加，再同第一个数相加，它们的和不变。用字母表示：$a+b+c=(a+b)+c=a+(b+c)$。

【加美兰乐队】以定音击乐器为主组成的印度尼西亚传统乐队。小型乐队仅三件乐器，大型乐队可有几十件乐器。伴奏各种类型的戏剧和舞蹈，也在寺院或广场演奏。

伽 ㊀ jiā 见下。
㊁ qié（790 页）。
㊂ gā（298 页）。

【伽利略】伽利莱·伽利略（1564—1642）意大利物理学家、天文学家。主张研究自然必须进行观察和实验。主要贡献是发现了落体运动规律、惯性定律和摆的振动规律。自制望远镜以观察天体，研究并发现了木星的卫星和太阳自转等。他积极支持和阐发哥白尼的日心说，因此遭到罗马教廷的迫害。

【伽倻琴】朝鲜族拨弦乐器。琴身木制，长形，有 13 根丝弦，每弦下设一柱。演奏时，右手拨弹，左手按音，发音淳厚。常用于独奏、伴奏和弹唱。

J

茄 ㊀ jiā ❶古指荷茎。❷雪茄。
㊁ qié（790 页）。

洳□ jiā 洳河，水名，在山东。

迦 jiā 音译用字。㊐释～。

珈 jiā 古代妇女戴的簪子两头的玉饰。

枷 jiā 旧时锁在罪犯脖子上的刑具。

【枷锁】古代刑具。指枷和锁链。比喻压迫和束缚。

痂 jiā 伤口或疮口凝结成的硬东西。愈后脱落。

驾⊠（駕） jiā 〔驾鹅〕野鹅。

𦈡□ jiā 见〔糨𦈡〕（607 页）。

笳 jiā 见〔胡笳〕（408 页）。

袈 jiā 〔袈裟〕梵语音译词。和尚、尼姑所穿的法衣。

跏 jiā 〔跏趺〕佛教徒修行的一种坐法。盘腿而坐，脚背放在股上。趺（fū）。

嘉 jiā ❶美好。㊐～宾。❷赞许。㊐精神可～。

【嘉许】称赞；夸奖。

【嘉肴】美味；好吃的菜。肴（yáo）。

【嘉勉】嘉奖勉励。

【嘉奖】称赞并给予奖励。

【嘉宾】对客人的尊称。

【嘉峪关】在甘肃省嘉峪关市西嘉峪山西麓。依山凭险，为古代军事要地，明代洪武五年（1372）建成。明长城西起此关。

【嘉陵江】长江主要支流。发源于陕西省凤县，南流经四川，在重庆市区注入长江。长 1 119千米。上游滩多流急，广元以下可通航。

夹（夾） ㊀ jiā ❶从东西的两旁钳持。㊐～住煤球。❷胳膊向肋部用力，使腋下放着的东西不掉下。㊐～着书包。❸搀杂。㊐～杂。❹夹子，夹东西的用具。㊐书～。
㊁ jiá（468 页）。
㊂ gā（298 页）。

【夹攻】由相对的两方面同时攻击。

【夹具】加工、检验、装配工件时，用来安装、定位和紧固工件的工具。用一套标准元件组合装配成的夹具叫组合夹具或积木式夹具。

【夹注】夹在正文中间的注释。

【夹生饭】没有熟透的饭。比喻没有做好、需要返工的工作。

【夹竹桃】常绿灌木。高可达 5 米。叶对生或三四枚轮生，披针形，革质。夏季开花，花桃红色或白色。可供观赏。

【夹叙夹议】在叙述的过程中插入议论，以表明对所写人物或事件的认识、态度和评价的一种表达方式。

浃（浹） jiā 湿透。㊐汗流～背。

佳 jiā 美；好。㊐～句|～作。

【佳人】美丽的女子。
【佳节】美好的节日。㊀国庆～。
【佳作】优秀的作品。
【佳话】流传一时,成为谈话资料的好事或趣事。
【佳贶】美好的赠品。贶(kuàng)。
【佳音】好消息。
【佳偶】感情融洽、生活美满的夫妻;好的配偶。
【佳境】美好的境界。㊀渐入～。

家(⁹傢) ㊀ jiā ❶家庭;家庭的住所。❷学术流派。㊀百～争鸣。❸从事某种专门工作或掌握某种专门知识技能的人。㊀军事～|科学～。❹经营某种行业的人或具有某种身分的人。㊀店～|船～|行(háng)～。❺谦辞。对人称自己的长辈或年长的亲属。㊀～母|～兄。❻人工饲养的。㊀～禽|～畜。❼打牌、下棋时相对各方中的一方。㊀上～|两～下成和棋。❽量词。用于计算家庭、企业等。㊀一～人家|两～工厂。❾“家伙”“家具”“家什”的“家”。

㊁ jie (504 页)。

㊂ jia (471 页)。

【家计】家庭生计。
【家书】家信。
【家世】指一个家庭世代相传的关系及门第。
【家电】家用电器的简称。
【家严】谦辞。对别人称自己的父亲。
【家园】❶家乡。❷旧指私人的田园。
【家法】❶旧时师徒传授自成一派的学风。❷封建家长统治本家人和本族的一套法规。❸封建家长责罚家人和奴仆的刑具。
【家庭】以婚姻和血缘关系为自然基础的社会单位。一般包括父母、夫妻、子女等亲属。
【家蚕】也叫蚕、桑蚕。昆虫。以桑叶为食。幼虫成长过程中蜕皮四次,成熟后吐丝结茧。茧可缫丝。蚕丝是重要的纺织原料。
【家畜】指经过人类长期驯养的某些兽类,如猪、狗、羊、马、驴、骡、牛、骆驼等。畜(chù)。
【家教】❶家长对子弟进行的关于道德、礼节的教育。㊀有～。❷学生在课堂教学之外另聘家庭教师进行文化、艺术等方面的辅导。❸家庭教师的简称。
【家常】家庭日常生活。㊀～便饭|～话。
【家族】以婚姻和血统关系为基础而形成的社会组织,包括同一血统的数辈人。
【家眷】指妻子儿女等。有时也专指妻子。
【家数】学术、技艺等的流派。㊀自成～。
【家慈】谦辞。对别人称自己的母亲。
【家境】家庭的经济情况。
【家谱】一个家族记载本族世系和本族人物事迹的簿册。
【家长制】家长拥有统治权力的家庭制度。中国社会曾长期存在家长制,家长依靠宗法制度和封建礼教,掌握全家的经济、子女婚配、家属惩戒等大权,在家庭中居于绝对的支配地位。在新中国,家长制的经济基础已被摧毁,但家长制残余和作风仍然存在。
【家用电器】简称家电。供家庭日常使用的各种以电为动力的设备的统称。包括照明用灯、电视机、录放机、电冰箱、微波炉等。
【家庭网络】指把家中的计算机、家用电器及其他相关设备连成网络,以实现家庭安全保障、家用设备自动化和家庭通信的系统。
【家庭影院】视听效果可与电影院媲美的家庭音像系统。由高质量的音响设备和大屏幕彩色电视机或投影电视机组成。
【家给人足】也说人给家足。家家富裕,人人饱暖。《史记·太史公自序》:“要曰强本节用,则人给家足之道也。”给(jǐ)。
【家徒四壁】家里只有四面墙。形容极其穷困,一无所有。《汉书·司马相如传上》:“文君夜亡奔相如,相如与驰归成都,家徒四壁立。”徒:只,仅仅。
【家喻户晓】家家户户都知道。
【家庭银行业务】指用户在自己家里,通过操作与银行计算机系统相连接的终端设备,办理存款余额查询、转账等银行业务。
【家庭联产承包责任制】在生产资料集体所有权不变的条件下,农户承包经营集体所有的土地等生产资料,承担相应的经济责任,并将其收入同农业最终产品相联系的一种制度。最初是包产到户,后发展为大包干。

镓(鎵) jiā 金属元素,符号 Ga,原子序数 31。银白色,熔点低(29.8℃)。用以制合金和半导体材料等。

葭 jiā 初生的芦苇。

豭⊠ jiā 公猪。

J

麚[☒] jiā 公鹿。

jiá ㄐㄧㄚˊ

夹（浹 *袷 *裌）㊁ jiá 两层的（衣物）。例～衣｜～被。

㊀ jiā（466页）。

㊂ gā（298页）。

“袷”，另音 qiā（777页）。

郏（郟）jiá 郏县，地名，在河南中部。

荚（莢）jiá 豆科植物的果实。例豆～。

【荚果】豆科植物所特有的果实。单室，多籽，成熟时有的果皮开裂。如大豆、蚕豆、花生等的果实。

铗（鋏）jiá ❶冶铸用的钳。❷剑。❸剑柄。

颊（頰）jiá 脸的两侧。例两～绯红。

蛱（蛺）jiá〔蛱蝶〕昆虫。蝴蝶的一类。形体较一般蝴蝶大。前翅和后翅的边缘多有缺刻，颜色鲜明，翅的底色为棕色。站立时四翅常不停地扇动。

恝 jiá 不理会；不在意。例～置（置之不理）｜～然。

戛（*戞）㊀ jiá ❶敲打。❷古代兵器。即戟。一说为长矛。

㊁ gā（298页）。

【戛戛】❶拟声词。鸟叫声。❷形容困难。❸形容独创。例～独造。

【戛然】❶形容鸟叫声清脆嘹亮。例～长鸣。❷形容声音突然中止。例～而止。

跲[☒] jiá ❶绊倒。❷受阻碍。

jiǎ ㄐㄧㄚˇ

甲 jiǎ ❶天干的第一位。现常用来表示顺序的第一。❷第一；居第一位。例～级｜桂林山水～天下。❸动物身上有保护功用的硬壳。例～壳｜指～。❹围在人体或物体外面起保护作用的装备。用金属、皮革等制成。例盔～｜装～车。❺旧时户籍的编制单位。若干户为一甲，若干甲为一保。

【甲子】古代以六十年为一个甲子。用十干和十二支相配（如甲子、乙丑、丙寅、丁卯…），六十年轮一遍，周而复始。参见〔干支〕（301页）。

【甲亢】甲状腺机能亢进症的简称。由甲状腺激素分泌过多引起。主要症状是眼球突出、怕热、低烧、心动过速、容易激动等。

【甲虫】鞘翅目昆虫的统称。身体外部有硬壳。如金龟子、天牛等。

【甲壳】虾、蟹等的外壳。壳（qiào）。

【甲兵】❶铠甲和兵器。泛指武备、军事。❷全副武装的士卒。

【甲肝】甲型病毒性肝炎的简称。经口—粪途径传播且以儿童为主的急性传染病。主要症状是恶心、厌油、腹胀、溏便，有的病人可出现黄疸。预防可用甲肝疫苗。参见〔肝炎〕（302页）。

【甲苯】有机化合物，分子式 $C_6H_5CH_3$。无色可燃性液体，具挥发性，有芳香气味，不溶于水，溶于酒精、苯等有机溶剂。用于制染料、药物以及炸药梯恩梯。

【甲板】船体结构的一部分，相当于房屋内的楼板。将船体分隔成几层。一般指最上层自船首至船尾的连续甲板。

【甲胄】也叫介胄。即铠甲和头盔。

【甲烷】有机化合物，分子式 CH_4。是最简单的烷烃，是天然气、沼气的主要成分，也存在于焦炉煤气和石油裂化气中。无色无味的可燃气体，与空气混合后，遇火会发生爆炸。是重要的化工原料。

【甲酸】俗称蚁酸。最简单的有机酸，分子式 HCOOH。有刺激性气味，易溶于水，有还原性。蚁、蜂和某些毛虫的分泌物中含有微量的蚁酸。是重要的化工原料，也用作消毒剂和防腐剂。

【甲醇】有机化合物，分子式 CH_3OH。无色易燃液体，能溶于水和大多数有机溶剂，有毒。工业酒精中含有甲醇，误饮能致盲，甚至致死。用于制甲醛和作溶剂等。

【甲醛】有机化合物，分子式 HCHO。最简单的醛。无色、有毒、有刺激性的气体，易溶于水。40%左右的甲醛水溶液俗称福尔马林。甲醛容易聚合，有还原性。用于制塑料、染料和药物，又可用作消毒、防腐剂。

【甲状腺】内分泌腺的一种。人的甲状腺位于颈前部，气管上段的两侧，状如盾甲，故名。其分泌物称甲状腺素。有调节机体新

J

陈代谢和生长发育的作用。

【甲骨文】也叫卜辞、契文。商周时代在龟甲兽骨上所刻的文字。出土于河南安阳小屯村殷代都城遗址,1899年始被发现。商周王室常用龟甲兽骨占卜吉凶,并将占卜之辞和相关的事情刻写其上。现收集到的单字总数在4 500个以上,能识读的不到一半。甲骨文是目前发现的最早的成系统的汉字。

【甲基汞】含甲基(CH_3—)的有机汞化合物。由无机汞盐在微生物作用下形成。它既与难溶于脂肪的无机汞盐不同,又与易挥发难溶于水的二甲汞不同,在水和脂肪中都有一定的溶解度,因而能在水生生物体内积累。是汞化物产生环境危害的主要形式。

【甲基橙】有机化合物。橙黄色晶体,溶于水,不溶于乙醇。是常用的酸碱指示剂。在酸性溶液中显红色,在碱性溶液中显黄色。

【甲午战争】见〔中日甲午战争〕(1277页)。

【甲醇中毒】服用或接触过量甲醇引起的中毒。甲醇对中枢神经系统有麻痹作用,轻的有醉感,重的丧失视力,严重时出现脑水肿甚至死亡。

岬 jiǎ ❶岬角,突入海中的尖形陆地。多用于地名,如成山岬(在山东)。❷两山之间。

胛 jiǎ 肩胛,胳膊上边靠脖子的部分。

钾(鉀) jiǎ 金属元素,符号K,原子序数19。银白色,质软,遇水猛烈反应而起火,平时保存在煤油中。是植物生长所必需的重要元素之一。钾的化合物可用作肥料,如碳酸钾、氯化钾、硝酸钾等。

【钾肥】钾元素起主要肥效的肥料。如硫酸钾、草木灰等。合理施用能使作物茎秆粗壮坚韧,防止倒伏,增强抗旱、抗寒等能力。

贾(賈) ㊀ jiǎ ❶姓。❷古又同"价(jià)"。
㊁ gǔ (339页)。

【贾谊】(前200—前168)西汉政论家、文学家。洛阳(今河南洛阳东)人。文帝时任博士、太中大夫。曾建议削弱诸侯王势力,重农抑商,在北方"积薪储粮",抵御匈奴侵扰。为周勃等排挤,谪为长沙王太傅。渡湘水时,作《吊屈原赋》,以自伤悼。后为梁怀王太傅。怀王堕马卒,遂悒郁而死。有《贾谊集》。

【贾宝玉】《红楼梦》中的人物。出身于封建贵族家庭,反对封建礼教,厌恶科举制度,追求婚姻自由、个性解放,对封建制度采取怀疑、否定态度,是封建社会统治阶级中一个具有叛逆性格的艺术典型。

【贾思勰】北魏农学家。山东益都人。他通过实际考察,将群众的生产经验和古代农业的重大成就加以总结,于公元540年前后写成了农学名著《齐民要术》。勰(xié)。

槚(檟) jiǎ ❶楸树的别称。❷茶树的古称。

假(*叚) ㊀ jiǎ ❶虚伪的;不真实的;伪造的。与"真"相对。❷借用;利用。㊞久~不归|~公济私。
㊁ jià (471页)。

【假手】利用别人做某种事来达到自己的目的。㊞~于人。

【假币】伪造的货币。

【假托】❶假借;借用。❷推托。㊞~有病。

【假死】❶指有机体的机能虽然停止,但还可以恢复的状态。表现为呼吸停止,心脏跳动微弱。初生婴儿由于肺未张开,不会啼哭,也不出气,也叫假死。如果抢救及时,大都可复苏。❷即"拟死"(717页)。

【假名】❶为隐瞒身分而另起的名字。❷日文所用的字母,多借用汉字偏旁。草体字母叫平假名,楷体字母叫片假名。

【假设】❶姑且认定。❷也叫假说。科学研究上指用来解释某种有待证明的论题的说明。假设被充分证明后,就是理论。

【假如】连词。如果,表示假设。㊞~不把基础打好,以后学习就会有许多困难。

【假充】❶假装。❷假的冒充真的。

【假声】也叫假嗓子、小嗓儿。成人的最高声区。通常为男歌唱者用来达到其最高音或模仿女子的声音。中国传统戏曲中的旦角和小生常用假声。

【假若】连词。假如。

【假果】由子房与花托或花萼、花冠等共同形成的果实。如梨、苹果等的果实。

【假使】连词。假如。

【假定】假设。

【假说】即"假设"②(469页)。

【假借】❶借用。㊞家中无书,每向人~。❷利用不是自己的名义、力量以达到目的。

㊀～名义｜～权势。❸六书之一。指借用已有的字来表示语言中某个同音的词。如"其",古作"㓇",本义是箕,后借用来表示代词的"其",这个表示代词的"其"就是假借字。

【假球】指足球、篮球等球类比赛中,双方通同作弊、弄虚作假以获取不正当利益的行为。

【假象】虚假的、同事物本质相反的一种现象。

【假植】❶苗木出圃后不能立即定植时,将根部埋入土中,保持苗木的生活力或延缓生育期的措施。❷为扩大营养面积,把蔬菜秧苗分栽到另一育苗场地或把收获后而未完全形成产品的蔬菜移到另一场所,使其继续生长。

【假释】对被判处有期徒刑和无期徒刑的犯罪分子,在执行一定刑期后,确有悔改表现,不致再危害社会,予以附条件提前释放的制度。适用条件是有期徒刑执行原判刑期二分之一以上,无期徒刑执行刑期十年以上。对累犯以及杀人、爆炸、抢劫、强奸、绑架等暴力性犯罪,被判处十年以上有期徒刑或无期徒刑的不得假释。假释考验期内没有发现应当撤销假释的法定情况,期满就认为原判刑罚已经执行完毕;如果又犯新罪或发现漏罪,则撤销假释,按数罪并罚处理。

【假寐】不脱衣服小睡。

【假想】想象的;假定的。㊀～敌。

【假漆】即"清漆"(797页)。

【假分数】分子大于或等于分母的分数。如$\frac{8}{5}$、$\frac{4}{4}$。假分数一定大于或等于1。

J

【假面具】❶古时演戏化装用的仿照人物脸形作成的纸壳儿。现在多当作玩具。❷比喻虚假的外表。

【假道学】表面上标榜有高尚的道德,背地里的所作所为非常卑鄙丑恶的伪君子。

【假惺惺】假心假意的样子。

【假撇清】〈方〉做一些表态,表示自己和已发生的坏事无关(实际有关)。

【假公济私】假借公事的名义,谋取私人的利益。

【假性近视】视力缺陷,不是近视,却表现类似近视的现象。其原因是眼睫状肌痉挛,或因疲劳而形成的调节弛缓。眼睛高度远视及散光的人,看东西时离得比较近,也常被误认为是近视。

瘕☒ jiǎ 肚子里有结块的病。

斝 jiǎ 古代饮酒器。圆口,平底,三足。

jià ㄐㄧㄚˋ

价(價) ㊀ jià ❶商品的价钱。㊀物～｜减～。❷价值。㊀等～交换。❸化合价的简称。㊀氢是一～的元素。

㊁ jiè(502页)。

㊂ jie(503页)。

【价位】价格的等级。㊀低～。

【价格】商品与货币相交换时的货币数量。本质上是商品价值的货币表现。如一把斧子卖一元钱,一元就是这把斧子的价格。

【价值】❶(某事某物的)效用或意义。❷凝结在商品中的一般的、无差别的人类劳动。价值通过商品交换的量的比例即交换价值表现出来。价值是商品的社会属性,体现商品生产者之间的生产关系,与使用价值一起构成商品的二因素。

【价电子】原子中在化学反应时能参与形成化学键的电子。一般指原子最外层的电子。元素的化合价和化学性质主要由价电子决定。

【价值观】关于价值的一定信念、倾向、主张和态度的观点。起着行为取向、评价标准、评价原则和尺度的作用。一个人的价值观,受其所处社会历史条件、社会地位、教育水平等诸多因素的影响。

【价值链】由不同相互依存的价值形式所形成的系统。

【价格发现】期货市场上买卖双方通过公开、公平、公正的竞争,不断更新期货交易标的物的未来价格,并使之趋向某一均衡价格,从而为未来的现货价格确定提供充分信息的过程。

【价值连城】形容物品的价值极高,十分珍贵。《史记·廉颇蔺相如列传》:"赵惠文王时,得楚和氏璧。秦昭王闻之,使人遗赵王书,愿以十五城请易璧。"连城:连成一片的许多城池。

【价值规律】商品生产的经济规律,即商品按照社会必要劳动时间决定的价值量进行交换的规律。在商品经济中,价值规律通过价格围绕价值上下波动发生作用，自发地调节生产和流通；刺激生产者改进技术和提高劳动生产率；促进商品生产者的分化。社会主义经济是商品经济，价值规律仍然起作用。

驾(駕) jià ❶把牲口套在车辕中(使拉车)。㊟马～着车。❷驾驶。㊟～飞机|～车。❸敬辞。称对方。㊟～临|劳～。

【驾驭】同"驾御"(471页)。

【驾驶】开动车辆、船只或飞机等。㊟～车辆。

【驾临】敬辞。指对方到来。㊟恭候～。

【驾御】也作驾驭。❶驱使牲口拉车前进。❷控制；支配。

【驾辕】驾着车辕拉车前进。

【驾轻就熟】赶着轻载的车走在熟路上。唐韩愈《送石处士序》："若驷马驾轻车，就熟路。"后用以比喻对事情熟悉，做起来容易。

架 jià ❶放置或支撑物体的东西。㊟书～|房～。❷搀扶。㊟～着病人。❸搭；支起。㊟～桥|～机关枪。❹争吵；殴打。㊟吵～|不要打～。❺劫走。㊟绑～。❻量词。用于有支柱的或有机械的东西。㊟一～钢琴|两～飞机。

【架式】同"架势"(471页)。

【架次】飞机出动或出现多次的架数的总和。如一架飞机出动三次，为三架次，三架飞机出动一次，也是三架次。

【架讼】唆使他人起诉。

【架设】支起并安装。㊟～电线。

【架势】也作架式。姿势；姿态。

【架空】❶建筑物、器物下面用柱子或其他东西支撑离开地面。❷比喻没有根据或基础。㊟～立论|计划必须要有相应措施，才不会～。❸使脱离根基。比喻失掉实权。

【架子猪】虽已长大但还没有养肥的猪。有的地方也叫壳郎猪。

【架子鼓】击乐器。由多件乐器组成。包括大鼓、小鼓、吊钹、踩钹等。一人演奏。常用于舞会乐队。

【架空索道】❶俗称溜索。利用自然地势架设索道，并靠载重小车及其所载人或物的重力溜滑的运输设备。❷在采矿、伐木和土木建筑工程中，越空运行的运输设备。一般用架空钢索作导轨。

假 ㊁ jià 按规定或经过批准暂时不工作、不学习的时间。㊟放～|探亲～|病～|暑～。

㊀ jiǎ (469页)。

嫁 jià ❶女子结婚，成为男方的家庭成员。㊟出～。❷转移。㊟～接|转～|～祸于人。

【嫁接】植物无性繁殖的一种主要方法。剪取母株上的一段枝条或一个芽，接到另一植株上，使接合成新的植株。

【嫁祸】(采取手段)把祸害推到别人身上。

稼 jià ❶种植。㊟耕～。❷谷物。㊟庄～。

【稼穑】耕种收获。泛指农业劳动。穑(sè)：收割谷物。

jia ·ㄐㄧㄚ

家 ㊂ jia 后缀。用在某些名词后面，表示属于那一类人。㊟姑娘～|女人～|小孩子～。

㊀ jiā (467页)。

㊁ jie (504页)。

jiān ㄐㄧㄢ

戋(戔) jiān 〔戋戋〕小；少。㊟～之数。

浅(淺) ㊁ jiān 〔浅浅〕拟声词。流水声。

㊀ qiǎn (784页)。

笺(箋❶ *牋❶ *椾) jiān ❶写信或题词用的纸。㊟信～|便～。❷注解。㊟～注。

溅(濺) ㊀ jiān 〔溅溅〕❶拟声词。流水声。❷形容水流急速的样子。

㊁ jiàn (480页)。

鞬☒(韉) jiān 用于人名。传说尧时有叫籛铿的，封于彭城，故一称老彭，年七百六十七而不衰。

开□ jiān 姓。

奸(❹*姦) jiān ❶狡诈；虚伪。㊟老～巨猾。❷出卖阶级、民族利益私通敌方的败类。㊟汉～|内～。❸自私；巧取。㊟藏～要滑。❹不正当的性行为。㊟通～|～污。

【奸宄】坏人。宄(guǐ)：坏人。

J

【奸邪】奸诈邪恶。
【奸佞】奸邪谄媚。也指这样的人。佞(nìng)。
【奸诈】诡诈。
【奸细】为敌人刺探情报的人。
【奸险】奸诈阴险。
【奸商】用投机倒把、囤积居奇等不法手段牟取暴利的商人。
【奸雄】旧指用狡诈的手段谋取大权的野心家。

鞯⊠ jiān 制干的皮革。

尖 jiān ❶物体锐利的末端或细小的部分。㊀针～｜笔～。❷末端细小;锐利。㊀把竹签再削～些｜～刀。❸领先的或先进的。㊀～兵｜高精～。❹感觉灵敏。㊀耳朵～。❺形容声音又高又细。㊀嗓音～。❻特出的;超出同类的。㊀拔～儿。
【尖牙】也叫犬牙、犬齿。人和哺乳动物牙齿的一种。位于切牙和前磨牙之间,呈圆锥形,适于撕裂肉类。人的上下颌各有两枚尖牙。
【尖兵】军队行军时派出的连以下警戒分队。派出的方向和兵力依情况而定。有前方尖兵、侧方尖兵、后方尖兵。兵力由一个班至一个连,依次称尖兵班、尖兵排、尖兵连。
【尖刻】尖酸刻薄。㊀说话～。
【尖音】见〔尖团音〕(472页)。
【尖锐】❶末端锋利。❷深刻,激烈。㊀看问题很～｜～复杂的斗争。❸刺耳的。㊀～的哨声。
【尖酸】形容说话带刺、刻薄。
【尖端】❶物体的尖儿;顶点。❷发展水平最高的。㊀～科学｜～技术。
【尖团音】汉语语音学中尖音和团音的合称。尖音指声母z、c、s跟i、ü以及以i、ü起头的韵母相拼;团音指声母j、q、x跟i、ü以及以i、ü起头的韵母相拼。有些字,如"精"和"京","清"和"轻","星"和"兴"等,它们在历史上是不同音的,现在某些方言里也还不同音,前者读zīng、cīng、sīng,是尖音,后者读jīng、qīng、xīng,是团音。普通话中已不分尖团,历史上的尖音字现在都读团音字。
【尖锐湿疣】也叫性病疣。由病毒传播引起的一种性病。多发生于外阴和肛门周围。疣突起小而尖,聚集形成菜花状,分泌脓液,瘙痒,有恶臭。
【尖端放电】导体尖端产生的放电现象。导体带电时,尖端处的电荷最多,周围的电场特别强,可使气体电离,变成导体,因此导体所带的电荷会通过尖端释放出去。避雷针就是根据尖端放电原理制成的。

歼(殲) jiān 消灭。㊀～敌｜全～。
【歼灭】打死、打伤和俘虏敌人全部或大部有生力量,解除其武装,剥夺其抵抗力。
【歼击机】也叫战斗机、驱逐机。以航炮、航空火箭、空空导弹为基本武器,具有空战能力的作战飞机。主要用于在空中歼灭敌机和其他空袭兵器。多为单座。特点是体积小、速度快、机动性好、操纵灵便、结构安全系数大,能在低空到平流层的广阔空间活动。
【歼灭战】消灭敌人全部或大部的作战。是中国人民解放军作战的基本指导思想。

坚(堅) jiān ❶硬;结实;牢固。㊀～硬｜～固｜～如磐石。❷不动摇。㊀～定。
【坚贞】坚定,有气节。㊀～不屈。
【坚决】(态度、行动)确定不移,不犹豫。㊀态度～。
【坚韧】坚固而有韧性。
【坚苦】坚忍刻苦。
【坚定】(立场、主张、意志等)稳固坚强,不动摇。㊀立场～。
【坚持】坚定地保持;坚决进行下去。㊀～原则｜～不懈。
【坚信】坚定地相信。
【坚强】强固;不可动摇。㊀～堡垒｜意志～。
【坚毅】坚定有毅力。
【坚甲利兵】形容部队装备精良。也借指精锐的部队。兵:武器,兵器。
【坚贞不屈】坚守节操,不向恶势力屈服。
【坚如磐石】像大石头一样坚固。形容不能动摇。磐石:大石头。
【坚韧不拔】意志坚定、顽强,不可动摇。韧(rèn):柔韧。
【坚忍不拔】在艰苦的环境中坚定不移,不可动摇。拔:移动。
【坚苦卓绝】在艰难困苦中坚持奋斗,超越寻常。
【坚壁清野】也说空室清野。加强工事,使堡垒坚固;将野外的粮食作物和重要物资清理收藏起来。使敌人深入后增加困难，消耗力量，无所获取。《晋书·石勒载记上》："勒所过路次，皆坚壁清野，采掠无所获，军中大饥，士众相食。"壁：营垒。

鲣(鰹) jiān 鱼类。体纺锤形，头大、吻尖。在中国产于南海与东海。可供食用。

【鲣鸟】鸟类。体长约0.7米。成鸟除胸部为纯白色外，其余部分为深棕褐色。常成群在海面低飞寻食鱼类。分布于中国南部沿海。

间(間) ㊀ jiān ❶中间。㊐两山之～。❷指一定的地方或时间。㊐田～管理|晚～。❸屋子；房间。㊐车～|里～。❹量词。用于房屋。㊐三～瓦房。

㊁ jiàn (479页)。

【间架】本指房屋建筑的结构形式。后常用来比喻文字、书画、文章的结构和布局。

【间不容发】相隔得非常近，中间容不下一根头发。汉枚乘《上书谏吴王》："其出不出，间不容发。"比喻情势危急到了极点。也比喻文字精练、严谨，没有一点破绽。发(fà)。

肩 jiān ❶肩膀。㊐并～前进。❷担负；担任。㊐身～重任。

【肩负】担负。㊐～重任。

【肩带】人的上肢和脊椎动物的胸鳍或前肢与脊柱相联系的构造。人的肩带由肩胛骨和锁骨两对硬骨组成。

【肩胛骨】人和脊椎动物肩带组成骨之一。是肩部背侧的三角形扁骨，紧贴胸廓上部的后面。以肩峰与锁骨相连，与肱骨头构成肩关节。

【肩摩毂击】《战国策·齐策一》："临淄之途，车毂击，人肩摩。"形容行人车辆很多，非常拥挤。肩摩：肩膀碰着肩膀。毂(gǔ)击：车轮和车轮相碰。

猏⊠ jiān 同"豣"。

鹣⊠(鶼) jiān 见〔鹣鹣〕(968页)。

艰(艱) jiān 困难。㊐～危|～难。

【艰巨】困难而繁重。㊐～的任务。

【艰贞】在艰危时守正不移。

【艰危】艰难和危险。

【艰辛】艰难困苦。㊐备尝～。

【艰苦】困难多，条件差。㊐～奋斗。

【艰险】困难和危险。㊐不避～。

【艰涩】❶指文辞艰深、不流畅，不易了解。❷古指道路阻塞。

【艰深】文辞、道理深奥难懂。

【艰苦奋斗】不畏艰难困苦，进行坚持不懈的斗争。

【艰苦卓绝】形容十分艰难困苦，超乎寻常。㊐～的斗争。

【艰难险阻】指前进道路上的困难、危险和障碍。《左传·僖公二十八年》："晋侯在外十九年矣，而果得晋国，险阻艰难，备尝之矣。"

【艰难竭蹶】形容生活非常困难。竭蹶(jué)：原指走路艰难、跌跌撞撞的样子，现多指经济困难。

蕑⊠(蕑) jiān 兰草。

监(監) ㊀ jiān ❶从旁察看；监督。㊐～工|～考。❷牢狱。㊐收～|探～。

㊁ jiàn (481页)。

【监犯】监狱中的在押犯人。

【监场】监视试场，负责维持考场的纪律。

【监军】古代官名。唐以前为临时差遣，唐后期于各镇及出征讨叛之军中，以宦官为监军，与统帅分庭抗礼。明以御史等官为之，掌稽核功罪赏罚。清代废。

【监国】指君主外出时，太子留守代管国事。《国语·晋语一》："君行，太子居，以监国也。"有时君主因故不能亲政，由亲近代行职务，也称监国。此外，君主本身尚在而准备传位于嗣子，往往嗣子先称监国，然后正式称帝。

【监视】从旁察看注视。

【监狱】国家的刑罚执行机关。也指关押罪犯的处所。在中国，被判处死刑缓期二年执行、无期徒刑、有期徒刑的罪犯，在监狱内执行刑罚。

【监测】监视和检测。㊐环境～|质量～。

【监院】佛教寺院中总管内部一切事务的人的通称。地位仅次于方丈。道教也采用此名。

【监候】❶古代官名。掌观察天文。❷在清代，被判处死刑不立即执行而暂时监禁等候秋审、朝审复核的称监候。

【监理】对工程项目等进行监督管理。也指

专职从事这项工作的人。
【监控】❶监测、控制(机器、仪表等的工作情况)。❷监督控制。㊀实行物价～。
【监禁】把犯人关押起来并限制其自由。
【监督】察看并督促。
【监察】监督和考察。
【监护人】对未成年人、精神病人的人身、财产及其他合法权益依法进行监督和保护的人。分法定监护人和指定监护人。法定监护人一般指法定代理人。
【监事会】公司的监督机构。监事会由股东代表和适当比例的公司职工代表组成。董事、经理和财务负责人不得兼任监事。
【监外执行】对于被判处有期徒刑或拘役的罪犯,有下列法定情形之一:(1)有严重疾病需要保外就医的;(2)怀孕或正在哺乳自己婴儿的妇女;(3)生活不能自理的,暂时予以监狱外由居住地公安机关执行的一种刑罚执行制度。如果暂予监外执行的条件消灭后,罪犯刑期未满的,仍应收监执行。监外执行的期间应计入刑期。
【监守自盗】也说主守自盗。盗取自己负责看管的财物。《汉书·刑法志》:"守县官财物而即盗之。已论命复有笞罪者,皆弃市。"颜师古注:"即今律所谓主守自盗者也。"监守:看管。
【监视居住】人民法院、人民检察院和公安机关责令犯罪嫌疑人、被告人不得擅自离开指定区域,并对其行动加以监视的一种强制措施。监视居住的法定情形同取保候审。参见〔取保候审〕(809页)。

劖[☒](**劖**) jiān 锋利。

瞷[☒](**瞷**) jiān 同"监(jiān)"①。

兼 jiān ❶把两份并在一起;加倍。㊀～旬(二十天)|～程。❷所具有的或所涉及的不只一方面。㊀～职|～听则明,偏信则暗。
【兼并】❶侵占、并吞(土地、产业等)。❷经济学上指通过换股或现金购买等方式将对方的资产与负债并入己方。
【兼备】同时具备几方面。㊀德才～。
【兼顾】同时照顾到几个方面。㊀统筹～。
【兼爱】春秋时墨子的主张之一。意指要不分亲疏,爱所有的人。
【兼容】可以同时接受、容纳不同的事物或方面。㊀～并包|～性。
【兼祧】旧指一个男子兼做两房的继承人。祧(tiāo)。
【兼程】赶路;一天走两天的路程。㊀～前进。
【兼语句】汉语句式的一种。句子的谓语由动宾短语和主谓短语套合构成。动宾短语的宾语兼作后面主谓短语的主语,故名。如:"厂长派他去青岛。"
【兼收并蓄】唐韩愈《进学解》:"牛溲马勃,败鼓之皮,俱收并蓄。"不管哪方面的(多指不管好坏、有用无用等)全都接收进来,保存下来。㊀对待古代文化遗产,不能～,要批判地继承。
【兼语短语】由两个或更多的动宾短语和主谓短语套在一起的组合。前面动词的宾语兼作后面动词的主语。如"请他去上海""命令团长派两个排"。
【兼弱攻昧】并吞弱小的,攻击昏乱的。《尚书·仲虺之诰》:"兼弱攻昧,取乱侮亡。"《左传·宣公十二年》:"兼弱攻昧,武之善经也。"兼:吞并。昧:昏乱,愚昧。
【兼听则明,偏信则暗】听取各方面的意见,才能明辨是非;只听一方面的话容易产生片面性。《荀子·君道》:"兼听齐明,则天下归之。"汉王符《潜夫论·明暗》:"君之所以明者,兼听也;其所以暗者,偏信也。"《资治通鉴·唐太宗贞观二年》:"上问魏征曰:'人主何为而明,何为而暗?'对曰:'兼听则明,偏信则暗。'"

搛 jiān 用筷子夹。㊀～菜。

蒹 jiān 没有长穗的芦苇。

缣(**縑**) jiān 细密的绢。

鹣(**鶼**) jiān 〔鹣鹣〕古代传说中的比翼鸟。雌雄老在一起飞。
【鹣鲽】喻指感情好的夫妇。

鳒[□](**鰜**) jiān 也叫大口鳒。鱼类。体侧扁,不对称。成鱼两眼在身体左侧或右侧。产于中国南海和东海南部。肉供食用。

菅[☒](**蔪**) ㊀ jiān 麦芒尖尖的样子。㊁ shān (856页)。

渐(**漸**) ㊁ jiān ❶浸。㊀～渍|～染。❷流入。㊀东～于海。㊀ jiàn (482页)。

菅 jiān 多年生草本植物。秆高可达3米,叶细长。多生于山坡草地。

豣☒ jiān 三岁的野猪。泛指大猪、大兽。

犍 ㊀ jiān 犍牛,阉割过的公牛。㊁ qián（783页）。

【犍陀罗佛像】1—6世纪犍陀罗地区(今巴基斯坦北部与阿富汗东部)的佛像。受希腊文化艺术的影响,为亚洲诸国的佛像提供了最初的范式。

鞬☒ jiān 古代挂在马上装弓箭的筒。

湔 jiān 洗。例～洗。

煎 jiān ❶一种烹饪方法。把食物放在有少量热油的锅里使表面变成黄色。例～鱼|～豆腐。❷熬。例～中药。

【煎艾】煎熬芟刈。比喻摧残折磨。例自相～则亡。艾(yì):通"刈"。

【煎熬】比喻折磨。

缄(緘*椷) jiān 封;闭。例～口。

【缄默】闭口不说话。

【缄口结舌】也说钳口结舌。闭着嘴,不敢说话。比喻理屈词穷或在威压下不敢作声。

瑊☒ jiān 〔瑊玏〕像玉的石头。

熸☒ jiān 火灭。古代比喻打败仗。

韉(韀) jiān 马鞍子下面的垫子。例鞍～。

櫼☒ jiān 楔子。

囏☒ jiān "艰"的异体字。

jiǎn ㄐㄧㄢˇ

囝 ㊀ jiǎn 〈方〉儿子。㊁ nān（707页）。

拣(揀) jiǎn ❶挑选;选择。例挑肥～瘦。❷同"捡"。

枧(梘) jiǎn ❶〈方〉指肥皂。❷屋檐下的水溜称为水枧。

笕(筧) jiǎn 田间或檐下引水用的长竹管。

茧(繭*蠒) jiǎn 某些昆虫变蛹前吐丝所结成的囊状保护物。家蚕的茧是缫丝的原料。

【茧子】同"趼子"(476页)。

柬 jiǎn 指信件、名片、帖子等。例书～|请～。

睷☒ ㊀ jiǎn ❶夜阴早转晴。❷明亮。㊁ lán（580页）。

俭(儉) jiǎn 节省。与"奢"相对。例勤～建国|省吃～用。

【俭朴】节俭朴素。例生活～。

捡(撿) jiǎn 拾取。例～柴|～麦穗。

检(檢) jiǎn ❶查。例～字|～查。❷约束;检点。例失～。

【检讨】❶检查自己的缺点和错误,并作自我批评。❷检查研究。❸古代官名。掌修国史。唐、宋均曾设置,位次低于编修。明清有翰林院检讨。

【检场】旧时戏曲演出时,在前台布置或收拾道具等。也称做该项工作的人。

【检波】从已调制的电信号中取出原来的调制信号的过程。即调制的反过程,故也说解调。对调幅信号的检波叫振幅检波,对调频信号的检波叫频率检波(即鉴频)。

【检定】检查、鉴定。例～货物。

【检录】赛前对运动员点名并带领运动员进入比赛场地。

【检点】❶仔细查看。例～细软。❷约束(自己的言行)。例言行有失～。

【检修】检查修理。

【检疫】为防止传染病蔓延和传播而采取的一项措施。包括接触者检疫、疫区检疫和国境检疫等。

【检测】检查测试;检验测定。例产品～|～机器性能。

【检举】(向司法机关或其他有关机关组织)揭发违法犯罪者。

【检校】审查核对。校(jiào)。

【检阅】❶高级领导人亲临军队或群众队伍面前,举行检查验看仪式。❷查看。

【检验】检查验证。例质量～|实践是～真理的唯一标准。

【检察】检举稽查;考察。特指审查被检举的犯罪事实。

【检字法】也叫查字法。辞书条目及其他目录、索引等便于查检的排列方法。大致按字形、读音、词义分为三类。字形查字法有部首、笔画、四角号码等几种。读音查字法有字母顺序、韵目顺序等。词义查字法按意义分类编排。

【检察权】检察机关依法对于国家机关、国家机关工作人员和公民是否遵守宪法和法律行使法律监督的权力。在中国,根据宪法规定,检察权由人民检察院行使。

【检察官】依法行使国家检察权的检察人员。包括最高人民检察院、地方各级人民检察院和军事检察院等专门人民检察院的检察长、副检察长、检察委员会委员、检察员和助理检察员。

【检察院】人民检察院的简称。

硷(鹼 *鹻) jiǎn 同"碱"。

睑(瞼) jiǎn 眼睑;眼皮。

趼 jiǎn [趼子]也作茧子。也叫膙子。手掌或脚掌等部位因长期摩擦而生成的硬皮。

减(*減) jiǎn ❶从一定量中去掉一部分。与"加"相对。㊀~法|~价。❷降低程度;衰退。㊀~色|工作热情不~当年。

【减亏】减少亏损(多用于企业)。㊀~增盈。

【减刑】对于被判处管制、拘役、有期徒刑、无期徒刑的犯罪分子,因其在刑罚执行期间认真遵守监规,接受教育改造,并确有悔改或立功表现的,适当减轻其原判刑罚的制度。减刑以后实际执行的刑期,判处管制、拘役、有期徒刑的,不能少于原判刑罚的二分之一;判处无期徒刑的,不能少于十年。

【减杀】削弱;减轻。

【减负】减轻过重的、不合理的负担。㊀做好中小学生的~工作。

【减色】减少了光彩;降低了精彩成分。

【减员】❶部队中因伤病、死亡等原因造成的人员减少。包括战斗减员和非战斗减员。❷裁减人员。㊀~增效。

【减免】减轻或免除(费用、刑罚等)。

【减灾】采取措施减少自然灾害;减轻自然灾害造成的损失。

【减肥】通过控制饮食、增加运动等方法减轻体重。㊀~茶。

【减河】为了分泄河流洪水而开挖的河道。如海河水系的独流减河。

【减保】在保险合同有效期内,被保险人因其保险财产数量减少或财产贬值而申请减少保险金额。

【减字谱】也叫琴谱。中国传统琴曲专用的乐谱。用简化的文字标明指法、弦序、徽位。可准确记录音高和音色变化,但记录的节奏是不严格的。如"芍"即右手中指勾第一弦,左手中指按一弦七徽。

【减肥药】可使人减少过多脂肪而消瘦的药物。其作用大多为抑制食欲或葡萄糖的消耗。如右苯丙胺、芬氟拉明等。

【减数分裂】也叫成熟分裂。细胞分裂的一种方式。染色体经一次复制,连续分裂两次,形成四个生殖细胞,但其染色体数目只有原来的一半。减数分裂发生于动物的配子形成时、高等植物产生花粉粒和胚囊时、世代交替植物形成孢子时。

碱(*堿) jiǎn ❶通常指在水溶液中电离时生成的阴离子全部是氢氧根(—OH)离子的化合物。如烧碱(氢氧化钠)。❷含有十个分子结晶水的碳酸钠,可作洗涤剂,也可中和发面中的酸味。

【碱石灰】也叫钠石灰。由氧化钙和氢氧化钠组成的混合物。呈白色或灰白色粉粒状。极易吸收水分和二氧化碳而生成碳酸钙和碳酸钠,需密闭保存。常用作干燥剂或酸性气体吸收剂。

【碱式盐】分子中除含有金属阳离子(包括铵离子)、酸根离子外,还含有氢氧根离子的盐。如碱式碳酸铜[$Cu_2(OH)_2CO_3$]。

【碱金属】元素周期表中第 IA 族元素。包括锂、钠、钾、铷、铯、钫。其中钫为放射性元素。它们的氧化物、氢氧化物易溶于水,呈强碱性,故名。它们的化学性质活泼,是强还原剂。均以化合态存在于自然界。

【碱土金属】元素周期表中第IIA 族元素。包括铍、镁、钙、锶、钡、镭。其中镭为放射性元素。古代炼丹家称钙、锶、钡的氧化物为"土",同时这些氧化物都呈碱性,故名。均以化合态存在于自然界。

【碱性电池】也叫碱锰电池。即碱性锌锰电池。以锌为负极,二氧化锰为正极,氢氧化钾溶液为电解液的原电池。其产品系列用 LR 表示,其后的数字表示电池的型号。

【碱性氧化物】能跟酸反应生成盐和水的氧化物。金属氧化物都是碱性氧化物,它们之间的碱性差异很大。

剪 jiǎn ❶剪刀。❷像剪刀的用具。㊀火～。❸用剪刀铰。㊀～贴。❹除掉。㊀～除。

【剪纸】中国传统的一种民间艺术。用色纸剪成或刻成各种形象或图案作为装饰品。

【剪径】拦路抢劫(多见于早期白话)。

【剪彩】剪断彩带。是为新造车船出厂、大型建筑物落成或展览会开幕等而举行的一种仪式。

【剪裁】❶把衣料按照做衣服的尺寸剪断裁开。❷比喻写文章时对材料的取舍。

【剪辑】❶电影制片工序之一。即根据剧本的情节发展和创作构思的要求及电影表现方法的特点,选择、整理和剪接所拍成的全部镜头及所制成的录音材料,最后编制成一部电影。❷经过选择、剪裁而重新安排。㊀录音～。

【剪影】❶按照人影的轮廓剪纸成形。❷比喻对事物轮廓的描写。

【剪刀差】剪刀状价格差距的简称。指在工农业产品交换中,工业品价格偏高,农产品价格偏低。用一定数量的工业品交换农产品的数量越来越多,用一定数量的农产品交换工业品的数量越来越少,这种情况用图来表示,形状像张开的剪刀口,故名。

【剪息票】附息债券持有人在领取利息时,将息票剪下用于兑取利息。

谫(譾) jiǎn 浅薄。㊀～陋。

揃☒ jiǎn ❶剪断。❷消灭。

翦 jiǎn ❶姓。❷"剪"的异体字。

鬋☒ jiǎn 下垂的鬓发。

锏(鐧) ㊀ jiǎn 古代兵器。长条形,有四棱。

㊁ jiàn (480 页)。

裥(襇) jiǎn 在衣服上打的褶子。㊀打～。

简(簡) jiǎn ❶古时用来写字的竹片、木片。㊀汉～。❷书信。㊀书～。❸简单;使不复杂。㊀～明|精兵～政。❹挑选(人才)。㊀～拔。

【简化】把复杂的变成简单的。㊀～汉字|～手续。

【简写】指汉字的简体写法。

【简约】简要概括。

【简报】内容简要的情况报道。㊀新闻～|工作～。

【简直】副词。完全是;实在是(表示夸张语气)。㊀屋子里热得～待不住。

【简板】拍奏体鸣乐器。竹制或木制。一副两根。用左手夹击发音。常用于河南坠子或道情。

【简易】简单、容易的;设施不完备的。㊀～方法。

【简单】❶简易单纯;不复杂。㊀结构～|问题～。❷做事马虎,不细致。㊀～从事。❸平常(多用于否定式)。㊀年纪轻轻就这样能干,不～。

【简陋】简单粗陋,不完备(一般指房屋、设备等)。

【简练】简明精练。㊀文字～。

【简要】简明扼要。

【简洁】简要明白。㊀文笔～。

【简称】名称的简缩形式。如北大是北京大学的简称。

【简捷】也作简截。直截了当。

【简略】简单;不详细。与"详尽"相对。

【简牍】指古代书写用的竹简和木片。后来也指称书信。

【简编】❶内容比较简要的著作。也指同一种书籍的内容比较简略的本子,如《中国通史简编》。❷指军队建制单位的人员或武器装备的数量少于正常编制的数额。

【简截】同"简捷"(477 页)。

【简慢】对人冷淡、失礼。

【简谱】音乐的一种记谱法。用 1、2、3、4、5、6、7 七个阿拉伯数字作音符;上方或下方加小圆点,表示高八度或低八度;右方和下方加短横线,右方加附点,表示时值长短;0 作休止符。

【简化字】指简化后减少了笔画的汉字,即正式公布的简化汉字。如学(學)、习(習)等。

【简体字】指笔画比繁体字简单的字。与"繁体字"相对。

【简化汉字】❶中国文字改革工作之一。把笔画多的汉字改为笔画少的,把有几种写法的确定为一种写法,并且用同音替代的办法适当地归并一些同音字以精简字数。如"漢"简化为"汉","个、個、箇"只用"个"一种写法,"鬆"并入"松"。简化汉字以国家公布的《简化汉字总表》和《第一批异体字整理表》为规范。❷指简化字。

【简单机械】便于用来做功的最简单的机械。作用是省力，或缩短力的作用点移动的距离，或改变力的作用方向。杠杆、滑轮、轮轴、斜面、螺旋和劈都属于简单机械。复杂机械都是由简单机械组成的。

【简单协作】❶协作形式之一。许多劳动者在统一的指挥下，在同一劳动过程中不进行分工，同时进行同种工作。它比单个劳动者进行生产能提高劳动生产率。❷许多工人在同一工场中，在同一资本家指挥下为生产同种商品而进行劳动。它是资本主义生产发展中的第一个阶段。

【简单劳动】指没有任何专长的普通劳动者的肌体平均具有的劳动力耗费。与“复杂劳动”相对。作为社会平均劳动，它是社会必要劳动量的计量单位，从而也是形成商品价值量的基本单位，复杂劳动总是作为多倍的简单劳动来计算的。

【简谐运动】简称谐振动。也叫简谐振动。振动的一种。特点是物理量随时间按正弦或余弦规律变化。如悬挂在弹簧一端的物体，当弹簧稍微被拉长一下立即放开，物体在弹力作用下所作的上下往复运动就是简谐运动。

【简单再生产】生产过程在原有规模(不增减生产资料和劳动力)上进行的再生产。

【简单商品生产】见〔小生产〕(1084页)。

戬 jiǎn ❶剪灭。❷福。

蹇 jiǎn ❶跛足。例～驴。❷迟钝；不顺利。例～涩｜～滞。❸指驽马。也指驴。

瀽□ jiǎn 〈方〉泼；倾倒(dào)。

謇 jiǎn ❶口吃；结巴。❷正直。

jiàn ㄐㄧㄢˋ

见(見) ㊀ jiàn ❶看到；遇到。例所～所闻｜视而不～｜这个病最怕～风。❷看得出；显现出。例～效。❸会面。例多年不～。❹看法；主张。例创～｜固执己～。❺指明出处或需要参看的地方。例～上｜～《鲁迅全集》第五卷。❻文言助词。用在动词前表示被动或对我怎么样。例～笑｜～告。

㊁ xiàn (1069页)。

【见习】初参加工作或独立工作以前在现场实习。

【见地】对事物的认识和主张。例很有～。

【见机】看机会，看形势。例～行事。

【见证】❶事件发生时亲眼看到而可以作证的。例～人。❷指见证人或可作证据的物品。

【见识】❶接触事物，扩大见闻。❷经验、知识。例增长～。

【见责】被责处。

【见轻】❶病情好转。❷被人轻视。

【见闻】看到、听到的事情。例旅途～。

【见笑】❶被人取笑(多表示自谦)。例～于人。❷笑话(我)。例您可别～。

【见教】客气话。称对方的指教。例有何～？

【见罪】见怪；怪罪。例请勿～。

【见解】对于事物的认识和看法。例凡事不能盲从，要有自己的～。

【见世面】在社会上经历各种事情，熟悉各种情况。

【见义勇为】看到合乎正义的事就勇敢地去做。《论语·为政》：“见义不为，无勇也。”

【见仁见智】见〔仁者见仁，智者见智〕(826页)。

【见风转舵】比喻看情势行事(含贬义)。

【见危授命】指在危难的关头，不惜献出自己的生命。《论语·宪问》：“见利思义，见危授命。”授命：献出生命。

【见多识广】阅历深，经验多。

【见异思迁】看见别的事物就想改变原来的主意。指意志不坚定，喜爱不专一。《管子·小匡》：“少而习焉，其心安焉，不见异物而迁焉。”异：不同的。迁：改变。

【见财起意】见了钱财就动了偷窃抢劫等念头。

【见利忘义】看见有利可图，就不顾道义而去干。《汉书·樊郦滕灌傅靳周传赞》：“当孝文时，天下以郦寄为卖友。夫卖友者，谓见利而忘义也。”

【见贤思齐】见到德才兼备的人就想赶上他。《论语·里仁》：“见贤思齐焉，见不贤而内自省也。”

【见兔顾犬】看到了野兔，才回头唤狗去追捕。比喻事情虽紧急，但如及时想办法还来得及。《战国策·楚策四》:"见兔而顾犬,未为晚也。"顾:回头看。

【见怪不怪】看到奇异的事物,镇定自若,不大惊小怪。宋洪迈《夷坚三志己》卷二:"见怪不怪,其怪自坏!"

【见猎心喜】比喻旧习难忘,见其所好,便想试试。宋周敦颐《周子遗事》:"(明道先生)又曰:'吾十六七时,好田猎。既而自谓已无此好。周茂叔曰:"何言之易也!但此心潜隐未发,一日萌动,复如初矣!"后十二年,暮归,在田间见猎者,不觉有喜心。因见果知未也。'"清慵讷居士《咫闻录·武生》:"故睹鹌者过,虽见猎心喜,亦不复入其场矣。"

【见景生情】因看见了眼前的景物而内心产生了感慨之情。

【见微知著】见到事物刚露出的一点苗头,就能知道其本质和发展的趋向。宋苏洵《辨奸论》:"事有必至,理有固然,惟天下之静者为能见微而知著。"微:微小。著:显著。

【见缝插针】比喻把窄小的空间或短暂的时间尽量利用起来。

舰(艦) jiàn 大型战船的通称。例~队|巡洋~。

【舰队】❶主要担负某一战略海区作战任务的海军一级组织。通常由舰艇、海军航空兵、海军陆战队和海军岸防兵等部队组成。❷某些国家的海军根据作战、训练或某种任务的需要,以多艘舰艇组成的临时编队,通常也叫舰队。

【舰艇】配有一定数量的人员、武器或专用装备,主要在海上进行作战或勤务保障活动的海军船只。有时也泛指所有的军用船只。通常分水面舰艇和潜艇。水面舰艇中,排水量在500吨以上的称舰,500吨以下的称艇;潜艇无论排水量大小,都称艇。

【舰载机】以航空母舰或其他水面舰船为活动基地的海军飞机、直升机的统称。分常规起落舰载机、垂直/短距起落舰载机和舰载直升机。

【舰地导弹】从水面舰艇上发射,用以攻击陆上目标的导弹。

件 jiàn ❶文件。例来~|密~。❷论件的事物。例零~|案~。❸量词。用于个体事物。例一~事|两~衣裳。

浒□ jiàn 用于地名,如北浒(在越南)。

牮 jiàn ❶用木柱斜着支撑倾斜的房子。例打~拨正(房屋倾斜,用柱子等支起使其正)。❷用土石挡水。

间(間) ㊁ jiàn ❶空隙;隔阂。例乘~|亲密无~。❷不连接;隔开。例~隔|黑白相~。❸挑拨使人不和;离间。例反~计。❹拔去(多余的幼苗)。例~苗。

㊀ jiān (473页)。

【间杂】错杂。例~其间|黑白~。

【间关】❶崎岖辗转。形容道路的艰险。转指艰难跋涉。例~南北。❷拟声词。鸟鸣声。例~莺语花底滑。❸比喻文字艰涩难读。

【间作】两种或两种以上作物在同一季节同一地块上隔株、隔行或隔畦栽培的种植方式。可充分利用地力和光能,提高单位面积产量。

【间苗】拔去过密的幼苗,使留下的苗株有适当的营养面积,以培育壮苗。

【间或】副词。偶然;有时候。例只有那眼珠~一转,还可以表示她是一个活物。

【间脑】脑的一部分。在大脑两半球中间,左右各一,外侧以内囊与大脑的纹状体相隔。

【间接】非直接的,通过第三者发生关系的。与"直接"相对。例~经验|~传染。

【间断】事情中断,不连接。

【间谍】指潜入敌方或别国,刺探情报、窃取机密或进行颠覆活动的人。

【间道】偏僻的、抄近的小路。

【间隙】空隙。例利用战争~,抓紧练兵。

【间歇】连续动作中每隔一定时间的停顿。

【间冰期】地球历史上连续两次冰期之间气候较暖的时期。

【间奏曲】最初指在歌剧或戏剧中幕间演奏的器乐合奏曲。19世纪后亦指一种形式较自由的器乐独奏曲。

【间隔号】标点符号的一种。形式为"·"。用于外国人或某些少数民族人名内各部分的分界,也用于书名与篇(章、卷)名之间的分界。

【间歇河】经常断水或缺水的河流。有的仅在雨后或融雪时有水。多见于干旱地区。

【间接金融】通过金融中介机构进行的资金融通方式。

【间接经验】指从书本或别人那里得来的知识。参见〔直接经验〕(1263页)。

【间接选举】国家代表机关的代表或国家公职人员,先由选民选出代表或中间选举人,再由他们投票选出的选举方式。与"直接选举"相对。

J

涧(澗) jiàn 山间的水沟。例溪～。

覸[⊠](覸) jiàn 同"瞷"。

磵[⊠](磵) jiàn 同"涧"。

瞷[⊠](瞷) jiàn 偷看。

锏(鐧) ㊀ jiàn 嵌入车轴上的方铁棍儿,用以减少车轴的磨损。㊁ jiǎn (477 页)。

諓[⊠](諓) jiàn 〔諓諓〕❶巧辩之言。❷进谗言的样子。

饯(餞) jiàn ❶设酒食送行。例～行|～别。❷用蜜汁等浸渍(果品)。例蜜～。

【饯行】设酒食送行。

贱(賤) jiàn ❶价钱低。例～价出售。❷地位低下。例卑～|贫～。❸卑鄙;下贱。例～货|～骨头。❹谦辞。称有关自己的。例～躯。❺轻视;瞧不起。例人皆～之。

【贱民】❶旧时对社会地位低下、没有选择职业自由的一些人的蔑称。❷印度被排斥于种姓之外的最低下的社会阶层。又被称为"不可接触者",备受压迫歧视,世代从事各种低贱不洁的工作。

溅(濺) ㊀ jiàn 液体受冲激向四处飞射。例水花四～。㊁ jiān (471 页)。

践(踐) jiàn ❶踩;践踏。❷实行;履行。例实～|～约。

【践约】履行约定的事情。

【践祚】(封建帝王)即位。

【践诺】履行自己的诺言。

【践踏】乱踩乱踏。引申为摧残。

建 jiàn ❶建筑。例扩～|～造|～体育馆。❷成立;创立。例～国|～军。❸提出;首倡。例～议。❹指福建。例～漆。

【建仓】预期价格上涨而购进证券。

【建业】也作建邺。南京的古称。参见〔秣陵〕(696 页)。

【建议】❶提出主张。例～休会。❷提出的有具体办法的意见。例合理化～。

【建设】(国家或集体)增加新设施;完善某一方面。例～工厂|经济～|思想～。

【建材】建筑材料的简称。例～市场。

【建邺】同"建业"(480 页)。

【建制】指军队、机关的组织编制和行政区划等制度。

【建树】❶做出贡献,建立功绩。例～功勋。❷建立的功绩。例在学术上颇有～。

【建都】把首都建在某地。

【建康】南京古称。东晋、南朝皆建都于此。参见〔秣陵〕(696 页)。

【建筑】❶造房、架桥等各种工程的建造、敷设活动。❷建筑物(住宅、厂房、仓库等)和构筑物(塔、桥、烟囱、隧道、井池、堤坝等)的统称。

【建筑学】研究建筑物及其环境的学科。

【建安七子】指汉末建安时期文学家孔融、陈琳、王粲、徐幹、阮瑀、应玚和刘桢。

【建筑面积】指房屋建筑各自然层的外墙外围水平平面面积的总和。如作为主要通道和疏散的室外楼梯,按每层水平投影面积计算建筑面积;楼内如设有主要用于疏散的室内楼梯,则其室外楼梯按其水平投影面积的一半计算建筑面积;专用于检修、消防的室外爬梯,其水平投影面积不计入建筑面积。

【建筑高度】通常指建筑物室外地面到其檐口或屋面面层的高度。屋顶上的水箱间、电梯机房、排烟机房和楼梯出口小间不计入建筑高度。

【建筑容积率】占地范围内的总建筑面积与占地面积之比。

【建筑耐久年限】指建筑物可安全使用的年限。中国相关法规规定,以主体结构确定的建筑耐久年限分为四级:一级,100 年以上,适用于重要的建筑和高层建筑;二级,50—100 年,适用于一般性建筑;三级,25—50年,适用于次要的建筑;四级,15 年以下,适用于临时性建筑。

健 jiàn ❶强壮。例～壮。❷善于;长于。例～谈。❸使强壮。例～身。

【健儿】身体强壮、精力充沛的人(多指英勇善战或长于体育技巧的青年人)。

【健在】(老年人)依然健康地活着。

【健全】❶强壮而没有毛病。例～的体魄。❷事物完备,没有欠缺。例制度～。❸使完备。例～规章制度。

【健步】❶脚步轻捷有力。❷善于走路。例～如飞。

【健身】使身体强健。例～运动。

【健忘】记忆力不好，好忘事。
【健旺】身体健康，精力旺盛。
【健将】运动健将的简称。中国运动员高技术等级称号。由国家体育总局批准授予。也泛指某种活动的能手。
【健美】❶身体健康体型优美。㊀体格～。❷指健美运动。㊀～操｜～比赛。
【健谈】善于说话，历久不倦。
【健康】❶身体强壮，没有疾病。❷比喻事物的发展情况正常。
【健美比赛】竞技体育项目之一。源于德国。比赛按体重分成不同等级，男子根据运动员全身肌肉发达程度、体格比例的平衡性、全身肌肉发展的匀称性、肌肉线条的明显性和造型能力等五个方面进行评判；女子根据整个身段是否具有女性美、全身肌肉发展的匀称性以及肌肉、脂肪的含量比例是否适当、肌肉的发达程度、肌肉和体型线条美以及造型技能等五个方面进行评判。得分少者名次列前。
【健美体操】简称健美操。体育运动项目之一。按照使身体全面协调发展的要求，把体操动作和舞蹈动作组编而成的体操。在音乐伴奏下进行操练。竞技性的健美体操，分单人、混合双人和三人等项目。

楗 jiàn ❶插门的木棍。❷堵塞河堤决口所用的木石等材料。

毽 jiàn 毽子，一种用脚踢的游戏用具。

腱 jiàn 也叫肌腱。生在肌肉两端的结缔组织。色白坚韧。有连结肌肉使固着于骨骼的作用。

【腱鞘】包裹肌腱的管状纤维组织。位于腕、手、足和肩部等处。能分泌滑液。有润滑和保护肌腱的作用。
【腱鞘炎】腱鞘的损伤性炎症。由慢性外伤引起。多发生于手指及腕部。患处局部肥厚、疼痛、活动不灵。

键(鍵) jiàn ❶安在车轴头上，管住车轮不脱离轴的铁棍。今叫挡。❷插门的金属棍子。❸琴、打字机或其他机器上可按动的部分。㊀～盘。

【键盘】❶钢琴、风琴、电子琴等乐器上排列黑白键的部分。❷打字机上排列字键的部分。❸按键电话机上排列数字键的部分。❹电子计算机的外部设备之一，具有输入信息、进行操作的功能。
【键盘乐器】有键盘装置的乐器。键盘为长方形，由黑白键组成。按键使琴箱内部的弦、管、簧片等振动而发音。如钢琴、风琴等。

踺 jiàn 〔踺子〕体操运动等的一种翻身动作。子(zi)。

荐(薦) jiàn ❶介绍；推举。㊀推～｜～贤。❷草；草席。

洊☒ jiàn 再；一次又一次。㊀～至。

栫☒ jiàn 用柴木堵住。

剑(劍*劒) jiàn 古代兵器。一端尖，两面有刃。

【剑术】武术器械练习之一。剑有长穗剑和短穗剑。剑柄短，刃长，有双锋。剑法有抽、带、提、格、击、刺、点、崩、搅、挂、撩等。练剑要求身与剑合、剑与神合。“剑若游龙”“剑若飞凤”是剑术的基本风格。
【剑侠】精于剑术的侠客。
【剑麻】多年生草本植物。叶剑形，大而肥厚，聚生在茎的顶端。叶内纤维多，可制造船缆和纸张，也可供药用。原产于亚热带，中国南方有栽培。
【剑拔弩张】《汉书·王莽传下》：“省中相惊传，勒兵至郎署，皆拔刃张弩。”后南朝梁袁昂用“剑拔弩张”形容书法雄健。今用“剑拔弩张”意同“拔刃张弩”，指形势紧张，一触即发。弩(nǔ)：古时利用机械力量射箭的弓。
【剑桥大学】英国历史最悠久的大学之一。1209年创立。由男子学院、女子学院和研究生混合学院等三十多个学院组成。

监(監) ㊁ jiàn 古代官府名。㊀钦天～(管天文历法的官府)。
㊀ jiān (473页)。

【监生】明清两代取得入国子监读书资格的人称国子监生员，简称监生。其中依靠父、祖官位入监的称荫监，由皇帝特许入监的称恩监，因捐纳财物入监的称捐监。监生可参加乡试。

槛(檻) ㊀ jiàn ❶栏杆。❷关野兽的笼子。
㊁ kǎn (549页)。

【槛车】古代运送野兽或囚犯的车子。

轞☒**(轞)** jiàn 〔轞车〕有栏杆的车。也指囚车。

鉴(鑒*鑑*鍳) jiàn ❶镜子。㊀波平如～。❷

J

照；细看，审察。㊀水清可～｜～别。❸可引为教训、警戒的事。㊀前车之～。❹旧时书信用语。表示请对方看信。㊀台～｜惠～。

【鉴于】看到；觉察到；考虑到。

【鉴戒】教训或警戒。㊀引为～。

【鉴别】辨别真假好坏。㊀有比较才能～。

【鉴定】❶鉴别和评定成绩与错误、优点与缺点等。㊀年终～。❷辨别并确定事物的真伪或优劣。㊀技术～。

【鉴真】（688—763）唐代僧人，日本佛教律宗创始者。本姓淳于，扬州江阳（今江苏扬州市）人。研究佛经，有较高成就。唐天宝元年（742）应日僧荣叡、普照等邀请东渡，至天宝十二年（753）第六次航行始达日本，第二年在奈良东大寺建筑戒坛，传授戒法，为日本佛教徒登坛受戒之始。公元759年建唐招提寺，传布律宗，并将中国的建筑、雕塑、医药等介绍到日本，对中日文化交流起了积极作用。

【鉴赏】也说赏鉴。鉴别和欣赏（艺术作品、文物等）。

【鉴往知来】看到以往的教训，便知道以后该怎么办。

【鉴定结论】鉴定人运用专门知识，对当事人或人民法院提出的与案件有关的问题作出的分析、判断和鉴别。如医学鉴定、精神病鉴定、痕迹鉴定、会计鉴定、产品质量鉴定等。

渐（漸） ㊀ jiàn ❶副词。慢慢地；逐步地。㊀～入佳境｜～进。❷指苗头。㊀防微杜～。

㊁ jiān（474页）。

【渐次】副词。表示事物的逐步变化。㊀由于群策群力，一些难题～解决了。

【渐进】逐渐前进；逐渐发展或变化。㊀循序～｜～过程。

【渐变】❶指事物逐渐的不显著的变化。❷即“量变”（613页）。

【渐悟】佛教名词。指经过长期修习而对“真理”的逐渐领悟。佛教禅宗的北宗主张此说。与“顿悟”相对。

【渐弱】音乐中使用的力度记号。用“ > ”表示。也用 fortissimo-forte-piano 表达渐弱的效果。

【渐强】音乐中使用的力度记号。用“ < ”表示，也用 piano-forte-fortissimo 表达渐强的效果。

【渐入佳境】《晋书·顾恺之传》：“每食甘蔗，常自尾至本。人或怪之。恺之曰：‘渐入佳境。’”意为甘蔗的根部比梢部甜，由梢及根，越吃越甜。后用以比喻趣味渐浓或境况、环境逐渐转好。

谏（諫） jiàn 规劝帝王、尊长等，使改正错误。㊀进～｜劝～。

【谏诤】直言指出他人的过错，并规劝其改正。

僭 jiàn 超越本分，冒用在上者名义、职权行事。㊀～越｜～号（冒用帝王称号）。

【僭取】超越本分取得名位、器物的行为。

【僭越】超越本分、规矩。

箭 jiàn 用弓弩发射的一种细杆带金属尖头的兵器。现多用作运动器具，一般用铝合金、塑料等制成。

【箭竹】竹子的一种。高可达3米多，直径约10毫米。生长在海拔1 000—3 000米的山坡林缘。秆可制伞柄、竹篱等，也是造纸的原料，笋供食用。

【箭步】一下子蹿得很远的脚步。㊀他一个～扑过去，抓住了小偷。

【箭猪】即“豪猪”（383页）。

【箭楼】古代城门上的楼，周围有供瞭望和射箭用的小窗户。

【箭镞】箭头。多用金属制成。

【箭在弦上】也说矢在弦上。比喻情况紧急，为形势所迫不得不采取某种行动。常与“不可不发”“不得不发”连用。汉陈琳《为袁绍檄豫州》李善注：“琳谢罪曰：‘矢在弦上，不可不发。’”

jiāng ㄐㄧㄤ

江 jiāng ❶大河的通称。㊀黑龙～｜金沙～。❷特指长江。㊀～南｜大～南北。

【江干】江边。干（gān）：水边。

【江山】江河和山岭。也比喻国家或政权。㊀人民的～。

【江左】长江下游南岸和长江部分中游东南岸，古称江左，或称江东（古以东为左）。

【江右】隋唐以前，习惯上称长江下游北岸和淮河中下游以南地区为江右。

【江东】见〔江左〕（482页）。

【江米】见“糯”（729页）。

【江表】长江中下游以南地区古称江表。

【江南】泛指长江中下游以南、南岭以北地区。

【江珧】软体动物。贝壳大而薄，前尖后广，呈楔形。足丝发状，极发达。生活在海中。闭壳肌干制品叫江珧柱，也叫干贝。珧(yáo)。

【江陵】历史文化名城。位于湖北省荆州市东南部，长江北岸。有荆州古城、楚纪南故城、元妙观、开元观以及古墓密集的八宝山等古迹。

【江豚】也叫江猪。哺乳动物。体形似鱼，长1.2—1.6米。全身灰黑色。头短，眼小。尾扁平，无背鳍。栖息于港湾淡水中。多独游或少数同栖。食小鱼及其他水生小动物。产于中国长江口。

【江湖】❶旧指四方各地。㊀流落～。❷旧时流浪各处卖药、卖艺为生的人叫"走江湖的"。也指这一类行业。

【江蓠】❶古书上说的一种香草。❷红藻的一种。暗红或黄绿色，细圆柱形，有不规则的分枝。生长在海湾浅水中。可提取琼脂。

【江西省】别称赣。位于长江中游南岸，西邻湖南，南邻广东，东邻福建、浙江，北邻安徽、湖北。面积16万多平方千米。人口4 191万(1998年)。省会南昌市。重要城市还有九江、赣州、景德镇、鹰潭、萍乡等。

【江苏省】简称苏。位于长江下游。东滨黄海，北邻山东，西邻安徽，南邻浙江和上海市。面积10万多平方千米。人口7 182万(1998年)。省会南京市。重要城市还有无锡、苏州、徐州、连云港、常州、南通、镇江等。

【江户幕府】也叫德川幕府。指日本德川家康1603年在江户(今日本东京)建立的封建政权机构。它对内强化中央集权，对外实行锁国政策。该幕府在日本统治时间长达265年。

【江心补漏】比喻失去了时机，已无法补救。

【江宁条约】即"南京条约"(709页)。

【江河日下】江河的水天天向下流。比喻情况一天一天地坏下去。

【江河行地】江河在大地上流动，这是自然的常理。比喻理应如此，不可改变。

【江南丝竹】中国民族器乐合奏的一种。流行于以上海为中心的江苏、浙江一带。属于丝竹乐。所用乐器有二胡、小三弦、琵琶、扬琴、笛、笙、箫、鼓、板、木鱼等。代表曲目有《欢乐歌》《云庆》《行街》《四合如意》《三六》《慢三六》《中花六板》《慢六板》。

【江洋大盗】出没于江河湖海之上的强盗。

【江青反革命集团】也叫"四人帮"。即以江青、王洪文、张春桥、姚文元为主要成员的反党集团。"文化大革命"初期他们就勾结林彪、康生、陈伯达等，利用中央文革小组名义，推行极左的路线。全面否定建国十七年的巨大成就；鼓吹"怀疑一切""打倒一切"的极左思潮；掀起"普遍夺权""全面内战"的逆流；残酷迫害革命干部、群众和知识分子。林彪篡党夺权阴谋败露后，他们结成"四人帮"，相继掀起所谓"批林批孔""评法批儒""批邓反击右倾翻案风"运动；诬陷"天安门事件"是"反革命事件"；反对以周恩来、邓小平等为代表的党的正确领导；歪曲马列主义和毛泽东思想；破坏经济建设；摧残各项社会主义事业，激起全国人民的愤怒。1976年10月，中共中央政治局决定对他们进行审查，粉碎了江青反革命集团。1980年11月至1981年1月，最高人民法院特别法庭对江青反革命集团的主犯进行了公开审判，使他们受到了法律制裁。

【江东六十四屯惨案】沙俄野蛮屠杀中国人民的惨案。1900年，沙俄参加八国联军攻占天津、北京，同时又单独派兵抢占中国东北地区。7月17—21日，侵略军在海兰泡把中国居民数千人逼入黑龙江中淹死。又在瑷珲县江东六十四屯大肆烧杀抢掠。从此沙俄长期侵占该地区。

【江南机器制造总局】中国近代军事工厂。1865年由李鸿章在上海创建。后成为清政府控制的最大军事工厂，制造枪炮弹药、轮船等。其技术和机械设备主要依靠外国。1905年造船部分独立，称江南船坞，兵工部分仍称制造局。后分别改为江南造船所和上海兵工厂。抗战后兵工厂停办，场所并入江南造船所。

茳 jiāng 〔茳芏〕也叫席草。多年生草本植物。茎三棱形。多生于沼泽或积水的低洼处。茎柔韧，可制席。芏(dù)。

矼⊠ ㊀ jiāng 石桥。
㊁ qiāng (785页)。

豇 jiāng 〔豇豆〕一年生草本植物。茎蔓生，豆荚长条形。嫩荚和种子可食。

将(將) ㊀ jiāng ❶副词。就要；快要。㊀天～下雨。❷介词。

把;拿。㊀～革命进行到底|～功赎罪。❸下象棋时直接攻击对方的将或帅。㊀～军。❹带领;搀扶。㊀～幼弟而归|扶～。❺做。㊀慎重～事。❻休养;调养。㊀～养。❼文言副词。又;且。㊀～信～疑。❽助词。表示动作的开始。㊀赶～上去。

㊁ jiàng（486 页）。

㊂ qiāng（785 页）。

【将军】❶泛指高级将领。❷下象棋时直接攻击对方的将或帅。也比喻出题目难为人。

【将养】休息并慢慢调养。

【将息】调养休息。

【将计就计】利用对方所用的计策,反过来向对方使计策。

【将功赎罪】也说将功折罪。拿功劳抵偿罪过。

【将信将疑】有点儿相信,又有点儿怀疑。唐李华《吊古战场文》:"人或有言,将信将疑。"将:且,又。

【将错就错】事情既然已经做错了,索性顺着错的做下去。

【将欲取之,必先与之】要想从他那里取得东西,必须先给他东西。《老子·三十六章》:"将欲夺之,必固与之。"

螿☒(螿) jiāng 古书上指一种蝉。

鲚(鱂) jiāng 鱼类。体侧扁,银灰色。头扁而平,腹部突出。生活在淡水中。

浆(漿) ㊀ jiāng ❶较浓的液体。㊀豆～。❷用米汤或粉浆浸纱、布或衣服等。㊀～衣服。

㊁ jiàng（486 页）。

【浆果】外果皮柔薄,中果皮和内果皮多肉、汁,难以分离,内含一至数粒种子的果实。如葡萄、番茄等的果实。

姜(薑) jiāng 多年生草本植物。作一年生栽培,食用部分为肥大的根状茎,有辛辣味。作调味品,也供药用。

【姜尚】(?—前 1021?)周初政治家。吕氏,名望,一说字子牙,俗称姜太公,因为他的祖先封于吕,所以也叫吕尚。西周初年为"师"(武官名),也称师尚父。辅佐周文王,使周成为强国。后来辅佐武王灭商。成王时封为齐侯,为齐国的始祖。

【姜夔】(约 1155—1209)南宋词人、音乐家。字尧章,号白石道人,鄱阳(今江西波阳)人。一生未仕。工词且精通乐理,写词能自制曲调。其词讲求形式,音律谐美,多写景记游,抒发个人情怀。有《白石道人歌曲》《白石道人诗集》等。

【姜子牙】《封神演义》中的人物。原型为姜尚。曾在昆仑山学道,后奉师命下山辅佐周室。八十岁为周文王访得,拜为丞相,助武王伐纣,完成兴周大业。最后奉命发榜封神。参见〔姜尚〕(484 页)。

【姜太公】即"姜尚"(484 页)。

【姜片虫病】由姜片虫寄生在人体小肠内引起的寄生虫病。因虫体大如生姜片,故名。由于食用带其囊蚴的红菱和荸荠等而感染。主要症状是腹泻、腹痛等。

畺☒ jiāng 同"疆"。

僵(❶*殭) jiāng ❶僵硬,不能活动。㊀手冻～了。❷相持不下;一时难以解决。㊀～局。

【僵尸】僵硬的死尸。常用来比喻徒有形式,实际上已经死去的事物。

【僵化】变僵硬。比喻停滞不前。㊀思想～。

【僵死】死亡而僵硬了。比喻失去生命力。

【僵局】相持不下的局面。

【僵持】相持不下。

缰(繮*韁) jiāng 缰绳,拴牲口的绳子。㊀信马由～。

礓 jiāng 砂礓,砂姜的旧称。砂土中的不规则姜形钙质结核体。

【礓𥔲】❶用砖或石砌成的台阶。❷台阶两旁的边石。

疆 jiāng ❶边界;疆界。㊀边～。❷极限;止境。㊀万寿无～。

【疆土】国家的疆域,领土。

【疆场】战场。

【疆界】国家或地域的界限。

【疆域】疆土。指国家领土面积。

【疆埸】❶边界。❷田界。埸(yì)。

jiǎng ㄐㄧㄤˇ

讲(講) jiǎng ❶说。㊀～故事。❷解释;论述。㊀～明|～课|这是一本～语法的著作。❸商量;商谈。㊀～价|～和。❹讲求;注重。㊀～卫生|

~政策。❺就某方面说。㊀~念书他不行,~干活可是一把手。❻古又同“斠(𣂰)(jiào)”。

【讲义】古指讲解经义之书。现泛指教师为讲课而编写的教材。

【讲习】讲授和学习。

【讲师】❶高等学校教师的专业技术职务名称。级别次于副教授。❷见〔学衔〕(1118页)。

【讲坛】讲台。泛指讲演或学术讨论的场所。

【讲求】❶注重;追求。㊀做事要~实效。❷研究。㊀~学问。

【讲究】❶讲求;注重。㊀~卫生。❷值得注意或推敲的道理。㊀大有~。❸精美,完善。㊀会场布置得很~。

【讲座】讲授某种学科或某一专题所采用的教学形式,多采用报告会、广播或刊物连载等方式进行。㊀专题~|广播~。

【讲授】讲解,传授。

【讲解】说明;解释。

【讲演】对众多的人讲述某一方面的知识或对某一问题的见解。

奖(奬*獎) jiǎng ❶表扬;奖励。㊀夸~|嘉~。❷为鼓励、表扬而给的荣誉或财物等。㊀发~|领~。

【奖许】夸奖;称赞。

【奖励】授予荣誉或物质的东西来表扬、鼓励。

【奖状】为奖励而发给的证书。

【奖饰】夸奖;赞誉。

【奖项】指某一名目的奖。㊀一举获得了两个~。

【奖挹】奖掖。挹(yì)。

【奖掖】奖励提拔。

【奖章】为奖励某人而发给的徽章。

【奖赏】对有功者或获胜者给予物质奖励。也指奖给的东西。

【奖惩】奖励和惩罚。

【奖学金】国家、团体或个人为表彰先进而奖给优秀学生的钱。

桨(槳) jiǎng 划船的工具。

蒋(蔣) jiǎng 姓。

【蒋介石】(1887—1975)名中正,浙江奉化人。早年曾在保定军官学校肄业,后留学日本,加入孙中山领导的同盟会。辛亥革命后在上海投靠军阀陈其美。1923年被派赴苏联学习军事,1924年回国后任黄埔军官学校校长和国民革命军第一军军长。1926年任国民党中央执委会常委会主席,国民革命军总司令。1927年发动了四·一二反革命政变。南京国民党政府成立后,任军事委员会委员长,国民党中央政治会议主席和政府主席,控制党政大权,对内实行独裁统治,对外投靠帝国主义。九·一八事变后,对于日本帝国主义的侵略实行不抵抗主义,致使东北、华北大片国土沦陷。抗日战争期间,被迫接受国共合作共同抗日,任中国战区最高统帅,多次掀起反共高潮。抗日战争胜利后,向解放区发动全面进攻。1948年任“总统”。1949年反人民的内战失败,逃到台湾省,1950年任“总统”和国民党总裁。1975年4月5日在台湾省病逝。

【蒋经国】(1910—1988)浙江奉化人,蒋介石长子。1925年赴苏留学,曾加入共产党。1937年回国,历任江西第四行政区督察专员兼保安司令、国民党青年编练总监部政治部主任。1945年曾随宋子文赴苏谈判,签订《中苏友好条约》。1948年任上海区经济管制副督导员。1949年去台湾省,历任国民党台湾省委员会主任委员,“国防部”总政治部主任,“国防部”部长,“行政院”院长。1975年起任国民党中央主席。1978年、1984年连任台湾当局“总统”。

【蒋筑英】(1938—1982)中国共产党优秀党员,全国特等劳动模范,中国科学院长春光学精密机械研究所副研究员,先进知识分子代表。浙江杭州人。1962年从北京大学物理系毕业后考取长春光学精密机械研究所研究生,后留所从事光学研究工作。1965年他与同伴们合作研制成功中国第一台光学传递函数测量装置。此后,在色度学、光学检测、软X射线等多方面都取得很大成就,为祖国的光学事业做出重要贡献。他不计较个人得失,勇于开拓,勤勤恳恳,甘当“铺路石”,被誉为“科学界的雷锋”。在患重病期间仍坚持工作,于1982年6月15日在四川出差时病逝。

耩 jiǎng 用耧播种。㊀~地。

膙 jiǎng 〔膙子〕即“趼子”(476页)。

J

jiàng ㄐㄧㄤˋ

匠 jiàng ❶有专门技艺的人。㊀木～｜能工巧～。❷指在某一方面有突出成就的人。㊀巨～。

【匠人】手艺工人的旧称。

【匠心】巧妙的心思。多指文学艺术创造性的构思。㊀独具～。

【匠心独运】指巧妙、独特的艺术构思。

降 ㊀ jiàng ❶落下；降低。与"升"相对。㊀～雨｜气温下～。❷使落下；使降低。与"升"相对。㊀～旗｜～级。

㊁ xiáng (1075 页)。

【降水】大气中的水汽在一定条件下形成雨、雪、冰雹等降落到地面，统称降水。

【降号】音高记号。写成"♭"。记在音符的左上角，表示后面的这个音降低半音。如♭7。

【降尘】一种粉尘颗粒。直径在 30 微米以上。包括地面扬尘、工业粉尘及火山灰等。可自然降至地面，故名。是污染环境的物质之一。

【降临】来到。

【降格】把标准降低。㊀～以求。

【降温】❶指气温下降。❷为了改善劳动条件，用人工方法降低室内温度。

【降水量】一定时段内从大气中降下的雨、雪、雹等，未经渗透、蒸发和流失所积成的水层深度。用雨量器测定，以毫米数表示。

【降半旗】将国旗下降到离杆顶约三分之一处。是表示哀悼的重大礼节。

【降落伞】凭借空气阻力使人或物体从空中缓慢下降着陆的伞状器具。主要由伞衣、引导伞、伞绳、背带系统、开伞部件和伞包等组成。可用于空降人员、空投物资、跳伞运动、收回靶机或探空仪器等。

【降心相从】委曲自己的心意去服从别人的意愿。《左传·僖公二十八年》："今天诱其衷，使皆降心以相从也。"

【降血压药】能扩张血管，使血压下降的合成药物。按作用可分为三类：(1)作用于中枢神经的，如可乐定、甲基多巴等；(2)作用于周围神经的，如胼屈嗪等；(3)作用于其他方面的，如对血管平滑肌有直接松弛作用的利血平等。

【降解塑料】可分解的塑料。通常指在阳光、空气、水和微生物等自然条件作用下能分解的塑料及其制品。

洚 jiàng 水流溢出河道。

绛(絳) jiàng 深红色。

虹 ㊁ jiàng 义同"虹(hóng)"，限于口语单说。

㊀ hóng (400 页)。

将(將) ㊁ jiàng ❶军衔名。将官。在校之上。❷泛指军官。㊀～士｜损兵折～。❸带；率领。㊀～兵。

㊀ jiāng (483 页)。

㊂ qiāng (785 页)。

【将士】将领和士兵。

【将指】手的中指，脚的大趾。

【将略】用兵的谋略。

【将领】较高级的军官。

浆(漿) ㊁ jiàng 〔浆糊〕也作糨糊。用面粉等制成可以粘贴东西的糊状物。

㊀ jiāng (484 页)。

酱(醬) jiàng ❶一种调味品。用发酵后的豆、麦等加盐制成。㊀黄～｜甜面～。❷像酱的糊状食物。㊀果～｜芝麻～。❸用酱或酱油腌制(菜蔬)。㊀～了点黄瓜。❹用酱或酱油腌制的(菜蔬)。㊀～萝卜。❺一种烹饪方法。和卤的做法相似，只是最后需把汤汁烧稠，使浓汁附盖在原料上。

弶□ jiàng 〈方〉❶一种捕捉鸟雀等的工具。❷用弶捕捉。

强(*強 *彊) ㊂ jiàng 同"犟(jiàng)"。

㊀ qiáng (785 页)。

㊁ qiǎng (787 页)。

犟 jiàng 固执任性；坚强不屈。㊀脾气～。

糨 jiàng 液体较稠。㊀粥熬得太～了。

【糨糊】同"浆糊"(486 页)。

糡☒ jiàng "糨"的异体字。

jiāo ㄐㄧㄠ

艽 jiāo 见〔秦艽〕(793 页)。

交 jiāo ❶把事物转移给有关方面。例～公粮|～给任务。❷相错;连接。例～叉|春夏之～。❸交往;交结。例建～|～友。❹互相。例～谈|～换意见。❺生物的交配。例杂～。❻同时;一齐。例风雨～加。❼刚到(某个时候或季节);碰到(某种运气)。例～子时|眼看就～冬至了|～鸿运。❽同"跤"。现在通常写作跤。

【交口】众口一辞。例～称赞。

【交子】北宋流通的纸币,也是世界上最早的纸币。最初出现在四川,由成都十多家富商联合发行。后改由官府发行,以铁钱为币值本位,用统一的纸张印制,面额不一。金和南宋也曾发行过交子。

【交心】把自己的真心话无保留地向对方谈出来。

【交付】交给。例～使用|～现金。

【交代】也作交待。❶办理移交。例～工作。❷嘱咐。例临走～几句话。❸把事情或意见向有关的人说明,把错误或罪行坦白出来。例～政策。

【交加】(两种事物)同时或错杂出现。例风雪～|惊喜～。

【交尾】雌雄动物交配。

【交际】人与人的往来接触。

【交杯】在婚礼上,新郎新娘互换酒杯饮酒。

【交易】交换或买卖。例一笔～|不能拿原则做～。

【交往】互相来往。

【交织】❶经纱和纬纱交错织造的过程。❷比喻错综复杂地合在一起。

【交钞】金元时代发行的一种纸币。

【交待】同"交代"(487页)。

【交换】❶彼此互换(东西等)。例～队旗。❷人们互相交换活动或劳动产品的过程。是在社会分工的基础上产生的。产品交换是社会再生产的一个环节。它由生产决定,又反作用于生产。劳动产品一旦在不同所有者之间成为交换对象,就出现了商品交换。❸生物学上指来自双亲的相对染色体,在性细胞成熟分裂时,相互交换对应部分的过程。是形成生物新类型的原因之一。

【交配】雌雄两性动物发生性行为。

【交涉】跟对方协商解决有关的问题。

【交流】❶互相沟通。例文化～|～经验。❷交变电流的简称。大小和方向随时间作周期性变化,而且一个周期内电流平均值为零的电流。日常照明用电都是交流电。

【交通】❶各种运输与邮电通信的总称。前者如水运、空运、铁路、公路、管道等;后者如邮递、电报、电话、传真、互联网等。有时仅指运输。❷往来通达。例～要道。❸特指通信和联络。例～员。❹交往。

【交替】接替;轮流,替换。例新旧～|循环～。

【交椅】❶古代的椅子,腿交叉,可折叠。❷即太师椅。也喻指地位。例第一把～。

【交锋】锋刃相接。喻指双方交战(多用于战争、比赛或辩论)。例两军～|这两支乒乓球队将在明天～。

【交割】双方结清交付和收受的手续(多用于商业和金融交易)。

【交错】相互错杂。例纵横～的沟渠。

【交媾】性交。

【交融】融合在一起了。例水乳～|情景～。

【交警】交通警察的简称。

【交际花】在社交场合中,貌美、活跃而有名气的女子(含轻蔑意)。

【交际舞】也叫交谊舞。社交场合由男女两人合跳的一种舞蹈。

【交易所】进行大宗商品和证券买卖的场所。以股票、公司债券等为交易对象的叫证券交易所;以大宗商品(如棉花、小麦等)为交易对象的叫商品交易所。

【交响乐】即"交响曲"(487页)。

【交响曲】也叫交响乐。大型管弦乐套曲。最早发源并形成于欧洲。一般四个乐章(其中第一乐章多为奏鸣曲曲式)。也有少于或多于四个乐章的作品,如舒伯特的《未完成交响曲》(两个乐章)。交响曲规模宏大,管弦乐法复杂,适于表现戏剧性较强的内容。

【交响诗】也叫音诗。标题性单乐章管弦乐曲。19世纪李斯特首创这一体裁。题材多取自文学、戏剧、美术作品,强调诗意和哲理的表现,形式不拘一格。

【交口称誉】大家同声称赞。唐韩愈《柳子厚墓志铭》:"诸公要人…交口荐誉之。"《元史·王利用传》:"利用幼颖悟,弱冠,与魏初同学,遂齐名,诸名公交口称誉之。"

【交易主体】在市场交易中具有独立经济法人资格的行为者。包括企业、个人及其他经济组织。

【交易成本】即"交易费用"(487页)。

【交易费用】也叫交易成本。财产所有权转移过程中产生的费用。主要包括发现相对价格的费用、谈判和签约的费用、执行契约的费用、界定和保障产权的费用等。

【交浅言深】对交情浅的人说利害攸关的恳切的话。《战国策·赵策四》:"客有见人于服子者。服子罪之曰:'交浅而言深是乱也。'客曰:'不然,交浅而言深,忠也。昔者,尧见舜于草茅之中,桑阴移,而受天下传,使交浅者不可以深谈,则天下不传也。'"

【交响乐队】现代大型管弦乐队。通常由弦乐、木管、铜管、打击四组乐器组成。有时也加钢琴、竖琴或民族乐器。

【交换过程】政治经济学中指人们交换产品的过程。是产品从生产进入消费的中间环节。也泛指人们相互交换产品、劳动的过程。

【交换价值】一种使用价值与另一种使用价值相交换所形成的比例或量的关系。如一把斧头可以换二十斤玉米,二十斤玉米就是一把斧头的交换价值。两种商品之所以能按一定比例互相交换,是因为二者都含有相同的一般人类劳动。价值是交换价值的内容,交换价值是价值的表现形式。

【交通标志】用以管理和指导交通,保证交通顺畅和安全的符号或文字。有指示标志、警告标志和禁令标志三类。

【交感神经】植物性神经系统的一部分。由脊髓第一胸节至第三腰节侧角发出神经纤维到交感神经节,再由此发出纤维分布到平滑肌、心肌和腺体,调节心脏及其他内脏器官的活动。交感神经和副交感神经两者在功能上有相互拮抗的作用。

【交互式电视】一种电视节目的播放可由观众选择或控制的电视系统。可以实现电视节目的点播,也应用于远程教学、电子购物和交互游戏等。

郊 jiāo 城市周围的地区。例东~|~外。

茭 jiāo 喂牲口的干草。

【茭白】见"菰"(335 页)。

峧 jiāo 用于地名,如峧头(在浙江)。

姣 jiāo 美好。

胶(膠) jiāo ❶有黏性、能粘东西的物质,有用动物的皮、角等熬制成的,也有植物分泌的和人工合成的。例鳔(biào)~|桃~|~水。❷粘住。例~住。❸指橡胶。例~鞋|~皮。❹像胶一样黏的。例~泥。

【胶子】理论上预言的传递强相互作用的粒子。目前实验上已发现胶子存在的迹象,但还没有证实胶子的存在。

【胶片】也叫软片。照相或拍摄电影等用的感光材料。是在透明的薄片(片基)上,涂布感光层(主要成分是精胶和卤化银)制成的。主要有黑白和彩色两大类。

【胶印】平版印刷的一种。使用金属平版把图文上的油墨先印在橡皮布包的滚筒上,再转印到纸上。画报、彩图等多用此法印刷。

【胶体】一种多相分散体系。其中一相为分散相,另一相为分散介质。由于各相聚集状态不同,可分为溶胶(固体分散于液体介质中),如墨汁;气溶胶(液体或固体分散于气体介质中),如烟、雾;固溶胶(气体、液体或固体介质分散于固体介质中),如珍珠。

【胶剂】中成药剂型之一。将可供药用的动物的皮、骨、甲、角用水熬取胶质,浓缩后制成块状,供内服用。如阿胶、龟板胶、鹿角胶等。

【胶着】比喻相持不下,难以解决。着(zhuó)。例~状态。

【胶黏剂】即"黏合剂"(719 页)。

【胶东半岛】也叫山东半岛。指山东省胶莱河谷以东的部分。伸入渤海、黄海之间。有青岛、烟台、威海等港口。

【胶体溶液】也叫溶胶。分散质粒子的直径在十万分之一至千万分之一厘米之间的分散体系。通常相同的胶体粒子带有相同的电荷。如蛋白溶液、墨汁等。比悬浊液、乳浊液稳定。

【胶柱鼓瑟】比喻拘泥,不知变通。《史记·廉颇蔺相如列传》:"蔺相如曰:'王以名使括,若胶柱而鼓瑟耳。括徒能读其父书传,不知合变也。'"柱:瑟上调弦的短木,柱被粘住,音调就不能变换。

鸡☒(鵁) jiāo 〔鸡鶄〕古书上说的一种水鸟。鶄(jīng)。

蛟 jiāo 蛟龙,古代传说中一种能发洪水的龙。

跤 jiāo 跟斗。例跌~。

鲛(鮫) jiāo 鲨鱼。

浇(澆) jiāo ❶淋;洒;灌溉。例被雨~湿了|~花|~地。❷灌注。例~版|~铸。❸刻薄。例~薄。

【浇漓】指社会上人情薄,人与人之间缺乏真诚的感情。

【浇灌】❶浇水灌溉。❷向模子里灌注。例~混凝土。

侨☒(憍) jiāo 同"骄傲"的"骄"。

娇(嬌) jiāo ❶美好;可爱。例江山如此多~。❷过分疼爱。例对孩子别~生惯养。❸娇气。

【娇气】意志脆弱,怕苦怕累或经不起批评。

【娇纵】对子女宠爱、放纵、不加管教。

【娇贵】看得贵重,过分爱护。

【娇娆】美丽柔媚。

【娇艳】娇嫩而艳丽。例~的桃花。

【娇憨】年幼不懂事而又天真可爱的样子。

骄(驕) jiāo ❶自高自大,看不起别人。例戒~戒躁|胜不~,败不馁。❷猛烈;炎热。例~阳。

【骄人】❶傲视他人。例~者必败。❷引为自豪;值得骄傲。例成绩~。

【骄子】受到骄宠的儿子。汉朝时匈奴人自称为天之骄子(意思是说匈奴为天所骄宠,故很强盛)。

【骄气】骄傲自满、自以为是的作风。

【骄阳】夏天炎热的阳光。

【骄纵】❶骄傲放纵。❷骄宠惯纵。

【骄盈】骄傲自满。

【骄矜】骄傲自大。矜(jīn)。

【骄傲】❶自高自大,看不起别人。例虚心使人进步,~使人落后。❷自豪。例能为实现四个现代化而贡献一份力量,我们感到无比~。❸值得自豪的人或事物。例绵延不绝的五千年文化是我们中华民族的~。

【骄慢】傲慢。

【骄横】骄傲,蛮不讲理。横(hèng)。

【骄蹇】骄纵傲慢,不顺从。蹇(jiǎn)。

【骄兵必败】骄傲轻敌的军队必定打败仗。《汉书·魏相传》:"相曰:'恃国家之大,矜人民之众,欲见威于敌者,谓之骄兵,兵骄者灭。'"

【骄奢淫逸】也作骄奢淫泆。形容骄横奢侈,荒淫无度的糜烂生活。《左传·隐公三年》:"骄奢淫泆,所自邪也。"

教 ㊀ jiāo 传授(知识或技能等)。例~课|互~互学。

㊁ jiào (493 页)。

椒 jiāo ❶辣椒,一年生草本植物。果实含有丰富的维生素 C 及辣椒素,有辣味,供食用。❷胡椒,多年生藤本植物。果实球形,有辣味,可作调味品或供药用。❸花椒,落叶灌木。果实作调味品。

【椒房】汉代指皇后、妃子所住的宫殿。因用花椒和泥涂壁得名,取温暖芬芳之义。后用作后、妃的代称。

焦 jiāo ❶火候过大或火力过猛,使东西变硬变脆或烧成炭样。例烤得又~又脆|衣服烧~了。❷由于缺少水分,变得干枯、干燥。例~渴|唇~舌燥。❸着急。例心~|~急。❹指焦炭。例炼~。❺焦耳的简称。

【焦土】烈火烧焦的土地。多形容战争或火灾所造成的严重破坏的景象。

【焦比】高炉炼铁的技术经济指标之一。即高炉每冶炼一吨合格生铁所耗用焦炭的吨数。

【焦耳】❶詹姆斯·焦耳(1818—1889)英国物理学家。主要贡献是测定了热功当量,为建立能量守恒和转换定律做出了贡献,还发现了电流通过导线时产生热量的定律。❷简称焦。功和能量的单位。为纪念焦耳而命名。1 牛的力使物体在力的方向上移动 1 米时所做的功是 1 焦。

【焦灼】非常着急。

【焦油】一种黑褐色黏稠液体。煤、油页岩或木材等干馏时生成。分煤焦油、页岩油、木焦油等。

【焦点】❶二次曲线的焦点。参见〔椭圆〕(1001 页)、〔抛物线〕(739 页)。❷平行于球面镜主轴或透镜主轴射来的各条光线经反射或折射后在主轴上的交点。球面镜有一个焦点;透镜有两个焦点,位于透镜的两侧。❸比喻问题的关键所在或争论的集中点。

【焦炭】用煤经隔绝空气加热所得到的固体产物。是一种固体燃料。有金属光泽。坚硬多孔,发热量高。主要用作钢铁及其他金属冶炼的燃料以及化工原料等。强度较高,能满足炼铁高炉生产要求的叫冶金焦。

【焦虑】❶焦急忧虑。❷身心病的一种表现。在困惑和不安时神情烦躁,言行激动。与"抑郁"相对。

【焦距】球面镜顶点或薄透镜中心与其焦点间的距离。

J

【焦躁】着急而烦躁。

【焦裕禄】(1922—1964)中国共产党的好党员,好干部。山东淄博人。1962年至1964年任河南兰考县委书记。领导全县干部和群众向风沙、内涝、盐碱三大自然灾害进行斗争,努力改变兰考面貌。以坚韧的革命毅力,同严重疾病进行顽强斗争,奋不顾身地工作,1964年5月14日因肝癌逝世。

【焦头烂额】《汉书·霍光传》:"曲突徙薪亡(无)恩泽,燋(焦)头烂额为上客耶!"原指头部烧伤严重。后用以比喻处境或情态十分狼狈窘迫。

【焦耳定律】英国物理学家焦耳发现的确定电流通过导体时产生热量的定律。即通电导体产生的热量和电流强度的平方、导体的电阻及通电时间成正比。

【焦枝铁路】北起河南省焦作市,南至湖北省枝城市,长753千米。北接太焦铁路,南接枝柳铁路,与陇海、汉丹、襄渝等铁路相交。与同蒲、太焦、枝柳铁路共同组成中国南北交通干线之一。现与枝柳铁路合为焦柳铁路。

【焦点透视】西方传统绘画的透视画法。只描绘一个焦点(即一只眼睛固定一个方向)所见物体的远近关系。

僬 jiāo〔僬侥〕古代传说中的矮人。侥(yáo)。

蕉 jiāo ❶芭蕉。❷香蕉。

嶕☒ jiāo〔嶕峣〕形容山高。

礁 jiāo ❶海洋或大的江河中距水面较近的岩石。㊀暗～|触～。❷由珊瑚虫的遗骸堆积成的岩石状物。㊀珊瑚～。

鐎☒(**鐎**) jiāo〔鐎斗〕古代温器。多用青铜制成,盆形,三足,有柄。军中也用以打更,称刁斗。

鷦(**鷦**) jiāo〔鷦鷯〕鸟类。体小,尾羽短,略向上翘。常活动在低矮阴湿的灌木丛中。食昆虫、蜘蛛等。

蟭☒ jiāo〔蟭蟟〕青色蝉。

嘐☒ ㊁ jiāo〔嘐嘐〕鸡叫声。
㊀ xiāo(1082页)。

轇☒(**轇**) jiāo〔轇轕〕❶形容交错纠缠。❷形容深广远大。

jiáo ㄐㄧㄠˊ

矫(**矯**) ㊁ jiáo〔矫情〕〈方〉强词夺理,无理取闹。㊀别太～。情(qing)。
㊀ jiǎo(491页)。

嚼 ㊀ jiáo 用牙磨碎食物。
㊁ jué(539页)。
㊂ jiào(494页)。

jiǎo ㄐㄧㄠˇ

角 ㊀ jiǎo ❶牛、羊、鹿等头上长出的坚硬的东西。㊀牛～|犀～。❷形状像角的;物体边缘相接的部分。㊀菱～|桌子～。❸数学上指由一点发出的两条射线所组成的图形。❹中国辅币名。一元的十分之一。❺古时军中吹的乐器。㊀号～。❻星名。二十八宿之一。
㊁ jué(537页)。

【角子】也叫银角。中国近代以银元为主要货币后对银辅币的通称。

【角度】❶表示角大小的量。角度的单位常见的是六十分制:周角的$\frac{1}{360}$称为一度;一度的$\frac{1}{60}$称为一分;一分的$\frac{1}{60}$称为一秒。❷分析事情的出发点。

【角楼】建在城角上供瞭望和防守用的楼。

【角膜】眼球前方外层的薄膜。是屈光构造的一部分。人的角膜呈圆形,略向前凸出,透光性强。

【角闪石】角闪石类矿物的总称。属硅酸盐类矿物。黑色或绿黑色,具玻璃光泽,硬度5.5—6。是组成岩浆岩、变质岩的常见矿物。

【角动量】也叫动量矩。表示物体转动状态的物理量。运动质点对某一点的角动量的大小,等于该质点的动量(有方向)乘以该点到动量方向的垂直距离。运动物体对某一点的角动量,等于组成该物体的各质点对该点的角动量的总和。

【角动量守恒】也叫动量矩守恒。任何物质系统在不受外力矩作用或所受外力矩之和为零时,物质系统的总角动量保持不变。

【角膜接触镜】也叫隐形眼镜。一种外观看不到的矫正视力的眼镜。由晶莹、耐磨、防碎、不霉变、无刺激的材料制成，直接罩在眼球上。

侥（僥*儌）㊀ jiǎo 〔侥幸〕偶然得到成功或意外地免于不幸。㊃必须扫除～取胜的心理。

㊁ yáo（1145页）。

佼 jiǎo 美好。

【佼佼】超出一般水平的。

狡 jiǎo 奸猾；诡诈。㊃～诈。

【狡狯】狡诈奸猾。㊃故弄～。狯（kuài）。

【狡猾】不老实，耍花招。

【狡赖】狡辩抵赖。

【狡辩】狡猾地辩解。

【狡黠】狡猾；刁诈。黠（xiá）。

【狡兔三窟】狡猾的兔子有三个洞。比喻避祸藏身的地方多或藏身的计划周密。《战国策·齐策四》："狡兔有三窟，仅得免其死耳；今君有一窟，未得高枕而卧也；请为君复凿二窟。"窟：洞穴。

饺（餃）jiǎo 饺子，一种半圆形包馅儿的面食。

绞（絞）jiǎo ❶拧；扭结。㊃～手巾|～麻绳。❷勒死；吊死。㊃～刑。❸绳索的一端系在轮子上，转动轮轴，使系在另一端的物体移动。㊃～车。❹量词。用于纱、线等。㊃一～线。

【绞车】也叫卷扬机。升降或牵引重物的一种机械。由可旋转的卷筒、传动装置、制动器和动力部分组成。动力经过传动装置带动卷筒旋转，缠绕绳索或链条来升降或牵引重物。

【绞刑】一种残酷的死刑。用绞索把人勒死。

【绞索】绞刑用的绳子。

【绞痛】由某些病变引起的某一器官阵发性的剧烈疼痛。㊃心～|肠～。

【绞尽脑汁】费尽心思。

铰（鉸）jiǎo ❶用剪子剪。㊃～开|～纸。❷机械工业上的一种切削法。㊃～孔。

【铰链】能把机器、车辆、门窗、器物的两个部分连接起来的装置或零件。所连接的两部分或其中的一部分能绕着铰链的轴转动。

皎 jiǎo 洁白；光明。㊃～月。

【皎洁】明亮洁白。㊃～的月亮。

【皎皎】形容白而明亮。㊃～的月光。

筊⊠ jiǎo ❶用竹皮编的绳子。❷小箫。

挢（撟）jiǎo 举起；抬起。

矫（矯）㊀ jiǎo ❶把弯曲的弄直；纠正。㊃～正。❷强壮；勇敢。㊃～健。❸假托。㊃～命。

㊁ jiáo（490页）。

【矫形】❶采用手术等医疗措施，矫正人体畸形的部分，使恢复正常。❷指用于矫形的用具。㊃～鞋。

【矫饰】做作，掩饰。

【矫治】矫正，医治。㊃～口吃。

【矫健】强壮而有力。

【矫捷】矫健而敏捷。

【矫情】故意违反常情，表示与众不同。

【矫枉过正】把弯曲的东西扭直，结果过了头，又歪向另一方。比喻纠正错误超过了应有的限度。《汉书·诸侯王表》："而藩国大者跨州兼郡…可谓矫枉过其正矣。"矫：纠正。枉：弯曲。过正：过了头，超过了应有的限度。

【矫矫不群】形容超出众人，不同一般。矫矫：翘然出众的样子。

【矫揉造作】形容装腔作势，极不自然。矫：使曲的变直。揉：使直的变曲。

蟜⊠（蟜）jiǎo 毒虫。

脚（*腳）㊀ jiǎo ❶人或某些动物的腿的最下面部分，用以支持身体并行走。❷物体的最下部。㊃山～|墙～。❸旧指跟体力搬运有关的。㊃～夫|～行。

㊁ jué（538页）。

【脚夫】❶搬运工人的旧称。❷旧称赶着牲口供人雇用的人。

【脚气】❶由缺乏维生素 B_1 引起的一种营养性疾病。喜吃精制大米的人易患此病。主要症状是下肢肌肉疼痛麻木、水肿或心跳气喘等。❷也叫脚弱。中医病证名。主要症状是下肢麻木肿胀、气喘心悸等。❸足癣的俗称。

【脚本】演戏、拍电影等所依据的本子。

【脚注】排在本页正文下面的注释。

【脚手架】建筑屋宇楼房等，为了在高处操

作而搭的架子。
【脚踏实地】比喻做事踏实认真。
【脚踏两只船】也说脚踩两只船。比喻对事物认识不清而犹豫不决。也比喻企图投机取巧而两方面都联系着。

搅(攪) jiǎo ❶扰乱。㊀～扰。❷拌和。㊀～匀。
【搅扰】(动作、声音或用动作、声音)影响别人,使人感到厌烦。㊀老师在判卷子,别去～他。
【搅局】扰乱别人安排好的事情。

湫 ㊀ jiǎo 低洼。
㊁ qiū (804 页)。
【湫隘】低洼狭窄。㊀居处～。

敫 jiǎo 姓。

徼 ㊀ jiǎo ❶求。❷"侥(jiǎo)"的异体字。
㊁ jiào (494 页)。

缴(繳) ㊀ jiǎo ❶交纳;交出。㊀～纳公粮|～费。❷迫使交出。㊀～械。
㊁ zhuó (1307 页)。
【缴获】从战败的敌人或嫌犯那里获得(武器、凶器、赃物等)。
【缴械】❶收缴敌人的武器。❷被迫交出武器。
【缴销】缴回注销。

皦⊠ jiǎo ❶指玉石之白。❷清晰。❸同"皎"。

剿(*勦*剿) ㊀ jiǎo 讨伐;用武力消灭。㊀～匪。
㊁ chāo (113 页)。

jiào ㄐㄧㄠˋ

讪⊠**(訆)** jiào 同"叫"。大声呼喊。

叫(*呌) jiào ❶呼喊。㊀拍手～好。❷动物发出较大的声音。㊀鸡～。❸召唤;呼唤。㊀～他来。❹称呼;称作。㊀你～什么名字?|那～银杏。❺告诉有关人员送来所需要的东西。㊀～车|～几个菜。❻使。㊀～人难办。❼容许;听任。㊀绝不～你累着|～他们吵去。❽介词。被。㊀敌人～我们打得落花流水。
【叫阵】在阵前叫喊,挑战。
【叫驴】公驴。
【叫苦】诉说苦处。
【叫板】戏曲中在道白最后一句的末尾拖长语调,以便过渡到下面的唱腔上去。
【叫卖】吆喝着卖东西。
【叫屈】诉说受到的冤屈。
【叫唤】❶呼唤;喊叫。㊀疼得直～。❷(动物)叫。㊀听到了猪的～声。
【叫嚣】大声叫嚷(含贬义)。㊀帝国主义不断～战争,革命人民必须百倍警惕。
【叫好儿】对于精彩的表演大声喊"好",以表示赞赏。比喻因表现出色而受到众人称赞。
【叫真儿】同"较真儿"(492 页)。
【叫座儿】(戏剧或演员)能吸引观众,看的人多。
【叫花子】乞丐。
【叫苦不迭】连声叫苦。

挍⊠ jiào 同"校(jiào)"。比较;估量。

珓⊠ jiào 见〔杯珓〕(41 页)。

校 ㊀ jiào ❶查对;订正。㊀～对。❷对抗;较量。㊀～场。
㊁ xiào (1086 页)。
【校订】对照可靠的材料改正书稿、文件中的错误。
【校正】校对改正。㊀～错字|重新～炮位。
【校对】❶根据原稿或定本,在校样或抄件上改正错误。❷担任校对工作的人员。❸核对是否符合标准。㊀～计量器。
【校场】操练和比武的场地的旧称。
【校改】校对并改正错误。
【校点】对古籍校订并加标点。
【校样】在印刷过程中按原稿排版印出的专供校对用的样子。
【校阅】审阅校订。
【校勘】对同一部书籍的不同版本或其他资料加以比较,进行文字考证,确定正确的原文。
【校雠】校勘。雠(chóu)。

较(較) jiào ❶比较。㊀～量|学习～前努力。❷明显。㊀此义～然可晓。❸计较。㊀锱铢必～。❹副词。稍;略。㊀～快|～差。
【较量】通过竞赛或斗争方式比本领或实力的大小。
【较真儿】〈方〉也作叫真儿。认真。

峤(嶠) ㊀ jiào ❶尖而高的山。❷山道。
㊁ qiáo (788 页)。

轿(轎) jiào 轿子，旧时一种交通工具。由人抬着走。

觉(覺) ㊁ jiào 睡眠。
㊀ jué (537 页)。

窌☒ jiào 同"窖"。

教 ㊀ jiào ❶教导；教育。㊎因材施～|言传身～。❷叫；使。㊎敢～日月换新天。❸宗教。㊎佛～|～会。
㊁ jiāo (489 页)。

【教义】某一宗教的基本理论主张。

【教习】❶教导；教学。❷学官名。明代选进士入翰林院学习，称庶吉士，由一学士给这些人上课，即称教习。清代沿用此制。清末兴办学堂，其教师也沿称为教习。

【教化】教育感化。

【教父】基督宗教新入教者接受洗礼时的男性监护人。一般请教会内虔诚而有名望的教徒担任。有责任监督并保护受洗者的宗教信仰和行为，如同父亲对于儿女。

【教正】指教改正。把自己的作品送给人看时所用的客套语。㊎送上拙著一册，敬希～。

【教主】❶泛指一个宗教的开创者或宗教领袖。❷指一些宗教团体、膜拜组织的首领或头目。

【教训】❶教育训戒。❷从错误或失败中得到的经验。

【教母】基督宗教新入教者接受洗礼时的女性监护人。一般请教会内虔诚而有名望的教徒担任。有责任监督并保护受洗者的宗教信仰和行为，如同母亲对于儿女。

【教师】教员。

【教廷】天主教会的最高统治机构。设在罗马梵蒂冈。

【教会】基督宗教各派管理信徒、进行传教活动的组织。其他宗教也有称其组织为教会的。

【教导】教育指导。

【教坊】中国古时管理宫廷音乐、舞蹈、戏曲等的官署。唐代开始设置，到清代雍正时废除。

【教材】根据教学要求而编写或选定的教科书、讲义、讲授提纲等的统称。

【教员】担任教学工作的人员。

【教条】❶宗教规定的教徒必须遵守的基本信条。❷现指被看作僵死的、凝固不变的某种抽象的定义、公式。也指不考虑具体情况而盲目接受或引用的原则、原理。

【教改】教育改革或教学改革的简称。

【教具】供教学用的器具，如挂图、地图、标本、模型、仪器等。

【教育】❶指以影响人的身心发展为直接目的的社会活动。主要指学校的正规教育，也包括社会上一切含有教育因素的活动。如家庭教育、社会教育等。❷使明白道理。㊎说服～。

【教学】教师把思想、知识和技能传授给学生的过程。是教师教和学生学的师生共同活动。

【教官】担任军事教育的军官。

【教练】❶指导别人掌握某种技术或技巧(如体育运动、驾驶汽车等)。❷从事教练工作的人员。

【教皇】也叫罗马教皇。天主教教会的最高首领。居罗马梵蒂冈。

【教养】❶教育，培养。❷指在道德品质和文化素质等方面所达到的水平。

【教室】学校里进行课堂教学的屋子。

【教诲】教育；教导。

【教唆】引诱、怂恿他人做坏事。

【教徒】信仰某一宗教的人。

【教益】受教导后得到的好处。

【教授】❶讲解传授知识技能。❷高等学校教师的专业技术职务名称。❸中国古代设置在府学或州学、县学中的学官。

【教堂】也叫礼拜堂。基督宗教举行宗教仪式的建筑物。

【教程】专门学科的课程(多用作书名)。㊎近代史～。

【教鞭】教师讲课时指示板书、图片等用的棍儿。

【教师节】为表示对教师的尊重而由国家规定的节日。1985 年中国全国人大常委会确定每年的 9 月 10 日为教师节。

【教师爷】在地主庄院里带领一帮人习练武艺、替地主看家护院的人。

【教阶制】即"圣统制"(883 页)。

【教导员】政治教导员的简称。中国人民解放军中营一级的政治工作干部。

【教学法】教育学的分支学科。研究教学的理论和方法。分普通教学法和分科教学法两类：前者研究一般教学的共同规律、原则和方法；后者研究个别学科教学的规律、原则和方法，如语文教学法、数学教学法等。

【教科书】根据学科教学要求编写的供教学使用的正式课本。一般由国家或地方主管教育的行政部门审定。是教师讲授和学生学习的基本依据。

【教养员】幼儿园负责全面教育儿童的教师。

【教唆犯】引诱、怂恿、唆使他人犯罪的犯罪人。教唆犯应当按照他在共同犯罪中所起的作用处罚。教唆不满18周岁的人犯罪的，应当从重处罚。如果被教唆的人没有犯被教唆的罪，对于教唆犯，可以从轻或减轻处罚。

【教会学校】由天主教或基督教教会主办的学校。

【教条主义】也叫本本主义。主观主义的一种表现形式。主要特点是脱离实践，轻视感性经验，从抽象的概念、定义出发，把书本上的个别词句当作僵死的教条，拒绝对具体事物进行具体分析，反对把马列主义的普遍真理同革命的具体实践相结合。

【教育方针】国家或政党为实现一定的教育目的所制定的教育工作总方向和总政策。

【教育制度】指国家根据教育方针、政策对教育工作所作的各项基本规定和所订的各项基本措施。包括学制、学校的管理体制、规章制度等。有时也指不同社会制度国家教育的总目的和总方针。

【教育贷款】为学院和专业培训提供的低于市场利率的贷款。

J

【教学大纲】根据教学计划规定的目的和任务，以纲要形式确定教学内容和基本要求的指导性文件。包括该课程的教学目的，知识、技能的范围、深度和结构，教学进度和课时分配。

【教学相长】《礼记·学记》："学然后知不足，教然后知困。知不足，然后能自反也；知困，然后能自强也。故曰教学相长也。"原意是说，学的人通过学习知道自己不足，教的人通过教别人知道自己还有难点，然后都再去进一步钻研，所以无论学的人还是教的人都能通过教学过程得到提高。现指教和学两方面互相促进，共同提高。长(zhǎng)：增进，提高。

潡☐ jiào 同"滘"。多用于地名，如东潡(在广州)。

酵 jiào 发酵。

【酵子】发面时用的含酵母菌的面团。

【酵素】酶的旧称。

【酵母菌】真菌的一种。多为椭圆形的单细胞生物。是重要的发酵微生物，可用来生产食品、酒精、药物及发酵饲料等。

嘄⊠(**噭**) ㊁ jiào 同"叫"。大声呼喊。

㊀ xiāo (1081页)。

窖 jiào ❶收藏东西的土坑或地洞。例地～|菜～。❷入窖；藏在窖里。例把白菜～起来。

滘 jiào 河道分支或会合的地方。多用于地名，如道滘(在广东)。

斠⊠ jiào ❶古代量谷物时平斗斛(hú)的用具。❷校正。例～订。

嘦☐ jiào 〈方〉只要。

噍 jiào 嚼；吃东西。

【噍类】指活着的人。

醮 jiào ❶古代结婚时用酒祭神的礼节。❷指女子嫁人。❸指僧道设坛祭神。例打～。

噭⊠ jiào 同"叫"。大声呼喊；呼喊的声音。

徼 ㊁ jiào ❶边界。❷巡视。

㊀ jiǎo (492页)。

謷⊠ jiào 攻讦(jié)；揭发别人阴私。

藠 jiào 〔藠头〕〈方〉薤(xiè)。头(tou)。

嚼 ㊂ jiào 见〔倒嚼〕(183页)。

㊀ jiáo (490页)。

㊁ jué (539页)。

皭⊠ jiào 洁白；干净。

釂⊠ jiào 喝酒干杯。

jiē ㄐㄧㄝ

节(**節**) ㊁ jiē 〔节骨眼儿〕〈方〉比喻紧要的、能起决定作用的环节或时机。骨(gu)。

㊀ jié (496 页)。

疖(癤) jiē 疖子,皮肤或皮下组织局部性的化脓性炎症。易发生于头面部、颈和背部。

阶(階 *❶堦) jiē ❶台阶。[例]~梯。❷区分高低的等级。[例]官~|音~。

【阶地】河岸、湖畔或海滨的阶梯状地形。因地壳间歇性上升或海平面降低而形成。

【阶级】❶台阶。❷旧指官阶。❸在一定社会经济结构中处于不同地位的社会集团。列宁说:"所谓阶级,就是这样一些大的集团,这些集团在历史上一定社会生产体系中所处的地位不同,对生产资料的关系不同,在社会劳动组织中所起的作用不同,因而领得自己所支配的那份社会财富的方式和多寡也不同。"阶级是原始社会末期,由于生产力的发展,出现了剩余产品和生产资料私有制才产生的。其中占有生产资料,自己不劳动,剥削别人劳动成果的,是剥削阶级;没有或只有很少生产资料,自己劳动,劳动成果被剥夺的,是被剥削阶级。

【阶层】在同一个阶级中,因社会经济地位和政治态度不同而分成的若干层次。如地主阶级中有大、中、小地主之分;资产阶级中有大资产阶级和中等资产阶级之分。

【阶段】事物发展过程中,根据不同特点划分的段落。

【阶梯】台阶和梯子。比喻向上的凭借或途径。

【阶下囚】旧指在公堂台阶下受审的囚犯,泛指在押的人或俘虏。

【阶级性】阶级属性,阶级性质。是在有阶级的社会里反映一定阶级的利益和要求的最本质的社会特性。人的阶级性是由人们长期处于不同的阶级地位,长期以不同的方式生活和斗争所形成的。

【阶级斗争】通常指被剥削阶级和剥削阶级、被统治阶级和统治阶级之间的斗争。是阶级利益不可调和的表现。

【阶级社会】以生产资料私有制为基础、剥削阶级占统治地位的社会。是人类社会特定的历史阶段。原始社会没有阶级。随着剩余产品和私有制的出现,人类社会开始进入阶级社会。奴隶社会、封建社会和资本主义社会都是阶级社会。

皆 jiē 副词。都。[例]人人~知。

【皆大欢喜】人人都非常高兴。

喈 jiē 〔喈喈〕拟声词。1. 鸟叫声。[例]鸟鸣~。2. 钟声或铃声。[例]钟声~。

湝 jiē 〔湝湝〕形容水流动。

楷 ㊁ jiē 也叫黄连木。落叶乔木。木材黄色。种子可榨油,叶可作黑色染料。

㊀ kǎi (548 页)。

哜☒(嚌) ㊁ jiē 〔哜哜〕❶管弦声。❷鸟叫声。

㊀ jì (462 页)。

结(結) ㊁ jiē 植物长出果实或种子。[例]开花~果。

㊀ jié (497 页)。

【结实】❶坚固耐用。❷身体健壮。实(shi)。

秸(*稭) jiē 农作物脱粒后的茎秆。[例]麦~|豆~。

接 jiē ❶连接;连续。[例]~纱头|~力赛跑。❷接受。[例]~到来信|~了一个新任务。❸接触;靠近。[例]~洽|交头~耳。❹承受;接替。[例]~球|~班。❺迎接。[例]~人。

【接风】宴请远来的客人。

【接地】也说保护接地。把电器的金属外壳用导线与大地连接起来。是人身安全的一种保护措施,一般用在 1 000 伏以下三相电路中性点不接地的电网中。

【接轨】❶连接铁路路轨。❷比喻把一种体制或做法跟另一种体制或做法衔接起来。[例]与国际经济~。

【接合】❶连接使合在一起。❷低等植物(如衣藻)中两个同形配子融合成一个细胞或两个原生动物(如草履虫)暂时交接、互换小核的过程。

【接应】战斗或体育比赛时配合自己一方的人行动。

【接纳】接受(个人或团体加入其组织)。

【接种】将微生物移种到适于生长繁殖的人工培养基或活的生物体内的方法。一般须在无菌条件下进行。也指将疫苗等注射到人或动物体内,以预防某些疾病的过程。

【接待】招待。

【接洽】接头并洽谈。

【接济】帮助解决经济或物资短缺。

【接零】也说保护接零。把电器的金属外壳

用导线与中性点接地的三相电力系统的零线(中性线)连接起来。是人身安全的一种保护措施,1 000 伏以下中性点接地电力系统中,用电设备不许采用保护接地,只许采用保护接零。

【接触】❶挨上;碰着。❷接近;交往。❸指双方军队靠近并发生冲突。

【接踵】后面人的脚尖接着前面人的脚后跟。形容人多,接连不断。踵:脚后跟。

【接穗】植物嫁接时,接合在砧木上的枝条或芽。

【接壤】交界;边境相接。

【接力跑】径赛项目之一,田径比赛中唯一的集体项目。每队由 4 名运动员各跑一段距离,依次传递接力棒。传接棒时须在 20 米的接力区内完成。比赛有 4×100 米、4×400米等项目。

【接合部】作战时,两个相邻部队接连的地带。泛指两个地区连接的地带。[例]城乡～。

痎[⊠] jiē 古称两天一发的疟疾。

揭 jiē ❶掀去;掀开。[例]～下墙上贴的画|～锅盖。❷揭露。[例]～发|～短。❸高举。[例]～竿而起。

【揭示】❶公布。❷把事物的本质表示出来。

【揭标】也说开标。招标机构按其制定的招标文件中规定的时间、地点与方式,将所有投标启封揭晓的行为。

【揭破】戳穿,使掩盖着的真相露出来。

【揭晓】公布、发表(事情的结果)。

【揭秘】揭开秘密(多用作文章标题或书名)。

【揭幕】❶在纪念碑、雕像等落成典礼的仪式上,把蒙在上面的布揭开。❷比喻重大事件的开始。

【揭橥】标志。揭:本作楬(jié),小木桩。橥(zhū):木签。

【揭露】使隐蔽的事物显露出来。

【揭竿而起】《史记·陈涉世家》:"斩木为兵,揭竿为旗。"后用"揭竿而起"泛指人民起义。

嗟 jiē ❶叹息;感叹。[例]～叹。❷文言叹词。[例]～乎。

【嗟来之食】《礼记·檀弓下》记载,春秋时齐国发生饥荒,有人在路上施舍食物,轻蔑地对一个饥饿的人说:"嗟! 来食!"饥饿的人听了很生气,说:"我就是不吃'嗟来之食'才到了这个地步。"终于不食而死。后指带有侮辱性的施舍。

【嗟悔无及】叹息、后悔已经来不及了。

街 jiē 街道,两旁有房屋的比较宽阔的道路。[例]大～小巷。

【街垒】在街道或建筑物间的空地上用砖、石、木、土等堆积成的障碍物。用以阻挡敌方人马、车辆的行动或作为依托以进行射击。

【街谈巷议】大街小巷里人们的议论。汉张衡《西京赋》:"街谈巷议,弹射(指摘)臧否(评论)。"议:议论。

【街道办事处】中国市辖区或不设区的市的人民政府的派出机关。主要办理上级政府交办的事项,指导居民委员会的工作,反映居民的意见和要求。

jié ㄐㄧㄝˊ

孑 jié 单独;孤单。[例]～立。

【孑孓】蚊子的幼虫。体细长,游动时身体一屈一伸,生活在污水中。孓(jué)。

【孑遗】❶残存;遗留。❷残存者;遗民。

【孑然】形容孤独。[例]～一身。

【孑遗生物】有些动植物曾繁盛于地质历史的较早时期,种类很多,分布很广,但到较新时期或现代已大为衰退,仅有一两种孤独地生存于个别地区,并有绝灭之势,这样的动植物叫做孑遗生物。如仅产于中国的大熊猫和仅产于美国的北美红杉等。

节(節) ㊀ jié ❶物体段与段之间连接的地方。[例]竹～|关～。❷段落。[例]章～。❸量词。表示分段的物体。[例]两～烟筒。❹节日;时令。[例]国庆～|清明～。❺事项。[例]礼～|细～。❻限制;俭省。[例]～制|开源～流。❼删略。[例]～本|～录。❽操守。[例]～操|晚～。❾古代出使外国所持的凭证。[例]持～。❿国际通用的航海速度单位。每小时航行 1 海里(约合 1.852 千米)称为 1 节。海水流速和鱼雷速度也多按节计算。

㊁ jiē (494 页)。

【节气】由于地球围绕太阳公转,人们看起来太阳在星空中每一回归年自西向东运行一周。太阳在星空中移动的路线叫做黄道。用黄经表示太阳在黄道上的位置,规

J

定太阳黄经每变化15°叫做一气。共十二中气、十二节气,通称二十四节气。各有专名,如春分(黄经0°)、清明(黄经15°)等。二十四节气是中国劳动人民的创造,从春秋至秦汉之际逐步创立起来,沿用至今。它表明气候的变化和昼夜的长短,可参照各个节气进行农事活动。

【节节】逐段;逐次。㊞～胜利。

【节本】指书籍经删节以后印行的版本。

【节令】节气时令。

【节约】减省不必要的消耗。㊞增产～。

【节拍】音乐中每隔一定时间重复出现的、有一定强弱分别的一系列拍子。是衡量节奏的单位。

【节制】❶限制或控制。㊞～生育。❷指挥管辖。

【节育】即节制生育。指已婚男女要有节制有计划地生育子女,控制生育数量、密度。节育可控制人口增长率。一般采用避孕方法。

【节录】摘取文章里的重要部分。

【节奏】❶在音乐中,音的长短、强弱有组织地进行,叫做节奏。它是音乐的基本要素之一。❷比喻均匀的、有规律的工作进程。

【节律】某些物体运动的节奏和规律。

【节烈】贞节刚烈。封建礼教把丈夫死了决不再嫁的妇女称节妇;把女子为重义轻生或保持贞操而自杀的称烈妇、烈女。

【节能】节约能源的略语。

【节略】外交文书的一种。用来说明事实、证据或有关法律的问题,不签字也不用印,重要性次于照会。

【节操】气节,操守。

【节拍器】表明音乐速度的仪器。有台钟式、电动式、闪光式等。𝅗𝅥=60,表示以二分音符为一拍,每分钟演奏60拍。

【节度使】古代官名。唐睿宗时在边疆始设,玄宗后遍设国内。授职时赐给双旌双节,总揽一道或数州的军、民、财政。所辖区内各州刺史均为其下属。后逐渐形成藩镇割据局面。北宋初解除节度使的兵权。元废。

【节用裕民】节约财政支出,使百姓富裕。《荀子·富国》:"足国之道,节用裕民而善臧(藏)其余。"

【节外生枝】比喻在问题之外又故意岔出新的问题(含贬义)。

【节衣缩食】省吃省穿。泛指节俭。

【节肢动物】动物界的一门。种类最多。身体分节,一般分头、胸、腹三部,表面多有一层坚厚的外骨骼,附肢也分节。如虾、蟹、蜂等。

【节哀顺变】节制哀痛,顺应变故。对父母或其他亲人去世的人的慰唁之辞。《礼记·檀弓下》:"丧礼,哀戚之至也。节哀,顺变也。"

【节目主持人】在广播电视中主持特定节目的人。用有声语言组织、串联、协调各部分内容,直接与受众和节目中的人物进行交流。可分为新闻评论、综艺娱乐、教育服务、体育竞技等类节目主持人。

蚧□(蠘) jié 也叫海藻虫、麦秆虫。节肢动物。生活在海洋中。

讦(訐) jié 揭发别人的阴私短处。㊞攻～。

劫(*刦*刧*刼) jié ❶抢夺;胁迫。㊞抢～|～持。❷灾难。㊞浩～|遭～。

【劫机】劫持飞机。㊞～犯。

【劫余】一场灾难之后。

【劫持】挟持,用武力强迫对方服从。

【劫狱】把被拘押的人从监狱里抢出来。

【劫掠】抢劫、掠夺(财物或人)。

【劫营】乘敌人不备,偷袭敌方军营。

【劫救】佛教指注定的灾难。

【劫盟】用强力逼迫对方与自己订立盟约。

蜐□ jié 见〔石蜐〕(890页)。

岊☒ jié 山崖曲折高峻。

劼☒ jié ❶坚定;坚固。❷谨慎。❸尽力;勤勉。

诘(詰) ㊀ jié 追问;质问。㊞～问|盘～。

㊁ jí (455页)。

拮 jié 〔拮据〕手头不宽裕,钱不够用。据(jū)。

洁(潔*絜) jié 干净。㊞清～|～白。

【洁身自好】保持自身清白,不同流合污。好(hào):爱。

结(結) ㊀ jié ❶在条状物上系(jì)上疙瘩或用这种方式制成物品。㊞～绳|～网。❷用绳、线和布条等打成的扣。㊞活～。❸结合;使产生某种关系。㊞～交|～为夫妻。❹凝固。㊞～冰。❺结束;了

结。例~账。❻指字据。例具~。
㊀ jiē (495 页)。
【结扎】医疗上指通过手术把血管或输精管、输卵管等扎住。
【结节】一种皮内或皮下自黄豆至胡桃大小的较硬的圆块。一般由炎性浸润、代谢物沉积引起,如深部真菌病、结节性红斑等。
【结石】排泄或分泌器官的管腔或囊腔内,由于有机成分或无机盐类沉积而集结成的坚硬物质。例肾~|胆~。
【结论】❶指推理中由已知判断所推出的那个新判断。也就是推出的结果。参见〔推理〕(996 页)。❷对人或事所下的论断。
【结束】❶古指着装。❷完毕,告一段落。
【结体】中国书法指书写汉字的结构。
【结余】结算以后的剩余。
【结肠】大肠的主要部分。上接盲肠,下连直肠。人的结肠分升结肠、横结肠、降结肠和乙状结肠。有分泌黏液、吸收水分、形成粪便的作用。
【结庐】修建房屋。
【结社】组织社团。
【结识】跟人相识而来往。
【结局】❶最后的结果。❷文学作品情节的组成部分之一。一般指故事情节和人物性格发展的最后阶段。在结局中矛盾冲突已经解决,人物、事件有了最后的结果,主题思想得到完全的展示。
【结构】❶建筑物承受重量和外力的部分及其构造。按材料分有钢结构、木结构、钢筋混凝土结构、砖石结构和混合结构等。按形式分有拱桁架、薄壳结构和悬索结构等。❷构成整体的各个部分及其结合方式。例经济~|文章~。❸文艺作品的内部构造。即作品的各个部分(包括内容和形式)之间有机的组织联系。
【结果】❶把人杀死。❷在一定阶段,事物发展所达到的最后状态。❸哲学范畴。指由他事物或现象产生的事物或现象。与"原因"相对。
【结账】结算账目。例年终~。
【结垢】用锅炉、水壶等容器烧水或供应蒸汽时,硬水中溶解的钙、镁碳酸氢盐受热分解,析出白色沉淀物,逐渐积累附着在容器壁上,叫结垢。
【结拜】因处得感情好或有共同目的而按照一定仪式结为异姓兄弟姐妹。
【结怨】积下了怨恨。
【结案】对案件做出最后处理,使其结束。
【结婚】男女双方按照法律规定的条件和程序,确立夫妻关系的法律行为。必须完全自愿,禁止任何人强迫和干涉。
【结晶】❶物质从溶液、熔融体或气态里形成晶体的过程。常用于提纯物质。❷晶体物质。❸比喻珍贵的成果。例爱情的~。
【结集】❶把单篇的文章汇集起来编成集子。例他已把历年发表的文章~出版。❷把军队调动到某地聚集。例~兵力。
【结缘】结下了缘分。
【结幕】最后的一幕戏。
【结盟】国家间结成同盟。
【结缡】古代女子出嫁,母亲给女儿结头巾,叫结缡,俗称盖头。旧时用作女子结婚的代称。
【结算】对商品交易和劳务供应等发生的收支款项进行结账清算。分现金结算和非现金结算。
【结膜】覆盖上、下眼睑内表面和巩膜前部的一层黏膜。结膜可分泌黏液,有保护和便于眼球移动的作用。
【结合能】几个粒子从自由状态结合为一个复合粒子时所放出的能量。如自由原子结合为分子时所放出的能量,该能量叫化学结合能。结合能数值越大,分子就越稳定。
【结肠镜】检查结肠病的一种医疗器械。由光学纤维管等组成。可直接观察或电子录像。用于诊断息肉、肿瘤、溃疡、炎症等。
【结肠癌】发生于结肠腺体上皮细胞的恶性肿瘤。发病原因可能与结肠息肉或炎症等有关。早期无症状,后出现血便、肠梗阻、消瘦、发热等。
【结社权】也叫结社自由权。公民为一定的宗旨组织或参加某种社会团体的自由权利。因结社之目的不同,可分为以营利为目的的结社和以非营利为目的的结社,其中以非营利为目的的结社又可分为政治性结社和非政治性结社。
【结构式】用元素符号和短线表示化合物(或单质)分子中原子的排列和结合方式的式子。如乙醛的结构式为:

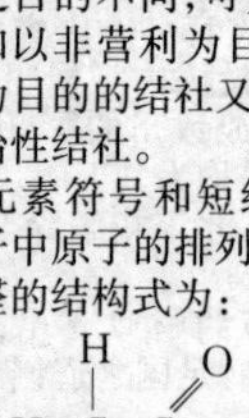

【结核病】中医上也叫痨病。由结核杆菌引

起的慢性传染病。通过呼吸或消化道传染。常见的有肺结核,也可侵入淋巴结、骨、肠等组织。主要症状是低热、疲乏、消瘦及受侵器官局部病变。参见〔肺结核〕(270页)。

【结晶水】也叫水合水。在晶体物质中,以化学键力与离子或分子相结合的、数量一定的水分子。如石膏($CaSO_4 \cdot 2H_2O$)。

【结膜炎】眼结膜的炎症。急性的多由细菌或病毒感染引起,物理和化学刺激也可引发。主要症状是眼红肿、分泌物多;慢性的由急性的演化而来,症状较轻。

【结发夫妻】指男女成年后第一次结婚的原配夫妻。汉苏武《诗四首》之三:"结发为夫妻,恩爱两不疑。"结发:束发,指初成年。

【结构主义】由结构分析方法联系起来的广泛的学术思潮。其理论来源于对语言的结构分析,认为语言的特点是由语音和意义之间的关系构成的一个体系。作为符号的语言体系具有表层和深层结构两个层次,还区分了语言和言语、内部和外部语言、共时与历时语言。这种方法推广到其他研究领域就建立了多种结构主义的分支。如结构主义美学、结构主义社会学、结构主义教育学以及结构主义历史研究、文学批评等。

【结驷连骑】随从、车马众多。形容排场显赫。《史记·仲尼弟子列传》:"子贡相卫,而结驷连骑,排藜藿,入穷阎,过谢原宪。"驷(sì):古时一乘车所套的四匹马。骑(qí):一人一马。

【结党营私】结成宗派、小团体,以谋取私利。

【结绳而治】原指上古没有文字,用结绳记事的方法治理天下。后来也指不用法律治国的空想。《周易·系辞下》:"上古结绳而治,后世圣人易之以书契。"《世说新语·品藻》:"人皆如此,便可结绳而治。"

【结缔组织】人和高等动物的基本组织之一。由细胞、纤维和基质组成。细胞类型很多,有的能防御外物侵犯,有的能促进组织增生。结缔组织中间质的量在各种组织中是最多的。

【结算凭证】收、付款单位与银行办理转账结算和进行相应会计核算的书面凭据。

【结晶水合物】含有一定量水分子的固体化合物。其中水分子以化学键力与离子或分子相结合。在不同的温度和水蒸气分压下,一种化合物可以生成含有不同数目水分子的水合晶体,如胆矾($CuSO_4 \cdot 5H_2O$)在逐步升温的情况下,可以依次转变为$CuSO_4 \cdot 3H_2O$、$CuSO_4 \cdot H_2O$,最后变为无水硫酸铜($CuSO_4$)。

桔 ㊀ jié 见下。
㊁ jú (530页)。

【桔梗】多年生草本植物。叶长卵形或披针状,边缘有锯齿。花钟状,蓝紫色或白色。根入药,有祛痰、利咽、排脓等作用。

【桔槔】也叫吊杆。中国传统提水工具。一根横杆中间吊起,一端系水桶,另一端系石头,利用杠杆原理,使提水省力。槔(gāo)。

袺⊠ jié 提起衣襟盛东西。

颉(頡) ㊀ jié 见〔仓颉〕(94页)。
㊁ xié (1088页)。

鲒⊠**(鮚)** jié ❶古书上说的一种蚌。❷〔鲒埼亭〕古地名。在今浙江奉化。

杰(*傑) jié ❶超乎寻常的。㊎~作。❷才能出众的人。㊎俊~。

【杰出】才能或成就特别出色。

【杰作】特别出色的作品。

【杰斐逊】托马斯·杰斐逊(1743—1826)美国总统(1801—1809年在任)。美国独立战争期间,是资产阶级民主派的主要代表人之一,《独立宣言》的主要起草人。1791年创立民主共和党(民主党前身)。

【杰克·伦敦】(1876—1916)美国作家。生于季节工人和农民家庭。作品对美国资本主义社会制度进行了批判,但也表现出改良主义色彩。代表作有长篇小说《马丁·伊登》《铁蹄》《深渊中的人们》等。

衱⊠ jié ❶衣后襟。❷衣领。

絜⊠ jié 同"洁"。多用于人名。

倢⊠ jié 〔倢伃〕婕妤。

捷(*捷) jié ❶战胜。㊎连战连~|~报。❷快。㊎敏~|~足先登。

【捷报】胜利的消息。

【捷径】近路。比喻速成的方法或手段。

【捷给】指口才敏捷,善于应对。《管子·大匡》:"隰朋聪明捷给,可令为东国。"给(jǐ)。

J

【捷足先登】也说疾足先得。脚步快，先登上去。比喻行动敏捷，首先达到目的。《史记·淮阴侯列传》："秦失其鹿，天下共逐之，于是高材疾足者先得焉。"捷：快，敏捷。

婕 jié〔婕妤〕汉代宫中女官名。妤(yú)。

睫 jié 睫毛，眼睑边缘的细毛。㊀目不交～。

踕☒ jié 走得快。

桀 jié ❶古人名。相传是夏朝的暴君。被商族首领汤起兵攻伐，出奔南方而死，夏亡。❷凶暴。❸古称鸡栖的木桩。❹古通"杰"。

【桀黠】凶悍而狡猾。黠(xiá)。

【桀犬吠尧】桀的狗对尧狂叫。后用以比喻奴才只知道听从主子的命令，不分善恶乱咬人。也比喻各为其主。汉邹阳《狱中上吴王书》："桀之狗可使吠尧，而跖之客可使刺由。"桀：夏朝最末的一个君主。尧：传说远古时代的圣君。

【桀骜不驯】性情强暴倔强，不受管束，不驯顺。

榤☒ jié 禽鸟栖息的横木。

偈 ㊀ jié ❶勇武。❷跑得快。
㊁ jì(463页)。

楬☒ jié ❶作标志的木桩子。❷同"揭橥"的"揭"。

碣 jié 石碑。㊀墓～。

竭 jié 尽；用尽。㊀声嘶力～|取之不尽，用之不～。

【竭力】尽力。

【竭尽】用尽。㊀～全力。

【竭诚】非常诚恳；全心全意。㊀～为顾客服务。

【竭蹶】原指走路没有力气，跌跌撞撞的样子。后用来形容经济困难。

【竭泽而渔】排干了塘里的水来捕鱼。比喻只顾眼前，不顾将来。《吕氏春秋·义赏》："竭泽而渔，岂不获得，而明年无鱼。"渔：捕鱼。

羯 jié ❶公羊。特指骟过的。❷古族名。所谓"五胡"之一。曾附属于匈奴。魏、晋时散居今山西潞城附近各县，从事农耕，与汉人杂处。十六国中的后赵即羯人所建。

截 jié ❶切断。㊀～为两段|～长补短。❷量词。段。㊀半～木头。❸阻挡。㊀～住他。❹到某一期限为止。㊀～止|～至昨天，已收到捐款五百万元。

【截门】阀的一种。一般安装在管道中间，开关多呈环状，旋紧时管道就不通。

【截止】(到期限)停止。

【截击】半路上拦击(敌人)。

【截至】截止到(某个时候)。

【截取】从整体上取下一段。

【截肢】医学上指通过手术切除肢体。目的是保全病人生命或保留剩余肢体的功能。

【截面】也叫剖面。用一个平面把物体切开所呈现出的表面。如球体的截面是个圆形。

【截获】在中途拦截得到。

【截留】把应解送他处的钱物或应输送给别的单位的人员留为己用。

【截然】像被截断一样。形容界限分明。㊀～不同。

【截瘫】下半身瘫痪。多由脊椎外伤、肿瘤和病毒感染引起。主要症状是两下肢功能障碍，大小便失禁等。

【截长补短】也说绝长补短。截取多余的部分来弥补不足的部分。泛指用长处补短处。《孟子·滕文公上》："今滕绝长补短，将五十里也，将为善国。"截：切断。

蠘☒ jié 梭子蟹。

巀☒ jié〔巀嶭〕❶形容山势高峻。❷古山名。在今陕西。嶭(niè)。

jiě ㄐㄧㄝˇ

姐 jiě ❶姐姐，称同父母或同辈亲戚中(除嫂以外)比自己年纪大的女子。㊀～～|表～。❷对女性朋友的尊称。有时也泛指年轻妇女。㊀张～|刘三～。

毑□ jiě 见〔媎毑〕(4页)。

解 ㊀ jiě ❶分开；使脱离。㊀瓦～|～扣儿。❷消除；废除。㊀～渴|～除婚约。❸解释。㊀～答|注～。❹懂；明白。㊀通俗易～。❺大、小便。㊀大～|小～。❻方程的解，即方程的根。
㊁ jiè(503页)。
㊂ xiè(1090页)。

【解人】指通达言语或文辞意趣的人。㊀强

作～(谓不明真意而妄发议论的人)。
【解手】(人)排泄大便或小便。
【解气】消除心中的愤懑。
【解决】❶处理问题,使有结果。㊀～矛盾。❷消灭掉。㊀这次战斗～了敌人一个连。
【解严】解除戒严状态。
【解围】❶解除敌人的包围。❷泛指摆脱僵持、难堪的处境。
【解体】分裂,瓦解。
【解冻】❶冬季过后冰冻的江河土地融化。❷解除对资金财物的冻结。
【解放】❶指推翻反动统治。㊀民族～|～战争。❷泛指解除束缚,使得到自由或发展。㊀思想～|～生产力。
【解毒】除去有毒物质或中和其毒性的过程。是肝脏的主要功能。
【解说】解释说明。
【解除】去掉,消除。㊀～职务|～顾虑。
【解剖】❶剖开生物体以研究其形态和结构。❷比喻对事物进行深入细致的分析研究。㊀要严于～自己。
【解读】阅读解析。㊀～信息|～人生。
【解调】也说反调制。从已调波中解离出原来的调制信号的过程。实现解调的装置叫解调器。调(tiáo)。
【解脱】❶摆脱;开脱。❷解除;释放。㊀～桎梏。❸佛教用语。指摆脱苦恼。
【解密】❶解除对某种事物(如文件、档案等)的保密规定,允许对外公布。❷电子计算机操作中给加密过的信息除去密码,使其还原成加密前的状态,可以直接读取。
【解释】❶分析阐明。❷说明含义、原因、理由等。
【解聘】不再聘用。
【解颐】面现笑容。颐(yí):面颊。
【解酲】从酒醉状态中清醒过来。酲(chéng)。
【解嘲】用言语或行动掩饰被人嘲笑的事情。
【解颜】舒眉而现出笑容。
【解析式】用字母或者数字表示数,并用指明的运算种类和运算顺序的符号把它们连接起来所得的式子。解析式中包含的数学运算指代数运算和超越运算。如$\frac{1}{2}gt^2$,$\sqrt{x^2+y^2-z^2}$,$\frac{z}{x+y}$,a,$a^{\log_2 x}$。
【解放区】一般指推翻反动统治建立了人民政权的地区。特指中国共产党领导下的第二次国内革命战争时期的革命根据地、抗日战争时期的抗日民主根据地、第三次国内革命战争时期已被解放军占领、国民党地方政权已经垮台的地区。
【解甲归田】脱掉铠甲,回到乡村。指将士离开军队,回乡务农。
【解甲投戈】脱掉盔甲,放下武器。比喻不再战斗。汉扬雄《解嘲》:“叔孙通起于枹鼓之间,解甲投戈,遂作君臣之仪,得也。”
【解衣推食】把衣服脱给别人穿,把食物让给别人吃。形容对别人生活极为关怀。《史记·淮阴侯列传》:“汉王授我上将军印,予我数万众,解衣衣我,推食食我。”
【解放日报】❶抗日战争和第三次国内革命战争时期中共中央的机关报。1941年5月在延安创刊,1942年起兼中共中央西北局机关报。1947年3月随中国人民解放军撤出延安,至27日停刊。共出2130期。❷中共中央华东局兼上海市委的机关报。1949年5月在上海创刊。1954年12月改为中共上海市委机关报。
【解铃系铃】比喻谁做的事,还得由谁去解决。本佛教禅宗语。明瞿汝稷《指月录·法灯》:“金陵清凉泰钦法灯禅师在众日,性豪逸,不事事,众易之。法眼独契重。眼一日问众:‘虎项金铃,是谁解得?’众无对。师适至,眼举前语问,师曰:‘系者解得。’眼曰:‘汝辈轻渠不得。’”
【解囊相助】拿出钱财,帮助有困难的人。解囊:解开口袋。
【解热镇痛药】一类具有解热、止痛、抗炎、抗风湿作用的药物。常见的有阿司匹林、扑炎痛、安乃近、扑热息痛等。
【解构主义建筑】在解构主义哲学思想影响下设计出的建筑形式。出现于20世纪80年代后期。用歪扭、错位、变形的手法使建筑出现偶然、无序、奇险、松散的态势,突破传统建筑所强调的统一有序的构图方法,试图创造前所未有的建筑形象。建筑实例有巴黎拉维莱特公园等。

檞□ jiě 古书上说的一种树。

jiè ㄐㄧㄝˋ

介 jiè ❶在两者中间。㊀～乎两者之间|～人。❷放在心里。㊀～意。❸

J

护甲;甲壳。[例]~胄(胄:古代的头盔)|~虫。❹正直。[例]耿~。❺古又同"个"(用于人)。[例]一~书生。❻古又同"纤芥""草芥"的"芥"。

【介入】插进两者之间干预其事。

【介子】强子的一类。质量介于电子和核子之间,故名。

【介词】用在名词性词语之前,合起来表示动作、行为的时间、处所、方向、方式、目的、对象等的词。

【介质】也叫媒质。一种物质存在于另一种物质内部时,后者就是前者的介质;某些波动(如声波、水波等)借以传播的物质叫做这些波动的介质。

【介胄】即"甲胄"(468页)。

【介意】放在心上(多指不愉快的事)。[例]他的话完全出于无意,请不必~。

【介宾短语】介词跟名词语组合成的短语。在句子中经常作状语、补语,表示处所、时间、方向、方式、对象等。如"从北京(来)""为人民(服务)""(他生长)在中国"等。

【介绍贿赂罪】行为人向国家工作人员介绍贿赂,情节严重的犯罪行为。行为人在被追诉前主动交待其介绍贿赂行为的,可以减轻或免除处罚。

价 ㊀ jiè 旧指派遣传送东西或传达事情的人。
㊁ jià(470页)。
㊂ jie(503页)。

芥 ㊀ jiè 见下。
㊁ gài(300页)。

【芥菜】一年生或二年生草本植物。开黄色小花,果实细长。种子黄色,有辣味,磨成粉末,叫芥末,用作调味品。有多种,分叶用(如雪里蕻)、茎用(如榨菜)和根用(如大头菜)三类。

【芥蒂】细小的堵塞的东西。比喻心里的嫌隙或不快。

岎□ jiè 山名。即介山。在山西。

玠 jiè 大圭。

界 jiè ❶相交的地方。[例]国~|交~。❷指某种范围。[例]管~|科学~|有机~。❸地层系统分类的第二级。对应于地质年代中的"代"。❹生物分类系统中的最高等级。在门之上。如植物界、动物界。

【界石】立在分界处,用作分界标志的长条石或石碑。

【界画】中国画中以界笔直尺划线的技法和绘画。多用于刻画宫室楼阁等建筑物。

【界限】❶不同事物的分界。[例]划清人民内部矛盾和敌我矛盾的~。❷尽头处,限度。

【界线】❶两地区分界的线。❷不同事物的分界。❸某些事物的边缘。

【界面】❶不同物体之间的接触面。❷用户界面的简称。

【界说】定义的旧称。

【界桩】用来标志分界的桩子。

【界碑】用来标志分界的石碑。

堺☒ jiè 同"界"。

疥 jiè 疥疮,疥螨病的俗称。由疥虫引起的传染性皮肤病。多在指间、手腕、腋窝、腿裆等部位生有针头大小的丘疹和水泡,患处甚痒。

【疥蛤蟆】蟾蜍的俗称。

【疥螨病】俗称疥疮。由疥螨在皮肤内活动、吸血引起的体外寄生虫病。多发生于指间、腕、肘、腋窝等处。主要症状是皮肤发红、瘙痒等。

蚧 jiè 见〔蛤蚧〕(317页)。

骱□ jiè 〈方〉骨节间相接的地方。[例]脱~(脱臼)。

戒 jiè ❶防备;警惕。[例]~备|~骄~躁。❷革除嗜好。[例]~酒。❸佛教约束教徒的条规。泛指不允许做的事。[例]受~|五~|杀~。❹戒指。[例]钻~|婚~。

【戒刀】旧指和尚佩带的刀。

【戒心】警惕、戒备之心。

【戒尺】❶旧时塾师对学生施行体罚所用的板尺。❷佛教说戒时的用具。

【戒坛】僧徒受戒的地方。

【戒严】战时或特殊情况下使用武装力量,在全国或局部地区采取的一种非常的警戒措施。包括加强警戒巡逻,组织搜查,限制人员、车辆、船只、飞机等通行,限制公众集会,实行宵禁等。

【戒条】即"戒律"(503页)。

【戒忌】❶犯忌讳的话和行动。❷对忌讳的事存有戒心。

【戒备】警戒防备。[例]~森严。

J

【戒毒】采取行政手段和医疗措施使吸毒者戒掉瘾癖。戒毒药大多有镇痛作用,应细心使用,以防再上药瘾。

【戒律】❶也叫戒条。宗教徒必须遵守的法则。❷比喻限制、束缚的条文。㊐清规～。

【戒牒】即“度牒”(229 页)。

【戒骄戒躁】警惕着,不要骄傲和急躁。

【戒断症状】病人因多次应用吗啡类麻醉药品在停药后出现的不适。包括兴奋、失眠、流泪、流涕、呕吐等,甚至虚脱、意识丧失。是成瘾的反映。

诫(誡) jiè 警告;劝告。㊐告～|劝～|规～。

届(*屆) jiè ❶到。㊐～时前往。❷期;次。㊐本～|第一～。

【届时】到时候。

借(❷❸藉) jiè ❶暂用别人的财物或把财物给别人暂用。㊐～书|～给他一枝笔。❷假托。㊐～口|～故。❸依靠。㊐凭～。

“藉”,另见(503 页)、另音 jí(458 页)。

【借代】修辞格的一种。不直接把所要说的事物名称说出来,而用跟它有关系的另一种事物的名称来称呼它。如“红领巾积极参加植树劳动”中的“红领巾”就是借代。

【借问】敬辞。向人打听事情时用。㊐～这里离县城还有多远?

【借助】凭借、依靠别的人或事物的帮助。一般与“于”连用。

【借重】从别人那里取得支持和帮助。多用作敬辞。

【借贷】❶向人借或借给人(钱)。❷指簿记或资产表上的借方和贷方。

【借喻】比喻的一种。直接借比喻的事物来代替被比喻的事物,被比喻的事物和比喻词都不出现。如:“这个孩子要好好教育,响鼓还要重槌敲。”

【借鉴】跟别人的或另外的事相对照,以便从中学习或吸取经验教训。鉴:镜子。

【借箸】借箸代筹的略语。《汉书·张良传》:“良谒汉王。汉王方食,曰:‘客有为我计挠楚权者。’良曰:‘请借前箸以筹之。’”张良的话的意思是借你面前的筷子来指画当时的形势。后用以指代人谋划。箸:筷子。

【借端】假托事由。

【借镜】借鉴。

【借刀杀人】比喻自己不出面,借助或利用别人去害人。

【借尸还魂】比喻已被消灭的旧事物不甘心自己的灭亡,又凭借别的事物或以另一种形式再次出现。

【借古讽今】假借评论古代事物的是非来影射现实。

【借花献佛】比喻拿别人的东西做人情。

【借贷资本】资本主义条件下的生息资本。即为获取利息而贷给职能资本家的货币资本。其特点是资本的所有权与使用权相分离。借贷资本家凭借资本所有权获取利息,好像货币本身能产生出更多的货币。实际上借贷资本反映的是职能资本家和借贷资本家共同瓜分剩余价值、剥削雇佣工人的关系。

【借题发挥】假借谈论某个题目,表示自己另外的意思。

【借贷记账法】用“借”“贷”作为记账符号,反映资金增减变化的一种复式记账方法。

唶☒ ㊀ jiè ❶赞叹声。❷〔咋唶〕乡里的民歌。咋(zhà)。

㊁ zè(1229 页)。

㊂ jí(456 页)。

藉 ㊀ jiè ❶垫在下面的东西。㊐以茅草为～。❷垫;衬。㊐～地而坐。

㊁ jí(458 页)。

另见“借”(503 页)。

蓟☒ jiè 见〔葸蓟〕(204 页)。

解 ㊁ jiè 押送。㊐～款|起～。

㊀ jiě(500 页)。

㊂ xiè(1090 页)。

【解元】唐代诸州县送举子赴京应礼部试称解,州县试称解试,名居第一者称解元。宋代沿用此称。明清两代用以称乡试第一名。

【解送】押送(财物或犯人等)。

犗☒ jiè 骟过的牛。

褯□ jiè 〔褯子〕〈方〉婴儿的尿布。

jie ·ㄐㄧㄝ

价(價) ㊂ jie 后缀。㊐成天～忙|震天～响。

㊀ jià(470 页)。

㊁ jiè（502 页）。

家 ㊂ jie 同"价(jie)"。
㊀ jiā（467 页）。
㊂ jia（471 页）。

jīn ㄐㄧㄣ

巾 jīn 擦抹、覆盖、包裹等用的小块纺织品。㊞手～|枕～|头～。

【巾帼】古代妇女的头巾。后用作妇女的代称。㊞～英雄。

【巾帼须眉】有男子气概的女子。须眉：指男子。

斤（❶*觔） jīn ❶市制质量单位。10 两为 1 斤，100 斤为 1 担。1 斤原为 16 两，后改为 10 两，合 500 克。❷古时砍伐树木的工具。

【斤斤】❶过分着意。㊞～计较。❷明察的样子。㊞～其明。

【斤斗】同"筋斗"(504 页)。

【斤两】分量。多用于比喻。㊞你要掂掂他的话的～。

【斤斤计较】形容一点一滴、一丝一毫也要计较(含贬义)。

釿⊠（釿） jīn ❶同"斧斤"的"斤"。❷同"斤两"的"斤"。

今 jīn ❶现在；现在的。㊞古为～用|～人。❷当前的。㊞～天|～春。❸此；这。㊞～生～世。

【今文】汉代称当时通用的隶字。那时有人把口传的经书用隶字记录下来，后来称作今文经。

【今世】❶现代。❷这一辈子。㊞今生～。

【今昔】现在和过去。㊞通过～对比，我们更加热爱新社会。

【今草】草书的一种。由章草结合楷法发展而成的草体。相传为东汉张芝所创，六朝时为与章草区别，故称为今草。

【今音】❶现代的语音。❷指以《切韵》《广韵》等韵书为代表的隋唐音。

【今朝】今天。朝(zhāo)。

【今文经】汉代学者传述的用汉隶写成的儒家经典。与当时发现的用先秦古文写成的儒家经典相对。秦始皇焚书坑儒，儒家经典散失殆尽。汉朝建立以后，着手整理古籍，征集民间藏书，又访求老儒，口授儒家经书，一一笔录。因用当时文字书写，故名。

约⊠（約） ㊀ jīn 系(jì)衣襟的带子。
㊁ jìn（512 页）。

衿 jīn ❶衣襟。❷同"约(jīn)"。

矜 ㊀ jīn ❶怜悯。㊞～惜。❷自大。㊞骄～。❸拘谨。㊞～持。
㊁ guān（348 页）。
㊂ qín（793 页）。

【矜夸】骄傲自满，自我夸耀。

【矜持】保持庄重严肃的态度。现多指过分拘谨，态度不自然。

笏⊠ ㊁ jīn 同"筋"。
㊀ lè（587 页）。

筋 jīn ❶肌腱或骨头上的韧带。㊞～骨。❷口语称皮下的静脉管。㊞青～。❸肌肉的旧称。❹像筋的东西。㊞叶～|钢～。

【筋斗】也作斤斗。即"跟斗"(320 页)。

【筋节】比喻文章或言辞最关键的部分或最重要的转折点。

【筋络】与骨节相连接的筋肉。

【筋疲力尽】也说筋疲力竭。用尽了力气，极其疲劳。唐韩愈《论淮西事宜状》："虽时侵掠，小有所得，力尽筋疲，不偿其费。"

金 jīn ❶俗称金子。金属元素，符号 Au，原子序数 79。赤黄色，有光泽，质软，延展性最强，化学性质稳定，易传热和导电。常用作合金、硬币、装饰品等。通称黄金。❷金属。㊞五～。❸钱。㊞现～|助学～。❹古指用金属制的击乐器。㊞鸣～收兵|～鼓齐鸣。❺比喻尊贵、珍贵。㊞～口玉言。❻像金子一样的颜色。㊞～发(fà)|～灿灿。❼朝代名(1115—1234)。北宋末女真族完颜部领袖阿骨打在中国东北部建立。建都会宁(今黑龙江阿城南)，后迁都中都(今北京)、开封。1234 年在南宋与蒙古军联合进攻下灭亡。

【金工】金属的各种加工工作。

【金风】秋风。

【金乌】古代神话说太阳中有三足乌，故用金乌作太阳的别称。

【金文】旧称钟鼎文。指铸刻在商、周、战国和秦汉时代青铜器上的文字。有很高的史料价值。

【金玉】❶泛指珍宝。❷比喻贵重。㊞～良言。❸比喻美好。㊞～其外，败絮其中。

【金石】❶金指铜器，石指石碑等。古代铜器（钟、鼎、兵器、用具等）和刻石合称金石。旧时把研究铜器和刻石上古文字及有关资料的学问，叫做金石学。❷钟磬之类的乐器。㊐～丝竹。❸金属和石头，比喻（关系、感情等）牢固。㊐～交。

【金卡】交纳高额会费，可享受特别待遇的高级信用卡。

【金史】史书名。元脱脱等撰。共一百三十五卷，包括本纪十九卷，志三十九卷，表四卷，列传七十三卷。记载了金代一百一十余年(1115—1234)的历史。

【金边】柬埔寨首都。位于该国南部。人口80万(1993年)。是全国政治、经济、文化和交通中心。也是一座历史古城，有奔寺、皇宫、宝塔等名胜古迹。

【金汤】金城汤池的略语。比喻防守坚固的城池。㊐固若～。

【金库】即国库。保管和出纳国家预算资金的机关。

【金瓯】金盆。《南史·朱异传》："我国家犹若金瓯，无一伤缺。"后用"金瓯"比喻祖国完整的大好河山。

【金鱼】鱼类。由鲫演化而成。一般体短而肥，尾鳍四叶。可供观赏。由于长期人工培育，现已有形形色色的美丽品种。世界各国的金鱼都是从中国引种的。

【金柝】古代军中夜间报更所敲击的器物。柝(tuò)。

【金星】太阳系九大行星之一。绕太阳一周的时间是224.7天。以距离太阳由近及远的次序计是第二颗。中国古代把金星叫做太白、长庚、启明。傍晚出现在西方叫长庚；天快亮时出现在东方叫启明。

【金疮】中医指刀、剑、枪等金属器械造成的伤口。

【金陵】江苏南京的别称。战国楚威王七年（前333）灭越，设置金陵邑。

【金婚】欧美风俗称结婚五十周年为金婚。

【金属】由金属元素组成的单质。一般具有光泽，有延展性，易导电和传热。在常温下，除汞（水银）外均是固体。

【金榜】科举时代称殿试录取的榜。

【金橘】也叫金柑。常绿灌木或小乔木。花白色。每年开花3—5次。果实大如鸽蛋，秋末冬初成熟。原产于中国，分布于长江流域及以南各地。树可供观赏，果实可供食用和药用。也指这种植物的果实。

【金融】一般指与货币流通和银行信用有关的一切活动。如货币发行、流通、回笼，信用活动的存款、取款、发放贷款和收回贷款，国内外汇兑的往来等，都属于金融的范围。

【金雕】鸟类。成鸟体羽暗褐色。头顶金褐色。雌雄同色。多栖于山地，性凶猛，捕食鸠、雉、野兔甚至幼麝等。经驯养能放猎。产于中国东北和西部山地。是中国国家重点保护动物。

【金小蜂】昆虫。寄生蜂的一类。种类极多，多数是害虫的重要天敌。如棉红铃虫金小蜂，其成虫吮吸越冬棉红铃虫体液，并在其中产卵，幼虫寄生于棉红铃虫体内，使棉红铃虫死亡。

【金门岛】也叫大金门岛。岛名。在厦门湾东，现由台湾省管辖。面积133平方千米。

【金石文】铸在钟鼎等青铜器上和刻在各种古代石碑上的文字。是研究中国古代历史的重要资料。

【金圣叹】(1608—1661)明末清初文学批评家。原名采，字若采，明亡后改名人瑞，字圣叹，一说本姓张，吴县（今属江苏）人。曾批改《水浒传》《西厢记》。他作的评点，颇多合理而深刻的艺术见解，但也表现出反对梁山起义的立场。他所批改的本子也成为后世流行的版本。

【金丝雀】也叫芙蓉鸟。鸟类。体长12—14厘米，较麻雀瘦小。原种体羽多为黄色，现变种甚多，羽色变化复杂。鸣声婉转。可供观赏。

【金丝猴】哺乳动物。尾长约与体长相等。背部有金黄色光亮的长毛。分布于中国四川、陕西、甘肃的高山密林中。在贵州北部和云南西北部还分别产有黑金丝猴和灰金丝猴。是中国国家重点保护动物。

【金丝燕】鸟类。体长约18厘米。体形似燕。群栖，食虫。以羽毛、苔藓或海藻等混合唾液胶结而成的巢，即供药用、食用的燕窝。分布于印度、马来群岛一带。

【金刚石】最硬的矿物。是碳的结晶体。也有人工制成的。纯者无色透明，有闪亮耀眼的光泽，是高级的切削和耐磨材料。经过琢磨者叫钻石，是最贵重的宝石。

【金字塔】古埃及国王（法老）的陵墓。以石筑成，方锥形，状如汉文"金"字，故译作金字塔。埃及金字塔为世界古代建筑奇观，体现了古代埃及劳动人民高度的智慧和建筑技术水平。

【金花茶】常绿小乔木。高2—6米。叶长圆形。花有7—8枚花瓣,可多达17枚。花淡黄色至金黄色,具蜡质光泽。是中国国家重点保护植物。可供观赏。

【金针菜】也叫黄花菜。多年生草本植物。适应性强,可在路旁、坡地、渠边等地栽培。其金黄色的花蕾可供食用。

【金龟子】昆虫。种类很多。成虫体多为卵圆形。幼虫乳白色,居于土中,称为蛴螬。成虫危害植物的叶、花、芽及果实。幼虫啮食植物根和块茎,是农业害虫。

【金沙江】指长江上游青海玉树到四川宜宾一段。以产沙金而得名。长2 308千米。江水深切高原,谷底与山顶高差多超过1 000米,其中虎跳峡深达3 000米以上,为世界最深峡谷之一。江流湍急,水能资源丰富。

【金沙萨】旧称利奥波德维尔。刚果(金)首都。位于该国西部。人口502万(1995年)。是全国最大城市和河港、工商业和文化中心、交通枢纽。

【金环蛇】爬行动物。毒蛇的一种。长一般在1米左右,大者可达1.8米。身体背面和腹面均有24—33个黑色与黄色环带相间排列,黄色环带较黑色环带狭窄。分布于中国华东、西南等地。

【金盏花】也叫金盏菊。一年生或二年生草本植物。春夏间开花,花淡黄色或橘黄色。可供观赏和药用。也指这种植物的果实。

【金莲花】多年生草本植物。茎高30—70厘米,不分枝,基生叶1—4个,叶片五角形。花供药用,能清热解毒,治扁桃体炎、中耳炎等。

【金钱板】曲艺的一种。流行于四川、贵州等省。演唱时以数板为主,略有拖腔。演员自打金钱板(金钱板从简板发展而来,共有三块,其中两块嵌有铜钱,一块没有铜钱的叫做打板),故名。

【金钱松】落叶乔木。高可达40米。叶线形,短枝上簇生,伸展排列成圆形,秋季变成金黄色。球果卵形,直立。种子顶端有翅。产于中国长江流域山地。树姿优美,秋叶金黄,可供观赏。木材供建筑等用,种子可榨油,根、皮可入药。

【金钱草】也叫活血丹、连钱草。多年生草本植物。茎丛生,方形,花腋生,淡紫或粉红色。全草供药用,能清热利尿、消肿。

【金钱豹】哺乳动物。体较虎小,尾长。体黄色,密布圆形或椭圆形黑褐色斑点或斑环,状似古钱,故名。善攀树。分布于中国南北各地。是中国国家重点保护动物。

【金瓶梅】也叫《金瓶梅词话》。长篇小说。明兰陵笑笑生作。万历年间刊行。一百回。本书以西门庆、潘金莲、李瓶儿、春梅等人的故事为线索,描写西门庆勾结官府,恣意妄为,纵情享乐,以致破败灭亡的历史,暴露了明代社会的黑暗和腐败。小说善于刻画人物,语言鲜活、形象。但大量粗鄙的性行为描写削弱了小说的艺术价值。

【金银花】也叫忍冬花、双花。多年生缠绕小灌木。多分枝,叶对生,叶片卵形或长卵形,有短柔毛,花唇形成对生于叶腋处。花蕾、带叶的枝可供药用,有清热解毒、消炎退肿作用。

【金属键】使金属原子结合成金属的相互作用。特征是自由电子可以在整块金属中流动,使金属呈现出良好的导电性和导热性、延展性和金属光泽等。

【金箍棒】《西游记》中孙悟空使用的武器,传说能降伏妖魔鬼怪。

【金戈铁马】指战事。也用以形容战士的雄姿。宋辛弃疾《永遇乐·京口北固亭怀古》:“想当年金戈铁马,气吞万里如虎。”金戈:金属制作的戈。铁马:披着铁甲的战马。

【金牛山人】中国旧石器时代早期古人类。大约生活在距今三十万年以前。化石在辽宁营口金牛山发现,故名。骨骼化石有头骨、尺骨、腕骨等多种,对从猿到人发展过程的研究有重要价值。

【金本位制】以黄金作为基本货币币材的货币制度。典型的金本位制是有金币流通的金铸币制度。在这种制度下,黄金持有者可以自由铸造金币,纸币可以自由兑换金币,黄金可以自由输出输入。第一次世界大战以后,由于资本主义世界不断发生经济危机和信用危机,各国被迫相继废除了金本位制。

【金石为开】形容真挚的感情足以打动人心。也比喻意志坚强能克服一切困难。汉刘向《新序·杂事四》:“熊渠子见其诚心而金石为之开,况人心乎?”金石:金属和石头,比喻最坚硬的东西。

【金石丝竹】泛指各种乐器。也指各种音乐。《庄子·骈拇》:“多于聪者,乱五声,淫六律,金石丝竹,黄钟大吕之声,非乎,而师旷是已。”金石：钟磬类乐器。丝竹：琴箫类乐器。

【金田起义】1851年1月11日（清道光三十年十二月初十日）洪秀全等领导农民群众在广西桂平县金田村起义，宣布成立太平天国。从此开始了太平天国农民战争。

【金边债券】信用等级最高、投资风险最小、流动性高的债券。

【金光大道】比喻通向美好未来的宽阔道路。

【金刚怒目】形容面目威猛逼人。怒目：也说努目。金刚：佛教传说里保卫佛的武士。

【金字招牌】旧时大商店用金粉涂字的招牌。比喻信誉卓著。也比喻冠冕堂皇的名义或称号。

【金针度人】传说唐郑侃的女儿采娘，在七夕祭织女时，得到了一根金针，从此她刺绣的技能更加精巧。后以“金针”比喻秘法、诀窍。以“金针度人”比喻把高明的方法传授给别人。

【金城汤池】金属铸造的城墙，沸腾的护城河水。形容城池或阵地极其坚固，不易攻破。《汉书·蒯通传》：“皆如金城汤池，不可攻也。”汤：热水。池：护城河。

【金相玉质】比喻文章的形式和内容都很完美。

【金科玉律】不可改变的规章条文。科、律：法律条文。

【金屋藏娇】汉班固《汉武故事》记载，汉武帝幼小时喜爱表妹陈阿娇，并说“若得阿娇作妇，当作金屋贮之也”。后泛指对娇妻美妾特别宠爱。也指纳妾。

【金瓶掣签】清代特定的抽签确认黄教大活佛转世（呼毕勒罕）的办法。在原达赖、班禅圆寂后，其化身将由各地呈报的灵童名单中选定。选定办法是将全部姓名用满、汉、藏三种文字写在牙签之上，装入朝廷颁给的两只金瓶中，由驻藏大臣在大昭寺、理藩院尚书在雍和宫监督掣定。藏语称瓶为“奔巴”，故金瓶掣签又称金奔巴制度。

【金属材料】以金属或合金制成的材料。有时也包括某些金属化合物（如碳化钨）和以半金属（如硅）为基的材料。按组成元素，可分为钢铁材料（如铁、钢、碳素钢等）、有色金属材料（如铝、铜、贵金属等）；按材料使用形态，可分为板材、丝材、棒材、多孔材料和纤维强化复合材料等。

【金属玻璃】即“非晶态合金”（268页）。

【金属陶瓷】一种耐高温、高强度材料。由高熔点氧化物、碳化物等陶瓷材料和金属粉末制成，兼具金属与陶瓷的优点。如韧性、抗弯性好，耐高温，硬度高。用于原子能、火箭工程及金属切削等。

【金属晶体】通过金属键形成的单质晶体。通常具有很强的导电性和导热性、良好的可塑性和机械强度，对光的反射系数大，呈现金属光泽。

【金属塑料】多孔性金属基体的孔隙中，浸入聚四氟乙烯等塑料分散液制成的新型材料。兼具金属与塑料的优点。如具备一定的机械强度，导热性好，热膨胀系数较低和具有自润滑性。用作自润滑的轴瓦等。

【金缕玉衣】汉代用金丝连缀玉片制成的贵族葬服。有金、银、铜缕的分别，用金缕的等级最高。1968年在河北满城发掘的中山靖王刘胜（汉武帝异母兄）夫妇两座墓葬，各有金缕玉衣一件。

【金鼓齐鸣】指战斗正在进行。也形容军威盛大。金鼓：金属制的乐器和战鼓。古代作战时用它们发号令，壮军威。

【金碧辉煌】形容建筑物等颜色鲜明华丽，光彩夺目。金碧：金黄青绿的颜色。

【金蝉脱壳】蝉幼虫变为成虫后，壳留下，蝉飞走。比喻使用计谋脱身溜走，而对方不能及时发觉。

【金融工程】为适应特殊借款人、贷款人或投资者的需要，将一种金融产品改变为另一种金融产品的活动。

【金融风险】金融机构从事金融业务，可能遭受损失的危险性。包括价格变动风险、信用风险等。

【金融市场】进行货币流通以及与之相关的货币发行与回笼，吸收存款、发放贷款，有价证券、外汇和金银等贵金属的买卖，以及国内、国外货币支付与结算等金融活动的场所。

【金融创新】出于逃避政策管制、规避风险、扩展业务等目的，在金融市场、金融工具、交易技术等方面作出的创新。

【金融危机】金融体系和金融制度的严重混乱和动荡。主要表现为商业信用巨减、银行资金呆滞、金融机构倒闭、证券市场暴跌、本币贬值等。

【金融投资】经济主体为获取预期收益或股权，用资金购买股票、债券等金融资产的投资活动。

【金融监管】指一国(地区)的中央银行或其他金融监管当局依据国家法律法规的授权对金融业实施监督管理。

【金融租赁】出租人购买承租人选定的设备,并将它出租给承租人在一定期限内有偿使用的一种具有融资、融物双重职能的租赁方式。

【金融债券】商业银行或其他金融机构为筹集中长期资金而发行的一种债务凭证。

【金融资本】旧称财政资本。银行垄断资本和工业垄断资本融合生长的资本。掌握庞大金融资本的少数最大的资本家,即金融寡头(旧称财政寡头),他们往往操纵国家政治和经济命脉,控制国家政权,决定国家的对内对外政策。

【金融深化】也叫金融自由化。政府改革金融制度,改变对金融的过度干预,放松对金融机构和金融市场的限制,使利率、汇率等实现市场化的过程。

【金融寡头】见〔金融资本〕(508 页)。

【金刚宝座塔】中国佛塔主要类型之一。源于印度金刚宝座塔的样式,中国最早图像记载见于敦煌壁画中的隋代壁画。是供奉金刚界五部部主佛舍利的塔。塔座通常十分高大,在其顶部的中央建有较大的主塔,四角布置四个小塔。底座和各塔的须弥座上布满狮子、象、马、孔雀、金翅鸟王的雕刻。如北京五塔寺金刚宝座塔。

【金属活动性】金属与其他物质作用时反应的剧烈程度。

【金融自由化】即"金融深化"(508 页)。

【金融全球化】全球金融交易活动和风险发生机制联系日益紧密的过程。

【金石并用时代】也叫红铜时代。考古学分期之一。介于新石器时代和青铜时代的过渡时期。这时人类已使用天然铜(红铜)制造工具和用具,但石器仍占绝对优势,所以通常也归入新石器时代。金石并用时代约始于公元前五千年到公元前三千年。这时,有的地区还处于原始社会,有的地区已进入奴隶社会。

【金属切削加工】一种金属加工方法。利用刀具在机床上切去工件多余部分,以达到规定的尺寸、形状和光洁度等要求。

津 jīn ❶渡口。㊀要～。❷唾液;汗。㊀～液|遍体生～。❸滋润;补贴。㊀～贴。❹天津的简称。

【津要】❶水、陆的要冲之地。❷比喻重要的职位。

【津津】❶形容有滋味或有兴味。㊀～有味|～乐道。❷(汗、水)浸透或渗出的样子。㊀汗～。

【津液】中医学名词。体内一切正常水液的统称。有营养和润泽体内组织器官和调节机体内外环境平衡的作用。有时也专指唾液。

【津梁】渡口和桥梁。多比喻起引导、过渡作用的事物或方法。㊀英语～(即学习英语的入门书)。

禁 ㊁ jīn ❶受得住;耐(用)。㊀～得起考验|这件衣服～穿。❷忍住。㊀不～大笑。

㊀ jìn (513 页)。

【禁受】承受;忍受。㊀～考验。

【禁得起】承受得住(多用于人)。㊀～风浪。

襟 jīn ❶上衣或袍子的胸前部分。㊀大～|对～。❷有连襟关系的。㊀～兄。❸胸怀;抱负。㊀～怀|～抱。

【襟怀坦白】心地纯洁,光明正大。

jǐn ㄐㄧㄣˇ

仅(僅) ㊀ jǐn 副词。只。㊀～有|～见。

㊁ jìn (510 页)。

【仅仅】副词。表示限于某个范围,意思跟"只"相同而更带强调意味。㊀这么大故障他～用十分钟就排除了。

尽(儘) ㊁ jǐn ❶副词。1. 最;达到力所能及的最大限度。㊀～前头|～早。2. 老是。㊀这些日子～下雨。❷尽先。㊀座位不够,～着客人坐。

㊀ jìn (510 页)。

【尽量】副词。力求达到最大限度。㊀这件事很重要,请您～帮忙。

【尽管】❶副词。表示消除顾虑,放心去做。㊀不同的意见～提出来。❷连词。表示让步,先承认某种事实,后引起转折,下文常用"但""但是""然而"等词呼应。㊀～有困难,但我们一定能完成任务。

卺 jǐn 古代结婚时用作酒器的瓢。旧称结婚为合卺。

紧(緊*紧*緊) jǐn ❶物体受到较大的拉力

或压力后所呈现的状态。例拉～|绑～|压～。❷距离太近;空隙很小。例抽屉太～,拉不开|鞋子太～,穿着不舒服。❸使紧。例～一～腰带。❹急;迫切。例任务～。❺(经济)不宽裕。例手头儿～。

【紧张】❶精神兴奋不安,怕出错遭责。例第一次登台,免不了有些～。❷激烈或紧迫。例～的劳动|工作～。❸供应难于满足需求。

【紧迫】急迫,没有缓冲余地。

【紧俏】销路好,供不应求的。例～商品。

【紧急】事情急迫,不容许拖延,必须立即采取行动。例～集合|任务～。

【紧凑】密切连接。例故事情节很～。

【紧密】❶非常密切。例～合作。❷多而连续不断。例枪声～。

【紧缩】缩小;压缩。例～包围圈|～开支。

【紧箍咒】《西游记》里唐僧用来制服孙悟空的咒语。能使孙悟空头上套的金箍缩紧,导致头部剧痛。比喻控制、束缚人的东西。

【紧急状态】国家依法宣布的一种非常的政治状态。是国家安全和统治秩序处于危险情势而采取的一种紧急措施。即在一定时期内停止实施宪法的某些条文,限制公民的自由权利。通常由国家元首宣布,在全国或部分地区采取这种措施。

【紧急避险】为了使国家、公共利益、本人或他人的人身、财产和其他权利免受正在发生的危险,不得已采取的损害他人权益的行为。紧急避险造成损害的,不负刑事责任。应具备的条件:(1)目的只能是保全合法的权益;(2)对象只能是正在发生的实际危险,危险尚未到来或已过去,都不在此限;(3)为了脱险别无选择,不得已而损害他人的合法权益,如有其他办法,则不能以此处理;(4)造成的损害不可过当。紧急避险超过必要限度造成不应有的损害的,应当负刑事责任,但应当减轻或免除处罚。

【紧鼓密锣】锣鼓点敲得很紧。比喻事前紧张的舆论准备工作。

堇 jǐn〔堇菜〕多年生草本植物。茎矮小,春开紫花。生长在山野里。

廑⊠ jǐn "廑(jǐn)"的异体字。

谨(謹) jǐn ❶慎重;小心。例～防。❷郑重;恭敬。例～致谢意。

【谨严】谨慎严密。例文章结构～。

【谨饬】谨慎。饬(chì)。

【谨慎】小心,慎重。

【谨小慎微】原指说话、做事非常谨慎,现多指对一些事情过于小心谨慎。《淮南子·人间训》:"圣人敬小慎微,动不失时。"清恽敬《卓忠毅公遗稿书后》:"其生平无不谨小慎微,事事得其所处。"

【谨言慎行】说话小心,做事谨慎。《礼记·缁衣》:"则民谨于言而慎于行。"

馑(饉) jǐn 原指蔬菜没有收成,后指荒年。

廑⊠ ㊀ jǐn 同"仅(jǐn)"。
㊁ qín (794页)。

瑾 jǐn 美玉。

槿 jǐn 见〔木槿〕(701页)。

锦(錦) jǐn ❶丝织物的一种。在三色以上纬丝织成的缎纹地上织出的绚丽多彩、古雅精致的花纹织物。有库锦、蜀锦、宋锦、云锦等。❷形容鲜明华丽的色彩。例～霞|～鸡。

【锦州】市名。位于辽宁省中部偏南。人口65万(1997年)。北靠松岭山地,南临辽东湾,扼关内外交通要冲,为著名的军事重镇。

【锦鸡】❶也叫金鸡、红腹锦鸡。鸟类。形似雉,雄鸟体长约1米。头部有金黄色丝状羽冠,散覆颈上。后颈围生金棕色扇状羽,形如披肩。周身羽色美丽。尾羽大半黑褐、桂黄相间成斑状。雌的羽毛暗褐色。常栖息于多岩坡地或矮树、竹林间。是中国西南部特有动物。❷(～儿)落叶灌木。树皮黄绿色,枝条有棱角,有刺,花蝶形,荚果。能抗旱、耐瘠薄,枝叶繁茂,是保持水土、防风固沙的优良树种。枝叶可作饲料和肥料。

【锦纶】俗称尼龙。聚酰胺纤维的商品名。强度高,耐磨性、回弹性好。可以纯纺和混纺作各种衣料及针织品,工业上用作绳索、渔网、轮胎帘子线、降落伞等。

【锦城】四川成都的别称。三国蜀汉时管理织锦之官驻此,故名锦官城,后简称锦城。

【锦标】赠送给竞赛中成绩优胜者的奖品。如锦旗、奖杯等。

【锦绣】精美鲜艳的丝织品。比喻美丽或美好。例～前程。

【锦葵】二年生草本植物。叶圆形或肾形。

花簇生于叶腋，淡紫色。可供观赏。

【锦衣卫】官署名。即锦衣亲军都指挥使司。明洪武十五年(1382)设置。原为护卫皇宫的亲军，掌管皇帝出入仪仗。后兼管刑狱、缉捕、审问之事。明中叶以后与东西厂并列，成为特务组织。

【锦标赛】体育比赛的一种。通过比赛确定该项运动的个人或团体冠军。

【锦上添花】在锦上面再绣上花。比喻使美好的事物更加美好。

【锦心绣口】也说绣口锦心。形容才思非凡，词藻华丽。唐柳宗元《乞巧文》："骈四俪六，锦心绣口。"

【锦绣河山】也说锦绣江山。指美好壮丽的国土。

【锦囊妙计】旧小说上描写足智多谋的人，能预先估计到可能发生的事情并预设解决的办法。常用纸条写好装在锦囊里，交给办事的人，嘱咐他在遇到问题时拆看，按照预设的办法解决。现比喻能及时解决紧急问题而又暂时保密的办法。

【锦囊佳句】指优美的诗句。锦囊：用锦做成的袋子，古人多用来藏诗稿。

寖☒ ㊀ jǐn 古地名。在今河南。
㊁ jìn (513 页)。

jìn ㄐㄧㄣˋ

仅(僅) ㊁ jìn 副词。将近；几乎(多见于唐宋诗文)。㊎山城～百层。
㊀ jǐn (508 页)。

尽(盡) ㊀ jìn ❶完。㊎无穷无～。❷全部用出；用力完成。㊎～力|物～其用|～责任。❸副词。极；十分。㊎～善～美。❹全；所有的。㊎～数收回|～人皆知。❺死。㊎自～|同归于～。
㊁ jǐn (508 页)。

【尽先】副词。表示将某事物放在最先考虑的地位。㊎～照顾老人和孩子。

【尽兴】兴致得到完全满足。

【尽职】做好职责范围内应做的工作。

【尽情】任由自己的情感抒发，不加拘束。㊎～歌唱。

【尽量】达到最大限度。㊎他今天喝酒还未～。

【尽数】全数，所有的。

【尽人皆知】所有的人都知道。

【尽如人意】完全符合人们的心意。

【尽忠报国】竭尽忠贞，报效国家。《宋史·岳飞传》："初命何铸鞫之，飞裂裳以背示铸，有'尽忠报国'四大字，深入肤理。"

【尽善尽美】形容事物完美到没有一点儿缺点。《论语·八佾》："子谓《韶》，尽美矣，又尽善也。谓《武》，尽美矣，未尽善也。"

荩(藎) jìn ❶〔荩草〕一年生细弱草本植物。生于山野地区，除供放牧外，它的汁液可作黄色染料，纤维可作造纸原料。❷忠。㊎～臣。

浕(濜) jìn 浕水，水名，在湖北。

赆(贐) jìn 临别时赠送的财物。㊎～仪。

烬(燼) jìn 物体燃烧后剩下的东西。㊎余～|化为灰～。

进(進) jìn ❶向前移动。与"退"相对。㊎跃～|更～一层。❷从外面到里面。与"出"相对。㊎～门|～工厂。❸收入；买入。㊎～款|～货。❹奉上。㊎～献|～言。❺院子分前后几层的，一层院叫一进。

【进士】隋唐科举考试设进士科，录取后称进士。明清时，举人经过会试及殿试录取后称进士。

【进口】从国外输入商品。

【进化】❶生物由简单到复杂、由低级到高级、种类由少到多的逐渐发展变化。❷指事物运动、发展过程中的量变方式。

【进仓】预期价格上涨而投入资金买入证券。

【进而】连词。表示继续往前，更进一步。用于后一分句。㊎先调查研究，～提出改革方案。

【进军】军队向目的地进发。也比喻向某一目标前进。

【进贡】❶古代藩属对宗主国，或臣民向皇帝呈献物品。❷给有权势者送钱物求方便通融。

【进攻】❶军队主动攻击敌人的行动。是作战基本类型之一。❷在斗争或竞赛中发动攻势。

【进步】❶比原来有所发展或提高。❷促进社会发展的。㊎～思想。

【进取】积极努力，要有所作为。㊎他～

心强。

【进修】为了提高政治、业务水平，进一步学习。

【进度】学习、工作、生产等进行的速度。

【进展】向前发展。㊀工作大有～。

【进率】同类的计量单位之间，较大的叫做较高的计量单位，较小的叫做较低的计量单位。一个较高的计量单位里含有较低的计量单位的倍数，叫做这两个单位间的进率。如千米和米间的进率是1 000，米和厘米间的进率是100。

【进程】事物进行或发展变化的过程。

【进化论】关于生物界物种的发生和发展的理论。英国博物学家达尔文创立。认为现在的各种生物有共同的祖先，它们在进化过程中，通过变异、遗传和自然选择，从简单到复杂、从低级到高级、从少数类型到多数类型逐渐变化发展。人类是动物进化的产物。它否定了物种不变的形而上学观点和上帝造人的宗教迷信。恩格斯认为达尔文的进化理论是19世纪自然科学三大发现之一。

【进行曲】适合于队伍行进时演奏或歌唱的乐曲。节奏鲜明，音调铿锵有力。

【进攻战】❶军队主动进击敌人的作战。包括战略、战役和战术范围的进攻作战。❷特指主动进击敌人作战的形式和战法。

【进位制】记数时，对逢几进一的规定。常用的十进位制，就是规定逢十进一。此外还有其他进位制，如电子计算机一般采用二进位制。

【进口配额】国家针对某种商品规定进口数量限额，对于超过限额部分的进口商品则禁止进口，或者通过征收较高的进口附加税来限制超额部分商品的进口。

【进口替代】以本国生产的产品来代替原来的进口产品，节省外汇，并以此来促进国内工业的成长和扩大。

【进退维谷】进退都陷于困难的境地。形容进退两难。《诗经·大雅·桑柔》："人亦有言，进退维谷。"维：是。谷：穷尽，比喻困境。

【进口许可证】国家有关机构对进口商品经审查后颁发的允许其进口的证明。在许可证项下的商品只有获得了进口许可证才能进口。

琎（璡） jìn 像玉的石头。多用于人名。

近 jìn ❶指空间或时间距离短。与"远"相对。㊀～路|～代史。❷接近。㊀平易～人。❸关系密切。㊀亲～。❹不深奥。㊀浅～。

【近东】见〔中东〕(1273页)。

【近代】❶历史学上通常指资本主义时代。在中国历史分期上多指自1840年鸦片战争到1919年五四运动。也有人主张将其下限定为1949年中华人民共和国成立。❷泛指距离现在较近的时代。

【近因】导致事件发生的直接原因。

【近似】相像但不相同。

【近视】❶视力功能缺陷的一种。由于眼球前后直径长或晶状体折光力过强，来自物体的光线成像于视网膜前，而不在视网膜上，所以看较远的东西模糊。配戴凹透镜可矫正。❷比喻目光短浅。

【近战】近距离的作战。通常短兵相接，紧张激烈。

【近海】靠近陆地的海区。中华人民共和国的近海包括渤海、黄海、东海、南海和台湾岛以东的部分海域。

【近景】指电影画面的一种取景范围。即摄取人物的上半身或物体某局部，使观众从画面中看清楚人物的面部表情或某种形体动作。

【近卫军】❶古代英、法、俄、日等国君主的卫队。❷苏联在斯大林时代授予有战功的精锐部队的荣誉称号。

【近日点】地球公转轨道上距离太阳最近的点。每年1月初，地球运行至近日点。

【近似值】跟一个数量的准确值相接近，并且用来代替准确值的数值。如3.1416是圆周率π(3.1415926…)的近似值。

【近体诗】指律诗和绝句。这种诗格律严整，韵调和谐。约形成于齐、梁，成熟、发展于唐代。与"古体诗"相对。因较古体诗形成稍晚，故名。

【近水楼台】宋苏麟诗"近水楼台先得月"的略语。比喻接近某些人或事物，可以优先得到某种利益和便利。

【近在咫尺】形容距离很近。苏轼《杭州谢上表》："凛然威光，近在咫尺。"咫(zhǐ)：古代长度名。周制八寸，合现在市尺六寸二分二厘。

【近程导弹】射程为1 000千米以下的导弹。

【近朱者赤，近墨者黑】晋傅玄《太子少傅

J

篇》:"故近朱者赤,近墨者黑;声和则响清,形正则影直。"意思是环境的影响能改变人的习性,接近什么样的人就会受到什么影响。朱:朱砂,红色颜料。

靳 jìn 吝惜。

妗 jìn ❶舅母。❷妻兄、妻弟的妻子。㉠大~子。

紟☒(紟) ㊀ jìn 单被。
㊁ jīn (504页)。

劲(勁) ㊀ jìn ❶力气。㉠使~|手~。❷精神;情绪。㉠鼓足干~|冲(chòng)~儿。❸兴趣。㉠干得挺有~儿。❹神情;样子。㉠瞧他那股泄气~儿|脏~儿。
㊁ jìng (521页)。

晋(*晉) jìn ❶周朝国名(前11世纪中叶—前4世纪中叶)。在今山西、河北南部一带。被韩、赵、魏三家所灭。❷朝代名。1.(265—316)。司马炎灭魏后建立。建都洛阳,国号晋,史称西晋。为匈奴人刘聪所灭。后司马睿在建康(今江苏南京)重建晋朝(317—420),史称东晋。为刘裕所灭。西晋、东晋合称两晋。2.五代之一(936—946)。石敬瑭勾结契丹灭后唐建立。建都汴(今河南开封),国号晋,史称后晋。为契丹所灭。❸山西的别称。❹进;升。㉠~见|~级。

【晋见】下级会见上级。

【晋升】提高(职位、级别)。

【晋书】史书名。唐房玄龄等撰。共一百三十卷,包括本纪十卷,志二十卷,列传七十卷,载记三十卷。记载了西晋和东晋约二百四十年(179—420)的历史,并用"载记"的形式,兼叙了十六国割据政权的事迹。

【晋剧】通称山西梆子。戏曲剧种。形成于清代。由蒲州梆子(山西南路梆子)结合中路秧歌演变而成。流行于山西以及内蒙古、河北的部分地区。因主要活动于山西中部,故又名中路梆子。

【晋商】明代兴起的山西籍商人集团。主要经营盐、丝、粮食等,商业活动遍于全国,其富甚于徽商,而生性俭朴,既善经商,且重信义。清代中期以后其票号钱庄已占全国之首。

【晋谒】敬辞。进见地位高的或辈分高的人。谒(yè)。

【晋察冀抗日根据地】也叫晋察冀边区。抗日战争时期中国共产党领导的敌后抗日根据地之一。1937年10月,聂荣臻率八路军一一五师部分以五台山为中心开辟晋察冀根据地。11月成立晋察冀军区,1938年1月成立晋察冀边区行政委员会。后发展为包括山西、河北、察哈尔、热河、辽宁等省各一部的广大地区,有108县,人口2 500余万。共作战32 000多次,歼日伪军35万余人。

【晋冀鲁豫抗日根据地】也叫晋冀鲁豫边区。中国共产党领导的敌后抗日根据地之一。1937年10月八路军一二九师开始在山西太行和太岳山区建立。1938年4月,扩建为晋冀豫根据地。1941年1月和冀鲁豫及鲁西根据地合并为晋冀鲁豫边区,控制地区包括山西东南、河南北部、山东西部、河北南部和西南部及江苏部分地区,人口2 500余万。根据地建立抗日民主政府,组织军民大生产运动,实行减租减息政策。多次粉碎日军进攻,自1937年冬至1944年春共作战3万余次,歼日伪军19万余人。

搢☒ jìn ❶插。❷振;摇。

缙(縉) jìn 红色的丝织品。

【缙绅】古称官僚或做过官的人为缙绅。

瑨☒ jìn 像玉的石头。

浸 jìn ❶在液体里泡。㉠~种。❷液体渗入。㉠汗水~湿了衣衫。❸逐渐。㉠~渐。

【浸种】用清水或某种溶液浸泡种子,以达到促使种子萌发、幼苗健壮生长或防病虫的目的。

【浸染】逐渐沾染。

【浸透】泡在液体里使东西湿透。

【浸润】❶液体渐渐渗入。❷液体和固体相接触时,液体附着在固体表面上的现象。❸医学上指由于细菌等侵入或由于外物刺激,有机体的正常组织发生白细胞等细胞聚集的现象。

【浸渍】把东西放在液体里泡。

【浸膏】中成药剂型之一。用适当的溶媒浸出生药中所含的有效成分,将液体蒸发而得的制剂。浸膏1克相当原药2—5克。

J

寖⊠ jìn ❶同“浸”。❷古水名。在今河南。

祲 jìn 古指妖气。也指日旁的云气。

唫⊠ jìn ❶闭口。❷吸。

禁 ㊀ jìn ❶明令取消;制止。[例]严～走私。❷拘押。[例]监～。❸法律或习惯所不允许的事。[例]犯～|违～物品。❹皇帝的住处。[例]宫～|紫～城。

㊁ jīn (508 页)。

【禁子】也叫禁卒。狱卒。子(zi)。

【禁区】❶一般人员不得进入的区域。❷在某些球类比赛中,发球区以内的地方。❸医学上指不能做手术或针灸的部位。❹比喻某些不能触动的地方或领域。

【禁令】禁止某项活动的法令。

【禁闭】把犯错误的人关在屋子里反省,在一定时间内限制其行动自由的纪律处分。

【禁军】古指保卫京城或宫廷的军队。

【禁忌】❶迷信的人认为犯忌讳的话和行动。[例]百无～。❷指医药上应避免的事物。

【禁苑】古代帝王的园林。

【禁毒】禁止贩卖和吸食毒品。

【禁绝】彻底禁止。

【禁脔】比喻独自占有,不允许别人分享的东西。脔(luán):切成小块的肉。

【禁锢】❶古代统治集团禁止异己的人做官或不许他们参加政治活动。❷监禁。❸封闭。

【禁欲主义】宗教或道德上宣扬克制欲望作为修养手段的主张。如佛教把肉体看作一切罪恶和痛苦之本,主张禁绝欲望,刻苦肉身,以求超脱。

噤 jìn ❶闭口不作声。[例]～声。❷因冷而哆嗦。[例]打寒～。

【噤若寒蝉】像晚秋时的蝉那样一声不响。形容受到压制不敢作声。

墐⊠ jìn ❶用泥涂塞。❷同“殣”①。

觐(覲) jìn 臣民朝见君主或宗教徒朝拜圣地。[例]～见|朝～。

殣 jìn ❶掩埋。❷饿死。

濅⊠ ㊀ jìn 同“浸”。

㊁ jīn (510 页)。

jīng ㄐㄧㄥ

坙⊠(巠) jīng 水的脉理。

茎(莖) jīng 植物体的一部分。上部一般生叶、开花、结实,下部与根连接。有输送植物体内养料的功能,有的还有储存养料的作用。茎一般生在地上,也有生在地下的。

泾(涇) jīng 泾水,水名,渭河的支流,在陕西。

【泾渭分明】泾河水清,渭河水浑,泾河的水流入渭河时,清浊的界限很分明。比喻界限清楚,是非、好坏分明。《诗经·邶风·谷风》:“泾以渭浊,湜湜其沚。”

经(經) ㊀ jīng ❶纺织品上纵向的纱或线。与“纬”相对。❷地理学上假定通过南北极与赤道垂直的东西分度线。[例]～度|东～。❸经过。[例]身～百战。❹持久不变的;正常。[例]～常|不～之谈。❺经典。[例]诗～|佛～。❻经营;管理。[例]～商。❼禁受。[例]～得起考验。❽中医指人体内的脉络。[例]～络。❾月经。

㊁ jìng (521 页)。

【经历】❶亲身遇到过、做过或参加过。❷亲身遇到过、做过或参加过的事。

【经心】注意;留心。

【经师】❶佛教指精通佛教经藏的僧人。❷藏传佛教中专为某一活佛讲授经典的师傅。❸伊斯兰教对传授经、训的师长的专称。

【经传】旧称儒家的著作为经,解释经文的书为传,合称经传。后泛指有代表性的书籍。[例]不见～。

【经纪】❶旧指管理买卖。❷指经纪人。❸安排,料理。

【经纱】沿织物纵向(与布边平行)排列的纱线。

【经纶】整理蚕丝。比喻筹划、处理国家大事。也指治理国家的抱负和才能。

【经典】❶指传统的具有权威性的著作。也指著作等具有权威性。[例]～著作。❷宗教徒指宣扬教义的根本性著作。

【经学】训解或阐述儒家经书之学。汉武帝罢黜百家,独尊儒术,经学成为中国封建社会的正统。先秦儒家经书经过秦朝焚书后大多不存，汉初由儒者口授、用当时文字——隶书记录的称今文经，对经书作的解释，叫今文经学；后来发现的用战国时文字写的经书叫古文经，对古文经作的解释叫古文经学。一般今文经学派多研究经文中的"微言大义"。古文经学派多做名物、训诂、考据方面的研究。

【经线】也叫子午线。在地球仪上，连接南北两极并与赤道垂直相交的线。

【经度】地理坐标之一。把通过英国格林尼治天文台原址的子午线定为0°，叫做本初子午线。以东180°为东经，以西180°为西经。某地的经度值即该地的子午线和本初子午线相距的度数。

【经济】❶指生产关系诸方面的总和。它是政治法律制度等上层建筑和意识形态的基础。❷指社会生产。包括生产、流通（交换）、分配和消费以及相关的金融、保险等活动或过程。❸个人或集体的收支情况。㊀～情况。❹节约。即以较少的耗费获得较大的成果。❺经世济民。旧指治理国家。

【经络】中医学名词。人体内经脉和络脉的合称。经脉和络脉是全身气血运行、脏腑组织和联系肢体的通路；凡直行的干线都称为经，由经脉分出来的支脉，叫做络。

【经部】中国古代图书分为经、史、子、集四部分，经部收儒家的经典及小学（文字、音韵、训诂）方面的书。

【经验】❶指感性经验，即人们在实践基础上获得的对客观现实的感性认识。是一切认识的起点。❷指对于感性经验所进行的概括和总结。❸指直接接触客观事物的过程。

【经理】❶经营管理。❷董事会的助理机构，也指公司中负责经营管理的人。由董事会聘任或解聘，主持公司的日常经营管理工作，向董事会负责。经理可列席董事会会议。

【经营】筹划并管理（企业等）。也泛指计划和组织。

【经略】❶策划、处理（军政要事）。❷概要。❸古代官名。唐朝初年在边境上设经略使，后多由节度使兼任。宋朝设经略安抚使。皆简称经略。明朝有战事时方设，权在总督之上。清朝初年曾设此职，中叶以后废。

【经销】经手出售。

J

【经管】经手管理。

【经幢】古代宗教石刻的一种。主体多为六角形或圆形的石柱，一般刻有佛像、经文。

【经籍】❶指经书。❷有时泛指古代图书。

【经纪人】一种中间商人。他们为买卖双方进行撮合或在交易所里代他人进行买卖，从中取得佣金。

【经纬仪】测量水平角、高度角等的仪器。主要部分有望远镜、水平度盘、竖直度盘、轴座。多数经纬仪的望远镜内附有视距装置，可测出距离和高程。

【经济人】即各种经济行为的实施者。是西方经济学关于人类经济行为的一种理论上的假设。包括个人、家庭、厂商等。在经济生活中经济人总是倾向于追求自身利益的最大化。

【经济林】以某种经济收益为主要目的而经营的林木。如核桃、板栗、漆树、橡胶及油桐林等。

【经济法】调整因国家从社会整体利益出发对经济活动实行干预、管理或调控所产生的社会经济关系的法律规范的总和。包括两大部分：一是创造平等竞争环境、维护市场秩序方面的法律，如反垄断法、反不正当竞争法、反倾销法；二是国家宏观调控和经济管理方面的法律，如财政法、银行法、税法、价格法、审计法、技术监督法、工商管理法、对外贸易法等。

【经济学】研究个人、厂家、政府及其他经济组织如何配置稀缺资源以满足自身需要的科学。生产什么、怎样生产和为谁生产这三个问题是其主要研究对象。

【经验论】也叫经验主义。哲学史上一种认识论学说。主张感性经验是知识的源泉，却片面夸大感性经验的作用和可靠性，贬低以至否定理性认识的作用和可靠性。有唯物主义的经验论和唯心主义的经验论。前者虽然认为感性经验是对客观事物的反映，但不懂得感性认识到理性认识的能动的飞跃；后者则根本否认经验是对客观事物的反映，把经验看作主观的内心体验，从而导致唯我论。

【经堂语】中国伊斯兰教寺院教育的用语。最初为波斯文或阿拉伯文的汉语音译，现已汲取和改造了儒、佛、道及民间的一些用语，赋予伊斯兰教含义，是具有中国色彩的经堂教育用语。

【经籍志】即"艺文志"（1166页）。

【经天纬地】以天为经，以地为纬。比喻规划宏伟的事业。指治理国家。《左传·昭公二十八年》："经纬天地曰文。"北周庾信《拟连珠》之一："盖闻经天纬地之才，拔山超海之力。"

【经史子集】中国古代的图书分类法。把图书分成经、史、子、集四大部类。经包括儒家的经典和语言文字方面的书。史包括各种历史书及地理书。子包括诸子百家的著作。集包括诗、文、词、曲等文学作品。

【经年累月】经过很久的时间。

【经纬万端】织物的直线叫经，横线叫纬。指纵横交错的很多线。比喻头绪很多。汉扬雄《法言·问神》："神心惚恍，经纬万方。"

【经典释文】书名。唐代陆德明撰。三十卷。解释《周易》《古文尚书》《毛诗》等古代经典，采汉、魏、六朝音切二百三十余家，兼采诸儒训诂，考证各本异同。是研究中国经典古本和研究文字学、音韵学的重要参考书。

【经济发展】随着经济增长而同时出现的经济结构、社会结构、政治结构的变化。

【经济机制】一定经济机体内各构成要素之间相互联系和作用的制约关系及其调节功能。

【经济成分】以一定生产资料所有制为基础的，构成整个社会经济组成部分的各种经济形式。

【经济仲裁】仲裁机构对具有经济内容的争执作出裁决。

【经济危机】❶社会生产和经济的全面混乱、难以为继的状况。❷资本主义生产过程中周期爆发的"生产过剩"的危机。危机一到，大批商品找不到销路，生产下降，工厂停工，工人失业，整个社会经济陷于瘫痪状态。

【经济杠杆】国家依据经济规律、运用价值形式调节微观和宏观经济运行和利益分配关系的各种经济手段。包括财政、税收、货币、工资等。

【经济作物】也叫工业原料作物。指收获物主要供作工业原料的一类作物。如棉、麻、烤烟、茶叶、药材等。因这类作物是应某种需要而生产的，故又名特用作物。

【经济规律】也叫经济法则。社会经济发展过程中经济现象之间的普遍的必然的内在联系。是客观的、不以人们的意志为转移的。它在一定的经济条件的基础上产生并发生作用。有什么样的经济条件，就会有什么样的经济规律。人们可以认识和利用经济规律，但不能消灭或创造经济规律。

【经济制度】即"社会经济形态"(868 页)。

【经济结构】从各个角度考察社会生产和再生产的国民经济构成。如产业结构、消费结构、分配结构等。

【经济核算】企业管理的一项重要制度。即对国家计划规定的品种、产量、质量、产值、劳动生产率、资金、成本、盈利等指标进行记录、分析和核算，力求以较少的消耗取得较大的效果。分专业核算和群众核算。

【经济特区】一个国家或地区划出的实行特殊经济政策和经济体制的地区。通过实行优惠税率、提供良好的投资环境等，吸引外资，引进先进技术和管理经验，促进区域经济发展。中国分别在深圳、珠海、汕头、厦门和海南设立了五个经济特区。

【经济效益】经济活动中的效果和利益。体现于投入和产出的关系，即劳动耗费或资金占用与劳动成果之间的相互关系。可以通过资金利润率、成本利润率、工资利润率等指标来反映。

【经济基础】指同生产力一定发展阶段相适应的生产关系的总和。与"上层建筑"相对。经济基础决定上层建筑。

【经济增长】一国或一个地区的国民生产总值或人均国民生产总值增加。

【经院哲学】西欧中世纪占统治地位的哲学思想。因在教会学院里讲授，故名。由于研究的都是脱离实际的抽象概念，论证方法极端烦琐，故又名烦琐哲学；并由此转义泛指一切烦琐的哲学或理论。

【经验主义】❶主观主义的一种表现形式。片面看重经验，轻视理论的作用，把局部经验误认为普遍真理。❷即"经验论"(514 页)。

【经常项目】一国国际收支平衡表中的重要项目。指一国同外国进行经济交易时经常发生的项目，如进出口贸易等。

【经济开发区】经济技术开发区的简称。

【经济全球化】在不断发展的科技革命和生产国际化的推动下，各国经济的相互依赖、相互渗透日益加深，阻碍商品、劳动力、资本等生产要素在全球自由流动的各种壁垒不断被削弱，这一历史过程被称为经济全球化。经济全球化使世界经济越来越成为一个整体。

【经济货币化】社会经济生活对货币的依赖程度日益提高,货币的使用范围不断扩展,货币不仅流通于商品交换领域,并且广泛地、愈来愈多地服务于非商品交换领域的现象。

【经理负责制】公司经理全权负责本企业生产经营活动的企业领导制度。

【经常居住地】公民离开住所地最后连续居住一年以上的地方。但住院治疗的除外。参见〔住所〕(1296页)。

【经济自由主义】主张自由放任,反对国家干预的经济理论和政策的总称。是一种重要的经济思潮。

【经济技术开发区】简称经济开发区。中国一些大中城市为吸收外资、引进先进技术和管理经验而划出的一定地区。在地区内开办合资或独资企业,实行一系列优惠政策。

京 jīng ❶国家的首都。㊚～城|～都。❷北京的简称。㊚～广线。❸京族。❹古代数目。指一千万,也指一亿兆。

【京口】江苏镇江的古称。三国时孙权于公元208年在京岘山东筑城,其城凭山临江,故习称京口。东晋末,孙恩率领的农民起义军曾与刘裕大战于此。

【京师】国都。

【京华】国都。

【京胡】拉弦乐器。琴筒竹制,蒙以蛇皮。两根弦。发音清脆嘹亮。主要用于京剧伴奏。

【京派】❶指北京一派京剧演员的表演风格。与"海派"相对。❷指具有北京特色的文化流派。

【京都】日本城市。位于该国本州岛中西部。是日本故都和著名文化、游览和工业城市。以纺织品、艺术陶瓷品和其他手工艺品著名。

【京剧】戏曲的主要剧种。流行地区很广。清代中叶由徽汉等剧种进入北京后演变而成。表演上唱、念、做、打并重。唱腔以西皮、二黄为主,故又名皮黄戏。

【京族】中国少数民族之一。人口1.9万(1990年)。主要分布在广西壮族自治区东兴市。有本民族语言文字,兼通汉语文。主要从事渔业,兼营农业。国外的京族人主要分布在越南。

【京腔】❶戏曲剧种。弋阳腔的一个支派高腔,明末清初传入北京后称京腔。❷指北京语音。㊚撇～。

【京畿】旧指国都及其所管辖的附近地方。畿(jī)。

【京二胡】拉弦乐器。形制与二胡相同而稍小。是京剧及川剧、豫剧、评剧伴奏乐队的重要乐器。

【京九铁路】北起北京市,经河北、山东、河南、安徽、湖北、江西六省,至广东省深圳市,连接香港九龙,长2 397千米。北接京包、京哈等铁路,南连广九铁路,中与石德、陇海、浙赣等铁路相交。是中国投资规模最大、一次性建成线路最长的铁路干线。对缓和南北运输紧张局面,加强与港澳地区的联系,促进沿线地区经济发展,具有重要意义。

【京广铁路】北起北京市,经河北、河南、湖北、湖南四省,南至广东省广州市,长2 324千米。跨越海河、黄河、淮河、长江、珠江五大河流,并连接京包、京哈、石太、石德、陇海、浙赣、湘黔、湘桂、广九等铁路。是中国南北交通大动脉。

【京沪铁路】北起北京市,经天津、河北、山东、江苏、安徽五省市,南至上海市,长1 462千米。北接京哈铁路,南连沪杭铁路,沿途与石德、胶济、陇海、淮南等铁路相交。是中国东部南北交通大干线。

【京杭运河】即"大运河"(166页)。

【京哈铁路】南起北京市,经河北、天津、辽宁、吉林四省市,北至黑龙江省哈尔滨市,长1 388千米。与京广、京包、京沪、沈大、沈丹、滨洲、滨绥等铁路相连。是联系中国东北铁路网与关内铁路网的主要干线。

【京师大学堂】中国近代第一所国办大学。1898年7月创办于北京,是戊戌新政的一项成果。以"广育人才,讲求时务"为宗旨,戊戌变法失败后,以读经为主。1902年增设预备科和速成科,培养政科、艺科和仕学馆、师范馆人员,学制三年。1903年增设进士馆、译学馆和医学实业馆。1910年共设经、法、文、格致、农、工、商七科。1912年改称北京大学。

猄 jīng 古书上指一种兽。

惊(驚) jīng ❶害怕;精神受到刺激,感到不安。㊚～慌|吃～。❷惊动。㊚打草～蛇。❸骡、马等受到突然刺激后狂奔起来。㊚马～了。

【惊风】中医病证名。指惊厥①。
【惊叹】惊奇赞叹。
【惊讶】惊异。因事情发生得突然而感到奇怪。
【惊异】惊奇诧异。
【惊扰】惊动打扰。
【惊服】惊奇叹服。
【惊诧】惊讶诧异。
【惊险】情景危险，使人惊恐紧张。
【惊骇】惊慌害怕。
【惊恐】惊慌恐惧。
【惊悸】因惊恐而心跳。
【惊蛰】节气名。在每年公历3月6日前后。冬眠动物将四出活动。渐有春雷。
【惊厥】❶指一种症状。表现为肌肉抽动、眼球上翻、神志不清甚至暂停呼吸。见于癫痫、脑肿瘤等。❷因遇到意外刺激而晕过去。
【惊愣】吃惊发愣。
【惊惶】惊慌。
【惊疑】惊讶疑惑。
【惊堂木】旧时衙门里审判案件时，主审官用来拍击案桌以示声威的木块。
【惊弓之鸟】被弓箭吓怕了的鸟。比喻受过某种惊吓，遇到一点动静就非常害怕的人。《晋书·王鉴传》："黩武之众易动，惊弓之鸟难安。"
【惊天动地】❶形容声音特别响亮。❷形容声势浩大或事业巨大。
【惊心动魄】原形容作品的文辞优美，意境深远，使人感受很深，震动很大。南朝梁钟嵘《诗品》卷上："文温以丽，意悲而远，惊心动魄，可谓几乎一字千金。"后形容使人感到十分惊险、紧张。
【惊恐万状】十分惊慌恐惧的样子。万状：多种多样的形态。
【惊涛骇浪】汹涌而险恶的浪涛。比喻险恶的环境或遭遇。
【惊蛇入草】形容草书的笔势矫健迅捷。《宣和书谱·草书七》："（释亚栖）观其自谓吾书不大不小，得其中道；若飞鸟出林，惊蛇入草。"
【惊慌失措】也说惊惶失措。害怕、慌张，举止失去常态，不知怎么办好。

鲸（鯨） jīng 哺乳动物。形状像鱼，胎生，用肺呼吸。体长大小随种类而异。最长的可达30多米，是现在地球上最大的动物。生活在海洋里。
【鲸吞】像鲸鱼一样地大口吞食。现多用来形容吞并或兼并。
【鲸鲨】鱼类。体粗大，体侧有两条显著皮嵴。长达20米，是现代最大的鱼类。灰褐色或青褐色，有许多黄色斑点或横纹。性温和，食浮游生物和小鱼。

荆 jīng ❶灌木。种类很多。多丛生，枝条柔软，可编筐篓。❷古时用荆条做成的刑杖。㊀负～请罪。❸春秋时楚国也称荆。
【荆棘】泛指山野丛生的带刺的小灌木。
【荆钗布裙】以荆枝作钗，以粗布作裙。形容妇女服饰朴素。《太平御览》卷七一八引《列女传》："梁鸿妻孟光，荆钗布裙。"

菁 jīng 见下。
【菁华】精华。
【菁菁】草木茂盛。

腈 jīng 有机化合物的一类。与无机氰化物不同，不是剧毒物质，但也有一定毒性。
【腈纶】聚丙烯腈纤维的商品名。耐光、耐腐蚀，可制成蓬松、卷曲、柔软似羊毛的短纤维。密度比羊毛小。广泛用于制人造毛皮，可纯纺（如腈纶毛线）或与羊毛混纺制毛线、毛织物等。

鹡☒（鶺） jīng 见〔鸡鹡〕（488页）。

睛 jīng 眼球。㊀目不转～。

精 jīng ❶经过挑选或提炼的。㊀～矿｜～盐。❷提炼出来的精华。㊀酒～｜香～。❸细。与"粗"相对。㊀～雕细刻｜～读。❹机灵。㊀～明。❺完美。㊀～益求～。❻精通。㊀博而不～。❼精神；精力。㊀聚～会神。❽精子；精液。㊀受～｜遗～。❾指妖怪。㊀成～了。
【精力】精神和体力。㊀～充沛。
【精干】精明强干。㊀～老练。
【精子】成熟的雄性生殖细胞。人和脊椎动物的精子分头、中段、尾三部分，能活动，肉眼看不见。
【精心】特别用心；特别细心。㊀～设计，～施工。
【精当】精确恰当（多指言论、文章等）。当（dàng）。
【精华】（事物）最纯粹、最美好的部分。㊀

取其～,去其糟粕。
【精灵】❶〈方〉机灵;机警聪明。❷旧指鬼怪或神仙。
【精审】(文字、意见等)精密细致。
【精诚】真诚。
【精练】❶也作精炼。(文章或讲话的语言)简洁扼要。❷在印染加工中,去除纺织纤维材料里的天然杂质,提高吸水性的过程。
【精度】精确的程度。加工精度指加工后的零件与规定的形状、尺寸相合的程度。
【精炼】❶除掉杂质,提取精华,使之纯净。㊀～原油。❷同“精练”①。
【精神】❶哲学范畴。指人脑对客观物质世界的反映。参见〔意识〕①(1171 页)。❷表现出来的活力。㊀～旺盛。❸内容实质。㊀领会文件～。
【精致】精巧细致。㊀～的牙雕。
【精悍】形容人精明能干或文笔精练犀利。悍:勇猛,泼辣。
【精读】深入细致地阅读。㊀～课文。
【精通】深刻地理解,熟练地掌握。㊀对于马克思主义的理论,要能够～它、应用它,～的目的全在于应用。
【精彩】优美,出色。㊀～的表演。
【精液】男子或雄性动物生殖腺分泌的含有精子的液体。
【精深】(学问或理论)精密深奥。㊀博大～|学识～。
【精密】精确细密。㊀～仪器。
【精确】非常准确、正确。
【精锐】一般指军队装备精良,战斗力强。㊀～部队。
【精装】书籍的装订方法之一。一般用厚纸板作封面。依封面裱制的材料不同,又分皮面、布面、绸面、塑料面等。
【精湛】精深。㊀球艺～。
【精简】留下必要的,去掉不必要的。㊀～内容|～机构。
【精辟】(见解)深刻,透彻。辟:透彻。
【精算】以数学、统计、会计、金融等学科为基础的交叉学科。用于商业保险、各种社会保障业务中需要精确计算的项目。
【精粹】精美纯粹。
【精髓】精华。
【精子库】指采集、保存和供应人类精子的医疗设备或实验室。一般设在医院。目的是提高优生水平并解决不育问题。要求供者身体健康、相貌端正,有较高的知识水平,年龄在 25—50 岁之间。
【精神病】俗称神经病。人类高级神经活动失调的疾病。病因复杂,如先天遗传、精神受刺激、中毒、脑外伤等。症状是言语、动作、情绪的明显失常。
【精卫填海】古代神话。据《山海经·北山经》记载,炎帝的女儿在东海淹死,变为精卫鸟,每天衔西山的木石来填东海,想把东海填平。旧时用以比喻有深仇大恨,积极设法报复。后用以比喻不畏艰难,不达目的,誓不罢休的决心。
【精打细算】精细地计算(指使用人力物力等)。
【精兵简政】缩小机构,精简人员。
【精明强干】精细聪明,办事能力强。
【精采秀发】形容人精神焕发。《晋书·慕容超载记》:“精采秀发,容止可观。”精采:神采,精神。秀发:焕发。
【精神抖擞】形容精神振奋。宋普济《五灯会元》卷一九:“抖擞精神透关去。”元尚仲贤《单鞭夺槊》第二折:“你道是精神抖擞,又道是机谋通透。”抖擞:振作,奋发。
【精神焕发】情绪饱满振奋。
【精耕细作】细致地耕作。
【精疲力竭】精神疲乏,气力使尽。形容极度疲劳。
【精益求精】(技艺、产品等)已经很好了,还求更好。
【精雕细刻】用刀在器物上精心细致地雕刻。比喻创作文学、艺术作品时十分认真、非常细致地加工刻画。也比喻做事认真细致。
【精神分裂症】精神病的一种。多起病于青壮年,病因未明。主要症状是思维零乱、言行怪诞、情绪淡漠、脱离现实。病程较长,严重的可发展为痴呆状态。
【精确制导武器】采用精确制导技术,直接命中概率在 50%以上的武器。包括各类导弹以及制导炸弹、制导炮弹、制导鱼雷等。

鶄 jīng 见〔䴔鶄〕(808 页)。

旌 jīng ❶古代用羽毛装饰的旗子。又指普通的旗子。❷表扬。㊀以～其功。
【旌表】旧时用立牌坊或挂匾额等方式表彰遵守封建礼教的人。
【旌旗】旗子。

旍⊠ jīng 同“旌”。

晶 jīng ❶光亮。㊣～莹｜亮～～。❷水晶。㊣茶～｜墨～。❸指晶体。㊣结～。

【晶体】原子、离子或分子按一定方向有规则地排列所形成的固态物质。有一定的外形。如食盐、单晶硅等。

【晶莹】光洁而透明。

【晶体管】一般指半导体三极管，也作为半导体二极管、三极管的泛称。

【晶状体】眼球的主要屈光结构。位于虹膜之后，玻璃体之前，为透明的双凸形扁圆体。由睫状肌调节使之改变曲度，使物像清晰地落于视网膜上。

粳（*秔*稉） jīng 粳稻，稻的一种。叶较窄，色浓绿，耐肥、耐寒，不易倒伏。米近圆形，黏性强，胀性小。

兢 jīng 见下。

【兢兢】小心谨慎的样子。

【兢兢业业】形容做事谨慎、勤恳。《诗经·大雅·云汉》：“兢兢业业，如霆如雷。”《尚书·皋陶谟》：“兢兢业业，一日二日万几。”

jǐng ㄐㄧㄥˇ

井 jǐng ❶从地面往下建成的能取水的深洞。㊣水～。❷形状像井的。㊣矿～｜盐～。❸整齐。㊣秩序～然。❹古时八家为一井，后因以借指人口聚居的地方。㊣背～离乡｜市～。❺星名。二十八宿之一。

【井田】相传殷、周时代的一种土地制度。因将土地划作“井”字形，故名。《孟子·滕文公上》：“方里而井，井九百亩，其中为公田。八家皆私百亩，同养公田。公事毕，然后敢治私事。”

【井盐】地层中的盐质溶解在地下水中，打井汲出这种地下水，经加工后制成的食盐叫井盐。中国四川、云南均有井盐。

【井干式】中国古代木结构建筑结构方式的一种类型。将圆木或半圆木两端开榫后合成矩形木框，层层相叠成木构承重墙的构架方式。一般见于木产丰富的地区，如中国东北大兴安岭地区、云南丽江地区的民居住宅结构。

【井冈山】❶中国名山。位于江西、湖南两省交界处。平均海拔 1 000 米。山势雄伟，风景秀丽。是中国第二次国内革命战争时期重要的革命根据地。❷市名。为井冈山旅游而设，属江西省。

【井井有条】形容条理分明，丝毫不乱。《荀子·儒效》：“井井兮其有条理也。”。

【井底之蛙】井底下的青蛙。只能看到井口那么大的一块天。比喻见识短浅的人。《庄子·秋水》：“井蛙不可以语于海者，拘于虚也。”《后汉书·马援传》：“子阳（公孙述）井底蛙耳，而妄自尊大！”

【井冈山会师】毛泽东和朱德领导的两支工农革命军的会师。1927 年 10 月，毛泽东率领的秋收起义工农革命军，在井冈山创立了农村革命根据地。1928 年 4 月，朱德和陈毅率领南昌起义保留下来的部队和湘南起义部队到达井冈山，和毛泽东的队伍胜利会师。组成工农革命军第四军，后改称中国工农红军第四军，朱德任军长，毛泽东任党代表。

【井冈山革命根据地】第二次国内革命战争初期，毛泽东等领导创立的第一个农村革命根据地。1927 年 10 月毛泽东率领秋收起义的部队到达井冈山，后朱德、陈毅率领南昌起义部队和湘南起义部队来井冈山会师。发动群众进行土地革命，开展武装斗争，建立党的组织和革命政权，使根据地不断发展和壮大，成为创建中央革命根据地的基础。它的创立，为中国革命开辟了一条实行“工农武装割据”，农村包围城市的正确道路。

阱（*穽） jǐng 捕捉野兽用的陷坑。

汫□ jǐng 〔汫洲屿〕地名。在广东饶平。

肼 jǐng 也叫联氨。有机化合物，化学式NH_2NH_2。无色油状液体，在空气中发烟，具有氨的气味，剧毒。是一种强还原剂，可将碱溶液中的金属离子还原成单质，可用于镜面镀银、塑料和玻璃上镀金属膜。并可用作火箭燃料、显像剂、抗氧剂、制药等。

刭（剄） jǐng 用刀割脖子。

颈（頸） ㊀ jǐng 脖子前的一部分。也指脖子。㊣刎～｜延～伫望。
㊁ gěng（322 页）。

【颈椎】人和脊椎动物颈部的脊椎骨。人的

颈椎共7块。

【颈椎病】一种颈神经根或脊髓受刺激、压迫的疾病。由颈椎增生、椎间盘发生变化引起。多发生于40岁以上的中老年人。主要症状是颈肩部疼痛、手臂麻木、下肢无力、眩晕等，甚至出现四肢痉挛性瘫痪。

景 jǐng ❶风景。㊟～色。❷情况。㊟晚～|～况。❸舞台上或摄影棚内的布景，拍电影、电视时可选用的自然景物。㊟内～|外～。❹敬仰。㊟～慕。❺古又同"影(yǐng)"。

【景气】指社会生产增长、经济繁荣。泛指兴旺。

【景仰】佩服，尊敬；仰慕。

【景观】自然景色或人文景物。

【景况】情况，多指生活境遇。

【景致】风景；风光。㊟这里有几处好～。

【景教】基督教的一个小派别。即聂斯托利派。5世纪时，盛行于波斯，唐初传入中国，称景教。现西安仍存有大秦景教流行中国碑。

【景象】状况；现象。㊟田野里到处是一片丰收～。

【景深】摄影时在感光片上形成清晰影像的景物纵深范围。

【景遇】景况和遭遇。

【景慕】景仰，思慕。

【景泰蓝】也叫铜胎嵌丝珐琅。中国独特的传统工艺美术品之一。用铜胎嵌丝后填以珐琅彩釉，经烧制、磨光、镀金或银而成。有各种器皿造型。明代景泰年间开始大量制造，当时多以蓝色彩釉作地，故名。

【景颇族】中国少数民族之一。人口12万(1990年)。分布在云南省德宏地区。有本民族语言文字，多通傣语。建立有德宏傣族景颇族自治州。

【景德镇】市名。位于江西省东北部，皖赣铁路经此。以产优质瓷器驰名中外。远在南北朝时，这里就有制瓷业，故有瓷都之称。

【景德传灯录】书名。宋道原撰。三十卷。灯能照明，用传灯比喻以佛法传人，使人醒悟，故名。书中保存有成语、俗语等语言资料。

傈㊡ jǐng 同"景颇族"的"景"。

憬 jǐng 觉悟；醒悟。㊟～悟|～然。

璟 jǐng 玉的光彩。

儆 jǐng 使人警醒而不犯错误。㊟～戒|惩一～百。

警 jǐng ❶戒备。㊟～戒|～备。❷危急的情况。㊟火～|报～。❸反应敏锐。㊟机～。❹告诫；使人注意。㊟～世|示～。❺警察。㊟民～|交通～。

【警力】警察的人员、装备等力量。㊟～不足。

【警卫】实施武装警戒和保卫。也指执行这种任务的人。

【警示】警戒，启示。㊟～后人。

【警句】诗文中语言精练、含意深刻的句子。如"横眉冷对千夫指，俯首甘为孺子牛"。

【警戒】❶使人注意改正错误。❷军队为防止敌人突然袭击和制止敌人侦察而采取的保障措施。分行军警戒、驻军(宿营)警戒和战斗警戒。

【警报】对即将到来的危险情况发出信号或通知。

【警花】对年轻女警察的美称。㊟首都～风采。

【警告】❶提醒，使警惕。❷对犯错误者的告戒或给予的一种处分。

【警备】警戒防备。特指军队对驻防地区的警卫和守备。

【警钟】❶报告紧急情况或意外事故的钟。❷比喻引以警惕的事件。

【警觉】对可能发生事变或危险的敏锐感觉。

【警械】人民警察按照规定装备的警棍、催泪弹、高压水枪、特种防暴枪、手铐、脚镣、警绳等警用器械。

【警衔】区分警察等级、表明警察身分的称号和标志。中国人民警察的警衔有：总警监、副总警监、警监、警督、警司、警员。

【警惕】对可能发生的危险情况或错误倾向保持警觉。㊟～敌人的破坏活动|提高～。

【警察】国家维持社会治安的武装力量。是国家机器的重要组成部分。

【警戒色】某些有恶臭和毒刺的动物所具有的鲜艳色彩和斑纹。能起警告敌害，保护自身的作用。如毒蛾幼虫的色彩。

【警备区】在重要城市设立的担负警卫、守备任务的军队一级组织。中国人民解放军的警备区一般(师级)隶属于省军区，少数(军级)隶属于军区。同时是所在市的中国共产党委员会的军事工作部门和政府的兵役工作机构。主要负责所在城市的警卫、守备任务和民兵、预备役、兵役、动员工作，维护军容风纪，施行军车交通安全检查，协助地方维持社会治安等。

jìng ㄐㄧㄥˋ

劲（勁）㊁ jìng ❶坚强有力。[例]刚～|疾风知～草。❷猛烈。[例]～风。

㊀ jìn（512 页）。

【劲松】高大挺拔的松树。

【劲敌】实力强大的敌人或对手。

【劲旅】战斗力强的军队或实力强的竞技集体。

径（徑❶－❸ *逕）jìng ❶小路。[例]曲～|山～。❷喻指达到目的的途径、方法。[例]捷～|门～。❸副词。直接地。[例]～行办理。❹直径。[例]口～|半～。❺古又同"竟"。

【径自】副词。表示自作主张、直接行动。[例]他～走了。

【径直】副词。1. 表示直接向某处前进。[例]登山队～攀登主峰。2. 表示动作连续进行，不间断。[例]你～写下去吧，等写完了再修改。

【径庭】❶从庭中横穿而过。泛指穿行。❷《庄子·逍遥游》："吾惊怖其言，犹河汉而无极也。大有径庭，不近人情焉。"唐陆德明注："径庭，谓激过也。"意即过分；偏激。后多用来比喻相差很远。一般解释为：径（小路）狭，庭（院子）宽；一狭一宽，相差很远。

【径流】指陆地上接受的降水，在重力作用下，沿地表或在地下流动并汇入河槽的水流。沿地表流动的叫地表径流，在地下流动的叫地下径流。

【径赛】田径运动中竞走和赛跑项目的统称。以时间来确定运动成绩。因主要在跑道、公路上进行，故名。如竞走、短距离跑、中距离跑、长距离跑、障碍跑（包括跨栏跑）、越野跑、马拉松跑、接力跑等。

【径情直遂】随着自己的意愿顺利地达到目的。《礼记·檀弓下》："有直情而径行者。"遂（suì）：顺利，通达。

弪□（弳）jìng 弧度的旧称。

经（經）㊁ jìng 织布之前把纺好的线或纱紧密地绷起来，来回梳理，使成为经（jīng）线或经（jīng）纱。[例]～纱。

㊀ jīng（513 页）。

胫（脛 *踁）jìng 小腿，从膝盖到踝骨的部分。

【胫骨】人和脊椎动物小腿长骨之一。位于小腿的内侧。人的胫骨上端粗大，与股骨下端组成关节；下端与跗骨组成关节。

痉（痙）jìng 〔痉挛〕指骨骼肌、平滑肌等局部紧张，较长时间收缩。常由于中枢神经系统受刺激，肌肉本身受束缚、损伤或寒冷引起。如腓肠肌痉挛、胃痉挛等。

净（*淨）jìng ❶清洁；使清洁。[例]洁～|～面。❷没有剩余。[例]喝干吃～。❸副词。1. 只。[例]～忙着干活，都忘了时间了。2. 总是；老是。[例]这几天～下雨。3. 都。[例]满山～是松树。❹纯。[例]～重。❺俗称花脸。传统戏曲里角色名。

【净土】❶即"极乐世界"（454 页）。❷比喻纯洁清净、没有污染的地方。

【净手】婉辞。指去大小便。

【净化】清除物体中的杂质使之纯净。[例]～空气。

【净身】旧指男子受阉割。

【净重】指东西除去包装或盛器以外的重量。与"毛重"相对。

【净产值】一国在一定时期内所生产的全部最终产品和劳务的市场价值总和减去折旧后的余额。即等于国民生产总值减去当年固定资产折旧后的余额。

竫⊠ jìng ❶同"静"。❷编造动听的话。

静 jìng ❶停止不动。与"动"相对。[例]～止|风平浪～。❷安静；没有声音。[例]寂～|～悄悄的。

【静止】❶哲学范畴。是物质运动的特殊形式。事物处于不显著的量变或平衡状态。运动是绝对的、永恒的、无条件的，而静止则是相对的、暂时的、有条件的。物质由于有相对的静止状态，所以表现为各种不同的形态。❷物理学上当一物体对于另一物体不发生相对运动时，称它们处于相对静止状态。

【静电】不流动的电荷。如摩擦所产生的电荷。
【静坐】❶气功疗法的一种。闭目运气，摒弃杂虑，安坐不动。❷一种斗争方式。参见〔静坐示威〕(522页)。
【静脉】从全身各器官输送血液回心脏的血管。管壁薄，中、大静脉内有瓣膜，可防止血液逆流。
【静谧】安静。谧(mì)。
【静默】❶不作声。❷无声肃立，表示哀悼。
【静穆】安静庄严。
【静物画】以经过布置的水果、器皿等物品为题材的绘画。
【静电感应】导体接近带电体时在表面上产生电荷的现象。这时导体两端的电荷相等而正负不同，靠近带电体的一端的电荷跟带电体的电荷相反，远离带电体的一端的电荷跟带电体的电荷相同。带电体移开后，导体就失去电荷。
【静观默察】不动声色地仔细观察。
【静坐示威】以静坐形式对当局表示某种抗议的行动。
【静脉曲张】静脉扩张、伸长和弯曲的统称。常见于下肢、食管、精索、肛门等处。下肢静脉曲张患者病肢沉重，麻木，易发生小腿溃疡；食管静脉曲张常见于肝硬化病人，静脉破裂出血；肛门直肠静脉曲张引起痔疮。
【静脉注射】将药液缓缓注入静脉。常用注射部位为前臂和踝部表浅静脉。

倞 ㊀ jìng 强。
㊁ liàng (613页)。

J

竞(競) jìng ❶争着做某事。㊇～相传告。❷比赛。㊇～走。
【竞价】在拍卖等活动中开价竞争，以争取成交。㊇举牌～。
【竞争】❶互相争胜。❷经济主体之间在平等的条件下为争夺经济利益而展开的较量。参见〔自由竞争〕(1314页)。
【竞技】指体育比赛。㊇～场|～状态。
【竞走】径赛项目之一。走时要求两脚不得同时离地，前脚跟着地时，膝关节不得弯曲。
【竞标】参加投标竞争以争取中标。㊇面向社会公开～。
【竞选】候选人在选举前争取选民支持的活动。
【竞渡】比赛划船。㊇龙舟～。
【竞赛】❶互相比赛。㊇劳动～。❷角逐；竞争。㊇军备～。
【竞技体育】为最大限度地发挥和提高人体在体格、体能、心理和运动能力等方面的潜力，取得优异运动成绩而进行的训练和竞赛。
【竞技体操】竞技性体操项目之一。男子竞技项目有单杠、双杠、自由体操、跳马、鞍马、吊环，女子竞技项目有高低杠、平衡木、自由体操、跳马。要求运动员准确、优美、熟练地完成根据评分规则要求的具有一定数量和难度的自选动作。包括团体、个人全能、单项比赛。以得分多少评定名次。

彰☒ jìng 素净的装饰。

婧 jìng ❶女子纤弱苗条。❷女子有才能。

靓(靚) ㊀ jìng 指妇女妆饰；打扮。㊇～妆。
㊁ liàng (613页)。

靖 jìng ❶安定。㊇安～。❷平定；使秩序安定。

殑☒ ㊀ jìng 〔殑伽〕古水名。即今恒河。在印度。
㊁ qíng (800页)。

竟 jìng ❶完毕；终了。㊇继承革命先烈未～的事业。❷从始至终；全。㊇～夜。❸副词。1. 终于。㊇有志者事～成。2. 表示出乎意料。㊇没想到他～进步得这样快。
【竟日】终日；整天。
【竟自】竟然。㊇我想他会按时回来的，到如今～没有一点儿消息。
【竟然】副词。表示出乎意料。㊇这样宏伟的建筑，～只用那样短的时间就建成了。

境 jìng ❶边界。㊇国～。❷地方；区域。㊇如入无人之～。❸境况；境地。㊇处～|事过～迁。
【境地】情况；地步。
【境况】所处地位的状况；经济情况。
【境界】❶土地的界限。❷事物所达到的程度或表现出的情况。㊇理想～|思想～。
【境域】❶境界。❷境地。
【境遇】境况和遭遇。

獍 jìng 传说中形状像虎的恶兽，刚生下来就吃生它的母兽。

镜(鏡) jìng ❶镜子。❷利用光学原理制成的器具。㊇眼～|

显微～|望远～。

【镜头】❶形成影像的透镜或透镜组。❷照相摄取的一个画面。❸电影摄影机每拍摄一次所摄取的一段连续的画面。一部影片是由许多不同的镜头衔接组成的。

【镜花缘】长篇小说。清李汝珍著。一百回。叙述了唐敖等游历海外的见闻和唐闺臣等才女的故事。揭露了社会丑恶，赞美了女子才学。其想象丰富，思想机警，语言幽默多趣，但情节分散，人物形象单薄，罗列材料，累赘呆板。

【镜泊湖】中国最大的火山堰塞湖。位于黑龙江省东南部牡丹江上游。面积95平方千米。湖形狭长，两岸山地林木茂密，具有原始的自然景观特点。

【镜花水月】镜中之花，水中之月。比喻诗中自有美妙的意境。宋严羽《沧浪诗话·诗辨》："故其妙处，透彻玲珑，不可凑泊，如空中之音，相中之色，水中之月，镜中之像，言有尽而意无穷。"后也比喻虚幻的景象。

敬 jìng ❶尊重；恭敬。㊀～爱|～请光临。❷有礼貌地送上。㊀～茶。❸表示敬意所赠送的财物。㊀喜～|奠～。

【敬业】对所从事的专业、工作全心全意。㊀～精神。

【敬礼】❶对人表示敬意的礼节。❷书信末尾的致敬用语。

【敬仰】尊敬，仰慕。

【敬奉】❶恭敬地诚心地供奉。❷敬辞。赠送别人东西时用。

【敬佩】尊敬佩服。

【敬畏】又敬重又畏惧。

【敬颂】恭敬地祝颂。

【敬辞】含有恭敬口气的用语。

【敬意】尊敬的心意。

【敬老院】也叫老人院、养老院。专为接待老年人安度晚年而设置的社会养老服务机构。内有起居生活、文化娱乐、医疗保健等多项服务设施。

【敬老慈幼】尊敬老人，爱护儿童。《孟子·告子下》："敬老慈幼，无忘宾旅。"慈：爱护。

【敬而远之】尊敬，但又不愿意接近。《论语·雍也》："敬鬼神而远之。"

【敬恭桑梓】古代家宅旁多栽种桑树、梓树，因以"敬恭桑梓"比喻热爱故乡和对故乡人的尊敬。《诗经·小雅·小弁》："维桑与梓，必恭敬止。"

【敬谢不敏】恭敬地表示能力不够或不能接受。是表示推辞的客气话。谢：推辞，谢绝。不敏：没有才能。

jiōng ㄐㄩㄥ

埛⊠ jiōng 离城市很远的郊野。

驷⊠（駉） jiōng 〔驷驷〕马肥壮的样子。

扃 jiōng ❶从外面关闭门户用的门闩、门环等。借指门扇。❷关门。

jiǒng ㄐㄩㄥˇ

冏⊠ jiǒng ❶光。❷明亮。

迥（*逈） jiǒng ❶远。㊀～远。❷差别大。㊀他进步很快，前后～若两人。

【迥然】形容差别很大。㊀～不同。

泂⊠ jiǒng 远。

䌹⊠（絅） jiǒng 单层的罩衣。

炯（*烱） jiǒng 光明；明亮。

【炯炯】形容明亮。㊀目光～。

炅 ㊀ jiǒng 光。
㊁ guì（358页）。

煚⊠ jiǒng 日光。

颎⊠（熲） jiǒng 同"炯"。

窘 jiǒng ❶穷困。❷为难；使为难。㊀～态毕露|故意拿话来～他。

【窘困】❶生活贫困。❷处境困难。

【窘况】十分困难的境况。

【窘迫】❶非常穷困。❷十分为难。

jiū ㄐㄧㄡ

勼⊠ jiū 聚集。

鸠（鳩） jiū ❶鸟类。外形像鸽子。常见的有斑鸠，身体灰褐色，颈后有白或黄褐斑点。常成群吃谷物。❷聚集。㊀～合（纠合）。

【鸠槃荼】梵语音译词。也译作鸠盘荼。恶神的名字。后用以形容老丑的妇女。
【鸠形鹄面】形容因饥寒交迫而身体很瘦，脸色憔悴。鹄(hú)。

究 jiū ❶仔细推求；追查。㊀研～｜深～。❷到底；究竟。㊀～属不妥。
【究办】追究法办。
【究诘】追问。
【究竟】❶结果；原委。㊀大家都想知道个～。❷副词。1. 用在问句里，表示追究。㊀你～答应不答应？2. 毕竟；到底。㊀他～经验丰富，很快就排除了机器的故障。

纠(糾*糺) jiū ❶缠绕。㊀～缠。❷集合。㊀～合。❸矫正。㊀～正。
【纠合】集合；联合(多含贬义)。
【纠纷】争执。㊀调解～。
【纠偏】纠正偏差。
【纠葛】纠缠不清的事情；纠纷。葛(gé)。
【纠集】集合；召集(含贬义)。
【纠缠】❶绕在一起。㊀～不清。❷有意找别人的麻烦。㊀别来～我。
【纠察】在群众活动中维持秩序。也指担负这一任务的人。

赳 jiū 〔赳赳〕健壮威武的样子。㊀雄～，气昂昂。

阄(鬮) jiū 为赌胜负或决定事情而抓取的揉成团或卷起的做好记号的纸片。㊀抓～儿。

揪(*揫) jiū 紧紧地抓住；抓住并拉。㊀～住绳子｜赶快～住他。
【揪心】担心；放心不下。

啾 jiū 〔啾啾〕拟声词。1. 虫鸟等细小的叫声。2. 凄厉的叫声。

鬏□ jiū 头发盘成的结。

摎☒ jiū ❶绞死。❷纠结；缠绕。

樛☒ jiū 树木向下弯曲。

鬐☒ jiū 同"鬏"。

jiǔ ㄐㄧㄡˇ

九 jiǔ ❶数目。八加一的和。❷泛指多数或多次。㊀～霄｜三弯～转。❸从冬至起每九天称一个"九"，从"一九"数到"九九"为止。㊀冷在三～。❹古又同"鸠集"的"鸠(jiū)"。❺古又同"纠合"的"纠(jiū)"。
【九天】形容天空的最高处。
【九龙】半岛名。位于珠江口东侧。是香港特别行政区的一部分。
【九州】❶传说中的中国上古地理区域。九州为冀州、兖州、青州、徐州、扬州、荆州、豫州、梁州、雍州。见《尚书·禹贡》。❷日本的第三大岛。
【九泉】即"黄泉"(427页)。
【九派】泛指长江的很多支流。唐王维《江汉临泛》诗："楚塞三湘接，荆门九派通。"派：水的支流。
【九卿】中国古代中央政府的九个高级官职。周朝以少师、少傅、少保、冢宰、宗伯、司徒、司马、司寇、司空为九卿。秦为奉常、郎中令、卫尉、太仆、廷尉、典客、宗正、治粟内史、少府。汉改奉常为太常，郎中令为光禄勋，典客为大鸿胪，治粟内史为大司农。魏晋以后设尚书主管各部行政，九卿专掌部分事务，职任较轻。明清时有大小九卿之别，说法上也有差异，殊难确定。
【九流】见〔三教九流〕(845页)。
【九族】❶指自己前辈的父、祖父、曾祖、高祖和自己下辈的子、孙、曾孙、玄孙。❷另一说也包括异姓亲属，以父族四代、母族三代、妻族两代为九族。
【九华山】旧称九子山。中国佛教四大名山之一。位于安徽省南部。因有九峰，形似莲花，故名。主峰十王峰，海拔1 342米。多名胜古迹。
【九重霄】古代神话中传说天有九重，九重霄指天空的极高处。重(chóng)：层。霄：天空。
【九宫格】临摹字帖、学习书法时使用的一种方格纸。每字占一大方格，格内等分为九个小方格，便于临摹时掌握字形笔画位置。
【九疑山】同"九嶷山"(525页)。
【九寨沟】中国风景区。位于四川省北部九寨沟县境内，是岷山万山丛中一条纵深40千米的山沟谷地。因周围有9个藏族村寨得名。沟谷中湖泊(当地称海子)成串，湖水清澈，色彩斑斓，水藻衍生。湖间多瀑布。两岸山坡森林茂密，高峰终年积雪。有大熊猫、金丝猴等珍稀动物。

【九嶷山】也作九疑山。也叫苍梧山。位于湖南省南部。因山有九峰,皆相似,行游者疑惑,故名。相传上古帝王舜葬于此。

【九三学社】中国民主党派之一。原名民主科学社。1945 年 9 月 3 日为纪念反法西斯战争的胜利,改名"九三学社"。主要成员为文教、科学技术界高、中级知识分子。在解放战争时期,积极参加中国共产党领导的反内战、反饥饿、反迫害斗争。1949 年参加中国人民政治协商会议。新中国成立后为参政党之一,对社会主义建设事业做出了重要贡献。

【九牛一毛】很多牛身上的一根毛。比喻微不足道。汉司马迁《报任安书》:"假令仆伏法受诛,若九牛亡一毛,与蝼蚁何以异?"

【九死一生】形容经历许多次危险而幸存下来。

【九章算术】书名。中国最古老的数学著作。大约编纂于东汉初期(1 世纪)。共分九章,有算术、代数、几何等方面的知识,收集了 246 个应用问题的解法,内容丰富。它记载了秦汉以前及秦汉时期的数学成就,对中国数学发展起了奠基作用,在世界数学史上有着重要地位。如关于分数运算的系统阐述,负数的引入及其运算,联立一次方程的解法等都是世界上最早提出的。

【九霄云外】在九重天以外。形容无限遥远或无影无踪了。

【九·一八事变】日本帝国主义大规模武装侵略中国东北的事件。1931 年 9 月 18 日,日本驻在中国东北境内的关东军炸毁南满铁路一段路轨,反诬中国军队破坏,进而袭取沈阳。中国驻沈阳和东北各地的国民党军队(东北军)接受蒋介石"绝对不得抵抗"的命令,撤退到山海关内,使日本侵略军迅速占领了辽宁、吉林、黑龙江等省。这一事件是日本帝国主义妄图并吞中国、称霸亚洲的重要侵略步骤。

【九·一三事件】1971 年 9 月 13 日林彪叛逃的事件。林彪篡党夺权、加害毛泽东的阴谋败露后,带着几个死党,乘飞机仓皇出逃,因燃油告罄全部摔死在蒙古温都尔汗。

【九品中正制】魏晋南北朝选拔官吏的制度。自曹魏开始,用各州郡有声望的人任"中正"官,负责在本地区品评人物,选拔官吏。把人物分为九等,称九品,然后按品级选官。据门第高低划分品级上下,按品级上下决定官阶大小,从此"上品无寒门,下品无世族"。是世族地主操纵政权、发展权势的工具。至隋改行科举制,此制废。

【九牛二虎之力】比喻很大的力量(常用于形容做一件事费的力气大)。

氿 □ ㊀ jiǔ 湖名。分东氿、西氿,均在江苏。
㊁ guǐ (357 页)。

久 jiǔ ❶时间长远。与"暂"相对。㊀年深日~|~经考验。❷时间的长短。㊀事情竟拖了三月之~|他走了多~?

【久仰】仰慕已久(初次见面时用的客套话)。

【久远】长久。

【久违】客套话。很久没见。

【久病成医】病的时间长,吃的药多,对药性和病理的了解较多,就像医生一样了。《左传·定公十三年》:"三折肱,知为良医。"

【久悬不决】拖延很久,没有得到解决。

【久假不归】指长期借用而不归还。《孟子·尽心上》:"久假而不归,恶知其非有也。"假(jiǎ):借。

玖 jiǔ ❶像玉的浅黑色石头。❷数目"九"的大写。多用于票证、账目等。

灸 jiǔ 灼;烧。中医治疗方法之一。以艾绒制品熏烤于穴位或患部。㊀针~。

韭(*韮) jiǔ 韭菜,多年生草本植物。花白色,叶子长扁,供食用,叶、籽还可供药用。

酒 jiǔ 用含糖类的植物(如高粱、玉米、米、葡萄、大麦芽等)作原料,经发酵制成的各种含有酒精的饮料。

【酒会】用酒和点心招待客人的宴会(多用于外交场合)。

【酒花】也叫蛇麻。多年生草本植物。蔓生,茎和叶柄上有短刺,雌雄异株,雄花排列成圆锥状,雌花排列成穗状。果穗卵圆形,是制啤酒的重要原料,也可入药,有健胃、利尿等作用。也指这种植物的果穗。

【酒保】旧指饭馆、酒馆里招待顾客的人(多见于早期白话)。

【酒家】❶酒店。现多用于饭店的名称。㊀峨嵋~。❷称酒店里的伙计(多见于早期白话)。

【酒歌】中国民歌风俗歌的一种。常在喜庆或祭祀活动中演唱。如西北地区回族、土族、撒拉族、保安族、汉族的酒曲、宴席曲,蒙古族、瑶族的酒歌,藏族的昌鲁,苗族的恰酒等。

【酒精】乙醇的俗称。

【酒吧间】吧,英语音译词,原指西方社会里旅馆、饭店中专门卖酒的地方。中国西餐馆或西式旅馆中卖酒的地方,某些地区称为酒吧间。

【酒渣病】也叫酒渣鼻、酒糟鼻、玫瑰痤疮。发生于脸上中部的皮肤病。病因不明,可能与内分泌、感染、刺激性食物、寄生虫有关。分布在眉间、两颊、鼻部。轻者出现潮红,进而出现丘疹、脓疱;严重者毛孔扩张、鼻头鼻翼肥大。

【酒精中毒】由于过量或长期饮酒导致脑功能失调而引起的精神障碍。急性中毒表现为昏睡、意识模糊、兴奋、出现攻击行为等;慢性中毒表现为性格改变、肢体震颤、定向障碍、判断失误等。可导致酒精中毒性心脏病、肝炎、肝硬化等。

【酒囊饭袋】比喻只会吃喝,什么也不会干的人。《论衡·别通》:"饱食快饮,虑深求卧,腹为饭坑,肠为酒囊。"宋陶岳《荆湖近事》:"马氏奢僭,诸院王子仆从烜赫;文武之道,未尝留意,时谓之酒囊饭袋。"

jiù ㄐㄧㄡˋ

旧(舊) jiù ❶陈旧的;过时的;过去的。与"新"相对。㊀~设备|~式样|~址。❷老交情;老朋友。㊀有~|故~。

【旧历】即"农历"(724页)。

【旧观】原来的样子。

【旧诗】也叫旧体诗。指用各种古典诗歌的体裁格律写成的诗。与"新诗"相对。

【旧居】过去的住所。

【旧金山】也叫圣弗朗西斯科。美国城市。人口72万(1990年)。是该国太平洋沿岸第二大城市、最大海港和金融中心。是重要海军基地和著名旅游城市。在美国是华侨最多的城市。华侨集居区名唐人街。

【旧唐书】史书名。五代后晋刘昫等撰。共二百卷,包括本纪二十卷,志三十卷,列传一百五十卷。记载了唐朝二百九十年(618—907)的历史。

【旧五代史】史书名。原名《梁唐晋汉周书》。宋薛居正等撰。共一百五十卷,包括本纪六十一卷,志十二卷,列传七十七卷。记载了从公元907年朱温称帝到公元960年北宋建立这五十多年间五代十国的历史。保存了比较丰富的原始资料。

【旧约全书】《旧约圣经》的别称。基督教《圣经》的前一部分。继承自犹太教的圣经。指基督降世前,神和人立的约。主要内容为上帝创造天地和人类等神话传说。

【旧城改建】对城市旧区进行一系列的建设活动,包括调整城市结构、优化城市用地布局、改善和更新基础设施、整治城市环境、保护城市历史风貌等。

【旧调重弹】也说老调重弹。比喻说的还是老一套。重(chóng):再。

【旧石器时代】考古学分期中石器时代的早期阶段。当时人类使用比较粗糙的打制石器,依靠采集和渔猎生活。中国已发现的旧石器时代人类化石,著名的有北京猿人、山顶洞人等。

【旧民主主义革命】中国1919年五四运动以前的民主主义革命。由资产阶级领导,目的是推翻封建主义制度,建立资本主义制度和资产阶级专政的国家。

臼 jiù ❶舂米的器具,用石头制成,样子像盆。㊀石~。❷形状像臼的。㊀~齿。

桕 jiù 乌桕。

舅 jiù ❶舅父,称母亲的兄、弟。❷舅子,称妻子的兄、弟。❸古称丈夫的父亲。㊀~姑(公婆)。

咎 jiù ❶过失;罪过。㊀~由自取。❷责备;处分。㊀既往不~。❸凶。㊀休~(吉凶)。

疚 jiù ❶对自己的错误,心里感觉痛苦。㊀负~|内~。❷长时间生病。

柩 jiù 装着尸体的棺材。㊀灵~。

救(*捄) jiù ❶援助使脱离灾难或危险。㊀~助|抢~。❷支援人员、财物,使灾难、危险终止。㊀~灾|~险。

【救亡】拯救祖国的危亡。㊀~运动。

【救护】援助伤病人员,使得到及时的医疗。

【救星】比喻援救别人脱离苦难的人。

【救济】用钱或物资帮助生活困难的人。

【救险】抢险。㊀~人员。

J

【救世主】也叫救主。希腊语音译为“基督”。基督教宣扬耶稣是上帝的儿子,降生为人,是救世主,故称为耶稣基督。其他宗教中也有类似的观念。

【救生圈】❶水上救生用具的一种。多用软木等轻质材料制成圆环,外面包上帆布并涂上油漆。❷供练习游泳用的内充空气的橡皮圈。

【救亡图存】拯救祖国的危亡,谋求民族的生存。

【救火扬沸】泼开水去救火。比喻治标而不治本,灾祸依然如故。《史记·酷吏列传》:“当是之时,吏治若救火扬沸。”

【救死扶伤】抢救生命垂危的人,照顾受伤的人。现泛指医务人员的职责。[例]～,实行革命的人道主义。

【救困扶危】救济、帮助陷于危难或困境中的人。

厩(*廐*廄)　jiù　马棚。泛指牲口棚。[例]～肥。

【厩肥】有机肥料的一种。牲畜粪尿、褥草和饲料残屑的混合物,经堆沤而成。含有多量有机质和作物成长需要的多种养分。

就　jiù　❶凑近;靠近。[例]避重～轻|～地取材。❷到;开始从事。[例]各～各位|～职。❸趁着;依照。[例]～便|～事论事。❹完成。[例]造～|成～。❺搭着。[例]～伴|馒头～稀饭。❻被;受。[例]束手～擒。❼副词。1. 立刻。[例]我写完作业～来。2. 强调事件发生得早。[例]他在抗日战争时期～参加了革命。3. 只有。[例]这件事～他知道。4. 表示加强语气。[例]我～不相信困难克服不了。

【就义】为正义事业而被敌人杀害。[例]英勇～。

【就中】❶从中。[例]～调解。❷其中。[例]各组成绩都不错,～以甲组为最好。

【就正】请求指正。

【就业】参加工作;有了职业。

【就地】在原处;在当地。[例]～休息|～取材。

【就里】里面的详细情况。[例]不知～。

【就范】听从支配和控制。[例]迫使～。

【就便】顺便。

【就职】正式到达工作岗位(多指较高的负责岗位)任职。

【就绪】事情已安排妥当。[例]各项事宜,均已安排～。

【就道】动身上路。

【就事论事】❶按照事情本身的情况来评论是非得失。❷仅就事物的表面现象来对事物作评论,下判断,而没有看到事物的本质及事物间的联系。

僦　jiù　租赁。[例]～屋。

鹫(鷲)　jiù　鸟类。体形大。如秃鹫、兀鹫等。喙钩曲,视力强,腿部有羽毛。嗜食动物尸体,也捕食小动物。

jū　ㄐㄩ

车(車)　㊁ jū　象棋棋子的一种。
㊀ chē (114 页)。

伡□(俥)　㊁ jū　中国象棋棋子中的“车”也作“伡”。
㊀ chē (115 页)。

且　㊁ jū　文言助词。相当于“啊”“呀”。[例]狂童之狂也～。
㊀ qiě (790 页)。

苴　jū　苴麻,也叫种麻。大麻的雌株。

狙　jū　❶古书上指猕猴。❷窥伺。[例]～击。

【狙击】暗中埋伏,乘机袭击。

租☒　㊁ jū　木栅栏。
㊀ zhā (1231 页)。

砠☒　jū　有土的石山。

罝☒　jū　古代捉兔的网。泛指捕鸟兽的网。

疽　jū　中医指局部皮肤肿胀发硬的毒疮。

趄　㊁ jū　见〔趑趄〕(1309 页)。
㊀ qiè (791 页)。

雎　jū　〔雎鸠〕也叫王雎。古书上说的一种鸟。

拘　jū　❶逮捕;扣押。[例]～票|～留。❷拘束;固执。[例]～泥|～谨。❸限制。[例]不～多少。

【拘礼】拘于礼节。[例]熟不～。

【拘执】言行过分谨慎,不知变通。

【拘传】人民法院强制被传唤人到庭参加诉讼的一种特殊方法。适用于必须到庭的民事被告,经两次合法传唤,无正当理由拒不到庭者。与刑事诉讼拘传不同,后者是司

J

法机关强制刑事被告人到指定的场所接受讯问的一种强制措施。

【拘束】❶过分约束自己，神态显得不自然。㊀他见了生人总有点～。❷对别人的言行加以过分的限制。㊀不要～孩子们的正当活动。

【拘役】短期剥夺犯罪分子的人身自由，就近实行劳动改造的刑罚。由公安机关就近执行。期限为一个月以上六个月以下。

【拘系】逮捕；拘留。

【拘押】拘禁。

【拘泥】固执，不知变通。泥(nì)。

【拘牵】为某种条件所限而受到束缚。

【拘捕】逮捕。

【拘留】公安机关在侦查过程中，遇到紧急情况时，对现行犯或重大嫌疑分子所采取的临时限制其人身自由的强制措施。拘留的法定情形有：(1)正在预备犯罪、实行犯罪或犯罪后即时被发觉的；(2)被害人或在场亲眼看见的人指认他犯罪的；(3)在身边或住处发现有犯罪证据的；(4)犯罪后企图自杀、逃跑或在逃的；(5)有毁灭、伪造证据或串供可能的；(6)不讲真实姓名、住址，身分不明的；(7)有流窜作案、多次作案、结伙作案重大嫌疑的。

【拘挛】因筋肉收缩而不能伸展自如。

【拘虚】比喻见闻狭隘。《庄子·秋水》："井蛙不可以语于海者，拘于虚也。"意思是水井里的蛙不能和它谈大海，因为它受住所的拘限，没见过大海。虚：同墟，所住的地方。

【拘禁】把逮捕的人关押起来。

【拘谨】过分的谨慎小心而显得不自然。

J

泃 jū 泃河，水名，在河北。

驹(駒) jū ❶少壮的马。㊀千里～。❷泛指小马、小驴等。㊀马～儿|驴～儿。

【驹光】转瞬即逝的光阴。参见〔白驹过隙〕(26页)。

痀⊠ jū 驼背。

跔⊠ jū 脚因天冷而蜷曲。

鮈□**(鮈)** jū 鱼类。体小，侧扁或亚圆筒形，一般背鳍无硬刺。生活在温带淡水中。

居 jū ❶住；处。㊀久～|共～。❷住的地方。㊀迁～|故～。❸处在。㊀后来～上。❹当；任。㊀不以功臣自～。❺储存。㊀奇货可～。❻停留；固定。㊀变动不～|岁月不～。❼占着。㊀二者必～其一。❽存。㊀～心。

【居士】❶隐居的人。❷称不出家的佛教信徒。

【居心】怀着某种念头(多含贬义)。㊀～不良。

【居功】认为自己有功劳。

【居里】❶比埃尔·居里(1859—1906)法国物理学家。主要贡献是确定了磁性物质的转变温度，建立了居里定律和发现晶体的压电现象。与他的妻子共同发现钋和镭两种天然放射性元素，与贝可勒尔、居里夫人共获1903年诺贝尔物理学奖。❷放射性活度的非法定计量单位。为纪念居里夫人而命名。一定量的放射性物质每秒有3.7×10^{10}个原子发生蜕变时，则它的放射性活度就规定为1居里。1居里等于3.7×10^{10}贝可。

【居间】在双方之间(调停，说合)。㊀～调解。

【居丧】旧俗。尊亲死后，在家守丧，不办理外事。在服丧期满之前停止娱乐和交际，表示哀悼。

【居所】公民暂时生活和进行民事活动的场所。与住所不同，一个公民可以有多处居所，但大多数国家规定一个人只能设一处住所。

【居积】囤积。《论衡·知实》："子贡善居积，意贵贱之期，数得其时。"

【居停】❶寄寓。❷寄居的处所。也指寄居之家的主人。

【居然】副词。竟然，表示出乎预料。㊀一个小厂～能生产出这样精密的仪器来！

【居民点】人类按照生产和生活需要形成的聚居定居地点。按性质和人口规模，分城市和乡村两大类。

【居住区】城市中由城市主要道路或自然分界线所围合，设有与其居住人口规模相应的、较完善的、能满足该区居民物质与文化生活所需的公共服务设施的相对独立的居住生活聚居地区。通常由多个居住小区组成。

【居庸关】旧称军都关、蓟门关。位于北京

市西北郊。是长城的重要关口。形势险要，向为交通要冲。

【居鲁士】(约前600—前529)古波斯帝国国王，阿契美尼德王朝的建立者。

【居心叵测】也说心怀叵测。存心险恶，叫人难以推测。叵(pǒ)：不可。

【居延汉简】古代居延(今内蒙古额济纳旗东南)等地城寨烽燧遗址中出土的汉代书简。1930年曾先后出土木简一万余片。内容有军事、政治、经济、生活、风俗、语言、医药等各方面记载，是研究汉朝历史的重要资料。这些珍贵文物，现藏台湾省。自1972年开始，在上述地区进行发掘，又出土了两万多片。

【居安思危】在平安稳定的时候要想到可能会出现的危险灾难。指时时要提高警觉，预防祸患。《左传·襄公十一年》："居安思危，思则有备，备则无患。"

【居里夫人】玛丽·斯可罗多夫斯卡·居里(1867—1934)法国物理学家、化学家。原籍波兰。1895年与比埃尔·居里结婚。1898年同丈夫共同发现镭和钋两种放射性元素。1910年又提炼出金属镭。曾两次获得诺贝尔奖。

【居住小区】城市中由居住道路或自然分界线所围合，以居民基本生活活动不穿越城市主要交通线为原则，并设有与其居住人口规模相应的、满足该区居民基本的物质与文化活动所需的公共服务设施的居住生活聚居地区。

【居住用地】在城市中包括住宅、相当于居住小区及小区级以下的公共服务设施、道路和绿地等设施的建设用地。

【居住空间】指卧室、起居室(厅)的使用空间。

【居住组团】城市中被一般小区道路分隔，设有与居住人口规模相应的、居民所需的基层公共服务设施的居住聚居地。

【居间合同】居间人向委托人报告订立合同的机会或提供订立合同的媒介服务，委托人支付报酬的合同。

【居高临下】占据高处，面向低处。形容所居位置可以控制全局、极为有利。

【居民委员会】简称居委会。中国城市中按居民居住地区设立的群众性自治组织。办理本居住地区的公共事务和公益事业，向人民政府反映群众意见和要求。

【居住面积系数】指居住建筑标准层的居住面积在建筑面积中所占的百分比。是居住建筑设计方案的技术经济指标。大于或等于50%为良好，小于50%为不良。

【居住面积标准】城市中每个固定居民人均居住面积数量指标。是衡量城市居住水平的基本标准。这里的居住面积主要指居室的使用面积，一般不包括厨房、卫生间和过道等辅助面积。

【居民消费品购买力】一定时期内城乡居民购买消费品的货币额。

据 ㊁ jū 见〔拮据〕(497页)。
㊀ jù (533页)。

琚 jū 古人佩带的一种玉。

椐 jū 古书上说的一种小树。即灵寿木。多肿节，古时以为手杖。

腒 jū 腌后晾干的鸟肉。

锯(鋸) ㊁ jū 同"锔(jū)"。
㊀ jù (533页)。

裾 jū 衣服的大襟。也指衣服的前后部分。

挶⊠ jū ❶曲肘而握。❷抬土的器具。

锔(鋦) ㊁ jū 用锔子连合破裂的陶、瓷、铁器等。㊐～碗|～锅。
㊀ jú (530页)。

掬 jū 两手捧起。㊐～水|笑容可～(笑容满面，好像能用手捧起来似的)。

踘⊠ jū 同"鞠"②。

鞠 jū ❶抚育。㊐～养|～育。❷古代的一种实心球。皮制，里面填毛。㊐蹴～。❸弯曲。㊐～躬。❹古又同"鞫"。❺古又同"菊(jú)"。

【鞠躬】❶弯身行礼。❷恭敬谨慎的样子。㊐～尽瘁。

【鞠躬尽瘁】恭敬谨慎，勤勤恳恳，尽心竭力，奉献一切。三国蜀诸葛亮《后出师表》："鞠躬尽力，死而后已。"尽瘁：竭尽劳苦。

娵⊠ jū 见下。

【娵隅】六朝时少数民族把鱼叫娵隅。

【娵訾】❶十二星次之一。❷上古氏族名。

鞫 jū 审问。㊐～讯。

J

jú ㄐㄩˊ

局(❼*侷❼*跼) jú ❶部分。㊀～部。❷机关组织和某些单位的名称。㊀教育～|邮政～|书～。❸棋盘。也用作下棋或比赛的量词。㊀棋～|一～棋|第三～。❹形势;情况。㊀时～|战～。❺人的胸怀器量。㊀器～。❻圈套。㊀骗～。❼拘束。㊀～促。❽结构。㊀格～。❾指某些聚会。㊀饭～|牌～。

【局势】政治、军事等的形势。

【局限】被限制在一定的范围内。

【局面】❶一个时期内,事情的状态、形势。㊀打开～|政治～。❷规模。㊀这家铺子～虽不大,货色倒齐全。

【局促】也说侷促、跼促。❶狭小。㊀房间太～。❷时间短促。㊀时间～。❸拘束。㊀～不安。

【局部】指组成事物整体的某部分、某方面或事物发展过程中的某阶段。与"全局"相对。

【局蹐】拘束的样子。蹐(jí)。

【局域网】为有限地域内的计算机和相关设备的连接提供高速数字通信信道的专用网络。它通常使用光纤、同轴电缆或无线传输等方式。

【局部战争】在局部地区进行的,目的、手段、规模均有限的战争。相对世界大战而言。有的国家称之为有限战争。

J

焗□ jú〈方〉一种烹饪方法。把食物放在密闭的容器中加热,利用蒸汽使食物熟烂。㊀盐～鸡。

【焗油】一种染发、养发、护发的方法。一般是在头上抹油后,用特制机具喷出的蒸汽加热,待冷却后用清水冲洗干净。

锔(鋦) ㊀ jú 人造金属元素,符号Cm,原子序数96。银白色。有放射性,由人工核反应获得。
㊁ jū(529页)。

桔 ㊁ jú "橘"也有写作"桔"的。"橘"是规范写法。
㊀ jié(499页)。

菊 jú 菊花,多年生草本植物。种类很多。原产于中国。可供观赏。白菊花可作饮料。又可供药用,主治外感风热、头痛、咳嗽等。

【菊科】被子植物中最大的一科。一年生或多年生草本植物,少数为乔木,有时为藤本,有些种类有乳汁。叶互生、轮生或对生。花两性或单性。通常所说的一朵菊花,实际上是一个头状花序。果实为瘦果。菊科中有许多经济植物和观赏植物。药用的如红花、苍术等;食用的如菊芋、莴苣、茼蒿、向日葵等;工业用的如橡胶草等;供观赏的如菊、翠菊、大丽花等。

湨 jú 湨水,水名,在河南。

鶪☒(鶪) jú 鸟类。即伯劳。

僪☒ ㊀ jú 疯狂。
㊁ yù(1208页)。

橘 jú 常绿小乔木。果实味甜,果皮较薄,易剥离。除供食用外,果皮、种子也可供药用。

jǔ ㄐㄩˇ

弆☒ jǔ 密藏。

柜 ㊁ jǔ〔柜柳〕落叶乔木。喜生在河旁低湿处,苗木可作嫁接胡桃的砧木。
㊀ guì(358页)。

矩(*榘) jǔ ❶画直角或方形用的曲尺。㊀～尺。❷法则;规矩。㊀循规蹈～。

【矩尺】即"曲尺"(806页)。

【矩形】也叫长方形。每个角都是直角的四边形。

【矩矱】规矩;法度。矱(yuē)。

咀 ㊀ jǔ 细嚼;玩味。㊀～嚼|含英～华(比喻读书吸取精华)。
㊁ zuǐ(1323页)。

【咀嚼】用牙齿磨碎食物。也比喻对事物反复体会玩味。

沮 ㊀ jǔ ❶阻止。❷(神色)败坏。㊀～丧。
㊁ jù(533页)。

【沮丧】灰心失望。㊀神情～。

龃(齟) jǔ〔龃龉〕上下牙齿对不上。比喻意见不合。龉(yǔ)。

莒 jǔ ❶莒县,地名,在山东。❷周朝国名。在今山东莒县。

筥⊠ jǔ 圆形的竹筐。

枸 ㊂ jǔ〔枸橼〕也叫香橼。常绿小乔木。果实有香气，皮厚，味酸苦，可供药用。

㊀ gōu（332 页）。

㊁ gǒu（333 页）。

蒟 jǔ〔蒟蒻〕即“魔芋”（695 页）。蒻(ruò)。

举（舉 *擧） jǔ ❶往上托或伸。㊥～重｜～手。❷动作；行动。㊥～动｜壮～。❸兴起。㊥～义｜～事。❹推选。㊥公～。❺提出。㊥～例。❻全。㊥～国。❼举人。㊥中(zhòng)～。

【举人】明清两代科举制度中，乡试录取后称举人。

【举凡】凡是。

【举止】动作，姿态。㊥～大方。

【举办】举行；办理。㊥～展览会。

【举世】全世界。㊥～闻名。

【举目】抬起眼睛(看)。㊥～远望。

【举发】检举揭发(坏人坏事)。

【举事】发动武装暴动。

【举重】体育运动项目之一。通过一定的方式和方法举起重物，并不断增加所举重量。正式比赛按体重分级进行，动作一般采用抓举和挺举两种。

【举哀】❶举行哀悼活动。❷旧时丧礼用语。指高声号哭。

【举债】借债。

【举措】举动，措施。㊥～失当。

【举一反三】从一件事物的情况、道理类推而知道许多事物的情况、道理。形容善于类推，能由此及彼。《论语·述而》：“举一隅不以三隅反，则不复也。”宋朱熹《答胡伯逢书》：“夫告往知来，举一反三，闻一知十者皆适。”反：类推。

【举目无亲】形容只身在外，十分孤单。

【举足轻重】《后汉书·窦融传》：“方蜀汉相攻，权在将军，举足左右，便有轻重。”原指处于两强间的有实力的人，只要稍微倾向一方，就能打破均势。后用来比喻所处地位重要，一举一动都会影响全局。

【举证责任】诉讼当事人对自己提出的事实和要求，有向人民法院提供证据予以证明的责任。民事诉讼原告负举证责任，行政诉讼被告负举证责任。

【举证倒置】在行政诉讼中，由被告负举证责任的证据制度。与民事诉讼原告负举证责任相对。被告行政机关必须依法履行应负的举证义务，如果被告未能适当履行或拒绝履行，人民法院应判决撤销被诉具体行政行为或责令被告限期作出新的具体行政行为。

【举直措枉】选用正直的人，罢免奸邪的人。《论语·为政》：“举直错(措)诸枉，则民服。”措：废置、罢免。枉：弯曲，比喻奸邪的人。

【举贤使能】推荐、选拔和任用德才兼备的人。《礼记·大传》：“三曰举贤，四曰使能。”

【举案齐眉】《后汉书·梁鸿传》：“(鸿)为人赁舂，每归，妻为具食，不敢于鸿前仰视，举案齐眉。”表示对丈夫尊敬。后因称夫妇相敬为举案齐眉。案：有脚的托盘。

【举棋不定】拿着棋子不能决定怎样走。比喻拿不定主意。《左传·襄公二十五年》：“弈者举棋不定，不胜其耦。”

榉（欅） jǔ 落叶大乔木。似榆树，坚果。木材坚硬，耐水湿，是建筑、造船的良材。

踽 jǔ〔踽踽〕孤独的样子。㊥～独行。

jù ㄐㄩˋ

巨（*鉅） jù 大。㊥～型｜～款。

【巨人】❶发育异常，身材特别高大的人。多由于脑垂体前叶的功能亢进而形成。❷神话里的人物，比一般人高大，往往具有非凡的神力。❸比喻伟大人物。

【巨头】政治、财经、产业界等有巨大实力的头目。㊥金融～。

【巨匠】泛称在文学艺术上有杰出成就的人。㊥文坛～｜语言～。

【巨细】大的和小的(事情)。㊥事无～，他都过问。

【巨星】❶光度大、体积大、密度小的恒星。直径通常为太阳的一二十倍，光度约为太阳的一百倍。❷比喻杰出的、知名的人物。

【巨室】❶指大的房屋。❷世家大族。

【巨流】巨大的河流。也比喻巨大的时代潮流。

【巨然】五代、宋初画家。江宁(今江苏南京)人。善画山水，师法董源，与董并称董巨，为五代、北宋间南方山水画的主要流派,影响较大。存世作品有《秋山问道》《层崖丛树》等。

【巨蜥】爬行动物。长约2米。背面黑橄榄色,有不鲜明的黄色点状环纹;腹面黄色。尾侧扁,末端尖细。分布于中国南方。是中国国家重点保护动物。

【巨额】很大的数目。例~存款。

【巨擘】大拇指。比喻在某一方面杰出的人或事物。擘(bò)。

【巨鹿之战】秦末农民起义军歼灭秦军主力的战役。公元前207年(秦二世三年),秦将章邯领兵攻赵,围巨鹿(今河北平乡)。项羽率军救赵。西渡漳河后,经过九次激战,大破秦军,章邯被迫率所部二十万人投降。这次战役加速了秦朝的灭亡。

【巨噬细胞】由游出血管的单核细胞衍变而成的细胞。体积较大,形状不规则,常伸出短而钝的突起,作变形运动,能吞噬死亡的细胞和侵入体内的细菌,形成吞噬体。在免疫反应中起重要作用。

【巨额资产来源不明罪】国家工作人员的财产或支出明显超过其合法收入,差额巨大而又不能说明其来源是合法的犯罪行为。

讵(詎) jù ❶文言副词。难道;岂。表示反问。例~知|~料。❷文言连词。如果。例~非圣人,不有外患,必有内忧。

拒 jù ❶抵抗。例~敌。❷不接受。例~绝。

【拒付】❶拒绝交付。❷银行拒绝票据持有人提款或转账。

【拒赔】保险人对被保险人提出的索赔要求予以拒绝。

【拒谏饰非】拒绝劝告,掩饰错误。《荀子·成相》:"拒谏饰非,愚而上同,国必祸。"谏:规劝。饰:遮掩。

【拒不执行判决、裁定罪】对人民法院已生效的判决、裁定有能力执行而拒不执行,情节严重的犯罪行为。

苣 ㊀ jù 见〔莴苣〕(1032页)。
㊁ qǔ (809页)。

炬 jù ❶火把。也指用火烧。例火~|付之一~。❷烛。例蜡~。

秬⊠ jù 黑色的黍子。古人用以酿酒。

粔⊠ jù 〔粔籹〕古代一种食品。以蜜和(huó)米面,油煎而成。籹(nǚ)。

距 jù ❶距离。例株~|~此不远。❷雄鸡、雉等的爪后面突出像脚趾的部分。

【距离】两者间相隔。也指相隔的长度。例~很远|缩短~。

句 ㊀ jù ❶由词或短语构成的,带有一定语调的,能够表达一个相对完整意思的语言单位。例语~|造~。❷量词。用于成句子的话语。例两~诗。
㊁ gōu (332页)。

【句子】由词或短语构成的,带有一定语调的,能够表达一个相对完整意思的语言单位。如:"我们热爱社会主义祖国。""我是工人。""你过来!""他好吗?"。

【句号】标点符号的一种。形式为"。",在有的科技文献中也可用"."。表示陈述句末尾的停顿。也用于舒缓的祈使句的末尾。

【句型】句子的结构类型。依据句中成分的功能类别、序列、配置、构造等因素加以确定。如汉语的单句和复句,主谓句和非主谓句等。

【句逗】同"句读"(532页)。

【句读】也作句逗。旧称文章中语意已尽的地方为"句",语意未尽须停顿的地方为"读"(dòu)。书面语上用圈(句)和点(读)来标记。

【句群】也叫语段。由前后衔接、表达中心语义的两个或两个以上句子组成,介于句子和段落之间的语言使用单位。如:"一面做,一面想。做,要靠想来指导;想,要靠做来证明。想和做是紧密地联结在一起的。"这是一个由三个句子构成的句群。

【句子成分】句子的组成部分。一个句子里的词或短语按照它们所处的地位和所起的作用,可以分为主语、谓语、宾语、补语、定语、状语六种成分。

【句子分析法】分析句子结构关系和结构层次的方法。如中心词分析法(也叫句子成分分析法)、层次分析法(也叫直接成分分析法)等。

具 jù ❶用具。例家~|文~。❷具有。例~备|粗~规模。❸备;办。例~结|谨~薄礼。❹才能;才干。例才~|干城之~。❺写出;陈述。例~名|条~时弊。❻量词。用于棺材、尸体和某些器物。例一~尸体。

【具文】❶空文,指空有形式而无实际意义。《汉书·宣帝纪》:"上计簿,具文而已。"❷备文。㊞～申请。

【具体】❶不抽象，不笼统，细节很明确。也指特定的(事物)。❷哲学范畴。在从具体上升到抽象中，指客观存在的具体事物；在从抽象上升到具体中，指在思维中再现客观事物，即通过多方面的规定，深刻而完整地把握客观事物。与"抽象"相对。

【具备】具有。㊞～条件。

【具保】找人担保。

【具结】旧时写给官署的表示由自己负责的文件。㊞～完案。

【具体而微】《孟子·公孙丑上》："冉牛、闵子、颜渊则具体而微。"原意指冉、闵、颜三人虽具有孔子的全部品德，但并未光大。后用来泛指事物的内容已大体具备，但规模较小。

【具体劳动】在各种具体形式下支出的创造不同使用价值的劳动。它是依据不同的劳动目的、操作方法、劳动对象、劳动手段及劳动结果来区分的。任何一种劳动，首先都表现为一定的具体劳动，全社会的具体劳动加在一起，形成了社会的分工体系。

俱 jù 副词。都。㊞面面～到｜事实～在。

【俱乐部】进行社会、政治、文艺、娱乐等活动的团体或场所。

【俱乐部制】❶机关、团体、学校中开展文化娱乐、体育活动等的一种组织体制。❷通过为社会提供高水平竞技表演，从而获得盈利的经济组织体制。

惧(懼) jù 害怕。㊞畏～｜临危不～｜～他三分。

【惧内】怕老婆。

【惧色】害怕、恐惧的神色。

犋 jù 畜力单位。能拉动一张犁或一张耙等的一头或几头牲口叫一犋，多指两头。

飓(颶*颶) jù 〔飓风〕见〔热带气旋〕(820页)。

沮 ㊁ jù 〔沮洳〕低洼潮湿的地带。洳(rù)。

㊀ jǔ (530页)。

怚☒ ㊀ jù 骄。

㊁ cū (154页)。

倨 jù 傲慢。㊞前～后恭。

剧(劇) jù ❶戏剧。㊞～情｜京～。❷猛烈。㊞～痛。❸繁难。㊞繁～。

【剧本】文学作品的一种体裁。由人物的台词(有的还有唱词)和舞台提示等组成，是戏剧艺术的文学部分。

【剧目】戏剧的名目。㊞保留～。

【剧团】演出戏剧的艺术团体。

【剧种】戏剧艺术的种类。根据艺术特点、表现手段可分为戏曲、话剧、歌剧、舞剧、歌舞剧等。在戏曲中又可根据起源地点、流行地区及艺术特点分为京剧、豫剧、湘剧、花鼓戏、采茶戏等。

【剧烈】猛烈。

【剧情】戏剧的故事情节。

【剧照】戏剧中某个场面或电影中某个镜头的照片。

据(據*㨿) ㊀ jù ❶按照；凭借。㊞～实报告｜～理力争。❷占。㊞～为己有。❸凭证。㊞收～｜真凭实～。

㊁ jū (529页)。

【据点】军队据以作为战斗行动依托的地点。通常指构筑有坚固工事，储备有作战物资，能独立防守的重要城镇、村庄、高地或交通枢纽等。

【据说】未经过实际调查，只是听别人说。

【据为己有】占据为自己所有。

【据理力争】依据道理，竭力维护自己方面的权益、观点等。

锯(鋸) ㊀ jù ❶用钢片制成，有尖齿，能够断开木料、金属等的工具。㊞电～。❷用锯拉(lá)。㊞～树｜～木头。

㊁ jū (529页)。

踞 jù ❶蹲；坐。㊞龙蟠虎～。❷占据；霸占。㊞久～山寨。

虡☒ jù 见〔簨虡〕(944页)。

聚 jù 集合；会合。㊞～集｜欢～。

【聚讼】大家的说法都不一样，互相争论，得不出一致的意见。㊞～纷纭。

【聚歼】把敌人包围起来彻底消灭。

【聚变】轻原子核(如氘、氚等)聚合为重原子核(如氦核)并放出巨大能量的过程。氢弹爆炸，是利用铀或钚裂变时产生的高温使氢核发生剧烈而不可控制的聚变反应，有极大的破坏作用。

【聚居】聚集在一起居住。

J

【聚星】由几个互相有物理联系的恒星组成的恒星系统。有时按成员星的数目称为三合星、四合星等。

【聚首】聚会；见面。

【聚积】一点一滴地凑集。

【聚敛】重税搜刮。

【聚落】具有一定规模的人类聚居场所。如村落、集镇和城市居民点等。

【聚乙烯】由乙烯聚合而成的热塑性高分子化合物。质轻，耐化学腐蚀，绝缘性、透明性良好。主要用于制塑料制品，如薄膜、管材、容器、高频绝缘材料等。也用于抽丝制成纤维等。

【聚丙烯】由丙烯聚合而成的热塑性通用塑料。质轻，是常见塑料中密度最小的，耐热性较高，硬度较大，耐高频电绝缘和耐化学腐蚀。主要用于制造薄膜、管材、高频绝缘材料、涂料、黏合剂等，也用以抽丝制成纤维。

【聚甲醛】有机化合物。由甲醛聚合而成。具有较好的综合机械性能，质轻，耐磨，有自润滑性，作汽车传动装置时不需要加润滑剂。可用于生产纤维和工程塑料，代替有色金属制造机械零件等。

【聚合果】由一朵花内数个离生雌蕊及花托连合形成的果实。花托肉质化，每一雌蕊形成一个单果。如草莓、莲等的果实。

【聚合度】组成高分子链的重复结构单元（链节）的数目。即高分子化合物的化学式中的 n，如聚乙烯 $[CH_2—CH_2]_n$。

【聚珍本】即活字本。清乾隆年间用木活字排印《四库全书》中的善本，因嫌“活字版”名称不雅，改名聚珍本。

【聚集态】也叫物态。物质分子集合的状态。是实物存在的形式。常见的有气态、液态和固态三种。通常把等离子体叫做物质的第四态，把存在于地球内部的超高温、超高压状态叫做物质的第五态。此外还有超导态和超流态。

【聚合反应】烃类单体双键打开或环状单体开环形成高分子的反应。

【聚沙成塔】也说积沙成塔。原指儿童堆塔游戏。后比喻积少成多。《妙法莲华经·方便品》：“乃至童子戏，聚沙为佛塔。”

【聚苯乙烯】由苯乙烯聚合而成的无定形热塑性通用塑料。具有耐水性、化学稳定性、电绝缘性、易染色等特点。主要用于制塑料制品，如电绝缘材料、日用品、耐酸容器等。

【聚变反应】也说热核聚变反应、热核反应。在极高温度下两个轻原子核合成一个较重原子核同时释放巨大能量的核反应。

【聚氯乙烯】由氯乙烯聚合而成的热塑性高分子化合物。具有耐化学腐蚀性、绝缘性、不易燃等特点。根据加入增塑剂的多少可制成软质（如薄膜）和硬质（如板材、管材）塑料制品。主要用于制塑料、涂料、合成纤维等。

【聚酯树脂】合成树脂的一类。其制品的机械强度、电绝缘性及化学稳定性较好。主要用于制造合成纤维（如涤纶）、工程塑料（如玻璃钢）及涂料等。

【聚碳酸酯】主链上含有 $—O—\overset{\overset{O}{\|}}{C}—O—$ 官能团的聚合物的统称。是一种热塑性透明工程塑料。耐高温或低温，综合机械性能、电绝缘性能较好，抗冲击强度尤为突出。主要用作绝缘材料，制造机械零件、高强度膜片等。

【聚精会神】汉王褒《圣主得贤臣颂》：“聚精会神，相得益章。”原指君臣协力，集思广益。后用来形容集中精神，专心一意。

【聚四氟乙烯】俗称塑料王。由四氟乙烯聚合而成的高分子化合物。不易老化，具有优良的电绝缘性、耐化学腐蚀性（在王水中煮沸也不起变化）、耐热、耐寒性（使用范围在 −200—+250℃）和自润滑性。用作耐强腐蚀、耐高温或低温的材料、防黏涂层及高频绝缘材料等。

【聚众斗殴罪】行为人组织、策划、指挥或积极参加，人数均为三人以上的双方或多方的相互暴力攻击人身的犯罪行为。是典型的共同犯罪。

愳☒ jù 同“惧”。

窭（窶） jù 贫穷。

屦（屨） jù 古时用麻、葛等做成的鞋。

遽 jù ❶急速；匆忙。㊐急～|不可～作决定。❷害怕。㊐惶～。

【遽尔】副词。匆忙地；匆促地。

【遽然】副词。突然。

澽□ jù 澽水，水名，在陕西。

鐻☒（鐻） jù ❶古代乐器。像钟。❷古代悬钟、磬的架子两旁的立柱。

醵 jù ❶凑钱喝酒。❷凑；聚集（钱）。㊀～资（凑钱）。

juān ㄐㄩㄢ

捐 juān ❶舍弃或献出。㊀为国～躯｜～钱｜～献。❷一种税收。㊀苛～杂税｜车～。

【捐生】舍弃生命。

【捐弃】抛弃。

【捐建】捐资建设。㊀～希望小学。

【捐资】捐助资财。㊀～助学。

【捐躯】为正义事业而献出生命。

【捐献】拿出财物献给国家或集体。

【捐输】捐献。

涓 juān 细小的流水。

【涓埃】细小的水流和尘埃。比喻极其微小。

【涓滴】❶极少量的水。❷比喻极少量的财物。㊀～归公。

娟 juān 秀丽；美好。㊀～秀。

鹃（鵑） juān 见〔杜鹃〕(229页)。

圈 ㊂ juān ❶把家禽、家畜关起来。㊀～小鸡。❷把人限制在一定范围不让离开。㊀孩子老～在家里会闷坏的。

㊀ quān (810页)。

㊁ juàn (535页)。

朘 ㊁ juān 〔朘削〕削弱；剥削。

㊀ zuī (1323页)。

镌（鎸） juān 雕刻。㊀～刻｜～碑。

蠲 juān 免除。㊀～免｜～除。

juǎn ㄐㄩㄢˇ

卷（捲） ㊁ juǎn ❶把东西弯曲裹成圆筒形或裹进某项事物中去。㊀～起竹帘子｜～人。❷裹成圆筒形状的东西。㊀行李～儿。❸一股强力把人或东西裹住、掀起。㊀狂风～起巨浪｜汽车～起尘土。❹量词。用于成卷儿的东西。㊀一～纸。

㊀ juàn (535页)。

【卷耳】多年生草本植物。叶对生，春季开花，花白色。全草和果实可供药用。

【卷柏】也叫还魂草。蕨类植物。高5—15厘米。茎棕褐色。分枝丛生，扁平，叶四列。耐干旱，干旱时枝叶内卷如拳，湿润时又平展伸开。生于裸露的山顶岩石上。在中国分布很广。可供药用。

【卷须】由茎或叶变态形成的须状物。多发生于攀缘茎上，用来卷附其他东西使茎上升。如葡萄、豌豆的卷须。

【卷扬机】即"绞车"(491页)。

【卷土重来】比喻遭受挫折或失败后，重新恢复势力。唐杜牧《题乌江亭》诗："胜败兵家事不期，包羞忍耻是男儿。江东子弟多才俊，卷土重来未可知。"卷土：卷起了尘土，形容人马奔跑。重：再。

【卷舌元音】发音时把舌尖向硬腭卷起的元音。如普通话"儿、耳、二"等字的读音就是一个卷舌元音 er[ɚ]。

菤☒ juǎn 〔菤耳〕卷耳。

馃□**（餜）** juǎn 〔馃子〕用面卷成的食物。

锩（錈） juǎn 刀剑的刃卷曲。

帣☒ ㊁ juǎn 挽起袖子。

㊀ juàn (535页)。

juàn ㄐㄩㄢˋ

卷 ㊀ juàn ❶书、画的通称。㊀手不释～。❷考试用的纸。㊀试～。❸机关里分类保存的文件。㊀～宗。❹全书的一部分。㊀第一～。

㊁ juǎn (535页)。

【卷帙】书籍（就数量说）。㊀～浩繁。帙(zhì)：包书的套子。

【卷宗】机关、单位里分类保存的文件。

【卷轴】指裱糊好的带轴的书画等。

倦（*勌） juàn ❶疲乏。㊀困～。❷厌烦；懈怠。㊀诲人不～｜孜孜不～。

圈 ㊁ juàn 圈(quān)养猪、羊等牲畜的地方。㊀猪～。

㊀ quān (810页)。

㊂ juān (535页)。

帣☒ ㊀ juàn 小口袋。

㊁ juǎn (535页)。

J

桊 juàn 穿在牛鼻子上的小木棍或小铁环。㊀牛鼻～儿。

眷(❷*睠) juàn ❶亲属。㊀家～。❷关心;挂念。㊀～念|～恋。

【眷念】想念。

【眷注】关怀。

【眷恋】怀念;留恋。

【眷眷】念念不忘。

【眷属】❶家眷;亲属。❷特指夫妻。㊀有情人终成～。

隽(*雋) ㊀ juàn ❶鸟肉肥美。❷隽永。

㊁ jùn (543页)。

【隽永】指言论、文章意味深长,耐人寻味。

臇☒ juàn 汁少的肉羹。

狷(*獧) juàn ❶心胸狭窄,性情急躁。㊀～急。❷耿直。㊀～介。

【狷介】性情正直,不肯同流合污。㊀～之士。介:孤高,特出。

悁☒ ㊁ juàn 急躁。

㊀ yuān (1208页)。

绢(絹) juàn 一种薄而坚韧的丝织品。

睊☒ juàn 〔睊睊〕侧目而视的样子。

罥☒ juàn 挂;缠绕。

鄄 juàn 鄄城,地名,在山东。

juē ㄐㄩㄝ

撧☒(撧) juē 同"撅"②。

屩☒(屩) juē 草或绳编的鞋。

撅(❶*噘) juē ❶翘起。㊀～嘴。❷折断。㊀～成两段。❸当面使人难堪。㊀～人。

jué ㄐㄩㄝˊ

孓 jué 见〔孑孓〕(496页)。

决(*決) jué ❶水冲破堤岸;开口子。㊀～口。❷确定;拿定主意。㊀表～|犹豫不～。❸确定最后胜负。㊀～赛|～出前三名。❹副词。一定。㊀～不后退。❺处(chǔ)死。㊀枪～|处～。

【决分】对全年收入进行决算和分配。

【决斗】❶决定最后胜败的你死我活的斗争。❷过去欧洲流行的一种习俗。两人发生争执,相持不下,约定时间、地点,并邀请证人,彼此用武器格斗。

【决计】表示主意已定或表示肯定的判断。㊀～就办|～没错。

【决心】❶坚决的、不改变的意志。❷下决心。㊀～完成任务。❸军事上指指挥员对作战目的和行动的基本决定。内容通常包括作战企图、主要作战方向、兵力部署、各部队的任务等。

【决议】经会议讨论,表决通过的议案。

【决死】敌我双方你死我活的(斗争)。

【决定】❶对如何行动定下主张;也指所决定的事项。㊀～明天开会|贯彻党的～。❷(一事物对它事物)构成先决条件,起主导作用。㊀存在～意识。

【决标】也说定标。招标采购中,招标采购主体决策层和有关主管部门根据评标班子推荐中标人的书面报告作出中标人的裁决过程。

【决战】敌对双方使用主力进行的决定最后胜负的作战。分为战略决战和战役决战。

【决胜】决定最后的胜利。

【决绝】❶十分坚决地断绝。❷十分坚决。

【决断】❶拿出主意;做出决定。❷拿出的主意,做出的决定。❸决定事情的魄力。

【决裂】破裂,一刀两断(指关系、观念、感情等)。

【决策】❶决定战略或策略。❷决定的战略或策略。㊀正确的～|坚决实现党中央提出的战略～。

【决然】❶形容很坚决。㊀毅然～。❷必然,一定。

【决意】拿定主意。

【决算】政府、机关、团体和事业单位的年度会计报告。根据年度预算执行结果,按法定程序编制、审核和批准。企业等在一定时期(季度、上半年、年度)结算时,编制会计报表的工作,也叫决算。

【决赛】体育比赛中决定名次的最后一次

比赛。

【决策树】用树形图来反映各方案的概率期望值并从中选优的决策方法。

【决一雌雄】比试高低,决出胜负。《史记·项羽本纪》:"项王谓汉王曰:'天下匈匈数岁者,徒以吾两人耳,愿与汉王挑战决雌雄,毋徒苦天下之民父子为也。'"

诀(訣) jué ❶就事物的主要内容编成顺口押韵的容易记忆的词句。㊀口～|歌～。❷方法;窍门。㊀秘～|妙～。❸分别(多指不再相见)。㊀～别|永～。

【诀别】多指不再相见的分别。

【诀要】诀窍。

【诀窍】起关键作用的方法。

抉 jué 剔出;挑出。㊀～择。

【抉择】挑选;选择。

駃□**(駃)** jué〔駃騠〕❶也叫驴骡。家畜名。指公马和母驴交配所生的骡子。外貌偏似驴。❷古时良马名。騠(tí)。

玦 jué 古人佩带的环形有缺口的玉器。

砄☒ jué 石头。

鴃☒**(鴃)** jué 伯劳鸟。

【鴃舌】比喻语言难懂。

鴂☒**(鴂)** jué 见〔鶗鴂〕(967 页)。

觖 jué 不满足。㊀～望(因为没有满足愿望而怨恨)。

角 ㊀ jué ❶竞赛。㊀～斗。❷角色。㊀名～ル|主～ル。❸古代盛酒的器物。❹古代五音(宫、商、角、徵、羽)之一。相当于简谱的"3"。

㊀ jiǎo (490 页)。

【角力】比赛力气大小。

【角斗】一种搏斗比赛。

【角色】也作脚色。❶演员所扮演的剧中人物。❷传统戏曲演员所扮演的剧中人物的类型。有生、旦、净、丑等。

【角逐】❶以武力互相竞争、争夺。㊀群雄～。❷泛指竞争或竞赛。

捔☒ jué ❶抓住兽角搏斗。❷竞力;角逐。

桷 jué 方形的椽(chuán)子。

珏 jué 合在一起的两块玉。

觉(覺) ㊀ jué ❶器官受刺激后对事物的感受和辨别。㊀视～|～察。❷睡醒;醒悟。㊀大梦初～|～醒。

㊁ jiào (493 页)。

【觉悟】❶由迷惑而清醒。㊀他～过来了。❷对一种政治理论或社会理想的认识程度和为实现它而奋斗的精神。❸佛教指领悟教义的真谛。

【觉察】发现;看出。

【觉醒】觉悟;醒悟。

【觉悟社】1919 年 9 月周恩来、邓颖超、郭隆真等在天津组织的青年革命团体。宣传进步思想,领导和组织学生爱国运动,反对帝国主义侵略和封建军阀的反动统治。同时,出版进步刊物《觉悟》。1920 年夏被军阀解散。

绝(絶) jué ❶断。㊀隔～|络绎不～。❷穷尽;净尽;没有出路的。㊀～望|弹尽粮～|～境。❸副词。1. 极。㊀～大多数|～妙。2. 全然;绝对。㊀～无其事。❹独一无二的。㊀～技。❺气息中止;死亡。㊀气～|悲痛欲～。❻绝句。㊀七～。

【绝口】❶闭口。㊀～不谈。❷住口(只用在"不"后)。㊀赞不～。

【绝代】当代独一无二。㊀～佳人。

【绝句】近体诗的一种。全首四句。每句五言的叫五言绝句,七言的叫七言绝句。字的平仄和句末押韵都有一定的规则。

【绝对】❶没有任何条件的;不受任何限制的。与"相对"相对。㊀～真理|～服从。❷只以某一条件为依据,不受其他条件制约的。㊀～值|～高度。❸完全;一定。㊀～有把握|～没问题。

【绝伦】无论谁或任何事物都比不上。㊀精美～。伦:类比。

【绝交】❶断绝交往。❷断绝外交关系。

【绝技】独一无二的技艺。

【绝妙】非常美妙;非常巧妙。

【绝顶】❶山的最高峰。㊀会当凌～,一览众山小。❷副词。最;极端。㊀～聪明。

【绝版】书籍等印刷品毁版不再重印。

【绝育】计划生育的办法之一。通过手术使

男女在正常性生活情况下不再生育。常用方法有男子结扎输精管和女子结扎输卵管。
【绝经】妇女某次月经后,再也不来月经。中国妇女绝经平均年龄为49.5岁,80%在44—54岁之间。
【绝响】原指失传了的音乐。后泛指某种传统已断的事物。
【绝罚】天主教给予神职人员和教徒的一种处分。分主教可宽免和教皇可宽免两种。后者又分通常、特级和超级绝罚三种。
【绝食】拒绝进食(以示抗议)。
【绝迹】连踪迹也没有了。形容彻底灭绝。例恐龙早已经~了。
【绝笔】❶死前最后所写的文字或所作的字画。❷极好的诗文书画。
【绝倒】❶形容笑得前仰后合。❷极其佩服。❸晕倒。
【绝症】目前还无法治好的疾病。
【绝域】❶极遥远的地方。❷路途险阻与外界隔绝的地方。
【绝唱】指诗文创作达到的最高造诣。也指最好的作品。例千古~。
【绝望】毫无希望。
【绝密】❶极端机密的。例~材料。❷密件等级的最高一级。例此件属~,务必妥善保管。
【绝缘】❶隔绝电流,使不能通过。❷跟外界或某一事物隔绝,不发生接触。
【绝嗣】没有子孙后代。
【绝境】毫无出路的境地。
【绝壁】极为陡峭、不可攀援的山崖。
【绝对值】数轴上表示一个数的点到原点的距离,叫做这个数的绝对值。正数或零的绝对值是它自己,负数的绝对值是它的相反数。数 a 的绝对值记作 $|a|$。如 $|-400|=400$, $|3.5|=3.5$, $|0|=0$。
【绝对数】反映客观事物在一定时间、地点、条件下总体规模或水平的数字表达形式。
【绝缘体】极不容易导电或传热的物质。通常情况下,橡胶、玻璃、云母等都是绝缘体。
【绝无仅有】形容极其少有。
【绝处逢生】在走投无路的情况下,又得到了出路。
【绝对地租】地租的形式之一。因农业资本有机构成低于平均的资本有机构成而产生。其原因是土地所有权的垄断。数值上等于农产品价值低于社会生产价格的差额。
【绝对星等】假定天体位于距地球10秒差距(即32.6光年)处所应有的视星等。
【绝对真理】即真理的绝对性。指任何真理都是绝对地、无条件地对客观事物及其发展规律的正确反映。
【绝对高度】以海平面为标准的高度。
【绝对湿度】单位体积空气中所含水蒸气的质量。一般用每立方米空气中所含水蒸气的克数表示。
【绝对温标】即“热力学温标”(820页)。
【绝对零度】热力学温标的零度,即-273.15℃。
【绝对平均主义】即“平均主义”(757页)。
【绝对剩余价值】通过绝对地延长工作日,以增加剩余劳动时间而生产的剩余价值。这是剩余价值生产的一般方法,也是资本主义初期主要采取的剥削方法。资本家把工作日延长到极限,导致工人过度疲劳,激起无产阶级为争取缩短工作日的斗争。

倔 ㊀ jué 义同“倔(juè)”,只用于“倔强(jiàng)”。
㊁ juè (539页)。
【倔强】性情固执,强硬。强(jiàng)。

堀☒ ㊁ jué 突起。例~堁(kè,尘埃)扬尘。
㊀ kū (566页)。

掘 jué 刨;挖。例~地|临渴~井。
【掘进】采矿作业等工程中,用凿岩爆破或机械等方法开凿地下巷道。
【掘墓人】为死者挖墓的人。常比喻消灭旧事物、旧制度的新生力量。

崛 jué 突起;兴起。例~起。

脚(*腳) ㊁ jué 同“角(jué)”②。现多用角。
㊀ jiǎo (491页)。
【脚色】同“角色”(537页)。

厥 jué ❶晕倒;气闭。例昏~|痰~。❷文言代词。相当于“其”。例~后|大放~词。❸文言助词。相当于“之”。例层构~高,临乎未央。❹文言副词。才;乃。例左丘失明,~有《国语》。

劂 jué 见〔剞劂〕(450页)。

蕨 jué 多年生蕨类草本植物。用孢子繁殖。嫩叶可食,根茎可制淀粉,也

J

供药用。

【蕨类植物】高等植物中比较低级的一类。古代多为高大树木，其遗体形成煤层。现代生存的大都为草本。有根、茎、叶的分化，没有花，用孢子繁殖。如蕨、木贼等。

獗 jué 见〔猖獗〕(107 页)。

橛（*橜）jué 小木桩。例～子。

镢（鐝）jué 镢头，刨土的工具。

蹷☒ jué "蹶(jué)"的异体字。

蹶 ㊀ jué 跌倒。比喻失败或挫折。例一～不振。
㊁ juě (539 页)。

倔☒ jué 用于人名，如李倔(东汉末人)。

觳☒ jué 同"珏"。

谲（譎）jué ❶欺诈；狡诈。例～诈｜狡～。❷奇异怪诞。例奇～｜诡～。

镭☒（鐍）jué ❶有舌的环子。❷箱子上安锁的纽。

绝☒ jué 同"绝"。

噱 ㊀ jué 大笑。
㊁ xué (1118 页)。

爵 jué ❶古代饮酒的器皿。❷爵位，君主国家对贵族所封的等级。例封～｜公～。

【爵禄】指爵位和俸禄。

【爵士乐】19 世纪末产生于美国新奥尔良的流行音乐。主要来源于黑人的劳动歌曲等。演奏风格常将布鲁斯、摇滚乐、比博普等即兴发挥，喜用切分音，具有丰富的音响与多彩的节奏。爵士：英语音译。

【爵士舞】以爵士乐伴奏的各种舞蹈的统称。20 世纪初出现于美国，在 19—20 世纪的舞台舞蹈和传统黑人交际舞蹈等的基础上发展而成。音乐的主要特点是即兴演奏和强烈的切分音风格。有时也指舞台流行的、由它演变或受它影响的现代舞。

嚼 ㊂ jué 同"嚼(jiáo)"。用于某些复合词和成语。例咀～｜过屠门而大～。
㊀ jiáo (490 页)。
㊁ jiào (494 页)。

爝 jué 〔爝火〕火把；小火。

矍 jué 惊慌张望的样子。

【矍铄】形容老年人身体好、精神旺盛的样子。铄(shuò)。

攫 jué ❶用爪抓取。例～捕。❷掠夺。例～夺。

【攫取】掠夺；夺取。

玃☒ jué 大猴。

懅☒ jué ❶敬畏的样子。❷受惊的样子。

镢□（钁）jué 〈方〉镐。

【镢头】〈方〉刨土的工具。即镐头。

躩☒ jué ❶迅疾。❷跳。

juě ㄐㄩㄝˇ

蹶 ㊁ juě 见〔尥蹶子〕(616 页)。
㊀ jué (539 页)。

juè ㄐㄩㄝˋ

倔 ㊁ juè 性子直，态度生硬。例～头～脑。
㊀ jué (538 页)。

jūn ㄐㄩㄣ

军（軍）jūn ❶军队。例参～｜解放～。❷军队编制单位。在师之上。❸古又同"运(yùn)"。

【军人】军队中有军籍的人员。通常包括服现役的军官和士兵。中国人民解放军中的军人还包括服现役的文职干部、军队院校的学员等。

【军士】❶士兵军衔中高于兵、低于士官的一等。军士的衔级一般分 3—6 级。中国人民解放军的军士的衔级分上士、中士和下士 3 级。❷被授予军士军衔的军人。

【军门】明代把总督或巡抚叫军门。清代把提督或加提督衔的总兵叫军门。

J

【军区】也叫大军区。在本国领土按战略区域设立的军队一级组织。中国人民解放军现设七个军区,由中央军事委员会直接领导。设有领导机关,下辖一定数量的战斗部队和勤务保障部队、省军区、院校,有的还辖卫戍区或警备区等。统一领导辖区的军事工作。

【军火】武器和弹药的总称。

【军心】军队的战斗意志。

【军队】国家建立的执行政治任务的武装组织。是国家政权的主要成分。

【军乐】一般指由军乐队演奏的乐曲。服务于军队的礼仪或行进。

【军务】军队的编制、兵员、行政、装备方面的管理事务。也泛指军队的各种事务。㊞～在身。

【军训】军事训练。㊞高等院校在校学生都应参加～。

【军机】❶军事机宜。㊞贻误～。❷军事机密。㊞泄露～。

【军师】❶古代官名。❷戏曲和旧小说中称在军队中帮助主帅出主意的人。后比喻替人出谋划策的人。

【军团】❶集团军或军以上规模的兵力集团的统称。❷军队中的一级组织。下辖若干个军或师。如中国土地革命战争时期的中国工农红军第一军团。

【军纪】军队的纪律。

【军事】一切与战争和军队直接相关的各种事项的统称。包括国防和军队建设、战争准备和战争实施等。

【军备】国家或政治集团拥有的常备军和军事装备、设施的总称。

J

【军官】军队中被授予少尉以上军衔的军人。中国人民解放军的军官分军事军官、政治军官、后勤军官、装备军官和专业技术军官等。

【军种】军队内按主要作战领域和作战任务不同划分的种类。通常分陆军、海军、空军三个军种。每个军种又包括若干兵种、专业兵。

【军阀】拥有武装部队,并能控制政治的军人或军人集团。中国旧时的军阀,拥有军队,霸占一方,自成派系,并多投靠某个帝国主义国家。

【军语】军事术语的简称。

【军垦】军队开荒从事农业生产。解放战争胜利后,中国人民解放军一部分指战员去开垦荒地参加生产建设。㊞～农场。

【军统】国民政府军事委员会调查统计局的简称。国民党特务组织中规模最大、活动范围最广的一个。1938 年成立。在各地设立特工组织,其特工人员也分布到国民党的军队、警察、行政机关、交通运输等部门内,进行监视控制。1946 年 6 月,军统的公开武装特务部分划归国防部二厅,秘密核心部分改组为国防部保密局。

【军舰】也叫兵舰。在海洋上进行作战或勤务保障活动的大型或较大型的军用船只。

【军容】军人的仪表。也指军队的精神面貌。

【军械】以枪械和队属火炮、导弹为主的各种武器、弹药及其配套的仪器、器材、附件、备件等的总称。

【军衔】区别军人身分、等级的称号和标志。一般分为将官(上将、中将、少将),校官(大校、上校、中校、少校),尉官(上尉、中尉、少尉),士官(军士长)、军士(上士、中士、下士),兵(上等兵、列兵)。

【军港】军用舰船专用的港口。除有供船只停泊、补给、修理等设施和条件外,通常还有荫蔽和便于舰船机动的港湾以及较严密的防御体系等。

【军嫂】对军人妻子的尊称。

【军需】❶特指军队所需的给养、被服、装备等。❷泛指军队作战、训练和生活上所需的物资。❸旧军队的职务名。指办理军需业务的人员。

【军旗】军队的旗帜。中国人民解放军军旗的旗面为红地,左上方缀金黄色的五角星和“八一”两字。

【军徽】军队的标志。中国人民解放军军徽的图案为镶金黄色边的红色五角星,中嵌金黄色“八一”两字。

【军令状】旧小说、戏曲中,将士于接受军令后所立的文书,上面载明如不能完成任务,愿受军法处分。

【军乐队】由铜管乐器、木管乐器和部分击乐器组成的器乐合奏组织。用于军队的各种礼仪和行进。

【军机处】官署名。清代辅佐皇帝的政务机构。始于雍正时处理军务的军机房,后扩大为军机处。其高级官员称军机大臣,位在内阁和六部之上,总揽全国政事,可根据皇帝意图发号施令。

【军事同盟】也叫军事联盟。两个或两个以

上国家或政治集团为对付共同的敌人,通过缔结盟约而建立的军事合作关系。如第二次世界大战期间的中、苏、美、英、法等国结成的反法西斯同盟。

【军事危机】可能发生战争或军事冲突的危险状态。

【军事冲突】也叫武装冲突。敌对双方武装力量之间发生的低强度的军事对抗。就国家之间关系而言,军事冲突尚未构成战争状态。在一定条件下,也可能发展成为战争。

【军事体育】也叫国防体育。与军事有关的体育运动项目。有滑翔、飞行、射击、摩托车、无线电、跳伞、潜水、航空模型、航海模型、摩托艇、航海多项、三防、野营拉练等。

【军事法院】专门人民法院的一种。指设在军事系统中的审判机关。

【军事思想】关于战争和军事问题的理性认识。通常表现为国防与军队建设、战争准备与实施的指导理论和基本原则。是军事科学的重要组成部分,属于社会意识形态,受世界观与方法论的制约,具有鲜明的政治性。

【军事科学】研究战争规律和战争指导规律,用以指导国防与军队建设、战争准备与实施的科学。包括军事思想、军事学术、军事技术、军事历史和军事地理等内容。

【军事基地】驻扎一定数量的军事人员,储备相当数量的武器装备和军事物资,建有相应的组织机构和设施,能够进行特定的军事活动的地区。是军队作战和训练的重要依托。按用途,分作战基地、训练基地、补给基地、武器试验基地等;按军种,分陆军基地、海军基地、空军基地、战略导弹部队基地等。

【军事集团】两个或两个以上国家或政治集团结成的军事联盟组织。如第二次世界大战后建立的北大西洋公约组织和华沙条约组织。有时也指某一国内的大的武装集团。如中国北洋政府时期的奉系、直系、皖系军阀等军事集团。

【军事管制】在战争或其他非常情况下,军队受权对指定地区、单位所实施的强制性管理和控制。

【军国主义】把国家完全置于军事控制之下,一切都为侵略和战争服务的思想和政策。对内实行法西斯统治,疯狂扩军备战,实行国民经济军事化,向人民灌输侵略思想;对外掠夺,干涉他国内政,进行颠覆活动,以至公开发动侵略战争。

【军备竞赛】国家或政治集团之间竞相扩充军备的活动。

【军备控制】国家或国际上对军备发展状况的监督和限制活动。

【军阀主义】依仗所拥有的军事力量横行霸道,蛮不讲理的作风。其表现是以军队控制政权,打骂士兵,欺压群众等。是旧军队的一种作风。

【军队波洛奈兹】也译作《军队波兰舞曲》。钢琴曲。肖邦曲。作于1838年。为所作16首波洛奈兹舞曲的第三首。该曲情绪昂扬、气魄宏大。

皲(皸)

jūn 皮肤因寒冷或干燥而破裂。㊀~裂。

均

jūn ❶平;匀;相等。㊀平~|势~力敌。❷副词。都。㊀~好|~已完成。❸古又同"韵(yùn)"。

【均势】力量或所处地位均衡的态势。

【均值】若干数值的代数除以数值个数所得的商。

【均等】平均;相等。

【均衡】平衡。

【均田制】北魏孝文帝实行的土地制度。其内容为:(1)按人授田。(2)露田(种植谷物的田地)到本人年老,归还官家。桑田作为世业,不须还官。家内原有桑田一律不动。(3)奴婢、耕牛授田。隋和唐初仍行此制,唐中叶废。

【均衡价格】市场上某种商品的需求量恰好等于供给量时的价格。

筠

㊁ jūn〔筠连〕地名。在四川东南。
㊀ yún (1219 页)。

钧(鈞)

jūn ❶古代质量单位。1钧为30斤。㊀千~一发。❷敬辞。旧称与上级或尊长有关的事物。㊀~座|~安。❸制陶器用的转轮。❹古又同"均"。

【钧窑】宋代名窑。位于河南禹州钧台和八卦洞。宋代属钧州,故名。所烧瓷器釉色丰富多彩。多为宫廷贡品。

龟(龜)

㊂ jūn 同"皲"。
㊀ guī (356 页)。
㊁ qiū (803 页)。

【龟裂】❶皮肤因寒冷或干燥而破裂。❷(物体)裂开许多缝子,出现许多裂纹。

君 jūn ❶古代国家的最高统治者。❷敬辞。称对方。㉿汪～|诸～。

【君子】❶先秦时指社会地位高的人。与"小人"相对。❷人格高尚的人。与"小人"相对。㉿正人～。

【君王】古称帝王。

【君主】君主国的国家元首。不同的国家有不同的称谓，如皇帝、国王、女王等。其职位是终身的，而且大多数是世袭的。

【君子国】古人的理想国家。《山海经·海外东经》："君子国衣冠带剑，其人好让不争。"

【君主国】以世袭君主（称国王或皇帝）为国家元首的国家。有君主专制与君主立宪制之分。与"共和国"相对。

【君主制】以君主（国王、皇帝等）为国家元首的国家政权组织形式。君主一般世袭。

【君子协定】也叫绅士协定。国际间有时不在书面上共同签字而以口头或交换函件形式订立的协定。

【君主专制】通常指奴隶制、封建制国家实行的君主独裁的政权组织形式。君主拥有无限权力，把国家与人民当作私有财产，对人民实行残酷的剥削和压迫。

【君臣佐使】中医学名词。指方剂的组织。药物中起主治作用的为君，起辅助作用的为臣，协助主药治疗附带的病并抑制主药不良效果的为佐，引药直达病所的为使。

【君士坦丁堡】见〔拜占庭〕(29 页)。

【君主立宪制】也叫有限君主制。君主权力受宪法限制的国家政权组织形式。是资产阶级同封建势力妥协的产物。有的君主立宪制国家，君主不直接支配国家政权，由内阁掌握行政并对议会负责，如英国；有的由君主任命对他负责的内阁，直接掌握行政权，如 1871—1918 年的德意志帝国；有的立法权形式上为议会行使，但君主有否决权，如丹麦。

莙 jūn 水藻的一种。可食。

【莙荙菜】叶甜菜。参见〔甜菜〕(975 页)。

鲪(鮶) jūn 鱼类。体长而扁，口大而斜。生活在海中。

麏⊠ jūn 同"麇(jūn)"。

菌 ㊀ jūn 菌类。
㊁ jùn (543 页)。

【菌苗】由细菌制备的生物制品。经注射、口服或鼻吸等方法使机体产生自动免疫力。主要起预防疾病的作用，有时也用于治疗。如伤寒菌苗、霍乱菌苗等。

【菌肥】用有益微生物制成的各种菌剂肥料。如五四〇六菌肥、根瘤菌剂等。施用后能增强土壤的生物活性，改善作物营养条件，故又名生物肥料。

【菌类】低等生物的一大类。种类很多。构造简单，无根、茎、叶分化，不具叶绿素，不能自己制造养料，多营寄生或腐生生活。如细菌、真菌等。

【菌落】一般指单个菌体或孢子在固体培养基上生长繁殖后形成的肉眼可见的微生物集团。各种微生物的菌落特征常有不同，鉴定微生物类别时可供参考。

硱⊠ jūn 〔硱磳〕石危立的样子。磳(zēng)。

麇 ㊀ jūn 獐。
㊁ qún (815 页)。

jùn ㄐㄩㄣˋ

俊(*儁*雋) jùn ❶相貌美好。㉿长得～。❷才智过人的。㉿～杰。

【俊秀】❶相貌美丽清秀。❷才智杰出。也指才智杰出的人。

【俊杰】才智出众的人。

【俊俏】容貌美丽。

【俊雅】俊秀文雅。

峻 jùn ❶山高大而陡。㉿崇山～岭。❷严厉。㉿严刑～法。

【峻直】正直。

【峻岭】又高又陡的山。㉿高山～。

【峻刻】严厉苛刻。

【峻急】❶水流急。❷性情严厉急躁。

【峻峭】形容山高而陡。

馂⊠**(餕)** jùn 吃剩下的食物。㉿～余。

浚(*濬) ㊀ jùn 疏通；挖深。㉿～河。
㊁ xùn (1124 页)。

骏(駿) jùn 好马。

【骏足】骏马。

【骏骨未凋】梁任昉《天监三年策秀才》："朕倾心骏骨，非惧真龙；辎軿青紫，如拾地芥。”唐李白《赠韦良宰》诗：“无人贵骏骨，騄耳空腾骧。”后以“骏骨未凋”形容有才能而为国、为民的志向并未减退。骏骨：骏马之骨，比喻贤才。未凋：指志气没有减退。

焌 ㊀ jùn 用火烧。
㊁ qū (807 页)。

畯 jùn 古时的田官。

鵔⊠(鵕) jùn 〔鵔鸃〕锦鸡。

竣 jùn 完毕。㊀～工|告～。

郡 jùn 中国古代划分的行政区域名。秦以前比县小，从秦朝起比县大。

【郡主】唐时称太子之女。宋时称宗室之女。明、清时称亲王之女。

【郡守】春秋战国时边郡的武官名。秦置郡、县，每郡设郡守，成为一郡的最高官职。西汉景帝刘启时改称太守。

【郡望】魏晋至隋唐每郡显贵的家族称郡望，意即世居某郡为当地所仰望。如太原王氏、昌黎韩氏。

【郡县制】中国古代地方政权组织形式。春秋后期有些诸侯国开始在边地设县、郡，战国时逐渐在内地推行。秦统一六国后，普遍推行郡县制，废除分封制，将全国划分为三十六郡，郡下设县，郡守和县令由皇帝任免，不能世袭。这种制度巩固和加强了统一的专制主义的中央集权，后历代封建王朝多采用这一制度。

捃 jùn 拾取。㊀～摭(zhí)。

珺⊠ jùn 美玉。

隽(*雋) ㊀ jùn 同“俊”②。
㊁ juàn (536 页)。

寯⊠ jùn 同“隽(jùn)”。

菌 ㊀ jùn 即蕈(xùn)。
㊁ jūn (542 页)。

攈⊠ jùn 同“捃”。

J

K ㄎ

kā ㄎㄚ

咔 ㊀ kā 拟声词。物体碰撞的声音。[例]～的一声，把他的手铐上了。
㊁ kǎ (545 页)。

咖 ㊀ kā 〔咖啡〕英语音译词。❶常绿灌木或小乔木。浆果深红色，内有种子两粒，炒熟制成粉，可做饮料，有兴奋、健胃等作用。产于热带。中国广东、海南、云南等地有栽培。❷用咖啡种子的粉末制成的饮料。
㊁ gā (298 页)。

喀 kā 拟声词。咳嗽等声音。

【喀嚓】拟声词。东西折断等声音。

【喀土穆】苏丹首都。由喀土穆本市、北喀土穆和恩图曼三个城市组成。位于该国中部，青尼罗河和白尼罗河汇合处。人口近 400 万(1997 年)。是全国最大城市，政治、经济、文化中心和交通枢纽，也是农产品集散地。

【喀布尔】阿富汗首都。位于该国东北部。人口 150 万(1989 年)。是全国最大的城市，政治、经济、文化和交通中心。有巴拉希萨尔古堡遗址、纳迪尔沙河陵墓等古迹。

【喀斯特地貌】也叫岩溶地貌。地表水和地下水对可溶性岩石(如石灰岩)以溶蚀、沉淀作用为主所形成的地貌。一般分地表喀斯特地貌和地下喀斯特地貌。前者如石芽、孤峰、峰林、落水洞等，后者如溶洞、钟乳石、石笋、地下河等。

擖□ kā 用刀子刮。

kǎ ㄎㄚˇ

卡 ㊀ kǎ 音译用字。1. 卡车。2. 卡片。[例]资料～。3. 卡路里的简称。
㊁ qiǎ (777 页)。

【卡门】四幕歌剧。比才曲。作于 1874 年。脚本由梅尔哈克和阿莱维根据梅里美的同名小说改编。剧情梗概：龙骑兵唐何塞因与烟厂工人卡门相恋而失去军职。加入走私活动不久，卡门又爱上了斗牛士埃斯卡米洛。唐何塞妒火中烧，在卡门为埃斯卡米洛斗牛胜利欢呼时，将卡门杀死。

【卡车】载重汽车。

【卡片】长方形厚纸片。一般用来记录资料、登记目录等，以便于分类排列后查考、使用。

【卡通】英语音译词。❶漫画。❷即"动画片"(222 页)。

【卡夫卡】弗朗茨·卡夫卡(1883—1924)奥地利小说家，现代主义文学的创始人之一。作品构思奇特，常把现实生活的细节和幻想情境交织在一起，善于用变形、怪诞、梦幻的手法。代表作有长篇小说《审判》，短篇小说《变形记》《饥饿艺术家》等。

【卡介苗】一种减毒的结核菌活菌苗。接种于人体可预防结核病。因由法国卡尔美特和介林两人最先培育，故名。

【卡巴迪】民间体育活动之一。源于印度。场地长 13 米，宽 10 米。比赛时 7 人上场，站在己方半场，双方轮流派出一名进攻者。进攻者以每个半场的二分之一处的拦截线为界，冲过中线进攻，未越过对方拦截线时，不能让对方捉住，越过拦截线后可用身体的任何部位触及防守者，被触者须出场，输 1 分；反之，进攻者追逐时如喊不出"卡巴迪"或被防守者逮住，也判失分，并被罚出场；如进攻者未触及任何防守者，自己又未犯规或被捉住，则可跑回本方场地，算打平。失分少的一方获胜。

【卡拉奇】巴基斯坦城市。位于该国南部。人口 521 万(1981 年)。曾为首都。是全国最大的城市、经济中心和海港，也是南亚重要的国际航空港。

【卡特尔】法语音译词。意为协定、同盟。资本主义垄断组织的一种形式。即生产同类商品的企业，为了垄断市场和获取高额利润，通过订立协定在划分销售市场、规定商品产量和确定销售价格等方面形成的同盟。参加的企业在生产上、商业上仍保留自己的独立性。

【卡路里】简称卡。热量单位。在15℃的情况下，1克纯水温度升高1℃所需要的热量为1卡。1卡等于4.1868焦。常用1 000卡作为热量的单位，叫做千卡或大卡。

【卡拉OK】随着电声技术发展起来的一种自娱自乐的演唱形式。一般有先期录制好的歌曲伴奏，有配合歌曲录制的画面（景物或者带有剧情的人物），演唱者在伴奏及画面的同期运作下通过麦克风演唱。

【卡那霉素】抗生素的一种。由链霉菌制成。口服用于治疗肠道感染，肌肉注射用于治疗肺炎、败血症、尿路感染等。

【卡特加特海峡】位于丹麦与瑞典之间。是波罗的海和北海之间通道的一段。最窄处为60千米。

【卡玛林斯卡亚幻想曲】管弦乐曲。原题名为《婚礼歌与舞蹈歌曲》。格林卡曲。作于1848年。乐曲以俄罗斯民歌《从山上，从高高的山上》和舞曲《卡玛林斯卡亚》为素材创作而成。该曲被视为俄国管弦乐创作的奠基之作。

佧 □ kǎ 〔佧佤族〕佤族的旧称。

咔 ㊀ kǎ 〔咔叽〕英语音译词。也译作卡其。一种质地厚实的斜纹布。叽(jī)。
㊁ kā（544页）。

胩 kǎ 即"异腈"(1168页)。

咯 ㊀ kǎ 用力咳，使嗓子里的东西吐出来。㊀～痰｜～血。
㊁ lo（633页）。
㊂ gē（314页）。
㊃ luò（651页）。

kāi ㄎㄞ

开（開） kāi ❶打开；展开。㊀～门｜花～。❷河流解冻。㊀河～了。❸起始。㊀～工｜～演。❹挖掘；打通。㊀～矿｜～山。❺举行。㊀～会。❻解除（禁令、限制等）。㊀～禁｜～戒。❼（队伍）出发。㊀～拔｜队伍～走了。❽创办；设立。㊀～工厂。❾发动；驾驶。㊀～炮｜～车。❿写出；开列。㊀～发票｜～药方。⓫支付。㊀～支｜～饷。⓬沸；滚。㊀水～了。⓭指十分之几的比例；印刷上整张纸的多少分之一。㊀三七～｜十六～纸。⓮黄金纯度计量单位。以二十四开为纯金。⓯开尔文的简称。

【开化】❶由原始状态进入有文化的状态。❷〈方〉河流、土地解冻。

【开方】求一个数的方根的运算。

【开户】单位或个人与银行发生存贷款业务关系时开设账户。投资者在股票交易所首次存入保证金也叫开户。

【开心】❶心情快乐舒畅。❷戏弄人以取乐。㊀别拿人～。

【开本】指出版物幅面的大小。全张纸裁出多少等份，就是多少开本。如32开本、16开本。

【开发】❶利用过去没有被利用的自然资源如荒地、森林、矿山等，创造财富。㊀～矿业。❷发现或发掘人才、技术等供利用。㊀～新技术。

【开价】开出价钱；要价。㊀这辆二手车～十万。

【开创】创建；开始建立。㊀～新局面。

【开关】❶接通、截断或切换电路的电器设备。如闸刀开关、电磁开关等。❷设在流体管道上控制流量的装置。如油门开关、气门开关等。

【开导】以道理来启发、引导。

【开戒】原指宗教徒解除戒律。后有时也借指一般人解除吸烟、喝酒等生活上的禁忌。

【开怀】心情十分畅快。

【开局】❶比赛开始。也指比赛的开始阶段。❷泛指工作、活动等开始。也指工作、活动等的开始阶段。㊀今年工业生产出现良好～。

【开张】❶商店等设立后开始营业。㊀择吉～。❷当天的第一次成交。

【开拓】开辟，扩展。㊀～良田｜基因学～了医学研究的新领域。拓(tuò)。

【开拔】队伍由驻地出发。

【开国】建立新的国家或朝代。㊀～大典。

【开明】指思想开通进步，不顽固守旧。

【开罗】埃及首都。位于该国北部，尼罗河三角洲的顶部。人口约1 500万（1997年）。是世界著名古城，非洲最大城市，全国政治、经济、文化中心和交通枢纽。多清真寺。名胜古迹以金字塔、萨拉丁城堡最为著名。

【开放】❶(花)展开。㊀百花～。❷解除封锁、禁令、限制等。㊀对外～。❸机场、港口允许飞机和船只出入;道路允许通行。❹公园、展览会、图书馆等公共场所接待游人、参观者、读者等。❺性格开朗。

【开卷】❶打开书本。借指读书。㊀～有益。❷一种考试方法,即考试时允许考生翻阅有关的书籍。

【开封】别称汴。市名。位于河南省东部,陇海铁路线上。人口56万(1997年)。为中国古都之一,有相国寺、龙亭、铁塔、繁塔、禹王台等古迹。

【开赴】开往;前往。㊀一列列军车～前线|广大干部～生产第一线。

【开标】即"揭标"(496页)。

【开胃】增进食欲。

【开除】将成员除名使退出所在集体。

【开架】❶指读者可直接在书架上取书。❷指顾客可直接在货架上选取商品。

【开恩】称别人给予宽恕或恩惠。

【开缺】旧指官员去职或死亡后,原有职位空缺,准备另选他人充任。

【开斋】❶指吃素的人恢复吃荤。❷伊斯兰教徒结束封斋。

【开窍】❶思想弄通。❷理解;领悟。❸(儿童)开始增长见识。

【开朗】❶宽敞明亮。㊀豁然～。❷(心胸)舒展,(性格)坦率。

【开展】❶使(工作、运动等)开始并发展。㊀～劳动竞赛。❷开朗。㊀思想不～。

【开眼】看到了过去未见过的新奇的事物,增加了见识。

【开盘】交易市场中每个营业日开市后第一笔交易成交的价格。

【开脱】解除、推脱(罪名或对过失应负的责任)。㊀～罪责。

【开释】释放被拘禁的人。

【开阔】❶宽广。㊀～的广场|心胸～。❷使宽广。㊀～眼界。

【开幕】❶演出开始时拉开舞台上的幕。❷会议开始举行、展览会开始展出等。

【开罪】得罪(人)。

【开辟】❶打开,打通,开创(场地、道路、局面等)。㊀十月革命～了人类历史的新纪元。❷开发。㊀～荒地。

【开端】开头。㊀良好的～。

【开颜】脸上现出高兴的样子。

【开镜】指电影、电视片开始拍摄。

【开镰】(庄稼成熟)开始收割。

【开小差】指士兵由队伍里逃跑。也把思想不集中说成思想开小差。

【开门红】比喻在一个时期或一项工作开始时就做出显著的成绩。

【开元寺】佛教寺院建筑。始建于公元686年。在福建泉州。中轴线上有紫云屏、天王殿、拜殿、大雄宝殿、甘露戒坛及藏经阁等建筑,后部有准提禅林、檀樾祠、功德堂、尊胜院和水陆寺等。大雄宝殿为明代重建,重檐歇山顶,殿内斗拱装饰有独特的飞天伎乐。其前部的月台须弥座上雕有人面狮身和狮子像。大殿前两侧各建有一座宋代石塔,所有构件都用花岗岩制成。是全国重点文物保护单位。

【开尔文】简称开。热力学温度单位。为纪念英国物理学家威廉·汤姆森(被封为开尔文勋爵)而命名。是国际单位制中七个基本单位之一。

【开司米】英语音译词。原指克什米尔产的山羊绒织品,现也泛指高级细而软的毛线或毛织品。

【开场白】演剧开始时引入正题的道白。比喻文章或讲话等引入正题的部分。

【开合桥】也叫开启桥、活动桥。为满足水上运输要求而可以开启的桥。开合方式有平转、立转、直升三种。当船舶要从桥下通过时,可把两边桥面同时吊起或旋转开放,船过后再复原。有的浮桥也可作开合桥。

【开皇律】隋文帝开皇年间制定的法律。律文五百条,分《卫禁》《户婚》《盗贼》《断狱》等十二篇,较前代简明。废除了前代一些酷刑和孥戮相坐之法,是一大进步。但根本上仍维护封建地主阶级利益,贵族官僚仍享有特权。

【开倒车】比喻违反前进的方向,向后退。

【开斋节】伊斯兰教的重要节日之一。时间是伊斯兰教历的十月一日。开斋节就是穆斯林们封了一个月的斋以后,庆祝斋功胜利完成的日子。在这一天穆斯林们要沐浴盛装,到清真寺举行会礼,互相祝贺。中国新疆地区称为"肉孜(波斯语音译词)节"。伊斯兰教历是纯阴历,每年比公历少10天左右,开斋节的时间每年都不一样,平均36年循环一次。

【开阔地】地面平坦、视界开阔的地区。军事上便于观察和射击，但不便于隐蔽。

【开普勒】约翰·开普勒(1571—1630)德国天文学家。他接受了哥白尼的太阳中心说，但对哥白尼的行星运动圆形轨道理论等作了科学的修正。提出了以自己名字命名的行星运动三定律，即椭圆形轨道定律、面积定律和周期定律，他的学说奠定了天体力学的基础。

【开普敦】南非共和国城市。位于该国南部，临大西洋。人口235万(1991年，包括郊区)。是全国第二大工业中心、重要港口，立法机关设此。是印度洋和大西洋间绕非洲南端航线必经之地。

【开塞露】直肠用溶液剂。内含山梨醇、硫酸镁、甘油等。用时将药液挤入直肠，促使排便。

【开山祖师】原指在名山开创寺院的和尚。后来比喻学术、技艺等的某一派别的创始人。

【开门见山】比喻说话写文章一开头就进入正题，不绕圈子。宋严羽《沧浪诗话·诗评》："太白天才豪逸，语多率然而成者…太白发句，谓之开门见山。"

【开门揖盗】打开大门，恭敬地请强盗进来。比喻引进坏人，自招祸害。《三国志·吴书·孙权传》："况今奸宄竞逐，豺狼满道，乃欲哀亲戚，顾礼制，是犹开门而揖盗，未可以为仁也。"揖(yī)：拱手行礼。

【开天辟地】古代神话中说盘古氏开天辟地，从此才有人类。后来用"开天辟地"比喻有史以来。辟：开辟。

【开元之治】史家对唐玄宗早期政绩的美称。玄宗开元年间(713—741)，先后以姚崇、宋璟等为相，整理弊政，兴修水利，生产得到发展和提高，户口数较唐初增加了四倍。"丝绸之路"畅通，海上航行也有发展。成为当时东方经济文化交流的中心。

【开元通宝】也叫开元钱。中国古代铜铸币。唐初钱币改革，不再以铢为计量单位，改用两、钱、分、厘的十进位法，废五铢钱；铸行开元通宝，仍为方孔圆形，十枚重一两。

【开云见日】比喻误解消除或黑暗过去，光明到来。《后汉书·袁绍传》："旷若开云见日。"

【开仓济贫】旧指打开官府的粮食仓库，救济贫穷的百姓。

【开明绅士】也叫开明士绅。指中国民主革命时期，在中国共产党的团结教育下，地主和富农阶级中，某些曾经反对蒋介石反动统治和帝国主义侵略，以积极行动赞助人民民主事业，并拥护人民民主专政和土地改革的人士。

【开罗会议】第二次世界大战期间，中、美、英三国首脑于1943年11月22日至26日在埃及首都开罗举行的会议。会议商讨了联合对日作战的计划，决定战后剥夺日本帝国主义侵占的一切领土。12月1日，会议发表了《开罗宣言》。

【开罗宣言】1943年12月1日发表的中、美、英三国开罗会议宣言。《宣言》明确规定剥夺日本自第一次世界大战以来在太平洋上所占领的全部岛屿，并将日本侵占的中国领土如东北、台湾、澎湖列岛等归还中国，还决定恢复朝鲜的独立自由。三国声明一致对日作战到底，日本必须无条件投降。

【开放经济】允许商品自由进出口，资金和劳动力在国际间自由流动的国家或地区的经济。

【开卷有益】打开书本看一看，就会有收益。宋王辟之《渑水燕谈录》卷六："太宗(宋太宗)日阅《御览》三卷，因事有阙，暇日追补之，尝曰：'开卷有益，朕不以为劳也。'"

【开宗明义】原为《孝经》第一章名。后指说话写文章一开头就点明主要的意思。开宗：阐发宗旨。明义：说明意义。

【开诚布公】以诚意相见，坦率无私地表示意见。《三国志·蜀书·诸葛亮传评》："诸葛亮之为相国也…开诚心，布公道。"宋许月卿《次韵陈肇芳竿赠李相士》诗："集思广益真宰相，开诚布公肝胆倾。"

【开路先锋】古指军队中先行开路或打头阵的将领。现比喻带头前进的人。

【开源节流】开辟水源，节制水流。比喻增加收入，节省支出。《荀子·富国》："故明主必谨养其和，节其流，开其源，而时斟酌焉，潢然使天下必有馀，而上不忧不足。"

【开平矿务局】也叫开平煤矿。中国最早的用机器开采的煤矿。1876年李鸿章派唐廷枢筹办，1878年在唐山开平镇成立矿局。1881年开始产煤。1898年年产量73万吨。1900年八国联军侵华，英商乘机侵吞煤矿。1912年开平煤矿与滦州煤矿合并，称为开滦矿务局。

【开放性损伤】使皮肤黏膜的完整受到破坏的损伤。如刺伤、切伤等。

锎(鐦) kāi 人造金属元素，符号Cf，原子序数98。有放射性，由人工核反应获得。

揩 kāi 擦；拭。例～干净。

kǎi ㄎㄞˇ

剀(剴) kǎi 〔剀切〕❶切实。例～教导。❷符合事理。例～中理。切(qiè)。

凯(凱) kǎi 军队得胜回来奏的乐曲。例奏～。

【凯旋】胜利归来。

【凯歌】胜利的乐歌。

【凯恩斯】约翰·凯恩斯(1883—1946)英国经济学家，凯恩斯主义的创始人。主张依靠一只"看得见的手"即政府对社会经济生活进行有力的、大规模的干预，才有可能摆脱萧条和失业。凯恩斯主义对西方国家的经济政策产生了很大影响。代表作有《就业、利息和货币通论》。

【凯旋门】古罗马时代的纪念性建筑。其中著名的有巴黎雄师凯旋门(也叫明星广场凯旋门，通称凯旋门)，建于1808—1836年，设计人为查尔格林。为歌颂拿破仑军队的战功而建。高49.4米，宽44.8米，厚22.3米，主立面券门高36.6米，宽14.6米。立面构图简练，体量硕大，附属建筑雕塑雄伟。墙上还刻有96个胜利战役及386个将领的名字。

【凯恩斯主义】英国经济学家凯恩斯创立的宏观经济理论。主张国家必须管理经济。认为失业和经济危机是由于消费不足和投资不足引起的。只要国家干预经济生活，刺激消费，刺激私人投资，特别是由国家直接投资，就可以避免失业和经济危机。为此，主张实行赤字财政、增发纸币、扩大国家投资等政策。

垲(塏) kǎi 地势高而干燥。

闿(闓) kǎi 开。

恺(愷) kǎi 欢乐；和乐。

【恺悌】和乐平易。悌(tì)：顺从兄长。

【恺撒】凯尤斯·恺撒(前100—前44)古罗马政治家、军事家。公元前59年当选为执政官。公元前58年任南高卢(意大利北部)总督。先后征服高卢(法国)全境和不列颠(英国)。公元前45年被推为终身独裁官，次年被元老院反对派暗杀。"恺撒"一词后来成为西方帝王习用的头衔。

铠(鎧) kǎi 铠甲，古代作战时穿的护身衣。多用金属片连缀而成。

蒈 kǎi 有机化合物，分子式$C_{10}H_{18}$。是莰和蒎的异构体。某些天然芳香成分是蒈的衍生物。

楷 ㊀ kǎi ❶法式；模范。例～模。❷楷书。例小～。
㊁ jiē (495页)。

【楷书】也叫正书、正楷、真书。汉字字体之一。由隶书演变而来，字体方正，结构匀称，笔画工整。始于东汉末年，通行至今。

【楷体】❶楷书。❷指拼音字母的印刷体。

【楷模】模范；榜样。

锴(鍇) kǎi 好铁。多用于人名。

慨(❷*嘅) kǎi ❶气忿。例愤～。❷感慨。例～叹。❸慷慨；不吝惜。例～允。

【慨然】❶毫不吝惜地；大方地。例～相赠。❷感慨地。例～长叹。

kài ㄎㄞˋ

忾(愾) kài 愤恨。例同仇敌～。

锿☒(鑀) kài 〔锿沐〕古国名。

惕☒ ㊀ kài ❶贪。❷荒废。
㊁ qì (776页)。

kān ㄎㄢ

刊(*栞) kān ❶削除；改正。例～谬补缺｜～误。❷刻。例～石｜～版。❸排版印刷。例～行｜创～。❹出版物。多指期刊。也指报上定期出的有专门内容的一版。例丛～｜月～｜副～。

【刊行】(书报)出版发行。

【刊物】定期或不定期的出版物。例文学～。

【刊载】刊登。载(zǎi)。

【刊落】删掉;删削。例～浮词。
【刊登】指文章消息等登在报章或刊物上。
看 ㊁ kān ❶守护;照管。例～门|～孩子。❷监管。例～押。
㊀ kàn (549 页)。
【看护】❶护理(伤病员)。❷护士的旧称。
【看青】看守、保护快要成熟的庄稼。
【看管】❶监视管理。❷照顾。
【看守所】指看押未决犯的场所。
【看守内阁】实行内阁制的国家,在议会任期届满举行改选,或议会被解散,或内阁遭议会投不信任票,必须更换而新内阁没有组成之前,暂时留任继续处理日常工作的原内阁称为看守内阁。
勘 kān ❶校对;核对。例～误|校～。❷探测;实地查看。例～探。
【勘测】勘察和测量。
【勘误】书刊印出后改正编辑、排印方面的错误。
【勘探】用地质方法及钻探、坑探、物探、化探等手段,查明地质及矿产情况。如矿床勘探、水文地质及工程地质勘探等。
【勘察】进行实地调查或查看。
堪 kān ❶可以;能够。例～当重任。❷能忍受;能支持。例难～|疲惫不～。
【堪布】❶藏传佛教中僧院和寺院的主持人。❷主持受戒的喇嘛。❸原西藏地方政府的僧官名。
【堪舆】风水。舆(yú)。
【堪培拉】澳大利亚首都。位于该国东南部。人口约 30 万(1996 年)。是一座作为首都而兴建的城市。1913 年开始兴建,1927 年成为首都。城市依山环湖,绿地面积大,是世界著名的花园城市。
嵁⊠ kān 〔嵁岩〕❶形容岩石不平。❷峭壁。
戡 kān 用武力平定(叛乱)。
龛(**龕**) kān ❶供奉神位、佛像等的小阁子。❷古又同“戡”。

kǎn ㄎㄢˇ

坎(❶ *埳) kǎn ❶小坑;低陷的地方。❷同“槛(kǎn)”。❸田野中自然形成或人工修筑的垄状物。例土～。❹八卦之一。代表水。参见〔八卦〕(16 页)。❺坎德拉的简称。
【坎坷】❶坑坑洼洼高低不平。❷比喻波折多,不得志。坷(kě)。
【坎壈】困顿,不得志。壈(lǎn)。
【坎儿井】中国新疆维吾尔自治区利用地下水灌溉农田的一种水利设施。即在坡地上打一连串竖井,井底有暗渠相通,井水最后流入明渠,灌溉农田。汉代新疆各族人民就开始凿坎儿井。
【坎土曼】维吾尔族地区一种铁制农具。用于锄地、挖土等。
【坎德拉】简称坎。发光强度单位。是国际单位制中七个基本单位之一。
莰 kǎn 也叫莰烷。有机化合物的一类,通式 $C_{10}H_{18}$。樟脑是这一类中常见的代表。
砍 kǎn ❶拿刀、斧等用力劈、剁。例～柴。❷除去;削减。例这个基建项目应该～掉|～价。❸〈方〉把砖石等扔出去打。例他的脑袋被砖头～了一个包。
欿⊠ kǎn ❶不自满。例～然。❷忧愁;不得意。
侃(❶ *偘) kǎn ❶理直气壮、从容不迫的样子。例词气～然。❷〈方〉闲聊。例两人一见面就～起来没完。
【侃侃】说话理直气壮、从容不迫的样子。例～而谈。
槛(**檻**) ㊁ kǎn 门槛。
㊀ jiàn (481 页)。
顑⊠(**顑**) kǎn 〔顑颔〕因饥饿而面黄肌瘦的样子。颔(hàn)。
壈⊠ kǎn 同“坎坷”的“坎”。
轗⊠(**轗**) kǎn 同“坎坷”的“坎”。

kàn ㄎㄢˋ

看 ㊀ kàn ❶瞧。例～书|～戏。❷观察判断。例～问题要～本质,～主流。❸访问。例～望|～朋友。❹照料;对待。例照～|另眼相～。❺诊治。例～病|～牙。
㊁ kān (549 页)。
【看好】事情将出现好的势头;持乐观估计。

K

例市场销售～|～巴西队。
【看相】即“相面”(1077 页)。
【看重】重视；看得起。
【看涨】市场上价格有上涨的趋势。
【看跌】市场上价格有下跌的趋势。
【看风使舵】也说看风使帆。比喻根据情势，随机应变(多含贬义)。宋普济《五灯会元》卷十六：“看风使帆，正是随波逐浪。”
【看菜吃饭，量体裁衣】比喻根据具体情况处理问题，办理事情。量(liàng)。

衎☒ kàn 快乐；舒适。

崁□ kàn 用于地名，如崁脚(在台湾省)。

墈 kàn 堤岸。多用于地名，如墈上(在江西)。

磡□ kàn 山崖。多用于地名，如红磡(在香港)。

阚(闞) ㊀ kàn 姓。㊁ hǎn (377 页)。

瞰(*矙) kàn ❶从高处向下看。例俯～|鸟～。❷窥视。
【瞰制】从高处对下面进行的观察和控制。例～作用。

kāng ㄎㄤ

闶(閌) ㊀ kāng 〔闶阆〕〈方〉也叫闶阆子。建筑物中空廓的部分。阆(láng)。
㊁ kàng (553 页)。

忼☒ kāng 同“慷”。

康 kāng ❶健康；安宁。❷丰盛；富裕。例小～之家。
【康乐】安乐。
【康复】恢复健康。
【康熙】❶清圣祖年号。❷(1654—1722)即清圣祖爱新觉罗·玄烨。在其统治期内采取了一些有利于恢复和发展社会生产的措施，平定了三藩之乱。在台湾建立行政机构，击败侵入中国黑龙江流域的沙俄侵略军。1689 年签订了中俄《尼布楚条约》，第一次从法律上规定了中俄东段边界。从 1690 年起，三次出兵平定和沙俄勾结的准噶尔部首领在青海、新疆和西藏发动的叛乱，进一步巩固了多民族封建国家的统一。他进行全国性土地测量，完成《皇舆全览图》的绘制。固定人口税，制定历法，发展农业生产。推崇程朱理学，开博学宏词科。强化思想统治。
【康德】伊曼努尔·康德(1724—1804)德国哲学家，德国古典哲学的奠基人。他的哲学的基本特征是调和唯物主义和唯心主义，承认在人的意识之外的“自在之物”是感觉的对象，但又断言“自在之物”是不可认识的。认为人们通过先天的主观形式(如时间、空间等)认识的东西已经不是原来“自在之物”的本来面目，而是打上主观烙印的“现象”，以此来论证人的认识能力的有限性，给信仰留下地盘。著有《纯粹理性批判》等。
【康衢】大路。
【康有为】(1858—1927)戊戌变法时期资产阶级改良派代表人物。原名祖诒，字广厦，号长素，又号更生，广东南海(今广州)人。青年时曾向西方国家寻求救国真理。中日甲午战争后，联合在京会试的举人一千三百余名上“万言书”，要求拒签中日和约，迁都抗战，变法维新，改君主专制为君主立宪。后积极宣传变法维新思想。1898 年光绪帝任用他和梁启超等人参与政事，实行变法，遭到顽固势力反对。变法失败，逃往日本。和梁启超等组织保皇党反对孙中山领导的资产阶级革命。1917 年赞助张勋复辟。著有《新学伪经考》《孔子改制考》《大同书》等。
【康采恩】德语音译词。多种企业集团。资本主义垄断组织的高级形式。是以某一大资本家集团为核心的不同经济部门的许多企业联合组成的垄断组织。它包括不同部门的工业企业、大银行、贸易公司、运输公司等等，明显地表现出银行资本和工业资本融合的特点。目的是为了在争夺国内外市场、原料产地和投资场所的竞争中占有优势，以取得垄断高额利润。参加的企业，在法律上保持独立，实际上被金融寡头控制。
【康拜因】俄语音译词。联合收割机。
【康庄大道】平坦通达的大路。
【康帕内拉】托马索·康帕内拉(1568—1639)意大利空想社会主义者。其代表作《太阳城》以对话的形式，揭露和批判了当时的意大利，描述了一个理想国——太阳城。

K

【康定斯基】瓦西里·康定斯基（1866—1944）俄国画家，抽象绘画创始人之一。主张绘画以色彩、点、线、面即兴表现主观情感和内在需要，倡导绘画的音乐性。代表作有《构图2号》等。著有《论艺术中的精神》《点、线、面》。

【康熙字典】大型字典。清张玉书等奉诏编撰。收47 035字，按部首笔画排列，用反切和直音注音，载古文以溯其字源，列俗体以著其变迁，释义详细，书证丰富。康熙五十五年（1716）初刻，后流传较广。清人王引之《字典考证》、今人王力《康熙字典音读订误》均订正其数千处讹误。

【康斯特布尔】约翰·康斯特布尔（1776—1837）英国画家。擅长风景画，多描绘恬静幽美的英国乡村景色，充满华兹华斯式的田园诗意。代表作有《干草车》等。

慷 kāng〔慷慨〕❶情绪激昂，充满正气。㊀～陈词｜～就义。❷大方，不吝惜。㊀～无私的援助。

槺□ kāng 见〔榔槺〕（582页）。

糠（*穅 *粇） kāng ❶稻、麦、谷子等子粒上脱下来的皮壳。❷萝卜等发空，质地变松。㊀萝卜～了。

【糠醛】也叫呋喃甲醛。有机化合物，分子式$C_5H_4O_2$。无色油状液体，有杏仁味，在空气及光中变黄棕色，能溶于水、醇和醚。由玉米芯、甘蔗渣等农副产品制得。可用作油脂、石油制品的溶剂及高分子材料和药物等的原料。

鳈□（鱇） kāng 见〔鮟鱇〕（9页）。

káng ㄎㄤˊ

扛 ㊀ káng 用肩膀承担。㊀～枪｜～粮食。

㊁ gāng（307页）。

【扛活】旧指给地主、富农当长工。

kàng ㄎㄤˋ

亢 ㊀ kàng ❶高；高傲。㊀高～｜不卑不～。❷过度；极。㊀～旱。❸星名。二十八宿之一。

㊁ gāng（307页）。

【亢进】生理机能出现异常兴奋状态。

【亢旱】旱情极其严重。

伉 kàng ❶匹敌；相称。㊀～俪。❷强壮。㊀～健。

【伉俪】夫妻。

抗 kàng ❶抵抗；抵御。㊀～日战争｜～旱。❷拒绝。㊀～命。❸对等。㊀分庭～礼。

【抗丁】指旧时百姓抗拒统治者抓壮丁当兵。

【抗击】对敌人的侵犯进行抵抗、反击。

【抗议】通过口头或书面正式提出强烈的反对意见，以表明自己的立场和态度。

【抗拒】抵制，拒绝。

【抗旱】天旱时，采取给水措施，使农作物不受或少受损害。

【抗体】机体内淋巴细胞在抗原物质的刺激下所产生的一种具有特异性免疫功能的蛋白质。能和相应的抗原结合，发生特异性反应。免疫基本上是由于抗体的作用。

【抗诉】人民检察院发现人民法院作出的判决或裁定确有错误，依法提出重新审理的诉讼要求，从而引起第二审程序或审判监督程序的诉讼制度。民事抗诉与刑事抗诉不同，前者仅可以引起审判监督程序，后者还可以引起第二审程序。

【抗命】拒不接受命令。

【抗战】反抗外国侵略者的战争。特指中国人民1937—1945年抗击日本帝国主义侵略的民族解放战争。

【抗原】能激发机体产生抗体和细胞免疫，并能与抗体相结合的物质。如某些蛋白质、微生物等。

【抗税】纳税义务人公然拒不履行国家税法规定的纳税义务的违法行为。

【抗御】抵抗和防御。

【抗属】抗日战争时期在抗日根据地坚持抗日的工作人员的家属。

【抗粮】拒绝缴纳公粮。

【抗暴】抵抗和反击反动暴力的迫害。

【抗衡】对抗；匹敌。

【抗辩】不接受责难，为自己辩护。

【抗生素】也叫抗菌素。由细菌、真菌等产生的可以抑制或杀灭其他细菌、真菌等的物质。按作用方式可分为四类：(1)阻止细菌等合成细胞膜的，如青霉素；(2)干扰和抑制细菌等蛋白质合成的，如四环素；(3)

干扰和抑制细菌等核酸代谢的，如利福霉素；(4)破坏细菌等细胞膜结构的，如多黏菌素。

【抗生菌】能抑制别种微生物的生长发育，或能产生抗生素的微生物。主要有放线菌及若干种真菌、细菌等。如链霉菌产生链霉素，青霉菌产生青霉素。

【抗毒素】能中和相应外毒素的毒害作用的一种抗体。机体经感染某种传染病(如白喉)或注射细菌的类毒素后就能产生。

【抗药性】生物对于药物的抵抗性。当药物多次使用或用量不足时，病菌、寄生虫、害虫等逐渐产生抵抗药物的能力，致使药物效能减低或消失。如结核杆菌对链霉素产生抗药性较快。

【抗逆性】植物对冷冻、高温、干旱、水涝、盐碱和病虫害等不良环境条件的抵抗能力。抗逆性的强弱是鉴定品种性状的重要指标。

【抗菌素】即“抗生素”(551页)。

【抗酸药】一类中和胃酸的药物。多为碱性，常用于治疗胃、十二指肠溃疡和胃酸过多症。可分为吸收性抗酸药，如碳酸氢钠；非吸收性抗酸药，如氧化镁、氢氧化铝凝胶和三硅酸镁，后两种还能在溃疡面上形成一层保护性薄膜，以减少胃酸和胃蛋白酶对溃疡面的腐蚀作用。

【抗辩权】对抗请求权或否认对方要求的权利。民法中有先诉抗辩权、不安抗辩权和同时履行抗辩权。

【抗日战争】1937年7月至1945年8月，中国人民抗击日本帝国主义侵略的民族解放战争。1937年七七事变，开始了全国的抗日战争。在中国共产党的倡导下，以国共两党合作为基础的抗日民族统一战线正式建立。中国共产党将红军改编为八路军、新四军，开赴华北、华中，开展游击战争，建立广大的敌后抗日根据地，有力地抗击了日本侵略军，支援了正面战场的抗战和同盟军在太平洋战场的作战。同时打退国民党当局发动的三次反共高潮，战胜了严重的困难。正面战场上的作战推迟了日本对中国的占领，但不能阻止日军的进攻，华北、华东、华中、华南的大片国土相继沦陷。国民党军队撤退到西北和西南地区。以汪精卫为首的亲日派叛国投敌，蒋介石则消极抗日，积极反共。1944年起解放区军民展开了攻势作战，将日伪军压缩包围于主要城市和交通线上，解放区扩大到86万平方千米，人民军队达93万，民兵220万，为转入全面大反攻创造了有利条件。1945年8月美国在日本投下两颗原子弹，苏联出兵东北，对日宣战。8月15日日本宣布无条件投降。9月2日日本在投降书上签字。9月3日为抗日战争胜利纪念日。中国共产党领导的抗日武装，是取得抗战胜利的决定性力量。抗战期间，中国军民共毙伤俘日军155万余人，伪军118万余人，接受投降日军128万余人。中国人民伤亡2 100万人，军队伤亡380万余人，直接经济损失1 000亿美元，间接经济损失5 000亿美元。

【抗风火柴】在大风中能擦燃不灭的火柴。这种火柴，还不怕水。供野外或海上工作人员使用。

【抗拉强度】也叫抗张强度。材料对拉力的抵抗能力。用材料被拉断时单位横断面积所受的力的大小来表示。

【抗贫血药】治疗缺铁性贫血或巨幼红细胞性贫血的药物。缺铁性贫血常见于急慢性失血、儿童生长期、妇女妊娠和哺乳期等，治疗用铁剂有硫酸亚铁、富马铁等；巨幼红细胞性贫血是因缺乏叶酸、维生素B_{12}所致，可酌情补充这两种营养素。

【抗肿瘤药】具有治疗肿瘤作用的化学药物和天然药物。按药物作用可分为三类：(1)直接作用于肿瘤细胞的，如烷化剂、抗代谢药、抗生素等；(2)促使癌细胞分化的，如雌激素、雄激素、干扰素、维生素A类等；(3)调节机体内部机能抗肿瘤的，如干扰素和从酵母、菌类、地衣类及某些植物中提取的多糖。

【抗毒血清】用病菌产生的外毒素注射到动物体内而获得的血清。可以用来预防或治疗人的某些传染病。

【抗菌血清】用病菌注射到动物体内而获得的血清。可以用于预防或治疗人的某些传染病。

【抗日根据地】也叫抗日民主根据地。抗日战争时期，中国共产党领导建立的革命根据地。包括陕甘宁、晋绥、晋察冀、冀热辽、晋冀豫、冀鲁豫、山东、苏北、苏中、苏南、淮北、淮南、皖中、浙江、广东、琼崖、湘鄂赣、鄂豫皖、河南十九个大的根据地，有9 550万人口。其中，陕甘宁边区是中共中央所在地，是全国抗日运动的中心。抗日根据

K

地是党领导的八路军、新四军和其他人民武装同当地党组织和人民群众一起，经过艰苦斗争建立和发展起来的，是人民抗日力量赖以执行自己的战略任务，达到保存和发展自己、消灭和驱逐敌人之目的的战略基地。

【抗日军政大学】简称抗大。全称中国人民抗日军事政治大学。1937年初由中国人民抗日红军大学改称，校址在延安。学员以从部队中抽调的干部为主，并招收全国各地到陕北的知识青年。学习要求理论联系实际，边学习、边战斗、边生产。抗战八年间，先后在各抗日民主根据地建立十二所分校，培养了二十多万名革命干部。

【抗日救亡运动】1931年九·一八事变后，中共中央两次发表宣言，号召全国人民掀起抗日救亡运动高潮。各地的工人、学生和各界爱国人士，举行集会、示威、罢工、罢课，并派代表向南京国民党政府请愿，反对不抵抗政策，要求抵抗日本帝国主义的侵略。1932年一·二八事变发生，工人、农民、学生积极支援英勇抵抗日本侵略军的十九路军，各地人民组织"抗日救国会"等团体，开展募捐支援抗日军队和抵制日货等运动。1935年华北事变后，爆发了一二·九运动，广大青年学生在中国共产党领导下，提出了"停止内战，一致对外"的口号，各界群众举行游行示威，成立救亡团体，出版救亡刊物，抗日救亡运动出现新高潮。

【抗美援朝运动】中国人民支援朝鲜人民抗击美国侵略的群众运动。1950年6月25日朝鲜内战爆发。第三天，美国即宣布援助韩国，同时命令第七舰队开入台湾海峡，干涉中国内政，又操纵安理会通过决议，组成以美军为首的所谓"联合国军"，扩大侵朝战争。朝鲜军民奋起抵抗。9月，美国侵略者把战火烧到中朝边境。中共中央根据朝鲜政府的请求和中国人民的意愿作出"抗美援朝，保家卫国"的决策，组成中国人民志愿军，于1950年10月19日开赴朝鲜前线，与朝鲜军民并肩作战。经过近三年的英勇奋战，迫使美国于1953年7月签订了《朝鲜停战协定》。在此期间，中国人民在国内开展了爱国主义和国际主义的教育，大批青年踊跃参加志愿军，全国人民掀起了增产节约运动和捐献运动。这不仅支援了抗美援朝战争，也促进了国民经济的恢复和发展，推动了各项社会改革运动的进行。

【抗日民族统一战线】抗日战争时期，中国共产党发起和领导的，为反抗日本帝国主义的武装侵略，争取民族解放而结成的除亲日派、汉奸以外的全民族的广泛联盟。

【抗日救国十大纲领】1937年8月中共中央洛川会议上通过并向全国各界提出的抗日救国纲领。主要内容有：打倒日本帝国主义；全国军事总动员；全国人民总动员；改革政治机构；实行抗日的外交政策、财政经济政策、教育政策；改良人民生活；肃清汉奸、卖国贼、亲日派，巩固后方；实现抗日民族团结等。

闶□ kàng 〈方〉藏。

犺☒ kàng 健壮的狗。

闶(閌) ㊁ kàng 高大。㊀ kāng (550页)。

炕(❶*匟) kàng ❶北方用土坯、砖等砌成的睡觉用的长方台，内中有孔道，跟烟囱相通，用以烧火取暖。❷〈方〉烤。㊥把褯子在热炕上～一～。

钪(鈧) kàng 金属元素，符号Sc，原子序数21。是稀土元素之一。银白色，质软。用于制特种玻璃及合金。

kāo ㄎㄠ

尻 kāo ❶屁股。❷脊骨的末端。㊥～骨。

kǎo ㄎㄠˇ

考(❶-❹*攷) kǎo ❶测验；考试。㊥高～｜大～。❷提出问题让对方回答。㊥一下子被～住了。❸检查。㊥～勤。❹研究。㊥～古。❺指死去的父亲。㊥先～。

【考古】根据古代的遗迹、遗物、文献来研究古代的历史。

【考级】参加某一专业或技能的定级或晋级考试。㊥英语～｜手风琴～。

【考究】❶查考，研究。❷讲究。㊥这本书的装帧很～。

【考证】研究文献或历史问题时，根据资料

来考核、证实和说明。
【考试】检查知识水平或技能水平的一种方法。方式不一，通常分笔试(书面回答)、口试(口头回答)、现场作业(当场操作)等。
【考查】检查衡量(成绩、行为、活动等)。
【考核】考查核实。
【考虑】周密地想。
【考验】通过实践或在某种困难、不利的环境中来检验人的立场、观点、思想、方法是否坚定。
【考据】考证。
【考绩】考查工作成绩。
【考勤】考查、记录出勤的情况。
【考察】❶实地观察调查。㊟～报告。❷深入分析研究。㊟～问题的实质。
【考工记】书名。先秦古籍中的科学技术著作。书中记载了六门工艺的近三十个工种的技术规则，以及都城形制、宫室制度、城市道路体系、城市堤防规定等。是研究中国古代科学技术的重要文献。
【考姆兹】拨奏弦鸣乐器。有葫芦形、六角形两种形制。流行于新疆地区。
【考茨基】卡尔·考茨基(1854—1938)德国社会民主党领导人之一。认为在资产阶级民主制度下可使用"和平的经济、法律和道德的手段"，通过"人道主义和民主的道路"取得议会多数，从而过渡到社会主义。
【考比伦杯】马赛尔·考比伦所赠的银杯。世界乒乓球锦标赛女子团体赛冠军获得此杯。

拷 kǎo 打。㊟～问。
【拷贝】英语音译词。复制；摹本。电影方面指由电影底片印制出来供放映的影片。
【拷绸】也叫拷纱。一种丝织物。外观类似涂漆，富有光泽，穿着轻快凉爽。

栲 kǎo 常绿乔木。叶互生，壳斗通常近球形。木材坚硬，供建筑用。树皮含鞣酸，可提制栲胶和染料。如红栲、南岭栲。
【栲栳】也叫笆斗。用竹篾或柳条编成的圆筐，形状像斗，用来打水或装东西。
【栲胶】一种主要成分是鞣质(单宁)的物质。落叶松树皮等经用水浸取、过滤、浓缩、脱色、干燥等过程而制成。主要用于鞣制皮革、钻探、锅炉除垢等。

烤 kǎo ❶向着火取暖。㊟～火。❷把东西放在火旁使干或熟。㊟～烟叶|～肉。
【烤烟】经过特别加工，烤干变黄的烟叶。是卷烟的主要原料。

箸⊠ kǎo 〔箸笔〕栲栳。

kào 丂幺ˋ

铐(銬) kào ❶手铐；锁住两个手腕的刑具。❷用手铐锁住。㊟把犯人～起来。

犒 kào 用酒食或财物慰劳、奖励。㊟～劳|～赏。

靠 kào ❶倚着；挨近。㊟背～背|船～岸。❷依靠。㊟～群众的智慧，解决了困难。❸信赖。㊟可～|～得住。❹戏曲中某些角色所穿的铠甲。㊟扎～。
【靠山】比喻可以依靠的人或某种势力。
【靠拢】挨近。

熇□ kào 一种烹饪方法。先把原料炸透或两面煎黄，然后放进调料及汤汁，移到文火上收干汤汁。

kē 丂ㄜ

坷 ㊀ kē 〔坷垃〕〈方〉土块。
㊁ kě (558 页)。

苛 kē ❶琐碎；繁多。㊟～捐杂税。❷苛刻；过分严厉。㊟～待|～责。
【苛求】过严过高地要求。
【苛刻】要求过严或条件过高。
【苛捐杂税】名目繁多的捐税。
【苛政猛于虎】孔子经过泰山旁边，有个妇人在坟前哭得很悲伤。孔子让子路去问明原因。那妇人说，她的公公、丈夫以前被老虎吃了，今天儿子又被虎吃了。孔子问她，为什么不早些离开呢？妇人回答：因为这里没有苛政。孔子对门人说："小子识之，苛政猛于虎也。"意思说繁苛的政令和赋税比老虎还要凶暴可怕。见《礼记·檀弓下》。

呵 ㊂ kē 音译用字。如呵叻(地名，在泰国)。
㊀ hē (385 页)。
㊁ ā (3 页)。

珂 kē 像玉的石头。
【珂罗版】也叫玻璃版。印刷版的一种。用

K

照相的方法把图文晒印在涂有感光胶层的玻璃版上制成。多用于复制精致的艺术品。

柯 kē ❶斧柄。❷树枝。

【柯棣华】(1910—1942)国际主义战士,印度医生。1938年随印度援华医疗队来华,次年任八路军总医院外科主治医生,曾在华北抗日根据地服务,后在晋察冀边区任白求恩国际和平医院院长。1942年7月加入中国共产党,12月9日病逝。

【柯布西耶】勒·柯布西耶(1887—1965)法国建筑师、建筑理论家、城市规划设计师。原籍瑞士。倡导建筑创新,主张建筑走工业化道路。著有《走向新建筑》一书,其革新思想和独特见解有力地冲击了保守的学院派建筑思想。后提出新建筑五点(底层以独立支柱架空,屋顶花园,自由的平面,横向带形窗,自由立面)。代表作有萨伏伊别墅、马赛公寓、朗香教堂和印度昌迪加尔规划等。

【柯尔克孜族】中国少数民族之一。人口14万(1990年)。主要分布在新疆维吾尔自治区西北部。从事牧业和农业。有本民族语言文字。多信奉伊斯兰教。建立有克孜勒苏柯尔克孜自治州。国外称吉尔吉斯人,主要分布在吉尔吉斯斯坦。

轲(軻) kē 古代的一种车。

泀 kē 见〔牂泀〕(1226页)。

砢☐ ㊀ kē 〔砢碜〕〈方〉寒碜;难堪。㊁ luǒ (651页)。

钶☐(鈳) kē 铌的旧称。

疴(*痾) kē 病。㊞沉～(重病)。

匼☐ kē 〔匼河〕地名。在山西。

匌☒ kē 见〔匒匌〕(161页)。

科 kē ❶生物学分类系统中的一个等级。在目之下,属之上。㊞猫～|豆～。❷学术或业务的类别。㊞文～|外～。❸机关内按工作性质而分设的办事单位。㊞总务～。❹判定(刑罚)。㊞前～|～以罚金。❺古典戏曲里称角色的动作表情。㊞插～打诨。

【科幻】科学幻想的简称。㊞～小说。

【科白】戏曲中指人物的动作和道白。

【科技】科学技术的简称。

【科盲】缺乏科学常识的成年人。

【科学】❶关于自然界、社会和思维发展规律的知识体系。是在人们社会实践的基础上产生和发展的,是实践经验的总结。分自然科学和社会科学两大类,哲学是二者的概括和总结。❷合乎科学的。㊞这种方法很～。

【科班】旧时训练戏曲艺徒的组织。教学方法多为口传心授。有时也把经过专业的正规教育和严格训练比喻为科班出身。

【科普】科学普及的简称。㊞～工作。

【科伦坡】斯里兰卡首都。位于该国西部沿海。人口62万(1990年)。是全国政治、经济、文化、交通中心和最大海港。有迷人的热带风光和海滨浴场。

【科学院】规模较大的从事科学研究的机关。分综合性质的和专门性质的两种。

【科威特】❶科威特国。位于亚洲西部,北邻伊拉克,南邻沙特阿拉伯,东临波斯湾。面积1.78万平方千米,人口190万(1999年)。居民主要是阿拉伯人,信奉伊斯兰教。盛产石油。❷科威特国首都。位于该国东部沿海。人口28万(1995年)。是全国政治、经济、文化和交通中心。也是波斯湾重要港口。

【科举制】中国古代通过考试选拔官吏的制度。始于隋,唐分秀才、明经、进士等科,用考试办法分科举士,故名科举。宋以后考试专用儒家经义。明清两代文章限用八股文。分级考试,有县试、府试、院试、乡试、会试、殿试。沿至清末,1905年废除。

【科教片】科学教育影片的简称。即以形象化的手段,阐述自然现象和社会现象,对各种科学技术知识作通俗说明的影片。

【科西嘉岛】在地中海中,西北隔利古里亚海与法国本土相望。多山,土壤瘠薄。属法国。

【科尔沁沙地】在内蒙古自治区通辽市南部和赤峰市东部。面积2.46万平方千米。因草原地区过度开垦、放牧所致。有零散沙丘分布。

【科学工业园】以加快科学技术的研究和应用,为本国或本地区的现代化和开拓国际市场服务,运用多种优惠措施和有利条件,集中资金和科技人才,从事高科技产业开发的基地。

【科隆大教堂】欧洲北部最大的哥特式教堂。建于1248—1880年,在德国科隆。设计人是建筑师裘哈特。平面呈纵长横短的十字形,东端为带有七个放射形神龛的环形殿,西端有两个高大的塔楼,高达153米,教堂内外有很多高低、大小不同的尖塔,形成垂直向上的效果。其巨大的体量压低了临近的其他建筑,气势雄伟。

【科迪勒拉山系】在美洲大陆西部。南北纵长15 000千米,是世界最长的褶皱山系。北美洲部分宽800—1 600千米,海拔1 500—3 000米。南美洲部分宽300—800千米,海拔3 000米以上。最高峰阿空加瓜山海拔6 960米,是西半球第一高峰。

【科学共产主义】即"马克思主义"(658页)。

【科学社会主义】马克思主义的三个组成部分之一。是关于阶级斗争、关于无产阶级革命和无产阶级专政的学说。马克思和恩格斯以他们所创立的唯物史观和剩余价值学说为基础,使社会主义从空想变成了科学。马克思主义政党把科学社会主义一般原理同本国革命实践相结合,丰富和发展了科学社会主义。

【科罗拉多大峡谷】世界著名大峡谷之一。位于美国科罗拉多高原。长349千米,最大深度约1 800米,谷底最窄处120米。

蝌 kē 〔蝌蚪〕蛙、蟾蜍等两栖动物的幼体。体呈椭圆形,有长尾。生活在溪流或静水中,能食孑孓。是有益的小动物。

棵 kē 量词。用于植物。㊀一～桃树|两～白菜。

稞 kē 青稞,大麦的一种。

窠 kē 鸟、兽的窝。

【窠臼】指文章或艺术作品所墨守的老格式、旧框框。㊀不落～。臼(jiù)。

颗(顆) kē 量词。用于某些圆形或粒状东西。㊀一～珍珠|一～黄豆。

【颗粒】❶(粮食)一颗一粒。㊀～归仓。❷指小而圆的东西。㊀～肥料。

【颗粒物】泛指粒状物质。如颗粒制剂、颗粒肥料等。环境中的颗粒物大多是天然产生的,如土粒、海盐粒等;人为排放的主要是烟尘、粉尘等,成为影响环境质量的大气污染物。

【颗粒肥料】简称粒肥。颗粒状的肥料。如用过磷酸钙同腐熟厩肥混合制成的颗粒肥料,能提高磷肥肥效,且便于施用。

髁 kē 骨头上面突起的部分。

颏(頦) ㊀ kē 通称下巴颏儿。脸的最下部。
㊁ ké (556页)。

搕☒ kē 敲;碰。㊀～烟袋。

嗑 ㊁ kē 见〔唠嗑〕(587页)。
㊀ kè (560页)。

榼☒ kē 古代盛酒或贮水的器具。

磕 kē 碰;撞。㊀～破了头|把鞋底的泥～掉。

瞌 kē 〔瞌睡〕困倦,想睡觉。

礚☒ kē 水石相击声。

ké ㄎㄜˊ

壳(殼) ㊀ ké 义同"壳(qiào)",多用于口语。㊀蛋～儿|花生～儿。
㊁ qiào (789页)。

咳(*欬) ㊀ ké 咳嗽。
㊁ hāi (370页)。

颏(頦) ㊁ ké 见〔红点颏〕(400页)、〔蓝点颏〕(580页)。
㊀ kē (556页)。

揢□ ké 〈方〉❶卡住,不能进退或上下。㊀抽屉～住了,拉不开。❷刁难。㊀～人。

匼☒ ké 山旁洞穴。

kě ㄎㄜˇ

可 ㊀ kě ❶许可。㊀认～。❷能够。㊀牢不～破。❸值得。㊀～爱。❹连词。却;可是。表示转折。㊀他年纪不

大,力气～不小。❺副词。1. 表示强调。㊐在抗旱斗争中群众的劲头～大啦！2. 用在疑问句中加强疑问语气。㊐你～知道？|都说这办法好,～谁敢担保不出问题呢？❻适合。㊐～人意|～口|～心。❼文言副词。大约。㊐年～二十。

㊁ kè (558 页)。

【可口】饮料、食品味道好或冷热适宜。

【可心】恰合心意。㊐这件事办得挺～。

【可以】❶可能或能够。㊐游泳并不难,努力练习,就～学会。❷表示许可。㊐人已来齐,比赛～开始了。❸不坏。㊐他的字,写得还～。

【可可】也叫蔻蔻。常绿乔木。种子卵形、扁平,炒熟制成粉,可做饮料,有滋养、兴奋作用。产于热带,中国广东、台湾等地有栽培。

【可好】副词。恰巧;正好。㊐正要去找他,～他来了。

【可观】❶值得看。❷形容达到一个比较高的程度。㊐数目～|成绩～。

【可身】衣服的肥瘦长短穿着正合适。㊐这件衣服很～。

【可取】可以采纳接受。㊐他的意见还是～的。

【可怜】❶怜悯;值得怜悯。古诗文中也指可爱。❷作补语。说明数量极其少或质量极其差。㊐少得～|贫乏得～。

【可是】连词。表示转折,前面常用"虽然"等词呼应。㊐条件虽然差一点,～大家的干劲儿还是很足的。

【可能】❶能够,表示可以实现。㊐团结一切～团结的力量。❷可能性。㊐他来的～不大。❸副词。也许。㊐他～还没有走。

【可见光】电磁波中能使人产生视觉的部分。其波长范围是 390—770 纳米。

【可卡因】英语音译词。从古柯叶中提取的一种药物,化学式 $C_{17}H_{21}O_4N$。白色结晶状粉末。有局部麻醉作用,能使中枢神经兴奋。毒性大,慢性中毒较吗啡严重。

【可乐定】也叫氯压定、110 降压片。通过抑制血管运动中枢起降压作用的合成药物。对多数高血压病有效,对原发性高血压疗效较好。也可预防偏头痛、治疗青光眼。参见〔降血压药〕(486 页)。

【可兰经】即"古兰经"(336 页)。

【可知论】认为世界上的一切事物及其本质都能够被人类所认识的哲学理论。哲学史上彻底的唯心主义者和唯物主义者都是可知论者。只有辩证唯物主义才科学地证明了世界的可认识性。与"不可知论"相对。

【可的松】英语音译词。肾上腺皮质激素的一种。药用的可有机合成。主要用于抗炎、抗毒素、抗过敏等。

【可怜虫】比喻可怜的人(有时含鄙视意)。

【可能性】哲学范畴。指事物本身固有的种种发展趋势。与"现实性"相对。在一定条件下可以转化为现实性。

【可塑性】❶也叫塑性。即物体受外力变形后,在除去外力情况下保持其所成形状的能力。是黏土、树脂、塑料等的一种特性。❷生物体在不同的生活环境影响下,某些性质能发生变化,逐渐形成新类型的特性。如人的可培养、可教育性。㊐青年人～很大。

【可变资本】资本家用于购买劳动力的资本。在生产过程中,工人的劳动力不仅创造了劳动力价值,而且还创造了剩余价值,从而增加了资本的价值量,故名。马克思第一次把资本区分为可变资本和不变资本,揭露了剩余价值的真正来源和资本主义剥削的实质。

【可视图文】利用数据库的信息,向用户提供交互型信息服务的电信业务。用户可以通过终端设备从数据库获取所需要的信息,显示在终端的显示屏上。

【可逆反应】在同一条件下,可同时向正、反两个方向进行的化学反应。化学方程式中用两个指向相反的箭头表示,如:

$$H_2 + I_2 \rightleftharpoons 2HI$$

在可逆反应中,由左向右进行的反应叫正反应,由右向左进行的反应叫逆反应。

【可乘之机】可以被利用的时机。

【可乘之隙】可以被利用的空子。

【可歌可泣】形容行为英勇,事迹悲壮,使人非常感动。

【可支配收入】也叫个人可支配收入。指一定时期内(如一年)个人总收入中在纳税和其他非税支出以后可用于消费和储蓄的那一部分收入。它代表社会购买力。

【可再生资源】即"再生资源"(1224 页)。

【可行性研究】在立项前对项目从市场、技术和经济等方面进行全面系统的调查研究、分析计算和方案比较选择,并对投资后的经济效果进行预测。

【可更新资源】即"再生资源"(1224 页)。

【可兑换货币】可以自由兑换为其他国家货币或金融资产的货币。

【可转换债券】按发行时约定的条件可转换为发行公司股票的公司债券。

【可持续发展】指既满足当代人的需求，又不损害后代人满足其需求能力的发展。1992年联合国环境与发展大会上确立为全球发展战略。它要求人们与自然和谐共处，能够认识到自己对自然、社会和子孙后代应负的责任。

【可吸入颗粒物】指粒径小于3.5微米的固体或液体微粒。在大气中长时间飘浮，能随呼吸进入人的支气管和肺泡中并沉积下来。

【可望而不可即】看得见，但不能接近。形容希望达到而实际难以达到。即：接触，靠近。

坷 ㊁ kě 见〔坎坷〕(549页)。
㊀ kē (554页)。

岢 kě 〔岢岚〕地名。在山西西北部。岚(lán)。

嵑☒ kě 见〔嶱嵑〕(558页)。

渴 kě ❶嘴干，想喝水。㊎口～。❷迫切地。㊎～念。

【渴望】迫切希望。

嶱☒ kě 〔嶱嵑〕山石高峻的样子。

kè ㄎㄜˋ

可 ㊁ kè 〔可汗〕简称汗。古代鲜卑、突厥(jué)、回纥(hé)、蒙古等族君主的称号。汗(hán)。
㊀ kě (556页)。

蚵□ kè 〈方〉牡蛎。

K

克(❶❷❹剋❶❷❹*尅) kè ❶攻下。㊎攻无不～，战无不胜。❷克制；制伏。㊎～己奉公|以柔～刚。❸能。㊎不～分身|不～备究。❹限定。㊎～期动工|～日完成。❺藏族地区容量单位。1克青稞约重12.5千克。也是藏族地区地积单位，1克地约合1市亩。❻质量单位。1 000毫克为1克，1 000克为1千克。
"剋"，另音 kēi (560页)。

【克己】❶克制自己的私心，对自己要求严格。❷旧时商人自称买卖公平，货价便宜，不多赚钱。

【克利】保罗·克利(1879—1940)瑞士画家。画风多变，主要表现个人的幻想和梦境，使记忆抽象化，直觉符号化，富有神秘而幽默的意味。代表作有《高尚的园丁》等。

【克拉】宝石的质量单位。1克拉等于0.2克。

【克制】抑制(自己的感情、欲望)。

【克服】❶用毅力战胜(缺点、错误、坏现象、不利条件等)。❷克制；忍受(困难)。

【克复】经过战斗夺回被敌人占领的地方。

【克食】帮助消化食物。㊎槟榔能～。

【克朗】捷克、斯洛伐克、冰岛、丹麦、挪威、瑞典等国家的法定货币。

【克隆】英语音译词。无性繁殖系。即从一个祖先通过无性繁殖方式所产生的具有相同遗传性状的一群后代。也指无性繁殖技术。

【克期】严格限定期限。㊎～完工。

【克山病】一种地方病。主要表现为慢性心肌损害。可能由缺乏硒及其他微量元素引起。最初在黑龙江省克山县发现而得名。症状是胸闷、恶心、吐黄水、血压下降、呼吸困难等。

【克格勃】俄语音译词。指苏联国家安全委员会。也指克格勃人员。

【克己奉公】克制、约束和严格要求自己，为集体的利益而努力。

【克什米尔】全称查谟和克什米尔。位于南亚次大陆北部山区，是一个战略要地，自古为印度、中国、中亚和欧洲的交通枢纽。面积19万平方千米。居民大部分信奉伊斯兰教，小部分信奉印度教。原和印度、巴基斯坦同属英国殖民地，1947年印、巴分治后，克什米尔归属问题未解决。

【克伦威尔】奥利弗·克伦威尔(1599—1658)17世纪英国资产阶级和新贵族联盟的领导者，英国资产阶级共和国的缔造者。在反对专制王权的英国资产阶级革命中，他和他统率的新模范军起到了决定性作用。1649年，处死英王查理一世，宣布建立共和国。1653年建立军事独裁统治，自任护国主。

【克伦斯基】亚历山大·费多洛维奇·克伦斯基(1881—1970)俄国社会革命党人。1917年俄国临时政府首脑。后被布尔什维克领导的十月革命推翻。

【克绍箕裘】比喻能继承先辈的事业。《尚书·冏命》："俾克绍先烈。"《礼记·学记》：

"良冶之子,必学为裘;良弓之子,必学为箕。"克绍:能够继承。箕裘:祖先的事业。
【克敌制胜】打败敌人,取得胜利。
【克勤克俭】既能勤劳,又能节俭。《尚书·大禹谟》:"克勤于邦,克俭于家。"
【克劳塞维茨】卡尔·克劳塞维茨(1780—1831)普鲁士将军,资产阶级军事理论家。曾参加反拿破仑一世的战争,后任柏林军事学校校长。著作颇多,代表作有《战争论》。
【克里姆林宫】意为"卫城"。指俄罗斯古代城市设防的中心部分。一般建在城市中的高地上,由宫殿、教堂、军火库和办公用房组成,并围有城墙和护城河。著名的有莫斯科克里姆林宫。始建于1156年,历经扩建,16世纪中叶成为沙皇的宫堡。17世纪以后逐渐演化成为莫斯科市中心的重要建筑群,成为政治活动的要地。现俄罗斯联邦政府机构设于此。常用作苏联和俄罗斯官方的代称。

氪 kè 气体元素,符号Kr,原子序数36。氪气无色无臭,化学性质很不活泼,是稀有气体之一。可在高效灯泡中作惰性保护气体和X射线的遮光材料。

刻 kè ❶雕刻。㊀~图章。❷计算时间的单位。用钟表计时,十五分钟为一刻。古代用漏壶记时,一昼夜共一百刻。❸时间。㊀即~|立~。❹形容程度深。㊀深~|~苦。❺刻薄。㊀尖~|苛~。❻同"克"④。
【刻本】用木刻版印成的书本。中国刻版印书大约兴于唐代,盛行于两宋。对传播和保存中国文化遗产起了很大作用。
【刻丝】同"缂丝"(560页)。
【刻苦】❶很能吃苦。㊀~耐劳。❷肯下苦功夫。㊀~钻研马列主义。
【刻板】❶以木板刻成的供印刷用的底版。❷比喻不灵活,缺乏变化。㊀文章~|对于别人的经验,要消化吸收,不能~地搬用。
【刻画】通过文字描写或用其他艺术形式深入细致地表现人物的形象、性格。
【刻毒】刻薄狠毒。
【刻骨】深入到骨子里。比喻感念或仇恨甚深,难于忘记。㊀~的仇恨。
【刻意】用尽心思。㊀~求工(工:精巧)。
【刻薄】(待人)冷酷无情,过分的苛求;(说话)尖酸。
【刻不容缓】时间一点都不容许耽搁。形容形势紧迫,必须立即行动。
【刻舟求剑】《吕氏春秋·察今》中说,楚国有一个人过江时把剑掉在水里,他就在剑掉下去的那一段船帮上刻下记号。等船靠岸,就按照记号去下水找剑。比喻拘泥,死心眼,不知变通。
【刻版印刷】一千三百多年前,中国发明的印刷方法,即在木板或其他版材上刻成图文进行印刷。是最早的雕版印刷。
【刻骨铭心】也说镂骨铭心。形容留下的印象极其深刻,永远忘不了(多用于形容对别人的感激)。铭:在石头或器物上刻字。

恪 kè 恭敬;谨慎。㊀~守。
【恪守】严格遵守。

客 kè ❶客人。与"主"相对。㊀宾~|会~。❷寄住在外地。㊀~居|~籍。❸旅店业、交通运输、服务行业等对主顾的称呼。㊀顾~|~运|~满。❹称从事某种活动的人。㊀政~|说~。❺〈方〉量词。用于论份出售的食品。㊀一~牛奶。
【客场】体育比赛中对方所在地的赛场。与"主场"相对。
【客死】死在他乡或外国。
【客岁】去年。
【客观】❶哲学范畴。指人的意识以外的物质世界。与"主观"相对。❷指不带个人偏见,按事物的本来面目去说明或认识。与"主观"相对。
【客串】非专业演员临时参加专业剧团演出。
【客体】哲学范畴。指主体实践活动和认识活动指向的对象。是客观的现实存在物。与"主体"相对。
【客栈】旅馆的旧称。栈(zhàn)。
【客套】表示客气的套语。
【客卿】古指在本国做官的其他诸侯国的人。
【客家】4世纪初(西晋末年)和12世纪初(北宋末年)黄河流域大批居民迁移到南方,为了区别于本地居民,故称为客家。他们的后代分布在今广东、广西、福建、江西、湖南等地区。
【客籍】❶寄居的籍贯。与"原籍"相区别。❷指寄居本地的外地人。
【客观实在】哲学范畴。指独立于人的意识之外并可以被人的意识所反映的客观物质世界。

【客观真理】指人的认识所正确反映的不依任何个人、集团、阶级的主观意志为转移的客观内容。
【客观唯心主义】唯心主义的基本形式之一。认为世界的本原是某种神秘的"客观"精神,这种精神在自然界和人类社会出现以前就已经存在,物质世界是这种精神的产物和体现。是用哲学语言精制了的宗教创世说。

愙☒ kè 同"恪"。

课(課) kè ❶教学的科目;教学的时间单位;教材的段落。㊀~程|一节~|第一~。❷旧指征收赋税。也指赋税。㊀~税|国~。❸占卜的一种。㊀起~。❹某些机关、学校等的行政单位。㊀会计~。
【课文】课本中的正文。
【课程】学校教学的科目和进程。有时也专指教学科目。
【课题】学习、研究或讨论的主要问题或急待解决的重大事项。

堁☒ kè ❶尘埃。❷土堆。

骒(騍) kè 雌的(马、骡)。

锞(錁) kè 锞子,旧时用作货币的小块金、银锭。

缂(緙) kè〔缂丝〕也作刻丝。中国特种丝织手工艺之一。以苏州的产品较为有名。

嗑 ㊀ kè 用牙齿咬有壳的或硬的东西。㊀~瓜子|老鼠把玉米都~了。
㊁ kē (556 页)。

溘 kè 副词。忽然。㊀~逝(称人死亡)。

kēi ㄎㄟ

剋□ kēi〈方〉❶训斥;申斥。㊀挨~。❷打。㊀~架(打架)。
另音 kè,见"克"(558 页)。

kěn ㄎㄣˇ

肯(❷ *肎) kěn ❶愿意;许可。㊀他~帮助人|首~(点头同意)。❷贴近骨头的筋肉。比喻关键部分,要害的地方。㊀中~。
【肯定】❶副词。一定;无疑。㊀进步力量~会战胜腐朽力量。❷确定;明确。㊀他回答得很~。❸判断时持确认、正面断定和赞成的态度。㊀~成绩|答复是~的。❹哲学范畴。指事物内部维持其自身存在的方面。与"否定"相对。
【肯要】肯綮,要害。指解决问题的关键或事物的紧要处。
【肯綮】筋骨结合的地方。比喻关键的地方。㊀深中~(深刻地接触到了要害的地方)。綮(qìng)。

啃 kěn 从较硬的东西上,一点儿一点儿往下咬。

垦(墾) kěn 翻土;开垦。㊀~地|~荒。
【垦荒】开垦荒地。
【垦殖】开垦荒地,进行生产。

恳(懇) kěn ❶真诚。㊀诚~|~求。❷请求。㊀专此奉~。
【恳切】诚恳殷切。㊀言词~。
【恳挚】(态度)诚恳真挚。挚(zhì):诚恳。

kèn ㄎㄣˋ

掯□ kèn〈方〉❶按;压。㊀~住牛脖子。❷压制;刁难。㊀勒(lēi)~。

裉☒ kèn "裉"的异体字。

裉 kèn 衣服在腋下的接缝部分。㊀抬~(上衣从肩到腋下的尺寸)|煞~(把裉缝上)。

kēng ㄎㄥ

坑(*阬) kēng ❶洼下去的地方。㊀水~|炮弹~。❷地洞;地道。㊀~井|~道。❸古指活埋人。㊀~杀|焚书~儒。❹使用手段欺骗或陷害人。㊀~害。
【坑道】❶利用自然地层作防护层的地下工事。用于指挥,战斗,屯兵,存放兵器、弹药、物资等。也指在地下挖掘的通道。用以荫蔽接近敌人,机动兵力和实施坑道爆破、反坑道爆破。❷采矿工程中,井筒、平峒(与地面平行的矿内通道)和巷道的统称。

K

吭 ㊀ kēng 出声。㊣～气|不～声。
㊁ háng(380页)。

牼⊠**(牼)** kēng 牛胫骨。

硁(硜) kēng 拟声词。敲打石头的声音。

【硁硁】形容浅薄固执。

铿(鏗) kēng 拟声词。弦索或金属发出的响亮的声音。㊣～的一声。

【铿锵】形容响亮而有节奏的声音。

kōng　ㄎㄨㄥ

空 ㊀ kōng ❶里面没有东西或没有内容。㊣～箱子|文章很～。❷副词。白白地;徒然。㊣～欢喜|～忙一阵。❸不切实际的。㊣～想|～话。❹天空。㊣晴～万里|领～。
㊁ kòng(563页)。

【空门】指佛教(因佛教认为世界是一切皆空的)。㊣遁入～(信佛出家)。

【空气】弥漫于地球周围的混合气体。主要成分为氮和氧,此外还有水蒸气、二氧化碳、稀有气体等。

【空头】❶从事投机交易的人,预计商品或金融资产的价格而先卖出期货,伺机再买进现货以赚取差额。搞这种投机交易的人也叫空头。与"多头"相对。❷比喻有名无实不起作用。㊣～人情|～文学家。

【空竹】用竹、木制成的一种玩具。用绳子抖动,发出嗡嗡的声音。

【空军】以航空兵为主体,主要在空中作战的军种。具有空中突击能力、远程作战能力和高速机动能力,是进行空中斗争和从空中对敌地面目标实施突击的主要力量,也是进行对空斗争的重要力量。参见〔兵种〕(69页)。

【空论】内容空洞或不切实际的言论。

【空防】国家为保卫主权、领土完整和安全,防备外敌入侵,对领空进行的防卫和管理活动。

【空投】用航空器将输送的物资从空中投送到指定地点。通常在时间紧迫、难以使用其他输送方法的情况下采用。分带伞空投和不带伞空投。带伞空投,用来空投武器、弹药、药品等容易震坏的物资;不带伞空投,用来空投粮食、被服等不易震坏的物资。

【空旷】地方宽阔敞亮,四周没有遮拦物。

【空间】哲学范畴。物质运动的存在形式。是物质存在的广延性和并存的秩序。具有客观性和无限性。是三维的,任何物体都有长、宽、高,同其他物体的位置关系只能是上下、左右、前后,用三个量可完全量度。它和运动着的物质不可分离,和时间也不可分离。

【空泛】内容空洞浮泛,不切实,不着边际。

【空灵】形容景色变化不可捉摸,或诗文写得灵活生动,不落俗套。

【空降】空降兵或其他人员由航空器输送,从空中降落到地面的行动。包括伞降和机降。

【空战】敌对双方航空兵在空中的作战。特指歼击机对空中之敌实施的空中截击或空中格斗。

【空洞】❶没有内容或内容不充实。❷窟窿。

【空袭】使用航空器、导弹等从空中对敌方目标进行袭击。分战略空袭、战役空袭和战术空袭。

【空虚】里面没有实在的东西,不充实。

【空勤】在飞机或其他航空器上为执行飞行任务而进行的各种勤务。与"地勤"相对。

【空想】❶凭空设想。❷不切实际的想法。

【空手道】体育运动项目之一。是日本的一种拳术,源于中国少林寺的技击。不使用任何武器,利用身体的各个部位进行徒手格斗。以击、打、踢三种基本技术为核心,构成各种攻防技术。

【空间站】也叫太空站。可供多名宇航员长期在其中工作、居住的载人航天器。用于天文观测,地球资源勘测,生物、医药、材料科学试验与加工,军事侦察等。目前已建成的有俄罗斯和平号空间站。美、俄、欧洲空间局、日本、加拿大等达成协议,于21世纪初合作建造国际空间站。

【空降兵】也叫伞兵。以降落伞和陆战兵器为基本装备,航空器为运送工具,主要执行伞降和机降作战任务的兵种。具有快速机动的特点,能突然出现于敌人后方,配合正面部队作战。

【空城计】戏曲传统剧目。取材于《三国演义》,说诸葛亮用兵失误,失了街亭。魏国大将司马懿(yì)带兵攻打西城。诸葛亮无兵将可遣,就把城门打开,登楼弹琴。司马懿疑有诈,害怕中计而退走。后来把在危急处境下掩饰空虚，希图骗过对方的计策，叫做空城计。

【空中走廊】航空通道。特指根据国际协定而建立的航线。

【空中花园】新巴比伦国王尼布甲尼撒二世为其妃子建造的花园。建于公元前 6 世纪。为退台式屋顶花园。每个台层以拱廊支撑，廊下布置为房屋，廊上的台层覆土，并种植各种花木，顶部设有汲水装置以便灌溉。因其远观之形宛若悬浮空中，故名。

【空中楼阁】比喻幻想或脱离实际的理论、计划等。

【空气污染】也叫大气污染。大气中污染物的浓度达到一定程度，对人类生产、生活或人群健康造成不良影响或危害的现象。其形成有自然原因和人为原因。前者如火山喷发、森林火灾、沙尘暴等；后者如燃料燃烧和工业生产排放废气、颗粒物等。

【空头支票】原指票面上支付额数超过存款额数因而不能兑现的支票。比喻不准备兑现的骗人的诺言。

【空穴来风】有了空穴才有风进来。比喻流言、消息的传播不是完全没有原因的。战国楚宋玉《风赋》："臣闻于师，枳句来巢，空穴来风。"

【空军基地】❶担负所辖空域作战任务、保证空军航空兵训练和进行日常战斗活动的军事基地。建有机场以及供应、维修、通信、医疗等设备和各种防御设施。也指供空军试验新式武器的场所。❷空军的一级建制单位。下辖航空兵部队、勤务部队等。

【空谷足音】在空旷的山谷里听到的脚步声。比喻极难得的音讯或言论。《诗经·小雅·白驹》："皎皎白驹，在彼空谷。"《庄子·徐无鬼》："夫逃虚空者…闻人足音跫然而喜矣。"空谷：空旷的山谷。足音：脚步声。

K

【空空导弹】从空中发射，用以攻击空中目标的导弹。是歼击机的主要空战武器。也可作为其他军用飞机的自卫武器。

【空空如也】形容什么都没有。

【空前绝后】从前没有过，此后也不会有。多用来形容某种成就或盛况，带有夸张赞叹的意味。

【空室清野】即"坚壁清野"(472 页)。

【空气污染指数】评价一个地区环境质量状况的一种方式。是将空气质量的监测数据，按照一定方法处理后，变成大家熟悉的 0—500 的数字。数字越大，说明污染越严重，空气质量状况越差。

【空气质量预报】按空气污染源排放情况以及气象和环境特点，对一个地区的空气质量变化趋势进行的综合分析和定量评定。有城市空气质量预报、区域空气质量预报等。

【空穴型半导体】以带正电的空穴导电为主的半导体。在纯硅中掺入微量 3 价元素铟或铝，由于铟或铝原子周围有 3 个价电子，与周围 4 价硅原子组成共价结合时缺少一个电子，形成一个空穴。空穴相当于带正电的粒子，在这类半导体的导电中起主要作用。

【空想共产主义】❶泛指主张彻底消灭私有制的空想社会主义学说。❷特指 18 世纪中期以法国摩莱里、马布利等人为代表的空想共产主义学说。它认为私有制是一切罪恶的根源，要求建立不仅消灭阶级特权，而且消灭阶级差别的共产主义社会。特点是主张分配上的绝对平均主义和压低消费水平的禁欲主义。

【空想社会主义】一种不具现实性的改造人类社会的社会主义理想。出现于 16 世纪，创始人是莫尔。19 世纪初的空想社会主义，以圣西门、傅立叶、欧文为代表。它尖锐地批判资本主义制度，预见到共产主义社会的一些特点，对启发工人觉悟起过进步作用，是马克思主义的三个来源之一。但在阶级斗争尖锐化和马克思主义诞生后，空想社会主义失去了进步意义。

倥 ㊀ kōng 〔倥侗〕蒙昧无知。
㊁ kǒng (563 页)。

崆 kōng 〔崆峒〕山名。在甘肃。峒(tóng)。

涳⊠ kōng 〔涳濛〕形容烟雨中景色迷茫。

悾⊠ kōng 〔悾悾〕诚恳的样子。

硿⊠ kōng ❶〔硿青〕药石。❷水石或金石相击的声音。

箜 kōng 〔箜篌〕古代拨弹乐器。分竖式、卧式、手持式三类。竖式箜篌是今竖琴的前身。

kǒng　ㄎㄨㄥˇ

孔 kǒng ❶洞；窟窿。㊀九～桥｜鼻～。❷通达。㊀～道。❸文言副词。很。

㊀～急。❹量词。用于窑洞。㊀一～土窑。

【孔子】(前551—前479)春秋时期思想家、教育家,儒家学派的创始人。名丘,字仲尼,鲁国陬邑(今山东曲阜)人。曾做过委吏(司会计)、乘田(管畜牧)等事。后开办私学,招收弟子,宣传儒家学说。五十岁时,由鲁国中都宰升任司寇。后周游列国,游说诸侯。回鲁国后,据传曾删修鲁史官所记的《春秋》,整理《诗经》《尚书》等。在哲学上建立了一套以"仁"为核心的思想体系。自汉以后,他的学说成为两千余年封建文化的正统,孔子也被尊为圣人,影响深远。其主要思想言论记载于《论语》一书中。

【孔林】在山东曲阜城北门外。为孔子及其后裔墓地。面积约三千亩,古木参天,多历代碑刻。是全国重点文物保护单位。

【孔庙】祭祀孔子的庙宇。

【孔教】即"儒教"(832页)。

【孔雀】鸟类。雄鸟羽色鲜艳多彩(也有白孔雀),尾上覆羽很长,展开时如扇。雌鸟无尾屏。产于中国云南以及印度等国密林中。可供观赏。

【孔道】交通要道。

【孔隙】窟窿眼儿;缝儿。

【孔融】(153—208)东汉文学家。字文举,鲁国鲁县(今山东曲阜)人。生活在献帝建安年间,和王粲等六人合称"建安七子"。曾先后任虎贲中郎将、议郎、北海相等职,后为曹操召任少府、太中大夫。因性直,好议时政,为曹操所忌,遭杀害。有《孔北海集》。

【孔方兄】指钱。有诙谐鄙视意。因旧时的铜钱有方形的孔,故名。

【孔祥熙】(1880—1967)国民党财阀。字庸之,山西太谷人。曾任国民党政府财政部长、行政院长等职。与蒋介石、宋子文、陈果夫和陈立夫合称四大家族,是中国官僚资本的典型代表之一。1948年去美国。1967年在纽约病死。

【孔雀石】矿物名。化学式$Cu_2CO_3(OH)_2$。翠绿色,具玻璃光泽,硬度3.5—4。颜色和花纹美丽的可作装饰品和工艺美术原料。

【孔繁森】(1944—1994)中国共产党的好党员,好干部。山东聊城人。1961年参加工作,1966年加入中国共产党。历任山东聊城地区行政领导。1979年和1988年两次进藏支援西藏建设,历任岗巴县委副书记、拉萨市副市长、阿里地区地委书记等职。他勤恳尽职,忘我工作。1994年11月14日到新疆考察时,因车祸殉职。国务院追认他为全国先进工作者。

【孔孟之道】指以孔子、孟子为代表的儒家思想和理论体系。汉代以后,经过封建统治者的修饰和发挥,成为中国两千多年封建统治的正统思想。

【孔雀王朝】古印度摩揭陀国的王朝。公元前321年由旃陀罗笈多(即月护王)建立。首都华氏城(今比哈尔邦巴特那)。阿育王(前268—前232年在位)时国势强盛,统一除半岛南端外的印度全境。约公元前187年为巽加王朝取代。

恐 kǒng ❶害怕。㊀惊～。❷副词。恐怕,表示猜测、估计。㊀消息～不可靠。

【恐龙】古代爬行动物。曾繁盛于中生代。种类很多,体型各异,一般体大头小,大的长数十米,重可达四五十吨,小的长不到一米。生活在陆上或水中。中生代末期全部灭绝。与传说中的龙无关。

【恐吓】以要挟的话或手段威胁人。吓(hè)。

【恐怖】❶由于受到威胁而引起的恐惧。❷使人恐怖的;搞恐怖活动的。㊀～手段|～分子。

【恐慌】慌张,害怕。

【恐水病】即"狂犬病"(570页)。

【恐龙蛋】古代爬行动物恐龙所产的蛋。中国许多地区的地层中曾有发现。有单个的,也有成窝的。被发现的恐龙蛋有不同的特征,说明是不同种类的恐龙所产。

倥 ㊁ kǒng 〔倥偬〕匆忙紧张。㊀戎马～。偬(zǒng)。

㊀ kōng (562页)。

kòng ㄎㄨㄥˋ

空 ㊁ kòng ❶使空(kōng);留出空当。㊀～一行|～出几个位子。❷闲的时间和空间。㊀有～儿来谈谈|填～儿|别挤了,里面没～儿了。❸欠;缺。㊀亏～。

㊀ kōng (561页)。

【空隙】❶中间空着的地方。❷战斗、工作中的间歇时间。㊀利用战役之间的～,整训部队。

【空白点】指工作还没有达到的方面、部分。

控 kòng ❶告发。㊀～告。❷掌握；操纵。㊀遥～。❸身体的一部分失去支撑或处于悬空状态。㊀～着脑袋睡觉不好|腿都～肿了。❹使物体悬空或使容器的口朝下，让物体上或容器里的液体慢慢流出；使人的头朝下，吐出食物或水。㊀菜洗完以后～～水再切|别浪费，把瓶里的油～干净|他肚里的水已经～得差不多了。

【控告】向司法机关揭露犯罪分子及其犯罪事实，并要求依法惩治的行为。控告目的是为保护自身的、集体的或国家的合法权益。

【控诉】受害人向司法机关或对公众陈述自己受害的事实，揭露犯罪分子的罪行。

【控制】掌握，支配，使不越出一定范围。

【控股】指某一机构（政府部门或法人）持有股份公司股份达到 50% 以上或足以控制该股份公司的运营活动。

【控盘】指在股票、期货交易中操控市场行情及走势。

【控制论】研究自动化机器的操纵和控制的一般规律的理论。以数学运算和电子学为基础，研究信息在机器的启动系统中和在动物或人体内传递的一般性问题。

鞚☒ kòng 马笼头。

kōu ㄎㄡ

抠（摳） kōu ❶用手指或细小的东西挖。❷作狭窄的深究。㊀～书本儿|～字眼儿。❸雕刻。㊀～花儿。❹〈方〉吝啬。㊀这人真～。

弧☒**（彄）** kōu 弓弩两端系弦的地方。

眍（瞘） kōu 也说眍䁖（lou）。眼珠深陷在眼眶里边。

芤□ kōu 葱的别称。

【芤脉】中医学脉象之一。重按时中间无而两边有的脉搏，好似手指按葱管的感觉。

kǒu ㄎㄡˇ

口 kǒu ❶嘴。❷出入通过的地方。㊀门～|海～。❸特指港口。也特指长城的关口。㊀转～|出～转内销|～外|古北～。❹行业；系统；专业方向。㊀对～支援|文教～|专业不对～。❺容器与外面相通的部位。㊀碗～儿|瓶子～儿。❻指人口。㊀户～|拖家带～。❼指口味。㊀～重。❽破裂的地方。㊀裂～|疮～。❾刀剑等的锋刃。㊀刀卷～了。❿骡、马、驴等的年龄（因可以由牙齿的状况判断）。㊀这匹马六岁～。⓫量词。用于人，也用于某些家畜或器物。㊀三～人|一～猪|两～缸。

【口气】说话的气势、说话时流露出来的感情色彩。㊀他的～真不小|埋怨的～。

【口号】带纲领性的起宣传鼓动作用的短句。

【口令】❶指挥员以简短的军事术语下达的口头命令。如：射击！前进！❷在可视度不良的情况下辨别敌我的一种口头暗号。一般以单词或数字表示。

【口吃】结巴。

【口舌】❶因说话而引起的误会或纠纷。㊀～是非。❷指劝说、争辩、交涉时说的话。㊀白费～。

【口诀】根据事物的内容要点而编成的念起来顺口、便于记忆的语句。㊀珠算～。

【口红】化妆品。涂在唇上，使唇色红润。

【口技】杂技的一种。运用口部发音技巧来模仿各种声音。

【口吻】说话的语气。㊀开玩笑的～。

【口角】争吵。角（jué）。

【口译】口头翻译。

【口齿】说话时的发音。也指说话的本领。㊀～清楚|～伶俐。

【口岸】港口。

【口供】犯罪嫌疑人、被告人就其被指控的犯罪行为和相关事实所作的口头供认和陈述。

【口径】❶器物圆口的直径。❷比喻对问题的看法或处理问题的原则。

【口实】假托的理由；可以利用的借口。㊀贻人～。

【口弦】也叫口簧。吹奏乐器。由一个马蹄形框架中间插入一片簧舌构成。演奏者凭口腔共鸣及手指拨动簧舌发声。流行于中国东北、西南地区。

【口疮】❶一种口腔黏膜病。多见于青壮年，女性多于男性。病因不明。主要症状是口腔黏膜上反复出现圆形浅表溃疡，剧痛，一般十日可愈。❷中医病证名。心火

K

虚热所致。症状同①。

【口语】指说话时用的语言。与"书面语"相对。

【口琴】簧振气鸣乐器。琴身呈扁长形,开有上下两排小方格,每格附有金属小簧片。吹奏时以呼吸来控制气流振动簧片发音。可以独奏,也可以集体演奏。

【口惠】空口许给人家好处。㊀～而实不至。

【口腔】口内的空腔。是消化管的开始部分。由唇、颊、硬腭和软腭构成,后至咽峡。内有舌、牙及唾液腺的开口。有摄取、咀嚼、吞咽食物,辨别滋味和辅助发音等功能。

【口碑】比喻众人口头的称许、赞扬(旧时碑上的文字多是称许赞扬的话,故用口碑比喻称赞的话)。

【口器】生于节肢动物口两侧的附肢。主要有摄食、感觉等功能。因动物类别不同,口器的结构和功能也有差异,昆虫的口器一般有咀嚼式、嚼吸式、刺吸式、舐吸式和虹吸式五种类型。

【口头禅】本指不领会禅理,但袭用禅宗和尚惯用的词语,作为谈话的点缀。现指由于口头说成习惯,经常夹杂在说话中而没有实际意义的词语。

【口蹄疫】一种急性发热性传染病。由口蹄疫病毒而引起。经接触传播,偶蹄类动物容易感染,单蹄类动物不感染。主要症状是口腔黏膜、蹄部和乳房皮肤发生水泡和溃烂。

【口头遗嘱】遗嘱人在危急情况下,用口述的方式所立的遗嘱。必须有两个以上见证人在场见证。危急情况解除后,遗嘱人能够用书面或录音形式立遗嘱的,所立的口头遗嘱无效。

【口若悬河】形容口才好,说起话来滔滔不绝。《晋书·郭象传》:"王衍每云:'听象语,如悬河泻水,注而不竭。'"

【口诛笔伐】用语言文字进行揭露、批判和声讨。

【口是心非】嘴里说得好听,心里想的却另是一套。指心口不一致。

【口蜜腹剑】《资治通鉴·唐玄宗天宝元年》记载,唐朝宰相李林甫,妒忌贤能,与人相处表面亲热,而心存阴谋。故时人称他"口有蜜,腹有剑。"后以"口蜜腹剑"比喻嘴甜心毒,狡猾阴险。

【口惠而实不至】口头上许给别人好处,实际上却并不实行。惠:恩惠。

kòu ㄎㄡˋ

叩(❶ *敂) kòu ❶敲;打。㊀～门。❷磕头。㊀～拜。

扣(❶ *釦) kòu ❶纽扣。㊀衣～。❷绳结。㊀活～儿。❸套住或搭住。㊀～纽扣|把门～上。❹器物翻过来朝下放或盖上东西。㊀把杯子～在桌上|用盆把烧好的鱼～上。❺用强制手段把人或物截留下来。㊀～留。❻从原数中减去一部分。㊀九～(把原数减为百分之九十)|不折不～。❼自上而下猛地用力掷或击(球)。㊀～球|一记重～。❽同"叩"①。

【扣押】扣留;拘留。

【扣人心弦】形容激动人心。

筘 kòu 也叫杼(zhù)。织布机的主要机件。形状像梳子。用以确定经纱密度,保持经纱位置,并把纬纱打紧,使经、纬纱交织成织物。

怐☒ kòu 〔怐愗〕愚昧。愗(mào)。

寇(*冦 *寇) kòu ❶强盗;侵略者。㊀贼～|敌～。❷侵略;进犯。㊀入～|～边。

【寇准】(961—1023)宋代政治家。字平仲,华州下邽(今陕西渭南北)人。1004年拜相时值契丹进攻,他力主抗辽,使宋朝转危为安,达成澶渊之盟的休战和议。后封莱国公。著有《寇莱公集》。

蔻 kòu 指豆蔻。㊀～仁儿。

【蔻丹】英语音译词。染指甲的油。

滱□ kòu 滱水,水名,在山西。

簆□ kòu 同"筘"。

瞉☒(瞉) kòu 初生的小鸟。

kū ㄎㄨ

矻 kū 〔矻矻〕形容努力、勤劳。㊀～终日(整天勤勤恳恳不闲着)。

K

刳 kū 剖开后再挖空。[例]～木为舟。

枯 kū ❶干；失去了水分。[例]～井｜～树。❷没有趣味。[例]～燥｜～坐。

【枯涩】枯燥不顺畅。[例]文字～。

【枯萎】干枯萎缩。[例]荷叶～。

【枯寂】枯燥寂寞。

【枯槁】草木干枯。也指人面容憔悴。

【枯竭】水源干涸(hé)；来源断绝。[例]水源～｜财源～。

【枯燥】内容贫乏，单调无味。

【枯水位】一般指流域内地表水流基本枯竭，河湖主要依靠地下水补给而出现的比较稳定的低水位。可根据历年观测资料定一水位，在此限度以下的水位作为枯水位。水位降落至枯水位以下的时期可称枯水期。

【枯木朽株】枯死的树干，朽腐的树桩。比喻老弱的人或衰微的力量。《史记·鲁仲连邹阳列传》："则以枯木朽株，树功而不忘。"

【枯木逢春】比喻重获生机。

骷 kū 〔骷髅〕没有皮肉、毛发的尸体骨架。也指死人的头骨。

朏[⊠] ㊁ kū 脚弯曲。
㊀ fěi (269 页)。

窋[⊠] ㊀ kū 同"窟"。
㊁ zhú (1294 页)。

堀[⊠] ㊀ kū ❶同"窟"。❷打洞。
㊁ jué (538 页)。

窟 kū ❶洞穴。[例]石～｜狡兔三～。❷某类人聚集或聚居的地方。[例]盗～｜贫民～。

【窟宅】巢穴。多指盗匪盘踞的地方。

哭 kū 因悲痛或激动而流泪出声。

【哭泣】小声哭。

搰[⊠] ㊁ kū 〔搰搰〕用力的样子。
㊀ hú (409 页)。

圐[□] kū 〔圐圙〕蒙语音译词。也译作库伦。围起来的草场。多用于地名。圙(lüè)。

kǔ ㄎㄨˇ

苦 kǔ ❶像胆汁或黄连的味道。与"甜""甘"相对。[例]～瓜｜药太～。❷痛苦。[例]～笑｜愁眉～脸。❸辛苦；艰苦。[例]吃～耐劳。❹因某种原因而感到痛苦或困难。[例]从前他～于不识字。❺副词。竭力地；辛勤地。[例]～练杀敌本领。

【苦力】帝国主义者对殖民地、半殖民地出卖劳动力为他们干重体力活的人的蔑称。

【苦水】❶含有硫酸钠、硫酸镁等矿物质而味道苦的水。❷比喻深藏于心的痛苦。[例]吐～。

【苦瓜】一年生草本植物。叶掌状。花单性，黄色，雌雄同株，单生。果实纺锤形或长圆筒形，表面有瘤状突起，成熟时黄赤色。果肉有苦味，可食。也指这种植物的果实。

【苦主】命案中被害人的家属。

【苦行】指某些宗教流派的信徒用难以忍受的痛苦来折磨自己的一种修行手段。

【苦战】艰苦地战斗。

【苦胆】胆囊的通称。因胆汁味苦，故名。

【苦夏】夏天由于怕热食量减少，身体消瘦。

【苦衷】不便说出的痛苦或为难的心情。[例]别有～。

【苦海】佛教用语。指人世没有尽头的苦境。

【苦难】痛苦和灾难(nàn)。

【苦楚】痛苦。多指生活上受折磨，或精神上受打击。

【苦肉计】一种计策。用伤残自己身体的行为来骗取对方的信任，以便见机行事。

【苦味酸】俗称黄色炸药。学名三硝基苯酚。黄色结晶，具有猛烈的爆炸性，早期用作炸药。

【苦口婆心】形容恳切耐心地再三劝告。苦口：不辞烦劳，反复恳切地说。婆心：像老太太那样仁慈的心肠。

【苦心孤诣】费尽心思钻研或经营。孤：独自。诣(yì)：学问技艺等所达到的程度。

【苦尽甘来】比喻艰难困苦的境况过去，美好的境况来到。

楛[⊠] ㊁ kǔ (器物)粗劣不坚固。
㊀ hù (412 页)。

kù ㄎㄨˋ

库(庫) kù ❶储存东西的建筑物。[例]仓～｜水～。❷某类信息按一定方式的汇集。[例]数据～。❸库仑的简称。

【库区】水库范围以内的地区。[例]～移民工作。

K

【库仑】❶夏尔·奥古斯坦·库仑(1736—1806)法国物理学家。主要从事电学、磁学和应用力学方面的研究。发明了可测微小力的扭秤，并用其在实验中确定了静电学的基本定律(库仑定律)。❷简称库。电量单位。为纪念库仑而命名。1库等于1秒·安。

【库存】指库里存有的现金或物资。

【库伦】蒙语音译词。❶城圈。17世纪中期为第一世哲布尊丹巴呼图克图所驻，始建城栅。清代设库伦办事大臣驻此，管理对俄罗斯通商事务等。1924年外蒙古宣布独立后，改称乌兰巴托。❷即“圐圙”(566页)。

【库容】水库蓄水容积。通常指水库最高水位时容纳水量的总容积，以立方米计算。

【库尔贝】居斯塔夫·库尔贝(1819—1877)法国画家，写实主义的代表。主张如实描绘当代的现实生活，反对学院派因袭的作风。代表作有《奥尔南的葬礼》《画室》等。

【库仑定律】法国物理学家库仑发现的关于两个静止点电荷间相互作用力的定律。即两个静止点电荷间的作用力，跟两个点电荷的电量的乘积成正比，跟两个点电荷间的距离的平方成反比；作用力在两点电荷的连线上，同性相斥，异性相吸。

【库图佐夫】米哈伊尔·库图佐夫(1745—1813)俄国军事家。18世纪末曾参加俄国对土耳其的战争。1805年俄、奥、英三国同盟对拿破仑战争中，任驻奥俄军总司令。1812年在反抗法军的战争中任俄军总司令，击败了拿破仑的军队。

裤(褲*袴) kù 裤子。

绔(絝) kù 同“裤”。只用于“纨绔”。

喾(嚳) kù 帝喾，传说中中国古代的一个帝王。参见〔五帝〕(1043页)。

酷 kù ❶残暴。㊀～吏｜～刑。❷副词。极；极其。㊀～爱｜～热。

【酷刑】残暴狠毒的刑罚。

【酷吏】指滥施刑罚、残害人民的官吏。

【酷肖】极其相像。肖(xiào)：像。

【酷烈】残酷暴烈。

【酷爱】极其爱好。

【酷暑】异常炎热的夏天。

kuā ㄎㄨㄚ

夸(誇) kuā ❶说大话；言过其实。㊀自～｜～口。❷称赞。㊀～奖。

【夸克】理论上预言的组成强子的粒子。有上夸克(u)、下夸克(d)、奇夸克(s)、灿夸克(c)、底夸克(b)和顶夸克(t)六种，它们都带有分数电荷。夸克的存在现已被实验证实。

【夸张】❶夸大；言过其实。❷修辞格的一种。为了更突出更鲜明地表现某一事物或某种思想感情，在客观事实的基础上，对所描绘的对象有意言过其实，进行扩大或缩小。如：“这块土地，筷子插下去也能发芽开花。”

【夸耀】向别人炫耀。

【夸父逐日】古代神话。《山海经·海外北经》记载，有个叫夸父的人，为了征服太阳，一路追赶它，直至口渴而死。临死时扔出他的手杖，化为一片树林，名曰邓林。逐：追赶。

【夸夸其谈】说话浮夸，不切实际。

姱⊠ kuā 美好。

kuǎ ㄎㄨㄚˇ

侉 kuǎ ❶说话口音不纯正，跟本地语音不合。㊀他说话有点～。❷粗大；不细巧。㊀这个箱子太～了，携带不方便。

垮 kuǎ 倒塌；溃败。㊀洪水冲～堤坝｜打～了敌人。

【垮台】比喻瓦解、失败。

【垮塌】倒塌；坍塌。㊀桥身～。

咵⊠ kuǎ 同“侉”。

kuà ㄎㄨㄚˋ

挎 kuà ❶把东西挂在肩膀、脖颈、腰部等处。㊀肩上～着书包｜腰里～着手枪。❷胳膊弯起来挂住。㊀两个人～着胳膊走。

胯 kuà 腰的两侧和大腿之间的部分。㊀～下｜～骨。

跨 kuà ❶迈步越过。㊀～进大门。❷骑。㊀～上战马。❸越过界限。㊀～地区｜～年度。❹附在旁边的。㊀～院儿。

【跨栏】径赛项目之一。经过一定距离并跨过设在其间的若干栏架。栏高和栏间距都是固定的。比赛分100米、110米、400米等项目。

【跨度】❶桥梁、屋顶、桁架等跨越空间的大小,也指构件支承点之间的距离。❷跨越时间的长度。

【跨院儿】正院旁边的院子。

【跨国公司】也叫多国公司、国际公司。主要资本主义国家的大垄断企业,在许多国家、地区设立分支机构或控制所在国的子公司而形成的一种国际性垄断组织。由一国或数国的垄断资本组成。在许多国家(或地区)进行巨额的直接投资,开设子公司,或吞并和控制当地企业,形成巨大的经济和政治势力。

kuǎi ㄎㄨㄞˇ

㧟□(擓) kuǎi 〈方〉❶用指甲挠。㊀～痒痒儿。❷用胳膊挎着。㊀～着篮子。❸舀。㊀～水｜～了一勺汤。

蒯 kuǎi 蒯草,多年生草本植物。多生于水边或阴湿地方,茎可编席或制绳索。

【蒯祥】(1397—1481)明代建筑工匠。吴县(在今江苏)人。曾任工部左侍郎。精于设计和施工,曾多次参加或主持重大的皇室工程,如明皇宫太和殿、中和殿、保和殿,以及隆福寺、西苑、裕陵等。

kuài ㄎㄨㄞˋ

凷⊠ kuài 同"块"。

会(會) ㊀ kuài 总计。㊀～计。㊁ huì (435页)。

【会子】南宋使用的纸币。初为民间发行,1160年改由户部发行。以铜钱作币值本位,面额不等。三年为一界,共发行十八界。

【会计】以货币为主要计量单位,对企业、机关、事业单位的经济活动或预算执行过程连续地、系统地、全面地进行记录、计算、分析和检查,即通常说的记账、算账、报账和用账等工作。是管理经济的一种工具。也指担任这种工作的人。

【会稽】❶山名。在浙江曹娥江、浦阳江之间,主峰在绍兴东南。相传夏禹至苗山大会诸侯,计功封爵,始名会稽。❷古郡名。秦始皇二十五年(前222)始置会稽郡,郡治在今江苏苏州。汉、吴、晋、南朝、隋等朝代都设有会稽郡,郡治郡境时有变更。❸隋设会稽县,后与山阴县合并为绍兴县。

【会计分录】表示某项经济业务应记入的账户及其记录方向和金额的一种记录。

【会计年度】在会计工作中,规定以一年作为核算经营活动或预算执行活动的起止期间。

【会计要素】会计的组成部分。

【会计科目】按照资金来源与运用的不同经济特征和核算内容进行分类的名称。

【会计原则】进行会计工作应遵循的标准。

侩(儈) kuài 指拉拢买卖从中取利的人。

郐(鄶) kuài 周朝国名。在今河南密县东北。

哙(噲) kuài 咽下去。

狯(獪) kuài 狡猾;狡诈。㊀狡～。

浍(澮) ㊀ kuài 田地里的水沟。㊁ huì (435页)。

脍(膾) kuài 切细的肉。

【脍炙人口】脍和炙都是美味的食品。比喻好的诗文为人们赞美和传诵。《宣和书谱》卷一〇:"(韩偓)所著歌诗颇多,其间绮丽得意者数百篇,往往脍炙人口。"炙(zhì):烤肉。

旝⊠(旝) kuài ❶古代的一种军旗。❷古代作战的抛石车。

鲙(鱠) kuài 见"鳓"(588页)。"鱠",也作"脍"的异体字。

块(塊) kuài ❶成团或成疙瘩的东西。㊀土～｜～根。❷量词。1.用于块状或某些片状的东西。㊀一～地｜两～毛巾。2.用于货币,等于"圆"。㊀三～钱。

【块茎】植物的膨大成块状的地下茎,是变态茎。贮有养料,表面有芽。如马铃薯的食用部分。
【块垒】比喻郁积在内心的气愤或忧愁。
【块根】植物的膨大成块状的根。是变态根的一种。贮有养料。如甘薯的根。
快 kuài ❶速度高。与“慢”相对。㊀～车|多～好省。❷副词。将;就要。㊀～到国庆节了。❸舒服;高兴。㊀愉～|人心大～。❹锐利。与“钝”相对。㊀～刀。❺干脆爽直。㊀痛～|～人～语。
【快门】照相机中控制曝光时间的重要部件。有镜间快门和焦点平面快门等。
【快乐】感到幸福、欢乐。
【快报】及时反映情况的小型报纸或墙报。
【快板】曲艺的一种。由数来宝发展演变而成。演唱者自打竹板(莲花板)。有单口、对口和快板群之分。故事性强的段子称快板书。还有用方言演唱的天津快板(用弦乐伴奏)、陕西快板等。
【快递】从速投递。㊀～邮件。
【快感】愉快或痛快的感觉。
【快意】心情爽快舒适。
【快慰】愉快而且感到安慰。多用于书信。㊀不胜～。
【快餐】预先做好能快速提供给用餐者的方便饭食。㊀～店。
【快步舞】舞厅舞的一种。音乐为4/4拍,节奏快。舞姿轻快、活泼。舞者还常常加入跳步,使更富技巧性和趣味性。
【快速路】也叫汽车专用公路。城市道路中设有中央分隔带,具有四条以上机动车道,全部或部分采用立体交叉与控制出入,供汽车以较高速度行驶的道路。
【快马加鞭】比喻快上加快。
【快刀斩乱麻】比喻办事果断,抓住关键,迅速地解决复杂的问题。
筷 kuài 筷子,吃饭时夹食物的用具。

kuān ㄎㄨㄢ

宽(寬) kuān ❶宽广;宽阔。与“窄”相对。㊀马路很～。❷宽度;横的距离。㊀马路～二十米。❸放松。㊀～心|～限。❹宽容;不严厉。与“严”相对。㊀～厚|坦白从～。❺有余。㊀～裕。
【宽大】❶面积或容量大。❷对犯错误或犯罪的人从轻处理。
【宽衣】敬辞。请人脱去外衣。㊀屋里热,请～吧!
【宽旷】宽广空阔。
【宽松】❶宽绰;不局促。㊀～的衣服|这里的座位比较～。❷轻松;不紧张。㊀～的环境|气氛～。
【宽厚】❶又宽又厚。❷(声音)洪亮厚重。❸(待人)宽大厚道。
【宽容】原谅,饶恕,不予计较追究。
【宽恕】宽容饶恕。
【宽绰】❶宽阔。❷(心胸)开阔。㊀听了你的开导,我心里～多了。❸(生活)富裕。
【宽裕】宽绰,富裕。㊀生活～|时间～。
【宽解】使宽心;解除烦恼。
【宽慰】宽解安慰。
【宽银幕电影】宽画幅的电影。其银幕高与宽之比为1:1.65到1:3(普通银幕为1:1.33),略成弧形,能使观众看到更广阔的场景,并有身临其境的感觉。
髋(髖) kuān 髋骨,通称胯骨。组成骨盆的大骨。左右各一,由髂骨、坐骨、耻骨合成。

kuǎn ㄎㄨㄢˇ

款(*欵) kuǎn ❶钱。㊀公～|专～专用。❷法令、规章或条约的分项条文。㊀条～|第一条第二～。❸古代钟鼎上铸刻的文字,引申为书画上的题名。㊀～识|落～。❹式样;格式。㊀新～|～式。❺诚恳;恳切。㊀～留。❻招待。㊀杯茶可～远来客。❼缓慢。㊀～步。❽敲;叩。㊀～门。
【款式】式样;格式。
【款曲】殷勤的心意。㊀互通～。曲(qū)。
【款识】钟鼎器物上所刻的文字。后世书画上的题名也称款识。识(zhì)。
【款待】殷勤热情地招待。
【款洽】指感情真诚融洽。
【款留】诚恳地挽留(客人)。
【款款】❶诚恳;忠实。㊀～之忠。❷缓慢。㊀点水蜻蜓～飞。
窾☒ kuǎn 空隙;孔穴。

kuāng ㄎㄨㄤ

匡 kuāng ❶纠正。㊀～正。❷帮助。㊀～助。❸古又同“恇”。❹古又同

“尪(wāng)”。

【匡我不逮】帮助我不足之处。

劻☒ kuāng 〔劻勷〕也作俇儴。形容急迫不安。勷(ráng)。

俇☒ ㊀ kuāng 〔俇儴〕同“劻勷”(570页)。

㊁ wāng (1011页)。

诓(誆) kuāng 欺骗。㊄～骗。“誆”,另音 kuáng,也作“诳”的异体字。

哐 kuāng 拟声词。撞击震动的声音。㊄～的一声,把门关上了。

洭☒ kuāng 洭水,古水名,在今广东。

恇☒ kuāng 害怕;惊慌。

軭☒**(軭)** kuāng ❶马耳弯曲。❷同“诓”。

筐 kuāng 用竹篾、柳条、荆条等材料编成的盛东西的器具。

偟☒ ㊀ kuāng 〔偟攘〕纷扰不宁的样子。

㊁ guàng (355页)。

kuáng ㄎㄨㄤˊ

狂 kuáng ❶发疯;精神失常。㊄发～。❷狂妄。㊄～言。❸纵情地、无拘束地。㊄～欢。❹猛烈。㊄～风暴雨。

【狂妄】极端地骄傲自大,目空一切。

【狂欢】纵情欢乐。

【狂吠】狗狂叫。借指疯狂地叫喊(骂人话)。

【狂言】狂妄的话。㊄口出～。

【狂草】草书的一种。笔势狂放,连绵回绕,字形变化繁多。

【狂热】一时激起的极度的热情。

【狂澜】汹涌的波涛。比喻动荡的局势或猛烈的潮流。㊄力挽～。

【狂飙】猛烈的暴风。比喻猛烈的潮流、力量。

【狂犬病】也叫恐水病。由狂犬病毒引起的急性传染病。人被感染了狂犬病毒的犬咬伤后,病毒自伤口循末梢神经到达脑部,患者高度兴奋、恐惧不安、恐水、恐风、咽喉肌痉挛、全身抽搐。受伤后早期注射狂犬疫苗可防止发病。

【狂想曲】富于幻想、具有史诗性和民族特色的器乐曲。如李斯特的《匈牙利狂想曲》等。

诳(誑) kuáng 欺骗。㊄～语。

鵟□**(鵟)** kuáng 鸟类。形状似老鹰。常翱翔高空。食鼠类。

kuǎng ㄎㄨㄤˇ

夼 kuǎng 〈方〉两山之间的大沟。多用于地名,如大夼(在山东莱阳)。

kuàng ㄎㄨㄤˋ

邝(鄺) kuàng 姓。

圹(壙) kuàng ❶墓穴。❷旷野。

【圹埌】墓穴。埌(làng)。

纩(纊) kuàng 丝绵。

旷(曠) kuàng ❶空阔远大。㊄～野|地～人稀。❷心境开阔。㊄心～神怡。❸耽搁;荒废。㊄～工|～日废时。

【旷工】(职工)无故缺勤。

【旷世】❶当代没有能够相比的。㊄～功勋。❷历时久远。㊄～难成之业。

【旷古】自古以来(所没有)。㊄～未闻。

【旷达】心胸阔大,遇事想得开。

【旷费】浪费。

【旷野】空阔的原野。

【旷日持久】荒废时日,长期拖延。《战国策·赵策四》:“今得强赵之兵以杜燕将,旷日持久,数岁,令士大夫余子之力,尽于沟垒。”旷:耽误。

爌☒**(爌)** kuàng 〔爌烺〕宽敞明亮的样子。

矿(礦*鑛) kuàng ❶矿产、矿床、矿体、矿石的通称。㊄探～|采～|选～。❷开采矿物的场所。㊄～井。

【矿石】可以提取有用元素、化合物或矿物的天然矿物集合体。

【矿业】开发矿藏的事业。

【矿产】地壳中或地表富集的有用矿物。

【矿床】存在于地壳中或地表,有开采价值的矿物集合体。
【矿层】夹在地层中作层状分布的矿物。
【矿苗】矿体在地面的露头。是一种主要的找矿标志。
【矿物】在地质作用中形成的天然单质或化合物。具有一定化学成分、物理性质和结晶构造。是岩石和矿石的基本组成单位。
【矿脉】以板状或其他不规则形状充填在各种岩石裂隙中的矿体。这类矿很常见,如钨矿石英脉、含金石英脉以及重晶石、萤石等矿脉。
【矿藏】各种矿产的总称。
【矿物质】食品中含有的微量元素无机盐类。多数是人体维持正常生理机能所必需的。包括铁、碘、钙、镁、锌、铜、磷等。蔬菜、水果、粮食、肉类中都含有一定量的矿物质。
【矿泉水】可供直接饮用或具有医疗作用的地下水。一般埋藏较深,未受污染,含有特殊的化学成分、有机物和气体,或具有较高的温度,有益于人体健康。
【矿产资源】指在地表或地下富集并达到人类生产和生活利用要求的有用矿物。主要可分为金属矿产和非金属矿产两大类。
【矿产能源】以矿产形式储存于地球上的非再生能源。如煤、石油、天然气、核燃料等。
【矿产储量】简称储量。指有用矿产在矿床中的埋藏数量。一般以矿石和其中的有用组分(或有用矿物)的重量表示,少数则以矿产的体积表示。
【矿质营养】植物生长、发育过程中对必需的矿质元素的吸收和利用过程。矿质元素一般指除碳、氢、氧外,主要从土壤、肥料中吸取的氮、磷、钾、硫、铁、氯等。

穬☒(穬) kuàng 有芒的谷物。指稻、麦,也指裸大麦。

况(*況) kuàng ❶情形。㊀近～|战～。❷比方。㊀以古～今。❸文言连词。表示更进一层,相当于"况且""何况"。㊀江河尚能跨越,～此等沟洫乎?
【况且】连词。表示追加一层理由。㊀你是学化学的,～在化工厂里又工作过几年,这个问题是能够解决的。

贶(貺) kuàng 赠送。㊀厚～。

纩☒(纊) kuàng 同"纩"。

框 kuàng ❶门窗、器物四围的架子。㊀门～|镜～。❷加在文字、图片周围的线条。❸约束;限制。
【框架】比喻事物的轮廓或主要组织、结构。
【框框】❶在文字、图画周围所加的线条。❷喻指束缚人手脚的规矩、办法等。㊀打破旧～。

眶 kuàng 眼的四周;眼眶子。㊀热泪盈～。

kuī ㄎㄨㄟ

亏(虧) kuī ❶缺;欠。㊀理～|功～一篑。❷损失。㊀～本。❸对不起。㊀～负|～心。❹幸而有;多亏。㊀～了你的帮助,我才完成了任务|这样的话,～你说得出来(反说,表示讥讽)。
【亏负】辜负;使吃亏。
【亏空】❶支出超过收入,因而欠别人财物。❷所欠的财物。空(kong)。
【亏蚀】❶指日蚀和月蚀。❷亏本。
【亏损】❶入不敷出,造成资金、物资的减少。❷身体因重病或受摧残而致虚弱。

刲☒ kuī ❶刺;杀。㊀～羊。❷割取。

岿(巋) kuī 高大。
【岿然】高而挺立的样子。㊀～不动。

悝 kuī 嘲笑;诙谐。

盔 kuī ❶作战或劳动时用来保护头部的金属帽子。也有用硬塑料制成的。㊀钢～|铝～。❷形似碗但比大碗还大的盛器。
【盔甲】古代作战时的服装。盔戴在头上,甲穿在身上。

窥(窺*闚) kuī 从小孔、缝隙或隐蔽处看。㊀管中～豹|～探。
【窥伺】暗中观看探听动静,等待可乘的时机(含贬义)。
【窥视】偷着察看。

K

【窥测】窥探测度(含贬义)。例～方向。

kuí ㄎㄨㄟˊ

奎 kuí 星名。二十八宿之一。

【奎宁】也叫金鸡纳霜。从金鸡纳树中提制的一种生物碱。用于治疗疟疾。

喹 kuí 〔喹啉〕有机化合物。无色液体,有特殊臭味。用以制药品、染料等。啉(lín)。

蝰 kuí 〔蝰蛇〕爬行动物。毒蛇的一种。体长1米左右。背部灰褐色,腹部黑色,身体两侧有不规则的斑点。生活在森林或草地里。

逵 kuí 四通八达的大路。

馗 kuí 同"逵"。

隗 ㊁ kuí 姓。
㊀ wěi (1023页)。

魁 kuí ❶首领;头子。例罪～。❷(身材)高大。例～伟。❸魁星①。

【魁星】❶指北斗七星中构成斗形的四颗星。一说指其中离斗柄最远的一颗。❷古代神话中指管文章盛衰的神。

【魁梧】身体健壮高大。

櫆☒ kuí 北斗星。

揆 kuí ❶估量;揣测。例～度(duó)。❷道理;准则。例其～一也(其道理是一样的)。❸掌握;管理。后因称宰相、内阁总理的职位为揆。例以～百事|阁～。

葵 kuí ❶冬葵,一年生或二年生草本植物。叶圆形,稍皱缩,嫩时可食。❷向日葵,一种油料作物。种子可榨油。

K

骙(騤) kuí 〔骙骙〕形容马强壮。

暌 kuí 隔离;分别。例～离|～违|～隔。

戣☒ kuí 古代戟一类的兵器。

睽 kuí ❶违背;不合。例～异。❷同"暌"。

【睽睽】注视;瞪着眼睛看。例众目～。

夔 kuí ❶古代传说中一种形状像龙而只有一足的动物。❷夔州,古地名,在今重庆奉节一带。

【夔纹】古代铜器上所铸刻的夔形花纹。

kuǐ ㄎㄨㄟˇ

傀 kuǐ 〔傀儡〕木偶戏里用的木头人。也比喻受人操纵的人或组织。例～政府。儡(lěi)。

跬 kuǐ 古称一举足(一脚向前迈出后着地)的距离为跬,两举足的距离为步。例千里之行,始于～步。

kuì ㄎㄨㄟˋ

匮(匱) ㊀ kuì 缺乏。例～乏。
㊁ guì (359页)。

蒉(蕢) kuì 古代盛土用的草包。

馈(饋*餽) kuì 把东西送人。例～赠。

溃(潰) ㊀ kuì ❶(大水)冲破(堤坝)。也引申为突破。例～决|～围(突破包围)。❷被打垮。例～退|～不成军。❸腐烂。例～烂|～疡。
㊁ huì (437页)。

【溃败】作战被打垮。

【溃疡】皮肤或黏膜表面组织的缺损、溃烂。常合并慢性感染,可能经久不愈。如胃溃疡、口腔溃疡等。

【溃散】打了败仗后逃散。

【溃不成军】形容军队被打得七零八落,不成队伍。

【溃围决堤】溃和决都是冲破的意思。冲破堤防。比喻某种情势如同潮水汹涌而至,不可阻挡。

愦(憒) kuì 糊涂。例昏～。

褛□**(襀)** kuì 〈方〉❶用绳子、带子拴成的结。例活～儿|死～儿。❷拴;系(jì)。例～个褛儿|把牲口～上。

聩(聵) kuì 耳聋。例振聋发～。

篑(簣) kuì 古时盛土的筐子。例功亏一～。

喟 kuì 叹气。例～叹。

【喟然】叹气的样子。㊀～长叹。

愧(*媿) kuì 惭愧;难为情。㊀羞～。

【愧色】羞愧的脸色。㊀毫无～。

【愧汗】因为羞惭而流汗。形容惭愧到了极点。

【愧怍】惭愧。怍(zuò)。

kūn ㄎㄨㄣ

坤(*堃) kūn ❶八卦之一。代表地。参见〔八卦〕(16页)。㊀乾～(天地)。❷指女性的。㊀～表|～车|～角儿。

昆(❹*崑❹*崐) kūn ❶哥哥。㊀～弟。❷后代;子孙。㊀后～。❸众多。㊀～虫。❹"昆仑"的"昆"。

【昆仑】昆仑山。

【昆布】中药上主要指海带。多年生单叶大型褐藻。叶状体入药,用于软坚散结、消炎利尿。

【昆虫】节肢动物的一纲。体分头、胸、腹三部分。成虫有足三对,绝大多数有翅两对。多数都经过卵、幼虫、蛹、成虫几个发育阶段。多数是害虫,如蚊、蝇、蝗虫等;少数是益虫,如蜜蜂等。

【昆仲】称别人兄弟(xiōngdì)。

【昆吾】同"锟铻"(573页)。

【昆剧】也叫昆腔、昆曲。戏曲剧种。元代以后,由江苏昆山一带民间戏曲腔调发展而成。曾流传各地,对许多地方戏曲剧种有过较大的影响。以演唱传奇剧本为主,曲牌繁多,舞蹈性强。主要伴奏乐器是笛子,兼用箫、琵琶等。

【昆嵛】山名。在山东东部。嵛(yú)。

【昆仑山】西起帕米尔高原,绵亘于新疆、西藏两自治区之间,东延到青海省,长约2 500千米。一般海拔6 000米。西段高峰有慕士塔格山(7 546米)、公格尔山(7 719米)等。

【昆明市】云南省会。位于该省中部偏东,滇池北岸。人口132万(1997年)。贵昆、成昆、南昆、昆河等铁路在此交会。是全省政治、经济、文化和交通中心。是以机械制造、有色冶金等为主的工业城市。气候温和,四季如春,有春城之称。风景名胜有滇池、大观楼、圆通寺、西山、世博园等。

【昆虫激素】昆虫的内分泌器官或某些细胞分泌到体液中或体外,对其他器官或同种另一个体有特殊作用的生理活性物质或特殊化学物质。分两大类:一类是向外分泌的外激素,在个体间释放警告信息素、性信息素、追踪信息素等;另一类是向内分泌的内激素,有保幼激素、蜕皮激素等。

【昆阳之战】西汉末绿林军歼灭王莽主力的战役。公元23年,绿林军攻下昆阳(今河南叶县)等地,王莽派王寻、王邑率军四十二万反扑,以十万人围攻昆阳。起义军主将王凤率八九千人,苦战坚守,并派刘秀等突围求援。刘秀调集起义军一万多人来援,选精兵三千突破莽军中坚,杀死王寻,城内守军乘势出击,内外夹攻,歼灭了莽军主力。

騉☒(騉) kūn 〔騉駼〕马名。马身而牛蹄,善登山。

琨 kūn 美玉。

焜 kūn 明亮。

鹍☒(鵾) kūn 〔鹍鸡〕古书上说像鹤的一种鸟。

锟(錕) kūn 〔锟铻〕也作昆吾。古剑名。

醌 kūn 有机化合物的一类。一般是有色物质。最简单的醌是苯醌,化学式为$C_6H_4O_2$。

鲲(鯤) kūn 古代传说中的一种大鱼。

【鲲鹏】古代传说中的大鱼和大鸟。《庄子·逍遥游》:"北冥有鱼,其名为鲲;鲲之大,不知其几千里也。化而为鸟,其名为鹏;鹏之背,不知其几千里也。怒而飞,其翼若垂天之云。"冥:通"溟",海。

裈☒(褌) kūn 同"裈"。

裈(褌) kūn 古代有裆的裤子。

髡 kūn 古代一种把头发剃光的刑罚。

kǔn ㄎㄨㄣˇ

捆(*綑) kǔn ❶用绳子等把东西绑起来。㊀～行李。❷量词。用于成捆的东西。例一～报纸。

阃(閫) kǔn ❶门坎。❷旧指妇女居住的地方。❸借指妇女。

悃 kǔn 真心诚意。

梱⊠ kǔn 也叫阒。两门中间的方木桩。

壸⊠(壼) kǔn 古时皇宫里的路。

kùn ㄎㄨㄣˋ

困(❹❺睏) kùn ❶陷于艰难痛苦之中。例为疾病所～。❷包围住。例围～|被～。❸贫苦;艰难。例穷～|～难|～境。❹疲劳欲睡。例人～马乏。❺〈方〉睡。例～觉。

【困乏】❶疲倦无力。❷生活困难。

【困守】在被围困的情况下坚守。

【困顿】❶过于疲劳,难于支持。❷处境艰难窘迫。

【困惑】感到疑难,不知道该怎么办。

【困境】困难的处境。

【困兽犹斗】被围困住的野兽还要作最后的挣扎。比喻陷入绝境时还要挣扎顽抗。《左传·宣公十二年》:"困兽犹斗,况国相乎!"

kuò ㄎㄨㄛˋ

扩(擴) kuò 放大;伸张;推广。例～音器|～充|～散。

【扩充】扩大,充实。例～队伍|～内容。

【扩军】扩充军备。

【扩容】指扩大通信设备等的容量。泛指在某方面扩大规模、范围、数量等。

【扩散】❶扩大散布。例癌细胞已经～|此消息不得向外～。❷物质的分子(或原子)由于热运动,不断向四周分散的现象。固、液、气各态物质均有扩散性质。气态物质扩散最快。

【扩频通信】一种新的无线电通信方式。其电波能量不是集中在某个频率点或一个很窄的频段上,而是被扩展到很宽的频率范围内。不易受干扰,也不易造成泄密。

【扩大再生产】生产过程在扩大的规模(增加生产资料和劳动力)上进行的再生产。

扩⊠ kuò 同"扩"。

括(*搭) kuò ❶包括;包含。例总～|概～。❷扎;束。例～约肌。

【括号】标点符号的一种。常用形式为"( )",还有方括号"[ ]"、六角括号"〔 〕"和方头括号"【 】"。表示行文中注释性的文字。注释句中某些词语的,括注紧贴其后;注释整句的,括注放在句末标点之后。

【括约肌】分布在人和动物某些管腔周缘的一种环行肌肉。有收缩和放松作用。如肛门括约肌。

适 ㊁ kuò 同"适"。
㊀ shì (903页)。

栝 ㊁ kuò 见〔檃栝〕(1180页)。
㊀ guā (343页)。
㊂ tiǎn (975页)。

蛞 kuò 见下。

【蛞蝓】也叫鼻涕虫。软体动物。形状像蜗牛,没有壳。爬行后留下银白色的条痕。生活在潮湿地方。危害蔬菜、果树等。

【蛞蝼】即"蝼蛄"(636页)。

筈⊠ kuò 箭尾。

阔(闊*濶) kuò ❶宽广。例开～|海～天空。❷时间或距离久远。例～别。❸富有;(吃穿用)讲究。例～佬|不要摆～。❹不切实际。例迂～。

【阔步】迈着大步。例昂首～。

【阔别】久别。

【阔绰】生活奢侈,讲究排场。

【阔叶林】以阔叶树为主的森林。如青冈栎林、山杨林、桦木林等。

适⊠ kuò 疾速。多用于人名,如南宫适(周朝人)。

廓 kuò ❶空阔。例寥～|～落(空阔寂静的样子)。❷清除。例～清。❸物体的周围。例轮～。

【廓张】扩张。

【廓清】澄清。

霩⊠ kuò ❶雨止云散。❷同"廓"。❸〔霩霩〕古地名。在今浙江。

鞹⊠ kuò 去毛的兽皮。

K

L ㄌ

lā ㄌㄚ

垃 lā 见下。

【垃圾】废弃物。如扔弃的破烂东西或脏土等。

【垃圾债券】风险大、安全性低的债券。

拉 ㊀ lā ❶牵引;扯;拽。㊕～车|～网。❷排泄粪便。❸闲谈。㊕～家常。❹用车载运。㊕～货|～了两车皮。
㊁ lá(576页)。
㊂ lǎ(576页)。

【拉夫】旧指军队抓老百姓充当夫役。

【拉动】采取措施使跟随变动或向前发展。㊕～经济增长|～消费。

【拉杂】杂乱;没有条理。

【拉纤】❶人在岸上用绳子拉船前进。❷指为双方介绍、说合,以从中取利的行为。纤(qiàn)。

【拉拢】为了利用而用手段使别人靠拢自己。

【拉呱儿】〈方〉聊天。

【拉马克】让·拉马克(1744—1829)法国博物学家,无脊椎动物学的创始人。他最先提出生物进化学说,并主张物种是可变的,提出环境对生物的影响以及器官用进废退和获得性遗传的理论。

【拉饥荒】欠债。荒(huang)。

【拉各斯】尼日利亚城市。位于该国西南部。人口144万(1994年)。是全国最大城市、交通中心和对外贸易港口。1991年之前一直是尼日利亚首都。

【拉伯雷】弗朗索瓦·拉伯雷(约1494—1553)文艺复兴时期法国作家。其代表作《巨人传》以浪漫主义的夸张手法描述了巨人国王及其儿子的神奇故事,讽刺和揭露了封建制度和教会的腐朽和黑暗。

【拉郎配】比喻强行使两种事物联合起来。

【拉威尔】莫里斯·拉威尔(1875—1937)法国作曲家。其创作大多以自然景物、世态风俗或神话故事为题材。作品构思新颖,和声语言清晰,配器精致而富于色彩,结构严谨,形象鲜明。代表作有管弦乐《西班牙狂想曲》《波莱罗》《鹅妈妈组曲》,钢琴曲《镜》《水的嬉戏》《夜之幽灵》,舞剧《达佛尼斯与克洛埃》等。

【拉祜族】中国少数民族之一。人口41万(1990年)。主要分布在云南省临沧、思茅地区和西双版纳傣族自治州的山区。有本民族语言文字,部分通汉语文。建立有澜沧拉祜族自治县等自治地方。祜(hù)。

【拉萨市】西藏自治区首府。位于雅鲁藏布江支流拉萨河北岸。人口12万(1997年)。是一座历史悠久的古城。现为川藏、青藏公路终点,是全区政治、经济、文化和交通中心。光照充足,有日光城之称。名胜古迹有布达拉宫、哲蚌寺、色拉寺、大昭寺、罗布林卡等。

【拉斐尔】拉斐尔·桑齐奥(1483—1520)意大利画家,文艺复兴盛期的代表。擅长圣母像、壁画、肖像画,人物造型优雅秀美,色调和谐,笔触圆润。代表作有《雅典学派》《西斯廷圣母》等。

【拉丁字母】也叫罗马字母。古代意大利半岛的拉丁人使用的字母。也泛指以拉丁文字母为基础加以补充的字母,如英文、法文、西班牙文的字母。《汉语拼音方案》所采用的字母也是拉丁字母。参见"拉丁字母表"(576页)。

【拉丁美洲】指美国以南的美洲地区。位于西半球的中、南部,西临太平洋,东临大西洋,包括墨西哥、中美洲、西印度群岛和南美洲四个地区。面积约2 070万平方千米,人口5.1亿(1999年)。由于这个地区通用拉丁语系的西班牙语和葡萄牙语,故名。

【拉氏指数】在进行加权指数计算时,以基准期数据为权数计算出的指数。

拉丁字母表

大写	小写	名称*	大写	小写	名称*
A	a	a	N	n	nê
B	b	bê	O	o	o
C	c	cê	P	p	pê
D	d	dê	Q	q	qiu
E	e	e	R	r	ar
F	f	êf	S	s	ês
G	g	gê	T	t	tê
H	h	ha	U	u	wu
I	i	yi	V	v	vê
J	j	jie	W	w	wa
K	k	kê	X	x	xi
L	l	êl	Y	y	ya
M	m	êm	Z	z	zê

* 按照《汉语拼音方案》的规定。

【拉尼娜现象】赤道附近东太平洋的表层海水温度异常降低的现象。与厄尔尼诺现象相反，故又名反厄尔尼诺现象。常出现在厄尔尼诺现象之后，持续约一年。对全球天气、气候的变化具有重大影响。

【拉普拉塔河】南美洲第二大水系。由巴拉那河和乌拉圭河汇合而成。以巴拉那河为主干，发源于巴西高原东南部，流经巴西、巴拉圭，在阿根廷和乌拉圭两国之间形成宽阔的河口，入大西洋。长 4 700 千米。流域面积 425 万平方千米。巴拉那河及其支流多急流瀑布，水能资源丰富，干流上建有伊泰普水电站，支流伊瓜苏河上有著名的伊瓜苏瀑布。

【拉大旗作虎皮】鲁迅《答徐懋庸关于抗日民族统一战线问题》："拉大旗作为虎皮，包着自己，去吓唬别人。"比喻打着权威的旗号吓唬和蒙骗人。

【拉赫玛尼诺夫】塞奇·拉赫玛尼诺夫(1873—1943)俄国作曲家、钢琴家。其创作深受柴科夫斯基影响，具有浓郁的浪漫气息和俄罗斯民族特征。主要作品大多完成于 1918 年定居美国之前。代表作有《第二钢琴协奏曲》，钢琴与乐队《帕格尼尼主题狂想曲》，钢琴前奏曲二十四首，《音画练习曲》，《第二交响曲》，歌剧《阿列科》，管弦乐《死岛》和合唱曲《钟声》等。

【拉德茨基进行曲】管弦乐曲。老约翰·施特劳斯曲。作于 1848 年。拉德茨基原是奥地利陆军元帅。

啦 ㊀ lā 〔啦啦队〕体育竞赛中，通过呐喊、歌舞、吹奏乐器等为运动员加油助威、活跃赛场气氛的集体。
㊁ la (577 页)。

擸☒ lā 折断。㊞～干而杀之。

邋 lā〔邋遢〕不整洁；不利落。遢(ta)。

lá ㄌㄚˊ

旯 lá 见〔旮旯〕(298 页)。

拉 ㊁ lá 割；切。㊞手上～了个口子｜～了一斤肉。
㊀ lā (575 页)。
㊂ lǎ (576 页)。

砬□ lá 〔砬子〕〈方〉岩石。㊞石头～。

揦□ ㊀ lá 〈方〉〔揦子〕玻璃瓶。
㊁ là (577 页)。

喇 ㊁ lá 见〔哈喇子〕(369 页)。
㊀ lǎ (576 页)。

lǎ ㄌㄚˇ

拉 ㊂ lǎ 见〔半拉〕(32 页)。
㊀ lā (575 页)。
㊁ lá (576 页)。

喇 ㊀ lǎ 见下。
㊁ lá (576 页)。

【喇叭】❶扬声器的俗称。❷唢呐的俗称。

【喇嘛】藏传佛教僧侣。藏语称男子出家者为喇嘛，意即上人、师傅。

【喇嘛教】中国佛教的一派。传播于藏族、蒙古族地区。7 世纪佛教传入西藏后，与西藏原有的"本教"互相影响而形成。13 世纪时，由于元朝的扶植，开始掌握整个西藏地方政权。主要宗派有黄教、红教、白教和花教等。

【喇嘛塔】中国佛塔主要类型之一。一般由凸字形基座、亚字形须弥座、覆钵形塔身(又称塔肚子、宝瓶)、塔刹组成。覆钵通常为白色，腰部开有火焰券洞。如北京妙应寺白塔。

là ㄌㄚˋ

剌 là 乖张；怪癖。㊀乖～（性情古怪别扭）。

【剌谬】违背；相反。汉司马迁《报任安书》："今少卿乃教以推贤进士，无乃与仆私心剌谬乎！"

揦□ ㊀ là 毁坏；破裂。

㊀ lá（576页）。

喇⊠（䶛） là〔虎喇〕古代骏马名。

瘌 là〔瘌痢〕也作鬎鬁。〈方〉秃疮，生在人头上的黄癣及发癣。

蝲□ là 见下。

【蝲蛄】节肢动物。生活在淡水中。是肺吸虫的中间宿主。

【蝲蝲蛄】蝼蛄的通称。

鯻□（鯻） là 鱼类。体侧扁，灰白色，有黑色条纹。生活在海中。

鬎□ là〔鬎鬁〕同"瘌痢"（577页）。

辣（*辢） là ❶姜、蒜、辣椒等有刺激性的味道。❷受辣味刺激。㊀～舌头｜～得直冒汗。❸狠毒。㊀心狠手～。

【辣手】❶形容手段的残酷、厉害。❷棘手；难办。㊀这件事真～。

落 ㊂ là ❶遗漏。㊀这里录入时～了一段。❷忘记把东西拿走或带走。㊀他把雨伞～在汽车上了。❸因为跟不上而被丢在后面。㊀行军时，他被～在了后面。

㊀ luò（652页）。

㊁ lào（587页）。

腊（臘*臈） ㊀ là ❶古代农历十二月合祭众神的祭祀。也指农历十二月。㊀～八。❷把鱼、肉等用盐腌后再熏制，使可以保存。㊀～肠｜～味。

㊁ xī（1055页）。

【腊八】农历十二月（腊月）初八。传说释迦牟尼在这一天得道成佛，因此寺院每逢这一天煮粥供佛，以后民间相沿成俗，在这一天喝腊八粥。

【腊月】农历十二月。古代在这个月举行腊祭。秦时以十二月为腊月，后世沿袭。

【腊味】指腊鱼、腊肉、腊鸡等食品。

【腊梅】同"蜡梅"（577页）。

【腊玛古猿】被认为是从猿到人过渡阶段的动物。生存于一千四百万到七百万年以前。其化石发现于印度等地。面部较短，下颌短小，突颌不明显；门齿和犬齿较小，缺乏齿间隙；牙齿咬合面皱纹简单。表现出由古猿向人进化的趋势。1975年以来，在云南禄丰发现化石颅骨、下颌骨、牙齿等。

蜡（蠟） ㊀ là ❶从动物、矿物、植物或其他东西里提炼的油质，具有可塑性，易溶化。不溶于水，溶于二硫化碳和苯。有蜂蜡、白蜡、石蜡等。可用做防水剂，也可制蜡烛。❷蜡烛。㊀点～。

㊁ zhà（1233页）。

【蜡白】（脸上）没有血色，像白蜡似的。

【蜡疗】一种理疗方法。将加热后变成流体的蜡敷在患病部位，用来止痛、消肿、消炎等。

【蜡纸】❶用蜡浸过的纸。刻写或打字后用来做油印底版。❷涂蜡防潮的纸。

【蜡版】用蜡纸打字或刻写成的供油印用的底版。

【蜡染】中国传统的民间印染工艺。将黄蜡溶液在白布上绘制图案，染色后煮去蜡质，现出白色图案。

【蜡笔】一种绘画用的笔。是蜡与颜料混合加热浇制成的。

【蜡烛】用蜡或其他油脂制成的供照明用的东西。多为圆柱形。

【蜡梅】也作腊梅。落叶灌木。冬季开花，花瓣外层黄色，内层暗紫色，香味浓。为中国著名的观赏植物。

【蜡像】用蜡制成的人或物的形象。㊀～馆。

攋⊠ là〔攋挲〕垃圾。挲（sà）。

镴（鑞） là 也叫白镴、锡镴。通称焊锡。锡和铅的合金。可用于焊接金属器物。

la ·ㄌㄚ

啦 ㊁ la 助词。"了（le）"和"啊（a）"的合音。㊀任务超额完成～！

㊀ lā（576页）。

鞡 la 见〔靰鞡〕（1047页）。

lái ㄌㄞˊ

来(來) lái ❶由彼至此。与“去”相对。㊀～往|～信。❷将来。㊀～日方长。❸做某个动作。㊀～一盘棋。❹从过去某个时间到现在。㊀几年～。❺表示约略估计的数字。㊀三十～岁|五十～斤。

【来历】❶(人或物的)由来和经历。❷(人的)身分背景。

【来归】❶归顺。❷古称女子出嫁(从夫家说)。

【来由】来历;缘故。

【来生】来世。迷信指人死了以后再转生到世上来的那一辈子。

【来头】❶来历。❷来势。❸从事某种活动时的兴致。头(tou)。

【来会】即“合会”(386页)。

【来牟】也作来麰。古时大麦和小麦的统称。牟(móu)。

【来苏】英语音译词。也译作来沙儿。苯酚的肥皂溶液。棕色,有刺激性臭味。用作消毒剂,1%的溶液用于医用机械消毒,5%—10%的溶液用于环境消毒。

【来势】动作或事物到来的气势。

【来宾】来的客人。

【来麰】同“来牟”(578页)。

【来源】事物的根源、起源。

【来日方长】将来的日子还很长。表示将来会大有可为或劝人不必急于做某事。

【来龙去脉】原为风水迷信用语,指山势脉络的来源和去向。现指事情的前因后果。

【来电显示】程控电话的一种功能。申请此项服务的用户在配备有这种功能的电话机后,可以在电话机的显示屏上看到主叫方的电话号码。便于有选择地接听电话,并有利于循迹追查恶意骚扰电话。

俫☒(倈) lái 元时称供使唤的小厮。又指元杂剧中扮演童仆的角色。

莱(萊) lái ❶藜。❷古指荒废或轮休的田地。

【莱菔】即“萝卜”(650页)。

【莱塞】英语音译词。激光或激光器的旧称。塞(sè)。

【莱茵河】西欧最大河流。发源于阿尔卑斯山,北流经瑞士、列支敦士登、德国、法国、荷兰等国,注入北海。长1 320千米。流经德国重要工业区。富航运之利,是世界上航运最繁忙的河道之一。

【莱布尼茨】戈特弗利德·莱布尼茨(1646—1716)德国科学家、哲学家,数学中微积分的完成者之一,数理逻辑的先驱者。在物理学方面更精确地表达了能量守恒定律。哲学上是理性主义者。

【莱蒙托夫】米哈伊尔·莱蒙托夫(1814—1841)俄国诗人。作品富于反抗精神和追求自由的热情,表现爱国爱民的思想感情,富有浪漫色彩。代表作有长诗《童僧》《恶魔》,抒情短诗《祖国》《孤帆》,剧本《假面舞会》,长篇小说《当代英雄》等。

崃(崍) lái 见〔邛崃〕(802页)。

徕(徠) ㊀ lái 见〔招徕〕(1242页)。㊁ lài (578页)。

涞(淶) lái 涞水,古水名,即今拒马河。今河北涞源、涞水(地名)都从涞水得名。

骒☒(騋) lái 古称七尺以上的马。

梾(棶) lái 落叶乔木或灌木。种子可以榨工业用油,树皮树叶可以制紫色染料。木材坚硬致密,可制车轴。

铼(錸) lái 金属元素,符号Re,原子序数75。银白色金属或灰到黑色粉末。用以制特种白炽灯,也用作催化剂。其合金用于制火箭外壳。

斄☒(斄) lái 〔斄牛〕牦牛。

lài ㄌㄞˋ

徕(徠) ㊁ lài 慰劳。㊀劳～。㊀ lái (578页)。

赉(賚) lài 赏赐;给。

睐(睞) lài 看;向旁边看。㊀青～(重视)。

赖(頼 *賴) lài ❶依靠。㊀取得成功,有～于大家的共同努力。❷故意不承认。㊀抵～。❸把错误硬推到别人身上。㊀诬～。❹责怪。㊀大家都有责任,不能～他一个人。❺坏。㊀这件衣服真不～。❻古又同“癞”。

【赖皮】无赖的行为和作风。也指有此行为作风的人。

嚹⊠(嚹) lài 用于拟声词。如“啯嚹嚹”(打雷的声音)。

濑(瀨) lài 急速的水流。

懒⊠(懶) lài 使人厌恶。例詹～。

癞(癩) lài ❶癞病,即麻风病。❷因生癣疮而毛发脱落的病。❸像生了癞的。例～蛤蟆。

【癞蛤蟆】蟾蜍的俗称。

籁(籟) lài ❶古代管乐器。属箫类,后称排箫。❷从孔穴里发出的声音。也泛指声音。例万～俱寂(一点声音都没有)。

lán ㄌㄢˊ

兰(蘭) lán ❶兰花,多年生常绿草本植物。花清香,可盆栽供观赏。❷兰草,即泽兰,多年生草本植物。叶卵圆形或披针形,边缘有锯齿。

【兰章】美好的文辞。

【兰谱】旧时结拜盟兄弟时互相交换的帖子,称金兰谱,简称兰谱。上面写自己的姓名、年龄和家族谱系。“兰”源于《周易·系辞》:“同心之言,其臭(xiù)如兰。”

【兰州市】甘肃省会。位于该省中部,跨黄河两岸。人口140万(1997年)。陇海、兰新、包兰、兰青等铁路在此交会,是中国西北地区的交通枢纽和全省政治、经济、文化、交通中心。是以石油、化工、机械制造、毛纺等为主的综合性工业城市。风景名胜有五泉山、白塔山、雁滩等。

【兰艾同焚】兰花和艾草一起烧掉。比喻好的坏的同归于尽。《晋书·孔坦传》:“兰艾同焚,贤愚所叹。”

【兰因絮果】《左传·宣公三年》记载了郑文公妾燕姞梦兰得宠生穆公的故事,因以“兰因”比喻美好的结合;柳絮易于飘扬飞散,因以“絮果”比喻离散的结局。后常比喻男女始合终离,结局不好。清张潮《虞初新志·小青传》:“兰因絮果,现业维深。”

【兰格模式】波兰经济学家奥斯卡·兰格提出的市场社会主义模式。认为社会主义经济可以通过模拟市场机制来实现资源的有效配置。

【兰新铁路】自甘肃省兰州到新疆维吾尔自治区乌鲁木齐,长1 903千米。东与陇海铁路和包兰铁路相接,分别组成中国东西交通大干线。对中国西北地区的经济发展具有重大意义。

【兰薰桂馥】比喻恩德流芳。唐骆宾王《上齐州张司马启》:“常山王之玉润金声,博望侯之兰薰桂馥。”后多用以称人后嗣(子孙)昌盛。

【兰陵王入阵曲】也叫大面、代面。古代歌舞戏。起源于北齐,盛于唐代。是为歌颂兰陵王的战功和美德而作的男子独舞。舞者表现兰陵王“指麾击刺”的英姿。曾东传日本,今属日本雅乐。兰陵王名高长恭,勇猛善战,貌若妇人,每与敌战,均戴凶猛假面,后遭嫉被赐死,临死前他焚毁了所有债券。

拦(攔) lán 阻挡;阻止。例～住|～河坝。

【拦阻】拦截阻挡。

【拦蓄】修筑堤坝把水流拦住并蓄积起来。

【拦截】中途阻拦,不让通过。

【拦河坝】拦截河水的建筑物。用以抬高水位或形成水库。

【拦路虎】旧指拦路抢劫的土匪。现指前进道路上的障碍或困难。

栏(欄) lán ❶栏杆。例石～|木～。❷牲口圈。例牛～。❸书报上用线条或空白分开的部分。也指内容、性质相类的版面。例通～|新闻～。❹集中张贴墙报、公告、报纸等的地方。例布告～|阅报～。❺一种体育器材。例跨～。

岚(嵐) lán 山里的雾气。例晓～。

婪(*惏) lán 贪爱财物。例贪～。

阑(闌) lán ❶同“栏”①。❷将尽。例岁～(一年将尽)|夜～人静。

【阑干】❶纵横错落。例星斗～。❷栏杆,拦挡的东西。例桥～|石～。

【阑尾】盲肠下部突出的小管。下端游离,形如蚯蚓,叫蚓突。人的阑尾长短不等,一般长7—9厘米。管壁较厚而管腔细小,容易阻塞,引发炎症。

【阑珊】衰落;将尽。例春意～。

【阑尾炎】由细菌感染、寄生虫或粪便等堵塞阑尾引起的炎症。急性的右下腹部压疼,有恶心、呕吐、白细胞增多、体温上升等症状,严重时阑尾穿孔。慢性的右下腹部隐痛。旧时误称为盲肠炎。

谰(讕) lán 抵赖;诬陷。

【谰言】诬赖的话;毫无根据的话。

澜(瀾) lán 大的波浪。㊀波～|狂～。

【澜沧江】中国西南地区大河之一。发源于唐古拉山北麓,流经青海、西藏、云南三省区。长2 153千米。流域狭长,支流短小,河道多急流、险滩。于云南西双版纳流出国境后称湄公河。

斓(斕) lán 见〔斑斓〕(31页)。

镧(鑭) lán 金属元素,符号La,原子序数57。是稀土元素之一。其合金可做打火石和贮氢材料。

【镧系元素】元素周期表中从57号元素镧到71号元素镥等15种元素的总称。彼此化学性质极相似。

襕(襴) lán 古代上下衣相连的服装,即长衫或袍。㊀～衫(古时读书人的服装)。

籣☒(籣) lán 古代背在身上盛弩和箭的器具。

暕☒ ㊀ lán 阴干。
㊁ jiǎn(475页)。

蓝(藍) lán ❶像晴天天空那样的颜色。❷蓼蓝,一年生草本植物。叶子含蓝汁,可提制染料。

【蓝本】著作、文件等所根据的底本。

【蓝矾】即"胆矾"(177页)。

【蓝图】❶一种复制图。由原图晒印而成,一般为蓝地白线或白地蓝线,故名。供工程设计施工或地图绘制之用。❷比喻建设规划或计划。㊀建设～|马克思为人类描绘了共产主义～。

【蓝领】从事生产、维修和服务工作的体力劳动者。一般着蓝色工作服。

【蓝缕】同"褴褛"(580页)。

【蓝靛】❶靛蓝的通称。❷深蓝色。

【蓝鲸】哺乳动物。体长达20—25米,有的达30米,是现存最大的动物。体通常为蓝灰色,有白色斑点。生活在海洋中。

【蓝藻】藻类植物中最简单、最低级的一类。藻体为单细胞或群体。没有细胞核。分布于淡水、湿土、岩石、海洋中。蓝藻中的葛仙米、螺旋藻等可供食用。

【蓝皮书】见〔白皮书〕(25页)。

【蓝点颏】鸟类。体长约14厘米,羽毛褐色。雄鸟喉部羽毛天蓝色,鸣声悦耳。

【蓝筹股】业绩优良、经营稳定、实力强大并在行业中占有领先地位的大公司发行的股票。

【蓝田生玉】古时蓝田县(在今陕西)出产美玉,因用以比喻名门出贤子弟。《三国志·吴书·诸葛恪传》裴松之注引《江表传》:"恪少有才名…(孙)权见而奇之,谓(其父)瑾曰:'蓝田生玉,真不虚也。'"

【蓝田猿人】也叫蓝田人。中国旧石器时代早期古人类。大约生活在五六十万年至一百万年以前。化石在1964年发现于陕西蓝田,故名。

【蓝色农业】指近海水产养殖业。因海水是蓝色的,故名。

【蓝青官话】旧称夹杂别种方言的北京话为蓝青官话。蓝青:比喻不纯粹。

【蓝色狂想曲】管弦乐曲。格什温曲。作于1924年。采用钢琴与管弦乐队合奏形式,将爵士乐和交响乐融为一体,富有特色。

【蓝辛—石井规定】1917年11月2日,由美国国务卿罗伯特·蓝辛和日本特别使团团长石井菊次郎以换文方式在美国华盛顿签订的一项有关中国的协定。主要内容有美国承认日本在中国的"特殊利益",日本遵守美国提出的"门户开放""机会均等"原则。这个协定是帝国主义推行强权政治的产物。

【蓝色多瑙河圆舞曲】管弦乐曲。约翰·施特劳斯曲。作于1867年。初为男声合唱曲,后改编为管弦乐曲。

嚂□(嚂) lán 音译用字。模拟佛教念咒语的声音。

㲍☒(㲍) lán 〔㲍毵〕毛发或枝条长长的样子。

褴(襤) lán 无边缘的破旧短衣。

【褴褛】也作蓝缕。衣服破烂。

篮(籃) lán ❶篮子。㊀菜～|竹～。❷篮球架上为投球用的篮筐。㊀投～。❸指篮球运动。㊀男～|女～。

L

【篮球】❶球类运动项目之一。在长方形场地(长28米、宽15米)上进行,每队上场5人,以投球入对方篮筐为得分。❷篮球运动使用的球。空心,多用牛皮做壳,橡胶做胆。

lǎn ㄌㄢˇ

览(覽) lǎn 看。例阅～|一～无余。

揽(攬) lǎn ❶把持;掌握。例大权独～。❷招来;拉过来。例包～|招～。❸用胳膊搂,使贴近自己。例把孩子～在怀里。❹用绳子把松散的东西聚拢,使不散开。例把车上的稻草～上点儿。

【揽秀】收罗秀丽的景色。

【揽辔澄清】《后汉书·范滂传》:"滂登车揽辔,慨然有澄清天下之志。"后用来表示有刷新政治,澄清天下的抱负。揽辔(pèi):手拉马缰绳。

缆(纜) lǎn 粗绳。例电～|钢～。

【缆车】❶用缆绳绞车牵引车辆或小船沿着倾斜或水平轨道来回移动的设备。❷船舶上盘存或绞收缆绳的绞车。

榄(欖) lǎn 见〔橄榄〕(304页)。

罱 lǎn ❶捕鱼或捞河泥、水草的工具。❷用罱捞。例～泥船。

漤 lǎn ❶把柿子放在热水或石灰水里泡几天,去掉涩味。❷用盐腌。

壈☒ lǎn 见〔坎壈〕(549页)。

懒(懶 *嬾) lǎn ❶不勤快;懒惰。与"勤"相对。❷疲乏无力。例身上发～。

【懒散】不振作;松懈散漫。

【懒惰】不爱劳动;不勤快。

làn ㄌㄢˋ

烂(爛) làn ❶因水分过多或过熟而松软。例～泥|稀粥～饭。❷腐烂;破碎。例～苹果|回收废铜～铁。❸形容程度深。例～醉如泥|～熟于胸。

【烂漫】也作烂熳、烂缦。❶形容颜色鲜丽。例山花～。❷形容坦率自然,毫不做作。例天真～。

【烂缦】同"烂漫"(581页)。

【烂熳】同"烂漫"(581页)。

壏☒(壏) ㊁ làn 〔壏埮〕形容地平而宽阔。埮(tàn)。

㊀ xiàn (1072页)。

滥(濫) làn ❶泛滥。❷不加选择,不加节制。例～用|宁缺勿～。

【滥用】胡乱、过度地使用。例～职权。

【滥调】令人厌烦而不切实际的言词或论调。例陈词～。

【滥觞】江河发源的地方水很浅,只能浮起酒杯。后指事物的开始或起源。觞(shāng):古指酒杯。

【滥竽充数】古代齐国有一位南郭先生不会吹竽,却混在吹竽的乐队里充数。见《韩非子·内储说上》。比喻没有本领的人冒充有本领,占着位置,或拿次的东西混在好的里面充数。有时也用作自谦的话。竽:古代管乐器。

【滥用职权罪】国家机关工作人员滥用职权,致使公共财产、国家和人民利益遭受重大损失的犯罪行为。

爁☒(爁) làn ❶焚烧;延烧。❷烤炙。

lāng ㄌㄤ

啷 lāng 用于拟声词。如"哐啷""当啷"等。

láng ㄌㄤˊ

郎 ㊀ láng ❶指称年轻男子。例货～|周～。❷旧时妻子称丈夫。❸古代官名。例侍～|员外～。

㊁ làng (583页)。

【郎中】❶古代官名。战国时为国君侍卫。秦汉为郎中令的属官。东汉以后为尚书台属官。隋唐以后为尚书省六部二十四司诸曹司的长官。是尚书、侍郎、丞以下的官员。❷〈方〉称中医医生。

【郎君】妻对夫的称呼(多见于早期白话)。

【郎舅】男子与其妻的弟兄的合称。

廊 láng ❶廊子,屋檐下的过道或有顶的过道。例走～|长～。❷廊檐,房屋前檐伸出的部分。

嫏⊠ láng〔嫏嬛〕神话中天帝藏书的地方。嬛(huán)。

榔 láng 见下。

【榔头】锤子。

【榔槺】器物长大,笨重,用起来不方便(常见于旧白话小说)。

锒□(鋃) láng ❶同"榔头"的"榔"。❷同"锒铛"的"锒"。

螂(*蜋) láng 见〔蟑螂〕(1240页)、〔螳螂〕(960页)、〔蜣螂〕(785页)。

狼 láng 哺乳动物。形似狗,尾下垂,耳直立。性凶暴,每到傍晚开始出来寻食,伤害人、畜和野生动物。

【狼狈】传说狼和狈是同类的野兽,狈前腿极短,行动时要趴在狼的身上,所以用狼狈形容困窘的样子。也比喻相互勾结。㊞～不堪|～为奸。

【狼狗】哺乳动物。狗的一种。形状像狼。性凶猛,嗅觉敏锐。多用来帮助打猎或牧羊,经训练后可帮助做侦察工作。

【狼烟】唐段成式《酉阳杂俎·毛篇》:"狼粪烟直上,烽火用之。"古代边防用狼粪燃烧生烟以报警。后来常用狼烟指战乱。㊞～四起。

【狼毫】用黄鼠狼的毛做成的毛笔。

【狼藉】也作狼籍。杂乱不堪;乱七八糟。㊞杯盘～。藉(jí)。

【狼籍】同"狼藉"(582页)。

【狼牙棒】古代兵器。用坚硬的木头制成,长四五尺,上端长圆似枣形,遍植铁钉,形如狼牙。

【狼子野心】比喻凶暴的人用心狠毒,野性难改。《左传·宣公四年》:"谚曰:'狼子野心。'是乃狼也,其可畜乎!"

【狼心狗肺】形容人凶险狠毒或忘恩负义。

【狼狈为奸】比喻互相勾结干坏事。参见〔狼狈〕(582页)。

【狼奔豕突】像狼和猪东奔西撞一样。形容成群的坏人到处乱窜破坏。

【狼牙山五壮士】抗日战争中英勇战斗,创立壮烈事迹的八路军战士。狼牙山在河北易县西。形势险要,状如狼牙 。1941年9月25日,八路军战士马宝玉、葛振林、胡德林、胡福才、宋学义五人在狼牙山阻击日本侵略军的进攻,子弹打光后,砸坏枪支,跳下悬崖。

阆(閬) ㊁ láng 高大;空旷。㊞闶(kāng)～。

㊀ làng(583页)。

琅(*瑯) láng 见下。

【琅玕】古书上指美石,也指珠树。玕(gān)。

【琅琊】❶山名。在今山东胶南(旧属诸城)。秦始皇二十八年(前219)在山上筑琅琊台。迁民户三万于台下,并刻石立碑于此。❷古郡名。秦置,西汉相沿不改,治所在今山东胶南市西南。东汉、三国、西晋为琅琊国,隋为琅琊郡,治所在今山东临沂。

【琅琅】拟声词。金石相击声、响亮的读书声等。㊞书声～。

桹⊠ láng 同"榔头"的"榔"。

硠⊠ láng〔硠硠〕水石撞击声。

锒(鋃) láng〔锒铛〕❶铁锁链。❷拟声词。金属撞击的声音。

稂 láng 古书上指狗尾草。穗状花序,形状像狗尾。是田间杂草,可饲用。

筤⊠ láng〔苍筤〕幼小的竹子。

lǎng ㄌㄤˇ

朗 lǎng ❶明亮。㊞明～|晴～。❷响亮。㊞～读。

【朗诵】大声而有感情地诵读(诗或散文等)。

【朗朗】❶明亮清澈的样子。㊞～乾坤。❷声音清楚,响亮。㊞书声～。

【朗读】大声诵读。㊞～文章。

【朗照】指日月光辉的照耀。借喻明察。

【朗目疏眉】形容眉目清秀。

【朗香教堂】也译作洪尚教堂。法国宗教建筑。建成于1953年。在法国东部。设计人是建筑师勒·柯布西耶。其平面不规则,长约25米,宽约13米。外墙用石块砌成,并向内倾,上面开有大小不同的方形或矩形窗。墙面和屋顶几乎没有直线,形式奇特。在南部横向弯曲的墙和垂直的圆筒间夹缝处开入口小门,室内厅堂封闭,光线离奇,具有神秘而忘我的气氛。对西方现代建筑产生过很大影响。

塱□ lǎng 用于地名，如元塱（在香港，今作元朗）。

蓢□ lǎng 用于地名，如南蓢（在广东）。

㮾□ lǎng 〔㮾梨〕地名。在湖南。

烺 lǎng 明亮。

làng ㄌㄤˋ

郎 ㊁ làng 见〔屎壳郎〕（897页）。
㊀ láng（581页）。

埌☒ làng 见〔圹埌〕（570页）。

莨 ㊀ làng 〔莨菪〕二年生草本植物。全株有黏性腺毛，并有特殊臭气，有毒。叶和种子可供药用。菪（dàng）。
㊁ liáng（610页）。

崀□ làng 〔崀山〕地名。在湖南。

阆（閬）㊀ làng 用于地名，如阆中（在四川）。
㊁ láng（582页）。

浪 làng ❶水波。㊀乘风破～。❷像波浪的东西。㊀麦～。❸放纵；不受约束。㊀放～|～游。

【浪人】❶到处流浪的人。❷日本幕府时代失去禄位到处流浪的武士。

【浪子】不务正业、到处游荡的年轻人。㊀～回头金不换。

【浪头】❶波浪。❷比喻社会上一时的趋向。㊀赶～。头（tou）。

【浪级】波浪强度的等级。一般按波浪高度分级。

【浪荡】❶不务正业，到处游逛。❷放纵；行为不检点。

【浪迹】没有固定的住处，到处流浪。㊀～江湖。

【浪费】对人力、财物、时间等用得不当或没有节制。

【浪游】漫无目标地到处游逛。

【浪漫】❶富有诗意，充满幻想。❷行为轻浮放荡。

【浪潮】❶汹涌起伏的波涛。❷比喻大规模的社会运动或声势浩大的群众性行动。

【浪漫主义】一种文学艺术的创作方法和思潮。形成于18世纪末19世纪初。它不是按照现实生活本来的面貌，而是要求按照作者自己希望的样子去反映生活，常用热情奔放的语言、瑰丽奇特的想象、大胆而突出的夸张去描写特异的人物、事件和环境。

蒗 làng 用于地名，如宁蒗（在云南）。

眼☒ làng 〈方〉晾晒。

lāo ㄌㄠ

捞（撈） lāo ❶把在水中或其他液体中的东西取出来。㊀打～|～面。❷用不正当方法取得。㊀～钱。

【捞稻草】快要淹死的人连一根稻草也要抓住。比喻在绝境中作徒劳无益的挣扎。

láo ㄌㄠˊ

劳（勞） láo ❶劳动。㊀不～而获。❷辛苦。㊀任～任怨。❸功劳。㊀汗马之～。❹慰问。㊀～军。

【劳工】过去对工人的称呼。

【劳动】❶人们使用工具改造自然物使之适合自己需要的有目的的活动。劳动专属于人类，是人类区别于其他动物的本质特征，是人类社会存在和发展的最基本条件。❷特指进行体力劳动。㊀～锻炼。

【劳伤】中医指由过度劳累引起的内伤病。

【劳军】慰劳军队。

【劳步】敬辞。旧时用于谢人来访。

【劳作】劳动。多指体力劳动。

【劳役】旧时官府强迫百姓从事的无偿劳动。

【劳驾】客气话。用于请人帮忙或让路。

【劳保】劳动保护或劳动保险的简称。

【劳神】操心；费神。

【劳顿】劳累疲倦。㊀旅途～。顿：困顿。

【劳绩】功劳和成绩。㊀～卓著。

【劳碌】辛苦忙碌。

【劳瘁】劳累辛苦。㊀不辞～。瘁（cuì）：劳累。

【劳什子】〈方〉也作牢什子。使人讨厌的事物。什（shí）。

【劳动力】人的劳动能力。即活的人体中存在的体力和脑力的总和。也指具有劳动能力的人。在任何社会中，劳动力都是社会生产的基本要素。

L

【劳动节】五一国际劳动节的简称。
【劳务市场】也叫劳动市场。指社会主义条件下通过市场竞争机制和供求关系实现劳动者合理流动的场所或组织机构。具体形式有各种职业介绍所和人才交流中心以及其他形式的劳务中介服务组织。
【劳民伤财】既使人民劳苦,又耗费财物。
【劳动对象】人们在生产中将劳动加于其上的一切东西。分自然物和经过劳动加工的原料两大类。前者如待开采的矿藏、待采伐的原始森林等,后者如纺纱用的棉花、炼铁用的铁矿石等。
【劳动合同】劳动者和用人单位确立劳动关系,明确双方权利义务的合同。确立劳动关系应当订立劳动合同。订立合同应当遵循平等自愿、协商一致的原则,不得有违反法律、行政法规的条款。
【劳动改造】简称劳改。中国改造罪犯的一项重要政策。即强制罪犯从事劳动生产,在劳动过程中对他们进行政治思想教育,促使他们改恶从善,重新做人。
【劳动保护】改善劳动条件,保护劳动者在生产中的安全和健康的措施。包括合理安排劳动和休息时间,合理调整劳动组织,切实执行生产安全和劳动卫生制度等。
【劳动保险】保障职工生活合理需要的一种物质补助制度。如对职工除规定一律享受公费医疗外,对年老病残、因工伤亡、女职工生育等,按一定条件和标准分别给予适当的补助金、退休金、抚恤金、疗(休)养和病假、产假等待遇。另外,企业职工供养的直系亲属也可按照规定享受公费或部分公费医疗待遇。
【劳动资料】也叫劳动手段。人们在生产过程中用以改变或影响劳动对象的一切物质资料或物质条件。如生产工具、土地、生产建筑物、道路、河流等。生产工具是其中最重要的因素,是人手的延长。
【劳动教养】简称劳教。中国对于那些罪行较轻、依法不够逮捕判刑的人,实行强制性教育改造的一种重要措施。即通过劳动生产和政治教育,使他们养成劳动习惯,改造成为遵纪守法的劳动者。
【劳动强度】劳动的紧张程度。即单位时间内劳动力消耗的程度。
【劳动模范】授予生产建设中先进人物的一种荣誉称号,以表彰劳动中有显著成绩或重大贡献可以作为榜样的人。
【劳役地租】封建制度初期地租的一种形式。即领主租给农民一定的土地,农民用自己的生产工具在领主的庄园里进行无偿劳动。
【劳逸结合】劳动和休息两方面合理安排。
【劳燕分飞】古乐府《东飞伯劳歌》:“东飞伯劳西飞燕。”比喻离别。劳:伯劳,鸟名。
【劳动二重性】生产商品的劳动具有的两种属性,即具体劳动和抽象劳动。生产商品的劳动的二重性决定了商品的二重性。具体劳动创造商品的使用价值;抽象劳动形成商品的价值。劳动二重性首先由马克思加以论证,是马克思对劳动价值理论的重要贡献。
【劳动力市场】劳动力商品买卖和让渡的场所和领域。
【劳动力价值】也叫劳动力商品价值。在资本主义制度下生产和再生产劳动力这一商品所必需的生活资料的价值。包括:(1)维持工人自己劳动能力所必需的生活资料的价值;(2)为延续劳动力商品,养活工人的家属子女所必需的生活资料的价值;(3)一定的教育和训练的费用。劳动力价值的决定包含着历史和道德因素的作用。参见〔劳动力商品〕(584页)。
【劳动力商品】作为买卖对象的劳动力。劳动力成为商品的条件是:(1)劳动者有人身自由,可以支配自己的劳动力;(2)劳动者一无所有,为了维持生活,不得不出卖劳动力给资本家。劳动力成为商品后也具有使用价值和价值两重属性。劳动力商品的价值是由生产和再生产这种商品所必要的劳动时间决定的,它等于工人及其家庭所必需的生活资料的价值,另外还应包括劳动者一定的教育费用。与一般商品不同的是劳动力商品价值的决定包含着历史和道德因素的作用。劳动力商品的使用价值,在于它在使用过程中(即劳动过程中)能够创造出价值和剩余价值。
【劳动生产率】也叫劳动生产力。即劳动生产效率或能力。它可用单位时间内生产的产品数量来表示,也可用单位产品内包含的劳动时间来表示。耗费同样多的劳动,生产的产品数量愈多,劳动生产率愈高;反之,就愈低。
【劳动价值论】关于生产过程所耗费的劳动决定商品价值的理论。由英国配第和法国布阿吉尔贝尔创立,英国亚当·斯密和李嘉图加以发展，马克思批判地吸收前人的观点，科学全面地予以完成。科学的劳动价值论是马克思主义政治经济学的出发点，是剩余价值论的理论基础。

【劳动密集型工业】指劳动力在各项投入中占有最重要位置的工业。如普通服装制造、制鞋、箱包制造、电视机装配等工业。

唠(嘮) ㊀ láo 〔唠叨〕说起话来没完没了，使人厌烦。叨(dao)。㊁ lào (587 页)。

崂(嶗) láo 〔崂山〕山名。在山东东部。

铹☒(鐒) láo 同“耪劳”的“劳”。

铹(鐒) láo 人造金属元素，符号 Lr，原子序数 103。有放射性，由人工核反应获得。

痨(癆) láo 痨病，中医病证名。指结核病。㊞肺～|骨～。

醪☒(醪) láo 见〔醉醪〕(177 页)。

牢 láo ❶结实；牢固。㊞铁门比木门～。❷监狱。㊞坐～。❸养牲畜的圈。㊞亡羊补～。❹古称祭祀用的牲畜。㊞太～(牛)|少～(羊)。

【牢笼】❶关禽兽的笼槛。比喻束缚、限制人的事物。㊞冲破～。❷骗人的圈套。㊞误入～。

【牢骚】❶委屈、不满的情绪。㊞发～|满腹～。❷抱怨。㊞～了半天。

【牢靠】❶坚固；稳固。❷实在，可以信任。

【牢什子】同“劳什子”(583 页)。

【牢不可破】非常坚固，不可摧毁。唐韩愈《平淮西碑》：“并为一谈，牢不可破。”牢：坚固。破：打碎。

哰☒ láo 〔哰哰〕狗叫的声音。

嶗☒ láo 〔嶗嶆〕形容山深而空。

醪 láo ❶汁滓混合的酒，即浊酒。❷醇酒。

【醪糟】糯米(江米)酒。

lǎo ㄌㄠˇ

老 lǎo ❶年岁大；经历长。㊞～人|～干部。❷陈旧的；过了适当时期的。㊞～机器|菜炒～了。❸对某方面富有经验。㊞～手|队里这次参加比赛的，年龄都不大，却个个称得上是～运动员了。❹副词。1. 很。㊞～早|～远。2. 经常。㊞他～迟到。❺指老年人。常用作尊称。㊞敬～院|徐～。❻前缀。㊞～张|～大|～虎。

【老子】❶春秋时期思想家，道家学派创始人。一说即老聃，姓李名耳。楚国苦县(今河南鹿邑东，一说为今安徽涡阳)人。曾做过周朝管理藏书的史官。他的哲学体系是客观唯心主义的，也包括某些辩证法思想。他的主要思想保存于《老子》一书中。一说老子即太史儋，或老莱子。❷也叫《道德经》。书名。道家的主要经典。相传老子著，分上下两篇，共八十一章，五千余言。注解本有汉代河上公注、魏王弼注、清王夫之《老子衍》、魏源《老子本义》等。❸子(zi)。父亲。㊞他～去世了。❹子(zi)。骄傲的人自称。㊞～天下第一。

【老区】老解放区的简称。解放战争时期，对抗日战争时期解放的地区，称“老区”；对 1945 年 9 月至 1947 年 8 月解放的地区，称“半老区”；对在这以后解放的地区，称“新区”。

【老化】❶高分子材料(包括塑料、橡胶、涂料、纤维等)在加工、贮存和使用过程中，由于受内外因素的综合作用，性能逐渐变坏，以致丧失使用价值，这种现象叫做老化。❷在人口总数中老年人的比重逐渐增长的现象。㊞人口～|要解决领导班子的～问题。❸知识等变得陈旧过时。

【老旦】传统戏曲中旦角的一种。扮演老年妇女。

【老生】也叫须生。传统戏曲中指扮演中年以上男子的角色。主要饰演正面人物。

【老外】❶外行。多用于口语。㊞这方面你就是～了。❷称外国人，外国人也用来自称。多用于口语。含诙谐意。

【老老】同“姥姥”(587 页)。

【老朽】❶指人老而无用。❷年老者的自谦之辞。

【老成】阅历多，老练成熟。㊞～持重。

【老迈】年老体衰。迈：衰老。

【老爷】❶旧时对有权势的人的称呼。现用于讽刺高高在上、养尊处优、脱离群众的人。❷旧时仆人称男主人。❸〈方〉外祖父。爷(ye)。

【老财】〈方〉旧称有钱的人，即财主(多指地主)。

【老妪】年老的妇女。妪(yù)。

【老板】称工商企业的财产所有者、经理。过去对某些著名京剧演员也称老板。

【老舍】(1899—1966)中国现代小说家、剧作家。原名舒庆春,字舍予,满族,北京人。1924年起赴英国伦敦大学任教,创作了小说《老张的哲学》《赵子曰》《二马》。1930年回国,任齐鲁大学、山东大学教授。1937年发表小说《骆驼祥子》,描述了人力车夫祥子三次买车三次破产的苦斗人生,表现了主人公的奋进、困惑、痛苦、麻木、崩溃的心灵历程。1949年后,创作话剧《龙须沟》《茶馆》等。老舍的文笔朴实、幽默,富有浓郁的北京地方特色,是"京派"文学的代表人物。曾被授予"人民艺术家"的称号。有《老舍文集》。

【老练】阅历深,经验丰富,稳重而有办法。㊀处事～。

【老鸨】即"鸨母"(39页)。

【老总】❶群众或下级对军事首长的亲切称呼。❷旧时一般群众对士兵、警察的称呼。

【老衲】老和尚的自称。

【老调】陈旧的话;听过多次使人厌烦的话。

【老鸹】乌鸦的俗称。鸹(gua)。

【老人星】南船座最亮的一颗星,也是肉眼所见亮度仅次于天狼星的恒星。位于南天球,中国大部分地区看不到。

【老大难】问题长期存在,难以解决。㊀～单位。

【老夫子】❶旧称家馆或私塾的教师。❷称迂阔的读书人。

【老古董】指古旧的器物。也比喻思想顽固守旧的人。

【老百姓】普通民众(区别于公职人员)。

【老虎凳】一种长凳形的刑具。将人的两腿顺凳面放平并绑紧膝盖,然后在脚跟处垫砖瓦使小腿抬高,垫得越高,痛苦越大。

【老马识途】《韩非子·说林上》记载,管仲跟随齐桓公去打仗,回来时迷了路。管仲放老马在前面走,就找到了道路。比喻富有经验的人对事物比较熟悉,能在工作中起指导作用。

【老牛破车】比喻做事缓慢拖拉,功效很差。也比喻年老体衰,勉强应付某事。

【老牛舐犊】老牛舔小牛。比喻父母对子女的疼爱。东汉杨彪因儿子杨修被曹操所杀而消瘦,曹操问他,他说:"犹怀老牛舐犊之爱。"见《后汉书·杨彪传》。舐(shì):舔。

【老气横秋】南朝齐孔稚珪《北山移文》:"霜气横秋。"唐杜甫《送韦十六评事充同谷防御判官》诗:"老气横九州。"宋黄庭坚《次韵德孺五丈惠贶(kuàng)秋字之句》:"老来忠义气横秋。"后以"老气横秋"形容老练而自负的神态。常用以讽刺自高自大。现也用以形容没有朝气。横:充满。

【老生常谈】老书生经常讲的话。比喻听厌了的没有新鲜意思的话。原作老生常谭。《三国志·魏书·管辂传》:"此老生之常谭。"老生:年老的读书人。

【老当益壮】年纪虽老而斗志更坚,干劲更大。《后汉书·马援传》:"丈夫为志,穷当益坚,老当益壮。"当:应该。益:更加。

【老年大学】为满足老年人的学习要求和晚年生活的需要而设立的学校。依据老年人的特点设置有关专业和课程。是中国实施终身教育的组成部分。

【老年公寓】符合老年人体能心态特征,专供老年人集中居住的公寓式住宅。具备餐饮、环卫、文娱和医疗保健服务体系等,是综合管理的住宅类型。

【老奸巨猾】形容世故深,极其奸诈狡猾。《宋史·食货志上》:"老奸巨猾,匿身州县,舞法扰民。"老:老练。奸:奸诈。巨:大,引申为非常。猾:狡猾。

【老态龙钟】年老体衰、行动不灵便的样子。

【老残游记】长篇小说。清末刘鹗著。二十回。以江湖医生老残四处行医的经历为线索,通过其见闻揭露那些"清官"的暴政。小说善于写景状物,语言生动,富有表现力。

【老羞成怒】羞惭到极点以致发怒。

【老谋深算】周详的谋划,深远的打算。形容人办事精明老练。

【老骥伏枥】三国魏曹操《步出夏门行》:"老骥伏枥,志在千里,烈士暮年,壮心不已。"老马站在槽头,还想着驰骋千里。比喻人虽年老,仍有雄心壮志。骥(jì):好马。枥(lì):马槽。

【老龄化社会】60岁及以上人口占总人口的10%或65岁及以上人口占总人口的7%即为老龄化社会。老龄化社会的出现,是人口出生率下降和人口平均预期寿命延长引起的。

佬 lǎo 称成年男子(含轻蔑意)。㊀阔～。

荖☒ lǎo 草名。

恅☒ lǎo 见〔恅恅〕(98 页)。

姥 ㊀ lǎo 〔姥姥〕〈方〉也作老老。称外祖母。

㊁ mǔ (700 页)。

栳 lǎo 见〔栲栳〕(554 页)。

耮☒(**鹲**) lǎo 秃鹫。

铑(**銠**) lǎo 金属元素,符号 Rh,原子序数 45。银白色,质坚耐磨。常镀在探照灯反射镜上,合金可做热电偶。

箞☒ lǎo 见〔笺箞〕(554 页)。

潦 ㊀ lǎo ❶雨水大。❷路上的流水;积水。㊍行～(沟中水)。

㊁ liáo (615 页)。

橑☒ lǎo ❶椽子。❷古代车盖的撑弓。❸柴薪。

lào ㄌㄠˋ

络(**絡**) ㊁ lào 义同"络(luò)"。

㊀ luò (653 页)。

【络子】❶线绳结成的网状袋子。❷绕线、绕纱的器具。

烙 ㊀ lào ❶用烧热了的器物烫,使衣服平整或在物体上印下标志。㊍～衣服|～印。❷一种烹饪方法。把食物放在铛(chēng)或干锅上加热使熟。㊍～饼。

㊁ luò (653 页)。

【烙印】❶烫在牲畜身上或器物上、作为标记的火印。❷比喻不易磨灭的特征或痕迹。㊍阶级～。

【烙铁】❶熨衣服用的铁器。❷焊接器物的工具。铁(tie)。

落 ㊁ lào 义同"落(luò)"。用于一些口语词,如"落架"(倒塌)、"落炕"(卧床不起)、"落色"(退色)、"落枕"(醒后脖子疼痛,转动不便)等。

㊀ luò (652 页)。

㊂ là (577 页)。

【落枕】❶也叫失枕。中医病证名。多因睡姿不当、颈部当风受寒、外伤引起。主要症状是颈酸痛且转动不灵。❷针灸穴位名。主治落枕、肩酸痛等。

酪 lào ❶用牛羊等动物的乳汁做成的半凝固或凝固的乳制品。㊍奶～。❷用果实做成的糊状食品。㊍山楂～。

唠(**嘮**) ㊀ lào 〈方〉说;聊。㊍咱们～一～。

㊁ láo (585 页)。

【唠嗑】〈方〉闲谈;聊天儿。嗑(kē)。

涝(**澇**) lào 因雨水过多,庄稼被淹。也指雨水过多而积在田间的积水。㊍这里的地都～了|排～。

憦☒(**憦**) lào 悔恨。

耢(**耮**) lào ❶也叫糖(mò)、盖、盖擦。用枝条编成的用来平整土地和碎土的农具。❷用耢平整土地。㊍～地。

嫪 lào 姓。如嫪毐(战国时秦人)。

lē ㄌㄜ

肋 ㊁ lē 〔肋脦〕不整洁,邋里邋遢。脦(te)。

㊀ lèi (590 页)。

嘞 ㊁ lē 〔嘞嘞〕〈方〉唠叨。㊍你少～两句吧!嘞嘞(lēle)。

㊀ lei (591 页)。

lè ㄌㄜˋ

仂 lè 余数。

【仂语】短语的旧称。

艻☐ lè 见〔萝艻〕(650 页)。

叻 lè 音译用字。指新加坡(中国侨民称新加坡为石叻、叻埠)。

玏☒ lè 见〔瑊玏〕(475 页)。

泐 lè ❶石头依纹理裂开。❷书写。㊍手～。❸同"勒(lè)"④。

竻☒ ㊀ lè ❶竹根。❷同"簕"。

㊁ jīn (504 页)。

勒 ㊀ lè ❶带嚼子的笼头。㊍马～。❷拉缰绳止住牲口前进。㊍悬崖～

马。❸强迫。例～令。❹刻。例～石|～碑。❺书法用语。指汉字笔画的小横。参见〔永字八法〕(1189页)。

㊁ lēi (588页)。

【勒令】用命令方式强制(某人做某事)。

【勒抑】强制压抑。有时指压价,旧时商人常用这种手段盘剥人。

【勒派】强迫摊派。

【勒索】用威胁的手段逼取财物。例敲诈～。

【勒逼】强迫;逼迫。

【勒拿河】俄罗斯大河之一。发源于贝加尔湖西岸山地,向东北蜿蜒于中西伯利亚高原东南部,再向北沿高原东部边缘流入北冰洋。长4 320千米。流域面积241.8万平方千米。水能资源丰富,结冰期长达8个月。

竻□ lè 竹子上的刺。

【竻竹】竹子的一种。高可达15米左右,叶披针形,背面有短毛。

鳓(鰳) lè 鱼类。中国北方叫鲙(kuài)鱼、白鳞鱼,南方叫曹白鱼。体侧扁,长可达50厘米。中国沿海均产,是重要食用鱼。

乐(樂) ㊀ lè ❶愉快;欢喜。例快～。❷笑。例逗～。

㊁ yuè (1216页)。

【乐土】安乐的地方。

【乐山】市名。位于四川省中部偏南,大渡河与岷江汇合处,成昆铁路过境。人口40万(1997年)。乐山大佛和峨眉山是著名的风景名胜。

【乐天】安于自己的处境或认为将来就会自然好起来因而无忧无虑。

【乐观】精神愉快,充满信心和希望。

【乐园】泛指幸福快乐的地方。

【乐趣】使人感到快乐的意味。

【乐山大佛】唐代石雕弥勒佛坐像,世界最大的佛像。在今四川乐山市东栖鸾峰,依凌云山崖雕凿而成,费时九十年。头齐山顶,脚踏江面,通高约71米,肩宽28米,头高14.7米。

【乐不可支】形容快乐到了极点。《后汉书·张堪传》:"桑无附枝,麦穗两歧,张君为政,乐不可支。"支:支撑。

【乐不思蜀】《三国志·蜀书·后主传》裴松之注引《汉晋春秋》记载,蜀亡后,后主刘禅被安置在晋都洛阳。司马昭问他:"颇思蜀否?"他说:"此间乐,不思蜀。"后泛指乐而忘返或乐而忘本。

【乐极生悲】《淮南子·道应训》:"夫物盛而衰,乐极则悲。"意思是说快乐到极点就会发生使人悲痛的事。

le ·ㄌㄜ

了 ㊁ le 助词。1.用在动词或形容词后,表示动作或变化已经完成。例看～一场电影|水位低～两米。2.用在句末,表示出现新情况或表示变化。例下雨～|麦子快熟～。

㊀ liǎo (615页)。

饹(餎) ㊁ le 见〔饸饹〕(388页)。

㊀ gē (314页)。

lēi ㄌㄟ

勒 ㊁ lēi 用绳子等捆住或套住,再用力拉紧。例～紧行李。

㊀ lè (587页)。

léi ㄌㄟˊ

累(纍) ㊂ léi ❶缠绕。❷古又同"缧"。

㊀ lěi (590页)。

㊁ lèi (591页)。

【累赘】❶麻烦;多余。❷使人感到麻烦、拖累的事物。赘(zhuì)。

蔂☒ léi 土筐。

嫘 léi 〔嫘祖〕传说中的黄帝之妻,中国养蚕治丝的发明者。

缧(縲) léi 古时捆绑犯人的黑色大绳。

【缧绁】古时捆绑犯人的绳索。引申为监狱。《史记·太史公自序》:"而太史公遭李陵之祸,幽于缧绁。"绁(xiè)。

㹎☒ léi 牡牛。

畾□ ㊀ léi 叶吩的旧称。

㊁ jí (457页)。

雷 léi ❶带异性电的两块云相接近时放出闪电,闪电引起的高温使空气膨

L

胀、水滴汽化而发生的强烈爆炸声。❷一种爆炸性的武器。例水～|地～。

【雷公】古代神话中管打雷的神。

【雷击】带有大量电荷的云和地面间产生激烈的放电现象,叫做落雷。落雷产生的电流经过树木、房屋等地面物体造成的伤害,叫做雷击。雷击可引起森林火灾、毁坏建筑物和电器设备等,甚至造成人畜伤亡。

【雷电】自然界大规模的火花放电现象。带有大量电荷的云接近地面或带相反电荷的云与云互相接近时,会产生激烈的放电。放电产生的火光就是闪电,产生的轰鸣声就是雷声。

【雷动】像雷声一样震动。例欢声～。

【雷达】英语音译词。意为无线电探测和定位。一般指利用发射和接收反射电磁波发现目标并测定其位置的电子设备。主要组成部分有发射机、天线、接收机和显示器等。按工作状态分脉冲雷达和连续波雷达两类。广泛应用于侦察、警戒、导航、跟踪、瞄准、制导和地形测量、气象探测等方面。

【雷同】打雷时引起共鸣,往往很多东西同时回响。多比喻文字或语言和别人相同。

【雷池】见〔不敢越雷池一步〕(85页)。

【雷汞】也叫雷酸汞。有机化合物,分子式 $Hg(ONC)_2$。白色或灰色晶体,有毒,难溶于水。受热、摩擦或撞击极易爆炸,是常用的起爆药,可制雷管和引火帽。

【雷鸣】雷响。比喻巨大的声音。例～般的掌声。

【雷锋】(1940—1962)湖南长沙人。七岁成了孤儿。新中国成立后,人民政府送他入学校读书。1956年高小毕业后,在乡人民政府和中共望城县委(今属长沙)当通信员和公务员,被评为工作模范。1957年加入共青团。以后参加根治沩水工程、团山湖农场和鞍钢等建设,多次被评为劳动模范和先进生产者。1960年参军,同年加入中国共产党。是一个平凡而伟大的共产主义战士。曾荣立二等功一次、三等功两次,被评为节约标兵和模范共青团员。1961年任班长,并被选为抚顺市人民代表。1962年8月15日因公殉职。1963年3月5日,毛泽东亲笔题词"向雷锋同志学习",在全国掀起了学习雷锋的群众运动。

【雷霆】暴雷。比喻盛怒。例～所击|大发～。

【雷管】火工品的一种。由管壳、装药和加强帽组成。用以起爆炸药。常用的有火雷管和电雷管两种。

【雷米封】异烟肼的商品名。有机化合物。白色针状结晶。对结核病有疗效。

【雷阵雨】伴有雷声和闪电的短时降雨。多见于夏季午后,春秋季也有发生。

【雷诺阿】皮埃尔·奥古斯特·雷诺阿(1841—1919)法国画家,印象派成员之一。擅长人物画、肖像画,醉心于描绘盛装或裸体女性,造型华贵娇艳,丰丽鲜润。代表作有《包厢》《红磨坊街的舞会》等。

【雷厉风行】像打雷那样猛烈,像刮风那样迅速。比喻执行政策、命令等要求严,行动快。《新唐书·韩愈传》:"陛下即位以来,躬亲听断,旋乾转坤,关机阖开,雷厉风飞。"

【雷达干扰】削弱或破坏敌方雷达对目标的探测和跟踪能力的电子干扰。按干扰产生的方法,分有源干扰和无源干扰;按干扰性质,分压制性干扰和欺骗干扰。

【雷达对抗】为削弱、破坏敌方雷达使用效能,保护己方雷达正常发挥效能而采取的各种措施和行动。主要包括雷达对抗侦察、雷达干扰和雷达电子防御等。

【雷州半岛】在广东省西南部,伸入北部湾与南海之间。南隔琼州海峡与海南岛相望。海岸曲折,东北部有湛江港。是中国热带经济作物生产基地之一。

【雷霆万钧】形容威力极大。《汉书·贾山传》:"雷霆之所击,无不摧折者;万钧之所压,无不糜灭者。"钧:古代重量单位,一钧合三十斤。

【雷克雅未克】冰岛首都。位于该国西南部,临大西洋。人口11万(1996年)。是全国政治、经济、文化中心和最大海港,世界上最北的首都。多温泉,住宅和公共建筑由温泉通过管道供应温水。

擂 ㊀ léi ❶研磨。例～钵(研东西的钵)。❷打;敲击。例～他一拳|～鼓|自吹自～。
㊁ lèi (591页)。

檑 léi 滚木,古代作战时从高处推下用以打击敌人的大块木头。

礌 léi 古代守城用的石头。从城上推下打攻城的人。例滚木～石。

镭(鐳) léi 天然金属元素,符号Ra,原子序数88。银白色,质软,有放射性。可治疗癌症及皮肤病等。

靁 ⊠ léi “雷”的异体字。

擂 ⊠ léi 同“擂(léi)”。

礌 ⊠ léi 同“礌”。

罍 ⊠ léi 古代一种酒器，多用青铜或陶制成。口小，腹深，有圈足和盖儿。

欙 ⊠ léi 古代走山路的轿子。

羸 léi 瘦弱。㊀身体～弱。

lěi ㄌㄟˇ

耒 lěi 古代一种翻土用的农具。叉形，尖头。又指耒耜上的木把。

【耒耜】古代一种耕地用的农具，即原始的犁。也用作农具的统称。耜(sì)。

诔(誄) lěi 旧指叙述死人生前事迹并表示哀悼的文章。

垒(壘) lěi ❶用砖石等砌、筑。㊀～墙。❷战时作防守用的建筑。㊀堡～。

【垒球】❶球类运动项目之一。与棒球相似，场地较小，球比棒球大而软，球棒较细，限于低手投球。❷垒球运动使用的球。

絫 ⊠ lěi 同“积累”的“累(lěi)”。

累(❶❷纍) ㊀ lěi ❶积累。㊀日积月～。❷连续；屡次。㊀～建战功。❸牵连。㊀连～|～及。
㊁ lèi (591 页)。
㊂ léi (588 页)。

【累犯】被判处有期徒刑以上刑罚的犯罪分子，刑罚执行完毕或赦免以后，在五年以内再犯应当判处有期徒刑以上刑罚之罪的，叫累犯。累犯应从重处罚，但是过失犯罪除外。危害国家安全的犯罪分子在刑罚执行完毕或赦免以后，在任何时候再犯危害国家安全罪的，都以累犯论处。

【累进】以某数为基数，按一定比例层层增加。基数越大，增加的比率数也越大。

【累卵】见〔危如累卵〕(1015 页)。

【累积】一点一点地聚积起来。

【累累】❶屡屡；多次。㊀～失误。❷形容累积得多。㊀伤痕～|负债～。

【累进税率】随纳税者收入或财产数额增加而递增的税率。分全额累进税率和超额累进税率。前者是指对纳税者的全部收入按同一税率计征，但对收入数额不同的纳税者，规定不同的税率。如对全部收入在1 200元以下者，按7%征税，对全部收入在1 200元以上至1 800元者，按8%征税，依此类推。后者是指对同一纳税者的全部收入分为几个部分，按不同税率征税。如某人全部收入为5 000元，假定税率规定3 000元以下部分按10%征税，超过3 000元的部分按15%征税等等。

【累教不改】即“屡教不改”(643 页)。

磊 lěi 石头多。

【磊砢】❶众石聚在一块。❷形容才气卓越。砢(luǒ)。

【磊落】❶胸怀坦荡。㊀光明～。❷众多杂沓的样子。

蕾 lěi 花骨朵儿。㊀蓓～|花～。

癗 ⊠ lěi 外皮肿起的小包。

儡 lěi 见〔傀儡〕(572 页)。

漯 □ lěi 漯河，水名，在河北。

儽 ⊠ lěi ❶困乏；疲乏。❷颓丧；憔悴。

灅 ⊠ lěi 古水名。在今山西、河北境内。

lèi ㄌㄟˋ

肋 ㊀ lèi 胸部的两旁。㊀两～|～骨。
㊁ lē (587 页)。

【肋骨】人和脊椎动物脊柱两侧一系列成对的、弯形的扁骨条。有支持体壁、保护柔软器官的作用。人的肋骨共12对。

【肋软骨】与肋骨前端相连的骨。在人体，上方10对直接或间接与胸骨连接。第11和12对肋软骨则埋藏于腹壁肌肉内，不与胸骨相连接，故名浮肋。

泪(*淚) lèi 眼泪。

类(類) lèi ❶种类。㊀～型|分门别～。❷类似；好像。㊀～

人猿|画虎不成反～犬。

【类比】❶比较。❷即“类比推理”(591页)。

【类书】中国古代一种资料性的参考书,多系大型的。是从多种古籍中辑录成语典故、诗、赋、文章,甚至整部著作,按类或按字韵等编排,以备寻检。如《太平御览》《册府元龟》《永乐大典》《古今图书集成》《佩文韵府》等。

【类似】大体相像。

【类次】按照不同的类别排列先后次序。㊀～编排。

【类别】❶不同的种类。❷按种类不同而做出的区别。

【类型】具有共同性质、特点的事物所形成的类别。

【类推】比照某一事物的道理或做法推出同类事物的道理或做法。

【类人猿】哺乳动物。形态、体质特征和举动都像人的猿类。与人类的亲缘关系最近。如黑猩猩、大猩猩、长臂猿等。

【类比法】即“类比推理”(591页)。

【类固醇】俗称甾(zāi)族化合物。存在于动植物体中的一类有机化合物。化学结构以含一个全氢环戊并菲体系为特征。胆甾醇、维生素D和调节性机能的激素(如雌素酮、雄素酮)都是这类化合物。在血液中含量超过正常标准时,便会沉积在动脉壁周围,能引起动脉硬化症。

【类星体】在照相底片上具有类似恒星的像,而光谱有巨大红移的天体。迄今已发现4 000余颗。一般认为类星体的巨大红移,是人类迄今为止观测到的最遥远的天体。

【类比推理】也叫类比法、类比。根据两个(或两类)对象在某些属性上的相同,推出它们在别的属性上也可能相同的推理。如根据两个地区的地质构造类似,就可由其中一个地区有某一矿产,推出另一地区也可能有某一矿产的结论。这一结论的真实性必须由实践来证明。虽然类比推理的结论不一定真,但是可作为进一步研究的假说。

【类胡萝卜素】色素的一类。广泛存在于动物和植物体内,易氧化,淡黄色、黄色、红色或紫色,易溶于脂肪和脂肪溶剂中。约有150种。在许多动物的肝脏中,一些类胡萝卜素能转化成维生素A,是食物中维生素A的补充来源。

纇☒(纇) lèi ❶丝上的疙瘩。❷缺点;毛病。

累 ㊁ lèi 疲乏;劳累。㊀不怕苦,不怕～。
㊀ lěi (590页)。
㊂ léi (588页)。

酹 lèi 把酒浇在地上,表示祭奠。

擂 ㊁ lèi 擂台。㊀打～。
㊀ léi (589页)。

【擂台】古时候为了比武所搭的台子。“摆擂台”指搭了台欢迎人来比武。“打擂台”是参加比武。

lei ·ㄌㄟ

嘞 ㊀ lei 助词。表示提醒或劝止的语气。㊀走～!|得～,别说～!
㊁ lē (587页)。

lēng ㄌㄥ

棱 ㊂ lēng 见〔不棱登〕(81页)。
㊀ léng (591页)。
㊁ líng (624页)。

léng ㄌㄥˊ

崚☒ léng 〔崚嶒〕形容山势高峻。嶒(céng)。

棱(*稜) ㊀ léng ❶物体上不同方向的两个平面接连的边。㊀桌子～儿。❷物体表面上条状的凸起部分。㊀瓦～|搓板的～儿。
㊁ líng (624页)。
㊂ lēng (591页)。

【棱台】用平行于底面的一个平面截去棱锥的顶部后剩下的部分。

【棱角】❶物体的棱和角。❷比喻人显露出来的锋芒。

【棱柱】上下由两个互相平行的全等多边形,周围由一些平行四边形围成的柱体。

【棱锥】一个多边形和几个有一公共顶点的三角形围成的多面体。

【棱镜】透明材料(如玻璃、水晶等)做成的多面体。光线通过它时发生折射、反射或色散。在光学仪器中应用很广。

L

祾☒ léng〔祾磳〕崖石险峻不平的样子。磳(zēng)。

稜□ léng 见〔菠稜菜〕(　　页)。

堎 léng 也叫地堎。田地边上的坡。

楞 léng 同“棱(léng)”。

【楞次定律】俄国物理学家楞次发现的关于判定感应电流方向的定律。即闭合回路中感应电流的方向,总是使感应电流的磁场阻碍引起感应电流的磁通量的变化。

lěng ㄌㄥˇ

冷 lěng ❶温度低;感觉温度低。与“热”相对。❷寂静;不热闹。㊀～寂|～清清。❸生僻;少见的。㊀～僻。❹不热情。㊀～淡。❺突然;乘人不备的。㊀～不防|～枪。

【冷门】原指赌博时很少有人下注的一门。现比喻冷僻的、很少有人注意的方面或发生意外结果的事物。㊀宁夏队战胜了上海队,爆了～。

【冷场】❶舞台演出中因演员迟到或忘记台词而出现的局面。❷指开会、讨论时没有人发言的场面。

【冷光】物质由于受到光线、电子、高能粒子等照射而发出的光。参见〔荧光〕(1184页)。

【冷色】给人以寒冷、沉静感觉的色彩。如青、蓝、紫等。

【冷却】物体的温度逐渐降低或使物体的温度逐渐降低。

【冷杉】常绿乔木。叶线形,扁平。球果单生叶腋。耐荫性强,耐寒。分布于中国大多数地区的高山,常形成大面积单纯林。木材较轻软,用途广。多是原产地造林树种,也是绿化树。

【冷饮】凉饮料。如可口可乐、果茶等。

【冷床】也叫阳畦。利用太阳能保温育苗的苗床。设于向阳处,四周有土埂,北面或四周设风障,上加覆盖。冬季栽培耐寒蔬菜,春季多用作苗床。

【冷官】旧指地位不重要、事务不忙的官。唐张籍《早春闲游》诗:“年长身多病,独宜作冷官。”也用来指教官。唐杜甫《醉时歌赠广文馆博士郑虔》诗:“广文先生官独冷。”广文:广文馆,教学官署。

【冷背】滞销的;不热门的。㊀～商品。

【冷战】❶第二次世界大战后,西方把除了直接武装进攻以外的敌对活动称为冷战。1947年美国政论家李普曼第一次使用这个词。与“热战”相对。❷战(zhan)。指因寒冷或害怕浑身不由自主地突然发抖。㊀打了一个～。

【冷宫】旧戏曲、小说中指君主安置失宠的后妃的地方。

【冷峭】❶形容寒气逼人。❷比喻言语尖刻。

【冷眼】❶冷静、客观的眼光或态度。㊀～观察。❷冷漠、轻蔑的眼光或态度。㊀～相待。

【冷淡】❶不热闹;不兴盛。❷不热情;不关心。

【冷落】❶冷冷清清;不热闹。❷以冷淡的态度待人。

【冷遇】冷淡的待遇。

【冷锋】冷、暖空气相遇,冷空气势力较强,呈楔形插入暖空气下面,它们之间的交界面称为冷锋。冷锋经过时,常有大风和雨或雪。冷锋过后,气温下降。

【冷漠】冷淡;不关心。

【冷静】❶人少而寂静。㊀夜深了,街上很～。❷沉着,不感情用事。㊀在危急的情况下要保持～的头脑。

【冷酷】冷淡严酷。

【冷敷】用低温湿毛巾、冰袋等敷在身体的局部以降低温度。

【冷箭】乘人不备暗中射出的箭。比喻暗地里害人的手段。

【冷僻】❶冷落偏僻。❷不常见的。多指字、名称、典故等。

【冷藏】把食品等贮存在有低温设备的仓库或器物里,以免变质、腐烂。

【冷处理】❶工件淬火后立即放入低温空气中冷却,叫做冷处理。目的是增强工件硬度,稳定尺寸规格。❷比喻问题发生时暂时放一放,等待适当时机再作处理。

【冷加工】指金属切削加工。有时也指冷轧、冷压、冷拉、冷挤压等。

【冷兵器】不使用发射药或炸药,依靠人的体能效应发挥杀伤作用的武器。如刀、矛、剑、锤、棍、弓、箭、刺刀、匕首等。

【冷板凳】比喻清闲、冷落的职务。也指冷

淡的待遇。

【冷血动物】❶变温动物的俗称。❷比喻没有感情的人。

【冷言冷语】从侧面或反面说的含有讥讽意味的话。

【冷若冰霜】像冰霜一样冷冰冰的。比喻待人不热情。也比喻态度严厉，不好接近。

【冷眼旁观】不参预其事，用冷静的或漠不关心的态度在一旁观看。

【冷嘲热讽】尖刻、辛辣的嘲笑和讽刺。

lèng ㄌㄥˋ

堎□ lèng 用于地名，如长头堎（在江西）。

棱☒ lèng 〔棱挣〕乍醒发呆的样子。[例]打～。

睖□ lèng 〔睖睁〕眼睛发直；发愣。睁（zheng）。

愣 lèng ❶呆；失神。[例]两眼发～｜吓得一～。❷鲁莽；说话做事不考虑效果。[例]～头～脑｜～干。

lī ㄌ丨

哩 ㊀ lī 〔哩哩啦啦〕形容零零散散或断断续续的样子。[例]雨～下了一天。
㊁ lǐ（599页）。
㊂ li（606页）。

lí ㄌ丨ˊ

杝☒ ㊁ lí 同“篱”。
㊀ yí（1159页）。

丽（麗） ㊁ lí 用于地名，如丽水（在浙江南部）。
㊀ lì（604页）。

【丽江】全称丽江纳西族自治县。位于云南省西北部。是著名旅游地，有玉龙雪山、长江第一湾处的石鼓渡口、虎跳峡、丽江古城、丽江壁画、黑龙潭等名胜古迹。

婳☒（孋） lí 〔婳戎〕也作骊戎。古代部族名。

骊（驪） lí 纯黑色的马。

【骊山】也叫郦（lì）山。位于陕西省临潼县东南，因古骊戎（部族）居此得名。西周末申侯和犬戎（部族）袭杀周幽王于此山下。东北麓有秦始皇陵墓，西北麓有唐华清宫故址。有温泉华清池。

【骊歌】告别的歌。

【骊山陵】通称始皇陵。秦始皇的陵墓。建于公元前247—前210年。在今陕西临潼骊山北麓。陵园由内外两重夯土城垣和陵丘组成。内城南区设寝殿和便殿，内外城西垣之间有食宫。陵丘现呈截顶方锥形，高约76米，底面长515米、宽485米。陵墓的规划遵循事死如生的思想，模仿秦朝京城的布局。陵区开阔，气象森严。陵墓东面约1 500米处出土秦兵马俑坑数个，兵马俑的排布如同军阵，用来象征京师卫戍部队。是全国重点文物保护单位。

鹂（鸝） lí 见〔黄鹂〕（427页）。

鲡（鱺） lí 见〔鳗鲡〕（663页）。

厘（*釐） lí ❶市制长度、地积和质量单位。10毫为1厘，10厘为1分。❷计算利息的单位。年利率一厘为本金的百分之一，月利率一厘为本金的千分之一。❸整理。[例]～定。

【厘正】改正；订正。

【厘卡】旧时税收机关征收厘金的关卡。

【厘米】旧称公分。长度单位。10毫米为1厘米，10厘米为1分米。

【厘金】旧时内地水陆关卡征收的货物通过税。清咸丰年间始设，1930年撤销。

喱 lí 见〔咖喱〕（298页）。

狸（*貍） lí 狸子，即“豹猫”（40页）。

梩☒ lí ❶锹一类的器具。❷土筐。

离（離） lí ❶相距。[例]～春节还有几天｜这里～王府井不远。❷离开；分离。[例]～京｜～别。❸指离婚。[例]最近他们俩～了。❹八卦之一。代表火。参见〔八卦〕（16页）。❺古又同“罹”。

【离子】原子或原子团获得或失去电子后形成的带电荷的原子或原子团。带正电的叫正离子（或阳离子），带负电的叫负离子（或阴离子）。

【离休】指中华人民共和国成立前参加革命工作，现已到退休年龄的干部离职休养。

离休人员每月仍然发放全部工资。[例]老赵去年已经~了。
【离异】离婚。
【离间】从中挑拨,使不团结。间(jiàn)。
【离奇】稀奇;超乎寻常。多指事件的情节。
【离宫】皇帝在都城之外的宫殿。也泛指皇帝出巡时的住所。
【离职】离开工作职位。
【离婚】男女双方依据法定程序解除夫妻关系的法律行为。有协议离婚和诉讼离婚。女方在怀孕期间和分娩后一年内,男方不得提出离婚。
【离骚】战国时楚国屈原的抒情长诗。作品表达了关心国家命运、要求改革政治的进步理想,倾诉了理想不能实现的苦闷和忧愁,表现了对保守势力毫不妥协的斗争精神,塑造了诗人自己的忧国忧民、忠贞不渝的艺术形象。作品采用比喻夸张的手法,穿插大量神话,充满了积极浪漫主义色彩。
【离解】一个分子分离为两个或两个以上的较简单的分子、原子、原子团或离子的过程。主要分为热分解和电离两种类型,其反应为可逆的。如碳酸钙的热分解和乙酸的电离。
【离子键】使正、负离子结合成化合物的静电作用。
【离心力】见〔向心力〕(1076页)。
【离心泵】叶轮在泵壳内快速旋转,使水产生离心力而扬水的泵。由蜗形泵壳、曲叶轮和转轴构成。广泛用于丘陵地区或山区扬水灌溉。
【离合器】装在机器的主动和从动轴间,用以使两轴旋转运动分开或接合的装置。有摩擦式、压嵌式、液力式、电磁式等数种。汽车和拖拉机一般采用摩擦式离合器,装于发动机与变速器间。
【离子反应】有离子参加的化学反应。如:

$$Ag^+ + Cl^- = AgCl\downarrow$$

$$Zn + 2H^+ = Zn^{2+} + H_2\uparrow$$

【离子交换】一种特殊的吸附过程。溶液和离子交换剂之间相互交换离子的作用。广泛用于软化硬水、提纯和分离物质等。
【离子晶体】正、负离子通过离子键结合而成的晶体。
【离心离德】不一条心,思想不统一,信念不一致。《尚书·泰誓中》:"受(纣)有亿兆夷人,离心离德。"与"同心同德"相对。
【离岸价格】卖者负责在合同规定的装货港把货装到买方指定的船只上的货物价格。
【离经叛道】原指背离经书所说的道理和儒家的道统。后指背离了占主导地位的思想或学说。
【离群索居】离开大伙儿,孤独地生活。《礼记·檀弓上》:"吾离群而索居,亦已久矣。"索:单独。
【离子化合物】正、负离子通过静电引力的作用而结合成的化合物。一般由电负性较小的金属元素与电负性较大的非金属元素组成。离子化合物并不存在独立的分子。熔点和沸点较高。固态不导电,但离子化合物的溶液及在熔融状态下均能导电。
【离子交换膜】一种含离子基团、对溶液里的离子具有选择透过能力的高分子膜。分为正离子交换膜、负离子交换膜、两性交换膜、镶嵌离子交换膜、聚电解质复合物膜等类型。
【离子交换树脂】由一种不溶高分子骨架和若干活性基团组成的具有离子交换能力的树脂。用于分离和提纯,如水的净化、海水淡化、金属回收等。也可用作催化、溶液脱色、中和等。

蓠(蘺) lí 见〔江蓠〕(483页)。

漓(❷灕) lí ❶见〔淋漓〕(620页)。❷漓江。
【漓江】西江支流。发源于广西壮族自治区东北部兴安县境,向南流至梧州汇入西江。在桂林至阳朔段,两岸石灰岩峰林形态万千,碧水青山,风景如画。

缡(縭) lí 古代妇女的佩巾。[例]结~(古指女子出嫁)。

璃(*瓈*琍) lí 见〔琉璃〕(631页)、〔玻璃〕(74页)。

褵[⊠] lí "缡"的异体字。

篱(籬) lí 〔篱笆〕房屋、场地等的围栏设施。一般用竹子、苇子、秫秸、荆条、树枝等编扎而成。

醨[⊠] lí 薄酒。

梨(*棃) lí 落叶乔木。开白花。果可食。
【梨园】原是唐玄宗训练歌舞艺人的地方。旧时用来泛指有关戏曲方面的事物,如把戏班称为梨园,演员称为梨园子弟,戏曲界称为梨园界等。

【梨枣】旧时刻书制版多用梨木或枣木,故以“梨枣”作书版的代称。

【梨花片】也叫犁铧片、月牙片。拍奏体鸣乐器。铜制。一副两片,呈半圆形。演奏时,将其分别夹于左手手指间,晃动手腕使梨花片摇动相互拍奏发音。

犁(*犂) lí 翻土的农具。也指用这种农具翻土。

蜊 lí 见〔蛤蜊〕(317 页)。

蔾☒ lí 划开;划破。

嫠 lí 指寡妇。㊀~妇。

黎 lí ❶众多。㊀~庶。❷黑色。㊀~黑。❸黎族。

【黎元】旧指老百姓。

【黎民】古代泛指民众。

【黎明】天快要亮的时候。

【黎庶】黎民。

【黎族】中国少数民族之一。人口 111 万(1990 年)。分布在海南岛中南部。有本民族语言,1949 年后设计了拉丁字母形式的文字方案。建立有海南省白沙、昌江、东方、乐东、陵水黎族自治县等自治地方。

【黎元洪】(1864—1928)北洋军阀政府总统。字宋卿,湖北黄陂人。1911 年武昌起义后任湖北军政府都督,起用旧军官,屠杀革命党人。袁世凯篡夺总统后,他任副总统,袁死后任总统。1917 年把国务总理段祺瑞免职,段暗中指使张勋复辟帝制,将他驱逐下台。1922 年受直系军阀利用,复任总统,次年被驱走。后死于天津。

藜(*蔾) lí 也叫灰菜,一年生草本植物。开黄绿色花。茎直立,叶背面有粉状物。嫩茎叶可食。

嶐☒ lí 〔嶐峨山〕古山名。在今贵州。

黧 lí 黑色。㊀面目~黑。

罹 lí ❶遭遇;遭受(灾祸或疾病)。㊀~难|~病。❷忧患;苦难。

【罹难】遇到意外的灾祸不幸死亡。

蠡 ㊁ lí 贝壳做的瓢。
㊀ lǐ(601 页)。

【蠡测】见〔管窥蠡测〕(350 页)。

劙☒ lí 分割;刺破。

lǐ ㄌㄧˇ

礼(禮) lǐ ❶社会生活中,由于风俗习惯而形成的行为准则、道德规范以及与之相应的仪式。㊀婚~|丧~。❷表示尊敬的动作。㊀敬~。❸呈上或赠送的物品。㊀献~|送~。

【礼节】表示尊敬、祝贺、哀悼等的习惯形式。

【礼仪】礼节和仪式。

【礼花】在盛大节日的晚上为表示庆祝而放的焰火。

【礼治】中国历史上儒家的政治主张。要求天子、诸侯、卿、大夫、士各级统治者都安于名位,遵守礼制,遵守社会规范和道德规范。

【礼拜】❶宗教徒敬神的活动。如基督教(新教)是指星期日在教堂内举行对上帝的崇拜仪式;伊斯兰教是指教徒面向圣地麦加的祈祷仪式。❷指星期。㊀三个~|~三。❸指星期日。

【礼俗】泛指民间婚丧祭祀交往等的礼节。

【礼部】官署名。隋唐至明清中央行政机构的六部之一。掌管国家的典章制度、祭祀、学校、科举等事。

【礼教】封建社会的统治阶级为了维持封建等级制度,根据儒家思想制定的,以三纲五常为基本内容的各种礼法条规和道德标准。

【礼遇】有礼貌的待遇。

【礼数】礼貌;礼节。

【礼拜寺】即“清真寺”(797 页)。

【礼拜堂】即“教堂”(493 页)。

【礼贤下士】指帝王、大臣或社会地位较高的人敬重、结交有德有才的人。礼贤:尊敬贤者。下士:降低自己的身分结交一般有才能的人。

【礼尚往来】礼节上讲求有来有往。现在也指你对我怎么样,我也用相同的方式回报你。

李 lǐ 落叶乔木。果实成熟时呈黄或紫红色,可食。

【李广】(? —前 119)西汉军事家。陇西成纪(今甘肃静宁西南)人。善射。汉武帝时任右北平太守,镇守北方边境,与匈奴七十余战,功绩卓著,匈奴称他为汉“飞将军”。后随大将军卫青攻匈奴,因迷失道路,被责，愤而自杀。

【李白】(701—762)唐代诗人。字太白，号青莲居士。祖籍陇西成纪(今甘肃静宁西南)，生于中亚细亚碎叶城(在今吉尔吉斯斯坦北部)，幼年时随父迁入蜀中。25岁后漫游各地。曾供奉翰林，不久遭权贵的排挤而弃官。后又因统治集团内部斗争的牵连，被流放夜郎(今贵州桐梓一带)。途中遇赦东还，不久病死于当涂(在今安徽)。其诗热烈歌唱进步的政治理想，要求摆脱礼教束缚，对权贵表示了极大的蔑视。善于以豪迈的笔墨描绘祖国的壮丽河山，写了许多雄奇豪放、想象丰富、瑰丽多彩的优秀诗篇，成为中国古典浪漫主义诗歌的高峰。代表作有《蜀道难》《将进酒》《行路难》《梦游天姥吟留别》《静夜思》等。有《李太白集》。

【李冰】(约前3世纪)战国时期水利专家，秦国人。秦昭王(一说孝文王)时任蜀郡守。在岷江中凿开离堆，修建分水堤和湃水坝，分岷江为内外二江，使成都平原成为“天府之国”。该工程即今都江堰。

【李诫】(？—1110)北宋建筑学家。字明仲，郑州管城(今河南郑州)人。在北宋政府管理建筑多年，负责城门、宫殿、官舍等工程。晚年所编《营造法式》一书，图文并茂。全书三十四卷，正文三百五十七篇，分释名、制度、功限、料例和图样五部分。全面系统地阐述建筑原理，是中国古代重要的建筑学巨著。

【李贺】(790—816)唐代诗人。字长吉，福昌(今河南宜阳)人。他的诗想象丰富，构思奇特，熔铸词采，独树一帜，具有浪漫主义风格。诗中反映出对宦官专权、藩镇割据的强烈不满，对劳动人民的疾苦也寄予关切。有《昌谷集》。

【李贽】(1527—1602)明末思想家、文学批评家。号卓吾，别号温陵居士，泉州晋江(今属福建)人。反对封建道统，被封建统治者视为“异端”“妖人”加以迫害。哲学观点没有摆脱王守仁和禅学的影响。重视戏曲小说在文学上的地位。著有《焚书》《续焚书》《藏书》《李温陵集》等。

【李悝】(约前455—前395)战国初期政治家。魏国人。魏文侯时任魏相。曾主持变法，使魏国成为战国初期的强国之一。他编著的《法经》六篇，是中国历史上第一部较完整的封建法典，现已失传。悝(kuī)。

【李陵】(？—前74)西汉武将。李广孙，字少卿，陇西成纪(今甘肃静宁西南)人。善骑射，曾多次率军与匈奴作战。公元前99年出击匈奴，陷入重围，粮尽弹绝而投降。居匈奴二十余年后病死。

【李逵】《水浒传》中的人物。绰号黑旋风。具有农民的善良、纯朴、粗豪的品质。反抗性强，对起义事业很忠诚，反对招安。性情急躁。是刚直、勇猛而又鲁莽的人物典型。

【李渔】(1611—1680)清代戏曲家。字笠鸿、谪凡，号笠翁，浙江兰溪人。他在《闲情偶寄》中论述了戏曲的作法和演法，提出了有价值的戏曲理论。著有《笠翁十种曲》等。今人合编为《李渔全集》。

【李密】❶(224—287)西晋犍为武阳(今四川彭山东)人。治《春秋左传》，博览五经。所作《陈情表》比较有名。❷(582—618)隋末瓦岗起义军领袖。京兆长安(今陕西西安)人。

【李斯】(？—前208)战国末期政治家。楚上蔡(今河南上蔡西南)人。荀况的学生。曾任秦朝廷尉和丞相，帮助秦始皇统一六国，建立第一个中央集权的封建国家。秦始皇采纳了他的建议，废除分封制，推行郡县制，下令焚书坑儒，取缔私学，以巩固中央集权。他还参与了统一度量衡、货币、车轨等各项改革，并以小篆为标准统一了全国文字。后被赵高杀害。

【李煜】(937—978)五代南唐最末一个皇帝。世称李后主。初名从嘉，号钟隐，徐州(今属江苏)人。国亡后为宋所俘。精于文学、音乐、书画，擅长写词。前期作品大多描写宫廷内享乐生活，风格艳丽柔靡；后期作品缅怀身世的变化，抚今追昔，充满了感伤情调。作品有较高的艺术性。煜(yù)。

【李大钊】(1889—1927)中国无产阶级革命家，中国共产党的创始人，学者、诗人。字守常，河北乐亭人。曾任北京大学图书馆主任兼经济学教授。编辑《新青年》，发表《庶民的胜利》《布尔什维主义的胜利》等论文传播马克思主义。积极领导五四运动，并同改良主义思想作斗争。1920年在北京建立共产主义小组。中国共产党成立后，任中共北方区党委书记，后兼任中国劳动组合书记部北方区分部主任。在中国共产党第二次至第四次全国代表大会上均当选为中央委员。他对中国共产党帮助孙中山确立联俄、联共、扶助农工三大政策、改组国民党和促成第一次国共合作起了重要作用。组织北方人民群众支援北伐军,领导1926年3月18日北京人民反帝反军阀的群众示威运动。1927年4月6日被军阀张作霖逮捕,28日英勇就义。有《李大钊选集》。

【李公朴】(1900—1946)中国爱国民主人士、社会教育家。原籍江苏扬州,生于镇江。1936年曾因参加抗日救国运动与沈钧儒、邹韬奋等七人被捕。为救国会七君子之一。抗战开始后获释。1945年任民盟中央委员兼教委会副主任委员,积极参加民主运动。1946年7月11日在昆明被国民党特务暗杀。

【李公麟】(1049—1106)北宋画家。字伯时,号龙眠居士,庐州舒城(今属安徽)人。擅长画人物肖像和鞍马。作画多用墨线勾勒而不着颜色,称为"白描"。作品有《五马图》《临韦偃牧放图》等传世。

【李世民】(599—649)即唐太宗。隋末与其父李渊(唐高祖)起兵反隋,建立唐朝。即位后,加强中央集权,发展农业生产;改进科举取士制度,重用非士族出身的官员;抗击东突厥侵扰,发展与邻国的经济文化交流。这些措施对唐初社会经济的恢复和发展起了积极作用。形成著名的"贞观之治"。

【李四光】(1889—1971)中国地质学家。字仲揆,湖北黄冈人。创立了地质力学,为中国寻找石油、研究地震预报等做出了卓越的贡献;首先发现中国第四纪冰川遗迹,为中国第四纪地质揭开新篇章;对古生物蜓科化石鉴定分类工作厘定十项标准,为世界各国所采用。著有《中国地质学》《中国北部之蜓科》《冰期之庐山》《地质力学概论》《地震地质》等。

【李立三】(1899—1967)中国无产阶级革命家,工人运动领导人。原名隆郅,湖南醴陵人。1919年赴法国勤工俭学,1921年回国参加中国共产党。1922年领导安源路矿工人大罢工。1925年领导五卅运动,任上海总工会委员长。1927年参加南昌起义,后任中共广东省委书记、中共中央政治局常委兼秘书长、宣传部长,1930年犯"左"倾冒险主义错误,不久即改正。后去苏联,主持马列著作翻译,1946年回国。建国后任劳动部部长、中共中央华北局书记处书记。是中共第七、八届中央委员。"文化大革命"中遭受林彪、江青反革命集团迫害,含冤去世。

【李先念】(1909—1992)中国无产阶级革命家、军事家,中国共产党和中华人民共和国领导人。湖北黄安(今红安)人。1927年加入中国共产党,同年参加黄麻起义。1931年任红四方面军团政委、师政委。1935年参加长征。1937年随红军西路军转战至新疆。抗日战争时期任新四军豫鄂挺进纵队司令员,第五师师长、政委,创建豫鄂边区抗日根据地。解放战争时期,任中原军区司令员。1949年后,历任中共湖北省委书记、中共中央中南局副书记、国务院副总理、中华人民共和国主席、全国政协主席等职。是中共第八至十届中央政治局委员,第十一、十二届中央政治局常委、副主席。"文化大革命"中,与林彪、江青反革命集团作坚决斗争。长期以来为新中国财经事业做出了贡献。1992年逝世。

【李自成】(1606—1645)明末农民起义领袖。本名鸿基,陕西米脂双泉里李继迁寨(今属横山)人。1630年起义,后为闯王高迎祥部下猛将。1636年继称闯王,1640年进河南,提出"均田免粮"等口号,队伍发展到上百万人。1644年在西安建立大顺政权,年号永昌。同年占领北京,推翻明朝。在明将吴三桂勾结清军的联合进攻中失利,退出北京,向陕西转移。1645年在湖北通山县九宫山遭伏击牺牲。

【李兆麟】(1910—1946)东北抗日联军领导人之一。原名操兰,辽宁辽阳人。1930年加入中国共产主义青年团,次年加入中国共产党。九·一八事变后,在东北组织抗日武装,历任中共北满省委常委,东北抗日联军第三军、第六军政治部主任,第三路军总指挥等职,率领部队长期坚持抗日游击战争。抗战胜利后,任松江省副省长、中共哈尔滨市常委。1946年3月在哈尔滨遭国民党特务暗杀。

【李时珍】(1518—1593)明代医药学家。字东璧,号濒湖,今湖北蕲春人。一生从事草药采集和研究工作。经三十多年,参考八百多种有关文献及大量实际调查采访,著《本草纲目》,总结了16世纪以前中国药物学成就。并有《濒湖脉学》等著作。

【李秀成】(1823—1864)太平天国将领。广西藤县人。早年参加太平军,勇猛善战,曾随石达开西征,随秦日纲攻破清军江北大营和江南大营。后与陈玉成共主军务。1859年封忠王。在太平天国后期,力图改变被动局面，未果。1864年天京失陷，在突围途中被俘，写了自白书。后被曾国藩杀害。

【李宗仁】(1891—1969)中国现代政治家，爱国民主人士，军事将领。字德邻，广西桂林人。早年加入同盟会，参加辛亥革命，后投入护国、护法运动。北伐战争时任国民革命军第七军军长。后任南京国民政府军事参议院院长。抗日战争时任第五战区司令长官兼安徽省政府主席。1938年率部歼灭日本侵略军万余人，获台儿庄大捷，后转战鄂北豫南，屡败日军。抗战胜利后任北平行辕主任。1948年任国民党政府副总统。1949年任代总统，年底去美国。在美反对台湾独立，主张中美建立友好关系。1965年回国，1969年在北京病逝。

【李思训】(651—716)唐代画家。字建。工书法，尤擅画山水，金碧辉映，自成一家。后世青绿或金碧山水，多效法他。被推为"北宗"之祖。

【李济深】(1885—1959)中国爱国民主人士，军事将领。字任潮，广西苍梧人。北京陆军大学毕业，曾任粤军第一师参谋长、代理师长。1925年任国民革命军第四军军长。北伐战争时期，任国民革命军总司令部参谋长、黄埔军校副校长。1933年联合十九路军蔡廷锴等在福建组织反蒋抗日的中华共和国人民革命政府。抗日战争爆发后，响应中国共产党一致抗日的号召，反对国民党政府的反共卖国政策。1948年发起成立中国国民党革命委员会，任主席。1949年后，历任中央人民政府副主席、全国人大常委会副委员长、全国政协副主席等职。1959年在北京病逝。

【李铁拐】也叫铁拐李。传说中的八仙之一。相传曾遇太上老君得道。其人蓬首垢面，袒腹跛足，持一铁拐，故名。

【李特尔】卡尔·李特尔(1779—1859)德国地理学家，近代地理学创建人之一，人文地理学的奠基人。最早阐述人地关系和地理学的综合性特点。创用"地学"一词。认为每个区域都是一个统一体，强调各种地理现象的因果关系。在区域地理研究中运用比较法，偏重人文地理。主张地理学研究必须与历史学相结合。著有《地学通论》《欧洲地理》《比较地理学》等。

【李商隐】(约813—约858)唐代诗人。字义山，号玉谿生，怀州河内(今河南沁阳)人。中进士后，在藩镇幕府中过清寒的幕僚生活，一生潦倒。他擅长七律，所作咏史诗托古讽今，讥刺时政。《无题》诗尤为人所传诵。诗风绮丽精工，多用象征手法，具有浓艳的色彩。但过于追求辞藻、铺排典故，以致意旨隐晦。有《李义山诗集》《樊南文集》等。

【李焕之】(1919—2000)中国现代作曲家。代表作声乐作品有《民主建国进行曲》《社会主义好》《茶山谣》《八月桂花遍地开》和琴歌合唱《苏武》，器乐作品有《第一交响曲·英雄海岛》、古筝协奏曲《汨罗江幻想曲》等。

【李清照】(1084—约1151)南宋女词人。号易安居士，齐州章丘(今属山东)人。金兵入侵后流亡南方。她的词风格清新婉丽，是婉约词派的代表人物。有《漱玉词》(辑本)。

【李鸿章】(1823—1901)清末洋务派首领。字少荃，安徽合肥人。早年纠集安徽地主武装组成淮军，勾结帝国主义镇压太平天国革命。长期任直隶总督兼北洋大臣，掌管清政府外交、军事、经济大权。竭力鼓吹"外须和戎、内须变法"为总纲的洋务运动，先后兴办了广方言馆、江南制造总局、上海轮船招商局、开平矿务局、上海机器织布局和新式的北洋海军。曾代表清政府和列强签订了《烟台条约》《马关条约》《中俄密约》《辛丑条约》等一系列丧权辱国的条约。有《李文忠公全集》。

【李斯特】李斯特·费伦茨(1811—1886)匈牙利作曲家、钢琴家，西洋音乐史上重要的浪漫派音乐家。曾丰富和革新钢琴的演奏技术，引入交响性、歌唱性因素，扩大了钢琴的表现力。首创"交响诗"体裁，为促进欧洲标题音乐的发展做出重要贡献。主要作品有交响诗《塔索》《前奏曲》《玛捷帕》等13部，交响曲《浮士德》《但丁奏鸣曲》，钢琴曲《匈牙利狂想曲》19首，协奏曲两部，《超级练习曲》《帕格尼尼超级练习曲》等。

【李富春】(1900—1975)中国无产阶级革命家。湖南长沙人。1919年赴法国勤工俭学，1922年加入旅欧中国少年共产党，次年转入中国共产党，是中共旅欧总支部领导人之一。1925年回国参加北伐战争，任北伐军第二军党代表兼政治部主任。1931年进入中央革命根据地。1934年参加长征，任红军总政治部副主任等职。抗日战争时期，历任中共中央秘书长、组织部副部长,财政经济工作部部长、办公厅主任等职。解放战争时期,历任中共中央东北局书记、东北人民政府副主席、东北军区副政治委员。1949年后,任国家计划委员会主任、国务院副总理等职。是中共第七至十届中央委员,第八届中央政治局委员、常委、中央书记处书记。1975年1月9日在北京病逝。

【李嘉图】大卫·李嘉图(1772—1823)英国资产阶级古典政治经济学的完成者。主要功绩是对劳动时间决定价值的原理作了比较透彻的表述,奠定了劳动价值学说的初步基础。代表作有《政治经济学及赋税原理》。

【李代桃僵】古乐府《鸡鸣》:"桃生露井上,李树生桃傍。虫来啮(niè)桃根,李树代桃僵。"本比喻共患难,相爱助。后引申为顶替或代人受过。

【李氏杆菌病】也叫李斯特杆菌病。通过口—粪途径或胎盘传播的一种传染病。可引起肝脓肿、肺炎、脑膜炎等。

里(❹❺裏❹❺*裡)

lǐ ❶市制长度单位。1里为500米。❷居住的地方。㊀故~|同~。❸街坊。㊀邻~。❹衣物里子。㊀棉袄~儿|被~。❺里边或一定范围以内的。与"外"相对。㊀~屋|城~。❻古代五家为邻,五邻为里。旧时也作县以下的基层行政单位。

【里手】❶用牲口拉车、犁地、轧场时,指左边。❷〈方〉内行。

【里弄】〈方〉小巷。

【里拉】❶意大利语音译词。意大利、土耳其、圣马力诺等国的本位货币均译为里拉。❷也叫诗琴。拨奏弦鸣乐器。历史悠久,曾是古希腊和古罗马的重要弹拨乐器。演奏时,左手抱琴,右手用拨子弹弦发音。

【里昂】法国城市。位于该国东南部罗讷河与索恩河汇合处。是法国工业中心之一,丝织业最有名。

【里闾】乡里。闾(lǘ)。

【里脊】猪、牛、羊脊椎骨内侧的条状嫩肉,做肉食时称里脊。脊(ji)。

【里海】世界最大湖泊和咸水湖。位于俄罗斯、哈萨克斯坦、土库曼斯坦、伊朗、阿塞拜疆五国之间。面积37.1万平方千米。因气候干燥,蒸发剧烈,仍在缩减中。湖面低于海平面28米。

【里运河】古称邗(hán)沟。修凿于春秋末期。大运河最早修建的一段。在江苏省中部。沟通长江与淮河。长170千米。

【里斯本】葡萄牙首都。位于该国西部,大西洋沿岸,特茹河口北岸。人口66万(1991年)。是全国政治、经济、文化、交通中心和最大海港。也是西欧大西洋沿岸与地中海沿岸贸易的枢纽。

【里程碑】❶设在大路旁边记载里数的标志。❷比喻历史发展过程中可以作为重要标志的大事。

【里应外合】外面进攻,里面配合接应。

【里通外国】暗中勾结、投靠外国势力,进行敌视和破坏祖国的犯罪行为。

【里约热内卢】巴西城市。位于该国东南部,临大西洋。人口534万(1991年)。1960年4月前曾为首都,现仍为巴西工商业、金融和文化中心,也是全国第二大城市和最大的海港,世界著名旅游地。

【里姆斯基—科萨科夫】尼古拉·里姆斯基—科萨科夫(1844—1908)俄国作曲家。作品以歌剧和交响乐为主,多取材于俄国历史、文学或民间传说,富有戏剧性;旋律、调式、和声与结构无不与俄罗斯的民族音乐传统密切相联,具有鲜明的民族特征。代表作有歌剧《雪姑娘》《沙皇的新娘》《萨尔坦沙皇的童话》《金鸡》,交响诗《萨特阔》,交响组曲《安塔尔》《舍赫拉查德》和《西班牙随想曲》等。

俚

lǐ 民间的;通俗的。㊀~歌|~语。

【俚俗】粗俗。

【俚语】只在某一地区内通行的比较土俗的口语词。如北京土话中的"颠儿"(跑或溜的意思),上海话中的"勿搭界"(沾不上边的意思)。

哩

㊀ lǐ (又音 yīnglǐ) 旧表示英制长度单位用字。1977年7月中国文字改革委员会、国家标准计量局通知,淘汰"哩",改用"英里"。

㊁ lī(593页)。

㊂ li(606页)。

浬

□ lǐ (又音 hǎilǐ) 旧表示长度单位用字。1977年7月中国文字改革委员会、国家标准计量局通知,淘汰"浬",改用"海里"。

娌

lǐ 见〔妯娌〕(1289页)。

理 lǐ ❶物质组织的条纹。㊎纹～|条～。❷道理。㊎说～|事～。❸指自然科学。特指物理学。㊎～科|数～化。❹管理;整理。㊎～财|～发。❺对别人的言语行动表示态度。㊎答～|置之不～。

【理气】中国古代哲学的一对范畴。"理"是精神性的东西,"气"是物质性的东西。唯心主义者说"理"是世界万物的本原,"气"是从属于"理"的。唯物主义者则肯定"气"是根本的,离开"气","理"也就不存在了。

【理由】事情为何这样做或那样做的道理。

【理会】❶懂;明白。㊎这句话不难～。❷注意;理睬。㊎谁拿走了,我没～|他站了半天,没有人～他。

【理合】旧时公文用语。按理应当。㊎～备文呈请备案。

【理论】❶指概念和原理的体系。是系统化了的理性认识。正确的理论是客观事物的本质和规律的正确反映;来源于社会实践,并指导人们的实践活动。❷辩论是非;争论;讲理。

【理财】管理财物或财务。

【理疗】利用光、电、热、机械刺激等物理因素作用于人体以防治疾病。常用的有紫外线、红外线、超短波疗法及中医的推拿、针灸、刮痧、拔罐等疗法。

【理事】❶管理事务。❷理事会的成员,代表团体行使职权并处理事务。

【理念】❶信念。㊎人生～。❷思想;观念。㊎经营～|文化～。

【理性】❶指属于概念、判断和推理阶段的认识。与"感性"相对。❷18世纪法国唯物主义者和空想社会主义者把合乎"人性"的称为"理性"。❸德国哲学家康德、黑格尔的用语。指通过辩证思维将各种抽象规定综合起来把握事物整体的思维过程和结果。

【理学】也叫道学。宋明时期的唯心主义哲学思想。由二程(程颢、程颐)创立,经朱熹继承发挥,形成客观唯心主义体系,称为程朱学派。由陆九渊创立,经明代王守仁加以继承发挥,形成主观唯心主义体系,称为陆王学派。理学是先秦以后儒家学说的继承和发展,也吸收了老庄、佛教、道教的某些思想,成为宋元明清的官方哲学。

【理科】指高等学校所设自然科学中有关基础理论的系、科、专业。也指中学的数学、物理、化学等科目。

【理欲】天理人欲。

【理赔】保险人于保险标的发生事故后,对被保险人提出的索赔要求进行处理。

【理智】辨别是非、利害关系以及控制自己的感情和行为的能力。

【理想】❶对美好未来的设想(指有根据的、可以实现的,区别于空想、幻想)。㊎共产主义是人类最伟大的～。❷符合希望,令人满意。㊎实验的结果十分～。

【理解】明白;了解;懂。

【理藩院】官署名。清代设置,掌理少数民族事务,咸丰时还兼管对俄罗斯、廓尔喀的事务。官员全由满、蒙贵族充任。

【理直气壮】理由充足,说话有气势。

【理所当然】按道理就应当这样。

【理性认识】认识的高级阶段和高级形式。是对客观事物的本质和规律性的认识。有概念、判断、推理三种基本形式。在实践的基础上,把感性认识所获得的丰富材料加以去粗取精、去伪存真、由此及彼、由表及里的改造,从而获得比感性认识更深刻、更正确、更全面的认识。理性认识有知性思维和理性思维两个小区段。由知性思维上升到理性思维是人的认识从抽象上升到具体的过程。

【理屈词穷】(在争论中)理由站不住脚,被驳得没话可说。

【理想气体】理想化的气体模型。即忽略气体分子本身的体积和分子间的相互作用,完全遵循气体定律的气体。在常温和常压下,可以把实际气体近似地看作理想气体。

【理论物理学】物理学的分支学科。从各类物理现象的普遍规律出发,运用数学理论和方法,系统深入地阐述有关概念、现象及其应用。

锂(鋰) lǐ 金属元素,符号Li,原子序数3。银白色,质软,是密度最小的金属。用于原子反应堆及制轻合金、电池等。

【锂电池】以金属锂为负极,固体盐类或溶于有机溶剂的盐类为电解质,金属氧化物或其他固体、液体氧化剂为正极活性物的一种高能化学电池。性能优良,有圆筒形、钮扣形和硬币形等不同形状,广泛用于电子手表、计算器、自动照相机、心脏起搏器中。

鲤(鯉) lǐ 鱼类。体稍侧扁,长可达1米,有须两对,尾稍红。杂食性。中国各地淡水均产。是重要的养殖鱼。

峛 ⊠ lǐ 〔峛崺〕山势曲折连绵。崺(yǐ)。

逦(邐) lǐ 见〔迤逦〕(1165页)。

豊 ⊠ lǐ 古代祭祀时所用的礼器。

澧 lǐ 澧水,水名,在湖南西北部,入洞庭湖。

醴 lǐ 甜酒。

鳢(鱧) lǐ 也叫黑鱼、乌鳢。鱼类。体长可达50厘米以上,黄褐色,有黑色斑块。性凶猛,肉食性。是淡水养鱼业的害鱼。

蠡 ㊀ lǐ 蠡县,地名,在河北中部。㊁ lí (595页)。

lì ㄌㄧˋ

力 lì ❶力气。㊇腕～|四肢无～。❷能力;效能。㊇视～|药～。❸尽力;努力。㊇～求|～争。❹使物体运动,或使运动的物体静止,或改变物体的运动速度,或改变物体的形状的作用叫做力。

【力巴】〈方〉❶外行。❷也叫力巴头。外行人。巴(bɑ)。

【力争】❶尽最大的努力争取。㊇～上游。❷极力争辩。㊇据理～。

【力戒】努力防备或警惕。㊇～骄傲。

【力作】工力深厚的作品。

【力图】极力谋求;竭力打算。

【力学】物理学的分支学科。研究物体机械运动的规律和应用。

【力矩】表示力对物体转动效应的物理量。数值上等于力和力臂的乘积。力矩越大,转动状态就越易改变。

【力度】❶指音乐表演时音响的强度。常用的力度记号是:*f*(强)、*p*(弱)、*mf*(中强)、*mp*(中弱)、*ff*(倍强)、*pp*(倍弱)、＜(渐强)、＞(渐弱)等。也可用文字直接标明。❷力量的大小。㊇加大支持～。❸(艺术或文学)内涵的深度。㊇这是有～的创新之作|表演很有～。

【力偶】作用在物体上的大小相等,方向相反,但不在同一条直线上的两个力。能使物体改变其转动状态。如汽车驾驶员用双手转动方向盘时所施加的就是一个力偶。

【力臂】物体在外力作用下发生转动时,从转轴到力的作用线的垂直距离。

【力不从心】心里想做,但力量或能力办不到。《后汉书·西域传》:"今使者大兵未能得出,如诸国力不从心,东西南北自在也。"

【力争上游】努力奋斗,争取先进。

【力挽狂澜】比喻尽力挽回危险的局势。唐韩愈《进学解》:"障百川而东之,回狂澜于既倒。"挽:拉。狂澜:汹涌的大浪。

【力排众议】竭力排除各种意见,使自己的主张占上风。

历(❶－❸歷❹❺曆❶－❸*歴❶－❸*歷❹❺*厤) lì ❶经过。㊇经～|～尽甘苦。❷过去的各个。㊇～次|～年。❸遍;一个一个地。㊇～览|～访。❹历法。㊇阳～|阴～。❺记录年、月、日和节气的书、表等。㊇日～。

【历历】清楚分明。㊇～在目|往事～。

【历书】旧称皇历。排列年、月、日和节气等供查考的书。

【历史】❶自然界和人类社会的发展过程。也指某种事物的发展过程或个人的经历。❷过去的事。❸过去事实的记载。❹指历史学科。

【历来】副词。从来;一向。㊇中国人民～就有勤劳俭朴的优良传统。

【历法】根据天象等来推定年、月、日、时、节气,用以计算较长的时间的方法。主要有阳历、阴历和阴阳历三种。公历是阳历的一种,伊斯兰教历是阴历的一种,农历是阴阳历的一种。

【历届】过去各届。㊇～代表大会。

【历练】经历世事而体验锻炼。也指因经历多而富有经验。

【历程】经历的过程。㊇光辉的～。

【历下亭】也叫客亭。在山东济南大明湖中,面山背湖,风景优美。此亭为八角重檐式建筑,历史久远。

【历史观】人们对社会历史的起源、本质、发展规律及自身在其中的地位和作用等一般问题的看法和观点。是世界观的重要组成部分。历史唯物主义和历史唯心主义是两种根本对立的历史观。

【历史画】表现历史题材的绘画。如董希文的油画《开国大典》。

【历史学】研究人类社会发展的具体过程及

其规律的科学。

【历史主义】从历史的联系和发展中来考察和评价历史事件和历史人物的一种原则和方法。它要求把历史上的事件和人物放到一定历史阶段的社会环境中进行具体的分析，作出正确的评价和总结。

【历史辩证法】关于社会历史辩证发展过程的哲学理论。有唯物主义历史辩证法和唯心主义历史辩证法的区别。唯物主义的历史辩证法就是历史唯物主义。

【历史文化名城】经国务院或省级人民政府核定公布，保存文物特别丰富、具有重大历史价值和革命意义的城市。

【历史唯心主义】也叫唯心史观。用唯心主义解释社会历史的哲学理论。是和历史唯物主义根本对立的。认为社会意识决定社会存在；把社会的发展归结为人的思想动机或某种超自然的神秘力量，鼓吹英雄创造历史。否认社会发展的客观规律性和人民群众在社会发展中的决定作用。

【历史唯物主义】也叫唯物史观。用唯物主义解释社会历史的哲学理论。是马克思主义哲学的重要组成部分。认为社会历史的发展有自身固有的规律性；物质资料的生产方式是社会发展的决定力量；社会存在决定社会意识；社会的发展是由社会基本矛盾，即生产力和生产关系之间的矛盾以及经济基础和上层建筑之间的矛盾推动的；人民群众是历史的创造者。是无产阶级认识社会、改造社会的锐利武器。

坜(壢) lì 用于地名，如中坜(在台湾省)。

苈(藶) lì 见〔葶苈〕(981 页)。

呖(嚦) lì 〔呖呖〕拟声词。鸟清脆的叫声。㊀莺声～。

沥(瀝) lì ❶液体一滴一滴地落下。㊀～血。❷滤。

【沥水】雨后地上的积水。

【沥青】俗称柏油。提炼石油、煤焦油剩下的有机胶凝材料。也有天然产出的。主要由碳氢化合物组成。黑色，有光泽，有毒，有臭味，有防腐、绝缘、可塑等性能。常用于铺路、建筑、防腐、防水和电器工业。

【沥涝】雨水淹了庄稼形成涝灾(区别于江、河、湖泛滥成灾)。

枥(櫪) lì 马槽。

铄⊠(鬁) lì 同"鬲(lì)"。

疬(癧) lì ❶见〔瘰疬〕(651 页)。❷古又同"癞(lài)"。

雳(靂) lì 见〔霹雳〕(747 页)。

岦⊠ lì 见〔崩岦〕(1229 页)。

荔(*茘) lì 〔荔枝〕常绿乔木。果皮有瘤状突起，果实多汁，味甜。广东、福建栽培较多，是南方特产果树。

厉(厲) lì ❶严格。㊀～行节约。❷严肃；猛烈。㊀正言～色|雷～风行。❸古又同"砺"。❹古又同"疠"。❺古又同"励"。❻古又同"癞(lài)"。

【厉害】也作利害。难以对付或忍受，凶猛、剧烈。

【厉兵秣马】即"秣马厉兵"(696 页)。

励(勵) lì 劝勉。㊀勉～|鼓～。

【励精图治】振奋精神，想办法把国家治理好。《宋史·神宗纪赞》："励精图治，将大有为。"

砺(礪) lì ❶磨刀石。❷磨。㊀砥～。

蛎(蠣) lì 见〔牡蛎〕(700 页)。

粝(糲) lì 粗糙的米。

疠(癘) lì ❶瘟疫。❷癞病，即麻风病。❸恶疮。

立 lì ❶站。㊀～正。❷竖着的。㊀～柜|～轴。❸制定；建立。㊀～法|～新功。❹存在；生存。㊀自～|独～。❺副词。立刻。㊀～见功效。

【立方】❶也叫三次方。三个相同的数相乘，叫做这个数的立方。如 5×5×5 叫做 5 的立方，记作 5^3。❷指立方米。

【立冬】节气名。在每年公历 11 月 7 日或 8 日。中国习惯上作为冬季的开始。

【立地】立刻。㊀放下屠刀，～成佛。

【立场】观察和处理问题时所处的地位和所抱的态度。

【立论】对某个问题提出自己的看法、论点。

【立异】持不同的态度或看法。㊀～鸣高。

【立体】❶有长、宽、厚的形体。❷上下多层次的。㊀～交叉。

【立即】副词。立刻。㊀～出发。

【立法】国家权力机关按照一定程序制定、修改或废止法律、法规。

【立春】俗称打春。节气名。在每年公历2月4日前后。中国习惯上作为春季的开始。

【立秋】节气名。在每年公历8月8日前后。中国习惯上作为秋季的开始。

【立宪】指君主国家制定宪法，实行议会制度。

【立夏】节气名。在每年公历5月6日前后。中国习惯上作为夏季的开始。

【立案】❶在主管机关注册登记取得批准。❷设立专案。

【立意】❶拿定主意。❷指写作时确定中心思想。

【立方体】即"正方体"(1256页)。

【立交桥】立体交叉桥的简称。不同方向的道路相交时，为保证交通畅通而建造的多层立体交叉的桥。可使不同去向的车辆互不相扰，在不同的平面上行驶通过。

【立足点】也叫立脚点。❶观察、处理问题所采取的立场。❷赖以生存和发展的地方。

【立体声】使人对声源有空间感和环境感的声音。通过适当地组合和安排传声器、扬声器等，使声音从各方位发出，能产生立体声的效果。

【立体派】也叫立体主义。现代艺术流派之一。20世纪初在法国巴黎兴起。受塞尚和非洲雕刻影响，把自然形体分解、简化为单纯的几何形。代表画家有毕加索、布拉克等。

【立体感】绘画上指运用透视法、明暗法等在二维平面上描绘出的物体的三维形态。

【立法权】国家制定、修改和废除法律的权力。在中国，全国人民代表大会及其常委会是最高国家权力机关，有权修改宪法，制定法律，监督宪法的实施。省、自治区、直辖市人民代表大会及其常委会，在不同宪法、法律、行政法规相抵触的前提下，可以制定地方性法规，但须报全国人民代表大会常务委员会备案。

【立克次体】细胞体积介于细菌和病毒之间的一类微生物。只能在活细胞内生长繁殖，多以虱、蚤等为媒介侵入人体。如斑疹伤寒病原体。为纪念美国病理学家立克次而命名。

【立体几何】几何学的一部分。在欧几里得几何中，研究立体图形的性质。

【立体电视】能够立体地(有长、宽、高)再现客观景物的电视系统。与立体声音响配合，可使人产生身临其境的感觉。

【立体电影】使观众看到立体影像的一种电影。有两种：(1)要戴红绿眼镜或偏光眼镜看的；(2)用光栅(shān)银幕使人产生立体感的。

【立体农业】一种开发利用垂直空间资源的农业生产经营模式和技术体系。在一定区域或土地、水域面积内，充分利用空间、时间(季节)、光照和热量等条件，建立多层配置、多种生物共处的立体种植、养殖以及种、养与加工有机结合的集约化生产经营模式，以获得多种产品的优质高产，提高土地综合生产力和经济效益，并有利于生态平衡。

【立体图形】如果图形上所有的点不都在同一个平面内，这个图形叫做立体图形。

【立身处世】指在社会上生存及与别人的交际往来。

【立法解释】立法机关对法律所作的解释。是正式解释的一种，具有普遍的法律约束力。在中国，根据宪法和立法法规定，全国人民代表大会常务委员会有权解释法律。

【立定跳远】发展腿部力量的手段之一。以立定姿势开始起跳，起跳前双腿的髋、膝、踝关节适度弯曲，同时两臂用力后摆，随即快速用力蹬伸髋、膝、踝关节，双臂由后向前上方摆动，挺胸、抬头、提肩、拔腰、展髋成腾空姿势，随后收腹举腿落地。

【立竿见影】把竹竿立在太阳光下，立刻就看到影子。比喻收效迅速。汉魏伯阳《参同契》卷下："立竿见影，呼谷传响。"

【立锥之地】只有锥尖那么大的地方。比喻地方极小。㊀上无片瓦，下无～。

苙⊠ lì ❶牲畜的圈栏。❷白芷。

岦⊠ lì 〔屹岦〕屹立。屹(yì)。

莅(*蒞*涖) lì 到(有尊敬的意思)。㊀～会|～临。

【莅临】来到；来临(多用于贵宾)。㊀敬请～指导。

笠 lì 用竹篾等编制的遮阳挡雨的帽子。㊀斗～。

粒 lì ❶成颗的东西；细小的固体。㊀米～|盐～。❷量词。㊀一～米|三～子弹。

【粒子】旧称基本粒子。比原子核更简单的微观粒子。包括轻子（如电子）、强子（如介子和重子）和光子等。

【粒肥】颗粒肥料的简称。

【粒子束武器】利用接近光速的电子、质子、原子、离子等高能粒子流毁伤目标的武器。由能源、粒子加速器、聚焦控制器、瞄准跟踪系统等组成。

吏 lì 旧时泛指官员。㊀小～|大～|贪官污～。

【吏部】官署名。隋唐至明清中央行政机构的六部之一。掌管全国官吏的任免、考核、升降、调动等事。

丽（麗） ㊀ lì ❶好看。㊀美～。❷附着。㊀附～。
㊁ lí（593 页）。

郦（酈） lì 姓。

【郦道元】（约 470—527）北朝魏地理学家。字善长，范阳（今河北涿州）人。遍历北方，留心观察水道等地理现象，为《水经》作注，写成《水经注》四十卷，是中国古代关于河流方面的地理巨著。

俪（儷） lì ❶并列的；对偶的。㊀～句（对偶句）。❷指夫妇。㊀～影（称别人夫妇合影）|伉～。

擺☒**（攦）** lì 折断。

欐☒**（欐）** lì 中梁；房栋。

利 lì ❶利益。与“害”“弊”相对。㊀对人民有～|兴～除弊。❷使有利；对…有利。㊀～国～民。❸顺当。㊀便～|顺～。❹锋锐。㊀锐～|～刃。❺利润或利息。㊀薄～多销|年～。❻古又同“痢”。

【利马】秘鲁首都。位于该国西南部，临近太平洋。人口 691 万（1996 年）。是全国政治、经济、文化和交通中心。圣马科斯大学是西半球最古老的大学之一。

【利用】❶使事物或人发挥效能。㊀综合～。❷用手段使别人替自己做事。㊀他们互相～。

【利权】经济上获得利益的权利（多指国家的）。

【利多】可能刺激股价上涨的有利信息。

【利空】可能促使股价下跌的不利信息。

【利诱】用财物、名位等引诱。㊀威胁～。

【利息】也叫子金。借款人按照借款本金数额、期限和利率支付给贷款人的报酬。

【利益】好处。㊀物质～|个人～。

【利润】产品价值或价格中高于成本以上的那一部分。资本主义制度下的利润实质上是剩余价值的一种转化形式。

【利害】❶利益和害处。㊀～得失。❷同“厉害”（602 页）。

【利率】也叫利息率。一定时期内利息额同贷出金额即本金的比率。有年利率、月利率和日利率之分。

【利落】也说利索。❶指言语、动作干脆、敏捷，不拖泥带水。㊀办事～。❷整齐。㊀屋里收拾得很～。落（luo）。

【利弊】好处和害处。㊀权衡～。

【利器】锋利的兵器。也指有效的好使用的工具。

【利血平】也叫血安平、蛇根碱。从植物萝芙木根中提制的一种降压药。能降低血压、减慢心率，对精神病性躁狂有安定作用。参见〔降血压药〕（486 页）。

【利玛窦】（1552—1610）意大利传教士。1582 年来华传教，1601 年向明朝皇帝进献自鸣钟、万国舆图等，获准在北京建立教堂。在华时传播西学，与徐光启合译《几何原本》，把欧洲科学成果引入中国，同时把中国的《四书》译成西文，介绍到西方。

【利尿药】作用于肾脏，能增加尿量，消除水肿，协助机体恢复水、盐平衡的药物。高效利尿药有速尿等，中效利尿药有双氢氯噻嗪等，低效利尿药有安体舒通等。中药有泽泻、车前子、猪苓等。

【利改税】将计划经济时期的企业利润上缴，改为以税收的形式缴纳给国家。

【利润率】剩余价值量或利润量同预付总资本的比率。它表示的是资本增殖的程度。

【利雅得】沙特阿拉伯首都。位于该国中部。人口约 290 万（1996 年）。是全国政治、经济、文化和交通中心。也是红海和波斯湾之间的农牧产品集散中心。

【利滚利】复利的俗称。

【利令智昏】受私利驱使，以致头脑发昏，不顾一切。《史记·平原君虞卿列传》：“鄙语曰：‘利令智昏。’”

【利欲熏心】贪财图利的欲望迷住了心窍。

宋黄庭坚《赠别李次翁》诗："利欲熏心，随人翕(xī)张。"

【利息所得税】国家财政以存款、有价证券等的利息所得为征税对象所征收的一种个人所得税。

【利害关系人】民法上指与当事人有民事权利义务关系的人。包括配偶、父母、子女、兄弟姐妹、祖父母、外祖父母、孙子女、外孙子女等。是宣告失踪、宣告死亡的申请人。

俐　lì　见〔伶俐〕(622页)。

莉　lì　见〔茉莉〕(695页)。

猁　lì　见〔猞猁〕(865页)。

痢　lì　〔痢疾〕由痢疾杆菌或阿米巴原虫所引起的肠道传染病。常见的为细菌性痢疾，有发热、腹痛、腹泻、里急后重、排脓血样大便等症状。阿米巴痢疾起病较慢，粪便暗红色并有腐肉臭味。加强粪便管理及饮食卫生是主要预防措施。

鬁□　lì　见〔鬎鬁〕(577页)。

例　lì　❶用来说明情况的或可作依据的事物。㊀举～|援～。❷规则。㊀条～。❸按条例规定的；照成规进行的。㊀～会|～行公事。

【例外】在一般规律或规定之外。

【例会】照例定期举行的会。

【例言】书的正文前头说明本书内容、体例的文字。

【例证】用作证明的例子。

【例假】❶依照规定放的假。❷婉辞。月经或月经期。

【例题】说明某一定理或定义时用作例子的问题。

【例行公事】指照例办理的事务或刻板的形式主义的工作。

沴⊠　lì　❶因天气反常而造成的伤害和破坏。❷灾害。

戾　lì　❶罪过。㊀罪～。❷乖张。㊀暴～|乖～。

唳　lì　鹤叫。㊀风声鹤～。

隶(隸*隷*隸)　lì　❶附属。㊀～属。❷古代奴隶的通称。也指奴隶中的一个等级。❸封建社会官吏手下的仆役、奴才。㊀皂～。❹隶书。㊀汉～。

【隶书】汉字字体之一。由篆书演变而来。字体由篆书的长方改为方正，笔画由圆转改为方折，奠定了楷书的基础。是象形汉字转变为不象形的重要阶段。始于秦，盛行于汉。最初为徒隶所用，故名。

珕⊠(瓅)　lì　见〔玓珕〕(199页)。

栎(櫟)　㊀ lì　也叫橡树。落叶乔木。有多种。果实叫橡子，富含淀粉。树皮和壳斗可提单宁酸。有些种的叶子可饲柞蚕。

㊁ yuè (1216页)。

轹(轢)　lì　❶车轮碾轧。❷欺压。㊀凌～。

砾(礫)　lì　小石块；碎石。㊀砂～|瓦～。

【砾岩】沉积岩的一种。由卵石、砾石等被水中沉淀出的物质胶结而成。

皪⊠(皪)　lì　〔的皪〕洁白明亮；珠光。的(dì)。

跞(躒)　㊀ lì　走动。

㊁ luò (651页)。

鬲　㊀ lì　古代炊具。样子像鼎，足部中空。

㊁ gé (317页)。

䣓⊠　lì　同"鬲(lì)"。

栗(❷*慄❷*溧)　lì　❶落叶乔木。常见的有板栗、锥栗和茅栗。❷因寒冷或恐惧而发抖。㊀战～|不寒而～。

傈　lì　〔傈僳族〕中国少数民族之一。人口57万(1990年)。主要分布在云南省怒江与金沙江一带的山区。有本民族语言，部分通汉语文，1949年后设计了拉丁字母形式的文字方案。建立有怒江傈僳族自治州等。僳(sù)。

溧　lì　〔溧水〕地名。在江苏南部。

瑮⊠　lì　玉的花纹整齐罗列的样子。

鴗⊠(鴗)　lì　〔鹠鴗〕枭的别称。

篥　lì　见〔觱篥〕(58页)。

詈 lì 骂。

磿⊠ lì ❶石头撞击声。❷〔磿室〕战国时燕国宫殿名。

盭⊠ lì ❶同"戾"。乖戾。❷绿色。

li ·ㄌㄧ

哩 ㊂ li 〈方〉助词。相当于"呢(ne)""啦(la)"。
㊀ lī (599 页)。
㊁ lǐ (593 页)。

liǎ ㄌㄧㄚˇ

俩(倆) ㊀ liǎ ❶两个(后面不能再用量词)。[例]姐妹～。❷不多;几个。[例]刚有了～钱儿,就不知道迈哪条腿了|就那么～人,还成得了气候!
㊁ liǎng (612 页)。

lián ㄌㄧㄢˊ

奁(奩*匲*匳*籢) lián 古代妇女梳妆用的镜匣。[例]妆～(嫁妆)。

连(連) lián ❶相接。[例]藕断丝～。❷介词。1. 包括;加上。[例]～皮三十斤。2. 表示强调。[例]～爷爷都笑了。❸副词。连续。[例]～演五场。❹军队编制单位。在营之下,排之上。

【连亘】接连不断。[例]山脉～。亘(gèn)。

【连作】也说连茬。在同一块土地上连续种植同一种作物。

【连坐】旧时的一种刑罚。即牵连办罪。一人犯法,亲属、邻居等连带受处罚。

【连词】用来连接词、短语、分句或句子,表示连接成分之间逻辑关系的词。

【连鸡】捆绑在一起的鸡。比喻互相牵制、不能并容的几种势力。《战国策·秦策一》:"诸侯不可一,犹连鸡之不能俱止于栖之明矣。"

【连环】一环套一环、连续不断的一串环。比喻互相接续、互相关联的。[例]～画。

【连贯】连接贯通。[例]语意～。

【连茬】即"连作"(606 页)。

【连枷】也作耞耞、梿枷。一种脱粒用的小农具。由一个长柄和一组平排的竹条或木条构成,用来拍开上场的谷物,使子粒脱落。

【连珠】❶成串的珠子。比喻连续不断。[例]～炮。❷古代的一种文体。因为用词华丽简约,像一颗颗明珠串在一起,故名。❸即"五子棋"(1043 页)。

【连载】一个较长的作品在同一报纸或刊物上分几次连续刊载。

【连累】牵连别人使别人也受到损害。累(lěi)。

【连绵】接连不断。[例]山势～|阴雨～。

【连缀】联结。缀(zhuì)。

【连翘】落叶灌木。枝条中空,小枝呈四棱形,下垂。早春开黄花。果实供药用,有清热解毒作用。

【连锁】像锁链似地一环扣一环。[例]～反应。

【连署】同"联署"(607 页)。

【连横】见〔合纵连横〕(388 页)。

【连襟】姐姐的丈夫和妹妹的丈夫之间的关系。[例]他俩是～|他是老王的～。

【连璧】同"联璧"(608 页)。

【连云港】旧称海州。市名。位于江苏省东北部,陇海铁路东端。人口 44 万(1997 年)。港湾优良,是中国海洋捕捞与沿海养殖业生产基地之一。

【连动句】汉语句式的一种。两个或两个以上的动词连用,动词间有先后、方式、目的等关系。没有语音停顿和关联词语。如"他上街买菜""他乘飞机去上海"。

【连环画】以多幅连续性画面表现一个完整故事的绘画。一般附有文字说明。

【连音线】一列音需要连贯地演唱、演奏的标记。用"⌒"或"Legado"标示。

【连理枝】两树的枝条连生在一起。比喻恩爱的夫妻。

【连接号】标点符号的一种。形式为"—",占一个字的位置。还有长横"——"(占两个字的位置)、半字线"－"(占半个字的位置)和浪纹"～"(占一个字的位置)。用于构成一个意义单位的两个相关名词之间或表示起止的相关的时间、地点或数目之间,也用于表示产品型号的相关的字母、阿拉伯数字之间,以及表示递进或发展的几个相关的项目之间。

【连动短语】两个或更多的动词连用表示连续的动作或目的、方式等关系的组合。组合成分均由同一施事者发出,成分间不构成并列、偏正、动宾、主谓之类关系。如"到学校上课""打电话叫汽车上医院看病"。

【连带责任】多个当事人中的任何人依据法律或合同,有义务对权利人承担全部民事责任的一种责任形式。但连带责任承担后,连带人有权利向其他当事人求偿,并不免除其他人应尽的责任。常见于合伙、保证。

【连锁反应】❶即"链式反应"(610页)。❷比喻一系列相关的事物中,一个发生变化,其他的就一个接一个地发生相应的反应。

【连锁经营】通过在不同地点设立同一规格、特点的分店进行商品或服务的销售方法。

【连篇累牍】形容用过多的篇幅叙述。《隋书·李谔传》:"连篇累牍,不出月露之形。"牍(dú):古代写字用的木片。

【连带责任保证】当事人在保证合同中约定的由保证人与债务人对债务承担连带责任的保证方式。债务人在主合同规定的债务履行期届满还没有履行债务的,债权人可以要求债务人履行债务,也可以要求保证人在其保证范围内承担保证责任。

涟☒(**謰**) lián 〔涟语〕联绵词。

莲(**蓮**) lián 多年生草本植物。生于浅水中,地下茎叫藕,种子叫莲子,均供食用。花叫荷花或莲花,供观赏。

涟(**漣**) lián 水面被风吹起的波纹。㊣~漪(细小的波纹)。

【涟涟】形容泪水不断。

缍☒(**縺**) lián 同"褡裢"的"裢"。

梿□(**槤**) lián ❶〔梿枷〕同"连枷"(606页)。❷梿市,地名,在浙江。

裢(**褳**) lián 见〔褡裢〕(160页)。

縺□(**縺**) lián 〔縺枷〕同"连枷"(606页)。

鲢(**鰱**) lián 也叫白鲢。鱼类。体侧扁,长可达1米,银白色,头大、腹缘具棱。主食浮游植物。是中国主要的淡水养殖鱼。

怜(**憐**) lián ❶怜悯。㊣可~|~惜。❷爱。㊣爱~。

【怜悯】对不幸的人表示同情。

【怜惜】同情爱惜。

帘(❶**簾**) lián ❶用布、竹子、苇子等做的遮蔽门窗等的东西。㊣苇~|窗~。❷旧时商店作标志的旗子。

联(**聯**) lián ❶连接;结合。㊣~贯|~合。❷对联。㊣春~。

【联手】联合起来;共同。

【联邦】国家结构形式之一。若干国家(邦或州)联合成一个统一国家称为联邦。联邦是国际交往中的主体,有统一的宪法、法律、立法机关和政府。联邦同成员国(邦或州)间的权限划分,由联邦宪法规定。各成员国(邦或州)也有自己的宪法、法律、立法机关和政府。各成员国的公民同时又是联邦的公民。

【联网】把单个的供电、电讯、计算机等设备或局部的网络连接起来,形成更大的网络。㊣~发电|计算机~。

【联名】若干人或若干集体联合具名。

【联军】为了某一共同的政治目的而组成的联合军队。

【联运】使用同一运送票据,在运送过程中由两种或两种以上不同的运输方式或跨越不同的国家、地区衔接承运的运输。如铁路公路联运、水陆联运、国际联运等。

【联系】❶联络;接上关系。❷也叫普遍联系。哲学范畴。指事物或现象之间的相互依赖、相互制约、相互渗透、相互转化的关系。联系是有条件的、客观的、普遍的,又是多样的、复杂的。

【联袂】手拉着手。比喻一同(来、去或演出等)。㊣~而往。袂(mèi):衣袖。

【联姻】两家通过婚姻关系结为亲戚。

【联络】接洽;联系。㊣~员|~点。

【联勤】在统一领导下按统一的制度和标准,诸军种间联合组织部分或全部的后勤保障。是军队后勤保障体制的一种类型。

【联想】由某人或某事物想起另外相关的人或事物;由某概念而想起其他相关的概念。

【联盟】❶国家、阶级、政党、团体或个人之间,为了达到某种共同目的而结成的联合。㊣工农~。❷联邦制国家的名称之一。如苏维埃社会主义共和国联盟。

【联署】也作连署。会同签名。

【联赛】体育比赛的一种。在足球、篮球、排球等比赛中同等级的球队之间的比赛。一般有升降级的规定。

【联播】若干电台或电视台同时转播(中心台的节目)。

【联翩】鸟飞的样子。形容连续不断。㊀浮想~。

【联璧】也作连璧。并列在一起的两块玉。也比喻放在一起的两件很好的东西。

【联邦制】由若干成员单位组成统一国家的国家结构形式。在联邦制国家,联邦与各成员单位的权限范围由联邦宪法规定,它们各自在规定的权限范围内享有最高权力,相互间不得干涉。美国、德国、俄罗斯等实行联邦制。

【联合国】1945年10月24日成立的世界性国际组织。中国是创始国之一。截至1998年4月,共有会员国185个。下属六个主要机构,即联合国大会、安全理事会、经济及社会理事会、托管理事会、国际法院和秘书处。总部设在纽约。

【联名卡】发卡机构联合发行的信用卡。

【联绵词】也叫联绵字。由两个字联缀成义、不能分割的单纯词。如澎湃、灿烂、蝌蚪等。

【联合公报】两方或两方以上共同发表的公报。

【联合声明】两方或两方以上共同发表的声明。

【联合作战】两个以上的军种或两个以上国家的军队,按照总的企图和统一计划,在联合指挥机构的统一指挥下共同进行的作战。通常为战役以上规模。

【联合演习】两个以上军种或两个以上国家军队联合进行的军事演习。

【联系汇率】将本国货币与另一国货币保持固定比价,本国货币对外汇率随该国汇率对外变动而变动。最典型的代表是港元联系汇率制。

【联合收割机】可一次完成多种收获作业的农业机械。如谷物联合收获机可同时完成切割、脱粒、分离和清选。

【联合国大会】简称联大。由全体会员国组成,每年于9—12月举行一届常会,必要时可举行特别会议或特别紧急会议。《联合国宪章》规定大会的权力是:除安全理事会正在审议的事件外,可以讨论有关维护国际和平和安全的任何问题,并向会员国或安理会提出建议,接受和审议联合国各个机构的报告,批准接受新会员国和任命秘书长等。对于重要事项的决议,以参加投票的会员国的三分之二多数决定。

【联合国宪章】联合国组织的总章程。1945年4月25日至6月26日在美国圣弗朗西斯科举行的联合国国家国际组织会议上,由中、苏、美、英等50个国家签字通过,同年10月24日生效。宪章共19章,111条。宪章规定联合国的宗旨是:维护国际和平及安全;发展国际间以尊重人民平等权利及自决原则为基础的友好关系;进行国际合作,以解决国际间经济、社会、文化和人类福利性质的问题,并且促进对于全人类的人权和基本自由的尊重。

【联合国专门机构】根据同联合国签订协定而与联合国发生关系,或根据联合国决议而成立的政府间的国际组织。如国际劳工组织,联合国粮食及农业组织,联合国教育、科学及文化组织,世界卫生组织,国际复兴开发银行,国际金融公司,国际开发协会,国际货币基金组织,国际民用航空组织,国际电信联盟,万国邮政联盟,世界气象组织,国际海事组织,世界知识产权组织,国际农业发展基金会,联合国工业发展组织等。它们一般由联合国经社理事会与之发生关系,但并非联合国的附属机构,各有自己的会员、组织法、机构、预算等。

【联产承包责任制】简称承包制。上级单位将产量、产值或利润承包给下级单位或个人,并根据实际完成情况决定其收入和报酬的一种制度。

【联合国维持和平部队】简称维和部队。由联合国成员国组成的部队。受联合国安理会及其军事参谋团指挥,派往冲突地区执行监督停火、运送难民、投送救援物资、修建公路等任务。

廉(*亷*廉) lián ❶不贪污。㊀~洁。❷价钱低;便宜。㊀~价。

【廉耻】❶廉洁的操守和知羞耻之心。❷羞耻。㊀不知~。

【廉隅】棱角。比喻人的行为、品性端方不苟。

【廉颇】战国时期赵国名将。善用兵。自恃战功,凌辱大臣蔺相如,后负荆请罪,传为美谈。

【廉洁奉公】不贪污腐化,一心为公。

濂 lián〔濂江〕水名。在江西南部。

臁 lián 小腿的两侧。㊀~骨|~疮。

镰(鐮*鎌*鐮) lián 镰刀。例钐～|开～收割。

【镰仓幕府】日本武士集团首领源赖朝1192年在镰仓建立的幕府。为幕府政治之始。1333年,镰仓幕府被推翻。

蠊 lián 见〔蜚蠊〕(270页)。

磏☒ lián 赤色的磨石。

鬑☒ lián 鬓发下垂的样子。

liǎn ㄌㄧㄢˇ

琏(璉) liǎn 古代祭祀时盛食粮的器皿。

赕☒(賺) liǎn 买东西预先付钱。

敛(斂*歛) liǎn ❶收起;收住。例～容|～手。❷收集;征收。例把散乱的东西～到一起|横征暴～。

【敛足】收住脚步,不往前走。

【敛迹】收敛行迹,不敢公开活动。例盗匪～。

【敛钱】向大家收取费用或捐款。

【敛容】收住笑容,脸色变得严肃起来。

蔹(蘞) liǎn 多年生蔓生藤本植物。分白蔹、赤蔹等。白蔹的根可供药用。

脸(臉) liǎn ❶面孔。❷某些物体的前部。例门～儿。❸面子。例丢～。

【脸谱】传统戏曲演员面部化装的一种程式。主要用于净角和丑角。在演员面部勾画一定的彩色图案,以显示人物的性格和特征。

裣(襝) liǎn 同“敛”。

【裣衽】❶整一整衣袖,以表肃敬。❷也说裣衽(rèn)。旧时妇女行礼。

liàn ㄌㄧㄢˋ

练(練) liàn ❶白色的绢。❷煮生丝使柔软洁白。❸练习;训练。例～武|～兵。❹经验多;纯熟。例老～|熟～。

【练习】❶反复学习、操作,以求熟练掌握。例～写作|～射击。❷作业。例交～|本学期做了四次～。

【练功】练习功夫;训练技能。有时特指练武功或气功。

【练达】阅历多,通晓事理。

【练习曲】为练习演奏技术而作的作品。通常以一种或两种具有特性的音型贯串全曲。19世纪,肖邦、李斯特创作的练习曲具有高度艺术性,适合在音乐会上演奏。

炼(煉*鍊) liàn ❶用加热等方法使物质纯净或坚韧。例～钢|～油。❷修炼;锻炼。❸用心琢磨词句使精炼。例～字|～句。

【炼丹】古代方术之一。丹即丹砂,又称朱砂。炼丹原指用朱砂在炉火中烧炼药石。后来道教徒与一些方士宣扬用此法可炼仙丹,人食后能长生不老,被叫做外丹。并把用气功修仙叫做内丹。

【炼乳】一种乳制品。用鲜牛奶或羊奶经过消毒、浓缩,加糖制成。可贮存较长时间。

【炼狱】也叫涤罪所。天主教、东正教指人死后暂时受苦赎罪的地方。

【炼金术】古代术士企图把普通金属变为黄金、白银,或从某种物质中提取长生不老药的方法。带有浓厚的迷信色彩。但在长期的实践中也观察到某些化学现象,制成一些化合物。在中国叫做炼丹术或黄白术。

【炼石补天】中国古代神话。参见〔女娲〕(728页)。

恋(戀) liàn ❶恋爱。❷想念不忘;不愿分离。例～家|留～|～～不舍。

【恋栈】马舍不得离开马棚。旧时比喻贪恋官位。

【恋爱】男女互相爱慕。

【恋恋不舍】依依不舍,非常不愿分离。

殓(殮) liàn 把死人装进棺材。例入～。

潋(瀲) liàn 水际。

【潋滟】水波相连的样子。滟(yàn)。

链(鏈) liàn 链子。例表～|铁～。

【链球】❶田赛项目之一。运动员站在三面围有挡网的圆圈内,双手握住把手,经数次

L

抡旋将球用力掷出，以落入规定区域内为有效。❷田赛投掷器械之一。是有链子、有把手的铁球或铜球。

【链球菌】排列成链状的一类球菌。其中溶血性链球菌易致病，如引起人的扁桃体炎、丹毒或牛的乳房炎等。

【链霉素】抗生素的一种。由链霉菌制成。用于治疗结核、布氏杆菌病、鼠疫等。

【链式反应】也叫连锁反应。一种原子核反应。在这种反应中，每一次原子核产生变化都为以后的原子核变化创造条件，使反应能自动进行下去。如铀-235的核在吸收一个中子后发生裂变，同时放出2—3个中子；这些中子中如果能至少剩下一个再引起其他铀-235核的裂变，反应便可继续下去。

楝 liàn 落叶乔木。果实近球形，熟时黄色。为速生用材树种。果及树皮、根皮可供药用。

liáng ㄌㄧㄤˊ

良 liáng ❶好。㊞～种|优～。❷副词。很。㊞～久|获益～多。

【良人】❶古代妻子对丈夫的称呼，但也有丈夫称呼妻子为良人的。❷泛指好人、善人。

【良心】好的心地；内心对是非、善恶的正确认识。

【良机】好机会。㊞莫失～。

【良家】❶旧指善于经营的人家。❷旧指清白的人家。

【良宵】美好的夜晚。

【良辰美景】美好的时光、宜人的景色。

【良知良能】《孟子·尽心上》："人之所不学而能者，其良能也。所不虑而知者，其良知也。"古代唯心主义者认为人判断是非善恶的知识、才能是天赋的。

【良药苦口】治病的好药，味苦难吃。常比喻有益而尖锐的批评。《韩非子·外储说左上》："夫良药苦于口，而智者劝而饮之，知其人而已己疾也。"

【良种繁育】运用先进技术，有计划、有针对性和预见性地繁殖作物和畜禽优良品种。

【良莠不齐】比喻好人坏人夹杂在一起。莠(yǒu)：狗尾草，比喻坏人。

【良渚文化】中国新石器时代晚期文化。距今约五千三百年至四千二百年。1936年在浙江余杭良渚首次发现，故名。遗址发现大量的陶器、石器和玉器。有的专家认为良渚文化已进入阶级社会的初级阶段。渚(zhǔ)。

俍 ☒ liáng 同"善良"的"良"。

莨 ㊀ liáng 见〔薯莨〕(911页)。
㊁ làng (583页)。

粮(糧) liáng ❶粮食。㊞杂～。❷作为农业税上缴的粮食。㊞完～。

【粮草】军用的粮食和草料。

【粮食】供食用的谷物、豆类的统称。

【粮饷】旧时军队中发给官兵的口粮和钱。

【粮秣】粮草。

踉 ㊀ liáng 见〔跳踉〕(978页)。
㊁ liàng (613页)。

凉(*涼) ㊀ liáng 温度低。㊞天气～了|饭菜～了。
㊁ liàng (613页)。

【凉爽】清凉爽快。

椋 liáng 〔椋鸟〕鸟类。种类很多。羽毛大部分为灰褐色，喙、足橙红色。食种子和昆虫。有的善于模仿别的鸟叫。如八哥、灰椋鸟等。

辌(輬) liáng 见〔辒辌〕(1027页)。

梁(❶-❸*樑) liáng ❶架在墙上或柱子上支撑房顶的横木。㊞房～。❷桥。㊞桥～。❸物体中间隆起成长条的部分。㊞鼻～|山～。❹朝代名。1. 南朝之一(502—557)。萧衍灭南齐后建立。建都建康(今南京)。国号梁，也称萧梁。为陈所灭。2. 五代之一(907—923)。朱温灭唐后建立。建都汴(今河南开封)，国号梁，史称后梁。为后唐所灭。❺战国时魏国迁都大梁(今河南开封)后，改称梁。

【梁书】史书名。唐姚思廉撰。共五十六卷，包括本纪六卷，列传五十卷。记载了南朝梁五十六年(502—557)的历史。

【梁山伯】民间传说《梁山伯与祝英台》中的主要人物。他与祝英台结拜兄弟，同学三年，不知其为女子。英台先归，假言将妹嫁许。山伯访英台时才知英台是女子，也才知嫁妹之真意。但英台已由父作主许配马文才。山伯郁悒病逝。英台出嫁，经其墓哀祭，地忽裂开，英台跃入。山伯英台化作蝴蝶，比翼双飞。梁山伯是个敦厚而不谙世故，多情而难释情怀的书生形象。

【梁山泊】宋代以梁山为中心的大湖泊。现已淤塞。故址在今山东梁山、东平、平阴等地间。宋宣和初宋江等率领的农民起义军曾以此为根据地。

【梁启超】(1873—1929)中国近代维新派代表人物，学者。字卓如，号任公，又号饮冰室主人，广东新会人。举人出身，康有为学生，与康有为合称“康梁”。光绪二十一年(1895)赴北京参加会试，追随康有为发动公车上书。后参加康有为领导的戊戌变法，是康的得力助手。主办京师大学堂译书局，并积极办报、著书、讲学，宣传资产阶级改良主义思想。变法失败，逃往日本，与康有为组织保皇党，反对孙中山领导的革命。辛亥革命后，支持并参加了北洋军阀政府。晚年在清华大学任教。著有《饮冰室合集》。

【梁实秋】(1902—1987)中国现代文学家、翻译家。原名治华，浙江杭县(今余杭)人。1923年留学美国。回国后任教于东南大学、暨南大学、北京大学等。主编过多种报纸副刊。1949年后任教于台湾师范大学。创作以散文小品为主，风格朴实隽永，有幽默感。主要著作有《雅舍小品》《秋室杂文》《浪漫的与古典的》，翻译作品有《莎士比亚全集》等。

【梁思成】(1901—1972)中国现代建筑学家。广东新会人。1928年创办东北大学建筑系，后创办清华大学营造系，是中国现代建筑教育的开拓者之一。长期从事中国建筑史研究，著有《清式营造则例》《中国建筑史》等。

【梁上君子】东汉陈寔(shí)称藏在他家房梁上打算偷东西的贼为梁上君子。见《后汉书·陈寔传》。后用作窃贼的代称。

【“梁祝”小提琴协奏曲】指《梁山伯与祝英台小提琴与管弦乐队协奏曲》。何占豪、陈钢曲。乐曲以梁山伯与祝英台的婚恋传说为题材、越剧音调为素材，成功地运用西洋单乐章性协奏曲形式表现。

墚□ liáng 中国西北地区称条状的黄土山岗。

粱 liáng ❶高粱。❷古指品种特别好的谷子。❸精美的主食。㊀膏～。

量 ㊀ liáng ❶用器具确定东西的多少、长短或其他性质。㊀～地｜～血压。❷估计；衡量。㊀打～｜思～。

㊁ liàng (613页)。

【量具】计量和检验用的工具。如卡尺、块规等。

【量度】对事物各种量的测定。

【量角器】量角度的器具。常见的为半圆形透明薄片，刻有度数，可以直接量出180°以内的角度。

liǎng ㄌㄧㄤˇ

两(兩) liǎng ❶数目。一个加一个是两个。多用于量词和千、万、亿等部分数目前。㊀～年｜～千。❷双方。㊀～全其美。❸市制质量单位。10两为1斤，1两等于50克。❹表示不大的不定的数目。㊀过～天再说。

【两广】广东和广西的合称。

【两可】这样可以，那样也可以。

【两讫】货收到，款付清，交易手续已了。㊀钱货～。

【两江】清代初年把江南、江西两省合称为两江。康熙后江南省虽分为江苏、安徽二省，但统辖江苏、安徽、江西三省的总督仍称两江总督。

【两岸】❶指江、河、海峡等两边的地方。❷特指中国大陆和台湾省，因大陆与台湾省处在台湾海峡两岸，故名。

【两栖】可以在水陆两种环境中栖息或活动。㊀～动物。

【两造】❶也叫两曹。指诉讼的双方。❷稻谷等作物一年收获两次，叫两造。

【两厢】❶东西两边的厢房。❷两旁。

【两湖】❶宋代合称荆湖南、荆湖北两路(宋行政区划名)为两湖。❷清代以后合称湖南省、湖北省为两湖。

【两翼】两个翅膀。也比喻主体的两侧。㊀飞机的～｜主力兵团的～。

【两面派】指阳奉阴违、口是心非、表里不一的人。

【两点论】指全面地看问题的思想方法。毛泽东对唯物辩证的思维方法所作的一种通俗生动的概括。看事物既要看到它的正面，也要看到它的反面；既要看到共性，又要看到个性。在注意到一种主要倾向的时候，也要注意到被掩盖着的另一种倾向。

【两重性】指事物本身固有的矛盾性。任何事物内部都包含着相互矛盾的两个方面，都具有两重性。

【两院制】通常指资本主义国家设上、下两院的议会制度。英国首先设立，以后为其他资本主义国家所广泛采用。议案须经两院分别通过才能成立。主要是利用上议院牵制下议院，以调节统治阶级内部的矛盾。

【两党制】一些国家实行的两大政党通过竞选交替组织政府的制度。17世纪70年代，英国国会中代表新兴资产阶级、新贵族的辉格党和代表地主、贵族利益的托利党相对峙，交替掌管政权，后成为一种制度。现一般通过几年一次的议会选举或总统选举，由在议会中获得多数议席或当选总统的政党组织政府，成为执政党；竞选失败的党成为反对党（一般称为“在野党”）。

【两税法】唐中叶开始实行的税收制度。分夏秋两季收税，两税都以实物折钱计算；不问原籍，按现住地点就地征收；不分年龄，按地亩定税额。此法至明代废。

【两小无猜】男女幼小的时候在一起玩耍，彼此没有嫌疑猜忌。

【两世为人】死里逃生，好似重到人世。

【两权分离】企业所有权与经营权的分离。即企业所有者拥有企业财产所有权，并享有所有者权益，经营者拥有经营权，自主经营、自负盈亏。

【两伊战争】1980—1988年伊朗和伊拉克之间进行的战争。主要由边界争端、教派斗争和民族纠纷引起。双方互有胜负。战争造成了巨大的人员和财产损失。

【两全其美】指两方面都能圆满地照顾到。全：顾全。

【两全保险】被保险人不论在保险期限内死亡，或者生存到保险期满时，均可领取约定保险金的保险。

【两败俱伤】双方争斗，都受到损失，谁也没有得到好处。

【两河流域】狭义指西亚幼发拉底河和底格里斯河中下游之间的地方。希腊语为“美索不达米亚”，意即两河之间的地方（在今伊拉克）。是世界文明发源地之一。古代在这里曾建立过巴比伦、亚述等奴隶制王国。广义指上述两河流域的整个地区。

【两相情愿】双方都愿意。

【两面三刀】比喻要两面派手法，当面一套，背后一套。

【两栖动物】脊椎动物的一纲。由古代的某些鱼类进化而来。幼体生活在水中，用鳃呼吸；成体一般生活在陆上，用肺和皮肤呼吸。皮肤裸露，多黏液。卵生，变态发育。如青蛙、蟾蜍等。

【两袖清风】比喻做官廉洁。明于谦《入京》诗：“清风两袖朝天去，免得闾阎话短长。”

【两弹一星】原指原子弹、导弹和人造地球卫星。后将原子弹、氢弹合称为其中的一弹。20世纪50年代中期，根据当时的国际形势，为了保护国家安全、维护世界和平，中国决定独立自主地研制“两弹一星”。1964年10月16日，中国第一颗原子弹爆炸成功；1966年10月27日，中国第一颗装有核弹头的地地导弹飞行爆炸成功；1967年6月17日，中国第一颗氢弹空爆试验成功；1970年4月24日，中国第一颗人造地球卫星发射成功。

【两性氧化物】既能与酸作用表现出碱性，又能与碱作用表现出酸性的氧化物。如三氧化二铝（Al_2O_3）。

【两性氢氧化物】既能与酸作用表现出碱性，又能与碱作用表现出酸性的氢氧化物。如氢氧化铝[$Al(OH)_3$]。

俩（倆） ㊁ liǎng 见〔伎俩〕（461页）。
㊀ liǎ（606页）。

啢□（嗎） liǎng （又音 yīngliǎng）旧表示英制质量单位的字。1977年7月中国文字改革委员会、国家计量局通知，淘汰“啢”，改用“英两”。

緉⊠（緉） liǎng 一双（鞋）。

裲⊠（裲） liǎng 〔裲裆〕背心或坎肩。

蜽⊠（蜽） liǎng 见〔蝄蜽〕（1014页）。

魉（魎） liǎng 见〔魍魉〕（1014页）。

liàng ㄌㄧㄤˋ

亮 liàng ❶光线强。㊀明～｜光～。❷发光。㊀灯～了。❸声音强。㊀响～｜洪～。❹明朗；清楚。㊀眼明心～。❺明显地摆出来。㊀～思想。

【亮节】高尚的节操。㊀高风～。

【亮丽】明亮美丽；漂亮。㊀～的色彩｜打扮得新潮而～。
【亮直】忠诚；耿直。
【亮相】❶戏曲表演中塑造人物形象的一种手段。指剧中人物上场、下场或一节舞蹈动作完毕后，在一个短暂的停顿中所作的富有雕塑感的艺术造型，用以集中而鲜明地突出人物当时的精神状态。有单人亮相，也有集体亮相。❷比喻公开表态，亮明观点。❸比喻公开露面。
【亮度】发光体或反光体使人眼睛感到的明亮程度。
【亮堂】❶敞亮；明朗。❷（胸怀、思想等）开朗；清楚。
【亮察】旧时书信用的客气话。高明的鉴察。

喨□ liàng 见〔嘹喨〕（615页）。

倞 ㊀ liàng ❶求索。❷同"亮"。
㊁ jìng（522页）。

涼（*凉）㊀ liàng 放一会儿，使温度降低。
㊁ liáng（610页）。

谅（諒）liàng ❶原谅。㊀～解｜体～。❷料想。㊀～他不能对我怎样。❸古指诚实。
【谅解】体察对方的情况而加以原谅。
【谅察】体察原谅。

晾 liàng 放在太阳下面晒干；放在通风或阴凉的地方使干。

悢 liàng 悲伤。

踉 ㊀ liàng〔踉跄〕走路不稳的样子。
㊁ liáng（610页）。

辆（輛）liàng 量词。用于车。㊀两～汽车。

靓（靚）㊀ liàng〈方〉漂亮；好看。
㊁ jìng（522页）。

量 ㊀ liàng ❶测量东西体积多少的器物。如升、斗等。❷限度。㊀胆～｜力～。❸数量。㊀降雨～｜产～。❹估计；衡量。㊀～力而行。❺哲学范畴。指事物存在和发展的规模、程度、速度等，即可以用数量表示的规定性，如多少、大小、高低、轻重、快慢等。
㊁ liáng（611页）。
【量力】根据自己的力量。
【量子】某些物理量不能连续而只能以某一最小单位的整数倍发生变化，这个最小单位叫做各该量的量子。有时又将与某种场联系在一起的粒子叫做这个场的量子，如电磁场的量子就是光子。
【量化】使变为可以用数量来计算。㊀把工作～，用以评定每个人的实绩。
【量刑】法院在查明事实的基础上，依法对犯罪人决定是否判处刑罚，判处何种刑罚，判多重刑罚的活动。
【量词】表示事物或动作的单位的词。
【量纲】旧称因次。物理量用基本量表示时，其关系式中的各个指数称为该物理量对所取基本量的量纲。如果取长度 L、质量 M 和时间 T 为基本量，则加速度可用 LT^{-2} 表示，对长度的量纲为 1，对时间的量纲为 −2。力可用 LMT^{-2} 表示，对长度、质量、时间的量纲分别为 1、1、−2。
【量变】也叫渐变。哲学范畴。指事物在保持自身质的规定性的范围内量的规定性的变化。与"质变"相对。量变是渐进的、缓慢的、不显著的变化，是质变的必要准备。
【量感】造型艺术上指作品中表现出的物体的轻重、多少等感觉。
【量入为出】根据收入的多少来定支出。《礼记·王制》："冢宰制国用，必于岁之杪，五谷皆入，然后制国用…量入以为出。"
【量才录用】根据才能收录使用。
【量子力学】物理学的分支学科。研究微观粒子运动规律。微观粒子有明显的波粒二象性，其运动规律是研究宏观物体运动规律的理论不能解决的。量子力学是近代理论物理的基础之一。在量子力学研究的基础上人们发展了半导体、原子能和激光等现代技术。
【量子化学】用量子力学的原理和方法研究化学问题的科学。主要研究对象是原子、分子和晶体的电子结构与性质的关系、化学键的本质、化学反应机理等。是介于物理、化学、生物学、数学之间的边缘学科。
【量体裁衣】按照身材裁剪衣服。比喻办事要切合实际。《南齐书·张融传》："今送一通故衣，意谓虽故乃胜新也，是吾所著，已令裁减称卿之体。"

liāo ㄌㄧㄠ

撩 ㊀ liāo ❶提；掀起来。㊀～帘子｜～了～头发。❷用手向外拨洒水。㊀

L

别～一地水！

㊁ liáo（614 页）。

蹽 liāo 〈方〉迅速地走；逃掉。㊀他一天～了一百多里｜公安人员赶到他家的时候，他早～了。

liáo ㄌㄧㄠˊ

辽（遼） liáo ❶远。㊀～阔。❷朝代名（907—1125）。契丹族耶律阿保机在中国北方建立。建都皇都（今内蒙古巴林左旗附近），国号契丹。公元 947 年改国号辽，改皇都为上京。为金所灭。❸辽宁的简称。

【辽史】史书名。元脱脱等撰。共一百十六卷，包括本纪三十卷，列传四十五卷，志三十二卷，表八卷，国语解一卷。记载了辽代二百多年（907—1125）的历史，其中也兼叙了辽以前契丹族和辽末耶律大石建立的西辽的历史。

【辽远】遥远。

【辽河】中国东北地区南部大河。流贯辽宁省中部，经盘锦市入渤海。长 1 390 千米。河道迂曲，含沙量大。新民以下可通航。

【辽阔】辽远，广阔。㊀土地～。

【辽廓】广远无边。

【辽宁省】简称辽。位于中国东北地区南部，南滨渤海和黄海，西邻河北和内蒙古，北邻吉林，东接朝鲜。面积 15 万多平方千米。人口 4 157 万（1998 年）。省会沈阳市。重要城市还有大连、鞍山、抚顺、本溪、丹东、锦州等。

【辽东丘陵】辽宁省东部低山、丘陵的总称。主要包括长白山南部、千山等。大部分海拔 300—1 000 米。

【辽东半岛】在辽宁省东南部，辽河口到鸭绿江口一线以南，伸入黄海、渤海之间。面积约 3 万平方千米，海岸曲折，南端有大连等良港。

【辽沈战役】解放战争时期，三个最大战役之一。解放战争进入第三年时，国民党正规军在东北地区的总兵力共 44 个师，48 万余人，分别收缩在长春、沈阳、锦州三个孤立地区。东北野战军集中了 53 个师，70 余万人的兵力，于 1948 年 9 月 12 日发起辽沈战役。首先歼灭了联结东北和华北的战略要点锦州之敌。解放锦州，迫使长春守敌一部起义，大部投降。东北野战军攻克锦州后，立即回师，将从沈阳来援锦州之敌消灭于黑山、大虎山及其以东地区。随后又乘胜解放了沈阳、营口，辽沈战役胜利结束。此役历时 52 天，共歼敌 47 万余人，解放了东北全境。

疗（療） liáo ❶医治。㊀诊～｜电～。❷比喻解除痛苦或困难。㊀～饥｜～贫。

【疗饥】解除饥饿。

【疗贫】解除贫困。

【疗养】患有慢性病或身体衰弱的人在特设的医疗机构里进行以休养为主的治疗。

【疗效】医药或治疗方法治病的效果。

【疗程】对某些疾病规定的一个连续治疗的阶段或期限。

膋☒**（膋）** liáo 古书上指肠子上的脂肪。

聊 liáo ❶姑且；略微。㊀～以解嘲｜～以自慰。❷凭借；寄托。㊀民不～生。❸闲谈。㊀～天。

【聊且】姑且；暂时。

【聊赖】寄托；凭借。多用于“无聊赖”“百无聊赖”，表示无所凭借或无所寄托。

【聊以卒岁】勉强度过一年。

【聊以解嘲】姑且用以消除所受的嘲笑。

【聊复尔耳】也作聊复尔尔。姑且如此罢了。《晋书·阮咸传》：“未能免俗，聊复尔耳。”尔：如此。耳：而已，罢了。

【聊胜一筹】略微高出一点儿。

【聊胜于无】比完全没有稍好一点。晋陶潜《和刘柴桑》诗：“弱女虽非男，慰情聊胜无。”

【聊斋志异】文言短篇小说集。清代蒲松龄作。近五百篇。构思奇妙，语言简洁。以谈狐说鬼的形式揭露封建官吏、豪绅恶霸对人民的残酷压迫和剥削，抨击科举制度的罪恶，赞扬许多狐鬼与人相爱的真情和品质。但书中也存在宣扬封建道德、神鬼迷信等糟粕。

僚 liáo ❶官吏。㊀官～。❷指在同一官署任职的官吏。㊀同～｜～属。

【僚机】空中编队中跟随长（zhǎng）机飞行的飞机或直升机。僚机在飞行中要保持在编队中的位置，观察空中情况，保护长机，执行长机的命令。

【僚佐】旧时官署中协助办事的官吏。

撩 ㊁ liáo 挑逗；招惹。㊀～逗。

㊀ liāo（613 页）。

L

【撩乱】同"缭乱"(615页)。

嘹 liáo 见下。

【嘹亮】也作嘹喨。(声音)清晰响亮。㊀歌声～。

【嘹唳】也作寥戾、寥唳。形容声音凄清。

【嘹喨】同"嘹亮"(615页)。

獠 liáo 凶恶。

【獠牙】露在嘴外的长牙。㊀青面～(形容面貌凶恶)。

潦 ㊀ liáo 见下。
㊁ lǎo (587页)。

【潦草】❶(做事)不仔细;不认真。㊀工作不能～。❷(字)不工整。㊀写得太～。

【潦倒】情绪低沉;不得意。

寮 liáo 小屋。㊀茶～(小茶馆)。

潦□ liáo 潦水,水名,在江西。

缭(繚) liáo ❶缠绕。㊀～绕。❷一种缝纫方法。用针线斜着缝。㊀～缝儿|～贴边儿|帮我～几针。

【缭乱】也作撩乱。纷乱。㊀眼花～。

【缭绕】(在空中)回环旋转。㊀炊烟～。

暸☒ liáo 明亮。

燎 ㊀ liáo 延烧。㊀烈火～原。
㊁ liǎo (615页)。

【燎原】火烧原野。《尚书·盘庚上》:"若火之燎于原,不可向迩。"㊀星火～。

鹩(鷯) liáo 见〔鹪鹩〕(490页)。

蟟☒ liáo 见〔蟭蟟〕(490页)。

漻☒ liáo 水清而深。

憀☒ liáo ❶悲恨。❷依赖。

寥 liáo ❶稀少。㊀～若晨星|～～无几。❷静寂;空虚。㊀寂～|～阔。

【寥戾】同"嘹唳"(615页)。

【寥唳】同"嘹唳"(615页)。

【寥落】稀疏;冷落。㊀晨星～。

【寥廓】空阔高远。㊀～的天空。

【寥寥】稀少。㊀～可数。

【寥若晨星】稀少得好像清晨的星星一样。形容很少。

liǎo ㄌㄧㄠˇ

了(❶瞭) ㊀ liǎo ❶明白;懂得。㊀～解|明～。❷完毕;结束。㊀～结|没完没～。❸放在动词之后,跟"得""不"连用,表示可能或不可能。㊀做得～|来不～。❹副词。完全。㊀～无惧色。
㊁ le (588页)。
"瞭",另音 liào (616页)。

【了了】❶明白;懂得。㊀不甚～。❷聪明。㊀小时～,大未必佳。

【了手】(事情)办完。

【了却】了结。

【了局】结束;了结。也指解决的办法和长久之计。㊀这样拖下去,不是个～。

【了事】将事情平息或结束(多指不彻底或不得已)。

【了结】解决;结束。

【了得】❶用在惊讶、反诘、责备等语气的句子末尾,表示情况严重。多与"还"字连用。㊀这还～! ❷(能耐)突出;(本领)高强。㊀这人武艺十分～。

【了然】明白清楚。㊀一目～。

【了解】❶知道得清楚。❷打听;调查。

【了不得】不得了;超乎寻常。也用于表示情况严重。

【了如指掌】清楚得好像看自己的手掌一样。形容对事物的了解非常透彻。《论语·八佾》:"或问禘之说。子曰:'不知也;知其说者之于天下也,其如示诸斯乎!'指其掌。"何晏集解引包咸曰:"如指示掌中之物,言其易了。"

钌(釕) ㊀ liǎo 金属元素,符号 Ru,原子序数 44。银灰色,脆而硬。用以制耐磨硬合金。
㊁ liào (616页)。

蓼 liǎo 一年生或多年生草本植物。有多种。多开白色或浅红色花。

憭☒ liǎo 聪明;明了。

燎 ㊁ liǎo ❶放火焚烧。㊀～荒(烧掉干枯的荒草)|～虫子(烧死地上的害虫)。❷火焰烧(毛发等)。㊀离火远点儿,别～了头发。

㊀ liáo (615 页)。

liào ㄌㄧㄠˋ

尥 liào 〔尥蹶子〕骡、马等用后腿向后踢。蹶(juě)。

钌(釕) ㊁ liào 〔钌铞儿〕用来锁门窗、箱柜的金属片状物。一端固定在器物上,一端在加锁前套在屈戌上,起到连接两部分的作用。

㊀ liǎo (615 页)。

料 liào ❶预料;估计。[例]不出所～。❷材料。[例]木～|燃～。❸喂牲畜用的谷物。[例]草～|～豆儿。❹一种性质跟玻璃相似的东西。[例]～器|～货。❺量词。中医配制丸药,处方规定剂量的全份为一料。[例]一～丸药。

【料民】古指人口登记调查。《国语·周语上》:"宣王既丧南国之师,乃料民于太原。"《吴子·图国》:"强国之君,必料其民。"

【料豆】喂牲口、猪仔用的黑豆或黄豆,一般炒熟或煮熟。

【料峭】形容微寒(多指春风中还有寒意)。[例]春寒～。

【料酒】烹调用的黄酒。

【料理】❶处理;办理。❷烹调。[例]名厨～。❸菜肴。[例]日本～。

【料想】猜想;测度。

【料器】中国工艺美术品之一。指用各种颜色的特种玻璃料高温加工制成的日用品及装饰品。

【料事如神】形容预料事情非常准确。

撂 liào ❶放;搁。[例]～下饭碗就走了。❷弄倒。[例]～倒了一棵大树。

【撂挑子】放下肩上的挑子。比喻丢下应该担负的工作不管。

廖 liào 姓。

【廖仲恺】(1877—1925)中国民主革命家,国民党左派。原名恩煦、夷白,广东惠阳人。1903 年开始参加孙中山领导的革命活动。1905 年任同盟会总部外务部干事。1913 年讨袁失败去日本。次年任中华革命党财政部副部长。后协同孙中山开展反袁护法斗争。1923 年为国共合作做准备,拥护孙中山改组国民党,任财政部长、广东省省长。1924 年参加国民党第一次全国代表大会,积极支持联俄、联共、扶助农工三大革命政策。国民党改组后,任中央执行委员,黄埔军校党代表,国民革命军总党代表。次年 3 月孙中山逝世,他继续为贯彻三大革命政策而奋斗。8 月在广州被国民党右派暗杀。有《廖仲恺集》。

【廖承志】(1908—1983)中国无产阶级革命家。广东省惠阳人,出生在日本东京。青年时代在孙中山、宋庆龄和父母廖仲恺、何香凝的教育、影响下投身革命。1928 年加入中国共产党。1933 年 8 月参加红军。1934 年任红军四方面军总政治部秘书长,参加了长征。1937 年冬在香港主持抗日民族统一战线工作。1946 年 5 月到南京中共代表团协助周恩来工作。1946—1949 年任中央宣传部副部长、新华社社长等职。新中国成立后历任中共中央对外联络部副部长,中共中央统战部副部长,华侨事务委员会副主任、主任,国务院外事办公室副主任,国务院侨务办公室主任,中华全国归国华侨联合会名誉主席。在中国共产党第七次全国代表大会上被选为候补中央委员,在七届二中全会上递补为中央委员。后曾多次当选为中央委员。在十二届一中全会上被选为中央政治局委员。是第五届全国人大常委会副委员长。1983 年 6 月 10 日在北京病逝。

瞭 liào 远望。[例]～望。
另音 liǎo,见"了"(615 页)。

【瞭望哨】即"观察哨"(347 页)。

镣(鐐) liào 脚镣。

liē ㄌㄧㄝ

咧 ㊁ liē 〔咧咧〕〈方〉❶乱说;乱讲。[例]一天到晚瞎～。❷拉着长声哭。[例]摔那么一下儿也不疼,别～了。

㊀ liě (616 页)。
㊂ lie (618 页)。

liě ㄌㄧㄝˇ

咧 ㊀ liě 嘴角张开向两边伸展。[例]～着嘴笑。

㊁ liē (616 页)。
㊂ lie (618 页)。

L

裂 ㊁ liě 〈方〉(衣襟)敞开。㊀～着怀。㊀ liè (618 页)。

liè ㄌㄧㄝˋ

列 liè ❶排列;行(háng)列。㊀～队|站在前～。❷摆出来或安排到某类事物之中。㊀陈～|～入议程。❸众多;各。㊀～岛|～国。❹量词。用于成行列的事物。㊀一～火车。

【列子】❶相传战国时期道家。名御寇,一作圄寇、圉寇,郑国人。《庄子》一书载有关于他的许多传说。❷书名。道家的经典之一。相传为列御寇撰。《汉书·艺文志》著录《列子》八篇,已亡佚。今本《列子》,一般认为是晋人的作品,其中保存了许多民间故事、寓言和神话传说。唐时《列子》被尊为《冲虚真经》。

【列女】诸妇女。古代史书中有《列女传》,列记一些妇女的事迹。

【列车】由一台或两台机车和若干节车厢编组连挂成列,并具备相应的标志和乘务人员。有旅客列车、货物列车、混合列车(客、货车辆混编)及救援列车等各种专用列车。

【列宁】弗拉基米尔·伊里奇·列宁(原姓乌里扬诺夫)(1870—1924)马克思恩格斯事业和学说的继承者,俄国共产党和苏联的主要创始人,国际共产主义运动的领袖。生于俄国辛比尔斯克(今乌里扬诺夫斯克),17 岁参加学生革命运动,18 岁开始研究马克思的《资本论》。1894 年提出了工农联盟的思想和建立马克思主义政党的任务。1895 年建立彼得堡"工人阶级解放斗争协会",1903 年在俄国建立了新型的无产阶级革命政党。1917 年领导俄国十月革命,建立了世界上第一个无产阶级专政的国家。十月革命以后,又领导俄国人民粉碎了帝国主义武装干涉和国内反革命叛乱。1919 年创立第三国际,推动了世界革命运动的发展。1921 年提出了新经济政策,以代替苏联内战时期所实行的战时共产主义政策,使社会主义经济建设翻开了新的一页。列宁继承、捍卫、发展了马克思主义,把马克思主义提高到一个新的阶段,即列宁主义的阶段。

【列传】中国纪传体史书的主要组成部分。是列述将相和其他人物事迹的传记。也有记载少数民族或其他国家历史的内容。

【列兵】军衔名。兵的最低一级。

【列位】诸位;各位。

【列岛】指排列成线形或弧形的群岛。

【列国】某一历史时期内并存的各个国家。

【列举】一个一个地举出来。

【列席】非正式成员参加会议。

【列宾】伊里亚·列宾(1844—1930)俄国画家,巡回展览画派的代表。擅长风俗画、历史画、肖像画,注重逼真再现生活与历史真实,深入刻画人物性格特征。代表作有《伏尔加河上的纤夫》《查波罗什人写信给土耳其苏丹》等。

【列鼎】摆出丰盛的饮食。㊀～而食。鼎:古代煮东西用的器物。

【列强】旧指对外实行扩张、侵略的帝国主义国家。

【列宁主义】帝国主义和无产阶级革命时期的马克思主义。列宁主义认为:帝国主义是垄断的、腐朽的、垂死的资本主义,是无产阶级社会革命的前夜;由于帝国主义时代资本主义经济政治发展不平衡的规律,社会主义将首先在一个或几个国家获得胜利;无产阶级专政是无产阶级同农民和其他劳动者联盟的特殊形式,是阶级斗争在新条件下的继续,是民主的最高形式;无产阶级革命要取得胜利,还必须同殖民地半殖民地的民族解放运动联合起来,帝国主义时代民族殖民地问题是无产阶级革命总问题的一个组成部分;无产阶级必须建立新型的革命政党,无产阶级革命政党是无产阶级一切组织中的最高组织形式;新经济政策是建设社会主义的"真正途径"等。

【列宁格勒】圣彼得堡的曾称。

【列宁格勒交响曲】肖斯塔科维奇《第七交响曲》的别称。作于 1941 年。乐曲以现实主义的笔法和惊心动魄的音乐形象,歌颂了列宁格勒被德国法西斯军队围困时苏联军民英勇抗战的事迹。

冽 liè 寒冷。㊀北风凛～。

洌 liè (水、酒等)清。㊀泉香而酒～。

烈 liè ❶强,猛;旺盛。㊀～火|兴高采～。❷为正义事业而牺牲生命的人。㊀先～。❸功绩;事业。㊀功～|遗～。

【烈士】❶为革命或正义事业而牺牲生命的人。㊀～纪念碑。❷古指有抱负有作为的人。㊀～暮年,壮心不已。

L

【烈性】❶性格刚烈的。❷性质猛烈的。例~炸药。
【烈属】革命烈士的家属。
【烈火见真金】在烈火中烧炼才能看出金子的真假。比喻在关键时刻最能考验出人的品质。

䴕☒(鴷) liè 啄木鸟。

裂 ㊀ liè 破开。例~缝(fèng)|四分五~。
㊁ liě (617页)。

【裂化】石油加工的一种方法。是在加热、加压或催化剂作用下,使重油所含烃类断裂成分子量较小的烃类的过程。有热裂化、催化裂化和加氢裂化。主要用于制取高质量的汽油及化工原料等。
【裂果】果实的一种。成熟时,果皮失水干燥而开裂的果实。如蚕豆、罂粟等的果实。
【裂变】❶重原子核(如铀核、钚核)分裂为轻原子核(如钡核和氪核、氙核和锶核)并放出巨大能量的过程。原子弹爆炸就是利用铀或钚的不可控制的裂变反应,产生巨大的破坏作用。❷泛指分裂变化。
【裂痕】东西破裂的痕迹。也比喻思想感情上出现的分歧、隔阂。

趔 liè 〔趔趄〕身体歪斜,脚步不稳,要摔倒的样子。例打了个~。趄(qie)。

劣 liè 坏;不好。与"优"相对。例低~|恶~。

【劣势】不利的处境或形势。与"优势"相对。
【劣弧】小于半圆的弧。
【劣绅】旧时作恶多端的有势力的地主或退职官僚。
【劣迹】(损害人民利益的)恶劣的行径。
【劣根性】长期形成的,根深蒂固的不良习性。

埒 liè ❶矮墙;界域。❷同等。例兄妹才力相~。

捩 liè 扭转。例转~点(转折点)。

猎(獵) liè ❶捕捉禽兽。例~虎。❷打猎的。例~人|~犬。

【猎手】猎人(多指技术熟练的)。
【猎户】靠打猎为生的人家。
【猎取】❶通过打猎取得。❷夺取、追求(名利)。
【猎奇】(从兴趣出发)搜求奇异的事物。
【猎猎】拟声词。❶风的声音。例~晚风。❷旗子飘动发出的声音。例红旗~。
【猎户座】横跨天赤道,主要部分是由七颗亮星组成的一个腰部凹陷的长方形。位于长方形对角的参宿四和参宿七是两颗一等星;长方形腰部三颗星并列一线,称三星。冬季易见。

躐 liè ❶超越。例~进(不按次序前进)|~等(越级)。❷踩;践踏。

䲷□(鱲) liè 也叫桃花鱼。鱼类。体侧扁,长约10厘米。雄鱼带红色,有蓝色横纹。生活在淡水中。

鬣 liè 某些兽类颈上的长毛。例马~|狮~。

【鬣狗】哺乳动物。外形像大狗。颈上有长鬣毛。后肢较前肢短弱。颌部及裂齿特别发达,极易咬碎动物的尸骨。以动物的尸体和腐肉为食,也捕食斑马、角羚等。产于非洲和亚洲。

lie ·ㄌㄧㄝ

咧 ㊂ lie 〈方〉助词。相当于"了(le)""啦(la)"。
㊀ liě (616页)。
㊁ liē (616页)。

līn ㄌㄧㄣ

拎 līn 提。例~着一篮子菜。

lín ㄌㄧㄣˊ

邻(鄰*隣) lín ❶住处接近的人家。例四~。❷靠近的。例~国|~舍。❸古代五家为邻。

【邻邦】接壤的国家。
【邻里】❶相邻近的街道。例~服务所。❷街坊;邻居。
【邻接】(地区)紧连着。

林 lín ❶成片的树木或竹子。例森~|竹~。❷林业。例农、~、牧、副、渔。❸聚集在一起的同类的人或事物。例民族之~|碑~。

【林分】内部特征大体一致而与邻近地段有明显区别的一片树林。是组成森林的最小地域单位。分(fèn)。

【林业】以培育森林和生产木材及其他林副产品为对象的生产部门。培育森林可调节气候、涵养水源、保持水土、防风固沙和美化环境、减少空气污染。

【林立】像林中的树一样密集地竖立着。比喻众多。㊀高楼～。

【林地】土地利用类型之一。指生长森林和用来发展林业的土地。

【林苑】古代专供统治者打猎玩乐的园林。

【林肯】阿伯拉罕·林肯(1809—1865)美国总统(1861—1865年在任)。主张联邦统一,反对奴隶制度。在南北战争中,发表《解放黑奴宣言》,解放了南部叛乱诸州的黑人奴隶,从而为北方在南北战争中的胜利奠定了基础。战后不久遇刺身亡。

【林带】为防风沙、海潮侵袭和水土流失等营造的带状树林。

【林耐】卡尔·冯·林耐(1707—1778)瑞典博物学家,现代生物分类学的奠基人。在其著作《自然系统》和《植物种志》中,建立了双名法,结束了动物、植物分类命名的混乱局面,大大地促进了科学分类学的发展。

【林冠】森林中成片树冠的总称。

【林独】猞猁。独(yì)。

【林海】形容像海一样无边无际的森林。

【林彪】(1906—1971)中国军事家。又名育容,湖北黄冈人。1925年加入中国共产党。曾任中国工农红军第一军团军团长,八路军一一五师师长,东北野战军、第四野战军司令员,国防部部长,中共中央军委副主席,中共中央副主席等职。1955年被授予元帅军衔。在"文化大革命"中与陈伯达等结成反党集团,并同江青反革命集团勾结,阴谋篡夺党和国家的最高权力。1971年3月炮制反革命武装政变计划《571工程纪要》,9月8日妄图发动武装政变,谋害毛泽东,另立中央。阴谋败露后,于9月13日乘飞机仓皇出逃,摔死在蒙古温都尔汗。1973年被开除党籍。

【林檎】也叫沙果、花红。落叶小乔木。果实近球形,似苹果而小。

【林风眠】(1900—1991)中国现代画家。广东梅县人。擅长油画和中国画。主张调和中西艺术,革新中国画传统。代表作有《秋艳》等。

【林巧稚】(1901—1983)中国妇产科专家。女,福建厦门人。擅长疑难病例的诊断与处理,曾亲手接生了五万多名婴儿。对"胎儿宫内呼吸"和"女性生殖道结核"等专题进行过研究。对滋养细胞肿瘤的发生等进行研究并在化疗方面取得重要成果。撰写了《葡萄胎和绒癌内绒毛促性激素的测定》《滋养性层肿瘤的临床诊断》等论文,主编《妇科肿瘤病学》《妇科学进展》《家庭育儿百科全书》等著作。

【林吉特】马来西亚的法定货币。

【林则徐】(1785—1850)清末政治家。字元抚、少穆,福建侯官(今福州)人。早年任东河河道总督、江苏巡抚时,整顿吏治,平反冤狱,兴修水利,成效卓著。1838年任湖广总督时被派为钦差大臣。积极主持禁烟,销毁鸦片二百三十七万余斤。1840年英国发动侵略战争,他多次击退敌军。后由于投降派诬害被清政府革职,充军新疆。在新疆兴办水利,开垦农田。1845年被重新起用。1847年任云贵总督。1850年受命镇压拜上帝会起义时,在赴广西途中,病逝于广东潮州。有《林则徐集》。

【林伯渠】(1886—1960)中国无产阶级革命家。名祖涵,湖南临澧人。早年参加中国同盟会。1921年加入中国共产党。在帮助孙中山确定联俄、联共、扶助农工的三大政策和改组国民党的工作中,起了积极作用。北伐时在国民革命军第六军中任党代表。1927年参加八一南昌起义,后去苏联学习。1932年回国,1933年到中央革命根据地任中央工农民主政府国民经济部部长和财政部部长。参加了长征。1937年任陕甘宁边区政府主席。多次任国共谈判的中共代表。1949年后,任中央人民政府秘书长、全国人大常委会副委员长。是中共第六届中央委员,第七、八届中央政治局委员。1960年5月29日在北京病逝。

【林语堂】(1895—1976)中国现代文学家。原名和乐,福建龙溪(今龙海)人。1919年后去美国、德国留学。1923年回国任北京大学、厦门大学教授,1932年起编辑《论语》《人间世》等刊物,提倡"幽默闲适"的小品。著有《京华烟云》《吾国与吾民》《我的话》等。英文译著有《论语》《老子》等。

【林黛玉】《红楼梦》中的人物。生活在贵族家庭,体弱多病,聪慧敏感,孤高倔强,追求自由,终被恶势力摧残,抑郁悲愁而死。常用以借指心慧体弱、多愁善感的少女。

【林林总总】繁多。㊀地球上的生物～,生物学家们是大有用武之地的。

【林寒涧肃】指秋冬间林木萧疏、涧水浅落的景象。《水经注·江水二》:"每至晴初霜旦,林寒涧肃,常有高猿长啸,属引凄异。"

【林彪反革命集团】"文化大革命"初期林彪与陈伯达等人结成的反党集团。他们勾结江青等人,打着"拥护毛主席"的旗号,煽动"怀疑一切""打倒一切"的极左思潮。鼓吹"普遍夺权""全面内战"。残酷迫害坚持正确路线的干部和群众。在军队中安插亲信,培植死党,打击陷害老一辈革命家。1969年在党的九届一中全会上,林彪集团的主要成员黄永胜、吴法宪、叶群、李作鹏、邱会作当选为政治局委员,加强了林彪集团在党中央的地位。1970—1971年阴谋夺取国家最高权力,策动反革命武装政变。阴谋败露后,林彪于1971年9月13日仓皇出逃,摔死在温都尔汗。1980年11月至1981年1月,最高人民法院特别法庭对林彪反革命集团的主犯进行了公开审判,使他们受到了法律制裁。

啉 lín 见〔喹啉〕(572页)。

淋 ㊀ lín 浇。㊀日晒雨～|菜起锅后还得～上点儿香油。
㊁ lìn (622页)。

【淋巴】也叫淋巴液。人和动物体内的无色透明液体。由组织间液体进入淋巴毛细管后形成。除蛋白质较少外,其他成分与血浆相近。淋巴在淋巴管内最后流经颈部大静脉进入血液。

【淋漓】❶形容湿透往下流滴的样子。㊀大汗～。❷形容畅快。㊀痛快～。

【淋巴结】主要由淋巴细胞集合形成的腺样结构。呈蚕豆状,外包被膜,分布于淋巴管的径路中,大小不一。颈、腋窝、腹股沟、肠系膜等处最多。能产生淋巴细胞,吞噬侵入体内的微生物。

【淋巴管】淋巴液流通的管道。由毛细淋巴管、淋巴管组成。与静脉沟通。

【淋巴细胞】白细胞的一类。圆形或卵圆形,一侧常有凹痕。分T淋巴细胞和B淋巴细胞两类。大多数T淋巴细胞寿命较长,可存活数月至数年,在其他细胞协同下行使细胞免疫功能。B淋巴细胞受抗原刺激,产生抗体,行使体液免疫功能。

【淋漓尽致】形容文章、谈话表达得十分透彻,充分。也形容暴露得彻底。㊀此文把反动派的嘴脸刻画得～。

绑☒(綝) ㊀ lín 〔綝缡〕盛装的样子。
㊁ chēn (115页)。

琳 lín 美玉。

【琳琅满目】比喻面前美好的东西很多。《世说新语·容止》:"今日之行,触目见琳琅珠玉。"琳琅:美玉,比喻珍贵的东西。

霖 lín 连下几天的雨。㊀秋～|甘～。

【霖雨】连着下的大雨。

临(臨) lín ❶来到。㊀光～|身～其境。❷对着;接近。㊀居高～下|～别。❸照着字、画模仿。㊀～帖。

【临机】掌握时机。㊀～处置。

【临池】相传汉代书法家张芝在池边练习写字,用池水洗砚使池水变黑了。后称练习书法为临池。

【临安】❶地名。在浙江北部。❷古县名。西晋时改临水县为临安县。故址在今杭州市西。❸古府名。南宋建炎三年(1129)置行宫于杭州,将杭州升为临安府。绍兴八年(1138)建都于此。

【临床】指医生亲临病床诊病,泛指医疗实践。

【临幸】古称皇帝亲自到一个地方。

【临终】人将要死的时候。

【临盆】孕妇生小孩儿。

【临朝】上朝处理国事。

【临蓐】临产。蓐(rù)。

【临摹】复制或模仿绘画或书法原作。是学习书画技法的途径。临:照着原本写或画。摹(mó):用薄纸蒙在原本上面写或画。㊀～碑帖。

【临时工】机关、企业、事业单位为完成工作任务而临时招收的规定有使用期限的职工。

【临界点】气体在某一温度时受到一定压强就能均匀而连续地转化为液体,在这个温度以上时,无论受多大的压强,都不能液化。这种温度(临界温度)和压强(临界压强)时的状态叫做临界点。

【临海国】领土濒临海洋的国家。

【临危不惧】遇到危难毫不畏惧。

【临危授命】在危急关头勇于献出生命。

《论语·宪问》:“见利思义,见危授命。”

【临阵磨枪】到了要上阵杀敌的时候才去磨枪。比喻事到临头才作准备。

【临时代办】代理使馆首长职务的外交人员。享有外交特权与豁免。一国为了与他国商谈建立外交关系,也可先行派遣临时代办作为谈判代表。

【临时约法】也叫中华民国临时约法。辛亥革命后制定的具有资产阶级共和国宪法性质的文件。1912年中华民国成立,3月11日由南京临时政府大总统孙文公布。共七章五十六条,规定国家主权属于国民全体,人民一律享有言论、出版、集会、结社和信教的自由,有请愿、选举、被选举等权利。反映了资产阶级民主主义的要求,但不久被窃取了临时大总统职位的袁世凯废毁。

【临事而惧】遇事战战兢兢,小心谨慎。《论语·述而》:“必也临事而惧,好谋而成者也。”

【临终关怀】对临终阶段的病人提供的医疗和护理。由专门的医疗单位或社区服务机构提供。目的是减轻病人痛苦。

【临界体积】可裂变物质产生链式反应所必须具有的最小体积。要使原子核反应堆能正常运转或使原子弹发生爆炸,必须使核燃料具有一个最低限度的体积,保证裂变产生的中子能补偿损耗的中子。

【临渊羡鱼】《汉书·董仲舒传》:“古人有言曰:‘临渊羡鱼,不如退而结网。’”意思是说,站在水边想得到鱼,就不如回家去织网。比喻只有愿望而无实际行动仍无济于事。渊:深潭。羡:希望得到。

【临深履薄】面临着深渊,脚踏着薄冰。比喻小心谨慎。《诗经·小雅·小旻》:“如临深渊,如履薄冰。”

【临渴掘井】到口渴的时候才去挖井。比喻平时不准备,临时才想办法。清朱柏庐《治家格言》:“宜未雨而绸缪,毋临渴而掘井。”

僯□ ㊀ lín 〔僯站〕地名。在广西。
㊁ lǐn (622页)。

鄰 lín 〔鄰鄰〕形容水、石等明净的样子。[例]水波~。

嶙 lín 〔嶙峋〕❶山石重叠不平的样子。❷形容人瘦削。[例]瘦骨~。

遴 lín ❶谨慎选择。[例]~选(选拔)。❷古又同“吝(lìn)”。

潾☒ lín 见〔圝潾〕(1007页)。

璘 lín 玉的光彩。

【璘瑞】形容玉色缤纷。瑞(bīn)。

辚(**轔**) lín 轮子。

【辚辚】拟声词。车轮滚动的声音。[例]车~,马萧萧。

磷(*燐*粦) lín 非金属元素,符号P,原子序数15。是维持动植物生命的重要成分之一。用于制磷肥、农药。常见的有白磷(黄磷)和赤磷(红磷)。白磷有毒,在空气中能自燃,燃烧时发浓烟,可用于制烟幕剂。赤磷无毒,暗红色,在空气中稳定,用于制安全火柴等。

【磷火】俗称鬼火。磷化氢燃烧时的火焰。磷与水或碱作用时产生磷化氢,是无色可以自燃的气体。人和动物的尸体腐烂时分解出磷化氢,并自燃。夜间野外有时看到的白色带蓝绿色火焰就是磷火。

【磷光】见〔荧光〕(1184页)。

【磷肥】磷元素起主要肥效的肥料。如过磷酸钙、骨粉等。合理施用能促进作物根系发育,增强抗寒、抗旱能力,提早成熟,籽粒饱满。

【磷脂】含磷酸的脂类。生物体的重要组成成分。存在于动植物细胞中,动物的脑、肝、卵等含量较多,植物以种子含量较多。如脑磷脂、卵磷脂等。

【磷酸】无机酸,化学式H_3PO_4。酸性中等强度。无色透明晶体,易吸收空气中的水分。通常市售的为其83%—98%的黏稠状水溶液。用于制化肥、农药、医药等。

【磷灰石】矿物名。六方晶系。化学成分为$Ca_5[PO_4]_3(F,Cl)$。灰绿、棕绿等色,硬度5。是制磷肥、磷酸和提取磷的重要原料。

瞵 lín 凝视的样子。[例]鹰~鹗视。

鏻□(**鏻**) lín 化学用字。PH_4^+阳离子称作鏻。

鳞(**鱗**) lín ❶鱼类和爬行动物等身体表面长的骨质或角质的小薄片。具有保护作用。❷像鱼鳞的。[例]~茎|遍体~伤。

【鳞爪】鳞和爪。比喻事物的片段。

【鳞伤】形容伤痕密得像鱼鳞一样。[例]遍体~。

【鳞茎】植物的一种变态茎。节间极度缩短，其上密生肉质的鳞片叶，能适应较干旱环境。如洋葱、百合等。

【鳞翅目】昆虫纲中种类较多而最常见的一目。成虫称为蛾或蝶。成虫的翅和体上密被鳞片，具虹吸式口器，适于吸食花蜜。完全变态。幼虫一般称为毛虫，多为农林植物的害虫。常见的如粉蝶、凤蝶、螟虫、蚕等。

【鳞次栉比】像鱼鳞和梳子齿那样整齐紧密地排列着。多用于形容房屋、船只等。栉(zhì)：指梳子、篦子等。

麟（*麐） lín 麒麟的简称。㊀凤毛～角。

【麟凤龟龙】《礼记·礼运》："麟凤龟龙，谓之四灵。"这四种动物，都是传说中象征吉祥、高贵、长寿的珍奇动物。实际上除了龟是实有的动物以外，麟(麒麟)、凤(凤凰)、龙都是想象中的动物。后来常用"麟凤龟龙"比喻品德高尚的人。

lǐn ㄌㄧㄣˇ

菻□ lǐn 蒿子的一种。

僯□ ㊀ lǐn 羞惭。
㊁ lín (621 页)。

凛 lǐn ❶寒冷。❷严厉；严正有威势。㊀～若冰霜｜大义～然。

【凛冽】寒冷得刺骨。㊀寒风～。

【凛然】严正、令人敬畏的样子。㊀～不屈。

【凛凛】❶寒冷。❷威严、令人敬畏的样子。㊀威风～。

廪 lǐn 粮仓。㊀仓～。

【廪生】科举时代生员名称之一。明代府、州、县学生员，由官府给廪膳，补助生活，称为廪生。清代须经岁科两试，成绩优异者，才能称为廪生。

懔☒ lǐn 害怕；警惕。

檩 lǐn 屋架上面托住椽子的横木。

澟☒ lǐn "凛"的异体字。

廩☒ lǐn "廪"的异体字。

懍☒ lǐn "懔"的异体字。

檁☒ lǐn "檩"的异体字。

lìn ㄌㄧㄣˋ

㐭☒ lìn 同"吝"。

吝（*悋） lìn 小气；舍不得。㊀～啬｜悭(qiān)～｜不～赐教(向人征求意见时用的客气话)。

【吝啬】小气；应当用的财物舍不得用。啬(sè)。

【吝惜】过分地爱惜，舍不得拿出(自己的财物、气力等)。

赁（賃） lìn 租。㊀租～｜在外面～了一间房。

淋（❷*痳） ㊁ lìn ❶过滤。㊀～盐。❷淋病，性病的一种。通过性生活传播。病原体是淋病双球菌。患者尿道发炎，化脓，尿中带血。
㊀ lín (620 页)。

蔺（藺） lìn 见〔马蔺〕(656 页)。

辚☒（轥） lìn 〔辚轹〕❶车轮辗过。❷超越。轹(lì)。

躏（躪） lìn 见〔蹂躏〕(831 页)。

膦 lìn (俗读 lín)磷化氢(PH_3)分子里的氢原子被烃基取代后所形成的有机磷化合物的统称。

líng ㄌㄧㄥˊ

〇□ líng 数目。数的空位。㊀一～八人｜一九八～年。

令 ㊂ líng 〔令狐〕❶古地名。在今山西临猗一带。❷复姓。
㊀ lìng (626 页)。
㊁ lǐng (625 页)。

伶 líng 旧指戏曲演员。㊀优～。

【伶仃】也作零丁。孤独的样子。

【伶俜】孤独的样子。俜(pīng)。

【伶俐】聪明；灵巧。

【伶牙俐齿】形容口才好，很会说话。

苓 líng 见〔茯苓〕(286 页)。

囹 líng 〔囹圄〕监狱。圄(yǔ)。

泠 líng 清凉。㊀～风。

【泠泠】❶形容清凉。❷形容声音清脆。

玲 líng 见下。

【玲珑】❶玉声。❷(器物)精巧细致。❸(人)灵活敏捷。㊀～活泼。

【玲玲】拟声词。玉相碰击的声音。

【玲珑剔透】也说玲珑透剔。❶形容器物结构新奇,精巧美观。多指中间雕空的工艺美术品。❷形容人的心思灵巧。

柃 líng 柃木,常绿灌木或小乔木。花小,白色,叶椭圆形或披针形,浆果球形。

軨☒(**軨**) líng 车阑,即车箱前和左右两面用木条制成的方格。

瓴 líng ❶古代一种盛水的瓶子。❷房屋上仰盖的瓦形成的瓦沟。

铃(**鈴**) líng ❶用金属做成的一种响器。㊀摇～|电～。❷铃状物。㊀棉～|哑～。

【铃鼓】击奏膜鸣乐器。维吾尔族、朝鲜族乐器。鼓框扁平、木制。一面蒙兽皮,周围嵌以五至七对小铜钹(bó)。演奏时,一手执鼓,一手拍击,间或摇动鼓身,振响小铜钹。多用于歌唱和舞蹈伴奏。

鸰(**鴒**) líng 见〔鹡鸰〕(458 页)。

聆 líng 听。㊀～听。

蛉 líng ❶见〔白蛉〕(24 页)。❷脉翅目昆虫。如草青蛉、粉蛉等。

笭☒ líng ❶车上遮风尘的竹笼。❷〔笭箵〕打鱼用的竹编盛鱼器。

舲☒ líng 有窗户的船。

翎 líng 鸟翅膀或尾巴上的长羽毛。㊀雁～|野鸡～。

【翎毛】❶鸟的翅膀或尾巴上的长羽毛。❷指以鸟兽为题材的中国画。

羚 líng 羚羊。

【羚牛】也叫扭角羚。哺乳动物。体长 2 米左右,雌雄均有短角,成年羚牛的角粗短并向上向后向内弯转。多栖居于海拔 3 000—4 000 米的高山上。主要分布于四川、甘肃等地。是中国国家重点保护动物。

【羚羊】哺乳动物。形状略像山羊,但角细圆有节。生活在草原和半荒漠地区。种类较多,产于中国的有高鼻羚羊、原羚、鹅喉羚和藏羚等。是中国国家重点保护动物。

零 líng ❶部分的;细碎的。与"整"相对。㊀～件|～数。❷数目。数的空位。㊀一百～一。❸表示没有。㊀一减一等于～。❹落。㊀凋～|感激涕～。

【零丁】同"伶仃"(622 页)。

【零件】组成机器或仪器的每个单件。如螺栓、弹簧、齿轮等。

【零乱】同"凌乱"(624 页)。

【零星】细小零碎;稀少零散。㊀～材料|～小雨。

【零售】零散地、不成批地出售货物。与"批发"相对。

【零落】❶植物凋谢。也指事物衰败。㊀草木～|一片萧条～的景象。❷稀疏,不集中。㊀～的枪声。

【零敲碎打】也说零打碎敲。指零零碎碎、断断续续地进行或处理。

蘦☒ líng 草零落。

龄(**齡**) líng ❶岁数。㊀年～。❷年数。㊀工～。

【龄期】昆虫幼虫在两次蜕皮之间经历的时间。刚孵化出来的叫第一龄,第一次蜕皮后的叫第二龄,以下类推。

灵(**靈**) líng ❶有效验。㊀这个办法很～。❷聪明;敏捷。㊀心～手巧|～活。❸灵柩;关于死人的事物。㊀守～|～堂。❹迷信称神或关于神的。㊀神～。

【灵台】指心。

【灵芝】真菌的一种。菌盖半圆形或肾脏形,赤褐色或暗紫色,有环纹,有光泽。供药用,对神经衰弱、消化不良和慢性气管炎等有疗效。

【灵光】❶迷信的人指神灵的光芒。❷〈方〉灵验;好。

【灵位】旧时为供奉死者设置的牌位。

【灵床】❶停放尸体的床铺。❷人死后虚设的坐卧用具。

【灵性】❶聪明才智;智慧。❷指动物经过

驯养、训练而具有的智慧。

【灵柩】装上了死人的棺材。柩(jiù)。

【灵活】❶敏捷;反应快。㊞手脚～。❷善于根据情况的变化采取办法。㊞机动～。

【灵验】❶效果十分好。❷预言得到应验。

【灵堂】停灵柩、放骨灰或设灵位遗像的屋子或大厅,以便举行吊唁活动。

【灵敏】❶反应快。❷能感觉到极其微弱的刺激。

【灵渠】中国古代著名水利工程之一。在今广西兴安,连接湘、漓二江,故又名兴安运河、湘桂运河。是沟通长江水系和珠江水系的一条运河。始建于公元前214年。工程艰巨,设计巧妙,既能通航,又能灌溉。

【灵犀】犀牛角。旧说犀牛是灵异的兽,角中贯通有白纹如线。参见〔心有灵犀一点通〕(1092页)。

【灵魂】❶宗教迷信指离开人的躯体而独立存在的非物质的东西。一旦灵魂离开躯体,人即死亡。❷心灵;思想。㊞～深处。❸喻指起主导和决定作用的精神因素。

【灵榇】灵柩。榇(chèn)。

【灵感】也叫灵感思维。指创造活动中突发式地产生新思维的过程。在这过程中,人的注意力高度集中,思维的意识特别清晰和敏感,想象力活跃,工作效率很高,并伴有一定的情绪兴奋和喜悦。是人类在科学或文艺活动中出现的一种具有创造性的特殊思维方式。

【灵寝】停放灵柩的地方。

【灵长目】哺乳动物中最高等的一目。大脑很发达,面部短,四肢有五趾,能握物。猴和类人猿都属这一目。长(zhǎng)。

【灵敏度】仪器、设备等对微小的外加作用显示出的敏感程度。无线电接收机的灵敏度是指它接收弱无线电信号的能力。电表或天平的灵敏度指每一小单位的量(如微安、毫克)能使指针移动的格数。

【灵丹妙药】也说灵丹圣药。迷信者认为能治好各种病症的药。比喻能解决所有问题的办法。

【灵机一动】指事前没有准备,临时想出办法。灵机:灵活而敏捷的思维能力。

棂(欞) líng 旧式窗户的格子。㊞窗～。

凌 líng ❶冰块。❷侵犯;欺压。㊞盛气～人|～辱。❸升高。㊞～空。❹逼近。㊞～晨。

【凌云】直上云霄。比喻志向高远。㊞壮志～。

【凌厉】形容迅速而猛烈。㊞攻势～。

【凌汛】由于上游冰雪融化,下游河道尚未解冻而出现的河水暴涨现象。

【凌乱】也作零乱。杂乱,没有条理。

【凌迟】也作陵迟。古代最残酷的一种死刑。先分割肢体,然后割断喉管。

【凌空】高入空中。㊞～飘扬。

【凌驾】高出;超越。

【凌虐】欺压;虐待。

【凌辱】欺凌;侮辱。

【凌晨】天快亮的时候。

【凌霄】也叫紫葳。落叶藤本植物。茎上有攀缘的气生根。夏秋开花,花冠钟状,大而鲜艳,橙红色。常栽培在庭院中,供观赏。花、茎、叶都供药用。

陵 líng ❶丘陵。❷陵墓。㊞中山～。

【陵夷】衰微;衰落;衰败。

【陵园】❶以陵墓为主的园林。㊞烈士～。❷古指帝王的墓地。

【陵迟】❶同"凌迟"(624页)。❷陵夷。

【陵庙】指帝王的陵墓和宗庙。

【陵替】❶纲纪不能维持。❷衰落。

【陵墓】坟墓。

【陵寝】帝王的坟墓、寝庙。

蔆☒ líng 同"菱"。

菱(*蔆) líng 俗称菱角。一年生水生草本植物。水上叶略呈三角形。果实可食。

【菱形】四边相等的四边形。

淩☒ líng 同"凌"②③。

绫(綾) líng 丝织物的一种。用桑蚕丝或桑蚕丝同人造丝交织而成。质地较缎轻薄。

棱 ㊁ líng 用于地名,如穆棱(在黑龙江省南部)。
㊀ léng (591页)。
㊂ lēng (591页)。

殑☒ líng 见〔殑殑〕(800页)。

祾 líng 福。

鲮(鯪) líng 也叫土鲮鱼。鱼类。体侧扁,长约30厘米,口小,有须两对。主食藻类。是中国广东、广西重要养殖鱼。

【鲮鲤】即“穿山甲”(141页)。

霛☒ líng “灵”的异体字。

酃 líng 酃县,地名,在湖南东部。今改作炎陵县。

檽☒ líng 同“棂”。

醽☒ líng〔醽醁〕美酒名。醁(lù)。

lǐng ㄌㄧㄥˇ

令 ㊁ lǐng 量词。原张的纸五百张为一令。

㊀ lìng (626页)。

㊂ líng (622页)。

岭(嶺) lǐng ❶山岭。㊀崇山峻～。❷山脉。㊀秦～。❸特指五岭。㊀～南。

【岭南】地名。泛指五岭以南地区。

领(領) lǐng ❶脖子。㊀引～而望。❷衣领。❸大纲;要点。㊀纲～|要～。❹带;引。㊀～头。❺领有的;管辖的。㊀～土|～海。❻接受;领取。㊀～教|～款。❼了解;明白。㊀～会。❽量词。长袍或上衣一件叫一领;席一张叫一领。㊀一～席。❾古又同“岭”。

【领土】在一国主权管辖之下的地球表面的特定部分及其底土和上空。是国家构成要素之一和行使主权的空间。包括领陆、领水、领海和领空。

【领水】一国领土内的河流、湖泊、港口、海湾等。是一国领土的组成部分。

【领主】一般指中世纪受封而领有土地的封建主。他们对上一级封建主是应尽一定义务的附庸,在自己领地内是最高统治者。

【领地】❶指中世纪封建领主受国王或上一级封建主封赐的土地。领主在对上级服兵役、纳贡税和尽其他义务的条件下,可以世袭领地,但不能转让。❷领土。

【领会】理解;明白。

【领导】❶指引;带领。❷领导者。㊀～和群众相结合。

【领陆】主权国家国界以内的陆地(包括岛屿)地域。是国家领土的基本组成部分。

【领事】一国派驻他国某城市或某地区的代表。一般有总领事、领事、副领事和领事代理人。受本国外交部和本国驻该国外交代表领导。其职责主要是负责保护领事区域内本国的国家利益和本国公民、法人的正当权益,管理本国侨民和贸易、航运等事务。领事享有一定的特权与优遇。

【领受】接受(多指接受好意)。

【领空】一国的领陆、内水和领海的上空。是一国领土的组成部分。外国飞机和其他航空器非经该国许可,不得在该国的领空飞行,但一国可根据条约给予外国民用飞机进入和通过该国领空的便利,军用飞机除外。

【领航】由人员使用有关设备引导船舶、飞机航行。

【领海】沿海国主权及于其陆地领土和内水以外邻接其海岸的一带海域。群岛国则及于群岛水域以外邻接其海岸的一带海域。是一国领土的组成部分。沿海国主权及于领海以上的空间及其海床和底土。1982年联合国海洋法会议通过《联合国海洋法公约》,第一次规定每个国家有权确定其领海的宽度,但不得超过12海里。中国政府于1958年9月4日宣布领海宽度为12海里。

【领悟】领会。

【领袖】国家、政治团体、群众组织等的领导人。

【领域】❶一个国家行使主权的区域。❷社会生活中的某种范围。㊀生产～|文化～。

【领教】接受别人的教益或意见(表示客气的话)。

【领略】领会,理解,欣赏。

【领衔】(在文件上共同署名时)署名在最前面。也泛指领头,负责。㊀～主演。

【领情】接受对方的好意或礼物后心里感激。

【领港】引导船舶进出港口。也指担任领港工作的人。

【领属】一方领有、具有,另一方隶属、从属。㊀～关系。

【领事裁判权】帝国主义国家通过不平等条约在一些半殖民地国家攫取的非法特权之一。即帝国主义国家的侨民在居留国犯罪或成为民事诉讼的被告时,居留国法庭无权审判,只能由该国的领事裁判。

lìng ㄌㄧㄥˋ

另 lìng 指示代词。另外；别的。㊀～有任务|～一回事。

【另册】清代造户口册，分为正册、另册。把普通百姓登记在正册，有劣迹的人登记在另册。

【另类】与众不同的、非常特殊的人或事物。㊀这部小说被归入～。

【另起炉灶】比喻事情重新做起。

【另眼相看】用另一种眼光看待，多指把某个人（或某种人）看得不同于一般。

令 ㊀ lìng ❶命令。❷使得。㊀～人兴奋。❸美好。㊀～名。❹敬辞。用于对方的亲属或有关系的人。㊀～兄（称对方的哥哥）。❺时节。㊀冬～。❻古代官名。㊀县～。❼古又同"鸰（líng）"。

㊁ lǐng （625 页）。

㊂ líng （622 页）。

【令尹】古代官名。春秋战国时楚国所设，为最高官职，掌军政大权。

【令坦】指女婿。参见〔东床〕（218 页）。

【令郎】对对方儿子的尊称。

【令爱】也作令嫒。对对方女儿的尊称。

【令堂】对对方母亲的尊称。

【令尊】对对方父亲的尊称。

【令嫒】同"令爱"（626 页）。

【令箭】古时军中发布命令用的一种凭证。形状像箭（有的用小旗，竿头如箭镞），故名。

【令行禁止】下令行动就立即行动，下令停止就立即停止。形容执行命令坚决迅速。《韩非子·八经》："君执柄以处势，故令行禁止。"

【令箭荷花】多年生草本植物。枝扁平，披针形，边缘有疏锯齿。春季开花，花生在茎先端两侧，黄、粉红或红紫色。多在室内栽培。可供观赏。

呤 lìng 见〔嘌呤〕（753 页）。

liū ㄌㄧㄡ

嚠□ liū 拟声词。㊀唏～哗喇。

溜 ㊀ liū ❶滑行；往下滑。㊀～冰|从高坡上～下来。❷光滑。㊀～圆|滑～。❸偷偷地跑掉。㊀～掉。❹沿着；顺着。㊀～边。❺同"熘"。

㊁ liù （633 页）。

熘 liū 一种烹饪方法。先在旺火上把锅烧热再倒入油，待油半热时放入原料过油，随后放进用淀粉汁拌好的调料翻炒几下出锅。

蹓 ㊀ liū 〔蹓跶〕散步。

㊁ liù （633 页）。

liú ㄌㄧㄡˊ

刘（劉） liú 姓。

【刘邦】（前 256—前 195）即汉高祖。西汉王朝建立者。沛县（今属江苏）人。做泗水亭长时，起兵响应陈胜、吴广农民起义，后与项羽领导的农民军同为反秦主力。公元前 206 年推翻秦朝统治。经过楚汉战争，战胜项羽，建立统一的西汉封建王朝。他消灭异姓王，分封同姓王，把东方齐楚大姓西迁关中；重农抑商，释放奴婢；奖励垦荒，发展农业生产。巩固了地主阶级专政，促进了经济、文化的发展。

【刘秀】（前 6—57）即汉光武帝。东汉王朝的建立者。南阳蔡阳（今湖北枣阳西南）人。西汉皇族。王莽末年农民大起义，他起兵加入绿林起义军。公元 25 年建立东汉政权。扩大尚书职权，废除掌握地方军权的郡国都尉，九次发布释放和禁止残害奴婢的法令，并兴修水利，减轻赋税以恢复封建经济。

【刘彻】（前 156—前 87）即汉武帝。在位期间颁行"推恩令"，使诸侯王可以把封国土地分给子弟。实行重农抑商政策，将铸钱、冶铁、煮盐、贸易等重要工商业收归国家专营。多次反击匈奴侵扰，并加强同西域的联系，巩固了中央集权。

【刘备】（161—223）即蜀汉昭烈帝。三国时期蜀汉建立者。字玄德，涿郡涿县（今河北涿州）人。公元 208 年联合孙权败曹操于赤壁，占领荆州。不久又夺取益州（今四川）和汉中（今陕西南部）。公元 221 年在成都称帝，国号汉，统一了西南地区。次年，在夷陵战败，不久病死。

【刘海】❶古代神话中的仙童。他前额垂短发，手舞钱串，骑在蟾上。❷（～儿）。指旧时小孩或妇女垂在前额的一排平整的短发。

【刘基】(1311—1375)明初政治家、哲学家、文学家。字伯温,浙江青田人。元末中进士,弃官归隐,著《郁离子》。明初任御史中丞兼太史令,封诚意伯。博通经史,尤精天文和兵法,善诗文。著有《诚意伯文集》。

【刘瑾】(约1451—1510)明代宦官。陕西兴平人。本姓谈,依宦官刘姓者得用,乃冒其姓入宫。明武宗正德年间受宠信,独揽朝权,网罗私党,镇压异己,侵夺民地,增设皇庄达三百余处。后因谋逆罪下狱,凌迟处死。

【刘徽】魏晋数学家。主要贡献是创造并运用割圆术,通过极限的方法(不很严格)证明了圆面积等于半圆乘半径,再推出圆周率π=3.14(有学者认为已推出圆周率π=3.1416)。他还运用直角三角形的性质,推广古代的重差术,撰写成《海岛算经》,这表明他已掌握了相当复杂的测量方法。经过刘徽注释的《九章算术》支配中国数学的发展达一千多年,是东方数学的代表作,和古希腊欧几里得的《几何原本》交相辉映。

【刘濞】(前215—前154)西汉初诸侯王。沛县(今属江苏)人。刘邦侄,封吴王。他在封国内私自扩张势力。景帝刘启采纳晁错"削藩策"建议,联合楚、赵等六国发动武装叛乱,史称"七国之乱"。叛乱被平定,逃往东越时被东越人杀死。濞(bì)。

【刘天华】(1895—1932)中国现代作曲家、二胡演奏家、音乐教育家。曾在北京艺术专门学校和北平大学任教。创办国乐改进社,编辑《音乐杂志》,第一个把二胡从民间状态引入专业院校。他创作的《光明行》《病中吟》《良宵》《空山鸟语》等是二胡曲中的精品。

【刘少奇】(1898—1969)中国无产阶级革命家、政治家,中国共产党和中华人民共和国的领导人。曾用名胡服等。湖南宁乡人。1921年加入中国共产党。1922年在上海中国劳动组合书记部工作,先后参加领导了粤汉铁路工人大罢工和安源路矿工人大罢工、五卅运动、省港大罢工。大革命失败后,在上海、天津、东北、华北等地从事白区工作。1934年参加长征。抗日战争时期,任中共中央中原局书记。皖南事变后,任新四军政治委员、中共中央华中局书记。1943年返延安,任中央书记处书记和军委副主席。1945年在党的七大上当选为中央政治局委员和中央书记处书记。1947年春,任中共中央工作委员会书记,和朱德一起,负责中共中央的日常工作。1949年9月当选为中央人民政府副主席和人民革命军事委员会副主席。1954年当选为全国人大常委会委员长。1956年中共八大当选为中央副主席。1959年4月,当选为中华人民共和国主席。受林彪、江青等人的残酷迫害,于1969年11月12日在开封不幸逝世。1980年中共十一届五中全会为他恢复名誉。有《刘少奇选集》。

【刘永福】(1837—1917)清末将领,地方武装黑旗军的领袖。广西上思人。雇工出身。曾帮助越南抗法。甲午战争时坚守台湾,抗击日本侵略军。

【刘志丹】(1903—1936)中国无产阶级革命家,陕北红军和陕北革命根据地的创建者之一。陕西保安(今志丹县)人。1925年加入中国共产党。1928年和唐澍等一起领导渭华起义。1929年任中共陕北特委军委书记。九·一八事变后,组织西北反帝同盟军。后改编为陕甘工农游击支队,历任参谋长、副总指挥、总指挥等职。1932年创建红二十六军,发动土地革命,创建陕甘革命根据地。1935年9月任红十五军团副军团长兼参谋长。后任中央革命军事委员会西北办事处副主任和红二十八军军长等职。1936年4月率部参加东征,在山西中阳三交镇战斗中牺牲。

【刘伯承】(1892—1986)中国无产阶级革命家,中国人民解放军的创建人和领导人。原名明昭,四川开县(今属重庆)人。1911年参加辛亥革命,后参加护国、护法运动。1926年加入中国共产党。1927年参加领导南昌起义。1928年留学苏联。1932年进入中央苏区,任中央军委总参谋长。1934年参加长征。1935年参加遵义会议,拥护毛泽东的正确主张。抗日战争时期,任八路军一二九师师长,创建晋冀鲁豫抗日根据地。解放战争时期,历任晋冀鲁豫军区、中原军区、第二野战军司令员。1947年与邓小平率主力千里跃进大别山,这一壮举揭开了中国人民解放军战略进攻的序幕。1948年与邓小平、陈毅等指挥淮海战役,次年参加指挥渡江战役。1949年后,任高等军事学院院长、全国人大常委会副委员长、中共中央军委副主席。是第八届至十一届中央政治局委员。1955年被授予元帅军衔。长期从事军事理论研究，培养了大批中高级军事干部，为解放军的现代化、正规化做出了重大贡献。1986年病逝。有《刘伯承军事文选》。

【刘秉忠】（1216—1274）元初政治家、城市规划家。字仲晦，邢州（今河北邢台）人。曾任光禄大夫、太保等职，为元世祖忽必烈制定过各种典章制度，主持规划兴建元上都（开平，在今内蒙古）、新中都、元大都（北京）。

【刘胡兰】（1932—1947）中国共产党党员。女，山西文水云周西村人。1946年积极带领群众参加土地改革斗争和支援前线工作。1947年1月12日被阎锡山军逮捕，坚贞不屈，面对敌人的铡刀，毫不畏惧，壮烈牺牲。毛泽东亲笔题词"生的伟大，死的光荣"来纪念她。

【刘禹锡】（772—842）唐代文学家、哲学家。字梦得，洛阳（今属河南）人。政治上主张革新，改革失败贬为朗州司马、连州刺史，晚年任太子宾客。其诗通俗清新，善用比兴手法，学习民歌写成的诗《竹枝词》等具有健康开朗的情调。其哲学著作《天论》具有朴素唯物论的思想。有《刘梦得文集》。

浏（瀏） liú 水流清亮的样子。

【浏览】泛泛地、大略地阅览。

【浏览器】一种方便用户查找万维网文件的程序。用户可以使用浏览器在万维网上查看、下载文本文件、图形文件等。

浉⊠ liú 同"流"。

留（*畱*峃*留） liú ❶停止在一个地方。㊀～校|～任。❷不让离开。㊀拘～|挽～。❸接受；收容。㊀收～。❹保留。㊀～有余地。❺注意力放在某处。㊀～心|～神。❻留学。㊀～美|他曾是～苏预备生。

【留鸟】终年栖居生殖地域、不依季节不同而迁徙的鸟类。如乌鸦、喜鹊、画眉等。其中部分种类也具有追寻食饵、作较短距离漂泊的习性，如啄木鸟、山斑鸠等。

【留守】❶留下来担任守卫、联系等工作。㊀～部队|～处。❷古时皇帝离开京城，命大臣驻守，叫留守。❸古代官名。

【留连】同"流连"（629页）。

【留步】客套话。用于客人请主人不要再送。

【留言】用书面形式留下要说的话。㊀～簿。

【留学】指去外国的学校学习。

【留洋】旧指留学。

【留恋】舍不得离开或抛弃。

【留难】故意刁难、阻止。难（nàn）。

【留情】由于照顾情面而宽恕或原谅。㊀手下～|毫不～。

【留滞】停留。

【留置】❶把人或物留下来，放在某处。❷指留置权。

【留声机】早期一种使唱片放出声音来的机器。

【留余地】说话办事不走极端，留下回旋的地步。

【留置权】债权人按照合同约定占有债务人的动产，当债务人逾期不履行债务时，就享有扣留该财产，以该财产折价或以拍卖、变卖该财产的价款优先受偿的权利。

陷□ liú 〔陷隍〕地名。在广东。

馏（餾） ㊀ liú 见〔蒸馏〕（1254页）。㊁ liù（633页）。

骝（騮） liú 黑鬣黑尾巴的红马。

榴 liú 石榴。

【榴火】石榴花红似火，故用以指火红的色彩。

【榴弹】以弹丸爆炸产生的碎片和装药爆炸的爆轰能量杀伤、破坏目标的炮弹。

【榴弹炮】一种火炮。比加农炮身管短、初速小、弹道弯曲。可行高射界（射角在45°以上）射击，最大射角约70°。适用于歼灭、压制敌有生力量和技术兵器，破坏敌工程设施等，尤其适于对遮蔽物后面目标和水平目标射击。

飗（飀） liú 〔飗飗〕微风吹动的样子。

镏（鎦） ㊀ liú 中国特有的一种镀金法。所镏的金层经久不变。㊁ liù（633页）。

鹠（鶹） liú 见〔鸺鹠〕（1107页）。

瘤（*癅） liú 动物身体组织增殖生成的肉疙瘩。

流 liú ❶液体移动。㊀细水长～。❷移动；传播。㊀～星|～行。❸江河的

流水;像水流的东西。㊀河~|气~。❹等级。㊀第一~产品。❺派别。㊀~派。❻向失去原来的精神实质方向发展。㊀~于形式。❼旧时的一种刑罚。㊀~放。

【流亡】因政治或灾害原因而被迫离开家乡或祖国。

【流气】轻浮油滑,不正派。

【流布】传布;传播。

【流生】中途辍学的中小学生。即义务教育阶段未满修业期限而离开学校的学生。

【流失】流散;散失。㊀水土~|人才~。

【流民】指因遭受灾害而流亡外地,生活没有着落的人。

【流刑】古时一种遣送犯人到边远地方服劳役的刑罚。

【流光】❶光阴。因其逝去如流水,故名。❷指月光。❸光彩闪耀。

【流年】❶指光阴。㊀似水~。❷旧时算命、看相,把人一年的运气称为流年。

【流传】传下来或传播开。

【流向】❶水流的方向。❷指货物、人员等流动的去向。㊀人才~趋于合理。

【流行】盛行;传播很广。㊀校园里正在~这首歌|~病。

【流产】❶妊娠未满七个月的胎儿,自然地或用人工方法使其从子宫排出。前者称自然流产,后者称人工流产。❷比喻某种事情由于条件不成熟或遭到挫折而未能实现。

【流芳】好的名声流传下去。㊀巴黎公社的英雄们永垂史册,万古~。

【流苏】装在车马、花轿、帐幕或楼台等物上的下垂穗状装饰物。多用丝线或五彩羽毛制成。

【流求】隋唐时期对台湾的称呼。隋炀帝曾派使者朱宽、陈稜等三次率军到流求慰抚。唐朝时归岭南节度使管辖。

【流连】也作留连。留恋,舍不得离开。㊀~忘返。

【流利】流畅,灵活而不涩滞(指说话、写文章、书法等)。

【流体】液体和气体的统称。二者都富于流动性,有相似的运动规律。

【流言】背后流传的没有根据的话(一般带有诽谤性)。

【流沙】❶在一定的地下水渗流压力作用下,饱水的、处于浮动或流动状态的沙土。❷沙漠地区中不固定的、常随风流动的沙。❸古指中国西北的沙漠地区。

【流转】流动,转移。转(zhuǎn)。

【流畅】流利,通畅。㊀文字~。

【流质】医疗上指食物是属于液体的,也指液体的食物。

【流放】旧时把犯人或触犯朝廷的官吏驱逐到边远的地方去。

【流氓】❶原指无业游民。现在通常指不务正业、为非作歹的人。❷放刁,撒赖,调戏猥亵等恶劣行径。㊀耍~。

【流毒】流传毒害。也指遗留下来的毒害。㊀~甚广|肃清~。

【流荡】闲游;流浪。

【流星】❶见〔流星体〕(630 页)。❷杂技的一种。在长绳的两端系上水碗或火球,甩动长绳,使水碗或火球在空中飞舞。

【流品】品类。旧指人社会地位的高下。特指门第。

【流俗】社会上流行的风气、习惯(多含贬义)。

【流派】❶水的支流。❷指学术思想、文艺创作方面的派别。

【流逝】像流水一样迅速消逝。

【流速】单位时间内流体运动的距离。单位是米/秒。

【流离】由于灾荒战乱而流转离散。

【流浪】生活没有着落,到处转移飘泊。

【流通】❶流动,畅通。㊀空气~。❷指商品流通和货币流通。

【流域】一个水系的干流和支流的整个集水区域或受水面积。以平方千米为计算单位。如黄河流域。

【流徙】到处转移,没有固定居处。徙(xǐ):迁移。

【流寇】指到处流窜、没有固定据点的盗匪。

【流弹】乱飞的或意外地射来的枪弹、炮弹。

【流落】生活穷困,在外流浪,无处安身。

【流量】指流体在单位时间内通过某一横断面的总量。一般以每秒流过若干立方米计算。

【流程】工艺流程的简称。

【流窜】没有固定的地方,到处流动乱逃(多指盗匪或残敌)。

【流感】流行性感冒的简称。

【流弊】由于事物本身不完善或工作中有偏差而产生的弊端,也指相沿袭而成的弊端。

【流露】不由自主地表现出来。㊀~了真情。

【流水对】对偶的一种。上下句意思相关，表达连贯、递进、因果、假设、条件等关系的对偶句。如“即从巴峡穿巫峡，便下襄阳向洛阳”。

【流水账】每天记载金钱或货物出入的、不分类别的账簿。也比喻不分主次地罗列事物现象的叙述和记载。

【流行色】指一定时期、一定地区内深受人们喜爱而流行的颜色，多在时装和纺织品上表现出来。

【流纹岩】喷出岩的一种。由酸性岩浆喷出地表冷却凝固而成。主要由长石、石英、黑云母等矿物组成。具有流纹构造，故名。

【流转税】以商品交换和提供劳务为前提，以商品流转额和非商品流转额为课税对象的税种。

【流线型】前头圆、后头尖，表面光滑，略像水滴的形状。具有这种形状的物体在空气中或水中运动时所受阻力最小。小轿车、飞机机身、潜水艇等的外形常做成这种形状。

【流星体】行星际空间的小天体。沿同一轨道绕太阳运行的大群流星体，称流星群。闯入地球大气层的流星体，因同大气摩擦燃烧而产生光，划过长空，叫做流星现象。公元前 687 年中国就有天琴座流星群的最早记录。

【流星雨】短时间内出现许多流星的现象。是由一群行星际空间的小天体闯入地球大气层，和大气摩擦燃烧而形成的。

【流水地貌】流水对地表物质侵蚀、搬运和沉积作用后所形成的地貌。主要分流水侵蚀地貌和流水沉积地貌。前者如河谷、峡谷等，后者如河流中下游平原、河口三角洲、江心洲、冲积扇等。

【流水作业】一种组织生产的方法。把生产过程划分为若干工序，按一定的顺序、速度进行生产。现也用于某些工作。

【流动比率】流动资产与流动负债的比值。反映企业偿还短期债务的能力。

【流动资本】表现为原材料、燃料、辅助材料和劳动力的生产资本。其特点是一次性投入生产过程，随着产品销售，其价值一次性全部周转回来。与“固定资本”相对。

【流动资产】可以在一年内或超过一年的一个营业周期内变现或耗用的资产。

【流动基金】也叫流动资金。会计报表上指企业流动资产减去流动负债后的净额。来源于本年净利润和其他渠道。其用途包括利润分配和购置固定资产、在建工程支出、偿还长期负债、增加无形资产、增加长期投资等方面。

【流言蜚语】《礼记·儒行》：“久不相见，闻流言不信。”《史记·魏其武安侯列传》：“乃有蜚语，为恶言闻上。”后以流言蜚语指毫无根据的话。多指背后散布的诽谤性的坏话。蜚（fēi）：同“飞”。

【流离失所】由于灾荒战乱等而流转离散在外，失掉安身的地方。

【流通费用】因商品流通而消耗的各种费用。分生产性流通费用和非生产性流通费用。前者指因生产的职能在流通过程中的延续而发生的费用，如包装、保管、运输等方面的费用；后者指纯粹用于商品价值实现上的费用，如直接用于购买商品的费用、广告费、簿记费、商业工人的工资等。

【流行性感冒】简称流感。由流感病毒引起的呼吸道急性传染病。常造成暴发性大面积流行。发病急，有高热、肌肉酸疼、咽疼、声哑、干咳等全身性症状。

【流行性出血热】也叫肾综合征出血热。由病毒引起的急性传染病。通过野鼠身上的螨叮咬传播。主要症状是高热、休克、皮肤出血，大便、尿及呕吐物中带血，全身无力和肾脏损害等。流行于新开垦的农田或草原森林。灭鼠、灭螨是主要预防措施。

【流星余迹通信】利用流星穿过大气层时留下的电离余迹对电波的反射作用来实现的远距离通信方式。通常使用甚高频频段（30—100 兆赫），通信距离可达 2 000 千米。

【流行性乙型脑炎】也叫大脑炎。由乙型脑炎病毒引起的急性传染病。常发生于夏秋季，由蚊子叮咬传播。病毒主要侵犯中枢神经系统。有高热、头疼、呕吐、昏迷、抽风等症状。注射疫苗可预防。

【流水不腐，户枢不蠹】流动的水不会腐臭，经常转动的门轴不会被虫蛀。比喻经常运动的东西不易受侵蚀。《吕氏春秋·尽数》：“流水不腐，户枢不蝼，动也。”枢（shū）：转轴。蠹（dù）：虫蛀。

【流行性脑脊髓膜炎】简称流脑。也叫脑膜炎。由脑膜炎双球菌引起的急性传染病。患者多为儿童。有高热、头痛、呕吐、颈肌强直、惊厥甚至昏迷等症状。皮肤、黏膜有出血性皮疹。注射流脑疫苗可预防。

L

鎏 liú ❶成色好的金子。❷同“镏(liú)”。

琉(*瑠*璢) liú 见下。

【琉璃】一种用铝和钠的硅酸盐化合物烧成的釉料。常见的有绿色和金黄色两种。加于毛坯的外层,烧制成带釉的盆、缸、砖瓦等。

【琉璃瓦】内层用较好的黏土,表面涂琉璃烧制成的黄、蓝、绿等色的瓦。

【琉球群岛】东海与太平洋间一连串岛屿、珊瑚礁的总称。自东北至西南大致成弧形分布。以冲绳岛最大。属日本。

硫 liú 俗称硫黄。非金属元素,符号S,原子序数16。黄色固体,质脆。工业上用于制硫酸、橡胶制品、医药、农药等。

【硫化】物质与硫或硫化物起反应的过程。在橡胶加工工业中,指生橡胶加入硫黄或其他物质,使橡胶分子交联形成网状或体型结构,制成熟橡胶的过程。

【硫黄】旧作硫磺。硫的俗称。

【硫酸】无机酸,化学式 H_2SO_4。强酸性。纯品为无色油状液体,具有强烈的吸水性和腐蚀性,有氧化性。能损伤衣物、皮肤。在配制溶液时,切忌加水入酸,必须将酸缓滴入水中。广泛用于石油、化工、冶金等工业中。

【硫酸雾】也叫酸雾。通常指大量飘浮的硫酸微粒形成的烟雾。由矿物燃料燃烧或矿物冶炼、硫酸生产等过程中排放的含硫氧化物废气造成,是一种大气污染现象。

【硫酸亚铁】也叫硫酸低铁。治疗缺铁性贫血的一种药物。主要用于由慢性失血、营养不良、妊娠、儿童发育等引起的贫血。参见〔抗贫血药〕(552页)。

旒 liú ❶旗子上的飘带。❷古代帝王礼帽前后的玉串。

瘳☒ liú 焚烧山地上的草木然后下种。

镠(鏐) liú 也叫紫磨金。纯美的黄金。

liǔ ㄌㄧㄡˇ

柳(*栁*桺) liǔ ❶落叶乔木或灌木。种类很多。有垂柳、旱柳、杞柳等。叶狭长,种子有毛。枝条柔韧,可供编织。❷星名。二十八宿之一。

【柳永】(？—约1053)北宋词人。原名三变,字耆卿,排行第七,世称柳七。建州崇安(今福建武夷山市)人。曾任屯田员外郎。为人放荡不羁,终身潦倒。他善于写长调(慢词),工于铺叙,通俗明畅,音律谐婉,内容多描写城市风光和歌妓生活。对词的发展起了一定作用。有《乐章集》。

【柳州】市名。位于广西壮族自治区中部,湘桂、黔桂、焦柳等铁路交会处。人口77万(1997年)。是全区最大的工业中心和交通枢纽,有机械、钢铁、有色冶金、建材等工业。风景名胜有柳侯祠、鱼峰山、马鞍山等。

【柳体】唐代柳公权所写的一种书法体式。笔画劲拔,结构紧凑,骨力遒健,尤以楷书知名。流传作品有《玄秘塔碑》《神策军碑》等。

【柳莺】鸟类。身体比麻雀瘦小,羽毛主要为黄绿以至暗褐色,玲珑活泼。常生活在森林草丛间,以昆虫为食。

【柳琴】拨弦乐器。形似琵琶而较小。原为二弦七品,戴假指套拨弹。现经改革增至三或四弦二十四品,改用拨子弹。发音清脆爽朗。是柳琴戏、泗州戏的主要伴奏乐器,现也用于独奏及合奏。

【柳棉】柳絮。

【柳絮】柳树种子上生的白色绒毛,成熟后随风飞散。

【柳公权】(778—865)唐代书法家。字诚悬,京兆华原(今陕西耀县)人。书学王羲之,后采众家所长,得力于欧阳询、颜真卿,自成一体,楷书尤其有名,对后世影响很大。与颜真卿并称“颜柳”。代表作有《玄秘塔碑》《金刚经》等。

【柳亚子】(1887—1958)中国近代诗人、政治家。原名慰高,又名人权、弃疾,号安如、亚庐,江苏吴江人。早年加入爱国学社,后参加同盟会。1909年与陈去病等创立南社。国民党改组后,拥护孙中山联俄、联共、扶助农工三大政策。四·一二政变后,遭蒋介石通缉逃往日本。抗日战争时期与宋庆龄等从事抗日民主运动。抗战胜利后,任中国国民党革命委员会中央常委。1949年后任全国人大常委。有《柳亚子诗词选》。

【柳宗元】(773—819)唐代文学家、哲学家。

字子厚，河东解县（今山西运城解州镇）人。曾参与王叔文派的政治革新活动，遭到顽固势力的迫害，被贬为永州司马，后任柳州刺史。具有朴素唯物论思想，强调文学的社会作用，反对六朝以来的骈体文，倡导古文运动。是唐宋八大家之一。所作寓言讽刺小品文、山水游记等具有独特风格。有《河东先生集》。

【柳拐子病】即“大骨节病”（169页）。

【柳暗花明】宋陆游《游山西村》诗：“山重水复疑无路，柳暗花明又一村。”后多用“柳暗花明”形容树木成荫、鲜花盛开的美丽景象。也比喻在困难中遇到转机。

㤡☒（懰） liǔ 形容美好。

绺（綹） liǔ 量词。线、麻、头发、胡须等细丝状的东西许多根顺着聚在一起叫一绺。

锍□（鋶） liǔ 化学用字。有机四价硫阳离子，如氢氧化四甲锍$(CH_3)_4S^+OH^-$。

罶☒ liǔ 古代捕鱼的竹篓。

liù ㄌㄧㄡˋ

六 ㊀ liù ❶数目。五加一的和。❷工尺谱记音符号之一。相当于简谱的“5”。

㊁ lù（639页）。

【六艺】古指礼、乐、射、御、书、数六种才能和技艺。孔子曾把它列为教学内容。汉朝以后也指《易》《礼》《乐》《诗》《书》《春秋》六经。参见〔五经〕（1042页）。

【六书】中国汉代人分析汉字形体而归纳出来的六种造字方法。即象形、指事、会意、形声、转注、假借。

【六甲】❶古神名、星名。❷古术数（用各种方法推测人的气数、命运）的一种。❸旧时妇女怀孕称身怀六甲。

【六尘】佛教名词。指色、声、香、味、触、法六境。此六境与六根相接，则染污净心，故名尘。

【六合】古指天地和东南西北。也泛指宇宙。

【六法】中国古代品评绘画的标准。南齐谢赫在《画品》中列举的六法为：气韵生动，骨法用笔，应物象形，随类赋彩，经营位置，传移模写。

【六官】《周礼》以天官冢宰、地官司徒、春官宗伯、夏官司马、秋官司寇、冬官司空分掌邦政，称六官或六卿。

【六经】见〔六艺〕（632页）。

【六亲】❶指父、母、兄、弟、妻、子。一说指父、母、兄、弟、夫、妻。❷泛指亲属。

【六根】佛教名词。佛教以人身之眼、耳、鼻、舌、身、意为六根。根是“能生”的意思，由眼、耳等对于色、声能生起感觉，故名根。

【六卿】❶古代统军执政之官。❷《周礼》把执政大臣分为六官，也称六卿。后世往往称吏、户、礼、兵、刑、工六部尚书为六卿。❸春秋后期晋国有范氏、中行氏、知氏、韩氏、赵氏、魏氏六家为卿，合称六卿。

【六部】隋唐开始设置的中央行政机构中吏、户、礼、兵、刑、工六个部的合称。隋朝六部属尚书省。元朝改属中书省。明朝取消中书省，直属皇帝。各部的最高官职为尚书，副职为侍郎。

【六畜】六种家畜。指马、牛、羊、猪、狗、鸡。

【六欲】指人的各种欲望。一说是生、死、耳、目、口、鼻的欲望；佛家认为是色欲、形貌欲、威仪姿态欲、言语音声欲、细滑欲、人想欲。

【六朝】三国时的吴，东晋，南朝的宋、齐、梁、陈，都建都建康（今南京），合称六朝。

【六腑】见〔脏腑〕（1226页）。

【六六六】一种有机氯杀虫剂，分子式$C_6H_6Cl_6$。曾是一种广泛使用的杀虫剂，但因其在环境中很难分解，对人、畜有害，中国和多数国家已禁止使用。

【六神丸】中成药。内含麝香、蟾酥、雄黄、冰片等。用于治疗咽喉肿痛、扁桃体炎等。

【六扇门】旧指官府、衙门。

【六丁六甲】道教神名。道教认为六丁（丁卯、丁巳、丁未、丁酉、丁亥、丁丑）是阴（女）神，六甲（甲子、甲戌、甲申、甲午、甲辰、甲寅）是阳（男）神，为天帝所役使，能制服鬼神。

【六尺之孤】没有父亲的未成年的孩子。

【六法全书】国民党统治时期的六种法律汇编。即宪法、民法、刑法、商法、民事诉讼法、刑事诉讼法的总称。

【六神无主】形容心慌意乱，没有主意。六神：道教指所谓主宰人体的心、肺、肝、肾、脾、胆等六脏的神灵。

【六一国际儿童节】简称儿童节。1949年国际民主妇女联合会为了保障全世界儿童生存、保健和受教育的权利，在莫斯科举行的会议上决定以6月1日为国际儿童节。

陆(陸) ㊁ liù 数目"六"的大写。多用于票证、账目等。
㊀ lù (639页)。

碌(＊磟) ㊁ liù 〔碌碡〕也叫石滚。农具名。圆柱形，用石头做成，用来轧场(cháng)或轧地。碡(zhou)。
㊀ lù (641页)。

遛 liù ❶闲走。[例]到街上～了一趟。❷牵着牲畜或带着鸟慢慢走。[例]～马|～鸟。

馏(餾) ㊁ liù 把凉了的熟食物蒸热。[例]～馒头。
㊀ liú (628页)。

溜 ㊁ liù ❶急流。[例]河里～很大。❷房顶上流下来的雨水。[例]檐～。❸房檐上安的接雨水用的长槽。❹行列。[例]一～三间房。
㊀ liū (626页)。

镏(鎦) ㊁ liù 〔镏子〕戒指。[例]金～。
㊀ liú (628页)。

蹓 ㊁ liù 同"遛"①。
㊀ liū (626页)。

霤[⊠] liù 同"溜(liù)"②③。

鹨(鷚) liù 鸟类。体小，嘴细长。食昆虫，是益鸟。

lo ·ㄌㄛ

咯 ㊁ lo 助词。相当于"了(le)"②。[例]当然～！|那可好～！
㊀ kǎ (545页)。
㊂ gē (314页)。
㊃ luò (651页)。

lóng ㄌㄨㄥˊ

龙(龍) lóng ❶中国古代传说中的一种神异动物。古代用龙作为皇帝的象征。[例]～颜|～袍。❷古生物学上指古代一些巨大爬行动物。如恐龙、翼手龙等。❸古又同"垄(lǒng)"。

【龙门】❶即禹门口。在山西河津西北。❷也叫伊阙。在河南洛阳南。有著名的龙门石窟。❸地名。在广东惠州。

【龙王】古代神话传说中说它是水中鱼虾等水族之王，能兴云布雨。旧时迷信的人向它求雨。

【龙井】❶地名。在浙江杭州南高峰前。❷绿茶的一种。产于浙江杭州龙井等地。

【龙头】❶自来水管或液体容器上管开关的活门。❷比喻起带头作用的事物。[例]～企业。

【龙虾】节肢动物。体粗壮，圆柱形而略扁平，长30厘米以上，色鲜艳，常有美丽斑纹。头胸甲坚硬多棘，两对触角很发达，腹部较短。栖息于海底，肉味鲜美，是名贵的经济虾类。

【龙骨】❶指古代某些巨大动物的骨骼(或牙齿)的化石。中医用作药材。❷像脊椎和肋骨那样的支撑和承重结构。多见于船只、飞机、建筑物等。

【龙钟】衰老、行动不灵便的样子。[例]老态～。

【龙套】也叫文堂。传统戏曲中扮演兵卒、夫役等群众角色的统称。因穿着绣有龙纹的服装而得名。

【龙债】在除日本之外的亚洲地区发行的一种以非亚洲国家货币计价的债券。

【龙脑】有机化合物，分子式$C_{10}H_{17}OH$。龙脑树干析出的白色晶体，具有类似樟脑的香气。通常用化学方法合成。其右旋体在中医学上习称冰片。也可用于制樟脑的原料。

【龙眼】也叫桂圆。常绿乔木。果实球形，果肉味甜多汁，可食。原产于中国，是南方特产果树。

【龙船】装饰成龙形的船，有的地区在端午节用来举行划船竞赛。

【龙爪槐】落叶乔木。园艺上槐的变种。用嫁接的方法繁殖。枝条屈曲下垂，供观赏。

【龙舌兰】多年生草本植物。茎短，叶丛生，肉质，长形而尖，边缘有钩刺。十几年后自叶丛抽出高大的花茎，顶生许多花朵，淡黄绿色。花后植株死亡。可供观赏。

【龙卷风】一种小范围的猛烈旋风。风速几十米每秒到百米每秒以上。所经路程几十米到几十千米，持续时间几分钟到几十分钟，如达地面，破坏力很大。其中心有漏斗状云体自积雨云下垂，所以在远处可以看到。

【龙骨车】也叫翻车、踏车、水车。用人、畜、风和水力带动提水的一种传统排灌工具。公元186年由东汉时的毕岚发明，三国时魏人马钧又加以改进，是当时先进的灌溉工具。

【龙泉窑】宋代著名瓷窑之一。在今浙江龙泉，现仍为著名瓷器产地之一。

【龙涎香】一种名贵的动物香料和药材。一般认为是抹香鲸体内未完全消化食物形成的结石。蜡状胶块，外观像琥珀，燃烧时香气四溢。入药有行气活血、散结止痛等作用。

【龙山文化】也叫黑陶文化。中国新石器时代晚期的一种文化。距今约四千年。主要分布在黄河中下游、辽东半岛和江淮地区。1928年在山东章丘龙山镇首次发现，故名。当时经济生活以农业为主，畜牧业较发达，出现私有制。已由母系氏族公社进入父系氏族公社，属于原始社会末期阶段。

【龙门石窟】也叫伊阙石窟。大型佛教石窟群。开凿于488年。在河南洛阳。共有洞窟2 100余处，佛教造像10万余尊。以古阳洞、宾阳中洞、莲花洞、奉先寺和万佛洞为典型。是全国重点文物保护单位。

【龙飞凤舞】形容气势奔放雄壮。宋苏轼《表忠观碑》："天目之山，苕水出焉，龙飞凤舞，萃于临安。"后多形容书法笔势有力，活泼舒展。

【龙生九子】古代传说，龙生的九个小龙，形状、性格均不相同。用以比喻同胞兄弟品质、爱好不一样。

【龙争虎斗】形容双方势均力敌，斗争十分激烈。

【龙腾虎跃】像龙一样飞腾，像虎一样跳跃。形容威武雄壮、非常活跃。

【龙潭虎穴】比喻非常凶险的环境。

【龙蟠虎踞】即"虎踞龙蟠"(410页)。

茏(蘢) lóng 古书上说的一种草。

【茏葱】草木青翠茂盛。

咙(嚨) lóng 喉咙；咽喉。

泷⊠(瀧) lóng 〔泷㟅〕高耸的样子。㟅(zōng)。

泷(瀧) ㊀ lóng 急流的水。多用于地名，如七里泷(在浙江)。㊁ shuāng (918页)。

珑(瓏) lóng ❶古代迷信求雨时所用的玉，上刻龙纹。❷见〔玲珑〕(676页)。

栊(櫳) lóng ❶窗户。❷养鸟兽的笼架栅栏。

昽(曨) lóng 见〔曚昽〕(676页)。

胧(朧) lóng 见〔朦胧〕(676页)。

砻(礱) lóng ❶去掉稻壳的工具。多用竹木制成，形状略像磨。❷用砻去掉稻壳。

眬(矓) lóng 见〔蒙眬〕(676页)。

聋(聾) lóng 耳朵听不见声音。

笼(籠) ㊀ lóng ❶笼子。㊎竹～。❷笼屉(tì)。㊎蒸～。㊁ lǒng (635页)。

【笼屉】用竹、木、铁皮等制成的蒸食物的炊具。

𨅬⊠(蹱) lóng 〔𨅬蹱〕龙钟。蹱(zhōng)。

鞴⊠(韝) lóng 〔牢鞴〕牢笼。

隆 lóng ❶盛大。㊎～重。❷兴盛。㊎兴～。❸深厚；程度深。㊎～情厚谊|～冬。❹凸起。㊎～起。

【隆冬】冬季最寒冷的时期。

【隆重】盛大庄严。㊎大会～开幕。

【隆准】高鼻梁。

【隆隆】拟声词。沉重的震动声。㊎雷声～|炮声～。

【隆替】兴盛和衰落。

【隆中对】东汉末隐居隆中(今湖北襄阳西)的诸葛亮对刘备作治世大计的谋划。刘备三顾茅庐向诸葛亮请教兴汉室、图霸业的方略。诸葛亮分析天下形势，提出占据荆益二州，安抚边裔，整顿内政，外结孙权，协力拒曹，待机袭取宛洛，主力出击秦川，进图中原，以求一统，史称"隆中对"。刘备依照这个谋略，建立了与魏吴鼎立的蜀汉政权。

滝□ lóng 用于地名，如永滝河(在湖北)。

癃 lóng ❶衰弱多病。❷中医病证名。指小便不利。㊎～闭。

窿 lóng 〈方〉煤矿坑道。

lǒng ㄌㄨㄥˇ

佬☒**（儱）** lǒng 〔佬侗〕笼统。侗(tǒng)。

陇（隴） lǒng ❶陇山，山名，在陕西、甘肃交界处。㊀～右。❷甘肃的别称。❸古又同"垄"。

【陇海铁路】东起江苏省连云港市，西到甘肃省兰州市，中经安徽、河南、陕西等省，长1 735千米。沿线同京沪、京九、京广、同蒲、宝成等铁路相交，西与兰新、兰青、包兰等铁路相接。是中国东西交通的大干线。

垅（壠） lǒng "垄"的异体字。

拢（攏） lǒng ❶总；合。㊀～共|收～。❷收束使不松散。㊀用绳子把柴～住。❸靠近；到达。㊀～岸。❹梳理(头发)。㊀～头发。

垄（壟） lǒng ❶在耕地上培成的土埂。㊀打～|～沟。❷农作物的行(háng)。❸田埂。❹像垄的东西。㊀瓦～。

【垄作】起垄种植。把作物种在培出的垄上，有加厚松软的土层、防止雨涝等作用。

【垄断】❶指少数资本主义大企业通过协议或联合，对某一部门或几个部门产品的生产、价格和市场实行操纵和控制。目的是为了获取高额垄断利润。❷指完全垄断的市场结构类型。

【垄断价格】垄断资本家依靠垄断地位对商品规定的超过生产价格或价值的价格。

【垄断利润】垄断资本家凭借其在生产和流通领域中的垄断地位而获得的超过平均利润的高额利润。

【垄断资本】也叫独占资本。凭借垄断以攫取高额垄断利润的大资本。

【垄断竞争】在一个市场中有许多厂商生产和销售有差别的同种产品的市场结构类型。形成垄断竞争的条件主要有：在同一行业中有许多企业生产有差别的、可以互相替代的同种产品；在同行业中企业数量足够多，以致每个企业都认为自己的行为对竞争对手不构成重大影响，而自己也不会受竞争对手的任何报复措施的影响；厂商的生产规模较小，进入和退出该行业较容易。该市场结构在资源配置效率上略低于完全竞争市场。

【垄断资本主义】垄断资本占统治地位的资本主义。与"自由资本主义"相对。

【垄断资产阶级】指垄断国家的经济命脉，直接控制国家机器的大资产阶级。为了攫取高额利润和争夺世界霸权，他们对内剥削压迫本国劳动人民，对外争夺销售市场、原料产地和投资场所，奴役、掠夺殖民地和发展中国家，直至发动侵略战争。

笼（籠） ㊁ lǒng 遮盖。㊀～罩。
㊀ lóng (634页)。

【笼络】使用手段拉拢人。

【笼统】概括，不具体。

【笼罩】像笼子似地罩在上面。㊀晨雾～着田野。

赟□**（篢）** lǒng 箱笼。也用于地名，如织赟(在广东)。

lòng ㄌㄨㄥˋ

弄（*衖） ㊁ lòng 〈方〉小巷。㊀里～|～堂。
㊀ nòng (726页)。
"衖"，另音 xiàng (1078页)。

哢☒ lòng 鸟鸣。

峼□ lòng 壮族称石山间的小片平地。也用于地名，如七百峼(在广西)。

lōu ㄌㄡ

塿☒**（塿）** lōu ❶疏松的土。❷小坟堆。

搂（摟） ㊀ lōu ❶用手或工具把东西向自己方向聚集。㊀～柴禾。❷用手段尽力谋取(钱财)。㊀～钱。❸用弯着的手指向里扳。㊀～扳机。
㊁ lǒu (636页)。

瞜□**（瞜）** lōu 〈方〉看。

lóu ㄌㄡˊ

剅 lóu 〈方〉堤坝下面排水、灌水的口子；横穿河堤的水道。㊀～口|～嘴。

L

娄(婁) lóu ❶星名。二十八宿之一。❷古又同"屡(lǚ)"。

【娄子】〈方〉麻烦;事端。㊙捅～|惹～。

偻(僂) ㊁ lóu ❶见〔佝偻病〕(332页)。❷〔偻啰〕同"喽啰"(636页)。

㊀ lǚ (643页)。

蒌(蔞) lóu 〔蒌蒿〕通称水蒿。多年生草本植物。叶羽状分裂,下面密生灰白色细毛,可作艾的代用品。

喽(嘍) ㊁ lóu 〔喽啰〕也作偻啰。旧指盗匪头目的部下。现比喻追随恶人的人。

㊀ lou (637页)。

溇(漊) lóu 溇水,水名,在湖南。

楼(樓) lóu ❶两层或两层以上的房屋。㊙～房。❷楼房的一层。㊙一～|三～。❸用于某些店铺的名称。㊙酒～|银～|影～。

【楼市】指房产市场。

【楼兰】古鄯善国的本名。参见〔鄯善〕②(858页)。

【楼花】各种手续已办好,地基已打好,楼层已超出地面并开始对外销售的建筑物。

【楼盘】住宅开发业指兴建或出售的商品楼。

【楼阁式塔】中国佛塔主要类型之一。塔身仿多层楼宇建筑形式建造而成。塔中通常设有楼梯,可达塔顶。中国现存唯一木构楼阁式塔为山西佛宫寺释迦塔。

耧(耬) lóu 中国传统播种农具。木制,一行或双行条播,同时完成开沟、下种和覆土作业。

蝼(螻) lóu 〔蝼蛄〕也叫蛞蝼。俗称土狗子。通称蝲蝲蛄。昆虫。生活在土中,前足能掘土。是咬食农作物幼苗、根、茎的地下害虫。

髅(髏) lóu 见〔髑髅〕(228页)、〔骷髅〕(566页)。

lǒu ㄌㄡˇ

搂(摟) ㊀ lǒu 两臂合抱。㊙～在怀里。

㊁ lōu (635页)。

嵝(嶁) lǒu 见〔岣嵝〕(333页)。

篓(簍) lǒu 篓子,用竹、荆条、苇篾等编成的盛东西的器物。㊙油～|纸～。

lòu ㄌㄡˋ

陋 lòu ❶丑的;坏的;不合理的。㊙丑～|～习。❷狭小,简陋。㊙～室|因～就简。❸(见闻)少。㊙浅～|孤～寡闻。

【陋规】不好的、不合理的惯例。

【陋俗】不好的习俗。㊙破除～。

镂(鏤) lòu 雕刻。㊙～刻|～花。

【镂空】雕刻出穿透物体的花纹或文字。

【镂月裁云】雕刻月亮,剪裁云彩。比喻手艺十分细致精巧。

【镂冰雕朽】形容事不可成,徒劳无功。

【镂骨铭心】即"刻骨铭心"(559页)。

瘘(瘻) lòu 瘘管,人和动物体内由于外伤、脓肿在内脏与体表或脏器之间形成的管道。病灶分泌物由此管流出。医疗上也常用人造瘘管引流。

漏 lòu ❶(东西)从孔或缝中流出或掉出。㊙水～完了。❷指器物上有漏洞。㊙锅～了|口袋～了。❸遗漏。㊙挂一～万。❹泄露。㊙走～风声。

【漏电】也说跑电。由于绝缘损坏或其他原因而引起的电流泄漏。漏电不只消耗电能,而且可能损坏电器设备或造成人身伤亡。

【漏卮】渗漏用的酒器。比喻利权外溢的漏洞。卮(zhī):古代盛酒的器皿。

【漏网】鱼从网眼里逃掉。比喻(罪犯、敌人等)没有被捕获或歼灭。

【漏夜】深夜。

【漏洞】可漏出东西的小孔。比喻说话、办事中的破绽(zhàn)或不周密的地方。

【漏壶】古时利用水的滴漏来计时的器具。

露 ㊁ lòu 义同"露(lù)"。用于口语。

㊀ lù (641页)。

【露怯】〈方〉因缺乏知识而使言谈举止出现可笑的错误。

【露脸】脸上增光。

【露馅儿】比喻露出了真相。

【露马脚】比喻隐蔽的事实真相泄露出来。

lou ·ㄌㄡ

喽(嘍) ㊀ lou 助词。相当于“啦(la)”。㊙我们胜利～！
㊁ lóu(636 页)。

lū ㄌㄨ

撸(擼) lū ❶捋。㊙～起袖子。❷〈方〉斥责；训斥。㊙挨了一顿～。❸〈方〉撤销(职务)。

噜(嚕) lū 〔噜苏〕啰唆。苏(su)。

lú ㄌㄨˊ

卢(盧) lú 姓。

【卢比】英语音译词。巴基斯坦、毛里求斯、斯里兰卡、印度等国的本位货币均译为卢比。

【卢布】俄语音译词。俄罗斯等国的本位货币。

【卢梭】让·卢梭(1712—1778)法国激进的资产阶级理论家、文学家，启蒙运动首领。反对封建专制制度和贵族僧侣的特权，指出私有制的出现和发展是产生社会不平等的原因。提出社会契约说，主张建立资产阶级民主共和国。著有《民约论》《论人类不平等的起源和基础》《忏悔录》《爱弥儿》等。

【卢沟桥】位于北京市广安门西南，永定河上。初建于金大定二十九年(1189)，成于金章宗明昌三年(1192)。明、清两代屡有修缮。由十一孔石拱组成。桥两侧建有石栏，其上共有精刻石狮约 500 个，姿态各殊，生动雄伟。1937 年 7 月 7 日中国军队在此抗击日本帝国主义的侵略，揭开了抗日战争的序幕。1961 年国务院将卢沟桥列为全国重点文物保护单位。

【卢浮宫】也译作罗浮宫。法国皇家宫殿建筑群。建于 1546—1878 年，在法国巴黎市中心。设计人为勒斯克等建筑师。平面为四合式院落，其东柱廊立面全长 172 米，高 28 米，底部基座高约 10 米，横向分为五段。中部为两层高的双柱廊，采用倚柱和山花檐口强调中轴线。东柱廊两端的突出部分用壁柱装饰。其内院立面的装饰精致而富于层次。皇宫以其雄伟的建筑风格，成为法国绝对君权的纪念碑。1793 年起辟为国家博物馆和艺术品陈列馆。

【卢瑟福】欧内斯特·卢瑟福(1871—1937)英国物理学家。出生于新西兰。主要贡献是发现了 α 射线和 β 射线，预言了铀后元素的存在，提出了原子的核式结构学说，实现了第一个人工核反应。获 1908 年诺贝尔化学奖。

【卢沟桥事变】即“七七事变”(766 页)。

垆(壚) lú ❶暗棕色较硬的土。㊙～土。❷酒店安放酒瓮的土台。也指酒店。

【垆坶】英语音译词。壤土的旧称。

泸(瀘) lú ❶泸水，古水名，今金沙江在四川宜宾以上、云南四川交界处的一段。❷泸水，水名，即今怒江。

【泸州】市名。位于四川省东南部，沱江与长江汇合处。人口 36 万(1997 年)。有化学、机械、酿酒等工业，以泸州老窖酒著名。

【泸州大曲酒】中国名酒之一。产于四川泸州。以糯高粱为原料，用小麦制曲酿造而成。味醇厚香美。以泸州老窖特曲为最著名。

纑☒(纑) lú 可以织布的细麻线。

栌(櫨) lú 见〔黄栌〕(427 页)。

轳(轤) lú 见〔辘轳〕(642 页)。

胪(臚) lú 陈列；陈述。㊙～陈｜～情(陈述心情)。

【胪列】列举。

鸬(鸕) lú 〔鸬鹚〕也叫水老鸦、鱼鹰。鸟类。身体比鸭狭长，体羽为金属黑色，善潜水捕鱼，飞行时直线前进。中国南方多饲养来帮助捕鱼。

眬☒(矑) lú 瞳人；黑眼珠。

铲□(鑪) lú 金属元素，符号 Rf，原子序数 104。有放射性，由人工核反应获得。
“鑪”，另见“炉”(638 页)。

颅(顱) lú 脑盖。也指头。㊙～骨｜头～。

【颅骨】也叫头骨。人和脊椎动物头部的骨

质支架。由许多骨块组成,有保护和支持作用。人的颅骨后上部为脑颅,主要包括额骨、顶骨、颞骨、枕骨等;前下部为面颅,形态比较复杂,主要包括鼻骨、泪骨、颧骨、上颌骨、下颌骨等。

轳☒(**蠦**) lú〔轳蜂〕小黑蜂。

舻(**艫**) lú 见〔舳舻〕(1294页)。

鲈(**鱸**) lú 鱼类。体侧扁,长可达60厘米。栖息于近海,食鱼、虾。中国沿海均产。

芦(**蘆**) ㊀ lú 芦苇,多年生草本植物。多生在水边,茎光滑,可编席和造纸。

㊁ lǔ (638页)。

【芦荟】多年生草本植物。叶肥厚,液汁可浓缩为干燥品。用于通便、愈创、抗癌等,也可调制化妆品。

【芦笋】❶俗称龙须菜。多年生草本植物。嫩株是营养丰富的蔬菜,有一定的利尿和抗癌作用。❷也叫芦尖。芦苇的嫩苗。入药用于清肺止渴、利水通淋。

【芦笙】簧管乐器。流行于苗族、瑶族、侗族地区。形制多样。较常用的为六管芦笙。分两排插在长方形木斗中,吹气振动簧片发音。音色明亮浑厚。常用于独奏、合奏及舞蹈伴奏。

【芦笙舞】也叫踩芦笙。中国苗族民间舞蹈。男子吹芦笙而舞,腿部动作丰富,带有竞赛性质。侗、壮、水、彝族也有这种舞蹈形式,舞法各具特点。

庐(**廬**) lú 房屋。㊟茅～。

【庐山】中国名山。位于江西省九江市南。主峰汉阳峰海拔1 474米。风景奇秀,多名胜古迹。山上有牯岭镇,为著名游览、避暑、疗养胜地。

【庐舍】简陋的房屋;田舍。

【庐山会议】1959年7月2日至8月16日中共中央在江西庐山召开的政治局扩大会议和八届八中全会。原定议题为总结1958年大跃进、人民公社化运动以来的经验教训,进一步纠正"左"的错误。会议前期按此精神进行。7月14日,彭德怀给毛泽东写信,陈述他对大跃进、人民公社的意见,未被毛泽东接受,反被指责为向党进攻。此后会议转成对彭的批判。8月2—16日,中央召开八届八中全会,错误地通过了《关于以彭德怀同志为首的反党集团的错误的决议》,把彭德怀、黄克诚、张闻天、周小舟等不同意见者打成了"反党集团"。并决定在全党开展反右倾斗争。这次会议压制和打击了党内敢于实事求是讲真话的同志,助长了个人崇拜和专断作风。是党内民主生活的一大失误,使"左"倾错误进一步延续和发展。

【庐山真面目】宋苏轼《题西林壁》诗:"不识庐山真面目,只缘身在此山中。"后比喻事物的真相或本来面目。

炉(**爐*****鑪**) lú 炉子。㊟火～|锅～。

"鑪",另见"铲"(637页)。

【炉衬】用耐火材料砌成的工业用炉的内壁。

【炉渣】❶冶炼时杂质经过氧化与金属分离形成的渣滓。高炉的炉渣可以用来制造炉渣水泥、炉渣砖、炉渣玻璃等。❷炉膛或锅炉燃烧室中产生的熔融物。

【炉龄】也叫炉衬寿命。工业用炉的一项重要技术指标。指自新炉衬开始使用直到损坏需要重砌的周期中使用的次数、时间或产品重量。

【炉火纯青】相传道家炼丹,炼到炉里的火发出纯青色的火焰时就算成功了。后来多比喻学问、技艺等达到了纯熟完美的境界。

黸☒ lú 黑色。

lǔ ㄌㄨˇ

芦(**蘆**) ㊁ lǔ 见〔油葫芦〕(1193页)。

㊀ lú (638页)。

卤(❶-❸**鹵**❶-❸**滷**) lǔ ❶卤水。❷一种烹饪方法。把原料(不切碎)放入较大的锅中,加盐及其他调料煮。❸一种浇在面条等食物上的浓汁。一般先用肉片、鸡蛋等做汤最后勾芡。❹古又同"虏"。❺古又同"鲁莽"的"鲁"。❻古又同"橹"。

【卤水】❶也叫苦卤、盐卤。一般指由海水等咸水制盐时所残留的母液。是氯化镁、硫酸镁和氯化钠的混合物。味苦有毒,供制豆腐等使用。食盐潮解后所成的卤水也

L

叫盐卤。❷矿化度大于50克/升的地下水。用以提取某些化工原料（如食盐、硼、溴、碘等）。

【卤味】用卤法制成的卤鸡、卤肉等冷菜。

【卤素】指卤族元素。元素周期表中VII A族元素的总称。包括氟、氯、溴、碘、砹五种元素。砹是放射性元素。卤素是典型的非金属元素。

【卤莽】同“鲁莽”（639页）。

【卤化物】氟化物、氯化物、溴化物、碘化物的总称。

【卤代烃】烃分子中一个或几个氢原子被卤素（氟、氯、溴、碘）原子取代生成的化合物。

【卤钨灯】白炽钨丝灯的一种。石英灯管内充入微量溴、碘等卤族元素或其化合物，使它们和炽热灯丝上蒸发出来的钨蒸气起化学循环作用，点燃时玻璃壳不易发黑，光效高。常见的有碘钨灯和溴钨灯。

硇⊠（磠） lǔ〔硇砂〕即硇（náo）砂。

虏（虜*虜） lǔ ❶打仗时捉住的敌人。㊀俘～。❷活捉。㊀～获甚众。

【虏获】俘虏敌人，缴获牲畜、财物等。

掳（擄） lǔ 抢取。㊀～掠。

【掳掠】抢劫人和财物。

鲁（魯） lǔ ❶迟钝；笨。㊀愚～｜～钝。❷粗野；莽撞。㊀粗～｜～莽。❸周朝国名。在今山东曲阜一带。❹山东的别称。

【鲁迅】（1881—1936）中国现代文学家、思想家、革命家。原名周树人，字豫才，浙江绍兴人。青年时代受进化论思想影响。1902年去日本学医，后为改变国民精神，弃医从文。1918年发表中国现代文学史上第一篇白话小说《狂人日记》。1922年发表的中篇小说《阿Q正传》，塑造了辛亥革命前后农村贫苦农民阿Q的艺术形象，表现了用“精神胜利法”自我安慰、不图反抗的“国民的弱点”。1930年参加中国左翼作家联盟，反对国民党政府的文化围剿。30年代前期写了大量杂文，表现出卓越的政治远见和坚韧的战斗精神。有《鲁迅全集》。

【鲁钝】不敏锐；笨拙。

【鲁班】春秋时期建筑工匠。姓公输，名般（也作班、盘），鲁国人，故名。据传他发明了曲尺、打孔钻和吊线的墨斗等一套工具，创制了攻城的“云梯”、水战的“钩拒”和滑翔的“木鹊”等。被中国建筑工匠尊为“祖师”。

【鲁莽】也作卤莽。说话做事不仔细考虑，冒失，轻率。

【鲁本斯】彼得·保罗·鲁本斯（1577—1640）佛兰德斯画家，巴洛克绘画的代表。作品构图富于气势和运动感，人物造型健硕，动态夸张，女性裸体美艳丰腴。代表作有《劫夺吕西普的女儿》等。

【鲁米那】德语音译词。苯巴比妥的商品名。

【鲁鱼亥豕】把“鲁”字误为“鱼”字，把“亥”字误为“豕”字。指文字传抄或刊印错误。晋葛洪《抱朴子·遐览》：“书字人知之，犹尚写之多误。故谚曰：‘书三写，鱼成鲁，虚成虎。’”《吕氏春秋·察传》：“有读史记者曰：‘晋师三豕涉河。’子夏曰：‘非也，是己亥也。夫己与三相似，豕与亥相似。’”

【鲁莽灭裂】形容做事粗鲁草率。《庄子·则阳》：“君为政焉勿鲁莽，治民焉勿灭裂。”灭裂：草率。

滷⊠（滷） lǔ 同“卤”。

橹（櫓❶*樐❶*艪❶*艣❶*艪） lǔ ❶拨水使船前进的工具。比桨长且大。㊀摇～。❷大盾。

氇（氌） lǔ 见〔氆氇〕（765页）。

镥（鑥） lǔ 金属元素，符号Lu，原子序数71。是稀土元素之一。银白色。

lù ㄌㄨˋ

六 ㊁ lù 用于地名，如六安（在安徽）。㊀ liù（632页）。

角 lù〔角直〕地名。在江苏南部。

陆（陸） ㊀ lù 陆地，高出水面的土地。㊀大～｜～路。

㊁ liù（633页）。

【陆军】以步兵、装甲兵、炮兵为主体，主要在陆地作战的军种。参见〔兵种〕（69页）。

L

【陆运】陆上交通运输。如铁路、公路、管道运输等。

【陆沉】❶比喻国土被侵略者占领。《晋书·桓温传》:“与诸僚属登平乘楼,眺瞩中原,慨然曰:‘遂使神州陆沉,百年丘墟,王夷甫诸人不得不任其责。’”❷比喻退隐。《庄子·则阳》:“方且与世违,而心不屑与之俱,是陆沉者也。”

【陆桥】连接两块大陆的陆地。如地质史上连接亚洲和北美洲的陆地,和现在连接北美洲与南美洲的巴拿马地峡。陆桥往往用于说明生物和古人类的迁移路线。

【陆离】形容色彩繁杂。㊀光怪～。

【陆梁】❶跳跃的样子。❷嚣张,猖獗。

【陆续】副词。表示先后接连不断。㊀许多新建工厂～投产。

【陆棚】大陆架的旧称。

【陆游】(1125—1210)南宋诗人。字务观,号放翁,越州山阴(今浙江绍兴)人。曾任镇江、夔州通判等职。他坚决主张抗金,因此受到投降派的压制。一生勤于创作,留下诗词和文章很多,仅诗就达九千余首。诗风雄浑豪放,洋溢着爱国热情。有《渭南文集》《剑南诗稿》等。

【陆九渊】(1139—1193)南宋哲学家。字子静,号象山翁,抚州金溪(今属江西)人。提出“心即理”,宣称知识早已存在于“本心”中,只要闭门修养,发明本心,就无所不知。其学说由明代王守仁继承发挥,形成陆王学派。有《象山先生全集》。

【陆地棉】也叫美洲棉、高原棉。棉的一种。原产墨西哥一带的高原地区,是世界上栽培最广的棉种。株形较大,纤维较长,产量较高。

【陆军航空兵】以军用直升机为基本装备,主要执行以航空火力支援地面作战和机降作战任务的陆军兵种。由直升机飞行部队和飞行保障部队等组成。具有空中机动、空中突击和空中保障能力。

录(録) lù ❶记载;抄写。㊀记～|过～。❷记载言行或事物的书籍、文章等。㊀语～|回忆～。❸采纳;任用。㊀～取|～用。❹古又同“碌碌”的“碌(lù)”。

【录事】旧指在机关中缮写文件的职员。

【录供】指刑事诉讼中讯问被告人时记录其供述。

【录音】通过专门设备把声音录制下来。有唱片录音、磁性录音、光学录音等。也指录制下来的声音。

【录像】通过专门设备把图像(多指活动的)及其伴音信号录制下来。有光电录像(如电影)、磁带录像等。也指录制下来的图像。

【录音机】把声音记录下来并可重放的装置。磁带录音机的工作原理是:使声音变成相应的电信号后,再把电信号所产生的磁场变化记录在磁带上,重放时按相反程序还原成电信号,经扬声器发出声音。

【录像机】用来记录图像和声音,并能重新放出的机器。通常指磁带录像机,其工作原理是:先将图像和声音变成相应的电信号,再变成磁场强弱的变化,记录在磁带上;放出时将磁带录下的图像信号再现于显示屏上,并由扬声器再现声音。

【录音遗嘱】以录音形式所立的遗嘱。必须有两个以上见证人在场见证。

菉□ lù 古书上说的一种草。用于地名,如梅菉(在广东)、菉葭(jiā)浜(在江苏)。

另音 lǜ,见“绿”(644 页)。

崇□ lù 土山间的平地(壮语)。

渌 lù ❶水清。❷同“漉”。

逯 lù 姓。

騄☒(騄) lù 〔騄駬〕也作騄耳。古代骏马名。

绿(綠) ㊁ lù 义同“绿(lǜ)”。用于“绿林”。

㊀ lǜ(644 页)。

【绿林】❶原指西汉末年聚集湖北绿林山的农民起义军。后来泛指聚集山林、反抗封建统治者的人们。❷旧时也指占山为王的盗匪。

【绿林起义】西汉末从湖北绿林山开始的农民大起义。外戚王莽代汉后,实行复古“改制”,阶级矛盾日趋激化。公元 17 年新市(今湖北京山)人王匡、王凤在绿林山(今湖北大洪山)率众起义,被称为绿林军。公元 22 年绿林军离开山区,分为新市兵、下江兵两支;北上时,又与湖北平林兵会合。公元 23 年起义军建立政权,立西汉宗室刘玄为帝,国号仍叫汉,年号更始。起义军攻占宛(今河南南阳)和昆阳(今河南叶县),大败王莽军,乘胜攻入长安,推翻了王莽政权。

琭⊠ lù 〔琭琭〕❶形容稀少。❷形容玉坚。

禄 lù 古称官吏的薪给。㊀俸～。

簶⊠ lù 〔胡簶〕盛箭的器具。

碌 ㊀ lù ❶平庸。㊀庸～。❷繁忙。㊀忙～。

㊁ liù (633页)。

【碌碌】❶平庸;无所作为。㊀庸庸～|～无为。❷繁忙;辛苦。㊀忙忙～。

睩⊠ lù 眼珠转动。

盝⊠ lù 古代的一种竹匣。

箓(籙) lù 簿籍。也指封建帝王或道教的神秘文书。

醁⊠ lù 见〔醽醁〕(625页)。

鲸□**(鯥)** lù 鱼类。体小,侧扁,灰褐色,具不规则黑色斑纹。头部棘和棱显著。生活在近海岩礁间。

崃⊠ lù 〔崛崃〕形容山崖突起。

硉⊠ lù 〔硉兀〕山石高耸。

辂(輅) lù ❶古代车辕上用来挽车的横木。❷古代一种大车。

赂(賂) lù ❶赠送财物;用财物买通别人。㊀贿～。❷赠送的财物;买通别人的财物。

路 lù ❶道路。㊀公～|水～|大～。❷路程。㊀三里～。❸地区;方面。㊀外～人|各～人马。❹路线;线路。㊀三～电车|电～。❺纹理;条理。㊀纹～|思～。❻种类;等次。㊀一～人|两～货|二三～角色。

【路人】路上的行人。比喻不相干的人。

【路矿】铁路和矿山的合称。

【路径】通向某一目标的道路。

【路线】❶从一地到另一地所经过的道路。❷指思想、政治等方面所遵循的根本准则。

【路标】指示路线和道路情况的标志。

【路途】❶道路。❷路程。㊀～遥远。

【路基】铁路或公路的基础。在天然地面上开挖成的称为路堑,填筑成的称为路堤。

【路签】铁路上准许列车通过的凭证。列车到站不发给路签就不能通过。

【路数】❶办法;路子。❷事情的底细。

【路透社】英国最大的通讯社。总社设在伦敦。因创办人是德国的路透而得名。

【路易十六】(1754—1793)法国国王(1774—1792在位)。在位时法国封建制度危机加深。1789年法国大革命爆发后,表面上接受君主立宪政体,暗地里想借助国外势力绞杀革命。1792年被废黜。1793年1月以里通外国罪被判处死刑。

【路易·波拿巴】(1808—1873)法兰西第二帝国皇帝,拿破仑一世之侄。1848年12月当选为法兰西第二共和国总统。1851年12月发动军事政变,1852年12月自称皇帝拿破仑三世,建立法兰西第二帝国。1870年9月4日巴黎革命时被废。

【路遥知马力,日久见人心】经过遥远的路途才能知道马的力气大小,时间长久了才能看出人心的好坏。比喻经过长时间的考验才能看出人心的好坏、友情的真假。

蕗⊠ lù 甘草的别称。

潞 lù ❶潞水,古水名,即今浊漳河,在山西。❷潞江,水名,即怒江。❸潞河,水名,旧指北京通州以下的白河。

璐 lù 美玉。

鹭(鷺) lù 鸟类。体形瘦削,喙直而尖,颈和足均长,尾短,飞行时颈收缩于两肩间,脚向后直伸。其中以白鹭、苍鹭较为常见。

【鹭鸶】也叫白鹭。鸟类。腿长,颈长,全身羽毛雪白。春夏多活动在湖沼岸边或水田中,好群居,主食鱼、蛙等。

露 ㊀ lù ❶俗称露水。靠近地面的水蒸气夜间遇冷凝结成的小水珠。❷没有遮蔽或在屋外。㊀～天|～宿。❸用花叶或果子蒸馏成的饮料。㊀荷叶～|果子～。❹中成药剂型之一。将药剂与水,用蒸馏法制得的澄明液体药品。一般供内服。㊀金银花～。❺显现出来。㊀揭～|脸上～出了笑容。

㊁ lòu (636页)。

【露水】❶露的俗称。❷喻指短暂的、易于

消失的。㊀～夫妻。

【露布】❶古指不封口的文书、奏章等。❷也叫露板(版)。古指檄(xí)文、捷报等。

【露头】地质学上指岩层、岩体、矿体露出在地表的部分。

【露点】空气湿度表示方法的一种。一般指气压不变、水汽无增减的情况下,空气中的水汽因冷却而达到饱和时的温度。气温与露点的差值越小,表示空气湿度越接近饱和。

【露骨】用意十分明显,毫不掩饰(多含贬义)。

【露酒】含有花露或果汁的酒。

【露营】见〔宿营〕(940 页)。

【露宿】在室外或野外住宿。

鹿 lù 哺乳动物。种类很多。毛多褐色,有的有花斑或条纹。通常雄的有角。

【鹿市】英国股票用语。指市场上大多数投资者只进行短线操作,使股市行情变化迅速,前景不明朗的市场状态。

【鹿台】古台名。相传殷纣王所筑。"其大三里,高千尺"。在今河南淇县境朝(zhāo)歌镇西南。周武王伐纣,纣兵败,登鹿台自焚而死。

【鹿茸】雄鹿的嫩角。带茸毛,血管丰富,含氨基酸、蛋白质、微量元素、性激素等。有滋补强壮作用。是贵重中药。

【鹿寨】军事上的一种障碍物,用于防步兵或防坦克。用树干、树枝等交叉做成,因形状像鹿角,故名。

【鹿角菜】褐藻的一种。藻体重复叉状分枝,高 6—7 厘米,新鲜时呈橄榄黄色。生长在中潮带岩石上。分布于中国北部沿海。可供食用。

【鹿特丹】荷兰城市。位于该国西部沿海,莱茵河和马斯河河口,通过一条运河与北海相连。人口 59 万(1992 年)。是全国第二大城市和重要的工业、贸易中心。西欧许多国家的进出口货物经此转运。是世界著名港口和炼油中心。

【鹿死谁手】《晋书·石勒载记下》:"未知鹿死谁手。"意思是说不知政权落在谁的手里。后也用来指不知谁能获胜,多用于指比赛的胜负。

漉 lù ❶过滤。㊀～油。❷渗出;润湿。㊀湿～～(水淋淋的样子)。

辘(轆) lù 见下。

【辘轳】❶安在井上绞起汲水斗的工具。❷机械上的绞盘。

【辘辘】拟声词。车轮滚动声等。

罱 ☒ lù 〔罱簌〕下垂的样子。簌(sù)。

簏 lù 用竹篾、柳条等编成的盛东西的器具。㊀字纸～|书～。

艫 ☒ lù 见〔艒艫〕(333 页)。

麓 lù 山脚。㊀山～。

稑 ☒ lù 后种先熟的谷类。

僇 lù ❶侮辱。❷同"戮"。❸病害。

戮(❶*剹❷*勠) lù ❶杀。㊀杀～。❷并;合。㊀～力。

【戮力同心】齐心合力,团结一致。《国语·吴语》:"戮力同德。"《墨子·尚同》:"戮力同心,以治天下。"戮力:合力。

lǘ ㄌㄩˊ

驴(驢) lǘ 哺乳动物。家驴耐粗饲、善驮载。中国关中驴是著名品种。中国野驴主要分布于内蒙古、甘肃、青海、新疆、西藏等地,是国家保护的珍稀动物。

【驴打滚】❶高利贷的一种。贷款以一月为期,利息四分到五分,到期不还,利息加倍,即按八分到十分计算。利上加利,越滚越多,如驴翻身打滚,故名。❷一种食品。用黍子米面加红糖做成,蒸熟后,滚上炒黄豆面。

闾(閭) lǘ ❶古时二十五家为一闾。后来称居民的区域为闾里、闾巷。❷里巷的门。

【闾左】秦代称贫苦农民,因为他们居住在里门的左边。

榈(櫚) lǘ 见〔棕榈〕(1318 页)、〔栟榈〕(69 页)。

lǚ ㄌㄩˇ

吕 lǚ 见〔律吕〕(644 页)。

L

【吕布】(? —198)东汉末年将领。字奉先，五原九原(今内蒙古包头西)人。与司徒王允合谋杀死董卓，任奋威将军，封为温侯。割据徐州。公元198年，为曹操擒杀。
【吕后】(? —前180)汉高祖刘邦后。名雉。秦末单父(今山东单县)人。刘邦死后，太子刘盈(惠帝)即位，她掌握实权。惠帝死后，临朝称制，打击功臣宿将，大封诸吕。她死后，太尉周勃和丞相陈平联合刘邦的旧臣，灭吕氏家族，恢复了刘氏政权。
【吕不韦】(? —前235)战国末期秦国大臣。原为卫国阳翟大商人。秦庄襄王时被任为相国，封文信侯。秦王政(即秦始皇)即位，他继任相国，尊为“仲父”，命宾客编纂《吕氏春秋》。秦王政亲政后，他被免职，迁往蜀郡，忧惧自杀。
【吕宋岛】菲律宾群岛中最大的岛。面积约10.5万平方千米。是菲律宾人口最多、经济最发达的地区。
【吕彦直】(1894—1929)中国近代建筑师。山东东平人。曾参与金陵女子大学和燕京大学的设计。善于采用现代钢筋混凝土结构建造民族形式的新建筑。代表作为南京中山陵和广州中山纪念堂。
【吕洞宾】号纯阳子。传说中的八仙之一。曾在终南山隐居修道，手持宝剑，通称吕祖。

侣 lǚ 同伴。㊀伴～。

铝(鋁) lǚ 金属元素，符号Al，原子序数13。银白色，易延展，质韧而轻，导电导热性能良好。铝用作电线、电缆，铝合金用以制飞机、火箭、门窗、日用器皿等。

稆 lǚ 谷物等不种自生。㊀～生。

捋 ㊁ lǚ 用手指弄顺。㊀～麻绳。
㊀ luō (648页)。

旅 lǚ ❶旅行；出门在外。㊀～游|～客。❷军队编制单位。相当于副师级。在集团军之下，营之上。❸泛指军队。㊀强兵劲～。❹共同。㊀～进～退。❺古又同“稆”。❻古又同“膂”。
【旅鸟】候鸟迁徙时，途中经过某一地区，不在此地区繁殖，也不在此地区越冬，这种迁徙途中的候鸟就称为该地区的旅鸟。
【旅行】为了游览或办事到外地去(指路程较远的地方)。
【旅次】旅途中暂住的地方。次：停留的地方。
【旅居】在外地居住。
【旅途】旅行途中。
【旅游】旅行游览。㊀～事业。
【旅行支票】银行或旅行社为方便旅游者或出差人支取款项而专门发行的一种定额票据。
【旅进旅退】与大家共进共退。形容自己没有主张，随大溜。《国语·越语上》：“吾不欲匹夫之勇也，欲其旅进旅退也。”旅：众人，引申为共同。
【旅游农业】也叫绿色旅游业、观光农业。与旅游相结合的农业发展模式。农民利用优美的自然条件和田园风光，开发供旅游者活动的场所，提供生活憩息设施，以增加收入。旅游活动的内容有水域垂钓、果园采摘、园圃观花、草原赛马等。

膂 lǚ 脊梁骨。
【膂力】体力。㊀～过人。

偻(僂) ㊀ lǚ ❶脊背弯曲。❷屈。㊀～指(一个一个屈指而数)。❸迅速。
㊁ lóu (636页)。

屡(屢) lǚ 副词。屡次；多次。㊀～战～胜|～教不改。
【屡次】副词。一次又一次地。㊀他～创造新纪录。
【屡见不鲜】原作数(shuò)见不鲜。《史记·郦生陆贾列传》：“一岁中往来过他客，率不过再三过，数见不鲜，无久慁(hùn)公为也。”原意是常到别人家去就无新鲜的酒食供应了。后用以形容事物看见过多次，就不会觉得新奇。
【屡试不爽】屡次试验都不错。爽：差错。
【屡教不改】也说累教不改。多次教育，仍不改正。

缕(縷) lǚ ❶线。㊀千丝万～|不绝如～。❷一条一条地；详细地。㊀～述|～析。❸量词。㊀一～线。
【缕述】一条条地详细叙述。
【缕缕】形容一条一条，连续不断。㊀炊烟～。

褛(褸) lǚ 见〔褴褛〕(580页)。

履 lǚ ❶鞋。㊀削足适～。❷踩；走。㊀如～平地。❸履行；实行。㊀～约。
【履历】个人的经历。也指记载个人经历的材料。
【履行】实行（自己答应做的或应该做的事）。㊀～诺言|～国际主义义务。
【履冰】见〔临深履薄〕（621页）。
【履约】做约定的事。
【履带】坦克、拖拉机等车体两侧车轮上的链带。履带的着地面积大，可以减小车辆对地面的压强，并能增加牵引能力，便于爬坡和在松软泥泞或不平的地面上行驶。
【履新】旧指官吏上任。
【履险如夷】走艰险的地方像走平坦的道路一样。夷：平。
【履约保证金】保证人应供货方、劳务方或承包人的请求，向买方或业主方缴纳的以保证承诺的资金。

lǜ ㄌㄩˋ

律 lǜ ❶法则；规章。㊀规～|纪～。❷约束。㊀严以～己。❸律吕。❹律诗。㊀七～。
【律师】依法取得律师执业证书，为社会提供法律服务的执业人员。通常接受当事人的委托，代理诉讼及处理其他法律事务。
【律吕】古代用竹管制成的校正乐律的器具。以管的长短来确定音的不同高度。从低音管算起，序列为单数的六个管叫做"律"，序列为双数的六个管叫做"吕"。后泛指乐律。
【律诗】近体诗的一种。全首八句。每句五言的称五言律诗，七言的叫七言律诗。其中三四两句和五六两句必须对仗。每句之内，句与句之间平仄调配有一定的格式。偶句押平声韵，一韵到底，首句可押可不押。
葎□ lǜ 〔葎草〕多年生草本植物。茎有倒生短刺，叶掌状对生。全草供药用。
嵂☒ lǜ 〔嵂崒〕形容高峻。崒（zú）。
猡☒ lǜ 见〔㺄猡〕（406页）。
虑（慮） lǜ ❶思考。㊀深思熟～。❷担忧；发愁。㊀不足为～。
滤（濾） lǜ 使液体、气体经过纱布、沙子或其他设备，除去所含杂质。㊀过～|～清。
【滤波】容许（或阻止）某一频率范围的电信号通过而阻止（或容许）此频率范围以外的电信号通过的过程。
【滤色镜】能选择吸收某些色光的有色玻璃或薄膜片。在摄影时用以校正色调。
鑢☒（鑢） lǜ 磋磨铜、铁、骨、角等物的工具。
率 ㊁ lǜ 两个相关的数在一定条件下的比值。如出勤率是某一单位或个人在某一时期内实际出勤日数和规定应出勤日数的比值。
㊀ shuài（916页）。
绿（綠*菉） ㊀ lǜ 像草和树叶茂盛时那样的颜色。㊀～水青山。
㊁ lù（640页）。
"菉"，另音 lù（640页）。
【绿化】种植花草树木，防止风沙灾害和水土流失，使环境优美、空气新鲜。㊀～城市。
【绿卡】某些国家政府发给外国侨民的永久居留证的俗称。
【绿地】城市中专门用以改善生态、保护环境、为居民提供游憩场地和美化景观的绿化用地。
【绿灯】安装在交叉路口，指示可以通行的信号灯。
【绿矾】也叫黑矾。含结晶水的硫酸亚铁的俗称。化学式 $FeSO_4 \cdot 7H_2O$。蓝绿色晶体，在空气中氧化呈黄褐色，易溶于水。用于制墨水、防腐剂、杀虫剂，医疗上用作补血剂。
【绿肥】将紫云英、草木樨、苕子等植物直接翻压到土壤中或经堆沤而成的肥料。
【绿茶】茶叶的一大类。是用高温破坏鲜茶叶中的酶制成的，沏出的茶保持鲜茶叶原有的绿色。按产地的不同，分屯（安徽屯溪）绿、婺（江西婺源）绿、杭（浙江杭州）绿和湘（湖南）绿等。
【绿洲】沙漠中有水草的地方。
【绿营】清代军制，汉兵用绿旗，称绿营兵或绿旗兵。
【绿藻】藻类植物的一类。有单细胞、群体或多细胞个体等种类。多细胞个体呈球状、丝状、管状等。藻体绿色或黄绿色。生活在淡水、海水中或生长在湿地、树干上。如水绵等。

【绿茸茸】形容碧绿而稠密。例～的草地。

【绿茵场】指足球场。也借指足球运动。例他从此挂靴，离开了～。

【绿色货币】欧洲共同体国家为实施共同农业政策而采用的一种象征性通货。是专门用来计算共同体各国农产品的共同价格的计价货币。

【绿色革命】世界范围内以提高粮食作物(玉米、小麦、稻谷)产量为目的的农业生产技术革命。主要内容是运用科学方法培育良种，改进耕作、灌溉等技术，保证粮食作物高产。始于20世纪60年代。后生产对象扩展到其他农作物。

【绿色食品】在良好的生态环境中，通过无污染的生产过程生产出的安全营养、无公害的食品。

【绿色营销】也叫环保营销、生态营销。指企业运用营销工具，以不损害人类自身及后代的未来需要为条件，满足社会和消费者现在需要的经营与销售活动。

【绿色壁垒】即“环境壁垒”(422页)。

【绿脓杆菌】一种致病力较低但抗药性强的杆菌。广泛存在于自然界，是伤口感染较常见的一种细菌。能引起化脓性病变。脓汁呈绿色，故名。

【绿色和平组织】国际性民间环境保护组织。成立于1970年，总部设在伦敦。宗旨是同世界上一切破坏生态环境的行为作斗争。

氯 lǜ　气体元素，符号Cl，原子序数17。是卤族元素之一。黄绿色，有刺激性臭味，有毒，易液化，化学性质很活泼。广泛用于制造漂白粉、染料、塑料、橡胶、医药、农药等。也用作毒气。

【氯仿】也叫三氯甲烷。有机化合物，分子式$CHCl_3$。无色挥发性液体，密度大于水，微溶于水。用作脂肪、油类、橡胶等的溶剂，也用作防腐剂，在医药上用作麻醉剂。

【氯纶】聚氯乙烯纤维的商品名。以石油、天然气或电石为基本原料经化学方法加工制得。比其他纤维有较强的耐酸碱性。耐热性差，纤维在70℃时就开始收缩，在沸水中收缩率较高。可作纯纺和混纺的织物。工业上用作耐酸碱滤布及制渔网、帐篷、绝缘布等。

【氯丁橡胶】一种以氯丁二烯为原料制得的合成橡胶。具有耐油、耐燃、耐热、耐酸碱性，有较高的抗张强度和气密性；缺点是相对密度较大，常温下易结晶变硬，贮存性不好，耐寒性差。多用于制作电线、电缆的绝缘层，运输带、输油软管和黏合剂等。

【氯碱工业】用电解方法从食盐溶液中制取烧碱、氯气、氢气等产品的基础化学工业。

luán　ㄌㄨㄢˊ

峦(巒) luán　小而尖的山。也泛指山。例岗～起伏｜重～叠嶂。

孪(孿) luán〔孪生〕一胎生两个婴儿。

娈(孌) luán　美好。

栾(欒) luán　栾树，也叫灯笼树。落叶乔木。果似灯笼。花可提黄色染料，又供药用，叶制青色染料，种子可榨油。

圞□**(圞)** luán〈方〉❶圆。❷整个的：清蒸～鸡。

滦(灤) luán〔滦河〕华北地区水资源较丰富的河流之一。发源于河北省丰宁满族自治县境内，向北流入内蒙古自治区，再转回河北省，最后成为昌黎、乐亭两县界河入渤海。长877千米。

挛(攣) luán　手脚等蜷(quán)曲不能伸开。例痉～｜～缩。

鸾(鸞) luán　传说中凤凰一类的鸟。

【鸾凤】❶鸾鸟与凤凰。❷比喻贤俊之士。❸比喻夫妻。例～和鸣(夫妻和美，旧时常用作结婚的贺词)。

【鸾舆】古代天子乘坐的车子。也代指皇帝。

【鸾翔凤集】群鸟停歇在树上。比喻人才会聚。晋傅咸《申怀赋》：“穆穆清禁，济济群英。鸾翔凤集，羽仪上京。”

脔(臠) luán　切成小块的肉。

【脔割】分割。

銮(鑾) luán　古时的一种铃铛。

luǎn　ㄌㄨㄢˇ

卵 luǎn　雌性生殖细胞。也指动物的蛋。例排～｜鸟～。

L

【卵子】雌性生殖细胞。一般为球形或椭圆形,有的比较大,有的须用放大镜或显微镜才能看到。多不能活动。

【卵石】岩石经自然风化、水流冲击和摩擦所形成的卵形、圆形或椭圆形的石块。表面光滑。是一种天然建筑材料,用于铺路、制混凝土等。

【卵生】动物的受精卵在母体外发育、孵化为新个体。胚胎发育全靠卵自身所含的卵黄为营养。如鸡和一些鸟类都是卵生。

【卵巢】女子和雌性动物的生殖腺。人的卵巢长扁椭圆形,左右各一,位于骨盆内,产生卵细胞。成人女子一般每月从卵巢排出成熟卵一个。卵巢能分泌雌性激素,有促进和调节子宫、阴道和乳腺的发育生长等作用。

【卵翼】鸟用翼护卵,孵出小鸟。比喻养育或庇护(含贬义)。

【卵胎生】动物的受精卵虽在母体内进行发育,但其营养仍靠卵自身贮存的卵黄供给,直到孵化出新个体才与母体分离。如鲨鱼和某些毒蛇都是卵胎生。

【卵磷脂】即磷脂酰胆碱。磷脂的一类。在卵黄中含量高,是甘油磷脂的一种。由甘油、脂肪酸、磷酸和胆碱组成。是细胞膜和细胞器膜的重要组成成分。

luàn ㄌㄨㄢˋ

乱(亂) luàn ❶没有秩序和条理。[例]～七八糟。❷武装骚扰。[例]兵～|叛～。❸使混乱;使紊乱。[例]捣～|以假～真。❹任意;随便。[例]不许～扔纸屑。

【乱子】纠纷;祸事。

【乱世】指社会动荡不安的时代。

【乱伦】指在法律或习惯不允许的情况下近亲属之间发生性行为。

【乱真】模仿得像真的一样,难于分辨。多指模仿书画、文物。

【乱离】指遭战乱而流离失所。

【乱弹】清代乾隆、嘉庆年间对昆腔以外的各种戏曲腔调的统称。以皮黄为主的京戏是由乱弹发展而来的。

【乱弹琴】比喻办事胡闹或说话胡扯。

【乱点鸳鸯】旧时以鸳鸯比喻夫妻。将本不是夫妻的交互错配叫乱点鸳鸯。

lüè ㄌㄩㄝˋ

掠 lüè ❶夺取。[例]～夺。❷轻轻擦过。[例]凉风～面。❸书法用语。指汉字笔画的长撇。参见〔永字八法〕(1189页)。

【掠取】抢夺;夺取。

【掠美】把别人的美名、成绩、功劳据为己有。[例]不敢～(用于自谦)。

略(*畧) lüè ❶计谋;计划。[例]策～|方～。❷简单;略微。与"详"相对。[例]大～|～知一二。❸省去;疏忽。[例]省～|忽～。❹简要的叙述。[例]史～|事～。❺侵夺。[例]侵～。❻古又同"掠"。

【略语】运用节缩方法构成的词或短语。如土改(土地改革)、沧桑(沧海桑田)。

【略读】粗略地阅读。[例]～一遍已知梗概。

【略微】稍微。

【略胜一筹】也说稍胜一筹。比较起来,略微好一些。筹:计数的用具。

锊(鋝) lüè 古代质量单位。即锾(huán),约合六两。

圙□ lüè 见〔圐圙〕(566页)。

lūn ㄌㄨㄣ

抡(掄) ㊀ lūn 用力甩动。[例]～大锤。
㊁ lún (647页)。

lún ㄌㄨㄣˊ

仑(侖❷ *崙❷ *崘) lún ❶条理;伦次。❷"昆仑"的"仑"。

伦(倫) lún ❶同类;同等。[例]英勇绝～。❷人与人之间的关系。[例]～常|五～。❸条理;次序。[例]语无～次。

【伦比】同等;相当。[例]无与～。

【伦次】(语言、文章等的)条理;次序。[例]语无～。

【伦理】指处理人与人相互关系所应遵循的道理和准则。

【伦常】封建社会把人与人之间的关系称为

人伦,把君臣、父子、夫妇、兄弟、朋友之间的封建关系和秩序称为五伦,认为这是永恒的,不可改变的常道,故名。

【伦琴】❶威廉·伦琴(1845—1923)德国物理学家。主要贡献是发现了X射线。1901年获诺贝尔物理学奖。❷X射线或γ射线照射量的非法定计量单位。为纪念伦琴而命名。在标准状况下,X射线或γ射线能在0.001293克空气中产生电量各为1静电单位的正、负离子的电离能力,其照射量即为1伦琴。

【伦敦】英国首都。位于大不列颠岛东南部。人口701万(1995年)。是全国政治、经济、文化、交通中心和最大海港,世界第二大国际金融中心。名胜古迹多,以伦敦塔桥、大本钟、白金汉宫、大英博物馆、格林尼治天文台、马克思墓等最为著名。

【伦巴舞】舞厅舞的一种。源于古巴黑人舞蹈。音乐为4/4拍,有显著的切分音。舞者上身挺直,臀部微微左右扭摆。舞蹈舒展,情感缠绵。

【伦勃朗】伦勃朗·哈明兹·范莱因(1606—1669)荷兰画家。擅长肖像画,造型逼真,个性鲜明。善于运用明暗对照法,以强烈高光集中在大片阴影中的人物面部表情等手法突出主题。代表作有《夜巡》等。

【伦琴射线】即“爱克斯射线”(6页)。因德国物理学家伦琴发现而命名。

论(論) ㊁ lún 〔论语〕儒家经典之一。孔子弟子编纂的有关孔子言行的记录。共二十章。内容有孔子谈话、答弟子问和弟子间的谈话,涉及政治、经济、教育、道德和哲学等,是研究孔子思想的主要资料。宋代把它和《大学》《中庸》《孟子》合为《四书》。

㊀ lùn (648页)。

埨□(埨) lún 土坎儿。也用于地名,如沈家埨(在江苏)。

抡(掄) ㊁ lún 选择。例~材(指封建王朝选拔官吏)。

㊀ lūn (646页)。

囵(圇) lún 见〔囫囵〕(407页)。

沦(淪) lún ❶沉没。例沉~。❷没落。例~落。❸水上的波纹。

【沦亡】(国家)灭亡。

【沦陷】(国土)被侵略者占领;失陷。

【沦落】流落;漂泊。

【沦陷区】沦陷的地区。在中国特指抗日战争时期被日本侵略者占领的地区。

【沦肌浃髓】浸透肌肉,深入骨髓。比喻感受很深。《淮南子·原道训》:“不浸于肌肤,不浃于骨髓。”宋程颢、程颐《二程全书·遗书三》:“盖人有小称意事,犹喜悦。有沦肌浃骨如春和意思,何况义理?”沦:浸没。浃:湿透。

纶(綸) ㊀ lún ❶较粗的丝线,多指钓鱼的丝线。例垂~(钓鱼)。❷化学纤维的商品名称。中国暂行规定合成短纤维一律称作纶。长丝则在末尾加一“丝”字,如锦纶、锦纶丝、涤纶、涤纶丝等。

㊁ guān (347页)。

轮(輪) lún ❶轮子。例车~|齿~。❷像轮的东西。例年~。❸轮船。例江~|货~。❹依次接替。例~流。❺量词。用于红日、明月或循环的事物、动作。例一~明月|他比我大一~|比赛进入第三~。

【轮训】轮流进行训练。

【轮回】佛教用语。因果报应的一种说教。佛教认为人行善行恶,来生都有报应,在天、人、恶神、地狱、饿鬼、畜牲等六道中生死相续,像车轮运转一样循环不息。

【轮休】❶某一地块在种植季节不种植作物,让该地块空闲以恢复地力。❷泛指轮流休息。

【轮会】也叫徽式会、摊会、座会、认会、挨收会。按摇签方式确定会脚收款顺序的合会。发源于安徽徽州和浙江一带。组会人数以7人或11人最普遍,7人组成的通称七贤会。

【轮作】在季节或年度间按计划轮换种植不同作物。有水旱轮作、粮棉轮作、绿肥轮作等。

【轮牧】将牧地划分成若干小区轮流放牧。也指按季节在不同类型的草地上轮流放牧。可合理利用放牧地。

【轮轴】一种简单机械。由一个轮子和同心轴组成。轮子转动时,轴也转动,连在轴上的绳子随轴卷起,提升重物。轮和轴的半径相差越大就越省力。辘轳和绞盘都属于轮轴类机械。

【轮唱】演唱者分成两个或两个以上的部

分,按一定时距,先后演唱同一曲调的歌曲。
【轮番】轮流。
【轮滑】体育运动项目之一。运动员两脚各穿镶有四个小轮的轮滑鞋在坚实的地面上滑行。比赛项目有速度轮滑、花样轮滑、轮滑球、特技轮滑等。
【轮渡】载运行人、汽车、火车等横渡江河、湖泊、海峡的轮船和其他设备。
【轮毂】车轮子中心装轴的部分。毂(gǔ)。
【轮廓】❶构成图形或物体外缘的线条。❷事情的概况。廓(kuò)。
【轮生叶序】叶序的一种。茎的每节生有三枚或三枚以上的叶,辐射排列。如夹竹桃、金鱼藻等的叶序。
【轮转印刷】印版和压印机构都呈圆形,两个圆滚筒不断旋转进行印刷。印速很高,通常报纸就是用这种方法印刷的。

lùn ㄌㄨㄣˋ

论(論) ㊀ lùn ❶分析和说明道理。㊎评～|议～。❷分析和说明道理的言论、文章或理论。㊎舆～|社～|历史唯物～。❸评定;看待。㊎～罪|相提并～。❹介词。按照。㊎～堆卖|～件计工。
㊁ lún (647页)。
【论文】讨论或研究某种问题的文章。
【论处】判定处分。处(chǔ)。
【论争】论战。
【论坛】对公众发表议论的地方,指特定的会场、墙报、报刊的专栏等。㊎科技～|经贸～。
【论证】❶论述和证明。❷即"证明"④(1257页)。
【论述】叙述和分析。
【论战】在政治或学术问题上因观点不同而展开的激烈争论。
【论点】❶即"论题"(648页)。❷泛指议论中的确定意见及其理由。
【论说】❶议论;论述。❷按理说。㊎～他也该成家了。
【论敌】论战的对手。
【论调】议论中的思想倾向;说法,意见(多含贬义)。
【论难】针对对方的论点提出质问,进行辩论。难(nàn):质问。
【论理】❶按理说。❷逻辑。
【论据】指在证明过程中,用来确立论题真实性的那些判断,即证明的根据。
【论著】研究某种问题的理论著作。
【论断】推论判断。
【论题】也叫论点。指在证明过程中,其真实性需要加以确定的那个判断,即证明的对象。
【论衡】书名。东汉王充著。共三十卷,八十五篇(今存八十四篇)。总结了汉代自然科学的成果,阐述了"气"是万物本原,批判了当时流行的谶纬神学、宗教迷信和神学目的论思想。

luō ㄌㄨㄛ

捋 ㊀ luō 把条状的东西握住,向一端移动。㊎～榆钱儿。
㊁ lǚ (643页)。
捋⊠(攞) luō 同"捋(luō)"。
啰(囉) ㊀ luō 见下。
㊁ luó (650页)。
【啰唆】也作啰嗦。❶(言语)繁复。❷(事情)麻烦;繁琐。
【啰嗦】同"啰唆"(648页)。

luó ㄌㄨㄛˊ

罗(羅) luó ❶陈列;散布。㊎～列|星～棋布。❷捕雀的网;张网捕捉。㊎～网|门可～雀。❸收集。㊎搜～。❹筛细粉末或过滤流质用的器具。❺用罗筛东西。㊎～面。❻丝织物的一种。质地轻薄,手感滑爽。㊎杭～|～缎。❼量词。十二打叫一罗。
【罗马】❶古罗马。原是古意大利一城邦,始形成于公元前6世纪,后发展为地中海地区的奴隶制大国。公元前30年由贵族共和国改为军事独裁的罗马帝国。公元395年以后分裂为西、东两帝国。西罗马帝国于公元476年灭亡;东罗马帝国于7世纪进入封建社会,至1453年灭亡。❷意大利首都。位于该国中部偏西。人口272万(1992年)。是古罗马帝国的发源地,现为全国政治、经济、文化和交通中心。历史悠久、文化灿烂。名胜古迹多,以古罗马时期的斗兽场、万神殿等建筑最为著名。城西北的梵蒂冈，为罗马教廷所在地。

【罗丹】奥古斯特·罗丹（1840—1917）法国雕塑家，表现主义雕塑的先驱。作品兼有菲狄亚斯神圣的静穆与米开朗琪罗犷放的忧思。代表作有《思想者》《加莱义民》《吻》等。

【罗汉】阿罗汉的简称。小乘佛教圣者（修行成功者）的最高称号。佛教寺院常有十八罗汉和五百罗汉的塑像。

【罗列】分布，陈列；列举。

【罗网】捕捉鸟兽鱼类的工具。比喻束缚人的东西。

【罗织】虚构罪状，陷害无辜。

【罗经】也叫罗盘。一种用来确定船舶、飞机的航向和观测方位的导航仪器。有磁罗经和电罗经两种。

【罗素】伯特兰·罗素（1872—1970）英国哲学家、数学家、文学家、社会活动家。他的哲学思想几经变化，但主要立场是物理的实在论，认为物理的客体不管它如何为人设想，不被知觉时都是继续存在的。政治上，反对战争，主张和平主义。1950 年获诺贝尔文学奖。著有《数学原理》《哲学问题》《心的分析》等。

【罗致】招请（人才）；搜罗（珍物）。

【罗掘】《新唐书·张巡传》记载，张巡守睢阳，城被围困，粮食吃尽，只得罗雀（张网捉麻雀）掘鼠（挖洞捕老鼠）来充饥。后用“罗掘”比喻用尽一切办法筹措财物。㊀～俱穷。

【罗盘】即“罗经”（649 页）。

【罗锅】驼背。也指驼背的人。

【罗马式】欧洲中世纪艺术风格之一。原指中世纪教堂稳重坚实的建筑样式，后也泛指同类风格的雕塑和绘画。

【罗可可】原意为岩状饰物或贝壳状装饰。后指法国路易十五（1715—1774）宫廷盛行的浮华装饰艺术风格。代表画家有华托、布歇等。

【罗布麻】多年生草本或半灌木植物。高 1.5—4 米。花钟状，粉红或紫色，有香味。茎纤维可供纺织，叶可制饮料或饲料。

【罗汉松】常绿乔木。叶广线形，初夏开花，雌雄异株，种子卵圆形。产于中国长江以南各地。可栽培，供观赏。

【罗丝刀】即“改锥”（299 页）。

【罗西尼】焦阿基诺·安东尼奥·罗西尼（1792—1868）意大利作曲家。所作《塞维利亚理发师》，音乐生动幽默，为 19 世纪意大利喜歌剧的代表。作品《威廉·退尔》，音乐宏伟壮丽，推进了大歌剧体裁的形成。

【罗贯中】（约 1330—约 1400）元末明初小说家。名本，号湖海散人，山西太原人，一说东平（今属山东）人，也有说钱塘（今杭州）或庐陵（今江西吉安）人。他的《三国志通俗演义》是中国小说史上的第一部长篇巨著。另有《隋唐志传》《三遂平妖传》《残唐五代史演传》和杂剧《风云会》等。

【罗荣桓】（1902—1963）中国无产阶级革命家、军事家，中国人民解放军的创建人和领导人。湖南衡山（今衡东）人。1927 年加入中国共产党。同年参加秋收起义。1930 年起，历任红四军政治委员，红一军团、红八军团的政治部主任，参加长征。抗日战争时期，历任八路军一一五师政治委员并代理师长，山东军区司令员兼政委。解放战争时期，任东北野战军政委和第四野战军第一政委。参与指挥辽沈、平津等战役。1949 年后，历任中央人民政府最高人民检察署检察长、全国人大常委会副委员长、解放军总政治部主任等职。1955 年被授予元帅军衔。是中共第七届中央委员，第八届中央政治局委员。1963 年 12 月 16 日在北京病逝。

【罗浮宫】即“卢浮宫”（637 页）。

【罗曼司】英语音译词。富有浪漫色彩的恋爱故事或惊险故事。

【罗斯福】富兰克林·罗斯福（1882—1945）美国总统（1933—1945 年在任），政治家、战略家。1933 年就任总统。对内推行“新政”，对外改善与拉美各国关系，与苏联建交。他是美国历史上唯一任职四届的总统。第二次世界大战爆发后，在其倡议下发表《联合国宣言》，建立国际反法西斯同盟，开辟欧洲第二战场。他曾与丘吉尔、斯大林举行雅尔塔会谈，为最后战胜德意日法西斯及形成战后战略格局做出贡献。德国战败投降前，因脑溢血逝世。著有《向前看》《论我们的道路》等。

【罗瑞卿】（1906—1978）中国人民解放军领导人之一。四川南充人。第一次国内革命战争初期参加学生运动，1928 年加入中国共产党。1929 年到苏区，曾任红军大队长，纵队、师和军的政治委员。长征中任一方面军保卫局长等职。1940 年任八路军野战政治部主任。解放战争时期，任晋察冀野战军政治委员、华北军区政治部主任等职。建国后,任公安部长、国务院副总理、中央军委秘书长、解放军总参谋长、党中央书记处书记等职。1955年被授予大将军衔。在"文化大革命"中遭到残酷迫害。1978年8月3日病逝。

【罗马公教】即"天主教"(972页)。

【罗马字母】即"拉丁字母"(575页)。

【罗马帝国】见〔罗马〕①(648页)。

【罗马教廷】以教皇为首的天主教的最高统治机构。管辖世界各地天主教会。设在罗马梵蒂冈。

【罗马数字】欧洲在阿拉伯数字传入前使用的数字符号。共七个:I(1),V(5),X(10),L(50),C(100),D(500),M(1 000)。记数的方法:相同的数字并列,表示相加,如XX是20;不同的数字并列,右边的小于左边的,表示相加,如VIII是8;左边的小于右边的,表示右边的减去左边的,如IX是9;数字上加一横线,等于原数字的1 000倍,如$\overline{X}$是10 000。这几种方法合起来,可以表示所有的自然数。如XXIV是:10+10+(5-1)=24。

【罗恩格林】三幕歌剧。瓦格纳曲。作于1845—1848年。脚本由曲作者根据中世纪传奇故事改编。在西方被广泛采用为婚礼伴奏音乐的《结婚进行曲》即出自该剧第三幕第一场。

【罗曼·罗兰】(1866—1944)法国作家、社会活动家。早期从事戏剧创作和传记写作。20世纪初写成长篇小说《约翰·克利斯朵夫》,描写一个以个人奋斗来对抗资产阶级社会的艺术家的悲剧。30年代后积极参加反法西斯和保卫和平的活动。1915年获诺贝尔文学奖。

【罗曼谛克】英语音译词。浪漫。

【罗摩衍那】古印度叙事诗。公元前5世纪完成,笈多王朝时编定成本。诗中描述了古代印度王子罗摩的冒险经历。

【罗伯斯庇尔】马克西米利安·罗伯斯庇尔(1758—1794)18世纪末法国资产阶级革命家。雅各宾派专政时期任政府首脑。

【罗蒙诺索夫】米哈伊尔·罗蒙诺索夫(1711—1765)俄国唯物主义哲学和自然科学的奠基人,学者。1748年提出物质和运动守恒的概念,并进行了物质在化学反应时质量守恒的实验。1755年创办莫斯科大学,对俄国文化教育的发展有很大贡献。

倮□(**儸**) luó 见〔偻倮〕(636页)。

萝(**蘿**) luó ❶莪蒿。❷女萝。

【萝卜】也叫莱菔。二年生草本植物。品种很多。叶羽状分裂,花白色或淡紫色。主根肥大,球形或圆柱形,可食。种子可供药用。也指这种植物的主根。

【萝艻】一年生草本植物。可制香料,也可供药用。艻(lè)。

啰(**囉**) ㊁ luó 〔啰唣〕吵闹寻事(多见于早期白话)。唣(zào)。㊀ luō(648页)。

逻(**邏**) luó 巡察。㊀巡~。

【逻辑】❶指客观事物发展的规律性。㊀事物的~。❷指思维的规律性。㊀说话、写文章都要合乎~。❸指某种理论、观点或说法。㊀谁先控制海洋谁就将控制世界,这是帝国主义的强盗~。❹也叫论理学。旧译作名学。即逻辑学。是研究思维及其规律的科学。包括形式逻辑和辩证逻辑。通常指形式逻辑。

【逻辑思维】在理性认识过程中,借助概念、判断、推理等思维形式和逻辑形式,以抽象和概括的方法来反映事物本质的思维活动和思维方式。逻辑思维和形象思维相辅相成。

猡(**玀**) luó 〈方〉猪猡,即猪。

饠☒(**饠**) luó 见〔饽饠〕(55页)。

玀□(**玀**) luó 同"珂罗版"的"罗"。

椤(**欏**) luó 见〔桫椤〕(944页)。

锣(**鑼**) luó 击乐器。铜制,似盘。一般有提手,用槌击奏。形制多样,如大锣、小锣、堂锣、云锣等。常用于吹打乐及戏曲、歌舞伴奏。

【锣鼓】❶中国民间击乐器的总称。❷指用锣鼓等击乐器演奏的器乐形式。如戏曲锣鼓、秧歌锣鼓、闹年锣鼓等。也指以锣鼓等击乐器占主要地位的民间器乐合奏形式。

【锣鼓谱】也叫锣鼓经。中国打击乐音响念法和读谱法的统称。有用状声字表示的,也有用拉丁字母代音字表示的。如"匡仓另台乙大匡”或“K Q T E B D C”。

箩（籮） luó 用竹子或柳条等编成的盛东西的器具。一般底方上圆。㊀～筐。

觋☒（覼） luó 〔覼缕〕详细叙述。

脶（腡） luó 手指纹。

骡（騾＊蠃） luó 驴、马交配的杂种后代。适应性强，役用年龄长，挽力大而持久，不能生殖。

螺 luó 通称螺蛳。软体动物。体外有一个螺旋形的贝壳。种类很多，如红螺、田螺、钉螺等。

【螺钿】手工艺品之一。把螺蛳壳或贝壳镶嵌在器物的表面上，做成花纹或图形。钿（diàn）。

【螺菌】体形弯曲呈螺旋形的杆菌。细胞坚韧，常生活在淡水或海水中。腐生或寄生。

【螺旋】❶一种简单机械。有阴螺旋和阳螺旋两种，配合起来，旋转其中的一个，就可以使两者沿螺纹作相对移动。螺旋在机械上应用很广，如螺钉、压榨机、千斤顶等。❷像螺蛳壳纹理的曲线形。㊀～体。

【螺丝钉】❶应用螺旋原理做成的、连接或固定物体的零件。❷比喻平凡而不可缺少的人或物。㊀在伟大的革命事业中，做一个永不生锈的～。

【螺线管】由导线沿着圆筒面绕成的螺旋形线圈。当电流通过细而长的直螺线管时，管内形成接近匀强的磁场。

【螺旋体】介于细菌与原生动物之间的一类微生物。体形细长，柔软，弯曲呈螺旋状，能活泼运动。腐生或寄生。使人致病的有斑疹伤寒螺旋体、回归热螺旋体等。

【螺旋桨】也叫螺旋推进器。一种广泛应用于船舶和飞机的推进器。常见的有2—5片桨叶，由发动机带动旋转。

【螺旋藻】一种保健食品。是原产于非洲的单细胞藻类。富含蛋白质、碳水化合物、脂肪、维生素以及微量元素等。中国现已有栽培。

【螺旋式上升】事物由简单到复杂、由低级到高级前进发展的形式。事物的发展，不是直线式的，而是螺旋式的；不是周而复始的循环，而是向前、向上的。前进和上升的道路是迂回曲折的。

【螺旋桨飞机】用螺旋桨将航空发动机的动力转化为推进力的飞机。按发动机类型，分活塞式螺旋桨飞机和涡轮螺旋桨飞机。适于低速飞行。

luǒ ㄌㄨㄛˇ

砢□ ㊁ luǒ 见〔磊砢〕（590页）。
㊀ kē（555页）。

倮☒ luǒ 同“裸”。

裸（＊躶＊蠃） luǒ 光着身体；没有东西包着的。㊀～体｜～子植物。

【裸蕨】早泥盆世最古老的陆生植物之一。地上茎直立，高可达1米以上。有简单的维管束组织，表皮具角质层和气孔。通常无叶或仅有刺状的附属物。

【裸子植物】种子植物的一类。胚珠（或种子）裸露在外。中国现存的裸子植物有松、柏以及银杏、水杉、银杉等。

蓏☒ luǒ 古书上指瓜类植物的果实。

瘰 luǒ 〔瘰疬〕俗称鼠疮。中医病证名。指颈淋巴结结核。由结核杆菌侵入颈淋巴结而引起。一般在颈部、锁骨上淋巴结出现单个或成串肿大，严重时化脓向外穿破，形成瘘管。

蠃 luǒ 见〔蜾蠃〕（367页）。

luò ㄌㄨㄛˋ

泺（濼） luò 泺水，水名，在山东济南西南。

跞（躒） ㊁ luò 见〔卓跞〕（1306页）。
㊀ lì（605页）。

荦（犖） luò 明显。㊀卓～。

【荦荦】明显；分明。㊀～大端（主要项目）。

咯 ㊃ luò 见〔吡咯〕（52页）。
㊀ kǎ（545页）。
㊁ lo（633页）。
㊂ gē（314页）。

洛 luò 洛河，水名，发源于陕西洛南县，东流经河南入黄河。古作雒。

【洛阳】市名。位于河南省西部，陇海、焦枝铁路在此交会。人口98万(1997年)。工业以农业机械和矿山机械制造为主。洛阳牡丹和手工艺品唐三彩有名。为中国古都之一,有龙门石窟、白马寺、关林等古迹。

【洛克】约翰·洛克(1632—1704)英国唯物主义哲学家。承认物质的客观存在,反对天赋观念说,认为知识来源于经验。但把事物的性质区分为事物本身固有的第一性的质和来自主观的第二性的质,把经验区分为由感觉引起的外部经验和来自心灵的内部经验。这些都表明他的唯物主义是不彻底的。著有《人类理解论》《政府论》等。

【洛神】中国古代神话中洛水的女神洛嫔。传说她本来是宓(fú)羲氏(伏羲氏)的女儿,叫宓妃,因渡水淹死,成为水神。

【洛杉矶】美国城市。位于该国西南部,临太平洋。人口349万(1990年)。是美国第三大城市,西部地区主要海港以及工商业和文化教育中心。游乐中心迪斯尼乐园和电影艺术中心好莱坞闻名世界。

【洛川会议】1937年8月22日至25日中国共产党在陕北洛川召开的中央政治局扩大会议。会议通过了《关于目前形势与党的任务的决定》和《抗日救国十大纲领》,提出了坚持全面抗战路线,反对国民党的片面抗战路线。指明了争取抗战胜利的具体道路。会议针对党内已经发生和可能发生的投降主义倾向,强调指出党在抗日民族统一战线中的领导权问题。会议确定在敌后放手发动群众,开展独立自主的游击战争,建立敌后抗日根据地。为了团结各阶层一致抗日,会议确定在农村以减租减息作为抗战时期解决农民土地问题的基本政策。

【洛伦兹力】运动电荷在磁场中所受的作用力。因荷兰物理学家洛伦兹首先提出而命名。

【洛阳纸贵】《晋书·文苑传》记载,晋代左思的《三都赋》写成后,在洛阳许多人竞相传写,引起纸价上涨。后常用洛阳纸贵来称誉某种著作流传很广。

L

落 ㊀ luò ❶掉下;下降。[例]~泪|太阳~山。❷衰败。[例]衰~|零~。❸停留;留下来。[例]~脚|~户。❹遗留在后面。[例]~后|~伍。❺归到。[例]这个光荣而艰巨的任务~到咱们身上了。❻停留的地方。[例]着~。❼聚居的地方。[例]村~。
㊁ lào (587页)。
㊂ là (577页)。

【落户】到一个地方去,长期住下来。

【落发】剃掉头发出家当和尚或尼姑。

【落地】❶落在地上。❷指婴儿刚出生。[例]呱呱~。❸直接接到地上或置于地上的。[例]~窗|~电扇。

【落成】指建筑工程完成。

【落网】犯罪嫌疑人被捕归案。

【落伍】掉队。常指跟不上时代前进的步伐。

【落体】受重力作用由空中落下的物体。

【落拓】也作落魄(tuò)。❶性情放浪,行为散漫。[例]~不羁。❷潦倒失意。

【落泊】也作落魄(bó,又音pò)。潦倒失意。泊(bó)。

【落实】使(计划、措施、政策等)得以贯彻执行。[例]认真~党的各项政策。

【落草】❶旧指进入山林当强盗。❷〈方〉指婴儿出生。

【落荒】离开大路,跑向荒野。[例]~而逃。

【落差】❶河流或渠道上、下游两点水位在同一时间依同一基准面求得的高差。水电站等就是借落差利用水能的。❷比喻对比中的差距或差异。

【落难】遭遇灾祸,陷入困境。

【落第】指科举考试没考中。第:等第,名次。

【落款】书画家在所作书画上题写姓名、年月等。也泛指书信、文章上的署名。

【落落】❶形容举止坦率自然。[例]~大方。❷孤独,和别人合不来。[例]~寡合。

【落寞】冷落;寂寞。

【落魄】❶同“落泊”(652页)。魄(bó,又音pò)。❷同“落拓”(652页)。魄(tuò)。

【落墨】落笔;下笔。

【落潮】即“退潮”(997页)。

【落水狗】掉在水里的狗。比喻失势的坏人。

【落基山】北美洲西部与海岸平行的山脉之一。南北延伸5 000千米,最高峰埃尔伯特山海拔4 399米。

【落井下石】也说落井投石、投井下石。比喻乘人危难时加以陷害。唐韩愈《柳子厚墓志铭》:“一旦临小利害,仅如毛发比,反眼若不相识;落陷阱,不一引手救,反挤之,又下石焉者,皆是也。”

【落叶植物】秋冬季节叶子全部脱落的多年生植物。一般指温带的落叶乔木或灌木。

如水杉、梧桐、木槿等。

【落花流水】形容暮春衰败的景色。宋赵长卿《鹧鸪天·送春》词:"落花流水一春休。"后常用"落花流水"来比喻被打得大败。㊎敌人被打得~。

骆(駱) luò 姓。

【骆驼】哺乳动物。分单峰驼和双峰驼,中国产的为双峰驼。耐饥渴,善负重,适于在沙漠中远行。中国野骆驼分布于内蒙古、甘肃、新疆等地,是中国国家重点保护动物。

络(絡) ㊀ luò ❶网状的东西。㊎丝瓜~。❷中医指人体内气血运行通路的旁支。㊎经~。❸用网状物兜住。㊎用络子~住。❹缠绕。㊎~线。

㊁ lào (587页)。

【络绎】连续不断。

【络合物】也叫配合物。化合物的一大类。常为分子(或离子)与分子(或离子)经一定方式加合而成的产物。如蓝色的硫酸铜溶液加入氨水变成深蓝色,就是由于溶液中生成四氨硫酸铜[$Cu(NH_3)_4SO_4$]这种络合物。络合物的形成可用于元素的分析、分离和提纯。

【络腮胡子】连着鬓角的胡子。

珞 luò 见〔璎珞〕(1183页)。

【珞巴族】中国少数民族之一。人口约0.2万(1990年)。主要分布在西藏自治区东南部。有本民族语言,部分兼通藏语文。从事农业和狩猎。

烙 ㊀ luò 见〔炮烙〕(739页)。

㊁ lào (587页)。

硌 ㊀ luò 山上的巨石。

㊁ gè (319页)。

雒 luò 见"洛"(651页)。

【雒邑】周成王时,为了巩固对东方殷商遗民的统治,营建雒邑,为"成周城""王城"两座城。王城在今河南洛阳城西涧水东,成周城在今洛阳城东三十里。三国时魏改"雒"为"洛"。

摞 luò ❶把东西重叠地往上放。㊎把砖~起来。❷量词。用于层叠堆放的东西。㊎一~书。

漯 ㊀ luò 〔漯河〕地名。在河南中部。京广铁路经此。

㊁ tà (949页)。

M ㄇ

m̄ ㄇ

呣□ m̄ 叹词。可以读成不同声调以表示答应、疑问、不以为然等。

姆 ㊁ m̄〔姆妈〕〈方〉❶母亲。❷称年长的已婚妇女。㊀王家～。
㊀ mǔ（700页）。

ḿ ㄇ́

呒□（嘸） ḿ 〈方〉没有。㊀～啥（没有什么）。

mā ㄇㄚ

孖□ ㊁ mā 〈方〉成双的；成对的。㊀～髻山（山名，在广东）。
㊀ zī（1307页）。

妈（媽） mā ❶妈妈，称母亲。❷对长一辈或年长已婚妇女的尊称。㊀姑～｜大～。❸旧时对中老年女仆的称呼（放在姓之后）。㊀鲁～｜吴～。

蚂（螞） ㊁ mā 〔蚂螂〕〈方〉蜻蜓。
㊀ mǎ（660页）。
㊂ mà（660页）。

抹 ㊂ mā ❶擦。㊀～桌子。❷用手按着物体朝某一方向移动。㊀把头发往后～一～｜把手表～下来。
㊀ mǒ（695页）。
㊁ mò（695页）。

麻 ㊁ mā 〈方〉用于"麻麻黑"（形容天色微黑）、"麻麻亮"（形容天色微亮）。
㊀ má（654页）。

摩 ㊁ mā 〔摩挲〕用手轻轻按着一下一下移动。㊀把衣服～平了。挲（sa）。
㊀ mó（693页）。

má ㄇㄚ́

吗（嗎） ㊀ má 〈方〉疑问代词。什么。㊀干～？
㊁ mǎ（659页）。
㊂ ma（660页）。

麻（❶❷ *蔴） ㊀ má ❶麻类植物的统称。分大麻、亚麻、苎麻、黄麻等多种。茎皮纤维可以作纺织原料。❷芝麻。㊀～酱｜～糖。❸麻木。㊀把腿压～了。❹不光滑。㊀这种纸一面光一面～。❺表面带有细碎斑点或小坑的。㊀～雀｜～脸。
㊁ mā（654页）。

【麻刀】用刀剁成段的麻絮。拌在灰泥里用来抹墙或搪炉子等，可加强拉力。刀（dao）。

【麻风】由麻风杆菌引起的慢性传染病。通过直接与患者长期接触传染。主要症状是局部皮肤麻木、变厚，毛发眉须脱落，手指、脚趾变形等。

【麻将】娱乐项目之一。用具以竹子、骨头或塑料等制成。一副麻将共144张，分万、条（索）、饼（筒）三门，每门从一至九，各四张；另有中、发、白、东、南、西、北各四张，以及花牌。四人同玩，每人13张，按规则先凑成四组（每组三张）和另一对牌为胜。

【麻疹】由麻疹病毒通过呼吸道引起的急性传染病。患者多为六个月至五岁小儿。初起有发热、流泪、咳嗽等症状，口腔颊黏膜出现特殊白斑，颈、胸、腹部、四肢皮肤相继出现斑丘疹。易发生肺炎合并症。接种麻疹疫苗可以预防。

【麻黄】多年生草本植物。老枝木质化，呈小灌木状，多分支，茎节明显，叶退化成片状。全草入药，可提取麻黄素，有发汗、止喘等作用。

【麻雀】也叫家雀。鸟类。体长约14厘米。雌、雄羽色近似。头和颈栗色，背部稍浅，满缀黑色条纹，面侧有一块黑斑。多栖息于树洞及屋檐下的洞隙中。食黍谷及小虫等。在中国遍布于平原和丘陵地带。

【麻痹】❶机体某一部分的感觉或运动功能部分地或完全地丧失。通常指运动麻痹。常见于脑溢血、脑瘤、小儿麻痹后遗症、外伤等。❷疏忽大意，失去警惕性。痹(bì)。

【麻醉】❶用药物、针刺或其他方法使全身或局部暂时失去知觉或产生镇痛作用，以便进行外科手术或其他治疗。有全身麻醉、局部麻醉、复合麻醉等。❷比喻用某种手段使人认识模糊，意志消沉。

【麻黄碱】也叫麻黄素。一种平喘药。从麻黄中提取或合成。可松弛支气管平滑肌，减轻充血水肿，有利于改善小气道阻塞，也可使心肌收缩力增强。用于预防支气管哮喘发作，缓解轻度哮喘，治疗充血性鼻塞等。

【麻木不仁】肢体麻痹，没有感觉。比喻思想不敏锐或对事物漠不关心。

嘛　㊁ má　佛教咒语用字。
㊀ ma (660 页)。

蟆(*蟇)　má　见〔蛤蟆〕(369 页)。

mǎ　ㄇㄚˇ

马(馬)　mǎ　❶哺乳动物。性灵敏，善奔跑。家马分挽用、骑乘和兼用三种。中国有伊犁马、三河马、河曲马等良种。分布于新疆、甘肃、内蒙古的野马是国家保护的珍稀动物。❷形容大。㊞～蜂｜～勺。

【马力】功率单位。1 马力等于 735 瓦。每秒钟把 75 千克的物体提高 1 米所做的功即为 1 马力。现已不用。

【马扎】一种可以折叠合拢的，便于携带的小型坐具。扎(zhá)。

【马术】❶骑马的技术。❷体育运动项目之一。运动员骑在马上或驾御马车比赛速度和技巧。有速度赛马、马术障碍赛、盛装舞步、单日赛(包括越野障碍赛、场地障碍赛、盛装舞步)、马上技巧等项目。一般分个人赛、团体赛，按成绩评定名次。

【马可】(1918—1976)中国现代作曲家、音乐理论家。创作音乐作品五百多部。代表作有秧歌剧《夫妻识字》、歌曲《南泥湾》《咱们工人有力量》《我们是民主青年》、管弦乐《陕北组曲》等。他是歌剧《白毛女》的主要作曲者之一，还创作了歌剧《小二黑结婚》。在音乐理论方面，著有《新歌剧和旧传统》《生活里少得了音乐吗?》等。

【马甲】穿在衣服外面的背心。

【马弁】旧时军官的护兵。

【马达】英语音译词。电动机。

【马灯】手提的防风雨的灯。因骑马夜行时能挂在马身上，故名。

【马戏】原指人骑在马上所作的表演，现为各种驯兽(禽)表演的统称。有演员指挥动物表演各种技巧动作或演员在动物身上作各种技艺表演等形式。广义的马戏也包括杂技在内。

【马克】德语音译词。德国、芬兰等国的本位货币均译为马克。

【马快】中国古代侦察、逮捕罪犯的差役。

【马表】也叫跑表。体育运动比赛用的表。因最初用于赛马计时而得名。后多在径赛中计时用。通常只有分针和秒针，按动转钮可以随时使它走或停，能测出 1/10 秒或 1/100 秒的时间。

【马虎】粗心大意；草率从事。

【马奈】爱德华·马奈(1832—1883)法国画家，印象派的盟友。致力于欧洲传统绘画技法的革新，选材自由，构图大胆，色调和谐，笔触简练。代表作有《草地上的午餐》《奥林匹亚》等。

【马帮】驮运货物的马队。

【马球】❶马术运动项目之一。运动员骑在马上，用马球杆将球击入对方球门得分。得分多者为胜。有场地马球和草地马球两种比赛。场地马球用的球较大，速度不很快，每队三人上场；草地马球球场长 300 米，宽 100 米，用的球较小，球速较快，每队 4 人上场。❷马球运动使用的球。实心，以藤竹根或具韧性的轻木制成。

【马勒】古斯塔夫·马勒(1860—1911)奥地利作曲家、指挥家，欧洲 19 世纪末叶晚期浪漫乐派的代表人物之一。其创作以交响音乐和声乐曲为主。交响乐形式庞大，配器复杂，风格宏伟，富于民间色彩。作品有交响曲十部，其中第二、三、四、八部均加用合唱或独唱。此外，尚有交响性套曲《大地之歌》(采用李白、孟浩然、王维等七首诗的德译文谱成)。其声乐作品以声乐套曲《旅行者之歌》、康塔塔《悲哀之歌》等最著名。

【马厩】饲养马的房子。厩(jiù)。

【马脚】比喻破绽。

M

【马鹿】也叫赤鹿。哺乳动物。体长可达1.8米。一般体重230—250千克。雄鹿有角。夏毛赤褐色，冬毛灰褐色。有迁徙习性，夏季上山，冬季下山至平原密林中。产于中国东北、西北等地。

【马蜂】胡蜂的俗称。

【马褂】旧时男子穿在长袍外面的长袖对襟短褂(原为满族人骑马时的服装)。

【马赫】恩斯特·马赫(1838—1916)奥地利物理学家、哲学家，经验批判主义的创始人之一。在力学、声学和光学方面都有成就。哲学上是主观唯心主义者，认为感觉是世界的本质，物体是"感觉的复合"；否认独立于意识之外的客观世界的存在。

【马蔺】多年生草本植物。根茎粗，叶线形，花蓝紫色。叶坚韧，可缚物，又可造纸。籽可入药。根可制刷子。有的地区叫马莲。蔺(lìn)。

【马鲛】也叫鲭、鲅。鱼类。体延长，侧扁，长达1米余。体银灰色，具暗色横纹或斑点。鳞细小或退化。背鳍2个，第二背鳍及臀鳍后部各具7—9个小鳍。是上中层海产经济鱼。中国沿海均产。

【马赛】法国城市。位于该国南部，临地中海。人口81万(1990年)。是全国第二大城市、最大海港和南部工业中心。名胜古迹主要有圣让堡、圣尼古拉斯堡以及伊夫岛上的伊夫古堡和灯塔等。

【马丁炉】即"平炉"(756页)。

【马口铁】镀锡铁。表面镀锡的铁皮，不易生锈，多用于罐头工业。

【马可尼】(1874—1937)意大利发明家。主要贡献是发明了无线电报。1895年发明无线电报机，1901年试验越洋无线电通信获得成功。获1909年诺贝尔物理奖。

【马头琴】蒙古族拉弦乐器。因琴头刻有马头而得名。琴箱一般为梯形，蒙以马皮，用两束马尾作弦。发音悠扬浑厚。是蒙古族重要的独奏、伴奏及合奏乐器。

【马尼拉】菲律宾首都。位于吕宋岛中部西岸。人口900万(1995年)。是全国政治、经济、文化中心和国内外重要交通枢纽，也是重要的贸易港。具有迷人的热带海滨城市风光。

【马后炮】原为象棋用语。现比喻时机已过，事情已成定局才提出的主张或办法。

【马克思】卡尔·马克思(1818—1883)马克思主义的创始人，无产阶级革命导师，国际共产主义运动的伟大领袖。生于德国特利尔城一个律师家庭。1841年柏林大学毕业后，开始从事政治活动。1842—1844年在革命实践中从唯心主义转到唯物主义，从革命民主主义转到共产主义。1844年秋在巴黎会见恩格斯，从此两人成为最亲密的战友。他们一起参加了当时各革命团体的活动，并对各种小资产阶级社会主义学说、资产阶级唯心主义和形而上学展开了激烈的斗争。1847年和恩格斯共同组织创立共产主义者同盟，1848年发表两人合著的《共产党宣言》，第一次完整而系统地阐述了崭新的无产阶级世界观，即马克思主义学说。1848年欧洲革命爆发后，和恩格斯同回德国参加革命运动，创办《新莱茵报》，革命失败后移居伦敦。在《路易·波拿巴的雾月十八日》等著作中，总结了1848年革命的经验，强调指出无产阶级必须用革命暴力打碎资产阶级国家机器，建立无产阶级专政。1864年创立国际工人协会即第一国际，领导第一国际同蒲鲁东主义、巴枯宁主义、工联主义、拉萨尔主义等机会主义流派进行坚决斗争，促进了马克思主义与各国工人运动相结合。1867年出版《资本论》第一卷(第二、三卷在马克思逝世后由恩格斯整理出版)，进一步从政治经济学理论上论证了科学共产主义。1871年热情支持巴黎公社，并写了《法兰西内战》，总结它的经验和教训，提出著名的巴黎公社原则。1875年写了《哥达纲领批判》，对无产阶级专政学说作了重大发展。1883年3月14日在伦敦逝世，安葬于海格特公墓。

【马来人】指居住在马来半岛上的原始居民。属蒙古人种，皮肤褐色，讲马来语。现分布在马来西亚、新加坡、印度尼西亚以及菲律宾、泰国南部。

【马尾松】常绿乔木。叶二针一束，细柔。生长快，为用材及采割松脂树种。在中国广泛分布于南方地区。

【马拉松】❶马拉松赛跑的简称。❷比喻开会、办事等时间拖得很长。㊀～会议。

【马齿苋】也叫长寿菜。一年生草本植物。匍匐地面。茎叶肥厚多汁，可食。全草供药用，能清热、解毒，治菌痢。苋(xiàn)。

【马思聪】(1912—1987)中国现代作曲家、小提琴演奏家。代表作有管弦乐曲《第一交响曲》《西藏音诗》《山林之歌》，小提琴曲

《牧歌》《内蒙组曲》《绥远回旋曲》等。

【马前卒】封建社会称武将、官吏出征出行在马前吆喝开路的兵卒差役。现指在前边摇旗呐喊、为人捧场的人物。

【马祖岛】属福建省，在闽江口外，面积12平方千米。

【马致远】(约1251—约1321)元代戏曲家、散曲家。号东篱，一说字千里，大都(今北京)人。曾任浙江省务提举。与剧作家、演员组织书会，编演北曲杂剧。所作杂剧15种，现存《汉宫秋》《青衫泪》等7种。现存小令104首，套曲17首，辑为《东篱乐府》。

【马铃薯】也叫土豆，有的地区叫山药蛋。多年生草本植物。花白色或蓝紫色。地下块茎肥大，卵圆形，富含淀粉，可供食用。

【马寅初】(1882—1982)中国现代经济学家。浙江嵊县人。早年留学美国。20世纪50年代提出新人口论，第一个主张控制中国人口。著有《中国经济改造》《通货新论》《马寅初论文集》等。

【马蒂斯】亨利·马蒂斯(1869—1954)法国画家，野兽派的代表。主张艺术是心灵的镇定剂和安乐椅，追求单纯的形式美和东方的装饰性。代表作有《红色的和谐》《舞蹈》等。

【马蜂窝】比喻难于对付的人或事。

【马赫数】表示飞行速率的物理量。因奥地利物理学家马赫首先提出而命名。飞行器的马赫数，等于飞行器在静止空气中的飞行速率与当地声音的传播速率之比。马赫数小于1、近乎等于1和大于1的飞行，分别称为亚音速、跨音速和超音速飞行。

【马赛曲】法国国歌。原名《莱茵河军队战歌》。鲁热·德·里尔词曲。作于1792年。因当时马赛市救国义勇军就高唱这首歌开进巴黎，即被人们称为《马赛曲》。1795年，该曲被法兰西第一共和国用作国歌。1814—1830年波旁王朝复辟时期和1852—1870年第二帝国时期曾遭禁唱。1874年法兰西第三共和国重新定为国歌，沿用至今。

【马德里】西班牙首都。位于该国中部。人口301万(1995年)。是全国政治、经济、文化和交通中心。历史悠久，名胜古迹众多，以东方宫最为著名。风光旖旎，娱乐活动丰富，是世界著名的旅游胜地。

【马蹄莲】多年生草本植物。高可达1米。地下有根状茎。叶心状卵形或心状箭形，有长柄。初夏抽肉穗花序，外有漏斗状佛焰苞，白色或乳色，形似花冠。可供观赏。

【马蹄铁】❶钉在马、驴、骡子蹄子下的U字形铁掌。❷U字形的磁铁。

【马后喘儿】旧指跟班的少年仆役。

【马丁·路德】(1483—1546)16世纪德意志宗教改革运动的倡导者。1517年发表反对罗马教皇出售“赎罪券”的宣言，否定教皇权威，支持德意志贵族没收教会财产，主张用民族语代替拉丁语。其教派后成为新教中的一支。

【马不停蹄】比喻一刻也不停地前进。

【马氏文通】书名。语法学著作。清末马建忠著。1898年出版。共十卷。分正名、实字、虚字、句读四部分。从中国古籍中选出例句，参考拉丁文法写成此书，为中国第一部较全面系统的古汉语语法专著。

【马可·波罗】(1254—1324)意大利旅行家。1271年取道中亚来中国。1275年到达上都(今内蒙古多伦西北)。此后在元朝担任官职十七年，并游历中国各地。1291年由海路回国。他回国后口述东方见闻、由别人记录整理的《马可·波罗行记》一书，描述了东方的富庶，对欧洲人力求发现通往亚洲的新航路很有影响。

【马尔萨斯】托马斯·罗伯特·马尔萨斯(1766—1834)英国经济学家。因发表《人口论》而闻名。参见〔马尔萨斯人口论〕(659页)。

【马耳东风】也说东风马耳。比喻听不进话，如耳边风。唐李白《答王十二寒夜独酌有怀》诗：“世人闻此皆掉头，有如东风射马耳。”

【马关条约】中日甲午战争后日本迫使清政府签订的不平等条约。1895年清政府派李鸿章在日本马关签订。主要内容有：承认日本对朝鲜的控制，强割辽东半岛(后以白银三千万两赎回)、台湾和澎湖列岛；“赔偿”军费白银二万万两；开放沙市、重庆、苏州、杭州为商埠；允许日本在中国通商口岸开设工厂等。

【马克·吐温】(1835—1910)美国作家。生于破产的法官家庭。1865年开始写作。作品用幽默、夸张的手法讽刺美国社会，抨击种族歧视，反映人民的民主思想。代表作有短篇小说《竞选州长》和长篇小说《汤姆·索耶历险记》《哈克贝利·费恩历险记》《傻瓜威尔逊》等。

【马来半岛】在亚洲东南部,南海与安达曼海之间。南隔马六甲海峡与印度尼西亚的苏门答腊岛相对。是中南半岛向南延伸的狭长半岛。从克拉地峡起,长约1 100千米,面积约18万平方千米。分属马来西亚和泰国。

【马来群岛】中国习惯上称南洋群岛。位于亚洲东南海上,太平洋和印度洋之间。是世界上最大群岛。大岛多山岳和火山,小岛多属珊瑚岛。气候湿热,热带资源丰富。

【马拉维湖】东非大裂谷上的断层湖之一,淡水湖。位于马拉维与坦桑尼亚、莫桑比克的交界处。面积30 800平方千米。

【马到成功】古时打仗,常以"旗开得胜,马到成功"祝愿迅速取得胜利。现在用来形容人一到那里,工作刚开始就取得成就。

【马齿徒增】谦辞。比喻自己年龄增长而学业等没有长进。《穀梁传·僖公二年》:"荀息牵马操璧而前曰:'璧则犹是也,而马齿加长矣。'"徒:白白地。

【马革裹尸】用马皮把尸体包起来。指在战场上壮烈牺牲。《后汉书·马援传》:"男儿要当死于边野,以马革裹尸还葬耳,何能卧床上在儿女子手中邪!"

【马首是瞻】士兵看着将帅马头的方向而进退。《左传·襄公十四年》:"荀偃令曰:'鸡鸣而驾,塞井夷灶,唯余马首是瞻。'"后比喻追随别人来定行止。

【马格里布】阿拉伯语音译词。阿拉伯西方。用于地理专有名词时,指摩洛哥、阿尔及利亚和突尼斯。7世纪以后迁入这一地区的阿拉伯人同当地的柏柏尔人共同组成马格里布国家,14世纪后逐渐分裂。

【马王堆汉墓】西汉前期墓葬。1972—1973年在湖南长沙马王堆发现,故名。现已出土帛画、帛书、漆器、纺织物及一具女尸。该女尸保存完整,内脏器官和主要病变尚可确认。出土物对研究中国科技史、艺术史和纺织工艺史有极大价值。

【马六甲海峡】位于马来半岛与苏门答腊岛之间。是太平洋和印度洋间航运要道。长约800千米,最窄处约40千米。是世界航运繁忙的海峡之一。1971年1月16日马来西亚、新加坡、印度尼西亚三国发表联合声明,宣布共管马六甲海峡。

【马克思主义】也叫科学共产主义。马克思和恩格斯的观点和学说的体系。是无产阶级及其政党的世界观和指导思想。19世纪伴随大工业而出现近代无产阶级的时候,马克思、恩格斯亲自参加了当时的革命实践,总结了各国工人运动的经验,批判地吸收了以德国古典哲学、英国古典政治经济学和英法空想社会主义为代表的人类优秀思想成果,创立了马克思主义学说。马克思主义有三个组成部分:哲学(辩证唯物主义和历史唯物主义)、政治经济学和科学社会主义。

【马克斯·韦伯】(1864—1920)德国社会学家。他认为社会学是一种探讨人这个社会主体的社会行动的理论,注重研究个人动机和社会行动的主观意义。对现代社会管理机构中的"官僚制"(他称为"科层制")也作了分析研究。代表作有《新教伦理与资本主义精神》《经济与社会》。

【马拉开波湖】南美洲最大湖泊,淡水湖。位于委内瑞拉西北部,北以狭窄水道通委内瑞拉湾。面积14 344平方千米。富藏石油。

【马拉松赛跑】简称马拉松。径赛项目之一。在公路上进行的超长距离赛跑。全程42.195千米。公元前490年希腊战胜波斯侵略军时,士兵斐迪辟从马拉松平原一气跑到雅典(全程42.195千米),报捷后即死亡。为纪念这一事迹,1896年在雅典举行的第一届奥林匹克运动会中,定出此竞赛项目。

【马其诺防线】第二次世界大战前,法国为防备德国进攻,在它同德国接壤的边境上修筑的军事防御体系。以法国陆军部长马其诺的名字命名。第二次世界大战中,这条防线未能阻止德国的入侵。

【马基雅弗利】尼科洛·马基雅弗利(1469—1527)文艺复兴时期意大利政治思想家。长期从政,晚年退隐,从事著述。在《君主论》一书中,提出政治无道德论,主张为了达到政治目的,应不惜采取一切手段。他认为"目的总是证明手段是正确的",这就是所谓的马基雅弗利主义。

【马歇尔计划】第二次世界大战后美国援助欧洲复兴的计划。由美国国务卿马歇尔提出,故名。主要内容是:美国拨款援助欧洲国家,以复兴战后经济;受援国必须满足美国提出的一些条件。马歇尔计划对战后初期西欧国家的经济恢复起了积极作用。

【马达加斯加岛】非洲第一大岛。在非洲大陆东南的印度洋中,隔莫桑比克海峡与非洲大陆相望,面积约60万平方千米。多特有动植物。属马达加斯加。

【马传染性贫血】简称马传贫。一种马属动物的慢性传染病。由马传贫病毒引起。经昆虫传播,无严格的地区性和季节性。主要症状是全身呈败血症变化和贫血。

【马雅可夫斯基】弗拉基米尔·马雅可夫斯基(1893—1930)苏联诗人。他的诗政治性强,具有鼓动性和讽刺性,创造了"楼梯式"诗歌形式。长诗《列宁》塑造了革命领袖的伟大形象。代表作还有《好!》《放开嗓子歌唱》《苏联护照》《开会迷》等。

【马尔萨斯人口论】英国经济学家马尔萨斯的理论。他认为人口按几何级数增长(2、4、8、16、32…),而生活资料按算术级数增长(1、2、3、4、5、6…),所以生活资料的增长永远赶不上人口的增长。失业和贫困是不可避免的自然规律。认为使人口减少的因素是战争、饥荒、瘟疫、贫困和繁重劳动等,这些都被马尔萨斯视为调整人口与生活资料相适应的灵丹妙药,露骨地为剥削制度辩护。

【马克思主义哲学】即辩证唯物主义和历史唯物主义,是无产阶级的世界观和方法论。马克思、恩格斯在19世纪40年代总结了无产阶级斗争的经验和科学发展的成就,批判地继承了人类认识的优秀成果,特别是批判地吸收了黑格尔辩证法和费尔巴哈唯物主义的合理部分,把唯物主义和辩证法统一起来,把唯物主义自然观和唯物主义历史观统一起来,创立了辩证唯物主义和历史唯物主义,形成了阶级性和实践性相统一的最完备、最科学的世界观。

【马克思列宁主义】简称马列主义。马克思主义、列宁主义的合称。

【马克思主义认识论】即"辩证唯物主义认识论"(63页)。

【马克思主义政治经济学】马克思、恩格斯创立的无产阶级政治经济学,马克思主义三个组成部分之一。马克思、恩格斯研究了资本主义社会的生产关系和阶级斗争,批判地吸收了古典政治经济学中的科学成分,完成了劳动创造价值学说和剩余价值学说,揭露了资本主义生产方式发生、发展和灭亡的规律,揭示了资本主义社会的对抗性基本矛盾,即生产的社会化和生产资料的资本主义私人占有之间的矛盾,这一矛盾导致阶级斗争的激化和无产阶级革命的必然胜利,共产主义终将代替资本主义是历史发展的必然规律,从而创立了科学的马克思主义政治经济学。

吗(嗎) ㊂ mǎ 〔吗啡〕由鸦片中提取的一种麻醉药物。通过模拟内源性抗痛物质脑腓呔而起作用。用于镇痛、镇静、镇咳、镇吐等。久用易成瘾。参见〔镇痛药〕(1253页)。
㊀ má(654页)。
㊂ ma(660页)。

犸(獁) mǎ 见〔猛犸〕(677页)。

玛(瑪) mǎ 见下。

【玛瑙】矿物名。化学成分为SiO_2。产于火山岩中,常具有平行或同心的红、灰、白等色纹带,有脂肪光泽,硬度大。可做精密仪器轴承、研钵及装饰材料。

【玛雅人】中美洲印第安人的一支。分布在墨西哥尤卡坦半岛、危地马拉伯利兹、萨尔瓦多、洪都拉斯等地。语言属印第安语系的玛雅—基切语族,有文字。约在公元前1世纪—公元16世纪,先后建立若干强大的奴隶制国家。主要从事农业。创造了玛雅文明。

【玛雅文明】玛雅人于公元前25世纪—公元16世纪期间创造的美洲古代文明。他们创造了象形文字,培育出玉米、番茄等农作物,建有许多规模宏伟的石砌金字塔、神庙及其他建筑,拥有高超的石雕、玉雕工艺,在天文、历法和数学等方面也取得了杰出的成就。

【玛雅建筑】指公元前10世纪前至公元10世纪代表玛雅文明的建筑体系。包括玛雅人在墨西哥尤卡坦半岛、危地马拉和洪都拉斯等地建造的城市、纪念建筑、祭祀建筑、金字塔、神庙及民居等。多用石材作建筑材料。砌筑方式上创造了叠涩拱。装饰图样神秘,至今仍有许多尚未破译的符号。建筑实例有蒂卡尔一号神殿等。

杩□(榪) mǎ 行(xíng)马,阻拦人马通行的木架。

【杩子】一种粪桶。

【杩槎】一种临时性的挡水建筑物。

码(碼) mǎ ❶表示数目的符号。现指一定的数目字。㊣页~|电话号~|明~标价。❷计数的用具。㊣

M

砝～|筹～。❸英美制长度单位。1码合0.914米。❹指一件或一类(事)。㊀一～事。❺摞起。㊀把砖头～起来。

【码头】❶专供停靠船舶、上下旅客和装卸货物的水工建筑物。❷商业港埠的俗称。

钨□(鎷) mǎ 锝的旧称。

蚂(螞) ㊀ mǎ 见下。
㊁ mā (654页)。
㊂ mà (660页)。

【蚂蚁】昆虫。体小,长形,黑色或褐色。一般雌蚁、雄蚁有翅,工蚁、兵蚁无翅。多营巢群居。

【蚂蟥】❶蛭纲动物的通称。❷指金线蛭。宽体金线蛭略呈纺锤形,扁平而较肥壮,长可达13厘米。生活在水田、湖沼中,捕食小动物。能刺伤人的皮肤,但不吸血。

【蚂蚁啃骨头】比喻利用小型设备或小的力量一点一点地苦干来完成一项巨大的任务。

mà ㄇㄚˋ

祃(禡) mà 古代军队行军时在驻地举行的祭礼。

蚂(螞) ㊂ mà 〔蚂蚱〕蝗虫的俗称。
㊀ mǎ (660页)。
㊁ mā (654页)。

骂(駡*罵*傌) mà ❶用粗野或恶意的话侮辱人。㊀不打人不～人。❷斥责。㊀他爸爸～他不争气。

【骂名】挨骂的名声。㊀落了个千载～。

ma ·ㄇㄚ

吗(嗎) ㊂ ma 助词。1.用在疑问句句尾,表示疑问的语气。㊀你晚上有空儿～?|他作业补齐了～? 2.用在句中停顿处,点出话题。㊀要说小王～,搞公关还是有两下子的。
㊀ má (654页)。
㊁ mǎ (659页)。

嘛 ㊀ ma 助词。1.用在陈述句句尾,表示道理显而易见,有提示意。㊀不会不要紧,边干边学～! 2.用在句中停顿处,提醒对方注意后面的话。㊀人～,总是要有一点精神的。
㊁ má (655页)。

mái ㄇㄞˊ

埋 ㊀ mái ❶(用土、沙、雪、落叶等)盖住。㊀～藏|～地雷。❷隐藏。㊀～伏|隐姓～名。
㊁ mán (663页)。

【埋头】专心。㊀～苦干。

【埋伏】❶在估计敌人要经过的地方隐蔽配置一定的兵力,伺机袭击敌人。❷潜伏。㊀他是敌人～下的特务。

【埋没】人才、功绩、作用等受到漠视或未被发现。㊀不要～人才。

【埋葬】❶用土掩埋尸体。❷比喻彻底消灭。

【埋藏】隐存在地下深处。藏(cáng)。㊀地下～着丰富的宝藏(zàng)。

薶☒ mái 同"埋(mái)"。

霾 mái 通称阴霾。大气中的一种混浊现象。由大气中悬浮着大量细微的烟、尘等造成。

mǎi ㄇㄞˇ

买(買) mǎi ❶购买;拿钱换东西。与"卖"相对。❷用金钱或其他手段拉拢。㊀收～|～通。

【买办】❶殖民地半殖民地国家中,替外国资本家在本国市场上效劳的中间人和经理人。在中国,指为外国资本家开设的商行、公司、银行等做事的中间资产阶级,他们受外国资本家的雇用,代外国资本家在中国推销商品、掠夺资源,有的还直接参与政治活动,是旧中国反动统治的社会支柱之一。参见〔买办资产阶级〕(661页)。❷负责采购商品的人员。特指明代专门供应宫廷用品的商人。

【买舟】雇船。

【买账】承认对方的长处或力量而表示佩服或服从(多用于否定式)。㊀不知道他这次～不～|不买他的账。

【买通】用金钱或物质收买人以便办成某些事情。

【买方市场】指在市场供求关系中出现供大于求,卖主之间剧烈竞争,使买主处于有利地位的市场态势。

【买办资本】殖民地半殖民地和附属国中依附帝国主义并直接为其谋利的资本。代表着最反动的生产关系。

【买丝争绣】唐李贺《浩歌》诗:"买丝绣作平原君,有酒惟浇赵州土。"平原君是战国时赵国赵胜的封号,当时称贤公子,宾客甚多,为后世所钦慕。后遂以"买丝争绣"称颂被人推重的人。

【买壳上市】通过购买已上市的公司使本身企业无须正式申请而获得上市公司的地位。

【买空卖空】一种商业投机活动。投机者预计某些商品、证券行情的涨落,乘机买进或卖出,到期结算,从差价中获取利润。因买卖均无实物和货款过手,故名。

【买椟还珠】《韩非子·外储说左上》记载,有个楚国人把珍珠装在木匣子里,到郑国去卖。有个郑国人认为匣子漂亮,就买下木匣,把珍珠退给了卖主。比喻取舍不当,抓了次要的,丢了主要的。椟(dú):木匣子。

【买办资产阶级】殖民地、半殖民地国家中带买办性的大资产阶级。他们依靠帝国主义,为帝国主义利益服务,有的还和农村中的封建势力有千丝万缕的联系。买办资产阶级掌握政权就发展成为官僚资产阶级。

荬(蕒) mǎi 见〔苣荬菜〕(809页)。

mài ㄇㄞˋ

劢(勱) mài 努力。

迈(邁) mài ❶抬起脚来向前跨步。㊀～步前进。❷年老。㊀年～。❸英语音译词。英里(用于机动车行车时速)。㊀一小时跑九十～。

【迈进】❶跨步进入。❷大踏步地前进。㊀向着新的目标～。

【迈阿密】美国城市。位于佛罗里达半岛东南端,临大西洋。是美国著名的旅游胜地,以亚热带风光和海滨浴场闻名。也是美国重要的金融、航空中心和重要的客运港。

麦(麥) mài 麦类作物的统称。分小麦、大麦、燕麦和黑麦。通常指小麦。小麦是中国重要粮食作物,已有四千多年的栽培历史。

【麦冬】多年生草本植物。叶丛生,线形,花紫色。块根纺锤形,可供药用,能清热、润肺、止咳。

【麦加】沙特阿拉伯城市,伊斯兰教第一圣城。位于该国西部。伊斯兰教创始人穆罕默德诞生于此。每年有数百万穆斯林来此朝觐。市中心的圣寺是伊斯兰最大的清真寺和最神圣的地方。

【麦秋】收获麦子的时节。

【麦地那】沙特阿拉伯城市,伊斯兰教第二圣城。位于该国西北部。公元622年伊斯兰教创始人穆罕默德率教徒由麦加迁至此,穆罕默德死后葬于城内的先知寺。

【麦芽糖】有机化合物。由两个葡萄糖分子结合而成。是饴糖的主要成分。由含淀粉酶的麦芽作用于淀粉而制得。用作营养剂,也供配制培养基用。

【麦克风】英语音译词。微音器。

【麦哲伦】费尔南多·麦哲伦(约1480—1521)葡萄牙航海家。曾于1519年率船队进行了人类第一次环绕地球的航行。1521年船队抵菲律宾,麦哲伦因参与当地冲突为当地居民所杀。

【麦粒肿】也叫针眼(yan)。由葡萄球菌侵入眼睑的皮脂腺引起的眼病。眼睑红肿并有胀痛,也可化脓。

【麦克阿瑟】道格拉斯·麦克阿瑟(1880—1964)美国陆军五星上将。曾任美国西点军校校长、美国陆军参谋长。第二次世界大战前期任远东美军司令。太平洋战争期间,指挥盟军解放菲律宾群岛并执行对日占领任务。代表盟国接受日本投降。1950年朝鲜战争爆发后任"联合国军"总司令。1951年4月因与当局政见相左被解职。

【麦克斯韦】❶詹姆斯·克拉克·麦克斯韦(1831—1879)英国物理学家。主要从事电动力学、分子物理和统计力学方面的研究,主要贡献是确立了气体分子按速度分布的统计规律(麦克斯韦分布),建立了电磁场理论,预言了电磁波的存在,指出了光是一种电磁波。❷磁通量的单位。为纪念麦克斯韦而命名。磁场的磁感应强度为1高斯时,垂直于磁力线方向的平面上每平方厘米通过的磁通量就是1麦克斯韦。

【麦卡锡主义】美国参议员约瑟夫·麦卡锡(1909—1957)在美国推行的一种法西斯主义。他在1951—1954年间操纵参议院常设调查小组委员会和其他机构对许多进步组织和个人进行"调查",指责他们是"赤色分子",采取各种手段迫害民主和进步力量。

【麦克马洪线】英国为了侵略中国西藏而制造出来的所谓"中印东段边界线"。从19世纪下半叶起,英国阴谋侵略中国的西藏和新疆。1913年10月策划召开了非法的"西姆拉会议"。1914年3月英国代表麦克马洪与根本无权同外国签订条约的中国西藏地方代表在印度德里用秘密换文的方式,片面地划出了一条所谓"麦克马洪线"。该线西起不丹边境,向东延伸,把历来属于中国的九万平方千米的领土划归当时英国统治下的印度。历届中国政府从来没有承认过这条"麦克马洪线"。它是完全非法和无效的。

【麦哲伦海峡】位于南美洲大陆南端与火地岛之间。大部分在智利境内,东部一小段在阿根廷境内。东通大西洋,西通太平洋。最窄处为3千米。峡湾曲折,风大流急。1520年航海家麦哲伦首先由大西洋经此至太平洋,故名。

【麦积山石窟】中国石窟。位于甘肃省东部。保存有自北魏至清各代洞窟194个,泥塑像、石雕像7 000多尊,壁画1 300多平方米。是全国重点文物保护单位。

唛(嘜) mài 英语音译词。商标。如骆驼唛。

镀□(鎵) mài 人造金属元素,符号Mt,原子序数109。有放射性,由人工核反应获得。

卖(賣) mài ❶拿东西换钱。与"买"相对。❷拿国家、民族、阶级、亲友等作交易,换取自己的私利。㊀叛~|~国贼。❸尽量用出。㊀~力气。❹故意表现自己。㊀~弄才能。

【卖乖】卖弄聪明。

【卖笑】旧指娼妓或歌女以声色供人取乐来维持生计。

【卖座】指戏院、饭馆、茶馆等上座率高。也指顾客上座的情况。

【卖淫】妇女出卖肉体。

【卖关子】说书人说长篇故事,每次总在说到重要关节处停止,借以吸引听众接着往下听,叫卖关子。比喻说话、做事在紧要的时候,故弄玄虚,使对方着急而答应自己的要求。

【卖身契】穷人把自己或妻子儿女卖给别人时立下的字据。

【卖国贼】勾结、投靠外国势力,出卖祖国的叛徒。

【卖方市场】指在市场供求关系中出现供不应求,买主之间剧烈竞争,使卖主处于有利地位的市场态势。

【卖身投靠】原指出卖自己人身,投靠有钱有势的人。比喻甘心充当恶势力的工具。

【卖国求荣】出卖国家利益,谋求个人荣华富贵。清吴趼人《痛史》第六回:"贾似道卖国求荣,请速正法。"

【卖官鬻爵】形容掌权者出卖官职、爵位,以聚敛财富。《宋书·邓琬传》:"父子并卖官鬻爵。"鬻(yù):卖。爵:爵位。

脉(*脈*衇*衂) ㊀ mài ❶血管。㊀动~|静~。❷脉搏。㊀切~。❸植物叶子上的筋络。㊀平行~|网状~。❹连贯分布成为一个系统的东西。㊀山~|矿~。 ㊁ mò (696页)。

【脉石】矿体中与有用矿物伴生的废石。

【脉冲】电脉冲的简称。电子技术中经常运用的一种像脉搏似的短暂起伏的电冲击(电压或电流)。

【脉络】❶中医泛指人体的大、小、主、侧血管。❷比喻条理、头绪。多指文章的层次。㊀~分明。

【脉息】中医学名词。指脉搏。

【脉象】中医学名词。手指感到的脉动征象。有浮、沉、迟、数(shuò)等二十多种。人有疾病,脉象常发生相应的变化和反映,是中医辨证论治的依据之一。

【脉搏】心脏收缩时输出的血液冲击动脉管壁引起的搏动。反映心脏收缩的次数,正常成年人在安静状态下,每分钟平均为70—75次。

【脉冲星】具有短周期的脉冲辐射的恒星。周期最短的0.03秒,最长的4.3秒。一般认为脉冲星是有很强磁场、快速旋转的中子星,它发出的电磁辐射有很强的方向性,当电磁辐射扫过地球时,在地球上可观测到电磁脉冲。

【脉络膜】眼球中膜的后2/3处的薄膜。位于巩膜和视网膜之间。棕褐色,软而薄。主要功能是营养视网膜外层及玻璃体,并有遮光作用,使反映的物像清楚。

霡☒ mài 〔霡霂〕小雨。

mān ㄇㄢ

嫚 ㊁ mān 〈方〉也叫嫚子。女孩子。
㊀ màn（665页）。

颟（顢） mān 〔颟顸〕糊涂而又马虎。顸（hān）。

mán ㄇㄢˊ

姏⊠ mán 〔姏母〕善以甜言蜜语取悦于人的老年妇女。

埋 ㊁ mán 〔埋怨〕抱怨；责备。
㊀ mái（660页）。

悗⊠ ㊀ mán ❶迷惑。❷烦闷。
㊁ mèn（675页）。

蛮（蠻） mán ❶粗野；凶恶不讲理。㊐～横。❷愣；鲁莽。㊐～劲不小。❸中国古代称居住在南部的民族。❹〈方〉副词。很。㊐～好｜～不错。

【蛮横】粗暴而不讲理。㊐～无理。

【蛮触相争】比喻为细小之事而引起争端。《庄子·则阳》："有国于蜗之左角者，曰触氏；有国于蜗之右角者，曰蛮氏。时相与争地而战，伏尸数万，逐北旬有五日而后反。"

谩（謾） ㊁ mán 欺骗；蒙蔽。
㊀ màn（664页）。

蔓 ㊂ mán 〔蔓菁〕即"芜菁"（1041页）。
㊀ wàn（1010页）。
㊁ màn（664页）。

馒（饅） mán 〔馒头〕一种用面粉发酵后蒸成的食品。圆形底平，无馅儿。

鳗（鰻） mán 〔鳗鲡〕也叫白鳝。鱼类。蛇形，体长可达1米，鳞已退化。中国沿海及江湖中均有分布。

鬘⊠ mán 形容头发美好。

瞒（瞞） mán 隐藏真实情况，不让别人知道。㊐～上欺下。

【瞒哄】欺骗。

【瞒天过海】比喻用伪装来瞒哄对方，偷偷地行动。

mǎn ㄇㄢˇ

满（滿） mǎn ❶达到限度。㊐客～｜期～｜～员。❷全。㊐～不在乎｜～身泥土。❸骄傲。㊐反骄破～。❹满足。㊐心怀不～｜～意。❺满族。㊐～人｜～文。

【满月】❶（婴儿）出生后满一个月。❷即"望月"（1014页）。

【满文】满族使用过的拼音文字。1599年清太祖努尔哈赤命额尔德尼和噶盖参照蒙古文字母创制而成，称为无圈点满文。1632年清太宗皇太极令达海对此加以改进，通过在字母旁加圈或点，改变某些字母形体，增加新字母等，形成较完善的字母体系和拼写法，称为有圈点满文。辛亥革命后基本上不再使用。

【满洲】清代满族的旧称。因满族起源于中国东北地区，故后来也泛指中国东北一带。

【满族】中国少数民族之一。人口985万（1990年）。分布在东北三省、河北省及北京等大中城市。原有本民族语言文字，现通用汉语文。

【满腔】内心充满。㊐～热忱｜怒火～。

【满山红】即"杜鹃"（229页）。

【满江红】也叫红萍、绿萍。蕨类植物。体小，三角形，漂浮在水面。根丛生。叶小，肉质，排列成两行，春季绿色，夏季红褐色。繁殖很快。生于水田或湖沼中。可作鱼类及家畜的饲料，也供药用。

【满洲国】日本帝国主义侵占中国东北后制造的傀儡政权。1932年3月9日在长春成立。清废帝溥仪为"皇帝"。1945年随着中国抗日战争的胜利而被摧毁。

【满堂红】❶旧时悬挂在厅堂上的外蒙彩绸或玻璃的灯。❷形容全面胜利或到处兴旺。

【满坑满谷】也说满谷满坑。形容多得很，到处都是。《庄子·天运》："在谷满谷，在坑满坑。"

【满园春色】也说春色满园。满园都是春天的景色。比喻欣欣向荣的景象。宋叶绍翁《游小园不值》诗："春色满园关不住，一枝红杏出墙来。"

【满城风雨】宋惠洪《冷斋夜话》卷四引宋潘大临《题壁》诗："满城风雨近重阳。"意思是重阳节将近的时候，满城秋风秋雨。后比喻一件事发生后，很快就哄动起来，到处议论纷纷。

【满面春风】形容高兴、得意的神情。也形容和颜悦色。元王实甫《丽春堂》第一折："气昂昂，志卷长虹。饮千钟，满面春风。"

【满载而归】(车、船)装得满满地回来。比喻收获很大。
【满腹经纶】比喻人很有学问、本领。《周易·屯》:"象曰:云雷屯,君子以经纶。"经纶:整理丝缕,引申为人的才学、本领。
【满招损,谦受益】骄傲自满招来损失,谦虚谨慎得到益处。《尚书·大禹谟》:"满招损,谦受益,时乃天道。"

螨(蟎) mǎn 节肢动物。身体很小,有足四对。如寄生在人、畜体上的疥螨、蜣螨及危害农作物的红蜘蛛等。

màn ㄇㄢˋ

曼 màn ❶长。㊀～声。❷动作柔和。㊀轻歌～舞。
【曼延】连绵不断。㊀～曲折的小路。
【曼声】声音拉长。㊀～歌唱。
【曼谷】泰国首都。位于该国中部湄南河下游,临近曼谷湾。人口560万(1997年)。是全国政治、经济、文化、交通中心,也是世界著名米市和东南亚重要国际航空港。水上市场著名。
【曼陀罗】也叫洋金花。一年生草本植物。茎粗壮、直立,花冠漏斗形,白色。花、叶供药用,有祛风止痛、定喘止咳功效,但有毒。
【曼德海峡】位于亚洲的也门与非洲的吉布提之间。连通红海和印度洋边的亚丁湾。入口处有一小岛将水道分为东、西两部分。东水道为航运要道,宽3.2千米;西水道虽宽,但多礁石,不利航行。是苏伊士运河航线上控制水道之一。

谩(謾) ㊀ màn 轻蔑,没有礼貌。㊀～骂。
㊁ mán(663页)。

墁 màn 用砖或石块等铺地面。㊀花砖～地。

蔓 ㊁ màn 义同"蔓(wàn)"。用于合成词"蔓延""蔓草"等。
㊀ wàn(1010页)。
㊂ mán(663页)。
【蔓延】形容像蔓草一样扩展延伸。
【蔓草难除】蔓生的草难于彻底铲除。比喻恶势力一经滋长,就难于消灭。《左传·隐公元年》:"不如早为之所,无使滋蔓。蔓,难图也。蔓草犹不可除,况君之宠弟乎?"

幔 màn 帐幕。㊀～帐|布～。

漫 màn ❶水满外流。❷遍;到处都是。㊀弥～|～山遍野。❸随便地;不拘形式地。㊀～步|～谈。❹时间久或道路远。㊀～长。
【漫天】❶布满天空。㊀～大雪。❷形容无边无际的,毫无限制的。㊀～要价。
【漫长】绵延得很长(多指道路、时间等)。㊀～的道路|～的岁月。
【漫记】随笔写的。也指随笔所写的文章,多用于书名,如《西行漫记》。
【漫步】随意而悠闲地走。
【漫画】具有讽刺性或幽默感的绘画。以夸张、比喻、象征、暗示、联想、诙谐为特征。
【漫骂】放肆乱骂。
【漫笔】随手写来、不拘形式的文章。
【漫谈】不拘形式地发表自己的体会、看法或意见。
【漫游】❶随意地不受拘束地游览。❷移动电话的一种功能。通常指当用户离开自己注册登记的服务区域而到另一个服务区域后,移动通信系统仍能为其提供服务。服务方式有人工、自动两种。
【漫漫】形容空间广远无际、时间长久。㊀～白雪,一望无际|～岁月。
【漫漶】书版、石刻等因年代久远遭磨损而模糊不清。漶(huàn)。
【漫灌】也叫自流灌溉。灌溉方式之一。水流经渠道漫流到田地。多用于旱地。漫灌浪费水,现不提倡。
【漫反射】光经粗糙表面向不同方向反射的现象。粗糙表面各点的法线方向不同,即使射来的光线是平行的,反射后的光线方向也互不相同。物体的粗糙表面能向各个方向反射光线,所以人们能从各个方向看到它。
【漫瀚调】也叫蒙汉调、蛮汉调。流行于内蒙古西部地区的一种民歌。歌曲既有蒙古族鄂尔多斯民歌特色,又包含北方汉族民歌音调,是两族音乐文化长期交流的产物。
【漫山遍野】比喻很多,到处都是。
【漫无边际】形容非常广阔,一眼望不到边。也比喻说话、写文章抓不住中心,东拉西扯,离题太远。
【漫不经心】随随便便,不放在心上。

慢 màn ❶迟缓;速度小。与"快"相对。❷冷淡,不放在心上。㊀傲～|怠～|

轻～。

【慢词】依慢调填写的词。慢词字句较多，舒缓，如《木兰花慢》。

【慢说】连词。别说；不要说。

【慢条斯理】形容说话、做事缓慢，不慌不忙。

【慢易生忧】疏慢轻率容易坏事，因而产生忧患。《管子·内业》："思索生知，慢易生忧，暴傲生怨，忧郁生疾。"

嫚 ㊀ màn 轻视；侮辱。
㊁ mān（663 页）。

缦（縵） màn 没有花纹的丝织品。

熳□ màn 见〔烂熳〕（581 页）。

镘（鏝） màn 也叫抹子。泥瓦工抹墙的工具。

māng ㄇㄤ

牤 māng 〈方〉牤牛，公牛。

máng ㄇㄤˊ

邙 máng 邙山，山名，位于河南西部陇海铁路之北，西起三门峡，东止伊洛河岸。西段渑池县北仰韶村，以出土新石器时代文物著名。东段又叫北邙山。

芒 máng ❶多年生草本植物。叶子细长。茎可做造纸原料。❷麦粒、稻粒等外壳上的尖毛。❸像芒的东西。㊎光～。

【芒果】同"杧果"（665 页）。

【芒种】节气名。在每年公历 6 月 6 日前后。中国中部地区农业上多忙于夏收夏种。

【芒硝】也作硭硝。含有结晶水的硫酸钠的俗称。化学式 $Na_2SO_4 \cdot 10H_2O$。无色晶体，易溶于水。用于制革、制玻璃、制碱工业等，也用作泻药。

【芒刺在背】像芒刺扎在背上一样。形容心中惶恐，坐立不安。《汉书·霍光传》："宣帝始立，谒见高庙，大将军光从骖乘，上内严惮之，若有芒刺在背。"

硭 máng 〔硭硝〕同"芒硝"（665 页）。

铓□**（鋩）** máng ❶刀剑等的尖端；光芒。❷流行于云南省傣族和景颇族地区的一种民间敲击乐器。用铜制成。

汒☒ máng 模糊不清。

茫 máng ❶形容辽阔、久远，看不清楚。㊎苍～｜渺～。❷无所知。㊎～然。

【茫茫】形容辽阔无边，看不清楚。㊎～大海｜～草原。

【茫昧】模糊不清。

【茫然】❶一点也不知道、不明白的样子。❷失意的样子。

【茫无头绪】事情摸不着边儿，不知从哪里下手。

忙 máng ❶事情多，没有空。与"闲"相对。㊎～碌。❷急切地做。㊎～工作。

【忙碌】紧张地做各种事。

【忙里偷闲】在繁忙中抽出一点闲空。偷：抽出（时间）。

杧 máng 〔杧果〕也作芒果。常绿乔木。果实肾形，淡绿或淡黄色，核大，果肉味甜多汁，是热带著名水果。中国南方有种植。

宋☒ máng 栋，房屋的大梁。

盲 máng ❶瞎；看不见东西。㊎～人。❷比喻对某种事物不能辨别或不懂。㊎文～｜色～｜舞～｜电脑～。❸盲目地。㊎～从｜～动。

【盲从】不辨是非，盲目地跟着别人说或做。㊎对谁都不能～。

【盲文】❶盲字。❷用盲字刻写或印刷的文字。

【盲目】眼瞎，看不见东西。比喻认识不清或目的不明。㊎～行动。

【盲动】不考虑主客观条件，没有明确目的地行动。

【盲字】也叫点字。专供盲人用来书写、摸读的一种拼音文字。用数目不同和排列不同的凸出圆点组成字母。

【盲肠】人和羊膜动物肠的一部分。人的盲肠退化，仅指大肠起始段的袋状部分。位于腹腔右下部。成人的盲肠长 6—8 厘米。与升结肠交接处有回盲瓣，可防止大肠内容物倒流入小肠。其内下部有一孔通阑尾。盲肠很少发炎，所谓盲肠炎，多是阑尾炎的误称。

【盲道】在便道上为方便盲人行走而铺设的道路，用特制的砖块铺成，用来提示位置，指引转向或止步。

【盲肠炎】旧时对阑尾炎的误称。参见〔阑尾炎〕(580页)。

【盲人摸象】传说有几个瞎子摸象，摸到腿的说大象像柱子，摸到身体的说像墙，摸到尾巴的说像一根绳子。比喻片面地看问题。

【盲人瞎马】《世说新语·排调》："盲人骑瞎马，夜半临深池。"比喻主观和客观皆不具备行动的条件，十分危险。

氓 ㊁ máng 见〔流氓〕(629页)。
㊀ méng (676页)。

尨☒ ㊁ máng ❶杂色。❷多毛的狗。
㊀ méng (675页)。

哤☒ máng 语言杂乱。

牻☒ máng 黑白杂色的牛。

mǎng ㄇㄤˇ

莽 mǎng ❶密生的草。也用作草的泛称。㊀草～｜丛～。❷粗鲁；冒失。㊀鲁～。

【莽苍】形容原野一望无际、草木迷茫的景象。

【莽荡】形容地方宽阔而荒芜。

【莽莽】❶形容草木茂盛。❷形容原野广阔无边。

【莽原】❶草木丛生的原野。❷文艺周刊(后改半月刊)，鲁迅主编。1925年4月创刊于北京，1927年12月停刊。主要发表短篇小说、散文和翻译作品。鲁迅的《朝花夕拾》(发表时题作《旧事重提》)等曾发表于此。

【莽撞】形容动作、行为粗鲁冒失。

漭 mǎng 〔漭漭〕形容广阔无边。

蟒 mǎng 也叫蚺蛇。爬行动物。蛇类中最大的一种。长可达6米以上，体黑色有云状斑纹。无毒。捕食小禽兽。在中国分布于南方森林中。是中国国家重点保护动物。

【蟒袍】明、清时的官服。上面绣有蟒。按蟒的数量、色彩、形状不同区别等级高低。

māo ㄇㄠ

猫(*貓) ㊀ māo 哺乳动物。面部略圆，趾底有肉垫，行走无声，善于捕鼠。
㊁ máo (669页)。

【猫熊】也叫熊猫、大熊猫。哺乳动物。体肥胖，尾短，似熊而略小，两耳、眼周、肩部和四肢黑色，其余部分白色。食竹叶、竹笋等。生活在西南高山地区。是中国国家重点保护动物。

【猫头鹰】鸟类。头圆，像猫，眼睛大，毛柔软，多为黑褐色。昼伏于岩洞或森林里，夜出捕食鼠类等小动物。

máo ㄇㄠˊ

毛 máo ❶动植物皮上所生的丝状物；鸟类的羽毛。㊀眉～｜羊～｜桃～｜羽～。❷物体上长的丝状霉菌。㊀点心放的时间长，长(zhǎng)～了。❸细小。㊀～细血管。❹粗糙，没有加工的。㊀～坯。❺粗心，不沉稳。㊀～手～脚。❻不是纯净的。㊀～重｜～利。❼惊慌。㊀心里发～。❽俗称一圆钱的十分之一；角。

【毛竹】也叫南竹。竹子的一种。主干高大，生长快，茎壁厚而坚韧，用途广。中国南方广为栽植。

【毛利】商品销售额扣除生产成本或进货价的剩余部分。

【毛坯】初步成形、尚待进一步加工的工件。在机器制造中多指铸件或锻件。

【毛拉】阿拉伯语音译词。先生；主人。现伊斯兰教徒用来尊称该教的学者。中国新疆某些地区伊斯兰教徒用来称呼阿訇。

【毛重】多指商品本身和包装材料合计的重量。与"净重"相对。

【毛孩】指生下来在面部和身上长有较长的毛的孩子。

【毛笔】用某些动物的毛制成的笔，是书写汉字和画中国画的传统工具。分紫毫(兔毛)、狼毫(黄鼠狼毛)、羊毫(羊毛)、间毫(杂以两种动物的毛)等多种类型。

【毛病】❶缺点；坏习惯。❷(器物)发生的损伤或故障。也比喻工作中的失误或出现的障碍。

【毛糙】粗糙；潦草；不细致。

【毛公鼎】西周晚期青铜器。有铭文497字，记述周宣王诰诫和褒赏其大臣毛公厝(àn)的事。是现已发现铭文字数最多的青铜器。

【毛白杨】落叶乔木。树干高大而直，速生。

M

叶背和小枝上有白绒毛。是杨树类中木材较好的一种。原产于中国黄河流域。

【毛边纸】用竹纤维制成的淡黄色纸。旧日一般木刻书籍多用这种纸印刷。

【毛泽东】(1893—1976)中国无产阶级革命家、政治家、军事家、理论家,中国共产党、中国人民解放军和中华人民共和国的主要缔造者,中国共产党和中国人民的伟大领袖,毛泽东思想的主要创立者。字润之,湖南湘潭韶山冲人。1913年入湖南第一师范,开始革命活动,组织新民学会、俄罗斯研究会、共产主义小组,创办《湘江评论》等,进行建党工作。1921年7月出席中国共产党第一次代表大会,后任中共湘区委员会书记。1924—1927年积极参加了国共合作。1927年9月领导了秋收起义,建立了井冈山革命根据地,开始了以农村包围城市最后夺取城市的道路。先后任红一方面军总政委、中华苏维埃共和国临时中央政府主席。1935年1月,在遵义会议上确立了在全党的领导地位。到达陕北后任中共中央军委主席。抗日战争时期,发表了《论持久战》等文章,批判了各种错误思想,开展了整风运动和大生产运动,保证了抗日战争的胜利。1943年当选为中央政治局主席。1945年在中共七大上毛泽东思想被确定为全党的指导思想。1946年起领导全国军民进行了三年解放战争,推翻了国民党的统治,建立了中华人民共和国。1949年后领导了社会主义革命和社会主义建设,先后任中央人民政府主席,中华人民共和国主席,全国政协主席、名誉主席。在探索如何建设社会主义的过程中,发动了"大跃进"和农村人民公社化运动,接着又错误地开展了"反右倾"斗争,1966年又错误地发动了无产阶级文化大革命,给党和国家带来巨大的损害。晚年仍然警觉地维护国家的安全,提出划分三个世界的正确战略和中国永远不称霸的重要思想。1976年9月9日在北京病逝。有《毛泽东选集》《毛泽东文集》《毛泽东军事文选》《毛泽东诗词》等。

【毛茛科】双子叶植物纲的一科。大多为一年生或多年生草本植物。叶基生或在茎上互生。花通常两性,辐射对称或左右对称,单生或排成圆锥花序。果实多为蓇葖或瘦果。种子中胚乳丰富而胚小。可供观赏(如牡丹、芍药等)和药用(如黄连、乌头等),也有一部分为有毒植物(如毛茛等)。茛(gèn)。

【毛南族】中国少数民族之一。人口7.2万(1990年)。主要分布在广西壮族自治区河池地区,建立有环江毛南族自治县。有本民族语言,兼通汉语文和壮语。

【毛毡苔】多年生草本植物。叶片近圆形,布满红紫色腺毛,分泌黏液,能捕食小虫。是著名的食虫植物。

【毛脚鸡】比喻粗率慌张的人。

【毛细血管】也叫微血管。血管的末梢部分。呈网状,分布于组织、细胞间。管壁只有一层细胞,气体和物质在此进行交换,血液内的氧和营养物质容易经此渗入组织间,而细胞、组织间的代谢产物则由此进入血液内,经血液循环排出体外。

【毛细现象】含有细微缝隙的物体跟液体接触时,液体沿缝隙升高或降低的现象。它是分子间作用力的结果。纸张或毛巾吸水,地下水沿土壤细缝上升等都是毛细现象。

【毛骨悚然】形容人碰到阴森或凄惨的景象时极端害怕的感觉。

【毛遂自荐】毛遂是战国时赵国平原君的门下食客。有一次他自我推荐要跟平原君到楚国去。结果帮助平原君取得了外交上的成功。见《史记·平原君虞卿列传》。后用来比喻自己推荐自己。

【毛乌素沙漠】在内蒙古自治区伊克昭盟南部和陕北榆林一带。面积约2.5万平方千米。北部多为固定和半固定沙丘。南部长城沿线由于植被破坏,形成流沙。

【毛泽东思想】是马列主义在中国革命和建设中的运用和发展,是马列主义普遍真理同中国革命和建设的具体实践相结合的产物,是被实践证明了的关于中国革命和建设的正确理论原则和经验总结,是中国共产党集体智慧的结晶。它的主要创立者是毛泽东。对于它的形成和发展,中国共产党许多卓越领导人也都做出了重要贡献,毛泽东的科学著作是毛泽东思想的集中概括。

牦(*氂*犛) máo 牦牛,也作旄牛、犛牛。哺乳动物。分家养的和野生的。身上有长毛,多黑褐色,喜寒冷气候。主要分布于青藏高原。善于在空气稀薄的高山峻岭间驮运。野生牦牛数量稀少,属国家保护动物。

旄 máo ❶古代用牦牛尾巴做装饰的旗子。❷古又同"耄(mào)"。㊞～倪

M

（老幼）。

酕☒ máo 〔酕醄〕大醉的样子。

髦 máo 古称儿童垂在前额的短头发。

矛 máo 古代兵器。长杆顶端装有金属的枪头。

【矛头】矛的尖端。多用于比喻。㊀不要把~对准群众。

【矛盾】❶原作矛楯。矛和盾是古代两种不同用处的武器。矛用来攻击敌人，盾用来保护自己。《韩非子·难一》："楚人有鬻楯与矛者，誉之曰：'吾楯之坚，物莫能陷也。'又誉其矛曰：'吾矛之利，于物无不陷也。'或曰：'以子之矛，陷子之楯，何如？'其人弗能应也。"以后矛盾连举比喻互相抵触，互不相容。㊀~百出|自相~。❷哲学范畴。事物内部包含着的两个既相互联系、相互依赖，又相互排斥、相互对立的部分、方面。❸在形式逻辑中，指两个概念互相否定，或两个判断不能同真也不能同假的关系。

【矛盾论】书名。毛泽东关于唯物主义辩证法的代表作。1937年8月，为克服党内的教条主义思想而作。该书系统地论证了唯物辩证法的实质和核心，即对立统一规律，阐述了唯物辩证法的矛盾学说。不仅为中国共产党的思想路线奠定了理论基础，而且对马克思主义辩证法也作出了杰出的贡献。

【矛盾律】也叫不矛盾律。形式逻辑的基本规律之一。指思维必须是首尾一贯的，不能自相矛盾。也就是在同一思维过程中，在同一时间、同一意义上，对同一个问题作的两个相反的判断，不能都是真的。如对"甲是乙"和"甲不是乙"两个判断，不能都加以肯定，至少要否定一个。违反这条规律，就会犯自相矛盾的错误。矛盾律并不否认两个相反的判断可以都是假的，可以有第三种可能。

【矛盾规律】即"对立统一规律"（234页）。

【矛盾的斗争性】指矛盾统一体的两个方面具有相互排斥、相互否定的倾向和趋势的属性。是无条件的、绝对的。

【矛盾的同一性】指矛盾双方的相互依存、相互贯通、相互转化的属性。有两种情形：矛盾双方互为存在的条件，在一定的条件下相互依存，共居于一个统一体中；矛盾双方相互渗透，相互贯通，在一定的条件下相互转化。

【矛盾的特殊性】即矛盾的个性。指不同事物、不同过程、不同阶段的矛盾以及矛盾的诸方面各具特点的属性。

【矛盾的普遍性】即矛盾的共性。指矛盾存在于一切事物发展的过程中，贯串于每一事物发展过程的始终的属性。

【矛盾的主要方面】指在矛盾统一体中居于支配地位、起主导作用的方面。它决定事物的性质。

【矛盾的非主要方面】指在矛盾统一体中居于从属的、被支配地位的方面。

茅 máo 白茅。

【茅厕】厕所。

【茅盾】（1896—1981）中国现代文学家、社会活动家。原名沈德鸿，字雁冰，浙江桐乡人。1921年与郑振铎等组织文学研究会，并主编《小说月报》。1927年起创作了中篇小说《蚀》三部曲。1932年完成长篇小说《子夜》，以吴荪甫为代表的中国民族资本家和赵伯韬为代表的官僚买办资本家的斗争为主线，广泛地反映了20世纪30年代中国半封建半殖民地的社会生活。抗日战争期间，积极参加抗日救亡运动。新中国成立后从事文化部门的领导工作。有《茅盾全集》。

【茅以升】（1896—1989）中国现代科学家。字唐臣，江苏镇江人。早年赴美留学，获工学博士。归国后历任东南大学、交通大学、唐山工学院等校教授。1933—1937年设计和指挥钱塘江大桥的建设。1949年后，历任铁道科学研究院院长、中科院学部委员、中国科协副主席、九三学社副主席、全国政协副主席等。1989年病逝。有《中国古代桥梁技术史》《茅以升文集》。

【茅台酒】中国名酒之一。产于贵州仁怀茅台镇。以高粱为原料，小麦制曲，经糖化发酵蒸馏和长期贮存而成，属酱香型大曲酒。具有独特芳香，味醇美。1915年巴拿马万国博览会被评为世界第二名酒。

【茅茨土阶】也说茅室土阶。用茅草盖屋顶，以泥土砌台阶。形容住房简陋。也泛指生活俭朴。明冯梦龙《东周列国志》第三回："昔尧舜在位，茅茨土阶，禹居卑宫，不以为陋。"茨（cí）：用茅草、芦苇盖的屋顶。

【茅塞顿开】《孟子·尽心下》："山径之蹊，间介然用之而成路；为间不用，则茅塞之矣，今茅塞子之心矣。"古人认为路不走则被草

M

所掩塞,心不用也会被堵塞。茅塞顿开是说被堵塞的心忽然被打开了。形容受到启发,一下子理解领会了道理。

髳⊠ máo 古代西南少数民族。

蝥 máo 见〔斑蝥〕(31页)。

蟊 máo 吃苗根的害虫。

【蟊贼】指危害人民和国家的人。

茆 máo 同"茅"。

猫(*貓) ㊁ máo 〔猫腰〕〈方〉弯腰。㊀ māo (666页)。

锚(錨) máo 钢铁制的停船工具。有钩爪,用铁链连在船上,抛到水底或岸边,可使船停稳。

【锚地】在水域中根据水深、底质、能否避风等条件选择的供船舶抛锚、停泊以及船队编组的地点。也指临时抛锚、停泊的地点。

mǎo ㄇㄠˇ

冇□ mǎo 〈方〉没有。

卯(*夘 *戼) mǎo ❶地支的第四位。❷卯时,旧式记时法,相当于五点到七点。❸木器部件接连的地方。凸起的部分叫榫(sǔn)头;插入榫头的凹入部分叫卯眼。

【卯榫】卯眼和榫头。用榫头插入卯眼,使器物部件连接起来。

峁 mǎo 中国西北地区一种黄土丘陵。顶部平缓,斜坡陡峭。

泖 mǎo 水面平静的小湖。也用于地名,如泖桥(在上海)。

昴 mǎo 星名。二十八宿之一。

铆(鉚) mǎo 用铆钉把金属物固定在一起。

【铆钉】用金属制成的一头有帽的圆杆,用以铆接器件。

mào ㄇㄠˋ

芼 mào 择取。

眊 mào 眼睛昏花,看不清楚。

耄 mào 指八九十岁的年纪。泛指老年。

茂 mào ❶草木繁盛。㊀根深叶～。❷丰富美好。㊀图文并～。❸化学名词。旧指一种环状对称的 C_5H_5 结构,如二茂铁。

【茂盛】❶草木繁盛。❷兴旺。㊀财源～。❸旧时也指功德卓著。㊀先王功德～。

【茂密】(草木)茂盛繁密。

【茂林修竹】茂密高大的树林竹林。晋王羲之《兰亭集序》:"此地有崇山峻岭,茂林修竹。"

冒(*冐) ㊀ mào ❶透出;往上升。㊀～汗|～烟|～火苗子。❷顶着;不顾(危险、恶劣环境等)。㊀～雨|～险。❸鲁莽;轻率。㊀～失|～昧。❹假充。㊀～名|～牌。
㊁ mò (696页)。

【冒号】标点符号的一种。形式为":"。用于句中称呼语后面或"说、想、是、证明、宣布、指出、透露、例如、如下"等词语后面,表示提起下文;用于总括性话语的后面,表示引起下文的分说;用于需要解释的词语后面,表示引出解释或说明。用于总括性话语的前边,表示总结上文。

【冒失】鲁莽;轻率。㊀做事不要～。

【冒犯】没有礼貌,冲撞了对方。

【冒尖】❶(东西)高出容器。㊀粮食囤都～了。❷(人)超过一般水平。㊀～有人嫉妒,水平低又被人看不起,做人也真不容易!

【冒充】用假的充当真的(以进行欺骗)。

【冒进】脱离了具体条件和实际可能性,工作开始得过早,进行得过快。

【冒顶】矿坑、坑道等坍落的现象。

【冒昧】无知而妄为,鲁莽粗率(多用作谦词)。㊀不揣～。

【冒险】不顾危险(进行某种活动)。

【冒渎】冒犯亵渎。

【冒牌】原指一种商品冒用别家同类商品的牌号、商标。现泛指假的冒充真的、次的冒充好的。

【冒名顶替】冒用别人的姓名,代替他去干事或窃取其权利、地位。

【冒险主义】"左"倾机会主义的一种表现。特点是不顾主客观条件,不顾群众觉悟程度和实际可能性，盲目地采取冒险行动，硬干硬拼，急于求成。
【冒天下之大不韪】不顾天下众人的反对，公然干罪大恶极的事。韪：是，对（常和否定词连用）。
帽（*帽） mào ❶帽子。❷形状或作用像帽子的东西。㊀笔～儿｜笼屉～儿。
娼☒ mào 嫉妒。
瑁 mào 见〔玳瑁〕（172页）。
毷☒ mào 〔毷氉〕烦恼；烦躁。
贸（貿） mào ❶交易；买卖。㊀～易。❷轻率；冒失。㊀～然。
【贸易】商品的交换或买卖活动。㊀国内～｜对外～。
【贸然】轻率地；未经考虑地。㊀不要～决定。
【贸易风】即"信风"（1096页）。
【贸易平衡】指一国的出口和进口总额相等的状态，或指一国的进出口贸易使该国内外经济处于平衡的状态。
【贸易协定】两个或两个以上国家间（也有民间的）为规定彼此间经济贸易关系而签订的一种书面协议。主要内容是规定优惠待遇、贸易额、进出口商品货单、作价原则、计价使用货币名称、支付方式等。
【贸易收支】一国在一定时期内同其他国家进行商品、劳务、服务、技术的贸易所发生的货币收支的总和。
【贸易条件】一国在一定时期内出口商品与进口商品的交换比率。
【贸易壁垒】一国为限制和阻止外国商品进口所采取的各种障碍性措施。一般分关税壁垒和非关税壁垒两大类。
【贸易保护主义】国家故意采用或鼓励进口限制以使相对低效率的国内生产商能够在与外商竞争中获胜。
鄮☒（鄮） mào 古地名。在今浙江。
袤 mào 古称南北的距离。㊀广～（东西的距离叫广）。
楙☒ mào 树木茂盛。
懋 mào ❶勤勉。❷同"茂"①。
愗☒ mào 见〔怐愗〕（565页）。
瞀 mào 糊涂；昏乱。㊀昏～。
鄚□ mào 鄚州，地名，在河北。
貇☒（貇） mào 同"貌"。
貌 mào ❶面容；长（zhǎng）相。㊀面～。❷外表；样子。㊀农村新～。
【貌似】表面像（而实际并非如此）。
【貌合神离】也说貌合心离。表面上关系不错，实际上是两条心。《素书·遵义》："貌合心离者孤，亲谗远忠者亡。"

me ·ㄇㄜ

么（麼） me 助词。相当于"吗（ma）""嘛（ma）"。
"麼"，另音 mó（693页）。
嚒□ me 助词。相当于"嘛（ma）"。

méi ㄇㄟˊ

没 ㊀ méi ❶无；没有。㊀屋里～人｜我～铅笔。❷副词。未；未曾。㊀～红｜～来过。
㊁ mò（696页）。
【没精打采】也说无精打采。形容精神不振作。
玫 méi 〔玫瑰〕❶落叶灌木。茎多刺。夏季开花，花单生，紫红色或白色，香气很浓。可以制香料。也指这种植物的花。❷美玉。
枚 méi 量词。与"个"相近，多用于计量形体小的东西。㊀一～纪念章。
【枚举】一个一个地举出来。
【枚乘】（？—前140）西汉辞赋家。字叔，淮阴（今属江苏）人。曾任吴王刘濞的郎中和梁孝王刘武的宾客。武帝慕其文名，用安车蒲轮迎接进京，死于途中。今仅存赋三篇、文两篇。代表作《七发》标志着汉赋的正式形成，在赋的发展上有重要地位。有《枚叔集》。乘（shèng）。
莓☒ méi 同"莓"。

M

莓 méi 指某些果实很小，聚生在球形花托上的植物。有草莓、木莓、蛇莓等。

梅（*楳*槑） méi 落叶乔木。花红、粉红或白色。盛开于冬春寒冷季节。果实球形，味酸，多加工为食品。中国南方栽培较多。

【梅雨】夏初江淮一带长达一个月之久的连阴雨天气。时值梅子黄熟季节，故名。因湿度大，气温高，物品易发霉，故也作霉雨。

【梅毒】性病的一种。由梅毒螺旋体引起。主要通过性生活传播。感染后在外生殖器部位出现硬下疳（一期梅毒），以后又全身皮肤出疹（二期梅毒），严重的可侵害心血管、神经等（三期梅毒）。参见〔性病〕（1104页）。

【梅文鼎】（1633—1721）清代数学家、天文学家。字定九，安徽宣城人。著书几十种，多有创见。著有《梅氏丛书》。

【梅兰芳】（1894—1961）中国现代京剧表演艺术家。名澜，字畹华，原籍江苏泰州，生于北京。出身京剧世家，演旦角，形成了具有独特风格的“梅派”表演艺术。曾赴日、美、苏等国演出，在美获名誉博士学位。抗日战争期间留居香港、上海，蓄须明志，拒绝演出。新中国成立后任中国京剧院院长、中国戏曲研究院院长等职。代表作有《宇宙锋》《贵妃醉酒》《霸王别姬》《抗金兵》等。著有《梅兰芳文集》《舞台生活四十年》，常演剧目编为《梅兰芳演出剧本选集》。

【梅花鹿】鹿的一种。毛色夏季栗红，冬季暗褐色，有许多白斑，状似梅花。是中国国家重点保护动物。

脢□ méi 〔脢子肉〕〈方〉里脊；夹脊肉。

酶 méi 旧称酵素。生物催化剂。是动植物、微生物细胞分泌的具有催化能力的蛋白质。具有高度的专一性催化性能。生物体的化学变化几乎都在酶的催化作用下进行。酶制剂广泛应用在食品、皮革、纺织、石油等工业以及医药卫生方面。

霉（❷黴） méi ❶东西因霉菌作用而变质。㊀发～｜～烂。❷霉菌。

【霉雨】同“梅雨”（671页）。

【霉菌】能生出可见菌丝的真菌的统称。体呈丝状，丛生。多腐生。种类很多，常见的有根霉、毛霉、曲霉和青霉等。霉菌多用于生产工业原料和制造抗生素等。有一小部分霉菌也可引起人类疾病和动植物的病害。

眉 méi ❶眉毛，眼眶上边的毛。❷书页上端空白的地方。㊀～批。

【眉目】❶眉毛和眼睛。泛指容貌。❷头绪；条理。㊀事情办得有～了｜文章写得～清楚。

【眉宇】两眉上面的地方。也指面貌、容颜。

【眉批】在书页的天头处或文稿上方空白处所写的批注。

【眉睫】眉毛和眼睫毛。比喻近在眼前。㊀迫在～。

【眉飞色舞】形容高兴得意的神态。

【眉头一皱，计上心来】形容思维敏捷，主意来得快。

郿 méi 郿县，地名，在陕西。今作眉县。

嵋 méi 峨嵋，也作峨眉。参见〔峨眉山〕（241页）。

猸 méi 〔猸子〕即“山獾”（854页）。

湄 méi 水边；河岸。

【湄公河】东南亚最长河流。发源于中国青海省南部，名澜沧江，向南流经西藏自治区东部和云南省西部。出境后始名湄公河，经过缅甸、老挝、泰国、柬埔寨等国，到越南南部入南海。全长4 500千米。

楣 méi 门框上边的横木。

镅（鎇） méi 人造金属元素，符号Am，原子序数95。银白色，软而韧，有放射性，由人工核反应获得。

鹛（鶥） méi 鸟类。体羽多棕褐色，喙强尖，翅短圆而曲，足强健，善跳跃。多栖于灌木丛中，善鸣。画眉是其中的一种。

腜⊠ méi 同“脢”。

媒 méi ❶媒介。㊀虫～｜传～。❷说合婚姻的人。㊀做～｜～妁之言。

【媒介】介绍或引导两方发生关系的人或事物。

【媒妁】婚姻介绍人。妁（shuò）。

【媒体】指荷载文字、声音、数据等信息的介质。也指传送上述信息的工具和手段。㊀

新闻～(指电视、广播、报纸、杂志等)。

【媒质】即“介质”(502页)。

煤 méi 古代植物被泥沙掩埋,经过长期地质作用转变而成的层状固体可燃矿产。它是由多种有机化合物和矿物组成的混合物。根据煤的变质程度可分为无烟煤、烟煤、褐煤、泥煤四类。

【煤气】❶通常指由固体燃料或液体燃料经干馏或气化所得的气体产物。主要成分是一氧化碳、烷烃、烯烃、氢等。有毒,用作燃料、化工原料。❷煤不完全燃烧时产生的有毒气体。主要指一氧化碳。

【煤田】同一个地质历史时期形成,并且连续发育的煤系所分布的区域。面积一般由几十到几百平方千米。一个煤田内的煤系是同一地质过程的产物。一个煤田往往包括许多个产煤地,如陕西侏罗纪煤田。

【煤油】由石油加工而得的燃料油。沸点范围200—300℃。挥发性比汽油低,比柴油高。作燃料和照明用。

【煤焦油】由煤干馏而得的油状液体。黑褐色,有臭味。是多种有机物的混合物。可从中提取苯、苯酚、萘、吡啶等化工原料。

禖[⊠] méi 古代求子的祭礼。也指赐子之神。

縻 ㊁ méi 縻子,也叫穄(jì)子。一年生草本植物。与黍同类,但子实不黏。是耐旱、耐碱的谷类作物。

㊀ mí (679页)。

měi ㄇㄟˇ

每 měi ❶指全体中的任何一个或一组。[例]～人|～两个星期开一次小组会。❷指反复动作中的任何一次或一组。[例]～战必胜|这种毛衣花纹的织法是～三个上针一个下针。❸副词。每每;常常。[例]春秋佳日,～作郊游。

【每每】副词。常常;往往。[例]他～工作到深夜。

【每事问】对每件不懂的事都发问求教。《论语·八佾》:“子入太庙,每事问。”

【每况愈下】原作每下愈况。《庄子·知北游》:“夫子之问也,固不及质;正获之问于监市履狶也,每下愈况。”意思是验猪的肥瘦,越踏在猪的股脚处,其肥瘦状况越明显。后多作每况愈下,形容情况越来越坏。

浼[⊠] měi 同“浼”。

浼 měi ❶沾染。❷托别人帮忙的客气话。[例]～托。

美 měi ❶美丽;好看。[例]～貌|～景。❷使美丽。[例]～发|～肤。❸美好的;令人满意的。[例]～德|物～价廉。❹得意。[例]心里～滋滋的。❺赞扬;称赞。[例]赞～。❻美洲或美国的简称。[例]北～|～元|～籍华人。

【美元】也叫美金。美国的法定货币。1793年开始发行。原为金币,1934年改为纸币。法定每盎司黄金价格为35美元。第二次世界大战后,美元成为世界货币。

【美化】加以装饰或点缀,使显得美观或美好。[例]～环境|不能～帝国主义的侵略行径。

【美术】也叫造型艺术、视觉艺术。艺术门类之一。用一定的物质材料塑造可视的平面或立体空间形象,主要包括绘画、雕塑、工艺美术、建筑艺术等。

【美观】好看;漂亮。

【美声】一种产生于意大利的歌唱发声方法。以花腔装饰、乐句灵活流利为特点。[例]～唱法。

【美丽】好看;漂亮。

【美吨】也叫短吨。美国用的一种质量单位。1美吨等于2 000磅,合907.1849千克。

【美言】❶在第三者面前有意说某人好话。[例]请你～几句。❷美好的言辞。

【美妙】美好奇妙。

【美国】全称美利坚合众国。位于北美洲中部,领土还包括北美洲西北部的阿拉斯加和太平洋中部的夏威夷群岛。西临太平洋,东临大西洋,北邻加拿大,南临墨西哥湾,西南邻墨西哥。面积和人口居世界前列。是世界经济强国。

【美育】培养人的审美观点和欣赏能力的教育,也是培养人对美的爱好和创造能力的教育。

【美学】研究人对现实的审美关系的科学。研究的主要对象是艺术,但不研究艺术中的具体表现问题,而是研究艺术中的哲学问题,因此被称为“美的艺术的哲学”。美学的基本问题有美的本质、审美意识同审美对象的关系等。

【美缺】好的官职空缺。

【美称】赞美的称呼。[例]四川有“天府之国”

M

的～。

【美容】使容貌美丽。㊀～院|～手术。

【美谈】被人称颂、成为谈资的事。㊀传为～。

【美感】对于美的感受或体会。

【美意】好心意。

【美满】美好圆满。

【美德】美好的品德。

【美人蕉】多年生草本植物。直立,高1—2米,有块状根状茎。叶互生,质厚。四季开花,鲜红色。可供观赏。

【美术片】以动画、木偶、剪纸等美术创作来表现故事情节的影片。

【美术字】有图案意味或装饰意味的字体。

【美联社】美国联合通讯社的简称。美国最大的通讯社。总社设在纽约。

【美不胜收】形容好的东西太多,一时看不过来。收:接受。

【美中不足】整体上看虽然很好,但是还有欠缺。

【美国之音】美国政府的对外广播机构。成立于1942年。总台设在华盛顿。

【美意延年】心情舒畅可以延长寿命。常作祝颂辞。《荀子·致士》:"得众动天,美意延年。"美意:乐观。

【美国南北战争】也叫美国内战。指1861—1865年以北方工业资本为后盾的联邦政府同以种植园奴隶主为后盾的南部分离各州之间进行的战争。1860年,以反对奴隶制著名的林肯当选总统,南方几个州宣布脱离联邦独立。1861年4月南方首先炮轰联邦军队要塞,内战爆发。联邦政府在广大民众和黑人的支持下,经过四年战争,击败了南方叛军,维护了美国的统一,废除了奴隶制。

【美国独立战争】1775—1781年英属北美殖民地人民为摆脱英国殖民统治、争取民族独立进行的革命战争。1775年4月,英国殖民总督派兵搜查民兵枪支,遭到民兵的反抗,独立战争爆发。华盛顿任大陆军总司令。次年7月大陆会议发表《独立宣言》,标志着美利坚合众国的诞生。1781年10月英军投降。1783年英国承认美国独立。

【美洲国家组织】前身为美国同拉丁美洲国家在1890年成立的美洲共和国国际联盟及其常设机构美洲共和国商务局。1948年4月,在第九次美洲国家会议上通过《美洲国家组织宪章》后,改称现名。至1996年12月,有成员国35个。总部设在华盛顿。宗旨是:加强本大陆的和平与安全;确保成员国之间和平解决争端;成员国受到侵略时,组织声援行动,加速美洲国家一体化进程。

【美尼尔氏综合征】即"内耳眩晕症"(714页)。

【美国中央情报局】美国的主要情报机关。1947年7月成立,直属国家安全委员会。总局设在弗吉尼亚州的兰利,在世界许多国家和地区设有分支机构。

【美国联邦调查局】美国司法部的一个情报机关。1908年成立时称"司法部调查局",1924年扩大改组后称现名。总局设在华盛顿,全国各地设有分局。它的活动遍及美国驻外的许多机关。

【美利坚合众国宪法】也叫美国联邦宪法。1787年制定,1789年生效。是世界上最早的成文宪法之一。包括序言和7条本文。序言以谋求"正义""国家安宁""共同防务""公共福利"和"自由"等口号表达了制宪的目的;第1—3条规定了立法、行政和司法三机关的产生、组织和职权范围;第4条规定州的事项;第5条规定宪法修正程序;第6条规定以前政府的债务和条约以及联邦与州之间宪法、法律的关系;第7条规定宪法的批准程序。根据该法,美国成为统一的中央集权的联邦制国家。

【美国联邦储备系统】美国的中央银行。成立于1914年。由联邦储备委员会和12家联邦储备银行及数千家会员银行组成。

【美国纳斯达克股票市场】美国以高科技和中小企业为主要交易和服务对象,上市条件低于主板市场的股票市场。

渼☒ měi ❶波纹。❷〔渼陂〕古湖名。在今陕西。

镁(鎂) měi 金属元素,符号Mg,原子序数12。银白色,质轻,在空气中燃烧发强白光。可制球墨铸铁及闪光粉。镁铝合金有广泛用途,如制造飞机、飞船等。

媺☒ měi 同"美"。

mèi ㄇㄟˋ

沬☒ ㊀ mèi 也叫朝歌。商朝的都城。在今河南汤阴南。

M

㊁ huì（435 页）。

妹 mèi ❶妹妹，称同父母比自己年纪小的女子。㊀姐～｜小～。❷称比自己年纪小的同辈女性。㊀表～。❸年轻女子；女孩子。㊀打工～｜农家～。

昧 mèi ❶糊涂；头脑不清楚。㊀愚～。❷隐藏。㊀拾金不～。

眛☒ mèi ❶眼睛不明。❷不明事理。

寐 mèi 睡。㊀喜不成～｜梦～以求。

魅 mèi 古代传说中住在深山老林里的鬼怪。㊀魑～。

【魅力】特别吸引人的力量。

袂 mèi 袖子。㊀联～（聚在一起）｜分～（分手，离别）。

谜（謎） ㊁ mèi 〔谜儿〕谜语。
㊀ mí（679 页）。

痗☒ mèi 忧思成病。

媚 mèi ❶美好；可爱。㊀妩～｜春光明～。❷巴结；讨好。㊀谄～。

【媚外】巴结讨好外国。

【媚态】❶谄媚的样子。❷妩媚的样子。

【媚骨】比喻阿谀奉承的卑劣品质。

【媚俗】迎合、讨好世俗。

mēn ㄇㄣ

闷（悶） ㊁ mēn ❶不透气的感觉。㊀～气｜～热。❷密闭。㊀把茶～一～。❸呆在屋里，不与外界接触。㊀他整天～在家里看书。❹不响亮。㊀嗓音发～。
㊀ mèn（675 页）。

mén ㄇㄣˊ

门（門） mén ❶房屋等的出入口。㊀房～｜栅～｜车～。❷像门的东西。㊀球～｜闸～。❸诀窍；门径。㊀窍～。❹宗教或学术的派别。㊀教～｜～徒。❺旧指一家或一个家族。㊀一～老小。❻种类。㊀分～别类。❼量词。用于炮、功课、技术等。㊀一～炮｜三～功课。❽生物分类系统所用等级之一。在界之下，纲之上。㊀原生动物～｜被子植物～。

【门子】旧指衙门里或有财势的人家里看门管传达的人。

【门户】❶门。㊀小心～。❷家。㊀自立～。❸指出入必经的险要的地方。㊀三峡是水路入川的～。❹派别。㊀～之见。

【门生】旧指跟从老师或前辈学习的人。

【门市】商店零售货物的业务。㊀～部。

【门坎】同“门槛”（674 页）。

【门径】入门之路。常比喻学习、工作的方法。

【门面】商店房屋沿街开门的部分。也比喻外表。

【门阀】指古代有权势的人家。阀：古代仕宦人家大门外的柱子，常用来张贴功状。

【门客】❶门下客；食客。❷宋代称家塾教师为门客。

【门神】中国旧俗贴在门上的认为可起驱鬼镇邪作用的神像。有贴唐秦叔宝和尉迟恭画像的，也有贴神荼、郁垒（传说能制服恶鬼的神）画像的。

【门桥】用两只以上的统一规格的船等构成的渡河工具。主要用以渡送车辆和技术兵器。分自行和非自行两种。自行门桥由特制的、带有桥梁上部结构的水陆两用车辆并列组成。非自行门桥用并列的舟（筏）和上部结构组成。

【门徒】旧指学生、弟子。

【门球】❶球类运动项目之一。源于法国，20 世纪 70 年代被日本改进和发展起来。场地长方形（长 20—25 米、宽 15—20 米）。设有三个金属球门（高 20 厘米、宽 22 厘米）。比赛时每队上场 5 人，手持 T 形球棒，交替上场击球。以得分多者为胜。❷门球运动使用的球。实心，由合成树脂制成。

【门第】指家庭的社会地位和家庭成员的文化程度等。第：古代的大住宅。

【门望】门第，族望。即家族发达于何地。

【门楣】门户上的横木。旧时富贵之家门楣高大，因以“门楣”喻门第。

【门路】途径；方法。

【门槛】也作门坎。门下的横木。

【门巴族】中国少数民族之一。人口 0.7 万（1990 年）。主要分布在西藏自治区南部。有本民族语言，兼通藏语文。部分居民信奉喇嘛教。

【门外汉】指外行人。

【门户之见】由于派别不同而产生的成见。多用于学术上或艺术上。《旧唐书·韦云起传》：“今朝廷之内多山东人，而自作门户。”

门户:派别。见:成见。

【门户开放】美国侵略旧中国的一种政策。19世纪末,美国在侵略中国的争夺中受到英、法、德、日、俄等帝国主义的排挤,1899年美国国务卿海·约翰向这些国家提出,美国承认各国对中国的侵略和划分的势力范围,要求在中国全境分享各国侵略中国所攫取的一切权利,即"门户开放""机会均等"。1921年英、美、法等国策划的华盛顿会议确认了这个政策。

【门可罗雀】门外可以张网捕雀。形容门庭冷落,没有什么人来往。《史记·汲郑列传》:"始翟公为廷尉,宾客阗门;及废,门外可设雀罗。"罗:网。

【门当户对】指男女双方家庭的社会地位和经济状况相当,适宜结亲。

【门罗主义】美国企图独霸美洲的外交政策。1823年美国总统门罗以致国会咨文的形式,宣布美洲是美洲人的美洲,任何欧洲国家都不得干涉美洲国家事务。该主义旨在维护美国在美洲的利益。

【门庭若市】门前和院子里像集市一样。形容往来人很多,十分热闹。《战国策·齐策一》:"群臣进谏,门庭若市。"庭:院子。

【门捷列夫】德米特利·门捷列夫(1834—1907)俄国化学家。主要贡献是1869年总结出元素周期律。

【门德尔松】费利克斯·门德尔松(1809—1847)德国作曲家,19世纪上半叶浪漫乐派的重要代表之一。其音乐以结构工致、旋律流畅、风格典雅、技法精湛而著称。代表作有第三(《苏格兰》)、第四(《意大利》)交响曲,戏剧配乐《仲夏夜之梦》,管弦乐序曲《芬戈尔洞》《e小调小提琴协奏曲》,钢琴曲集《无词歌》(此种体裁为其首创)等。

们(們) ㊁ mén 用于地名,如图们(在吉林)。
㊀ men (675页)。

扪(捫) mén 按;摸。[例]～心自问。

【扪心自问】摸着胸口,自己问问自己怎么样。表示自我反省。

钔(鍆) mén 人造金属元素,符号Md,原子序数101。有放射性,由人工核反应获得。

璊[☒](璊) mén 赤色的玉。

穈[☒] mén 古代赤色嘉谷。

亹[□] ㊀ mén 〔亹源〕地名。在青海东北部。今作门源。
㊁ wěi (1023页)。

mèn ㄇㄣˋ

闷(悶) ㊀ mèn ❶心情不舒畅。[例]烦～|～～不乐。❷密闭。[例]～子车(铁路上带有铁栅的货车)|～葫芦罐儿。
㊁ mēn (674页)。

【闷葫芦】❶比喻难以猜透而使人纳闷的话或事。❷比喻不爱说话的人。

焖[□](燜) mèn ❶水盈满的样子。❷用沸水泡茶,盖上盖儿,以利于把茶叶泡开。

焖(燜) mèn 一种烹饪方法。把食物放在带有一定量水的锅中,扣紧锅盖,用文火慢煮,使物熟汤干。[例]～饭|黄～鸡块。

悗[☒] ㊁ mèn 不在意。
㊀ mán (663页)。

懑(懣) mèn 烦闷。[例]愤～|忧～。

men ·ㄇㄣ

们(們) ㊀ men 后缀。附着在人称代词或指人的名词性成分的后面,表示人的复数。动物、植物偶尔也有称"们"的。[例]你～|同志～|老师和同学～。
㊁ mén (675页)。

mēng ㄇㄥ

蒙(矇) ㊁ mēng ❶欺哄。[例]休想～人。❷随便胡猜。[例]瞎～。❸昏迷。[例]头发(fā)～。
㊀ méng (676页)。
㊂ měng (677页)。

【蒙骗】欺骗;诈骗。

méng ㄇㄥˊ

尨[☒] ㊀ méng 〔尨茸〕形容蓬松。
㊁ máng (666页)。

M

甿☒ méng 同"氓(méng)"。

氓 ㊀ méng 古称老百姓(多指外来的)。㊁ máng(666页)。

虻(*蝱) méng 牛虻,昆虫。成虫像蝇,吸食动物的血液。

蝱☒ méng 同"虻"。

鄳☒(鄸) méng 古地名。在今河南。

萌 méng ❶(植物)发芽。㊀～芽。❷发生。㊀故态复～。❸古又同"氓(méng)"。

【萌生】开始发生;产生。

【萌发】❶种子或孢子发芽。❷比喻事物发生。

【萌动】❶(植物)开始发芽。❷开始发动。

【萌芽】植物开始长出幼芽。也用来比喻事物刚发生或指新生的事物。

盟 méng ❶宣誓缔约。㊀会～|海誓山～。❷发(誓)。㊀～一个誓。❸旧时结拜的(兄弟)。㊀～兄|～弟。❹团体与团体、阶级与阶级、国与国之间的联合体。㊀工农联～|军事同～。❺中国内蒙古自治区和某些省内的蒙古族聚居区建立的相当于自治州一级的行政区划单位。

【盟主】古指诸侯盟会中的首领。后来指某个集体、集团的首领或权威。

【盟约】国家与国家之间结成同盟时所订的条约。

【盟国】缔结同盟条约的国家。

【盟誓】发誓;宣誓。

【盟旗制度】清朝在蒙古地区实行的地方行政制度。按蒙古各部划分为若干旗,旗是军政合一的单位。盟为旗的会盟组织,合数旗而成。定期集会,商讨重大事务,行使军政权力。

蒙(❹濛❺懞❻矇) ㊀ méng ❶蒙昧。㊀启～。❷遮盖。㊀～上头巾。❸承受;遭受。㊀承～指教|～难。❹形容雨点细小。㊀～～细雨。❺忠厚的样子。❻"蒙眬"的"蒙"。
㊁ mēng(675页)。
㊂ měng(677页)。

【蒙冲】同"艨艟"(677页)。

【蒙受】受到。

【蒙学】蒙馆。

【蒙昧】❶不懂事理;愚昧。㊀～无知。❷没有文化以前的原始状态。㊀～时代。

【蒙眬】视觉模糊不清的状态。㊀睡眼～。

【蒙难】遭受灾难(多指有一定身分地位的人)。

【蒙馆】旧时对儿童进行启蒙教育的私塾。

【蒙混】用欺骗的手段使人相信(虚假的事物)。㊀～过关。

【蒙蔽】隐瞒事实真相,进行欺骗。

【蒙太奇】法语音译词。剪辑和组合。指把分别拍成的各个镜头加以选择、剪接、编排,使之前后连贯,具有对比、联想、衬托、悬念等效果,从而构成一部完整的影片。

【蒙汗药】民间指一种喝了或闻到就会使人暂时失去知觉的药。

【蒙娜丽莎】也译作莫娜丽萨。意大利画家达·芬奇1503—1506年为佛罗伦萨商人之妻蒙娜丽莎所作的肖像画。以"神秘的微笑"著称。

【蒙哥马利】伯纳德·劳·蒙哥马利(1887—1976)英国陆军元帅、军事家。参加过两次世界大战。第二次世界大战中,将德军隆美尔兵团逐出埃及,扭转北非战局。后与美军共同实施西西里岛登陆战役,参与制定诺曼底登陆战役计划,解放法国北部和比利时大部,接受德军北部兵团投降。蒙哥马利治军严格,认为人的积极性是取胜关键,注重从实战出发。著有《从阿莱曼到桑格罗河》《蒙哥马利元帅回忆录》《走向领导的途径》《战争史》等。

幪 méng 见〔帡幪〕(759页)。

饛☒(餻) méng 食品装得满满的样子。

檬 méng 见〔柠檬〕(722页)。

曚□ méng 〔曚昽〕日光暗淡不明的样子。

朦 méng 见下。

【朦胧】❶月光暗淡。❷模糊不清。

【朦胧诗】20世纪70年代末中国诗坛兴起的新潮流。其特点是透过鲜明的自我形象,表现了狂热、迷惘、思考、觉醒的心灵历程,形式上以象征为中心,构成细节形象鲜明而整体情绪朦胧的意象。韵律上充分自由化,随诗人内心情感的流动,格式变化莫

M

测，以蒙太奇的方式剪接跳跃性的想象和情绪，创造出多层次的思维结构和情感结构。代表人物有舒婷、北岛、顾城、杨炼、芒克等。

鹲（鸏） méng 也叫热带鸟。鸟类的一科。中、大型海鸟，体羽大部白色，中央尾羽极长。生活在热带远洋上，主食鱼类。

礞 méng 〔礞石〕药石名。分青礞石、金礞石两种。

艨 méng 〔艨艟〕也作蒙冲。古代的一种战船。

甍 méng 屋脊。

瞢 méng 目不明。[例]目光～然。

měng ㄇㄥˇ

勐 měng ❶傣语音译词。小块的平地。多用于地名。❷勇敢。

猛 měng ❶凶猛；勇健。[例]～虎｜～将。❷气势壮，力量大。[例]～打～冲。❸副词。忽然；猛然。[例]～回头。

【猛犸】也叫毛象。古代哺乳动物。形状和体格与现代的象相似，体被棕色长毛，门齿向上弯曲。曾生存在欧亚大陆北部及北美洲北部的寒冷地区，现已绝种。

【猛烈】❶形容气势壮，力量大，来得突然。❷急剧；剧烈。[例]心脏～地跳着。

【猛禽】凶猛的鸟。如鹰、鹫等。

【猛醒】猛然醒悟；突然明白过来。

【猛犬债券】外国借款人在英国发行的以英镑为面值的长期债券。

锰（錳） měng 金属元素，符号 Mn，原子序数 25。银灰色，有光泽，质坚而脆。用于冶炼锰钢及制铜、铝等合金。也用作去氧、去硫剂。

【锰结核】也叫锰矿球、多金属结核。含有锰、铜、钴、镍等 30 多种稀有金属元素。主要分布在水深 2 000—6 000 米的大洋底表层，是一种深海底金属矿产资源。

蜢 měng 见〔蚱蜢〕(1232 页)。

艋 měng 见〔舴艋〕(1229 页)。

蒙 ㊂ měng 内蒙古的简称。[例]～族｜～文。

㊀ méng (676 页)。

㊁ mēng (675 页)。

【蒙古文】蒙古族通用的一种拼音文字。早期的蒙古文字母读音、拼写规则、行款都跟回鹘文相似，称为回鹘式蒙古文，距今近 800 年。现行的蒙古文包括 29 个字母，其形状、写法等均有改进。蒙古国 1945 年起转用了以俄文字母为基础的拼音文字，也称基里尔字母蒙古文。

【蒙古包】也叫毡包、毡帐。蒙古族牧民居住的一种圆顶帐篷。

【蒙古族】中国少数民族之一。人口 480 万(1990 年)。主要分布在内蒙古和辽宁、吉林、黑龙江、甘肃、青海、新疆等省区。有本民族语言文字。多从事农牧业。多信奉喇嘛教。建立有内蒙古自治区等各级自治地方。国外的蒙古族人主要分布在蒙古国。

【蒙特利尔】加拿大城市。位于该国东南部。人口 102 万(1991 年)。是全国主要工商业和金融中心，也是世界最大河港之一和著名的小麦输出港。

【蒙得维的亚】乌拉圭首都。位于该国南部，临大西洋。人口近 140 万(1993 年)。是全国政治、经济、文化、交通中心和南大西洋上的重要港口。

獴 měng 哺乳动物。身长 30—50 厘米，脚短、嘴尖、耳朵小。捕食蛇、鼠、蛙等。

蠓 měng 蠓虫，昆虫。比蚊子小，褐色或黑色，能叮咬人、畜，吮吸血液，传染疾病。

懵⊠ ㊁ měng 同“懜”。

㊀ mèng (678 页)。

懜 měng 懜懂。[例]～然无知。

【懜懂】糊涂；不明事理。

mèng ㄇㄥˋ

孟 mèng ❶旧时弟兄排行中的老大。[例]～兄。❷指每季的第一个月。[例]～春。

【孟子】❶(约前 372—前 289)战国时期思想家。名轲，邹(今山东邹县)人。继承和发挥了孔子的思想，为孔子之后儒家的主要代表人物，被尊为“亚圣”。他把孔子的“仁”的观念发展为“仁政”学说，主张“法先王”，提出“民贵君轻”说，劝告统治者实行仁政，宣扬天生“性善”的人性论。其主要思想言论载于《孟子》一书中。❷书名。记录孟子言行的著作。孟子的门徒编纂，共七篇。文笔从容流畅，长于比喻辩论，对后世有一定影响。

【孟买】印度城市。位于印度西海岸。人口991万(1991年)。是全国最大海港和世界深水良港，也是印度重要的工商业城市和最大棉纺织工业中心。

【孟津】❶地名。在河南西北部。❷古渡口名。在今河南孟州南黄河南岸。相传周武王伐纣与诸侯会师于孟津。❸古关名。东汉中平元年(184)在孟津东北置关，是洛阳附近的八关之一。

【孟浪】鲁莽；冒失。

【孟姜女】民间传说故事《孟姜女》的主要人物。丈夫万喜良去筑长城。她万里送寒衣，知夫已亡，哭于城下，城墙崩塌。滴血辨出夫骨，携而归葬。是追求幸福生活、机智勇敢、坚毅不拔的女性典型。

【孟浩然】(689—740)唐代诗人。襄阳(今属湖北)人。早期隐居于故乡的鹿门山，后漫游吴、越。年四十，入长安求仕，失意而归，曾做过短期荆州从事。他的诗和王维齐名。擅长于写田园山水，风格清淡幽远。有《孟浩然集》。

【孟德尔】(1822—1884)奥地利神父，遗传学的奠基人。他根据豌豆杂交试验的结果，在1865年发表了论文《植物杂交试验》，提出遗传单位(现称为基因)的概念，并阐明其遗传规律，后称之为孟德尔定律。他的发现在当时并没有受到学术界的重视，直到1900年才由荷兰、德国和奥地利的植物学家分别予以证实，成为近代遗传学的基础。

【孟什维克】俄语音译词。意为少数派。1903年俄国社会民主工党第二次代表大会在选举党的中央领导机关时，以马尔托夫为首的右倾机会主义者获得少数票，称孟什维克。俄国1905年革命失败后堕落为取消派。1912年被驱逐出党。

【孟加拉湾】位于印度洋北部，中南半岛、安达曼群岛、尼科巴群岛之西，印度半岛之东。面积约217.2万平方千米。

【孟母三迁】孟轲的母亲为选择良好的环境教育孩子，三次迁居。汉赵岐《孟子题词》：“孟子生有淑质，幼被慈母三迁之教。”

【孟德斯鸠】沙尔·孟德斯鸠(1689—1755)法国启蒙思想家、法学家。反对君主专制和神权思想，主张在法国建立英国式的君主立宪政体，提倡立法、行政、司法三权分立。是法国资产阶级革命的思想先驱之一，其学说成为资产阶级国家宪政体制的理论根据。著有《论法的精神》等。

【孟良崮战役】解放战争时期，华东野战军在山东蒙阴东南孟良崮地区歼灭国民党五大主力之一的整编第七十四师的战役。此役歼敌32 000余人，击毙敌师长张灵甫。

梦(夢) mèng 睡眠时由于大脑皮层的一部分没有完全停止活动或受其他刺激而引起的脑中的表象活动。

【梦幻】梦中的幻境。

【梦呓】也叫呓语。梦话。比喻不切实际的话。

【梦遗】梦中遗精。

【梦境】梦中的情境。常用来比喻美妙的境界。㊀恍如～。

【梦魇】睡眠时，因梦中受惊吓而喊叫，或觉得有什么东西压在身上，不能动弹。魇(yǎn)。

【梦笔生花】传说李白少时曾梦见笔头上生花，后来他的诗名闻天下。指才思俊逸，写作的诗文极佳。五代王仁裕《开元天宝遗事·梦笔头生花》：“李太白少时，梦所用之笔头上生花，后天才赡逸，名闻天下。”

【梦寐以求】睡觉做梦时也在追求。形容迫切期望。《诗经·周南·关雎》：“窈窕淑女，寤寐求之。”寐：睡着。

【梦溪笔谈】书名。北宋沈括著。二十六卷，又《补笔谈》三卷，《续笔谈》一卷。因写于润州梦溪园(今江苏镇江东郊)而得名。内容包括天文、气象、历法、数学、物理、化学、地质、地理、生物、医药、农学、工程技术、文学、史事、音乐、美术等。其中自然科学的资料最丰富，对研究中国自然科学史有重要参考价值。

懜☒ ㊀ mèng 不明白。
㊁ měng (677页)。

mī ㄇㄧ

咪 mī ❶拟声词。猫叫声。❷微笑的样子。㊀笑～～。

眯(*瞇) ㊀ mī 眼皮微微合上。㊀～缝着眼。

M

㊀ mí (679 页)。

嘧□ mī 佛教咒语用字。

mí ㄇㄧˊ

冞⊠ mí 深入;冒进。

迷 mí ❶辨认不清。㊀～路|～失方向。❷失去知觉。㊀昏～。❸对某一事项过于喜爱,情不自主。㊀入～|～恋。❹使沉醉;使昏乱。㊀月色～人|财～心窍。❺沉醉于某种事物的人。㊀球～|棋～。

【迷你】英语音译词。微型的;小的。㊀～裙(超短裙)。

【迷茫】❶辽阔而看不清楚。㊀～的原野。❷形容神情迷离恍惚。

【迷信】❶相信神仙鬼怪等。❷盲目地信仰和崇拜。㊀要相信集体的智慧,不能～个人。

【迷津】❶找不到渡口、桥梁,迷失了道路。❷佛教用语。指迷妄的境界。

【迷宫】希腊神话中称结构复杂的建筑物。现用来比喻错综复杂的结构或布局。

【迷航】飞机或轮船等在航行中迷失了方向。

【迷途】迷失道路。㊀～知返。

【迷恋】对某种事物极端爱好,依恋难舍。

【迷离】模糊不清,难以分辨。㊀～恍惚。

【迷梦】沉迷不悟的梦想。

【迷彩】能使人产生错觉的色彩。使用迷彩是为了荫蔽自己,迷惑敌人。

【迷惘】分辨不清,不知道该怎么办。

【迷惑】❶心中无主,辨不清是非。❷使迷惑。㊀～敌人。

【迷漫】漫天遍野,茫茫一片,使人看不清楚。㊀烟雾～。

【迷魂阵】比喻使人迷惑的圈套或计谋。

【迷走神经】人和脊椎动物的第十对脑神经。在人体,是脑神经中最长和分布范围最广的一对,含有感觉、运动和副交感神经纤维,而副交感神经纤维是迷走神经中的主要成分。支配呼吸、消化两系统的绝大部分器官和心脏等的感觉、运动以及腺体的分泌。

【迷途知返】迷失道路,知道回来。比喻觉察了自己的错误,知道改正。《三国志·魏书·袁术传》:“以身试祸,岂不痛哉!若迷而知反,尚可以免。”

谜(謎) ㊀ mí ❶用隐约的语言暗射事物或文字,让人猜测的一种游戏。㊀猜～|灯～。❷比喻难以理解或没有搞清楚的事物。㊀这件事,还是个～。

㊁ mèi (674 页)。

【谜语变奏曲】管弦乐曲。埃尔加曲。作于1899年。原题为《一个创作主题的变奏曲》。由主题和14段变奏曲组成,每段之首均标以作曲家友人的名字或别名的缩写,并注明“献给曲中描写的朋友们”。

醚 mí 有机化合物的一类,通式R—O—R′(R,R′代表烃基)。如乙醚就是常用的一种醚。

眯(*瞇) ㊀ mí 尘土等进到眼里使眼睛一时睁不开。㊀～了眼。

㊁ mī (678 页)。

縻 ㊀ mí ❶粥。❷腐烂;縻烂。❸浪费。㊀～费。

㊁ méi (672 页)。

【縻烂】❶皮肤或黏膜表面因外伤或炎症而发生局部的浅表缺损。㊀子宫颈～。❷思想堕落,道德败坏。㊀生活～。

【縻烂性毒剂】縻烂皮肤和伤害各种器官的毒剂。如芥子气、路易氏气等。人、畜误食(或吸入)或皮肤受染后,均能引起中毒。主要症状是皮肤红肿,起泡溃烂,严重的全身中毒,可致死亡。戴防毒面具和穿防毒衣或利用防毒掩蔽部等均可防护。

醾 mí 见〔酴醾〕(993 页)。

麋 mí 〔麋鹿〕也叫四不像。哺乳动物。过去认为它角似鹿,头似马,体似驴,蹄似牛,但又不全像以上四种动物中的一种,故名。毛淡褐色,性温驯,食植物。是中国特有珍稀动物。由于历代无节制地猎捕,现已无野生种。

麊⊠ mí 〔麊泠〕汉朝县名。属交趾郡。

弥(彌❶瀰) mí ❶满;遍。㊀～山遍野。❷补;填封。㊀～缝。❸更加。㊀欲盖～彰。

【弥月】(初生婴儿)满月。

【弥补】把不够的部分补上。

【弥封】把试卷上应试者的姓名糊盖起来。目的是防止舞弊。

【弥留】病重已到死亡的边缘。㊀～之际。

M

【弥勒】佛教菩萨之一。一般把佛教寺院中胸腹袒露、满面笑容的和尚塑像,称为弥勒。
【弥望】充满视野。
【弥甥】外甥的儿子。
【弥缝】弥补漏洞,掩盖缺陷,不使别人发觉。
【弥漫】指尘土、云雾、水等充满、布满。
【弥撒】拉丁语音译词。天主教的一种宗教仪式。用面饼和葡萄酒来象征耶稣的身体和血,以祭祀天主。
【弥赛亚】希伯来语音译词。救世主。
【弥撒曲】为教会弥撒仪式所写的大型声乐套曲。著名的《b 小调弥撒曲》(巴赫)与《庄严弥撒曲》(贝多芬)结构宏伟,为教仪所用,已成为具有表演性的艺术音乐。
【弥天大谎】极大的谎话。弥天:满天。

猕(獼) mí 见下。

【猕猴】也叫恒河猴。哺乳动物。毛灰褐色,腰以下橙黄色,有光泽。面和耳裸出,幼时白色,长成后肉色或淡红色。臀部有红色臀胝。产于中国南部及印度等地。
【猕猴桃】落叶藤本植物。叶卵形或圆形。浆果夏秋间成熟。果实卵形或近球形,初时密被绒毛,熟时无毛,黄褐绿色。果实含多种维生素,其中维生素 C 含量为一般蔬果的几倍到几十倍,可食。也指这种植物的果实。

筂□(籋) mí 竹篾、苇篾等。

祢(禰) mí (旧读 nǐ)姓。

縻 mí 拴;捆。[例]羁～(笼络)。

蘼□ mí 见〔荼蘼〕(992 页)。

靡 ㊀ mí 浪费。[例]～费|奢～。
㊁ mǐ (681 页)。

醾 mí 〔醾芜〕古书上指芎䓖的苗。

麋☒ mí 细末。

mǐ ㄇㄧˇ

米 mǐ ❶谷类或其他植物去了皮或壳的种子。特指稻米。[例]小～|花生～|～饭。❷长度单位。1 米等于光在真空中 1/299792458 秒的时间间隔内所经路径的长度。是国际单位制中七个基本单位之一。
【米兰】意大利城市。位于该国北部。人口 136 万(1993 年)。是全国第二大城市和最大的工商业、金融中心,北部交通枢纽。也是著名古城,文艺复兴时期的古迹和艺术品较多。
【米罗】霍安·米罗(1893—1983)西班牙画家,超现实主义的代表。作品杂糅儿童艺术、原始艺术和民间艺术,创造单纯的有机抽象符号或荒诞的半抽象形式。代表作有《哈里昆的狂欢》《星座》等。
【米勒】让·弗朗索瓦·米勒(1814—1875)法国画家。1849 年起定居巴比松村。作品多描绘农村宁静的田园生活和质朴的农民形象。代表作有《拾穗者》《晚钟》《牧羊女》等。
【米丘林】伊凡·米丘林(1855—1935)苏联农业生物学家,米丘林学说的创始人。主要从事园艺研究工作,一生中培育出许多优良果树和浆果植物新品种,在人工杂交、有机体定向培育、人工选择的理论和方法方面也都有重要贡献。著有《米丘林全集》。
【米珠薪桂】米贵如珍珠,柴贵得像桂木。形容物价昂贵。《战国策·楚策三》:"楚国之食贵于玉,薪贵于桂。"珠:珍珠。薪:柴火。桂:桂木。
【米开朗琪罗】米开朗琪罗·博纳罗蒂(1475—1564)意大利雕刻家、画家,文艺复兴盛期的代表。擅长纪念性大理石雕刻和巨幅壁画,人体造型雄健有力,富于动态和激情。代表作有雕刻《大卫》《摩西》、壁画《最后的审判》《创世记》等。

洣 mǐ 洣水,水名,在湖南。

脒 mǐ 有机化合物的一类。具有官能
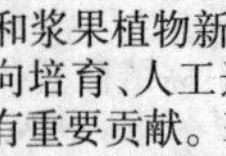

。

敉 mǐ 安抚,使平定。[例]～平叛乱。

芈 mǐ 拟声词。羊叫声。

沵☒(濔) mǐ 水满。

【沵迤】形容平坦。

M

弭 mǐ 平息；消除。㊀～乱|消～。

【弭兵】平息战争。

靡 ㊁ mǐ ❶倒下。㊀望风披～。❷没有。㊀～事不为(什么工作都干)。
㊀ mí (680 页)。

【靡靡之音】软绵绵、委靡不振的音乐。《史记·殷本纪》："北里之舞，靡靡之乐。"现指含有低极趣味、反映腐朽颓废情调的乐曲。靡靡：柔弱，颓靡。

mì ㄇㄧˋ

糸☒ mì 细丝。

汨 mì 〔汨罗江〕洞庭湖水系河流之一。在湖南东北部。战国时期楚国诗人屈原投此江殉节。

沕☒ mì 形容深藏。

觅(覓*覔) mì 找。寻求。㊀～食|～路。

泌 ㊀ mì 渗出。㊀分～|～尿。
㊁ bì (54 页)。

【泌尿系统】人或动物体内分泌尿和排泄尿的器官的总称。由肾脏、输尿管、膀胱和尿道等组成。

宓 ㊀ mì 安静。㊀安～。
㊁ fú (288 页)。

密 mì ❶距离近；空隙小。与"稀""疏"相对。㊀人口稠～|合理～植。❷精细。㊀细～|精～。❸亲近；友好。㊀亲～|～友。❹秘密。㊀保～|～件。

【密切】❶亲近；使亲近。㊀关系～|～干群关系。❷仔细；严密。㊀～注意。

【密件】需要保密的书面材料或信件等。

【密约】❶秘密约定。❷秘密缔结的条约。

【密级】秘密等级的简称。对各种信息载体根据其内容的涉密程度划分的等级。一般分绝密、机密、秘密三个等级，并用印章、注记等在载体上标明。

【密位】也叫千分。军事上常用的量角单位。将圆周分成 6 000 等份(有些国家分成 6 300 或 6 400 等份)。每一等分弧所对的圆心角为 1 密位。1 密位所对的弧长，约等于半径的千分之一。

【密码】特别设定的电码或秘密号码。与"明码"相对。

【密迩】接近。《左传·文公十七年》："以陈蔡之密迩于楚而不敢贰焉，则敝邑之故也。"

【密封】严密的封闭。

【密钥】用以控制密码变换的可变参数。形式多种多样，有单词、短语、句子、一组数字、字母或电脉冲序列等。改变了密钥，即改变了密码算法。是保密设备中最机要的部分。钥(yuè)。

【密度】❶疏密的程度。㊀人口～。❷旧称比重。单位体积的某种物质的质量。如水的密度在 4℃ 时为 10^3 千克/米^3。

【密语】❶也叫暗语。为了保密，通常以数字、字母、单词等代替真实的通信内容。❷秘密交谈。

【密探】指暗中收集情报、刺探机密的人。

【密谋】暗中策划。也指暗中策划的计划。

【密斯】英语音译词。小姐(多见于早期翻译作品)。

【密植】在单位面积土地上缩小作物行距和株距，增加种植株数。

【密集】数量很多地聚集在一起。㊀雨点越来越～了。

【密司脱】英语音译词。先生(多见于早期翻译作品)。

【密檐塔】中国佛塔主要类型之一。塔身底层较高，常雕有佛龛、佛像、门窗、柱子、斗拱等装饰，内部供奉佛像。二层以上层距骤减，形成各层檐部密集的外观，故名密檐塔。一般二层以上不能上人。分实心塔和空心塔两种。中国现存最早实例为登封嵩岳寺塔。

【密云不雨】满天浓云而不下雨。《周易·小畜》："密云不雨，自我西郊。"后比喻事情已经酝酿成熟，但尚未发作。

【密集农业】也叫集约农业。投入的生产资料或劳动较多，以提高单位面积产量的农业生产。

【密歇根湖】也译作密执安湖。北美五大淡水湖之一。位于美国境内。面积 58 000 平方千米。

【密西西比河】北美洲最大河流。在美国中部。发源于落基山，南流入墨西哥湾。长 6 262千米。流域面积 322 万平方千米。下游泥沙淤积，常泛滥成灾。

【密斯·范德罗】(1886—1969)美籍德裔建筑师、建筑教育家。他积极探索钢框架结构和玻璃在建筑中的应用，使技术与艺术有机统一。建筑观点有“流动空间”和“少就是多”等。代表作为西班牙巴塞罗那博览会德国馆、芝加哥湖滨公寓、纽约西格拉姆大厦。

蔤⊠ mì 藕鞭（荷茎在泥里的白色部分）。

嘧 mì 化学音译用字。如嘧啶。

【嘧啶】一种碱性含氮杂环有机化合物。其衍生物胞嘧啶、尿嘧啶、胸腺嘧啶等是核酸的重要组成成分。

蜜 mì ❶蜂蜜，蜜蜂采集花粉酿成的东西。营养价值很高，可供药用。❷甜美的。㊟甜言～语。

【蜜月】新婚第一个月。

【蜜饯】用蜜或浓糖浆浸制的食物（多数是果品）。

【蜜蜂】昆虫。人工饲养以供采蜜的蜂类。由蜂王、工蜂和雄蜂组成，营群体生活。生产蜂蜜、蜂蜡、蜂乳和蜂毒等，还能为某些植物传粉。

【蜜腺】植物花内分泌蜜汁的外分泌腺组织。一般位于花瓣、花萼、子房或花柱的基部。蜜汁有引诱昆虫传粉的作用。

秘（*祕） ㊀ mì ❶秘密。㊟～诀｜～室。❷保守秘密。㊟～而不宣。❸闭塞不通。㊟便～｜～结。

㊁ bì（54页）。

【秘方】秘密传授的不为一般人知道的药方。㊟祖传～。

【秘书】管理文书并协助领导人处理工作的人员。

【秘诀】解决问题的窍门儿。

【秘密】❶有所隐蔽，不让人知道的。与“公开”相对。㊟～会议。❷指秘密的事。㊟保守～。

【秘而不宣】保守秘密，不公之于众。

谧（謐） mì 安静。㊟安～。

虙⊠ mì 白色虎。

幂（*冪） mì ❶n个a相乘，当写成a^n的形式时，叫做a的n次幂，也叫做a的n次乘方，简称a的n次方，a叫做底数，n叫做指数。如四个5相乘，写成5^4，叫做5的四次幂，5是底数，4是指数。❷覆盖；罩。❸古代覆盖食器的巾。㊟盖～。

塓⊠ mì 涂饰。

蓂 ㊀ mì 见〔菥蓂〕（1055页）。

㊁ míng（692页）。

幎⊠ mì 同“幂”②③。

幦⊠ mì 古代车前横木上的覆盖物。

mián ㄇㄧㄢˊ

眠 mián ❶睡觉。㊟睡～｜失～。❷某些动物的一种生理现象，在一个较长时间内不吃不动，像睡眠一般。㊟冬～。

绵（綿 *緜） mián ❶丝绵。❷柔软。㊟～软。❸单薄。㊟～力｜～薄。❹连续不断。㊟～延。

【绵长】延长不绝；延续很长。

【绵亘】连接；绵延。㊟山岭～。

【绵延】延续不断。㊟山脉～数省。

【绵羊】哺乳动物。羊的一种。性温驯，肉可食，毛是纺织品的重要原料，皮可制革。

【绵阳】市名。位于四川省中部偏北，宝成铁路线上。人口39万（1997年）。有电子、冶金等工业。名胜古迹有汉阙、碧水寺、子云亭等。

【绵纸】用树木的韧皮纤维制的纸。色白、柔软而有韧性，纤维细长如绵，所以叫绵纸。

【绵笃】病势垂危。

【绵密】细致周到。㊟用意～。

【绵薄】谦辞。❶薄弱。❷薄弱的力量、能力。㊟稍尽～。

【绵邈】❶遥远。❷久远。

矏⊠（矈） mián 形容眼珠黑。

棉 mián ❶指木棉。❷棉花。

【棉花】❶一年生或多年生草本植物或灌木。是重要的经济作物。纤维可纺纱或做棉絮，棉子可榨油，油粕可作饲料或肥料，茎皮可造纸。中国栽培的棉花有亚洲棉、草棉、陆地棉、海岛棉四种。以陆地棉栽培最广。❷棉桃中的纤维。是棉纺工业的主要原料。

【棉铃】棉花初长出的果实。因形状像铃，故名。

【棉酚】男性避孕药。从草棉、树棉等的成

熟种子、根皮中提取制成。

【棉絮】❶棉花的纤维。❷用棉花纤维做成的衣服、被褥等的胎。

【棉铃虫】昆虫。幼虫蛀食棉花的蕾、铃,可使蕾、铃脱落。是棉花的主要害虫。

【棉红蜘蛛】也叫棉叶螨。节肢动物。成虫梨形,橙红色。在植物叶片背面吸汁液,使叶变红、卷缩或脱落,严重时全株枯萎。是棉花、豆科、茄科等作物的主要害虫。

櫋☒ mián 屋檐板。

miǎn ㄇㄧㄢˇ

丏☒ miǎn 遮蔽;看不见。

沔 miǎn 沔水,水名。古指汉水,今指汉水上游在陕西境内的一段。

免 miǎn ❶去除。例～费|～职。❷避免。例～疫。❸不要;不可。例～开尊口|闲人～进。

【免刑】经法院审判,认定犯罪,但情节轻微,免予刑事处分。

【免疫】机体对侵入体内的微生物及其毒素具有抵抗力的现象。

【免冠】❶旧指脱帽。表示谢罪。后表示敬礼。❷不戴帽子。例半身～照片。

【免除】❶免去,去掉。❷债权人放弃其债权,相对债务人的债务得以免去,使债务消除。

【免职】解除职务。

【免罪】不予以定罪。

【免征额】税法规定的征税对象全部数额中免于征税的数额。

【免赔率】保险人对保险标的受损免除赔偿责任的比率。

【免疫系统】机体执行免疫功能的器官、组织、细胞和分子的总称。免疫系统各组成成分功能的正常是维持机体免疫功能相对稳定的保证。

【免疫球蛋白】存在于血浆及淋巴液等体液中的一种球蛋白。具有免疫功能。临床用的通常由胎盘、脐带的血液或健康人血制成。用于防治乙肝、百日咳、狂犬病等。

勉 miǎn ❶努力。例～力以从|勤～|奋～。❷勉励。例互～|有则改之,无则加～。❸力量不够或不愿做,但仍坚持去做。例～为其难。

【勉励】劝人努力;鼓励。

【勉强】❶能力不够或不愿意,还尽力去做。例～看完|～答应。❷使做难于做或不愿做的事。例不要～他。❸牵强;凑合。例理由～|～能用。

【勉为其难】勉强做能力所不及的或不想做的事。

娩 miǎn 分娩(生孩子)。

冕 miǎn ❶古代帝王、诸侯所戴的礼帽。宋朝以后,专指皇帝的礼帽。❷喻指体育、文艺等竞赛中第一名的荣誉地位。例卫～。

【冕旒】天子的礼帽和礼帽前后的玉串。旒(liú)。

鮸□(**鮸**) miǎn 也叫米鱼。鱼类。长达 50 厘米以上,灰褐色。头尖长,口大。是一种常见食用鱼。中国沿海均产。

黾(**黽**) ㊁ miǎn 同"渑(miǎn)"。㊀ mǐn (688 页)。

渑(**澠**) ㊀ miǎn 〔渑池〕地名。在河南西部。㊁ shéng (882 页)。

勔☒ miǎn 勤勉。

偭☒ miǎn ❶向;面向。❷背;违反。

湎 miǎn 沉迷。多指在喝酒方面。

愐☒ miǎn ❶思念;想。❷勤勉。

缅(**緬**) miǎn 遥远。例～想(追想过去)。

【缅怀】追念。例～先烈。

靦□(**靦**) ㊁ miǎn 〔靦覥〕同"腼腆"(683 页)。㊀ tiǎn (975 页)。

腼 miǎn 〔腼腆〕也作靦覥。因怕生或害羞而神情不自然。

miàn ㄇㄧㄢˋ

面(❽❾麵❽❾*麫) miàn ❶脸。例满～笑容。❷当面。例～谈。❸对;向。例背山～水。❹方面。例南～|～～俱到。❺

M

事物的表面、外表。㊙桌～|地～|店～。❻全面。㊙以点带～,点～结合。❼几何学上指一条线移动所形成的轨迹。有长有宽没有厚度。㊙平～|曲～|～积。❽粮食或其他东西磨成的粉。特指小麦磨成的粉。㊙玉米～|药～儿|～粉。❾面条。㊙炸酱～。❿量词。用于扁平的或能展开的东西。㊙一～镜子|一～红旗。

【面世】(新产品、新著作等)与世人见面。

【面生】面目生疏,不熟识。

【面议】❶当面批评。㊙直言～。❷当面商议。㊙价格～。

【面庞】脸的轮廓;脸盘儿。

【面临】面前出现、遇到(问题、形势等)。㊙～严峻的考验|～大好形势。

【面首】指供贵妇人玩弄的美男子。

【面洽】当面接洽商量。

【面积】表示物体表面(整体或局部)大小的量。

【面料】供做衣服、鞋帽面子的材料。

【面善】❶面熟。❷面容和蔼。

【面貌】❶相貌。❷比喻样子、情况。㊙精神～|社会～。

【面额】货币等票面的数额。

【面面观】所观察和认识到的事物的各个方面(多用作文章标题或书名)。㊙兵器王国～。

【面神经】人和脊椎动物的第七对脑神经。在人体,主管面部表情肌的运动、唾液腺的分泌和舌前部的味觉。面神经麻痹,可引起面容的改变。

【面目一新】形容改变成崭新的面貌。

【面目可憎】相貌丑陋,神情卑劣,使人感到厌恶。唐韩愈《送穷文》:"凡所以使吾面目可憎,语言无味者,皆子之志也。"憎:厌恶。

【面目全非】模样变得与原先完全不同。形容变化极大(多含贬义)。清蒲松龄《聊斋志异·陆判》:"举首则面目全非。"

【面面相觑】你瞧我,我看你。形容大家因惊惧或无可奈何互相望着,都不说话。觑(qù)。

【面面俱到】形容在各个方面考虑或安排得都很周到。

【面授机宜】当面布置适合时机的策略或办法。

【面墙而立】比喻不学之人,如面墙壁而立,一无所见。《论语·阳货》:"子谓伯鱼曰:'女为《周南》《召南》矣乎?人而不为《周南》《召南》,其犹正墙面而立也与!'"

【面壁功深】❶指和尚面对墙壁默坐静修,道行很深。面壁:佛家用语。宋普济《五灯会元》卷一:"寓止于嵩山少林寺,面壁而坐,终日默然,人莫之测,谓之壁观婆罗门。"❷比喻某人在某一方面造诣很深。

眄⊠ miàn 斜着眼看。㊙顾～。

miāo ㄇㄧㄠ

喵 miāo 拟声词。猫叫声。

miáo ㄇㄧㄠˊ

苗 miáo ❶初生的种子植物或某些初生的动物。㊙麦～|鱼～。❷有免疫作用的抗生素。㊙疫～|卡介～。❸形状像苗的。㊙火～。❹接续上代的后代。㊙～裔|独～。❺苗族。

【苗头】略微显露出来的发展趋势或征兆。

【苗条】形容女性身材纤细柔美。

【苗床】培育作物幼苗的田地。用人工方法加温,促使幼苗生长的叫温床;只有玻璃窗等设施而利用太阳能保温的叫冷床。

【苗圃】培育苗木的园地。

【苗族】中国少数民族之一。人口 738 万(1990 年)。主要分布在贵州省,部分分布在湖南、云南、广西、四川、广东和湖北等省。有本民族语言,多通汉语文,1949 年后设计了拉丁字母形式的文字方案。建立有黔东南苗族侗族自治州等各级自治地方。

【苗裔】后代(世代较远的子孙)。

【苗而不秀】庄稼虽生长,但不吐穗开花。比喻资质虽好,但无成就。也比喻虚有其表。《论语·子罕》:"子曰:'苗而不秀者有矣夫!秀而不实者有矣夫!'"秀:出穗。

描 miáo ❶用薄纸蒙在底样上写或画。㊙～花。❷在原来色淡或需要改正的地方重复地涂写。

【描写】用语言文字等对事物作具体的刻画和描绘。

【描金】用金银粉在器物上勾勒描画,作为装饰。

【描绘】画,也指用语言文字来描写。㊙他生动地～了群众游行的盛大场面。

【描摹】照原样描写或描画。

鹋(鶓) miáo 见〔鹂鹋〕(245页)。

瞄 miáo 把视力集中于目标上。例～准。

miǎo ㄇㄧㄠˇ

杪 miǎo ❶树梢。例木～。❷末尾;末端。例月～|岁～。

眇(*䏚) miǎo ❶瞎了一只眼。❷细小。

渺(*淼❶ *渺) miǎo ❶形容水势辽远或距离远。例～远。❷微小。例～小。

【渺小】藐小。

【渺茫】❶因离得太远而模糊不清。例烟雾～。❷因没有把握而难以预料。

缈(緲) miǎo 见〔缥缈〕(752页)。

秒 miǎo ❶谷物种子壳上的芒。❷计算时间、弧和角以及经纬度的最小单位。均为一分的六十分之一。是国际单位制中七个基本单位之一。

【秒差距】计量天体距离的一种长度单位。1秒差距等于3.262光年,即3.085678×10^{16}米。

藐 miǎo ❶微小。例～小。❷轻视。例～视。

【藐小】微小。

【藐视】轻视;小看。

邈 miǎo 遥远。例～不可见。

【邈邈】❶遥远的样子。❷超凡出俗的样子。

miào ㄇㄧㄠˋ

妙(*玅) miào ❶好;美。例～品|～不可言。❷奥秘;奇巧。例莫名其～|～计。

【妙龄】美好的年龄。指女子十六七岁到二十几岁的时期。

【妙手丹青】指优秀的画家。《儒林外史》第四十六回:“庄濯江寻妙手丹青画了一幅《登高送别图》,在会诸人,都做了诗。”妙手:指技能高超的人。丹青:指绘画的颜料,也借指绘画的艺术。

【妙手回春】称赞医生医术高明,能使病情严重的人恢复健康。

【妙语解颐】说话风趣,使人发笑。妙语:有趣的言谈。颐(yí):面颊。解颐:开颜而笑。

【妙趣横生】美妙的意趣洋溢(多指语言、文章或美术品)。

【妙应寺白塔】喇嘛教寺塔。原称圣寿万安寺浮图。建于1271—1279年。在北京。设计人为尼泊尔匠师阿尼哥。由台基、塔身和塔刹组成,通体白色,总高约51米。台基分三层,含有亚字形平面的须弥座。塔身平面圆形,轮廓如同宝瓶,塔身上为折角亚字形须弥座,座上有13层砖砌相轮,顶上是铜制华盖,四周悬挂镂空铜板和铜铎。华盖上为一小喇嘛塔。塔体形态古朴,庄严圣洁。是全国重点文物保护单位。

庙(廟) miào 供奉神佛、祖先或圣贤等的建筑。

【庙号】中国古代给死去的皇帝特起的名号。如太祖、太宗、成祖等。

【庙会】于规定的日子在寺庙内外进行焚香祷告活动和交易的聚会。

【庙宇】佛教、道教及民间信仰供奉神佛、进行祭祀活动的建筑和地方。如关帝庙、妈祖庙等。

【庙祝】庙宇中管香火的人。

庿⊠ miào “庙”的异体字。

缪(繆) ㊀ miào 姓。 ㊁ móu (699页)。 ㊂ miù (692页)。

miē ㄇㄧㄝ

乜 ㊁ miē 〔乜斜〕❶斜着眼睛看。❷因为困倦眼睛睁不开。 ㊀ niè (721页)。

咩(*哶*咩) miē 拟声词。羊叫声。

miè ㄇㄧㄝˋ

灭(滅) miè ❶消灭;熄灭。例～蝇|～灯。❷水淹没。例～顶(淹死)。

【灭口】因害怕恶事败露而害死知情的人。

【灭亡】指(国家、种族或腐旧事物等)被消灭,不再存在。

【灭迹】消灭做坏事留下的痕迹。㊀焚尸～|销赃～。

【灭绝】❶完全消灭。❷完全丧失。㊀"三光"政策是日本帝国主义～人性的暴行。

【灭族】古代的一种刑法。因一人犯法而杀死其全家族。

【灭此朝食】《左传·成公二年》记载,有一次齐国和晋国交战,齐侯说:"余姑翦灭此而朝食。"意思是消灭了这批敌人再吃早饭。后用以形容急于消灭敌人的心情或气概。此:这些,这里指敌人。朝(zhāo)食:吃早饭。

【灭顶之灾】比喻毁灭性的灾难。

眜⊠ ㊀miè 古地名。在今山东泗水。㊁mò(696页)。

蔑(❹衊) miè ❶无;没有。㊀～以复加。❷无视;瞧不起。㊀轻～。❸微小。㊀视沧海而知滴水之～。❹血污。引申为造谣中伤。㊀诬～。

【蔑视】轻视;看不起。

蠛⊠ miè 〔蠛蠓〕古书上指蠓。

篾 miè 用竹、芦苇、秫秸等的茎皮劈成的条片。

mín ㄇㄧㄣˊ

民 mín ❶人民。❷民间的。㊀～歌|～俗。❸非军人;非军事的。㊀军～团结|～用工业。❹指某一种人。㊀农～|回～|渔～|侨～。

【民气】人民群众对关系国家、民族安危存亡的重大局势所表现出来的意志、气势。

【民心】人民共同的心意。

【民乐】民族器乐。乐(yuè)。

【民主】❶指人民发表意见、参与国家政治生活和国家管理的权利。❷合乎民主原则。㊀作风～。

【民团】即"团练"(995页)。

【民兵】❶不脱离生产的群众武装组织。中华人民共和国的民兵,是国家武装力量的组成部分,是中国人民解放军的有力助手和强大的后备力量。❷民兵组织的成员。

【民间】❶人民中间。㊀～文学|～艺术。❷指非政府方面的。与"官方"相对。㊀～贸易|～协定。

【民国】中华民国的简称。

【民变】旧指人民起来造反。

【民法】民事法律的简称。

【民政】国内行政事务的一部分。在中国,主要包括选举、行政区划、地政、户政、国籍、婚姻登记、优抚、救济等内容。

【民怨】人民对统治者的怨恨。

【民校】农民在闲暇时间学习文化的学校。

【民贼】指犯有严重的害国害民罪行的人。㊀独夫～。

【民萌】民众;百姓。萌:氓(méng),百姓。

【民族】❶泛指历史上形成的、处于不同社会发展阶段的各种人类共同体。如狩猎民族、游牧民族、古代民族、现代民族等。❷人类在历史上形成的有共同语言、共同地域、共同经济生活以及表现于共同文化上的共同心理素质的稳定的共同体。

【民情】❶人民的心情愿望。㊀体察～。❷指百姓的生产、生活、风俗习惯等情况。㊀地理～。

【民愤】民众对有罪恶的人的愤恨。

【民谣】在民间流行的歌谣。

【民歌】劳动人民口头传唱的诗歌,包括山歌、号子、小调等。有时泛指歌谣。内容多反映劳动人民的生活和感情。曲调优美单纯、语言朴素清新,多用比兴,音调铿锵。各民族都有自己喜爱的各种形式的民歌。

【民事案】由法院受理的有关民事权利和义务的案件。

【民不聊生】老百姓无以为生,没有办法生活下去。《史记·春申君列传》:"人民不聊生,族类离散。"聊:依赖。

【民办教师】不列入国家编制的中小学教师。一般分布在农村中小学。

【民主改革】废除封建制度,建立民主制度的社会改革。包括土地、企业管理、婚姻制度方面的改革,以及某些少数民族地区的农奴解放、奴隶解放等。民主改革属于民主革命的任务,但它只有在社会主义革命中才能彻底完成。

【民主革命】资产阶级民主革命的简称。

【民主党派】参加中国共产党领导的爱国统一战线的各党派的统称。有中国国民党革命委员会、中国民主同盟、中国民主建国会、中国民主促进会、中国农工民主党、中国致公党、九三学社和台湾民主自治同盟。这些政党与中国共产党有长期合作的历史,1949年参加了中国人民政治协商会议。中华人民共和国成立后,坚持和完善共产党领导的多党合作和政治协商制度,推动其成员和所联系的人们参加各项政治活动,为社会主义建设做出了重要贡献。

【民间文学】群众口头创作的文学作品的统称。包括神话、故事、传说、歌谣、民间小戏、说唱、谚语等。经群众口头创作,又在口头流传过程中不断加工修改,直接反映了人民群众的思想感情和理想。各个时代优秀的民间文学,对文学的发展有巨大的促进作用。

【民间协定】两国人民团体间为促进两国间的贸易、加强两国人民间的友好往来等目的而达成的协议。其名称除协定外,还有议定书、协议、换文、备忘录等。

【民间借贷】不经过金融机构而私下进行的货币或非货币的借贷活动。

【民事权利】民事主体享有的,依法进行一定活动或要求他人进行某种活动的权利。如财产所有人享有依法处置自己财产的权利,债权人享有要求债务人履行债务的权利。这种合法权益,任何人不能非法干涉,均受到法律保护。

【民事诉讼】民事争讼的一方向法院提出告诉和请求,法院通过审理依法解决争讼,保护当事人合法权益的活动。

【民事责任】民事违法者在民法上承担的对其不利的法律后果。以财产责任为主要方式,如修理、恢复原状、损害赔偿等。

【民事法律】简称民法。调整平等主体的公民之间、法人之间、公民和法人之间的财产关系和公民人身关系的法律规范的总称。主要内容有民事主体制度,物权、债权制度,人身权,民事责任和诉讼时效等。源于古罗马的市民法。

【民法大全】即"国法大全"(364 页)。

【民脂民膏】比喻人民用血汗换来的财富。脂、膏:油脂。五代时后蜀孟昶《戒石文》:"尔俸尔禄,民膏民脂。"

【民营经济】国有经济以外的经济成分的统称。包括集体经济、合作经济、民间持股的股份经济、个体经济、私营经济等。与"国有经济"相对。

【民族乐队】由民族乐器组成的乐队。中国大型民族乐队通常由拉、拨、击弦和吹、打等五组乐器组成。

【民族主义】❶资产阶级对于民族的看法及其处理民族问题的纲领和原则。在不同的历史时期和不同的国家起着不同的作用。在资本主义上升时期,它有一定的进步作用。当其利用民族主义压迫、侵略其他民族时则是反动的。无产阶级支持进步的民族主义,反对反动的民族主义。❷孙中山三民主义的组成部分。在十月革命的影响下,主张反对帝国主义、中国民族自求解放、国内各民族一律平等。

【民族同化】一个民族失去本民族特点而成为另一民族。在长期的历史发展中某一民族受另一民族的影响,自然地、逐渐地改变自己的民族特点而成为另一民族,是自然同化;一个民族的统治阶级强迫被统治民族改变他们的民族特点,是强制同化,是民族压迫的表现。

【民族形式】各民族在不同历史条件下形成的在政治、经济、文化、生活等方面的不同表现形式。正确对待民族形式,对民族的进步和发展有重要意义。

【民族体育】指少数民族开展的传统体育活动。所设项目与生产、生活、传统节日、纪念日紧密相联。如蒙古族的骑马、射箭,维吾尔族的达瓦孜(高空走绳),藏族的押枷(大象拔河),壮族的抢花炮,朝鲜族的打秋千,回族的木球,高山族的杆球、背篓球,黎族的跳木竿,以及多民族的摔跤等,约有一百多个项目。

【民族融合】指历史上某些民族自然形成为一体的现象。

【民主集中制】在民主基础上的集中和在集中指导下的民主相结合的制度。是马列主义政党、社会主义国家机关和人民团体的组织原则。

【民事诉讼法】调整人民法院和诉讼参加人在民事诉讼活动中所发生的社会关系的法律规范的总称。是审理民事案件的程序法。

【民族共同语】全民族共同使用的语言。它以本民族语言中的一种方言为基础,吸收其他方言的成分,成为本民族的标准语。汉民族的共同语是普通话。

【民族自决权】各民族自己决定自己命运的权力。民族自决的要求是否适当,要从国家利益和是否有利于社会发展来衡量。

【民事行为能力】法律赋予公民享有民事权利、承担民事义务的资格。有完全行为能力、限制行为能力和无行为能力之分。完全行为能力指可以独立进行民事活动的

18周岁以上的成年人；或16周岁以上不满18周岁的公民，能以自己的劳动收入为主要生活来源的人。限制行为能力指可以独立进行与其年龄、智力或精神健康状况相适应的民事活动，其他活动由其法定代理人代理，或征得其法定代理人同意的10周岁以上的未成年人；或不能完全辨认自己行为的精神病人。无行为能力指自己不能独立进行民事活动，由其法定代理人代理的不满10周岁的未成年人；或不能辨认自己行为的精神病人。

【民事法律行为】公民或法人设立、变更、终止民事权利和民事义务的合法行为。可采用书面、口头或其他形式，如结婚登记、签定合同、立遗嘱等。一经成立就具有法律约束力。

【民族区域自治】中国少数民族在自己聚居的地区建立自治地方，管理本民族地区事务的制度。是中国共产党解决中国民族问题的基本政策。各民族自治地方都是中华人民共和国不可分离的部分。其自治机关是中央人民政府统一领导下的一级地方政权，除行使地方国家机关的职权外，可以依照法律规定的权限行使自治权。其行政地位分自治区（省级）、自治州（地区级）、自治县三级。

【民族民主革命】殖民地、半殖民地半封建社会的人民群众反对帝国主义和封建主义、争取民族独立和解放的革命。属于资产阶级民主革命性质。

【民族自治地方】见〔民族区域自治〕（688页）。

【民族资产阶级】殖民地、半殖民地和民族独立国家中同外国资本联系较少的资产阶级。在旧中国，民族资产阶级和帝国主义、封建主义既有联系，又有矛盾，经济上、政治上软弱，具有两面性。

【民族解放运动】也叫民族民主运动。殖民地、半殖民地人民和一切被压迫民族反对帝国主义、殖民主义和霸权主义，争取民族独立和民族解放的革命运动。

苠 mín （庄稼）生长期较长，成熟期较晚。㊀～高粱｜这种玉米特别～。

岷 mín 见下。

【岷山】位于四川省北部，绵延于甘肃、四川两省交界处。海拔4 000米左右。是岷江发源地。

【岷江】长江支流。位于四川省中部。发源于岷山羊膊岭，在宜宾入长江。长711千米。水力资源丰富。在都江堰市有著名的都江堰水利工程。都江堰市以下可通航。

珉 mín 洁白如玉的石头。

缗（緍） mín 古时穿钱的绳子。也指成串的钱，一千文为一缗。

旻 mín ❶秋天。❷天；天空。㊀苍～｜～天。

忞☒ ㊀ mín 勉力。
㊁ wěn（1031页）。

痻☒ mín 头昏的病。

mǐn ㄇㄧㄣˇ

皿 mǐn 碗碟杯盘一类用具的统称。

闵（閔） mǐn ❶姓。❷古又同"悯"。

悯（憫） mǐn ❶哀怜。㊀怜～。❷忧愁。

抿 mǐn ❶合拢；收敛。㊀～着嘴笑。❷用嘴唇轻轻地沾一下碗边或杯子边，吸一点。㊀～了一点儿酒。❸用梳子蘸水或油拢（头发等）。㊀～一～头发。

泯（*泯） mǐn 消灭；丧失。㊀～灭｜～除成见。

【泯灭】（形迹、印象等）磨灭。

笢☐ mǐn ❶竹皮。❷理发用的刷子。

湣☐ mǐn 古代某些统治者死后的谥号名。如宋湣公、鲁湣公。

愍☒ mǐn 同"悯"。

暋☒ mǐn 强横。

慜☒ mǐn 悲伤。

黾（黽） ㊀ mǐn 〔黾勉〕努力。㊀～从事。
㊁ miǎn（683页）。

僶☒**（僶）** mǐn 同"黾勉"的"黾（mǐn）"。

闽（閩） mǐn ❶福建的别称。❷朝代名。十国之一（907—945）。

M

王审知建立。建都长乐(今福州)。为南唐所灭。

【闽江】福建省最大河流。发源于福建省与江西省交界的武夷山。上游的建溪、富屯溪、沙溪于南平市附近汇合,向东南至福州东入东海。长577千米。水量甚丰。

【闽侯】地名。在福建福州西。侯(hòu)。

【闽剧】也叫福州戏。福建主要剧种之一。流行于闽中、闽东和闽北各地。

敏 mǐn 反应快,灵活。㊀~感|~捷。

【敏捷】灵敏迅速。

【敏锐】感觉灵敏,眼光锐利。

【敏感】对外界事物的变化反应快。㊀政治~。

慜☒ mǐn 同“聪敏”的“敏”。

鳘(鰵) mǐn 鳕鱼的通称。

míng ㄇㄧㄥˊ

名 míng ❶名称;名字。㊀人~|书~。❷名义。㊀~存实亡|~副其实。❸说出。㊀莫~其妙。❹有名的。㊀~著|~言。❺名誉;名声。㊀不为~,不为利。❻占有。㊀一文不~。❼量词。用于人。㊀学员十~。

【名士】旧指知名的学者。也指封建社会里有一定名气,但不作官的人。

【名义】❶身分;资格;名分。㊀个人~|团体~。❷表面上;形式上。

【名目】事物的名称。㊀~繁多。

【名产】著名的产品。㊀瓷器是中国的~。

【名讳】旧称人名字,生曰“名”,死曰“讳”。君亲之名,其在世时也讳。连称则曰“名讳”,通用于生者及死者,含有尊敬之意。

【名言】著名的话。㊀至理~。

【名词】表示人或事物名称的词。

【名实】中国古代哲学的一对范畴。指辞、概念(或名称)和事实、实在。名实关系问题曾经引起中国古代各派哲学家的注意,墨、名、儒、法各家先后提出了自己的名实观,形成了历史上有名的名实之争。

【名胜】有古迹或优美风景的著名地方。

【名流】著名的人士(多指政治界、学术界、文化界等)。

【名家】❶在学术或技能方面有突出成就或贡献的著名人物。❷战国时期以辩论名实关系(即概念与事实的关系)问题为中心的一个学派。主要代表人物有惠施、公孙龙。用比较严格的推理形式来辩论问题,对中国古代逻辑学的发展有一定贡献。

【名教】指以正名定分为主的封建礼教。来源于儒家的孔孟之道。在一个很长的时期里束缚了人民的思想和行动。

【名著】有影响的出名的著作。

【名堂】❶花样;名目。㊀戏法里的~真不少。❷结果;成绩。㊀非搞出点ㄦ~来不可。❸道理;内容。㊀里面大有~。

【名望】名气和声望。

【名誉】❶名声。❷名义上的(含尊重意)。㊀~主席。

【名古屋】日本城市。位于日本本州岛中南部。人口210万(1993年)。是日本第三大港和重要工商业中心之一。

【名贤集】南宋以来流行在民间的一种通俗读物。里面收集了一些格言、诗句、谚语等。其中有些内容属封建说教,有些还渗透了佛、道两教的因果报应等思想。

【名称权】法人、个体工商户、个人合伙以及其他组织对其名称所享有的权利。权利人可以依法转让名称、许可他人使用名称。名称在一定区域内专用,法律禁止其他主体非法使用注册名称。

【名誉权】公民、法人享有的维护自身获得公正社会评价的权利。是民事主体人格权的一种。法律禁止用侮辱、诽谤等方式损害他人名誉。侵犯名誉权应承担民事责任。

【名义工资】以货币数量表示的工资。与“实际工资”相对。

【名正言顺】《论语·子路》:“名不正,则言不顺;言不顺,则事不成。”意思是,名分不正,讲起话来就不顺当、不合理;说话不顺当、不合理,事情就办不成。后以“名正言顺”泛指做事理由正当而充分。

【名存实亡】徒有空名,实际已不存在。

【名列前茅】指名次列在前面。古代行军时持茅(当作旗)的走在前面的叫前茅。《左传·宣公十二年》:“前茅虑无。”

【名副其实】也说名符其实。名称或名声与实际相符合。副:相称,符合。

【名落孙山】宋范公偁《过庭录》第六十一条记载,孙山考取了末名举人,回乡后,有人问他:“我的儿子考中没有?”孙山回答说:“解名尽处是孙山,贤郎更在孙山外。”意思

M

是榜上最后一名是孙山，你的儿子还在孙山的后边。后指考试没有考取或选拔时没被录取。解(jiè)。

茗 míng 茶芽。泛指茶。㊀品～|香～。

洺 míng 洺河，水名，在河北南部。

铭(銘) míng ❶在器物上刻字。比喻永远记住。㊀～刻|～记。❷古代的一种文体。铸或刻于器物上，记述生平功德，或以申鉴戒。㊀墓志～|陋室～。

【铭记】深深地记在心里。

【铭佩】感念不忘。

【铭刻】❶在器物上铸刻文字或图案，也指刻在器物上的文字。❷铭记。

【铭感】深刻地记在心中，感激不忘。㊀终身～|～万分。

【铭肌镂骨】形容感受深切，永志不忘。北齐颜之推《颜氏家训·序致》："追思平昔之指，铭肌镂骨。"镂(lòu)：雕刻。

【铭诸肺腑】比喻永记不忘。

明 míng ❶亮。㊀天～|～亮。❷明白；清楚。㊀说～。❸懂得；理解。㊀深～大义。❹公开。㊀～码售货。❺次(专指日或年)。㊀～天|～年。❻视觉。㊀失～。❼神明。迷信称神灵。㊀～器。❽朝代名(1368—1644)。朱元璋建立。建都南京，国号明。1421年明成祖迁都北京。1644年李自成农民起义军占领北京，明亡。后明皇族在南京、福州、肇庆等地先后称帝，史称南明，1663年为清所灭。

【明文】公开见于文字的(指法令、规章等)。㊀～规定。

【明示】❶明确表示。❷当事人用口头或书面形式明确进行意思表示的方式。与"默示"相对。

【明史】史书名。清张廷玉等撰。共三百三十二卷，包括本纪二十四卷，志七十五卷，表十三卷，列传二百二十卷。记载了明代近三百年(1368—1644)的历史。

【明达】明白通达；对事物道理有明确透彻的认识。

【明快】❶(多指文章或讲话)明白通畅。❷办事干脆，不拖泥带水。

【明证】明确的证据。

【明矾】也叫白矾。含有结晶水的铝和钾的硫酸盐的俗称。化学式 $KAl(SO_4)_2 \cdot 12H_2O$。无色晶体，易溶于水，水解时生成氢氧化铝的胶状沉淀。有酸涩味。用于造纸、印染等工业，也用作净水剂。

【明码】❶公开通用的电码或号码。与"密码"相对。❷公开的价码。㊀～标价。

【明朗】❶光线充足明亮。❷明显；清晰。㊀态度～。❸开朗；爽快。

【明教】敬辞。高明的教诲。㊀伫候～。

【明断】在审理案件或调查纠纷原委之后做出公正的裁决。

【明确】❶清晰明白而确定不移。❷使清晰明白而确定不移。

【明晰】明白清楚，不模糊。

【明喻】比喻的一种。明显地用另外的事物作比方来说明某一事物。这种比喻常用"如""像""好像""像…似的"一类比喻词语。如"共产党像太阳"这句话就是明喻。

【明智】有远见，通达事理。

【明媚】❶景色鲜明可爱。㊀春光～。❷眼睛明亮动人。

【明澈】明亮而清澈。㊀池水～如镜。

【明器】也作冥器。古代殉葬用的器物。

【明太祖】即"朱元璋"(1291页)。

【明成祖】(1360—1424)即朱棣。朱元璋的第四子，封燕王。朱元璋死后起兵，自称靖难，夺取朱元璋孙建文帝帝位，年号永乐，从南京迁都北京。对内继续执行朱元璋的集权政策。曾派郑和六次出使南洋等地，远至东非。命解缙等编《永乐大典》，对保存古代文化典籍有所贡献。

【明安图】(1692—1763或1765)清代科学家。字静庵。蒙古正白旗人。曾任钦天监监正。在天文学和数学上均有成就，先后编著《历象考成》《历象考成后编》《割圜密率捷法》等。

【明细账】根据二级会计科目在账簿中开设的账户。

【明暗法】也叫明暗对照法。表现物体因受光强弱而产生明暗层次变化的画法。

【明日黄花】原指重阳节一过，黄花(菊花)就要凋谢。宋苏轼《九日次韵王巩》诗："相逢不用忙归去，明日黄花蝶也愁。"现比喻过时的事物。

【明火执仗】点着火把，拿着武器。多指公开抢劫。

【明正典刑】指依法公开处置。宋吕颐浩《辞免赴召乞纳节致仕札子》："如是托疾，自当明正典刑；如委实抱病，伏望天慈，放臣闲退。"明：表明。正：治罪。典刑：执行法律。

【明目张胆】指无所畏忌。《晋书·王敦传》："今日之事，明目张胆，为六军之首，宁忠臣而死，不无赖而生矣。"现多用来形容公开地毫无顾忌地干坏事。

【明发不寐】通宵未睡。《诗经·小雅·小宛》："明发不寐，有怀二人。"明发：破晓，天色发亮。寐：睡着了。

【明刑不戮】刑法严明，民不敢犯，所以不必杀戮。《商君书·赏刑》："故禁奸止过，莫若重刑；刑重而必得，则民不敢试，故国无刑民。国无刑民，故曰：'明刑不戮。'"

【明刑弼教】用刑法晓喻民众，使大家都知法、畏法而守法，以达到教化所不能收到的效果。《尚书·大禹谟》："明于五刑，以弼五教，期于予治。"弼(bì)：辅助。

【明枪暗箭】比喻公开的与隐蔽的各种攻击。

【明知故犯】明明知道这样做是错误的或违法的，却故意去做。

【明治维新】发生在近代日本的一次划时代的资产阶级改革运动。1868年，具有资产阶级倾向的倒幕派发动政变，推翻了统治日本265年的德川幕府。代表地主、资产阶级利益的天皇专制政府掌握了全国政权，改元明治。其后，天皇政权推行了一系列政治、经济和社会变革，推进了日本的近代化和工业化，使日本从此走上了资本主义发展道路。

【明视距离】最适合正常人眼观察近处较小物体的距离，约25厘米。这时人眼的调节功能不太紧张，可以长时间观察而不易疲劳。

【明珠弹雀】用光泽晶莹的珍珠去弹鸟雀。比喻得不偿失。汉扬雄《太玄·唐》："明珠弹于飞肉，其得不复。测曰：明珠弹肉，费不当也。"宋邵伯温《河南邵氏闻见录》卷六："将明珠而弹雀，所得者少，所失者多。"弹(tán)。

【明珠暗投】把闪闪发光的珍珠投到黑暗的地方。《史记·鲁仲连邹阳列传》："臣闻明月之珠，夜光之璧，以暗投人于道路，人无不按剑而眄者，何则？无因而至前也。"后用"明珠暗投"比喻贵重的东西落到不识货的人手里。也比喻有才能的人得不到重视或好人误入了歧途。

【明哲保身】明智的人善于保全自己，不参与可能给自己带来危险的事。《诗经·大雅·烝民》："既明且哲，以保其身。"现指怕有损自己，回避斗争的处世态度。

【明耻教战】《左传·僖公二十二年》："明耻教战，求杀敌也。"指教战之法，在于使士卒知道退缩就是耻辱，因而奋勇向前，勇敢杀敌。

【明效大验】非常显著的效验。

【明清小说】明清时期创作的小说。因明代、清代是中国古典小说的顶峰时期，故同唐诗、宋词、元曲并称。

【明察秋毫】《孟子·梁惠王上》："明足以察秋毫之末。"形容目光敏锐，连极细小的东西也能看得出来。察：看出。秋毫：秋天鸟兽身上新生的细毛。

【明察暗访】明里观察，暗中询问了解。指用各种办法进行调查。

【明德惟馨】真正能够发出香气的是美德。《尚书·君陈》："至治馨香，感于神明，黍稷非馨，明德惟馨。"明德：美德。惟：是。馨(xīn)：散发的香气。

【明镜高悬】也说秦镜高悬。传说秦始皇有一面镜子，能照人心胆。原比喻能洞察一切。后也用以比喻官吏善于审察案狱，断案公正严明。元关汉卿《望江亭》第四折："只除非天见怜，奈天天又远，今日个幸对清官，明镜高悬。"

【明辨是非】把是非分清楚。

鸣(鳴) míng ❶鸟、兽、昆虫叫。㊀鸡～|蝉～|猿～。❷发声；使发声。㊀耳～|雷～|～鼓|～锣开道。❸表达；发表(意见、主张、观点等)。㊀百家争～。

【鸣谢】表示谢意(多指公开表示)。

【鸣镝】古代一种射出后有响声的箭。在战斗中起指示前进方向的作用。镝：箭头。

【鸣锣开道】古代社会官吏出行，前面有人打锣，要老百姓让路躲开。现比喻为某种事物的出现制造舆论。

【鸣鼓而攻之】大张旗鼓地讨伐。《论语·先进》："小子鸣鼓而攻之可也。"鸣鼓：击鼓，古代用鼓声指挥进攻。

冥(*冥 *冥) míng ❶昏暗。㊀晦～。❷愚昧；糊涂。㊀～顽。❸深。㊀～思苦索。❹迷信的人称人死后进入的境界。㊀～府。

【冥顽】糊涂顽固。

【冥想】深而广的想象。

【冥器】同"明器"(690页)。

M

【冥王星】太阳系九大行星之一。绕太阳一周的时间为 247.69 年。以距离太阳由近及远的次序计是第九颗。它有 1 颗卫星。
【冥思苦想】绞尽脑汁,苦苦地思索。

蓂 ㊁ míng 〔蓂荚〕古代传说中的一种瑞草。
㊀ mì (682 页)。

溟 míng 海。㊥北～。
【溟濛】形容烟雾弥漫,景色模糊不清的样子。

榠□ míng 〔榠楂〕落叶灌木或小乔木。似木瓜而大。果实味涩,可供药用。

暝 míng ❶日落;天黑。❷天色昏暗。

瞑 míng ❶闭上眼睛。㊥～目静思。❷眼睛昏花。㊥耳聋目～。
【瞑目】闭上眼睛。多指人死时没有牵挂。㊥死不～。

螟 míng 螟虫,昆虫。一般指水稻钻心虫,如二化螟、三化螟。广义指各种钻心的蛾类幼虫。
【螟蛉】❶一种绿色小虫。❷《诗经·小雅·小宛》:“螟蛉有子,蜾蠃负之。”蜾蠃常捕螟蛉喂它的幼虫,古人误认为蜾蠃养螟蛉为子,故称养子为螟蛉。蜾蠃:蜂的一种。

mǐng ㄇㄧㄥˇ

酩 mǐng 〔酩酊〕喝酒过量,醉得迷迷糊糊的样子。酊(dǐng)。

mìng ㄇㄧㄥˋ

命(*㑹) mìng ❶生命。㊥～根子。❷命运。㊥算～。❸指示;命令。㊥～其返航|奉～出发。❹给与(名称等)。㊥～名。
【命中】射中或打中目标。中(zhòng)。
【命令】上级向下级下指示。也指所下的指示。㊥～出发|颁布～。
【命名】授予名称。㊥～典礼。
【命妇】古代有封号的妇女。一般多为官员的母、妻。
【命运】❶指生死、贫富、祸福等一切遭遇。迷信者认为这些是生来“命中注定”的。❷比喻发展变化的趋向。㊥人人都应该关心国家的前途和～。
【命脉】人体的血脉。比喻关系极为重大的事物。㊥水利是农业的～。
【命笔】拿起笔来作诗文书画。㊥欣然～。
【命意】❶(作文、绘画等)确定主题。❷寓意;含意。
【命题】❶一般指表达判断的句子。也与判断通用。如“人民群众是历史的创造者”就是一个命题。不表达判断的句子不是命题。❷出题目。㊥～作文。
【命运交响曲】贝多芬所创作的《第五交响曲》的通称。作于 1807 年。因作曲家提示第一乐章第一主题的动机为“命运在敲门”,故名。

miù ㄇㄧㄡˋ

谬(謬) miù ❶错误的;荒唐的。㊥～论。❷差错。㊥失之毫厘,～以千里。
【谬论】荒谬的言论。
【谬种】指荒谬、错误的理论、学术流派等。
【谬奖】过奖。
【谬误】错误;差错。㊥真理是在同～作斗争中发展的。
【谬种流传】《宋史·选举志二》:“所取之士既不精,数年之后,复俾之主文,是非颠倒逾甚,时谓之谬种流传。”后泛指谬误的东西流传下去。

缪(繆) ㊂ miù ❶错误。㊥纰～。❷古又同“谬”。❸古又同“穆(mù)”。
㊀ miào (685 页)。
㊁ móu (699 页)。

mō ㄇㄛ

摸 mō ❶用手接触或接触后轻轻摩动。㊥抚～。❷探取。㊥～鱼|～情况。❸在黑暗中活动。㊥～黑|天黑后～进敌人的阵地。
【摸底】了解底细。
【摸索】试探,寻找(多指方向、方法、经验等)。

mó ㄇㄛˊ

无(無) ㊁ mó 见〔南无〕(704 页)。
㊀ wú (1036 页)。

M

谟(謨*譽) mó 策略;规划。例宏~(远大的规划)。

馍(饃*饝) mó 〈方〉也叫馍馍。馒头。

嫫 mó 〔嫫母〕古代传说中的丑妇。

摹 mó 照原来的样子写或画;仿效。例临~|描~。

【摹本】临摹或翻刻的书画。

【摹印】❶秦代八种书体之一。是专用于印玺的一种字体。❷摹写书画等并印刷。

【摹写】❶也作模写。依样描写。❷泛指描写。

【摹仿】同"模仿"(693页)。

【摹拟】同"模拟"(693页)。

模 ㊀ mó ❶标准;榜样。例楷~|劳~。❷照着样子做。例~仿。
㊁ mú(699页)。

【模写】同"摹写"(693页)。

【模式】某种事物的标准式样。

【模仿】也作摹仿。照着样子做。

【模块】❶电子计算机软件中,一个具有独立执行某种功能的程序单元叫做模块。一个大型软件可以分解为多个模块。❷一种装配好的硬件功能单元,可以和其他部件一起使用、组合或更换。

【模拟】也作摹拟。模仿现成的样子。

【模范】值得学习的先进榜样。例~事迹|英雄~人物|劳动~。

【模型】❶根据实物、图样放大或缩小而制作的样品,一般用于展览或实验。❷铸造机器零件等用的模子。

【模糊】❶不分明;不清楚。❷混淆。例不要~了是非界限。

【模特儿】法语音译词。❶指美术工作者进行绘画、雕塑创作时所选取的描绘对象。一般指用作描绘对象的真人。❷指用来展示服装样式的人体模型或专门从事时装表演的人。

【模拟信号】指其电流或电压相对于时间呈连续变化的信号方式。传统的电视、电话和广播等大都采用模拟信号方式。

【模棱两可】对问题或事物正反两方面,持既不肯定、也不否定的态度。《旧唐书·苏味道传》:"但模棱以持两端可也。"模棱(léng):含糊,不明确,不肯定。两可:这样也可以,那样也可以。

【模糊家电】利用模糊数学原理实现自动控制的家用电器。如模糊全自动洗衣机,能检测待洗衣物的重量,并能测出水流的混浊度和脏污程度,判断待洗衣物的脏污程度,从而选择最佳的洗涤方案。

【模糊数学】也叫弗晰数学。数学的分支学科。研究模糊子集的性质及其应用。

膜 mó ❶生物体内起保护作用的像薄皮的组织。例胸~|脑~。❷像膜的薄皮。例笛~|塑料薄~。

【膜拜】宗教活动中的一种顶礼形式,表示极端恭敬、虔诚。参见〔顶礼膜拜〕(216页)。

【膜翅目】昆虫纲的一目。体微小或中型。头大,复眼发达。翅两对,膜质。有嚼吸式口器。雌虫腹部有锯、钻或刺器。完全变态。植食性或寄生性。部分种类营合群生活,是昆虫中最进化的类群。常见的有蜜蜂、熊蜂、胡蜂、蚂蚁及各种寄生蜂。

麽 mó 见〔幺麽〕(1144页)。
另音 me,见"么"(670页)。

嬷 mó 〔嬷嬷〕❶奶妈的旧称。❷〈方〉老年妇女。

摩 ㊀ mó ❶摩擦;接近。例~拳擦掌|~天大厦。❷抚摸。例~弄。❸研究;切磋。例揣~|观~。
㊁ mā(654页)。

【摩天】与天接触。形容极高。

【摩尔】简称摩。物质的量的单位。是国际单位制中七个基本单位之一。1摩的任何元素或物质,约含有 6.022×10^{23} 个原子或分子。

【摩托】❶英语音译词。内燃机。❷摩托车。

【摩挲】用手抚摩。挲(suō)。

【摩登】英语音译词。最新式的;时髦的。

【摩擦】❶相互接触的物体在接触面上发生阻碍相对运动的现象。汽车、拖拉机的制动靠摩擦,车辆轴承化是为了减小摩擦。❷指个人、团体、党派等之间的矛盾冲突。

【摩尔根】❶路易斯·摩尔根(1818—1881)美国民族学家、考古学家和原始社会史学家。长期住在北美印第安人当中,研究他们的社会制度和习惯,收集了大量资料。其代表作《古代社会》提出全世界文化都是通过蒙昧、野蛮和文明这几个大致相同的连续阶段发展起来的,并初次论述了氏族是原始社会的主要形式,确认父权制氏族以前存在过母权制氏族。❷托马斯·摩尔根(1866—1945)美国生物学家,基因学说的创始人。早年对实验生物学中有关受精、性别决定、再生、发育等做了不少工作。后在果蝇中进行实验遗传学研究,发现伴性遗传的规律。明确指出,作为遗传单位的基因是在染色体上作直线排列式,由此创立了基因学说。著有《基因论》《实验胚胎学》等。

【摩擦力】相互接触的物体在接触面上发生的阻碍相对运动的力。它的方向和相对运动方向或运动趋向的方向相反。

【摩擦音】即"擦音"(89 页)。

【摩尔质量】单位物质的量的物质所具有的质量。常用单位是克/摩等。

【摩加迪沙】索马里首都。位于该国东南沿海。人口 50 万(1990 年)。是全国政治、经济、文化中心和最大海港。是阿拉伯人在东非最先建立的古城和港口,中国航海家汪大渊、郑和都曾远航到此。城市建筑兼具阿拉伯和西方风格。多古迹和清真寺。

【摩顶放踵】从头顶到脚跟都给摩伤了。形容不怕劳苦,不顾身体。《孟子·尽心上》:"墨子兼爱,摩顶放踵,利天下为之。"摩:摩擦。放(fǎng):到。

【摩肩接踵】肩碰肩,脚碰脚。形容来往的人很多,很拥挤。踵:脚跟。

【摩拳擦掌】形容战斗或劳动前,人们精神振奋、跃跃欲试的样子。

【摩托车运动】军事体育项目之一。摩托车速度快,灵巧,易于驾驶,越野性能好。通常进行的有场地障碍、长途、越野、公路等训练和比赛。

【摩托艇运动】军事体育项目之一。利用装有发动机的小艇,在水上进行比赛。比赛按发动机汽缸容积的大小,划分若干类型和等级。

【摩诃婆罗多】古印度诗篇。全诗长约 20 万行。描写两个印度家族从战争到和解的全过程。这部长诗反映了古代印度社会广泛的生活面貌,是一部古代印度社会的百科全书。

【摩西主题变奏曲】小提琴曲。帕格尼尼曲。作于 1819 年。是以罗西尼的歌剧《摩西在埃及》中摩西祷告时的音乐为主题而写成的。因此曲只用 G 弦演奏,又是柔板,带有如歌的咏叹调性质,故俗称《摩西之歌》或《G 弦上的咏叹调》。

磨 ㊀ mó ❶摩擦;研磨。㊐~刀|~成细粉。❷折磨;纠缠。㊐~难|真~人。❸消除。㊐百世不~。❹拖延;耗时间。㊐~工夫。

㊁ mò (699 页)。

【磨牙】也叫臼牙、多尖牙。人和哺乳动物牙齿的一种。位于犬牙后方外侧。主要用以磨碎食物。分前磨牙和后磨牙。

【磨灭】(痕迹、印象、功绩、事实或道理等)因时间久远而消失。

【磨合】❶也叫走合。新机器等初运行时各零件的加工痕迹磨光并密合的过程。❷比喻彼此逐渐相互适应、协调。㊐新的双打组合尚需~。

【磨床】一种金属切削机床。用砂轮做工具磨削工件的表面,可以加工淬火钢材并使工件达到较高的精度和表面光洁度。

【磨练】(在艰苦的环境中)锻炼。㊐~意志。

【磨损】由于磨擦或使用而造成损耗。

【磨砺】把有尖、刃的金属用具磨锐利。比喻磨练。

【磨难】也作魔难。在困难境遇中遭受的折磨。㊐多年的~造就了他一种刚强的性格。难(nàn)。

【磨擦】摩擦。

【磨蹭】比喻做事行动迟缓。㊐快干吧,别~了。

【磨洋工】采取消极态度工作,故意少投入劳动或精力,拖延完成任务的时间。

【磨漆画】以松脂油调漆和金银朱砂等画在板上,干后再用磨石等磨光的画。

【磨杵成针】把铁棒磨成了针。比喻只要有恒心,再难的事也能做成。明陈仁锡《潜确类书》卷六〇:"李白少读书,未成,弃去。道逢老妪磨杵,白问其故。曰:'欲作针。'白感其言,遂卒业。"杵(chǔ):舂米或捶衣的棒。

【磨穿铁砚】把铁铸的砚台都磨穿了。形容发奋读书,持久不懈。《新五代史·桑维翰传》:"初举进士,主司恶其姓,以为'桑''丧'同音。人有劝其不必举进士,可以从佗(通"他")求仕者,维翰慨然。…铸铁砚以示人曰:'砚弊,则改而佗仕。'卒以进士及第。"

【磨拳擦掌】同"摩拳擦掌"(694 页)。

蘑 mó 蘑菇,食用伞菌类的通称。㊐口~|松~。

【蘑菇战术】利用有利的群众条件和地形，同敌周旋，将敌拖得精疲力竭，然后消灭之。

魔 mó ❶宗教或神话传说里的鬼怪。也比喻邪恶的坏人。❷神奇的；不平常的。㊀～力。

【魔力】指能使人沉迷的吸引力。

【魔王】❶佛教用语。指为害作恶的鬼。❷比喻非常凶暴的恶人。

【魔爪】比喻邪恶的势力。㊀斩断～。

【魔术】也叫幻术。表演艺术之一。它利用物理、化学、机械等科学方法，借助道具，使观众产生幻觉，从而表现出各种奇妙的变化现象。中国传统形式的魔术也叫戏法。

【魔芋】也叫蒟蒻。多年生草本植物。块茎扁球形。先花后叶。夏季开花，花单性，淡黄色。块茎富含淀粉，但有毒，经处理后可供食用。

【魔鬼】宗教或神话传说中迷惑人、残害人性命的鬼怪。喻指邪恶的势力。

【魔难】同“磨难”(694 页)。

【魔掌】比喻坏人或恶势力的控制。

【魔障】佛教用语。指恶魔所设的障碍。

【魔法师的弟子】交响诗。迪卡斯曲。作于1897年。取材于歌德的同名叙事诗。描写魔法师的弟子乘其师外出，使用了偷学来的能使扫帚取水的咒语，造成大水泛滥成灾；魔法师赶到才解救了这场无妄之灾。

劘☒ mó ❶切削。❷磨。

mǒ ㄇㄛˇ

抹 ㊀ mǒ ❶涂上。㊀～药。❷擦。㊀这种污点是～不掉的。❸勾销。㊀～零儿｜～杀。❹量词。用于云霞等。㊀一～彩霞。

㊁ mò (695 页)。

㊂ mā (654 页)。

【抹杀】同“抹煞”(695 页)。

【抹煞】也作抹杀。勾销。

【抹香鲸】哺乳动物。鲸的一种。体长约15米。头部似桶。其肠的分泌物龙涎香，是名贵香料。分布于世界各大洋，中国产于黄海、东海、南海。

麽□ mǒ ❶细小。❷麿(málǚ)，日本人名用字，由麻吕二字合成。

mò ㄇㄛˋ

万 ㊁ mò 〔万俟〕复姓。俟(qí)。

㊀ wàn (1009 页)。

末 mò ❶梢；尖端。㊀秋毫之～。❷非根本的、不重要的事物。㊀本～倒置｜舍本逐～。❸最后；终了。㊀周～｜～路。❹粉末；碎屑。㊀药～儿｜肉～儿。❺传统戏曲里一种老生角色。㊀正～｜副～。

【末日】基督教指世界最后毁灭的日子。也泛指死亡或灭亡的日子(用于憎恶的人或事物)。㊀法西斯的～。

【末节】(事物的)小节。㊀细枝～。

【末叶】指一个世纪或一个王朝的最后一段时期。㊀18世纪～｜明朝～。

【末年】通常指一个朝代或一个君王的最后一段时期。㊀清朝～｜咸丰～。

【末座】座位分尊卑时，最卑的座位叫末座。㊀谨陪～。

【末路】❶最后一段路程。多比喻没有前途、没有指望的境地。㊀您何必难为我这～之人呢？❷(人的)下场；结局。㊀悲惨的人生～。

【末制导】也叫末段制导。导弹等在接近目标的飞行段(弹道末段)进行的制导。一般采用寻的制导或图像识别制导。

【末学肤受】学识浅薄，造诣不深。多用作谦词。汉张衡《东京赋》：“乃莞尔而笑曰：‘若客所谓末学肤受，贵耳而贱目者也。’”末学：无本之学。肤受：比喻未深入钻研。

【末段制导炮弹】利用炮弹自身的制导装置，在外弹道末段导引弹丸飞向目标的炮弹。通常用以射击远距离的重要目标。

抹 ㊁ mò ❶涂上后再弄平。㊀～墙｜在墙上～灰。❷紧挨着绕过。㊀拐弯～角。

㊀ mǒ (695 页)。

㊂ mā (654 页)。

茉 mò 见下。

【茉莉】常绿灌木。开白花，有香味，常做香料。可供观赏。也指这种植物的花。

【茉莉花】民歌。通过赞美茉莉花含蓄地表达男女爱情。流行于中国各地。

帓☒ mò 古代的一种头巾。

沫 mò ❶泡沫,液体形成的许多小泡。㊀肥皂~儿。❷唾液。㊀相濡以~。

妹☒ mò 用于人名,如妹喜(传说夏王桀的妃子)。

袜☒**(韎)** mò 〔袜鞨〕靺鞨。鞨(hé)。

眛☒ ㊀ mò 眼睛不明。
㊁ miè (686 页)。

秣 mò ❶牲口的饲料。㊀粮~。❷喂牲口。㊀~马厉兵。

【秣陵】古地名。故址在今南京。秦始皇三十七年(前 210)改金陵邑为秣陵。三国时孙权改秣陵为建业,在此建都。公元 280 年晋灭吴,复改秣陵。公元 313 年改名建康。

【秣马厉兵】也说厉兵秣马。喂饱战马,磨快武器,准备战斗。也泛指事前积极的准备工作。《左传·成公十六年》:"蒐乘补卒,秣马利(厉)兵,修陈(阵)固列,蓐食申祷,明日复战。"厉:磨。兵:兵器。

靺 mò 〔靺鞨〕中国古代居住在东北地区长白山、松花江、黑龙江一带的民族。即后来女真族的祖先。鞨(hé)。

没 ㊁ mò ❶沉下去。㊀沉~|淹~。❷漫过;高过。㊀水深~顶|积雪~膝。❸隐藏。㊀出~无常。❹把财物充公。㊀~收。❺完了;终结。㊀~世(终身)|~齿(一辈子)。❻同"殁"。㊀病~。
㊀ méi (670 页)。

【没收】把违法所得或犯罪个人或单位的财产强制收归国有的制裁措施。

【没骨】中国画的一种技法。不用墨线勾勒,直接用色彩描绘形象。如没骨花卉。

【没落】衰败,趋向灭亡。

【没奈何】❶事情已经做错,追悔也没有办法。❷别无他法,只好如此。

【没收财产】将犯罪分子个人所有财产的一部或全部收归国库的刑罚。没收全部财产的,应当对犯罪分子个人及其扶养的家属保留必要的生活费用,不得没收属于犯罪分子家属所有的或应有的财产。

【没齿不忘】一辈子也忘不了。没:终,尽。齿:年龄。没齿:没世,终身。

殁 mò 死。

殁☒ ㊀ mò 同"殁"。
㊁ wěn (1031 页)。

陌 mò 田间东西方向的小路。泛指道路。㊀废井田,开阡~|形同~路。

【陌生】不相识;不熟悉。

【陌路】也叫陌路人。指路上碰到的不相识的人。

貊 mò 中国古代居住在东北部的民族。

冒 ㊁ mò 〔冒顿〕(? —前 174)秦汉时匈奴族首领。公元前 209 年杀父自立为单于。先后打败了东胡、月支、丁零、楼烦、白羊,并进占秦的河套地区,把势力发展到长城以南。他加强内部组织,建立军政制度,发展草原经济,势力十分强大。公元前 201 年,南下攻至晋阳(今山西太原)。次年汉高祖率军迎战,被围七天七夜。以后汉对其采取和亲政策,但仍常南侵。顿(dú)。
㊀ mào (669 页)。

脉(*脈) ㊁ mò 〔脉脉〕原指凝视。后多用来形容深含感情的样子。㊀温情~。
㊀ mài (662 页)。

莫 mò ❶没有谁;没有什么。㊀~不欢欣鼓舞|在天者~明于日月。❷副词。1. 不要。㊀闲人~入。2. 不;不能。㊀变化~测。❸表示揣测或反问。㊀~非|~不是。❹古又同"暮(mù)"。

【莫尔】托马斯·莫尔(1478—1535)文艺复兴时期英国空想社会主义者。其代表作《乌托邦》,描述了一个没有私有制,没有商品货币关系,人人参加劳动,社会拥有丰富财富,实行按需分配的理想化社会。该书的基本思想对后来社会主义思想的发展有重大影响。

【莫邪】见〔干将莫邪〕(302 页)。

【莫名】不能充分说明、表达出来。㊀感激~。

【莫如】不如(比较两种方法的得失,用于肯定的一方面)。㊀与其你去,~他来。

【莫奈】克洛德·莫奈(1840—1926)法国画家,印象派创始人。1874 年他的油画《印象:日出》在巴黎展出,被讥评为"印象派"。他长期探索外光与色彩表现,从自然光色变幻中捕捉瞬间印象和感受。代表作有《干草垛》《睡莲》等。

【莫非】副词。表示揣测或反问。㊀~真是我们盼望的救星来了吗?

【莫逆】彼此情投意合，非常要好。㊀～之交。

【莫干山】山名。浙江省北部天目山的分支。相传春秋时于此铸成莫邪、干将两剑，故名。主峰塔山海拔719米。为避暑、疗养胜地。

【莫扎特】沃尔夫冈·阿马德乌斯·莫扎特（1756—1791）奥地利作曲家，维也纳古典乐派代表人物之一。其作品清丽流畅、结构工整，奠定了近代协奏曲形式，并进一步丰富了交响曲与室内乐的表现力。作品有交响曲49部，歌剧《费加罗的婚礼》《唐璜》《魔笛》等二十余部，以及各种独奏乐器的协奏曲、钢琴奏鸣曲等。

【莫不是】莫非。

【莫尔斯】（1791—1872）美国发明家。主要贡献是发明了电报。1835年制作出第一部电报机，1837年发明莫尔斯电码。

【莫里哀】（1622—1673）法国古典主义剧作家。生于宫廷裱糊师家庭。早年曾广泛接触社会，一生从事讽刺喜剧的创作和演出。代表作有《伪君子》《吝啬鬼》等，对教会、贵族、资产阶级进行辛辣的讽刺，反映了法国封建王朝极盛时期的风貌，也表现了当时资产阶级的妥协性和软弱性。

【莫泊桑】基·莫泊桑（1850—1893）法国批判现实主义作家。生于没落贵族家庭，曾参加普法战争。一生创作近三百篇短篇小说和六部长篇小说。代表作有《羊脂球》《米隆老爹》《蛮子大妈》《俘虏》等，表现了爱国主义精神。还著有《一生》《漂亮朋友》等长篇小说，暴露了资产阶级政客的卑鄙龌龊。

【莫须有】也许有；恐怕有。宋朝秦桧诬害抗金将领岳飞要谋反，有人问他有什么证据，他说："莫须有。"意思是"也许有"。后用以指凭空捏造（罪名）。

【莫高窟】也叫千佛洞。中国著名石窟。是古代壁画、塑像艺术宝库。在甘肃敦煌鸣沙山东麓的崖壁上。自前秦建元二年（366）至元朝一千多年间陆续开凿。至今仍保留有各代石窟四百九十二个，彩塑二千多尊，壁画四万五千多平方米，以及经卷、图书等大量珍贵历史文物。反映了中国古代社会生活和高度艺术成就。19世纪末20世纪初文物遭到劫夺和破坏。现为全国重点文物保护单位。

【莫斯科】俄罗斯首都。位于该国西部。人口868万（1997年）。是全国最大城市，政治、经济、文化、交通中心。也是一座历史文化名城。名胜古迹以克里姆林宫和红场最为著名。列宁墓位于红场西南方。

【莫予毒也】《左传·僖公二十八年》记载，晋楚城濮之战。楚败，楚统帅子玉自杀。晋侯听了非常高兴地说："莫予毒也已。"意思是说再也没有人侵害我了。现多用来指没有顾忌，可以为所欲为。予：我。毒：侵害。

【莫可名状】不能用言语来形容、描绘。清张潮《虞初新志·林四娘记》："少选复出，则一国色丽人，云鬟靓妆，嫋嫋婷婷而至，衣皆鲛绡雾縠，亦无缝缀之迹，香气飘扬，莫可名状，自称为林四娘。"名：用言语说出。状：描绘，形容。

【莫此为甚】没有什么能够超过这个的了。宋洪迈《容斋三笔·枢密称呼》："名不雅古，莫此为甚。"甚：超过，胜过。

【莫名其妙】没有人说得出它的奥妙。表示事情很奇怪，使人不明白。

【莫测高深】也说高深莫测。没法测度究竟高深到什么程度，多指言论、文章内容等使人难以理解。

【莫衷一是】各有各的意见、说法，不能得出一致的结论。㊀众说纷纭，～。

【莫斯科保卫战】第二次世界大战期间苏军首次大败德军的战役。1941年9月，德军集中大量兵力，向莫斯科进攻。在斯大林的领导下，苏联军民顽强抵抗，至次年4月围歼了莫斯科近郊的五十万德军。此战粉碎了希特勒的"闪电战"计划，打破了德军"不可战胜"的神话。

【莫西奥图尼亚瀑布】旧称维多利亚瀑布。世界著名瀑布之一。位于赞比亚和津巴布韦国境上，赞比西河上中游交界处。瀑布带长97千米，主瀑落差122米，宽约1 800米，蕴藏着巨大的水能资源。

蓦（驀） mò 突然。㊀～然想起。

漠 mò ❶沙漠。又特指蒙古高原大沙漠。㊀大～|～北|～南。❷冷淡地；不关心地。㊀～视|～然置之。

【漠北】蒙古高原大沙漠以北地区，自汉代以后常称之为漠北。

【漠视】不重视；冷淡地对待。

【漠然】不关心、不在意的样子。㊀对于这些关乎国家尊严的事，不能～处之。

【漠漠】❶广大而寂静。❷烟云密布的样子。

【漠不关心】对人对事冷淡，一点也不关心。

寞 mò 寂静;冷落。㊀寂～|～然。

镆(鏌) mò〔镆铘〕莫邪。参见〔干将莫邪〕(302 页)。

瘼 mò 病痛。㊀民～。

貘 mò 哺乳动物。略像犀,但较矮小,鼻端无角,鼻较长,向下方突出。生活在亚洲和南美洲热带密林多水的地方。

眽⊠ mò 同"脉(mò)"。

貊 ㊂ mò 中国古代称东北方的一个民族。
㊀ hé (392 页)。
㊁ háo (382 页)。

嘿 ㊁ mò 同"默"①。
㊀ hēi (395 页)。

墨 mò ❶写字绘画用的黑色颜料,块状,一般是用煤烟或松烟等制成。也用作写字颜料的通称。㊀朱～|蓝～水。❷黑色;深色近黑的。㊀～菊|～镜。❸借指诗文、书法、绘画等。㊀文～|鲁迅遗～。❹贪污。㊀贪官～吏。❺古代一种在犯人脸或额上刺出标记的刑罚。❻指墨家。

【墨子】❶(约前 468—前 376)春秋战国之际思想家,墨家创始人。名翟,相传原为宋国人,后长期住在鲁国。主张"兼爱""非攻",提倡刻苦学习,反对不劳而食,是儒家的主要反对派。承认天地鬼神的存在,有宗教色彩。长于辩论,对古代逻辑学的形成有重要贡献。其主要思想保存于《墨子》一书中。❷书名。战国时期墨家学派的著作总集。现存五十三篇。其中《兼爱》《非攻》《天志》《明鬼》《尚贤》《尚同》《非乐》《节用》等篇反映了墨子的思想。《经上》《经下》《经说上》《经说下》《大取》《小取》六篇是后期墨家的哲学、逻辑学和科学论著。

【墨刑】古代的一种刑罚。在犯人脸上或额上刺字,然后再涂上墨。

【墨吏】贪污的官吏。

【墨宝】指比较珍贵的字画。也用来尊称别人写的字或画的画。

【墨迹】❶墨的痕迹。㊀～未干。❷亲笔写的字或画的画。

【墨家】战国时期的一个学派。因创始人墨翟而得名。主张"兼爱""非攻",反对天命论,提出"察名实"。在认识论、逻辑学和自然科学等方面都有一定的研究和贡献。

【墨镜】指用黑色或墨绿色等暗色镜片制作的平光眼镜。能预防紫外线和强光对眼睛的伤害。

【墨尔本】澳大利亚城市。位于该国东南部。人口 28 万(1991 年)。曾为该国首都,现为全国海、陆、空交通枢纽和贸易、经济中心。

【墨累河】澳大利亚最大河流。发源于东部山地,向西南入印度洋。以达令河为源,长 3 490 千米。流域面积 91 万平方千米。

【墨西哥城】墨西哥首都。位于该国南部。人口 1 640 万(1996 年)。是全国政治、经济、文化和交通中心,美洲最古老的城市之一。多壁画。保存有很多古文明的遗址、遗迹和艺术品,以太阳金字塔和月亮金字塔最为著名。

【墨西哥湾】位于美国、墨西哥和古巴之间。面积 156 万平方千米。湾中暖流经佛罗里达海峡,横过北大西洋,对西欧气候有一定增温、增湿影响。

【墨守成规】墨守,战国时墨子善于守城,后称善于防守者为墨守。成规,现成的规则、方法。形容死守老规矩,保守固执,不求改进。

【墨索里尼】本尼托·墨索里尼(1883—1945)意大利独裁者,法西斯主义首创人,第二次世界大战的主要战犯之一。1922 年通过政变手段建立法西斯独裁政权,任首相。对内镇压其他党派和劳动群众,对外侵略扩张。第二次世界大战前夕,同德、日法西斯结成反共、侵略同盟。二战中与希特勒一起侵略他国。1945 年被意大利人民处死。

【墨西哥独立战争】19 世纪初墨西哥人民推翻西班牙殖民统治的斗争。1810 年墨西哥人民先后在米格尔·伊达尔戈和何塞·雷洛斯的领导下,发动推翻西班牙殖民统治、要求民族独立的大规模起义。最终于 19 世纪 20 年代获得独立,成立了墨西哥共和国。

纆⊠**(纆)** mò 两股的绳索。

默 mò ❶不说话;不出声。㊀沉～|～哀。❷离开书本凭记忆写出来。㊀～书|～生字。

【默片】无声影片。

【默认】心里承认,但不愿用话语表示出来。

【默示】当事人用沉默进行意思表示的方式。不是通常的方式，只有在法律有规定或当事人有约定时，才可以视为意思表示。与“明示”相对。
【默许】暗示同意、许可。
【默契】❶双方意见虽没有明白说出，却有一致的了解。❷秘密的约定。
【默哀】用静默的形式对死者表示哀悼。
【默读】不出声地读(书面作品)。
【默祷】不出声地祈祷；心中祷告。
【默默无闻】不出名；不为人知道。

磨 ㊁ mò ❶磨粉的工具。[例]水～|电～。❷用磨研。[例]～面|～豆腐。❸掉转方向。[例]～车。
㊀ mó (694页)。

礳 mò 〔礳石渠〕地名。在山西。

糖 mò 即“耢”(587页)。

mōu ㄇㄡ

哞 mōu 拟声词。牛叫声。

móu ㄇㄡˊ

牟 ㊀ móu 取。[例]～利。
㊁ mù (702页)。
【牟利】谋取私利。
【牟取】谋取(名利)。[例]～暴利。

侔 móu 等；齐。[例]功效相～。

恈⊠ móu 〔恈恈〕贪婪的样子。

眸 móu 瞳人。也泛指眼睛。[例]凝～。

蛑 móu 见〔蝤蛑〕(1194页)。

麰⊠(䴹) móu 古称大麦。

谋(謀) móu ❶主意；计策。[例]合～|足智多～。❷谋求。[例]为人民～幸福。❸商量。[例]不～而合。
【谋士】旧指善于出主意、献计谋的人。
【谋反】暗中策划造反。
【谋生】设法谋求生活门路。
【谋划】筹划；出主意想办法。
【谋求】设法寻求。
【谋取】想办法取得。
【谋事】❶计划事情。❷寻找职业。
【谋面】彼此相见或相识。
【谋害】谋划杀害或陷害。
【谋略】计谋策略。

缪(繆) ㊁ móu 见〔绸缪〕(134页)。
㊀ miào (685页)。
㊂ miù (692页)。

鍪 móu ❶古代炊具。似锅。❷古代武士的头盔。参见〔兜鍪〕(224页)。

mǒu ㄇㄡˇ

某 mǒu ❶指示代词。表示不明确指出的人、地、事物或时间等。[例]～同志|～种条件|～一时期。❷说话人加在自己姓后用来表示自称。

mú ㄇㄨˊ

毪 mú 〔毪子〕中国西藏地区出产的一种毛织品。

獏⊠ mú 兽名。

模 ㊁ mú 模子。[例]字～|铜～。
㊀ mó (693页)。
【模具】对金属、塑料、橡胶、玻璃等材料进行成形加工用的工具。很多模具需耐受高温、高压和冲击，形状较复杂，所以制造模具常使用较高级的材料和专用的模具加工机床。

mǔ ㄇㄨˇ

母 mǔ ❶母亲(一般不用于面称)。❷称家族或亲戚中的长辈女子。[例]祖～|伯～|舅～。❸雌的。[例]～鸡|～牛。❹有制造或产生其他事物的作用或能力的。[例]酵～|工作～机|失败乃成功之～。❺一凹一凸两件一套的东西中凹的一件。[例]子～扣|螺丝～。
【母本】参与杂交的亲本之一。在动植物中指参与杂交的雌性个体或产生雌性生殖细胞的个体。

【母系】❶属于母亲的血统方面的。㊣～亲属。❷母女相承的。㊣～氏族社会。

【母语】❶一个人最初学会的那一种语言。多为本民族语或本国语言。❷历史比较语言学中，通过比较亲属语言而构拟出来的原始语。即把这种假设的语言模式看成是同一语系多种语言的母语，其他语言都是由它繁衍出来的。

【母校】称自己曾经读过书的学校。

【母液】溶液中的溶质经沉淀或结晶之后，分离出固态物质而留下的饱和溶液。

【母公司】通过拥有其他公司股票控制额而使其成为自己的子公司，并对它们的经营活动进行实际控制的公司。具有法人资格。

【母权制】原始公社制度的一个阶段。在氏族公社产生时开始，在父权制确立后结束。母权制时期，妇女在氏族公社中居支配地位。实行群婚，后进步为对偶婚。儿童知其母不知其父。世系与财产继承按母系计。

坶□ ㊀ mǔ 见〔垆坶〕(637页)。
㊁ mù (702页)。

拇 mǔ 拇指，也叫大拇指。手、脚的大指。㊣～战(喝酒时划拳)。

峔□ mǔ 〔峔矶角〕岬角名。在山东。

姆 ㊀ mǔ 见〔保姆〕(38页)。
㊁ m̄ (654页)。

牳⊠ mǔ 牛名。

鉧⊠(鉧) mǔ 见〔钴鉧〕(337页)。

牡 mǔ ❶雄性的鸟兽类。与"牝(pìn)"相对。㊣～牛。❷指植物的雄株。㊣～麻。

【牡丹】落叶小灌木。花大而美丽。原产于中国西北部。供观赏。栽培品种繁多。根皮药用，叫牡丹皮，有清热散瘀、通经、镇痛作用。也指这种植物的花。

【牡蛎】也叫蚝。软体动物。有两个贝壳，一个小而平，另一个大而隆起，壳的表面凹凸不平。附着在沿海岩石或其他物体上。肉鲜美，供食用，也可提制蚝油。壳可入药，治虚劳烦热、遗精盗汗等。

亩(畝*畆*畒*𤱈*畂*晦) mǔ 市制地积单位。10分为1亩，100亩为1市顷。1亩约合666.67米²。

嘸□ mǔ (又音 yīngmǔ)旧表示英美制土地面积单位用字。1977年7月中国文字改革委员会、国家标准计量局通知，淘汰"嘸"，改用"英亩"。

峔□ mǔ 山名。在安徽。

姥 ㊀ mǔ 年老的妇女。
㊁ lǎo (587页)。

mù ㄇㄨˋ

木 mù ❶树。㊣果～|伐～。❷木材。㊣松～|檀香～。❸棺材。㊣寿～|行将就～。❹发僵，失去或半失去知觉。㊣麻～。❺思想迟钝，反应慢。㊣～头～脑。

【木瓜】落叶灌木或小乔木。树皮常片状剥落，叶椭圆状卵形。果实秋季成熟，长椭圆形，长10—15厘米，淡黄色，有香气。可供食用。

【木耳】也叫云耳、黑木耳。真菌的一种。略呈人耳形，褐色。湿润时半透明，干燥时革质。生于枯死的树干上，可供食用。

【木讷】朴实迟钝，不善于说话。㊣～寡言。讷(nè)。

【木枕】通称枕木。轨枕的一种。因过去轨枕绝大多数为木质，故名。参见〔轨枕〕(357页)。

【木版】在上面刻出文字或画形的木质印刷版。㊣～书。

【木鱼】用木头做成鱼头的形状，中间挖空，用小槌敲击出声。本来是念经时用的。后来用为一种击乐器。

【木刻】版画的一种。指用刀在木版上刻画，再用纸拓印出来的一种画。木刻用的颜料分油质、水质两大类。还有黑白、单色、套色之分。

【木星】古称岁星。太阳系九大行星之一。绕太阳一周的时间为11.86年。以距离太阳由近及远的次序计是第五颗。体积和质量比其他八颗行星的总和还大。它有16颗卫星，周围有光环。

【木炭】木材经炭化或干馏而得的固体燃料。可用于过滤液体或气体。

【木香】多年生草本植物。植株粗壮，密被

M

白色短毛。根肥大、肉质,有香气,可入药,有健胃、开胃、行气、止痛等作用。

【木屐】木板拖鞋;木底鞋。

【木排】编扎成排利用水力顺流运输的木材。

【木偶】用木头雕刻的人像。

【木琴】击乐器。由长短不一的两排紫檀或红木木片组成。音位排列与钢琴黑白键相仿,用两根小木槌击奏。发音清脆。也有的在木片下装设金属共鸣管,发音更为嘹亮。用于管弦乐队或独奏。现在中国还有根据扬琴音位排列法制成的横式木琴。

【木棉】也叫攀枝花。落叶大乔木。叶掌状。早春先叶开花,花单生,形大,红色。结蒴果,内壁有绢状纤维,可作垫褥、枕头等的填充材料。

【木筏】用木材编排而成的水上交通工具。

【木然】一时呆愣、不知所措的样子。

【木犀】❶也作木樨。通称桂花。常绿小乔木或灌木。花小,白色或暗黄色,可供观赏,也可做香料或食品。❷将生鸡蛋的蛋清、蛋黄打碎做熟后称木犀,因避讳"蛋"而得名。㊀~汤|~肉。

【木锨】农具名。木制,长柄,铲东西用。

【木槿】落叶灌木。叶卵形。夏季开花,花单生叶腋,紫红或白色,有重瓣品种。可供观赏,也可作绿篱。

【木薯】也叫树薯。亚灌木。有肉质长圆柱形块根。叶互生,掌状3—9深裂。块根可供食用或制淀粉。

【木樨】同"木犀"(701页)。

【木雕】用木质材料雕刻出各种人物、鸟兽、花草、图案等立体形象的艺术品。

【木乃伊】古埃及人用防腐剂和香料殓藏的不腐的尸体。

【木马计】即"特洛伊木马"(964页)。

【木芙蓉】也叫山芙蓉。落叶灌木或小乔木。秋季开花,大而有梗,有红、白、黄等颜色,供观赏。花、叶和根皮入药,有清热解毒、消肿止痛等作用。

【木质部】植物维管束中输导水分和无机盐类的部分。主要由导管、管胞和木纤维构成。一般乔木的木质部很发达,形成有用的木材。

【木偶戏】也叫傀儡戏。由人操纵木偶以表演故事的戏剧形式。依操纵技术和木偶形体不同,分布袋木偶、杖头木偶、提线木偶等。

【木已成舟】比喻事情已成定局,无可挽回。

【木牛流马】三国时诸葛亮制作的运输工具。相传木牛流马就是一种人力独轮车。一说流马是改良的木牛,即人力四轮车。

【木本水源】树的根子,水的源头。比喻事物的根本。

【木本植物】茎内木质部发达,茎干比较坚硬的植物的统称。一般生命过程长,能逐年生长。根据有无主干以及植株的高矮分为乔木和灌木。

【木刻水印】旧称饾版印刷。中国传统印刷技术之一。用木刻版和国画水色套印,故名。现已成为一种复制国画等艺术作品的方法。

【木管乐器】木质管乐器。如短笛、长笛(现已用金属材料制作)、单簧管、双簧管、大管等。

沐 mù 洗头发。泛指洗涤。㊀~浴|栉风~雨。

【沐浴】❶洗头和洗身。泛指洗澡。❷比喻承受润泽、培育。㊀我们~在党的阳光下茁壮成长。

【沐雨栉风】即"栉风沐雨"(1270页)。

【沐猴而冠】沐猴(猕猴)戴帽子。比喻装扮得像人,实际却虚有其表。常用来讽刺依附权势窃据一定权位的人。《史记·项羽本纪》:"人言楚人沐猴而冠耳,果然。"冠:戴帽子。

霂☒ mù 见〔霡霂〕(662页)。

目 mù ❶眼睛。㊀~不转睛|有~共睹。❷看。㊀~为奇迹。❸大项目中的小项或细节。㊀节~|纲举~张。❹目录。㊀剧~|书~。❺生物分类系统所用等级之一。在纲之下,科之上。㊀银杏~|松柏~。

【目击】亲眼见到。

【目光】❶指视线。㊀大家都把~集中在他身上。❷眼睛的神态。㊀~炯炯(明亮)。❸眼光;见识。㊀~敏锐。

【目的】想要达到的境地;希望实现的结果。㊀我们的~一定能够达到。

【目录】❶按一定次序开列出来供查考的事物名目。㊀图书~|产品~。❷也叫目次。指书刊前后的篇目。

【目标】❶射击、攻击或寻求的对象。㊀射击~。❷想要达到的境地或标准。

【目送】眼睛注视着离去的人或物。

【目眩】眼花。㊐头晕～。
【目睹】亲眼看见。
【目镜】显微镜、望远镜等仪器中接近眼睛的透镜或透镜组。
【目无全牛】《庄子·养生主》记载，一个初杀牛的人，看见的是整个的牛，三年以后，技术熟练了，动刀时只看到皮骨间隙，而看不到全牛。后用以比喻技艺到了纯熟的、得心应手的境界。也比喻未看到整体情况。
【目无余子】眼睛里没有其余的人。形容骄傲自大。
【目不交睫】没有合眼。
【目不识丁】《旧唐书·张弘靖传》："今天下无事，汝辈挽得两石力弓，不如识一丁字。"后以"目不识丁"或"不识一丁"形容一个字也不认识。
【目不忍睹】指遇到极为悲惨的情景，不忍看下去。
【目不转睛】指眼珠子一动不动地注视。形容注意力集中。
【目不暇接】可看的东西太多，眼睛看不过来。
【目不窥园】《汉书·董仲舒传》记载，董仲舒专心读书，"三年目不窥园"。后用以形容埋头读书，专心治学。
【目中无人】眼里没有别人。形容骄傲自大，谁都看不起。
【目光如豆】眼光像豆子那么小。形容见识短浅。
【目光如炬】眼光亮得像火炬。形容目光远大，洞察细微。也用以形容怒视。《南史·檀道济传》："道济见收，愤怒气盛，目光如炬。"
【目空一切】一切都不放在眼里。形容狂妄自大，谁都看不起。
【目指气使】动一下眼睛来指物，用嘘气声支使人。形容骄横傲慢的态度。汉刘向《说苑·君道》："今王将东面目指气使以求臣，则厮役之材至矣。"
【目标市场】指企业进行市场细分之后，拟选定进入并为之服务的子市场。
【目标管理】由企业最高层领导制定一定时期内整个企业期望达到的总目标，然后由各部门和全体职工根据总目标的要求，制定各自的分目标，在工作中实行自我控制并努力完成工作目标的管理办法。
【目迷五色】形容颜色又杂又多，使人看得眼花。也比喻事物错综复杂，令人分辨不清。《荀子·劝学》："目好之五色。"《儒林外史》第四十六回："只怕立朝之后，做主考房官，又要目迷五色，奈何？"
【目瞪口呆】瞪大眼睛说不出话来。形容受惊而愣住的样子。

苜 mù 〔苜蓿〕多年生草本植物。通常指中国北方栽培的紫花苜蓿。是优质饲料和绿肥。

钼(鉬) mù 金属元素，符号 Mo，原子序数 42。银白色，具有高强度和高硬度。用作无线电材料，也用来制作高温电炉及炼制特种钢。

仫 mù 〔仫佬族〕中国少数民族之一。人口 16 万(1990 年)。主要分布在广西壮族自治区北部。有本民族语言，多通汉语文和壮语。建立有罗城仫佬族自治县。

牟 ㊁ mù 〔牟平〕地名。在山东东部。
㊀ móu (699 页)。

坶□ ㊁ mù 〔坶野〕古地名。即牧野，在今河南淇县。
㊀ mǔ (700 页)。

牧 mù ❶放养牲口。㊐～羊｜畜～。❷古代官名。㊐荆州～。
【牧工】放养牲口的工人。
【牧主】占有牧场、牲畜，雇用牧工的人。
【牧民】牧区中以牧畜为生的人。
【牧场】❶放牧牲畜的大片草地。❷畜养牲畜的企业单位。
【牧师】基督教(新教)大多数教派中主持宗教仪式、管理教务的神职人员。
【牧首】东正教对宗主教的称谓。指东正教教会的最高首脑。
【牧野】古地名。在今河南淇县西南。周武王与反殷诸侯，败殷军于此。
【牧童】放牧牛羊的孩子。
【牧歌】牧童、牧人放牧时唱的歌。泛指以农村生活为题材的抒情诗或乐曲。
【牧神午后前奏曲】管弦乐曲。德彪西曲。作于 1892—1894 年。取材于马拉美的同名诗作。描写古罗马神话中的牧神，在亚平宁山炎热夏日的午后打盹时，被一群仙女嬉戏声所惊醒的情形。该曲为印象主义音乐的经典作品。

募 mù 广泛征集。㊐招～。
【募化】即"化募"(417 页)。
【募捐】募集捐款或物品。
【募集】广泛征集。

【募兵制】国家以雇用形式募集兵员的制度。与“征兵制”相对。

墓 mù 坟。㊎公～|烈士～。

【墓志铭】旧时刻在石上埋在坟里的文字。分志和铭两部分。志多用散文,叙述死者姓氏、生平等。铭是韵文,用于对死者赞扬、悼念。

幕(*幙) mù ❶覆盖、遮蔽在上面的布、绸、丝绒等。㊎帐～。❷挂着的大块的布、绸、丝绒等。㊎～布|银～。❸戏剧的一个段落。㊎独～剧。❹古又同“沙漠”的“漠(mò)”。

【幕友】❶古代将帅幕府中的参谋、书记等。❷俗称师爷。明清地方官署中无官职的助理人员,分管刑名、钱粮、文案等,由长官私人聘请。

【幕后】舞台帐幕的后面。多比喻背着人暗中活动的地方。㊎～操纵|退居～。

【幕府】❶旧时将帅办公的地方。因将帅出征时住帐幕,故名。❷日本明治以前执掌全国政权的军阀的办公处所。也借指军阀。

【幕僚】古代文武大官的属员。如参谋、文书等。后来泛指帮助大官僚出谋划策的助理人员。

【幕天席地】以天作幕,以地作席。形容性情豁达旷放。也指露宿野外。晋刘伶《酒德颂》:“幕天席地,纵意所如。”宋林正大《括沁园春》词:“纵幕天席地,居无庐室,以八荒为域,日月为扃。”

【幕府政治】12世纪末至19世纪中叶,日本封建国家由武士掌权的一种政权形式。天皇在名义上虽仍存在,但毫无实权。实际的最高统治者称征夷大将军(简称将军)。他办公的政厅即行使政权的机构称为幕府。幕府政治由此而得名。

暮 mù ❶傍晚;日落的时候。㊎～色|日～。❷晚;将尽。㊎～年|岁～。

【暮气】黄昏时的雾气。比喻不振作、不求进取的精神状态。与“朝气”相对。

【暮年】晚年。

【暮色】傍晚的天色。

【暮春】春季的末期。

【暮霭】傍晚半空中迷漫的云气。霭:云气。

【暮鼓晨钟】旧时佛教规矩,寺庙中晚上打鼓,早晨敲钟。比喻可以使人警觉醒悟的话。

慕 mù ❶钦佩;羡慕。㊎～名|仰～。❷依恋;思恋。㊎爱～|思～。

【慕尼黑】德国城市。位于德国东南部。人口123万(1992年)。是南部地区的工商业、交通和文化中心。以精密机械制造、光学和电子仪器、啤酒酿造等著名于世。

【慕尼黑协定】1938年9月30日,英国首相张伯伦、法国总理达拉第同德、意两国独裁者希特勒和墨索里尼在德国慕尼黑签订的一项协定。协定规定捷克斯洛伐克应依照德国要求将本国苏台德地区及同奥地利接壤的南部地区割让给德国。该协定是英法绥靖政策的产物,助长了德国法西斯的气焰。

睦 mù 和睦。㊎～邻。

【睦邻】与邻国或邻人保持友好关系。

【睦南关】友谊关的旧称。在中越边境中国广西境内。

穆 mù ❶恭敬。㊎静～|肃～。❷温和。

【穆桂英】《杨家将》中的人物。杨宗保之妻。飒爽英姿,武艺超群,与杨家诸将一道卫国征战,屡立奇功。民间常用作积极能干的青年妇女的代称。

【穆斯林】阿拉伯语音译词。意为顺从者。指顺从真主的人。是对伊斯兰教徒的通称。

【穆罕默德】(约570—632)伊斯兰教创始人。生于阿拉伯半岛的麦加,葬于麦地那。

【穆迪公司】穆迪投资者服务公司的简称。美国最具权威和声望的证券信用评级机构之一。

【穆索尔斯基】莫杰斯特·彼得罗维奇·穆索尔斯基(1839—1881)俄国作曲家。其作品的艺术风格具有浓郁的民族特色和独特个性,音乐语言新颖而富有表现力。代表作有歌剧《鲍里斯·戈都诺夫》《霍宛斯基党人之乱》,管弦乐《荒山之夜》,钢琴组曲《图画展览会》以及歌曲《跳蚤之歌》等。

N ㄋ

nā ㄋㄚ

那 ㊁ nā 姓。
㊀ nà (704 页)。
㊂ nǎ (704 页)。
㊃ nèi (714 页)。

南 ㊁ nā 〔南无〕梵语音译词。佛教用语。表示尊敬或皈依。[例]～阿弥陀佛。无(mó)。
㊀ nán (707 页)。

ná ㄋㄚˊ

拿(*拏 *挐 *舒) ná ❶用手取或握住。[例]～本书来|～着镰刀。❷用强力夺取。[例]～下敌人碉堡。❸掌握;决定。[例]～事|～主意。❹领取;获得。[例]～奖金|～冠军。❺捕捉。[例]～获。❻介词。用;把。[例]～实例证明|～鸡毛当令箭。

【拿手】❶擅长。[例]～好戏。❷旧指成功的把握。[例]这件事似有几分～。

【拿办】捉拿法办。

【拿顶】也说拿大顶。两手撑地(或其他东西),头朝地而两脚腾空,全身倒立。

【拿捏】〈方〉刁难;要挟。

【拿获】捉住(犯罪嫌疑人或罪犯)。

【拿破仑一世】即拿破仑·波拿巴(1769—1821)法国政治家、军事家。曾参加法国大革命。1799 年发动雾月十八日政变,成立以他为首的执政府,实行军事独裁统治。1804 年建立法兰西第一帝国,称法兰西人皇帝拿破仑一世。他在行政、司法、军事、财政方面实行了一系列改革,建立了中央集权的资产阶级国家。他多次击溃外国反法联军,侵略并占领了欧洲大陆许多国家,破坏和动摇了整个欧洲的封建秩序和专制制度。在欧洲被占领国人民的反抗和欧洲封建势力的联合打击下,第一帝国于 1814 年覆灭,拿破仑下台。次年,曾重建"百日王朝",但最终失败并被放逐至死。

【拿破仑法典】即"法国民法典"(254 页)。

镎(鎿) ná 人造金属元素,符号 Np,原子序数 93。银白色,有放射性,由人工核反应获得。可用作航天、航海及医学等特殊需要的同位素能源。

nǎ ㄋㄚˇ

那 ㊂ nǎ 同"哪(nǎ)"。
㊀ nà (704 页)。
㊁ nā (704 页)。
㊃ nèi (714 页)。

哪 ㊀ nǎ 疑问代词。1. 后面跟量词或数量词,表示要求在几个人或几个事物中有所确定。[例]～几篇文章写得好? 2. 表示反问。[例]没有他帮忙,我～拿得动这么重的行李?
㊁ né (712 页)。
㊂ na (706 页)。
㊃ nǎi (706 页)。
㊄ něi (712 页)。

nà ㄋㄚˋ

那 ㊀ nà ❶指示代词。指称比较远的人或事物。[例]～本书|～是公用的。❷连词。接上文说明后果。[例]如果敌人顽抗,～就坚决消灭他。
㊁ nā (704 页)。
㊂ nǎ (704 页)。
㊃ nèi (714 页)。

【那么】也作那末。❶指示代词。指示方式、程度等。[例]庄稼长得～好。❷连词。表示顺着上文语意,引出应有的结果。[例]如果理论不和实践结合,～,再好的理论也是没有意义的。

【那末】同"那么"(704 页)。

【那达慕】蒙古族人民传统的民间集会。一般在每年的初夏或初秋举行。内容有摔跤、赛马、射箭、舞蹈以及物资交流等。

【那不勒斯】也译作那波利。意大利城市。位于该国西南部海岸。人口107万(1993年)。是南部重要工商业、文化、铁路、海运中心,也是全国最大的海军基地。历史悠久。旅游业发达。维苏威火山、庞贝古城废墟、珍藏古代艺术品和出土文物的国立博物馆等都很著名。

娜 ㊀ nà 音译用字。多用于女子姓名,如安娜·卡列尼娜。
㊁ nuó(729页)。

抐□ ㊀ nà 同"纳鞋底"的"纳"。
㊁ nè(712页)。

呐 ㊀ nà〔呐喊〕大声叫喊。
㊁ nè(712页)。
㊂ ne(712页)。

纳(納) nà ❶收入;放进。[例]出~|~入。❷接受。[例]采~。❸交付。[例]缴~公粮。❹一种缝纫方法。在鞋底、袜底等上面用针密密地缝。[例]~鞋底。

【纳入】放进;归入(多用于抽象事物)。[例]~正轨|~计划。

【纳闷】感到迷惑不解。

【纳罕】觉得惊奇、诧异。

【纳妾】旧指男子在妻子以外再娶其他女子。是一夫多妻制的社会现象。

【纳降】接受敌人投降。

【纳贿】❶受贿。❷行贿。

【纳凉】乘凉。

【纳税】交纳税款。

【纳西族】中国少数民族之一。人口28万(1990年)。主要分布在云南省丽江及其西北山区。有本民族语言文字,多通汉语文。建立有丽江纳西族自治县。

【纳税人】负有纳税义务、直接向政府缴纳税款的自然人和法人。

【纳粹党】全称民族社会主义德意志工人党。希特勒为首的德国法西斯主义政党。纳粹:德语"国家的"和"社会主义的"两词缩写的音译。

【纳米技术】纳米量级的技术。属于分子原子层次上的加工制作技术。纳米是一种长度计量单位,1纳米是1米的10亿分之一。运用纳米技术制作出来的器件和材料有许多优越的特性和功能。如超微型机器人,只有人的头发丝那样粗细,可在人体血管中穿行,清除血管壁上的沉积物和疏通血栓;纳米金属材料能强烈吸收电磁波,可用作隐形飞机吸收雷达波的材料;纳米陶瓷有很高的硬度和韧性,不易破碎,等等。纳米技术可广泛应用于微电子工业、生物工程、化工、汽车制造、医疗器械等科研和生产领域。

【纳米材料】由无数超微粒子组成的聚合体。可分为三类:一是纳米微粒,指晶粒尺度为1—15纳米的超微粒子;二是纳米固体,是由大量超微粒子在保持新鲜表面的情况下,经过加压成型而获得的固体材料;三是纳米薄膜,是直接依靠成膜机制,由在固体表面形成的纳米晶粒组成的膜层。纳米材料具有许多不同于晶态和非晶态材料的崭新物理、力学和化学性质,如高热膨胀率、高强度、高热容、高扩散性、低饱和磁率、高导电性、高硬度和高韧性等。可用作高密度信息处理材料、化学反应中的催化剂,也可用于控制生物反应、制备高效电子元件等。

【纳粹主义】旧译作国家社会主义。即德国的法西斯主义。是第二次世界大战前希特勒民族社会主义德意志工人党提出的法西斯政治主张及其推行的侵略别国、奴役别国人民的血腥政策。参见〔纳粹党〕(705页)。

肭 nà 见〔腽肭兽〕(1004页)。

钠(鈉) nà 金属元素,符号Na,原子序数11。银白色,质软,在空气中容易氧化,遇水猛烈反应而起火。平常保存在煤油中。用作有机合成的还原剂,熔融金属钠在增殖反应堆中可作热交换剂。

【钠灯】充有钠的气体放电灯。玻璃外壳中有两个电极,抽出空气,加适量的金属钠,通电后,钠原子被激发,发出强烈的光。低压钠灯发光效率高,但光色黄,常用于街道照明;高压钠灯光色较好,常用于广场、机场等的照明。

衲 nà ❶补缀;缝补。❷和尚穿的衣服。也用作和尚的自称。[例]老~(老和尚自称)。

郍⊠ nà 周朝国名。在今湖北。

𬇙□ nà 用于地名，如岔𬇙(在湖南)。

捺 nà ❶抑制；压下。[例]按～不住激动的心情。❷汉字的一种笔画。即“㇏”。

na ·ㄋㄚ

哪 ㊂ na 助词。参见“啊(a)”(3页)。[例]加油干～！
㊀ nǎ (704页)。
㊁ né (712页)。
㊃ nǎi (706页)。
㊄ něi (712页)。

nǎi ㄋㄞˇ

乃(*迺*廼) nǎi ❶是。[例]失败～成功之母。❷连词。于是。[例]因时间仓促，～作罢。❸副词。才。[例]唯虚心～能进步。❹文言副词。竟。[例]～至如此。❺文言人称代词。你；你的。[例]～翁(你的父亲)。

【乃尔】竟是如此。[例]何其相似～。

【乃至】连词。连接并列词语，表示事情所达到的范围，相当于“甚至”。[例]这本来是需要几年～十几年才能完成的工程，现在一年就完成了。

【乃是】是；就是。

【乃玛孜】波斯语音译词。礼拜。

艿 nǎi 见〔芋艿〕(1205页)。

奶(*嬭*妳) nǎi ❶乳房。❷乳汁的通称。[例]牛～|～油。❸用自己的奶喂。[例]～孩子。
“妳”，另音 nǐ，见“你”(717页)。

【奶名】也叫小名、乳名。童年时期的名字。

【奶酪】用牛、羊等的奶汁做成的半凝固食品。

氖 nǎi 气体元素，符号 Ne，原子序数 10。氖气无色无臭，化学性质很不活泼，是一种稀有气体。大量用于高能物理研究，并用以制造霓虹灯和信号灯。

【氖灯】充有氖的气体放电灯。可用作霓虹灯或指示灯。

哪 ㊃ nǎi 义同“哪(nǎ)”。用于口语。
㊀ nǎ (704页)。
㊁ né (712页)。
㊂ na (706页)。
㊄ něi (712页)。

倷□ nǎi 〈方〉你。

nài ㄋㄞˋ

奈 nài 奈何；怎样；怎么办。[例]无～|怎～。

【奈何】❶怎么；为什么。❷怎么办(表示没有办法)。[例]无可～。❸办法。[例]没～。❹对付(多用于否定式)。[例]～不得。

【奈良文化】也叫天平文化。8世纪日本以平城(今奈良)为京城时期的文化。这一时期文化繁荣，受中国唐朝文化和佛教文化的影响，在城市规划、寺庙建筑、美术、文学、史学、语言等方面都取得了很高成就。对外文化交流也很活跃。

萘 nài 有机化合物，分子式$C_{10}H_8$。白色晶体，易挥发并有特殊气味。从炼焦的副产品煤焦油中大量生产，用于合成染料、树脂及杀虫剂等。

柰 nài 沙果。参见〔林檎〕(619页)。

佴 ㊁ nài 姓。
㊀ èr (248页)。

耐 nài 受得住；禁得起。[例]～劳|～寒|～用。

【耐心】不急躁，不厌烦。[例]～说服。

【耐劳】禁得起劳累。[例]吃苦～。

【耐性】有耐心、不急躁的性格。

【耐战】能够坚持长时间战斗。

【耐烦】不急躁，不厌烦。

【耐药性】某些生物个体接受或接触药物，在一般中毒量情况下不中毒的特性。与反复接受或接触此药有关，也可能与遗传有关。如蚊蝇耐滴滴涕，患者耐吗啡。

【耐人寻味】其中的意味经得起人们反复地体会、琢磨。形容意味深长。

【耐火材料】一般指能耐 1580℃ 以上高温的矿物质材料。如耐火砖、耐热混凝土等。用于修建炉、窑和其他高温设备。

鼐 nài 大鼎。

褦☒ nài 〔褦襶〕❶衣服粗重宽大不合身、不合时。比喻不晓事。❷遮阳

N

笠帽。用竹片做胎,蒙上布帛。

nān ㄋㄢ

囝 ㊀ nān 同"囡"。
㊁ jiǎn (475 页)。

囡 nān 〈方〉小孩儿。

nán ㄋㄢˊ

男 nán ❶男性。与"女"相对。㊞～女平等|～演员。❷儿子。㊞长(zhǎng)～。❸男爵,古代贵族五等爵位(公、侯、伯、子、男)中的最末一等。

【男高音】最高的男声。一般音域为 $c—e^2$。

南 ㊀ nán ❶方向。清晨面向太阳时右手的一边。与"北"相对。㊞指～针|～方。❷指中国南方。㊞～货|～味。
㊁ nā (704 页)。

【南人】元朝称原南宋境内的汉族人。政治待遇列于蒙古人、色目人及汉人之下,地位最低。

【南方】❶南①。❷南部地区,在中国指长江流域及其以南的地区。

【南史】史书名。唐李延寿撰。共八十卷,包括本纪十卷,列传七十卷。记载了南朝宋、齐、梁、陈四个朝代共一百七十年(420—589)的历史。

【南汉】十国之一。始建者刘龑,公元 917 年在广州称帝,国号先称大越,后改汉,史称南汉。拥有今广东、广西地区。公元 971 年为宋所灭。

【南亚】指亚洲南部地区。包括印度、巴基斯坦、孟加拉国、斯里兰卡、尼泊尔、不丹、锡金、马尔代夫。

【南曲】宋元以来南方戏曲、散曲所用各种曲调的统称。用韵以南方语音为准,分平上去入四声;音乐上用五声音阶,以管乐器伴奏。曲调柔和婉转。

【南戏】也叫戏文。宋元时用南曲演唱的戏曲形式。后逐渐发展成熟,对明清两代的戏曲影响很大。

【南极】见〔地极〕(195 页)。

【南宋】朝代名(1127—1279)。自 1127 年北宋灭亡后赵构即位,至 1279 年帝昺赴海身亡国灭,共经历一百五十二年。建都临安(今浙江杭州)。参见"宋"②(934 页)。

【南诏】也叫蒙舍诏。唐代中国云南西部六诏(六个称王的部落)之一。因在其他五诏之南,故名。后来兼并五诏,迁都大和城(今大理),一度成为强盛的奴隶制地方政权。10 世纪初灭亡。南诏主体族与今彝、白族有直接关系。

【南纬】见〔纬度〕(1021 页)。

【南欧】指阿尔卑斯山脉以南的巴尔干半岛、亚平宁半岛、伊比利亚半岛和附近岛屿。包括阿尔巴尼亚、罗马尼亚、保加利亚、南斯拉夫、斯洛文尼亚、克罗地亚、波斯尼亚和黑塞哥维那、马其顿、希腊、意大利、梵蒂冈、圣马力诺、马耳他、西班牙、安道尔、葡萄牙等国。

【南非】❶指非洲南部地区。通常包括赞比亚、津巴布韦、马拉维、莫桑比克、博茨瓦纳、纳米比亚、南非、斯威士兰、莱索托、马达加斯加、毛里求斯、科摩罗、佛得角等国家和地区。❷南非共和国。位于非洲大陆南部。是非洲经济最发达的国家。

【南国】古称南方诸侯之国。后泛指中国南方。

【南明】清兵入关后继续在南方抗清的明宗室流亡政权。计有在南京建立的福王朱由崧弘光政权、在绍兴建立的鲁王朱以海监国政权、在福州建立的唐王朱聿键隆武政权、在广东肇庆建立的桂王朱由榔永历政权等。

【南岭】绵亘于湖南、江西两省南部,广西壮族自治区东北部和广东省北部的山地的总称。由一系列东北—西南走向的山脉组成。一般海拔 1 000 米左右。是长江和珠江两大水系的分水岭。

【南洋】❶指东南亚。包括中南半岛和马来群岛。❷清末指中国东南几省沿海地区。

【南宫】复姓。

【南唐】十国之一。公元 937 年李昪称帝,建国号唐,都金陵,史称南唐。历经中主李璟、后主李煜,于公元 975 年为宋所灭。

【南拳】拳术的一种。流传于中国南方各拳派的统称。一般以龙、虎、豹、蛇、鹤五拳为主要内容。手法丰富,讲究稳马硬桥,伴有发声,刚劲激昂,极具阳刚之美。

【南海】毗邻中国大陆的三大海域之一。北以广东南澳岛经澎湖列岛至台湾省东石港一线为界,东至菲律宾群岛,南至加里曼丹岛,西南至越南和马来半岛。面积约 350

万平方千米。多珊瑚礁、珊瑚岛，其中东沙、西沙、中沙和南沙群岛，以及黄岩岛，全是中国领土。

【南通】市名。位于江苏省长江北岸。人口46万(1997年)。是中国沿海开放城市之一。有纺织、机械、化工、电子等工业。

【南越】先秦时南方越人的一支。秦平南越，于其地置桂林、南海、象三郡，建立南越国。汉初，封其首领赵佗为南越王。公元前111年为武帝所灭，设置九郡，范围包括今广东、广西、海南等地区。

【南朝】(420—589)南北朝时期偏安南方的四个朝代的总称。即刘裕建立的宋、萧道成建立的齐、萧衍建立的梁、陈霸先建立的陈。

【南粤】指广东、广西。

【南北朝】(420—589)东晋亡后一百七十年间，中国形成南北对立局面，史称南北朝。宋、齐、梁、陈先后在南方建立政权，史称南朝(420—589)；北魏(后分为东魏、西魏)、北齐、北周先后在北方建立政权，史称北朝(439—581)。隋灭北周和陈，南北统一。

【南半球】见〔北半球〕(43页)。

【南宁市】别称邕(yōng)。广西壮族自治区首府。位于自治区南部邕江沿岸。人口92万(1997年)。湘桂铁路在此与南昆、南防铁路相接。是全区政治、经济、文化和交通中心。风景名胜有南湖、伊岭岩、青山等。

【南齐书】史书名。南朝梁萧子显撰。共六十卷，现存五十九卷，包括本纪八卷，列传四十卷，志十一卷。记载了南齐二十余年(479—502)的历史。《南齐书》是二十四史中记载年代最短(仅23年)的一种。

【南极洲】围绕南极的大陆。绝大部分在南极圈内，为太平洋、大西洋和印度洋所环绕。是世界上发现最晚的大陆，至今无固定居民。面积约1 400万平方千米。大部分是高原，陆上覆盖着很厚的冰层。气候终年严寒，且多风暴。是世界平均海拔最高的洲。

【南极圈】见〔极圈〕(454页)。

【南昌市】江西省会。位于该省北部赣江下游东岸，京九铁路线上。人口124万(1997年)。是全省政治、经济、文化和交通中心。在周恩来等同志领导下，1927年8月1日曾在这里举行武装起义。现建有八一纪念馆、革命烈士纪念堂。

【南京市】别称宁、金陵。江苏省会。位于该省西南部，濒临长江。人口235万(1997年)。京沪、宁铜等铁路在此相交。是全省政治、经济、文化和交通中心。化学工业在全国占重要地位。中国古都之一。有中山陵、明孝陵、玄武湖、雨花台烈士陵园等名胜古迹。紫金山天文台闻名全国。

【南美洲】全称南亚美利加洲。位于西半球南部，北隔巴拿马运河与北美洲相对，西临太平洋，东临大西洋，南隔德雷克海峡与南极洲相望。西部山脉纵贯，东部高原与平原相间。气候湿热。面积近1 800万平方千米，人口3.41亿(1999年)。

【南温带】南半球的温带。在南纬23°26′至66°34′之间。

【南丁格尔】弗洛伦斯·南丁格尔(1820—1910)英国女护士，近代护理学和护理教育的奠基人。1854—1856年在克里米亚战争中担任战地救护工作，对改变伤病员的治疗和生活条件做出了突出贡献，博得各国公众的好评。著有《护理工作记录》。以她名字命名的南丁格尔奖章，是国际护理工作者的最高荣誉奖。

【南方古猿】高等灵长类动物。生活于大约四百万到一百万年前。其化石1924年在南非首次发现，以后在东非和亚洲均有发现。化石表明南方古猿的行为方式兼有直立行走和四肢爬行的特点，处于从猿到人的过渡期。

【南北议和】辛亥革命后，清政府全权大臣袁世凯的代表唐绍仪与南方革命军代表伍廷芳在上海举行的和谈。谈判的内容是清帝退位，建立共和政府，选举大总统等。孙中山在内外胁迫下作出让步，表示只要清帝退位，袁世凯赞成共和，即举袁为大总统。袁用逼宫手段，迫使清帝接受优待条件，于1912年2月12日退位，次日孙中山辞职，15日选举袁为临时大总统。辛亥革命终以妥协而归于失败。

【南北对话】发展中国家和发达国家为调整相互间经济关系而进行的对话。发展中国家大多数在南半球及北半球的南端，发达国家大都在北半球。有人称发展中国家为“南方”，发达国家为“北方”，故名。

【南回归线】南纬23°26′的纬线。太阳直射点自北移至该纬线时，折而往北返回，故名。

【南沙群岛】南海中四大群岛之一。由珊瑚

岛和珊瑚礁组成，以太平岛为最大。热带海洋资源丰富。属海南省。

【南昆铁路】东起广西壮族自治区南宁市，经贵州省南部，西至云南省昆明市，长874千米。东接湘桂铁路，西接成昆、贵昆铁路。沿线地质、地貌复杂，工程艰巨。对促进西南地区经济发展具有重要意义。

【南昌起义】见〔八一南昌起义〕(18页)。

【南征北战】形容转战南北，经历许多战斗。

【南京条约】也叫《江宁条约》。中国近代史上第一个不平等条约。1842年8月英国强迫清政府在南京签订。共十三款。主要内容有：中国向英国"赔款"二千一百万银元；开放广州、福州、厦门、宁波、上海为通商口岸；割让香港；规定中国抽收进出口货的税率由中英共同议定，不得随意变更。从此中国从封建社会逐步沦为半封建半殖民地社会。

【南南合作】发展中国家之间的经济合作。由于发展中国家多在南半球或北半球的南端，故名。加强南南合作是发展中国家谋求共同发展的重要事务。

【南柯一梦】唐李公佐《南柯太守传》中说，淳于棼做梦到大槐安国作南柯太守，享尽富贵荣华，醒来才知道大槐安国就是住宅南边大槐树下的蚁穴。后用以形容一场梦或比喻一场空欢喜。

【南洋群岛】中国习惯上称马来群岛为南洋群岛。

【南腔北调】形容语音不纯，搀杂南北方音。

【南辕北辙】《战国策·魏策四》记载，有个人要到南方楚国去，却驾着车往北走。比喻行动和目的相反。

【南京大屠杀】抗日战争时期日本侵略者屠杀中国人民的血腥暴行之一。1937年12月日本侵略军侵占南京后，对中国人民进行了长达六周的灭绝人性的大屠杀。中国军民被集体枪杀和活埋的有十九万多人，零散被杀害的居民仅收埋的尸体就有十五万多具。这是日本帝国主义对中国人民犯下的骇人听闻的滔天大罪。

【南禅寺大殿】现存最早的唐代木构佛教建筑。重建于建中三年(782)。在山西五台县。大殿平面近于方形，单层单檐歇山顶。底部方形月台、主要构架、斗拱和佛像都是唐代遗构。立面古朴简洁，屋面举折平缓，出檐深远、舒展，反映典型的唐代建筑造型。是全国重点文物保护单位。

【南水北调工程】中国从长江水系调水到北方缺水地区的跨流域引水工程。分西线、中线、东线三条线路，分别从长江水系上、中、下游调水。西线从通天河、雅砻江、大渡河引水至黄河；中线从汉江引水，终点北京；东线从长江引水，沿京杭运河一线，终点天津。工程浩大，将分步实施。

【南京临时政府】辛亥革命后建立的临时中央政权。1911年武昌起义后，全国十四省宣布独立，响应武昌起义。年底，各省代表在南京举行会议，选举孙中山为中华民国临时大总统。1912年1月1日，孙中山在南京宣誓就职，中华民国临时政府正式成立。会议成立临时参议院，宣布改国号为中华民国，以1912年为民国元年。并公布一系列有利于民主政治和发展资本主义的法令。由于临时政府没有彻底的反帝反封建的措施，屈服于帝国主义和袁世凯的压力，2月13日孙中山提出辞职，举荐袁世凯接任大总统职位。4月5日，临时政府迁往北京。民国政权落在北洋军阀手中。

【南泥湾大生产】抗日战争时期解放区大生产运动中的先进典型。1941年春八路军三五九旅指战员进驻陕甘宁边区南泥湾(延安东南)开荒种地，举办各种生产事业。在三年多的时间里，经费物资全部自给，上缴公粮一万大担(每大担250斤)，实现了毛泽东提出的"自己动手，丰衣足食"的号召，把荒凉的南泥湾变成了"陕北江南"。

谛⊠(諵) nán 同"喃"。

喃 nán 〔喃喃〕拟声词。1. 低声说话的声音。㊀～自语。2. 燕子的叫声。

楠(*柟 *枏) nán 楠木，常绿大乔木。木材坚固、致密、耐腐，是优良的建筑、家具用材。

难(難) ㊀ nán ❶做起来费力的。与"易"相对。例～题｜攻克～关。❷不大可能。例～保｜～免。❸不好。例～看｜～听。❹使感到困难。例困难～不倒英雄汉。❺古又同"傩(nuó)"。㊁ nàn (710页)。

【难为】❶使人为难。❷多亏(指做了不容易做到的事情)。例她年纪那么小却承担了那么多的家务事，真～她了。❸客套话。用于感谢别人替自己做事。

【难色】为难的神色。

【难产】❶指不能自然分娩。一般由孕妇

N

骨盆狭小，胎儿过大，胎位不正或子宫收缩乏力等引起。做好孕期保健，可减低难产率。❷比喻著作不易完成，计划、方案不易制订等。

【难免】难以避免。

【难度】（工程、技术等方面）困难的程度。

【难堪】❶难以忍受。例～的话。❷难为情。例他感到有点儿～。

【难道】副词。用在疑问句中，加强反问语气。例他们能做到，～我们就做不到吗？

【难题】不容易解决的问题。

【难以置信】难于使人相信。

【难兄难弟】《世说新语·德行》记载，东汉陈寔曾说自己的儿子元方、季方："元方难为兄，季方难为弟。"后因称兄弟两个都好，难分高下。现在多反用，指两人同样恶劣。

【难乎为继】也说难以为继。难于继续下去。

【难言之隐】藏在内心深处，难于说出口的心事。

【难能可贵】做到了难于做到的事，其行动很可贵，值得赞赏。宋苏轼《荀卿论》："此三者，皆天下之所谓难能而可贵者也。"

nǎn ㄋㄢˇ

赧 nǎn 因羞愧而脸红。例～然｜～颜。

腩 nǎn 见〔牛腩〕（723 页）。

蝻 nǎn 蝗虫的若虫。

nàn ㄋㄢˋ

难（難） ㊁ nàn ❶不幸的遭遇；灾患。例遇～｜～民。❷质问；责备。例问～｜非～。

㊀ nán（709 页）。

【难民】由于战争、自然灾害等原因而流离失所的人。

【难胞】称本国的难民。多指在国外遭受迫害的侨胞。

【难兄难弟】形容两人处于同样困难的境地。

nāng ㄋㄤ

囊 ㊀ nāng 〔囊膪〕猪胸腹部又肥又松的肉。膪（chuài）。

㊁ náng（710 页）。

囔 nāng 〔囔囔〕低声絮烦地说。

náng ㄋㄤˊ

囊 ㊁ náng ❶袋子。例布～。❷像袋子的东西。例胆～。❸用袋子装。例～沙。

㊀ nāng（710 页）。

【囊虫】绦虫的幼虫。寄生在某些动物（如猪）的肌肉、结缔组织内。豆状，有头、颈和囊状的尾部。人误食后，虫在人肠内发育成绦虫。

【囊玛】藏族传统歌舞。流行于西藏拉萨、日喀则、江孜等地。歌曲曲调典雅、节奏舒缓。

【囊肿】良性肿瘤的一种。多呈球状，外有包膜，内有液体或半固体物质。一般生长缓慢，较大的可对邻近器官或组织产生压迫症状，通常需用外科手术切除。例卵巢～。

【囊括】把全部包罗在内。

【囊萤】《艺文类聚》卷九七引《续晋阳秋》："车胤字武子，学而不倦。家贫不常得油，夏日用练囊盛数十萤火。以夜继日焉。"后用来形容刻苦读书。

【囊中物】口袋里的东西。比喻不费劲就可以取得的东西。

【囊空如洗】口袋里一无所有，像洗过的一样。多用来形容没有钱。

馕（饢） ㊁ náng 维吾尔族、哈萨克族人吃的一种烤制成的面饼。

㊀ nǎng（710 页）。

nǎng ㄋㄤˇ

曩 nǎng 从前。例～日｜～者（从前）。

攮 nǎng 扎；杵。

【攮子】一种短小的尖刀。

馕（饢） ㊀ nǎng 一个劲儿地往嘴里塞食物。

㊁ náng（710 页）。

nàng ㄋㄤˋ

儾☒ nàng 同"齉"。

齉 nàng 鼻子不通气，发音不清楚。㊐～鼻儿。

nāo ㄋㄠ

孬 nāo 〈方〉❶坏；不好。❷骂人胆小，没勇气。

náo ㄋㄠˊ

呶 náo 喧哗。

【呶呶】唠叨；说起话来没完没了。㊐～不休。

怓☒ náo 心乱。

【怓怓】话多而乱。

谢☒（譊） náo 〔谢谢〕争辩声。

挠（撓） náo ❶阻碍；搅扰。㊐阻～。❷弯曲；屈服。㊐不屈不～。❸搔；抓。㊐～痒痒。

铙（鐃） náo ❶击乐器。铜制，圆形，中间隆起部分小，正中有孔，每副两片。常和大钹配合演奏。多用于吹打乐。❷古代击乐器。青铜制，似铃而大，无舌，有柄，举奏。

蛲（蟯） náo 〔蛲虫〕寄生虫。长约1厘米，白色。寄生在人的小肠下部和大肠内。头部钻入肠黏膜，吸取营养。可引起蛲虫病。

侬☒（憹） náo 〔懊侬〕痛悔；烦恼。

峱☒ náo 古山名。在今山东临淄南。

硇 náo 见下。

【硇砂】一种矿物。是氯化铵的天然产物。用于制干电池，焊接金属。又可用作肥料，也可入药。

【硇洲岛】岛名。在广东雷州半岛东。

猱 náo 古书上说的一种猴。

夒☒ náo 同"猱"。

巙☒ náo 同"峱"。

nǎo ㄋㄠˇ

垴□ nǎo 小山岗。也用于地名。㊐削～填沟。

恼（惱） nǎo ❶生气；忿恨。㊐～怒｜～恨。❷烦闷。㊐苦～。

【恼羞成怒】因恼恨羞愧而大发脾气。

脑（腦） nǎo 中枢神经系统的主要部分。位于颅腔内，分大脑、小脑和脑干三部分。人脑特别发达。

【脑室】脑内部的腔隙。在人体，大脑两半球内的为侧脑室，即第一、二脑室；在间脑内的为第三脑室；在中脑部分狭细的间隙称中脑导水管；在小脑和延髓及脑桥间的腔隙为第四脑室。各脑室依次相通。

【脑桥】也叫桥脑。人和哺乳动物小脑腹面的特有构造。位于延髓和中脑的大脑脚之间，前后有横沟为界。外形呈白色弓状的横隆凸起。

【脑海】脑子（指记忆、思维等）。

【脑筋】❶指思维器官。㊐动～。❷指意识。㊐旧～。

【脑电图】用脑电图机记录下的大脑皮层由于电位变化而出现的脑电波图形。分析研究脑电图对了解脑的活动情况和诊断癫痫、脑瘤等脑病有重要意义。

【脑出血】也叫脑溢血。一种急性脑血管病。常由血管硬化、血压突然上升等引起，致使脑内出血。发病前有头痛、头晕、麻木、抽搐等症状。发病时昏迷，严重的甚至死亡。

【脑死亡】指脑和脑干功能不可逆的丧失。判断脑死亡的依据是：深度昏迷、瞳孔放大、脑干反射消失、脊髓反射消失、呼吸停顿。多发生于严重的脑外伤、脑出血、脑肿瘤等。一些国家规定全脑功能丧失是死亡的根据。

【脑垂体】简称垂体。最主要的内分泌腺。人的脑垂体大如樱桃，椭圆形，以小柄悬系于间脑的下方，位于颅中窝的垂体窝内。分前叶和后叶两部分。前叶较大，分泌的激素对于生长发育、新陈代谢等有调节作用;后叶较小,释放的激素有升高血压、刺激子宫收缩和抗利尿等作用。

【脑神经】由脑发出的左右成对的神经。人的脑神经共有12对。分布于头、面、颈和内脏等器官,分别调节这些器官的活动。

【脑脊液】脑室以及脑和脊髓的蛛网膜下腔内的一种无色透明液体。对脑和脊髓有缓冲防震作用,对其营养代谢也有辅助作用。患中枢神经系统某些疾病时,常检查脑脊液,以帮助诊断和治疗。

【脑脊膜】包着脑和脊髓外周的三层结缔组织膜。外层为硬膜,中层为蛛网膜,内层为软膜。

【脑膜炎】即"流行性脑脊髓膜炎"(630页)。

【脑震荡】一种较轻的脑损伤。由头部受到打击或剧烈震动引起。常有短时间的意识丧失,醒后有头痛、恶心、呕吐、遗忘等症状。一般经过休息可恢复。

【脑磷脂】磷脂的一类。在神经组织中含量高,占磷脂的55%,包括磷脂酰乙醇胺和磷脂酰丝氨酸,分别由甘油、脂肪酸、磷酸乙醇胺或磷酸丝氨酸组成。是细胞膜和细胞器膜的重要组成部分。

【脑力劳动】以消耗脑力为主的劳动,如管理国家事务,组织生产,以及从事政治、文化和科学研究等活动。

【脑满肠肥】形容人吃得很饱,养得肥胖臃肿。《北齐书·琅玡王俨传》:"琅玡王年少,肠肥脑满,轻为举措。"

堖□ nǎo 同"垴"。

瑙 nǎo 见〔玛瑙〕(659页)。

nào ㄋㄠˋ

闹(鬧 *閙) nào ❶不安静;喧哗。㊀热～。❷吵嚷;搅扰。㊀打～|吵～。❸发生;发作。㊀～病|～脾气。❹搞;弄。㊀～革命|～清是非。

【闹市】繁华热闹的街市。

【闹事】聚众捣乱,引发事端。

【闹房】也说闹洞房、闹新房。新婚的晚上,亲友们在新房里跟新婚夫妇逗闹取乐。

【闹剧】❶也叫笑剧、趣剧。喜剧的一种。特点是用比一般喜剧更强烈的夸张手法,通过使人发笑的滑稽情节和热闹场面,来揭示剧中人物行为的矛盾。❷比喻滑稽、荒谬的事情。

【闹腾】❶吵闹。❷说笑打闹。腾(teng)。

淖 nào 烂泥;泥沼。

【淖尔】即"诺尔"(729页)。

臑 nào 牲畜的前肢。

né ㄋㄜˊ

哪 ㊁ né 〔哪吒〕❶佛教护法神名。❷《封神榜》《西游记》里的英雄人物。吒(zhā)。

㊀ nǎ (704页)。

㊂ na (706页)。

㊃ nǎi (706页)。

㊄ něi (712页)。

nè ㄋㄜˋ

讷(訥) nè 说话迟钝。㊀口～|～～。

抐□ ㊁ nè 按物于水中。

㊀ nà (705页)。

呐 ㊁ nè 同"讷"。

㊀ nà (705页)。

㊂ ne (712页)。

ne ·ㄋㄜ

呐 ㊂ ne 同"呢(ne)"。

㊀ nà (705页)。

㊁ nè (712页)。

呢 ㊁ ne 助词。1. 表示疑问的语气。㊀道理在哪儿～? 2. 表示确定的语气。㊀八点钟才开始～。3. 表示动作正在进行或情况正在继续。㊀他劳动～|外面正下雨～。4. 在句中表示停顿。㊀现在～,跟过去大不一样了。

㊀ ní (716页)。

㊂ nī (715页)。

něi ㄋㄟˇ

哪 ㊄ něi 义同"哪(nǎ)"。用于口语。

㊀ nǎ (704页)。

㊁ né (712页)。

㊂ na（706页）。
㊃ nǎi（706页）。

馁（餒） něi ❶饥饿。㊀冻～。❷鱼肉腐烂。㊀鱼～肉败。❸丧失勇气。㊀胜不骄，败不～。

nèi ㄋㄟˋ

内 nèi ❶里面；里面的。与"外"相对。㊀国～｜～衣。❷指妻或妻方的某些亲属。㊀～人｜～弟。❸指心里或内脏。㊀～疚｜五～俱焚。❹古又同"纳（nà）"。

【内人】对人称自己的妻子。
【内卫】为保障国家内部安全而实施的警戒和保卫。主要包括保卫国家政权，维护社会治安以及对重要地区、部门、设施、人员等的安全保卫。
【内子】妻子。
【内中】（某种事物的）里头。
【内讧】也作内哄。指集团内部由于争权夺利等原因而发生冲突或战争。
【内地】距离边疆（或沿海）较远的地区。
【内在】事物内部所具有的。与"外在"相对。㊀～联系。
【内存】❶电子计算机内存储器的简称。参见〔存储器〕（157页）。❷指内存储器所能存储的信息量。㊀～不够用。
【内因】哲学范畴。指事物发展的内部原因。事物内部的矛盾性是事物发展的内因，是事物变化的根据。与"外因"相对。
【内伤】❶中医病证名。由于精神因素、生活或饮食不规律等原因所引起的疾病的统称。❷泛指由跌、碰、挤、压、踢、打等原因引起的气血、脏腑等的损伤。
【内行】对某种工作或技术有丰富的知识和经验。也指具有某种知识和经验的人。行（háng）。
【内关】针灸穴位名。位于腕横纹上二寸，前下端两筋之间。主治胸胁痛、心慌、恶心、呃逆等。
【内宅】旧指住宅内女眷的住处。
【内奸】隐藏在内部，暗中进行破坏活动的敌对分子。
【内助】指妻子。
【内乱】指由国内的政治、经济等原因引起的社会动乱或统治阶级内部的暴力行动和战争。
【内秀】形容外表看上去粗鲁或笨拙但实际上聪明、细心。
【内应】隐藏在敌方内部做策动接应工作。也指做内应的人。
【内疚】心里感到惭愧不安。
【内线】❶安插在对方内部进行活动的人。也指这种活动。❷一个单位内的电话总机所控制的内部用的线路。
【内经】《黄帝内经》的简称。
【内政】国家内部的政治事务。㊀互不干涉～。
【内战】国内的战争（区别于国际间的战争或反对入侵者的战争）。
【内省】内心的省察。自己分析自己的思想行为是否合乎道德规范。省（xǐng）。
【内哄】同"内讧"（713页）。
【内亲】和妻子有亲属关系的亲戚，如内弟、连襟等。
【内阁】某些国家中的最高行政机关。由内阁总理（或首相）和若干阁员（部长、总长、大臣或相）组成。参见〔内阁制〕（714页）。
【内耗】❶机器等本身所消耗的没有对外做功的能量。❷借指集体内部人与人之间、部门与部门之间不协作、闹矛盾等造成人力和物力消耗的现象。
【内债】国家在国内借的债。通常以发行公债券的形式筹集。
【内脏】人或动物胸腔和腹腔内器官的总称。包括心、肺、胃、肝、脾、肠、肾、膀胱、生殖器官等。
【内涝】由于雨量过多，积水不能及时排泄而形成的涝灾。
【内海】指深入大陆内部、非直通外海或仅有短小水道通往外海的海域。如土耳其的马尔马拉海。也指采用直基线法划定领海时，位于直基线以内的海域，如中国的渤海和琼州海峡。这种水域有时称内水。
【内容】❶哲学范畴。指构成事物的各种要素的总和。与"形式"相对。❷事物内部所包含的东西或意义。㊀～丰富。
【内能】也叫热力学能。物质系统由其内部状态所决定的能量。其中包括分子、原子等热运动的能，分子间、原子间相互作用的势能、化学能等。
【内涵】❶指概念所反映的客观事物的本质属性。与"外延"相对。如"商品"这一概念的内涵是"为交换而生产的劳动产品"。❷内在的涵养。
【内情】内部情况。

【内景】指戏剧舞台上的室内布景和电影、电视摄影棚内的布景。

【内勤】部队、机关、企业等称在本单位内部进行的工作。也指从事这种工作的人。与“外勤”相对。

【内幕】不为外界知道的内部情况(多指不好的)。

【内需】国内市场需求。与“外需”相对。㊀扩大～。

【内分泌】人和某些动物体内有些腺体或器官能分泌激素,不通过导管,而由腺细胞直接释放到组织液中,随血液循环流到身体各处的过程。有调节有机体的生长、发育和生理机能的作用。

【内务府】官署名。清代设置,掌管宫廷事务。长官为总管大臣,一律由满族王公大臣充任。

【内应力】没有受到外力作用,在固体中产生的应力。如不均匀受热或冷却时产生的应力。

【内陆国】领土处于内陆、没有海岸线的国家。如哈萨克斯坦。

【内罗毕】肯尼亚首都。位于该国西南部。人口约180万(1993年)。是全国政治、经济、文化和交通中心。有肯雅塔会议中心,举行过多次国际会议。市南郊的内罗毕国家公园,野生动物种类繁多,是旅游胜地。

【内阁制】某些国家的政权组织形式。内阁由获得议会多数席位的政党或议会中构成多数席位的几个政党联合组成,由国家元首任命。内阁对议会负责。内阁总揽一切行政权力。

【内流河】也叫内陆河。最终未流入海洋的河流。多分布于干旱气候区,一般注入内陆湖泊,或中途消失。如中国的塔里木河。

【内流湖】也叫内陆湖。大陆内部干燥地区,湖水不能经过河道流入海洋的湖泊。一般含盐分较多。如中国的青海湖。

【内掌柜】旧指掌柜的妻子。

【内蒙古】内蒙古自治区的简称。

【内聚力】同种物质内部相邻各部分间的吸引力。是一种分子力。内聚力能使物质聚集成液体或固体。

【内燃机】燃料在汽缸内燃烧,产生高温高压燃气,推动活塞运动而做功的热力发动机。常用的有汽油机和柴油机。

【内外交困】内部困难和对外关系方面的困难交织在一起,处境十分窘迫。

【内务条令】规定军人基本职责、军队内部关系和日常生活制度的条令。是军队实施行政管理的主要依据。

【内忧外患】指国家内部的动乱和来自国外的侵略。《国语·晋语六》:“不有外患,必有内忧。”《管子·戒》:“非有内忧,必有外患。”

【内线作战】军队处于防御和被敌方包围情势下的作战。

【内部联系】事物内部诸方面之间或事物和事物之间内在的、本质的联系。

【内幕交易】行为人依据自己掌握的内幕信息,泄露或利用内幕信息从事证券交易而营利。

【内燃机车】以内燃机为动力的机车。通常指柴油机车,主要由柴油机、传动装置、辅助装置、车体和走行装置组成。

【内耳眩晕症】也叫美尼尔氏综合征。一种头晕病。由内耳膜迷路积水引起。主要症状是阵发性眩晕、呕吐、耳鸣和听力减退。

【内部职工股】股份公司内部职工以个人合法财产投入公司所形成的股份。

【内蒙古高原】在中国北部,东起大兴安岭西坡,西到祁连山北麓,南至长城。包括内蒙古自治区、甘肃省西北部、宁夏回族自治区北部和辽宁、河北、陕西三省一小部。海拔1 000米左右。西部和北部多沙漠,南部和东部为草原。

【内蒙古自治区】简称内蒙古。位于中国北部,北接蒙古国和俄罗斯,东邻辽宁、吉林和黑龙江,南邻河北、山西、陕西,西邻宁夏、甘肃。面积110多万平方千米。人口2 345万(1998年)。首府呼和浩特市。重要城市还有包头、乌海、赤峰、集宁、锡林浩特、二连浩特、满洲里等。

【内涵的扩大再生产】通过提高劳动生产率、劳动熟练程度和劳动强度来扩大生产规模的形式。与“外延的扩大再生产”相对。

氝□ nèi 氖的旧称。

那 ㊃ nèi 义同“那(nà)”。用于口语。
㊀ nà(704页)。
㊁ nā(704页)。
㊂ nǎ(704页)。

nèn ㄋㄣˋ

恁 nèn 〈方〉指示代词。1. 那么。㊀～大|～大胆。2. 那。㊀～时。

嫩（*嫰） nèn ❶初生而柔弱；娇嫩。例～芽|小孩儿肉皮儿～。❷食物经火的时间短。例鸡蛋煮得～。❸颜色浅淡。例～黄。

néng ㄋㄥˊ

能 néng ❶本领；能力。例技～|各尽所～。❷有能力的。例～手。❸能够；可以；善于。例一定～完成任务|～官～民|～文～武。❹能量的简称。例电～|核～。

【能人】❶在某方面能力突出的人。❷已知的人属的最早成员。生活于约190万年前。其大脑大约比猿大50%，已有较高智力，能制造多种石器。研究发现，并不是所有的能人都完全用两足行走，有的较多地依赖于两足行走，有的则较少，因而不是完全形成的人。

【能力】做事的本领。

【能动】自觉努力、积极活动的。例～地认识和改造客观世界。

【能级】微观粒子系统在束缚态中只能处于一系列不连续的、分立的稳定状态，这些状态分别具有一定的能量，它们的数值各不相等。为了形象化，人们往往按某一比例以一定高度的水平线代表一定的能量，把这些状态的能量按大小排列，犹如梯级，故名。

【能事】擅长的本领。例极尽造谣诬蔑之～。

【能量】❶简称能。用做功本领来量度物质运动的物理量。由于物质具有多种运动形式，能量也相应地有多种形式，如机械能、电能、核能等。❷比喻人显示出来的活动能力。

【能源】指社会生产、生活等各方面所需要的能量的来源。现在，煤、石油、天然气以及水能、风能等是主要能源。核能、太阳能的利用已发展。对潮汐、地热的利用已开始。

【能见度】在一定的天气条件下，正常视力所能看到最远目标物的距离。空中所含的微小水滴、尘埃等悬浮物增多时，能见度变差，反之则变好。能见度的好坏对军事和交通运输影响很大。

【能者多劳】能干的人多劳累一些。《列子·列御寇》："巧者劳而知(智)者忧，无能者无所求，饱食而敖游。"能：能干。劳：劳苦，劳累。

【能量守恒定律】自然科学中最重要、最普遍的定律之一。即在任何物质系统中，不论发生什么变化，能量的形式可以发生转换，但能量的总和始终保持不变。这个定律具有重大的哲学意义，是唯物主义世界观重要的自然科学基础之一。

ňg 兀

唔 ㊁ ňg 同"嗯"。
㊀ wú（1041页）。

嗯 ňg 叹词。可以读成不同声调以表示疑问、出乎意外、应诺等不同的感情和态度。

nī ㄋㄧ

呢 ㊂ nī 佛教咒语用字。
㊀ ní（716页）。
㊁ ne（712页）。

妮 nī 〔妮子〕〈方〉也说妮儿。小女孩。

ní ㄋㄧˊ

尼 ní 比丘尼的简称。尼姑。

【尼龙】锦纶的俗称。

【尼采】弗里德里希·尼采（1844—1900）德国哲学家，唯意志论者。宣称追求权力、要求统治的意志是最高的生活原则。鼓吹"超人"哲学。著有《查拉图斯特拉如是说》《权力意志》等。

【尼姑】指女子出家后受过具足戒入佛门的人。

【尼禄】尼禄·克劳狄厄斯·恺撒（37—68）罗马帝国皇帝（54—68年在位）。以暴虐、放荡出名。

【尼古丁】也叫烟碱。英语音译词。有机化合物，分子式 $C_{10}H_{14}N_2$。无色或淡黄色挥发性油状液，是烟草中的一种主要生物碱。用作农业杀虫剂。尼古丁对植物神经和中枢神经有先兴奋后麻痹的作用，吸烟过量可导致心血管损害，引起呼吸道发炎，诱发癌症等。

【尼米兹】切斯特·威廉·尼米兹(1885—1966)美国海军五星上将。第二次世界大战期间,任美国太平洋舰队司令、太平洋战区总司令。曾指挥海军重创日本联合舰队,后又对日本本土实施战略轰炸。1945年9月代表美国接受日本投降。著有《大海战——第二次世界大战海战史》。

【尼罗河】世界最长的河流。它的上源主要有两条:一条是发源于东非高原的白尼罗河,另一条是发源于埃塞俄比亚高原的青尼罗河。在苏丹中部汇合后称尼罗河,流经埃及注入地中海。长6 671千米。下游有大三角洲,富灌溉之利。阿斯旺附近建有阿斯旺大坝。

【尼赫鲁】贾瓦哈拉尔·尼赫鲁(1889—1964)印度首任总理(1947—1964年在任)。曾追随甘地参加非暴力不合作运动。1936年起数次当选国大党主席,在印度民族独立运动中起重要作用。1947年8月印度独立后,任首任总理。对外实行不结盟政策,反对殖民主义。曾与中国共倡和平共处五项原则。是1955年亚非会议和不结盟运动的倡导者之一。

【尼日尔河】非洲大河之一。发源于非洲西部富塔贾隆高原,流经几内亚、马里、尼日尔、贝宁等国,在尼日利亚南部注入几内亚湾。长4 160千米。流域面积209万平方千米。

【尼日利亚】全称尼日利亚联邦共和国。位于非洲西部。西邻贝宁,北邻尼日尔,东北邻乍得,东南邻喀麦隆,南临几内亚湾。人口1.05亿(1998年),是非洲人口最多的国家。

【尼安德特人】最早受人注意的古人化石。1856年在德国杜塞尔多夫尼安德特河流域附近洞穴中发现。从广义来说,尼安德特人是古人阶段所有人类化石的总称。

【尼亚加拉瀑布】世界著名瀑布之一。在北美洲伊利湖和安大略湖之间的尼亚加拉河上。瀑布宽1 240米,落差约50米。中有小岛,把瀑布分成两部分,左属加拿大,右属美国。各建有水电站,并辟为游览胜地。

【尼德兰资产阶级革命】欧洲最早的一次资产阶级革命。16世纪下半叶,尼德兰(今荷兰、比利时等地)各地先后爆发反对天主教会、反对西班牙封建统治的民众起义。1609年,西班牙被迫停战,承认尼德兰独立。

坭 ní 同“泥(ní)”①。如红毛坭(方言中称水泥)。用于地名,如白坭(在广东)。

呢 ㊀ ní 一种毛织品。㊥~料。
㊁ ne(712页)。
㊂ nī(715页)。

【呢喃】❶拟声词。燕子的叫声。❷形容小声说话。㊥细语~。

泥 ㊀ ní ❶土和水混合成的东西。❷像泥的东西。㊥印~|枣~。
㊁ nì(717页)。

【泥丸】❶泥制成的丸。参见〔阪上走丸〕(31页)。❷道家指上丹田(在人的两眉间)。

【泥泞】❶路上有烂泥而不好走。❷淤积的烂泥。

【泥封】即“封泥”(279页)。

【泥炭】也叫泥煤。沼泽中植物在成煤过程初期阶段的产物。呈棕、褐、黑等色,松软质轻,无光泽,常含植物残迹。可用作燃料、有机肥料,也可用于制煤气、水煤气、甲醇等。

【泥塑】用黏土塑造人物等形象。也指用黏土塑造的工艺品。

【泥鳅】鱼类。体近圆棍形,长达十余厘米。黄褐色,具不规则黑色斑点。口旁有须5对。鳞细小。离水时能进行肠呼吸。栖息于泥底。

【泥石流】山区爆发的饱含泥沙、石块的特殊洪流。多发生于地质构造复杂,坡度较大,碎石、泥沙丰富的山区。突发性的暴雨往往是促使泥石流发生的动力条件。大的泥石流在短时间内能运移成百万立方米的泥沙、碎石以至巨大的石块,破坏性很大。

【泥盆纪】古生代的第四个纪。约开始于4.1亿年前,结束于3.55亿年前。在这个时期里,生物群中腕足类和珊瑚发育,除原始菊虫外,昆虫和原始两栖类(迷齿类)也有发现,鱼类(总鳍鱼等)发展,蕨类和原始裸子植物出现。

【泥盆系】古生界的第四个系。指泥盆纪时期所形成的地层。

【泥牛入海】泥做的牛一入海中就会化掉。比喻一去不复返。《景德传灯录》卷八:“洞山又问和尚:‘见个什么道理,便住此山?’师云:‘我见两个泥牛斗入海,直至如今无消息。’”

【泥足巨人】也叫泥塑巨人。比喻表面强大

而实际虚弱的事物或社会势力。意思大致同“纸老虎”。

【泥沙俱下】泥土和沙子都跟着流下来。比喻好的和坏的都混杂在一起。

怩 ní 见〔忸怩〕(724页)。

柅⊠ ní 止车的木块。

铌(鈮) ní 金属元素,符号Nb,原子序数41。银白色,质硬。用于制耐高温、耐腐蚀的合金钢和超级硬合金。也用于电子管及核能工业。

倪 ní 端;边际。㊀端～(头绪)。

猊 ní 见〔狻猊〕(940页)。

婗⊠ ní 见〔嫛婗〕(1159页)。

輗⊠(輗) ní 大车辕端与横木相接的关键。

霓(*蜺) ní 也叫副虹。雨后天空有时与虹同时出现的彩色圆弧。颜色比虹淡,彩带排列顺序和虹相反,红色在内,紫色在外。参见“虹”(400页)。

【霓虹灯】一种利用气体放电发光的灯。在真空的长玻璃管中充入某种气体,通电后发出彩色的光。颜色随所充气体而异,如氖气发红橙色光,氖和汞的混合气发绿色光。用在标语、广告、信号等方面。

【霓裳羽衣舞】唐代舞蹈。乐曲由唐明皇李隆基吸收婆罗门曲的因素而作。舞蹈刻画仙女的典雅美丽,变化丰富,首演者为杨贵妃。文宗时,以数百少女舞霓裳,执幡节,舞队一出,如仙鹤飞翔。唐以后失传。五代及宋时有残谱流传。

鲵(鯢) ní 两栖动物。分大鲵和小鲵。大鲵体长可达1.8米,叫声如婴儿啼哭,故又名娃娃鱼。小鲵长5—9厘米。主要生活在山溪中。

麑⊠ ní 小鹿。

nǐ ㄋㄧˇ

拟(擬❸*儗) nǐ ❶起草;设计。㊀～稿|～方案。❷打算。㊀～采纳。❸模仿。㊀模～。

【拟人】比拟的一种。把生物或非生物直接当作人来描写,赋予人的思想感情或动作行为,给人以鲜明的印象和具体的感受。如:“春风细心而温柔地抚摸和呵护着刚露芽的小草。”在文学作品(如童话、寓言等)中是一种常见的人格化的描写手法。

【拟订】起草订立。㊀～行动计划。

【拟议】❶事先的考虑。❷草拟。

【拟死】也叫假死。某些动物受惊动或受袭击时,静伏不动,或跌落地面如死物,借以避敌的现象。如蜘蛛、猿叶虫等有这种习性。

【拟态】某些动物在进化过程中形成的,外表形状或色泽斑纹同其他生物或非生物异常相似的现象。主要是借以自卫。在昆虫中最为常见,如木叶蝶形状像枯叶,竹节虫形状像竹节或树枝。

【拟定】起草制定。

【拟声词】也叫象声词。模拟事物声音的词。

【拟于不伦】用不能相比的人或事物相比。

你(*妳) nǐ 人称代词。称对方。“妳”,另音nǎi,见“奶”(706页)。

旎 nǐ 见〔旖旎〕(1165页)。

薿⊠ nǐ 〔薿薿〕形容茂盛。

nì ㄋㄧˋ

伲□ nì 〈方〉我们。

泥 ㊁ nì ❶用灰、泥等涂塞。㊀～墙|～炉膛。❷死板;不灵活。㊀拘～。㊀ ní (716页)。

昵(*暱) nì 亲近。㊀亲～。

逆 nì ❶方向相反。与“顺”相对。㊀～风|～流。❷抵触;不顺从。㊀～耳|～子。❸背叛;背叛者。㊀叛～|～产。❹迎接。㊀～旅(旅馆)。❺事先。㊀～知|～料。

【逆耳】不顺耳,听起来不舒服。㊀忠言～。

【逆转】向不利的方向转化。

【逆差】也叫入超。指一个国家(或地区)在一定时期内出口商品总值小于进口商品总值。与“顺差”相对。

【逆料】预料。

【逆流】❶跟主流方向相反的水流。比喻反动的或与主流相反的潮流。❷逆着水流方向。

【逆境】极不顺利的境遇。

【逆定理】将某一定理的条件和结论互换，所得的定理就是原定理的逆定理。例如，如果某个数的末位数字是5或0，则这个数一定可以用5除尽，是正定理；它的逆定理是：如果某个数可以用5除尽，则这个数的末位数字一定是5或0。

【逆温层】通常从地面每上升100米，气温平均降低0.6℃，这种气温分布状态称为气温顺转。在特殊的气象条件下，上层的气温高于下层的气温，称为气温逆转，这样的大气层就称为逆温层。逆温层内气流稳定，不利于大气扩散。

【逆水行舟】逆着水流的方向行船。谚语：“逆水行舟，不进则退。”比喻不努力前进就要后退。

【逆反心理】指接受信息者产生的与发出信息者的愿望和要求相抵触的心理状态。是反从众心理的特殊表现。好奇心和自主意识是产生逆反心理的主要原因。

【逆来顺受】对外面来的压迫或不合理的待遇采取忍受的态度。

匿 nì 隐藏。[例]隐～|销声～迹。

【匿伏】隐藏；潜伏。

【匿名】不具名或不具真姓名。[例]～信。

【匿影藏形】隐藏起来，不公开活动。

埿☒ nì 见〔埤埿〕(749页)。

睨 nì 斜着眼看。[例]～视|睥～。

惄☒ nì 忧思；伤痛。

腻(膩) nì ❶食物油脂过多，使人不想吃。[例]油～。❷厌烦。[例]越听越～。❸细致；光润。[例]细～。❹积垢。[例]尘～。

【腻虫】蚜虫的俗称。

溺 ㊀ nì ❶淹没。[例]～死。❷沉迷不悟；过分。[例]沉～|～爱。

㊁ niào (720页)。

【溺爱】过分宠爱(自己的孩子)。

【溺职】失职或不尽职。

【溺婴】把刚出生的婴儿淹死。

niān ㄋㄧㄢ

拈 niān 用手指头夹；捏。[例]信手～来。[注]拈，旧又读niǎn，同“撚”“捻”，义为“用手指搓”。《第一批异体字整理表》据此将“撚”处理为“拈”的异体字。但今天“用手指搓”的意义多使用“捻”，而在“拈”字下只注niān音，义为“用手指夹取”。因此，今天“拈”(niān，用手指夹取)与“撚”(niǎn，用手指搓)音义都不同，二者已不存在异体关系，不再将“撚”作为“拈”的异体字。

【拈轻怕重】接受工作时挑拣轻松容易的，害怕繁重的。

蔫 niān ❶植物因失去水分而萎缩。[例]菜～了|花～了。❷精神萎靡不振。[例]病得发～。

鲶☒ niān 〔积鲶〕不爽快；不痛快。

nián ㄋㄧㄢˊ

年(*秊) nián ❶时间单位。公历以365或366日为一年，农历平年以354或355日为一年，闰年以384或385日为一年。❷时期。[例]近～|明朝末～。❸岁数。[例]～轻力壮。❹岁数的分期。[例]青～|壮～|老～。❺年景；收成。[例]丰～。❻年节；有关年节的。[例]过～|～画。

【年号】古代皇帝纪年的名称。自汉武帝建元元年(前140)开始，历代皇帝都立年号，如贞观、康熙等。有时一帝换多次年号，明清两代一般是一个皇帝一个年号。

【年代】❶时代。❷把1世纪(100年)分为10个单位，每个单位10年，叫做1个年代。如1980—1989年是20世纪80年代。

【年成】一年的农作物收成。

【年迈】年纪老。

【年华】年岁；时光。

【年关】指农历年底。过年花费大，欠债又有人催讨，对穷苦人家来说，过年犹如过关，故名。

【年表】按年月编排的重大历史事件表。

【年画】中国民间传统习惯在年节张贴的绘画。内容吉祥喜庆，色彩鲜艳明快。
【年事】年纪。㊀～已高。
【年轮】木本植物茎干横断面上的同心环纹。常见于温带树木。根据年轮数可大体推算出树木的年龄。
【年齿】年龄。
【年金】每隔一定相同时期收入或支出的相等金额的款项。
【年庚】指一个人出生的年月日时。
【年限】规定的年数。
【年度】根据业务需要而定的、有一定起止日期的十二个月。如会计年度。
【年祚】❶人的寿命。《晋书·王沈传》："弹琴咏曲，以保年祚。"❷立国的年数。《南史·陶弘景传》："时有沙门释宝者…梁武帝尤深敬事，尝问年祚远近。"
【年息】按年计算的利息。
【年景】❶年成。❷过年的景象。
【年鉴】汇集一年内有关的新资料，每年出版一次的工具书。有综合性的，也有专科性的。
【年馑】荒年。
【年谱】按年月记载某人生平主要事迹的书。如《王荆公年谱》。
【年薪】一年的工资。
【年高望重】年纪大，威望高。
【年高德劭】年纪大，品德好。原作年高德卲。汉扬雄《法言·孝至》："吾闻诸传，老则戒之在得；年弥高而德弥卲者是孔子之徒与。"劭(shào)。
【年富力强】年纪轻，精力旺盛。富：未来的年岁多。

粘 ㊁ nián 姓。
㊀ zhān（1234 页）。

鲇（鮎） nián 鱼类。头平扁，口宽大，有须两对。尾圆而短。体上多黏液，无鳞。中国各地淡水均产。

黏 nián 像糨糊、胶水等所具有的、能使一个物体附着在另一物体上的性质。㊀～合｜～液｜这江米很～。
【黏虫】俗称夜盗虫、五色虫。昆虫。成虫和幼虫都有群迁习性。幼虫危害小麦、玉米、水稻等茎叶，是粮食作物的主要害虫之一。
【黏度】也叫黏滞系数。流体黏滞性大小的量度。油比水难流动，就是因为油比水的黏度大。
【黏膜】人和动物体内消化、呼吸、泌尿、生殖等器官管腔内壁的组织。能分泌黏液，保持管腔湿润。如口腔黏膜、肠胃黏膜、子宫黏膜等。
【黏合剂】也叫胶黏剂。可使两个物体表面黏合在一起的物质。多为高分子化合物。猪皮胶是天然的黏合剂。人工合成的黏合剂种类很多，如环氧树脂、水玻璃等。广泛用于黏合金属或非金属材料。

niǎn ㄋㄧㄢˇ

涊☒ niǎn 出汗的样子。

捻 niǎn ❶用手指搓转。㊀～麻绳。❷搓成的线条状的东西。㊀纸～儿｜灯～儿。
【捻军起义】太平天国革命时期中国北方的农民起义。捻军旧称捻子，最初分散活动于苏鲁豫皖一带。1853 年豫皖一带的捻军响应太平军北伐，多次打败清军，成为北方一支强大的反清力量。1864 年太平天国天京失陷，捻军推太平天国遵王赖文光为领袖。1866 年分东西两路。赖文光率东捻军转战河南、湖北等地，不断击破清军围追堵截。后被俘就义。西捻军攻入陕西，经晋南，一度进逼北京，威震清廷。斗争坚持到 1868 年。

辇（輦） niǎn 古时帝王等坐的车子。

撵（攆） niǎn ❶驱逐；赶走。㊀～出去。❷追赶。㊀努力～上。

辗（輾） ㊁ niǎn 同"碾"。
㊀ zhǎn（1235 页）。

碾 niǎn ❶把东西轧碎、轧平或使粮食去皮所用的工具。㊀石～。❷滚动碾子等轧。㊀～米｜～药。

蹍□ niǎn 〈方〉踩。㊀这个人啊，走路～不死蚂蚁（指慢性子）。

niàn ㄋㄧㄢˋ

廿 niàn 数目。二十。㊀～四史。

念（❸*唸） niàn ❶想；想念。㊀怀～｜留～。❷内心的想法或计算。㊀私心杂～｜一～之差。❸读。

㊐～书｜～中学。❹数目"廿"的大写。
【念旧】怀念旧人，不忘旧情。
【念头】心里的想法、打算。
【念珠】也叫佛珠、数珠。佛教徒念经时计数的用具。

埝 niàn 挡水的较小的土埂。

niáng ㄋㄧㄤˊ

娘（❶*孃） niáng ❶称母亲。❷对长一辈或年长已婚妇女的尊称。㊐大～。❸年轻妇女。㊐新～。
【娘姨】〈方〉保姆；女佣人。
【娘子军】隋末李渊女儿（即平阳公主）统率的军队。后泛指由女子组成的队伍。也泛指妇女集体。㊐红色～。

niàng ㄋㄧㄤˋ

酿（釀） niàng ❶酿造。㊐～酒。❷蜜蜂做蜜。㊐～蜜。❸酝酿；渐渐形成。❹酒。㊐佳～。
【酿造】利用发酵作用制造（酒、醋、酱油等）。
【酿热物】经微生物作用能发酵生热的有机物。用于填充温床，增高温度，进行育苗。如马粪、麦麸等。

niǎo ㄋㄧㄠˇ

鸟（鳥） ㊀ niǎo 脊椎动物的一纲。体温恒定，卵生，全身有羽毛，前肢变成翅膀，一般会飞，后肢能行走。㊁ diǎo（212页）。
【鸟道】比喻险峻的山路，只有飞鸟可以通行。唐李白《蜀道难》："西当太白有鸟道，可以横绝峨嵋巅。"
【鸟瞰】❶从高处向下看。❷比喻概略的观察。瞰（kàn）。
【鸟兽散】比喻成群的人纷乱地散去（含贬义）。散（sàn）。
【鸟瞰图】根据透视原理从高处某一点俯视地面起伏绘制成的立体图。它比平面图更有真实感。

茑（蔦） niǎo 通称茶藨（biāo）子。落叶小灌木。茎稍带蔓生，叶掌状分裂，花白色微绿，果实为多汁浆果。
【茑萝】一年生草本植物。茎缠绕，叶羽状细裂，花冠红或白色。供观赏。

袅（裊*嫋*嬝*褭） niǎo 柔软细长的样子。㊐～娜。
【袅娜】形容草木柔软细长，也形容女子姿态优美。娜（nuó）。
【袅袅】❶形容烟气缭绕上升。㊐炊烟～。❷细长柔软的东西随风轻轻摆动。㊐垂杨～。❸形容声音婉转悠扬不绝。㊐余音～。

嬝☒（嬝） niǎo 见〔嫋嬝〕（1147页）。

嫐□ niǎo ❶戏弄。❷纠缠。

niào ㄋㄧㄠˋ

尿 ㊀ niào ❶由人或动物肾脏产生，从尿道排泄出来的液体。❷排泄小便。㊁ suī（941页）。
【尿素】❶一种重要的含氮化学肥料。分子式 $CO(NH_2)_2$。白色晶体，能溶于水。植物从这种速效性肥料中吸收含氮养料后，不会在土壤中残留酸性物质，因而是优良的中性肥料。也是制造塑料、医药和炸药等的重要化工原料。加入反刍动物饲料中可代替饲料的蛋白质营养。❷人和某些动物尿中的主要含氮物质。是蛋白质的代谢产物。
【尿道】排除尿液的管道。上通膀胱。男子尿道在阴茎顶端开口，长约20厘米，兼排精；女子尿道与阴道分开，长约3—4厘米，开口于阴道前庭，专排尿。
【尿酸】人类尿中含有的少量的酸。排泄发生障碍时，可在关节中沉淀引起关节痛。

脲 niào 尿素。

溺 ㊁ niào 同"尿（niào）"。㊀ nì（718页）。

niē ㄋㄧㄝ

捏（*揑） niē ❶用拇指和别的手指夹。㊐～住｜～出来。❷用

N

手指把面、泥等软东西弄成一定的形状。㊞～饺子|～泥人儿。❸凭空假造。㊞～造。

【捏造】假造(事实)。

【捏脊】也说捏积。中国一种民间疗法。用手指捏小儿脊肌,用于治疗疳积。

nié ㄋㄧㄝˊ

茶□ nié 〈方〉痴呆;精神不振。㊞～呆呆的|发～。

niè ㄋㄧㄝˋ

乜 ㊀ niè 姓。㊁ miē (685 页)。

枿☒ niè 同"蘖"。

陧 niè 见〔阢陧〕(1047 页)。

涅(*湼) niè ❶可制黑色染料的矾石。❷染黑。

【涅槃】也叫圆寂。佛教用语。指幻想的超脱生死的最高精神境界。后来也称佛逝世为涅槃,一般僧人逝世为圆寂。

【涅而不缁】染也不变黑。《论语·阳货》:"不曰白乎,涅而不缁?"比喻不受恶劣环境的影响。缁(zī):黑。

聂(聶) niè 姓。

【聂耳】(1912—1935)人民音乐家,中国无产阶级革命音乐创作的先驱,中华人民共和国国歌的作曲者。在短暂的一生中创作三十余首革命歌曲。其中最著名的有《义勇军进行曲》《大路歌》《毕业歌》《码头工人歌》《新女性》等。此外还改编了民族器乐曲《金蛇狂舞》等。这些作品热情澎湃,刚健有力,唱出了中国人民反帝、反封建的心声,对抗日救亡运动做出了重大贡献。

【聂荣臻】(1899—1992)中国无产阶级革命家、军事家,中国人民解放军的创建人和领导人之一。四川江津(今属重庆)人。1919 年赴法勤工俭学。1923 年加入中国共产党,曾在莫斯科东方大学学习,回国后参加北伐战争,任黄埔军校教官。1927 年参与领导南昌起义、广州起义。1931 年底到中央革命根据地任红军总政治部副主任。1934 年参加长征。1935 年遵义会议上支持毛泽东正确主张。抗日战争时期,任八路军一一五师副师长、政治委员,领导创建晋察冀抗日根据地。解放战争时期,任华北野战军司令员,参与指挥平津战役。北平解放后曾任北平市市长。新中国成立后,任解放军代总参谋长,国务院副总理兼国防科学技术委员会主任、国防科委主任,中央军委副主席,全国人大常委会副委员长等。1955 年被授予元帅军衔。是中共第八、十一、十二届中央政治局委员。领导中国研制导弹、原子弹、氢弹,业绩卓著。1992 年在北京病逝。

嗫(囁) niè 〔嗫嚅〕想说话而又吞吞吐吐不敢说出来的样子。嚅(rú)。

镊(鑷) niè ❶镊子,夹取细小东西用的器具。❷用镊子夹取。

颞(顳) niè 也叫颞颥(rú)。头部两侧靠近耳朵上方的部位。

【颞骨】人的脑颅组成骨之一。位于脑颅的左右两侧。

蹑(躡) niè ❶踩;插进。㊞～足其间(参加进去)。❷放轻(脚步)。㊞～手～脚。❸追踪。㊞～踪。

臬 niè ❶射箭的靶子。❷测日影的表。❸刑法;法度。

【臬台】明清时按察使的别称。

嵲☒ niè 见〔嵽嵲〕(214 页)。

闑☒(闑) niè 两扇门之间所竖的方形短木。

镍(鎳) niè 金属元素,符号 Ni,原子序数 28。银白色,性坚韧,富延展性,能磁化,在空气中不易氧化。用于电镀、制不锈钢等。也用作加氢催化剂。

【镍镉电池】也叫镍镉蓄电池。蓄电池的一种。可多次充电、放电。它的正极是氢氧化镍,负极是镉,电解液是氢氧化钾水溶液。电动势是 1.2 伏。

鯢☒ niè 〔鯢卼〕摇摇欲坠;不稳定。卼(wù)。

痆☒ niè 疮痛。

啮(嚙*齧*囓) niè 咬(多指鼠、兔等)。㊞虫咬鼠～。

【啮合】上下牙齿咬紧;两件东西接在一起,

像上下牙咬紧那样。

苶☒(籋) niè 竹制的镊子。

敜☒ niè 堵塞。

槷☒ niè ❶木楔。❷同"臬"。❸同"闑"。

嵲☒ niè 见〔巀嵲〕(500页)。

孽(*孼) niè ❶灾祸;邪恶的东西。❷罪恶。㊀罪～。

蘖 niè 树木砍去后又长出来的新芽,泛指植物由茎的基部长出的分枝。㊀萌～。

蘗☒ niè 同"蘖"。

糵 niè 酒曲。

nín ㄋㄧㄣˊ

您 nín 人称代词。你(含尊敬意)。

níng ㄋㄧㄥˊ

宁(寧*寍*甯) ㊀ níng ❶平安;安静。㊀～静。❷使安宁。㊀息事～人。❸宁夏的简称。❹江苏南京的别称。

㊁ nìng (723页)。

【宁波】别称甬。市名。位于浙江省东部,杭州湾以南,萧甬铁路终点。人口68万(1997年)。是中国沿海开放城市,浙江省东部沿海最大的工商业城市和港口。古迹有天一阁、保国寺、阿育王寺、天童寺等。

【宁靖】社会秩序安定。

【宁馨儿】原意是"这么样的孩子"。后变为称赞孩子的话。宁馨:这么样。

【宁夏回族自治区】简称宁。位于黄河上游,北邻内蒙古自治区,东连陕西,南和西邻甘肃。面积6.6万多平方千米,人口538万(1998年)。首府银川市。重要城市还有石嘴山、灵武、吴忠、青铜峡等。

拧(擰) ㊀ níng ❶两手握住物体两端向相反方向扭转。㊀～手巾|～成一股绳。❷用手指捏紧扭动。

㊁ nǐng (723页)。

㊂ nìng (723页)。

苧□(薴) níng ❶见〔荠苧〕(462页)。❷有机化合物。存在于薄荷精内,液状,有柠檬香味,可用作香料。

另音 zhù,见"苎"(1296页)。

咛(嚀) níng 见〔叮咛〕(215页)。

狞(獰) níng 见〔狰狞〕(1254页)。

【狞笑】凶狠地笑。

柠(檸) níng 〔柠檬〕常绿小乔木。果实椭圆形,淡黄色,皮厚而香,果汁极酸,可做饮料或香料。也指这种植物的果实。

聍(聹) níng 见〔耵聍〕(215页)。

鬡☒(鬡) níng 见〔鬇鬡〕(1254页)。

凝 níng ❶由气体变成液体或由液体结成固体。㊀～结|～固。❷注意力集中。㊀～神|～视。

【凝华】物质从气态不经液态而直接转化为固态的过程。如空气中的水蒸气直接凝结于物体表面上成为霜。物质凝华时放出热量。

【凝固】❶物质从液态转变为固态的过程。如水凝固成冰。物质凝固时放出热量。❷固定不变。㊀不要把发展变化着的事物看作僵死的、～的东西。

【凝视】聚精会神地看。

【凝练】(语言、文字)紧凑简练。

【凝思】聚精会神地思考。

【凝神】精神高度集中,不分散。

【凝结】物质从气态转化为液态的过程。如水蒸气遇冷变成水。物质凝结时放出热量。

【凝眸】目不转睛。形容观察或欣赏事物时注意力高度集中。㊀～远望。眸(móu):眼珠。

【凝滞】不灵活。㊀目光～。

【凝固点】晶态物质凝固时的温度,即该物质的液态和固态可以平衡共存的温度。水的凝固点为0℃。

【凝结核】大气中吸湿性强的微粒。是促使大气中水汽凝结并形成降水的必要条件。

【凝聚力】❶内聚力。❷比喻能使成员团结协作的力量。㊀增强企业职工的～。

【凝聚态物质】固体、液体、液晶的分子、原子及离子间具有很强的内聚力,因此固体、液体和液晶统称为凝聚态物质。

nǐng ㄋㄧㄥˇ

拧(擰) ㊀ nǐng ❶把物体控制住并扭动使转(zhuàn)。㊀～螺丝。❷颠倒;错误。㊀他把问题弄～了。

㊁ níng (722 页)。
㊂ nìng (723 页)。

nìng ㄋㄧㄥˋ

宁(寧*甯*甯) ㊁ nìng 副词。1. 宁可;情愿。㊀～死不屈。2. 难道。㊀王侯将相～有种乎?

㊀ níng (722 页)。

【宁可】副词。表示比较两方面的利害得失后所选取的一面,往往跟下文的"也不"或上文的"与其"相呼应。有时也可以不说舍弃的一面,单说选取的一面。㊀～绕远多走几步,也不能踩了庄稼|我们～把困难想得多一点。

【宁愿】副词。宁可。㊀～牺牲个人性命,也不让国家财产受损失。

【宁死不屈】宁可死去,也不屈服。

【宁缺毋滥】宁可缺少些,也不要不顾标准,凑数求多。

【宁为玉碎,不为瓦全】比喻决不屈辱求生。《北齐书·元景安传》:"大丈夫宁可玉碎,不能瓦全。"宁:宁可。

拧(擰) ㊂ nìng 倔强;固执。㊀他脾气真～。

㊀ nǐng (723 页)。
㊁ níng (722 页)。

泞(濘) nìng 见〔泥泞〕(716 页)。

佞 nìng ❶才智。㊀不～。❷用花言巧语吹捧;拍马。㊀奸～|～臣。

niū ㄋㄧㄡ

妞 niū 女孩子。

niú ㄋㄧㄡˊ

牛 niú ❶哺乳动物。草食,反刍。家牛有黄牛、水牛和牦牛等。黄牛一般作役用和肉用;水牛是水田耕作的重要役畜;牦牛可作高山峻岭间的驮运役畜。中国黄牛有秦川牛、南阳牛、鲁西黄牛、延边黄牛等;水牛有温州水牛、滨湖水牛等良种。云南产的一种野牛是中国国家重点保护动物。❷比喻固执、倔强,也比喻威风、神气。㊀～脾气|～哄哄|他的样子可真～。❸星名。二十八宿之一。❹牛顿的简称。

【牛市】股票价格看涨,发展前景看好的股市动态。

【牛郎】❶星名。见〔牛郎星〕(724 页)。❷中国神话人物。参见〔织女〕②(1260 页)。

【牛顿】❶伊萨克·牛顿(1642—1727)英国物理学家、天文学家和数学家。主要贡献是总结出成为经典力学基础的牛顿运动定律和万有引力定律。在天文学方面,初步考察了行星运动规律;在数学方面,建立了微积分学的基础;在光学方面,发现了白光是由不同颜色的光构成的;在热学方面,确定了冷却定律。著有《自然哲学的数学原理》一书。❷简称牛。力的单位。为纪念牛顿而命名。使 1 千克质量的物体获得 1 米/秒^{2}的加速度所需的力为 1 牛。

【牛排】西式菜肴。用精牛肉切成大厚片煎炸而成。有时也指为做这种菜肴而切好的厚牛肉片。

【牛黄】珍贵中药。是牛的胆囊结石,现可人工合成。有强心、解热等作用。

【牛棚】❶牛舍。❷"文化大革命"中"造反派"关押审查批斗对象(所谓"牛鬼蛇神")的地方。

【牛蛙】也叫喧蛙、食用蛙。两栖动物。体长约 18—20 厘米。体色多变化。生活于池沼、水田等处。原产于北美洲。因其鸣声洪亮,远闻似牛叫声,故名。可饲养,供食用。

【牛痘】牛的一种急性传染病。病原体和症状与天花极相近。参见〔天花〕(970 页)。

【牛蒡】二年生草本植物。叶肥大,像猪耳朵,花紫红色。种子叫牛蒡子或大力子,有疏风、透疹、利咽、消肿等作用。

【牛腩】〈方〉牛肚子上和近肋骨处的肌肉。也指用这种肉做成的菜肴。腩(nǎn)。

【牛膝】也叫对节草。多年生草本植物。茎直立,节膨大如牛的膝,穗状花序,花小,绿色。根圆柱形,入药有补肝肾、强腰膝、散瘀血、消肿止痛等作用。
【牛皮市】股票价格波动不大,成交量萎缩的股市动态。
【牛皮癣】银屑病的俗称。
【牛轭湖】也叫弓形湖。河道的部分曲流因河水改道被舍弃、淤塞而成的湖泊。形状像牛轭(牛驾车时套在脖子上的曲木)。湖北省荆江两岸多这样的湖泊。
【牛郎星】也叫牵牛星。天鹰座中最亮的一颗星。隔银河与天琴座的织女星相对。夏秋夜间容易看到。
【牛痘苗】也叫天花疫苗。预防天花的一种疫苗。用减毒的天花病毒给小牛接种,取含有病毒的痘疱制成活疫苗。人接种后免疫力至少可维持五年,以后可再次接种。
【牛鼻子】❶戏称道士。因道士结髻高起如牛鼻,故名。❷比喻事物的关键或要害。
【牛刀小试】比喻有很大的才能,先在小事情上施展一下。
【牛鬼蛇神】唐杜牧《李贺集序》:“鲸呿鳌掷,牛鬼蛇神不足为其虚荒诞幻也。”原比喻李贺的诗虚幻怪诞。后用来比喻形形色色的坏人。牛鬼:佛教指地狱中的牛头鬼。蛇神:指蛇精。
【牛津大学】英国历史最悠久的大学之一。1168年创立于牛津。由三十多所学院和若干研究生院组成。
【牛溲马勃】比喻运用得宜,无用之物可以变为有用。唐韩愈《进学解》:“牛溲马勃,败鼓之皮,俱收并蓄,待用无遗者,医师之良也。”牛溲:牛尿(一说车前子)。马勃:马屁勃,一种菌类。
【牛顿运动定律】经典力学的基本定律。第一定律:一物体若不受外力,则它保持原有的运动状态不变。第二定律:物体的加速度跟作用力成正比,跟物体的质量成反比,加速度的方向跟作用力的方向相同。第三定律:物体甲若对物体乙施以力,则同时物体乙对甲也有反作用力,二力大小相等,方向相反,并作用在同一直线上。

niǔ ㄋㄧㄡˇ

扭 niǔ ❶掉转。㊈~头。❷拧(nǐng);拧伤。㊈~开|~了腰。❸揪住不放。㊈~打。❹身体摆动。㊈~捏|~秧歌。
【扭亏】扭转亏损局面。㊈~增盈。
【扭转】❶掉转。㊈~身子。❷改变或纠正事物的发展方向、局面或目前的状况。
【扭角羚】即“羚牛”(623页)。
【扭扭捏捏】❶走路时身体摇摆作态的样子。❷言谈举止不大方的样子。

狃 niǔ 拘泥,因袭;习惯了不愿改变。㊈要勇于创新,不要~于习俗。

忸 niǔ〔忸怩〕形容不大方或不好意思的样子。

纽(紐) niǔ ❶器物上可以提起系挂的部分。㊈秤~。❷衣服扣。㊈~扣。❸联结。㊈~带|枢~。❹声母的别称。
【纽约】美国城市。位于美国东北海岸。人口732万(1990年)。是美国第一大城市和最大海港,全国交通枢纽,美国及世界的重要国际贸易港和世界最大国际金融中心。联合国总部设此。
【纽带】指起联系作用的人或事物。

杻 ㊁ niǔ 古书上说的一种树。
㊀ chǒu (134页)。

钮(鈕) niǔ ❶同“纽”②。❷器物上用手操作、转动的部分。㊈电~|旋~。❸印章上端的雕饰物。㊈虎~。

niù ㄋㄧㄡˋ

拗(*抝) ㊂ niù 固执;不顺从。㊈执~|脾气很~。
㊀ ǎo (13页)。
㊁ ào (13页)。

nóng ㄋㄨㄥˊ

农(農*辳) nóng ❶农民。㊈工~联盟。❷农业。㊈务~。❸种庄稼的。㊈~时|~具。
【农艺】指农作物的栽培、选种等技术。
【农历】也叫旧历。相传起于夏朝,故又名夏历。既重视月亮的圆缺变化,又照顾一年中的四季寒暑。根据太阳在黄道的位置,把一个回归年分成二十四个节气,以便于农事。是阴阳历的一种,过去误称阴历。平年12个月,全年354或355天,比回归年约少 11 天,所以经过 5 年就要增加两个闰月(3 年一闰,5 年再闰)。闰年 13 个月,全年 384 或 385 天。缺点是平年和闰年日数相差比较大。

【农书】书名。元代王祯撰。原书三十七卷(现缺一卷)。论述了各种农业生产技术和农作物、瓜果菜蔬的种植方法,并绘制了各种农具和农业机械图三百零六幅,说明其构造、演变和用法。书末附《造活字印书法》,是系统叙述活字版印刷术的文献。

【农业】以土、水为基本生产资料,以太阳能为基本能源,以植物、动物和微生物等生物为生产对象,通过劳动,生产所需物质的生产事业。狭义上仅指种植业,且主要指粮食生产。广义上包括农业(种植业)、林业(造林营林)、牧业(养殖业)、渔业(水产养殖)、副业(农民附带从事的加工业)等。

【农民】在农村长期从事农业生产的劳动者。

【农奴】封建社会中隶属于农奴主的农业生产者。占有少量劳动工具,没有人身自由,可以连同土地被农奴主买卖、抵押或转让。

【农村】也叫乡村。以从事农业生产为主的农业人口居住地区。较好地保留了大自然原有的景观,具有特定的社会经济条件。其特点是:(1)人口较稀少,居民点分散在农业生产环境中,形成田园风光;(2)家族聚居现象较明显;(3)工、商、金融、文教、卫生事业发展水平较低。与"城市"相对。

【农时】耕种或收获农作物的最有利的时间。㊎不误~。

【农药】农业上用来杀虫、杀菌、除草、毒杀害鸟害兽以及调节农作物生长发育的药物。可分为生物源农药(高等生物源农药、微生物源农药)和化学合成农药(无机农药、有机农药)。使用时应防止农药残留危害人体健康并造成农药污染。

【农谚】农民从长期生产实践中总结出来的关于农业生产经验的谚语。如:种地不上粪,等于瞎胡混;白露早,寒露迟,秋分种麦正当时。

【农膜】农用塑料薄膜的简称。用于覆盖种有作物的地面或温室顶棚的塑料薄膜。有增温、保温、防虫、抑草等功效,可达到增产、节水、保肥、省工、抢季节等目的。

【农业国】农业在国民经济中占主要地位、农业总产值在工农业总产值中占主要部分的国家。

【农业税】国家对从事农业生产、有农业收入的单位或个人征收的税。中国的农业税,通称公粮。

【农业工程】改善农业生产手段、生态环境和农村生活设施的各种工程技术及其管理的总称。包括土地开发利用、农业机械化、农业生物环境工程与农业建筑、农产品加工、农村能源及农业遥感、航空航天等工程。

【农业区划】根据自然、社会、经济、技术等条件而对农业生产地域的类型和等级的综合划分。可为各地区明确农业发展方向,充分利用自然条件和自然资源,因地制宜发展农业生产提供科学依据。

【农业保险】保险人对从事农业生产的单位或个人,在进行种植或养殖过程中遭到自然灾害或意外事故所造成的损失,负责经济赔偿的保险。

【农田水利】直接为发展农业生产服务的水利事业。主要包括农田灌溉、排水、水土保持、洗盐改土等水利工程和技术措施。

【农村公社】也叫村社。原始社会末期氏族制度瓦解时形成的社会组织。由若干个在一定地域内的独立的父权家庭组成。土地为农村公社所有,定期分给各家耕种。习惯上土地多世袭使用,后渐成私有。牲畜、农具、住宅等为家庭私有。因各民族历史发展的不同,表现出不同的特点。在有的地区、有的民族,这种组织形式存在很长时间。

【农政全书】书名。明徐光启撰。共分十二门六十卷,其中水利和荒政占篇幅较多。对于动植物属性研究、果树嫁接技术都有创见,对于新驯化的动物、新引进的作物作了详细介绍。是研究中国农学史的宝贵文献。

【农药中毒】因误食或接触、吸入农业杀虫、杀菌、除草、生长促进等药剂引起的中毒。常见的药剂有有机磷、有机氯、砷化物、敌敌畏等。以有机磷杀虫剂中毒最为常见。主要症状是头昏、恶心、呕吐等,严重的可出现昏迷、肺水肿、循环衰竭,应以阿托品、解磷定等急救。

【农药污染】农药及其降解产物污染大气、水体和土壤,对人类和生态系统造成不良影响或危害的现象。包括农药施用中使非目标生物受害,引起生态平衡失调;农药残留在机体内蓄积,危害健康。

【农药残留】指农药施用后，分布在农作物上和农田表层，并转移到大气和水中，一定时间内仍残存于环境和生物体中的现象。也特指农药直接或间接残存于农副产品中的现象。残留农药经食物链传递和富集，最终危害人类。

【农业合作化】也叫农业集体化。指通过各种互助合作的形式，把小农经济改造成为社会主义性质的集体经济。

【农工商一体化】在专业化基础上，把某种农产品生产及其产前产后的有关工商活动有机地联成统一经营的经济组织形式。

【农业八字宪法】1958年毛泽东根据群众实践经验和科学研究成果而制定的农业增产的八项措施。其内容是：土（深耕、改良土壤、土壤普查和土地规划）、肥（合理施肥）、水（发展水利和合理用水）、种（推广良种）、密（合理密植）、保（植物保护、防治病虫害）、管（田间管理）、工（工具改革）。

【农田基本建设】改变农田面貌的建设事业。即在土地规划的基础上，因地制宜地搞好平整土地、兴修水利、建造防护林、改良土壤、修筑梯田等。

【农业生产互助组】中国农民按照自愿、互利原则建立的劳动互助组织。分临时互助组和常年互助组两种。参见〔农业社会主义改造〕（726页）。

【农业生产合作社】20世纪50年代中国农业合作化运动中以互助组为基础建立起来的合作经济组织。早期为初级农业生产合作社，1955年后发展为高级农业生产合作社，1958年后发展为农村人民公社。

【农业社会主义改造】通过合作化道路，把分散的小农经济逐步改造成为社会主义集体经济。中国土地改革完成后，为适应社会主义工业化的发展需要，首先组织农业生产互助组，接着建立以土地入股和统一经营为特点的初级农业生产合作社，然后在此基础上建立高级农业生产合作社。1958年高级农业生产合作社进一步发展为农村人民公社。

侬（儂） nóng ❶〈方〉你。❷我（多见于旧诗文）。

哝（噥） nóng 〔哝哝〕小声说话。

浓（濃） nóng ❶含某种成分多；稠密。与“淡”相对。例～茶｜～云。❷程度深。例～郁｜睡意正～。

【浓郁】浓厚，浓重；茂密。

【浓厚】❶（气氛、色彩、意识等）深、重。例学术空气～｜色彩～｜感情～。❷稠密。例烟雾～。❸（兴趣）大。例打乒乓球的兴趣～。

【浓度】即“物质的量浓度”（1048页）。

【浓密】稠密（多指枝叶、烟雾、须发等）。

【浓缩】❶用加热等方法使溶液的溶剂减少，浓度增高的一种操作。❷泛指用一定的方法使物体中不需要的部分减少，从而使需要部分的相对含量增加。

【浓缩铀】用同位素分离法处理过的一种铀。其中同位素铀-235的相对含量高于它在天然铀中的相对含量。是一种优质的核燃料，广泛用于原子核反应堆和核武器中。

脓（膿） nóng 机体组织由于细菌等侵入，发炎后坏死分解而成的汁液。是死亡的白细胞、细菌及脂肪等的混合物。

秾（穠） nóng 花木繁茂。

袯☒（襛） nóng 形容衣服多、厚。引申为丰富多彩。

醲☒（醲） nóng 醇酒。

nòng ㄋㄨㄥˋ

弄（*挵） ㊀ nòng ❶玩耍；戏耍。例玩～｜戏～。❷做；搞。例～饭｜～清楚。

㊁ lòng（635页）。

【弄瓦】指生了女孩。瓦：原始的纺锤。古人重男轻女，把瓦给女孩子玩。

【弄险】轻易冒险。

【弄璋】指生了男孩。璋：玉器。古人重男轻女，把璋给男孩子玩。

【弄巧成拙】本想卖弄聪明，结果做了蠢事。宋黄庭坚《拙轩颂》：“弄巧成拙，画蛇添足。”巧：聪明。拙：笨。

【弄虚作假】搞虚假，欺骗别人。

【弄假成真】本想假做，竟成真事。

nóu ㄋㄡˊ

谾☒（譨） nóu 〔谾谾〕话多。

nòu ㄋㄡˋ

耨 nòu ❶一种用来锄草的农具。❷锄草。

nú ㄋㄨˊ

奴 nú 受剥削、压迫和役使而没有人身自由的人。㊟～隶|农～|～仆。

【奴才】❶明、清两代宦官和清代旗籍官吏对皇帝的自称。明清也称家奴为奴才。❷指甘心受人驱使,并帮助作恶的走狗、爪牙。

【奴化】侵略者及其帮凶用各种手段使被侵略民族甘心受奴役。

【奴役】像对待奴隶一样地役使。

【奴隶】为奴隶主劳动而没有人身自由的人。常被奴隶主任意买卖或杀害。也喻指深受残酷压迫和剥削的人。

【奴家】青年女子的自称(多见于早期白话)。

【奴隶主】占有生产资料和奴隶,用最残酷的手段剥削和压迫奴隶的人。

【奴隶社会】也叫奴隶占有制社会。阶级社会的第一种形态。随着生产力的发展和私有制的出现而产生。在奴隶社会,奴隶主占有生产资料和生产者(奴隶),掌握着国家机器,极其残酷地剥削和压迫奴隶和贫民。奴隶承担着生产物质资料的重负,被当作会说话的工具,可以由奴隶主任意买卖和杀戮。随着奴隶社会阶级斗争的激化和封建制因素的增长,奴隶社会逐渐瓦解。

【奴颜婢膝】形容卑鄙无耻地拍马讨好的奴才相。唐陆龟蒙《江湖散人歌》:"奴颜婢膝真乞丐,反以正直为狂痴。"婢(bì)。

【奴颜媚骨】形容卑躬屈膝、谄媚讨好的样子。媚:谄媚。

【奴隶主所有制】奴隶主占有生产资料和直接占有生产者(奴隶)的一种私有制形式。

孥 nú 指儿女。也指妻和子女。

驽(駑) nú 劣马;跑不快的马。

【驽骀】驽、骀都是劣马。比喻低下的才能。骀(tái)。

【驽钝】(才智、能力)平庸低下。

nǔ ㄋㄨˇ

努 nǔ ❶竭力使出。㊟～力。❷突出。㊟～目|～嘴。❸〈方〉由于用力过度而身体受内伤。❹书法用语。指汉字笔画的竖。参见〔永字八法〕(1189页)。

【努尔哈赤】(1559—1626)即清太祖。后金建立者。姓爱新觉罗,满族。通汉、蒙文字。在发展生产,制定满文,统一满族各部等方面起了重要作用。清朝建立后,被追尊为太祖。

抝⊠ nǔ 同"努"②。

弩 nǔ 一种利用机械力量射箭的弓。㊟～弓。

砮 nǔ 石制的箭镞。

胬 nǔ 〔胬肉〕俗称攀筋。因眼球结膜增生,长到角膜上形成的肉状物。严重时影响视力。

nù ㄋㄨˋ

怒 nù ❶生气;气愤。㊟发～|恼～。❷盛大。㊟～潮|狂风～号|山花～放。

【怒火】形容极大的愤怒。㊟压不住心头的～。

【怒号】大声地号叫。多指风声、水声,也指野兽的叫声。㊟狂风～。号(háo)。

【怒江】中国西南地区大河之一。发源于西藏自治区唐古拉山,向南流经云南省,入缅甸后称萨尔温江,注入印度洋。全长约3 200千米,中国境内长1 958千米。谷深流急,水能资源丰富。

【怒吼】猛兽发威吼叫。比喻大风、急流发出巨大声响。也比喻受压迫者起来斗争的巨大声势。㊟海水～。

【怒放】盛开。㊟鲜花～。

【怒涛】汹涌澎湃的波涛。

【怒容】愤怒的表情。㊟面带～。

【怒族】中国少数民族之一。人口2.7万(1990年)。主要分布在云南省怒江傈僳族自治州。有本民族语言,多通傈僳语。建立有贡山独龙族怒族自治县。

【怒潮】❶也叫暴涨潮。多发生于喇叭状河口或海湾。当潮波逆流而上的时候引起水位迅速上升。中国以钱塘江口最有名。❷比喻声势浩大的反抗运动。

【怒不可遏】愤怒得难以抑制。

【怒发冲冠】愤怒得头发直竖，把帽子都顶起来了。形容愤怒到了极点。《史记·廉颇蔺相如列传》："相如因持璧却立倚柱，怒发上冲冠。"

傉☒ nù 用于人名，如秃发傉檀（东晋时南凉国君）。

nǚ ㄋㄩˇ

女 nǚ ❶女性。与"男"相对。㊞～足|男～平等。❷女儿。㊞子～。❸古又同"汝(rǔ)"。你。❹星名。二十八宿之一。

【女士】对妇女的尊称。

【女工】❶女工人。❷见〔女红〕(728页)。

【女史】本为古代女官的名称。旧时借用称有知识的妇女。

【女优】戏曲女演员的旧称。

【女红】旧指纺织、缝纫、刺绣一类的工作及其制成品。古时这类工作大都是妇女所作，故名。红(gōng)：同"工"。

【女真】也叫女直。古族名。源于靺鞨。在今松花江和黑龙江中、下游一带，主要从事渔猎。北宋末统一各部，建立金政权(1115—1234)。一部分南迁中原，渐与汉族同化。留居东北的，成为满族的主要组成部分。

【女娲】中国神话人物。传说她是人类的始祖，曾炼五色石补天，折断鳌足支撑天的四极，治理洪水，杀死猛兽，使人民得以安居。是古代神话中征服自然的女神形象。见《太平御览》和《淮南子》。娲(wā)。

【女墙】城墙或屋顶上围合的短墙。

【女招待】旧称饮食店、娱乐场所中招待顾客的女服务员。

【女高音】最高的女声。一般音域为 $c—a^2$。

钕（釹） nǚ 金属元素，符号Nd，原子序数60。是稀土元素之一。微黄色，多用来制造合金。

敉☒ nǚ 见〔粔敉〕(532页)。

nù ㄋㄩˋ

恧 nù 惭愧。

衄（*衂 *䶊） nù ❶鼻孔出血。也泛指五官和肌肤等出血。㊞鼻～|齿～。❷损伤；挫败。

朒☒ nù ❶农历月初月亮出现在东方。❷算术上的不足数。

nuǎn ㄋㄨㄢˇ

馁☒（餪） nuǎn 〔馁女〕旧时女儿嫁后三日，母亲馈送食物。

暖（*煖 *暝 *煗） nuǎn ❶暖和；不冷。㊞风和日～。❷使变温暖。㊞～～手脚。

【暖气】❶由锅炉房供应的取暖用的热水或蒸汽。它通过管道流经各个室内的散热器（俗称暖气片）时，散出热量，使室温增高以供取暖，然后又流回锅炉重新被加热，不断循环。❷取暖用的设备。

【暖色】给人以温暖、热烈感觉的色彩。如红、橙、黄等。

【暖房】即"温室"(1027页)。

【暖流】❶水温高于流经海域的洋流。通常自低纬度流向高纬度，对气候有一定增温和湿润作用。如台湾暖流、墨西哥湾暖流。❷比喻心里温暖的感觉。

【暖锋】冷、暖空气相遇，暖空气势力较强，沿冷空气斜面上升，它们之间的交界面称为暖锋。暖锋经过时，常有大范围的连续性的降雨或降雪。

nüè ㄋㄩㄝˋ

疟（瘧） ㊀ nüè 疟疾，由疟原虫引起的传染病。流行于热带、亚热带地区。通过蚊子叮咬传染。症状为阵发性交替出现发冷和高热、出汗。长期多次发作会出现脾肿大、贫血等病状。
㊁ yào (1147页)。

【疟原虫】原生动物。单细胞，寄生在人和脊椎动物的细胞内。有的疟原虫是人类疟疾的病原体，由蚊子传播。

虐 nüè 残暴。㊞暴～|～待。

【虐杀】指用残酷的手段杀害人。也指虐待人而致死。

【虐政】苦害人民的暴政。

【虐待】凶狠残暴地对待人。

【虐待罪】行为人对共同生活的家庭成员，经常以打骂、冻饿、禁闭、强迫过度劳动、有病不给治疗或其他方法进行摧残、折磨，情节恶劣的犯罪行为。

nún ㄋㄨㄣˊ

黁[⊠] nún 香气。

nuó ㄋㄨㄛˊ

挪 nuó 移动。㊀～动｜～用。㊟“挼”“捼”二字过去在“揉搓”的意义上与“挪”相通，并有 nuó、ruó 二读，故《第一批异体字整理表》将“挼”“捼”处理为“挪”的异体字。但今“揉搓”义一般不再使用“挪”字，一般字、词典在“挪”字下只注 nuó 音，并不注“揉搓”义；而“挼”“捼”并无“挪动”义，且 1985 年《普通话异读词审音表》又审定“挼”统读 ruó，故不将“挼”“捼”作为“挪”的异体字。

【挪用】❶把某种款项移作他用。❷私自用（公家的钱）。㊀不得～公款。

娜 ㊀ nuó 见〔婀娜〕(240 页)。
㊁ nà (705 页)。

傩（儺） nuó 古代在腊月举行的一种驱疫逐鬼的仪式，是原始巫舞之一。后演变为一种舞蹈形式。

nuò ㄋㄨㄛˋ

㤰[⊠]（懧） ㊀ nuò 同“懦”。
㊁ zhù (1297 页)。

诺（諾） nuò ❶应允。㊀允～｜～言。❷答应的声音。表示同意。㊀～～连声。

【诺尔】蒙语音译词。也译作淖（nào）尔。湖泊。现多用于湖名，如扎赉（lài）诺尔（在内蒙古）、什里诺尔（在青海）。

【诺言】答应过别人的话。

【诺亚方舟】据《圣经》记载，上帝用洪水毁灭了整个生物界，只留下诺亚一家，一切动物也只各留了一对。由于他们全部进入了诺亚制造的方形大船而得救，从而在洪水后繁衍为今天的整个世界。今多将“诺亚方舟”比喻为最后仅有的能保证安全生活的小空间。

【诺贝尔奖金】以瑞典化学家和发明家诺贝尔（1833—1896）的遗产设立的奖金。分设物理、化学、生理或医学、文学、和平事业五种奖金。1901 年开始颁发，一般每年一次。从 1968 年起又增设经济学奖金。

【诺曼底登陆】1944 年 6—7 月，美、英军队在法国西北部诺曼底地区对德军发起的登陆战役。该战役的胜利使同盟国在欧洲开辟了第二战场，从此德军在欧洲大陆陷入苏军和美、英军队的东西夹击之中。

搦[⊠] nuò ❶握。❷揉；捏。

喏 ㊀ nuò 叹词。可以读成不同声调以表示不同的感情和态度。㊀～，这不就是问题的实质么？
㊁ rě (818 页)。

锘（鍩） nuò 人造金属元素，符号 No，原子序数 102。有放射性，由人工核反应获得。

愞[⊠] nuò 同“懦”。

搦 nuò ❶握；拿；捏。㊀～管（拿笔）。❷挑动；引动。㊀～战（挑战）。

懦 nuò 胆小；软弱。㊀怯～｜～夫。

【懦夫】软弱无能的人。

【懦怯】胆小怕事。

【懦弱】胆小而软弱。

糯（*稬*穤） nuò 糯稻，一年生草本植物。稻的一种。米称糯米，也叫江米，有黏性，可以酿酒或做糕点等食品。

O ㄛ

ō ㄛ

哦 ㊀ō 叹词。可以读成不同声调以表示疑问、惊奇、领会等。
㊁é(241页)。

噢 ō 叹词。表示了解。[例]～，原来是这么回事儿！

ōu ㄡ

区(區) ㊁ōu 姓。
㊀qū(805页)。

讴(謳) ōu 歌唱。[例]～歌。

【讴歌】歌颂。

沤(漚) ㊁ōu 水泡。[例]浮～。
㊀òu(731页)。

瓯(甌) ōu ❶小盆。❷杯子。[例]茶～。❸浙江温州的别称。

欧(歐) ōu ❶欧罗巴洲的简称。❷欧姆的简称。

【欧元】欧洲经济和货币联盟于1995年12月15日马德里会议上确定的欧洲统一货币。

【欧文】罗伯特·欧文(1771—1858)英国空想社会主义者。在任纺织厂经理时，曾实行一些改善劳动条件和提高工人福利的改良，以后又提出废除私有制的主张。但反对阶级斗争和暴力革命，幻想和平地改造资本主义社会。1824年到美国进行建立新协和村的试验，1832年又创办了借助于劳动券交换劳动产品的公平“交换市场”。所有这类试验在资本主义的冲击下都不可避免地失败了。著有《新社会观》等。

【欧体】唐代欧阳询所写的一种书法体式。用笔刚劲，结构严整，劲险刻厉，于平正中见险绝，自成一家。流传作品有碑刻正书《九成宫醴泉铭》《虞恭公温彦博碑》《皇甫诞碑》等，行书墨迹有《张翰》《卜商》《梦奠》等帖。

【欧姆】❶乔治·欧姆(1787—1854)德国物理学家。主要贡献是发现了关于电流强度跟电压和电阻间关系的欧姆定律。❷简称欧。电阻单位。为纪念欧姆而命名。如果一段导体两端的电压是1伏，通过的电流是1安，这段导体的电阻就是1欧。

【欧洲】全称欧罗巴洲。位于东半球西北部，东以乌拉尔山脉、乌拉尔河、里海、大高加索山脉、土耳其海峡与亚洲分界，南隔地中海与非洲相望，西临大西洋，北临北冰洋。大部分处于北温带，气候比较温和。面积1 016万平方千米，人口7.29亿(1999年，包括俄罗斯全部人口)。是世界人口密度最大、海岸线最曲折、平均海拔最低的洲。

【欧盟】欧洲联盟的简称。

【欧共体】欧洲共同体的简称。

【欧阳询】(557—641)唐代书法家。字信本，潭州临湘(今湖南长沙)人。书学二王(羲之、献之)，自成风格，人称“欧体”，对后世影响很大。与虞世南、褚遂良、薛稷并称为唐初四大书家。代表作有碑刻正书《九成宫醴泉铭》《化度寺碑》等。

【欧阳修】(1007—1072)北宋文学家、史学家。字永叔，号醉翁，晚年又号六一居士，吉州吉水(今属江西)人。历任翰林院侍读学士、枢密副使、参知政事等职。早期支持范仲淹为首的改革派同保守派斗争，晚年反对王安石变法，政治上趋向保守。他在推动北宋诗文革新运动方面，起了重要的作用。是唐宋八大家之一。曾与宋祁合修《新唐书》并独撰《新五代史》。有《欧阳文忠公文集》。

【欧·亨利】(1862—1910)美国小说家。一生创作短篇小说三百多篇。作品善于捕捉生活中令人啼笑皆非而富有哲理的戏剧性场景，用漫画般的笔触勾勒人物的特点，构思精巧，结尾常出人意料而又合情合理。

代表作有《麦琪的礼物》《警察与赞美诗》《没有完的故事》和长篇小说《白菜与皇帝》。

【欧佩克】即"石油输出国组织"(892 页)。

【欧几里得】(约前 330—前 275)古希腊数学家。在总结前人生产经验和研究成果的基础上,著成《几何原本》十三卷,是世界上最早用公理方法叙述的数学著作。

【欧姆定律】德国物理学家欧姆发现的电学基本定律之一。在稳恒电流通过的电路中,电流强度和电压(或电动势)成正比,和电阻成反比。

【欧洲债券】发行人在面值货币的发行国以外的第三国市场发行的债券。

【欧洲联盟】简称欧盟。在欧洲共同体基础上发展而成的组织。1993 年 11 月 1 日正式成立。总部设在比利时布鲁塞尔。至 1996 年底成员国达 15 个。宗旨是通过建立无内部边界的空间,加强经济、社会的协调发展和建立最终实行统一货币的经济货币联盟,并通过实行最终包括共同防务政策的共同外交和安全政策,在国际舞台上弘扬联盟的个性。

【欧洲共同体】❶简称欧共体。欧洲经济共同体、欧洲煤钢共同体、欧洲原子能共同体的总称。总部设在比利时布鲁塞尔。❷指欧洲经济共同体。

【欧洲中央银行】负责欧元区货币政策的制定,并指导各成员国中央银行实施这些政策的金融机构。其前身是欧洲货币局。成立于 1998 年 7 月 1 日,总部设在德国法兰克福,主要机构包括行长理事会和执行委员会。

【欧洲经济共同体】欧洲若干发达市场经济国家组成的区域性经济一体化组织。于 1958 年 1 月 1 日在原欧洲煤钢联盟的基础上建立。最初是由西欧六国(法国、联邦德国、意大利、荷兰、比利时、卢森堡)为加强政治、经济联合而成立的共同市场。总部设在比利时布鲁塞尔。1993 年欧洲联盟成立后,欧洲经济共同体改名为欧洲共同体。

殴(毆) ōu 打(人)。例～伤|斗～。

鸥(鷗) ōu 鸟类。翅尖长,善飞,能游泳,体羽多灰、白色。中国常见的有海鸥、银鸥、燕鸥等。

ǒu ㄡˇ

呕(嘔) ǒu 吐(tù)。例～吐|作～。

【呕心沥血】比喻费尽心血。多用来形容工作、事业、文艺创作等方面用心的艰苦。

偶 ǒu ❶雕塑的人像。例～像|木～。❷双数;成对。与"奇(jī)"相对。例～数|无独有～。❸夫妻中的一方。例佳～|择～。❹副词。偶尔。例～遇。

【偶尔】副词。有时候。例建筑工程队～也搞维修。

【偶合】无意中恰巧相合。

【偶然】不经常,不是必然的。例～来一次。

【偶像】原指宗教或迷信的人敬奉的用泥、木头雕塑出来的神像,后泛指盲目崇拜的对象。

【偶数】能被 2 整除的整数。如 0、+ 2、－2、+ 4、－4 等。正偶数也叫双数。

【偶然性】哲学范畴。指由事物外部的、非本质的相互交错的因素所决定的不稳定的联系和多种可能的发展趋势。与"必然性"相对。偶然性中隐藏着必然性,是必然性的补充和表现形式。

耦 ǒu ❶古指两人并肩而耕。❷同"偶"②。

【耦犁】汉代使用的一种新式农具。西汉时期铁犁已广泛使用。汉武帝时搜粟都尉赵过发明了耦犁,可以用二牛三人一组耕地,大大提高了耕田的效率。

藕 ǒu 莲的根状茎。肥大有节,内有管状小孔,可食。也可加工制成藕粉。

【藕合】同"藕荷"(731 页)。

【藕荷】也作藕合。浅紫而微红的颜色。

【藕粉】用藕做成的粉。吃时加糖用开水冲调。

【藕断丝连】藕被折断时还有许多丝连着不断。比喻相互间没有彻底断绝关系。唐孟郊《去妇》诗:"妾心藕中丝,虽断犹连牵。"

òu ㄡˋ

沤(漚) ㊀ òu 长时间地浸泡。例～麻|～粪。
㊁ ōu(730 页)。

怄(慪) òu 故意惹人发怒或逗弄人笑。例你别～人了。

P 夂

pā ㄆㄚ

矴⊠ pā 石破的声音。

趴 pā ❶身子向前卧下。例～下。❷身体向前靠在物体上。例～在桌上写字。

啪 pā 拟声词。拍掌、放枪等声音。

葩 pā 花。例奇～。

pá ㄆㄚˊ

扒 ㊀ pá ❶用手或耙子使东西聚拢或散开。例～草|～土。❷用手搔、抓。例～痒。❸一种烹饪方法。先将原料(整块或整只的鸡鸭等)煮至半熟,再放到油锅里炸,最后用文火煮酥。❹窃取别人身上的财物。例～窃|～手。

㊀ bā (18页)。

【扒手】也作掱手。从别人身上偷窃财物的小偷。

【扒犁】同"爬犁"(732页)。

杷 pá 见〔枇杷〕(748页)。

爬 pá ❶爬行。❷攀登。例～山。

【爬虫】泛称爬行动物。

【爬泳】俗称自由泳。游泳姿势之一。身体俯卧水中,两臂轮换划水,同时两腿交替打水。速度快。因动作像爬行,故名。

【爬犁】〈方〉也作扒犁。一种类似雪橇、能在冰雪上滑行的运载工具。

【爬山虎】也叫巴山虎、地锦。落叶藤本植物。卷须先端有吸盘。叶卵形互生,有时二或三裂。常攀缘在墙壁或岩石上。可供观赏。茎、根供药用。

【爬行动物】脊椎动物的一纲。由古代两栖动物进化而来。身上有鳞或甲,用肺呼吸,体温不恒定。卵生或卵胎生,在陆上繁殖。如蛇、蜥蜴、龟、鳖等。

钯(鈀) ㊁ pá 同"耙(pá)"。
㊀ bǎ (22页)。

耙 ㊁ pá ❶耙子,一种用来平土或聚拢谷物、柴草的农具。例钉～。❷用耙子平土或聚拢谷物、柴草等。

㊀ bà (22页)。

琶 pá 见〔琵琶〕(748页)。

潖□ pá 〔潖江口〕地名。在广东。

筢 pá 筢子,搂柴草的竹制工具。

掱□ pá 〔掱手〕同"扒手"(732页)。

pà ㄆㄚˋ

帊⊠ pà ❶双幅的帛。❷同"帕"①②。

帕 pà ❶手绢儿。例手～。❷包头的绸、布。例头～。❸帕斯卡的简称。

【帕斯卡】❶布莱斯·帕斯卡(1623—1662)法国物理学家。主要贡献是发现了静止液体传递压强的规律,证实了大气压力的存在和大气压强随高度的增加而减小的现象。❷简称帕。压强单位。为纪念帕斯卡而命名。物体每平方米的面积上受到的压力为1牛时,压强就是1帕。

【帕氏指数】在进行加权指数计算时,以比较期数据为权数计算出的指数。

【帕拉第奥】(1508—1580)意大利建筑理论家、建筑师。注重理论和设计实践,透彻地研究了古罗马建筑,改进完善了木桁架结构方式,解决了剧院建筑大空间屋顶结构问题。他对柱式的处理手法被誉为帕拉第奥母题。著有《建筑四书》。代表建筑有维琴察巴西利卡和圆厅别墅。

【帕格尼尼】尼科洛·帕格尼尼（1782—1840）意大利小提琴家、作曲家，西欧浪漫主义时期在器乐演奏和创作方面的代表人物。其演奏热情奔放，充满幻想和诗意。首创双泛音、飞跳弓、右手飞跳弓左手同时拨弦、单弦演奏等手法。其创作乐思奔放不羁，富于即兴性，旋律优美如歌，转调大胆自然。作品以二十四首随想曲影响最大，被视为小提琴演奏和练习的重要文献。

【帕米尔高原】在中国、阿富汗、塔吉克斯坦边境地区。亚洲的许多大山（如天山、昆仑山、喀喇昆仑山和兴都库什山等）汇集于此。一般海拔 6 000—7 000 米。

【帕提侬神庙】古希腊祭祀性建筑。建于公元前 447—前 432 年。在希腊雅典卫城内。设计人为建筑师伊克底努。总面积 2 100平方米。全部采用白色大理石建造。面东的部分为圣堂，采用多立克柱式；西部为方厅，采用爱奥尼克柱式。山墙上贴有金箔，檐部雕刻涂饰鲜艳的色彩。山花和檐板等处雕有雅典娜诞生等叙事性浮雕像。

【帕斯卡定律】法国物理学家帕斯卡发现的静止液体传递压强的规律。即密闭液体任一部分受到的外力的压强，将被液体传到各个部分和器壁上而大小不变。

【帕金森综合征】一种中老年人常见病。发病原因可能与动脉硬化、颅脑损伤或肿瘤、煤气中毒等有关。主要症状是肢体震颤、肌强直等。

【帕格尼尼主题狂想曲】钢琴与乐队曲。拉赫玛尼诺夫曲。作于 1934 年。音乐以帕格尼尼二十四首小提琴随想曲的末首作为主题。

怕 pà ❶害怕；畏惧。㊀不～困难。❷副词。恐怕，表示疑虑或估计。㊀～他别有用意。

pāi ㄆㄞ

拍 pāi ❶用手掌或拍子打。㊀～手｜～球。❷拍打的用具。㊀蝇～。❸拍子；乐曲的节奏。㊀节～｜合～。❹拍摄（电影或照片）。❺发（电报等）。㊀～电报。❻谄媚奉承。㊀吹吹～～。

【拍子】音乐中小节时值的划分。以拍为单位，每小节有几拍，即称几拍子。如$\frac{2}{4}$拍，就是以四分音符为一拍，每小节有二拍。

【拍板】❶简称板。击乐器。由三块木板组成，两前一后，用绳连结。左手执奏。通常在民乐合奏及戏曲伴奏中起击节作用。❷给唱的人打板。❸旧时拍卖行拍卖货物时，为表示成交而拍打木板。现比喻最后决定。

【拍卖】❶委托行当众出卖寄售的货物。购买者出价争购，到没有人再加价时，就拍板作响，表示成交。❷货物减价抛售；甩卖。㊀大～。

【拍马屁】也说拍马。比喻谄媚奉承。

【拍手称快】拍着手说痛快。多用来形容正义伸张、公愤消除时大家高兴满意的样子。

【拍案叫绝】拍着桌子叫好。形容非常赞赏。

【拍案而起】拍着桌子站起来。形容非常激愤。

pái ㄆㄞˊ

俳 pái ❶古称演滑稽杂耍的演员。❷诙谐；玩笑。㊀～谐。

【俳句】也叫发句。日本诗体的一种。一般由三句十七音组成，首句五音，次句七音，末句五音，故又名十七音诗。俳句原为俳谐连歌的首句，17 世纪日本诗人松尾芭蕉提倡后始成一种诗体。

【俳优】古代以乐舞谐戏为业的艺人。

排 ㊀ pái ❶摆列成行。㊀～队。❷推开。㊀～闼（推门）｜～斥。❸除去。㊀～涝｜力～众议。❹军队编制单位。在连之下，班之上。❺量词。用于成行列的东西。㊀两～椅子。❻练习。㊀～戏。❼一种水上交通工具。用竹子或木头平排地连接在一起，浮在水面上。❽扎成排的竹子或木头，便于放在水里运输。

㊁ pǎi （735 页）。

【排比】修辞格的一种。连用三个或三个以上结构相同或相近的短语、分句或句子，来加强语势或深化语意。如“没有满腔的热忱，没有眼睛向下的决心，没有求知的渴望，没有放下臭架子、甘当小学生的精神，是一定不能做，也一定做不好的”。

【排斥】不相容而使离开自己这方。

【排外】排斥外国、外地或本党派、本单位、

P

本集团以外的人。

【排场】铺张奢侈的场面。㊀即使富裕了，也不要摆阔气讲～。

【排列】❶从 n 个不同的元素中，任取 m（$m \leqslant n$）个元素，按照一定的顺序排成一列，叫做从 n 个不同元素中取出 m 个元素的一个排列。排列的所有种数叫做排列数。❷顺次序放。㊀按音序～。

【排行】兄弟姊妹间按年龄大小排列次序。堂兄弟姊妹间排列次序叫大排行。行（háng）。

【排污】排放废水、废气等污染物。㊀降低～量。

【排泄】❶使流走（多指雨水、污水等）。❷人和动物把新陈代谢的最终产物，以及其他身体不需要或对身体有害的物质排出体外的过程。如动物排出尿、汗液。

【排挤】凭借势力或运用手段，使不利于自己的人失去地位或利益。

【排骨】猪、牛、羊等剔肉后剩下的肋骨和脊椎骨，上面还附着少量瘦肉，可供食用。

【排律】律诗的一种。其格式是每首至少十句，可以根据内容的需要任意铺排联缀，用韵的数目也没有限制，但平仄、对仗等必须合乎律诗的要求。

【排除】除掉；消除。㊀～故障。

【排涝】排除田地里的积水，使农作物免遭涝害。

【排调】嘲笑；戏弄。调（tiáo）。

【排球】❶球类运动项目之一。在长方形场地（长 18 米、宽 9 米）中间横隔球网。每队场上 6 人，各站在网的一边。发球后，将球击落在对方场内或对方失误、犯规为得分。比赛采用五局三胜制，前四局每局 25 分，决胜局 15 分。❷排球运动使用的球。空心，外壳由柔软皮革制成，比篮球稍小。

【排揎】〈方〉数说；责备；训斥。揎（xuan）。

【排遗】动物体排出废物的过程。一般指人和动物排除未消化的食物残渣。

【排筏】用原木或毛竹编排成的筏子。利用水力、人力、风帆或拖轮从水道浮运。也有用排筏作为载运工具的。

【排鼓】击乐器。20 世纪 50 年代后发展起来的一种新型套鼓。由从大到小、两面各有固定音高的鼓群（四至六个）排列而成。鼓身固定在特制的铁架上，可以上下翻转，两面击奏。用于民族乐队。

【排遣】借某种事物消除（寂寞、烦闷）。

【排解】❶调解（纠纷）。❷排遣。

【排箫】古吹奏乐器。汉唐以来石刻、壁画及墓葬中常可见到吹奏排箫的形象。宋以后民间失传。

【排中律】形式逻辑的基本规律之一。指在肯定、否定之间必须择其一，不能两不可。也就是在同一思维过程中，在同一时间、同一意义上，对同一问题做的两个互相矛盾的判断中，必有一个是真的，非此即彼，不能都否定。如在“甲是乙”和“甲不是乙”这两个判断中，必须肯定一个，否定一个，没有第三种可能。违反这条规律，就会犯模棱两可的错误。

【排水量】船体入水部分所排开的水的重量。分空船排水量和满载排水量。满载排水量用来表示船只的大小，通常以吨计算。

【排他性】一事物不容许另一事物与自己在同一范围内并存的性质。

【排山倒海】把高山推开，把大海翻倒过来。形容声势巨大，不可阻挡。

【排沙简金】即“披沙拣金”（747 页）。

【排放标准】国家对人为污染源排放的污染物浓度、强度或数量所作的限量规定。是环境标准的重要组成部分。按污染物形态，可分气体、液体、固体以及物理性污染物（如噪声）排放标准；按容许排放的控制指标，可分浓度标准和总量控制标准。

【排难解纷】原指给别人排除危难，解决纠纷。《史记·鲁仲连邹阳列传》：“所谓贵于天下之士者，为人排患释难解纷乱而无取也。”后指调停双方争执。难（nàn）。

徘 pái 〔徘徊〕❶来回慢步地走。❷比喻犹疑不决。

棑⊠ pái 同“簰”。

牌 pái ❶牌子。㊀招～｜门～。❷商标。㊀金星～钢笔。❸一种娱乐用品（有人也用作赌具）。㊀扑克～。❹词、曲的调子。

【牌号】❶商店的字号。❷商标。❸产品的专用名称。㊀老～。

【牌价】规定的价格。因多用牌子公布，故名。

【牌坊】旧时为表彰忠臣、孝子、节妇、烈女而建立的一种形似牌楼的建筑物。

【牌位】写着名字作为供奉祭祀对象的木牌。

【牌匾】题刻着字的板，多为长方形，常悬挂在门楣上或墙上。

【牌楼】一种有柱子像门形的建筑物。旧时多建于路口或要道，以为装饰。现在一些大的庆祝活动中，也有用竹、木等扎彩搭成的临时牌楼。

【牌照】政府有关部门发给的行车凭证或营业凭证。

簰□ pái 同"排"⑦⑧。

篺☒ pái 竹筏子。

箄☒ pái 同"簰"。

pǎi ㄆㄞˇ

迫(*廹) ㊁ pǎi 〔迫击炮〕一种火炮。用座钣承受后坐力，身管短，构造简单，重量较轻，初速小，主要用于高射界射击，射角通常在45°以上，弹道弯曲，适用于射击遮蔽物后的目标和水平目标。

㊀ pò (760页)。

排 ㊁ pǎi 〔排子车〕〈方〉也叫大板车。一种用人力拉的搬运东西的车。

㊀ pái (733页)。

pài ㄆㄞˋ

哌 pài 化学音译用字。如哌嗪。

【哌嗪】有机化合物。其柠檬酸盐为白色结晶，易溶于水，用作驱肠虫药，对蛔虫病和蛲虫病均有良好疗效，副作用小。嗪(qín)。

派 pài ❶江河的支流。㊞茫茫九～流中国。❷派别。㊞党～|宗～|学～。❸分配；指定。㊞分～|～工作。❹作风；风度。㊞正～|气～。❺量词。用于派别、景色、语言等。㊞综合了两～学者的意见|一～春光|一～胡言。

【派生】从一个主要事物的发展中分化出来。

【派头】气派(多含贬义)。㊞～不小。

【派对】英语音译词。指小型聚会。㊞生日～。

【派别】学术、宗教、政党等内部因主张不同而形成的分支或小集团。

【派系】指某些政党或集团内部的派别。

【派股】也说送股。股份公司向股东赠送股份的分红方式。

【派驻】(政府、机关、部队、团体等)派遣人员驻在某地执行任务。

【派遣】(政府、机关、部队、团体等)命令人员到某处去做某项工作。

【派生词】合成词的一种。由词根加上词缀构成的词。如老乡、铲子、花儿、木头、创造性等。

【派出所】公安派出所的简称。

蒎 pài 〔蒎烯〕有机化合物，分子式$C_{10}H_{16}$。无色液体，沸点156℃。用于合成杀虫剂、樟脑、香料和增塑剂等。

㵒□ pài 同"哌"。

湃 pài 见〔澎湃〕(745页)。

pān ㄆㄢ

扳 ㊁ pān 同"攀"。

㊀ bān (30页)。

拚☒ pān 舍弃；不顾惜。

番 ㊁ pān 〔番禺〕地名。在广东。

㊀ fān (255页)。

潘 pān 姓。

【潘天寿】(1897—1971)中国现代画家。浙江宁海人。画、书、印、诗俱佳，尤擅花鸟、山水，画风沉雄奇崛，苍古高华。代表作有《雁荡山花》等。

【潘多拉】希腊神话中火神赫菲斯托斯用黏土做成的美女。她把主神宙斯图谋惩罚偷火给人类的普罗米修斯的一个盒子打开，于是里面的疾病、罪恶、嫉妒等祸患一齐飞出，只有希望留在盒底，人间因此充满各种灾祸。后多用"潘多拉的盒子"比喻灾祸的来源。

攀 pān ❶抓住某种东西向上爬。㊞～登|～援。❷主动接近(做某些事)。㊞～谈|～亲。

【攀比】指不顾自己的具体情况和条件，盲目与高标准相比。

【攀升】❶向高处爬升。❷不断上升(指价

格等)。例石油价格再度～。

【攀附】依附着某种东西向上爬。比喻投靠有权势的人。

【攀岩】登山运动项目之一。运动员不用工具,依靠手脚和身体的平衡攀登陡峭岩壁。分室内攀岩和自然条件攀岩两种。

【攀供】招供的时候无中生有地拉扯别人。

【攀谈】拉扯闲谈。

【攀援】同“攀缘”(736页)。

【攀登】抓住东西上去。也用于比喻。例～高峰。

【攀缘】也作攀援。❶抓住东西向上爬。❷比喻投靠有势力的人向上爬。

【攀缘茎】攀缘别的东西而向上生长的茎。茎细长柔软,不能直立生长,有适应攀缘的变态叶或枝。如黄瓜的卷须、爬山虎的吸盘等。

【攀龙附凤】比喻巴结、投靠有权势的人。汉扬雄《法言·渊骞》:“攀龙鳞,附凤翼。”

pán ㄆㄢˊ

爿 pán ❶劈成片的木柴、竹子等。❷〈方〉量词。用于商店等。例一～店|一～工厂。

柈 ㊀ pán 同“盘”①。
㊁ bàn (33页)。

胖 ㊁ pán 大;舒适。例心广体～。
㊀ pàng (738页)。

般 ㊂ pán 欢乐。例～乐|～游。
㊀ bān (31页)。
㊁ bō (74页)。

槃□ pán ❶同“盘”①③。❷见〔涅槃〕(721页)。

磐 pán 大石头。例坚如～石。

鞶☒ pán ❶古代佩玉的皮带。❷系在鞶带上盛物的小囊。

盘(盤) pán ❶盛放物品的一种扁而浅的器具。例茶～|托～。❷形状像盘或有盘的功用的物品。例秤～。❸回旋;缠绕。例～山公路。❹指商品等的行情。例开～|收～。❺垒砌。例～灶。❻仔细查问或清点。例～查|～货。❼量词。多用于圆形或有托盘的器物。例一～电线。

【盘川】即“盘缠”(736页)。

【盘古】中国古代神话中开天辟地的人。最早的文字记载见《艺文类聚》卷一引三国吴徐整《三五历记》。

【盘亘】(山与山)相互连接;绵延。

【盘存】清查现有物产的数量和情况。

【盘曲】也作蟠曲。曲折环绕。

【盘问】仔细查问。

【盘陀】❶形容石头不平。❷曲折回旋。例～路。

【盘账】清点并核对账目。

【盘货】商店等用清点、对账等方法检查实存货物情况。

【盘店】把店铺的货物和其他设备全部转让给人。

【盘庚】商朝国君。名旬。即位后将王都从奄(今山东曲阜)迁至殷(今河南安阳小屯村一带),并进行一系列改革,打击不法贵族,使政局安定,经济、文化得到发展。

【盘诘】详细追问。

【盘查】仔细询问并检查。

【盘点】清点(存货)。

【盘费】即“盘缠”(736页)。

【盘桓】❶徘徊;逗留。❷转圈。

【盘剥】辗转反复剥削、重利剥削。

【盘据】同“盘踞”(736页)。

【盘旋】❶转圈;环绕。例飞机在空中～。❷徘徊;逗留。

【盘跚】同“蹒跚”(737页)。

【盘缠】也叫盘费、盘川。路费。

【盘算】心里算计、筹划。

【盘踞】也作盘据。非法霸占、占据(某地方)。

【盘马弯弓】驰马盘旋,张弓欲射。比喻先做姿态,不立刻行动。也比喻行动前的准备。唐韩愈《雉带箭》诗:“将军欲以巧伏人,盘马弯弓惜不发。”

【盘根错节】树根木节盘旋交错,不易砍伐。比喻事情繁难复杂,不易处理。《后汉书·虞诩传》:“志不求易,事不避难,臣之职也。不遇槃根错节,何以别利器乎?”

磻□ ㊁ pán 〔磻溪〕❶水名。在陕西宝鸡东南。相传姜尚曾垂钓于此,遇周文王。❷地名。在浙江。
㊀ bō (74页)。

蟠 pán 屈曲;环绕。例龙～虎踞。

【蟠曲】同“盘曲”(736页)。

【蟠桃】也叫扁桃。桃的一种,果实扁圆形。

蹒(蹣) pán 〔蹒跚〕也作盘跚。走路迟缓、摇晃的样子。

pàn ㄆㄢˋ

判 pàn ❶分辨;断定。㊀～明是非|～断。❷区别。㊀～若两人。❸司法机关对案件的处理、决定。㊀～案|～决。

【判决】❶人民法院对经过法庭审理的案件,根据已经查明和认定的事实,正确适用法律,以国家审判机关的名义作出权威判定。民事判决解决民事争议实体权利义务,刑事判决确定被告有无犯罪、犯何种罪、处何种刑罚。❷判断,决定。

【判例】法院可以援引作为审理同类案件依据的判决。有的国家确认判例对法院审判同类案件有法律约束力,是法的形式之一,叫做判例法。在中国,判例原则上不具有法律效力,只作为审判实践的参考。

【判官】唐宋时期辅助地方长官处理公事的人员。迷信传说中特指阎王手下管生死簿的官。

【判断】❶对所反映的对象有所肯定或否定的思维形式。判断要用句子来表达,但只有对事物有所肯定或否定的句子才是判断。❷断定。

【判决书】根据法院判决制作的文书。内容通常包括法院名称,审判组成人员,当事人的姓名、性别、年龄、职业、住所,判决的事实和理由等。

【判例法】英美法系的主要法律渊源。是由司法判例中确定的原则和规则而形成的法律形式。要旨是将先前的判例作为一种法律规范加以适用。参见〔判例〕(737页)。

【判若云泥】区别就像天上的云彩和地下的泥土那样不同。比喻高低悬殊。

泮 pàn ❶融解。❷岸。❸泮池,古代学宫前的水池。清代称考取秀才为入泮。

【泮宫】原为西周诸侯所设的学府。后也用来泛指学校。

牉☒ pàn ❶一物中分为二。❷相结合的两方中的一方。㊀～合(古指男女结成夫妻)。

叛 pàn 背离;背叛。㊀众～亲离|～徒。

【叛乱】武装叛变。

【叛卖】背叛并出卖(祖国、革命)。

【叛变】对自己的阶级、集团采取敌对行动,或投到原来敌人的一方去。

【叛逆】❶背叛。❷有背叛行为的人。

【叛徒】有背叛行为的人。

畔 pàn ❶田地的界限;(江湖、道路等)旁边。㊀田～|河～。❷古又通"叛"。

袢 pàn ❶同"襻"。❷见〔袷袢〕(777页)。

拚 ㊀ pàn 舍弃;不顾。㊀～命。
㊁ pīn (754页)。

盼 pàn ❶盼望。㊀～星星,～月亮,～来了救星共产党。❷看。㊀左顾右～。

【盼望】殷切地希望。

鋬□ pàn 器物上可以用手提的部分。

襻 pàn ❶用来扣住纽扣的套。㊀纽～儿。❷形状或功用像襻的东西。㊀车～|鞋～儿。❸用绳子、线等使分开或分散的东西连在一起。㊀用绳子～上|～上几针。

pāng ㄆㄤ

乓 pāng 拟声词。枪声、关门声、东西砸破声等。

汸☒ pāng 〔汸汸〕形容水势盛大。

雱☒ pāng ❶形容雨雪下得很大。❷同"滂"。

滂 pāng 水涌出来的样子。

【滂沱】形容雨下得很大。也比喻眼泪流得很多。㊀大雨～|涕泗～。

【滂湃】水势浩大。

膀 ㊁ pāng 浮肿。㊀脚～了。
㊀ bǎng (34页)。
㊂ páng (738页)。
㊃ bàng (35页)。

胮☒ pāng 同"膀(pāng)"。

páng ㄆㄤˊ

彷 páng 〔彷徨〕也作旁皇。犹疑不定,不知往哪里去好。
另音 fǎng,"仿"的异体字。

P

庞（龐） páng ❶大。㊀～大。❷多而杂乱。㊀～杂。❸脸盘。㊀面～。

【庞大】很大；巨大（指形体、组织或数量等）。㊀机构～|数字～。

【庞杂】多而杂乱。

【庞培城】古罗马城市。建于公元前4世纪。在今意大利南部维苏威火山脚下。公元79年被火山熔岩所吞没，1748年重新发现。城市平面为不规则矩形。长约1200米，宽约700米。城内道路体系完整，分车行道和人行道。店铺沿主要街道布置。城市中心广场四周建有巴西利卡、神庙、议会厅、法庭及菜市场等公共建筑，还有剧场、斗兽场和公共浴场等。

【庞然大物】形容体积大而笨重的东西。唐柳宗元《黔之驴》说，老虎第一次见到驴，"庞然大物，以为神。"后也用来形容表面强大而内里虚弱的事物。

逄 páng 姓。

旁 páng ❶边上。㊀路～。❷指示代词。另外；其他。㊀～人|～的话。❸古又同"傍（bàng）"。

【旁支】家族或集团等系统中旁出的支派。与"嫡系"相对。

【旁白】戏剧角色背着台上其他剧中人向观众说的话。戏曲中称为打背躬。

【旁观】置身局外，在一旁看。㊀袖手～。

【旁证】不能单独证明案件事实，须与其他证据联系起来共同证明案件事实情况的证据。

【旁皇】同"彷徨"（737页）。

【旁落】（应有的权力）落入别人手中。㊀大权～。

【旁骛】对正业不专心而追求其他。骛（wù）。

【旁门左道】指不正派的宗教派别和学术派别。泛指不正派的东西。

【旁观者清】见〔当局者迷，旁观者清〕（179页）。

【旁系血亲】直系血亲以外，在血缘上同出一源的亲属。兄弟姊妹之间，表兄弟姊妹之间，自己与伯叔、姑母、舅父、姨母之间等，都是旁系血亲。

【旁系亲属】直系亲属以外，在血统上和自己同出一源的人及其配偶。如兄、弟、姐、妹、伯父、叔父、伯母、婶母等。

【旁若无人】好像旁边没有人一样。形容态度高傲或从容自然，对别人毫不介意。《史记·刺客列传》："高渐离击筑，荆轲和而歌于市中，相乐也，已而相泣，旁若无人者。"若：好像。

【旁征博引】（写文章、说话）为了证明论点正确可靠而大量地引用材料。

【旁敲侧击】比喻说话、写文章不从正面直接说明，而是用或明或暗的语言影射、讽刺、攻击，或转弯抹角地说出来。

徬⊠ páng 同"彷"。

膀 ㊂ páng 见下。
㊀ bǎng（34页）。
㊁ pāng（737页）。
㊃ bàng（35页）。

【膀胱】人和高等动物体内贮尿的囊状器官。人的膀胱位于骨盆腔内，上接两侧输尿管，下通尿道。伸缩性大。因膀胱壁的肌肉收缩而排尿。

【膀胱癌】发生于膀胱上皮细胞的恶性肿瘤。病因不明。主要症状是无痛性间歇性尿血，肉眼可以看到。

磅 ㊁ páng 〔磅礴〕❶（气势）盛大，雄伟。㊀气势～。❷（气势）充满。㊀～宇内。
㊀ bàng（35页）。

螃 páng 〔螃蟹〕节肢动物。种类很多，如毛蟹、青蟹、梭子蟹等。有足5对，前一对钳状，横着爬行。肉鲜美，可食。

鳑（鰟） páng 〔鳑鲏〕鱼类。体小，长4—15厘米，颜色鲜艳。生活在淡水中。可供食用，也可供观赏。

pǎng ㄆㄤˇ

嗙□ pǎng 〈方〉夸大；吹牛。㊀胡吹乱～。

耪 pǎng 用锄除草松土。㊀～地。

髈□ pǎng 〈方〉大腿。
另音 bǎng，见"膀"（34页）。

pàng ㄆㄤˋ

胖 ㊀ pàng 人体内含脂肪多。与"瘦"相对。㊀肥～。

P

㊁ pán（736 页）。

【胖大海】落叶乔木。果实船形，成熟前裂开，有梭形种子。种子干后呈黑褐色，泡入水中膨大如海绵，内含丰富的黏液汁和半乳糖成分，可入药，治咽痛、声哑、咳嗽等。

【胖头鱼】即“鳙”（1188 页）。

pāo ㄆㄠ

抛 pāo ❶扔；投掷。㊄～球。❷舍弃；丢下。㊄～头颅，洒热血｜他一马当先，把其他运动员远远～在后面。❸暴露。㊄～头露面。

【抛光】对工件进行擦光的加工方法。一般用附有很细磨粉的软质轮子高速旋转，擦拭工件表面，以提高其表面光洁度。此外还有液体抛光、电解抛光等。

【抛弃】扔掉。

【抛售】由于预料价格将跌或为了压低价格而大量卖出商品。

【抛锚】下锚。船舶停泊时将锚抛入水底，依靠其重量和产生的抓力，使船固定于一定的位置。后车、船等因故障停在途中，也叫抛锚。

【抛物线】平面上，一个点到定点和到定直线的距离相等时，这个点的轨迹叫做抛物线。定点称为焦点，定直线称为准线。当不计空气阻力时，一个被向上斜方抛出的物体所经过的路线就是抛物线。

【抛戈弃甲】扔掉兵器和铠甲。形容军队失败而逃的狼狈相。

【抛砖引玉】谦辞。比喻自己用粗浅的、不成熟的意见，引出别人高明的、成熟的意见。

泡 ㊀ pāo ❶鼓起而又松软的东西。㊄豆～儿。❷〈方〉（结构）蓬松，不坚实。㊄棉花～，一麻袋也没多少斤｜这块木料发～。❸量词。用于屎、尿。

㊁ pào（740 页）。

【泡桐】也叫白桐。落叶乔木。生长快，木材轻软，不翘不裂，耐水湿耐腐蚀，是制箱匣、乐器、木屐等器物的良材。

脬 pāo 见〔尿脬〕（941 页）。

páo ㄆㄠˊ

刨 ㊀ páo ❶挖掘。㊄～土｜～坑。❷减去；除去。㊄～去他还有俩人。

㊁ bào（39 页）。

【刨根儿】比喻追究底细。㊄～问底。

咆 páo 〔咆哮〕猛兽怒吼。形容人暴怒喊叫，也形容水奔腾轰鸣。㊄～如雷｜大海在～。哮（xiāo）。

狍 páo 狍子，鹿的一种。长 1 米多，尾很短，雄的有角，角小，分三叉。产于中国北部地区。

庖 páo ❶厨房。㊄～厨。❷厨师。㊄名～（有名的厨师）。

【庖代】即“代庖”（172 页）。

炰⊠ páo 把带毛的肉用泥裹住放在火上烧烤。

炮 ㊀ páo ❶烧。㊄～烙。❷用烘、炒等方法加工制造中药。㊄～制。

㊁ bāo（36 页）。

㊂ pào（740 页）。

【炮制】❶加工制作中草药的过程。方法是煅、炮、炙、炒、渍、泡、洗、蒸、煮等。❷泛指制作（多含贬义）。

【炮炼】中草药加工过程中指通过加热把水分和杂质除去。

【炮烙】旧称炮格。相传是商朝纣王所用的一种酷刑。铜柱上涂油脂，下面用炭烧，令人在上面行走，人往往滑下落入炭火中。烙（luò）。

袍 páo 中式的长外衣。㊄棉～。

【袍泽】《诗经·秦风·无衣》：“岂曰无衣，与子同袍…岂曰无衣，与子同泽…”这首诗讲士兵出征的事。“袍”“泽”都是古代衣服的名称，后军队中的同事相称叫袍泽。㊄～之谊。

【袍哥】旧时西南各省的一种帮会成员。也指这种帮会组织。

【袍笏登场】身穿官服，手执笏板，登台演戏。比喻新官上任（含讽刺意）。笏（hù）：古代官员上朝时手里拿的用来记事的板。

匏 páo 匏瓜，一年生攀缘草本植物。葫芦的变种。果实老熟后对半剖开，可做瓢。

跑 ㊁ páo 兽、畜用爪或蹄刨地。㊄～槽（牲口刨槽根）｜虎～泉（泉名，在杭州）。

㊀ pǎo（740 页）。

鞄⊠ ㊀ páo 软皮制成的包。

㊁ bào（40 页）。

麅[⊠] páo 同“狍”。

pǎo ㄆㄠˇ

跑 ㊀ pǎo ❶奔；迅速前进。[例]赛～｜～步。❷逃走。[例]敌人已陷入重围，再也～不掉了。❸漏出。[例]～水｜～气。❹为某种事情而奔走。[例]～材料。

㊁ páo（739 页）。

【跑外】专门在外面办货、收账或联系业务。

【跑表】即“马表”（655 页）。

【跑道】❶运动场中作赛跑用的路。正规跑道为椭圆形，全长 400 米，表面多铺人工合成橡胶。❷供飞机起飞和降落时滑行用的路。一般由混凝土铺筑而成。

【跑墒】也说走墒。失墒的通称。

【跑合儿】旧指在买卖双方之间进行说合，促其成交。

【跑龙套】指演戏时扮演随从或兵卒。比喻在人手下做无关紧要的杂事、小事。

【跑江湖】指一些艺人或从事看病、算卦、相面等活动的人来往各地谋求生活。

【跑旱船】也叫采莲船。中国汉族民间舞蹈。宋代已有旱船舞，传承至今。用竹片或秫秸等扎成船形，外面蒙布，套系在女舞者的腰间。另有一人扮演艄公，手持木桨，作划船状。通常两人边歌边舞，如船浮行于水面。

【跑单帮】指个人往来各地贩卖货物。

【跑堂儿的】旧指酒馆、饭馆中的服务员。

【跑马卖解】旧指表演马戏谋生。解（xiè）：技艺。

pào ㄆㄠˋ

奅[⊠] pào ❶说大话虚张声势。❷古时做炮弹用的石头。

滂[⊠] pào 同“泡（pào）”③。

泡 ㊀ pào ❶气体在液体内使液体鼓起而形成的球状体。[例]肥皂～｜冒～儿。❷像泡一样的东西。[例]灯～。❸用液体浸东西。[例]～茶｜～饭。❹较长时间呆在某处；故意消磨时间。[例]整天～在游戏厅里。

㊁ pāo（739 页）。

【泡汤】〈方〉落空。[例]计划～了。

【泡菜】把白菜、萝卜等放在加了盐、酒、花椒等的凉开水里泡制成的带酸味的菜。

【泡影】比喻落空的事情或希望。[例]化为～。

【泡蘑菇】❶比喻不积极干活儿，有意消磨时间。❷比喻故意纠缠，拖延时间。

【泡沫经济】在涨价预期推动下，一系列资产价格在一个连续过程中暴涨，但随预期的逆转，价格暴跌，甚至以金融危机而告终的经济现象。

【泡沫塑料】也叫微孔塑料。以树脂为主要原料制成的内部具有无数微孔的塑料。具有质轻、绝热、隔音、防震、耐腐蚀、耐潮等特点。有软质和硬质之分。广泛用于绝热、隔音、包装材料及制车船壳体等。

【泡沫橡胶】也叫海绵橡胶。海绵状多孔结构的硫化橡胶。具有质轻、防震、绝热、隔音等特点。性质与泡沫塑料相似，但比泡沫塑料柔韧性好，弹性高。广泛用于汽车、航空、化学、日用品等工业。

炮（*砲*礮） ㊂ pào ❶口径在 2 厘米以上，能发射炮弹的一种重型武器。火力强，射程远，种类很多。[例]大～｜迫击～｜高射～。❷爆竹。[例]鞭～。

㊀ páo（739 页）。

㊁ bāo（36 页）。

【炮仗】即“爆竹”（41 页）。

【炮台】旧时在江海口岸或其他要塞构筑的用以架设、发射火炮的工事。

【炮灰】比喻参加非正义战争送命的士兵。

【炮兵】以火炮、火箭炮、地地战役战术导弹和反坦克导弹为基本装备，主要执行地面火力突击任务的陆军兵种。是陆军的主要火力突击力量。由加农炮、榴弹炮、加农榴弹炮、迫击炮、无坐力炮、反坦克炮、火箭炮、地地战役战术导弹、反坦克导弹等部队和分队组成。具有强大的火力、较远的射程、良好的射击精度和较高的机动能力。

【炮位】指火炮安放的位置。

【炮弹】火炮射击用的弹药。通常由弹丸、引信、发射药和底火等组成。按弹丸构造和作用，分榴弹、穿甲弹、破甲弹、碎甲弹、燃烧弹、发烟弹、照明弹、宣传弹等。

【炮火连天】形容正处在激烈的战争状态。

【炮舰政策】帝国主义国家依靠武力实现其侵略野心的外交政策。因 19 世纪中叶殖民主义者利用大炮、兵舰掠夺殖民地而得名。

疱(*皰) pào 皮肤上长的像水泡的小疙瘩。也指凸出皮肤表面的火疱或脓疱。

龅☒ pào 痤疮。

pēi ㄆㄟ

呸 pēi 叹词。表示唾弃或斥责。

胚(*肧) pēi 初期发育的生物体。由精细胞和卵细胞结合发育而成。

【胚乳】一些植物种子组成部分之一。含有淀粉、脂肪和蛋白质等，供给种子发芽时所需的养料。如小麦、玉米等都有胚乳。

【胚胎】由受精卵发育而成的，在母体内初期发育的人或动物体。

【胚珠】种子的前身。内含胚囊，囊中有卵细胞，受精后，胚珠发育成种子。

衃☒ pēi 凝聚的血。

髴☒ pēi 〔髴鬤〕胡须多的样子。

痦□ pēi ❶〔痦癗〕中医指汗疹。俗名鬼风疙瘩。❷衰弱。

醅 pēi 没有过滤的酒。

péi ㄆㄟˊ

陪 péi ❶陪伴；伴同。例作～。❷从旁协助。例～审。❸古又同“赔”。

【陪臣】❶中国古代诸侯的大夫对天子的自称。❷在土地分封制所形成的封建等级阶梯中，分封领主对受封领主来说是封君，受封领主对分封领主来说是陪臣（或附庸），国王是国内最高封君。陪臣必须服从封君，并承担战时出征等义务，封君必须保护陪臣，这种关系在西欧表现得最为典型。

【陪审】由非职业审判人员参与协助法庭审理案件的制度。起源于古代雅典和罗马，12世纪盛行于英国。有大陪审团和小陪审团，适用于英美法系。与中国的人民陪审员不同，中国的人民陪审员是合议庭组成成员方式之一。

【陪房】旧指随嫁到男家去的婢女、仆人。

【陪衬】❶放在主要事物之旁，使主要事物显得更加突出。❷陪衬的事物。

【陪送】也叫陪嫁。旧时婚俗，女子出嫁时娘家要随同送去一份嫁妆。因为是随同送去，所以叫陪送或陪嫁。也指嫁妆。

【陪绑】执行死刑时，将不拟处死的人一起绑赴刑场。目的是加以恐吓，以逼出口供或迫使投降。

【陪都】旧时在首都以外另设的一个首都。

【陪葬】❶即“殉葬”(1124页)。❷古指臣子或妻妾的灵柩葬在皇帝或丈夫的坟墓的近旁。

培 péi ❶在(植物、墙、堤等)根基部分加土。例把堤加高～厚。❷育养。例栽～|～养。

【培训】培养和训练(技术工人、专业人才等)。例职业～|业务～|～技术骨干。

【培育】❶栽培，护理。❷培养，教育。

【培养】❶教育，锻炼。例～接班人。❷使繁殖。例～真菌。

【培根】弗兰西斯·培根(1561—1626)英国哲学家，近代唯物主义哲学的创始人。他反对经院哲学和宗教唯心主义，认为自然界是物质的，主张知识来源于经验，提出了“知识就是力量”这一著名口号，并制定了整理经验材料的科学方法——归纳法。著有《学术的进展》《新工具》《新大西岛》等。

【培植】❶栽培管理。❷培养扶植(人才、势力)。

【培养基】人工培养微生物等所用的营养物质。分自然培养基和合成培养基两类。用麸皮、肉汤、马铃薯汁、琼脂等或各种化学药品配制而成。

【培尔·金特组曲】管弦乐组曲。格里格曲。作于1874—1875年。原为易卜生的同名戏剧所作的配乐，共23曲。后由曲作者将其中部分音乐改编成两部管弦乐组曲。第一组曲共四曲：(1)晨景；(2)奥萨之死；(3)阿尼特拉之舞；(4)在山妖的洞窟中。第二组曲共四曲：(1)新娘被诱及其哀怨；(2)阿拉伯舞曲；(3)培尔·金特回故乡；(4)索尔维格之歌。

赔(賠) péi ❶补偿损失。例～偿|损坏东西要～。❷亏损。例～本。❸向人道歉或认错。例～礼。

【赔偿】因给别人造成损失而予以补偿。例

P

照价～。

【赔款】❶战败国向战胜国赔偿损失和作战的费用款项。❷由于对他人造成损害而给予的补偿款项。

【赔罪】承认自己的过失，向对方道歉。

毰⊠ péi 〔毰毸〕形容羽毛披散。毸(sāi)。

锫(錇) péi 人造金属元素，符号Bk，原子序数97。有放射性，由人工核反应获得。

裴 péi 姓。

【裴多菲】山多尔·裴多菲(1823—1849)匈牙利诗人。生于屠户家庭。1842年开始发表作品。1844年完成长篇民间故事诗《勇敢的约翰》。1848年匈牙利革命时，发表著名的《民族之歌》《把国王吊上绞架》和长诗《使徒》等政治诗篇，号召人民进行革命斗争。1849年在抗击沙俄侵略军战斗中牺牲。

pèi ㄆㄟˋ

沛 pèi 盛大；旺盛。㊀～然降雨｜精力充～。

霈 pèi ❶大雨。❷雨多的样子。

旆 pèi ❶古时末端像燕尾形状的旗子。❷旗帜的总称。

浿⊠**(浿)** pèi 浿水，古水名，在朝鲜。

帔 pèi 古代披在肩背上的服饰。例凤冠霞～。

佩 pèi ❶(把小巧的东西)带(挂、别、系等)在身上某一部分。例～刀｜胸前～着纪念章｜腰间～着一支手枪。❷心悦诚服。例钦～。❸古时系在衣带上的饰物。例玉～。

【佩服】钦佩，信服。

【佩文韵府】分韵编排的辞书。清康熙命张玉书等编。原书一百零六卷，乾隆时改为四百四十四卷，拾遗一百一十二卷。分韵一百零六，按词语最下字归韵。词语下备载出典，以经史子集为序。收集资料丰富，但错误较多，且引书不列篇名，引诗不标题目，查考不便。

珮⊠ pèi 同“佩”③。

茷⊠ ㊀ pèi 〔茷茷〕形容严整。
㊁ fá (251页)。

配 pèi ❶两性结合。例婚～｜～种。❷用适当的比例加以调和。例～药。❸有计划地分派。例分～。❹把缺少的补足。例～零件。❺衬托；陪衬。例～角｜红花～绿叶。❻够格；相称。例我的字不～用好纸｜打扮要跟年龄、身分相～。❼古指流刑；充军。例发～。

【配子】生物进行有性生殖时所产生的性细胞。

【配方】通称方子。❶指一种方剂或药品由哪些成分所组成。❷化学制品或冶金产品等的具体配制方法。

【配电】将发电厂或变电所的电能通过线路分配到用户。

【配军】古指发配充军的罪犯。

【配角】❶戏剧、电影中次要的角色。❷比喻做辅助工作或次要工作的人。

【配系】兵力、兵器、技术器材等按一定的任务、性能和要求，有计划、有组织地配置的体系。例火力～｜防御～。

【配股】股份公司通过向股东低价配售股份而募集资本的股票发行方式。

【配备】❶根据工作需要分配(人力、物力)。❷装备。例现代化的～。

【配种】使雌雄两性家畜、家禽等动物的生殖细胞结合以繁殖后代。分天然交配和人工授精两种。种(zhǒng)。

【配音】电影制作中配录声音的方法。将摄制成的画面，放映在银幕上，按照口型、动作和情节需要，配录对白、音响效果和音乐，使影片具备所需要的各种声音。

【配送】按要求配货并送货，是一种营销方式。例水产品～中心。

【配套】把若干相关的事物组合成一整套。例～工程｜成龙～。

【配偶】夫妻双方互为对方的配偶(多用于法律文件)。

【配售】分配出售。某些产品，特别是生活必需品在不能充分供应的情况下，按照政府限定的数量和价格售给消费者。

【配置】配备布置。

【配殿】宫殿或庙宇中正殿两旁的殿。

【配电盘】发电厂、变电所和用电量较大的电力用户，用以控制、测量和分配电能的电气设备。面板上装有开关设备、测量仪表、继电保护等装置。

【配器法】简称配器。也叫管弦乐法。作曲时运用管弦乐队各种乐器的技法。其基本内容包括乐器法和配器法。是作曲者必须掌握的科目之一。

【配伍禁忌】药物处方或调配时应予避免的配合。配合不当可能出现增毒或减效的作用。

辔（轡） pèi 缰绳。有时也包括笼头。㊣鞍～。

pēn ㄆㄣ

呠□ ㊀ pēn 同"喷(pēn)"。
㊁ pěn (743页)。

喷（噴） ㊀ pēn （液体、气体、粉末等）受压力而射出。㊣～泉|～雾器。
㊁ pèn (743页)。

【喷饭】吃饭时见到或听到可笑的事，忍不住笑，把嘴里的饭喷出来。因而形容事情可笑叫"令人喷饭"。

【喷泉】喷涌而出的泉水。由承压地下水在低于承压水位的地方，沿裂隙排出地表而形成。

【喷薄】气势壮盛，喷涌而起的样子。㊣～欲出的一轮红日。

【喷嚏】也叫嚏喷。指鼻腔黏膜受到刺激，鼻中气流突然喷射出去的一种生理现象。

【喷灌】灌溉方式之一。即利用动力水泵把水输送到田间，再通过喷头喷射到空中，雾化成细小水滴灌溉作物。具有节约用水、防止土壤板结、调节农田小气候等优点。

【喷火器】也叫火焰喷射器。喷射火焰射流的近战武器。主要由油瓶、喷枪和点火装置组成。当油瓶内的油料受压力作用而喷出时，即被点火装置点燃，形成火柱。用以攻击火力点，消灭工事、建筑物和洞穴内的有生力量，抗击冲击的集群步兵等。

【喷出岩】也叫火山岩、熔岩。岩浆喷出地表后冷却凝固而成的岩石。主要有玄武岩、安山岩、流纹岩等。

【喷粉机】利用风扇或风机产生的气流，将药粉均匀地吹送到作物茎叶上，以防治病虫害的植保机械。

【喷雾机】利用活塞泵或柱塞泵等压送药液，并通过喷嘴喷射成雾滴，洒在作物上以防治病虫害的植保机械。

【喷气发动机】喷气式航空发动机的简称。利用燃料燃烧生成的燃气高速喷射出去所产生的反作用力为动力的航空发动机。有火箭式喷气发动机（自带氧化剂）和空气式喷气发动机（利用空气中的氧）两种。

歕⊠（歕） pēn 同"喷(pēn)"。

pén ㄆㄣˊ

盆 pén 盛东西或洗东西用的一种口大、底小的器具。

【盆地】四周高（山地或高原）中部低（平原或丘陵）的地区。如四川盆地。

【盆汤】也叫盆堂、盆塘。澡堂中设有澡盆的部分。与"池汤"相区别。

【盆景】一种供观赏的陈设品。在盆里栽种花、草、木本植物，配上水、石，布置成为缩小的山水风景。

【盆腔】骨盆内的体腔部分。人的盆腔位于腹腔的下方。四周由骨骼和肌肉、筋膜围成腔壁。腔内前有膀胱，后有直肠，女性有子宫、阴道位于二者之间。

【盆腔炎】妇女病。骨盆部位的子宫、输卵管、卵巢及其周围组织发炎的统称。常因分娩、流产及盆腔手术或月经期受细菌感染所致。主要症状是发热、下腹痛、月经失调、不孕等。

湓□ pén 〔湓城镇〕地名。在江西北部。

pěn ㄆㄣˇ

呠□ ㊁ pěn 喷；气体冲出。也用于地名，如呠号（在广东）。
㊀ pēn (743页)。

pèn ㄆㄣˋ

喷（噴） ㊁ pèn 量词。用于开花结实的次数或成熟收获的次数。㊣头～儿棉花|扁豆结二～儿角了。
㊀ pēn (743页)。

pēng ㄆㄥ

匉⊠ pēng 同"砰"。

P

抨 pēng 弹劾。

【抨击】用语言或文字斥责。

怦 pēng 拟声词。心跳声。例心～～直跳。

砰 pēng 拟声词。撞击或重物落地的声音。例～的一声，门关上了。

烹 pēng ❶煮。例～茶。❷一种烹饪方法。先把原料用热油略炒，然后放上调料及少量汤汁翻炒几下出锅。

【烹饪】做饭做菜。

【烹调】烧煮调制(菜肴)。

嘭 pēng 拟声词。物体撞击、破裂等的声音。例～的一声，气球破了。

péng ㄆㄥˊ

芃⊠ péng 〔芃芃〕形容草木茂盛。

朋 péng ❶彼此友好的人。例良～。❷结党。例～比为奸。

【朋党】指同类的人为私利而互相勾结。《战国策·赵策二》："塞朋党之门。"后指排斥异己的宗派集团。

【朋比为奸】结党营私，互相勾结干坏事。《新唐书·李绛传》："趋利之人，常为朋比，同其私也。"朋比：互相勾结。为：做。

堋 péng 中国古代科学家李冰在修建都江堰时所创造的一种分水堤。作用是减杀水势。

淜□ péng 用于地名，如普淜(在云南)。

弸⊠ péng 充满。

【弸彋】风吹帷帐的声音。

棚 péng ❶遮蔽日光、风雨的设备。用竹木等搭架子，上面覆盖草席等。例天～|凉～。❷简陋的房屋。例牲口～。

【棚户】居住在极其简陋的房屋里的人家。

硼 péng 非金属元素，符号B，原子序数5。非结晶硼为暗棕色粉末状；结晶硼灰色透明，坚硬。可用作冶金除气剂，掺入塑料和铝合金中，可作为中子屏蔽材料。硼钢在反应堆中用作控制棒。也用于制备火箭燃料。

【硼砂】也叫四硼酸钠。无机化合物，化学式$Na_2B_4O_5(OH)_4 \cdot 8H_2O$。无色晶体，易溶于水。用作焊药、防腐剂、医药，也用于制玻璃等。

【硼酸】无机酸，化学式H_3BO_3。弱酸性。无色晶体，微溶于水。用于玻璃、医药等工业，并用作食物防腐剂和消毒剂等。

鹏(鵬) péng 传说中最大的鸟。

【鹏翼】鹏鸟的羽翼。《庄子·逍遥游》："鹏之背，不知其几千里也，怒而飞，其翼若垂天之云。"明高启《望海》诗："安得击水游，图南附鹏翼。"后比喻有大才的人。

【鹏程万里】《庄子·逍遥游》中说，大鹏从北溟往南海迁徙，水击三千里，乘风上行达九万里。后用以比喻前程远大。

彭 péng 姓。

【彭真】(1902—1997)中国无产阶级革命家、政治家，中华人民共和国的领导人。原名傅懋恭，山西曲沃人。1923年加入中国共产党。大革命时期，任中共太原、唐山市委书记。1936年后历任天津市委书记、晋察冀分局书记。后到延安任中共中央组织部长、城工部部长等职。解放战争时期，任中共中央东北局书记、北平市委书记。为共产党的城市地下工作做出了杰出贡献。1949年后，历任中共北京市委第一书记，北京市市长，中共中央书记处书记，全国人大副委员长、委员长，全国政协副主席等职。是中共第七、八、十一、十二届中央政治局委员。"文化大革命"中遭到林彪、"四人帮"残酷迫害。1997年病逝。

【彭湃】(1896—1929)中国共产党早期农民运动领导人之一。原名汉育，广东海丰人。1921年加入社会主义青年团。1923年1月领导成立了拥有十万会员的海丰县总农会。同年加入中国共产党，次年任中共广东区委农委书记，在广州创办农民运动讲习所。1927年参加了南昌起义，继又领导海陆丰农民起义。在党的第五次全国代表大会上当选为中央委员，第六次全国代表大会后当选为中央政治局委员兼农委书记。1929年8月在上海被捕，壮烈牺牲。

【彭德怀】(1898—1974)中国无产阶级革命家、军事家，中国人民解放军的创建人和领导人。湖南湘潭人。大革命时期曾任国民革命军营长、团长。1928年4月加入中国共产党，7月与黄公略等领导了平江起义，开辟了湘鄂赣根据地。同年11月率部奔赴井冈山。曾担任中国工农红军师长、军长、军团长等职。参加了长征。抗日战争时期，担任八路军副总司令。领导开辟华北抗日根据地，指挥百团大战。解放战争时期，担任中国人民解放军副总司令、第一野战军司令员兼政治委员。1949年后，先后担任中共中央西北局第一书记、西北军政委员会主席、中央军委副主席、国务院副总理兼国防部部长等职。1950年担任中国人民志愿军司令员兼政治委员。1955年被授予元帅军衔。1959年在党中央庐山会议上曾受到不公正的批判。1965年担任三线建设的副总指挥。是中国共产党的第六、七、八届中央政治局委员。"文化大革命"中遭到林彪、"四人帮"残酷迫害。1974年11月29日在北京病逝。1978年，在十一届三中全会上，为他平反昭雪，恢复了名誉。

澎 péng 见下。

【澎湃】❶波浪相激。㊀江潮～。❷比喻声势浩大，气势雄伟。㊀激情～。

【澎湖列岛】在台湾海峡南部。属中国台湾省。有大小岛屿64个，总面积127平方千米。以澎湖岛为最大(65平方千米)，该岛西岸有澎湖港。

膨 péng 体积胀大。㊀～胀。

【膨化】一种食品加工方法。把被加工的食品放入密闭容器中，加热加压后突然减压，食品中的水分汽化膨胀，使食品中出现许多小孔，变得松脆，成为膨化食品。

【膨胀】❶胀大。㊀空气遇热～。❷扩大；增长。㊀通货～。

【膨脝】肚子胀的样子。

蟚⊠ péng 同"蟛"。

蟛 péng〔蟛蜞〕节肢动物。螃蟹的一种。头胸甲略呈方形，螯足无毛，红色。穴居于海边或江河口泥岸。

搒 ㊁ péng 用鞭、杖或竹板击打。
㊀ bàng (35页)。

蓬 péng ❶飞蓬，二年生草本植物。叶像柳叶，边缘有齿，瘦果上有白色刺毛。❷松散；杂乱。㊀～头垢面。

【蓬松】形容松散杂乱(指草、绒毛、头发等)。

【蓬茸】形容草等生长得很多、很盛。茸(róng)。

【蓬勃】繁荣旺盛的样子。㊀～发展。

【蓬莱】❶神话传说中的神山。诗文中借以比喻仙境。❷市名。位于山东省东部。临沟通渤海和黄海的庙岛海峡。名胜有蓬莱水城、蓬莱阁等。

【蓬蒿】❶茼蒿。❷飞蓬和蒿子。借指草野民间。

【蓬门筚户】用草、荆条等做成的门户。形容穷苦人家所住的简陋的房屋。筚(bì)。

【蓬头垢面】形容头发很乱，脸上很脏。

篷 péng ❶遮蔽日光、风雨的设备。用竹、木、苇席或帆布等材料制成。㊀帐～。❷船帆。

鬔⊠ péng〔鬔松〕头发松散的样子。

pěng ㄆㄥˇ

捧 pěng ❶两手托着。㊀～着。❷奉承；替人吹嘘。㊀吹～。❸量词。用于能捧的东西。㊀一～米。

【捧场】原指特意到剧场去为某一演员的表演壮声势。今泛指对某人的某项活动表示支持。

【捧哏】指相声演出中配角用话或表情来配合主角逗人发笑。哏(gén)。

【捧腹】笑得过于厉害，会使横膈膜剧烈收缩与扩张，需要捧着肚子加以保护。用以形容大笑。㊀令人～。

pèng ㄆㄥˋ

碰(*掽*踫) pèng ❶撞击。㊀～坏。❷相遇。㊀～见。❸试探。㊀～～看。

【碰铃】也叫碰钟、双磬、星。击乐器。状如小酒杯，铜制，通常用一对。演奏时左右手各执一个，互相碰击发音。流行中国广大地区。

【碰硬】❶指做困难的工作。❷指跟邪恶势力或力量强的人作斗争。㊀对于不正之风，不管来头多大，要敢于～。

【碰壁】比喻遇到阻碍或遭受拒绝，事情行不通。

【碰头会】短时间的交换情况、研究问题的会。

pī ㄆㄧ

丕 pī 大。例～变。

邳 pī 邳州，地名，在江苏。

伾 pī 〔伾伾〕形容有力气。

坯 pī ❶用黏土或陶土制作的，未经烧过的砖、瓦、陶、瓷器等的半成品。例砖～。❷特指土坯。例脱～。❸坯子，半制成品。例线～子。

狉 pī 〔狉狉〕形容群兽走动。例鹿豕～。

駓☒(駓) pī 毛色黄白相杂的马。

【駓駓】野兽走得很快的样子。

秠☒ pī 一皮二粒的黑黍。

批 pī ❶用文字示意或评判。例～示|～改。❷批判。❸大量的；大宗的。例～发|～量生产。❹量词。用于大宗的货物或数量较多的人。例一～货|一～人。

【批示】上级机关或领导人对下级的请示、报告等所作的书面指示。

【批发】大宗地出售货物。与"零售"相对。例按～价格出售。

【批判】批评、评论。特指对错误或反动的思想、言行进行分析、批驳。

【批评】对优缺点进行分析。专指对缺点错误提出意见。与"表扬"相对。例培养对文章的鉴赏和～的能力|不要听不得～。

【批驳】❶书面否决下级的意见或要求。❷批评驳斥。

【批注】❶加批语和注解。❷指批评和注释的文字。

【批点】在书籍、文章上加评语并进行圈点。

【批复】对下级文件加上批注意见答复。

【批语】❶对文章等写下的评语。❷批示文件的话。

【批准】对下级的意见、建议或请求表示同意。

【批阅】阅读并加以批示或批改。

【批量】❶成批地。例～生产。❷成批的数量。例大～。

【批零差价】批发价与零售价的差额。

【批判现实主义】19世纪中叶在欧洲开始占主导地位的一种文艺思潮。它真实地反映了封建制度的崩溃和贵族的没落，比较广泛、深刻地揭露和批判了资本主义社会的某些黑暗面，也表现了劳动人民的悲惨生活。批判现实主义作家注意观察生活、分析社会，运用典型化的创作方法，为后来现实主义的文学创作积累了可贵的经验。代表人物有法国的司汤达、巴尔扎克，英国的狄更斯，俄国的果戈理、托尔斯泰等。

纰(紕) pī 布帛丝缕等破坏散开。例线～了。

【纰漏】因疏忽而造成的差错。

【纰缪】错误。

砒 pī ❶砷的旧称。❷砒霜。

【砒霜】也叫信石。无机化合物。即不纯的三氧化二砷(As_2O_3)，白色或灰色固体，剧毒。用于制杀虫剂、除草剂和医药等。

鈚☒(鈚) pī 鈚箭，一种箭锋广长而薄的箭。

怶☒ pī 错误。

披 pī ❶覆盖或搭在肩背上。例～着小褂。❷打开；散开。例～露|～襟。❸裂开。例这根竹竿～了。

【披风】泛指斗篷式的外套。

【披甲】穿上铠甲。

【披沥】披肝沥胆的略语。

【披肩】❶披在肩上的服饰。❷妇女披在上身的一种无袖短外衣。

【披挂】❶穿戴盔甲。也泛指身着衣装。例～上阵。❷指所穿戴的盔甲(多见于早期白话)。

【披览】打开(书籍、文件等)看。

【披读】翻阅(书籍、文件)。

【披靡】❶草木随风散乱地倒下。❷军队溃散。例望风～。靡(mǐ)。

【披露】❶发表；公布。❷陈述；表白。

【披发文身】原作被(pī)发文身。头发散披，身上刺有花纹。中国古代吴越一带的风俗。《礼记·王制》："东方曰夷，被发文身。"

【披发左衽】披散着头发，大襟开在左边。中国古代中原地区以外的少数民族的风俗和装束。也比喻被异民族统治。《论语·宪问》："子曰：'微管仲，吾其被(披)发左衽矣。'"

【披坚执锐】穿上铠甲，拿起武器。形容投身战斗。《史记·项羽本纪》："夫被（披）坚执锐，义不如公。"披：穿着。坚：指铠甲。执：拿着。锐：指兵器。

【披肝沥胆】比喻开诚相见，竭尽忠诚。宋司马光《上体要疏》："虽访问所不及，犹将披肝沥胆，以效其区区之忠。"

【披沙拣金】也说排沙简金。拨开沙子挑选金子。比喻从大量的事物中选取精华。唐高仲武《崔峒》："斯亦披沙拣金，往往见宝。"拣：挑选。

【披荆斩棘】比喻在前进道路上清除障碍，克服重重困难。披：拨开。荆、棘：泛指山野丛生的多刺小灌木。

【披枷带锁】身上套着枷锁。指服重刑。

【披星戴月】身披星星，头顶月亮。形容起早贪黑，辛勤劳动或昼夜赶路，旅途辛劳。

【披麻戴孝】也作披麻带孝。穿上麻衣，戴上孝装。指服重孝。麻：麻衣，儿女服丧的丧服。

狓⊠ pī〔狓猖〕嚣张；猖獗。

铍（鈹） ㊀ pī ❶中医用的长针。下端两面有刃，用来刺破痈疽，排出脓血。❷长矛。

㊁ pí（748 页）。

劈 ㊀ pī ❶用刀斧等破开。㊟～木头｜～山引水。❷正对着；冲着。㊟～头｜～脸。❸雷电毁坏或击毙。㊟树杈被雷～断了。❹简单机械的一种。由两斜面合成，如楔子及刀、斧、刨、凿等的刃。

㊁ pǐ（749 页）。

【劈头盖脸】正对着头和脸下来。形容来势迅猛。㊟～给他一巴掌。

噼 pī 用于拟声词。㊟～啪啪啦。

霹 pī 见下。

【霹雳】也说霹雷。响声巨大的急雷。可对人、畜、建筑物等造成危害。常用来比喻突然发生的事件。

【霹雳舞】20 世纪 60 年代末，美国黑人青年在街头、广场所跳的一种高技巧的舞蹈。后流传开来。有以头部为支点、身体倒立的高速旋转；有木偶或机器人般顿挫感很强的动作；还有模仿太空人走路的舞姿等。动作激烈、火暴，给人以强烈的感官刺激。

pí ㄆㄧˊ

皮 pí ❶人或动植物的表层组织。㊟他的头～磕破了｜牛～｜树～。❷包在外面的东西。㊟书～。❸薄片状的东西。㊟铁～。❹韧性大；不酥脆。㊟这麻花～了。❺顽皮。

【皮毛】❶带毛的兽皮。㊟貂皮、狐皮都是贵重的～。❷比喻表面或表面的知识。㊟只懂得一点～。

【皮层】❶植物根或茎内表皮和维管束之间的部分。❷大脑皮层的简称。

【皮肤】被覆在人和脊椎动物身体表面的部分。脊椎动物的皮肤分表皮和真皮两部分。有保护身体、调节体温、排泄废物等机能。毛发、指（趾）甲、汗腺等为皮肤的附属物。

【皮炎】由外界因素引起的皮肤炎症。致病因素包括工业物质、洗涤剂、日光暴晒等。主要症状是皮肤瘙痒、发红、起小水泡等。

【皮实】❶身体结实，不易得病（多指孩子）。❷器物结实，不易损毁。

【皮试】皮内试验的简称。

【皮革】经过加工的熟兽皮。是制作皮衣、皮鞋、皮箱等的原料。

【皮相】从表面上看；不深入。㊟～之谈。

【皮疹】出现于皮肤表面的各种小疙瘩。是全身疾病在皮肤的表现。有红斑、紫癜、玫瑰疹、丘疹、荨麻疹等。见于麻疹、猩红热等。

【皮黄】也作皮簧。戏曲声腔西皮和二黄的合称。

【皮蛋】即"松花"（933 页）。

【皮棉】轧去种子的棉纤维。

【皮簧】同"皮黄"（747 页）。

【皮囊】用皮做成的口袋。也常用来比喻人体（含贬义）。

【皮划艇】水上运动项目之一。包括皮艇和划艇两种。皮艇运动员坐在艇内，面对前进方向，用两端有桨叶的桨交替划行；划艇运动员单腿跪立在艇内，面对前进方向，用一端有桨叶的桨在船的一侧划行。两种比赛都有单人、双人和四人的 200 米、500 米、1 000 米比赛。单人艇、双人艇和四人艇的长度、宽度和重量不同。

【皮影戏】简称影戏。也叫灯影戏。戏剧形

式之一。用灯光把兽皮等做成的人物剪影照射在白色的幕上,表演故事。表演者在幕后操纵剪影、演唱,并配以音乐。

【皮下注射】将药液注入皮下组织。常用注射部位为上臂及股外侧。

【皮开肉绽】皮肉都裂开了。形容被打得伤势极重。绽(zhàn)。

【皮内试验】简称皮试。一种测定人体对某种药物是否过敏的试验。将极小量被试药物注入皮肤内,15分钟左右出现风团反应的,表示对该药物过敏。常用注射部位为前臂掌侧。

【皮里阳秋】指表面上不作任何批评而心里却有所褒贬。《晋书·褚裒传》作皮里春秋,因晋简文帝郑后名阿春,晋人避讳,将"春"改为"阳"字。

【皮之不存,毛将焉附】皮都没有了,毛还长在哪儿呢?比喻事物失去了借以生存的基础就不能存在。《左传·僖公十四年》:"皮之不存,毛将安傅?"

陂 ㊁ pí 用于地名,如黄陂(在湖北)。
㊀ bēi (41页)。
㊂ pō (759页)。

铍(鈹) ㊀ pí 金属元素,符号Be,原子序数4。钢灰色。铍合金弹性好,质坚硬而轻,可用来制飞机机件和精密仪器等的运动部件。原子能工业中用作中子反射体和反应堆底座等。
㊁ pī (747页)。

疲 pí 累;倦;乏。㊀精~力竭|~倦。

【疲劳】❶因体力劳动或脑力劳动过度而需要休息。❷因运动过度或刺激过强,细胞、组织或器官的机能或反应能力减弱。㊀听觉~。❸因外力过强或作用时间过久而不能起正常的作用。㊀弹性~|金属~。

【疲软】❶疲乏无力。❷指物价持续走低,需求不旺或货币汇率呈下降走势。

【疲沓】同"疲塌"(748页)。

【疲顿】疲乏劳累。

【疲敝】也作疲弊。困惫;人力、物力受到消耗,不充足。

【疲惫】极度困倦,没有精神。惫(bèi):极端疲乏。

【疲塌】也作疲沓。松懈,不起劲。

【疲竭】极度疲劳。

【疲弊】同"疲敝"(748页)。

【疲癃】年老多病。癃(lóng)。

【疲于奔命】《左传·成公七年》:"余必使尔疲于奔命以死。"原指因受命奔走搞得精疲力尽。后指忙于奔走应付,弄得非常疲乏。奔命:奉命奔走。

鲏(鮍) pí 见〔鳑鲏〕(738页)。

阰⊠ pí 古山名。在楚国南部。

芘⊠ pí 〔芘芣〕古书上指锦葵。芣(fú)。

枇 pí 〔枇杷〕常绿小乔木。果实圆形、黄色、味酸甜。原产于中国,长江以南多栽培。

毗(*毘) pí 连接。㊀~连。

【毗邻】毗连,邻接。

【毗连区】沿海国在毗连其领海以外一定范围内,为行使必要管制权而划定的区域。其外部界限从领海基线量起不得超过24海里。国际法规定沿海国在毗连区内可对本国和外国公民及船只行使海关、缉私、卫生和移民等事项的管制权。

蚍 pí 见下。

【蚍蜉】一种大蚂蚁。

【蚍蜉撼树】蚂蚁想摇动大树。比喻狂妄,不自量力。唐韩愈《调张籍》诗:"蚍蜉撼大树,可笑不自量。"撼:摇动。

琵 pí 〔琵琶〕拨弦乐器。体半梨形,曲颈,四弦。戴假指甲弹奏。音域广阔(能奏所有半音),音色独特,技法丰富。常用于独奏、合奏和伴奏。

膍⊠ pí 古指百叶,即牛羊的重瓣胃。

貔 pí 传说中的一种猛兽,像熊。

【貔貅】传说中的一种猛兽。古代也用来比喻勇猛的军队。貅(xiū)。

岯⊠ pí 〔岯崲湖〕古湖名。在今浙江。

郫 pí 郫县,地名,在四川。

陴 pí 女墙。

埤⊠ ㊀ pí 增加。
㊁ pì (749页)。

P

啤 pí 〔啤酒〕一种低浓度酒精饮料。以大麦芽、大米为原料，并加少量酒花，经糖化、低温发酵制得。含糖、蛋白质和二氧化碳。

椑 ㊁ pí 古代盛酒的器皿。
㊀ bēi (42 页)。

脾 pí 也叫脾脏。人和高等动物的内脏之一。位于胃的左下侧，呈深紫色，有过滤血液、制造新血细胞、破坏衰老血细胞及储血等作用。

【脾气】❶性情。[例]～好。❷急躁的情绪。[例]发～。

【脾胃】❶脾脏和胃脏。[例]～不和。❷比喻对事物爱好或厌恶的习性。[例]他们俩～相投。

裨 ㊁ pí 辅佐的；副。[例]～将。
㊀ bì (56 页)。

蜱 pí 节肢动物。体卵圆形。大多数吸人、畜的血，能传染疾病。

鼙 pí 击乐器。古时军队中用的小鼓。

罴(羆) pí 熊的一种。即棕熊。

朦□(朧) pí 〔朦胧〕软弱无能；不中用。

pǐ ㄆㄧˇ

匹(❶*疋) pǐ ❶量词。用于整卷的绸、布等。[例]三～布。❷量词。用于骡马等。[例]两～马。❸相当；相称。[例]～配。

【匹夫】❶一个人。泛指普通人。❷指无学识、无智谋的人。

【匹配】❶合为婚姻。[例]～成夫妻。❷指元器件等的配合。[例]功率～。

【匹敌】彼此相当。

【匹兹堡】美国城市。位于该国东北部。是美国最老的钢铁工业基地，有美国钢都之称。在钢铁工业基础上，建立了重型机械、化学、核能、电气器材、金属加工和运输机械等工业。

【匹夫之勇】指不讲求智谋，只凭个人蛮干的勇气。

芘□ pǐ 有机化合物，分子式$C_{22}H_{14}$。存在于煤焦油中。

庀 pǐ ❶具备。❷治理。

仳 pǐ 〔仳离〕指夫妻分离。特指妻子被遗弃。

吡 ㊁ pǐ 诋毁；斥责。
㊀ bǐ (52 页)。

圮 pǐ 毁坏；倒塌。[例]倾～。

否 ㊁ pǐ ❶坏；恶。[例]～极泰来。❷批评人家的坏处。[例]臧～人物(评论人的好坏)。
㊀ fǒu (283 页)。

【否极泰来】坏情况到了尽头，好情况就会到来。唐白居易《遣怀》诗："乐往必悲胜，泰来犹否极。"否(pǐ)：指失利。泰：指顺利。否和泰是《周易》中的两个卦名。

痞 pǐ ❶痞块，肚子里可以摸得到的硬块。❷恶棍；流氓。[例]地～|～棍。

【痞子】恶棍；流氓。

噽⊠ pǐ 大。

劈 ㊁ pǐ ❶分开。[例]～成三股儿。❷腿或手指等过分叉开，使筋骨受伤。[例]～了腿了。
㊀ pī (747 页)。

擗□ pǐ 手用力使物体的一部分离开原物体。[例]～芾叶。

癖 pǐ 积久成习的特殊嗜好。[例]嗜酒成～。

pì ㄆㄧˋ

屁 pì 由肛门排出的臭气。

媲 pì 比；并。

【媲美】比美；美好的程度不相上下。

埤⊠ ㊁ pì 〔埤堄〕城墙上的女墙。
㊀ pí (748 页)。

睥 pì 〔睥睨〕斜着眼看。表示高傲、厌恶。

铌⊠(鈚) pì ❶裁截；割裂。❷剑身上的饰物。

淠 pì 淠河，水名，在安徽西部。

【淠史杭灌区】江淮之间最大灌区。在安徽

省中西部。从淠河、史河、杭埠河三河上游的响洪甸、佛子岭、磨子潭、梅山、龙河口五大水库引水灌溉。设计灌溉面积 73 万公顷，实际灌溉面积 53.3 万公顷。

塥☒ pì 土块。

辟（❶－❸闢）㊁ pì ❶开辟。㊎这里已～为工业区。❷透彻。㊎精～。❸驳斥或排除。㊎～谣。❹刑法。㊎大～（古指死刑）。❺古又同“僻”。

㊀ bì（57 页）。

【辟谣】说明事实真相，驳斥谣言。

僻 pì ❶偏僻。㊎～静。❷性情古怪，不合群。㊎孤～｜乖～。❸不常见的（多指文字）。㊎生～｜冷～。

【僻静】偏僻而清静。

【僻壤】偏僻的地方。

澼 pì 见〔洴澼〕（759 页）。

甓 pì 砖。

䴙□（鸊） pì〔䴙䴘〕俗称水葫芦。鸟类。样子似鸭而小，羽毛黄褐色。栖于河流湖泊中。䴘（tī）。

譬 pì 打比方。㊎～喻｜～如。

piān ㄆㄧㄢ

片 ㊁ piān 见下。

㊀ piàn（751 页）。

【片儿】同“片（piàn）”①。用于“相片儿”“画片儿”等词。

【片子】❶电影胶片。泛指影片。㊎换～｜送～。❷爱克斯光照相的底片。㊎拍～。❸留声机的唱片。

扁 ㊁ piān 小。㊎～舟（小船）。

㊀ biǎn（60 页）。

偏 piān ❶歪斜。与“正”相对。❷单独着重一方面；不公正。㊎兼听则明，～信则暗。❸与正常标准有差距。㊎气温～高｜判罚～严。❹副词。表示跟愿望、预料或一般情况相反。㊎～不凑巧｜明知山有虎，～向虎山行。

【偏见】成见；偏于一方面的见解。

【偏方】民间流传的不见于古典医学著作的中药方。

【偏执】片面而固执。㊎观点～。

【偏向】❶无原则地支持或袒护某一方面；不公正。❷不正确的倾向（多指执行政策）。

【偏安】指封建王朝不能统治全国，苟安于一方。如晋朝、宋朝南渡以后即成偏安局面。

【偏劳】请人帮忙或感谢人帮忙时的客气话。

【偏废】应当兼顾的事情忽视了其中的一方面或几方面。㊎集体领导和个人负责，二者不可～。

【偏房】旧指正妻以外的妾。

【偏食】❶日偏食和月偏食的统称。❷只喜欢吃某几种食物的不良习惯。

【偏差】❶偏离了规定标准或方针政策的缺点、错误。❷运动的物体偏离确定方向的角度。

【偏爱】在几个人或几件事物中，特别喜爱其中的一个或一件。

【偏旁】汉字中合体字的左方为偏，右方为旁，习惯上左右上下汉字构件统称偏旁。包括形旁和声旁。如“鲤”字的“鱼”和“里”，“想”字的“心”和“相”。“鱼”和“心”表示意义，称形旁；“里”和“相”表示读音，称声旁。有的偏旁能独立成字，如上举各例；有的现已不能独立成字，如“迅”字的“辶”和“卂”。

【偏袒】袒护一方。

【偏偏】副词。1. 表示故意跟客观情况相反，也表示事实跟所希望的相反。㊎对大家已经讨论决定的意见，他～还要唱反调｜麦收时节～碰上了连阴雨。2. 表示范围，与“只有”“单单”相当。㊎今天的小组会～他没到。

【偏颇】偏于一方面；不公正。

【偏锋】❶书法上指用毛笔写字时，笔锋斜行的笔势。❷泛指说话、写文章等从侧面着手的方法。

【偏僻】远离城市或中心地区，交通不方便。

【偏瘫】也叫半身不遂。身体一侧丧失活动能力。主要由脑血管意外出血、颅脑损伤、脑瘤、脑炎等引起。

【偏激】思想极端，行为过火。

【偏头痛】一种反复发作的头痛。发病多与脑血管舒缩障碍有关。一般为单侧，轻重、频率、持续时间不定，伴有厌食、恶心和呕吐等症状。

【偏振片】能使自然光通过后变成偏振光的薄片。如电气石晶片和人造偏振片，它们能把自然光中沿某一方向振动的光吸收，而使沿垂直方向振动的光通过。

【偏振光】具有偏振现象的光。光是电磁波，是横波，电振动方向和磁振动方向都与光的传播方向垂直；物理学把电振动方向定为光的振动方向。一般光源发出的光，在垂直于光传播方向的平面上的电振动，在各个方向上的情况相同，这样的光叫自然光。自然光由于某种原因（如通过偏振片）变成电振动在某一方向上强，而其他方向上弱，甚至没有，就发生了偏振现象，这样的光叫偏振光。

【偏正关系】也叫主从关系。语法关系的一种。指两个直接成分之间有修饰限制与被修饰限制的关系，被修饰限制的为正，修饰限制的为偏。如“冰糖”“飞快”“重要的会议”“详细地说明”等。

【偏正短语】也叫主从短语。组合的两个词语之间有修饰限制与被修饰限制的关系。如“丰收的田野”“非常美丽”等。

【偏听偏信】不全面地调查了解，只片面地听信某一方的意见。

犏 piān 犏牛，公黄牛和母牦牛交配所生的第一代杂种牛。兼有牦牛耐劳和黄牛易驯的特点，公的无生殖力。产于中国青海、西藏、甘肃等地。

篇 piān ❶首尾完整的文章；一部书可以分开的大段落。[例]～章｜《荀子·劝学～》。❷写着或印着文字的单张纸。[例]歌～。❸量词。用于文章、纸张、书页等。[例]一～论文｜三～儿纸。

【篇目】书籍中篇章标题的目录。

【篇章】即“语篇”（1203页）。

【篇幅】❶指文章的长短。❷书籍、报刊等篇页的总数量。

翩 piān 形容飞得轻快。

【翩跹】形容轻快地跳舞。跹（xiān）。

【翩翩】❶形容轻快地跳舞，也形容鸟类、蝴蝶等飞舞。❷形容举止大方，姿态优美（多指青年男子）。

pián ㄆㄧㄢˊ

便 ㊁ pián 见下。
㊀ biàn（62页）。

【便宜】❶价钱低廉。❷不正当的利益。[例]不要总想占～。

【便便】肚子肥大的样子。[例]大腹～。

缏（緶） ㊁ pián 〈方〉用针缝。
㊀ biàn（62页）。

楩[☒] pián 古书上指一种大树。

骈（駢） pián 并列的；对偶的。[例]～句｜～肩（肩挨肩，形容人多）。

【骈文】中国古代的一种文体。开始于汉、魏，六朝最为盛行。后来有的骈文多用四字、六字成句，也叫四六文。这种体裁的文章通篇用骈偶句，即讲究上下句对仗，偏重形式，多堆砌辞藻典故。中唐以后古文运动兴起，骈文渐趋衰落。与“散文”相对。

【骈田】同“骈阗”（751页）。

【骈体】一种要求词句齐整对偶的文体。与“散体”相对。

【骈枝】骈拇和枝指。骈拇，指脚的大拇指跟二拇指相连；枝指，指手的大拇指或小拇指旁边多长出的一个手指。比喻多余的或不必要的事物。

【骈俪】文章的对偶句法。俪：对偶。

【骈阗】也作骈田。聚集，连属。

胼 pián 见下。

【胼胝】也作跰胝。趼（jiǎn）子。胝（zhī）。

【胼手胝足】手脚久受摩擦生了趼子。形容极其辛劳。

跰[□] pián 〔跰胝〕同“胼胝”（751页）。

楄[☒] ㊁ pián 方木。
㊀ biǎn（60页）。

蹁 pián 〔蹁跹〕形容跳舞的姿态。跹（xiān）。

piǎn ㄆㄧㄢˇ

谝（諞） piǎn 〈方〉显示；夸耀。[例]～富｜～能。

piàn ㄆㄧㄢˋ

片 ㊀ piàn ❶平而薄的小东西。[例]布～儿｜玻璃～儿。❷用刀平行着切成薄片。[例]～肉片儿。❸整体内划分出的一

P

小部分，或较大地区内划分出的较小地区。例～段｜分～儿。❹不全的；零星的；简短的。例～面｜～言｜～纸只字。❺指影片、电视片。例制～｜儿童～｜～酬。❻量词。例两～药｜一～绿地｜一～丹心。

㊀ piān（750页）。

【片言】简短的几句话。例～只字。

【片岩】具有明显片状构造的变质岩石。一般由云母、绿泥石、滑石、角闪石等片状或柱状矿物和石英、长石等粒状矿物组成。是地壳岩石大区域变质的产物。

【片刻】一会儿。

【片面】❶单方面。例～撕毁协定。❷偏于一面。例不要～看问题。

【片段】也作片断。整体中的一段（多指文章、小说、戏剧、生活、经历等）。

【片断】同"片段"（752页）。

【片面性】指对事物不作全面考察的形而上学的思想方法。表现为只看矛盾的一方，不看另一方；只见树木，不见森林；抽象地肯定一切或否定一切。

【片麻岩】变质岩的一种。变质程度较深。常有断续的条纹和斑点。主要由长石、石英及一些含铁、镁的矿物组成。

【片甲不存】也说片甲不留。形容全军覆没。

【片纸只字】指零星的文字材料或简短的书信。

骗（騙） piàn 用谎言或诡计使人上当。

【骗子】骗取财物或其他利益的人。

【骗局】使人上当受骗的圈套。

【骗赔】被保险人采用虚伪欺骗手段获得保险赔款或保险金。

piāo ㄆㄧㄠ

剽 piāo ❶抢劫；掠夺。例～掠。❷动作敏捷。例～悍。

【剽窃】抄袭、窃取（别人的著作）。

【剽悍】也说慓悍。敏捷而勇猛。

漂 ㊀ piāo 浮在液体表面上。例～流。

㊁ piǎo（753页）。

㊂ piào（753页）。

【漂泊】也作飘泊。随水漂流或停泊。比喻生活不安定，到处奔走。

【漂浮】也作飘浮。❶漂。❷比喻工作不塌实。

慓 ⊠ piāo 动作敏捷。

缥（縹） ㊁ piāo〔缥缈〕也作飘渺。形容隐隐约约，若有若无。例虚无～。

㊀ piǎo（753页）。

飘（飄 *飃） piāo ❶随风飞动。例雪花～｜红旗～。❷古又同"漂（piāo）"。

【飘扬】随风摆动。例五星红旗迎风～。

【飘尘】一种粉尘颗粒。直径在10微米以下。常自锅炉和其他粉尘作业场所排出，排出后在空气中长时间飘浮。有的可随呼吸粘附于人的肺部，危害很大，是污染环境的物质之一。

【飘忽】❶（风云等）轻快地移动。❷摇摆；浮动。例～不定。

【飘泊】同"漂泊"（752页）。

【飘荡】在空中随风摆动或在水面上随波浮动。

【飘洒】❶飘舞着下落。❷（姿态）自然，不呆板。

【飘浮】同"漂浮"（752页）。

【飘逸】❶洒脱，不俗。例神采～。❷飘浮；飘散。例白云～。

【飘渺】同"缥缈"（752页）。

【飘摇】也作飘飖。❶随风在空中飘动。例烟云缭绕，～上升。❷动荡不定。

【飘零】（花或叶）凋谢零落。比喻遭到不幸，流落无依。

【飘飖】同"飘摇"（752页）。

【飘飘然】形容欣喜自得的样子（含贬义）。

螵 piāo〔螵蛸〕螳螂的卵块。蛸（xiāo）。

piáo ㄆㄧㄠˊ

朴 ㊃ piáo 姓。

㊀ pò（760页）。

㊁ pǔ（763页）。

㊂ pō（759页）。

嫖 piáo 男子玩弄妓女的行为。

瓢 piáo 舀（yǎo）水或其他东西的一种用具。多用对半剖开的葫芦做成。

【瓢虫】昆虫。甲虫的一类。成虫半球形，幼虫体多毛刺。以蚜虫、介壳虫为食。多

P

数种类对农业有益。

【瓢泼】像用瓢往下泼。形容雨大。例～大雨。

藨□ piáo 〈方〉浮萍。

piǎo ㄆㄧㄠˇ

莩 ㊀ piǎo 同"殍"。
㊁ fú (287 页)。

殍 piǎo 饿死的人。

漂 ㊁ piǎo ❶用水加漂白剂使东西变白。例～白。❷用水淘去杂质。例～朱砂。
㊀ piāo (752 页)。
㊂ piào (753 页)。

【漂白】除去纺织品上或纸浆中的色素的过程。常用的漂白剂为氧化剂,如双氧水、次氯酸钠、亚氯酸钠等。

【漂白粉】无机化合物。主要成分是次氯酸钙[$Ca(ClO)_2$]。白色粉末,有强烈的刺激性臭味,受潮易分解失效,需密封保存。用作漂白剂、消毒剂等。

缥(縹) ㊀ piǎo ❶淡青。❷青白色的丝织品。
㊁ piāo (752 页)。

瞟 piǎo 斜着眼很快地看。例～了他一眼。

皫☒ piǎo ❶白色。❷羽毛暗淡,没有光泽。

piào ㄆㄧㄠˋ

票 piào ❶钞票;纸币。例零～。❷印的或写的凭证。例车～|选～。❸非职业性的演戏。例～友。❹强盗称被绑架勒赎的人。例绑～|赎～。

【票友】称业余的戏曲演员。

【票汇】银行应汇款人的申请,代汇款人开立以其分行或代理行为解付行的银行即期汇票,支付一定金额给收款人的一种汇款方式。

【票据】❶发票人依法签发的,无条件约定自己或委托他人以支付一定金额为目的的有价证券。如汇票、本票和支票等。是能够流通、担保和融资的支付工具。❷出纳或运送货物的凭证。

【票额】票面上规定的数额。例这是一张两千元～的支票。

【票房价值】指电影、戏剧等由演出卖票而获得的经济效益。

僄☒ piào ❶轻便敏捷。❷不稳重。

嘌 piào 快速的样子。

【嘌呤】一种含氮的杂环有机化合物。其衍生物鸟嘌呤、腺嘌呤等是核酸的重要组成部分,在生物的代谢过程中起着重要作用。如咖啡碱、尿酸等都是嘌呤类化合物。呤(lìng)。

漂 ㊂ piào 〔漂亮〕❶美观;好看。❷出色。例这一仗打得真～。
㊀ piāo (752 页)。
㊁ piǎo (753 页)。

骠(驃) ㊀ piào ❶勇猛。例～勇。❷马快跑的样子。
㊁ biāo (65 页)。

【骠骑】汉代将军的名号。例～将军。

piē ㄆㄧㄝ

氕 piē 氢的一种稳定同位素,符号为^1H。质量数 1。它的原子由一个质子和一个电子组成,是氢的主要成分。占自然界中氢的总量的 99.984%。

撇 ㊀ piē ❶丢开;抛弃。例～开|～弃。❷从液体表面上舀(yǎo)。例～油。
㊁ piě (753 页)。

瞥 piē 很快地看一下。

piě ㄆㄧㄝˇ

苤 piě 〔苤蓝〕也叫擘蓝。即球茎甘蓝。二年生草本植物。甘蓝类蔬菜的一个变种。叶柄细长,茎膨大成球形,供食用。蓝(lan)。

撇 ㊁ piě ❶平着扔。例～石子儿。❷汉字的一种笔画。即"丿"。
㊀ piē (753 页)。

锹□(鍬) piě ❶锹刃。❷〈方〉烧盐用的敞口锅。用于地名

（表示是烧盐的地方），如潘家𬭚（在江苏）。

piè ㄆㄧㄝˋ

嫳☒ piè 〔嫳屑〕衣服飘动的样子。

pīn ㄆㄧㄣ

拚 ㊁ pīn 同"拼"②。
㊀ pàn（737页）。

拼 pīn ❶合在一起；连合。㊎～音｜七～八凑。❷不顾一切地干。㊎～命。

【拼命】把性命豁出去。比喻尽最大的力量。㊎要注意身体，不能～｜～工作。

【拼贴】现代艺术技法之一。把平面图像、立体图像或物品拼贴在一起构成画面。

【拼音】把两个或两个以上的音素连起来拼读成一个音节。如 b 和 ā 拼成 bā。

【拼凑】把零碎的合在一起。

【拼搏】竭尽全力搏斗。㊎顽强～｜～精神。

【拼音文字】用符号（字母）表示语音的文字。现代世界各国所用的文字多数是拼音文字，如英文、法文、德文等。中国少数民族所用的文字，如藏文、蒙文、维吾尔文、壮文等也是拼音文字。

姘 pīn 非夫妻而发生性行为。㊎～居｜～头。

【姘头】指非夫妻关系而发生性行为的男女。有这种关系的一方也称为对方的姘头。

pín ㄆㄧㄣˊ

玭☒ pín 蚌珠。

贫（貧） pín ❶穷。与"富"相对。㊎～苦｜～民。❷缺少；不足。㊎～血。❸絮烦可厌。㊎这个人嘴真～。

【贫乏】❶贫穷。❷缺少；不丰富。㊎知识～。

【贫民】指工人农民外，没有固定的职业，依靠自己劳动或依靠很少生产资料自己经营为生而生活贫苦的人。

【贫血】人体血液中，红细胞数量及血红蛋白含量等明显低于正常值时，叫贫血。主要症状是皮肤黏膜苍白、易疲劳、心跳气短、食欲不振、头晕头疼等。

【贫农】农村中的半无产阶级。没有或只有一部分土地和一些不完全的生产工具。一般都须租入土地耕种，受地租、高利贷以及小部分雇佣劳动的剥削，生活极为贫苦。

【贫困】生活困难；贫穷。

【贫矿】含矿品位较低，脉石矿物含量高的矿石。必须经过选矿后才能冶炼。

【贫弱】贫穷衰弱（多指国家、民族）。

【贫瘠】（土地）薄，不肥沃。

【贫嘴】爱多说没用的话或玩笑话。

【贫民窟】指城市中贫苦人聚居的地方。通常是房屋简陋，居住拥挤，环境卫生恶劣。

【贫困线】由政府规定的居民维持最低生活水平所必需的收入标准。

【贫下中农】贫农（包括老雇农）、下中农的合称。他们是农村中的无产阶级和半无产阶级。

【贫贱不移】不因贫穷或地位低而改变志向。

频（頻） pín 副词。屡次；连续几次。㊎捷报～传｜～～得手。

【频仍】连续不断（多用于坏的方面）。㊎灾难～。

【频段】无线电波按频率高低而分成的不同的段。如低频、中频、高频、甚高频、超高频等。

【频率】❶单位时间内完成振动或振荡的次数或周数。常用单位是赫兹。1 赫兹等于 1 次/秒或 1 周/秒。❷某一时间内某事物发生的次数或完成某过程的次数，有时也叫频率。

【频道】也叫波道。无线电通信和广播设备工作时，占用一定频率范围以传送电信号的通道。电视中的频道，是指电视节目播出时影像信号和伴音信号所占用的一定宽度的频带。

【频数】对样本的数据进行分组后，每一个组内的数据个数。

【频繁】次数多。㊎来往～。

【频率分布表】对样本的数据进行分组后，算出各组的频数与频率而制成的表。

【频率分布直方图】在直角坐标系中，横轴表示样本数据，纵轴表示频率与组距的比值，将频率分布表中各组频率的大小用相应矩形面积的大小来表示，由此画成的统计图叫做频率分布直方图。

蘋[□]（蘋） pín 也叫田字草。多年生蕨类草本植物。茎横卧在浅水的泥中，四片小叶组成一复叶，像“田”字。

“蘋”，另音 píng，见“苹”（758 页）。

矉（矉） pín 皱眉。

嫔（嬪） pín 古代皇宫里的女官。

pǐn ㄆㄧㄣˇ

品 pǐn ❶物件。㊀产～｜商～。❷等级。㊀～级｜上～。❸品质。㊀～德。❹体察辨别好坏、优劣。㊀～茶｜～评。

【品行】有关道德的品质和行为。㊀～端正。

【品位】❶矿石中含有所需要的某种金属量的多少（常以百分数表示），称为这种金属的品位。❷指质量、规格或水平。㊀高～棉纱｜艺术～。

【品系】起源于共同祖先的一群生物体。多用于遗传育种学。

【品味】品尝滋味。

【品质】❶人的行为、作风所表现的思想、认识、品性等的本质。㊀勤劳、勇敢、诚实、谦虚等都是优良的～。❷物品的质量。㊀中国瓷器～之优良是世界闻名的。

【品性】品质性格。

【品茗】品尝茶的滋味。也泛指喝茶。茗（míng）。

【品尝】仔细地辨别尝试（滋味）。

【品种】❶经过人工选择，在生态和形态上具有共同遗传特点的一群生物体（通常指栽培植物、牲畜、家禽等）。❷泛指产品的种类。㊀花色～。

【品格】❶品质；品行。❷指文学、艺术作品的质量和风格。

【品第】等级。也指评定高低，分列等次。

【品牌】指用来识别一个或一群卖主的商品或劳务的名称、术语、符号、图案等。

【品德】道德品质。

【品头论足】即“评头品足”（758 页）。

【品竹弹丝】也说品竹调丝、品竹调弦。泛指演奏乐器。

【品牌价值】指在市场上具有较高知名度的品牌能为企业带来的经济效益。

榀 pǐn 量词。一个屋架叫一榀。

pìn ㄆㄧㄣˋ

牝 pìn 雌性的鸟、兽。与“牡”相对。㊀～马。

聘 pìn ❶请人担任某种职务。㊀～请教员。❷古时国与国遣使访问。㊀～使往来。❸定亲。㊀～礼。❹嫁。㊀～姑娘｜出～。

【聘书】聘请人担任职务的文书。

【聘用】聘请任用。

【聘礼】❶聘请用的礼物。❷即“彩礼”（91 页）。

【聘任】聘请担任（职务）。㊀～制。

【聘问】古指代表本国政府访问友邦。

pīng ㄆㄧㄥ

乒 pīng ❶拟声词。枪声或物体撞击的声音。❷指乒乓球。㊀～坛。

【乒乓球】❶球类运动项目之一。在长方形球台（长 2.74 米、宽 1.525 米、高 0.76 米）中间横隔球网（网高 15.25 厘米），用球拍往来击球。以落在对方球台为有效。分单打、双打两种。21 分为一局。❷乒乓球运动使用的球。用赛璐珞制成，直径 38 毫米或 40 毫米。

俜 pīng 见〔伶俜〕（622 页）。

娉 pīng 〔娉婷〕形容女子的姿态美。

砯[☒] pīng 水撞击岩石的声音。

píng ㄆㄧㄥˊ

平 píng ❶表面没有高低凹凸，不倾斜。㊀～坦｜水～。❷使平。㊀～整土地。❸均等。㊀～分。❹不相上下或不分高低先后。㊀～辈｜～局。❺安静。㊀～心静气。❻平定；用武力镇压叛变。㊀～叛｜～乱。❼经常的；普通的。㊀～时｜～淡。❽平声。与“仄”相对。㊀～、上、去、入。

【平川】陆地上宽广平坦的地区。

【平凡】平常,不希奇。
【平仄】平声和仄声(上、去、入三声)。泛指由平仄构成的诗文韵律。
【平手】不分胜负,成绩相当。㊙打了个～。
【平反】把错判的案件或错做的政治结论改正过来。
【平仓】在证券市场上先买后卖或先卖后买的行为。
【平月】阳历平年的2月,只有28天。
【平方】❶也叫二次方。两个相同的数相乘,叫做这个数的平方。如3×3叫做3的平方,记作3^2。❷指平方米。
【平允】公平适当。
【平生】❶一生;一辈子。❷从来。㊙素昧～。❸往常;平素。㊙多亏他～节约,积攒了这几个钱。
【平民】❶阶级社会中除享有特权的统治阶级以及奴隶、农奴以外的人。❷普通的人。㊙～百姓。
【平台】❶生产和施工过程中,为操作方便而设置的工作台,有的能移动和升降。❷电子计算机中由基本的软件和硬件构成的系统。如由计算机、操作系统以及相关的数据库构成的系统。应用程序可以在这样的系统上驻留和运行。
【平动】一种运动方式。其特征是物体中任意两点的连线(直线)在运动中始终保持跟原来的方向平行。
【平年】❶阳历没有闰日或农历没有闰月的年份。❷农作物收成平常的年份。
【平价】❶旧指平定上涨的物价。❷平定了的货物价格。㊙～米。❸也叫法定汇率。指两种货币之间按各自含纯金的数量规定的兑换比率。如1971年12月美元贬值前,它的含金量为0.888671克,英镑含金量为2.13281克,英镑对美元的平价便为2.13281÷0.888671=2.4,即1英镑合2.4美元。各国货币的含金量也叫金平价。❹指国家正式规定的价格。与"议价"相对。㊙计划供应的粮食,仍按～出售。
【平行】❶同一平面内的两条直线如果距离相等,即不相交,就说它们互相平行。这个概念也可推广到两平面间的平行或直线同平面间的平行。❷互不隶属的同级关系。㊙～机关。❸同时进行的。㊙～作业。
【平抑】抑制使稳定。㊙～物价。
【平声】汉语声调之一。古汉语里的平声字在普通话里分为阴平和阳平两类。
【平足】指扁平足。足弓变低或消失,脚心扁平。平足的人,下肢易疲劳,行走或站立时感觉疼痛。参见〔足弓〕(1321页)。
【平身】古时帝王或官员命行跪拜礼者站起来。
【平角】当角的两边为方向相反的两条射线时,称为平角,即180°的角。
【平纹】指经纱、纬纱相互一上一下地交织成的纹路。市布、府绸、纺绸、凡尔丁等都是平纹组织。
【平明】天亮的时候。
【平炉】也叫马丁炉。炼钢炉的一种。炉膛由耐火材料砌成,长方形,平顶。
【平空】同"凭空"(759页)。
【平话】也作评话。中国民间流行的口头文学形式。有说有唱,也有的只说不唱。内容多讲历史或小说故事。如《三国志平话》《五代史平话》。
【平面】在一个面内,任意取两点连成直线,如果直线上所有的点都在这个面上,这个面就是平面。
【平素】平时;平常。㊙他～很注意节约。
【平原】陆地上低平而广阔的地区。按成因主要分为冲积平原和侵蚀平原两大类。
【平息】❶(风势、纷乱等)消失或停止。㊙风渐渐地～下来|他们的争吵难以～。❷用武力平定。㊙～叛乱。
【平野】广大平坦的原野。
【平庸】寻常;一般。
【平淡】平常,少曲折,少趣味。㊙～无味|生活～。
【平粜】旧时遇到荒年,官府按平常价格卖出粮食。粜(tiào)。
【平等】指人们在社会上处于同等的地位,在政治、经济、文化等方面享有同等的权利。
【平装】书籍的装订方法之一。指用单层纸做封面,书脊不成弧形的装订。
【平靖】❶用武力镇压暴乱,使社会秩序安定。❷(社会秩序)安定。
【平稳】稳定,不波动,不摇晃。
【平整】❶平而整齐。❷使(土地)平坦整齐。㊙～土地。
【平衡】❶对立的各方面在数量上相等或相抵。㊙收支～。❷两个或两个以上的力作用在一个物体上,各个力互相抵消,物体仍保持原来的运动状态。❸哲学上指矛盾暂时的、相对的统一。

P

【平壤】朝鲜首都。位于朝鲜半岛西部偏北。人口274万(1993年)。是全国政治、经济、文化和交通中心。工业以多种机械制造、建筑材料、食品加工和纺织为主。是朝鲜半岛古城之一,多名胜古迹。

【平水韵】原为金代供科举考试用的官韵书。分汉字一百零六韵。元、明、清以来作近体诗时以为押韵的根据。

【平均数】一般指算术平均数。即若干个数的和,除以这些数的个数所得的商。如$(1+2+3)\div 3=2$,2就是1,2,3的平均数。

【平面图】表示小范围内各种事物分布的图形。如公园导游图等。

【平流层】旧称同温层。从对流层顶到距地面约55千米高度范围的大气层。本层内上部热下部冷,空气以水平运动为主,大气平稳,天气晴朗,适合高空飞行。

【平章事】古代官名。始于唐,明代废。其间名称略有变化,职权略有不同:唐对实际任宰相的人,在其本官外加"同平章事"的头衔;宋有"平章军国重事"之名,位在相之上;金元称"平章政事",则位次于相。

【平滑肌】也叫不随意肌。肌肉的一种。肌细胞呈长梭形,细胞核一个,位于细胞中央。无横纹。分布于内脏器官内,能进行缓慢而不受意志支配的收缩。

【平衡木】❶体操器械之一。在两根支柱上架一根横木。木长5米,宽0.1米,高1.2米。❷女子竞技体操项目之一。运动员在平衡木上做技巧翻腾动作、跳步、转体、平衡以及各种舞蹈动作等。

【平分秋色】比喻双方各得一半。宋李朴《中秋》诗:"平分秋色一轮满,长伴云衢千里明。"

【平地风波】比喻突然发生的意外事故或变化。唐刘禹锡《竹枝词》:"等闲平地起波澜。"

【平江起义】第二次国内革命战争时期,共产党人彭德怀等在平江领导的武装起义。1928年7月彭德怀、滕代远、黄公略等领导湖南平江的农民和一部分革命士兵举行武装起义,成立了中国工农红军第五军,并在平江、浏阳、铜鼓、修水等地开展游击战争,进行土地革命,成立工农革命政权。后来创建了湘鄂赣革命根据地。

【平均主义】也叫绝对平均主义。主张人们在物质生活方面绝对平均的思想。即要求在工作条件、生活条件、劳动报酬等方面,人人完全一样,大家绝对平均。是一种无法实现的幻想。

【平均利润】按照平均利润率计算所得到的利润。通过自由竞争和资本的转移而获得。

【平步青云】比喻不费气力,一下子就达到了很高的地位。青云:高空。比喻高位。

【平易近人】❶态度和蔼,使人感到亲切,容易接近。❷(文字)通俗易懂。

【平版印刷】印版的图文和空白部分在同一平面上,利用水油相拒的原理,在润湿印版版面后施墨,只有图文部分能附着油墨,然后进行印刷,这种方法叫做平版印刷。印版有石版、金属平版和珂罗版等。多用于印制单色或彩色的印刷品。

【平面几何】几何学的一部分。在欧几里得几何中,研究平面图形的性质。

【平面图形】如果图形上所有的点都在同一个平面内,这个图形叫做平面图形。

【平津战役】解放战争时期三个最大战役之一。辽沈战役结束后,淮海战役正在顺利发展时,在北平(今北京)、天津、张家口地区的国民党军共60余万人,妄图海运南逃或西窜绥远。东北野战军和华北野战军主力100万人,于1948年11月29日发起平津战役。首先截断了敌军西窜或南逃的通路,将敌分割包围于北平、天津、张家口、新保安、塘沽五点。攻克新保安、张家口之后,于1949年1月14日全歼天津守敌13万余人,解放天津。至此,北平20余万守敌完全陷于绝境,在解放军强大军事压力和政治攻势下,国民党华北"剿总"总司令傅作义率部接受和平改编,1月31日北平和平解放,平津战役胜利结束。此役历时64天,共歼灭和改编国民党军队52万余人,基本上解放了华北地区。

【平起平坐】比喻地位相当,身分不分高低。

【平家物语】日本古典小说。相传镰仓时代初期信浓前司行长著。共十二卷。描写1132—1213年平氏和源氏两个封建家族争夺政权的战争,起初平氏占优势,最后源氏胜利,并取得政权。

【平铺直叙】(说话或写文章)只把意思平平淡淡地、直接简单地叙述出来,重点不突出,内容不生动。

【平衡膳食】指各种营养素搭配合理的膳食。可分别满足不同年龄及从事不同活动的人发育或健康的需要。

【平行四边形】对边互相平行的四边形。

【平均利润率】全社会的剩余价值总量与全部预付资本总量的比率。它是在资本之间的竞争中形成的。

【平均海水面】也叫平均海平面。在海边适当地点观测潮位的升降,依多年记录而确定的海水面的平均位置。是测量高度的起点。

【平型关战斗】抗日战争时期八路军在山西平型关伏击日本侵略军的战斗。1937 年 9 月侵入山西北部的日军企图夺取太原。八路军一一五师设伏于平型关东北的公路两侧山地,待机歼敌。25 日晨,日军板垣师团第二十一旅团主力进入设伏地区。一一五师发起猛攻,经过一天激战,歼敌1 000多人,击毁汽车 100 余辆,并缴获大量武器和军用品。获得了全国抗战开始以后的第一个胜利。

【平均律钢琴曲集】键盘曲集。巴赫曲。用所有大、小调创作的 48 首前奏曲与赋格,分为上、下两集,每集 24 首,分别作于 1722 年和 1744 年。巴赫以此实践了十二平均律的理论。为古典复调音乐的典范作品。

评(評)

píng ❶发议论。[例]短~|书~。❷在比较中作判断。[例]~理|~选。

【评比】比较、评判成绩大小、水平高低。

【评介】评论介绍。

【评书】也叫评话。曲艺的一类。一人表演,只说不唱。过去多说长篇,现在也有说中篇、短篇的。有北京评书、苏州评话、扬州评话、四川评书等。

【评议】讨论评定。

【评传】带有评论的传记。

【评价】❶评定货物的价格。也泛指衡量人物、事物的作用或价值。❷评定的价值。

【评论】❶批评或议论。❷批评或议论的文章。在报刊中包括社论、短评、述评、编者按等。

【评估】根据标准衡量;评价。[例]资产~。

【评判】判断是非曲直或胜负优劣。

【评注】评论并注释。

【评审】评议审查。[例]职称~委员会。

【评话】❶同“平话”(756 页)。❷即“评书”(758 页)。

【评标】招标人组织有关专家按照招标文件要求,对投标人的报价、交易条件、技术与法律因素进行评审、评价和比较,选出中标人的过程。

【评剧】初期叫蹦蹦戏。戏曲剧种。流行于华北、东北等地区。在曲艺莲花落的基础上,吸收了影调、二人转及河北梆子等剧种的唱腔和音乐发展而成。

【评断】评论决断。

【评弹】苏州评话和苏州弹词两种曲艺的合称。把这两种曲艺综合起来,有说有唱的演出形式也叫评弹。

【评骘】评定。骘(zhì):排定。

【评头品足】也说品头论足。原指一些无聊的人评论妇女容貌。今泛指对人对事说长道短,多方挑剔。

坪

píng 平坦的场地。[例]草~。

苹(蘋)

píng〔苹果〕落叶乔木。叶互生,叶片有齿。是中国北方重要果树之一。也指这种植物的果实。品种很多,如国光、红玉、富士等。

“蘋”,另音 pín,见“蘋”(755 页)。

枰

píng 棋盘。[例]棋~。

萍

píng ❶浮萍。❷红萍,水生蕨类植物。即满江红。浮生于水面,叶绿色,秋季转红色。全草可作鱼类及家畜的饲料,又可作绿肥。

【萍踪】比喻行踪不定。

【萍水相逢】比喻本不相识的人偶然相遇。唐王勃《滕王阁序》:“萍水相逢,尽是他乡之客。”萍:浮萍,生于水面,随水漂泊,聚散不定。

蚲[☒]

píng 蛘,米中小黑虫。

鲆(鮃)

píng 鱼类的一科。种类繁多。体侧扁,成片状,成鱼两眼都在左侧。生活在温、热带浅海中,栖息于沙底,食小动物。中国沿海均产。

冯(馮)

㊁ píng ❶徒步过河。❷通“凭”。

㊀ féng(280 页)。

凭(憑*凴)

píng ❶靠在东西上。[例]~栏远望。❷倚靠;倚仗。[例]~着群众的关心支持,克服了重重困难。❸证据。[例]~据|空口无~。❹介词。根据。[例]~票入场。❺任意;随便。[例]任~。

P

【凭吊】指对着遗迹、坟墓等怀念前人或往事。
【凭空】也作平空。没有根据地。例～设想。
【凭栏】靠着栏杆。例～远眺。
【凭信】信赖；相信。
【凭借】依靠。
【凭据】据以作为凭证的事物。
【凭眺】站在高处向远处看。
【凭照】证件或执照。
【凭虚公子】汉张衡《西京赋》中一个虚构的人物，与司马相如《子虚赋》中的子虚、亡是公、乌有先生一样，都实无其人。后均用来指不存在的人或事。

帡 píng 〔帡幪〕古代覆盖用的帐幕。顶子叫幪，四面叫帡。幪（méng）。

洴 píng 〔洴澼〕漂洗（绵絮）。澼（pì）。

蓱☒ píng 同“萍”。

屏 ㊀ píng ❶遮挡。例～风。❷字画的条幅。例四扇～。
㊁ bǐng（71页）。
㊂ bīng（69页）。

【屏障】像屏风那样起遮蔽作用的东西（多指山岭、岛屿等）。
【屏蔽】❶像屏风似的遮挡着。例～一方。❷屏障。
【屏藩】❶屏风和藩篱。比喻周围的疆土。❷比喻卫国的重臣。《诗经·大雅·板》：“价人维藩，大师维垣，大邦维屏，大宗维翰。”❸捍卫。《左传·定公四年》：“选建明德，以藩屏周。”

幈☒ píng 同“屏（píng）”。

軿☒（軿） píng 古代妇女乘坐的一种有帷帘的车。

瓶（*缾） píng 瓶子；瓶儿。例油～｜药～儿。

【瓶颈】❶瓶子上部较细的部分。❷比喻事情进行中容易产生阻碍的环节。例制约经济发展的～。

pō ㄆㄛ

朴 ㊂ pō 〔朴刀〕古代兵器。一种双手使用的像大刀的刀，刀身较大刀窄长，刀柄较大刀稍短。
㊀ pò（760页）。
㊁ pǔ（763页）。
㊃ piáo（752页）。

钋（釙） pō 金属元素，符号Po，原子序数84。有放射性，钋与铍混合可作为中子源。

抪☒ pō 推；击。

陂 ㊂ pō 〔陂陀〕不平坦。
㊀ bēi（41页）。
㊁ pí（748页）。

坡 pō ❶地形倾斜的地方。例山～｜高～。❷倾斜。例～度。

【坡垒】常绿乔木。叶子椭圆形，圆锥花序。产于热带和亚热带地区。木材坚硬而重，可用于造船和建筑。品种很多，有的品种是中国国家重点保护植物。
【坡鹿】也叫泽鹿。哺乳动物。体长约1.8米。四肢细长。上体赤褐色，背脊有一条黑褐色带。背侧点缀着白色斑点，体侧及腿部土黄色。胸、腹白色。鹿角弯曲成半圆。栖息于灌木林和草坡。中国产于海南岛，是中国国家重点保护动物。

颇（頗） pō ❶偏；不正。例偏～。❷副词。很；相当地。例～久｜～有道理。

泊 ㊁ pō 湖。多用于湖名，如梁山泊（古湖名，在今山东）。例湖～。
㊀ bó（75页）。

泼（潑） pō ❶猛力倒液体使散开。例～水。❷蛮不讲理。例撒～。

【泼皮】无赖；流氓。
【泼妇】指凶悍、不讲理的女人。
【泼辣】❶凶悍不讲理。❷有魄力。例他办事很～。
【泼醅】同“酦醅”（760页）。
【泼墨】中国画的一种画法。多用水墨，笔势奔放，墨如泼出。
【泼水节】中国傣族和东南亚某些民族的新年。在四月中旬，是一年中最盛大的传统节日。节日期间，人们互相泼水祝福，并进行拜佛、赛龙舟等活动。
【泼冷水】比喻败坏别人的兴头，挫伤别人的热情，打击别人的积极性。

钹□（鏺） pō ❶〈方〉用镰刀、钐刀等抡开来割草。❷古代一种两边有刃、下有木柄的割草刀。

酦(醱) ㊀ pō 〔酦醅〕也作泼醅。酿酒。醅(pēi)。
㊁ fā (251 页)。

pó ㄆㄛˊ

婆 pó ❶年老的妇女。㊀老太～。❷丈夫的母亲。㊀～媳。❸旧指从事某些职业的妇女。㊀媒～|巫～。❹〈方〉祖母或与之同辈的妇女。㊀～～|外～(外祖母)。

【婆娑】盘旋、舞蹈的样子。㊀～起舞。娑(suō)。

【婆罗门】即婆罗门教僧侣。其地位位居古印度四个种姓(等级集团)之首。他们掌握教权,垄断知识,享有种种特权,是人民精神生活的统治者。

【婆罗门教】印度古代宗教之一。因信奉婆罗贺摩(梵语音译词,该教信奉的主神之一)而得名。宣扬因果报应、轮回等。8 世纪时吸收佛教和耆那教的某些教义而有所改革,更名为印度教。

鄱 pó 〔鄱阳湖〕中国最大淡水湖。位于江西省北部。面积 2 933 平方千米。有赣江、修水、抚河、信江等注入。湖水经湖口县注入长江。有拦蓄洪水的作用。富灌溉、航运、水产养殖之利。是国家级候鸟自然保护区。

皤 pó 白色。㊀白发～然。

繁(*緐) ㊁ pó 姓。
㊀ fán (256 页)。

pǒ ㄆㄛˇ

叵 pǒ 文言副词。不可。㊀～耐|～测。

【叵奈】同"叵耐"(760 页)。

【叵耐】也作叵奈。不可容忍;可恨(多见于早期白话)。

【叵测】不可推测。㊀居心～。

笸☒ pǒ 同"叵"。

钷(鉕) pǒ 人造金属元素,符号 Pm,原子序数 61。是稀土元素之一。有放射性,由人工核反应获得。

笸 pǒ 〔笸箩〕用柳条或篾条编的一种盛东西的器物,较浅,有圆形的,也有长方形的。

pò ㄆㄛˋ

朴 ㊀ pò 朴树,落叶乔木。果实近球形,橙色。树皮光滑,灰褐色,可作造纸原料。
㊁ pǔ (763 页)。
㊂ pō (759 页)。
㊃ piáo (752 页)。

迫(*廹) ㊀ pò ❶压制;硬逼。㊀～使。❷接近。㊀～近。❸急促。㊀急～|从容不～。
㊁ pǎi (735 页)。

【迫切】十分急切。

【迫使】用强力或压力使(某人做某事)。㊀～敌人缴械投降。

【迫降】❶飞机因故不能继续飞行,被迫降落。通常是在飞机发生故障、燃料用尽、迷航或遇到危险天气等情况下,危及飞行安全时进行。❷强迫擅自进入领空或严重违犯飞行纪律的飞机在指定地点降落。

【迫害】用手段加害(多指政治性的)。

【迫不及待】急迫得不能等待。

【迫在眉睫】比喻事情已到眼前,非常紧迫。

珀 pò 见〔琥珀〕(410 页)。

粕 pò 糟粕,酿酒等剩下的废料。

魄 ㊀ pò ❶迷信的人认为人身中有依附形体而显现的精神,称之为魂魄。能离开躯体的为魂,不能离开躯体的为魄。❷气质;精力。㊀体～。
㊁ bó (75 页)。
㊂ tuò (1002 页)。

【魄力】指有胆量、有见识、敢作敢为、处事果断的素养。

破 pò ❶东西分裂;受损伤。㊀～碎|手～了。❷使分裂;劈开。㊀势如～竹。❸突破。㊀打～记录。❹打败;打垮。㊀大～敌军|攻～。❺使花费。㊀～钞。❻使真相清楚。㊀～案|说～。

【破土】❶指春天时翻松泥土,开始耕种。❷指建筑开始时或埋葬时挖地动工。❸指幼芽钻出地面。

【破灭】指希望或幻想等落空。

【破产】❶债务人不能清偿到期债务的一种事实状态。❷在债务人无力清偿债务的情况下，债务人或债权人向人民法院申请进行的一种法律清算程序。人民法院可以依债务人或债权人的申请，宣告债务人破产，使债务人成为破产人，丧失对其财产和事物的管理权，由清算组全面接管，企业财产成为破产财产，归清算人占有、支配，并用于破产分配。❸比喻彻底失败。

【破戒】❶原来受宗教戒律约束的人不再受约束。❷戒除烟、酒等嗜好后又重新抽烟、喝酒。

【破财】指在财物方面遭到意外的损失。

【破译】识破（密码、古文字等）并译出。

【破例】打破惯例。

【破费】花费。对别人为自己花钱说的客气话。

【破除】除去；消除。㊀～迷信。

【破获】公安机关侦破案件，并抓获在逃的犯罪嫌疑人。

【破格】打破既定条文规定的约束。㊀～使用｜～提拔。

【破晓】天刚亮。

【破案】公安机关使用侦查手段，弄清案件事实，并将犯罪嫌疑人捉拿归案。

【破读】即“读破”（228 页）。

【破袭】也说破击。以破坏敌方重要目标为目的的袭击。包括破坏和瘫痪其交通运输、指挥和通信系统、高技术兵器、工程和后方设施等。

【破绽】衣物上的裂口。比喻讲话或做事时暴露出来的漏洞。绽（zhàn）。

【破裂】❶（东西）裂开。❷（感情或关系）破坏，分裂。

【破解】❶揭开；解释。㊀～生命之谜。❷突破；解决。㊀～难题。

【破题】说破题目要义。科举时代的八股文中，点出题义的起首两句叫破题。

【破墨】中国画用墨的一种技法。或用浓墨破淡墨，或用淡墨破浓墨，使墨色浓淡相宜。

【破天荒】从来没有过，第一次出现（指事情）。

【破甲弹】能以聚能效应产生的金属射流贯穿装甲的炮弹。主要用以摧毁敌坦克、步兵战车等。

【破伤风】由破伤风杆菌经伤口侵入人体引起的急性传染病。病菌产生毒素侵害神经系统，有肌肉痉挛、呼吸困难、牙关紧闭、高烧等症状。给患者注射破伤风抗毒血清并及时处理伤口，可防治此病。

【破阵乐】也叫七德舞。唐代舞蹈。是为歌颂唐太宗武功而作的大型男子群舞。舞者披甲执戟，舞姿雄健，气势磅礴，有多种表演形式。后修入雅乐，成为祭祀的武舞。曾远播印度，东传日本。至今日本雅乐舞中，仍可见《破阵乐》的传承。

【破折号】标点符号的一种。形式为“——”。表示行文中解释说明的语句，或者表示话题突然转变。声音延长时，拟声词后用破折号。事项列举分承，各项之前用破折号。

【破落户】指先前有钱有势而后来败落的人家。

【破釜沉舟】《史记·项羽本纪》记载，项羽与秦兵打仗，领兵过河后就把锅打破，把船凿沉，表示不胜利不生还。后比喻下定决心彻底干一场，不达目的决不罢休。釜：锅。舟：船。

【破涕为笑】一下子停止哭泣，露出笑容。指转悲为喜。晋刘琨《答卢谌书》：“时复相与举觞对膝，破涕为笑。”涕：眼泪。

【破镜重圆】《太平广记》卷一六六引《本事诗》记载，南朝陈代将要灭亡时，社会动乱，驸马徐德言把一个铜镜破开，与妻子乐昌公主各持一半，作为信物。后果然由半边镜子作为线索而夫妻团聚。后用来比喻夫妻失散或感情破裂后又重新相聚或和好。

【破壁飞去】宋无名氏《宣和画谱》卷一记载，南朝梁画家张僧繇曾在金陵安乐寺画龙，但不画眼睛，说只要一画上眼睛，龙就会飞去。人们不信，硬要他画。在他刚给龙添上眼睛的时候，雷电就突然把墙壁击穿，龙也不见了。后来就用这个典故比喻人突然飞黄腾达。

po ·ㄆㄛ

桲□ po 见〔榅桲〕（1027 页）。

pōu ㄆㄡ

剖 pōu ❶破开。㊀解～｜～视。❷分辨；分析。㊀～析｜～白。

【剖白】分辩表白。㊀～心迹。

【剖析】分析。㊀～事理。

【剖面】即“截面”（500 页）。

【剖符】古代帝王分封诸侯、功臣，把符节剖

P

分为二，双方各执其半，作为凭证。

【剖视图】假想把物体切去一部分，所绘出的余下部分的视图。常用这种视图来表达物体内部的结构。

【剖面图】表示地面沿某一方向的垂直断面或工程设备等剖面的图形。在地理学、地质学和工程设计上广泛采用。如地质构造剖面图。

póu ㄆㄡˊ

抔 póu 用手捧东西。㊀一～黄土。

掊 ㊀ póu ❶搜刮；聚敛。❷挖掘。
㊁ pǒu (762 页)。

【掊克】聚敛；搜刮。

裒 póu ❶聚。㊀～集。❷减少；取出。㊀～多益寡。

【裒辑】收集；辑录。辑(jí)。

【裒多益寡】减少有多余的一方，补充给缺少的一方。《周易·谦》："君子以裒多益寡，称物平施。"裒：减少。益：增加。

pǒu ㄆㄡˇ

掊 ㊁ pǒu ❶打击。㊀～击。❷同"剖(pōu)"。
㊀ póu (762 页)。

pū ㄆㄨ

仆 ㊀ pū 向前跌倒。㊀前～后继。
㊁ pú (762 页)。

扑(撲) pū ❶轻打；拍。㊀～打衣服上的尘土｜～粉。❷冲。㊀猛～过去。

【扑哧】也作噗哧、扑嗤。拟声词。笑声或水、气挤出的声音。

【扑跌】❶向前跌倒。❷武术中指相互扑打摔跤。

【扑嗤】同"扑哧"(762 页)。

【扑鼻】气味冲鼻。㊀香气～。

【扑簌】形容眼泪往下掉的样子。簌(sù)。

【扑尔敏】也叫氯苯那敏、氯屈米通。治疗过敏的一种合成药物。用于由食物、药物、花粉、虫咬等引起的各种过敏反应。

【扑克牌】国际纸牌。一副牌 54 张，分铲、心、钻石、棒(中国称黑桃、红心、方块、梅花)四种花色，各 13 张(A,K,Q,J,10,9,8,7,6,5,4,3,2)，另有大王和小王。玩法很多，如打桥牌、打百分等。

【扑朔迷离】古乐府《木兰辞》："雄兔脚扑朔，雌兔眼迷离。双兔傍地走，安能辨我是雄雌。"抓住兔子的耳朵把它提起来，雄的脚必搔爬(扑朔)，雌的则把眼眯起(迷离)，由此可辨雄雌。但在奔跑时，则很难分辨是雄是雌。比喻事物错综复杂，难于识别。

铺(鋪) ㊀ pū 把东西展开放平。㊀～轨｜～被子。
㊁ pù (765 页)。

【铺张】❶铺叙渲染；夸张。❷过分地讲究排场。㊀反对～浪费。

【铺陈】❶详细叙述。㊀文章该简则简，该繁则繁，切忌事事～。❷布置；陈设。㊀～得整整齐齐。

【铺叙】(文章)详细地叙述。㊀～事实。

【铺展】铺开并向四外伸展。

【铺排】❶布置；安排。㊀～停当。❷铺张。㊀这样～也未免过分。

【铺盖】❶盖(gai)。褥子和被子。❷平铺着覆盖。㊀在地上～了一层稻草。

【铺张扬厉】唐韩愈《潮州刺史谢上表》："铺张对天之闳休，扬厉无前之伟迹。"后多用以形容过分铺张，讲究排场。铺张：铺叙渲染。扬厉：宣扬扩大。

痡⊠ pū 疲劳困乏不能行走。

噗 pū 拟声词。水、气挤出的声音。㊀～，一口气吹灭了灯。

【噗哧】同"扑哧"(762 页)。

潽 pū 液体沸腾溢出。㊀看着锅，别让汤～出来！

pú ㄆㄨˊ

仆(僕) ㊁ pú ❶旧时受人雇佣、在生活上供役使的人。㊀～人｜女～。❷谦辞。旧时男子称自己。
㊀ pū (762 页)。

【仆仆】形容旅途劳累。㊀风尘～。

【仆从】跟随在身旁的仆人。比喻依附别人，自己不能作主的人或集团。㊀～国家。

【仆射】古代官名。始于秦。凡侍中、尚书、博士、郎皆有，根据所领职事作称号，即其中的首长。汉代后职权渐重，属尚书台，分左、右仆射。魏晋后相当于宰相职位。隋唐归尚书省。南宋后废。射(yè)。

匍 pú 见下。

【匍匐】❶爬行。㊀～前进。❷趴。㊀甘薯的茎～在地面上。匐(fú)。

【匍匐茎】沿地平方向生长的茎。茎基部的旁枝节间较长,每个节上可生叶、芽和不定根,与整体分离后能长成新个体,可用来进行人工营养繁殖。如草莓、甘薯的茎。

葡 pú 见下。

【葡萄】多年生落叶藤本植物。叶子掌状分裂,开小花。果实多汁,可食,也可酿酒。也指这种植物的果实。

【葡萄胎】也叫水泡胎。指妇女受孕后胚胎发育不正常,在子宫内形成许多葡萄状小囊。患者有不规则的阴道流血,子宫异常增大,听不到胎音,多数有妊娠中毒症。应警惕恶变,恶变即为绒毛上皮癌。

【葡萄糖】单糖的一种。是生物体中最重要的单糖。是人和动物血液中的主要糖类。医学上主要作为注射用营养剂,食品工业用作调味料。

【葡萄球菌】排列似葡萄状的化脓性球菌。存在于人和动物的黏膜、皮肤上,以及空气和水里。能引起化脓性疾病,如痈、疖等。

莆 pú〔莆田〕别称荔城。市名。位于福建省东部沿海。人口14万(1997年)。以产荔枝、龙眼、枇杷闻名。有木雕、牙雕、叶蜡石雕等工艺品。名胜古迹有三清殿、古谯楼等。

脯 ㊁ pú 胸前的肉。㊀胸～。
㊀ fǔ (290页)。

蒱☒ pú 见〔摴蒱〕(137页)。

蒲 pú 香蒲,俗称蒲草。多年生草本植物。生于水边或池沼内。根状茎横生,花穗形状像蜡烛。叶片供编织,根状茎可提取淀粉。

【蒲团】用蒲草做成的圆形坐垫,多为僧道打坐用。

【蒲剑】指菖蒲叶。由于像剑,故名。

【蒲葵】常绿乔木。高可达20米。树干直立,粗大。叶阔,肾状扇形,直径1米以上,掌状多裂,先端下垂,可制蒲扇、斗笠和蓑衣等。生长在热带和亚热带地区。

【蒲公英】多年生草本植物。全株含有白浆,叶丛生。全草供药用,能清热、解毒。

【蒲式耳】英美制容量单位。英制1蒲式耳合36.37升,美制1蒲式耳合35.24升。

【蒲松龄】(1640—1715)清代文学家。字留仙,别号柳泉居士,世称聊斋先生,山东淄川(今淄博)人。早年即有文名,但屡应省试皆落第,以教书为业。能诗文,善作俚曲。作品有强烈的现实主义精神,文字简练优美。以《聊斋志异》最为著名。

【蒲柳之姿】像蒲柳那样的姿质。用来比喻或自谦身体虚弱。蒲柳:也叫水杨。一种落叶灌木,通常入秋后即凋零。

酺☒ pú 聚饮。特指命令所许可的大聚饮。

菩 pú 见下。

【菩萨】❶佛教用语。原为释迦牟尼修行尚未成佛时的称号,后来作为大乘教义修行者的称号。❷泛指佛和某些神。❸比喻心地善良的人。

【菩提树】常绿乔木。叶互生,三角状卵形,先端有细长尖头。十一月开花。原产于印度,中国云南、广东等地有栽培。

墣☒ pú 土块。

璞 pú 含玉的矿石。也指没有雕琢过的玉。

【璞玉浑金】也说浑金璞玉。《世说新语·赏誉》:"王戎目山巨源如璞玉浑金。"比喻人品质朴、纯真。浑金:未经冶炼的金。

镤(鏷) pú 金属元素,符号Pa,原子序数91。灰白色,有放射性,在空气中稳定。

濮 pú 姓。

【濮阳】市名。位于河南省北部。人口28万(1997年)。产石油。

pǔ ㄆㄨˇ

朴(樸) ㊁ pǔ 没有加工的木材,比喻不加修饰。㊀～素|～实。
㊀ pò (760页)。
㊂ pō (759页)。
㊃ piáo (752页)。

【朴直】朴实率直。

P

【朴质】朴实纯真。
【朴学】一般指清代的考据学。
【朴实】❶朴素。❷质朴诚实。❸不浮夸；塌实。
【朴素】❶不浓艳，不华丽。㊀穿着～。❷原始的，萌芽状态的。㊀～唯物主义。❸生活节俭。㊀艰苦～。❹朴实。
【朴素辩证法】古代的辩证法。辩证法发展史上的最初形式。凭借直观经验认为万物都处在普遍联系和运动变化之中，并猜测到事物内部所包含的矛盾性。其观点在本质上是正确的，但带有感性直观的性质，缺乏科学论证。
【朴素唯物主义】唯物主义哲学发展的最初阶段。产生于古代奴隶社会。认为世界起源于某种或某几种具体的物质形态（金、木、水、火、土、空气、原子等），万事万物都是由物质构成的，而不是由神创造的。试图从事物本身的发展变化和事物间的相互作用说明变化的原因，具有朴素的辩证法思想，同时也带有感性的直观的性质，缺乏科学论证。

埔 ㊀ pǔ 用于地名，如黄埔（在广东广州东）。
㊁ bù（87 页）。

圃 pǔ ❶种植蔬菜、瓜果、花草等的园地。㊀园～｜花～｜苗～。❷古称从事园艺工作的人。㊀老～。

浦 pǔ 水边或河流入海的地方。多用于地名，如浦口（在江苏）。

溥 pǔ ❶广大。❷普遍。

P

【溥仪】（1906—1967）即宣统帝。清末代皇帝。爱新觉罗氏，满族。辛亥革命后于1912 年退位。1917 年张勋复辟，拥其复出为帝，仅十二天即告失败。1924 年被冯玉祥国民军赶出皇宫，避居天津日租界。1931 年九·一八事变后，在日本帝国主义策划下潜往东北。1932 年伪满洲国成立，任执政，后称皇帝，改元康德。1945 年日本投降，被苏联军队俘虏。1950 年移交中国政府，1959 年获特赦释放，1961 年任全国政协委员、文史馆馆员。1967 年在北京病故。著有《我的前半生》。

普 pǔ 普遍；全面。㊀～选｜～查。

【普及】普遍传布、推广，使大众化。㊀～教育｜在～的基础上提高。
【普法】普及法律常识。㊀～工作。
【普查】普遍调查。
【普选】指公民普遍地参加国家代表机关代表的选举。
【普遍】广泛存在的；具有共同性的。㊀～规律｜～提高科学文化水平。
【普照】普遍地照耀。㊀阳光～大地。
【普米族】中国少数民族之一。人口 3 万（1990 年）。主要分布在云南省兰坪、宁蒗、丽江等地。有本民族语言。以农业为主，兼营畜牧。
【普希金】亚历山大·普希金（1799—1837）俄国诗人。生于贵族家庭。早期创作属浪漫主义，作品有《自由颂》《致恰达耶夫》《乡村》《寄西伯利亚的囚徒》等政治抒情诗，表达了对专制农奴制的不满和对资产阶级自由的向往。后期转向现实主义，代表作诗体长篇小说《叶甫盖尼·奥涅金》，赞美了女主人公达吉雅娜的真挚爱情和崇高品质，广泛地反映了社会生活，被誉为“俄国生活的百科全书”。重要作品还有叙事诗《高加索的俘虏》《茨冈》、历史剧《波利斯·戈东诺夫》、长篇小说《上尉的女儿》等。
【普陀山】中国佛教四大名山之一。位于浙江省东北部海中，是舟山群岛中的一个小岛，即普陀岛。最高峰佛顶山海拔 291.3 米。多名胜古迹。
【普契尼】贾科莫·普契尼（1858—1924）意大利作曲家，19 世纪欧洲现实主义歌剧作曲家的重要代表。在音乐上注重与剧情交织严密，咏叹调的旋律优美流畅而适于歌唱。代表作有歌剧《曼侬·莱斯科》《波希米亚人》《托斯卡》《蝴蝶夫人》《图兰多特》等。
【普通股】股东拥有参加股东会议的权利，股利随发行公司赢利水平而变动的股份。
【普通法】❶宪法以外的法律。❷也叫一般法。规定对一般人、一般事、一般时间，在全国普遍适用的法律。与“特别法”相对。
【普通话】以北京语音为标准音，以北方话为基础方言，以典范的现代白话文著作为语法规范的现代汉民族的共同语。
【普惠制】缔约一方现在和将来给予任何第三方的优惠和豁免，也要给予缔约方对方的制度。
【普及教育】国家对全体学龄儿童实施的一定程度的教育。中国以法律形式规定普及九年义务教育，以保证公民享有受教育的权利。

【普天同庆】指全国或全世界共同庆祝。

【普加乔夫】叶梅连·普加乔夫(约1742—1775)俄国农民起义领袖。18世纪后半期,为了反对农奴制压迫,他于1773年9月在叶克河领导哥萨克人起义。提出"土地与自由"的口号,并宣布解放农奴。起义军后遭沙皇政府镇压,普加乔夫被害。

【普罗文学】无产阶级文学。

【普法战争】1870—1871年普鲁士和法国之间爆发的战争。法皇路易·波拿巴为阻挠德意志的统一,树立法国在欧洲的霸权,于1870年7月向普鲁士宣战。战争开始后,法军大败。普军进入法国,法军投降。法国国内爆发革命,推翻第二帝国并成立第三共和国。但普军仍长驱直入,包围巴黎。法国临时政府被迫迁往凡尔赛,并在1871年5月与德国签订法兰克福和约。战后,普鲁士建立起统一的德意志帝国。

【普列汉诺夫】格奥尔基·普列汉诺夫(1856—1918)俄国最早的马克思主义理论家。是俄国第一个研究马克思主义的团体"劳动解放社"的组织者。曾猛烈批判民粹派和修正主义派别。但后来立场转到了孟什维克方面,对十月革命抱仇视态度。著有《社会主义与政治斗争》《论一元论历史观的发展》《论个人在历史上的作用问题》等。

【普罗米修斯】希腊神话中人物。曾违抗宙斯禁令,盗取天火送给人类,并向人类传授各种技艺,因而触怒宙斯,被锁在高加索山崖,每天遭受神鹰啄食肝脏之苦,后因赫拉克勒斯射杀神鹰而获救,重返奥林匹斯山。后成为敢于抗拒强暴,不惜为人类幸福牺牲一切的英雄典型。

【普罗列塔利亚】简称普罗。法语音译词。无产阶级。

【普罗科菲耶夫】谢尔盖·普罗科菲耶夫(1891—1953)苏联作曲家、钢琴家。早期创作融会古典音乐传统技法,而又富于创新精神。旅居国外期间,某些作品受西方现代派的影响,晚期作品风格简朴而抒情。代表作有歌剧《对三个橙子的爱情》《战争与和平》,舞剧《罗密欧与朱丽叶》《灰姑娘》《宝石花》,大合唱《亚历山大·涅夫斯基》,清唱剧《保卫和平》,交响童话《彼得与狼》,《第七交响曲》等。

谱(譜) pǔ ❶按照事物类别或系统编成的一种图案、表册或书本等。㊀光～|年～|英雄～。❷作示范或供查阅的样本、图形。㊀棋～|画～。❸曲谱;乐谱。㊀简～|五线～。❹按歌词配曲。㊀～曲。❺根基;把握;大致的依据。㊀他做事有～儿。❻显示出来的身分、派头等。㊀摆～。

【谱号】音乐中指写在五线谱左端,用以确定谱表中各线间的具体音高位置的符号。一般有高音谱号𝄞(G谱号)低音谱号𝄢(F谱号)中音谱号𝄡(C谱号)等。

【谱写】创作歌曲或为歌词配曲。也比喻用行动表现极其动人的英雄事迹(多和"凯歌""诗篇""篇章"一类词连用)。

【谱表】乐谱中用来记载音符的表式。由五条平行横线组成,共五线四间。

【谱牒】家谱。

氆 pǔ 〔氆氇〕西藏出产的一种毛织品。氇(lǔ)。

镨(鐠) pǔ 金属元素,符号Pr,原子序数59。是稀土元素之一。可用于制作特种合金和特种玻璃等。

蹼 pǔ 青蛙、乌龟、鸭子、水獭等动物脚趾中间的膜,便于用脚划水。

pù ㄆㄨˋ

铺(鋪*舖) ㊁ pù ❶商店。㊀肉～|杂货～。❷床。㊀床～。❸旧时的驿站。多用于地名,如三十里铺。

㊀ pū (762页)。

【铺面】商店的门面。

【铺首】中国传统建筑大门上衔着门环的底座。铜制或铁制,有虎头或龟、蛇等形状。

堡 ㊂ pù 用于地名。有的地区把"铺"写作堡,如十里堡。

㊀ bǎo (39页)。

㊁ bǔ (79页)。

暴 ㊁ pù 同"曝(pù)"。

㊀ bào (40页)。

瀑 ㊀ pù 瀑布,水流从悬崖陡坡倾泻下来所形成的景观。远看像挂着的白布。水量丰富的瀑布适于发展水电。

㊁ bào (41页)。

曝 ㊀ pù 晒。㊀一～十寒。

㊁ bào (41页)。

【曝露】露在外头。

Q ㄑ

qī ㄑ丨

七 qī 数目。六加一的和。

【七一】中国共产党建党纪念日。1921年7月中国共产党正式成立,1941年党中央决定把7月的第一天(即7月1日)定为建党纪念日。

【七夕】指农历七月初七的夜晚。神话故事说,每年这天晚上牛郎织女相会。

【七古】古诗的一种。每篇句数不拘,每句七字。

【七律】律诗的一种。每首八句,每句七字。

【七绝】绝句的一种。每首四句,每句七字。

【七窍】指耳、目、口、鼻七孔。[例]~生烟(形容十分气愤,好像耳目口鼻均冒火)。

【七情】指人的喜、怒、哀、惧、爱、恶、欲七种感情。

【七曜】也作七耀。古人以日、月与火、水、木、金、土五大行星为七曜。

【七耀】同"七曜"(766页)。

【七贤会】也叫西方七国首脑会议、西方主要工业国首脑会议。西方主要工业国为协调其内外政治经济政策而定期举行的首脑会议。第一次会议在1975年,以后每年举行一次,参加国有美国、英国、法国、德国、日本、意大利和加拿大。

【七洲洋】中国古代指西沙群岛附近一带洋面。始见于宋吴自牧《梦粱录》。

【七七事变】也叫卢沟桥事变。1937年6月起,日本侵略军在北平(今北京)城西南的卢沟桥(在原宛平城西)附近进行挑衅性的军事演习,7月7日夜,诡称一士兵失踪,无理要求进入卢沟桥附近的宛平城内搜查,被当地中国驻军第二十九军拒绝。日军遂向宛平城和卢沟桥发起进攻,二十九军当即奋起抵抗。次日,中国共产党通电全国,号召全民族抗战。伟大的抗日战争从此开始。

【七上八下】也说七上八落。形容心神不定。

【七月王朝】见〔法国七月革命〕(254页)。

【七声音阶】在八度内由音高不同的七个音组成的音阶。广泛使用于欧洲古典音乐、中国传统音乐和现代音乐中。七声音阶有大音阶和小音阶的区别。

【七国之乱】也叫吴楚七国之乱。汉初大封同姓诸侯王,后诸侯王逐渐割据一方。汉景帝采纳晁错建议,削减王国封地。公元前154年,吴王刘濞和楚、赵、胶东、胶西、济南、淄川等七国,以"请诛晁错以清君侧"为名,起兵叛乱。景帝派周亚夫平定叛乱。

【七星瓢虫】昆虫。成虫体呈卵圆形,背面半球形拱起,长5—7毫米。鞘翅红色或橙黄色,上有七个黑点,故名。捕食棉蚜、豆蚜、槐蚜、桃蚜等蚜虫,是农业益虫。

【七擒七纵】诸葛亮出兵南方,把当地酋长孟获捉住了七次,放了七次,孟获心服,不再来攻。见《三国演义》。后用以比喻运用策略,有效地控制对方。擒:捉拿。纵:放。

【七嘴八舌】人多口杂,你一言,我一语,说个不停。

【七·一五政变】第一次国内革命战争时期,汪精卫在武汉发动的反革命政变。在四·一二反革命政变后,汪精卫以"国民党左派领袖"的面目出现,伪装革命,控制了武汉政府。7月15日,汪精卫召开"分共会议",公开宣布与共产党分裂,封闭工农革命团体,叫嚣"宁可枉杀千人,不可使一人漏网",大批屠杀共产党人和工农群众。至此,第一次国内革命战争失败。

【七君子事件】国民党政府打击迫害抗日民主人士的事件。1936年5月,沈钧儒、邹韬奋等响应中国共产党建立抗日民族统一战线的号召,在上海发起成立"全国各界救国联合会",并发表宣言,主张各党派停止内战,一致对外,共同抗日。11月23日,国民党以"危害民国"的罪名,在上海逮捕了该会领导人沈钧儒、邹韬奋、李公朴、沙千里、史良、章乃器、王造时七人。全国各地纷纷营救声援。七七事变后,七人才被释放。

【七十七国集团】第三世界国家以建立新的国际经济秩序为目标,协调内部立场,同发达国家进行谈判的组织。1964 年组成。初有七十七个国家参加,后增加到一百多个国家。

【七项全能运动】田径运动中女子全能运动项目之一。比赛分两天进行,比赛顺序是:第一天 100 米跨栏、跳高、推铅球、200 米跑,第二天跳远、掷标枪、800 米跑。

柒 qī 数目"七"的大写。多用于票证、账目等。

沏 qī 用开水冲泡。㊀~茶。

妻 ㊀ qī 妻子,男子的配偶。
㊁ qì(776 页)。

【妻小】妻子和儿女。

【妻孥】指妻子和儿女。孥(nú)。

【妻室】指妻子。㊀尚无~。

【妻党】指妻子的亲属。

郪□ qī 郪江,水名,在四川。

凄(❶ *淒❷ *悽) qī ❶寒冷;冷落。㊀风雨~~|~清。❷悲伤。㊀~然。

【凄切】形容非常凄惨哀伤。

【凄厉】悲惨而尖厉(多形容声音)。

【凄沧】寒冷。

【凄怆】❶凄惨,悲伤。❷凄沧。

【凄迷】❶(景物)凄凉而模糊。❷悲伤,怅惘。

【凄凉】凄惨,寂寞冷落。

【凄清】❶形容清冷微寒。❷凄凉。

【凄惨】凄凉悲惨。

【凄婉】悲哀,婉转(多形容声音)。

【凄然】形容悲伤。㊀~泪下。

【凄惶】悲伤不安的样子。

【凄楚】悲伤难过。

【凄风苦雨】形容天气恶劣。《左传·昭公四年》:"春无凄风,秋无苦雨。"也比喻景象或处境非常悲惨凄凉。凄风:寒冷的风。苦雨:久下成灾的雨。

萋 qī 〔萋萋〕草茂盛的样子。

栖(*棲) ㊀ qī 鸟在树枝或巢中停息。也泛指居住或停留。㊀~止|两~。
㊁ xī(1053 页)。

【栖身】暂时居住。

【栖息】停留;歇息(多指鸟类)。

【栖遁】隐居。

桤(榿) qī 桤木,落叶乔木。果穗椭圆形、下垂。嫩叶可作茶叶代用品。

諆☒(諆) qī 欺骗;说谎。

期 ㊀ qī ❶规定的时间或一段时间。㊀如~完成|假~。❷希望;等待。㊀以~发展|~待。❸约会。㊀不~而遇。❹量词。用于分期的事物。㊀《英语世界》第七~|补习班办了三~。
㊁ jī(450 页)。

【期刊】也叫杂志。是定期或不定期的连续出版的成册刊物。有固定名称,按卷、期或按年月顺序编号出版。有综合性的和专业性的。

【期市】进行期货交易的市场。是金融市场的组成部分。

【期考】学校在学期结束前举行的考试。

【期权】交易的一方给予另一方在合约到期日或到期日之前的有效期限内,按协议价格选择是否买入或卖出一定数量的商品或金融资产的权利。

【期许】期望(多用于对晚辈)。

【期求】希望得到。

【期货】在固定的交易场所,买卖标准化的商品或金融资产远期合同的交易。根据这一远期合同,交易方可以按规定的价格在未来某一时刻买进或卖出一定数量的某种商品或金融资产。包括商品期货和金融期货。主要功能是防范价格变动的风险。也可用来从事投机活动。

【期限】规定的一段时间或所规定时间的最后界限。㊀~不长|~已到。

【期待】期望,等待。

【期票】商品买卖中的一种定期付款的票据。由购货人对售货人发出,出票人到期必须付款。

【期望】对人对事所抱的希望。

【期望值】❶对人或事物寄予希望的程度。㊀对他的~不能太高。❷随机变量取值的加权平均值。

【期期艾艾】《史记·张丞相列传》记载,汉代周昌口吃,他曾与汉高祖争论一件事,说:

Q

"臣口不能言,然臣期期知其不可。"《世说新语·言语》记载,三国时魏国邓艾也口吃,一说自己时就连说"艾艾"。后用"期期艾艾"形容人口吃。艾(ài)。

欺 qī ❶骗。㊇自～～人。❷欺压;侮辱。㊇～人太甚。

【欺负】用蛮横的手段侵犯、压迫、侮辱。

【欺诈】❶用奸诈的手段骗人。❷法律上指当事人故意实施某种欺骗他人的行为,并使他人因陷于错误而进行了某种民事行为。构成无效民事行为。欺诈情节严重的,以诈骗罪处以刑罚。

【欺罔】欺骗蒙蔽。

【欺侮】欺负侮辱。

【欺凌】欺负凌辱。

【欺蒙】隐瞒实情,欺骗蒙蔽。

【欺瞒】隐藏实情,欺骗蒙混。

【欺人之谈】欺骗人的话。

【欺世盗名】即"盗名欺世"(184页)。

䫏⊠(**頬**) qī ❶丑陋。❷古代驱疫时扮神鬼的人所戴的面具。

魌⊠ qī 同"䫏"。

桼⊠ qī 同"漆"。

漆 qī ❶用漆树里的黏汁或其他树脂做成的涂料。涂在器物上,可以防腐,增加光泽。❷用漆涂。㊇～桌子。

【漆树】落叶乔木。具有乳状汁,可采割生漆。是中国名产。木质优良,果实可制蜡,种子可榨油。

【漆器】中国传统工艺品之一。指用生漆漆在木胎上加工制成的器物或家具。品种、花色多样。

【漆黑一团】形容非常黑暗,没有一点光明。也形容对事情一无所知。

戚(❷*慼❷*㥻) qī ❶亲戚。❷忧愁;悲伤。㊇休～与共|哀～。❸古又同"促(cù)"。

【戚继光】(1528—1588)明代抗倭将领,军事家。字元敬,号南塘,山东登州(今蓬莱)人。1555年率领由农民和矿工组成的军队,转战于闽、浙、粤等地,抗击倭寇。在沿海人民的有力支持下,经十余年,大小八十余战,基本上扫平了倭寇之患。1567年调北方镇守蓟州。他对练兵、治械、阵图等都有创见。著有《纪效新书》《练兵实纪》等。

嘁 qī〔嘁嘁喳喳〕拟声词。细碎杂乱的说话声。

鏚⊠(**鏚**) qī 大斧子。

缉⊠(**緝**) qī 同"缉边"的"缉(qī)"。

攲⊠ qī 倾斜;歪。

缉(**緝**) ㊁ qī 一种缝纫方法。一针连着一针密密地缝。㊇～边|～鞋口。

㊀ jī(452页)。

蹊 ㊁ qī〔蹊跷〕也说跷蹊。奇怪可疑。㊀ xī(1055页)。

㠍□ qī〈方〉❶东西湿后,将干而未干。㊇天一晴,路就～了。❷用沙土等吸收水分使干。㊇地太湿,撒点灰～一～。

qí ㄑㄧˊ

亓 qí 姓。

齐(**齊**) ㊀ qí ❶整齐。㊇把书摆～了。❷同样;一致。㊇～心。❸一块儿;同时。㊇并驾～驱。❹全;完备。㊇～全|～备。❺达到某一高度。㊇河水～腰深。❻周朝国名(前11世纪—前221)。战国七雄之一。在今山东北部。为秦所灭。❼朝代名。1. 南朝之一(479—502)。萧道成灭刘宋后建立。建都建康(今南京),国号齐,史称南齐。为梁所灭。2. 北朝之一(550—577)。高洋灭东魏后建立。建都邺(今河北临漳西),国号齐,史称北齐。为北周所灭。

㊁ jì(462页)。

【齐名】有同样的名望。

【齐奏】两个以上的演奏者,同时演奏同一曲调。

【齐唱】两个以上的歌唱者,按同一旋律同时演唱歌曲。

【齐楚】整齐(多指穿着)。㊇衣冠～。

【齐白石】(1863—1957)中国现代画家、篆刻家。本名纯芝,后更名璜,晚号白石老人,湖南湘潭人。27岁正式习画,并学诗文、篆刻、书法。57岁后定居北京,以卖画、刻印为职业。所作花卉、虫鸟、人物、山水，笔墨简练淳朴，色彩鲜明热烈，洋溢着生活意趣。其篆刻多取法汉代凿印，布局奇肆，劲健有力。

【齐心协力】心往一处想，劲往一处使。

【齐民要术】书名。北魏贾思勰著。共九十二篇，十卷。书中总结了黄河流域各类作物的栽培、育种、农产品加工和家畜饲养等生产经验。

【齐齐哈尔】市名。位于黑龙江省南部、嫩江中游平原上。人口 112 万（1997 年）。主要有重型机械制造、轧钢、机车车辆制造、木材加工、电力等工业。

荠（薺）㊁ qí 见〔荸荠〕（50 页）。㊀ jì（462 页）。

脐☒（懠）qí 愤怒。

脐（臍）qí ❶肚脐，在腹正中，人出生后脐带脱落结疤后的凹陷处。❷螃蟹肚子底下的甲壳。㊕尖～｜团～。

【脐风】中医指新生儿破伤风，多由脐带感染引起。

【脐带】人和大多数哺乳动物胎儿与母体子宫内的胎盘相连的索状结构。内有两条脐动脉和一条脐静脉。是胎儿从母体取得营养、输出代谢物的通路。

蛴（蠐）qí 〔蛴螬〕金龟子的幼虫。体白色，常弯成马蹄形。食植物的根和茎，是农业害虫。

祁 qí 大。㊕～寒。

【祁连山】也叫南山。在甘肃省河西走廊与青海省之间。西北—东南走向，一般海拔 4 000 米左右。高峰有天梯山（6 400 米）、祁连山（5 547 米）。

圻 qí ❶地的边界。❷古又同“垠（yín）”。

祈 qí ❶请求。㊕～求｜～请。❷指向神求福。㊕～祷。

【祈求】也作蕲求。恳切地盼望、请求。

【祈望】殷切地希望；盼望。

【祈祷】宗教信徒或信神灵的人向神默告自己的愿望。

【祈使句】要求听话人做某种事情的句子。句末用句号，语气较强的用叹号。如：“把手拿开。”“场内请勿吸烟！”

颀（頎）qí 身材修长。㊕～长。

鬿☒ qí 〔鬿堆〕古代神话传说中的奇兽。

蕲（蘄）qí 求。

【蕲求】同“祈求”（769 页）。

芪 qí 见〔黄芪〕（426 页）。

祇□ qí 古代传说中的土地神。㊕地～。

另音 zhǐ，见“只”（1265 页）。

疧☒ qí 久病不愈。

岐 qí ❶〔岐山〕地名。在陕西。❷同“歧”。

歧 qí ❶岔道；旁出的路。㊕～路。❷不一致；不一样。㊕分～｜～视。

【歧义】语言或文字可作两种或两种以上理解，被称作有歧义。

【歧见】不同的见解或主张。㊕消除～。

【歧出】❶错杂，不一致。❷文章的内部用字、用词前后不符（多指术语等）。

【歧视】不平等地看待。

【歧途】岔道。比喻错误的道路。㊕误入～。

【歧路亡羊】《列子·说符》记载，杨子的邻人把羊丢了，没有找到。杨子问他，为什么没找着？他说：岔路太多，不知道跑到哪儿去了。后比喻事理复杂，方向不明确，就会误入歧途。

跂☒ ㊀ qí ❶多生出的脚趾。❷虫子爬行的样子。㊕～行。

㊁ qì（776 页）。

其 ㊀ qí ❶指示代词。1. 他，他们；他的，他们的。㊕出～不意｜名副～实。2. 这；那。㊕～中有个道理｜若无～事。❷在副词后，是陪衬的字。㊕极～高兴｜尤～伟大。❸文言助词。表示揣测、反问或劝勉。㊕～奈我何｜子～勉之。

㊁ jī（448 页）。

【其他】指示代词。别的（用于人或事物均可）。

【其实】副词。表示下文所说的是实际情况（含有转折的意思）。㊕问题似乎很多，～并不难解决。

【其势汹汹】形容来势凶猛。

【其貌不扬】指某人外貌不好看。唐裴度《自题写真赞》："尔才不长，尔貌不扬。"不扬：不好看。

萁 qí 豆子的秸秆。㊀豆～。

淇 qí 淇水，水名，在河南北部。

骐(騏) qí 青黑色的马。

琪 qí 美玉。

棋(*棊*碁) qí 一类文体活动用品。如象棋、围棋、跳棋、军棋等。

【棋布】像棋子分布在棋盘上。形容数量多，分布广。

【棋局】❶棋盘。❷下棋的事称为棋局。也指下棋时双方棋子在棋盘上的对阵形势。

【棋谱】记述下棋基本技术或解释棋局的书。

【棋逢对手】下棋碰上了水平相当的对手。比喻双方本领不相上下。

祺 qí 吉祥。㊀敬颂近～。

綦 qí ❶青黑色。㊀～巾。❷文言副词。极。㊀希望～切。

蜞 qí 见〔蟛蜞〕(745页)。

旗(❶*旂) qí ❶旗子。㊀国～|锦～。❷清代满族的军队组织或户口编制。㊀八～。❸属于满族的。㊀～人|～袍儿。❹内蒙古自治区相当于县一级的行政区划单位。

【旗人】原指清代编入八旗旗籍的人。后专指满族人。

【旗手】在队伍前面打旗子的人。常用来比喻领导群众前进的先行人物。㊀鲁迅是文化新军的最伟大和最英勇的～。

【旗号】旧指标明将领姓氏或军队名称的旗帜。现常指坏人做坏事时用的某种名义。

【旗帜】❶旗子。❷比喻榜样或模范。㊀树立～。❸比喻有代表性或号召力的思想、学说或政治力量。

【旗语】也叫手旗通信。在航海、军事或某些野外作业(如爆破、勘测工作)中，在视力可及范围内，如距离较远、言语难以直接传达，双方挥动手旗，做出不同动作来表示要传达的言语或信号，进行通信联络。

【旗舰】海军舰艇编队司令员所在的军舰。舰上有较完善的观察通信指挥设备。为了便于识别，悬挂该编队司令员旗，夜间加挂司令员灯，故名。

【旗袍】中国妇女穿的一种长衣。原为满族旗人妇女所穿，故名。

【旗装】旧时满族妇女的服装打扮。旧时汉族人也借指妇女天足。

【旗开得胜】旗帜一打开就取得了胜利。指交战时刚一接触就获得胜利。也泛指事情一开始就取得好成绩。

【旗帜鲜明】比喻立场、观点、态度等非常鲜明。㊀我们必须～地表态。

【旗鼓相当】也说鼓旗相当。《后汉书·隗嚣传》："如令子阳(公孙述)到汉中、三辅，愿因将军(指隗嚣)兵马，鼓旗相当。"原指两军对敌。后用来比喻双方力量不相上下。

禥⊠ qí 同"祺"。

鲯(鯕) qí 〔鲯鳅〕鱼类。体侧扁，长可达1米多，头高而大，成鱼额部隆起。是外洋性上层鱼类。中国沿海均产。

麒 qí 〔麒麟〕简称麟。古代传说中的一种神兽。体形像鹿，头上有角，身有鳞甲，尾像牛尾。古人拿它象征祥瑞。

奇 ㊀ qí ❶少有的；特殊的。㊀～闻|～事。❷意料不到的。㊀出～制胜。❸惊奇。㊀～怪|不足为～。
㊁ jī (450页)。

【奇异】❶奇怪的；跟平常不同的。❷惊异。

【奇观】罕见而又壮观的景象或奇特少见的事情。

【奇志】非凡的志趣、志向。㊀中华儿女多～，不爱红装爱武装。

【奇兵】出乎敌人意料而突然袭击的部队。㊀出～以制胜。

【奇妙】稀奇而神妙。

【奇珍】指非常少见的、珍贵的东西。

【奇勋】特殊的功勋。

【奇迹】想象不到的、极不平凡的事情。

【奇闻】令人感到惊奇的事情或消息。

【奇特】奇异而特别，跟寻常的不同。

【奇谈】令人觉得非常奇怪的言论。㊀～怪论。

【奇验】不寻常的效验。

【奇袭】出其不意地攻击敌人。

【奇谋】奇妙的使人难测的计谋(多指军事上的)。
【奇遇】意外的相逢；巧遇。
【奇文共赏】晋陶潜《移居》诗："奇文共欣赏，疑义相与析。"原意是碰到少见的好文章同别人一起欣赏。后指有新奇的文章让人们共同欣赏(多含贬义)。
【奇异粒子】在强子的结构中含有奇夸克 s 或反奇夸克 $\bar{s}$ 的粒子的统称。如 K 介子、超子等。
【奇形怪状】奇特怪异的形状。唐吴融《太湖石歌》："铁索千寻取得来，奇形怪状谁能识？"
【奇货可居】把市面上稀少的货物囤积起来，等待高价出卖。《史记·吕不韦列传》："吕不韦贾邯郸，见(子楚)而怜之，曰：'此奇货可居。'"后常用以比喻凭借某种技艺或把某种事物当作资本来博取名利地位或别的好处。
【奇耻大辱】极大的耻辱。
【奇装异服】指式样希奇古怪的服装。

埼 qí 弯曲的水岸。

崎 qí 倾斜，不平坦。

【崎岖】山路高低不平。

骑(騎) qí ❶跨坐。㊀～马｜～自行车。❷骑兵。也泛指骑马的人。㊀铁～｜轻～｜车～。❸兼跨两边。㊀～缝。

【骑士】❶古代罗马奴隶主集团中的一个阶层。是一批出身于平民的富人。❷中世纪欧洲封建主阶级的下层。以服兵役和尽其他义务为条件，从国王或大领主那里获得封地。后成为一种封号。
【骑年】跨着两个年度。㊀～制。
【骑兵】乘马作战的部队。主要使用骑枪、马刀、轻重机枪和轻型火炮等武器。既能乘马作战，又能徒步作战。通常执行追击、截击、奔袭以及侦察、警戒等任务。现代化军队已淘汰该兵种。
【骑楼】城市临街建筑的一种。一般四至五层高，底层前部为商铺、后部为作坊及仓库，二层及以上多为居住用房。二层前部突出于底层，用柱支撑跨建在人行道上。底层架空的部分临街成排并联，形成连续的人行空间，利于行人全天候购物和通行。中国以广州的骑楼建筑最为著名。
【骑缝】❶指单据和存根或三联单各联连接的地方。㊀～盖章。❷报纸的两版或书刊的单双码页之间的地方。
【骑墙】比喻立场不明确，站在斗争的双方中间，观望风色。
【骑虎难下】比喻事情中途遇到困难，但又不能停止，进退两难。《新五代史·郭崇韬传》："俚语曰：'骑虎者势不得下。'"

琦 qí ❶美玉。❷不平凡的；珍奇的。

锜(錡) qí ❶三只脚的锅。❷凿一类的穿木工具。

俟 ㊁ qí 见〔万(mò)俟〕(695 页)。
㊀ sì (932 页)。

耆 qí 六十岁以上的(人)。泛指年老。㊀～年｜～老。

【耆宿】有名望的老年人。

鳍(鰭) qí 鱼类的运动器官。一般表面覆有皮肤，内由柔软分节的鳍条和坚硬不分节的鳍棘构成。分胸鳍、背鳍、腹鳍、臀鳍、尾鳍等。

鬐⊠ qí 马鬃，马颈上的长毛。

畦 qí 田地里用土埂分成的整齐的小块地。㊀打～｜一～菜。

【畦灌】用田埂将地分隔成一块一块的小畦，一畦一畦地进行灌溉。

qǐ ㄑㄧˇ

乞 qǐ 向人讨；求。㊀～食｜～援｜～讨。

【乞丐】靠乞讨过活的人。
【乞巧】旧时风俗。在农历七月初七夜晚，妇女向织女星祈祷，请求帮助提高缝纫刺绣技巧。
【乞讨】向人乞求讨要(食物、钱等)。
【乞求】请求别人给予。
【乞免】求人饶恕免除责罚。
【乞灵】迷信的人指请求神佛帮助。现比喻求助于空幻的力量。
【乞怜】装出可怜的样子，乞求别人同情、怜悯。㊀摇尾～。
【乞降】请求对方接受投降。
【乞援】乞求别人援助。
【乞哀告怜】乞求别人怜悯同情。
【乞浆得酒】比喻所得超过所求。

【乞力马扎罗山】非洲第一高峰。海拔5 895米。在坦桑尼亚北部。是座死火山。

芑 qǐ ❶粱、黍一类的农作物。❷芑菜，类似苦菜的一种草本植物。

屺 qǐ 没有草木的山。

岂(豈) qǐ ❶副词。哪里;怎么。表示反问语气。例～有此理。❷古又同"恺(kǎi)"。❸古又同"凯(kǎi)"。

【岂不】副词。用于加强反问的语气，表示肯定。例～一举两得?

【岂非】副词。用在疑问句中，加强反问语气，表示肯定。例～怪事?

【岂有他哉】以反问加强语势，表示没有别的(原因、道理、意图等)。

【岂有此理】哪有这样的道理？表示对荒谬言行的反感和气愤。《南齐书·虞悰传》："天下岂有此理耶?"

玘☒ qǐ 佩玉。

杞 qǐ 周朝国名。在今河南杞县一带。

【杞柳】也叫红皮柳。落叶丛生灌木。耐湿、耐碱，是固沙保土造林树种。枝条可编器物。

【杞人忧天】《列子·天瑞》中说，杞国有个人担心天会塌下来，自己无处安身，以致吃不下饭，睡不好觉。唐李白在《梁甫吟》中用这个典故写出"杞国无事忧天倾"的诗句。后用"杞人忧天"比喻毫无必要的忧虑和担心。

Q

起 qǐ ❶起来;抬高;离开原处。例～立|～重|～身。❷开始。例～点|从现在～。❸发动;发生。例～义|～变化。❹建立。例白手～家。❺提取;取出。例～货|～钉子。❻拟定。例～草。❼量词。相当于件、次或群、批。例出了一～事故|来了一～客人。❽在动词后，跟"得""不"连用，表示能否担得住或是否够格。例经得～考验|瞧不～。❾在动词后，表示动作的趋向或开始。例打～红旗|敲～锣。

【起义】❶人民为反抗反动统治而举行武装暴动。例农民～|秋收～。❷指非正义集团中的某部分武装力量或个人改变立场，投到正义方面来。

【起飞】❶(飞机、火箭等)开始飞行。例5018航班上午十点～。❷比喻事业开始迅速发展。例经济～。

【起用】❶重新任用已退职或免职的官员。❷提拔任用。

【起讫】开始和结束。

【起伏】❶连续地起落。例连绵～。❷比喻感情、关系等产生波动。

【起色】开始好转的样子。例工作有～。

【起更】也说交更。旧指夜间第一更开始。

【起诉】向法院提起诉讼的法律行为。在中国，代表国家控诉的人民检察院、民事案件中的原告和刑事案件中的自诉人均有权向人民法院提起诉讼。

【起灵】把停着的灵柩运走。

【起事】❶办事;行事。❷指武装暴动或武装斗争。

【起码】最低的限度。

【起居】指人的日常生活作息等。起:活动。居:休息。

【起草】拟写最初的文稿。例～文件。

【起哄】❶一群人在一起胡闹、捣乱。❷许多人向一两个人开玩笑。

【起复】古时官吏守父母丧未满而应召任职称起复。后泛指官员离职后重新被起用。

【起家】旧指兴家立业。现比喻开创事业。例白手～。

【起圈】把猪圈、羊圈、马牛棚等里面的粪便和垫草、垫土弄出来做肥料用。圈(juàn)。

【起程】动身;行程开始。

【起碇】起锚。

【起锚】把锚拔起，船只开始航行。

【起解】旧指押送犯人。解(jiè):押送。

【起源】❶事物发生的根源。例人类的～。❷开始发生。例评剧～于河北唐山地区。

【起诉状】原告向人民法院提起诉讼的书面材料。是引起诉讼程序发生的诉讼文书。应写明:(1)当事人的姓名、性别、年龄、民族、职业、工作单位和住所，法人或其他组织的名称、住所和法定代表人或主要负责人的姓名、职务;(2)诉讼请求和所根据的事实、理由;(3)证据和证据来源，证人姓名和住所。

【起征点】税法规定的对征税对象开始征税的最低界限。

【起搏器】维护心脏起搏和正常心律的一种医疗器械。内有电池，植于皮下。用于心脏传导阻滞的病人。

【起死回生】把将要死的人救活。形容医术

高明。也比喻挽救了看来已经没有希望的事情。

【起承转合】旧时写文章常用的行文的顺序。“起”是开始;“承”是承接上文,加以申述;“转”是转折,从正面反面立论;“合”是全文的结尾。泛指文章作法。

【起诉意见书】公安机关在案件侦查终结,对于犯罪事实清楚,证据确实、充分,可能判处犯罪嫌疑人刑罚的案件,向人民检察院提交的建议起诉的诉讼文件。提交起诉意见书是侦查终结的方式之一。

企 qǐ 抬起脚后跟站着。引申为盼望。㉔～待|～望。

【企及】赶得上。㉔难以～。

【企业】从事生产、购销、运输以及服务性活动的法人单位。如公司、工厂、矿山、农场、商店等。与“事业”②相区别。

【企求】盼望得到。

【企图】❶打算;图谋。❷意图;计谋。

【企望】盼望。

【企鹅】鸟类。无飞翔能力,善游泳和潜水。在陆地上直立时像有所企望的样子,故名。羽毛重叠、密集,皮下脂肪层厚,可防酷寒。多群居在最寒冷的南极洲。

【企慕】仰望羡慕。

【企业家】能抓住机会引进或开发新产品和新技术,改进企业的组织结构,谋求企业的利润最大化和长期发展的企业所有者或企业经营者。创新是企业家最重要的品格和才能。

【企予望之】踮起脚就可以看到。比喻距离近或希望迫切。《诗经·卫风·河广》:“谁谓宋远,跂予望之。”三国魏曹丕《秋湖行》:“企予望之,步立踌躇。”

【企业文化】企业中长期形成的共同理想、基本价值观、作风、传统习惯和行为规范的总和。

【企业法人】具有民事权利和承担民事义务,依法取得民事主体资格的社会经济组织。

【企业兼并】一个企业控制或接管另一个或几个企业。被控制或接管的企业不再是独立的法人。

【企业集团】核心企业通过控股、参股、技术控制、人事参与等途径所组建起来的,由若干企业集合而成的大型企业联合体。

【企足而待】也说翘足而待。抬起脚后跟来等着。表示很快就能实现。

启(啓*啟*唘) qǐ ❶开;打开。㉔～封。❷开导。㉔～发。❸起;开始。㉔～行。❹陈述。㉔敬～者(旧时书信或以个人名义写的启事的开头语)。❺旧时较简短的信。㉔小～。❻古人名。夏朝的君主。禹之子。

【启示】启发指示,使有所领悟。

【启用】开始使用。

【启发】开导,使人有所了解、领悟。

【启动】❶(机器、仪表、电气设备等)开始运转。❷比喻法令、方案、措施等开始实施。㉔科技扶贫工程即日～|～经费。❸带动;开拓。㉔～消费需求。

【启运】起运。

【启事】公开发表的说明某事的文字,多登在报刊上或贴在墙壁上。㉔征稿～|招领～。

【启齿】开口(多指向别人有所请求)。㉔难以～。

【启明】启明星。中国传统上指日出前出现在东方天空的金星。

【启迪】开导;启发。

【启封】撕开封条(表示可以动用)。也指拆开封着的信件等。

【启航】(轮船、飞机等)开始航行。

【启衅】首先挑起争端。

【启程】动身;行程开始。

【启蒙】❶使初学的人得到基本的入门知识。❷普及新的知识、思想,使人摆脱愚昧和落后状态。

【启蒙运动】特指18世纪法国大革命前法国资产阶级进步思想家反对封建制度和宗教神学的思想革命运动。代表人物有伏尔泰、孟德斯鸠、卢梭、狄德罗等。其特点是反对当时天主教会的权威和封建制度,把人的“理性”推崇为思想和行为的基础;政治上主张开明专制和民主政体。为法国资产阶级革命作了舆论准备。

【启发式教学】一种符合认识规律的科学的教学方法。从学生的实际出发,采用生动活泼的形式,启发学生思考,调动学生学习积极性,引导学生主动地学习。

绮(綺) qǐ ❶有花纹的丝织品。㉔～罗。❷美丽。㉔～丽。

【绮丽】鲜艳美丽。㉔风景～。

棨 qǐ 古代官吏出行时用来证明身分的东西。用木头做成,像戟的样子。

Q

【棨戟】一种有套的或油漆的木戟。古代官吏出行时用作仪仗。

肾⊠ qǐ 小腿肚子。

綮 ㊁ qǐ 同"棨"。
㊀ qìng (801页)。

稽 ㊁ qǐ 〔稽首〕❶古代一种跪拜礼，叩头到地。❷道士举一手向人行礼，也称稽首。
㊀ jī (452页)。

䭬⊠ qǐ 同"稽首"的"稽(qǐ)"。

qì ㄑㄧˋ

气(氣) qì ❶空气。例开窗透～。❷某种气体。例煤～|沼～。❸自然界冷热阴晴的现象。例～象|天～。❹精神状态。例勇～|志～|民～。❺思想作风。例官～|娇～。❻发怒或使人生气。例动～|别～他了。❼气味。例香～。❽中医指人体机能的原动力。例元～|～虚。❾中医指某种病象。例湿～|痰～。

【气力】力气；体力。

【气孔】❶叶片上由两个保卫细胞构成的空隙，是植物体和外界不断进行气体交换的孔道。❷昆虫等节肢动物身体表面呼吸器官的气门。❸铸件内的孔洞。有气孔的铸件质量不高，甚至是废品。❹建筑物或其他物体用来使空气或其他气体通过的孔。

【气功】通过调整呼吸、安定精神以达到改善人体机能的一种方法。为中国特有的健身术。可促进循环、消化等系统的机能，增强体质。

【气节】坚持原则，不向敌人屈服的高贵品质。

【气压】大气压的简称。

【气团】在广大范围内物理性质(如温度、湿度等)比较均匀的大团空气。气团的垂直厚度可达数千米，水平范围可达数千米。在两个不同性质的气团相接触的地带，常有显著的天气变化。

【气血】中医学名词。气指人体各种机能活动的动力；血指人体内流动的血液。气和血在人体内互相依存以维持人体生命活动。

【气宇】气概；气度。

【气体】没有固定的形状和体积，能自发地充满任何容器的物质。气体分子间的距离较大，相互作用力很小，容易压缩。如空气、氧气、沼气等。

【气势】人或事物的气派、形势。例～逼人|～雄伟。

【气枪】利用压缩空气发射铅弹的枪。

【气态】指物质的气体状态。

【气味】❶鼻子可以闻到的味儿。❷比喻意趣或情调。例～相投。

【气氛】存在于周围的使人能感觉的表现或景象。例欢乐～|～紧张。

【气质】❶人的一种比较稳定的个性特征，如容易兴奋、活泼好动、沉默安静等。和通常所说的"脾气""性情"相近。❷泛指人的风格、气度。例文人～。

【气泵】也叫风泵。用来抽气或压缩气体的装置。抽气的也叫抽气机，增压的也叫压缩机。

【气度】气量。

【气派】指人的态度、作风或某些事物所表现的气势。

【气候】一个地区多年的天气平均状况。如岭南无冬，北京春旱夏雨，昆明四季如春等。由纬度、海陆位置、海拔、地面性质、大气环流等因素相互作用而形成。

【气息】❶呼吸时出入的气。❷气味；气氛。例一股泥土～扑鼻而来|生活～。

【气馁】失掉勇气和信心。

【气球】一种无动力装置的航空器。在薄橡皮、橡胶布或塑胶等制成的囊袋中，灌进氢氦等气体鼓成球形。由于比空气轻，可以凭借空气浮力上升。可用于大气研究、跳伞训练、侦察拦阻敌机以及散发宣传品等，小型的也可作玩具。

【气象】❶大气的状态、变化和现象。如冷、热、风、云、雾、雨、雪、霜、露、冰雹、雷电等。❷景象；情况。例祖国一派新～。

【气旋】即"低气压"(191页)。

【气焊】利用乙炔等可燃气体在焊枪中与氧混合，并从喷嘴喷出燃烧产生的高温火焰，使两金属件连接处相熔合的焊接方法。

【气量】能容纳不同意见的度量。

【气焰】比喻人的威风气势(含贬义)。例～嚣张。

【气温】空气的温度。气温的高低直接由太阳辐射和太阳高度的大小决定，同时还受气流、云量、地形等条件的影响。

【气概】豪迈的态度、举动或气势。㊣英雄～。

【气韵】神气和韵味,多指文章及艺术品。

【气数】迷信指政权或个人的命运。数(shù)。

【气管】喉与支气管之间的一段呼吸管道。人的气管由一系列的U形软骨环和肌肉、韧带连结而成。

【气魄】❶魄力,无所畏惧的精神或作风。❷气势。㊣人民大会堂～雄伟。

【气压计】也叫气压表。测定气体压强的仪器。常见的有水银气压计和空盒气压计。有的部门只把能自动记录气压的仪器叫气压计,把不能自动记录气压的叫气压表。

【气昂昂】形容人精神振奋、气势威武。

【气肿疽】也叫黑腿病。由气肿疽杆菌引起的牲畜急性传染病。3—4岁牛易感染,羊也有感染的。病畜高热,跛行,股、胸、颈等部位的皮下和肌肉出现气肿和水肿等。

【气垫船】一种新型高速船舶。用空气螺旋桨或水下螺旋桨推进,并由压气机将压缩空气自船底射出,使船底与水面或地面间形成气垫,以减少航行阻力。两栖性气垫船可以登陆或在冰上、沙漠上、卵石上以及沼泽地区航行。

【气象台】进行气象观测、资料整编,发布天气预报的专业气象机构。

【气象站】进行气象观测,开展单站天气预报的基层气象单位。

【气溶胶】液体或固体质点分散于气体介质中所形成的胶体。如烟或雾。

【气壮山河】气概像高山、大河那样雄壮豪迈。

【气冲牛斗】形容气势或怒气很盛。牛斗:牛宿和斗宿,代指天空。

【气冲霄汉】形容大无畏的魄力和勇气。霄汉:指高空。

【气宇轩昂】形容人的风度、气概很不平凡的样子。轩:高。

【气吞山河】气势可以把山河吞没。形容气魄很大。

【气体放电】电流通过气体时发生的放电现象。一般伴有发光、发声。由于气压、电压、电流、电极的形状、距离等不同,发光、发声的情况各异。

【气势汹汹】形容态度或声势十分凶猛。

【气势磅礴】形容气势雄伟浩大。磅礴(pángbó)。

【气味相投】比喻思想、志趣、作风等很合得来(多含贬义)。

【气贯长虹】形容气势非常盛大。

【气急败坏】上气不接下气,失去常态。形容十分恐慌或羞恼。

【气候异常】气候状态较往年平均状态出现较大差异和变化,甚至引起气候灾害增多的现象。通常用不同时期温度和降水等的统计量(均值、变率等)的差异来反映。气候变暖是气候异常的一种。

【气候资源】指对人类生产和生活有利的气候条件。是一种自然资源,主要包括光照、热量、水分、风能等。

【气息奄奄】形容气息微弱,快要断气的样子。晋李密《陈情表》:"气息奄奄,人命危浅,朝不虑夕。"奄(yǎn)。

【气象万千】形容事物、景象多种多样,壮丽美观。宋范仲淹《岳阳楼记》:"朝晖夕阴,气象万千。"

【气体动理论】旧称分子运动论。从物质的微观结构出发阐明热现象规律的理论。主要观点是:宏观物体由大量的微观粒子(分子或原子)组成;分子永不停息地做无规则的热运动,温度越高,无规则运动越剧烈;分子间存在着相互作用力(引力和斥力)。

【气体摩尔体积】单位物质的量气体所占的体积。常用单位有米^3/摩、升/摩等。在273.15开和101.325千帕时,理想气体的摩尔体积约22.4升/摩。

汽

qì 蒸气;液体或固体变成的气体。特指水蒸气。

【汽车】一种用内燃机做动力,装有橡胶轮胎的地面交通运输工具。

【汽化】物质从液态转化为气态的过程。有蒸发和沸腾两种形式。物质汽化时需要吸收热量。

【汽油】由石油加工而得的燃料油。沸点范围一般为40—200℃。主要由四个碳至十二个碳的烃类组成。易挥发、燃烧。主要用作汽油机的燃料,也用作橡胶、油漆等的溶剂。

【汽缸】往复式发动机或压气机中的圆筒状机件。有活塞在其中运动。

【汽笛】利用蒸汽从气孔中喷出而发出很大音响的发声器。一般装置于轮船、火车或工厂中。

【汽艇】也叫快艇、摩托艇。一种用内燃机做动力的小型船舶。轻便灵活,速度快。

【汽化热】单位质量的某种液体变成同温度气体时吸收的热量。单位是焦耳/千克。

【汽轮机】涡轮机的一种。利用高温高压蒸汽推动叶轮高速旋转，将热能转化为机械能。火力发电站用它带动发电机发电，这种发电设备叫汽轮发电机。

【汽车拉力赛】赛车项目之一。是多日、分段形式的长途比赛。考验运动员的驾驶技术，也检验车辆的性能和质量。比赛采用单个发车的方式，每个车组由一名驾驶员和一名领航员组成。以全过程行驶时间和受罚时间累计，少者为胜。

讫(訖) qì 终结；完毕。㊀验～|现金收～。

迄 qì ❶到。㊀～今。❷文言副词。终究；一直。㊀～未见效。

汔 qì ❶干涸。❷接近；庶几。

弃(*棄) qì 扔掉；舍去。㊀抛～。

【弃世】去世；死亡。

【弃市】古代的一种刑罚。在闹市执行死刑，并将尸体扔在大街示众的刑罚。

【弃权】放弃权利(多用于选举、表决或比赛等)。

【弃养】婉辞。父母死亡。

【弃绝】抛弃。

【弃捐】弃置不用。

【弃置】扔在一边。㊀～不用。

【弃旧图新】抛弃旧的，谋求新的。多指离开错误的道路走向正确的道路。

【弃甲投戈】丢下盔甲，扔了武器。形容打了败仗，狼狈逃跑的样子。

【弃暗投明】离开黑暗，投向光明。比喻与黑暗势力断绝关系，走上光明的道路。

妻 ㊁ qì 指把女儿嫁给人。
㊀ qī (767 页)。

炁⊠ qì “气”的异体字。

泣 qì ❶低声哭。㊀～不成声。❷眼泪。㊀～下如雨。

亟 ㊁ qì 副词。屡次。㊀～经洽商。
㊀ jí (455 页)。

契 ㊀ qì ❶证明买卖、抵押、租赁等关系的合同、文书、字据。㊀地～|～约。❷心意相合。㊀默～|～友。❸用刀雕刻。❹用刀刻的文字。㊀殷～(殷商时代刻在龟甲、兽骨上的文字)。
㊁ xiè (1089 页)。

【契友】情意相投的朋友。

【契丹】中国古族名。源出东胡，游牧于今辽河上游。唐末曾建立辽政权，1125 年为金灭后，渐与蒙古、女真、汉人等同化。一部分西迁，建立西辽(1124—1211)。

【契机】指一事物转化为他事物的关键。

【契合】❶符合。❷意气相投。

【契约】即“合同”(386 页)。

【契税】土地和房屋买卖、典当、赠予、交换等所有权和使用权转移时，对承受人征收的一次性税收。

【契诃夫】安东·契诃夫(1860—1904)俄国现实主义作家。生于小商人家庭。一生创作了四百多篇短篇小说。代表作有《小公务员之死》《万卡》《第六病室》《套中人》等。善于在平凡故事中表现深刻的主题，不少作品揭露沙皇统治的残暴腐朽，反映了俄国小资产者的空虚和苦闷。后期转向剧本创作，著有《海鸥》《万尼亚舅舅》《三姐妹》《樱桃园》等。诃(hē)。

碶 qì 用石头砌的水闸。多用于地名，如大碶头(在浙江)。

梨⊠ qì 同“契(qì)”。

砌 ㊀ qì ❶建筑时垒砖石，用泥灰等黏合。㊀～墙。❷台阶。㊀雕栏玉～。
㊁ qiè (791 页)。

跂⊠ ㊁ qì 抬起脚后跟站着。㊀～望。
㊀ qí (769 页)。

葺 qì 用茅草覆盖房顶。现泛指修理房屋。㊀修～。

惕⊠ ㊁ qì 同“憩”。休息。
㊀ kài (548 页)。

碛(磧) qì ❶浅水里的沙石。❷沙漠。㊀～北(漠北)。

槭 qì 槭树，落叶小乔木。种类很多。叶对生，秋天变红色，结双翅果，木材坚实。有些种的种子可榨油。

磜□ qì 同“砌(qì)”。台阶。多用于地名，如磜头(在福建)、小磜(在江西)。

器 qì ❶器具。㊀瓷～|铜～|乐～。❷器官。㊀生殖～。❸人的度量；才能。㊀～量|成～。

【器皿】日常盛食品等的用具。如杯、盆、

碗、碟等。

【器乐】用乐器演奏的音乐。包括独奏、齐奏、重奏、协奏、合奏等。

【器件】机器、仪表的组成部分,常由若干零件或元件组成。如扬声器、变压器等。

【器宇】指人的仪表、风度、气概或胸襟、度量等。

【器材】器具和材料。㊀建筑～。

【器识】指人的气魄和见识。

【器官】在动植物和人体内,由多种不同组织构成的、具有一定机能的结构单位。如动物的胃、心、肺,植物的根、茎等。

【器重】看重;重视(多用于长辈对晚辈、上级对下级)。

【器械】指有专门用途的或制造较精密的器具。㊀医疗～|体育～。有时专指武器。

【器量】气量;度量。

憩(*甛) qì 休息。㊀休～|～息。

qiā ㄑㄧㄚ

掐 qiā ❶用拇指和其他手指用力夹住或用指甲使劲按或截断。㊀～花儿|～人中。❷用手的虎口使劲卡住。㊀～住敌人的脖子。❸量词。拇指和另一手指尖相对握着的数量。㊀一～小葱。

袷□ qiā 〔袷袢〕维吾尔、塔吉克等民族穿的对襟长袍。袢(pàn)。

另音 jiá,见“夹”(468 页)。

葜 qiā 见〔菝葜〕(21 页)。

齣☒(齣) qiā 咬。

髂☒(髂) qiā 〔髂虎〕吓人的样子。

qiá ㄑㄧㄚˊ

拤 qiá 用两手掐住。

qiǎ ㄑㄧㄚˇ

卡 ㊀ qiǎ ❶夹在中间。㊀鱼刺～在喉咙里。❷控制;阻拦。㊀上级对购买办公用品～得很紧。❸一种夹东西的器具。㊀发(fà)～。❹关卡,在交通要道设置的检查所。㊀边～。

㊁ kǎ (544 页)。

【卡脖儿旱】指农作物抽穗扬花时遭受的干旱。

qià ㄑㄧㄚˋ

刣☒ qià 古代的一种酷刑。削去脸皮。

帢☒ qià 帛制的便帽。

洽 qià ❶跟人联系;交换意见。㊀接～|～办。❷融合;协调一致。㊀融～|意见不～。

【洽谈】接洽商谈。

恰 qià ❶适当;合适。㊀～当。❷副词。正;刚刚。㊀～巧|～到好处。

【恰当】合适;妥当。

【恰好】副词。恰巧;正好。

【恰恰】副词。正好;刚好。

【恰恰舞】舞厅舞的一种。源于墨西哥。20世纪 50 年代风靡美洲和欧洲。音乐为4/4拍或 2/4 拍。基本步法是三步加一曳步,同时臀部一摆。舞蹈诙谐幽默,热情活泼。

【恰如其分】指办事或说话正合分寸。

髂 qià 髂骨,位于腰部下面腹部两侧的骨。左右各一,上缘略呈弓形,下缘与耻骨、坐骨相连而形成髋骨。

qiān ㄑㄧㄢ

千(❸韆) qiān ❶数目。十个一百。❷比喻很多。㊀～锤百炼。❸“秋千”的“千”。

【千夫】指众多的人。

【千瓦】旧作瓩。功率单位。1 千瓦等于1 000瓦。

【千古】❶长久的年代。㊀流芳～。❷婉辞。哀悼死者,表示永别。多用于挽联、花圈等的上款,意为留名永久。

【千卡】也叫大卡。热量单位。1 千卡等于 4.18×10^3 焦耳。参见〔卡路里〕(545 页)。

【千仞】古时七尺或八尺叫一仞。千仞,多用来形容山很高。

【千岁】称太子、王公,多见于旧戏曲、小说。

Q

【千米】长度单位。1千米等于1 000米。

【千克】质量单位。国际千克原器的质量为1千克。是国际单位制中七个基本单位之一。

【千金】❶指很多的钱。比喻珍贵、贵重。❷敬辞。称别人的女儿。

【千秋】❶形容年代非常久远。❷敬辞。旧指寿辰。

【千总】明清两代领兵官官名。明代驻守京师的京营兵分三大营,设千总、把总等领兵官。清代绿营兵(汉军),守备以下有营千总。另在京师各城门设有门千总,漕运总督下设有卫千总等。

【千赫】旧称千周。无线电波频率的单位。每秒振动1 000次为1千赫。

【千瓦时】也叫千瓦小时。电能的一种单位。电功率是1千瓦的用电器,通电1小时所消耗的电能是1千瓦时,俗称1度电。

【千斤顶】一种顶升式起重器。有螺旋、齿条、液压等几种型式。可用较小的力,起重达数十吨至数百吨,但一次顶升的距离不大,只有几厘米至几十厘米。常用于安装、修理等工作中。

【千分点】统计学上称千分之一为一个千分点。

【千字文】中国旧时的蒙学课本。南朝梁周兴嗣编。用一千个不同的字,编成四字韵语,叙述有关自然、社会、历史、伦理、教育等方面的知识。

【千里马】指骏马。比喻有才干的人。

【千佛洞】即"莫高窟"(697页)。

【千岛湖】指新安江水库。位于浙江省西部新安江上。湖中多岛,故名。风光秀丽,辟为森林公园。

【千钧棒】比喻战胜敌人的有力武器。钧:古时三十斤为一钧。

【千夫所指】《汉书·王嘉传》:"千人所指,无病而死。"形容众怒难犯。千夫:很多人。指:指责。

【千方百计】想尽一切办法,用尽一切计谋。宋朱熹《朱子语类》卷三五:"譬如捉贼相似,须是着起气力精神,千方百计去赶捉他。"方:方法。计:计谋。

【千头万绪】也说千端万绪。头绪很多。形容事物纷繁复杂。三国魏曹植《自试令》:"(王)机等吹毛求疵,千端万绪,然终无可言者。"

【千丝万缕】有千条丝万条线连着。形容彼此之间关系复杂,难以割断。宋戴石屏《怜薄命》词:"道旁杨柳依依,千丝万缕,拧不住一分愁绪。"

【千年万载】形容年代非常久远。

【千里长沙】也说万里长沙。简称长沙。古籍中称中国南海诸岛的一些岛群。见于宋赵汝适(kuò)《诸蕃志》。

【千里石塘】古籍中称中国南海诸岛的一些岛群。见明顾岕《海槎余录》等书。

【千里鹅毛】比喻礼物轻而情意重。宋黄庭坚《长句谢陈适用惠送吴南雄所赠纸》诗:"千里鹅毛意不轻,瘴衣腥腻北归客。"

【千金买骨】《战国策·燕策一》记载,燕昭王想招纳天下贤士,郭隗说:"臣闻古之君人,有以千金求千里马者,三年不能得。涓人(即近侍)言于君曰:'请求之。'君遣之,三月得千里马,马已死,买其首五百金。反以报君。君大怒曰:'所求者生马,安事死马而捐五百金?'涓人对曰:'死马且买之五百金,况生马乎?天下必以王为能市马,马今至矣!'于是不能期年,千里马之至者三。今王诚欲致士,先从隗始,隗且见事,况贤于隗者乎?岂远千里哉?"后"首"多作骨,并以"千金买骨"比喻求贤若渴。

【千金要方】也叫《备急千金要方》。中国古代医书。唐孙思邈撰。共三十卷。包括本草、制药,妇、儿、内、外各种疾病的诊断预防以及解毒、备急、食疗、养性、针灸等,广收前代和民间药方五千三百余首,以"人命至重,有贵千金"而得名。内容丰富,保存了唐以前珍贵医学资料。

【千金翼方】中国古代医书。唐孙思邈撰。为《千金要方》的续编,故名。三十卷。卷首为"药录",收录药物八百多种。书中收载了当时医家秘藏的汉张仲景《伤寒论》内容,选录了《千金要方》未收的方剂两千余首。是一本内容丰富的中医药重要著作。

【千钧一发】也说一发千钧。千钧重量吊在一根头发丝上。比喻情况万分危急。唐韩愈《与孟尚书书》:"群儒区区修补,百孔千疮,随乱随失,其危如一发引千钧。"钧:古时三十斤为一钧。

【千钧重负】比喻很沉重的负担或非常重大的责任。

【千载一时】一千年才有这么一个时机。形容机会非常难得。唐韩愈《潮州刺史谢上表》:"当此之际,所谓千载一时,不可逢之嘉会。"

Q

【千载难逢】一千年里也难碰到一次。形容机会非常难得。

【千虑一得】《史记·淮阴侯列传》:“智者千虑,必有一失;愚者千虑,必有一得。”后以“千虑一得”指在许许多多的考虑中,总会有一次是想得对的。常用作谦辞。

【千锤百炼】❶比喻经过艰苦的斗争和长时期的锻炼。❷比喻对诗文字句做多次精心修改。

【千篇一律】形容文章公式化。也比喻完全按老一套,没有任何变化。明王世贞《艺苑卮言》卷四:“张为称白乐天…千篇一律,诗道未成,慎勿轻看,最能易人心手。”

【千年虫问题】指计算机系统的2000年问题。在以往的计算机软件、硬件以及使用数字化程序控制芯片的应用系统中,只采用两位十进制数字来表示年份,当日期从1999年12月31日转入2000年1月1日时,用来表示2000年的两位数“00”与表示1900年的“00”没有区别,计算机系统会误认为是1900年1月1日,这将给以年份日期进行计算的系统带来严重影响,特别是在金融、军事领域。为此,在2000年到来之前,世界各国都投入了巨大的人力、物力来解决这一问题。

【千里之行,始于足下】一千里的路程是从迈第一步开始的。比喻事情的成功都是由小而大逐渐积累的。《老子·六十四章》:“合抱之木,生于毫末。九层之台,起于累土。千里之行,始于足下。”

【千里之堤,溃于蚁穴】小小的蚂蚁洞,可以使千里长堤溃决。比喻小问题不及时解决就会造成大损失。《韩非子·喻老》:“千丈之堤,以蝼蚁之穴溃;百尺之室,以突隙之烟焚。”

仟 qiān 数目“千”的大写。多用于票证、账目等。

阡 qiān ❶田间南北方向的小路。㊀~陌(mò)。❷墓道。

【阡陌】田间纵横交错的小路。

扦 qiān ❶用金属或竹、木制成的一头尖的用具。㊀蜡~|竹~。❷插。㊀~花。

【扦插】将枝条或根插入土中,以繁殖苗木的育苗方法。能速生和保持母树的优良特性。繁殖杨、柳、葡萄等均采用这种方法。

芊 qiān 见下。

【芊芊】草木茂盛。

【芊绵】草木茂密繁盛。

迁(遷) qiān ❶迁移。㊀~居。❷转变。㊀事过境~。❸古指调动官职。一般指升职。

【迁延】拖延。

【迁客】古指流迁或被贬谪到边远地区的人。

【迁怒】自己不如意时拿别人出气。《论语·雍也》:“不迁怒,不贰过。”

【迁都】迁移国都。

【迁流】迁移流动(多指时间)。㊀岁月~。

【迁移】离开原址搬到别的地方去。

【迁徙】❶迁移,改变居住的地方。❷动物学上指鸟类依季节不同而变更栖居地区。有迁徙习性的称为候鸟,没有的称为留鸟。徙(xǐ)。

【迁就】也作牵就。无原则地将就别人。

瓩□ qiānwǎ 旧表示功率单位的字。1977年7月中国文字改革委员会、国家标准计量局通知,淘汰“瓩”,改用“千瓦”。

钎(釬) qiān 一头尖的或扁的钢棍。是采掘中打眼儿用的工具。㊀钢~。

岍 qiān 岍山,山名,在陕西。

汧□ qiān〔汧阳〕地名。在陕西西部。今作千阳。

佥(僉) qiān ❶文言副词。都。❷众人的。㊀甚副~望。

签(簽籤) qiān ❶在文件或单据上亲自写上姓名或画上符号。㊀~名。❷简要地写出。㊀~注意见。❸用竹子或木材削成的带尖儿的小细棍。㊀竹~。❹作为标志的小条儿。㊀标~。❺粗略地缝上。㊀~贴边。❻小竹片或小细棍,上面刻有或写有文字符号,用于占卜、赌博等。㊀求~|抽~。

【签订】订立条约或协定并签字。

【签发】由主管人审核同意后签字发出(多指公文、证件等)。

【签字】在文件、单据等上面签上自己的名字,以示负责。

【签呈】旧时机关工作人员向上级请示、报告时所写的简短呈文。

【签证】一国主管机关在本国或外国公民所持的护照或其他适当证件上签注、盖印,表

Q

示准其出入或通过本国国境的手续。
【签押】旧时在文书上签名画押。
【签注】❶在文稿或书籍中用签条写上可供参考的材料。现多指在送首长批阅的文件上，由经办人注出处理的初步意见。❷在证件表册上批注意见或有关事项。
【签署】在重要文件上正式签字。

挈☒(掔) qiān ❶使牢固。❷牵引。后作牵。

牵(牽) qiān ❶引领着；拉。㊣～牲口｜手～着手。❷连带；连累。㊣～连。
【牵牛】一年生缠绕草本植物。叶互生，近心脏形，通常三裂。秋季开花，花冠漏斗状，蓝色、淡紫色或白色。可供观赏。
【牵头】在一个为进行某项工作而由若干方面临时组织起来的松散团体中担负召集、主持责任。㊣这次妇幼保健会议由妇联～，其他部门配合。
【牵动】在一个整体中，一处变动其他部分也跟着变动。
【牵连】牵涉，连累。
【牵制】拖住对方，使其行动受到限制(多用于军事)。
【牵挂】心中挂念。
【牵涉】一件事情牵连、涉及其他的事情或人。
【牵掣】❶因牵连而受到影响、妨碍。❷牵制。掣(chè)。
【牵就】同“迁就”(779页)。
【牵强】把关系不大或没有关系的事物勉强地扯在一起。
【牵牛星】即“牛郎星”(724页)。
【牵肠挂肚】形容非常惦念，很不放心。

铅(鉛*鈆) ㊀ qiān ❶金属元素，符号 Pb，原子序数 82。银灰色。铅及其化合物均有毒。用于制造蓄电池和铸造铅字。也用作耐硫酸腐蚀、防放射线的材料。❷用石墨作笔心的笔叫铅笔。
㊁ yán (1135页)。
【铅刀】指称钝刀。
【铅印】用铅字排版印刷，或排版后制成纸型，再浇制铅版印刷。是胶片印刷、激光照排产生以前的一种主要印刷方法。
【铅华】搽脸的铅粉。
【铅铁】镀锌铁的通称。
【铅球】❶田赛项目之一。在投掷圈内，通过滑步等以单手把球自肩上方用力推出，落入规定区域内为有效。❷田赛投掷器械之一。球形，实心，中间灌铅。
【铅中毒】由呼吸道吸入铅尘、铅蒸气，或口服铅化合物引起的一种职业病。主要症状是肠绞痛、贫血、瘫痪等，严重时精神异常，损伤脑神经。
【铅垂线】把铅锤或其他类似铅锤的物体挂于线上，沿下垂方向形成的直线叫铅垂线。
【铅笔画】用铅笔画的画。多为素描或速写。
【铅蓄电池】一种蓄电池。以填满海绵状铅的铅板为负极，填满二氧化铅的铅板为正极，硫酸溶液作电解质。广泛用于汽车、电车、轮船、飞机、实验室等方面。

悭(慳) qiān ❶吝啬；小气。㊣～吝。❷缺欠。㊣缘～一面(缺少一面之缘)。

谦(謙) qiān 虚心；不自高自大。
【谦让】谦虚推让。
【谦逊】谦虚恭谨。
【谦虚】❶虚心，不自满，肯接受意见、批评。❷说虚心、不自满的话。㊣他～了一番。
【谦辞】表示谦虚的言词。
【谦谦君子】《周易·谦》：“谦谦君子，卑以自牧也。”指谦卑自守的雅士。也用以讽刺事事谦让、毫无原则的人。

愆(*諐) qiān ❶罪过；过失。㊣以赎前～。❷错过；耽误。㊣～期。

鸽(鴿) qiān 啄。㊣他们家的公鸡～人。

骞(騫) qiān ❶高举；飞腾。㊣～腾。❷同“搴”。

搴 qiān 拔取。㊣～旗。

褰 qiān 把衣服提起来。㊣～裳。

孅☒ ㊁ qiān 花言巧语；谄媚。
㊀ xiān (1066页)。

qián ㄑㄧㄢˊ

拑☒ qián 同“钳”②。

箝☒ qián 同“钳”。

钳(鉗) qián ❶夹东西的用具。㊀老虎～。❷夹住；约束。㊀～制。

【钳工】❶用锉刀、錾(zàn)子、刮刀等工具对工件进行加工的工种。多用于装配、调整和检修工作。❷从事钳工工作的工人。

【钳形突击】简称钳击。分两路对敌人实施如同钳子形状的夹击。

黚☒ qián 浅黄黑色。

荨(蕁) ㊀ qián 〔荨麻〕多年生草本植物。叶对生，茎叶生螫毛，触时会引起刺痛。茎皮纤维是纺织原料。㊁ xún (1122页)。

钤(鈐) qián ❶图章。❷盖(图章)。㊀～章。

【钤记】旧时较低级官吏所用的印章。

黔 qián ❶黑色。㊀～首(古代统治阶级称老百姓)。❷贵州的别称。

【黔黎】指平民百姓。黔：黔首。黎：黎民。

【黔驴技穷】唐柳宗元《三戒·黔之驴》中说，黔地无驴，有人从外地带来一头，放牧在山里。老虎看见驴是个庞然大物，以为是神，老远就躲开了。后来逐渐靠近，加以戏弄，驴大怒，踢了老虎一脚。老虎看透驴的本事不过如此，就把它吃掉了。后用"黔驴技穷"比喻有限的一点本领已经用完，再无办法了。

前 qián ❶(空间)在正面的。㊀天安门～。❷(时间)已过去的；较早的。㊀～几天|从～。❸(次序)靠近头里的。㊀～排。❹向前走。㊀勇往直～。❺以前的(区别于现在的、现已改名的)。㊀～夫|～政务院。❻某事物产生之前的。㊀～科学。

【前夕】前一天的晚上。比喻重大事件即将发生的时刻。

【前卫】❶军队行军时担任前方警戒和护卫任务的部队。任务是保障主力行动的安全和战斗展开。❷某些球类比赛中位置在前方主要担任助攻与助守的队员。❸领先潮流的。㊀～作家。

【前方】❶前面。❷战时前线部队作战的地域。

【前汉】即"西汉"(1050页)。

【前尘】指从前的或从前经历的事。㊀回首～。

【前任】在现任者之前担任这项职务的人。

【前导】在前面带路。也指在前面带路的人。

【前身】原是佛教用语，指前世的身体。现指本事物在演变中原来的名称或形态。

【前驱】走在前面起带动和引导作用的人或事物。

【前例】过去曾经有过的同类事例。㊀有～可循|史无～。

【前夜】前一天的晚上。比喻事情即将发生的时刻。

【前沿】❶阵地或兵力部署最前面的边沿。❷比喻处于领先地位的。㊀～科学。

【前线】战时第一线部队作战的地区。也泛指两军交战的地区。

【前奏】❶乐曲的开端部分或歌唱、独奏前的器乐伴奏。❷比喻事情的先声。

【前科】指曾经被判处过刑罚的事实。有前科的人，如果后来又犯罪，符合法定条件构成累犯的，须从重处罚。

【前秦】十六国之一。公元350年氐族苻洪称三秦王，公元351年子健称帝，建都长安(今陕西西安)，史称前秦。公元394年为后秦所灭。

【前哨】地面部队驻止时，向敌方所在方向派出的警戒分队。通常由一个连或一个营担任。任务是制止地面敌人的侦察和抗击敌人的袭击，保障军队的安全和顺利进入战斗或适时转移。

【前敌】前线。㊀身临～。

【前途】前面的道路。比喻未来的光景。

【前缀】也叫词头。加在词根前面表示附加意义的语素。如老鼠的"老"、阿姨的"阿"。

【前提】❶指推理中所根据的已知判断。也就是推理的根据。❷事物发展的先决条件。

【前辈】称年长而资历深的人。

【前景】❶画面、舞台、银幕上离观众最近的景物。❷将要出现的景况。㊀胜利的～。

【前锋】❶先头部队。也比喻走在时代前列的人。❷某些球类比赛中位置在前方主要担任进攻的队员。

【前程】❶前途(多指事业方面)。❷旧指读书人的功名、职位。

【前蜀】十国之一。参见"蜀"①(912页)。

【前瞻】展望；预测。㊀～性分析。

【前元音】发音时舌位前伸的元音。如普通话单韵母中的i、ü、ê。

【前列腺】男性生殖器官的附属腺。位于膀胱下方,围绕尿道上部。分泌弱碱性液体参与构成精液,以适宜精子活动。

【前奏曲】原指歌唱前即兴演奏的引子。19世纪,肖邦创作了钢琴曲《二十四首前奏曲》,使其成为独立品格的钢琴小品。后人纷纷效仿。

【前无古人】指前所未有的。唐陈子昂《登幽州台歌》:“前不见古人,后不见来者。”

【前车可鉴】《汉书·贾谊传》:“前车覆,后车戒。”前面车翻了,后面车子可以引为鉴戒。比喻先前的失败,可作为以后的教训。鉴:镜子,引申为教训。

【前仆后继】前边的倒下了,后边的紧跟上来。形容不怕牺牲,英勇奋战。仆(pū)。

【前功尽弃】以前经过努力得到的成绩完全白费。《史记·周本纪》:“一举不得,前功尽弃。”弃:丢掉。

【前列腺素】由体内许多种组织合成的不饱和脂肪酸。首先在动物精液中发现,误认为来自前列腺而得名。几乎存在于人体一切组织中,以生殖系统中含量最高。有兴奋平滑肌和降低血压等功能。

【前所未闻】从来没有听说过。形容事情极不寻常。

【前赴后继】前面的上去了,后面的紧跟上来。形容英勇战斗,不怕牺牲,奋勇向前。

【前倨后恭】以前傲慢,后来恭顺。《战国策·秦策一》记载,苏秦在秦国游说失败后回家,嫂子不给他做饭。后来,他在赵国做了大官,回家时,嫂子就跪拜在地迎接他。苏秦问道:“嫂何前倨而后卑也?”

【前列腺增生】由性激素失调引起的一种老年多发病。主要症状是尿频和排尿困难,严重时甚至排不出尿。

【前怕龙,后怕虎】也说前怕狼,后怕虎。比喻顾虑重重,畏缩不前。

【前门拒狼,后门进虎】前门打走了狼,后门又进来了虎。比喻刚赶走了凶恶的敌人,立刻又有更凶恶的敌人进来。

【前事不忘,后事之师】记取以前的经验教训,可作为以后行事的借鉴。《战国策·赵策一》:“前事之不忘,后事之师。”师:师表,榜样。

虔 qián 恭敬。㊙~诚。

【虔诚】恭敬而有诚意(多指宗教信仰)。

【虔虔】恭敬的样子。

【虔婆】指惯用甜言蜜语哄骗人的妇女(用作骂人)。也指妓院的鸨母(多用于宋元时期)。

钱(錢) qián ❶铜钱。泛指货币。❷费用。㊙车~。❸圆形像铜钱的东西。㊙榆~儿。❹市制质量单位。10分为1钱,10钱为1两。

【钱庄】旧时由私人经营的金融业商店。以存款、放款、汇兑为主要业务。

【钱票】中国宋代以后一种能代替硬币的纸币。

【钱塘】秦置钱唐县,秦始皇三十七年(前210)“至钱唐,临浙江”。唐代因唐是国号,改为塘。1912年钱塘县与仁和县并为杭县。1961年杭县并入余杭县。

【钱粮】❶银钱和粮食的合称。旧指田赋。❷清代主管财政的小官吏。

【钱钟书】(1910—1998)中国现代文学家、学者。字默存,号槐聚,笔名中书君,江苏无锡人。1935年留学英法,攻读文学。1938年回国后任西南联大、暨南大学教授。1942年开始文学创作,1944年出版了短篇小说集《人·兽·鬼》。1947年出版的长篇小说《围城》,表现抗战期间一群后方知识分子荣辱浮沉的生活,语言冷峻、幽默。1949年后任清华大学教授、中国社科院文学研究所研究员,注意用比较文学和心理学的方法研究诗歌和小说,形成贯通中西、古今互见的治学方法,对中西诗论、文论以及中西文化有深入研究。著有《谈艺录》《宋诗选注》《管锥编》等。

【钱塘江】浙江省最大河流。发源于安徽省休宁县六股尖,注入杭州湾。全长605千米。干支流大部分可通航,水能资源丰富。沿岸风光秀丽,千岛湖(新安江水库)和富春江是著名的旅游胜地。江口呈喇叭状,每月朔、望,海潮倒灌,形成著名的钱塘潮。

掮 qián 用肩扛东西。

【掮客】〈方〉指替人介绍买卖,赚取佣金的人。

乾 qián ❶八卦之一。代表天。参见〔八卦〕(16页)。❷旧指男性的。

另音gān,见“干”(301页)。

【乾坤】中国古代哲学的一对范畴。指天地或阴阳两个对立面。《周易》用“乾”表示天和阳,用“坤”表示地和阴。后用来泛指天地。

Q

【乾隆】❶清高宗的年号。❷(1711—1799)即清高宗爱新觉罗·弘历。即位后平定了新疆准噶尔部等叛乱,稳定西藏政局,对西南少数民族继续实行改土归流,加强了对西北西南边疆的控制管理。对西方殖民势力加以限制,编纂书籍多种,尤以《四库全书》为最。但又屡兴文字狱,多次出游,浪费无度。在位后期,官僚贪污成风,起义蜂起,清王朝自此由盛转衰。

【乾嘉学派】清乾隆、嘉庆年间讲究训诂考据的经学派系。对古籍及语言文字的研究有较大贡献。

墘□ qián 〈方〉旁边;附近。多用于地名,如车路墘(在台湾省)。

犍 ㊁ qián 〔犍为〕地名。在四川。
㊀ jiān (475 页)。

潜(*濳) qián ❶隐藏在水里。㊐~游。❷隐藏;隐藏的。㊐~伏|~力。❸偷偷地。㊐~逃。

【潜入】秘密地进入。

【潜力】潜在的尚未发挥出来的力量。㊐挖掘~|发挥~。

【潜亏】账面上反映不出来的实际存在的亏损。㊐~达 300 万元。

【潜水】❶地下水的一种类型。指埋藏在地面之下、第一个隔水层之上的地下水。可直接向地表蒸发和得到地表水的渗透补给,所以水位高低常随季节和气候状况而变化。是民井和浅井的主要供水来源,但潜水面离地表很近时,又能引起土壤盐碱化和沼泽化。❷钻进水中。❸体育运动项目之一。运动员借助水下装备,如呼吸管、呼吸调节器、脚蹼、浮力调节器、气瓶、潜水衣等,在水下进行各种竞技比赛。有蹼泳、水下曲棍球、水下橄榄球、水下猎靶、水下摄影等。还有在严格医务监督下进行的潜水深度的比赛。

【潜心】用心专一而深入。

【潜在】存在于事物内部未显现出来的。

【潜师】秘密出兵。

【潜伏】隐藏;埋伏。

【潜行】❶在水面以下游动行走。❷秘密出行。

【潜质】潜在的良好素质。㊐艺术~。

【潜泳】游泳姿势之一。身体潜在水中。常用以救护、打捞水中沉物等。

【潜逃】(犯罪嫌疑人、罪犯)偷偷地逃跑。

【潜热】物质在温度不变时,熔化或凝固、汽化或液化、升华或凝华所吸收或放出的热。如熔化热、汽化热等。物质由一种结晶状态变为另一种结晶状态时所放出或吸收的热,也叫潜热。

【潜流】❶即"伏流"(286 页)。❷比喻未表露的内心深处的感情。

【潜能】潜在的能力或能量。㊐开发~。

【潜艇】潜水艇的简称。能潜入水下活动和作战的舰艇。水中排水量数十吨至近万吨,下潜深度一般为 100—400 米。具有良好的荫蔽性,较大的自给力、续航力和突击威力,能远离基地长期独立在海上进行战斗活动。主要任务是袭击敌大、中型舰船和岸上重要目标,并担任战役侦察任务。潜艇有特种水柜,用来注水和排水,以供下潜和浮起之用。按武器装备,分导弹潜艇和鱼雷潜艇;按动力装置,分核潜艇和常规动力潜艇。

【潜踪】把踪迹隐藏起来。

【潜藏】隐藏。

【潜台词】❶戏剧中指台词里未公开表达出来的话以及言外之意等。❷比喻不明说的言外之意。

【潜伏期】指从病原体侵入机体至出现临床症状前的一段时间。各种传染病的潜伏期不同,数小时、数天、数月甚至数年不等。

【潜望镜】在水下或地下观察水面或地面上情况时用的光学仪器。由一系列的折光镜做成。

【潜涵病】也叫减压症。因从高气压环境骤然进入低气压环境引起的一种职业病。潜涵(潜入涵道)工人或潜水员突然回到地面时常患此病。主要症状是肌肉关节疼痛、皮肤发痒、皮内溢血等。严格遵守潜水工作的操作规程可以预防。

【潜意识】❶指暂时并未知觉,但在适当的情况下就能意识到的信息。❷即"无意识"③(1037 页)。

【潜移默化】指人的思想、性格在不知不觉中受到感染、影响而发生变化。北齐颜之推《颜氏家训·慕贤》:"潜移暗化,自然似之。"潜:暗中。默:无声无息。

蕁⊠ ㊀ qián 同"荨(qián)"。
㊁ xún (1123 页)。

灊⊠ qián ❶古水名。在今四川。❷灊县,古地名,在今安徽。

Q

qiǎn ㄑㄧㄢˇ

肷 qiǎn 身体两旁肋骨和胯骨之间的部分。㊀狐～(指狐狸的胸腹部和腋下的皮毛)。

浅(淺) ㊀ qiǎn ❶从上到下或由外到内的距离小。与"深"相对。㊀～水|院子的进深～。❷不久;时间短。㊀年代～。❸浅显;偏于容易。㊀深入～出|这本教材显得～。❹颜色淡。㊀～红。❺感情不深厚。㊀交情～。
㊁ jiān(471页)。

【浅见】肤浅的见解。多用作谦辞。

【浅近】浅显。

【浅陋】见闻不广,知识贫乏。

【浅显】简单明白,通俗易懂。

【浅绛】中国画设色的一种技法。在水墨勾勒皴染的基础上敷以赭石为主的淡彩。如浅绛山水。

【浅鲜】轻微,稀少。㊀知识～。鲜(xiǎn)。

【浅薄】❶学识少,修养差,见解不深刻。❷(感情等)不深。㊀情意～。

【浅尝辄止】刚试一试就停止了。指不深入研究。辄:就。

遣 qiǎn ❶派;打发。㊀特～|～送。❷排解;发泄。㊀～闷|消～。

【遣返】❶按规定把人员送回原来的地方。❷特指把战俘送交给对方。

【遣闷】排解烦闷。

【遣送】指有关部门把不符合居留条件的人员送走。

【遣散】机关、团体、军队等解散、改组或精简时,将人员解职或使退伍。散(sàn)。

【遣唐使】唐朝时日本派遣至中国的使节。遣唐使曾促进了中日文化的交流。

谴(譴) qiǎn 责备。㊀～责。

【谴责】严正地斥责。㊀～侵略行径。

缱(繾) qiǎn 〔缱绻〕形容情意缠绵,难舍难分。绻(quǎn)。

嗛☒ qiǎn 猴类的颊囊。

qiàn ㄑㄧㄢˋ

欠 qiàn ❶张口出气。㊀打呵～。❷缺乏;不够。㊀～考虑|～妥。❸负债。㊀～款。❹身体一部分稍微向上移动。㊀～身。

【欠伸】疲倦时打呵欠和伸懒腰。

【欠资】寄邮件时邮资未付或未付够。

芡 qiàn 也叫鸡头。多年生水生草本植物。全株有刺,叶像荷叶,浮在水面上。种子叫芡实,供食用和药用。

嵌 qiàn 把较小的东西镶入较大东西的凹处。㊀镶～。

篏☒ qiàn 同"嵌"。

伣☒**(俔)** ㊀ qiàn 好比。
㊁ xiàn(1069页)。

纤(縴) ㊀ qiàn 拉船用的绳子。
㊁ xiān(1066页)。

茜 ㊀ qiàn ❶茜草,多年生攀缘草本植物。茎方形,有倒刺。根黄红色,可提取染料,也可供药用。❷红色。㊀～纱。
㊁ xī(1053页)。

倩 qiàn ❶美好。❷请人代替自己做。㊀～人代笔。

蒨☒ qiàn 同"茜(qiàn)"。

綪☒**(綪)** qiàn 红色的丝织品。

堑(塹) qiàn ❶隔断交通的壕沟。㊀～壕|长江天～。❷比喻挫折。㊀吃一～,长一智。

【堑壕】也叫散兵壕。供步兵射击、观察、隐蔽和机动用的壕沟式工事。通常沿阵地正面挖掘,多为曲线形或折线形,构筑有掩体、避弹所、进出口和排水沟等。

椠(槧) qiàn ❶古代记事用的木板。❷古书的刻本。㊀古～。

壍☒**(壍)** qiàn 同"堑"。

慊 ㊀ qiàn 不满;恨。㊀～～于怀。
㊁ qiè(791页)。

歉 qiàn ❶感到对不住人的心情。㊀抱～。❷收成不好。㊀～收。

【歉仄】抱歉;内心感到过意不去。

【歉岁】庄稼收成不好的年份。

【歉收】收成不好。

【歉意】抱歉的心情。㊀表示～。

qiāng ㄑㄧㄤ

抢(搶) ㊁ qiāng ❶碰;撞。㊀呼天～地。❷同"戗(qiāng)"①。

㊁ qiǎng (787 页)。

呛(嗆) ㊀ qiāng ❶水或食物进入气管引起咳嗽等。例～着了。❷〈方〉咳嗽。

㊁ qiàng (787 页)。

玱☒(瑲) qiāng 玉器相碰撞的声音。

枪(槍❶－❸*鎗) qiāng ❶长杆上装有金属尖头的冷兵器。例红缨～|标～。❷通常指口径在 20 毫米以下,利用火药气体压力抛射弹头的武器。如手枪、步枪、冲锋枪、机关枪和具有特种用途的专用枪。❸形状像枪的器具。例焊～。❹枪替,考试时替别人作文章或答题。

【枪手】❶用枪的兵。❷枪替的人。

【枪术】武术器械练习之一。枪属长器械,有长枪、钩镰枪、两头枪和短枪。枪术以拦、拿、扎为基本枪法。"后把要稳,出枪要准""枪扎一条线"是枪术的基本风格。

【枪法】用枪实弹射击的技术。也指使用枪矛的技术。

【枪战】枪击战斗。例激烈的～|～片。

【枪械】枪的总称。

【枪弹】也叫子弹。用枪膛发射的弹药。由弹壳、底火、发射药、弹头四部分组成。有普通弹、曳光弹、燃烧弹、穿甲弹、穿甲燃烧弹等。发射时由枪击针撞击底火,引爆发射药,产生气体将弹头推出。

【枪林弹雨】枪如林,弹如雨。形容炮火密集,战斗激烈。

戗(戧) ㊀ qiāng ❶逆;不顺。例～风。❷(言语)冲突。例说～了。

㊁ qiàng (787 页)。

酏□(醃) qiāng 藏族用青稞酿成的一种酒。

羌(*羗*羌) qiāng ❶羌族。❷中国古族名。秦、汉时部落众多,主要分布在今甘肃、青海、四川一带,史称西羌。十六国中的后秦即羌人所建。分布在今甘肃、青海一带的羌,后渐与各族同化。

【羌族】中国少数民族之一。人口 20 万(1990 年)。分布在四川省阿坝等地。有本民族语言,多通汉语文。以农业为主,兼营畜牧。建立有阿坝藏族羌族自治州。

蜣 qiāng 〔蜣螂〕俗称屎壳郎。昆虫。背有坚甲,黑色。可供药用。

矼☒ ㊁ qiāng ❶坚实。❷被硬东西碰伤。

㊀ jiāng (483 页)。

戕 qiāng 杀害。例自～(自杀)。

【戕贼】杀害;损害。

斨☒ qiāng 古代的一种斧子。

将(將) ㊂ qiāng 请;希望。例《～进酒》。

㊀ jiāng (483 页)。

㊁ jiàng (486 页)。

锵(鏘) qiāng 拟声词。撞击金属器物的声音。

椌☒ qiāng 古代击乐器。

腔 qiāng ❶人或动物身体中空的部分。也指器物中空的部分。例胸～|炉～。❷乐曲的调子。例唱～。❸说话的调子。例南～北调。

【腔调】❶戏曲中成系统的曲调。如西皮、二黄等。❷指说话人的声音、语气等。

【腔肠动物】动物界的一门。体壁由内外两胚层构成,两层之间为中胶层。身体中间有一空腔,既是消化腔,又是体腔。多生活在海洋中。如珊瑚、水母等。

锖(錆) qiāng 〔锖色〕某些矿物表面因氧化作用所呈现的色彩。常与固有颜色不同。

镪(鏹) ㊁ qiāng 〔镪水〕具有强烈腐蚀性的浓硝酸、浓盐酸等的俗称。如浓硝酸称为硝镪水,浓盐酸称为盐镪水。

㊀ qiǎng (787 页)。

qiáng ㄑㄧㄤˊ

强(*強*彊) ㊀ qiáng ❶健壮;力量大。与"弱"相对。例身～力壮|富～。❷使强大或健壮。例富国～兵|～身之道。❸优越;好(多用于比较)。例今年庄稼比去年～。❹程度高。例责任心～|党性～。❺表示有余。例三分之一～。

㊁ qiǎng (787 页)。

Q

㊂ jiàng (486 页)。
【强人】❶强盗(多见于早期白话)。❷强有力的人;坚强能干的人。
【强大】力量坚强雄厚。㊀我们的祖国日益~。
【强子】参与强相互作用的粒子的统称。分介子和重子两类。
【强化】加强;使坚强巩固。
【强记】记忆力特别强。㊀博闻~。
【强权】借以欺压别人或别国的政治、经济、军事等方面的优势地位。
【强死】死于非命。
【强行】强制进行。
【强奸】男子以暴力强行与女子性交。
【强身】积极采取措施使身体强壮。㊀~健体。
【强劲】非常有力。劲(jìng)。
【强固】坚固。㊀~的工事|为现代化打下~的基础。
【强制】用政治或经济等力量强迫。
【强项】❶不肯低头。《后汉书·董宣传》记载,董宣为洛阳令,杀了皇帝姐姐的恶奴,皇帝要他向公主当面磕头谢罪。他不肯,皇帝叫太监按住他的脖子,他还是不低头。后来就用"强项"形容人刚强、不屈服。项:脖子后部。❷实力较强的项目;擅长的方面。㊀自由体操是我队的~。
【强度】❶声、光、电、磁等的强弱以及作用力的大小。❷材料或构件抵抗外力破坏作用的能力。
【强烈】❶极强的。㊀~的阳光。❷鲜明的;程度很深的。㊀~的爱国主义感情。
【强悍】勇猛强横。
【强调】特别着重或着重提出。㊀在各项工作中,我们~人的因素|不要总是~客观原因。
【强盛】强大昌盛(多指民族或国家)。
【强盗】抢劫财物的人。常比喻侵略者。
【强梁】凶暴,强横,不讲理。㊀不畏~。
【强谏】旧指下对上极力谏诤。
【强酸】一般指在水溶液中几乎全部离解为离子的酸类。大都具有强烈的腐蚀作用。如盐酸、硫酸、硝酸、高氯酸等。
【强碱】一般指由碱金属或碱土金属所组成的氢氧化物。在水溶液中几乎完全电离,大都具有强烈的腐蚀作用。如氢氧化钾、氢氧化钠等。
【强横】凶恶不讲道理。横(hèng)。
【强暴】❶强横凶暴。❷强暴的人或势力。❸特指强奸。㊀惨遭~。
【强击机】也叫攻击机、冲击机。以炸弹、航空火箭、空地导弹等为基本武器,能够进行低空和超低空突击的作战飞机。主要用于对敌地面、水面目标实施突击。是航空兵对陆军、海军部队实施直接空中支援的主要机种。
【强行军】加快速度,加大每日行程的行军。通常在奔袭、追击、迂回、摆脱敌人或执行紧急任务时采用。
【强奸罪】行为人以暴力、胁迫或其他手段,强行与女子性交的犯罪行为。
【强权政治】帝国主义、霸权主义国家依仗其军事、政治、经济优势地位,在国际事务中强力推行其政治主张,侵略、颠覆、控制、干涉和欺负别的国家。
【强奸民意】指反动统治者把自己的意志强加于人民群众,硬说这是人民群众的意愿。
【强制执行】用强制的方法实现法院判决的内容。刑事案件执行都具有强制性。民事案件的执行主要以当事人自觉履行为原则,拒不履行的,可以申请强制执行。
【强弩之末】《汉书·韩安国传》:"强弩之末,力不能入鲁缟(gǎo)。"意思是说,即使强弩射出的箭,到最后力量也会减弱,连鲁地产的薄绸子也穿不透。比喻势力已经衰弱,起不了任何作用了。
【强热带风暴】见〔热带气旋〕(820 页)。

墙(墻*牆) qiáng 用砖、石或土等筑成的屏障或外围。㊀砖~|城~。
【墙报】也叫壁报。贴在墙上的报,由机关、学校、团体等自办。
【墙脚】❶墙的根脚或基石。❷比喻基础。

蔷(薔) qiáng 见下。
【蔷薇】落叶或常绿灌木。茎直立、攀缘或蔓延,枝常有刺,夏初开花,有红、黄、白等色。果实内含多种维生素,营养丰富,可供药用,有利尿作用。也指这种植物的花。
【蔷薇科】被子植物的一科。草本、灌木或乔木。有刺或无刺,有时呈攀缘状。叶多互生,单叶或复叶。花两性。花瓣常为5枚。果实为核果、梨果、瘦果、浆果或蓇葖。蔷薇科中有许多著名的果树和花木,如桃、梅、李、杏、苹果、梨和玫瑰、月季、樱花等。

嫱(嬙) qiáng 古代宫廷里的女官。

樯(檣*牆) qiáng 帆船上挂风帆的桅杆。

qiǎng ㄑㄧㄤˇ

抢(搶) ㊀ qiǎng ❶夺。㊞～夺。❷赶紧；争先。㊞～修河堤｜～步上前。❸刮掉或擦掉物体表面的一层。㊞～菜刀｜～破了皮。

㊁ qiāng (784页)。

【抢手】商品等受欢迎，卖得快。㊞～货。

【抢白】当面责备、顶撞或讽刺。

【抢收】庄稼成熟时，为了免受损失而赶紧收割。

【抢劫】用暴力抢夺别人财物。

【抢种】不违农时地突击种植作物。

【抢修】在时间紧迫、情况危急时，突击修复(建筑物、道路、河堤、机械等)。

【抢亲】❶一种婚姻风俗，男方通过抢劫女子的方式来成亲。❷指抢劫妇女来强迫成亲。

【抢险】出现险情，采取紧急措施迅速抢救，以避免或减少损失。

【抢救】在紧急危险的情况下，迅速救护。㊞～伤员。

【抢眼】引人注目；显眼。㊞她那身打扮十分～。

【抢渡】抢时间迅速渡过江河。㊞红军～金沙江。

【抢墒】趁土壤湿润时，赶快播种。

【抢夺罪】行为人以非法占有为目的，乘人不备公然夺取(抢夺)数额较大的公私财物的犯罪行为。携带凶器抢夺的，以抢劫罪论处。

【抢劫罪】行为人以非法占有为目的，以暴力、胁迫或其他方法抢劫公私财物的犯罪行为。

羟(羥) qiǎng 化学用字。是氢和氧组成的合体字。如羟基也叫氢氧基。

【羟基】也叫氢氧基。有机化合物分子里的一种官能团。是醇类(如乙醇)、酚类(如苯酚)的官能团。

强(*強*彊) ㊁ qiǎng 勉强。㊞～笑｜～词夺理。

㊀ qiáng (785页)。

㊂ jiàng (486页)。

【强求】硬要求。

【强迫】施加压力迫使服从。

【强辩】用站不住脚的理由毫无道理地与对方辩论。

【强人所难】勉强别人做他所不能或不愿意做的事。

【强词夺理】本来没有理，硬说成有理。

【强不知以为知】本来不知道，硬要说成知道；不懂装懂。

镪(鏹) ㊁ qiǎng 古称成串的钱。

㊀ qiāng (785页)。

襁(*繦) qiǎng 背婴儿用的宽带子。㊞～褓。

【襁褓】包裹婴儿的被子和带子。"襁褓中"指代婴幼儿时期。

qiàng ㄑㄧㄤˋ

呛(嗆) ㊁ qiàng 有刺激性的气体进入呼吸器官而感觉难受。㊞～嗓子。

㊀ qiāng (785页)。

戗(戧) ㊁ qiàng ❶支撑。㊞用木头～住。❷戗木，支撑的木头。

㊀ qiāng (785页)。

炝(熗) qiàng ❶一种烹饪方法。先把原料在沸水中焯一下，取出后再用香油及其他调料拌和。❷一种烹饪方法。油锅热后，在还没有把菜放入前，先放进少量的葱或姜、蒜等稍炒，使有香味。

跄(蹌) qiàng 见〔踉跄〕(613页)。

蹡⊠(蹡) qiàng 同"跄"。

qiāo ㄑㄧㄠ

缲⊠(繑) qiāo 同"缲(qiāo)"。

悄 ㊁ qiāo 〔悄悄〕❶没有声响或声音很低。㊞静～。❷偷偷；(行动)不让人知道。

㊀ qiǎo (789页)。

硗(磽) qiāo 土质硬,不肥沃。㊀～薄。

【硗确】指土地坚硬不肥沃。

跷(蹺 *蹻) qiāo ❶抬起(腿);竖起(指头)。㊀～起腿|～着大拇指。❷跛。㊀～脚。❸脚后跟抬起,脚尖着地。

【跷蹊】即"蹊跷"(768页)。

雀 ㊂ qiāo 〔雀子〕雀(què)斑。

㊀ què (814页)。

㊁ qiǎo (789页)。

锹(鍬 *鍫) qiāo 掘地或铲东西的工具。㊀铁～。

劁 qiāo 阉割(猪)。㊀～猪。

敲 qiāo ❶叩击较硬的东西,使发声或碎裂等。㊀～门|～鼓。❷指敲竹杠。㊀狠狠～了他一笔。

【敲诈】用威胁、欺骗手段诈骗财物。

【敲定】❶拍卖时敲槌表示成交。❷借指最后确定。㊀当场～。

【敲门砖】拿砖敲门,门一敲开,就把砖扔掉了。比喻借以取得名利或达到某种目的的初步手段。

【敲边鼓】比喻从旁帮腔,从旁助势。

【敲竹杠】利用别人的弱点或借某种口实抬高价格或索取财物。

【敲骨吸髓】砸碎骨头吸骨髓。比喻残酷剥削。

碻☒ ㊀ qiāo 〔碻磝〕❶石多不平的样子。❷古城名。在今山东茌平西南古黄河南岸。

㊁ què (814页)。

橇 qiāo ❶在冰雪上滑行的工具。㊀雪～。❷古代在泥路上行走所乘的用具。

幧☒ qiāo 〔幧头〕也叫帩(qiào)头。古代男子束发的头巾。

缲(繰) ㊀ qiāo 一种缝纫方法。做衣服边儿或带子时,藏着针脚缝。㊀～边儿|～带子。

㊁ sāo (848页)。

qiáo ㄑㄧㄠˊ

乔(喬) qiáo ❶高。㊀～木。❷做假。㊀～装打扮。

【乔木】主干明显而高大的木本植物。分枝繁盛,在距离地面较高处形成树冠。如杨树、松树等。

【乔迁】《诗经·小雅·伐木》:"伐木丁丁,鸟鸣嘤嘤,出自幽谷,迁于乔木。"比喻人搬到好地方居住或官职高升。多用于祝贺。

【乔装打扮】改变服饰,装扮成另外模样,以隐瞒身分(现多含贬义)。

侨(僑) qiáo ❶寄居在国外。㊀～居|～胞。❷寄居在国外的人。㊀华～。

【侨汇】侨居在国外的本国公民或侨居在本国的外国公民汇回祖国的款项。

【侨民】侨居国外的人。

【侨胞】侨居国外的同胞。

【侨领】侨民中的领袖人物。

荞(蕎 *荍) qiáo 〔荞麦〕一年生草本植物。果实三棱形,种子磨粉,供食用。生长期较短,可作济荒作物。

"荍",另见(789页)。

峤(嶠) ㊁ qiáo ❶尖而高的山。❷山道。

㊀ jiào (493页)。

桥(橋) qiáo 桥梁。㊀长江大～。

【桥梁】❶为跨越河流、山谷、障碍物或其他交通线而修建的架空通道。❷比喻能连接沟通双方的人或事物。㊀～作用|友谊的～。

【桥牌】体育活动项目之一。起源于西方。是一种扑克牌游戏。四人分两对同桌对抗。使用的扑克牌共四种花色52张(没有大王、小王),每人13张。比赛分叫牌、打牌两个阶段。以规定术语叫牌,先作出定约墩数(四张为一墩)。完成定约墩数者得分,否则罚分。

【桥头堡】❶为扼守和保护重要桥梁、渡口,在桥头或渡口附近构筑的碉堡、地堡或据点。❷大桥桥头的装饰建筑物。如武汉长江大桥的桥头堡。❸泛指作为进攻的据点。

硚(礄) qiáo 〔硚头〕地名。在四川。

盉☒(盉) qiáo 古代碗类的器皿。

趫☒(趫) qiáo ❶敏捷。❷矫健。

鞒(鞽) qiáo 马鞍拱起的地方。

荍⊠ qiáo 古书上指锦葵。另见“荞”(788页)。

翘(翹) ㊀ qiáo ❶抬起(头);举起。[例]～首|～望。❷木板等因着水潮湿又变干而弯曲不平。[例]～棱。
㊁ qiào (790页)。

【翘企】翘首企足(抬起头和脚后跟),形容殷切地盼望。[例]不胜～之至。

【翘首】抬起头来(向远处看)。

【翘楚】比喻杰出的人才。《诗经·周南·汉广》:“翘翘错薪,言刈其楚。”楚:荆木,高出于别的树木。

睄⊠ ㊀ qiáo 同“瞧”。
㊁ shào (864页)。

谯(譙) ㊀ qiáo 〔谯楼〕❶古时城门上的瞭望楼。❷即“更楼”(321页)。
㊁ qiào (790页)。

憔(*顦*癄) qiáo 〔憔悴〕❶形容人瘦弱,面色不好。❷困顿。[例]民生～。❸凋零,枯萎;衰败。

樵 qiáo ❶柴。❷打柴。[例]～夫。

瞧 qiáo 看。[例]～见|～得起。

qiǎo ㄑㄧㄠˇ

巧 qiǎo ❶灵敏;技术高明。[例]心灵手～|～匠。❷恰好;正遇在某种机会上。[例]恰～|凑～。❸虚浮不实的(话)。[例]花言～语。

【巧干】指工作中善于动脑筋,想办法,找窍门,提高工作效率。

【巧合】凑巧相合或相同。

【巧克力】英语音译词。也译作朱古力。以可可粉为主要原料,加白糖、香料制成的一种食品。

【巧立名目】为达到某种不正当的目的而编造理由定出一些名目。

【巧夺天工】精巧的人工胜过天然形成的。形容技巧的高超(多指工艺美术)。元赵孟頫《赠放烟火者》诗:“人间巧艺夺天工。”

【巧言令色】用动听的话和谄媚的态度讨人喜欢。

【巧取豪夺】用欺诈和强横的手段取得或夺取。

【巧妇难为无米之炊】比喻做事须具备必要的条件,否则,能力再强也没法做成。

悄 ㊀ qiǎo ❶忧愁。❷形容没有声音或声音很低。[例]～然无声|低声～语。
㊁ qiāo (787页)。

【悄然】❶忧愁的样子。❷形容寂静无声。

雀 ㊂ qiǎo 义同“雀(què)”。用于“家雀儿”“雀盲眼(夜盲)”。
㊀ què (814页)。
㊁ qiāo (788页)。

愀 qiǎo 〔愀然〕形容神色变得严肃或不愉快。[例]～作色。

qiào ㄑㄧㄠˋ

壳(殼) ㊁ qiào 坚硬的外皮。[例]甲～|地～。
㊀ ké (556页)。

俏 qiào ❶漂亮。[例]俊～。❷指货物的销路好。[例]～货。

【俏皮】❶谈话风趣,举止活泼伶俐。❷容貌或衣着好看。

【俏丽】俊俏美丽。

诮(誚) qiào 责备;讽刺。[例]讥～。

峭(*陗) qiào ❶山势高陡。[例]～立|～壁。❷比喻严厉。[例]～直(严峻刚直)。

【峭拔】山高而陡。也用来形容书法、文章笔法雄健有力。

【峭壁】像墙壁一样陡立的山崖。

帩⊠ qiào 〔帩头〕即“幧头”(788页)。

鞘 ㊀ qiào 装刀剑的套子。[例]刀～。
㊁ shāo (863页)。

【鞘翅目】昆虫纲中最大的一目。此目昆虫通称甲虫。一般体躯坚硬,有光泽。前翅角质,肥厚,称为鞘翅;后翅膜质。有咀嚼式口器。完全变态。包括很多农业害虫,如金龟子、天牛、象鼻虫等;也有益虫,如七星瓢虫、澳洲瓢虫等。

窍(竅) qiào ❶窟窿;孔洞。[例]七～。❷比喻事情的关键。[例]

诀～。

【窍门】能解决困难、问题的巧办法。

俏□ ㊀ qiào 〈方〉傻。
㊁ chǒu（134 页）。

翘（翹） ㊀ qiào 一头儿向上仰起。例～起来。
㊁ qiáo（789 页）。

【翘尾巴】比喻骄傲自大。

谯（譙） ㊀ qiào 同"诮"。
㊁ qiáo（789 页）。

撬 qiào 把刀、锥、棍等一头顺缝插入，然后用力扳另一头。例～石头。

撽☒ qiào 从旁击打。

礉☒ ㊀ qiào 石不平的样子。
㊁ hé（392 页）。

qiē ㄑㄧㄝ

切 ㊀ qiē ❶用刀把东西分开。例～瓜｜～肉。❷几何学上指直线与弧线或两条弧线只有一个交点。例～线｜～点。
㊁ qiè（790 页）。

【切入】从某一点深入进去。例～点｜～正题。

【切口】书页裁切处。特指对着书脊的一边。书页上边称天头切口，书页下边称地脚切口。

【切牙】也叫门牙、门齿。人和哺乳动物牙齿的一种。位于口腔前端颌骨的牙槽中，适于摄取或切咬食物。哺乳动物的切牙区别很大。

【切片】将动植物体的组织切成一定厚度的薄片，以便在显微镜下进行观察和研究。

【切线】和圆只相交于一点的直线叫做圆的切线。相交的点叫切点。

【切削】利用机床的刀具或砂轮削去工件的一部分，使工件具有规定的形状、尺寸和表面光洁度。

【切割】❶用刀等把物品截断。❷利用机床切断或利用火焰、电弧烧断金属材料。

【切磋】古代把骨头加工成器物叫切，把象牙加工成器物叫磋。比喻互相商量研究，取长补短。

【切分音】改变乐曲中强拍上出现重音的规律，使弱拍或强拍弱部分的音，因时值延长而成为重音，这种重音称为切分音。如 5 3|3 5| 中的 3|3，5 3 5| 中的 3 都是切分音。

qié ㄑㄧㄝˊ

伽 ㊀ qié 音译用字。
㊁ jiā（466 页）。
㊂ gā（298 页）。

【伽蓝】梵语僧伽蓝摩的简称。指僧众所住的园林。后来泛指佛寺。

【伽南香】即"沉香"（116 页）。

茄 ㊀ qié 茄子，一年生草本植物。花紫色，果实球形或长圆形。在热带则为多年生灌木。也指这种植物的果实。
㊁ jiā（466 页）。

qiě ㄑㄧㄝˇ

且 ㊀ qiě ❶副词。1. 暂且；姑且。例你～等一等。2.〈方〉表示经久。例这枝笔～使呢。❷文言副词。尚且，与"况"呼应。例君～如此，况他人乎。❸文言连词。且…且…（边这样边那样）。例～谈～走。❹连词。并且；而且。例水流既深～急。
㊁ jū（527 页）。

qiè ㄑㄧㄝˋ

切 ㊁ qiè ❶贴近；亲近。例～身｜亲～。❷迫切；急。例回家心～｜急～。❸副词。切实；务必。例～记｜～不可乱来。❹合；符合。例文章～题｜不～实际。❺古代（魏晋以后）一种标音法。例～音｜反～。❻按（脉）。例～脉。
㊀ qiē（790 页）。

【切口】旧时秘密会党或某些行业用的隐语。

【切中】正好击中。例～要害。

【切末】同"砌末"（791 页）。

【切记】务必记住。

【切身】❶跟自己有密切关系的。例～利益。❷亲身。例～体验。

【切近】❶贴近；靠近。❷情况接近。

【切忌】必须要避免或防止。例工作～马虎。

【切齿】咬紧牙齿。形容极端愤恨。

【切实】符合实际，实实在在。例～可行｜～

Q

改正。

【切脉】也叫号脉、脉诊、诊脉。中医诊查脉象的方法。医生用食指、中指、无名指三个指头以轻重不同的指法触按病人腕部的桡动脉以诊断疾病。

【切题】内容与题目相一致,没有离题。

【切肤之痛】亲身经受到的痛苦。

砌 ㊁ qiè 〔砌末〕也作切末。旧指戏曲演出中所用的简单布景和道具。 ㊀ qì (776 页)。

窃(竊) qiè ❶偷;用阴谋手段夺取。㊐行～|～位。❷暗中;偷偷地。㊐～听|～～私语。❸谦辞。称自己。㊐～以为。

【窃听】暗中偷听。军事上指借助技术器材秘密听、录他人谈话和声响。包括有线电窃听、无线电窃听、红外线窃听、微波窃听和激光窃听等。

【窃取】偷窃;以不正当的手段取得。㊐～要职。

【窃国】篡夺国家政权。

【窃据】用不正当的手段占据(多指职位)。

【窃窃私语】暗地里小声说话。唐白居易《琵琶行》:"小弦切切(同"窃窃")如私语"。

【窃据要津】非法占据水陆冲要之地。比喻用阴谋手段占据重要的职位。

郄□ ㊀ qiè 姓。 ㊁ xì (1060 页)。

妾 qiè ❶旧指男子在正妻以外娶的女人。❷谦辞。旧时用于女子自称。

怯 qiè ❶胆小害怕。㊐胆～。❷〈方〉穿着打扮不合时;俗气;土气。㊐蓝衣紫裤,真～。❸〈方〉外行,缺乏某方面知识。㊐露～。

【怯场】❶演出登场时心中紧张害怕。❷在人多或严肃的场合下,精神紧张,态度、行动显得不自然。

【怯阵】临阵胆怯畏惧。也借指怯场。

【怯弱】胆小软弱。

【怯懦】软弱怕事。

朅⊠ qiè ❶离去。❷勇武。

挈 qiè ❶举起;提起。㊐提纲～领。❷带;领。㊐扶老～幼。

锲⊠ qiè 同"锲"。

锲(鍥) qiè 用刀刻。

【锲而不舍】《荀子·劝学》:"锲而不舍,金石可镂。"意思是说,一直刻下去不半途而止,就是坚硬的金石也是可以镂刻成器的。比喻有恒心有毅力。

惬(愜*㥦) qiè 满足。㊐～意。

【惬洽】满意融洽。

【惬意】满意;称心。

箧(篋) qiè 小箱子。

趄 ㊀ qiè 倾斜。㊐～坡儿|～着身子。 ㊁ jū (527 页)。

慊 ㊁ qiè 满足;满意。 ㊀ qiàn (784 页)。

qīn ㄑㄧㄣ

钦(欽) qīn ❶恭敬。㊐～佩。❷指皇帝亲自(做)。㊐～定|～赐。

【钦仰】钦佩景仰。

【钦伫】敬仰。

【钦迟】敬仰。《晋书·陶潜传》:"刺史王弘以元熙中临州,甚钦迟之。"

【钦佩】敬重佩服。

【钦定】经君主亲自审定或裁定的(多指著述)。

【钦挹】钦佩推重。挹(yì)。

【钦天监】明清两代管理天文气象的机构。掌管观察天象,推算节气、历法等事。秦汉时由太史令管天象历法,唐朝为司天台,宋元为司天监,明清称钦天监。

【钦差大臣】古代由皇帝派遣并代表皇帝出外办理重大事件的官员。

嵚(嶔) qīn 〔嵚崟〕形容山高。崟(yín)。

侵 qīn ❶侵犯;占有。㊐入～|～吞。❷接近。㊐～晨|～晓。

【侵占】❶非法占有公家的或别人的财产。❷用武力侵略、占有别国的领土。

【侵犯】损害别人或别国权利。

【侵吞】❶暗中把不属于自己的东西非法占为己有。㊐～公款。❷用武力侵略、吞并别国领土。

【侵扰】侵犯骚扰。

【侵蚀】❶逐渐侵入、腐蚀,使变坏或破坏。❷从中侵吞(财物)。

【侵染】逐渐影响;侵害。[例]受坏思想～。

【侵凌】侵犯欺凌。

【侵害】❶侵入而损害。❷用暴力或非法手段损害。

【侵掠】用强力掠夺。

【侵袭】❶侵犯袭击。❷侵入;侵蚀。

【侵晨】天快亮的时候。

【侵略】指侵犯别国领土、主权,掠夺别国财富,奴役别国人民,干涉别国内政,以及对别国进行政治、经济、文化等方面渗透的行为。

【侵渔】侵夺他人的财物。渔:捕鱼,此处引申为得到财物。

【侵越】侵犯权限。越:超出范围。

【侵入岩】岩浆侵入地下一定深度冷却凝固而成的岩石。主要有花岗岩、闪长岩、辉长岩等。

【侵占罪】行为人以非法占有为目的,将代为保管的他人财物或他人的遗忘物、埋藏物非法占为已有,数额较大拒不交还的犯罪行为。

【侵权行为】行为人侵犯受法律保护的非合同权利和利益,造成他人损害的行为。侵权行为人应承担侵权的民事责任。与违约责任不同,以损害赔偿为主。

【侵犯著作权罪】以营利为目的,未经著作权人许可,有下列情形之一,违法所得数额较大或有其他严重情节的犯罪行为:(1)复制、发行其文字作品、音乐、电影、电视、录像作品、计算机软件及其他作品;(2)出版他人享有专有出版权的图书;(3)未经录音、录像制作者许可,复制发行其制作的录音、录像;(4)制作、出售假冒他人署名的美术作品。

【侵犯商业秘密罪】有下列情形之一,给权利人造成重大损失的犯罪行为:(1)以盗窃、利诱、胁迫或其他不正当手段获取权利人的商业秘密;(2)披露、使用或允许他人使用以前项手段获取的权利人的商业秘密;(3)违反约定或违反权利人有关保守商业秘密的要求,披露、使用或允许他人使用其所掌握的商业秘密。

骎(駸) qīn 〔骎骎〕❶马快跑的样子。❷进行迅速的样子。[例]～日上。

亲(親) ㊀ qīn ❶亲属;有血统、婚姻等关系的。[例]～兄弟|～人。❷特指父母。[例]双～。❸婚姻。[例]结～。❹关系密切。与“疏”相对。[例]～近|～信。❺亲自。[例]～眼|～身。❻用唇接触,表示喜爱。[例]～嘴。

㊁ qìng (801页)。

【亲王】皇帝或国王的亲属中封王的人。

【亲切】❶(感到)亲近。[例]这里的一切,使我倍感～。❷热情而关心。[例]～慰问。

【亲本】参与杂交过程的雄性和雌性个体的统称。

【亲事】❶婚姻之事。❷亲自治理政事。

【亲征】指皇帝亲自出征。[例]御驾～。

【亲炙】直接受到教诲、熏陶。

【亲政】幼年继位的帝王,成年后亲自处理政务。

【亲故】亲戚故旧。

【亲昵】十分亲密。

【亲贵】皇帝的近亲。也指皇帝亲近而信任的人。

【亲信】亲近而信任的人(多含贬义)。

【亲笔】亲自写的或亲自写的字(区别于代写或摹印的)。[例]～信|这是鲁迅先生的～。

【亲眷】❶亲属;亲戚。❷亲近信赖的人。

【亲情】亲人之间的感情。[例]骨肉～。

【亲密】亲近密切。

【亲等】计算亲属远近的方法。直系血亲从已身上数或下数,以一代为一亲等。如父母和子女为一亲等,祖父母和孙子女为二亲等。旁系血亲从已身上数到同源直系血亲,再由同源直系血亲下数到要确定的亲属,以其代数的合计定亲等。如兄弟为二亲等,叔侄为三亲等。

【亲善】关系亲近友好(多指国家之间)。

【亲属】和自己有血统关系或有婚姻关系的人。一般分血亲和姻亲。

【亲子鉴定】应用医学及生物学技术判断父母与子女是否亲生关系。鉴定手段曾主要依靠红细胞血型、酶型、白细胞的 HLA 型,近年应用体细胞 DNA(脱氧核糖核酸)的排列顺序对比。

【亲痛仇快】使自己人痛心,使敌人高兴。汉朱浮《与彭宠书》:“凡举事无为亲厚者所痛,而为见仇者所快。”

衾 qīn 被子。[例]～枕。

qín ㄑㄧㄣˊ

芹 qín 芹菜。一般专指旱芹,茎、叶可食,种子可制香料。

Q

芩 qín ❶古书上指芦苇一类的植物。❷黄芩。

矜 ㊂ qín 古指矛柄。
㊀ jīn (504 页)。
㊁ guān (348 页)。

梣□ qín 白蜡树,落叶乔木。奇数羽状复叶,翅果扁平。皮可以供药用,叫秦皮。

琴(*栞) qín ❶某些乐器的统称。如胡琴、提琴、钢琴等。❷古琴。拨弦乐器。周朝已有。琴身木制。琴面张弦七根,一边有十三徽。演奏时左手按弦,右手拨弹。发音清幽。多用于独奏或琴箫合奏。

【琴书】曲艺的一种。以唱为主,以说为辅。主要伴奏乐器是扬琴、坠琴,故名。有山东琴书、北京琴书、四川扬琴等。

【琴徽】琴弦音位标志。在琴面镶嵌有 13 个圆形标志,以金、玉或贝等制成。从琴头开始,依次为第一徽、第二徽…直至琴尾第十三徽。

秦 qín ❶周朝国名(前 770—前 221)。战国七雄之一。公元前 770 年周封秦襄公为诸侯。在今甘肃、陕西一带。公元前 221 年统一六国建立秦朝。❷朝代名(前 221—前 206)。秦始皇嬴政建立。建都咸阳。是中国历史上第一个中央集权的封建王朝。公元前 209 年陈胜、吴广起义,公元前 206 年为刘邦领导的起义军所灭。❸指陕西和甘肃。特指陕西。

【秦艽】多年生草本植物。叶宽而长。根入药,有祛风湿、退虚热等作用。艽(jiāo)。

【秦岭】横亘于陕西省中部偏南。东西走向。是黄河和长江两大水系的分水岭,也是中国地理上南北方分界线的一部分。主峰太白山海拔 3 767 米。

【秦律】战国时期秦国和秦代的法律。秦统一前就由商鞅等制定。完整的秦律现已散失,云梦秦简所存秦的律文包括“田律”“军爵律”“捕盗律”等十多种。秦律维护封建土地所有制,规定男子必须服劳役,对秦爵制不得破坏。其特点是轻罪重刑,法网严密,具备了中国封建法律的最初形式,奠定了后世封建法律的基础。

【秦桧】(1090—1155)南宋初宰相。字会之,江宁(今江苏南京)人。高宗赵构两次任他为宰相。他一意主和,解除岳飞、韩世忠兵权;用“莫须有”罪名杀害岳飞父子。桧(huì)。

【秦琼】(?—638)唐初将领。字叔宝,齐州历城(今山东济南)人。投唐任马军总管,后官至左武卫大将军。卒后,陪葬昭陵。

【秦腔】也叫陕西梆子、西安梆子。戏曲剧种。流行于西北地区。明代以后,在陕西、甘肃一带民歌的基础上经过长期演变发展而成。是梆子腔系统中历史比较悠久的剧种。音调激越高亢。

【秦篆】即“小篆”(1083 页)。

【秦九韶】(约 1202—1261)南宋数学家。精通星象、音律、算术、诗词、弓剑等。1247 年完成《数书九章》十八卷,其中大衍求一术(一次同余的解法)和正负开方术(高次方程的解法)是他的两项突出贡献。

【秦半两】也叫半两钱。中国古代铜铸币。是秦国最重要的一种圆形方孔铜钱,重半两,故名。

【秦邦宪】(1907—1946)中国无产阶级革命家。又名博古,江苏无锡人。1925 年加入中国共产党。1931 年 9 月至 1935 年 1 月为中国共产党临时中央总负责人,犯过严重的“左”倾路线错误。遵义会议后,任中国工农红军野战部队政治部主任。1936 年同周恩来、叶剑英作为中共代表参加解决西安事变的谈判。抗日战争时期曾任中共驻南京代表,中共长江局、南方局委员兼组织部长。1941 年起主持《解放日报》和新华通讯社工作。在中共第七次代表大会上当选为中央委员。1946 年 4 月 8 日由重庆回延安途中,因飞机失事遇难。

【秦始皇】(前 259—前 210)即嬴政。战国时秦国君,秦王朝建立者。公元前 221 年统一六国,建立了中国第一个中央集权的封建国家。废除分封制,推行郡县制;“焚书坑儒”,镇压儒生以古非今的活动;颁布法令,按亩征税;统一法律、货币、车轨、度量衡和文字;修驰道,筑长城,击匈奴,定百越,戍五岭。对加强中央集权、巩固统一、推动经济文化发展和民族融合起了进步作用。

【秦皇岛】市名。位于河北省东部,包括海港、山海关和北戴河海滨三区,南临渤海。人口 47 万(1997 年)。京哈铁路在此经过,大秦、京秦铁路通此。是中国北方著名的终年不冻的天然良港。工业以玻璃、桥梁制造著名,是中国重要石油、煤炭输出港之一。

【秦始皇陵兵马俑】仿秦宿卫军制作的陶塑兵马俑丛葬坑。位于陕西省西安市东北约35千米处，秦始皇陵东侧。共有三个坑：一号坑最大，有武士俑和拖战车的陶马6 000多个，全部与真人真马大小相似，排成方阵；二号坑是以步、弩、车、骑四个兵种组成的混编兵阵；三号坑属于指挥位置，规模最小。兵马俑形象逼真，兵阵威武雄壮。

嗪 qín 见〔哌嗪〕(735页)。

溱 ㊀ qín 〔溱潼〕地名。在江苏。
㊁ zhēn (1250页)。

螓⊠ qín 古书上说的一种昆虫。

捡⊠ qín 同"擒"。

覃 ㊁ qín 姓。
㊀ tán (955页)。

禽 qín ❶鸟类。㊣家～|飞～。❷古代是鸟兽的统称。㊣五～(虎、鹿、熊、猿、鸟)戏。❸古又同"擒"。

【禽兽】❶鸟和兽。❷比喻行为卑鄙恶劣的人。㊣衣冠～。

擒 qín 捕捉。

【擒贼擒王】唐杜甫《前出塞》诗："射人先射马，擒贼先擒王。"比喻先要抓首恶或主要的敌手。

Q

噙 qín (嘴或眼里)含。㊣～着糖|～着眼泪。

檎 qín 见〔林檎〕(619页)。

勤(❶*懃) qín ❶做事尽力多做或不断地做。与"懒"相对。㊣～学|～劳。❷次数多。㊣雨水～。❸在规定时间到班劳动。㊣出～|考～。

【勤王】❶勤于王事。❷旧指君王受到内乱外患而王位动摇时，臣子用兵力援救。

【勤务】❶公家分派的一些公共事务。❷军队中担负保障任务的部队所进行的各项专业工作的统称。

【勤奋】指学习或工作努力不懈。

【勤俭】勤劳俭朴。

【勤勉】勤勤恳恳，努力不懈。

【勤恳】勤劳而塌实。

【勤务员】部队或机关里担任杂务工作的人员。

【勤工俭学】利用课余时间，从事一定工作获得报酬，以补充学习生活费用的一项教育措施或求学方法。

廑⊠ ㊀ qín 同"勤"。
㊁ jǐn (509页)。

穰⊠ qín 同"矜(qín)"。

qǐn ㄑㄧㄣˇ

梫⊠ qǐn 古书上指肉桂。

锓(鋟) qǐn 雕刻。㊣～版。

寝(寢*寑) qǐn ❶睡。㊣废～忘食。❷卧室。㊣就～|寿终正～。❸停止；平息。㊣事～。❹容貌难看。㊣貌～。

【寝食】睡觉和吃饭。泛指日常生活。

【寝宫】帝王陵墓中的墓室。

qìn ㄑㄧㄣˋ

吣 qìn ❶猫、狗、猪等呕吐。㊣～食。❷指斥人胡说乱说。㊣满嘴胡～。

沁 qìn ❶渗入；透出。㊣～人心脾|～出汗珠。❷〈方〉头向下垂。㊣～着头。

【沁人心脾】指吸入芳香、凉爽的气味，使人有舒适的感觉。常用来形容诗歌、文章等美好，给人清新、爽朗的感觉。

吢⊠ qìn 同"吣"。

唚⊠ qìn 同"吣"。

揿(撳*搇) qìn 〈方〉摁。㊣～电铃。

qīng ㄑㄧㄥ

青 qīng ❶黑色。㊣～布|～线。❷绿色(多用于植物)或蓝色(用于天空)。㊣～草|～天。❸青草或没成熟的庄稼。㊣踏～|看～。❹青年。㊣老中～。❺青海的简称。

【青女】神话传说中的霜神。

【青天】❶蓝色的天空。❷比喻清官。

【青云】指高空。比喻高的地位。㊎～直上。

【青冈】同"青㭎"(795页)。

【青龙】❶即"苍龙"(94页)。❷道教所奉的东方之神。

【青史】史书。古代用竹简写字记事,因称史书为青史。

【青鸟】古典文学中借指传信的信使。

【青年】❶指人十五六岁到三十岁左右的阶段。❷指上述年龄的人。

【青衣】正旦的别称。因所扮人物大都穿青色(黑色)褶(xí)子,故名。

【青岛】市名。位于山东半岛南侧,南滨黄海,西临胶州湾,有胶济铁路与内地联系。人口171万(1997年)。是中国重要海港和工业城市。工业有机车车辆、纺织、机械制造等。也是中国著名旅游、疗养地之一。

【青㭎】也作青冈。乔木。木材有弹性,耐磨擦及冲击,适于作枕木、桥梁等。也是良好的薪炭柴。

【青鱼】鱼类。头较尖,背青黑色。栖息于水底,主食螺蛳,生长快。是中国主要淡水养殖鱼。

【青春】❶青年时期。❷指春季。因春季草木茂盛,充满青色,故名。唐杜甫《闻官军收河南河北》诗:"青春作伴好还乡。"

【青帮】也作清帮。旧时帮会的一种。产生于清代,最初系南北运河漕运中的行帮,漕运改为海运后,该帮遂在上海、天津和长江下游一带发展为游民组织,后来其中为首的分子为袁世凯、蒋介石所用,进行反革命活动。抗日战争期间,曾被日本特务机关利用进行汉奸活动。

【青衿】古指读书人。衿(jīn)。

【青蚨】❶古代传说中的虫名。❷古指铜钱。

【青眼】指人高兴时正眼看人,黑眼珠在中间。比喻对人的重视或喜爱。与"白眼"相对。

【青铜】也叫锡青铜。旧称铜锡合金。由铜和锡、铝、硅、铍、锰、铅或磷等组成的合金。具有优良的机械性能、很高的抗磨性、抗腐蚀性和化学稳定性,主要用于制造铸件、轴承、机械零件、蒸汽管和水管的附件等。

【青绿】中国画石青、石绿颜料。也指以这两种颜料为主的设色画法。如青绿山水。

【青葙】一年生草本植物。全株无毛。花淡红色。种子叫青葙子,可供药用。

【青葱】浓绿(形容植物的颜色)。

【青睐】重视;看得起。㊎博得～。青:指黑眼珠。睐(lài):看。

【青蛙】通称田鸡。两栖动物。头部扁而宽,口阔,眼大,皮肤光滑,颜色因环境而不同。栖息于池塘、水沟、水田或小河的岸边草丛中,捕食害虫,对农业有益。

【青稞】也叫元麦。一年生草本植物。大麦的一种。成熟时麦粒易从壳内脱出。主要产在西藏、青海等地。

【青翠】鲜绿。

【青光眼】由病理性高眼压引起的一种眼病。急性症状是瞳孔放大、角膜水肿、剧烈头痛、呕吐、视力急剧减退,甚至失明。

【青年节】为了继承和发扬五四运动以来中国青年光荣的革命传统,1939年陕甘宁边区西北青年救国联合会规定5月4日为中国青年节。1949年12月中央人民政府政务院正式宣布了这一节日。

【青纱帐】指夏秋间一大片长得茂盛的高粱、玉米等农作物,好像青纱制成的帐幕。抗日游击战争中常以之作掩护,与敌人周旋。

【青春期】指男女性器官加速生长直到完全成熟、身体各部发育快速进行的时期。男孩15岁左右,女孩13岁左右。

【青城山】中国道教名山。位于四川省中部。海拔1 600米。林木蔽天,深邃宁静,以幽闻名。多名胜古迹。

【青海省】简称青。位于青藏高原东北部,东北邻甘肃,西北邻新疆,南邻西藏和四川。面积72万多平方千米。人口503万(1998年)。省会西宁市。重要城市还有格尔木、德令哈等。

【青海湖】中国面积和水容量最大的湖泊,咸水湖。位于青海省东北部。面积4 340平方千米。盛产无鳞湟鱼。湖西鸟岛是中国鸟类自然保护区之一。沿岸有广阔的高原牧场。

【青蒿素】从黄花蒿中提取的一种抗疟有效成分。

【青霉素】抗生素的一种。由青霉菌制成。对肺炎球菌、葡萄球菌、链球菌等引起的疾病,如肺炎、败血症、梅毒、流脑等有显著疗效。

【青出于蓝】《荀子·劝学》中说:"青,取之于蓝,而青于蓝。"意思是靛青是从蓼蓝提炼出来的，但颜色比蓼蓝更深。后用“青出于蓝”比喻学生胜过老师或后人超过前人。
【青红皂白】四种不同的颜色。比喻是非或情由。㊟不问～。
【青黄不接】指陈粮已经吃完，新粮还未成熟，口粮接续不上。农家常指春夏之间。比喻财力、物力、人力暂时中断。
【青梅竹马】形容男女儿童天真无邪，亲昵嬉戏的情状。唐李白《长干行》：“郎骑竹马来，绕床弄青梅。同居长干里，两小无嫌猜。”
【青铜时代】考古学分期之一。约始于公元前3000年。这时人类已能用青铜制造武器、用具和劳动工具。中国出土文物中有许多商周时代青铜器，反映了当时炼铸青铜技术的高水平。
【青藏公路】从青海省西宁到西藏自治区拉萨，长约2 100千米。工程艰巨。是内地通向西藏的重要交通线之一。
【青藏高原】位于中国西南部。包括西藏自治区、青海省、四川省西部、甘肃省西南部和云南省的西北部。平均海拔4 000米以上，面积约220万平方千米，是世界最高的大高原，有“世界屋脊”之称。高峰终年积雪，低地多湖泊。东亚、南亚的大河多发源于此。
【青少年管弦乐队指南】管弦乐曲。布里顿曲。作于1946年。副题为“珀赛尔主题变奏与赋格”。原为英国音乐教育影片《管弦乐队的乐器》而作，中间插有解说，后成为音乐会管弦乐曲。
【青山遮不住，毕竟东流去】宋辛弃疾《菩萨蛮·书江西造口壁》词句。意思是青山阻挡不住江水东流。后常用以比喻有强大生命力的新生事物，尽管阻力大，曲折多，终究是会成长壮大的。

Q

圊 qīng 厕所。㊟～土｜～肥。

清 qīng ❶洁净；清澄。与“浊”相对。㊟～波。❷清楚；明白。㊟分～敌我｜说～道理。❸查点。㊟～仓。❹寂静。㊟～幽。❺尽；完；一点不留。㊟～除。❻不贪污。㊟～廉。❼朝代名（1644—1911）。中国最后一个封建王朝。1616年（明万历四十四年）女真族努尔哈赤在中国东北部建立后金政权。1636年其子皇太极改国号为清。1644年明亡，清世祖爱新觉罗·福临入关，定都北京，逐步统一全国。1911年（清宣统三年）辛亥革命推翻清王朝，结束了两千年来的君主制度。
【清仓】❶查点清理库存物品。❷预期价格大幅下跌，或是要暂时退出市场而卖掉全部持有的证券。
【清白】纯洁；没有污点。㊟历史～。
【清册】详细登记财物或有关项目的册子。
【清议】旧指社会名流对政治时事的评议。
【清扬】眉目清秀美丽。《诗经·郑风·野有蔓草》：“有美一人，清扬婉兮。”后借指丰采。
【清华】❶指景物清秀美丽。《南史·隐逸传论》：“岩壑闲远，水石清华。”❷指文章清丽华美。《晋书·左贵嫔传》：“言及文义，辞对清华。”❸清高显贵的门第或官职。《南史·到㧑传》：“（王）晏先为国常侍，转员外散骑郎，此二职，清华所不为。”❹清新之气。宋苏辙《贺赵少保启》：“呼吸清华，有以期百年之寿。”
【清芬】比喻高洁的品德。
【清秀】俊美，秀丽。
【清玩】供玩赏的东西，如金石、书画、古器、盆景等。
【清规】❶指美好的规范。《晋书·王承传》：“素德清规足传于汗简矣。”❷月。月圆如规而明，故名。唐齐己《中秋月》诗：“空碧无云露湿衣，群星光外涌清规。”❸唐德宗元和年间百丈山的怀海禅师首创禅宗寺院的规制，即《百丈清规》，也叫古清规。后来各寺院所立规制都称作清规。佛教认为对僧人起清净作用，故名。
【清明】❶（政治）有法度；有条理。❷（头脑）清楚；清醒。❸清澈而明朗。❹节气名。在每年公历4月5日前后。这时黄河中下游及以南地区气温平均在10℃以上。民间习俗在这时举行扫墓活动。
【清贫】清寒贫苦。
【清官】称公正廉洁的官吏。
【清帮】同“青帮”（795页）。
【清查】彻底检查。㊟～户口｜～仓库。
【清幽】（风景等）秀丽而幽静。
【清洗】❶洗干净。㊟～口腔。❷清除不能容留于内部的人。
【清客】旧指官僚、地主家里帮闲的门客。
【清除】扫除干净，彻底去掉。㊟～垃圾。
【清真】❶纯洁质朴。❷使用汉语的中国伊斯兰教徒的常用语。意为称颂该教所信奉的真主安拉“清净无染”“真乃独一”“至清至真”。所以教徒称该教为清真教,寺院为清真寺,按教规制作的食物为清真食品。

【清样】出版物经最后一次校正后准备付印的校样。

【清脆】声音清亮好听。㊞～的歌声。

【清高】指品德纯洁高尚,不同流合污。有时也指为人高傲,不合群。

【清恙】疾病。信文中问候人的疾病常用此词。

【清谈】原指魏晋时期士大夫阶层崇尚虚无、空谈玄理。后也泛指不切实际的言谈。

【清爽】❶清洁凉爽。❷轻松爽快。

【清唱】指不化装,没有舞蹈动作的戏曲演唱形式。

【清盘】❶将企业的设备、商品和房屋、地基等全部拍卖或转让,由他人继续经营。❷指股票、债券等在证券交易市场上全部卖出。

【清淡】❶颜色、气味等不浓厚。❷菜蔬油脂少。❸商店顾客少,营业额不多。

【清越】(声音)清脆悠扬。

【清晰】清楚。

【清寒】❶贫穷。❷清朗而有寒意。㊞月色～。

【清廉】为官清正廉洁。㊞为政～。

【清新】清爽而新鲜。也指新颖,不落俗套。㊞空气～|～庾开府(指庾信的诗清新)。

【清算】❶彻底核算。旧时也指商店倒闭,了结账目。❷彻底查究罪恶,并给予相应的处理。㊞不法分子的罪行,必须得到～。

【清漆】也叫假漆。俗称凡立水。人造漆的一类。是不含颜料的透明漆。主要成分是树脂、干性油和溶剂。用于喷涂家具、机器设备等。

【清德】高洁的品德。称颂人坚持操守,不因私情干谒他人。

【清澈】清净而透明。㊞湖水～见底。

【清醒】❶头脑清楚明白。❷神志脱离昏迷状态。

【清癯】清瘦。㊞面容～。癯(qú)。

【清一色】指打麻将牌时某一家由一种花色组成的一副牌。比喻全部由一种成分构成,或都是一个样子。

【清太祖】即“努尔哈赤”(727页)。

【清君侧】旧指清除君主身边的亲信奸臣。《公羊传·定公十三年》:“此逐君侧之恶人。”历史上清君侧常被作为反对朝廷或中央政权的政治斗争手段。如西汉吴王刘濞勾结其他六个同姓王,以“清君侧”为旗号,借“诛晁错”为名,发动了七国之乱。

【清选机】用于清粮及选种的农机具。备有风扇、筛子等清选装置,可清除混杂在谷粒中的颖壳、草籽及尘土等杂物,并可将谷粒分级。

【清真寺】也叫礼拜寺。伊斯兰教寺院建筑。以称颂清净无染的真主而得名。通常由礼拜殿、邦克楼、墓祠、庭院、沐浴房、阿訇住所等组成。装饰纹样仅用植物、可兰经文或几何纹样。礼拜殿中的神龛要面向伊斯兰教圣地麦加,故中国的伊斯兰教建筑的朝向均坐东面西。如广州的怀圣寺、泉州的清净寺等。

【清真教】伊斯兰教的旧称。

【清教徒】16世纪中叶,英国基督教(新教)教徒中的一派。主张清除仍被保留的天主教旧制和繁琐仪式;反对王公贵族的骄奢淫逸;标榜勤俭清淡的生活,故名。

【清辅音】也叫清音。发音时声带不振动的辅音。普通话中充任声母的辅音除m、n、l、r以外都是清辅音。

【清唱剧】由许多声乐曲组成的大型套曲。用管弦乐队伴奏。歌词内容常有较具体的戏剧情节,但无化装、无表演、无布景,以区别于歌剧。

【清尘浊水】三国魏曹植《七哀诗》:“君若清路尘,妾若浊水泥,浮沈各异势,会合何时谐。”比喻双方像清尘、浊水一样隔绝,相会无期。清尘:喻人。浊水:自喻。

【清华大学】中国历史最悠久的大学之一。1911年创立于北京。1996年设有六个学院、三十一个系,并设有相应的研究机构和研究生院、继续教育学院。台湾省清华大学建于1955年,校址在新竹市。

【清产核资】清理资产、核定资金。在清查固定资产、流动资金和债权债务的基础上,根据勤俭节约原则和企业的生产规模核定流动资金和固定资产的需用量。是加强企业管理的一种重要方法。

【清规戒律】❶佛教徒、道教徒要遵守的规则和戒律。❷比喻束缚人的不合理的规章制度或成规惯例。

【清洁生产】指从原材料加工到成品、从产品使用到废弃处置的全过程,始终实施节约资源、改进工艺和控制污染的可持续性生产方式。要求合理利用资源和能源;采用先进生产工艺,最大限度地减少废料,污染物排放量少且毒性低;产品具有较好的性能,在使用中和废弃后,其本身对人体和环境不产生不良影响和危害。

【清洁能源】开发利用过程中,不产生或少产生污染物的能源。主要是太阳辐射能、风力、水力、地热、氢燃料、生物能以及海洋波浪、海流、潮汐等能源。矿物燃料经技术处理(如洁净的天然气),提高利用率和效率,最大限度地减少污染物排放量,也称为清洁能源。

【清洁燃料】也叫无污染燃料。燃烧时不污染环境的燃料。主要是氢、甲醇、乙醇、沼气等高热值而不产生有害污染物的燃料。经清洁生产工艺处理的矿物燃料,如脱硫煤、水煤气、液化石油气等,也称为清洁燃料。

【清明上河图】北宋张择端的传世名作。描绘北宋京城汴梁(今河南开封)及汴河两岸清明时节的风俗民情。画中人物多达五百余人,衣饰不同,动作各异。现藏于北京故宫博物院。

蜻 qīng 见下。

【蜻蜓】昆虫。身体细长,有膜质翅两对。飞翔在水边,捕食蚊子等小飞虫,对农业有益。雌虫用尾部点水而产卵于水中,若虫(稚虫)在水中生活。

【蜻蜓点水】比喻做事肤浅不深入。唐杜甫《曲江》诗:"穿花蛱蝶深深见,点水蜻蜓款款飞。"

Q

鲭(鯖) ㊀ qīng 即"鲐"(951 页)。㊁ zhēng (1254 页)。

轻(輕) qīng ❶重量小;负载力小。与"重"相对。㊕~如鸿毛|~装。❷数量少;程度浅。㊕年~|~伤不下火线。❸不用猛力。㊕~拿~放。❹不重要。㊕责任~。❺不重视;不认真。㊕~视|~率。❻不严肃。㊕~薄。❼轻松。㊕~音乐。

【轻子】主要参与弱相互作用,不参与强相互作用的粒子的统称。带电的轻子也参与电磁相互作用。早期发现的轻子,如电子、μ子和中微子,它们的质量都很小,故名。后来发现的τ子,其质量是质子的两倍,但不参与强相互作用,也属于轻子。

【轻生】看轻自己的生命。多指自杀。

【轻声】❶小声;低声。❷普通话里有些字音念得又轻又短,叫轻声。如助词"着、了、过"和后缀"子、头"等字都念轻声。有些双音复合词的第二个字也念轻声。如师傅的"傅"。

【轻狂】言语举止不严肃,放任。㊕举止~。

【轻取】不费力地战胜对手。

【轻佻】言行举止不庄重,不严肃。佻(tiāo):轻薄。

【轻油】❶从石油分馏出来的沸点低于350℃的油质。包括汽油、煤油、柴油。❷高温分馏煤焦油时在170℃以下蒸出的轻质馏分。再经分馏可得苯、甲苯、二甲苯及溶剂油等。

【轻视】看不起;不重视或不认真对待。

【轻贱】下贱。

【轻便】重量较小,建造较易或使用方便。㊕~自行车。

【轻信】轻易听信、相信。

【轻盈】形容女子动作、体态轻巧优美。

【轻浮】言谈举止随便,不庄重,不严肃。

【轻率】不经过慎重考虑(就说或做)。

【轻骑】装备轻便的骑兵。

【轻装】轻便的行装或装备。也比喻解除了思想负担,精神上轻松愉快。㊕~前进。

【轻蔑】看不起;不放在眼里。

【轻慢】对人不热情、不敬重,态度傲慢。

【轻薄】言谈举止轻佻,不严肃。薄(bó)。

【轻工业】一般指生产生活资料的工业。包括食品、纺织、医药、皮革、造纸及生产其他生活用品和文化用品等的工业部门。

【轻元素】原子量较小的元素。如氢、氦等。

【轻武器】射程较近、便于携带使用的武器。包括步枪、机枪等枪械,手榴弹、榴弹发射器、火箭筒等。

【轻金属】一般指密度小于 4.5 克/厘米^{3}的金属。如镁、铝、钙、钠等。

【轻音乐】以抒情为主,结构比较简单的音乐。

【轻于鸿毛】比大雁的毛还轻。比喻很轻微或毫无价值。汉司马迁《报任安书》:"人固有一死,或重于泰山,或轻于鸿毛。"鸿毛:大雁的毛。

【轻车熟路】车子轻便,道路熟悉。唐韩愈《送石处士序》:"若驷马驾轻车,就熟路。"比喻任务不重,又有经验,做起来容易。

【轻而易举】形容事情做成容易,毫不费力。

【轻轨铁路】简称轻铁。用轻型铁轨铺设的铁路。供电动客运列车行驶,常用于联系城市与郊区的交通。

【轻重倒置】把重要的和不重要的摆颠倒了。

【轻重缓急】指事情和工作有重要的,有不重要的;有可以缓办的,有应该赶快办的。

【轻举妄动】没有经过仔细考虑,就轻率地行动。

【轻诺寡信】轻易许下诺言的,往往很少守信用。《老子·六十三章》:"夫轻诺必寡信,多易必多难。"诺:答应。

【轻描淡写】❶用浅淡的颜色轻轻描绘。❷说话或行文时有意把某个问题轻轻带过。

【轻裘缓带】穿着轻暖的毛皮衣服,束着宽松的衣带。形容从容闲适的风度。《晋书·羊祜传》:"在军常轻裘缓带,身不被甲。"

【轻歌曼舞】轻松愉快的音乐,柔和优美的舞蹈。曼:柔和。

【轻器械体操】基本体操之一。在徒手操的基础上手持绳、圈、棒、扇子、哑铃等进行的操练。可单人、双人或集体做,也可定位和行进中做。

氢(氫) qīng 气体元素,符号 H,原子序数 1。氢气是密度最小、无色、无臭、无味的气体,可燃,与氧混合后遇火能爆炸。可用作合成氨的原料。液体氢可作火箭中的高能燃料。

【氢能】通过氢气和氧气的化学反应释放出的能。是一种清洁能源。

【氢弹】也叫热核武器。利用轻元素原子核聚变瞬间释放巨大能量起杀伤破坏作用的核武器。主要组成部分是装料(一般用氘化锂)、引爆装置(用特制的原子弹)和外壳。氢弹爆炸时,首先是作为引爆装置的原子弹爆炸,产生数千万摄氏度高温,促使氘、氚等轻核急剧聚变,放出巨大能量,形成更猛烈的爆炸。

【氢键】化合物分子中与电负性较强、原子半径较小的原子(如氟、氧、氮、氯等)相连的氢原子和同一分子中或不同分子中电负性较强、原子半径较小的原子相互吸引的静电作用。氢键比化学键弱,但比分子间作用力稍强。氢键对化合物的性质有显著影响,如增高熔点、沸点等。水、乙醇、醋酸中含有氢键。

【氢氟酸】无机酸,化学式 HF。氟化氢的水溶液。剧毒,有强烈腐蚀性,需贮于蜡制、铅制或塑料制的容器中。用于溶解矿石、刻蚀玻璃等。

【氢氧焰】氢气在一定条件下与氧气混合燃烧所产生的高温火焰。温度一般达 2500—3000℃,用于熔制石英玻璃制品和人造宝石等。

【氢燃料】作为燃料的气态或液态的氢(或氢的同位素)。来源广泛,可以水为原料制取,燃烧时放热多,燃烧产物是水,不污染环境。

倾(傾) qīng ❶歪;斜。㊚~斜。❷趋向。㊚~向。❸倒塌。㊚大厦将~。❹倾倒(dào)。㊚~盆大雨。❺用尽;统统拿出。㊚~全力。

【倾力】投入全部力量。㊚~合作。

【倾心】❶一心向往;爱慕。❷竭尽诚心。

【倾轧】同一组织中的人为争权夺利而互相排挤打击。轧(yà)。

【倾耳】侧着耳细心静听。《礼记·孔子闲居》:"倾耳而听之,不可得而闻也。"

【倾吐】把心里的话完全说出。

【倾向】❶偏于赞成某一方。㊚我~于他的意见。❷发展的趋向。㊚这是一种不良~。

【倾听】认真细心地听取。㊚~群众的意见。

【倾诉】把心里的话尽情地诉说出来。

【倾注】❶自上而下地灌注。❷比喻把力量或精神集中到一个目标上。㊚~了大量心血。

【倾泻】大量的水或其他液体从高处急速流下。

【倾倒】❶倒(dǎo)。歪倒。❷倒(dǎo)。佩服;爱慕。❸倒(dào)。把东西全部倒出来。

【倾谈】尽情地交谈。㊚促膝~。

【倾斜】❶歪斜。❷对某一方面有所偏重、支持。㊚政策~。

【倾巢】窝里的鸟全部飞出。比喻全部出动(含贬义)。

【倾销】用低于市场价格的价格,大量抛售商品,以便击败竞争对手,独占市场,然后再大大提高商品价格,以获取垄断高额利润。

【倾慕】十分爱慕。

【倾覆】❶建筑物倒塌。❷颠覆;使失败。

【倾城倾国】城中和国中的人都为之倾倒。形容女子容貌非凡。《汉书·孝武李夫人传》:"北方有佳人,绝世而独立,一顾倾人城,再顾倾人国。"倾:倾覆。

【倾盆大雨】雨水像从盆里泼出来一样。比喻雨大势急。

Q

【倾家荡产】全部家产都给弄光了。《三国志·蜀书·董和传》："货殖之家，侯服玉食，婚姻葬送，倾家竭产。"倾：倒出。荡：弄光。
【倾盖如故】汉邹阳《狱中上梁王书》："语有曰：'白头如新，倾盖如故。'"指虽是初交，但如同老朋友一样。盖：车盖。倾盖：指路上停车，两盖交接，使车盖倾斜。形容亲切交谈。
【倾箱倒箧】把大小箱子里所有的东西都倾倒出来。形容彻底翻检或全部拿出。箧(qiè)：小箱。

卿 qīng ❶古代高官名。㊀公～｜上～。❷君称臣。❸古时夫妻或朋友间亲昵的称呼。

qíng ㄑㄧㄥˊ

剠☒ qíng 同"黥"。

勍 qíng 强。㊀～敌。

黥 qíng 古代的一种刑罚。在犯人脸上刺上记号或文字并涂上墨。

殑□ ㊀ qíng 〔殑殑〕病困的样子。
㊁ jìng (522 页)。

情 qíng ❶感情。㊀热～。❷情面。㊀求～。❸爱情。㊀～书。❹情况。㊀军～｜敌～。❺道理；常情。㊀合～合理｜通～达理。
【情义】亲属、朋友、同志间应有的感情。
【情节】❶事情的变化和经过。❷错误和罪行的具体情况。㊀根据～轻重分别处理。❸指小说、戏剧等文艺作品中所反映的矛盾冲突的发生、发展和解决的过程。作者通过情节展示人物性格，表现主题。完整的情节一般包括开端、发展、高潮、结局等组成部分。
【情网】喻指被爱情缠绕，不能摆脱的境地。
【情妇】男女双方或一方已有配偶而发生性爱关系，女方是男方的情妇。
【情报】❶泛指一切最新的情况报道。如科学技术情报等。❷以侦察手段或其他方法获得的有关对方军事、政治、经济等各方面的情况，以及对这些情况进行的分析研究的成果。
【情状】情形；状况。
【情况】❶情形；状况。❷阵地、哨所等指敌方动静。
【情怀】充满着某种感情的心境。
【情势】情况和趋势。㊀～好转。
【情事】情状和事实。
【情态】神态。
【情味】情调；意味。
【情侣】相恋的男女或其中的一方。
【情素】同"情愫"(800 页)。
【情敌】因追求同一异性而彼此发生矛盾的人。
【情调】❶基于一定的思想意识而表现出来的感情格调。❷事物能引起人各种不同情感的性质和特点。
【情谊】相互关切、爱护的情感。
【情理】指人的常情和事情的一般道理。
【情欲】欲望；欲念。特指对异性的欲望。
【情商】心理学上指人的情绪品质和对社会的适应能力。
【情绪】❶指进行某种活动时所产生的兴奋心理状态。㊀～高涨｜急躁～。❷指不愉快的情感。㊀闹～。
【情景】情况和景象。
【情感】人们内心对外界事物所抱的肯定或否定态度的体现，如愉快、憎恶、热爱、仇恨等。
【情愫】也作情素。❶情感。❷本心；真情。
【情愿】❶真心愿意。㊀甘心～。❷宁愿；宁可。㊀～战死疆场，也不当亡国奴。
【情趣】感情趣味。
【情操】由感情和思想信念所形成的比较稳定的精神状态。㊀高尚～｜革命者的～。
【情不自禁】抑制不住自己的感情。
【情同手足】情谊很深，如同兄弟。
【情投意合】形容双方思想感情融洽，意见一致，彼此很合得来。
【情景交融】感情和景物互相融合在一起(多用来形容诗文、绘画等)。
【情窦初开】形容少年男女(多指少女)开始懂得爱情。窦：孔，窍，比喻通道。

晴 qíng 天空明朗。㊀～天。
【晴好】晴朗。㊀天气～。
【晴雨表】预测天气晴雨的气压表。喻指显示事情变化的标志。
【晴天霹雳】也说青天霹雳。比喻突然发生的、意外的、令人震惊的事件。

腈□(䝼) qíng 〈方〉❶承受。❷承担。㊀有什么后果我都

～着。

氰 qíng 氮和碳的化合物,化学式 $(CN)_2$。无色气体,有剧毒。

【氰化物】含有氰根(—CN)的化合物。如氢氰酸、氰化钾、氰化钠等。均有剧毒,微量即可致死。用于有机合成、冶金工业等。

檠 qíng ❶灯架。也指灯。❷矫正弓弩的器具。

擎 qíng 举;手向上托。㊀～起|众～易举。

【擎天柱】古代传说能支撑天的柱子。比喻能在困难局面下转危为安的重要人物。

qǐng ㄑㄧㄥˇ

苘 qǐng 〔苘麻〕一年生草本植物。茎高大直立,叶圆形。多种在低洼易涝地。茎皮纤维可制绳索等。

顷(頃) qǐng ❶市制地积单位。100亩为1顷,1顷合6.6667公顷,等于66 667米²。❷短时间。㊀有～(过了一会儿)|～刻(一会儿)。❸文言副词。刚才。㊀～接来信。❹古又同"倾(qīng)"。

庼(廎) qǐng 小厅堂。

请(請) qǐng ❶要求。㊀～假。❷邀请;聘请。㊀～师傅。❸敬辞。要求对方做某事。㊀～予协助。

【请示】(向上级)请求指示。

【请帖】邀请人的书面通知。帖(tiě)。

【请命】❶请求保全生命或解除痛苦。《汉书·蒯通传》:"西乡(向)为百姓请命。"❷旧指下级向上级请示。

【请降】向对方请求投降。

【请柬】请帖。

【请便】请对方自便。

【请教】请求指教。

【请罪】犯了错误,主动道歉、请求处分。

【请愿】采取集体行动,要求政府或主管部门满足某些要求或改变某种政策措施。

【请缨】《汉书·终军传》记载,汉武帝派终军出使南越(也作南粤,在今两广等地)劝说南越王前来朝见。终军说:"我愿意领取一长条缨,一定把南越王绑着押到皇帝脚下来。"后来就把自告奋勇,请求杀敌或请求给予任务的行动叫请缨。缨:绳子,带子。

【请求权】要求他人为一定行为或不为一定行为的权利。民法中的债权、当事人的诉权都是请求权。

【请战书】应用文的一种形式。下级向上级请求交给战斗任务时所写的书信、报告等。

【请君入瓮】《资治通鉴·唐纪·则天皇后天授二年》记载,有人告发周兴谋反,武则天命令来俊臣审问周兴,周兴还不知道。来俊臣问周兴:"犯人不肯认罪怎么办?"周兴说:"这个好办,拿个大瓮,周围用炭火烤,把犯人装进去,什么事他会不承认呢?"来俊臣叫人搬来一个大瓮,四面加上火,对周兴说:"我奉命来审老兄,请兄入此瓮吧。"周兴吓得连忙叩头认罪。后来比喻拿某人整治别人的法子来整治他自己。

謦⊠ qǐng 〔謦欬〕轻轻咳嗽。借指谈笑。欬(kài)。

qìng ㄑㄧㄥˋ

庆(慶) qìng ❶祝贺。㊀～贺|～丰收。❷共同庆祝的日子。㊀国～|校～。

【庆幸】为事情意外地得到了好的结局而感到高兴。

【庆典】盛大隆重的庆祝典礼。

【庆祝】为着共同的喜事而进行一些活动表示快乐或纪念等。㊀～五一国际劳动节。

【庆贺】庆祝或向人表示祝贺。㊀～新年。

【庆父不死,鲁难未已】庆父是春秋时鲁庄公的弟弟。庄公死后,先后立过庄公的两个儿子作国君,都被庆父刺死,致使鲁国内乱。故有"庆父不死,鲁难未已"的说法。后指不把制造内乱的罪魁祸首清除掉,就得不到安宁。语出《左传·闵公元年》。

亲(親) ㊁ qìng 〔亲家〕❶两家儿女相婚配的亲戚关系。❷夫妻双方的父母彼此相互的称呼。

㊀ qīn (792页)。

清⊠ qìng 寒冷;凉。

箐 qìng 〈方〉山间大竹林。泛指树木丛生的山谷。多用于地名。

綮 ㊀ qìng 筋骨结合处。参见〔肯綮〕(560页)。

㊁ qǐ (774页)。

Q

磬 qìng ❶古代击乐器。用石或玉制成，形如曲尺，悬于架上，用木槌击奏。单一的叫特磬，成套的叫编磬。❷寺庙中拜佛时敲打的钵形响器。用铜制成。

罄 qìng 完；尽。㊀～其所有｜～竹难书。

【罄竹难书】《旧唐书·李密传》记载，李密诉说隋炀帝十大罪状，其中有"罄南山之竹，书罪未穷；决东海之波，流恶难尽"的话。故用"罄竹难书"比喻罪恶很多，难以写完。竹：竹简，古代写字用的竹片。

qiōng ㄑㄩㄥ

銎 qiōng 斧子上安柄的孔。

qióng ㄑㄩㄥˊ

邛 qióng 〔邛崃〕山名。在四川。崃(lái)。

筇 qióng 筇竹，古书上说的一种竹子。可以制手杖。

穷(窮) qióng ❶贫困。与"富"相对。❷完；尽。㊀理屈辞～。❸极端。㊀～凶极恶。❹推究到头儿。㊀～原竟委。

【穷目】用尽眼力向远看。

【穷尽】尽头。

【穷究】彻底追究。

【穷途】绝路。比喻处于极为困苦的境地。

【穷寇】走投无路的敌人。

【穷酸】迂腐而寒酸。

【穷措大】也叫穷醋大。穷读书人(含轻蔑意)。

【穷乡僻壤】偏僻荒凉的地方。

【穷凶极恶】形容极端凶恶。《汉书·王莽传》："穷凶极恶，流毒诸夏。"

【穷而后工】指文人处境困穷，诗文就写得好。宋欧阳修《梅圣俞诗集序》："盖愈穷则愈工。然则非诗之能穷人，殆穷者而后工也。"

【穷则思变】指人到了穷困艰难无路可走时，就要想办法寻找出路，改变现状。

【穷年累月】也说成年累月。指连续不断，时间长久。

【穷兵黩武】用尽全部兵力，任意发动战争。形容十分好战。《三国志·吴书·陆抗传》："穷兵黩武，动费万计。"黩武：滥用武力。

【穷原竟委】深入追究事物的始末。委：末，尾。

【穷途末路】路的尽头。比喻无路可走的地步。

【穷奢极欲】也说穷奢极侈。形容生活腐化，奢侈贪婪到了极点。唐郑嵎《津阳门》诗："四方节制倾附媚，穷奢极侈沽恩私。"

【穷寇勿追】对走投无路的敌人，不要去追他。否则，狗急跳墙，反而达不到消灭敌人的目的。《孙子兵法·军争》："归师勿遏，围师必阙，穷寇勿迫，此用兵之法也。"《后汉书·皇甫嵩传》引作"穷寇勿追"。

【穷源溯流】追究事物发生的根源，寻找其发展的经过。

藭□(藭) qióng 见〔芎藭〕(1105页)。

茕(煢) qióng 孤单；孤独。

【茕茕孑立】孤独无依地站着。形容孤苦伶仃。晋李密《陈情表》："茕茕孑立，形影相吊。"茕茕：孤独，无依无靠的样子。孑：单独。

穹 qióng ❶天空。㊀～苍。❷深。㊀～谷。

【穹苍】即"苍穹"(95页)。

【穹顶】穹形的屋顶。像所看到的天空那样，中间隆起而四周下垂成拱形。

【穹隆】同"穹窿"(802页)。

【穹窿】也作穹隆。物体中间隆起而四周下垂的样子。也泛指高起成拱形的东西。

琼(瓊) qióng ❶美玉。❷美好。㊀～浆(好酒)。❸海南的别称。

【琼脂】也叫琼胶、冻粉、洋菜。植物胶的一种。从红藻类的石花菜、江蓠等提取胶质，经冻结、干燥而成。供食用，也用作食品工业原料。

【琼瑶】原指美玉。《诗经·卫风·木瓜》："投我以木桃，报之以琼瑶。"后用作对别人酬答的书信或诗文的美称。

【琼楼玉宇】形容瑰丽堂皇的建筑物。常用以指仙界楼台或月中宫殿。

蛩 qióng 古指蟋蟀。也指蝗虫。

跫☒ qióng 脚步声。㊀足音～然。

Q

惸☒ qióng 同“茕”。

睘☒ qióng 〔睘睘〕孤独无依。

藑☒ qióng 〔藑茅〕古人用来占篮的草。

qiū ㄑㄧㄡ

丘（*坵） qiū ❶土堆；小山。㊀小～。❷坟墓。㊀～垄。❸用砖石将灵柩封闭起来。也指这样的坟墓。❹量词。水田分隔成大小不同的块，一块叫一丘。㊀一～田。

【丘陵】连绵不断的低矮山丘。相对高度一般小于山地且坡度较缓。

【丘墟】❶废墟；荒地。❷坟墓。

【丘比特】罗马神话中的爱神。在艺术作品中，以带有双翼的小孩形象出现，常携弓箭在空中飞翔，谁中了他的金箭就会产生爱情，谁中了他的铅箭就要失去爱情。希腊神话中的爱神名叫厄罗斯。

【丘吉尔】温斯顿·丘吉尔（1874—1965）英国政治家。第一次世界大战中任海军大臣。第二次世界大战期间任首相，领导英国军民抗击德国法西斯军队，并使英国、美国同苏联结成反法西斯同盟。1951 年再度出任首相。1953 年获诺贝尔文学奖。

邱 qiū ❶姓。❷“丘”①的异体字。

【邱少云】（1931—1952）抗美援朝烈士。四川铜梁（今属重庆）人。1949 年参加中国人民解放军。1951 年参加中国人民志愿军。1952 年 10 月 11 日在朝鲜三九一高地反击战前夜，随部队潜伏在距敌六十余米处的草丛中，待第二天傍晚突然袭击敌人。12 日中午被敌人燃烧弹引起的烈火烧着，为了不被敌人发觉，坚持不动，直至牺牲。部队党委追认他为中国共产党党员。中国人民志愿军领导机关为他追记特等功，授予他“中国人民志愿军一级英雄”称号。并荣获“朝鲜民主主义人民共和国英雄”称号及金星奖章、一级国旗勋章。

蚯 qiū 〔蚯蚓〕俗称蛐蟮。环节动物。身体柔软，有环节，生活在土里。有改良土壤作用。

苬☒（蓲） qiū 〔乌苬〕古书上指初生的芦苇。

龟（龜） ㊂ qiū 〔龟兹〕❶古地名。在今新疆库车一带。唐贞观二十二年（648）设置龟兹都督府。后并入安西都护府。❷唐代安西四镇（军镇）之一，先后受安西都护府及安西节度使统辖。❸古西域国名。在今新疆库车一带。

㊀ guī（356 页）。

㊁ jūn（541 页）。

秋（❺鞦*秌*龝） qiū ❶秋季，一年的第三季，大体是农历七月至九月。❷庄稼成熟的时期。㊀麦～|大～。❸年。㊀千～万代。❹称某时期（多指不好的）。㊀多事之～。❺“秋千”的“秋”。

【秋千】运动和游戏的器具。中国古代已有，流传至今。在木架上悬挂两绳，下拴横板，人在板上，前后摆荡。

【秋水】❶秋天江湖的水。❷比喻眼睛（多指女子的）。㊀望穿～。

【秋分】节气名。在每年公历 9 月 23 日前后。这一天昼夜时间相等。秋分后，北半球昼短夜长。

【秋汛】秋季河水暴涨。

【秋收】秋季收割庄稼。

【秋闱】秋试。明清时乡试在秋季举行，故名。闱：考试的地方。

【秋波】秋天的水波。比喻美女的眼睛或眼神儿。

【秋毫】鸟兽在秋天新生的细毛。比喻极微细的事物。㊀明察～。

【秋瑾】（1875—1907）清末民主革命女革命家。字璿卿，号竞雄，别号鉴湖女侠，浙江绍兴人。1904 年到日本留学，从事革命活动。先后参加光复会、同盟会。回国后继续宣传革命，抨击清朝统治者丧权辱国，号召群众起来反抗。反对“三纲五常”“男尊女卑”等封建礼教。1906 年在上海创办《中国女报》，宣传妇女解放运动，号召妇女起来革命。1907 年在绍兴主持大通学堂，组织光复军，与光复会重要骨干徐锡麟准备在安徽、浙江同时举行武装起义，失败被捕。7 月 15 日在绍兴轩亭口就义。有《秋瑾集》。

【秋播】秋季播种。如冬小麦、油菜等是秋播作物。

【秋老虎】指立秋后仍然十分炎热的天气。

Q

【秋水仙素】由百合科植物秋水仙中提炼出来的一种生物碱。分子式 $C_{22}H_{25}O_6N$。黄色结晶或粉末。供药用。也是一种诱导植物染色体数目加倍、形成多倍体的有效物质。

【秋风过耳】比喻漠不关心。

【秋收起义】1927 年 9 月 9 日毛泽东领导的有湖南东部、江西西部的工人、农民和士兵参加的武装起义。建立了工农革命军第一军第一师。起义部队一度攻占了醴陵、浏阳等地，9 月 19 日到达文家市会合。毛泽东指出必须到敌人力量薄弱的农村去建立根据地，并率领起义部队于 9 月 29 日到达三湾，进行改编。10 月 27 日到达井冈山的茨坪，开始创立第一个农村革命根据地，开辟了以农村包围城市、武装夺取政权的正确道路。

【秋高气爽】形容秋季晴空万里，天气爽朗。

【秋毫无犯】形容军队纪律严明，丝毫不侵犯百姓利益。《史记·项羽本纪》："吾入关，秋毫不敢有所近。"秋毫：鸟兽在秋天新长出的细毛，比喻极微小的事物。

【秋风扫落叶】比喻强大的力量扫荡衰败的势力。

萩 qiū 古书上说的一种蒿类植物。

湫 ㊀ qiū 水池。㊞大龙～（瀑布名，在浙江雁荡山）。
㊁ jiǎo（492 页）。

楸 qiū 楸树，落叶乔木。叶无毛，花白色。木材致密耐湿，是家具、建筑、造船等用材。

鹙☒（鶖） qiū 秃鹙，古书上说的一种水鸟。头上没有毛，性贪暴，喜食蛇。

鳅（鰍） qiū 鱼类的一科。泥鳅是常见的一种。

缉□（緝） qiū 同"鞧"。

鞧 qiū 见〔后鞧〕（404 页）。

qiú ㄑㄧㄡˊ

仇 ㊁ qiú 姓。
㊀ chóu（133 页）。

【仇英】（约 1502—1552）明代画家。字实父，号十洲，太仓（今属江苏）人。出身工匠。所作人物、仕女、山水，赋色艳丽，刻画精微，尤擅临摹古画，在江南颇负盛名。与沈周、文徵明、唐寅合称"明四家"。

厹☒ ㊀ qiú 三棱矛。
㊁ róu（830 页）。

犰 qiú 〔犰狳〕哺乳动物。头、背、尾、四肢都有角质鳞片，腹部无鳞而有较密的毛，遇敌害时缩成一团。产于南美和中美。狳（yú）。

朹☒ qiú 朹子，即山楂。

馗 qiú 逼迫。

囚 qiú ❶拘禁。㊞～禁。❷被拘禁的人。㊞～犯。

【囚犯】关押在监狱里的人。

【囚笼】古代押解犯人所用的木笼。

【囚禁】关押。

【囚首垢面】形容久未梳头、洗脸，像囚犯一样。囚：囚犯。

泅 qiú 游泳。㊞～水。

求 qiú ❶设法得到。㊞不～名，不～利｜～知。❷恳请；乞助。㊞～教｜～助。❸要求。㊞～全责备。❹需求。㊞供～关系。

【求乞】讨饭；请别人救济。

【求治】请求给予治疗；寻求方法治疗。

【求教】请求别人指教。

【求职】谋求职业；找工作。㊞～信。

【求偶】寻求配偶。

【求签】在神佛面前抽签来占吉凶。

【求同存异】寻找共同点，不同点各自保留。为处理双方关系的一种原则和方法。

【求全责备】对人对事要求十全十美，毫无缺点。责备：要求完备。

俅 qiú 见下。

【俅人】独龙族的旧称。

【俅俅】恭顺的样子。

逑 qiú 匹配；配偶（指夫妻）。

絿☒（絿） qiú 急躁。

球（❷ * 毬） qiú ❶数学上指圆形的立体。从中心到表面各

点距离都相等。❷某些体育用品或球类运动。㊀足～|～赛。❸球形的东西。㊀煤～。❹特指地球或星体。㊀全～|月～。

【球艺】球类运动的技巧。

【球茎】一种变态茎。地下茎的末端肥大成球状的部分，适应越冬而贮藏养料。芽多集中于顶端，节间明显，节上长有膜质鳞叶和少数腋芽。如荸荠、慈姑等的可食用部分。

【球面】半圆绕直径旋转一周所得的立体叫球体。球体的表面叫球面。

【球星】称著名的球类运动员。

【球迷】指狂热痴迷球类运动的人。

【球菌】球形的细菌。呈单生、成对、四联、八叠、链状、葡萄串状等。广泛分布于自然界或生物体内和体表。腐生或寄生。如肺炎双球菌、金黄色葡萄球菌等。

【球面镜】反射面为球面的镜。可用以改变光路或成像。球面镜有凹、凸两种。凹面镜能使入射光会聚，而凸面镜则使入射光发散。在反射望远镜中用到凹面镜，汽车上供驾驶员看左右和后面车辆情况的观后镜是凸面镜。

【球蛋白】一类简单蛋白质。不溶于水而溶于稀的中性盐液，加热就沉淀或凝固。如血清球蛋白、乳球蛋白、肌球蛋白，植物种子中的蛋白多属于球蛋白。

赇(賕) qiú 贿赂。

铼☒(錸) qiú 古代的一种凿子。

裘 qiú 皮衣。㊀狐～|集腋成～。

【裘马】本指衣裘与车马，后多比喻生活豪华。

虬(*虯) qiú 古代传说中的一种有角的小龙。㊀～龙。

酋 qiú ❶部落的首领。㊀～长。❷盗匪或侵略者的头目。㊀匪～。

【酋长】民族社会里部族和氏族的首领。

【酋长国】以酋长为元首的国家。在这些国家中，奴隶制或封建制占统治地位，有的还保存氏族制度的残余。

崷☒ qiú 山高的样子。

遒 qiú 强健；有劲。㊀～劲。

【遒劲】雄健刚劲(多指书画笔力)。㊀笔力～。

【遒美】刚健美丽。

【遒逸】刚健飘逸。

蝤 ㊀ qiú 见下。
㊁ yóu (1194 页)。

【蝤蛴】天牛的幼虫。身长，色白，无足。是树木害虫。蛴(qí)。

【蝤蛑】指梭子蟹。蛑(móu)。

鰌□(鰌) qiú 逼迫；践踏。"鰌"，另音 qiū，"鳅"的异体字。

巯(巰) qiú 化学用字。是氢和硫的合体字，如巯基也叫氢硫基。

璆 qiú ❶美玉。❷玉磬。

qiǔ ㄑㄧㄡˇ

糗 qiǔ ❶干粮。多指炒米粉之类。❷〈方〉饭或面食粘连成块状或糊状。

qū ㄑㄩ

区(區) ㊀ qū ❶分别。㊀～别|～分。❷地域。㊀工业～|平原地～。❸行政区划单位。有跟省平行的民族自治区以及市辖区、县辖区等。
㊁ ōu (730 页)。

【区区】❶(数量)少；不重要。㊀～小事。❷谦辞。旧时用于自称。㊀～之见。

【区划】地区的划分。

【区时】也叫标准时。全球分为 24 个时区，每一时区使用其中央经线上的地方时作为全区的标准时间，称区时。如北京位于东八区，东经 120° 是东八区的中央经线，北京时间采用的就是东八区的区时，也就是东经 120° 的地方时。

【区别】❶加以比较，找出彼此不同的地方。❷指彼此不同的地方。

【区位】指地理事物在区域中的位置，如工厂的区位、城市的区位。有时也指同类地理事物在区域中的分布，如城市周围农业的分布。

【区间】❶设 a、b 是两个实数，且 $a<b$，满足 $a\leqslant x\leqslant b$ 的实数的集合叫做闭区间，表示为$[a,b]$；满足 $a<x<b$ 的实数的集合

Q

叫做开区间，表示为(a,b)；满足 $a\leqslant x<b$ 或 $a<x\leqslant b$ 的实数的集合，叫做半开半闭区间，分别表示为$[a,b)$和$(a,b]$。其中实数 a 和 b 叫做相应区间的端点。❷指全程线路上的一段。㊀公交～车。

【区域】地域；地区范围。㊀～自治。

【区域自治】见〔民族区域自治〕(688 页)。

【区域规划】对某一地区在一定时期内的经济建设和发展所作的总体部署。

【区域经济】在经济上有密切相关性的一定空间范围内的经济活动和经济关系的总称。

【区域经济一体化】区域内各国家或地区通过实行不同程度的经济联合和共同经济调节，使经济联成一体，形成区域性经济共同体。

岖(嶇) qū 见〔崎岖〕(771 页)。

驱(驅*敺*駈) qū ❶赶；赶走。㊀扬鞭～马|～除。❷快跑。㊀并驾齐～。

【驱动】❶通过外力使运动。㊀～电机。❷驱使，推动。㊀利益～。

【驱使】❶强迫人为自己奔走效劳。❷推动。

【驱迫】驱使；迫使；逼迫。

【驱除】赶走；去掉。

【驱逐】赶走。㊀～出境。

【驱策】驱使。

【驱遣】❶驱使。❷赶走。❸消除(情绪)。

【驱逐舰】以导弹、鱼雷、舰炮为主要武器，具有多种作战能力的中型水面战斗舰艇。主要用以攻击敌水面舰船和潜艇，为己方舰艇编队防空、反潜、护航、侦察、巡逻、警戒以及支援登陆和抗登陆作战等。

躯(軀) qū 身体。㊀～体|为国捐～。

【躯壳】肉体。壳(qiào)。

【躯体】身躯；身体。

曲(❹麯❹*麴) ㊀ qū ❶弯。与"直"相对。㊀～尺|～线。❷偏僻的地方；弯曲的地方。㊀乡～|河～。❸不公正；不正确。㊀～直|歪～|～解。❹含有大量活的微生物及酶类的糖化剂或糖化发酵剂。一般用麦子、麸皮、大豆等，在一定的温度、湿度条件下培养微生物制成。多呈块状，用来酿酒、制酱和发酵猪饲料。

㊁ qǔ (808 页)。

"麴"，另见"麴"(807 页)。

【曲尺】也叫矩尺。木工用来求直角的尺，像直角三角形的勾股两边。

【曲池】针灸穴位名。位于肘部桡侧，屈肘，肘横纹尽头处取穴。主治手肘拘挛、小儿麻痹、高血压、发热等。

【曲折】❶弯曲。❷(情节)复杂多变。也指复杂多变的情节。

【曲直】无理和有理。㊀是非～。

【曲阜】市名。位于山东省中部偏南。人口16万(1997年)。为春秋时孔子故里。古迹有孔府、孔庙、孔林等。

【曲线】在平面上或空间中按一定条件而变动的动点的轨迹，不是直线时称为曲线。

【曲笔】古代史官因某种原因，不据实直书其事的一种笔法。也泛指写作中委婉的表达手法。

【曲流】指河道一连串迂回曲折的部分。多在河流的中下游。由于河水不断冲刷凹岸，在凸岸一侧则逐渐沉积，致使河道曲度越来越大，因而形成曲流。

【曲解】作歪曲和错误的解释或理解。

【曲蟮】同"蛐蟮"(807 页)。

【曲棍球】❶球类运动项目之一。在长方形场地(长 91.40 米、宽 55 米)上进行。每队上场 11 人，运动员手持 1 米长、下端弯曲的木质球棍，将球射入对方球门为得分。❷曲棍球运动使用的球。实心，较小，圆而硬。

【曲辕犁】也叫江东犁。唐后期长江中下游地区使用的一种先进农具。由十一个部件构成，有铁犁、犁壁、木制犁箭、犁辕、犁评等。辕为曲形，运用犁评可控制耕作深浅。是中国农业史上一大发明。

【曲径通幽】唐常建《题破山寺后院》诗："曲径通幽处，禅房花木深。"意思是从弯曲的小路通向风景幽美的地方。后用来比喻做事情经过曲折取得成功。

【曲线救国】抗日战争时期，国民党实行的一种降日反共政策。1939 年由国民党河北保安司令张荫梧首先提出，国民党亲日派、顽固派大肆鼓吹，使国民党文武官员大批投敌，以共同进攻共产党领导的抗日军民，并美其名曰"曲线救国"。至 1943 年 8 月，国民党投敌的文武官员有中央委员 20 人，旅长以上的高级将领 58 人，军队 50 万人。造成了"降官如毛，降将如潮"的丑恶

Q

局面。

【曲突徙薪】《汉书·霍光传》里说,有一家的烟囱很直,有人劝主人把烟囱改成弯曲的,搬开烟囱旁边的柴火,以免发生火灾。主人不听,不久果然发生了火灾。比喻事先预防以避免危险发生。突:烟囱。徙:迁移。

蛐 qū 见下。

【蛐蟮】也作曲蟮。蚯蚓的俗称。

【蛐蛐儿】〈方〉即"蟋蟀"(1056 页)。

佉[□] qū ❶同"祛"。❷音译用字。多用于译梵语。

抾[⊠] qū ❶捕捉。❷驱除。

𬘭[⊠](**紶**) qū ❶继续。❷同"绤(xì)"。

胠[⊠] qū ❶从旁边打开。[例]～箧(开箱偷窃)。❷腋下。

祛 qū 除掉。[例]～除。

【祛疑】消除他人的疑惑。

袪 qū ❶袖口。❷同"祛"。

诎(**詘**) qū ❶弯曲。❷屈服。❸冤枉。

屈 qū ❶弯曲。[例]～指可数。❷冤枉。[例]负～含冤。❸认输;妥协。[例]～服。❹理亏。[例]理～词穷。

【屈从】屈服于压力,勉强服从。

【屈节】失去气节。

【屈枉】冤枉。枉(wang)。

【屈服】在外来压力下妥协让步,放弃斗争。

【屈驾】敬辞。委屈大驾。邀请人时用。

【屈指】弯着手指头计算。[例]～可数。

【屈辱】受到的压迫和侮辱。

【屈原】(约前 339—前 278)战国时期楚国政治家、诗人。名平。楚怀王时做过左徒、三闾大夫。主张改革政治、任用贤才。遭谗去职,屡被放逐,自沉汨罗江。他的诗吸取楚国民歌的特点,结合神话故事,驰骋想象,抒发炽烈的爱国感情,创造出一种富有浪漫主义精神的文学体裁,即楚辞体(也叫骚体),对后代诗歌发展有深远影响。现存作品有《离骚》《天问》《九歌》《九章》等。

【屈就】降格以就。用作请人担任职务的客套话。

【屈膝】下跪。比喻屈服。

【屈打成招】无罪的人冤枉受刑,被迫招认。

䓛[□] qū 一种多环芳烃,分子式 $C_{18}H_{12}$。在有机物的命名中,也用䓛表示一种芳香烃母体结构。可用作染料中间体。

岖[□] qū ❶同"岖"。❷用于岛名,如乌岖屿(在福建,今作乌丘屿)。

蛆 qū 苍蝇的幼虫。

焌 ㊀ qū ❶在火焰上将物引燃。❷把燃烧物燃着的一端弄灭。❸一种烹饪方法。油锅热后放进调料,继续加热,最后放进原料快炒。多用来做蔬菜,能使菜保持原色和鲜嫩。

㊁ jùn (543 页)。

黢 qū 黑。[例]～黑|黑～～的。

趋(**趨**) qū ❶快走。[例]～前。❷倾向。[例]大势所～。❸鹅或蛇伸头咬人。❹古又同"促(cù)"。

【趋向】事物朝着某方面发展。也指事物发展的倾向。

【趋时】赶时髦(多指在吃、穿等生活方面)。

【趋附】迎合依附。

【趋奉】趋附奉承。

【趋势】事物发展的倾向。

【趋光性】某些昆虫或鱼类对光刺激产生定向运动的行为习性。趋向光源的为正趋光性,背离光源的为负趋光性。

【趋之若鹜】像鸭子一样成群地跑过去。比喻争相追逐不正当的事物。鹜(wù):鸭子。

【趋向动词】表示动作行为趋向的动词。

【趋炎附势】巴结、投靠有权势的人。《宋史·李垂传》:"焉能趋炎附热,看人眉睫,以冀推挽乎?"趋:迎合。炎:热,比喻有权势的人。

麯[□](**麴**) qū 姓。"麴",另见"曲"(806 页)。

qú ㄑㄩˊ

佢[⊠] qú 同"渠"③。

劬 qú 劳累。

Q

絇⊠(絇) qú 古代鞋头上的装饰。有孔,可以穿系鞋带。

軥⊠(軥) qú 古代车轭两边下伸反曲以备系革带的部分。

朐 qú 用于地名,如临朐(在山东中部)。

鸲(鴝) qú 鸟类。与鸫相近的一类小鸟。常见的如鹊鸲,体色似喜鹊,善鸣好斗。食昆虫,是益鸟。

【鸲鹆】即"八哥"(16 页)。

鼩 qú〔鼩鼱〕哺乳动物。像小鼠,嘴尖而长,毛栗褐色,食昆虫、蜗牛等。对农业有益。鼱(jīng)。

渠 qú ❶人工开凿的水道。㊀河～。❷大。㊀～帅(首脑,首领)。❸他。

【渠道】❶人工开凿的有系统的水道。❷喻指为了达到某种目的必需经过的途径。

【渠魁】大头子。旧指武装反抗集团或敌对方面的首脑。

蕖 qú 见〔芙蕖〕(285 页)。

磲 qú 见〔砗磲〕(115 页)。

璩 qú 玉环。

蘧 qú 见下。

【蘧麦】也作瞿麦。多年生草本植物。全草可供药用。

【蘧然】惊喜的样子。

籧⊠ qú〔籧篨〕古指用苇或竹编的粗席。篨(chú)。

瞿 qú 姓。

【瞿秋白】(1899—1935)中国无产阶级革命家,中国共产党早期领导人。原名霜,江苏常州人。1922 年加入中国共产党。在党的第三次至第六次全国代表大会上,均当选为中央委员。是中共第四届中央执委、第五届中央政治局常委、第六届中央政治局委员。1927 年曾主持八七会议,结束了陈独秀右倾机会主义在党内的统治。1927 年冬至 1928 年春在担任中央领导工作时曾犯过"左"倾盲动主义错误。1930 年 9 月主持召集中国共产党六届三中全会,停止执行立三路线。30 年代初在上海同鲁迅领导革命文化运动。1934 年到中央根据地,任中华苏维埃共和国教育部长。1935 年 2 月在福建被俘,6 月 18 日在长汀被国民党反动派杀害。有《瞿秋白文集》。

【瞿塘峡】长江三峡之一。在重庆市奉节县白帝城和巫山县大溪镇之间。长 8 千米。峡口有夔门。

灈⊠ qú 古水名。在今河南。

欋⊠ qú ❶古指四齿的耙子。❷形容树根盘错。

氍 qú〔氍毹〕毛织的地毯。古代演戏地上多铺地毯,所以又用"氍毹"代指舞台。毹(shū)。

臞⊠ qú 同"癯"。

癯 qú 瘦。㊀清～。

衢 qú 四通八达的大路。㊀通～。

蠼⊠ qú 见〔霹蠼〕(574 页)。

蠷 qú〔蠷螋〕昆虫。体扁平狭长,黑褐色,尾部像夹子。多生活在潮湿的地方。螋(sōu)。

qǔ ㄑㄩˇ

曲 ⊜ qǔ ❶乐曲。㊀歌～|作～。❷一种韵文形式。㊀宋词元～。
⊖ qū (806 页)。

【曲艺】一种由演员通过说唱表演叙述故事情节并表现不同人物思想感情和语言声态的艺术形式。具有浓厚的地方色彩和民族风格,所需演员较少,道具简单,形式多样,为群众所喜闻乐见。在中国有悠久的历史。各地区、各民族曲种丰富,约有三百余种。常见的有相声、评书、快板、大鼓、弹词等。

【曲式】音乐作品根据一定的逻辑组成,这种形式规范称为曲式。如歌曲的曲式有一段式、二段式、三段式;器乐曲的曲式有变奏曲式、奏鸣曲式。

【曲牌】元明以来南北曲、小曲等各种曲调名的统称。每个曲牌都有专名,如点绛唇、山坡羊等;有固定的曲谱,可据以填写新词。有的曲牌用于歌唱,有的曲牌用于乐器演奏,也有干念的。现代戏曲、曲艺中的某些剧种、曲种，也有曲牌。

【曲谱】记录音乐演唱、演奏的乐谱。

【曲高和寡】战国楚宋玉《对楚王问》："是其曲弥高，其和弥寡。"意思是曲调越高深，能跟着唱的人就越少。原比喻知音难得。后用"曲高和寡"比喻言论或作品不通俗，不能为多数人所了解或欣赏。和(hè)。

苣 ㊁ qǔ 〔苣荬菜〕多年生草本植物。野生，花黄色。茎、叶嫩时可食。
㊀ jù (532 页)。

取 qǔ ❶拿。㊀～行李。❷得到；招致。㊀～胜｜螳臂当车，自～灭亡。❸选中；采取。㊀录～｜听～。

【取代】排除别人或别的事物而占其位置。

【取向】主体的倾向。㊀价值～｜审美～。

【取决】由某方面或某种情况决定(后用"于"引出某方面或某种情况)。

【取材】选取材料。㊀就地～。

【取舍】经过选择，决定采取或舍弃。

【取法】效法。

【取经】佛教传入中国后，一些僧人曾到印度了解佛经的原义，求取佛经原本，故名。今引申为向先进人物、单位或地区吸取经验。

【取保】请人担保。㊀～释放。

【取信】取得信任。㊀～于民。

【取胜】获得胜利。

【取样】也说抽样。从大量物品或材料中抽取少量做样品。

【取消】使原有的废止。㊀～其会员资格。

【取悦】取得别人的喜欢或向别人讨好。

【取景】摄影、写生等选取景物。

【取道】指选取由某地经过的路线。

【取缔】明令禁止或取消。㊀～邪教组织。

【取长补短】吸取别人的长处，弥补自己的短处。

【取代反应】有机化合物分子中的某些原子或原子团被其他原子或原子团所代替的反应。如烃中氢原子被其他基团(如卤素、硝基、羟基等)所取代的反应。

【取而代之】《史记·项羽本纪》："秦始皇帝游会稽，渡浙江，梁与籍俱观，籍曰：'彼可取而代也。'"原指夺取别人的地位而代替他。后泛指某一事物代替另一事物。

【取保候审】旧称保释。人民法院、人民检察院和公安机关，责令犯罪嫌疑人、被告人提出保证人或者交纳保证金，保证其不逃避侦查和审判，随传随到的一种强制措施。取保候审的法定情形有两种：(1)可能判处管制、拘役或独立适用附加刑的；(2)可能判处有期徒刑以上刑罚，采取取保候审不致发生社会危险性的。

【取精用弘】也作取精用宏。《左传·昭公七年》："其用物也弘矣，其取精也多矣。"原指享用的东西多而精。后多指从所占有的大量的材料里提取精华。

【取之不尽，用之不竭】也说取之无禁，用之不竭。拿不完，用不尽。形容非常丰富。宋苏轼《赤壁赋》："取之无禁，用之不竭。"

【取其精华，去其糟粕】指对待中外文化遗产的正确态度。即批判地吸取这些遗产中精粹的、有用的东西，去掉其中陈腐的、没有用的东西。做到"古为今用、洋为中用"，发展社会主义新文化。

娶 qǔ 将女子接过来成亲。

嫣⊠ qǔ 〔妪嫣〕腰背弯曲的样子。妪(yǔ)。

龋(齲) qǔ 牙齿被腐蚀而残缺。

【龋齿】俗称虫牙。牙齿发生腐蚀病变，破坏釉质，形成空洞。逐渐引起牙髓炎、牙周脓肿等。也指患这种病的牙。

qù ㄑㄩˋ

去 qù ❶从所在地到别的地方。与"来"相对。㊀～农村。❷离开。㊀～职。❸失掉；除掉。㊀大势已～｜～暑。❹距离。㊀相～不远。❺已过的(时间)。㊀～年。❻表示趋向或持续。㊀进～｜说下～。❼去声。

【去向】所去的方向。㊀～不明。

【去声】汉语声调的一种。普通话去声是全降调，以符号"ˋ"表示。如大(dà)、庆(qìng)。

【去职】不再担任原来的职务。

【去雄】除去或杀死母本植物的雄花或花中雄蕊的工作。目的是防止自交，保证杂交。

【去伪存真】去掉虚假的、表面的，保存真实的、本质的。

【去粗取精】去掉粗糙的、无用的，留下精华的、有用的。

呿⊠ qù 口张开的样子。

阒(闃) qù 静寂，没有一点声音。㊀～无一人。

Q

趣 qù ❶趋向。㊀志～。❷兴味。㊀有～。❸有兴味的。㊀～闻。❹古又同"促(cù)"。

【趣味】情趣；意味。

觑(覷) qù 看；偷看。㊀面面相～｜～探。

qu ·ㄑㄩ

戌 ㊀qu 〔屈戌儿〕铜制或铁制的带两个脚的小环儿，钉在门窗或箱柜上面，用来挂锁或钌铞。

㊁xū(1109页)。

quān ㄑㄩㄢ

弮☒ quān 弩弓。

悛 quān 悔改。㊀怙恶不～。

圈 ㊀quān ❶环形；环形范围。㊀跑三～｜生活～儿。❷环状物。㊀铁～。❸画圈做记号。㊀～阅｜～点。❹围住。㊀把菜地～起来。

㊁juàn(535页)。

㊂juān(535页)。

【圈套】喻指引诱人上当的计策。

【圈地运动】主要指15世纪末开始的、英国新兴资产阶级和新贵族用暴力大规模圈占农民土地、改作牧羊场的运动。是资本原始积累过程的主要形式之一。

棬 quān 木制的饮器。

【棬枢】用枝条环成的门枢。

quán ㄑㄩㄢˊ

权(權) quán ❶权力。㊀掌～。❷权利。㊀公民～。❸副词。姑且。㊀～充此任｜～作不知。❹称量。㊀～其轻重。❺古称秤锤。❻古又同"颧(quán)"。

【权力】❶政治上的强制力量。㊀国家～。❷职责范围内的支配和指挥权。㊀行使大会主席的～。

【权术】依仗权势而玩弄的计谋和手段。

【权且】副词。姑且，有"暂时只好"的意思。

【权臣】有权势的大臣。多指掌权而专横的大臣。

【权利】指公民或法人依法在政治、经济、文化各方面所享有的权力和利益。与"义务"相对。

【权诈】奸诈；狡诈。

【权责】权力和责任。

【权势】权柄和势力。也指有权有势的人。

【权变】随机应变。

【权宜】暂时适宜；因时因事地变通。㊀～之计。

【权限】职权范围。

【权柄】所掌握的权力。

【权威】❶具有使人信服的力量和威望的。㊀～性著作。❷在某种范围里被公认为最有影响的人或事物。

【权贵】指居高位、掌大权的人。

【权益】应该享有的不容侵犯的权利。㊀合法～。

【权能】权力和职能。

【权谋】随机应变的计谋。

【权舆】❶草木发芽。汉戴德《大戴礼记·诰志》："于时冰泮发蛰，百草权舆。"❷开始。《诗经·秦风·权舆》："于嗟乎，不承权舆。"

【权衡】秤锤和秤杆。比喻衡量、考虑、比较。㊀～轻重｜～得失。

【权利主体】参加民事法律关系享受权利和承担义务的人。包括自然人和法人，特殊情况下国家也以权利主体资格参加民事法律关系。

【权利客体】民事法律关系中权利义务所共同指向的对象。包括物、行为和智力成果。

【权责发生制】即"应收应付制"(1187页)。

全 quán ❶完备；完整。㊀齐～｜文字残缺不～。❷整个的。㊀～厂｜～球(整个世界)。❸副词。都。㊀人～来了。❹保全。㊀两～其美。

【全才】在一定范围内各方面都擅长的人才。

【全民】全体国民。㊀～总动员。

【全权】处理事务的全部的权力。㊀～代表。

【全员】全体成员。㊀～培训。

【全局】指事物的整体及其发展全过程。与"局部"相对。

【全食】日全食和月全食的统称。

【全速】最高速度。㊀～前进。

【全豹】比喻事物的全貌、全部。

Q

【全副】全部；整套。例~精力|~武装。
【全盛】最兴盛或最强盛的（时期）。
【全盘】全部；全面。例~计划。
【全景】指电影画面的一种取景范围，即表现人物或某物体的全貌的画面。
【全程】整个路程。也指事物的整个过程。
【全集】把一个作者的所有著作尽可能完全地搜集起来而编成的一部书，如《列宁全集》《鲁迅全集》。有时也指把两位经常在一起共同发表著作的作者的著作，搜集在一起而编成的一部书，如《马克思恩格斯全集》。
【全貌】事物的全部情况；整个面貌。
【全天候】不受天气条件限制的，在任何气候条件下都能使用或工作的。例~飞机。
【全反射】光从光密（即光在其中传播速度较小的）介质射到光疏（即光在其中传播速度较大的）介质的界面时，入射角等于或大于某一数值，光将全部被反射回原介质的现象。潜望镜就是利用棱镜的全反射来改变光的传播方向的。
【全真道】也叫全真派。道教的主要流派。创始人为王重阳。主要特点：(1)提倡儒释道三教合一；(2)不尚符箓，不侈谈神仙长生；(3)主张功行并重，清净恬淡，无私寡欲。
【全力以赴】把全部力量都投入进去。
【全心全意】一心一意，不夹有其他念头。例~为人民服务。
【全生育期】一般指作物自播种到成熟所需的总日数。生育期的长短，因作物种类、品种特性而异。同一品种的生育期也因栽培条件不同而有变化。
【全权代表】通常指一国派往他国、国际组织和国际会议的持有全权证书或按其职位（如国家元首、政府首脑、外交部长等）有权进行谈判、签订条约的代表。
【全面战争】全面动员、全力实施的战争。
【全科医生】指熟悉内科、外科、妇科等各科业务，在社区为居民服务的医生。
【全神贯注】全副精神高度集中。
【全息照相】一种照相技术。利用干涉和衍射原理记录、再现物体的立体像。方法是把激光器射出的一束激光分为两束，一束照射物体，经物体反射后射到感光底片上；另一束经反射镜反射后，作为参考光束射到感光底片上。两束光互相干涉，使底片感光，经显影定影后成为全息图（图中记录了物体反射光的振幅和相位等全部信息）。再现时用一束与参考光束的波长和传播方向完全相同的光照射全息图，观者就会看到与物体形状完全相同的立体像。用X射线、超声波或微波，也可以产生全息图。全息技术广泛应用于医学、航空、测量、立体电视、计算机及防伪商标等方面。
【全能运动】田径运动中一种综合性比赛项目。分三项全能运动、五项全能运动、七项全能运动、十项全能运动等。按规定项目的顺序，分别在一天或两天内比赛完毕。根据特定的评分标准，总分多者为胜。
【全球变暖】全球年平均气温升高的现象。20世纪初以来，北半球大部分地区气候变暖，有人认为主要是太阳活动周期的影响，也有人认为主要是大气温室效应造成的。
【全民所有制】生产资料归全社会劳动者共同所有、占有、支配和使用的一种公有制形式。在社会主义社会，它表现为国有制形式。
【全面质量管理】一种先进的质量管理方法。动员和组织企业全体人员，在产品研制、生产、销售、服务等全过程中，对影响质量的各种因素进行有效管理，以便用最经济的方法生产出质量优良、用户满意的产品。
【全球定位系统】利用可发布时间信息和轨道数据的一组人造卫星，对地球上任一时刻的任一地点进行连续定位的导航定位系统。该系统定位精度高、速度快、使用范围广，不受气候的影响，可为飞机、舰船、车辆和人员定位。
【全员劳动生产率】平均每一职工在单位时间内生产的产品产量或产值。
【全国人民代表大会常务委员会】中国全国人民代表大会的常设机关。由委员长，副委员长若干人，秘书长，委员若干人组成。全国人民代表大会选举并有权罢免其成员。

佺☒ quán 见〔偓佺〕(1034页)。

诠(詮) quán ❶说明；解释。例~释。❷事理；道理。例真~。
【诠次】❶编次；排列。❷层次；伦次。

荃 quán 古书上说的一种香草。

醛 quán 有机化合物的一类，通式R—CHO（R代表烃基）。常用的醛有甲醛、糠醛等。

Q

洤⊠ quán 同“泉”。

绤⊠（絟） quán ❶细布。❷细麻或细丝。

辁（輇） quán ❶没有辐的车轮。❷浅薄；微小。㊀～才（谦辞，称自己才能浅薄）。

牷⊠ quán 纯色的牛。

铨（銓） quán ❶衡量。❷旧指选用官吏。㊀～选｜～叙。

痊 quán 病好了。㊀～愈。

【痊愈】病好了；健康恢复了。

筌 quán 捕鱼的竹器。㊀得鱼忘～。

跧⊠ quán 踢；踩。

泉 quán ❶地下涌出的水。㊀温～。❷钱币的古称。㊀～布。

【泉台】❶墓穴。❷黄泉；阴司。㊀此去～招旧部，旌旗十万斩阎罗（陈毅《梅岭三章》诗）。

【泉州】市名。位于福建省东南沿海，晋江下游北岸。人口28万（1997年）。是中国历史上对外贸易港口之一，留有许多古代对外交通史迹文物。以木雕、刺绣、石雕、竹编、通草盆花等手工艺品著名。名胜古迹有承天寺、清净寺、开元寺等。

Q

【泉源】❶水源。❷比喻力量、知识、感情等的来源或产生的原因。

鳈（鰁） quán 鱼类。体小，稍侧扁。栖息水底，生活在淡水中。

拳 quán ❶拳头。❷弯曲。㊀～曲。❸拳术。㊀打～｜太极～。

【拳击】体育运动项目之一。正式比赛时按体重分级比赛，运动员须双手戴特制的皮手套。两人按照一定的规则，在规定的时间内用拳击打对方的有效部位，以击中、击倒对方为目的，胜负由裁判判定。

【拳术】武术内容之一。徒手套路、技法的总称。按其内容结构的不同，分成各种类别，如长拳、南拳、太极拳等。

【拳拳】也作惓惓。恳切诚挚。

【拳头产品】指企业等有很强的市场竞争力的优质产品。

惓⊠ quán 〔惓惓〕同“拳拳”（812页）。

蜷 quán 弯曲身体。㊀～伏。

【蜷伏】弯着身体卧倒。

【蜷局】肢体弯曲着未伸开。

踡⊠ quán 同“蜷”。

鬈 quán 头发卷曲、美好。

颧（顴） quán 眼眶下面，两颊上面突起的部分。

【颧骨】人的面颅组成骨之一。位于面颅的左右两侧。

quǎn ㄑㄩㄢˇ

犬 quǎn 狗。㊀猎～｜警～。

【犬牙】即“尖牙”（472页）。

【犬马之劳】古时臣子对君主常自比为替主子奔走的犬马，以示忠诚。现用“犬马之劳”表示愿像犬马一样受人驱使，为人效劳。

【犬牙交错】形容交界线很曲折，像狗牙那样参差不齐，相互交错。也泛指局面错综复杂。

畎 quǎn 田间小沟。

绻（綣） quǎn 见〔缱绻〕（784页）。

quàn ㄑㄩㄢˋ

劝（勸） quàn ❶讲说事实和道理使人听从。㊀～告。❷勉励；鼓励。㊀～勉｜～酒（筵席上鼓励人喝酒）。

【劝化】❶佛教指劝人为善。泛指劝勉感化。❷募化。

【劝进】劝说实际上已经掌握政权而有意做皇帝的人去做皇帝。

【劝戒】劝告人改正过失错误，警戒犯过失错误。

【劝阻】劝人不要做某事或进行某项活动。

【劝驾】劝人起行或担任某项职务。

【劝勉】劝导和勉励。㊀互相～。

【劝诱】规劝诱导。

【劝说】通过讲道理来使对方听从。
【劝募】用劝说的方法募集捐款。募(mù)：广泛征集。
【劝慰】劝解安慰。
【劝业场】旧时由官府或由工商企业联合举办的陈列并推销商品的百货商场，目的在于奖励本国工业生产并推广营业。中国清末始设，后各大城市均有类似商场。

券 ㊀ quàn 票据或作凭证的纸片。㊹入场～|债～。㊟《第一批异体字整理表》将“劵”作为“券”的异体字。其实“劵”本为“倦”的异体字，“劵”和“券”在意义上并无关联，故不将“劵”作为“券”的异体字。
㊁ xuàn (1116 页)。

礶☒ quàn 拱，弧形建筑。

quē ㄑㄩㄝ

炔 quē 化学用字。
【炔烃】有机化合物的一类，通式 C_nH_{2n-2}。分子中含有碳碳三键(—C≡C—)官能团。如乙炔。
【炔诺酮】妇女短效避孕药。从月经周期第5天开始服药，连续22天。常用作速效探亲避孕药。

缺 quē ❶短少。㊹～少。❷残破。㊹残～|完美无～。❸该到而未到。㊹～勤|～席。❹空的职位。㊹出～|补～。
【缺口】❶物体边缘有缺块的地方。❷物资、经费等不够的部分。㊹资金～很大。
【缺乏】没有或不够(指一般应有的、必需的或需要的事物)。㊹～场地|～经验|～原材料。
【缺欠】❶缺点。❷缺少。
【缺损】❶残缺；破损。㊹因运输不当，造成货物不同程度～。❷医学上指身体某个部分或器官残缺或发育不完全。㊹室间膈～。
【缺席】应到而没有到。
【缺陷】残损、欠缺或不够完备的地方。
【缺勤】在应上班的某个时间内没来上班。
【缺漏】欠缺遗漏。
【缺憾】不够完美，使人感到遗憾的地方。

缺☒ quē 同“缺”。

阙(闕) ㊁ quē ❶过错。㊹～失。❷同“缺”。㊹抱残守～|拾遗补～。
㊀ què (814 页)。
【阙如】❶(存疑则)不说或不写。《论语·子路》：“君子于其所不知，盖阙如也。”❷欠缺；没有。三国魏嵇康《明胆论》：“唯至人特锺纯美，兼同内外，无不必备。降此已往，盖阙如也。”
【阙疑】把疑难问题保留下来，不作臆断。《论语·为政》：“多闻阙疑，慎言其余，则寡尤。”

qué ㄑㄩㄝˊ

瘸 qué 腿脚有毛病，走路时身体不平衡。㊹一～一拐。

què ㄑㄩㄝˋ

却(*卻*郄) què ❶退。㊹～步。❷退还；推辞。㊹盛情难～。❸去；掉。㊹了～|忘～。❹副词。表示转折语气。㊹今天阴天，～不冷。
【却步】因畏惧或厌恶等不敢向前而后退。㊹～不前。
【却病】避免生病；消除疾病。㊹～延年。
【却之不恭】客套话。常与“受之有愧”连用。在准备接受礼物或接受邀请时说，意思是拒绝了就显得不恭敬。《孟子·万章下》：“却之却之为不恭。”却：拒绝。

埆☒ què 土地瘠薄。

确(確) què ❶副词。坚定地；的确。㊹～信不疑|～有其事。❷真实。㊹千真万～。
【确切】❶准确；恰当。㊹～不移。❷确实。㊹～的保证。
【确认】进一步明确认可。
【确立】稳固地建立或树立。㊹～明确的人生目的。
【确定】❶明确而肯定。❷明确地定下。
【确保】确实地保持或保证。㊹～交通畅通。

Q

【确信】确实地相信；坚信不疑。
【确凿】非常确实。例证据～。
峃☒（嶨）què ❶水击石声。❷坚硬；坚定。
悫（愨）què 诚实。
雀 ㊀ què 鸟类的一科。体形较小，喙圆锥状。有的善鸣叫。泛指小鸟。也特指麻雀。
㊁ qiāo（788页）。
㊂ qiǎo（789页）。
【雀跃】像小鸟那样跳来跳去。形容高兴。例～欢呼。
阕（闋）què ❶终止。例乐～（乐奏终了）。❷量词。用于歌曲或词。例一～词。
塙☒ què 同"确"。
碻☒ ㊁ què 同"确"。
㊀ qiāo（788页）。
鹊（鵲）què 也叫喜鹊。鸟类。喙尖，尾长，体羽大部为黑色，肩和腹白色。叫声响亮，主食昆虫，是益鸟。
碏☒ què 杂色石。用于人名。
阙（闕）㊀ què ❶皇宫门前两边的望楼。泛指帝王的住所。例宫～。❷墓道外的石牌坊。
㊁ quē（813页）。
溹□ què 溹水，水名，在湖北。
榷（*搉*榷）què ❶旧指某些商品的专营专卖。例～茶｜～税。❷商讨。例商～。
縠☒ què ❶鸟卵。❷鸟卵已破壳成雏。

qūn ㄑㄩㄣ

囷☒ qūn 古代的一种圆形谷仓。
峮☒ qūn 〔峮嶙〕形容山相连。
逡 qūn 〔逡巡〕因顾虑而徘徊不前。

qún ㄑㄩㄣˊ

宭☒ qún 群居。
裙（*帬*裠）qún ❶裙子。例连衣～。❷作用或形状像裙子的东西。例围～｜墙～｜鳖～。
【裙房】指与高层建筑物相连，建筑高度不超过24米的辅助建筑。由多层建筑组成的裙房也叫裙楼。
【裙带关系】指官场上或一个机构系统内被利用来相互攀缘勾结的姻亲关系。
群（*羣）qún ❶聚集在一起的人或事物。例人～｜建筑～。❷众人。例～起而攻之。❸量词。用于成群的人或事物。例一～孩子。
【群众】❶泛指人民大众。例深入～。❷指没有加入共产党、共青团组织的人。❸指不担任领导职务的人。
【群芳】聚集在一处的各种美丽芳香的花草。比喻众多的女子。例～争艳。
【群岛】相距较近的许多岛屿的总称。如中国的西沙群岛和南沙群岛。
【群氓】民众（含贬义）。氓(méng)。
【群情】群众的情绪。例～激愤。
【群婚】原始社会早期的婚姻形态。指某一氏族的一群男子同另一氏族的一群女子共为夫妻。
【群落】生存在一起并与一定的生存条件相适应的动植物的总体。
【群雄】在混乱时局中凭借实力称王称霸的一些人。
【群集】成群地聚集。
【群像】绘画、雕塑或文学作品中描绘的一群人物形象。
【群英会】《三国演义》第四十五回载，赤壁之战的前夕，在东吴文官武将的一次宴会上，周瑜说："今日此会可名群英会。"现指英雄模范人物的集会。
【群龙无首】比喻众人中没有领头的人。《周易·乾》："群龙无首。"明沈德符《万历野获编·阁试》："至丙辰而群龙无首，文坛丧气。"
【群众路线】中国共产党和政府处理同人民群众关系问题的根本态度和领导方法。一方面要求在一切工作或斗争中，必须相信群众、依靠群众并组织群众用自己的力量去解决自己的问题。另一方面要求领导贯彻“从群众中来，到群众中去”的原则，即在集中群众意见的基础上制定方针、政策，交给群众讨论、执行，并在讨论、执行过程中，不断根据群众意见进行修改，使之逐渐完善。群众路线是历史唯物主义群众观点的具体运用。

【群威群胆】众多的人团结一致所表现出来的力量和勇敢精神。

【群情鼎沸】比喻群众情绪异常激动，像锅里的开水一样沸腾起来。

【群策群力】大家一起出主意，一起出力量。

【群魔乱舞】形容一群坏人聚在一起猖狂活动。

【群起而攻之】大家一同起来反对他。

麇 ㊁ qún 成群。㊙～集。
㊀ jūn (542 页)。

【麇集】聚集在一起。

麕☒ qún 同“麇(qún)”。

Q

R ㄖ

rán ㄖㄢˊ

呥☒ rán 〔呥呥〕嚼东西的样子。

蚺 rán 〔蚺蛇〕即“蟒”(666 页)。

髯(*髥) rán 两颊(jiá)上的胡子。泛指胡子。

【髯口】戏曲演员演出时所戴的假胡子。

蚦☒ rán “蚺”的异体字。

然 rán ❶是;对。㊀不以为～。❷指示代词。这样;那样。㊀不尽～|知其～,不知其所以～。❸后缀。用在副词或形容词后,表示状态。㊀突～|显～|欣～。❹文言连词。相当于“但是”“不过”。❺古又同“燃”。

【然而】连词。但是;可是。对上文表示转折。㊀试验失败了,～他并不灰心。

【然则】文言连词。用在句子的开头,对上文表示承接,有“既然如此,那么”的意思。㊀～如之何则可?(那么怎样办才成?)

【然后】连词。表示接着某个动作或情况之后。㊀先调查一下,～再做决定。

【然诺】应允;答应。㊀重～(不轻易答应别人,一旦答应了就要认真履行)。

燃 rán ❶烧起火焰。㊀～烧|自～。❷引火点着。㊀～灯|～放花炮。

【燃点】❶可燃性液体性质指标之一。在一定标准条件下加热,与火接触发生火焰开始燃烧,持续时间不少于五秒钟时的最低温度。❷即“着火点”(1243 页)。❸引火点着或使发光。㊀～灯火。

【燃料】能产生热能的可燃物质。主要是含碳物质或碳氢化合物。按形态可分为固体燃料(如煤、木材)、液体燃料(如石油)、气体燃料(如煤气、天然气)。也指能产生核能的物质,如铀、钚等。

【燃烧】❶指发热、发光的化学反应。通常指如柴、炭、油类、硫黄、煤气等在较高温度时与空气中的氧气化合而发热和光的剧烈氧化反应。❷比喻某种感情、欲望高涨。

【燃烧热】在 101 千帕时,1 摩尔物质完全燃烧生成稳定的氧化物时所放出的热量。是热化学中的重要数据,可用以计算化学反应热等。

【燃气轮机】涡轮机的一种。利用高温高压的燃气推动叶轮旋转产生动力。产生同等功率,是重量最轻、体积最小的热机之一。常用作飞机的发动机。

【燃眉之急】好像火烧眉毛那样紧急。比喻非常紧迫的情况。

【燃料电池】电池的一种。能将气体燃料的化学能直接变成电能。有正负两个电极和电解液。电极是中空的,由微孔材料制成,可向外扩散气体。工作时向负极连续通入燃料(如氢),向正极连续通入氧化剂(如氧),电池即可不断输出电能。多用于航天器、潜艇、浮标、灯塔及一些军用通信设备。

rǎn ㄖㄢˇ

冉(*冄) rǎn 姓。

【冉冉】❶慢慢地。㊀一轮红日～升起。❷(叶子、枝条等)柔软下垂的样子。

苒 rǎn 见〔荏苒〕(826 页)。

【苒苒】❶草盛的样子。❷轻柔的样子。

【苒弱】柔弱的样子。

姌☒ rǎn 〔姌袅〕纤细柔弱的样子。

染 rǎn ❶用染料着色。㊀～布|印～。❷感染;沾染(疾病、坏习惯、嗜好等)。㊀传～|～病。❸中国画笔墨技法之一。

【染指】春秋时,郑灵公请大臣吃甲鱼,故意不给子公吃,子公很生气,就伸指蘸上点肉汤,尝尝滋味走了。见《左传·宣公四年》。

R

后用以比喻沾取不应得的利益。
【染料】能使纤维或其他物料相当牢固地着色的有机物质。有直接染料、还原染料、分散染料等。用于印染、塑料、橡胶等方面。
【染色体】细胞有丝分裂时出现的、易被碱性染料着色的丝状或棒状小体。由核酸和蛋白质组成，是遗传的主要物质基础。各种生物染色体有一定的数目、形状和大小。
【染色质】细胞核内组成染色体的核蛋白物质。易被碱性染料着色。在间期细胞核内，染色质为直径约250埃的染色质纤丝。在细胞分裂时，由染色质纤丝盘旋折叠而成染色体。

rāng ㄖㄤ

嚷 ㊁ rāng 〔嚷嚷〕❶喧哗；吵闹。❷声张。
㊀ rǎng（817页）。

ráng ㄖㄤˊ

儴⊠ ráng 见〔侹儴〕（570页）。
勷⊠ ㊁ ráng 见〔劻勷〕（570页）。
㊀ xiāng（1075页）。
蘘 ráng 〔蘘荷〕多年生草本植物。花淡黄色，根状茎可供药用。
瀼□ ㊀ ráng 瀼河，水名，在河南。
㊁ ràng（817页）。
【瀼瀼】形容露水多。
禳 ráng 向鬼神祈祷消除灾殃。
穰 ráng ❶同"瓤"③。❷丰盛。㊎人稠物～。
【穰穰】五谷丰盛的样子。
瓤 ráng ❶瓜果等内部的肉。㊎西瓜～儿。❷物品里面包着的东西。㊎信～儿。❸某些植物茎秆里包着的柔软部分。㊎秫秸～儿。
襄⊠ ráng 脏。

rǎng ㄖㄤˇ

壤 rǎng ❶泥土；松软的土。㊎土～｜沃～。❷地。㊎天～之别。❸地区；地域。㊎穷乡僻～｜接～。
攘 rǎng ❶抢夺；侵犯；窃取。㊎～夺。❷排除。㊎～除｜～敌（抵御敌人）。❸捋起（衣袖）。㊎～臂。
【攘夺】夺取。
【攘除】排除。
【攘臂】捋（luō）袖伸臂。表示振奋或发怒的样子。㊎～高呼。
【攘攘】形容纷乱。
嚷 ㊀ rǎng ❶大声喊叫。㊎大～大叫。❷吵闹。㊎还没站稳脚跟，就冲人～开了。
㊁ rāng（817页）。
纕⊠（**纕**） ㊁ rǎng 捋起袖子。
㊀ xiāng（1075页）。

ràng ㄖㄤˋ

让（**讓**） ràng ❶不争，尽（jǐn）着旁人。㊎谦～｜见困难就上，见荣誉就～。❷把东西的所有权转给别人。㊎出～｜转～。❸许；使。㊎不能～错误思想到处泛滥｜～高山低头。❹介词。被。㊎我～他将了一军。❺请。㊎把客人～进来。❻责备。㊎责～。
【让步】在争执中部分地或全部地放弃自己的意见与要求。
【让利】出让部分利润或利益。㊎～销售。
瀼□ ㊁ ràng 瀼水，水名，在四川。
㊀ ráng（817页）。

ráo ㄖㄠˊ

荛（**蕘**） ráo ❶柴草。❷打柴。也指打柴草的人。
饶（**饒**） ráo ❶富足；多。㊎物产丰～｜～舌。❷宽恕；免除处罚。㊎～恕｜罪孽那么大，绝～不了他。❸额外加添。㊎～上一个。
【饶舌】多嘴；啰啰唆唆说个不休。
【饶恕】宽恕；免除处罚。
娆（**嬈**） ㊀ ráo 见〔妖娆〕（1144页）、〔娇娆〕（489页）。
㊁ rǎo（818页）。
桡（**橈**） ráo 划船的桨。
【桡骨】人和脊椎动物前臂长骨之一。人的

R

桡骨位于前臂靠拇指一侧。

rǎo ㄖㄠˇ

扰（擾）rǎo ❶扰乱。㊀干～。❷混乱。㊀纷～。❸客套话。表示受款待而搅扰了人。㊀叨～。

【扰民】干扰居民，使无法正常生活。㊀噪声～。

【扰乱】搅扰，使混乱或不安。

【扰攘】骚乱；纷乱。

【扰乱法庭秩序罪】行为人聚众哄闹、冲击法庭，或殴打司法工作人员，严重扰乱法庭秩序的犯罪行为。

娆（嬈）㊁ rǎo 烦扰；扰乱。㊀ ráo（817 页）。

rào ㄖㄠˋ

绕（繞❷❸ *遶）rào ❶缠；回环旋转。㊀～线｜缭～。❷走弯曲、迂回的路。㊀～到敌人后方。❸围着转。㊀～场一周｜围～。❹（问题、事情等）纠缠。㊀好多事把他给～住了。

【绕口令】也叫拗（ào）口令。一种语言游戏。将声母、韵母或声调极易混同的字，组成重叠绕口的句子，要求一口气急速念出。说快了，读音容易发生错误。

【绕脖子】说话办事拐弯抹角，不直截了当。

rě ㄖㄜˇ

若 ㊁ rě 见〔般若〕（74 页）。㊀ ruò（837 页）。

喏 ㊀ rě 古代表示敬意的呼喊。㊀唱～（旧小说中常用，指对人作揖，同时出声致敬）。㊁ nuò（729 页）。

惹 rě 招引；挑逗。㊀～人注意｜～事。

【惹是生非】招引是非，引起争端，制造麻烦。

rè ㄖㄜˋ

热（熱）rè ❶物体内部大量分子、原子等的无规则运动所放出的一种能量。物质燃烧都能产生热。热在生物界是不可缺少的。热量有时也简称为热。❷温度高；感到温度高。与"冷"相对。㊀～水｜天～。❸使热；使温度升高。㊀把饭～一～。❹情意深厚。㊀～情｜亲～。❺盛；旺。㊀～闹｜～门。❻生病引起的高体温。㊀发～｜退～。❼一时风行的热潮。㊀读书～｜足球～。

【热土】生活过并怀有深厚感情的地方。㊀南疆～。

【热门】吸引人的、受欢迎的事物。㊀～话题｜信息技术是个～。

【热切】热烈恳切。

【热中】也作热衷。❶急切地盼望得到（个人的地位或利益）。㊀～名利。❷十分爱好（某种活动）。㊀～于教育事业。

【热机】各种变热能为机械能的机器。如蒸汽机、内燃机、汽轮机等。

【热血】比喻为正义事业献身的热情。㊀满腔～。

【热身】正式比赛前进行适应性训练或比赛。㊀～赛｜赛前球队将赴天津～。

【热肠】热心。

【热忱】热情。

【热层】约 85—500 千米高度范围的大气层。因大气物质（主要是氧原子）强烈吸收太阳紫外线，该层气温随高度增加而上升，在 300 千米高度上，气温已达 1000℃ 以上，故名。

【热河】旧省名。1928 年设省，管辖区包括今河北东北部、辽宁西部及内蒙古赤峰市。1955 年撤销，分别并入河北、辽宁两省及内蒙古自治区。

【热学】物理学的分支学科。研究大量分子、原子等粒子的不规则运动所引起的热现象及其应用。

【热诚】热心而诚恳。

【热线】为了随时或马上联系而准备的直接连通的电话或电报线路。

【热带】也叫回归带。地球上南、北回归线之间的地带。这里获得太阳的热量最多，气候终年炎热。

【热战】指真枪实弹的战争。与"冷战"相对。

【热点】吸引人的地区；引人关注的问题。㊀旅游～｜～新闻。

【热烈】情绪高昂激动。

【热钱】即"游资"（1194 页）。

R

【热爱】热烈地爱。

【热恋】热烈地恋爱。

【热衷】同“热中”(818 页)。

【热能】能量的一种形式。物质系统其他条件不变时,热能的增加导致其温度升高。从分子动理论的观点来看,热能就是分子热运动的动能。

【热望】热烈期望。

【热情】❶热烈的感情。㊀爱国~。❷有热情。㊀张师傅对学徒工非常~。

【热量】指物体吸收或放出热能的多少。是能量传递或变化的一种量度。

【热敷】用热的湿毛巾、热砂或热水袋等放在身体的局部以治疗疾病。

【热潮】形容蓬勃发展、热火朝天的形势。㊀革命~。

【热力学】物理学的分支学科。从宏观上研究热现象中物质状态和能量转换规律。热力学第一定律和热力学第二定律是它的理论基础。

【热瓦甫】拨弦乐器。音箱半球形,以皮蒙面,指板边有羊角形的装饰物。一般张五至七根弦,外弦为主奏弦,奏曲调;其余为共鸣弦,奏和音。奏时横置左肩,用拨子弹奏。常用于歌舞伴奏,也用于独奏或合奏。流行于新疆维吾尔族地区。

【热中子】与周围物质一起处于热平衡状态的中子。通常指动能在 0.025 电子伏左右的中子,这种中子易被铀核吸收而产生链式反应。

【热电厂】供给电能,兼以蒸汽、热水等形式供给热能的火力发电厂。其总效率比一般火力发电厂高。

【热处理】一种工艺。将金属材料或其制品加热到适当的温度,用选定的速度和方法加以冷却,使其内部组织改变,以获得所要求的性能。通常有退火、正火、淬(cuì)火、回火等。也用于改善玻璃或其他材料的性能。

【热加工】指铸造、热轧、锻造和热处理等,有时也包括焊接。加工时因常需将工件加热,故名。

【热对流】简称对流。热传递的一种方式。液体或气体中较热部分和较冷部分之间通过循环流动相互搀和,使温度趋于均匀的过程。

【热传导】也说导热。热传递的一种方式。热量从物体的温度较高部分传至温度较低部分的过程。是固体传热的主要方式。

【热污染】一般指工矿企业在生产过程中把大量废热水排入江、河、湖、海,使水域的水温升高的现象。可影响水生生物的生长、繁殖。广义的热污染指人类活动对环境热平衡造成影响和危害的现象。

【热那亚】意大利城市。位于该国西北部,临利古里亚海。人口 67 万(1993 年)。是全国最大商港、重要工业中心和最大的造船工业基地。自古是地中海地区重要工商业中心,也是文艺复兴时期的历史名城之一。保存有许多罗马式和哥特式建筑。文学、音乐、舞蹈、戏剧、绘画、雕塑等均闻名。

【热运动】构成物质的大量分子、原子等所进行的不规则运动。热运动越剧烈,物体的温度越高。

【热固性】通常指塑料加热成形后,或树脂受热熔化、冷却后固化,再加热时不再具有可塑性,遇强热则分解的性质。如做电木等用的酚醛塑料就是热固性塑料。

【热射病】在高温热辐射下劳动,机体散热困难,体温调节受到障碍而引起的一种职业病。主要症状是体温上升、头痛、头晕、恶心、脉搏加快,甚至虚脱。

【热痉挛】在高温作业下,因大量出汗,体内水盐代谢紊乱引起的一种职业病。主要症状是肌肉疼痛及抽搐。

【热容量】简称热容。表示物体热学性质的物理量。在不发生状态和化学变化的条件下,某一物体温度升高(或降低)1℃所吸收(或放出)的热量。

【热辐射】热传递的一种方式。物体因自身的温度而以电磁辐射的形式向外发射能量的过程。温度越高,辐射越强。太阳传给地球的热量就是以热辐射方式经过宇宙空间而来的。

【热塑性】通常指塑料加热成形后,或树脂受热熔化、冷却凝固后,再加热时仍可软化的性质。这类塑料可反复塑制。如聚苯乙烯就是热塑性塑料。

【热膨胀】物体当温度改变时发生胀缩的现象。大多数物体在温度升高时,长度、面积、体积增加。

【热月政变】法国大革命期间,资产阶级右翼集团推翻雅各宾专政的一次政变。因发生于法国新历共和二年热月九日(1794 年 7 月 27 日),故名。

【热火朝天】形容气氛或场面热烈，情绪高涨。

【热功当量】相当于单位热量的功的数量。热量和功都是能量变化的量度，它们之间有一定的数值关系：1 卡等于 4.186 8 焦耳。

【热岛效应】城市气温比周围地区高的现象。城市人口密集、工厂及车辆排热、居民生活用能的释放、城市建筑结构及地面特性等方面的综合影响是其产生的主要原因。在气温的空间分布上，城市如温暖的岛屿，故名。

【热带气旋】热带或副热带洋面上中心气压很低的气旋。国际上规定，热带气旋按其中心附近最大风力分为四级：6—7 级叫热带低压；8—9 级叫热带风暴；10—11 级叫强热带风暴；12 级或 12 级以上叫台风（印度洋和大西洋上称飓风）。中国民间习惯上把热带气旋统称为台风。

【热带风暴】见〔热带气旋〕（820 页）。

【热带低压】见〔热带气旋〕（820 页）。

【热带雨林】热带雨林气候区的自然植被类型。是植物种类最丰富和森林结构最复杂的植被类型。除高大乔木、灌木和草本植物外，还有繁茂的藤本植物、寄生植物、附生植物等，常见板状根、植物绞杀、老茎生花等现象。主要分布于南美洲亚马孙河流域、非洲刚果盆地和几内亚湾沿岸、东南亚的马来群岛等地。

【热带草原】也叫热带稀树草原。热带草原气候区的自然植被类型。高草密生，稀疏点缀着伞形的金合欢树和高大的波巴布树（也叫猴面包树）。湿季时植物繁茂，干季时树木落叶，草类干枯。主要分布于南北纬 10° 至南北回归线之间，以非洲中部最广。

【热核反应】即“聚变反应”（534 页）。

【热力学温标】也叫绝对温标。温标的一种。单位是开尔文。它的零点是绝对零度，即 −273.15℃。

【热带季雨林】热带季风气候区的自然植被类型。种类、结构和高度不及热带雨林，富木质藤本植物，附生植物以草本为主。具有明显的季节变化，旱季部分或全部落叶。主要分布于东南亚的中南半岛和南亚的印度半岛，中国的台湾、广东、广西、云南均有分布。

【热化学方程式】表明反应所放出或吸收热量的化学方程式。如 1 摩尔气态氢与 0.5 摩尔气态氧反应生成 1 摩尔水蒸气，放出 241.8×10^3 焦的热量，反应的热化学方程式为：

$$H_2(g)+\frac{1}{2}O_2(g)=H_2O(g)$$

$$\Delta H=-241.8\ \mathrm{kJ/mol}$$

【热带沙漠气候】热带的一种气候类型。常年干旱少雨，日照强，气温高。大致在南北回归线至南北纬 30° 之间的大陆内部和西岸，主要分布于非洲北部、亚洲阿拉伯半岛、澳大利亚中西部等地。

【热带雨林气候】赤道附近的气候类型。全年高温多雨。大致在南北纬 10° 之间，主要分布于南美洲亚马孙河流域、非洲刚果河流域、亚洲印度尼西亚等地。

【热带季风气候】热带的一种气候类型。一年中盛行风向随季节转变明显。吹夏季风时降水丰沛，吹冬季风时降水明显减少。全年气温高，降水量大。大致在南北纬 10° 至南北回归线之间的大陆东部，以亚洲中南半岛、印度半岛最为典型。

【热带草原气候】热带的一种气候类型。全年高温，干季、湿季明显交替。大致在南北纬 10° 至南北回归线之间，主要分布于非洲中部、澳大利亚北部和东部、南美洲巴西等地。

【热带稀树草原】即“热带草原”（820 页）。

【热力学第一定律】热力学的基本定律之一。能量守恒定律在热力学中的表现，即物体增加的热力学能等于外界对物体做的功和物体从外界吸收的热量之和。

【热力学第二定律】热力学的基本定律之一。说明热现象过程的方向。一种表述是：不可能从单一热源吸热，使吸收的热完全变成有用功，而不引起其他变化；另一种表述是：不可能把热量从低温物体传到高温物体，而不引起其他变化。这两种表述是等效的，实质都是说一切与热现象有关的过程都是不可逆的。

rén ㄖㄣˊ

人 rén ❶由类人猿进化而成的，能制造工具和使用工具进行劳动，并能用语言进行思维的高等动物。❷别人。㊀先～后己。❸指成年人。㊀长大成～。❹指人的品质、性情、名誉。㊀这个同志～很好｜丢～现眼。❺每人；一般人。㊀～手一册｜

~所共知。❻人手、人才的简称。例我们这里正缺~。

【人丁】❶人口。例~兴旺。❷旧指成年人。

【人士】泛指有一定社会地位或在某方面有代表性的人物。例民主~|各界知名~。

【人才】也作人材。❶有品德有才能的人；有某种特长的人。例~辈出。❷指容貌。例一表~|他~出众。

【人口】❶居住在地球上或某个地区、某个集体内的人的总数。是一切社会存在和发展的前提。人口的增长应同整个社会物质资料的增长和生态环境之间保持合理的关系。❷人。例拐卖~。

【人中】针灸穴位名。位于上唇的鼻唇沟中央上三分之一处。主治癫痫、昏迷、中风、中暑、昏厥等。

【人文】泛指人类社会各种文化现象。

【人世】人间。

【人生】❶人的生存和生活。❷人的一生。

【人民】百姓；以劳动群众为主体的社会基本成员。例~群众|造福~|为~服务。

【人权】人民应当平等享有的权利。人权首先是人民的生存权，同时包括人身自由、民主权利及经济、文化、社会等方面的权利。它既是一项个人权利，又是一项集体的权利，其中包括国家的独立权和发展权。

【人伦】中国古代指人与人之间的关系，特指长幼尊卑之间的关系和应遵守的行为准则。如君臣、父子、夫妇、兄弟、朋友间的关系。

【人次】复合量词。表示若干次人数的总和。如参观展览，第一次五千人，第二次一万人，第三次两万人，总共是三万五千人次。

【人材】同“人才”(821 页)。

【人身】指个人的身体、生命、行动、名誉等(着眼于保护或损害)。

【人间】人世间；世界上。例换了~。

【人证】由证人出面提供的有关案件事实的证据。

【人际】人与人之间。例~关系。

【人事】❶关于工作人员的录用、培养、调配、考核等工作。❷人情事理。例不懂~。❸人力能做到的事。例尽~。❹人的意识的对象。例不省~。❺人际关系。例~纠纷。

【人物】❶具有某种特点的或在某方面有代表性的人。例新~|历史~。❷文艺作品中所描绘的人的形象。❸人的品貌风度。例~轩昂。

【人和】指人心一致，人与人之间团结融洽。《孟子·公孙丑下》：“天时不如地利，地利不如人和。”

【人质】古指一国为保证履行某种条约或诺言而派遣到对方国内作抵押的人(一般是国君的儿子、亲属或重臣)。后泛指为迫使对方履行诺言或接受某项条件而扣留或劫持的对方人员。

【人性】❶在一定的历史条件和社会制度下形成的人的本性。在阶级社会中，人性表现为人的阶级性。❷人所具有的正常的感情和理性。

【人参】多年生草本植物。掌状复叶，果鲜红色。根可供药用，能大补元气，是强壮、兴奋药。在中国产于东北长白山区，现其他地区也有栽培。是中国国家重点保护植物。参(shēn)。

【人品】❶人的品质、品格。❷指人的外貌。

【人选】挑选出来的符合某种要求的人。例物色适当~。

【人种】即“种族”(1284 页)。

【人迹】人的足迹。例~罕至。

【人类】人的总称。

【人格】❶个人的道德品质。例~高尚。❷人的气质、能力、性格等特征的总和。例健全的~。❸按照法律、道德或其他社会准则应享有的权利或资格。例尊重~。

【人称】一种语法范畴。人称代词“我、我们”为第一人称，“你、你们”为第二人称，“他、她、它、他们、她们、它们”等为第三人称。

【人烟】指人家、住户。例~稠密。

【人流】❶像流水一样连续不断的人群。❷人工流产的简称。

【人梯】❶一个人踩着一个人的肩膀搭成的向高处攀登的梯子。例搭~。❷比喻为他人成功甘愿作自我牺牲的人。例可贵的~精神。

【人望】❶众人所属望。也指众望所归的人。❷声望。

【人情】❶人的感情；人之常情。例不近~。❷情面；情谊。例托~|做个~。❸婚丧喜庆时所送的礼物。也指人际往来应酬的礼节。

【人道】❶人伦；为人之道。❷指爱护人的生命、关怀人的幸福、尊重人的人格和权利的道德。❸指人性交(就能力说，多用于否定式)。㊀不能行~。

【人缘】与周围人相处的关系(有时指良好的关系)。

【人寰】人间;人世。寰(huán):寰宇(全世界)。

【人工林】主要由人工栽植而成的森林。

【人生观】对人生目的、态度、价值、理想和个人同社会的关系等问题的根本看法。和世界观是一致的。由于人们在社会实践中所处的地位不同,形成不同的人生观。在阶级社会中,人生观具有阶级性。

【人头税】旧时以人口为课税对象所征收的税。

【人民币】中国法定的统一货币。1948年12月1日中国人民银行成立时开始发行。符号¥。以票面为"圆"的人民币为本位货币。

【人身权】民事主体依法享有的与其自身不可分离的并且无直接财产内容的民事权利。分人格权和身分权。如生命健康权、姓名权、肖像权、名誉权、监护权等。与"财产权"相对。

【人物画】以人物为题材的绘画。是中国画的一个门类。

R

【人类学】研究人类的体质特征、类型及其变化规律的科学。包括从猿到人的演变过程;人体发育中的体质发展和增进;世界各人种的形成过程、地理分布及其相互关系等。

【人造革】也叫合成革。类似皮革的塑料制品。一般是将混有添加剂的合成树脂(聚氯乙烯等)涂在织物表面,再经加热等处理制成。可作皮革的代用品。

【人力资本】经济学意义上的劳动力质量范畴。包括劳动力的知识、技能、健康状况等。在知识经济时代,人力资本在一个国家的经济发展中的地位和作用越来越重要。

【人力资源】能够适应经济和社会发展需要,具有必要劳动能力的人口。

【人工免疫】用人工的方法使机体产生免疫力。接种疫苗使人自动地产生对相应疾病的免疫力,叫人工自动免疫;注射免疫血清使人被动地获得抗体而产生相应的免疫力,叫人工被动免疫。

【人工呼吸】一种急救方法。在自然呼吸停止或严重抑制时(如溺水、电击、一氧化碳中毒等),借外力使胸腔发生节律性扩张与缩小,使气体进出于肺,促使呼吸运动恢复。一般用口对口法、仰卧提臂压胸法或使用呼吸器等。

【人工降水】用人工方法促使云层降水。根据不同的天气条件,将适当的盐粉、干冰或碘化银等化学药剂播入云中,作为凝结核或催化剂,使云中水滴或雪花增大到一定程度,降落到地面。

【人工草场】指由人工种植优质牧草并经过精心培育的草场。

【人工选择】通过人类不断地选择,形成生物新类型的过程。由达尔文首先提出,认为野生动植物在自然条件下发生变异,经人类长期有意识或无意识的选择,变异累积加强,成为家养动物和栽培植物。通过同一途径,可得到它们的新类型或新品种。

【人工诱变】也叫人工引变。一种育种方法。利用秋水仙碱、辐射线、异常温度等化学或物理因素,诱导生物体遗传性状发生变异,再通过选择,培育出新品种。

【人工流产】简称人流。在怀孕数月内,用药物、物理性刺激或手术去除胚胎及胎盘组织以中止妊娠。

【人工授精】用人工方法使人或动物的卵子受精。多应用于家畜和鱼类繁殖。家畜人工授精,是利用假阴道取出公畜精液,经过检查、处理,再注入母畜生殖道内,使母畜怀孕。它有提高优良种公畜利用率、加速畜群改良等优点。

【人工智能】以计算机科学为基础,综合生理学、心理学、语言学和数学等知识,研究制造模拟人类智能活动的机器、系统的学科。

【人才开发】把人的智慧、知识和技能当作一种资源加以发掘培养,以求进一步发展和利用。

【人才辈出】形容人才一批接着一批地出现。辈出:成批地连续地出现。

【人口过剩】按一定标准,一个地区或地点无法承受希望居住在那里的人口水平的状态。

【人口迁移】人口从一地向另一地的迁居活动。根据迁移的空间范围,一般分为国内人口迁移和国际人口迁移。人口迁移能促进种族、民族的融合和经济、文化的交流。

【人口构成】也叫人口结构。一定地区在一定时期内的人口组成情况。一般分人口自然构成,如性别构成、年龄构成;人口社会构成,如职业构成、民族构成、文化构成;人口地区构成等。

【人口素质】也叫人口质量。人本身所具有的认识、改造世界的条件和能力。主要包括身体素质、科学文化素质和思想道德素质。

【人口密度】单位土地面积上的居民数量。常用人/千米^2 表示。

【人口普查】人口调查方式之一。对一个国家(或一定地区)内的全部人口在特定时点上的状况进行调查。

【人亡政息】一个人死了,他所制定的政治措施便会随着停止。《礼记·中庸》:"其人存,则其政举;其人亡,则其政息。"

【人云亦云】人家怎么说,自己也跟着怎么说。形容没有主见。金蔡松年《槽声同彦高赋》:"槽床过竹春泉句,他日人云吾亦云。"亦:也。云:说。

【人中麟凤】人里边有才能、有德行的。相传麒麟出现在有道明君治理国家的时候;凤凰非梧桐不栖,非楝实不食。故用"麟凤"比喻在乱世能坚持原则的有才能、有德行的好人。

【人文主义】欧洲文艺复兴时期代表资产阶级文化的主要思潮。有两方面含义:一是指人与自然为对象的世俗文化的研究;一是指资产阶级的人性论和人道主义。强调以人为"主体"和中心,尊重人的本质、利益、需要及多种创造和发展的可能性。其主流是市民阶级反封建、反中世纪神学和禁欲主义的新文化运动。

【人文科学】在欧洲原指同人类利益有关的学问,区别于神学。后含义几经演变。一般指对社会现象和文化艺术的研究。也特指拉丁文、希腊文、古典文学的研究。

【人文遗迹】人类历史上创造的物质文明和精神文明的遗迹。反映了人类在各个历史时期的文化活动成就。如城堡、宫殿、寺院、作坊等。

【人心向背】人民群众的拥护或反对。

【人心如面】人的思想情况有如人的面貌各不相同。《左传·襄公三十一年》:"人心之不同,如其面焉,吾岂敢谓子面如吾面乎!"

【人心惟危】《尚书·大禹谟》:"人心惟危,道心惟微。"指心地险恶,不可揣测。

【人本主义】一种形而上学唯物主义的哲学学说。首先由德国的费尔巴哈提出。以人为主要研究对象,肯定人是自然界的产物,是自然界的一部分,灵魂不能离开肉体而存在。在反对唯心主义和宗教的斗争中起过积极作用。但它离开人的具体历史条件和社会关系,把人仅仅看作一种生物,因而不了解人的社会本质和人类社会实践的意义。后来被唯心主义哲学家所歪曲,用以宣传唯心主义和非理性主义。

【人民日报】中国共产党中央委员会的机关报。1949 年 1 月北平解放,原中共中央华北局机关报《人民日报》迁至北平出版。1949 年 8 月《人民日报》改为中共中央机关报。现在北京和国内二十多个城市印刷,向国内外发行。除国内版外,还有海外版。

【人民公社】1958—1982 年中国农村中和基层政权组织相结合的集体所有制经济组织。属县领导。1958 年在高级农业生产合作社的基础上建立。内部分公社、生产大队、生产队三级。实行"三级所有,队为基础"的经济制度和按劳分配的原则。一般一乡建立一社,政社合一。1978 年中国共产党十一届三中全会后,农村普遍实行了家庭联产承包责任制。1982 年 12 月第五届全国人民代表大会第五次会议通过的宪法规定设立乡人民代表大会和人民政府后,人民公社遂告解体。

【人民军队】来自人民,属于人民,为人民利益而战斗的军队。

【人民防空】简称人防。国家根据国防需要,动员和组织人民群众采取防护措施,以防范和减轻空袭危害的活动。是国防的组成部分。中华人民共和国的人民防空,实行长期准备、重点建设、平战结合的方针,贯彻与经济建设协调发展、与城市建设相结合的原则。

【人民法院】简称法院。中华人民共和国行使审判权的国家机关。有最高人民法院、地方各级人民法院和军事法院等专门人民法院。依照法律规定独立行使审判权,不受行政机关、社会团体和个人的干涉。

【人民战争】人民群众为反抗阶级压迫或抵御外敌入侵而组织和武装起来进行的战争。中国共产党所领导的革命战争,就是以毛泽东的军事思想为指导,以人民军队为骨干,动员人民,依靠和组织人民群众参加,实行主力兵团与地方兵团相结合,正规军与游击队、民兵相结合,武装群众与非武装群众相结合的人民战争。

【人民警察】维护国家安全和社会治安秩序，预防、制止和惩治违法犯罪活动的专门人员。包括公安机关、国家安全机关、监狱、劳动教养管理机关的人民警察和人民法院、人民检察院的司法警察。

【人权宣言】18世纪末，法国资产阶级革命时为反对封建专制制度和建立资产阶级政权而制定的纲领性文件。该宣言确认了法国启蒙思想家的"天赋人权"说，并肯定了立法、司法、行政"三权分立"的原则。

【人仰马翻】人马都被打得翻倒在地。形容惨败的狼狈相。也比喻乱得一塌糊涂，不可收拾。

【人尽其才】每个人都能充分发挥他的才能。《淮南子·兵略训》："若乃人尽其才，悉用其力。"

【人寿年丰】人身体健康，年成也好。形容太平兴旺的景象。

【人寿保险】以人的寿命为保险标的的保险。当被保险人于保险期内死亡或生存至一定年龄时，保险人即履行给付保险金责任。

【人身自由】与人的身体直接相关的自由。公民的基本权利之一。中国宪法规定，公民的人身自由不受侵犯。任何公民，非经人民法院决定或者人民检察院批准并由公安机关执行，不受逮捕。禁止对公民非法拘禁和搜查，禁止非法剥夺或限制公民的人身自由。

【人身攻击】不是对事实本身进行有原则的批评，而是借事对个人进行攻击、辱骂。

【人身依附】农民(或农奴)在人格上对封建国家、贵族、官僚、地主(领主、封建主、农奴主、庄园主等)存在依附关系。

【人身保险】以人的寿命和身体为保险标的的保险。当被保险人于保险期内死亡、伤残、患病或生存至一定年龄时，保险人即履行给付保险金责任。

【人杰地灵】也说地灵人杰。指杰出的人物出生或到过的地方成为名胜之地。唐王勃《滕王阁序》："人杰地灵，徐孺下陈蕃之榻。"

【人定胜天】指人的智慧和力量可以战胜自然。《史记·伍子胥列传》："人众者胜天。"《逸周书·文传》："人强胜天。"人定：人谋，人的智慧和力量。

【人类生境】人类聚居和生活的环境。是人类有意识地开发利用和改造自然而建造出来的生存环境。

【人莫予毒】谁都不能伤害我。表示无所顾忌，可以为所欲为。参见〔莫予毒也〕(697页)。予：我。毒：伤害。

【人造石油】用固体(如油页岩、煤)、液体(如焦油)或气体(如一氧化碳、氢)燃料制成的类似天然石油的液体燃料。主要成分是各种烃类。

【人造纤维】化学纤维的一类。以木材、棉短绒、芦苇、甘蔗等天然的高分子化合物为原料，经溶解制成纺丝溶液，再仿制成纤维。如黏胶纤维、醋酸纤维等。

【人浮于事】《礼记·坊记》："人浮于食。"原指任事人的职位高于所得俸禄的等级。后作人浮于事，指人员的数目超过工作的需要。浮：超过。

【人情世故】指为人处世的道理。

【人道主义】关于人的本质、使命、价值和个性发展等的思潮和理论。是资产阶级反对封建制度斗争的产物。在资本主义生产关系形成初期，资产阶级用人的尊严和幸福、人的自由和平等口号来反对神权主义和封建等级制度，具有一定进步意义。在资产阶级确立统治地位以后，这种人道主义就逐渐失去进步作用，日益表现出它的伪善性。马克思主义批判继承了资产阶级人道主义的合理内容，把一切人的自由全面发展看成是人类解放的目标，并指出了实现这一目标所需的具体条件。

【人微言轻】指地位低，说话不被别人重视。宋苏轼《上执政乞度牒赈济及因修廨宇书》："盖人微言轻，理自当尔。"

【人口出生率】一年的出生人数与同年平均总人口数(或年中人口数)之比。通常用千分数表示。

【人口老龄化】老龄人口在总人口中所占比率逐渐增大的过程和趋势。一个国家或地区在人口的年龄构成中，60岁及以上人口达到10%，或65岁及以上人口达到7%，就被认为进入了老龄化社会。

【人口再生产】人口世代更替的过程。它使人口不断地延续下去。

【人口死亡率】一年的死亡人数与同年平均总人口数(或年中人口数)之比。通常用千分数表示。

【人口爆炸论】对世界人口迅猛增长所作的一种悲观论断。认为人口增长过快，破坏了人口与资源的平衡，人类将面临犹如原子弹爆炸那样的毁灭性灾难。是马尔萨斯主义的一个变型。

【人民陪审员】在中国,指由人民群众推举出来参加审判工作的人员。

【人民检察院】简称检察院。中华人民共和国行使法律监督权的国家机关。有最高人民检察院、地方各级人民检察院和军事检察院等专门人民检察院。依照法律规定独立行使检察权,不受行政机关、社会团体和个人的干涉。

【人民内部矛盾】人民内部的这一部分人和那一部分人之间的矛盾。一般是在利益根本一致基础上产生的。与"敌我矛盾"相对。

【人民代表大会】中华人民共和国人民行使国家权力的机关。是工人阶级领导的、以工农联盟为基础的人民民主专政的政权组织形式。有全国人民代表大会和地方各级人民代表大会,前者是国家立法机关和最高权力机关,后者是地方国家权力机关。各级人民代表大会和其他国家机关一律实行民主集中制。其代表都由民主选举产生。原选举单位和选民,有权监督和依照法律的规定随时撤换自己选出的代表。

【人民民主专政】对人民内部的民主方面和对反动派的专政方面互相结合起来,就是人民民主专政。它以工人阶级(经过共产党)为领导,以工农联盟为基础。中国的人民民主专政,经历了两个性质不同的发展阶段:中华人民共和国成立前,各个革命根据地建立的是新民主主义性质的人民民主专政;中华人民共和国成立后,担负的是社会主义革命和建设的任务,实质是无产阶级专政。

【人造地球卫星】简称人造卫星。用运载火箭发射到高空,沿一定轨道环绕地球运行的人造天体。可用于测地、气象、通信、科学研究和军事等方面。

【人与生物圈计划】国际性的、政府间合作研究生态学的综合性计划。主要研究生物圈及其不同区域的结构和功能,与人类的相互作用和合理利用等。这一计划是根据1970年联合国教科文组织第十六届大会决议拟定的,中国于1972年参加,是"人与生物圈国际协调理事会"的理事国。

【人口自然增长率】一定地区在一定时期内(通常为一年),净增人口数(出生人口数减去死亡人口数)与同期平均总人口数之比。通常用千分数表示。

【人民英雄纪念碑】中国人民纪念1840—1949年为祖国为革命牺牲的英雄而建立的巨大石碑。位于天安门广场中央。碑高37.94米,基座四周刻有十幅巨型浮雕,概括地表现了中国人民从虎门销烟到胜利渡长江的英勇斗争历史。碑身正面刻有毛泽东的题字"人民英雄永垂不朽",碑身背面刻有毛泽东起草、周恩来书写的碑文。

【人民资本主义论】一种认为资本主义社会的性质已经改变的社会思潮。认为随着股权的分散化、经理制度的建立以及收入分配的平等化,资本主义已成为一种具有人民性的资本主义。事实上,这只是一种理论上的神话。

【人类需要层次论】美国心理学家马斯洛提出的一种需要理论。认为人的需要可以分为五个层次,即生理需要、安全需要、爱的需要、尊重需要和自我实现的需要。

【人民民主统一战线】工人阶级(经过共产党)领导的,以工农联盟为基础的人民大众的广泛联盟。参见〔统一战线〕(987页)。

壬 rén 天干的第九位。现常用来表示顺序的第九位。

任 ㊁ rén ❶用于地名,如任丘、任县(均在河北)。❷姓。

㊀ rèn (826页)。

【任颐】(1840—1896)清末画家。字伯年,山阴(今浙江绍兴)人。擅长画花鸟、人物、肖像和山水,画法不受传统束缚,独创一种清新明快的新风格,对近代绘画的发展起了积极作用。

【任弼时】(1904—1950)中国无产阶级革命家。原名培国,湖南湘阴人。1921年去苏联莫斯科东方大学学习。1922年加入中国共产党。1924年回国。先后任中国共青团中央组织部长、书记。1931年任江西中央革命根据地党中央局委员兼组织部长。长征途中先后任红六军团政治委员会主席和红二方面军政委。抗日战争爆发后,任八路军政治部主任。1940年到中共中央工作。是中国共产党第五至第七届中央委员,第六届、第七届中央政治局委员、书记处书记。1949年被推为中国新民主主义青年团名誉主席。1950年10月27日在北京病逝。

仁 rén ❶同情、友爱的思想感情。㊀～政|～至义尽。❷果核的最内部,种

子或其他硬壳中可以吃的部分。㊀桃～儿|花生～儿|虾～儿。❸敬辞。称对方。㊀～兄|～伯。

【仁义】❶仁爱和正义，宽厚正直。❷〈方〉性情和顺善良(多指老人或孩子)。

【仁兄】敬辞。称朋友(多见于书信)。

【仁政】仁慈的政治措施。

【仁爱】同情、友爱、爱护的感情。

【仁慈】仁爱慈善。

【仁人志士】即“志士仁人”(1268 页)。

【仁至义尽】《礼记·郊特牲》:“仁之至，义之尽也。”原指以极大的努力竭尽仁义之道。现指对人的劝告、争取或帮助已尽了最大的努力。至、尽:到底的意思。

【仁者见仁，智者见智】也说见仁见智。《周易·系辞上》:“仁者见之谓之仁，智者见之谓之智。”指对同一个问题，各人观察的角度不同，见解也不相同。

rěn ㄖㄣˇ

忍 rěn ❶忍耐;忍受。㊀～痛。❷狠心;硬着心肠。㊀～心|残～。

【忍耐】把痛苦的感觉或某种情绪抑制住不使表现出来。也指在困苦的情况下强为坚持。

R

【忍无可忍】再也不能忍受下去。

【忍气吞声】受了气而勉强忍耐，不敢说出来。吞声:不敢做声。

【忍俊不禁】忍不住要发笑。明圆极居顶《续传灯录》卷七:“僧问:‘饮光正见，为甚么见拈花却微笑?’师曰:‘忍俊不禁。’”忍俊:含笑。

【忍辱负重】忍受屈辱来承担重任。《三国志·吴书·陆逊传》:“国家所以屈诸君使相承望者，以仆有尺寸可称，能忍辱负重故也。”

荏 rěn ❶即白苏。参见“苏”①(936页)。❷软弱。㊀色厉内～。

【荏苒】(时间)渐渐地过去。㊀光阴～。

【荏弱】柔弱;软弱。

稔 rěn ❶庄稼成熟。㊀丰～。❷年。㊀三～。❸熟悉。㊀～知|素～。

rèn ㄖㄣˋ

刃 rèn ❶刀、剑等锋利的部分;刀口。㊀刀～|剪子卷～儿了。❷刀。㊀手持利～|白～战。❸用刀杀。㊀手～寇仇。

【刃具】即“刀具”(181 页)。

仞 rèn 古时八尺(或七尺)叫做一仞。㊀万～高山。

讱☒**(訒)** rèn 说话迟钝。

纫(紉) rèn ❶把线穿入针孔。㊀～针。❷用针缝。㊀缝～。❸深深感激(多用于书信)。㊀～佩。

韧(韌*靭*韌*韧) rèn 柔软而结实;不易折断。㊀～性|坚～。

【韧带】连结骨与骨之间或支持内脏的富有坚韧性的纤维带。有加强关节或固定内脏的作用。如膝关节韧带、子宫圆韧带等。

【韧皮部】植物维管束中输导有机养料的部分。主要由筛管、伴细胞、韧皮纤维等构成。

轫(軔*軔) rèn 停车后，支住车轮不使转动的木头。

牣☒ rèn 充满。㊀充～。

认(認) rèn ❶认识;分辨。㊀～字|～清是非。❷承认;表示同意。㊀～错|公～。❸与本来没有关系或关系不明确的人建立或确认某种关系。㊀～亲|～本家。❹虽不情愿也只能接受。㊀这次吃点儿亏我～了。

【认可】承认;许可。

【认识】❶认得。❷哲学范畴。人脑对客观事物的反映。包括感性认识和理性认识。

【认购】应承购买(公债等)。

【认定】❶确定地认为。❷确认;确定。

【认真】❶严肃对待，不马虎。㊀工作～。❷当真。㊀我不过是开玩笑，他却～了。

【认罪】承认自己的罪行。

【认识论】研究人类认识的本质和发展过程的哲学学说。马克思主义哲学第一次把实践的观点引入认识论，并把辩证法应用于认识论，创立了辩证唯物主义的能动的革命的反映论这一科学的认识论。

【认贼作父】比喻把仇敌当作亲人。

任 ㊀ rèn ❶使用;委派。㊀～人唯贤|～命。❷担当或承受。㊀～课|～劳～怨。❸职务;责任。㊀到～|担负重～。❹介词。由着;听凭。㊀～其自然|去哪里～你自己决定。❺连词。不论;无论。㊀

～你怎么说，我也不同意。❻量词。用于担任职务的次数。㊀为官一～，造福一方。❼古又同"妊"。

㊁ rén (825 页)。

【任务】指定担任的工作或担负的责任。

【任免】任命和免职。

【任凭】❶听凭；听便。❷连词。无论；不管。㊀～什么困难也挡不住我们前进的步伐。

【任命】下命令委派职务。

【任性】由着自己的性子，不加约束。

【任便】听便；任凭方便。

【任教】担任教学工作。

【任意】❶由着自己的心意，爱怎么样就怎么样。㊀不能～而为。❷没有任何条件的。㊀～三角形。

【任人唯贤】只按德才兼备的标准用人。唯：只。贤：品德好且有一定能力。

【任劳任怨】做事能够经受劳苦和别人的抱怨。

【任重道远】担子很重，路程遥远。比喻责任重大，需要经过长期的艰苦奋斗。《论语·泰伯》："士不可以不弘毅，任重而道远。"

饪(飪*餁) rèn 煮熟食物。㊀烹～。

妊(*姙) rèn 怀孕。㊀～妇。

【妊娠】指妇女怀胎的过程。从成熟卵受精后到胎儿娩出，一般为 280 天左右。也指动物怀孕的过程。娠(shēn)。

纴(紝) rèn ❶织布帛的丝缕。❷纺织。

衽(*袵) rèn ❶衣襟。❷睡觉时用的席子。㊀～席。

葚 ㊁ rèn 见〔桑葚儿〕(847 页)。

㊀ shèn (876 页)。

脍☒ rèn 煮熟。

rēng ㄖㄥ

扔 rēng ❶抛；投掷。㊀～球｜～手榴弹。❷丢弃；舍弃。㊀～掉。

réng ㄖㄥˊ

仍 réng ❶副词。依然。㊀他虽然有病，～不肯放下工作。❷依照。㊀一～其旧(完全照旧)。❸延续不断。㊀频～。

【仍然】副词。表示情况没有变化或恢复原状。㊀他的革命干劲～不减当年｜他把信看完，～装在信封里。

礽☒ réng 福。

陾☒ réng 〔陾陾〕形容众多。

rì ㄖˋ

日 rì ❶太阳。㊀旭～东升。❷白天。与"夜"相对。㊀夜以继～。❸时间单位。地球自转一周的时间，即一昼夜。特指某一天。㊀阳历平年一年三百六十五～｜纪念～。❹每天；一天一天地。㊀～报表｜～新月异。❺泛指一段时间。㊀近～｜～前。❻日本的简称。

【日元】日本国的法定货币。

【日历】记有年、月、日、星期、节气、纪念日等的本子，每日一页。

【日内】在最近几天里。

【日本】全称日本国。东亚的一个岛国。领土由北海道、本州、四国、九州四个大岛和一些小岛组成。东临太平洋；北临鄂霍次克海，隔宗谷海峡与俄罗斯相望；西临日本海，隔对马海峡与朝鲜半岛相望；西南隔东海与中国相望。地狭人稠。是世界经济强国。

【日记】每天所遇到的和所做的事情的记录，并常兼记对这些事情的想法和感受。

【日后】将来；以后。

【日食】也作日蚀。月球运行到地球和太阳的中间并成一线时，太阳的光被月亮挡住，地球表面上某些地区短时间内看不到太阳，这种现象叫日食。太阳全部被月球遮住时叫日全食；部分被遮住时叫日偏食；中央部分被遮住时叫日环食。日食发生在农历初一前后。

【日蚀】同"日食"(827 页)。

【日前】几天前。

【日珥】太阳色球层有时向外猛烈喷出的高达几万至几十万千米的红色火焰。主要是炽热的氢气。只有用某些仪器或在日全食时才能观测到。远在公元前 14 世纪的殷代，中国就有了世界最早的日珥记录。珥(ěr)。

R

【日息】按天计算的利息。

【日益】副词。一天比一天(好或坏)。㊐市场～繁荣。

【日冕】太阳大气的最外层。主要由高度电离的原子和自由电子组成。密度极稀薄，温度高达100万开。只有用日冕仪或在日全食时才能观测到。它的形状随太阳活动情况而变化。

【日晷】也叫日规。中国古代利用太阳投射的影子来测定时刻的装置。晷(guǐ)。

【日程】按日排定的办事程序。㊐议事～|会议～。

【日照】太阳的照射。也指从日出到日落太阳的实际照射时间。在不同纬度、不同地形的地区，全年日照总时数也不同。

【日内瓦】瑞士城市。位于该国西南部，临日内瓦湖。是全国工商业、金融中心和游览胜地。钟表业、首饰业著名。第一次世界大战后国际联盟曾设此，现为联合国欧洲办事处所在地。一些重要国际会议常在此举行。为著名国际城市。

【日月潭】中国台湾省最大的天然湖泊。位于台湾岛中部的山间盆地。面积4.4平方千米。是著名的风景区。

R

【日心说】认为太阳是太阳系的中心，地球和其他行星都围绕太阳运动的学说。古希腊天文学家提出过这种看法，但直到16世纪，波兰天文学家哥白尼才作了科学的论述。日心说阐明地球是一个普通的行星，从而推翻了地心说，引起宇宙观的革命。

【日本画】指日本近代革新传统的民族绘画。

【日本海】太平洋边缘海之一。位于日本列岛与亚洲大陆之间。南经朝鲜海峡通东海，北经鞑靼海峡和宗谷海峡(拉彼鲁兹海峡)通鄂霍次克海，东经津轻海峡通太平洋。面积106万平方千米。

【日记账】按经济业务发生的时间先后顺序，逐日逐笔登记的账簿。

【日光灯】荧光灯的俗称。

【日光浴】一种让裸露的身体接受日光照射的体格锻炼方式。适当日光浴有促进机体新陈代谢、增强抵抗力的作用；过量会受日光中紫外线的伤害，如皮肤出现红斑、色素沉着、皮肤角质增生等症状。

【日界线】旧称国际日期变更线。国际上规定，180°经线为日期变更的界线。由于照顾到行政区域的统一，日期变更线并不完全同180°经线吻合，而是绕过一些陆地。向东航行越过这条线时须减去一天；向西航行越过这条线时须增加一天。

【日射病】中暑的一种。由于烈日辐射人体头部引起脑膜或脑的病变。发病急，有头痛、耳鸣、皮肤干燥、恶心、呕吐等症状，严重的惊厥、昏迷。

【日不暇给】《汉书·高帝纪下》："虽日不暇给，规摹弘远矣。"指事情很多，时间不够，来不及做完。不暇(xiá)：没有时间。给(jǐ)：够。

【日中为市】古代人们在中午到集市上进行交易，叫做日中为市。日中：正午。

【日本银行】日本的中央银行。创建于1882年，总行设在东京。

【日耳曼人】原系北欧一些部落的总称。语言属印欧语系日耳曼语族。泛指近代西北欧诸国人民的祖先，或专指今德意志民族的主要成分。

【日甚一日】一天比一天厉害。

【日俄战争】1904—1905年日本和沙俄为争夺中国东北及朝鲜而进行的帝国主义战争。战争主要在中国进行。俄国战败，后同日本签订了《朴茨茅斯和约》。日本从而取代沙俄在中国东北的支配地位。

【日积月累】指长时间地积累。

【日理万机】一天之内要处理成千上万件的事。形容政务繁忙(多用于高级领导人)。

【日新月异】每天每月都有新的变化。形容发展、进步很快。㊐祖国的面貌～。

【日暮途穷】也说日暮途远。《史记·伍子胥列传》："吾日暮途远，吾故倒行而逆施之。"天快黑了，路也走到尽头了。比喻已到了没落、灭亡的阶段。

【日薄西山】晋李密《陈情表》："但以刘(刘氏，李密的祖母)日薄西山，气息奄奄，人命危浅，朝不虑夕。"太阳靠近西山，将要落下。比喻衰老的人临近死亡，或腐朽的事物快要灭亡。薄：迫近。

驲☒(馹) rì 也叫传(zhuàn)车。古代驿站用来送信的车。

钼□(鈤) rì 锗的旧称。

róng ㄖㄨㄥˊ

戎 róng ❶军队；军事。㊐投笔从～|～装。❷古代兵器的总称。❸中国古

代居住在西部的民族。
【戎马】❶军马。❷借指从军作战。㊀～生涯。
【戎机】❶军机。❷战争。
【戎首】战争的主谋；发动战争的人。
【戎绥】军务绥和。信文结束时的套语。用于武职人员。
【戎装】军装。

狨 róng 哺乳动物。小型低等猴类。

绒(絨*羢*毧) róng ❶柔软细小的毛。㊀驼～|鸭～。❷上面有一层细毛的纺织品。㊀灯心～|丝～。

肜☒ róng 古代祭名。指正祭之后第二天又进行的祭祀。

茸 róng ❶草初生时细小柔软的样子。㊀绿～～的一片草地。❷鹿茸。㊀参～(人参和鹿茸)。

荣(榮) róng ❶茂盛；兴旺。㊀欣欣向～|繁～。❷光荣。与"辱"相对。㊀～誉。
【荣华】草木开花。比喻昌盛显达。
【荣寿】盛大隆重的寿诞；华诞。
【荣幸】光荣而幸运。
【荣辱】光荣和耻辱。
【荣誉】光荣的名誉。㊀爱护集体的～。
【荣膺】光荣地接受或承当。
【荣耀】光荣。
【荣誉军人】对因伤致残的革命军人的尊称。

嵘(嶸) róng 见〔峥嵘〕(1254页)。

蝾(蠑) róng 〔蝾螈〕两栖动物。形状像蜥蜴，长约7厘米，背黑色、有蜡光，腹朱红色、有黑斑。生活在池沼内，产卵于水中。

容 róng ❶容纳；包含。㊀这间会议室能～五十人。❷宽容；原谅。㊀～人|情理难～。❸允许；让。㊀我国领土不～侵犯。❹相貌；神情；样子。㊀～貌|笑～|军～。❺文言副词。或许；也许。㊀～或有之。
【容止】仪容举止。
【容光】❶仪容风采。❷古指幽暗的小隙。
【容抗】电容对交变电流所起的阻碍作用。电容越大、频率越高，则容抗越小。
【容身】安身；存身。
【容忍】宽恕不计较。㊀他的无理取闹使人不能～。
【容纳】在固定的空间或范围内接受(人或事物)。㊀这个体育场可以～十万人。
【容或】文言副词。或许；也许。
【容积】容器所能容纳的物质的体积。
【容留】收留。㊀～身分不明者。
【容情】加以宽容(多用于否定式)。
【容量】❶容积的大小叫做容量。❷容纳的数量。㊀通信～。
【容颜】容貌；相貌。
【容光焕发】脸上的光彩四射。形容身体健康、精神饱满。
【容克地主】原指易北河以东垄断军政大权的普鲁士贵族地主阶级，泛指德意志的整个地主阶级。容克：德语音译词，地主之子或年轻贵族。

蓉 róng ❶用瓜果、豆类等制成的粉状物。㊀豆～|莲～|椰～。❷四川成都的别称。
【蓉城】指四川成都。五代后蜀时，成都城上遍植芙蓉，故名芙蓉城，简称蓉城。

溶 róng 在液体中化开。㊀～解|食盐能～于水。
【溶化】❶固体在液体中化开。❷同"融化"(830页)。
【溶血】红细胞破裂，血红蛋白从细胞内逸出的现象。在人体外，如果红细胞处于渗透压过低的溶液中，则水分进入红细胞，引起膨胀以致破裂，造成溶血。人体内溶血，主要因红细胞的内在缺陷，或因血浆中存在自身抗体、化学药品、蛇毒等因素的作用，使红细胞过度破坏。
【溶质】溶解在溶剂中的物质。两种液体互溶的溶液，通常把分量较多的一种叫溶剂，较少的一种叫溶质。如把食盐溶解在水中，水是溶剂，食盐是溶质。
【溶剂】能溶解其他液体、气体或固体的物质。水和酒精是应用最广的溶剂。
【溶洞】多指石灰岩地区地下水沿岩层层面或裂隙溶蚀而成的岩石空洞。洞内常有钟乳石和石笋，有时还有伏流。
【溶液】两种或两种以上的不同物质所组成的分子(或原子)混合体系叫做溶液。通常指液态溶液，如盐水；也有固态的，如某些合金；还有气态的，如空气。
【溶解】一种物质(溶质)均匀地分散于另一

R

物质(溶剂)中的过程。如糖溶解于水成为均匀的糖水溶液的过程。
【溶栓酶】也叫链激酶。可使血栓表面溶解、内部崩解的一种药物。由溶血性链球菌提制而成。用于治疗深静脉血栓形成、周围动脉血栓形成或血栓栓塞、新鲜心肌梗死等。
【溶菌酶】能溶解某些细菌的糖酶。一般存在于动植物的组织液和某些微生物的体内,如鼻黏膜、眼泪、唾液和某些蔬菜中。医药上用作抗菌剂。
【溶解度】在一定温度和压力下,物质在一定量溶剂中达到溶解平衡时的溶入量。通常以100克溶剂中溶解达到饱和时溶质质量(以克为单位)表示。
【溶解度曲线】物质的溶解度随温度变化的曲线。在溶解度曲线中,一般用纵坐标表示溶解度,横坐标表示温度。

瑢 róng 见〔玐瑢〕(153页)。

榕 róng ❶常绿大乔木。有气生根,生长在热带和亚热带。树皮可供药用。❷福建福州的别称。

熔(*鎔) róng 固体受热到一定温度时变成液体。㊀～点|～铁。

“鎔”,另见“镕”(830页)。
【熔化】也说熔解、熔融。固体吸收热量而变为液体的过程。晶体熔化过程中虽然不断吸收热量,但温度保持不变,直到全部变为液体为止。
【熔岩】即“喷出岩”(743页)。
【熔炉】❶熔炼金属的炉。❷比喻锻炼思想品质的环境。㊀革命的～。
【熔点】晶体物质熔化时的温度,即该物质的液态和固态可以平衡共存的温度。各种晶体的熔点不同,同一种晶体的熔点又与所受压强有关。
【熔融】即“熔化”(830页)。
【熔断器】一种串接在电路上起保护作用的电器。电路中发生短路或电流过大时,其可熔元件(俗称保险丝)即被熔断,从而切断电路,限制故障范围,使电气设备不致损坏。

镕□(鎔) róng 熔铸金属的模型,引申为楷模。多用于人名。

“鎔”,另见“熔”(830页)。

融(*螎) róng ❶融化。㊀春雪易～。❷调和;融合。㊀水乳交～。❸流通。㊀金～。
【融化】也作溶化。冰、雪等变成水。
【融合】几种不同的事物合成一体。
【融洽】彼此的感情、关系好。
【融资】指货币的借贷和资金的有偿筹集活动。
【融解】融化。
【融融】❶形容和睦快乐的样子。❷形容暖和。㊀春光～。
【融会贯通】宋朱熹《朱子全书·学三》:“乃学者用功之深,穷理之熟,然后能融会贯通,以至于此。”把多方面的知识和道理融合而得到全面的透彻的理解。融会:融合领会。贯通:彻底理解。
【融资租赁】出租人根据承租人对出卖人、租赁物的选择,向出卖人购买租赁物,提供给承租人使用,收取租金的合同行为。

rǒng ㄖㄨㄥˇ

冗(*宂) rǒng ❶多余的。㊀～员|文章～长。❷烦琐;繁忙。㊀～杂|～忙。❸繁忙的事。㊀拨～。
【冗长】(文章或讲话中)无关紧要的话过多,拉得很长。
【冗杂】(事务)繁杂。
【冗员】机关团体中超过需要的闲置人员。
【冗余】多余。㊀～信息。

氄□ rǒng 鸟、兽贴近皮肤的细软的毛。

氋☒ rǒng “氄”的异体字。

氄☒ rǒng “氄”的异体字。

róu ㄖㄡˊ

厹☒ ㊁ róu 野兽的足迹。
㊀ qiú(804页)。

柔 róu ❶软。㊀～枝嫩叶|～软体操。❷温和,不猛烈。㊀光线～和|刚中有～。
【柔毛】❶古指供祭祀用的肥羊。❷轻暖的皮衣。
【柔韧】软而坚固。
【柔肠】柔软的心肠。比喻缠绵的情意。
【柔情】温柔的感情。

【柔道】体育运动项目之一。日本人吸收中国摔跤技术结合日本武技而创造。两人徒手相搏，以将对方摔倒或使对方的背着地达30秒为胜。

【柔媚】❶柔和可爱。❷温柔和顺，讨人喜欢。

揉 róu ❶用手按着较软的东西反复搓动。㊀～一～腿。❷团弄。㊀把纸～成一团儿。❸把直的弄弯。㊀～以为轮。

葇□ róu 香草名。即香薷。

楺⊠ róu 使弯曲。

鍒⊠（輮） róu ❶古代车轮的外框。❷使弯曲。

煣⊠ róu 用火烤木材使弯曲。

鍒⊠（鍒） róu 熟铁。

糅 róu 混杂。㊀杂～｜～合。

蹂 róu 践踏。

【蹂躏】践踏；摧残。比喻用暴力欺压、侮辱。㊀中国人任人～宰割的时代一去不复返了。

鞣 róu 制造皮革时用栲胶、鱼油等使兽皮柔软。㊀～皮子。

【鞣制】制革的主要工序。使生皮中的蛋白质与鞣质结合的过程。生皮干时坚硬，遇水易腐，经鞣制而变成柔韧、经久耐用的革。

【鞣质】旧称单宁。是植物中含有的酚类衍生物，因能将生皮鞣成熟革而得名。存在于某些植物的干、皮、根、叶或果实中。工业上用于鞣革、制造墨水，医药上用作收敛剂等。

ròu ㄖㄡˋ

肉 ròu ❶肌肉，人或动物体内接近皮的柔韧物质。❷某些瓜果中可吃的部分。㊀桂圆～。❸〈方〉绵软；不脆。㊀～瓤西瓜。❹性子慢，动作迟缓。㊀脾气～｜动作拖拉，太～了。

【肉刑】也叫体刑。摧残人的肉体的刑罚。中国古代有切断肢体、割裂肌肤的墨、劓、刵、宫等。

【肉松】用猪、牛等的瘦肉加工制成的绒状或碎末状的食品。一般干而松散。

【肉票】指被盗匪掳去当作勒索钱财的人质的人。

【肉麻】❶肌肉麻木。❷听见或看到轻佻或虚伪的言语、举动所引起的一种不舒服的感觉。

【肉搏】敌对双方徒手或用短兵器搏斗。

【肉苁蓉】一年生寄生草本植物。全株无叶绿素，黄褐色。肉质茎入药，有补肾壮阳、润肠通便等作用。

【肉质根】由主根或有胚轴参与形成的贮藏根。如胡萝卜、萝卜等的根。

【肉搏战】即“白刃格斗”(26页)。

rú ㄖㄨˊ

如 rú ❶依照；顺从。㊀～期完成｜～意。❷好像。㊀胆小～鼠｜整旧～新。❸及；比得上(多用于否定式)。㊀健康情况一天不～一天。❹连词。如果。㊀～不努力学习，就要落后。❺到；往。㊀将～齐。❻后缀。表示状态。㊀引而不发，跃～也。❼表示举例。㊀树的种类很多，～杨树、柳树、槐树等。

【如来】也叫如来佛。释迦牟尼的称号之一。在佛教中，“如来”是完全符合教义的意思。

【如若】连词。如果；假使。

【如果】连词。一般用于上半句，表示假设，下半句推出结论或提出问题，常用“那么”“那”“则”“就”等词呼应。㊀～有困难，我们自己可以克服。

【如实】依照实际的情况。㊀～反映情况。

【如故】❶跟原来一样。㊀依然～。❷好像老朋友一样。㊀一见～。

【如常】跟平常一样；照常。

【如意】❶符合心意。❷一种象征祥瑞的器物。头呈灵芝形或云形，有曲柄，供赏玩。

【如夫人】旧指妾。

【如日中天】好像中午时的太阳。比喻事物正在最兴盛的时候。

【如日方升】像太阳刚刚升起来一样。比喻新生事物有广阔的发展前途和强大的生命力。《诗经·小雅·天保》：“如月之恒，如日之升，如南山之寿。”

R

【如牛负重】像牛一样驮着沉重的东西。比喻负担特别重。
【如火如荼】《国语·吴语》:"…望之如荼…望之如火。"像火那样红,像荼那样白。原形容军容之盛。后用来形容气势旺盛或热烈。荼(tú):一种茅草的白花。
【如饥似渴】也说如饥如渴。比喻要求十分迫切。
【如出一辙】好像从一条车辙上走过来。形容两种言论或行动一模一样(多含贬义)。
【如汤沃雪】像用热水浇雪一样。比喻问题非常容易解决。汉枚乘《七发》:"小饭大歠(chuò),如汤沃雪。"沃:浇。
【如花似锦】形容风景、前程等十分美好。
【如坐针毡】好像坐在插了针的毡子上。形容心神不宁,坐立不安。
【如丧考妣】好像死了父母一样地着急和伤心(现多含贬义)。《尚书·舜典》:"百姓如丧考妣。"考妣(bǐ):死去的父母,古时也称在世的父母。
【如虎添翼】好像老虎长出了翅膀。比喻增添力量,使强大的更加强大,或使凶恶的更加凶恶。
【如鱼得水】像鱼得到水一样。比喻得到跟自己很投合的人或对自己很合适的环境。《三国志·蜀书·诸葛亮传》:"孤之有孔明,犹鱼之有水也。"
【如法炮制】本指按照成法制造中药,引申为依照现成的方法办事(含贬义)。炮(páo)。
【如蚁附膻】像蚂蚁附着在有膻味的东西上。比喻许多臭味相投的人追求某种恶劣事物。
【如获至宝】好像得到了最好的宝贝。形容对于所得到的东西非常珍视喜爱。
【如胶似漆】形容感情深厚,难舍难分。
【如堕烟海】好像掉在茫茫无际、烟雾弥漫的大海之中。比喻迷失方向,抓不住要领,找不着头绪。
【如释重负】好像放下了一副重担子。形容心情紧张后的轻松愉快。《穀梁传·昭公二十九年》:"昭公出奔,民如释重负。"释:放下。重负:重担。
【如雷贯耳】形容一个人的名声很大。《三国演义》第八回:"闻将军之名,如雷贯耳。"贯:贯穿,进入。
【如意算盘】比喻从主观愿望出发,只从好的一面着想的打算。

R

【如数家珍】好像在数说自己家里的宝物。比喻对所讲的事情十分熟悉。
【如愿以偿】像所希望的那样得到满足。指愿望实现。
【如堕五里雾中】《后汉书·张楷传》记载,张楷"性好道术,能作五里雾"。后即以此比喻使人糊涂,摸不着头脑或辨不清方向。堕:掉,落。
【如日之升,如月之恒】《诗经·小雅·天保》:"如月之恒,如日之升;如南山之寿,不骞不崩。"由于诗中有"如南山之寿"一语,故历来用"寿比南山"作为祝寿之词。这里用前两句,暗含下两句之意,也是祝寿之词。意思是祝愿对方的生命如初升之日,来日方长;如天空明月,永远存在。

茹 rú 吃。㊞~素。

【茹毛饮血】指人类在学会用火以前,连毛带血地生吃禽兽的生活。《礼记·礼运》:"未有火化,食草木之实,鸟兽之肉,饮其血,茹其毛。"

铷(鉫) rú 金属元素,符号 Rb,原子序数 37。银白色,质软,化学性质活泼,遇水剧烈反应生成氢气和氢氧化铷。用于制光电管等。

儒 rú ❶旧时泛指读书人。㊞~生|~医。❷古代从巫、史、祝、卜中分化出来的专司礼仪的人。❸儒家。㊞~术。❹通"懦(nuò)"。懦弱。㊞偷~转脱。

【儒门】儒家。
【儒术】儒家的学术。
【儒生】信奉儒家学说的人。后也泛指读书人。
【儒将】文化修养好、有学者风度的将帅。
【儒家】春秋战国时期的一个学派。崇奉孔子,因孔子曾做过为贵族相礼司仪的儒而得名。提倡以仁为中心的礼、义、忠、恕、孝、悌、中庸等道德观念。主张德治、仁政,重视伦理教育。汉代以后,儒家思想成了社会的统治思想。
【儒教】也叫孔教。即儒家。从南北朝开始叫做儒教,与佛教、道教并称,所谓儒、释、道。
【儒雅】❶学识深湛。❷气度温文尔雅。
【儒略历】阳历的一种,公历的前身。最先由古罗马的儒略·恺撒决定采用,故名。年平均 365.25 日,平年 365 日,4 年一闰,闰年 366 日。一年分 12 个月,1、3、5、7、8、

10、12月为大月，每月31日；4、6、9、11月为小月，每月30日；2月平年28日，闰年29日。平均每年比回归年长11分14秒。1582年经修订后成为现在的公历。

【儒林外史】长篇小说。清吴敬梓著。五十六回。书中描写了各类士人的精神面貌，对封建社会吏治的腐败、封建礼教的残酷虚伪和科举制度的弊害进行了辛辣的讽刺，对于士林的贤者和市井小民加以赞美。全书由许多彼此独立的故事传递勾联而成，语言纯净精练，尖刻幽默，富于表现力，是中国古典讽刺文学的杰作。

薷 rú 见〔香薷〕(1074页)。

嚅 rú 见〔嗫嚅〕(721页)。

濡 rú ❶沾湿；沾上。㊀～笔。❷沾染。㊀耳～目染。❸停留；迟滞。

【濡染】❶沾染(坏习惯)。❷浸染，即沾湿了再染颜色。

孺 rú 小孩儿；幼儿。㊀妇～｜～子。

【孺子牛】《左传·哀公六年》："女忘君之为孺子牛而折其齿乎？"孺子，齐景公的儿子公子荼。齐景公为嬉戏曾口衔着绳子，学做牛，让公子荼拉着，公子荼跌倒，拉折了齐景公的牙齿。鲁迅《自嘲诗》："俯首甘为孺子牛。"后以"孺子牛"比喻甘愿为人民大众服务的人。

襦 rú ❶短衣；短袄。❷小孩的围嘴儿。

颥(顬) rú 颅骨之一，即颞(niè)骨。

蠕(*蝡) rú 指蚯蚓一类动物爬行的样子。

【蠕动】像蚯蚓爬行那样运动。消化道、输尿管等器官主要靠蠕动推进管内物质。

rǔ ㄖㄨˇ

汝 rǔ 文言人称代词。你。

【汝窑】宋代名窑。位于今河南汝州。属官窑。所产青瓷多为珍品。

乳 rǔ ❶乳房。❷奶汁。❸用奶喂。㊀～养。❹像奶汁的东西。㊀豆～｜～胶。❺初生的；幼小的。㊀～燕。❻生；生殖。㊀孳～。

【乳牙】也叫乳齿。人和多数哺乳动物幼儿时期长出的牙。一般婴儿在出生后六七个月开始生长，2—3岁长成，共20个。6岁左右逐渐脱落，长出恒牙。

【乳化】利用乳化剂制备乳状液的过程。

【乳母】奶妈。

【乳房】人或哺乳动物所特有的哺乳器官。人的乳房有一对，位于胸部。它的发育与性别、年龄、妊娠、授乳等条件有密切关系。

【乳钵】研细药物的用器，形如臼而小。

【乳臭】奶腥气。常用来比喻人年幼无知。㊀～未干。臭(xiù)。

【乳胶】也叫乳胶漆。一种涂料。主要成分是合成树脂的胶乳，并加入乳化剂、颜料、稳定剂、防腐剂、增塑剂等。易于涂刷，快干，无臭，常用于墙面装饰、管道防锈等。

【乳痈】中医病证名。指急性乳腺炎。多发于初产妇。主要症状是乳房红、肿、热、痛，乳汁不畅，并有发热、恶寒、头痛等，严重的乳房化脓溃烂。

【乳腺】人和哺乳动物乳房内的腺体。发育成熟的女子和雌性哺乳动物的乳腺发达，能分泌乳汁。

【乳酸】有机化合物。无色液体。溶于水。存在于生物体内。应用于食品、鞣革等工业。

【乳糖】有机化合物。由葡萄糖与半乳糖结合而成。白色晶体或粉末，溶于水，不溶于酒精。味稍甜。存在于哺乳动物的乳汁中。用于制造婴儿食品、糖果、人造奶油等。

【乳化剂】在分子中同时含有亲水基团和亲油基团的一类有机化合物。能使互不相溶的液体形成稳定乳浊液。

【乳浊液】也叫乳状液。在一种液体中分散着另一种互不相溶的液体，呈混浊状的混合液体。如牛奶等。

【乳畜业】畜养奶牛以生产牛奶及其制品的农业生产类型。主要分布在北美洲五大湖周围地区和西欧、中欧，以及澳大利亚、新西兰等地。中国北京、上海等大城市周围以及东北等地也有这种农业分布。

【乳腺癌】发生于乳腺上皮细胞的恶性肿瘤。早期无明显症状，中后期乳房内肿块质硬，表面不光滑，不易推动，且增长速度较快，进而可出现皮肤收缩、乳头内陷及破溃等。

R

【乳酸菌】使糖类发酵产生乳酸的细菌。广泛用于腌菜、泡菜、青贮饲料、乳酸发酵和制药等方面。

辱 rǔ ❶耻辱。与"荣"相对。例奇耻大～。❷使受到耻辱。例人民不可～。❸谦辞。表示承蒙。例～临|～蒙。

【辱没】使受玷污;使不光彩。例不要～集体的荣誉。没(mò)。

【辱命】未完成上级的命令或朋友的嘱咐。

【辱骂】污辱谩骂。

鄏⊠ rǔ〔郏鄏〕古山名。在今河南洛阳西北。

擩□ rǔ〈方〉插;塞。例她偷偷～给孩子几十块钱。

rù ㄖㄨˋ

入 rù ❶进去。与"出"相对。例～场|～冬。❷参加。例～伍|～团。❸合乎;合于。例～情～理。❹收入。例岁～。❺入声。

【入门】初步学会。也指便于学习的读物。例～不难,深造也是可能的|《英语～》。

【入手】着手;开始做。

【入轨】航天器由发射轨道开始进入运行轨道。当航天器的实际运行轨道偏差在设计要求范围内时,叫精确入轨。

【入伍】参加部队。

【入伙】❶加入某个集体。❷合伙人以外的第三人加入合伙企业,从而取得合伙人资格的法律行为。入伙应当经全体合伙人同意,并依法订立书面协议。入伙的新合伙人与原合伙人享有同等权利,承担同等责任,对入伙前合伙企业的债务承担连带责任。

【入汛】进入汛期。

【入声】汉语声调的一种。普通话里没有入声,古入声字已分别派入阴平(出、发)、阳平(学、习)、上声(铁、塔)、去声(物、质)之中。有些方言仍有入声字,如晋方言、吴方言、粤方言等。

【入时】(装束等)合乎时尚。

【入围】指获得参加某一范围竞赛或评选的资格。

【入住】住进去。例新楼年初可以～。

【入闱】指科举时代应考的或监考的人进入考场。

【入定】佛教指静坐修行时,思想、感情进入安静不动的状态。

【入侵】(侵略军)侵入国境。

【入神】❶精神高度集中。例听得～。❷达到绝妙的境地。例画得很～。

【入流】❶中国古代把官员分为九品,九品以内为流内,九品以外为流外,由流外进入流内叫入流。❷借指进入某一层次或等级;够格。例不～的平庸之作。

【入殓】把死者装进棺材里。

【入超】即"逆差"(717页)。

【入港】❶船驶进港口。❷交谈得投机(多见于早期白话)。❸指男女发生不正当的性行为。

【入彀】进入弓箭射程之内。五代王定保《唐摭言·述进士》记载,唐太宗看到新考中的进士排队走着,高兴地说:"天下英雄入吾彀中矣!"比喻受人操纵、控制。彀:使劲拉开弓。

【入微】达到十分细致或深刻的地步。例体贴～|剖析～。

【入赘】指男子到女家结婚,并成为女家的家庭成员。赘(zhuì)。

【入境】进入国境。例办理～手续。

【入场券】进入某种活动场所的凭证。也比喻参加某种比赛的资格。例奥运会～。

【入木三分】传说王羲之笔法有力,在板上写字,木工刻字时发现字迹透入木板有三分深。见唐张怀瓘《书断·王羲之》。后用来形容书法笔力强劲。也用来比喻分析问题深刻。

【入不敷出】收入不够支出。

【入主出奴】唐韩愈《原道》:"入于彼,必出于此。入者主之,出者奴之。"信仰了这一种学说,就排斥那一种学说,把前者奉为主人,加以尊敬,把后者当做奴仆,加以轻视。比喻学术上的门户之见。

【入境问俗】进入他国境界,先打听当地的风俗习惯,以免发生抵触。《礼记·曲礼》:"入境而问禁,入国而问俗,入门而问讳。"

洳 rù ❶洳河,水名,发源于北京密云,南流至河北三河入泃河。❷潮湿低洼之地。

蓐 rù ❶草席;草垫子。❷妇女临产叫坐蓐。

溽 rù 湿。例～暑(夏季潮湿而闷热的天气)。

缛(縟) rù 烦琐;繁重。例繁文～节。

褥 rù 用布、棉絮、兽皮等制成的床上铺垫物。㊀被～。

【褥疮】长期卧床的患者，局部皮肤因长期受压坏死而形成的溃疡。常发生在骨突出部位的皮肤，如骶、肩胛、枕部、足跟等处。

ruán ㄖㄨㄢˊ

堧☒ ruán 城郭旁或河边的空地。

ruǎn ㄖㄨㄢˇ

阮 ruǎn 也叫阮咸。拨弦乐器。相传因西晋阮咸善弹这种乐器而得名。琴身木制、圆形，颈较长，四根弦。用拨子或假指甲弹奏。现经改革，分小阮、中阮、大阮、低阮四种。常用于伴奏及合奏。

【阮籍】(210—263)三国魏诗人。字嗣宗，陈留尉氏(今属河南)人。曾任步兵校尉。为竹林七贤之一。他生活在魏晋易代之际，不满意当时的黑暗政治和礼教束缚，以"白眼"看待"礼俗之士"，以纵酒佯狂的消极方式表示反抗。他的诗文揭露了封建礼法的虚伪和统治者的荒淫腐朽，隐晦曲折地表现了苦闷彷徨的心情，情调郁暗而富有哲理，也流露出浓厚的消极避世思想。《咏怀诗》八十余首是其代表作。有《阮嗣宗集》。

朊 ruǎn 蛋白质的旧称。

软(軟*輭) ruǎn ❶物体的内部组织疏松；柔和。与"硬"相对。㊀～木|柔～。❷懦弱。㊀～弱。❸没力气。㊀两腿发～。❹质量差或能力弱。㊀货色～|笔头～。❺容易动摇；不坚决。㊀心～|手～。

【软水】不含或含少量钙、镁的可溶性盐类的水。煮沸时无显著变化。如雨水、蒸馏水等。

【软化】❶由硬变软。也比喻由坚定变成动摇。㊀骨质～症|态度逐渐～。❷指用化学方法降低或除去水中钙、镁离子，降低水的硬度，使符合生产用水的要求。软化方法通常分为药剂软化和离子交换软化。

【软件】❶也叫软设备。计算机或计算机系统中使用的所有程序和有关资料的总称。包括各种操作系统、程序设计语言、编辑语言、检查程序及应用程序等。❷借指生产、科研、经营等过程中的人员素质、管理水平、服务质量等。

【软骨】人和脊椎动物所特有的一种有弹性的组织。有支持和保护作用。如关节软骨、耳软骨等。

【软钢】含碳量低，含夹杂物较熟铁少，不能淬硬的钢。一般用于建筑材料或制钢板、型钢等。

【软弱】❶缺乏力气。❷不坚强。

【软盘】软磁盘的简称。以聚脂塑料为基片材料的磁盘。不固定在电子计算机内，存取方便。

【软禁】不监禁，但监视起来，只许在指定的范围内活动。

【软刀子】比喻使人在不知不觉中受害的阴谋手段。

【软包装】❶指纸、软质塑料等包装材料。区别于金属、玻璃等材料。❷用软质包装材料进行密封包装。㊀～饮料。

【软约束】预算软约束的简称。国家为企业亏损提供补贴时厂家所面对的预算约束。

【软饮料】无酒精成分的饮料。如橘汁、汽水等。

【软骨鱼】鱼纲的一个主要类群。骨骼全由软骨组成。体被盾鳞或无鳞。无鳔。体内受精。卵生、卵胎生或胎生。多生活在海洋中。如鲨鱼、鳐等。

【软骨病】泛指发生于软骨部位的病。如软骨发育障碍、软骨炎、软骨瘤等。

【软科学】一门综合性科学。运用决策理论、系统方法和计算技术，研究各种复杂的社会现象和问题，探讨经济、科技、管理、教育等社会环节的内在联系及其发展规律，为决策部门的战略研究、规划制定、政策选择、组织管理、项目评估等提供科学的论证和最优化的方案。仿用电子计算机"软件"一词而得名。

【软流层】也叫软流圈。地幔上部存在的一个物质呈熔融状态的圈层。深度从地下60—250千米至400千米。一般认为可能是岩浆的主要发源地之一。

【软通货】在国际经济往来中不被普遍接受、不可以自由兑换成其他国家货币且汇率不稳定的货币。

【软着陆】❶航天器经专门减速装置减速后，以很低的速度在地球或其他星球表面实施的安全着陆。❷比喻采取一定措施，使重大问题和缓地得到解决。㊀扩大内需，实现经济的～。

【软雕塑】现代雕塑的一种。指用纤维、织物等软材料制作的雕塑。

【软式排球】排球运动项目之一。20世纪80年代兴起于日本。球用橡胶制成，重量为210克。场地长13.40米，宽6.10米。比赛时双方上场队员各为4人，采用三局两胜制。队员按照顺时针方向轮转发球，发球后无场上位置限制。4名队员均可拦网、扣球。规则规定不得扣、拦发过来的球。比赛采用每球得分制，前两局得15分为胜，最高分限17分。第三局一方得8分时交换场地，没有最高限分，但必须超过对方2分为胜。

【软体动物】动物界的一门。体柔软不分节，有肉质的足或腕，多数有石灰质的贝壳，多水生。如螺、蚌、乌贼等。

【软硬兼施】软的和硬的手段一齐使用。

【软磁材料】容易磁化和退磁的材料。如纯铁、硅钢片、铁镍合金、铁铝合金及锰锌铁氧体、镍锌铁氧体等。多用于制造需反复磁化的电器部件。

【软件无线电】一种新兴的无线电技术。指通过软件模块的重构和控制，调整或改变无线电台的工作频段、调制解调方式、业务种类、数据速率及格式等。被认为是无线电技术从模拟转向数字后的又一次革命。

耎⊠ ruǎn 同"软"。

瑌⊠ ruǎn 像玉的石头。

ruí ㄖㄨㄟˊ

桵⊠ ruí 古书上指一种植物。

緌⊠（緌） ruí 古代帽带结子的下垂部分。

蕤 ruí 见〔葳蕤〕(1016页)。

ruǐ ㄖㄨㄟˇ

蕊（*蘂*橤*蘃） ruǐ 花蕊。㊀雄～｜雌～。

"橤"，另见(836页)。

橤□ ruǐ 下垂的样子。另见"蕊"(836页)。

ruì ㄖㄨㄟˋ

芮 ruì 姓。

蜹⊠ ruì 蚊子。

汭 ruì ❶河流会合或弯曲的地方。❷古水名。在今陕西。

枘 ruì 榫头，即插入卯眼的木栓。

【枘凿】即"凿枘"(1227页)。

蚋 ruì 昆虫。成虫像蝇而小，褐或黑色。能吸食人、畜血液，传染疾病。

锐（銳） ruì ❶锋利。㊀～利｜尖～。❷勇往直前的气概。㊀～不可当。❸急剧。㊀～减。

【锐气】旺盛的气势；勇往直前的气势。

【锐角】大于0°而小于直角(90°)的角。

【锐敏】(看问题)尖锐、深刻，反应快。

【锐意】意志坚决，一心想要(去做)。㊀～进取｜～革新。

瑞 ruì 吉祥；好的预兆。㊀～雪。

【瑞雪】及时的、有利于农作物的好雪。㊀～兆丰年。

【瑞签】写有吉祥话的红色长纸条。旧时一般在春节前贴在门窗上或室内明显的地方。

睿（*叡） ruì 有智慧；看得深远。㊀～智。

rún ㄖㄨㄣˊ

犉⊠ rún 黑唇黄牛。

rùn ㄖㄨㄣˋ

闰（閏） rùn 地球公转一周的时间为365天5时48分46秒。阳历把每年定为365天，所余的时间约每四年积累一天，加在二月里，叫闰日。农历把一年定为354天或355天，所余的时间约每三年积累成一个月加在某一年里，叫闰月。有闰日或闰月的那一年叫闰年。这样的办法在历法上叫做闰。

【闰日】阳历每四年在二月末加一天，这一天叫闰日。

【闰月】农历每逢闰年加一个月，这一个月叫闰月。闰月加在某月后叫闰某月。

【闰年】阳历有闰日（即2月有29日）的年份叫闰年，这年是366天。农历有闰月的年份（即一年有13个月）叫闰年，这年是384天或385天。

【闰秒】为调整因地球自转不均匀而产生的时刻偏差，把标准时刻增加或减少的1秒。闰秒安插在规定日期的最后1秒，具体日期由国际有关机构确定并公布。

润（潤） rùn ❶不干燥。㊀湿～。❷加油或加水使不干燥。㊀～肠|～～嗓子。❸细腻光滑；滋润。㊀～泽。❹使有光泽；修饰。㊀～色。❺利益；好处。㊀利～。

【润色】修饰文字。

【润饰】润色。

【润泽】❶滋润，不干枯。❷使滋润。

【润格】也叫润例。为人作诗文书画所定的报酬标准。

【润笔】也叫润资。旧指给作诗文书画的人的报酬。

【润滑油】也叫机油。用在机械的运动部分的油质。起润滑、冷却、密封等作用。根据来源，有矿物润滑油、植物润滑油（如蓖麻油）、动物润滑油（如鲸蜡油）等。

ruó ㄖㄨㄛˊ

挼□ ruó ❶揉搓。㊀把纸条～成团。❷皱缩；使皱缩。㊀那张纸～了。
㊟“挼”“捼”二字过去在“揉搓”的意义上与“挪”相通，并有nuó、ruó二读，故《第一批异体字整理表》将“挼”“捼”处理为“挪”的异体字，但今“揉搓”义一般不再使用“挪”字，一般字、词典在“挪”字下只注nuó音，并不注“揉搓”义；而“挼”“捼”并无“挪动”义，且1985年《普通话异读词审音表》又审定“挼”统读ruó，故不把“挼”“捼”作为“挪”的异体字。

撋☒（擱） ruó 两手揉搓按摩。

捼☒ ruó 同“挼”。

ruò ㄖㄨㄛˋ

若 ㊀ ruò ❶连词。如果。㊀你～来，我去接你。❷好像。㊀～有～无|欣喜～狂。❸文言人称代词。你。㊀～辈（你们）。
㊁ rě（818页）。

【若干】多少。用于约计或问数。㊀～年前|尚余～？

【若夫】发语词。至于；说到。

【若虫】不完全变态昆虫的幼体。形态与成虫相似，但体小，翅未长成，生殖器官未成熟。如蝗蝻是蝗虫的若虫。

【若非】要不是。㊀～亲眼所见，谁敢相信？

【若无其事】似乎没有这回事。形容无动于衷或故作镇静。

【若即若离】好像接近，又好像不接近。形容人的关系疏淡，事物含混不清。

【若明若暗】好像明亮，又好像昏暗。比喻模糊不清。

鄀☒ ruò 古国名。在今湖北。

偌 ruò 指示代词。这么；那么。㊀～大年纪|～大个城市。

渃□ ruò ❶水名。在湖北枝江，入长江。❷见〔溇渃〕（412页）。

婼□ ruò 〔婼羌〕今作若羌。地名。在新疆南部。

箬（*篛） ruò 箬竹，竹子的一种。叶大，叶供编制器物、包物等用。

弱 ruò ❶力气小；势力差。与“强”相对。㊀身体～|～小。❷年少。㊀老～。❸用在数字之后，表示不够或差一点儿。㊀三分之一～。

【弱化】减弱；使变弱。㊀强化宏观控制，～微观管理。

【弱视】视力功能缺陷的一种。指由非眼球或视力系统疾病所致的视力低下。常见的病因有斜视、白内障以及视力异常等，这些因素阻碍了视网膜的清晰成像，所以看东西模糊。

【弱项】实力较弱的项目；不擅长的方面。

【弱点】不足的地方；力量薄弱的方面。

R

【弱冠】古代男子二十岁为成人，进入二十岁后要行加冠礼，因二十岁的年纪身体尚未强壮，故名。后泛指男子二十岁左右的年龄。

【弱智】智力发育水平低于正常人。㊀～儿童。

【弱酸】酸性弱的酸。在水溶液中只能离解出少量的氢离子。如醋酸、碳酸等。

【弱碱】碱性弱的碱。在水溶液中只能离解出少量的氢氧离子。如氢氧化铝等。

【弱音器】减弱乐器音量的装置。小提琴用一个倒置的木质"山"形体，卡在琴马上，减弱音量。小号的弱音器是一个木质锥形体，使用时插于喇叭口。圆号常用手插入喇叭口，起弱音器作用。

【弱不禁风】连点儿风都经受不住。形容身体虚弱或娇弱。宋陆游《六月二十四日夜分梦范至能、李知几、尤延之同集江亭，诸公请予赋诗，记江湖之乐，诗成而觉，忘数字而已》诗："白菡萏香初过雨，红蜻蜓弱不禁风。"禁(jīn)：经受，承受。

【弱肉强食】原指动物中弱者的肉是强者的食品。唐韩愈《送浮屠文畅师序》："弱之肉，强之食。"后比喻弱者被强者吞并。

蒻☒ ruò 古书上指嫩的香蒲。㊀蒲～。

爇☒ ruò 点燃；焚烧。

R

S ㄙ

sā ㄙㄚ

仨 sā 三个（后面不能再用量词）。㊀咱们～|一个顶～。

挲 ㊁ sā 见〔摩挲〕（654 页）。
㊀ suō（944 页）。
㊂ shā（852 页）。

撒 ㊀ sā ❶放；放开。㊀～手|～网。❷故意施展出来；要出。㊀～谎|～赖。❸ 泄出；排放。㊀～气|～尿。
㊁ sǎ（839 页）。

【撒旦】希伯来语音译词。基督教《圣经》中用作魔鬼之王的专称，说他常诱惑人类犯罪作恶，专同神和人类为敌。

【撒泼】违反常态地大叫大闹，要无赖。

【撒丁岛】位于地中海中，东隔第勒尼安海与亚平宁半岛相望。多山，土壤瘠薄。属意大利。

【撒手锏】旧小说中指厮杀时出其不意地用锏投击敌手的一种绝招。后用来比喻技艺中最拿手的一招儿。锏（jiǎn）：古代的一种兵器。

【撒拉族】中国少数民族之一。人口 8.8 万（1990 年）。主要分布在青海省循化、化隆和甘肃省临夏。有本民族语言，兼通汉语文。多信奉伊斯兰教。建立有循化撒拉族自治县。

【撒哈拉沙漠】世界第一大沙漠。位于非洲北部，北起阿特拉斯山脉南麓，南到北纬 17° 附近，东临尼罗河，西到大西洋岸。由大小不等的许多沙漠组成，面积约 777 万平方千米。气候炎热，年降雨量不到 100 毫米。

sǎ ㄙㄚˇ

洒（灑） sǎ ❶散布（多指液体）。㊀～水。❷东西散落。㊀别把粮食～一地。

【洒扫】洒水扫地。

【洒家】宋元时关西一带人的自称，即“我”“咱家”。

【洒脱】自然；不拘束（指言谈、举止）。

靸 sǎ 〈方〉把布鞋后帮踩在脚后跟下；穿（拖鞋）。

【靸鞋】❶一种草制的拖鞋。❷一种鞋帮纳得很密，前脸较长，上面缝有皮梁或三角形皮子的布鞋。

撒 ㊁ sǎ 散播；散布；散落。㊀～种|～一层糖|把～在地上的麦粒捡起来。
㊀ sā（839 页）。

【撒种】播种时把种子均匀地撒在田地里。

潵 sǎ 潵河，水名，在河北。

sà ㄙㄚˋ

卅 sà 数目。三十。㊀五～运动。

飒⊠**（馺）** sà ❶马迅速奔跑。❷〔飒遝〕前后相继不断的样子。也指马迅速奔跑。遝（tà）。

挱⊠**（摋）** ㊀ sà 侧手击。
㊁ shā（850 页）。

脎 sà 有机化合物的一类。含有两个相邻羰基（>C═O），由苯肼与糖类作用生成，不溶于水。常用来鉴定糖。

飒（颯 *颭） sà 拟声词。风声。

【飒飒】拟声词。风吹动树木枝叶等的声音。㊀白杨树迎风～地响。

【飒爽】形容豪迈矫健。㊀～英姿。

【飒然】形容风声。㊀有风～而至。

【飒爽英姿】豪迈矫健、英俊威武的姿态。

萨（薩） sà 姓。

【萨特】让·保罗·萨特（1905—1980）法国存

S

在主义哲学家、文学家。他认为存在先于本质，人被判定是要自由的，但是享有绝对自由的人必须对自己的行为负责。他还以文学的形式在诗歌、小说和戏剧中表述存在主义。著有《存在与虚无》《苍蝇》《恶心》等。

【萨巴依】摇奏体鸣乐器。在两根并连的木棒上装置两个铁环，每个铁环上再套若干小铁环。演奏者用右手持萨巴依下端敲击两肩或上下摇动，使铁环发出清脆的响声。流行于新疆维吾尔地区。

【萨尔瓦多】旧称巴伊亚。巴西城市。是巴西东北部重要海港、综合性的工商业城市和交通枢纽。1763 年前是葡萄牙的巴西殖民地首府。多古建筑和教堂。

【萨克斯管】管乐器。因由比利时乐器制造家萨克斯创制而得名。管体金属制成，采用单簧管的嘴子，形状如双簧管的圆锥形。分高音、中音、次中音、低音等数种。是爵士乐队中的重要乐器。

【萨拉热窝】波斯尼亚和黑塞哥维那共和国首都。位于该国东部。人口 25 万（1996 年）。是全国政治、经济、文化和交通中心。古建筑和传统文化带有浓郁的东方色彩。

【萨伏伊别墅】一位富豪的别墅。建成于 1931 年，在法国巴黎郊区。设计人为法国建筑师勒·柯布西耶。建筑用地仅 22.5 米×20 米，分三层。底层用支柱支承，三面开敞，里面为门厅、车库；二层为起居室、卧室、餐厅和一大阳台；三层为主人卧室和阳台。建筑形式简洁纯净，讲究几何形和光影变化，立面构图严谨，有着明显的虚实对比。

【萨拉热窝事件】第一次世界大战的导火线。1914 年 6 月 28 日，奥匈帝国皇储斐迪南在萨拉热窝被塞尔维亚爱国者刺杀。奥匈帝国在德国支持下于 7 月 28 日向塞尔维亚宣战。许多国家纷纷卷入。第一次世界大战由此爆发。

挱☒　sà　见〔摩挱〕(577 页)。

sāi　ㄙㄞ

思　㊁ sāi　见〔于思〕(1198 页)。
㊀ sī (927 页)。

揌☒　sāi　同"塞(sāi)"①。

毸☒　sāi　见〔毰毸〕(742 页)。

腮（*顋）　sāi　也叫腮帮子。两颊的下半部。

【腮腺】位于耳的前下方的一对大唾液腺。其导管在上颌第二个上磨牙处，开口位于口腔两侧的颊黏膜上。能分泌唾液，有消化和润滑口腔的作用。

【腮腺炎】也叫痄腮。由腮腺炎病毒引起的急性传染病。多发生于儿童。由接触或飞沫传染。主要症状是发热，两侧或一侧腮腺肿大、疼痛。男性患者易并发睾丸炎。

鳃（鰓）　sāi　鱼类等多数水生动物的呼吸器官。多在头部两侧。

【鳃裂】脊椎动物胚胎咽腔开向左右两侧的裂隙。是造鳃的初步表现。鱼类、两栖类、爬行类、鸟类和哺乳类胚胎时期都出现鳃裂。

䰄☒　sāi　见〔鬃䰄〕(741 页)。

塞　㊀ sāi　❶堵；填。[例]～住漏洞｜箱子～满了。❷堵住瓶口或其他器物口的东西。[例]瓶～儿｜软木～儿。
㊁ sè (849 页)。
㊂ sài (840 页)。

噻　sāi　化学用字。如噻吩、噻唑等。

【噻吩】有机化合物，分子式 C_4H_4S。无色液体，性质与苯相似。常作为杂质存在于工业苯中。用于制增塑剂和药物等。

【噻唑】有机化合物，分子式 C_3H_3NS。含硫和氮原子五元杂环结构单元。磺胺噻唑、青霉素、维生素 B_1 等都是噻唑的衍生物。唑(zuò)。

sài　ㄙㄞˋ

塞　㊂ sài　边界上隔绝内外的屏障。泛指易于据守御敌的险要地方。[例]～外｜要～｜边～。
㊀ sāi (840 页)。
㊁ sè (849 页)。

【塞外】也叫塞北。指长城以北的地区。

【塞尚】保罗·塞尚(1839—1906)法国画家，后印象派的代表。致力于探索客观物象的内在结构与秩序，以锥体、球体、圆柱体处理自然形象。被誉为"现代绘画之父"。

【塞万提斯】米格尔·塞万提斯(1547—1616)文艺复兴时期西班牙作家。破落贵族出身。代表作《堂吉诃德》,反映了16世纪广阔的西班牙社会现实和作者的人文主义理想,有力地嘲讽了封建贵族和骑士制度。

【塞尔维特】米格尔·塞尔维特(1511—1553)西班牙医生、解剖学家。在1536年系统地描述了肺部循环现象,对血液循环过程提出了科学见解。由于他著文反对当时宗教统治者的主张,并拒绝放弃自己的科学观点,1553年宗教统治者将他及他的著作一起送上了火刑场。

【塞翁失马】《淮南子·人间训》里说,古时有个住在边塞的老人丢了一匹马,后来这匹马居然带了一匹好马回来。后来就用"塞翁失马"比喻虽然受到暂时的损失,但也许因此得到好处。常与"安知非福"连用。

【塞维利亚理发师】二幕歌剧。罗西尼曲。作于1816年。脚本由斯特尔比尼根据博马舍的喜剧《费加罗三部曲》改编而成。剧情梗概:阿尔马维瓦伯爵深深爱上了在巴尔托洛医生监护下的罗西娜,医生垂涎于罗西娜的美貌和财产,也在打罗西娜的主意。伯爵在理发师费加罗的帮助下,与罗西娜终成眷属。它是19世纪意大利喜歌剧的代表作。

偲☒ sài ❶不诚恳。❷质朴;粗鄙。

赛(賽) sài ❶比赛高低、强弱。㊀～跑|田径～。❷比得上;胜似。㊀一个～一个|瓜甜～蜜。❸为酬报神明的恩赐而举行祭祀。㊀～会|～神。

【赛马】马术运动之一。参赛者分别骑在自己的马上,以马跑的速度决定胜负。

【赛车】供比赛用的自行车、摩托车、汽车。

【赛事】比赛活动。㊀本周～。

【赛季】某些体育项目比赛集中的一段时间。

【赛程】❶比赛的进度、日程。㊀奥运会～过半。❷某些体育比赛的长度、距离。㊀马拉松比赛最后300米～是在体育场跑道上进行的。

【赛璐玢】一种化工制品。

sān ㄙㄢ

三 sān ❶数目。二加一的和。❷表示多数或多次。㊀～令五申|～番五次。

【三七】多年生草本植物。茎高30—60厘米,掌状复叶轮生茎顶,伞形花序顶生,花小,淡黄绿色。根状茎和肉质根供药用,有散瘀、止血、消肿、镇痛等作用。

【三九】❶指冬至后数九中的三"九"。参见〔数九〕(912页)。❷泛指一年中最寒冷的时候。

【三公】古代辅佐皇帝的最高官职。周朝为太师、太傅、太保。西汉为丞相(大司徒)、太尉(大司马)、御史大夫(大司空)。魏晋后三公多无实权,为荣誉职。明清恢复太师、太傅、太保为三公,也为荣誉衔。

【三代】❶指夏、商、周三个朝代。❷曾祖、祖父、父亲为三代。也可指由祖至孙。㊀一家～人。

【三亚】市名。位于海南岛南部,滨南海。人口16万(1997年)。盛产热带经济作物和鱼、盐,并发展这些产品的加工工业。风景名胜有天涯海角、鹿回头及海滨浴场等。

【三伏】❶指农历夏至后第三个庚日起,到立秋后第二个庚日前一天止,共30天(或40天)。分为初伏(头伏)、二伏(中伏)、三伏(末伏),每伏10天(二伏有时为20天)。是一年中最热的时候。❷特指末伏。

【三军】春秋时,大国的军队分为中军、上军、下军(也有称中军、左军、右军的),后泛指军队。现指陆军、海军、空军。

【三防】核武器防护、化学武器防护、生物武器防护的合称。

【三苏】指宋代文学家苏洵(老苏)与其子苏轼(大苏)、苏辙(小苏)。苏轼成就最大。

【三围】指人的胸围、腰围和臀围。是衡量女子形体健美的重要指标之一。

【三国】❶指东汉后魏、蜀、吴三国。❷(220—280)指东汉后魏、蜀、吴三国鼎立时期。从曹丕称帝到晋灭吴。也有人把汉献帝在位曹操当政时划入三国时期。

【三废】工业生产中所排出的废气、废水、废渣的合称。

【三宝】三种可宝贵的东西。所指不一,如佛教三宝为佛、法、僧。

【三弦】也叫弦子。拨弦乐器。琴箱方圆,两面蒙蛇皮,柄长。有三根弦。戴假指甲或用拨子弹奏。发音响亮浑厚。多用于曲艺伴奏或乐队合奏。

【三昧】❶梵语音译词。止息杂虑,心专注于一境。为佛教重要修行方法之一。❷指事物的诀窍或精义。

S

【三峡】长江三峡的简称。

【三牲】古指祭祀用的牛、羊、猪。后也有以猪、鸡、鱼为三牲的，称之为小三牲。

【三秋】❶指秋收、秋耕、秋种。❷秋季。也指秋季的第三个月，即农历九月。例～桂子。❸指三年。例一日不见，如隔～。

【三皇】古代传说中的三个帝王。说法不一，通常的说法有：(1)天皇、地皇、人皇；(2)伏羲、神农、燧人。后者反映了中国原始社会开始畜牧、农耕和用火等情况。

【三秦】秦亡，项羽三分关中，以今陕西中部咸阳以西和甘肃东部地区封秦降将章邯为雍王，以咸阳以东至黄河之地封司马欣为塞王，以今陕西北部地区封董翳为翟王，合称三秦。

【三晋】战国时的韩、赵、魏三国，是由春秋时晋国分裂而成的三个国家，世称此三国为三晋。

【三夏】❶指夏收、夏种、夏管。❷夏季。也指夏季的第三个月，即农历六月。

【三曹】指汉魏间曹操与其子曹丕、曹植。因他们在政治上、文学上有较大影响而得名。

【三焦】中医学名词。指上焦、中焦、下焦。从部位上分，上焦包括心、肺；中焦包括脾、胃；下焦包括肝、肾、膀胱、小肠、大肠等。分别属于胸部、上腹部和下腹部。三焦是体内脏腑功能的综合，也是气和水液运行的通路。

【三楚】秦汉时把战国时期的楚地分成为三楚：江陵(即南郡)为南楚，吴为东楚，彭城为西楚，合称三楚。

【三藏】佛教经典分为经、律、论三个部分，合称三藏。藏(zàng)：指佛教经典。

【三K党】美国最早的种族主义恐怖组织。1866年美国南部种植园主为镇压黑人，维护奴隶制度而组成。后成为迫害黑人和破坏进步运动的工具。三K：英语Ku-Klux-Klan的缩略。

【三八线】第二次世界大战末，1945年7月美苏在波茨坦会议上达成协议，以北纬38°线作为苏美在朝鲜半岛对日受降范围的临时军事分界线，北部为苏军受降区，南部为美军受降区，三八线由此而得名。三八线后成为南北朝鲜的大致分界线。

【三三制】抗日战争时期根据地政权机构的人员组成制度。为了坚决执行抗日爱国统一战线政策，中国共产党领导的各抗日根据地的抗日民主政府中政权机构人员的组成：共产党员、左派进步分子、代表中等资产阶级和开明士绅的人士各占三分之一。

【三门峡】黄河中游著名峡谷。在河南省西部三门峡市。河床中有坚硬的岩石，将水道分成三股急流，北为人门，中为神门，南为鬼门，三门峡由此得名。建有三门峡水利枢纽。

【三叶虫】节肢动物的一纲。背壳纵分为一个中轴和两个肋叶三部分，横分为前、中、后三部分。海生，多数营底栖生活。种类繁多，现已灭绝。一般采到的三叶虫化石，都是矿化了的坚硬的背壳和腹缘。

【三司使】古代官名。唐代三个审讯机构长官的合称。唐审大狱，由刑部、御史台、大理寺共审，其长官合称三司使。五代后唐，将唐中期以后盐铁使、度支使、户部使合为一使，称三司使。北宋相沿，掌全国钱谷出纳，均衡财政收支，为最高财政长官，号称计相。后归并于户部尚书。

【三合土】石灰、黏土和砂加水拌合而成的建筑材料，干燥后质坚硬，可用来打地基或修筑道路。

【三色堇】也叫蝴蝶花。草本植物。茎有分枝，春夏开花，通常每花有蓝、白、黄三色。可供观赏。

【三字经】中国旧时流行的启蒙课本。相传为南宋王应麟编。为三字一句的韵语。内中讲一些伦理及历史文化知识，鼓励孩子们要勤奋好学等。

【三阴交】针灸穴位名。位于胫骨后缘，内踝上三寸处。主治月经不调、痛经、遗尿等。

【三极管】具有阴极、板极、栅极三个电极的电子管。栅极在阴极和板极之间，栅极可改变阴极和板极之间通过的电流。用于放大、检波、产生振荡电流等。有时也把晶体三极管简称为三极管。

【三连音】音乐中把一个节拍单位的音唱奏成三等分，便形成三连音。如$\overset{3}{\underline{5\ 5\ 5}}$(等于一个四分音符5的时值)。

【三希堂】在今北京故宫博物院养心殿。清高宗(乾隆)将王羲之的《快雪时晴帖》、王珣的《伯远帖》、王献之的《中秋帖》收藏于此，认为是三件稀有之物，故名。

【三角形】不在同一直线上的三点，用线段连接起来的封闭图形。三角形中，有一个角是直角的叫直角三角形；有两条边相等的叫等腰三角形；三条边都相等的叫等边三角形或正三角形。

【三角枫】落叶乔木。高可达15米。单叶对生，叶片椭圆形、长卵形或倒卵形，三浅裂或不裂。双翅果。木材坚实，可制作家具等。

【三角学】数学的分支学科。研究三角形边和角的关系、三角函数和它们之间的关系等。包括平面三角和球面三角。

【三角洲】河流注入海中或湖泊时，流速减缓，所携带的泥沙大量沉积，在河口地区形成的冲积平原。一般呈三角形，故名。多属良好农耕地区。如长江三角洲。

【三角铁】❶击乐器。铁制，等边三角形。用一小铁棍敲击发声。是管弦乐队和吹奏乐队常用的乐器。❷也叫角钢。指断面是"L"形的钢材。分等边的和不等边的两种。

【三青子】指蛮横不讲道理的人。

【三青团】三民主义青年团的简称。国民党控制的反动组织。成立于1938年4月，7月组成中央团部，蒋介石自任团长。1947年并入国民党。

【三国志】史书名。晋陈寿撰。共六十五卷，包括魏书三十卷，蜀书十五卷，吴书二十卷，在断代史中别创一格。记载了自魏文帝黄初元年(220)到晋武帝太康元年(280)六十年间魏、蜀、吴三国鼎立时期的历史。

【三段论】演绎推理的一种形式。即由一个共同的概念联系着的两个前提推出结论。由两个前提和一个结论共三个判断组成。如：凡金属都导电，铁是金属，所以铁导电。

【三原色】❶指红、绿、蓝三种色光。它们在一定组合下可以复合成光谱中的各种色光，故名。❷颜料或染料中的品红、黄、青也叫三原色。

【三家村】形容人烟稀少，地处偏僻的小乡村。宋陆游《村饮示邻曲》诗："偶失万户侯，遂老三家村。"

【三铢钱】中国古代铜铸币。钱重三铢，上有"三铢"二字，故名。

【三棱镜】截面呈三角形的棱镜。参见〔棱镜〕(591页)。

【三叠纪】中生代的第一个纪。约开始于2.5亿年前，结束于2.05亿年前。因本纪的地层最初在德国划分时分上、中、下三部分，故名。在这个时期里，裸子植物进一步发展，无脊椎动物以菊石、瓣鳃类等为主，腕足类减少，爬行类动物发展，迷齿类绝迹，原始哺乳动物出现。

【三叠系】中生界的第一个系。指三叠纪时期所形成的地层。

【三人成虎】《战国策·魏策二》："夫市之无虎明矣，然而三人言而成虎。"意思是说，有三个人谎报市上有虎，听者就信以为真。比喻讹传一再重复，就可能以假充真。

【三大法宝】毛泽东在总结中国新民主主义革命的经验时所作的比喻。即统一战线、武装斗争和党的建设。

【三大差别】指社会主义社会中存在的工农差别、城乡差别、脑力劳动和体力劳动的差别。

【三个世界】毛泽东对当代世界战略格局的一种划分。1974年他指出世界已分为三个方面：美国、苏联为第一世界；亚、非、拉和其他地区的发展中国家为第三世界；处于两者之间的发达国家为第二世界。

【三叉神经】人和脊椎动物的第五对脑神经。在人体，附着在脑桥，包含感觉和运动两种纤维，是脑神经中最粗大的一对。在近脑处有一半月状神经节，由此分出眼神经、上颌神经和下颌神经三大支。

【三长两短】指意外的祸事，也是对人的死亡的一种婉转说法(多用于假设、虚拟)。㊀老人病得这样重，万一有个～怎么办？

【三从四德】封建社会为妇女制定的道德行为准则和规范。三从：未嫁从父，既嫁从夫，夫死从子。四德：妇德、妇言、妇容、妇功。意思是妇女的思想品德、言语举止、仪容态度以至家务劳动，都要严格遵守封建礼教的约束。

【三令五申】再三地命令告诫。

【三头六臂】《景德传灯录》卷一三："三头六臂擎天地，忿怒那吒扑帝钟。"后用来形容有特别大的本领。

【三民主义】孙中山提出的中国资产阶级民主革命的纲领，即民族主义、民权主义、民生主义。1905年他在《〈民报〉发刊词》中阐明了"民族、民权、民生三大主义"。1924年在中国共产党的帮助下，他重新解释了三民主义。把民族主义解释为对外反对帝国主义，对内各民族平等；把民权主义解释为民权为一般平民所共有，不为少数人所私有；把民生主义解释为平均地权，节制资本。

【三权分立】一种分权学说和制度。即把国家权力分为立法、行政、司法三个部分,分别由议会、政府、法院掌管。

【三光政策】抗日战争时期,日本帝国主义对中国抗日根据地实行的烧光、杀光和抢光的野蛮政策。

【三江平原】在黑龙江省东部。由黑龙江、松花江、乌苏里江冲积而成,故名。面积10万多平方千米。地势低平,大部分海拔50米以下,有大片沼泽。土地肥沃,是中国重要的商品粮基地。

【三级跳远】田赛项目之一。经过助跑,由连续三跳来完成,第一跳为单脚跳,踏起跳板起跳后落地;第二跳为跨步跳,用摆动脚落地;第三跳为跳跃步,双脚落进沙坑。

【三坟五典】传说中中国最古的书籍。《左传·昭公十二年》:"是能读三坟、五典、八索、九丘。"杜预注:"皆古书也。"

【三体石经】也叫正始石经、魏石经。三国魏曹芳正始二年(241)刊立,经有《尚书》《春秋》和《左传》(未刊全)。经文用古文、小篆和汉隶三种字体书写。

【三位一体】基督教把圣父、圣子、圣灵称为三位一体。后用以比喻三个人、三件事或三个方面联成一个整体。

【三角函数】直角三角形中,每两边的比是它的锐角的函数,每个锐角有六个三角函数。例如,对于锐角 A:$\frac{a}{c}$ 为 $\angle A$ 的正弦,记作 $\sin A$;$\frac{b}{c}$ 为 $\angle A$ 的余弦,记作 $\cos A$;$\frac{a}{b}$ 为 $\angle A$ 的正切,记作 $\tan A$;$\frac{b}{a}$ 为 $\angle A$ 的余切,记作 $\cot A$;$\frac{c}{b}$ 为 $\angle A$ 的正割,记作 $\sec A$;$\frac{c}{a}$ 为 $\angle A$ 的余割,记作 $\csc A$。三角函数的概念可以推广到任意角。

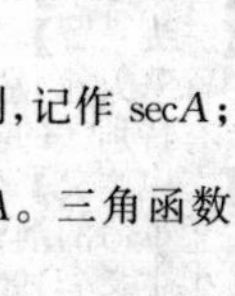

【三言二拍】明末辑著的五种小说集的合称。三言指《喻世明言》(《古今小说》)、《警世通言》和《醒世恒言》,明末冯梦龙纂辑,共收话本一百二十篇;二拍指《初刻拍案惊奇》和《二刻拍案惊奇》,明末凌濛初作,共收话本八十篇。

【三纲五常】中国古代所提倡的人与人之间的道德规范。三纲:君为臣纲,父为子纲,夫为妻纲。五常:仁、义、礼、智、信五种道德标准。

【三国演义】全称《三国志通俗演义》。长篇小说。元末明初罗贯中著。共一百二十回。小说描写了魏、蜀、吴三国所进行的政治、军事、外交斗争,反映出当时封建统治阶级内部的斗争情况和动荡不安的社会现实。作者善于描写战争,对于各次战争的特定环境、双方的力量对比、战略部署、战术的运用等,都交代得十分清楚,并描绘了许多生动的战争场面。作者也善于刻画人物,塑造了许多性格鲜明、影响深远的艺术形象。情节曲折,结构宏大,语言简洁流畅。

【三姑六婆】明陶宗仪《辍耕录》卷一〇:"三姑者,尼姑、道姑、卦姑也;六婆者,牙婆、媒婆、师婆、虔婆、药婆、稳婆也。"泛指走门串户,不务正业的妇女。

【三相电流】也叫三相交变电流。由三个频率、振幅都相等而相位互差120°的交变电动势获得的三个交变电流。其中每一个交变电动势称为一相。

【三面红旗】 1958年中国共产党制定的建设社会主义的总路线和同年兴起的大跃进运动、人民公社化运动,当时被称为三面红旗。

【三思而行】再三考虑后才行动。《论语·公冶长》:"季文子三思而后行。"

【三峡工程】长江三峡地区在建的集防洪、发电、航运等于一身的特大型水利枢纽工程。是世界已建和在建的最大的水利枢纽工程。工程大坝位于湖北省宜昌市境内的西陵峡三斗坪。坝顶高程185米,正常蓄水位175米,总库容393亿立方米。电站总装机容量1 820万千瓦。水库淹没区上抵重庆,使万吨船只可自上海直达重庆。水库还具有灌溉、城市供水、养殖等方面的综合效益。

【三班六房】明清时州县衙门中吏役的合称。三班是皂班、壮班、快班,都是差役。六房是吏房、户房、礼房、兵房、刑房、工房,都是文书小吏。

【三顾茅庐】也说三顾草庐。汉末刘备三次到诸葛亮住的茅屋去邀请他出来帮助自己打天下,最后诸葛亮才答应出来。后喻指一再诚心地邀请。

【三座大山】喻指中国民主革命时期压迫中国人民的三大敌人,即帝国主义、封建主义和官僚资本主义。

【三资企业】在中国境内的中外合资经营企业、中外合作经营企业、外商独资经营企业的合称。是公有制经济的补充。

【三教九流】三教:儒教、道教、佛教。九流:儒家、道家、阴阳家、法家、名家、墨家、纵横家、杂家、农家。后泛指宗教、学术中各种流派或社会上的各种行业(今多含轻蔑意)。

【三基鱼塘】蔗基鱼塘、桑基鱼塘、果基鱼塘的合称。是珠江三角洲一种土地利用方式。在低洼易涝处挖地成塘,堆泥成基。塘中养鱼,基上栽种桑、甘蔗或果树。蚕粪、蔗叶可养鱼,塘泥可肥田。形成农业、渔业、副业共同发展的良性生态系统。

【三维空间】也叫三度空间。通常指人们活动的客观存在的空间。

【三朝五门】周朝门殿制度,后逐步演化为中国古代宫殿建筑外朝布局的一种形制。三朝为外朝、治朝、燕朝(一说为大朝、治朝、日朝),明清故宫附会为太和殿、中和殿、保和殿。五门为皋门、雉门、库门、应门、路门,明清故宫附会为大清门、天安门、端门、午门、太和门(也叫奉天门)。

【三湾改编】1927年9月,毛泽东领导秋收起义部队在江西省永新县三湾镇进行的整编。这次整编,将工农革命军第一军第一师改编为第一师第一团;确立了党对军队的绝对领导,提出了“支部建在连上”的原则,建立了党的各级组织。这次改编对建设新型人民军队具有重大的历史意义。

【三叉神经痛】一种多见于单侧面部三叉神经分布区域内的剧痛。发作时有如电击、烧灼,间歇期则恢复正常。

【三北防护林】中国三北(东北、华北、西北)地区为防治土地沙漠化、水土流失、草场退化等而兴建的大型防护林体系工程。被誉为“世界生态工程之最”。东起黑龙江省宾县,西至新疆乌孜别里山口,涉及13个省级行政区。从1978年开始,计划到2050年造林3 500万公顷。

【三星堆文化】中国四川地区自新石器时代晚期至商周早期的文化遗址。因遗址主要发现于广汉市南兴镇三星堆,故名。20世纪80年代后大规模发掘。发现有城址、房屋和祭祀坑,城墙为夯土筑成,城外有壕沟。祭祀坑内出土金、铜、玉、陶器多件,青铜器造型为国内所罕见。学者们大都认为其为古蜀国的遗存。

【三反五反运动】1951年12月至1952年6月中国共产党领导开展的政治运动。从1951年底开始,党、政、军、民机关内开展反对贪污、浪费、官僚主义的“三反”运动;在私营工商业中,开展了反对行贿、偷税漏税、盗窃国家资财、偷工减料、盗窃国家经济情报的“五反”运动。

【三年游击战争】1934年10月中国工农红军主力长征后,留下的部队坚持南方八省的游击战争,并在战略上配合主力红军的行动。各地红军游击队在陈毅、谭震林、邓子恢、张鼎丞、粟裕等领导下,进行了艰苦卓绝的斗争,保持了长江南北浙、闽、赣、粤、湘、鄂、豫、皖八省十四个游击区,成为抗日战争在南方各省的战略支点,红军游击队成为建立新四军的骨干。

【三人行,必有我师】《论语·述而》:“子曰:‘三人行,必有我师焉。’”意思是说三个人同行,里面一定有可以当我老师的。后来指应该虚心向别人学习。

【三大纪律八项注意】中国人民解放军的纪律。是毛泽东在第二次国内革命战争时期制定的。三大纪律是:(1)一切行动听指挥;(2)不拿群众一针一线;(3)一切缴获要归公。八项注意是:(1)说话和气;(2)买卖公平;(3)借东西要还;(4)损坏东西要赔;(5)不打人骂人;(6)不损坏庄稼;(7)不调戏妇女;(8)不虐待俘虏。

【三天打鱼,两天晒网】比喻缺乏恒心,做事或学习常常中断。

【三八国际劳动妇女节】简称三八节、妇女节。世界各国劳动妇女为争取和平民主、妇女解放而斗争的节日。1909年3月8日,美国芝加哥女工举行罢工和示威游行,要求增加工资,实行八小时工作制和获得选举权。次年,在丹麦哥本哈根召开的第二届国际社会主义妇女代表会议上,根据蔡特金的倡议,通过决议把3月8日定为国际劳动妇女节。

【三元里人民抗英斗争】鸦片战争时期广东人民的自发抗英斗争。1841年英国侵略军侵占广州,到处烧杀掳掠。广州北郊三元里人民在菜农韦绍光等领导下联系附近一百零三乡农民和广州城里的纺织、打石工人几万人,组成反侵略武装,抗击英军。

5月30日，在牛栏冈打死、打伤侵略军二百多名，活捉十余名。敌军狼狈逃窜。

【三个臭皮匠，赛过诸葛亮】比喻人多智慧多，大家出主意，好办法就能想出来。

弎⊠ sān “三”的异体字。

叁 sān 数目“三”的大写。多用于票证、账目等。

毵（毿） sān 〔毵毵〕毛发或枝条细长的样子。

sǎn ㄙㄢˇ

伞（傘 *傘❶ *繖） sǎn ❶防雨或遮太阳的用具。可张可收。㊀雨～｜旱～。❷像伞的东西。㊀灯～｜降落～。

【伞兵】即“空降兵”（561页）。

【伞房花序】花序的一种。花侧生于引长的花轴上，下部的花，花梗较长；顶部的花，花梗较短，花在花序顶端列于同一平面，整个花序呈平顶状。如梨、山楂等的花序。

S

散（*散） ㊁ sǎn ❶无约束；不密集；松开。㊀～漫｜～兵游勇｜把稻子捆紧，别～了。❷零碎的；不集中的。㊀～装｜～坐ㄦ。❸中成药剂型之一。由一种或数种药材粉碎成细粉混合而成的干燥药粉，按医疗用途分内服散和外用散。㊀七厘～｜金黄～｜避瘟～。

㊀ sàn（846页）。

【散文】文学类型的一种。❶指不求形式上整齐，不讲对仗，不押韵的散体文章。与“韵文”相对。❷现代文学中指诗歌、小说、戏剧以外的文学作品。包括杂文、报告文学、小品文、随笔、传记、游记等。有时也专指表现作者情思的叙事、抒情散文。

【散户】资金实力较弱，买卖股票数量较少的个人投资者。

【散打】体育运动项目之一。两人在规则允许的范围内，运用踢、打、摔等攻防技术徒手对抗。散打技术分进攻、防守和防守反击等。

【散光】视力功能缺陷的一种。由于眼球中的角膜或晶状体表面曲度不规则，平行光线入眼后，其所结成的焦点不在一处所致。表现为看东西模糊不清。

【散曲】曲的一种体式。盛行于元明两代。跟剧曲不同，没有宾白（道白）科介（动作），便于清唱。包括散套、小令两种。

【散体】一种不要求词句齐整对偶的文体。与“骈体”相对。

【散套】散曲的一种。通常用同一宫调的若干曲子组成，长短不拘，一韵到底，用来抒情或叙事。

【散射】光在介质中前进时，部分光线偏离原方向而分散传播的现象。由介质中存在其他微粒，或介质密度不均匀而引起。无云天空呈深蓝色，日出日落时太阳呈红色，就是光被微尘散射所造成的。

【散漫】❶随随便便，不守纪律。❷零散，不集中。

【散氏盘】也叫夨（zè）人盘。西周晚期青铜器。有铭文357字，记述贵族夨人将大片田地移付给散氏时所订的契约。是研究西周土地制度的重要史料。

【散文诗】兼有散文和诗歌特点的文学体裁。跟散文一样，不分行，也不一定押韵，但比较注意语言的节奏性，篇幅通常不大，语言凝练，具有诗的意境。

【散兵游勇】指逃散的没有统率的士兵。

【散点透视】东方传统绘画的透视画法。焦点不是一个而是多个。中国山水画的三远（高远、平远、深远）法就是散点透视。

馓（饊） sǎn 〔馓子〕一种油炸的面食，细条相连，拧成各种花样。

糁（糝） ㊁ sǎn 〈方〉煮熟的米粒。

㊀ shēn（872页）。

糂⊠ sǎn 同“糁（sǎn）”。

sàn ㄙㄢˋ

散（*散） ㊀ sàn ❶由聚集而分离。㊀解～｜～会｜烟消云～。❷分发；分给。㊀～传单。❸排遣；排除。㊀～心｜～闷。

㊁ sǎn（846页）。

【散心】排遣心中郁闷。

【散布】分散传布。㊀～流言蜚语。

【散失】分散失落，也指水分等消散失去。

【散发】发出；分发。㊀花ㄦ～着香味｜～学习文件。

sāng ㄙㄤ

丧(喪) ㊀ sāng 与人去世有关的。㊀~事|吊~|治~。
㊁ sàng (847 页)。

【丧礼】办理丧事的礼仪。

【丧服】为哀悼死者而穿的服装。汉族旧俗由本色的粗布或麻布做成。

【丧钟】西方习俗，教堂在宣告教徒死亡或为死者举行宗教仪式时要敲响钟声。后即用"丧钟"比喻死亡或灭亡的信号。

桑(*桒) sāng 落叶乔木。品种很多，常培养为灌木状。果实叫桑葚儿，叶子喂蚕，皮可造纸，叶、果、枝、根、皮均可供药用。木材优良，可制农具。

【桑梓】古代住宅旁边常栽种桑树和梓树，后用作家乡的代称。梓(zǐ)。

【桑榆】❶落日的余辉照在桑树、榆树上。指傍晚。㊀失之东隅，收之~。❷比喻人的老年时光。㊀~晚景。

【桑葚儿】桑树的果实。葚(rèn)。

【桑巴舞】舞厅舞的一种。源于巴西。20世纪40年代初在欧美流行。音乐为4/4拍，有切分音节奏。舞蹈强调上下弹动，尤其是膝盖部位。舞者以游走为主，动律感极强，舞蹈欢快而有活力。

【桑弘羊】(前152—前80)西汉政治家。洛阳(今河南洛阳东)人。任治粟都尉，领大司农。协助汉武帝制定和推行盐铁官营、抗击匈奴侵扰等重大政策。武帝死，昭帝年幼即位，他与霍光等同受遗诏辅政。后以谋反罪被霍光处死。他的思想言论经桓宽整理，收在《盐铁论》中。

【桑拿浴】指芬兰式蒸汽浴。以坐在木椅上，用水浇烧红的石头发出高温蒸汽，使人大量出汗为特点。可排除污垢，去乏健身。桑拿：英语音译。

sǎng ㄙㄤˇ

搡 sǎng 用力推。㊀把他~了一个跟头。

嗓 sǎng ❶嗓子；喉咙。❷人的发音器官发出的声音。㊀尖~|哑~。

磉 sǎng 柱下石。

颡(顙) sǎng 前额。

sàng ㄙㄤˋ

丧(喪) ㊁ sàng 丢掉；失去。㊀~命|~失。
㊀ sāng (847 页)。

【丧气】❶因事情不顺利而情绪低落。㊀灰心~|垂头~。❷气(qi)。不吉利。

【丧失】失去。㊀~信心。

【丧命】死亡。多指凶死或暴病而死(含贬义)。

【丧胆】形容非常恐惧。㊀敌人闻风~。

【丧偶】死了配偶。

【丧心病狂】失去理智，像发了疯一样。形容干坏事不顾一切。《宋史·范如圭传》："公(指秦桧)不丧心病狂，奈何为此？"

【丧权辱国】丧失主权，使国家蒙受耻辱。

【丧家之狗】也说丧家之犬。《史记·孔子世家》："累累若丧家之狗。"喻指失去了主子，无处投奔的人(含贬义)。

【丧魂落魄】形容吓得要命的样子。

sāo ㄙㄠ

搔 sāo 用手指甲挠。㊀~痒。

慅⊠ ㊁ sāo 〔慅慅〕骚动；骚扰不安。
㊀ cǎo (98 页)。

骚(騷) sāo ❶扰乱；不安定。㊀~乱|~扰。❷同"臊(sāo)"。❸指屈原写的《离骚》。㊀~体。❹风流；轻佻。㊀风~。

【骚人】屈原作《离骚》，因称屈原或《楚辞》作者为骚人。后也泛指诗人。

【骚动】❶动荡。❷动乱；秩序紊乱。

【骚扰】扰乱，使不安宁。

【骚乱】动乱不安。

【骚体】也叫楚辞体。中国古典文学体裁的一种。起于战国时期的楚国，以屈原的《离骚》为代表。其作品篇幅较大，字句较长，形式较自由，多用语气词"兮"字，具有浓厚的楚地色彩。

【骚客】指诗人。

缫(繅) sāo 把蚕茧浸在热水里抽丝。㊀~丝。

【缫丝】把蚕茧制成生丝的过程。一般从浸在热水里的5—10粒蚕茧抽出的丝合成一根生丝。

缫(繰) ㊀ sāo 同“缫”。㊁ qiāo (788页)。

臊 ㊀ sāo 像尿一样的气味。㊁ sào (848页)。

sǎo ㄙㄠˇ

扫(掃) ㊀ sǎo ❶用笤帚或扫帚除去尘土、垃圾等。㊎～地|～房。❷除去;消灭。㊎～雷|～盲。❸很快地横掠过去。㊎～射|～视。❹全部;所有的。㊎～数归还。
㊁ sào (848页)。

【扫地】❶用扫帚清扫地面。❷形容(名誉、威信、文化等)完全丧失或消灭。㊎名誉～|斯文～。

【扫兴】(遇到不愉快的事)使兴致低落。

【扫尾】结束最后剩下的小部分工作。

【扫盲】扫除文盲。对超过学龄而不识字或识字很少的人进行识字教育,培养他们具有最基本的读写能力。

【扫视】面向前方,由左往右,或由右往左很快地看。

【扫荡】❶用武力肃清敌人。❷泛指彻底清除。㊎一切腐朽的东西都在～之列。

【扫除】❶清除脏东西。㊎大～。❷消除;清除。㊎～文盲|～障碍。

【扫射】以自动武器实施横向移动的连续射击。

【扫描】一般指电子束或光点在某特定区域内以一定规律移动的过程。分电子扫描和机械扫描。电子扫描如电视机和示波器中电子束以一定规律移动;机械扫描如传真机滚筒与光点的相对运动,防空雷达天线对其警戒空域的往复运动等。

【扫墓】到坟前祭奠、打扫,对死者表示追念。

【扫雷】搜索和清除地雷、水雷等。地雷可用爆炸方法诱发,或用人工、扫雷坦克等扫除。水雷通常用扫雷舰艇扫除。

【扫榻】扫除床榻上的尘土。表示欢迎客人来到的客气话。㊎～以待。

【扫雷舰】搜索和排除水雷的军舰。装备有扫雷设备和自卫火炮。主要任务是扫除水雷障碍,开辟雷区航道,以保障舰船航行安全。

【扫地出门】指剥夺所有财产,赶出家门。

嫂 sǎo 嫂子,哥哥的妻子。也用来尊称和自己年纪相仿佛的已婚女子。㊎姑～|张大～。

嫂☒ sǎo “嫂”的异体字。

sào ㄙㄠˋ

扫(掃) ㊁ sào 义同“扫(sǎo)”。用于“扫帚”等。
㊀ sǎo (848页)。

【扫帚】一种用竹枝等做成的扫庭院、场院等的用具。

【扫帚星】彗星的俗称。

埽 sào ❶用秫秸、芦苇、树枝、石头等捆紧做成的圆柱形的东西。作修建或保护堤岸的材料。❷用许多埽做成的堤坝或护堤。

瘙 sào 皮肤发痒的病。

【瘙痒症】也叫痒病。指各种皮肤瘙痒。多由皮炎、皮疹、寄生虫、糖尿病、不洁等引起。

氉☒ sào 见〔毷氉〕(670页)。

臊 ㊁ sào 害羞。㊎没羞没～。
㊀ sāo (848页)。

sè ㄙㄜˋ

色 ㊀ sè ❶颜色。㊎红～|绿～。❷脸上的表情。㊎喜形于～|～厉内荏。❸情景;景象。㊎景～|荷塘月～。❹种类。㊎各～货品|花～齐全。❺质量。㊎成～|足～。❻情欲。❼妇女的美好容貌。㊎姿～|～艺双绝。
㊁ shǎi (853页)。

【色盲】色觉异常的一种。多为先天性。红绿色盲较常见,患者不能区别红绿两种颜色。全色盲患者只能区别明暗,不能区别色彩。

【色泽】颜色和光泽。㊎～鲜艳。

【色相】❶佛教指一切事物的形状外貌。后也指女子的体形相貌。❷色彩所呈现出来的质的面貌。红、橙、黄、绿、青、紫是六种基本的色相。
【色度】色彩深浅、明暗的程度。
【色素】使有机体具有各种不同颜色的物质。某些色素在生理过程中起很重要的作用，如植物体中的叶绿素能进行光合作用。
【色调】❶指在画面上出现的各种色彩，凭借深浅、明暗、暖色和冷色，产生对比与谐调的效果。❷作品中反映出来的思想情调。
【色弱】色觉异常的一种。患者辨色力不足，比色盲轻。参见〔色盲〕(848 页)。
【色球】太阳光球外面呈玫瑰色的一层太阳大气。主要由氢、氦、钙等原子和离子构成。厚度约几千千米，气体稀薄。温度自里向外由四五千度升高到几万度，只有在日全食时(或用特殊的望远镜)才能看到。
【色彩】❶颜色的光彩。❷比喻某种事物特有的情调或倾向。例感情～|地方～。
【色情】指表现、反映情欲的(含贬义)。
【色散】复色光分解为单色光而形成光谱的现象。可以利用棱镜或光栅等作为色散系统的仪器来实现。散(sàn)。
【色目人】元代对西北各族、西域以至欧洲来华各族人的通称。包括哈剌鲁、钦察、回回、乃蛮、斡罗思等 31 个。元朝把各族人划分为蒙古人、色目人、汉人和南人四个等级。在选官、科举、法律上，享受仅次于蒙古人、优于汉人和南人的待遇。
【色厉内荏】外表强硬严厉，内心怯懦软弱。《论语·阳货》："色厉而内荏，譬诸小人，其犹穿窬之盗也与?"厉：凶猛。荏(rěn)：软弱。

铯(鉋) sè 金属元素，符号 Cs，原子序数 55。银白色，质软。用于制光电管、原子钟等。近年来用在离子火箭、磁流体发电机和热电换能器等方面。

涩(澀*澁*濇) sè ❶不润滑。例滞～|轮轴发～，该上油了。❷使舌头感到麻木难受的滋味。例柿子很～。❸文字不生动，难懂。例晦～|文章艰～。

谖⊠(譅) sè 言语艰难；结巴。

啬(嗇) sè 小气；该用的财物也舍不得用。例吝～。

辖⊠(轖) sè ❶古代车舆两边用皮革交错编成的装饰物。❷气结；堵塞。例结～。

穑(穡) sè 收割庄稼。例稼～。

瑟 sè 古代拨弦乐器。形似筝。一般张二十五弦，每弦有一柱。
【瑟瑟】❶形容轻微的风声。例秋风～。❷因寒冷身体发抖的样子。
【瑟缩】❶哆嗦；发抖。❷身体因寒冷而蜷缩。

璱⊠ sè ❶有横纹的玉石。❷玉石鲜明洁净的样子。

塞 ㊁ sè 同"塞(sāi)"①。用于书面语词，如"闭塞""阻塞""塞责""茅塞顿开"等。
㊀ sāi (840 页)。
㊂ sài (840 页)。
【塞责】对自己应负的责任采取敷衍了事的态度。例对工作不能敷衍～。
【塞音】也叫爆发音。辅音的一类。发音时，发音部位形成闭塞，软腭上升，堵塞鼻腔通路，气流冲破阻碍，迸裂而出，爆发成声。如普通话的 b、p、d、t、g、k。
【塞擦音】辅音的一类。指相同发音部位的一个塞音和一个擦音紧密结合，先破裂，后摩擦，成为一个语音单位。如普通话的 z、c、j、q、zh、ch。

sēn ㄙㄣ

森 sēn ❶树木众多。例～林。❷繁密；众多。例～罗万象。❸阴暗。例阴～。
【森严】整齐严肃。多形容防守严密。例壁垒～|戒备～。
【森林】通常指以乔木为主体、大片生长的林木。由树木和其他植物、野生动物、微生物构成的生物群落。是木材的主要来源，具有保持水土、调节气候、防护农田、卫生保健等作用。
【森森】树木茂密。例林木～。
【森林浴】一种自然疗养方式。春夏白昼在森林散步、慢跑，吸入富氧的洁净空气，达到醒神、健身的目的。
【森严壁垒】即"壁垒森严"(57 页)。
【森林公园】在森林地区建设的公园。可供人们进行游览、娱乐、健身等活动。
【森林古猿】类人猿和人类的共同祖先。其化石发现于亚洲、欧洲和非洲广大地区的

S

中新世和上新世地层中。

【森林脑炎】由森林脑炎病毒引起的急性传染病。蜱是传染媒介，流行于森林地区。发病急，有高热、神志不清、颈肌麻痹等症状。

【森罗万象】纷然罗列的各种事物和现象。形容丰富，应有尽有。《景德传灯录》卷六：“如森罗万象，至空而极；百川众流，至海而极。”森：众多。罗：罗列。

【森林覆盖率】指一个地区或一个国家森林面积占土地总面积的百分率。用以说明森林资源的多少。

鬖⊠（鬖） sēn 〔鬖髿〕头发蓬松杂乱。

sēng ㄙㄥ

僧 sēng 僧伽的简称。出家修行的男性佛教徒；和尚。㊟～人｜～徒｜～衣。

【僧侣】佛教僧徒。也指某些其他宗教的修道人。

【僧侣主义】即“信仰主义”（1097页）。

【僧格林沁】（1811—1865）清代蒙古族将领。科尔沁旗人。1853年受命为参赞大臣，率蒙古骑兵堵击太平天国北伐军，加封为亲王。1859年指挥大沽口海战，连挫英法联军。次年失守，被削职夺爵。1863年受命围剿捻军。1865年在山东曹州被捻军击毙。

shā ㄕㄚ

杀（殺） shā ❶弄死；使人或动物失去生命。㊟～敌｜～虫。❷战斗。㊟～出重围。❸消除；削弱；减少。㊟～歪风｜～暑气｜～价。❹药物等刺激身体使感觉疼痛。㊟硼砂上在疮口上～得慌。❺同“煞（shā）”①②。❻用在动词、形容词后，表示程度深。㊟恨～｜气～｜热～人。

【杀伤】打死打伤。

【杀价】买主利用卖主急于售出的心理，大幅度地压低价格。

【杀青】❶古人著书先写在青竹皮上，便于涂抹，改定后再削去青皮，写在竹白上，叫做杀青。后泛指著作的最后定稿。❷绿茶加工制作中的第一道工序。❸旧指用竹、麻造纸。

【杀戮】（大量地）杀害。戮（lù）。

【杀风景】损坏美好的景色。比喻在兴高采烈的场合中，突然出现使人扫兴的事物。

【杀一儆百】杀一个人来警戒许多人。儆（jǐng）：使人警觉。

【杀人如麻】杀的人很多。形容极其凶残。唐李白《蜀道难》诗：“磨牙吮血，杀人如麻。”

【杀人越货】杀害人的性命，抢夺人的财物。《尚书·康诰》：“杀越人于货，暋（mǐn）不畏死。”越：抢劫。

【杀身成仁】《论语·卫灵公》：“志士仁人，无求生以害仁，有杀身以成仁。”原意是说为了成全仁德，可以不顾自己的生命。现指牺牲生命，以维护正义事业。

【杀鸡吓猴】比喻惩罚一个来吓唬另外的。

【杀鸡取卵】也说杀鸡取蛋。比喻只顾眼前微小的好处而损害长远的利益。卵：蛋。

【杀敌致果】勇敢杀敌，以立战功。《左传·宣公二年》：“杀敌为果，致果为毅。”致：取得，达到。果：战果，指胜利。

【杀人不眨眼】形容极其凶狠残忍。宋普济《五灯会元》卷八：“长老不闻杀人不眨眼将军乎？”

刹 ㊁ shā 止住（车或机器等）。㊟～车。

㊀ chà（102页）。

【刹车】❶止住车辆的前进或机器的运转。❷止住车辆等前进的机件。❸比喻正在进行的工作，中途停下来。

摋⊠（摋） ㊁ shā ❶同“抹杀”的“杀”。❷〔弊摋〕杂糅。

㊀ sà（839页）。

榝⊠（榝） shā 茱萸。

铩（鎩） shā ❶古代的一种长矛。❷摧残；伤残。㊟～羽（伤了翅膀。比喻失意）。

杉 ㊁ shā 义同“杉（shān）”。用于“杉木”“杉篙”等。

㊀ shān（855页）。

【杉篙】用细长而直的杉（shān）树一类的树干加工而成的杆子。以前多用来搭脚手架、撑船等。

沙 ㊀ shā ❶细小的石粒。㊟～土｜～滩｜防～林。❷像沙的东西。㊟豆～。❸嗓音不清脆，不响亮。㊟～哑。

㊁ shà（853 页）。

【沙门】梵语音译词。出家的佛教徒。

【沙龙】法语音译词。❶客厅。❷17、18 世纪巴黎的文人、艺术家常接受贵族妇女的招待，在客厅（沙龙）里聚会，谈论文艺、政治。后来就称西欧贵族、社会上层人物谈论文艺、政治的社交集会为沙龙。❸巴黎每年定期举行的造型艺术展览会的名称。❹泛指文化人的非正式的小型聚会。

【沙丘】在风力作用下由沙粒堆积成的小丘。高度一般从数米到数十米，有丘状、垄状、新月状。在沙漠中最常见。裸露沙丘易于随风缓慢移动，生长植物后流动性减弱，利用这个特点可以对它进行改造。

【沙发】英语音译词。一种内装弹簧衬垫、矮脚、有扶手的靠背椅。

【沙场】平坦空旷的沙地。多指战场。

【沙林】德语音译词。神经性毒剂的一种。学名甲氟膦酸异丙酯。可装填在炮弹、火箭弹、航空炸弹等弹药内，以爆炸方式形成蒸气和气溶胶，主要经呼吸道和眼睛侵入机体，使人畜中毒。

【沙枣】也叫桂香柳。落叶灌木或小乔木。叶披针形，果柄甚短。是固沙造林的主要树种。果实可食，嫩叶可作饲料。

【沙岸】冲积平原与海面相接的部分。海岸线较平直，缺乏天然港湾，海水浅不便停泊轮船，但适于晒盐、旅游休闲。

【沙弥】梵语音译词。初出家的年轻和尚。

【沙荒】指不能耕种的沙地。

【沙柳】落叶灌木。幼枝黄色，叶线形或线状披针形，枝条丛生，不怕沙压，根系发达，萌芽力强。是固沙造林树种。

【沙俄】也叫帝俄。指十月革命前沙皇统治下的俄国。

【沙皇】俄罗斯及保加利亚帝王的称号。“沙”系音译，由拉丁语“恺撒”一词转来。

【沙洲】江河里、海滨或浅海中，由泥沙堆积而成的大片地面。

【沙砾】沙和碎石块。砾（lì）。

【沙眼】由沙眼衣原体引起的慢性传染病。通过接触传染。患者常有异物感、畏光、流泪等症状，睑结膜上出现灰白色颗粒，愈后形成瘢痕，瘢痕收缩使眼睑内翻和倒睫，长期刺激角膜，引起混浊甚至失明。

【沙盘】根据地形图或实地地形，确定一种比例尺，用泥沙等物堆成的模型。在军事上，常用于研究地形、敌情、作战方案和军事训练等。在教学、科研、设计、展览等工作中也常应用沙盘。

【沙棘】落叶灌木或小乔木。枝灰色，常有刺。广泛分布于黄河流域、东北、西南等地区。耐旱、耐寒，生长迅速，根系特别发达，是防风固沙、保持水土的优良树种。

【沙碛】古指沙漠。碛（qì）。

【沙漠】一般指终年少雨、气温变化大、植物贫乏的地区。地面多流沙、砾石、岩块或盐碱滩，风力作用活跃，日照较多。

【沙滩】河、湖、海中或岸边由沙子沉积成的陆地。

【沙丁鱼】鱼类。体侧扁，长纺锤形，银白色。海产，肉味鲜美，通常用来制罐头。

【沙尘暴】也叫沙暴、尘暴。风挟带大量沙尘、干土使空气混浊、天气昏黄的现象。中国北方春季多见。

【沙里宁】（1910—1961）美国建筑师。原籍芬兰。设计风格清新，追求建筑空间组织的多变性和建筑结构表现的真实性。代表作有美国圣路易市杰斐逊纪念碑、美国环球航空公司候机楼。

【沙利文】（1856—1924）美国建筑师，芝加哥学派的代表人物。在建筑设计上提出“形式服从功能”的观点。他对高层建筑的具体处理手法，曾盛行于 19 世纪 90 年代，并成为之后几十年欧美高层建筑设计的基本手法。著有《思想自传》等。代表建筑有芝加哥大会堂、圣路易斯的文赖特大厦、卡松百货公司大楼等。

【沙漠化】干旱、半干旱地区土地退化，逐步变成类似沙漠的现象。

【沙文主义】一种资产阶级民族主义。沙文，原是 18 世纪末 19 世纪初的一名法国士兵，他狂热地拥护拿破仑一世的对外侵略扩张政策。后来，这种宣扬本民族利益至上，掀起民族仇恨，煽动征服和奴役其他民族的思想行为，被称为沙文主义。

【沙里淘金】比喻从大量的材料中选择精华。也比喻用力大而收获小。

【沙恭达罗】印度古典诗剧。笈多王朝迦梨陀娑著。取材于史诗《摩诃婆罗多》，描写国王与修道者的养女沙恭达罗的爱情风波，反映了印度古代社会上层阶级的生活和风尚。是梵文古典文学的重要作品。

【沙漠气候】极端干旱的大陆性气候。白天日射极强，夏季最高气温可达 50—60 ℃，夜间气温下降很快。空气很干，雨雪极少。

【沙漠植物】生长在沙漠环境中的植物。为适应供水量少和气候干旱的条件，叶面角质层加厚，气孔密度小，叶面积小，肉质叶或茎干肥大。根系发达。生长发育周期较短。

【沙滩排球】排球运动项目之一。在长方形沙地面场地（长18米、宽8米）上进行。球略重于普通排球。比赛分两人制、三人制和四人制几种。正式比赛分预赛、复赛、半决赛和决赛，预赛和复赛采用循环制，预赛一局定胜负，每局15分，最高分限17分。复赛、半决赛和决赛为三局两胜，每局12分，最高分限14分。第三局比赛得5分时交换场地。

莎 ㊁ shā 多用于地名，如莎车（在新疆）。也用于人名。

㊀ suō（944页）。

【莎士比亚】威廉·莎士比亚（1564—1616）文艺复兴时期英国戏剧家、诗人。著有剧本37部、十四行诗154首和叙事长诗2首。作品要求个性解放，反对封建专制和禁欲主义，表现了资本主义萌芽时期的人文主义理想。剧作人物形象鲜明，情节曲折生动，语言精练典雅。代表作有悲剧《哈姆雷特》《奥赛罗》《李尔王》《罗密欧与朱丽叶》，喜剧《威尼斯商人》等。莎士比亚的创作对欧洲文学和戏剧的发展影响很大。

吵[⊠] shā 助词。用在句末表示揣度、停顿或祈使的语气，大致相当于“吧（ba）”“嘛（ma）”。多见于近代汉语。

挲 ㊂ shā 见〔挓挲〕（1231页）。

㊀ suō（944页）。

㊁ sā（839页）。

痧 shā 中医指霍乱、中暑等急性病。[例]发～|绞肠～。

裟 shā 见〔袈裟〕（466页）。

鲨（鯊） shā 也叫沙鱼、鲛。鱼类。体一般为纺锤形，尾鳍发达、歪形。性凶猛，行动敏捷，捕食其他鱼类。生活在海洋中。

髿[⊠] ㊀ shā 头发下垂的样子。

㊁ suō（944页）。

纱（紗） shā ❶也叫细纱、单纱。用纺织纤维纺成的单根细缕。可以捻成线或织成布。❷经纬纱稀疏的织品，表面呈现小孔，细致、轻薄而又透明。如窗纱、纱布、乔其纱等。❸像窗纱一样的制品。[例]铁～|塑料～。

【纱支】纱线支数。参见〔支数〕（1260页）。

【纱线】纱和线。用纺织纤维纺成的细缕，叫纱；把两根或多根纱并合，捻成的股线叫线。

【纱笼】马来语音译词。东南亚一带的人穿的下衣。

【纱帽】古代君主、贵族和官员所戴的一种帽子。后用作官职的代称。

【纱锭】也叫锭子。纺纱机上的一个主要机件。通常用细纱锭数表示纺纱厂规模的大小。

砂 shā 同“沙（shā）”①②（多指颗粒较大的）。[例]矿～|～糖|～纸。

【砂仁】多年生草本植物。匍匐茎，叶片披针形，花白色。种子供药用，为芳香健胃剂，有开胃驱风作用。

【砂田】甘肃、青海干旱地区农民创造的一种抗旱田。在地面上铺一层大小不同的石砾而成。有抗旱保墒、提高地温等作用。

【砂轮】磨刀具和零件用的工具。将磨料和胶结物质混合后，在高温下烧结制成，多做成轮状。工作时，砂轮高速旋转磨削工件。

【砂岩】沉积岩的一种。主要由石英、长石等矿物的砂粒胶结而成。很常见。可用作建筑材料等。

【砂眼】铸件表面或内部形成的含有砂粒的孔洞。是铸件的一种缺陷。

【砂箱】铸造中制造砂型用的框子，用金属或木材制成。

煞 ㊁ shā ❶收束。[例]～尾|～账。❷勒紧。[例]～行李|把腰带～一～。❸同“杀”③⑥。❹同“刹（shā）”。

㊀ shà（853页）。

【煞尾】❶结束事情的最后部分；收尾。❷北曲套数中最后的一支曲子。

shá ㄕㄚˊ

啥 shá 〈方〉疑问代词。什么。[例]你姓～？|他是～地方人？

shǎ ㄕㄚˇ

傻 shǎ ❶头脑糊涂；弱智。[例]～头～脑|不呆不～。❷死心眼；不灵活。[例]卖～力气|～等。

【傻瓜】傻子（用于骂人或开玩笑）。

傻⊠ shǎ “傻”的异体字。

shà ㄕㄚˋ

沙 ㊁ shà 经过摇动把东西里的杂物集中，以便清除。㊎把米里的沙子～～～。

㊀ shā（850 页）。

萐⊠ shà 〔萐莆〕古代传说中的一种瑞草，大叶可做扇子。

啑□ shà 同“歃”。

另音 dié，见“喋”（214 页）。

箑⊠ shà 扇子。

唼 shà 〔唼喋〕拟声词。鱼、鸟等吃东西的声音。喋（zhá）。

翣⊠ shà ❶古代仪仗中长柄的羽扇。❷古代殡车棺旁的装饰。

霎 shà ❶小雨。❷短时间。㊎一～｜～时。

【霎时】极短的时间；忽然之间。㊎～天空出现了五彩缤纷的礼花。

厦（*廈） ㊀ shà ❶高大的房子。㊎高楼大～。❷房子伸出的后廊。㊎前廊后～。

㊁ xià（1064 页）。

嗄 ㊀ shà 嗓音嘶哑。

㊁ á（3 页）。

歃 shà 用嘴吸取。

【歃血为盟】古代盟会时，把牲畜的血涂在嘴唇上，表示诚意。

煞 ㊀ shà ❶副词。极；很。㊎～费苦心。❷迷信指凶神。㊎凶神恶～。

㊁ shā（852 页）。

【煞有介事】像真有这么一回事似的。多指故作姿态。

【煞费苦心】费尽心思。

㬠⊠ ㊁ shà 同“煞（shà）”。

㊀ shài（853 页）。

shāi ㄕㄞ

筛（篩） shāi ❶筛子，一种工具，底部多孔，用来分选粒状、块状的东西。❷用筛子分选。㊎～米｜～煤。❸敲（锣）。㊎～了三下锣。❹使（酒）热。㊎把酒～一～。❺斟（酒）。㊎～酒。

【筛法】求不超过自然数 $n(n>1)$ 的所有素数的一种方法。传说是古希腊的埃拉托斯特尼（约前 274—前 194）发明的。他把数写在一块涂了一层蜡的板上，在写合数的地方刺成小洞，整板很像一个筛子，用它筛去一切合数，剩下的都是素数。

【筛管】植物韧皮部中输导有机养料的管状组织。由许多筒状的活细胞上下相连而成，横壁上有许多小孔如筛状，使细胞间物质的运输得以畅通。

【筛糠】比喻身体哆嗦、发抖。

簁⊠ shāi 筛子。

shǎi ㄕㄞˇ

色 ㊁ shǎi 同“色（sè）”①。用于一些口语词，如“落（lào）色”“捎（shào）色”等。

㊀ sè（848 页）。

shài ㄕㄞˋ

晒（曬） shài ❶日光照射。㊎日～雨淋。❷使人或物在日光下吸收光和热。㊎～太阳｜～衣服。

【晒图】复制图纸的一种方法。将晒图纸衬在底图下，用光线照射使其感光，经氨熏制处理，即显出图形。

【晒垡】用犁翻起的土在阳光下曝晒，以改善土壤结构，提高土壤温度，有利于播种后种子发芽和根系生长。

㬠⊠ ㊀ shài 同“晒”。

㊁ shà（853 页）。

shān ㄕㄢ

山 shān ❶地面上由土石构成的高耸的部分。㊎高～｜～顶。❷像山的东西。㊎冰～。❸蚕蔟。㊎蚕上～了。❹山墙。㊎房～。

【山门】佛教寺院的大门。因寺院多建在山间而得名。

【山左】旧指山东。因在太行山左（东）而得名。

S

【山右】旧指山西。因在太行山右(西)而得名。

【山东】❶即山东省。❷古地区名。战国、秦、汉时代,称崤(xiáo)山以东为山东。北魏、隋、唐以后称太行山以东为山东。❸战国时也指秦以外的六国领土。

【山头】❶山顶。❷建有山寨的山。比喻独霸一方的宗派。

【山地】一般指多山的地区。

【山西】❶即山西省。❷古地区名。战国、秦、汉时代,称崤(xiáo)山以西为山西。北魏、隋、唐以后称太行山以西为山西。

【山冲】〈方〉三面环山的狭长平地。冲(chōng)。

【山岚】飘浮在山间的云雾。

【山谷】相邻两山脊之间的低凹而狭长的地方。中间常有溪流。

【山系】同一次造山运动形成的具有一定的走向分布规律的多条山脉的总称。如科迪勒拉山系。

S

【山国】多山的国度。也指多山的地方。

【山呼】也说嵩呼。古代臣子祝颂皇帝的礼仪,三叩头,三呼万岁。唐张说《大唐祀封禅颂》:“五色云起,拂马以随人;万岁山呼,从天而至地。”

【山岳】高大的山。

【山货】❶山区的土产,如山楂、胡桃、栗子等。❷指用竹子、木头、柳条、粗陶瓷等制成的日用器物,如笤帚、扫帚、簸箕、砂锅、瓦盆等。

【山河】山岳和河流。泛指国土。㊀锦绣~|大好~。

【山茶】常绿灌木或小乔木。叶革质,卵形或椭圆形,上面光亮,边缘有细齿。冬春开花。花大,单生,多为大红色或白色。园艺上品种很多,可供观赏。

【山脉】成行列的,像脉络似的向一定方向延伸的山地。

【山峦】连绵的山。㊀~起伏。

【山洪】因大雨或积雪融化突然从山上流下来的大水。

【山雀】鸟类的一科。树栖,主食昆虫及其幼虫。是农林益鸟。在中国分布较广,常见的有白脸山雀。

【山崩】山坡岩石大规模地自然崩坍现象。多发生在地势陡峻、岩层松软、层面与坡面一致的部位。因岩层中大量浸水或受地震的影响而造成。

【山楂】也叫红果。落叶乔木。叶广卵形或三角状卵形,羽状5—9裂。开白花,果实近球形,红色,有淡褐色斑。果实味酸,可生食,也可加工成食品,还可供药用。也指这种植物的果实。

【山墙】房子左右两边的外墙。

【山歌】民歌的一种。大多在山野劳动时歌唱,流行于中国南方各地。曲调爽朗质朴,节奏自由。陕北的信天游、内蒙古的爬山调等也属于山歌一类。

【山魈】❶哺乳动物。猴类的一种。头大,尾短,鼻子深红色,面部皮肤有皱纹,色鲜蓝而透紫,吻部有白须或橙须,形貌丑恶。产于西非。❷传说中的山中怪物。魈(xiāo)。

【山麓】山脚。

【山獾】也叫鼬獾、白猸、猸子。哺乳动物。身体比猫小,棕灰色,两眼间有一方形白斑,眼下和耳下白色。生活在树林中或岩石间,常夜间活动,食性很杂。分布于中国的南方地区。

【山水画】以山川自然景色为主要题材的绘画。隋唐五代以后渐趋成熟,成为中国画的一个门类。

【山东省】别称鲁。位于黄河下游,北滨渤海,东滨黄海,西邻河北、河南,南邻江苏、安徽。面积15万多平方千米。人口8 838万(1998年)。省会济南市。重要城市还有青岛、淄博、烟台、潍坊、泰安、济宁等。

【山西省】别称晋。位于黄土高原东部,太行山以西,东邻河北,北邻内蒙古自治区,西邻陕西,南邻河南。面积15万多平方千米。人口3 172万(1998年)。省会太原市。重要城市还有大同、长治、朔州、阳泉、临汾等。

【山海关】也叫榆关。位于河北省东部,属秦皇岛市。有京哈铁路通过,为明长城东部著名关口。依山临海,仅以狭窄通道联接华北与东北平原,形势险要,自古为交通咽喉和军事要地。

【山海经】书名。作者不详,可能写于战国时期。共十八卷,秦汉时又有增补。书中主要记录民间传说中的地理知识,保存了不少远古的神话,对古代历史、地理、文化、风俗、神话等的研究都有参考价值。著名神话传说有女娲造人、大禹治水、精卫填海、夸父逐日等。晋郭璞作注。较好的本子有清毕沅《山海经新校正》、郝懿行《山海经笺疏》。

【山东丘陵】山东省中部和东部低山、丘陵的总称。中部为泰山山地，包括泰山、鲁山、蒙山、沂山等，大部分海拔 500—1 000 米。东部为胶东丘陵，大部分海拔 200—300 米。

【山东快书】曲艺的一种。主要流行于山东及华北、东北各地。表演者自击两片半月形铜板。原以说武松故事为主，故又名山东武老二。

【山地气候】因高度和地势影响而造成的山区特殊气候。山地起伏较大时，不同高度、不同坡向的地方，气候有很大的差别，形成明显的垂直气候带。

【山穷水尽】山和水都到了尽头，前面再也无路可走。比喻陷入绝境。穷：尽。

【山顶洞人】距今约一万八千年前的人类化石。1933 年在北京周口店龙骨山的山顶洞穴里发现。他们的体质特征已和现代人很接近。在洞里还发现骨器、石器、磨制的骨针和穿孔石珠、兽牙等装饰品及许多动物化石，证明他们已能缝皮为衣，并已有了原始的艺术。

【山明水秀】也说山清水秀。山水秀丽，风景优美。

【山姆大叔】美国一牛肉商人的别号。因这一名字的两个英文字（Uncle Sam）的第一个字母 U.S. 与美国国名的英文缩写相同，后即被人当作美国的绰号。

【山珍海味】也说山珍海错。山间海中出产的珍贵食品。唐韦应物《长安道》诗：“山珍海错弃藩篱，烹犊炰羔如折葵。”海错：海味。

【山盟海誓】像山海那样永恒不变的盟约和誓言。形容男女爱情忠贞，永不变心。宋赵长卿《贺新郎》词：“终待说山盟海誓，这恩情到此非容易。”

【山东根据地】抗日战争时期，中国共产党领导的革命根据地。1937 年 10 月至 1938 年 6 月，由山东省委组织的八路军山东纵队逐步开辟，1939 年八路军一一五师在罗荣桓等领导下进入鲁西。1940 年已扩大到山东七十余县，成立了山东战时行动委员会，控制地区包括山东大部地区和河北、江苏部分地区，人口两千九百多万。根据地建立抗日民主政权，实行减租减息。多次粉碎日军扫荡。1937—1944 年，共作战 19 000 余次，毙伤敌军 15 万多人。

【山西八大套】中国民间鼓吹乐的一种。流行于山西忻州及五台、原平等地。多以管子主奏，配以海笛、笛、笙、堂鼓、小镲等乐器演奏。有八首大型套曲：《青天套》《扮妆台套》《推辘轴套》《十二层楼》《大骂渔郎套》《箴言套》《鹅郎套》《劝君杯套》。

舢 shān 见下。

【舢板】同“舢舨”（855 页）。

【舢舨】也作舢板。也叫三板。一种用桨划水前进的小船。

芟 shān ❶割草。❷除去。

【芟夷】除（草）。

【芟秋】立秋后为农作物锄草、松土，使农作物早熟，子粒充实，并防止杂草结子繁衍。

【芟除】❶除去（草）。❷删除。

杉 ㊀ shān 杉木，常绿乔木。树干高直，叶线状披针形。是中国南方重要的速生用材树种。

㊁ shā（850 页）。

钐（釤） ㊀ shān 金属元素，符号 Sm，原子序数 62。是稀土元素之一，有放射性。

㊁ shàn（857 页）。

衫 shān 上衣；单褂。㊙汗～｜衬～｜长～。

删（*刪） shān 去掉文辞中的某些字句。㊙～改｜这一句可以～去。

【删节】除去文字中无关紧要的或不需要的部分。

【删削】去掉不必要的文字，以求简练。

【删繁就简】除去繁杂的，使之简明扼要。就：到，趋向。

姗（*姍） shān 〔姗姗〕形容走路缓慢从容的姿态。㊙～来迟（形容来得晚）。

珊（*珊） shān 见下。

【珊瑚】海里珊瑚虫群体的石灰质骨骼。一部分形状像树枝。颜色鲜艳，可作装饰品。

【珊瑚虫】腔肠动物。圆筒形单体或树枝形群体。雌雄异体。有些珊瑚虫外层能分泌石灰质的骨骼，在海中堆积成珊瑚礁。

【珊瑚岛】由珊瑚礁构成的石灰岩岛。岛面一般低平多沙。分布在热带和亚热带海中。多呈弧形或环状。如中国的南沙群岛。

【珊瑚礁】热带、亚热带海中的石灰岩礁。主要由珊瑚虫骨骼堆积而成。

【珊瑚化石】古代珊瑚虫的石灰质骨骼，经石化作用后保存下来的化石。外形有单体和群体之分。许多种类分布广，生存时限短，是划分地质历史的重要化石。

栅（*柵） ㊁ shān 〔栅极〕电子管中位于阴极和阳极（板极）之间用来控制电子流的电极。一般都用细金属丝绕成栅状，电子可以从栅丝间空隙穿过去。改变栅极上所加的电压，就能控制从阴极到达阳极的电子流。

㊀ zhà（1232页）。

跚 shān 见〔蹒跚〕（737页）。

苫 ㊀ shān 苫子，用草编成的盖东西的器物。

㊁ shàn（857页）。

痁☒ shān 发热不发寒的疟疾。

笘☒ shān 古代儿童学习写字用的竹片。

埏 ㊁ shān 用水和（huó）土；和泥。

㊀ yán（1132页）。

扇 ㊁ shān ❶（用扇子等）摇动生风。㊀～扇子。❷用手掌打。㊀～了他一巴掌。

㊀ shàn（857页）。

搧□ shān 同“扇（shān）”。

煽 shān 鼓动；挑拨。㊀～惑|～动。

【煽动】鼓动、挑唆（别人做坏事）。

【煽惑】鼓动、诱惑（别人做坏事）。㊀～人心。

菥☒（蘄） ㊁ shān 通“芟”。

㊀ jiān（474页）。

潸 shān 流泪的样子。

【潸然】流泪的样子。㊀～泪下。

【潸潸】形容流泪不止。㊀泪～。

膻（*羶*羴） shān 羊肉一类的气味。㊀～气。

【膻中】针灸穴位名。位于胸部正中线，两乳中间陷中（妇女从第四肋间隙按至中央取穴）。主治哮喘、咳嗽、胸痛等。

shǎn ㄕㄢˇ

闪（閃） shǎn ❶天空的电光。㊀打雷打～。❷光亮突然一现或忽明忽暗。㊀灯光一～|～得眼发花。❸突然出现。㊀～过一个念头|走出森林，前面～出一条路来。❹侧身躲避。㊀～开|～在一边。❺因动作过猛，使筋肉受伤而疼痛。㊀～了腰。

【闪电】大气放电时产生的强烈闪光现象。在云与云之间或云与地面之间的电势差增大到一定程度时发生。

【闪失】意想不到的损失；差错。

【闪点】可燃性液体性质指标之一。液体表面上的蒸气和周围空气的混合物与火接触而初次出现闪光时的温度。

【闪烁】❶（光亮）忽明忽暗，动摇不定。㊀星光～。❷比喻（说话）吞吞吐吐，遮遮掩掩。㊀～其词。

【闪耀】❶（光亮）忽明忽暗，动摇不定。❷光彩耀眼。㊀庄严雄伟的天安门～着金色的光辉。

炆☒（燗） shǎn 火上升。

陕（陝） shǎn 陕西的简称。

【陕西省】简称陕。别称秦。位于黄河中游，东邻山西、河南，东南邻湖北，南邻四川、重庆，西邻甘肃、宁夏，北邻内蒙古自治区。面积19万多平方千米。人口3 596万（1998年）。省会西安市。重要城市还有延安、咸阳、宝鸡、汉中、铜川等。

【陕甘宁边区】抗日战争时期，中国共产党领导建立的革命根据地。它是1931年以后在陕北革命游击战争中逐步发展起来的。红军长征到达陕北后，成为红军长征的落脚点和抗日战争的出发点。之后，根据地进一步发展和扩大，成为革命的中心根据地。首府延安，为中共中央所在地。1937年抗日民族统一战线建立后，原来的陕甘根据地改名为陕甘宁边区，辖陕西、甘肃、宁夏边境的23县，面积13万平方千米，人口约150万。1936—1948年，它是中国人民抗日战争和解放战争的领导中心和总后方。

【陕甘革命根据地】第二次国内革命战争时期，中国共产党在陕北和陕甘边界地区建立的革命根据地。1927年10月和1928年春，共产党人唐澍、刘志丹、谢子长等领导清涧、渭华起义，成立工农革命军。1932年冬，改编为中国工农红军第二十六军，开辟陕甘边革命根据地。陕北红军与游击队于1934年开辟陕北根据地。1935年陕甘边和陕北两个根据地联成一片。9月与鄂豫皖边区的红二十五军会合，组合成红十五军团。由徐海东、刘志丹任正副军团长，陕甘根据地发展到约30万平方千米，成为中央红军和各路红军的落脚点。

掺（摻）㊂shǎn　握；持。㊞～手。
㊀chān（104页）。
㊁càn（94页）。

䀹□　shǎn　眨眼；眼睛很快地睁闭。㊞飞机真快，一～眼就不见了。

睒☒　shǎn　❶闪烁。❷窥视。

䟘☒　shǎn　闪烁。

shàn　ㄕㄢˋ

讪（訕）　shàn　❶讥笑。㊞～笑。❷难为情。

【讪讪】难为情的样子。㊞他～地走开了。

汕　shàn　〔汕头〕市名。位于广东省东部，临南海。人口81万（1997年）。是粤东和闽南的门户，中国经济特区之一。

疝　shàn　指腹腔内脏（多为小肠肠曲）通过周围组织而隆起。如腹股沟疝、脐疝等。

【疝气】俗称小肠串气。中医病证名。通常指腹股沟部的疝。因小肠通过腹股沟区的腹壁肌肉弱点坠入阴囊内而引起。主要症状是腹股沟凸起或阴囊肿大，有时剧痛，能引起休克和肠的坏死。

赸☒　shàn　❶离开；走开。❷同"搭讪"的"讪"。

苫　㊁shàn　用席、布等遮盖。㊞用席把货车～上。
㊀shān（856页）。

钐（釤）　㊁shàn　❶钐镰。❷甩开镰刀或钐镰大片地割。㊞～草｜～麦。
㊀shān（855页）。

【钐镰】也叫钐刀。一种把ㄦ很长的大镰刀。

单（單）　㊁shàn　单县，地名，在山东西南部。
㊀dān（175页）。
㊂chán（104页）。

墠☒（墠）　shàn　古代祭祀用的平地。

掸（撣）　㊁shàn　❶中国史书上对傣族的一种称呼。❷缅甸民族之一。大部分居住在掸邦。
㊀dǎn（177页）。

樿☒（樿）　shàn　樿木，也叫白理木。质坚，纹白。木材可制梳子、勺子等。

禅（禪）　㊁shàn　禅让。㊞～位｜受～。
㊀chán（104页）。

【禅让】中国原始社会末期推举部落联盟首领的制度。传说中国上古帝王，尧让位给舜，舜让位给禹，传贤不传子，史称禅让。禹死，其子启袭位，从此禅让被王位世袭制代替。

剡　㊁shàn　〔剡溪〕水名。曹娥江的上游，在浙江东部。
㊀yǎn（1136页）。

掞☒　shàn　发抒；舒展。

扇　㊀shàn　❶扇子。❷板状或片状的东西。㊞门～｜隔～。❸量词。用于门窗等。㊞一～门｜两～窗子。
㊁shān（856页）。

【扇车】也叫风车。农械的一种。由木箱和装有叶片的轴构成。转动叶片可以扇风，从而把谷类的壳和米粒分开。

【扇贝】软体动物。壳呈扇面状，有放射肋。产于浅海底。闭壳肌发达，干制后称为干贝。

【扇形】圆的两条半径所夹的部分。

谝☒（諞）　shàn　用言语蛊惑人。

骟（騸）　shàn　割掉马、牛等的睾丸或卵巢。㊞～马。

善　shàn　❶善良；品质或言行好。与"恶"相对。❷交好；和好。㊞友～｜亲～。❸熟悉。㊞面～。❹高明的；良好的。㊞～策｜～本。❺长于。㊞勇猛～战。❻容易；易于。㊞～变｜～疑。❼办好；弄

S

好。㊀～后｜～始～终。❽好好地。㊀～自保重。

【善于】长于;(在某方面)具有特长。㊀～团结群众。

【善本】精刻、精印、精抄、精校的难得的古书。珍贵的手稿、孤本,罕见的革命文献,也有称之为善本的。

【善处】妥善地处理。

【善后】妥善地料理和解决留下的问题。

【善良】心地好,纯洁正直。

【善终】❶指人正常老死而不是死于意外的灾祸。❷把最后的事情做完、做好。

【善待】友好地对待;好好对待。㊀～动物｜～生命。

【善意】(怀着)好的心意。㊀～的批评。

【善观风色】善于观察形势。

【善始善终】从开始到结局都很好。比喻事情做得很完满。《庄子·大宗师》:"善妖善老,善始善终。"

【善贾而沽】等待有好的价钱才卖出。旧指怀才不遇,正在等待机会。贾(jià)。

【善罢甘休】轻易罢休(多用于否定式)。㊀这件事他不会～的。善、甘:好,引申为轻易。

【善意占有】占有人不知其占有是非法占有的行为。如占有人在不知的情况下,购买了盗窃的物品。善意占有人有偿取得的财物,享有所有权,受到法律保护;如其取得的财产是赃物或遗失物,原所有人有权请求返还,但须偿还其支出的价金。

鄯 shàn 〔鄯善〕❶地名。在新疆吐鲁番盆地东部。❷西域城邦名。本名楼兰,西汉元凤四年(前77)改国名鄯善,故治所在今新疆若羌县治卡克里克。

墡☒ shàn 白色黏土。

缮(繕) shàn ❶修补;整治。㊀修～。❷抄写。㊀～写。

膳(*饍) shàn 饭食。㊀午～｜～费。

蟮 shàn 见〔曲蟮〕(806页)。

鳝(鱔*䱇) shàn 鳝鱼,通常指黄鳝。

擅 shàn ❶专权;独断;自作主张。㊀～断｜～离职守。❷长于;善于。㊀他～画人物。

【擅长】在某方面有专长。㊀他～书法。

【擅自】超越职权,自作主张。㊀～处理。

【擅作威福】利用职权,作威作福。

【擅离职守】不守纪律,随随便便离开自己的工作岗位。

嬗 shàn 更替;变迁。㊀～变。

【嬗变】❶演变。❷衰变。

蟺☒ shàn 同"蟮"。

赡(贍) shàn ❶供给人财物。㊀～养亲属。❷丰富;充足。㊀详～｜力不～(力不足)。

【赡养】成年子女对父母或晚辈对长辈在物质上帮助和生活上照顾。《中华人民共和国婚姻法》规定,成年子女对父母有赡养扶助的义务,不得虐待或遗弃。

shāng ㄕㄤ

伤(傷) shāng ❶人体或其他物体受到的损坏。㊀作战负～｜探～仪。❷损害。㊀～筋动骨｜～感情。❸因故得病。㊀～风｜～寒｜～食。❹悲哀。㊀～心｜悲～。❺妨碍。㊀无～大体。

【伤风】即"感冒"(305页)。

【伤逝】悲伤地怀念死者。

【伤痕】伤口愈合后皮肤上留下的痕迹。也比喻事物受到损害后留下的痕迹。

【伤悼】悼念死者而感到悲伤。

【伤寒】❶由伤寒杆菌引起的肠道急性传染病。多见于夏秋季。主要症状是持续性高热、舌苔厚腻、脾肿大,胸腹部可能有玫瑰疹。易并发肠出血及肠穿孔等。改善环境卫生和饮食卫生,定期注射菌苗可预防。❷中医对多种热性病的统称。

【伤感】因有所感触而悲伤。

【伤风败俗】败坏风俗。多指道德败坏。唐韩愈《论佛骨表》:"伤风败俗,传笑四方,非细事也。"

【伤寒杂病论】中医学的经典著作。汉张仲景著。共十六卷,分《伤寒》与《杂病》两部分。前者对外感发热病的发生、发展规律,提出了新的见解;后者包括四十余种重要疾病的治疗及急救内容。对后世医学启发很大。

汤(湯) ㊁ shāng 〔汤汤〕水流大而急。

㊀ tāng（958页）。

惕[☒]**（愓）** ㊁ shāng〔惕惕〕挺身快步的样子。

㊀ dàng（181页）。

殇（殤） shāng 未成年而死去。

觞（觴） shāng 古称盛有酒的酒杯。㊐举～称贺。

商 shāng ❶商量。㊐协～。❷商业。㊐经～。❸商人。㊐行～。❹除法所得的结果。㊐八除以二的～是四。❺朝代名（约前1600—前1046）。汤灭夏后建立。建都亳（bó，今河南商丘），国号商。以后多次迁都，至盘庚迁都殷（今河南安阳小屯一带），故商朝又称殷朝，也称殷商。传到纣，为周所灭。❻古代五音（宫、商、角、徵、羽）之一。相当于简谱的“2”。

【商业】指从事商品交换的经济活动。

【商讨】商量讨论，交换意见。

【商场】❶聚集在一个地方由各种商店组成的市场。❷指面积较大、商品比较齐全的综合商店。❸商界。㊐～如战场。

【商机】商业竞争中的机遇。㊐把握～。

【商行】称规模较大的商店。

【商会】资本主义社会中商业资本家为维护自己利益而组成的社会团体。旧中国商会一般由同业公会会员或商号会员组成，多被大资本家及地方士绅把持。

【商羊】传说中的鸟名。《论衡·变动》：“商羊者，知雨之物也。天且雨，屈其一足起舞矣。”

【商兑】商量斟酌。

【商法】调整自然人、法人之间的商事关系的各种法律规范的总称。主要包括公司、破产、证券、期货、保险、票据、海商等方面的法律。

【商标】商品生产者或销售者在其商品上使用的，用于区别其他商品生产者和销售者商品的一种由文字、图形或其组合而成的具有显著特征的标志。它一经注册就享有专用权。

【商战】指激烈的商业竞争。

【商品】用来交换的物品。人类用作商品的实际上大多数都是劳动产品，因此商品具有二重性：一方面能够用来满足人们的某种需要，具有一定的使用价值；另一方面凝结了一般人类劳动，具有一定的价值。商品是使用价值和价值的统一体。其价值量由生产它所花费的社会必要劳动时间决定。人们相互交换商品，实际上是互相交换各自的劳动。因此，商品是在物的外壳掩盖下的一种特定的生产关系。商品是一个历史范畴，社会分工和产品归不同的所有者所有是产生商品的两个历史前提。在不同社会制度下体现不同的生产关系。

【商洽】接洽商谈。洽（qià）。

【商贾】泛指商人。贾（gǔ）。

【商酌】商量斟酌。

【商旅】❶商贩；流动的商人。❷商人和旅客。

【商埠】旧时与外国通商的城市或村镇。

【商检】商品检验的简称。㊐～工作。

【商略】商量，讨论。㊐便时再与先生～。

【商圈】指云集了众多企业特别是商业企业的特定地区。

【商舶】旧指往来中国沿海和外洋各国间贸易的商船。

【商情】市场供销情况及价格行情。㊐～预测。

【商誉】一种无形资产。企业预期将来利润超过同业正常实现利润的超额利润的现值。

【商鞅】（约前390—前338）战国时期秦国政治家。卫国人，本名公孙鞅，人称卫鞅，后封于商邑，因称商鞅。公元前361年到秦国。受到秦孝公重用，实行变法。执政十九年，奠定了秦国富强的基础。公元前338年孝公死，被车裂。现存《商君书》二十四篇。

【商榷】商量讨论。榷（què）。

【商住楼】一般指底部商业营业厅与上部住宅组成的高层建筑。

【商标权】商标所有人对法律确认的注册商标所享有的专用权。有效期为10年，期满可续展。未经商标权人同意，不得使用注册商标，情节严重构成犯罪的，应承担刑事责任。

【商标法】国家为调整商标使用中所发生的各种社会关系而制定的商标注册、管理使用和保护商标专用权的法律规范。

【商品粮】作为商品出售的粮食。在中国，主要指国家向农民征购、收购和在市场上出售的粮食。

【商籁体】即“十四行诗”（889页）。

【商业汇票】在商品交易中，出票人签发的、委托付款人在见票时或在指定日期无条件

S

支付确定金额给收款人或持票人的票据。

【商业发票】卖方开立的凭以向买方索取货款的价目清单。

【商业利润】从事商品经营获得的利润。来源于产业工人创造的剩余价值。

【商业信用】企业之间以赊销商品(或预付货款)的形式提供的信用。

【商业贿赂】经营者以争取交易机会为目的,暗中给能够影响交易的相关人员财物或其他好处的违法行为。如给付佣金、回扣、折扣不计入正式账目等。商业贿赂情节严重构成犯罪的,应承担刑事责任。

【商业秘密】不为公众所知悉,能为权利人带来经济利益,具有实用性并经权利人采取了保密措施的技术信息和经营信息。

【商业资本】专门从事商品买卖的资本。在资本主义以前的社会中,其利润主要是通过贱买贵卖占有小生产者所创造的一部分剩余产品。在资本主义社会,它是从产业资本中分离出来的独立部分,为产业资本销售商品服务,其利润是瓜分工人所创造的一部分剩余价值。

【商业银行】指吸收存款、发放贷款和从事其他中间业务的盈利性金融机构。

【商品生产】为交换而进行的产品生产。商品生产存在的经济条件是:社会分工和生产资料、劳动产品属于不同的所有者。历史上有三种商品生产形式:(1)以生产资料个体私有制和个人劳动为基础的小商品生产,即简单商品生产,如个体手工业、个体农业。(2)以资本家占有生产资料和剥削雇佣劳动为基础的资本主义商品生产,它是商品生产发展的最高阶段,不但一般的劳动产品普遍采取商品的形式,而且连劳动力也变成了商品。(3)以生产资料社会主义公有制为基础的商品生产。在社会主义社会中,一方面存在社会分工,另一方面不同的经济主体之间存在不同的物质利益,因此社会主义生产仍然是商品生产。

【商品交换】商品的相互让渡或买卖。在人类历史上,最初的产品交换是自然经济基础上互通有无的剩余产品的交换。交换引起分工,进而产生了商品生产。商品生产的发展,最终产生了货币以及以货币为媒介的商品交换和商品流通。一切社会的商品交换,都遵循价值规律。

【商品农业】指以销售产品为目的而进行的农业生产。

【商品经济】为了进行交换而从事生产和经营的经济形式。与“自然经济”相对。参见〔商品生产〕(860页)。

【商品资本】以商品形式存在的资本。即作为资本主义生产过程结果的商品。其职能是实现剩余价值和收回已耗费的预付资本价值。

【商品流通】也叫商品流转。以货币为媒介的商品交换。其公式是“商品—货币—商品”。商品流通是从整体看的商品交换,在这里,商品的出卖和购入成为两个独立行为。流通的任何一环如果受到阻碍,整个流通就有中断的可能,为经济危机的产生提供形式上的可能性。

【商品输出】企业为获取高额利润,向国外销售商品。

【商鞅变法】公元前356年和公元前350年,商鞅在秦孝公支持下进行两次变法。主要内容为:“开阡陌封疆”,废除井田制和世卿世禄制;奖励公战,禁止私斗;按军功授官;推行耕战政策,努力生产的人可免除徭役;废除分封制,推行郡县制,以加强中央集权;统一度量衡制度等。为秦国的富强奠定了基础。

墒 shāng 田地里土壤的水分。㊀保～|～情。

熵 shāng 热力学名词。表示物质系统有序或无序的物理量。系统的熵越大,反映了它的无序程度越大、所处的状态越稳定。物质系统自发的变化过程总是向熵增大的方向进行。

shǎng ㄕㄤˇ

上 ㊀ shǎng “上声”的“上(shàng)”的又音。参见“上(shàng)”⑥(861页)。

㊁ shàng (861页)。

【上声】也叫上(shàng)声。汉语声调的一种。普通话上声是降升调,以符号“ˇ”表示。如广(guǎng)、场(chǎng)。

垧 shǎng 土地面积单位。各地不同,东北多数地区一垧合十五亩,西北地区合三亩或五亩。

晌 shǎng ❶一天里的一段时间。㊀停了一～|前半～。❷〈方〉晌午;正午。㊀歇～。

赏(賞) shǎng ❶赏赐；奖赏。㊀～罚分明。❷赏赐或奖赏的东西。㊀领～。❸敬辞。用于请对方接受邀请或要求。㊀～光|～脸。❹欣赏；观赏。㊀鉴～|雅俗共～。❺对对方的才能或作品深感满意。㊀赞～|～识。

【赏识】认识到别人的才能或作品的价值而予以重视或赞扬。

【赏格】悬赏时规定的报酬数目。

【赏赉】赏赐。赉(lài)。

【赏赐】旧指地位高的人或长辈把财物送给地位低的人或晚辈。

【赏鉴】即"鉴赏"(482页)。

【赏心悦目】看到美好的景物而心情舒畅、愉快。

【赏罚严明】指该奖赏的就奖赏，该处罚的就处罚，毫不含糊。

shàng ㄕㄤˋ

上 ㊀ shàng ❶位置、等级、质量高的；次序或时间靠前的。与"下"相对。㊀～游|～级|～等|～篇|～旬。❷表示某种动作。㊀～楼|～街|～货|～账|～菜|～弦。❸用在名词后，表示在其中或在某方面。㊀书～|理论～。❹用在动词后，表示动作完成，或跟"来""去"等连用，表示趋向。㊀考～学校|迎～去。❺达到一定程度或数量。㊀～年纪|成千～万。❻(又音shǎng)。上声。❼指君主、皇帝或尊长。㊀～谕|～行下效。❽工尺谱记音符号之一。相当于简谱的"1"。

㊁ shǎng (860页)。

【上马】比喻开始进行某项较大的工程项目或工作项目。

【上水】❶船舶在河中逆流航行。❷〈方〉指供食用的牲畜的心、肝、肺。水(shui)。

【上风】风向的上方。比喻在双方斗争中所处的有利地位。㊀占～。

【上书】向上级或地位高的人书面陈述意见(多指政治见解)。㊀～言事。

【上市】股票、债券、基金券经批准后在证券交易所挂牌交易。

【上司】上级的旧称。㊀顶头～。

【上扬】价格等上升。㊀股价～。

【上达】❶下层或下属的意见到达上层或上级。❷旧指能对德、义等透彻了解并能努力实行。

【上网】通过通信线路将个人计算机或其他网络终端连接到互联网(通常指因特网)上，以便从网上获取所需要的信息。

【上旬】指每月一日到十日。

【上江】❶长江上游地区。❷清代安徽、江苏两省称上下江，下江指江苏，上江指安徽。

【上访】群众到上级领导机关反映情况或申诉冤屈请求解决问题。

【上进】向上，进步。

【上声】即"上(shǎng)声"(860页)。

【上苍】苍天；老天爷。

【上坐】最尊贵的坐位。

【上诉】当事人不服第一审人民法院的判决或裁定，在法定时间内，向上一级法院提出对该案再行审理的诉讼制度。上诉可以引起第二审程序。民事、行政诉讼的上诉时间为判决书送达之日起15日内，裁定书送达之日起10日内；刑事诉讼的上诉时间为接到判决后第二日起的10日内，接到裁定书后第二日起的5日内。

【上层】上面的一层；地位比较高的一层或几层(多指阶层、组织、机构等)。

【上国】❶春秋时称齐晋等中原诸侯国为上国。相对吴楚诸国而言。❷诸侯称帝室为上国。❸古有时也用以指国都。

【上供】❶用物品祭祖或敬神。❷比喻为办成事情或求得关照而给有权势者送礼。

【上房】平房院内的正房。

【上弦】在地球上看，当月亮在太阳东边90°时，可看见月亮西边的半圆，这时的月相叫上弦。这正好是农历每月初八、九。

【上限】指规定的某一限度中最高的界限。

【上映】指电影放映。

【上品】上等。

【上帝】❶中国古代指天上主宰万物的神。❷基督教(新教)所信奉的最高的神。天主教称它为天主。

【上载】把文本、数据、图形、图像、音频、视频等信息从个人计算机输入互联网或其他电子计算机上。与"下载"相对。载(zài)。

【上峰】旧指上级长官。

【上乘】❶乘(chéng)。佛教指大乘。❷乘(chéng)。借指(文学艺术)高妙的境界，或(一般事物)质量较高，上等。❸乘(shèng)。古称四马共驾一车为上乘。

【上宾】尊贵的客人。

S

【上梓】即“付梓”(291页)。
【上谕】皇帝发布的命令或公告。
【上款】在给人的信件、礼物、书画等上面所写的对方的名字或称呼。
【上策】高明的计策或办法。
【上焦】见〔三焦〕(842页)。
【上阕】双调的词,由前后两段组成,前段叫上阕,后段叫下阕。阕(què)。
【上游】❶河流接近发源地的部分。❷比喻先进的地位。㊎力争~。
【上溯】❶逆着水流往上行。❷从现在起往回推算(过去的年代)。
【上演】(戏剧、舞蹈等)演出。
【上元节】即“元宵”①(1209页)。
【上水道】供给生活、消防或工业上用水的管道。
【上议院】两院制议会的构成部分。名称各国不一,有的叫参议院、贵族院或第一院等。议员通常由间接选举产生或国家元首指定,任期比下议院议员长,有的甚至是终身职或世袭职。一般有权否决下议院所通过的法案。
【上林苑】古帝王林苑。在今陕西西安西及周至、户县。秦始皇三十五年(前212)营建朝宫于此,阿房宫即其前殿。汉初荒废。武帝时,又收为宫苑,周围二百多里。放养禽兽,并建离宫、观、馆数十处。
【上海市】别称沪、申。中国中央直辖市。位于长江三角洲东部,东滨东海,与江苏、浙江两省相邻。京沪、京杭铁路在此相接,是长江流域的出海门户和南北沿海航运的中枢。面积6 340平方千米。总人口1 464万(1998年),市区人口869万(1997年)。是中国的最大城市、综合性工业中心和贸易港。
【上等兵】❶士兵军衔的一级。中国人民解放军士兵的衔级分上等兵和列兵两级。❷被授予上等兵军衔的士兵。
【上下交困】上面下面都处于困难的境地。
【上下其手】比喻玩弄手法,暗中作弊。
【上方宝剑】同“尚方宝剑”(863页)。
【上市公司】所发行的股票经国务院或国务院授权的证券管理部门批准,在证券交易所上市交易的股份有限公司。
【上皮组织】人和高等动物的基本组织之一。由紧密排列的上皮细胞和少量细胞间质组成,覆盖在体表和体内的内、外表面,使之与环境分开,有保护、分泌、利于物质交换的功能。
【上行下效】上面的人怎样做,下面的人就跟着学(多含贬义)。效:仿效。
【上位概念】即“属概念”(912页)。
【上层建筑】指建立在一定经济基础之上的意识形态以及与之相适应的政治、法律等制度的总和。与“经济基础”相对。上层建筑由经济基础决定,又具有相对的独立性,并可反作用于经济基础。
【上蹿下跳】为达到某种目的而上下奔走,四处活动(含贬义)。
【上呼吸道感染】简称上感。在受寒或劳累后,由寄生于上呼吸道(鼻腔、咽喉、气管)的病毒或细菌引起的局部感染。有流涕、咽痛、咳嗽、头痛、发热和全身乏力等症状。
【上海工人三次武装起义】第一次国内革命战争时期,中国共产党领导的上海工人武装起义。1926年10月和1927年2月的两次起义,因准备不足和国民党右派的破坏,均未成功。1927年3月21日举行第三次起义,在周恩来和赵世炎、罗亦农、汪寿华等领导下,组织了工人武装纠察队,发动了80万工人总罢工,向驻上海的军阀部队全面进攻,于3月22日占领了上海,建立了革命政权——上海特别市临时政府,起义取得了胜利。

尚

shàng ❶副词。还。㊎年纪~幼|~待进一步研究。❷尊崇;注重。㊎崇~|~武。❸风尚。㊎时~。❹古又同“上”。❺古又同“掌(zhǎng)”。古代主管官叫尚,如尚书、尚衣等。
【尚书】❶古代官名。原是宫廷里掌管文书奏章的官。汉以后地位渐高。唐代起是各部的最高职位。❷也叫《书经》。书名。相传由孔子编删而成,其中有些篇是后来儒家补充进去的,还有一部分是东晋梅赜伪造的。该书保存了商周特别是西周初期的一些重要史料。
【尚且】连词。提出程度更甚的事例作为衬托,下半句常用“何况”等词呼应。㊎为了人民的事业,流血牺牲~不惜,何况流这点儿汗哪。
【尚武】崇尚军事或武艺。
【尚书省】官署名。东汉设置,称尚书台。南北朝始称尚书省,总理六尚书事,下分各曹。隋唐以后,为全国最高行政机构。元代时置时废,明代各部直接对君王负责,不设尚书省。清制同。

S

【尚方宝剑】也作上方宝剑。皇帝用的宝剑。古代戏曲、小说中讲，大臣被授予尚方宝剑，就有先斩后奏的权力。尚方：古代制作或储藏皇帝用的器物的官署。

绱□（緔） shàng 把鞋帮、鞋底缝合成鞋。㊀～鞋。

鞝☒ shàng 同"绱"。

shang ·ㄕㄤ

裳 ㊁ shang "衣裳"的"裳"。
㊀ cháng（110页）。

shāo ㄕㄠ

捎 ㊀ shāo 捎带；顺便给人带（东西）。㊀～封信｜～个口信儿。
㊁ shào（864页）。

【捎脚】运输中顺便载客或捎带货物。㊀～运输。

梢 shāo 树枝或条状物的末端。㊀树～｜眉～｜辫～儿。

【梢公】同"艄公"（863页）。

箾☒ shāo 同"艄"。

稍 ㊀ shāo 副词。略微。㊀～有区别。
㊁ shào（864页）。

【稍许】稍微；略微。

【稍微】副词。表示数量小或程度浅。㊀～放一点儿水｜今天～有点儿冷。

【稍纵即逝】也说少纵则逝。稍微一放松就过去了（多指时间、机会）。宋苏轼《文与可画筼（yún）筜（dāng）谷偃竹记》："振笔直遂，以追其所见，如兔起鹘（hú）落，少纵则逝矣。"纵：放。逝：过去，消失。

蛸 ㊀ shāo 见〔蟏蛸〕（1082页）。
㊁ xiāo（1081页）。

筲（*籍） shāo ❶古时盛饭的竹器。现称淘米用的竹器为筲箕。❷水桶。㊀水～｜一～水。

艄 shāo ❶船尾。㊀船～。❷船舵。㊀掌～。

【艄公】也作梢公。掌舵的人。泛指撑船的人。

鞘 ㊁ shāo 鞭鞘，拴在鞭子头上的细皮条。
㊀ qiào（789页）。

髾☒ shāo ❶头发尾梢。❷古时妇女上衣的装饰，形如燕尾。

烧（燒） shāo ❶着火。㊀燃～｜～火。❷用火加热使物体发生变化。㊀～水｜～砖。❸因接触某些化学药品而使物体发生变化。㊀碱～手。❹使用肥料不当而使植物枯萎或死亡。❺体温增高。㊀发～。❻一种烹饪方法。先用油炸，再加汤汁来炒或炖，或先煮熟再用油炸。㊀～茄子｜红～肉。

【烧心】胃部烧灼的感觉。多由胃酸过多刺激胃黏膜而引起。

【烧伤】由高温、化学品腐蚀或放射线所致的皮肤和组织损伤。大面积深度烧伤可引起休克、毒血症和严重感染。

【烧灼】烧烫（人的皮肉）。灼（zhuó）。

【烧卖】一种食品，用很薄的面皮包馅儿，上边有褶，蒸熟后吃。

【烧香】拜神佛时或祭祀祖先时，把香点燃后插在香炉中，叫烧香。

【烧结】把小块矿石或粉末状物质加热，使黏结。

【烧酒】白酒，含酒精量较高，因能点燃而得名。

【烧碱】也叫火碱。即氢氧化钠。化学式 NaOH。白色晶体，易潮解，溶于水能产生大量热。在空气中吸收二氧化碳而变质。有强腐蚀性。是重要的化工原料。

sháo ㄕㄠˊ

勺 sháo ❶一种有柄可以舀（yǎo）东西的器具。㊀小～｜铁～。❷市制容量单位。10撮为1勺，10勺为1合（gě）。

芍 sháo 〔芍药〕多年生草本植物。花大而美丽，有红、白等色。可供观赏。根可供药用。

杓 ㊁ sháo 同"勺"①。
㊀ biāo（63页）。

苕 ㊁ sháo 〈方〉红苕，甘薯。
㊀ tiáo（976页）。

韶 sháo ❶古代乐曲名。相传是舜时的乐舞。❷美好。㊀～光。

【韶光】美好的春光。比喻美好的青年时代。

【韶华】韶光。

S

【韶秀】清秀。

shǎo ㄕㄠˇ

少 ㊀ shǎo ❶数量小。与“多”相对。[例]～数服从多数。❷缺少。[例]～头无尾|账算错了，～了一块钱。❸丢；遗失。[例]抽屉里～了东西。❹副词。暂时。[例]～候|～等一等。

㊁ shào（864 页）。

【少许】少量；一点儿。

【少时】不多时；过了一会儿。

【少顷】不多时；一会儿。

【少见多怪】见识少，遇到不常见的事便觉奇怪。晋葛洪《抱朴子·神仙》：“夫所见少则所怪多，世之常也。”

【少安毋躁】暂且安心等待，不要急躁。

【少数民族】多民族国家中人口居于少数的民族。中国自古以来就是一个统一的多民族国家。现除汉族以外，还有五十五个民族，占全国总人口的 8%。主要分布在西南、西北、东北等边疆地区，其他地区也有分布，形成各民族大杂居、小聚居的局面。各民族无论人数多少，一律平等。国家在少数民族聚居的地区实行民族区域自治。

shào ㄕㄠˋ

少 ㊁ shào ❶年轻的。[例]～女|老～。❷依仗家里的财势挥霍无度或为非作歹的公子哥儿。[例]阔～|恶～。

㊀ shǎo（864 页）。

【少艾】年轻貌美的女子。《孟子·万章上》：“知好色，则慕少艾。”

【少壮】年轻力壮。[例]～派。

【少牢】古称祭祀用的猪和羊。

【少年宫】城市中设立的对少年儿童进行教育，供其开展文体、科技活动的校外机构。

【少林寺】佛教禅宗的发源地。在河南登封北少室山北麓五乳峰下，北魏孝文帝太和二十年（496）建。唐以后，僧徒常习武艺，形成拳术的一派，世称少林派。

【少林拳】拳术的一种。因河南少林寺而得名。注重技法，立足实战。套路结构短小精悍，严密紧凑，巧妙而多变。少林拳主刚，要求刚健有力、勇猛快速，又要求刚柔相济，动静相宜。也泛指少林武术。

【少不更事】年纪轻，经历的事情不多。《隋书·李雄传》：“吾儿既少，更事未多。”更（gēng）：经历。

【少年老成】原指年纪轻，却做事老练、谨慎。现也指年轻人缺乏朝气。

召 ㊁ shào 周朝国名。在今陕西凤翔一带。

㊀ zhào（1244 页）。

邵[☒] shào 同“劭”②。

邵 shào 姓。

劭 shào ❶劝勉。❷美好。[例]年高德～。

绍（紹） shào ❶接续；继承。❷指浙江绍兴。[例]～剧。

【绍兴】市名。位于浙江省东北部，萧甬铁路线上。人口 23 万（1997 年）。特产绍兴黄酒。历史悠久，文化灿烂，有兰亭、禹陵等古迹以及周恩来、鲁迅、蔡元培等故居。

【绍兴酒】也叫绍酒、老酒。一种黄酒。产于浙江绍兴。主要有加饭、善酿、香雪、元红等品种，其中加饭黄酒是中国名酒之一。以糯米和小麦为原料，经酿制而成。味鲜美醇厚。

捎 ㊁ shào （骡马等）稍向后退。

㊀ shāo（863 页）。

哨 shào ❶巡逻、警戒、防守的岗位。[例]～所|～兵|放～。❷侦察；巡逻。[例]～探|巡～。❸一种小笛。[例]～儿|吹～集合。❹鸟叫。

【哨兵】执行警戒任务的士兵。

【哨所】警戒分队或哨兵所在的场所。

睄[□] ㊁ shào 〈方〉匆匆地看一眼。

㊀ qiáo（789 页）。

稍 ㊁ shào 〔稍息〕军事或体操的口令，命令队伍从立正姿势变为休息的姿势。

㊀ shāo（863 页）。

潲 shào ❶雨点被风吹得往一边洒。[例]雨往北～。❷〈方〉洒水。[例]屋里干热，～点儿水就凉快了。❸〈方〉用泔水、糠菜等煮成的饲料。[例]猪～。

shē ㄕㄜ

畲[□]**（畬）** shē 同“畲”。多用于地名，如大畲坳（在广东）。

奢 shē ❶奢侈。与“俭”相对。㊀～华|穷～极欲。❷过分的。㊀～望|～求。

【奢华】奢侈豪华。㊀陈设～。

【奢侈】花费大量钱财,追求过分享受。

【奢望】过分的希望。

【奢愿】过高的愿望。

【奢靡】奢侈浪费。

赊(賒) shē 买卖货品时延期收款或付款。㊀～账|～购。

畲 shē 〔畲族〕中国少数民族之一。人口63万(1990年)。主要分布在福建、浙江、广东、江西等省的山区。通用汉语文。

畬☒ ㊀ shē 焚烧田地里的草木。用草木灰作肥料。

㊁ yú (1199页)。

猞 shē 〔猞猁〕哺乳动物。头像猫,但身体较猫大得多,耳端各有一撮长毛。性凶猛,善爬树。捕食小动物。中国东北、西北、西南地区有出产。

shé ㄕㄜˊ

舌 shé ❶舌头,人和动物口腔内辨别滋味、帮助咀嚼和发音的器官。❷像舌的东西。㊀火～|鞋～。❸铃或铎中的锤。

【舌苔】舌面上的滑腻物质。正常时舌苔薄白,患病时舌苔有白、黄、黑、腻等变化,是中医诊断病情的重要依据之一。

【舌战】激烈地辩论。

【舌耕】旧指依靠教书过活。

【舌尖音】辅音舌尖前音、舌尖中音、舌尖后音的统称。舌尖和上齿背接触以形成对气流的阻碍而发出来的音叫舌尖前音,如普通话的 z、c、s;舌尖和上齿龈接触以形成对气流的阻碍而发出来的音叫舌尖中音,如普通话的 d、t、n、l;舌尖和上腭前部接触以形成对气流的阻碍而发出来的音叫舌尖后音,如普通话的 zh、ch、sh、r。

【舌面音】辅音舌面前音、舌面中音、舌面后音的统称。舌面前部和上腭前部接触以形成对气流的阻碍而发出的音叫舌面前音;舌面中部和上腭中部接触以形成对气流的阻碍而发出的音叫舌面中音;舌面后部和软腭接触以形成对气流的阻碍而发出的音叫舌面后音。普通话中没有舌面中音,只有舌面前音和舌面后音,前者如 j、q、x,后者如 g、k、ng、h。

【舌根音】即舌面后音。参见〔舌面音〕(865页)。

【舌下神经】人和脊椎动物的第十二对脑神经。为运动神经。在人体,起于延髓的舌下神经核,分布到同侧一半的舌肌。管理舌的运动。

【舌尖元音】发音时主要依靠舌尖的活动改变口腔共鸣器形状发出的元音。分舌尖前元音和舌尖后元音两种。舌尖前伸接近上齿背的叫舌尖前元音,如普通话 zi(资)中的 i,它的实际音值是[ɿ]。舌尖略向上翘接近上腭前部的叫舌尖后元音,如普通话 zhi(支)中的 i,它的实际音值是[ʅ]。

【舌咽神经】人和脊椎动物的第九对脑神经。为混合神经。在人体,分布到咽的外侧壁。运动纤维支配咽肌;感觉纤维管理一般感觉和味觉。

【舌敝唇焦】说话说得舌破唇干。形容费尽唇舌。敝:破。焦:干。

折 ㊁ shé ❶断。㊀椅子腿～了|绳子～了。❷亏损。㊀～本|～耗。

㊀ zhé (1246页)。

㊂ zhē (1245页)。

【折耗】物品或商品在制造、运输、保管等过程中数量上的损失。

【折阅】折本;亏本;赔本。

佘 shé 姓。

蛇(*虵) ㊀ shé 爬行动物。种类很多。体细长,有鳞,没有四肢。有的有毒。食青蛙、鸟、鼠等。

㊁ yí (1161页)。

【蛇头】〈方〉称组织偷渡越境,从中谋财的犯罪头目。

【蛇行】全身伏在地上爬行。

【蛇足】比喻所做的属多余无用的事情。参见〔画蛇添足〕(419页)。

【蛇蝎】蛇和蝎子。比喻狠毒的人。

【蛇獴】也叫蒙哥。哺乳动物。体细长,全长约75厘米,尾长几占一半。头小,吻尖,四肢短小。体灰色,略带棕黄。栖息于丛林中,捕食小动物。能食眼镜蛇,对蛇毒有免疫性。产于中国云南。可饲养。

阇(闍) ㊁ shé 〔阇黎〕梵语音译词。高僧。泛指僧人。

㊀ dū (226 页)。

揲☒ ㊁ shé 以一定的数目为单位去数(shǔ)点(diǎn),古代多用于数蓍草占卦。㊎～之以四。

㊀ dié (214 页)。

shě ㄕㄜˇ

舍(捨) ㊁ shě ❶放弃。㊎～身为国|四～五入。❷施舍。㊎～药。

㊀ shè (869 页)。

【舍己为人】为了他人而牺牲自己的利益。

【舍己为公】为了祖国或集体的利益而牺牲自己的利益。

【舍本逐末】又说弃本逐末。放弃根本的、主要的,而去追求枝节的、次要的。形容轻重倒置。《汉书·食货志下》:"铸钱采铜…弃本逐末。"

【舍生忘死】也说舍死忘生。形容不顾个人生命危险。

【舍生取义】《孟子·告子上》:"生,亦我所欲也;义,亦我所欲也。二者不可得兼,舍生而取义者也。"后用"舍生取义"表示为正义事业牺牲生命。

【舍身为国】为了国家牺牲自己的生命。

【舍近求远】丢开近的却去寻找远的。形容做事走弯路。

【舍赫拉查达交响组曲】也译作《天方夜谭》。管弦乐曲。里姆斯基—科萨科夫曲。作于 1888 年。乐曲取材于阿拉伯民间故事集《一千零一夜》。

shè ㄕㄜˋ

厍(厙) shè 〈方〉村庄。多用于地名。

设(設) shè ❶建立。㊎～立。❷陈列;布置。㊎陈～|～宴。❸筹划。㊎～计|～法。❹假如。㊎～若|～使。❺假设。㊎～想|～$x=1$。

【设计】在做某项工作之前,预先制定方案、图样等。

【设色】涂色;着色(多指绘画)。

【设问】修辞格的一种。作者自己提问,自己作答,以便突出主要论点,申述所要申述的问题。如:"人的正确思想是从哪里来的?是从天上掉下来的吗?不是。是自己头脑里固有的吗?不是。人的正确思想,只能从社会实践中来,只能从社会的生产斗争、阶级斗争和科学实验这三项实践中来。"

【设防】设置防御的武装力量或工事。㊎处处～。

【设使】假使;如果。

【设备】❶有专门用途的成套器材或建筑等。㊎发电～|～完善。❷设置配备。㊎这个实验室～得很好。

【设法】想办法。㊎～克服困难。

【设施】❶为满足某种需要而建立起来的机构、组织、系统以及建筑等。㊎军事～|工程～。❷布置安排。

【设想】❶想象;假想。㊎不堪～|这只是一种～。❷着想。㊎凡事都应为群众～。

【设置】❶设立。㊎～新课程。❷安装;安放。㊎～电话机|～重重障碍。

【设身处地】设想自己处在别人的地位或环境。意思是替别人着想。

【设备更新】用新设备替换旧设备的再生产活动。

社 shè ❶指某些团体或机构。㊎集会结～|供销～|通讯～|旅行～。❷古指土神和祭祀土神的地方、日子和祭礼。

【社区】社会上以某种特征划分的居住区。在中国,指城市街道办事处或居民委员会活动范围内的地区。㊎华人～|～服务|～医疗站。

【社仓】中国古代民间为防灾荒而设置的具有社会保障性质的粮仓。

【社会】以一定的物质生产活动为基础而相互联系的人类生活共同体。物质资料的生产是社会存在和发展的基础。人们在物质资料生产过程中形成的、与一定生产力发展程度相适应的生产关系的总和,构成社会的经济基础。在这个基础上,产生同它相适应的上层建筑。按照它本身所固有的规律发展变化。

【社交】指社会上人与人的交际往来。

【社论】报社或杂志社在自己的报纸或刊物上,以本社名义发表的评论当前重大问题的文章。

【社戏】旧时农村在春秋两季祭祀社神(土地神)时所演的戏。一般在庙台或野地搭台演出。

【社祭】祭祀土神。

【社情】社会的情况。㊀了解～民意。

【社稷】社指土神，稷指谷神。古代君主都要祭社稷，后因以“社稷”代指国家。

【社会党】见〔社会民主党〕(868 页)。

【社稷坛】明清帝王祭祀太社(土地神)、太稷(五谷神)的礼制建筑。北京社稷坛始建于明永乐十八年(1420)，在今中山公园内。为三层汉白玉石砌方台。台中央埋设“社主石”。台面按五行方位填筑色土：东为青色、南为红色、西为白色、北为黑色、中为黄色，象征“普天之下莫非王土”。是全国重点文物保护单位。

【社会分工】社会不同部门之间和各部门内部的分工。畜牧业和农业的分离，是第一次社会大分工。手工业从农业中分离出来，是第二次社会大分工。专门从事商品买卖的商人阶级的出现，形成第三次社会大分工。随着社会文化和科学技术的发展，又出现了体力劳动和脑力劳动的分工。社会分工的发展程度，是社会生产力发展水平的重要标志，同时，社会分工又是形成阶级、阶层和人与人的不平等关系的基础。马克思认为，随着人类社会生产力的高度发展，最终将消灭旧的社会分工，使每一个人都获得自由的全面的发展。

【社会主义】❶社会主义制度。即以生产资料公有制为基础，实行无产阶级专政的社会制度。❷社会主义学说。通常指马克思主义三个组成部分之一的科学社会主义。此外还有空想社会主义以及形形色色的小资产阶级社会主义、资产阶级社会主义等。

【社会存在】哲学范畴。指社会物质生活条件的总和。主要指物质资料的生产方式，此外还包括地理环境和人口因素。与“社会意识”相对。历史唯物主义认为，社会存在决定社会意识，社会意识又反作用于社会存在。

【社会价值】由生产商品的社会必要劳动时间决定的价值。在资本主义竞争中，它表现为社会生产价格，即平均成本与平均利润之和。与“个别价值”相对。

【社会关系】❶人们在社会活动过程中所形成的以生产关系为基础的相互关系。包括经济、政治、法律、文化以及思想道德等各方面的关系。❷指个人的亲戚、朋友等关系。

【社会形态】社会在一定历史发展阶段上的具体存在形式。是同生产力的一定发展阶段相适应的经济基础和上层建筑的统一体。原始社会、奴隶社会、封建社会、资本主义社会和社会主义社会，就是社会历史中不同性质的社会形态。每一种社会形态，都有它特定的经济基础和特定的上层建筑，都是按照一定的客观规律发展的，都有其产生、发展和灭亡的历史。

【社会劳动】见〔私人劳动〕(925 页)。

【社会体育】也叫群众体育。指厂矿、企业、事业、机关的职工和城镇居民、农民有组织地开展的体育活动。以健身、娱乐、调节心理、培养情趣爱好、增进团结友谊和相互了解为目的。

【社会环境】人类社会在长期发展中创造和积累的物质文化及各种社会成果的总和。包括聚落环境、生产环境、交通环境和文化环境等。

【社会制度】以经济制度为基础的政治、法律、文化等制度的总称。不同的社会制度，反映着不同的社会性质。

【社会实践】即“实践”(894 页)。

【社会科学】研究各种社会现象的科学。包括政治学、经济学、法学、教育学、文艺学、史学等。社会科学中的许多学科都属于上层建筑范畴。

【社会保险】劳动者或公民在暂时或永久丧失劳动能力以及发生其他生活困难时，由国家、社会对他们给予物质保障的各种制度的总和。

【社会效益】工程项目、技术方案和经济文化活动等对社会所产生的非经济性效果和利益。

【社会资本】也叫社会总资本。相互联系相互制约的所有个别资本的总和。与“个别资本”相对。

【社会救济】社会成员在不能维持最低限度的生活水平时，由国家和社会按照法定标准向其提供满足最低生活需要的资金和实物援助的社会保障制度。

【社会新闻】能引起广泛的社会兴趣，具有教育和审美意义，能反映伦理道德关系的社会生活报道。表达轻松活泼，具有人情味和趣味性。

【社会意识】哲学范畴。指社会生活的精神过程，包括政治、法律、道德、艺术、宗教、哲学、科学等意识形式及风俗习惯等社会心理。与“社会存在”相对。是对社会存在的反映。

【社鼠城狐】即“城狐社鼠”(123页)。

【社会公众股】中国的股份有限公司向社会公众公开发行的股份。

【社会民主党】19世纪下半叶欧美一些国家相继成立的政党。有的党也称社会党、工党等。它们曾联合组成第二国际。初期主张社会革命,对工人运动起过积极作用。后来大多数党蜕变为资产阶级改良主义的党。

【社会总产品】社会物质生产部门在一定时期(如一年)所创造的全部物质产品。从实物说,包括生产资料和消费资料;从价值说,包括已消耗的生产资料的价值和新创造的价值。

【社会主义社会】共产主义社会的低级阶段。始于1917年俄国十月社会主义革命。它以马克思主义为指导思想,以生产资料社会主义公有制为基础,实行“各尽所能,按劳分配”的原则,坚持工人阶级(经过共产党)领导的以工农联盟为基础的无产阶级专政(在中国是人民民主专政)。中国目前尚处于社会主义社会的初级阶段。

【社会主义改造】通常指在无产阶级政权下,按照社会主义的原则对生产资料私有制进行的改造。中国的社会主义改造,是在中华人民共和国成立后,在没收了帝国主义企业和官僚资本,国家牢固地掌握国民经济命脉后进行的。对个体农业和手工业,是通过合作化道路逐步把它们改造成为社会主义集体经济;对资本主义工商业,是通过利用、限制、改造的政策和国家资本主义的各种形式,逐步把它们改造成为社会主义国营经济,并结合对企业的改造逐步把资本家改造成为自食其力的人。

【社会主义道德】共产主义道德在社会主义历史阶段的具体体现。以为人民服务为核心,以集体主义为原则,以“五爱”为基本要求。在现阶段的中国,指有利于解放和发展生产力,有利于国家统一、民族团结、社会进步的思想道德。

【社会发展规律】社会发展是一个有规律的自然历史过程。生产力和生产关系、经济基础和上层建筑之间的矛盾运动,推动着社会从低级向高级发展,表现为社会形态的依次更替。社会发展是统一性和多样性的统一,曲折性和前进性的统一。

【社会医疗保险】被保险人因疾病、负伤、残废等造成收入中断及医疗费用的损失,由保险组织提供物质帮助的一种社会保险。

【社会经济形态】也叫经济制度、社会经济结构。人类社会一定的发展阶段占统治地位的生产关系的总和。也指人类历史上一定的社会生产关系总和以及以它为基础并与之相适应的上层建筑有机结合构成的社会总体,即社会制度。人类社会的历史,表现为不同的社会经济形态相继更替的过程,这是人类社会发展的基本规律。

【社会经济结构】即“社会经济形态”(868页)。

【社会基本矛盾】即生产力和生产关系的矛盾、经济基础和上层建筑的矛盾。存在于一切社会形态之中,并贯穿于每一社会形态的始终。规定和影响其他社会矛盾,决定每一社会的性质和发展方向,推动社会向前发展。

【社会意识形式】指社会意识的具体形式。包括政治、法律、道德、哲学、科学、艺术、宗教等以比较自觉和定型的思想来表现社会存在的各种方式。是对社会存在的反映,并积极地反作用于社会存在。

【社会主义工业化】在生产资料社会主义公有制基础上建立起现代工业,并使之在国民经济中占优势地位,把落后的农业国转变为先进的工业国的过程。

【社会主义国有化】无产阶级专政的国家,通过没收或赎买的办法,将生产资料的资本主义私有制改变为社会主义全民所有制的过程。它是建立社会主义经济基础的一项重大措施,是无产阶级革命的基本任务之一。中国的社会主义国有化,是通过没收官僚资本和对民族资本实行赎买政策两种途径实现的。

【社会商品购买力】一定时期内在零售市场上购买商品的货币额。

【社会生产两大部类】社会生产按其产品的最终用途分为两大部类:生产生产资料的部门统称为第一部类;生产消费资料的部门统称为第二部类。把社会生产分成两大部类是马克思分析社会资本再生产运动的理论出发点之一。

【社会主义计划经济】在社会主义国家曾经普遍实行过的一种经济体制。其特点是国家对社会经济生活进行全面的集中统一的计划管理。

【社会主义市场经济】在公有制为主体、多种所有制并存的基础上,以市场为资源配置主要方式的经济体制。

【社会主义初级阶段】特指中国在生产力落后，商品经济不发达条件下建设社会主义必然要经历的特定历史阶段。具体来说，指从20世纪50年代生产资料所有制社会主义改造基本完成，到社会主义现代化的基本实现的全过程。在这个历史阶段中，主要任务是解决人民日益增长的物质文化需要同落后的社会生产之间的矛盾。为此，必须大力发展社会生产力，实行社会主义市场经济，逐步实现工业、农业、国防和科学技术现代化，改革生产关系和上层建筑中不适合生产力发展的部分。

【社会主义经济体制】以社会主义公有制为基础的经济制度和经济运行体系。

【社会主义经济制度】社会主义生产关系的总和所构成的社会经济结构。在中国社会主义初级阶段，实行的是以公有制为主体、多种经济形式并存和共同发展的经济制度。

【社会主义教育运动】中国共产党于1963—1966年在全国城乡开展的清政治、清经济、清组织、清思想的运动。参见〔四清运动〕(931页)。

【社会主义精神文明】建立在社会主义生产关系基础之上的精神文明。包括文化建设和思想建设两个方面。根本任务是培养有理想、有道德、有文化、有纪律的社会主义公民，提高全民族的思想道德素质和科学文化素质，为物质文明建设提供动力，保证物质文明的正确的发展方向。

【社会必要劳动时间】在社会现有的正常生产条件下，在社会平均的劳动熟练程度和强度下生产某种商品所需要的劳动时间。它决定商品的价值量。

【社会物质生活条件】指人类社会赖以存在和发展的物质要素的总和。包括社会所处的自然环境(地理环境)；一定数量、质量和密度的人口；物质资料的生产方式。前二者虽然是社会生活所必需的，并能加速或延缓社会发展的进程，但只有物质资料的生产方式，才是决定社会性质及其发展的主要条件。

【社会商品零售总额】一定时期内通过零售市场所出售的商品的价值总量。

【社会主义全民所有制】社会主义国家代表全体劳动人民占有生产资料的所有制形式。在社会主义条件下，由国家所有的生产资料都是全体劳动人民的共有财产。社会主义全民所有制在社会主义经济中具有主体和主导地位。

【社会主义建设总路线】即"鼓足干劲，力争上游，多快好省地建设社会主义"的总路线。1958年5月在党的八届二中全会上通过。它反映了广大人民迫切要求改变中国经济文化落后的愿望，但忽视了客观的经济发展规律，使高指标、瞎指挥、浮夸风和"共产风"泛滥开来，造成国民经济比例严重失调。

舍 ㊀ shè ❶房子。㊟宿～|校～。❷古代行军三十里叫一舍。㊟退避三～。❸谦辞。用于对别人称比自己的辈分低或年纪小的亲属。㊟～弟|～亲。

㊁ shě (866页)。

【舍下】舍间。

【舍利】梵语音译词。也叫舍利子。身骨。佛教称释迦牟尼遗体焚烧之后结成的珠状物。后也指德行高的和尚死后烧剩的骨头。

【舍间】谦辞。称自己的家。㊟请来～一叙。

拾 ㊁ shè 轻步登上。㊟～级而上。

㊀ shí (894页)。

射(*䠶) shè ❶用推力或弹力送出箭、子弹等。㊟～箭|～击。❷用压力使液体从孔中迅速流出。㊟注～|喷～。❸发出光、热、电波等。㊟光芒四～|辐～。❹有所指。㊟影～|暗～。

【射手】指射箭或放枪放炮的人。

【射击】❶用枪炮等火器对准目标发射。❷体育运动项目之一。按照所用枪支、射击距离、射击目标、射击姿势和射击方法分为不同类别。以命中环数或靶数计算成绩。

【射线】❶数学上指一点沿单一方向运动形成的轨迹。如从一光源发出的光线通常看做射线。❷物理学上α射线、β射线、γ射线、X射线等的统称。

【射界】火器在一个发射位置上能对目标进行射击的角度范围。

【射流】指从喷嘴中以一定速度喷射出来的流体。水从消防龙头中射出，高速气体从喷气式飞机的尾喷管中喷出，这些流体都叫射流。射流技术是一种重要的自动化控制技术。

【射程】枪炮发射后，弹丸运行的水平距离。

【射箭】❶用弓把箭射出去。❷体育运动项

目之一。在一定的距离用箭射靶。以中靶环数计算成绩。

【射电望远镜】接收和研究天体无线电波的天文观测装置。

麝 shè 也叫香獐。哺乳动物。鹿的一种。像鹿而小，雌雄都无角。雄的腹部有麝香腺，分泌的麝香是名贵药材和香料。

【麝牛】哺乳动物。形状介于牛和羊之间，有麝香味而不产麝香，体被长毛，耐寒。食草和雪下苔藓。现仅分布于北极圈附近。

【麝香】雄麝香腺的分泌物。是一种贵重香料和名贵药材，有兴奋强心作用。

涉 shè ❶从水里走过去。泛指从水上经过。㊀跋山～水｜远～重洋。❷经历。㊀～险。❸牵连；相关。㊀牵～｜～及。

【涉及】牵涉到；关连到。

【涉世】经历社会上的事。㊀～不深。

【涉外】涉及与外国有关的。㊀～活动。

【涉足】进入某种环境、领域。㊀～其间。

【涉笔】动笔写作。㊀～成趣。

【涉案】案件所涉及的。㊀～人员。

【涉猎】指粗略地阅读或研究。

【涉禽】鸟的一类。其颈、喙、脚和趾都较长，适于在水中涉行。如鹤、鹭等。

【涉嫌】有跟某犯罪事件有关的嫌疑。

赦 shè 免除或减轻刑罚。㊀大～｜～罪｜～免。

摄(攝) shè ❶吸取。㊀～取｜～食。❷摄影。㊀～制｜拍～。❸保养。㊀珍～。❹代理。㊀～政。

【摄卫】保养身体。

【摄生】保养身体。

【摄取】❶吸收(营养等)。㊀～食物｜～氧气。❷拍摄(照片或电影镜头)。

【摄政】君主制国家在君主年幼不能亲自执政或君主长期患病不能临朝时，由其年长近亲或其他人代行君主权力叫摄政。

【摄影】被摄体通过镜头在感光片上形成影像的过程。一般指照相、电影摄影和电视摄影。

【摄氏度】摄氏温标的单位。符号是℃。就温度间隔来说，1℃与热力学温标的1K相等。

【摄像管】电视摄像机中把被摄物体形成的光的图像转换为电信号的电子束管。

【摄氏温标】温标的一种。规定在一个大气压下水的冰点为0度，沸点为100度，中间分为100等份，每等份代表1度。因瑞典天文学家摄尔修斯制定而命名。单位是摄氏度，用符号℃表示。摄氏温标的0℃等于热力学温标的273.15K；100℃等于373.15K。

滠(灄) shè 滠水，水名，在湖北。

慑(懾 *慴) shè 恐惧；使害怕。㊀～服｜威～。

【慑服】因害怕而顺从。

㩶☒ shè 〔㩶㩶〕风吹叶落声。

歙 ㊀ shè 歙县，地名，在安徽南部。以产徽墨、歙砚著名。

㊁ xī (1056页)。

shēn ㄕㄣ

申 shēn ❶陈述；说明。㊀～明｜～请｜三令五～。❷地支的第九位。❸申时，旧式记时法，相当于十五点到十七点。❹上海市的别称。

【申办】❶申请举办。㊀～奥运会。❷申请办理。㊀～户口。

【申斥】斥责；责备(多用于对下级)。

【申令】申述命令。

【申讨】声讨。

【申饬】❶告诫。❷申斥。饬(chì)。

【申诉】❶国家机关工作人员和政党、团体成员等对所受处分不服时，向原机关或上级机关提出自己的意见。❷当事人及其法定代理人、近亲属，对已经发生法律效力的判决、裁定不服的，向人民法院或人民检察院提出申请，要求重新审判的诉讼制度。但不能停止判决、裁定的执行。

【申述】详细地说明。㊀～理由。

【申明】郑重地说明。㊀～理由。

【申冤】也作伸冤。❶洗雪冤屈。❷申诉所受的冤屈。

【申雪】也作伸雪。表白或洗雪冤屈。

【申辩】申述理由，加以辩解。

伸 shēn ❶舒展开；拉长。㊀～手｜～长。❷通"申"①。㊀～冤。

【伸张】扩大，发扬。㊀～正义。

【伸冤】同"申冤"(870页)。

【伸雪】同"申雪"(870页)。

【伸缩】❶伸长和缩短。❷指一定限度内的

灵活变通。㊀留有～的余地。

呻 shēn 〔呻吟〕人因痛苦口中发出声音。

绅(紳) shēn ❶古代士大夫束在腰间的大带子，下垂部分叫绅。❷绅士。㊀土豪劣～|乡～。

【绅士】旧指地方上有势力、有功名的人，一般是地主或退职官僚。

【绅权】指旧时地方绅士所握有的权力。

【绅衿】旧时泛指地方绅士和学界人士。衿(jīn)：念书人穿的衣服。

【绅耆】旧指地方上的绅士和年老有名望的人。耆(qí)：年老的。

珅⊠ shēn 玉名。

氠□ shēn 砷的旧称。

神 ㊁ shēn 〔神荼〕传说中能制伏恶鬼的神。后世把它作为门神，画像丑怪凶恶。荼(shū)。

㊀ shén (873 页)。

砷 shēn 非金属元素，符号 As，原子序数 33。由于晶体结构不同呈现黄、灰、黑褐三种颜色。砷加在铅或黄铜中可改变它们的硬度。砷的化合物均有毒，可用于杀菌、杀虫等。砷与镓、铟等元素组成的化合物是半导体材料。

屾⊠ shēn 两座山。

身 ㊀ shēn ❶人或动物的躯体。㊀全～|上～。❷物体的主要部分。㊀树～|河～|船～。❸指生命。㊀舍～忘死。❹亲自；自己。㊀～临其境|以～作则。❺人的品格、地位。㊀立～处世|～败名裂。❻身孕。㊀大任有～。❼量词。套(指衣服)。㊀穿一～绿军装。

㊁ yuān (1208 页)。

【身历】亲身经历。㊀～其境。

【身手】本领。㊀大显～。

【身分】也作身份。人在社会上或法律上的地位、资格。

【身心】身体和精神。㊀～健康。

【身世】指人生的经历、遭遇(多指不幸的)。㊀～凄凉。

【身价】❶指一个人的社会地位。❷人身买卖的价格。

【身份】同"身分"(871 页)。

【身后】指人死后。

【身受】亲身受到。㊀感同～|～其害。

【身故】婉辞。指人死。

【身段】❶女性的身材或身体的姿态。❷戏曲演员在舞台上表演的各种舞蹈化形体动作(如坐、卧、行走、骑马、乘船等)的统称。

【身躯】身体；身材。㊀～健壮。

【身无长物】即"别无长物"(67 页)。

【身心交病】身体和精神都受到摧残。

【身外之物】身体之外的东西。指钱财，有无足轻重之意。

【身先士卒】作战时将帅亲自带头，冲在士兵前面。也用来比喻领导带头走在群众前面。

【身体力行】亲身体验，努力实行。

【身体素质】指人体在运动中所表现出来的力量、速度、耐力、灵敏及柔韧性等机能能力。是掌握运动技术和提高运动成绩的基础。

【身败名裂】地位丧失，名誉扫地。

【身经百战】亲身参加过许多次战斗。形容经验丰富。

【身临其境】亲自到了那个环境。临：到、来。

【身教重于言教】用自己的实际行动教育人，比光用言语教育人重要。强调要以身作则。

侁⊠ shēn 〔侁侁〕形容众多。

诜(詵) shēn 〔诜诜〕形容众多。

駪⊠**(駪)** shēn 〔駪駪〕形容众多。

穼⊠ shēn 同"深"。

深(*湥) shēn ❶从上面到下面或由外到内的距离大。㊀～井|～山|～宅大院。❷程度高。㊀学问～|感情～。❸时间久。㊀夜～|年～日久。❹颜色浓。与"淡"相对。㊀～蓝|～色。❺副词。极；很。㊀～信不疑|～表同情。❻深入；深远。㊀～谈|影响很～。

【深切】❶深刻而切实。㊀～地了解|～的感受。❷深挚而亲切。㊀～的关怀。

【深长】深刻而耐人寻味。㊀意味～。

【深化】向更高的程度发展；使向更高的程度发展。

S

【深圳】市名。位于广东省南部，珠江口东侧，南隔深圳河与香港特别行政区为邻。人口 85 万(1997 年)。京九、广深铁路在此相接。为中国经济特区之一。出口加工业和旅游业发展迅速，是中国对外贸易和国际交往的重要口岸之一。
【深沉】❶阴暗沉静。例夜～。❷形容程度深。例～的哀悼。❸(声音)低沉。❹沉着持重，思想感情不外露。例性格～。
【深究】深入追究。
【深刻】❶深入透彻。例认识～。❷(感受)程度深。例印象～。
【深波】击奏体鸣乐器。铜制。形似大锣，较大锣厚些，其面光滑。主要用于潮州音乐。
【深省】也作深醒。深深地醒悟。例发人～。
【深重】(罪孽、灾难、苦难等)程度深。
【深度】❶深浅的程度。例这个湖的平均～是九米。❷程度很深的。例～昏迷。❸触及事物本质的程度。例看法基本相同，但认识的～不一样。❹事物向更高阶段发展的程度。
【深闺】闺房。旧时有钱人家女子的住房多在住宅的最里面。
【深挚】深厚而真诚。例～的友情。
【深造】为了达到更高的水平而进一步学习。
【深渊】很深的水潭。比喻危险或困苦的境地。例万丈～|苦难的～。
【深奥】道理、含义高深难懂。
【深湛】精深。例技艺～。湛(zhàn)。
【深醒】同"深省"(872 页)。
【深邃】❶深远。例～的山谷。❷深奥。例含义～。❸深沉④。例目光～。邃(suì)。
【深入浅出】用浅显易懂的话把深刻的道理表达出来(指文章或讲话)。
【深文周纳】尽量歪曲地或苛刻地援用法律条文，给人定罪。也指不根据事实给人妄加罪名。周：周密，不放松。纳：使陷入。
【深闭固拒】形容对新事物或别人的正确意见采取顽固拒绝的态度。
【深沟高垒】挖掘深的壕沟，构筑高的壁垒。指加强防御工事。《史记·淮阴侯列传》："足下深沟高垒坚营，勿与战。"
【深居简出】唐韩愈《送浮屠文畅师序》："夫兽深居而简出，惧物之为己害也。"原指野兽躲在深山密林中，很少出来。后指人常呆在家里，不轻易出门。简：少。
【深思熟虑】深入地反复地考虑。宋苏轼《策别第九》："而其人亦得深思熟虑，周旋于其间，不过十年，将必有卓然可观者也。"熟：程度深。
【深恶痛绝】极端地厌恶、痛恨。恶(wù)。
【深情厚谊】深厚的感情和友谊。
【深谋远虑】计划得周密，考虑得久远。汉贾谊《过秦论》："深谋远虑，行军用兵之道，非及曩时之士也。"谋：策划，计划。
【深藏若虚】《史记·老庄申韩列传》："良贾深藏若虚，君子盛德，容貌若愚。"把宝贵的东西收藏起来，好像没有一样。后也用以比喻有知识才能但不爱在人前表现。

参(參*蓡*葠) ㊁ shēn ❶人参。❷星名。二十八宿之一。
㊀ cān (92 页)。
㊂ cēn (99 页)。

【参商】❶参、商都是星名，此出彼没，两不相见。常比喻亲友不能会面。❷比喻感情不和睦。

糁(糝) ㊀ shēn 谷类磨成的碎粒。例玉米～儿。
㊁ sǎn (846 页)。

鲹(鰺) shēn 鱼类。身体侧扁，鳞细，胸鳍镰刀状，尾鳍分叉。生活在海中。

籸⊠ shēn 同"糁(shēn)"。

莘 ㊀ shēn 莘县，地名，在山东。
㊁ xīn (1096 页)。

【莘莘】形容众多。例～学子。

甡⊠ shēn 〔甡甡〕形容众多。

娠 shēn 胎儿在母腹中微动。泛指怀孕。

燊 shēn 兴盛的样子。

shén ㄕㄣˊ

什 ㊁ shén 〔什么〕疑问代词。1. 表示疑问。例想～? | 干～? 2. 表示虚指或任指。例他仿佛想说～|他～都不怕。
㊀ shí (890 页)。

S

甚 ㊁ shén 同"什(shén)"。

㊀ shèn(876 页)。

神 ㊀ shén ❶古代传说、宗教及神话中指天地万物的创造者和主宰者,或指有超凡能力、可以长生不老的人物。也指人死后的精灵。[例]~仙|鬼~|无~论。❷异乎寻常的;不可思议的。[例]~速|~奇。❸精神;注意力。[例]劳~|聚精会~。❹表情。[例]~情|~采。

㊁ shēn(871 页)。

【神女】❶古代神话中的女神。❷旧指妓女。

【神气】❶表情。[例]他说话的时候~很特别。❷精神饱满。[例]他穿上了军装,显得非常~。❸得意傲慢的样子。[例]他自打当了主任以后,~极了。

【神父】也译作神甫、司铎。天主教、东正教的神职人员。职位在主教之下,通常是一个教堂的管理者,主持宗教活动。

【神户】日本城市。位于日本本州岛西南部。人口 149 万(1992 年)。是重要工商业城市和全国最大海港之一。因用地紧张,大兴填海造陆,建成世界上第一个人工岛。

【神仙】❶道家称得道后能长生不老、变化莫测、遨游天空的人为神仙。❷神话中指超脱凡世并有超人能力的人。❸比喻能预知未来或逍遥自在,毫无挂累的人。

【神圣】形容极其崇高、庄严。

【神权】❶迷信的人指鬼神(如阎罗天子、玉皇上帝等)所具有的支配人们命运的权力。❷天主教、东正教指神职人员所拥有的神赋予的权力。

【神似】❶精神实质上相似。与"形似"相对。❷非常相似。

【神色】神情。[例]~自若。

【神交】❶思想感情非常投合的朋友。❷互相仰慕但未见过面的友谊。

【神州】战国时邹衍称中国为"赤县神州",后用"神州"泛指中国。

【神宇】神情仪表。

【神志】人的知觉和意识。[例]~清醒。

【神肖】非常相像。肖(xiào)。

【神奇】非常奇妙。

【神态】神情态度。[例]~自若。

【神明】泛指神。[例]奉若~。

【神物】❶神奇的东西。❷指神仙。

【神往】内心向往。[例]悠然~|令人~。

【神采】面部表现出来的神气和光彩。[例]~奕奕。

【神学】论证神的存在和本质,论证宗教的教义和教规的学说。也泛指各种宗教学说。

【神祇】神指天神,祇指地神。泛指一切神明。祇(qí)。

【神话】❶古代先民用拟人化的超自然的形象和虚幻的表达方式反映对自然现象和社会现象认识的一种文学样式。一定程度上表达出古代先民对自然力的斗争和对理想的追求。❷虚妄离奇、毫无根据的话。

【神经】❶人和动物体内传导兴奋的组织,联系脑、脊髓和身体各部分。通常指周围神经系统的粗细不同的神经支干。❷指精神失常:犯~。

【神速】快得出奇。[例]兵贵~。

【神秘】不可捉摸;玄妙莫测。

【神效】惊人的效验;神奇的功效。

【神通】原为佛教用语,指无所不能的力量。后指极其高明的本领。[例]~广大|大显~。

【神龛】供奉神佛的小阁子。龛(kān)。

【神情】面部显露出来的感情、情绪。[例]他的脸上显出了兴奋的~。

【神道】❶关于上帝、神、天命、祸福等的说法。❷旧时用作神、神灵或神仙的代称。❸墓前开的道。❹日本神道教的简称。

【神韵】精神韵致。

【神农氏】中国古代传说中农业与医药的发明者。他教人用木制耒耜从事农业生产,反映了中国原始社会从采集渔猎进入农耕的情况。又传说他尝百草,用草药治病。

【神经元】旧作神经原。也叫神经细胞。神经组织的基本单位。每一个神经元分细胞体和突起。细胞体是组成神经节以及脑和脊髓灰质的主要成分。突起分轴突和树突。轴突构成神经纤维,周围神经系统的神经以及脑和脊髓的白质就是神经纤维集合组成的。

【神经节】神经细胞在脑、脊髓以外集合而成的结节状结构。通过神经纤维与脑、脊髓相联系。如脑神经节、脊神经节等。

【神经质】指神经过敏、情感极易冲动的病态表现。

【神经原】神经元旧也作神经原。

【神经病】❶神经系统的疾病。由先天性畸形、发炎、变性、外伤、血管病变或肿瘤等引起。主要症状是瘫痪、麻木、疼痛、惊厥、昏迷等。❷精神病的俗称。

【神童诗】书名。中国古代的一种启蒙课本。相传北宋汪洙九岁时就善赋诗，号称“神童”，南宋人收集了他的一些诗句并加增补，编成此书。

【神乎其神】非常神秘奇妙。

【神出鬼没】《淮南子·兵略训》：“善者之动也，神出而鬼行。”原指用兵灵活机动。后泛指变化迅速，出没无常，不可捉摸。

【神圣同盟】19世纪前期，俄、奥、普三国在战胜法国后结成的同盟，以维护维也纳会议建立的欧洲封建秩序。几乎所有欧洲国家的君主都参加了该同盟。这个同盟曾出兵镇压了欧洲许多国家的革命。1848年该同盟瓦解。

【神机妙算】惊人的机智，巧妙的谋划。形容计谋十分高明。

【神色自若】神情平稳，不因外界影响而改变常态。

【神采奕奕】形容精神旺盛，容光焕发。奕奕：精神焕发的样子。

S

【神经中枢】脑和脊髓中控制身体某一特定生理机能的神经细胞群。如呼吸中枢、吞咽中枢。也指感受某一种刺激的一些神经细胞群。如视觉中枢、听觉中枢。

【神经末梢】神经纤维的末端部分。分布于各种器官和组织内。感觉神经末梢接受外界和体内的刺激；运动神经末梢把神经冲动传送到肌肉或腺体组织上，使之运动或分泌。

【神经过敏】❶神经系统的感觉机能异常敏锐的症状。神经衰弱的患者多有此种症状。❷指无根据的多疑。

【神经冲动】神经组织上快速的、可传导的生物电变化。是神经受刺激后引起的活动过程。

【神经纤维】神经元的轴突。按结构的不同，分有髓鞘神经纤维和无髓鞘神经纤维。

【神经系统】人或动物体内全部神经结构的总称。主要由神经细胞组成。高等动物的神经系统由脑、脊髓、脑神经、脊神经、植物性神经，以及各种神经节组成。有调节体内各器官的活动和适应外界环境的作用。

【神经组织】人和高等动物的基本组织之一。是神经系统的主要构成成分。它的组织结构包括神经元和神经胶质两种细胞。前者是神经系统的功能单位，有感受体内外刺激和传导兴奋的功能；后者有支持、保护、营养和修补等功能。

【神经衰弱】神经官能症的一种。常有头晕、脑胀、失眠、多梦、记忆力减退等症状。

【神通广大】原指神仙法力无所不能。现比喻办法多，本领高强。

【神农本草经】中国现存最早的药物学著作。成书于汉代。共载药物三百六十五种，包括植物、动物和矿物。对药物性能功效、主治病症、生产区域、炮制方法都有所说明。原书已佚，其内容由于历代本草书籍转引，得以保存。现传的有明清的辑佚本。

【神经性皮炎】一种皮肤病。局部皮肤持续瘙痒，并因抓搔而变厚。女性患者多于男性。病因不明，一说心理因素起作用。

【神经性毒剂】损害神经系统正常功能的毒剂。如维埃克斯、沙林、梭曼等。其毒性剧烈，作用迅速。中毒后瞳孔缩小、痉挛直至中枢神经麻痹而死亡。戴防毒面具、穿防毒衣或利用防毒掩蔽部均可防护。

【神经官能症】也叫神经症。由精神因素引起大脑皮层功能暂时性失调的疾病的统称。常见的有神经衰弱、癔病、强迫症以及各种内脏神经官能症等。

【神圣罗马帝国】德意志皇帝奥托一世(912—973)建立的封建帝国(962—1806)。奥托一世以古罗马帝国的继承者自居，由教皇为其加冕而自称罗马皇帝，帝国由此得名。帝国范围大致包括今德国、捷克、意大利、荷兰、比利时、奥地利等国。

钟□(鉮) shén 化学用字。AsH_4^+阳离子称为钟。

shěn ㄕㄣˇ

沈(瀋) ㊀ shěn ❶辽宁沈阳的简称。❷汁。[例]墨～未干。 ㊁ chén (116页)。

【沈周】(1427—1509)明代画家。字启南，号石田，长洲(今江苏吴县)相城人。擅长画山水，与其学生文徵明及唐寅、仇英合称“明四家”。

【沈括】(1031—1095)北宋科学家。字存中，杭州钱塘(今杭州)人。学识渊博，特别精于天文、数学。晚年所著《梦溪笔谈》一书，对研究中国自然科学史等方面有重要参考价值。

【沈从文】(1902—1988)中国现代文学家、考古学家。原名岳焕，苗族，湖南凤凰人。

1923年开始文学创作，多表现士兵、船夫和湘西少数民族的生活。代表作有《边城》《长河》《湘行散记》《湘西》等。新中国成立后在中国历史博物馆、故宫博物院、中国社会科学院历史研究所研究历史文物及其工艺美术，著有《中国古代服饰研究》《唐宋铜镜》《龙凤艺术》等。有《沈从文文集》。

【沈阳市】辽宁省会。位于该省中部偏东，浑河北岸。人口386万(1997年)。京哈、沈大、沈丹等铁路在此相交。是东北地区的政治、经济、文化和交通中心。机械制造工业闻名全国，冶金、电力、化工等工业也很发达。名胜古迹有清初皇宫建筑群故宫、北陵、东陵等。

【沈钧儒】(1875—1963)中国民主革命家，爱国民主人士。字衡山，浙江嘉兴人。曾留学日本。回国后参加辛亥革命。参加反对北洋军阀的斗争。九·一八事变后，开展抗日救亡运动。1936年11月与邹韬奋、李公朴等七人被国民党政府逮捕入狱。为救国会"七君子"之一。1941年倡议组织中国民主政团同盟，代表救国会参加，以后民主政团同盟改组为中国民主同盟，他任中央常务委员。抗战胜利后，积极参加争取和平民主的斗争。1947年民盟被国民党解散，他赴解放区参加新政协筹备工作。1949年后，历任中央人民政府委员、最高人民法院院长、全国人大常委会副委员长、全国政协副主席等职。1956年当选民盟主席。1963年6月11日在北京病逝。

【沈家本】(1840—1913)清末法学家。字子惇，别号寄簃，吴兴(今浙江湖州)人。是清末积极引进资本主义法律的代表人物。1902年受命主持修订法律，在此期间，既删改了原有的《大清律例》，又制定了具有某些资本主义性质的法律，如《大清新刑律》。他具有一些资产阶级民主法律思想，主张修律要"参考古今，博稽中外"，倡导"法律面前人人平等"，比较重视法理学的研究。著有《律例偶笺》《律例杂说》《读律校勘记》等。

审(審) shěn ❶详细；周密。㊀详～|～慎。❷审查。㊀～稿|～核。❸审问；讯问处理案件。㊀～讯|～判。❹知道。㊀未～近况如何？❺文言副词。的确；果然。㊀～如其言。

【审计】独立的审计人员对财务报表进行检查，搜集必要证据，对这些报表是否公允地反映了财务实况、经营成果和财务状况变动表示意见。

【审处】审判处理或审查处理。

【审议】审查讨论。

【审讯】在刑事案件中，公安机关和法院审查、讯问犯罪嫌疑人和被告人。

【审批】审查批准或批示。

【审判】审理和判决(案件)。

【审定】审查决定。

【审视】仔细看；认真端详。

【审查】(对个人情况、案件、计划、著作等)仔细查核。

【审美】领会或鉴赏物品、风景或艺术品等的美。㊀～观|～能力。

【审核】审查核定。㊀～预算。

【审理】(法院)审查处理(案件)。

【审慎】周密谨慎。㊀～考虑。

【审察】❶仔细观察。❷审查。

【审判权】国家赋予人民法院对刑事民事案件依法进行审理和判决的权力。它是国家权力统一不可分割的部分。在中国，根据宪法规定，由人民法院独立行使审判权。

【审判员】即"法官"(252页)。

【审时度势】研究时机，估量形势。度(duó)：揣度，推测。

谉⊠(讅) shěn 同"审"④。

婶(嬸) shěn 婶母，称叔父的妻子。也用来尊称跟母亲同辈而年纪较小的已婚女子。㊀二～|李～。

哂 shěn ❶微笑。㊀～收。❷讥笑。

【哂纳】笑纳。高兴地接受(请别人接受自己赠送的东西时用的客气话)。㊀务希～。

矧 shěn 文言连词。况；况且。

谂(諗) shěn ❶同"审"④。❷劝告。

瞫⊠ shěn 往深处看。

shèn ㄕㄣˋ

肾(腎) shèn 肾脏，俗称腰子。位于腹腔后壁，脊柱两侧，左右各一，暗红色，是形成尿液以排除新陈代谢过程中产生的废物的器官。

S

【肾上腺】内分泌腺的一种。人的肾上腺位于肾脏上端，左右各一，分皮质和髓质两部分。皮质分泌肾上腺皮质激素，髓质主要分泌肾上腺素。

【肾上腺素】肾上腺髓质分泌的一种激素。有兴奋心脏、促进内脏血管收缩、松弛平滑肌等作用。制成药物用于抢救过敏性休克和某些急性循环衰竭，治疗支气管哮喘等。

【肾小球肾炎】肾脏的炎症。与溶血性链球菌感染有关。急性的有发热、血尿等症状；慢性的有发热、少尿、血尿、蛋白尿、高血压、全身水肿等症状。

甚 ㊀ shèn ❶副词。很；极。[例]进步～快|言之～当。❷超过；过分。[例]无～于此者|过～其辞。❸疑问代词。什么。[例]要它作～？|姓～名谁？

㊁ shén（873页）。

【甚而】连词。甚至。

【甚至】❶连词。1. 表示更进一层的意思。[例]他不但平时抓紧写作，～春节期间都不肯停一停。2. 用在并列成分的末项前，表示强调。[例]一个零件，一块废铁，～一只小小的钉子，他都不乱丢。❷副词。强调事例突出。[例]这件事，～小孩子都知道。

【甚嚣尘上】《左传·成公十六年》记载，楚国跟晋国交战，楚王登车观察敌情，对部下说："甚嚣，且尘上矣。"意思是晋军中喧哗得很厉害，而且尘土也飞扬起来了。后用"甚嚣尘上"来形容议论纷纭或消息盛传。嚣：喧闹。尘上：尘土飞扬。

葚 ㊀ shèn 桑树的果实。

㊁ rèn（827页）。

【葚果】由整个花序所产生的许多小坚果及其肉质化的花被共同形成的果实。如桑、楮等的果实。

椹[⊠] ㊀ shèn 同"葚(shèn)"。

㊁ zhēn（1251页）。

胂 shèn 化学用字。砷化氢中一个以上的氢原子被烃基取代生成的化合物。

渗（滲） shèn 液体慢慢地由物体的表面透入或漏出。

【渗析】也叫透析。利用半透膜使胶体和其中的分子或离子分离的一种方法。把混有杂质的胶体放入有半透膜的装置内，并把此装置放在水溶液中，半透膜的细孔只能使分子或离子透过，而不让胶体微粒通过，使杂质分子或离子从胶体中分离出来。应用渗析的方法能够精制某些胶体。渗析也可以分离溶液中大小不同的分子，用于核酸、蛋白质等高分子化合物的提纯。

【渗透】❶溶液与纯溶剂（或两种浓度不同的溶液）被半透膜隔开，纯溶剂（或稀溶液中的溶剂）通过半透膜向溶液（或浓溶液）扩散的现象。❷流体从物体的细小空隙中透过。❸比喻一种事物或势力逐渐地进入另一种事物或势力（多用于抽象事物）。

瘆（瘮） shèn 使人害怕；可怕。[例]～人|～得慌。

蜃 shèn 蛤蜊。

【蜃景】也叫海市蜃楼。大气光学现象。光线经过不同密度的空气层后发生显著折射，使远处景物显示在半空中或地面上的奇异幻景。常发生在海上或沙漠地区。古时传说这种幻景是海里的蜃吐气而成，故名。

慎（*昚） shèn 注意；小心。[例]谨～|不～|～重。

【慎终】❶事情开始时就慎重考虑后果。指谨慎从事。❷居丧尽礼。《论语·学而》："慎终追远，民德归厚矣。"

【慎重】谨慎持重，不轻率随便。

【慎独】儒家的一种道德修养方法。指在闲居独处无人监督之时，更须谨慎从事，自觉遵守各种道德准则。

shēng ㄕㄥ

升（❶❷*昇❷*陞） shēng ❶向上移动。与"降"相对。[例]上～|～降机。❷提高（等级）。与"降"相对。[例]～级。❸容积单位。十合(gě)为一升，十升为一斗。❹量粮食的器具。容量为斗的十分之一。

【升水】在外汇市场上远期汇率高于即期汇率的差额。

【升平】太平。[例]歌舞～。

【升号】音高记号。写成"♯"。记在音符的左上角，表示后面这个音升高半音。如♯1。

【升迁】调离原工作，另任比原职高的职位。

【升华】❶固态物质不经过液态而直接变成气态的过程。如樟脑片逐渐变小就是升华的结果。❷比喻某些事物的提高和精炼。

【升帐】旧指将帅在军帐中登上座位召集部下议事或发令。

【升格】提高原有的规格。

【升值】所有者拥有的房地产、有价证券、艺术品等资产的市场价格上升而使资产总值增加。

【升温】温度上升。比喻事物发展速度加快或程度加深。㊀房地产业继续～。

【升腾】(烟、雾、气体等)向上升起。㊀雾气～。

【升堂入室】也说登堂入室。古代宫室,前为堂,后为室。比喻学习所达到的境地有程度深浅的差别。《论语·先进》:"由也升堂矣,未入于室也。"后用以称赞学问或技艺有很深的造诣。

生 shēng ❶产生;长出。㊀～孩子|～芽。❷发生。㊀～病。❸生存;活着。也指生命。㊀贪～怕死|舍～取义。❹有生命的;活的。㊀～物。❺生计。㊀营～。❻生平。㊀一～。❼使燃烧。㊀～火。❽没有成熟、没有煮熟或没有经过加工、炼制的。㊀～柿子|～菜|～皮子。❾不熟悉。㊀～人。❿生硬。㊀～搬硬套。⓫副词。很。㊀～恐|～疼。⓬指读书的人。㊀学～|书～。⓭传统戏曲的角色之一,扮演男子。分为老生、小生、武生等。⓮后缀。㊀好～|怎～。

【生土】未经耕种熟化的土壤。其土质通常较坚实,有机质含量低,理化性状不良,微生物活动微弱,不适于作物正常生长。

【生长】生物体或其某一部分量的增加的过程。通常指重量和体积的增加。

【生计】❶维持生活的办法。❷生活。㊀～问题。

【生平】有生以来;一辈子。㊀～事迹。

【生业】赖以生活的职业。

【生发】滋生,发展。

【生动】有生气,有活力;能感动人。㊀～活泼|讲得非常～。

【生机】生存的机会;生命力。㊀一线～|～勃勃。

【生存】有机体生命活动和新陈代谢的延续;活着。与"死亡"相对。

【生产】❶指劳动者与生产资料相结合创造物质产品。㊀发展～。❷生孩子。㊀她快要～了,赶紧送医院。

【生辰】原指出生的年、月、日、时。后也与"生日"通用。

【生肖】即"属相"(912页)。

【生员】称中国古代官学的学生。明清两代院试录取后称生员,通称秀才。

【生财】❶指增加财富。㊀～有道。❷旧指商店中所使用的家具杂物。

【生事】惹事;制造纠纷。㊀造谣～。

【生物】自然界中具有生命的物体。过去分动物、植物和微生物三大类(三界)。现代生物学分原核生物、原生生物、动物、真菌、植物五大类(五界)。

【生命】由核酸和蛋白质等物质组成的生物体呈现的生理过程。新陈代谢和自我复制是最基本的生命现象。随着生物的进化,生命现象愈加复杂,主要包括应激性、生长、发育、遗传、变异、运动、调节等。

【生俘】(将敌人)活捉。

【生前】指死者还活着的时候。

【生活】❶人或生物为生存和发展而进行的各种活动。❷衣、食、住、行等方面的情况。㊀中国人民的～水平不断提高。❸生存。㊀人～在世上,就要思进取。

【生铁】含碳2%以上的铁碳合金。比钢含有较多的碳,并含少量硅、磷、锰、硫等杂质,一般质硬而脆。用于炼钢、炼熟铁及铸造。

【生造】没有根据地编造(词语等)。㊀～词。

【生息】❶生活;生存。❷繁殖;产生新的。㊀繁衍～。❸取得利息。

【生涩】(文章、言词等)不顺畅,不流利。㊀文字～。

【生理】生物机体的机能。即整个生物体及其各个部分所表现的各种生命活动。

【生猛】〈方〉指活的。㊀～海鲜。

【生涯】指从事某种职业的生活。

【生硬】❶不自然;不熟练。㊀这篇文章用词～。❷不柔和。㊀态度～|方法～。

【生殖】生物的亲代个体产生子代个体,以维持种族延续的过程。分无性生殖和有性生殖两类。生殖是生命的基本特征之一。

【生疏】❶不熟悉。㊀人地～。❷因荒废而不熟练。㊀技艺～。❸不亲近。㊀感情～。

【生意】❶富有生命力的情态。㊀～勃然。❷指商业经营或货物买卖。㊀～兴隆。

【生境】生物的个体、种群或群落所在的具体地域环境。生境内包含生物所必需的生存条件以及其他的生态因素。

【生聚】繁殖人口,聚积财物。

【生趣】生活的趣味。

【生僻】不常见、不熟悉的(词语、文字)。㊀

～字。

【生力军】新投入战斗的精锐部队。也指新增加的得力人员。

【生长点】根和茎顶端或相当于顶端分生组织的部分。习惯上指根和茎顶端生长旺盛的部位。

【生长素】一种植物激素。可调节茎的生长速率、抑制侧芽、促进生根等。一般低浓度的能促进生长，高浓度的能抑制生长甚至杀死植物。园艺上用来促进插枝生根。能人工合成。

【生产力】也叫社会生产力。人类在生产过程中把自然物改造成为适合人类需要的物质资料的力量。它标志着人类对自然界认识和控制的程度，反映了人和自然界的关系。它和生产关系是生产方式不可分割的两个方面。其基本要素包括：具有一定的科学技术知识、生产经验和劳动技能的劳动者；同一定的科学技术相结合的、以生产工具为主的劳动资料；此外还包括劳动对象。劳动者是生产力的首要的决定的因素。生产工具是生产力发展水平的物质标志。生产力是生产方式发展中最革命、最活跃的因素，它的发展和变化，或迟或早将引起生产关系的发展和变革。

【生态学】研究生物之间和生物与周围环境之间相互关系的科学。如研究某种生物的生活史、数量变动、与其他生物的关系，以及非生物因素对以上各种情况的影响。

【生物电】生物体组织在静息状态和活动时所显示的电现象。诊病用的心电图、脑电图等是心脏、脑细胞电位变化的总和，反映了这些器官的机能状态。

【生物学】也叫生命科学。研究动物、植物和微生物等生物的结构、功能、发育、种类、进化，以及生物之间、生物与环境之间的关系的科学。

【生物战】也叫细菌战。使用生物武器伤害人畜、毁坏农作物等的作战。

【生物钟】也叫生理钟。指生物生命活动的内在节奏性。生物通过它能感受外界环境的周期性变化，调节自身生理活动。植物在每年的一定季节开花，就是通过生物钟的作用。

【生物能】指可被人类利用的动物或植物的能量。如利用牲畜作役力，利用柴草、秸秆作燃料等。

【生物圈】地表生物有机体及其生存环境的总称。包括海平面以下深度约 11 千米、海平面以上 10 千米的范围。生物圈由三层构成，上层是气圈的一部分，中层是水圈，下层是岩石圈的一部分。生物圈是一个复杂而巨大的生态系统，其下可划分为不同等级，如陆地生态系统、森林生态系统等。

【生物碱】也叫植物碱。存在于生物体内由碳、氢、氮组成的杂环化合物，有的还含有氧和硫。大多数存在于植物体中，个别的存在于动物体中。有毒性及明显的生理作用。常见的有茶碱、烟碱、吗啡、颠茄碱、金鸡纳碱、麻黄碱等。

【生命力】活力；蓬勃向上的生机。

【生命表】即“死亡表”(929 页)。

【生命线】指能维持生存的最重要的因素。喻指保证事物能够存在和发展的根本条件。

【生活力】指生物生活能力的强弱、大小。

【生殖器】生物延续后代的器官。人和高等动物的生殖器，雌性有卵巢、输卵管、子宫、阴道等；雄性有睾丸、附睾、输精管、前列腺、阴茎等。高等植物的生殖器是花，包括雌蕊和雄蕊。

【生气勃勃】生命力强，富有朝气。

【生长因子】某些微生物，虽供给它们合适的水分、碳源、氮源和无机盐，但仍不能生长或生长不良，必须加入少量的酵母粉、动物肝的浸出液等有机物才能生长良好。这些加入的有机物称为生长因子。

【生龙活虎】形容很有生气和活力。

【生存保险】以被保险人在规定期内生存为给付保险金条件的保险。

【生存竞争】同种或异种生物体相互竞争以维持个体生存并繁衍种族的自然现象。达尔文自然选择学说认为它是推动生物进化的重要因素。

【生杀予夺】指有权势的人所掌握的能任意处置别人生命财产的权力。生杀：让人活或把人杀死。予夺：给与或剥夺财物等。

【生产工具】也叫劳动工具。人们在生产过程中用来对劳动对象进行加工的物件。如农民割麦用的镰刀，工人车螺丝用的机床，他们的劳动就是通过镰刀、车床而传导到农作物和钢材上去的。其发展水平是衡量人类社会生产力的标志。

【生产方式】也叫物质资料的生产方式。❶指生产的物质方式。即用什么生产资料进行生产。❷指生产的劳动组织方式。如手工业生产方式、大工业生产方式等。❸指

S

生产的社会方式。即劳动者与生产资料相结合的方式,也就是社会经济结构或社会经济制度。❹指生产力与生产关系两个方面的有机统一。

【生产过剩】生产出来的大批商品找不到销路。是资本主义经济危机的基本特征。所谓过剩往往只是相对于劳动群众极其有限的购买力的过剩,并不是生产绝对地超过了人们的需要。

【生产过程】指劳动者与生产资料相结合制造和生产物质产品的过程,即直接生产过程。

【生产关系】人们在物质资料生产过程的各个环节中发生的相互关系的总和。包括三个方面:(1)生产资料所有制形式;(2)人们在生产中的地位和相互关系;(3)产品的分配形式。其中,生产资料所有制形式起决定作用,它决定人们在生产中的地位和产品分配形式,进而决定生产关系的性质。人们的相互关系和产品分配形式对所有制也有反作用。

【生产要素】进行物质资料生产所必须具备的因素或条件。劳动者和生产资料是两个基本的生产要素。

【生产费用】❶商品的实际生产费用,即商品的劳动耗费。等于商品的全部价值。❷资本主义生产费用。是生产中的资本所费,即不变资本和可变资本的总和。以货币表示的资本主义生产费用称为生产成本。

【生产资本】以生产资料和劳动力形式存在的资本。其职能是生产剩余价值。

【生产资料】也叫生产手段。人们在从事生产时所必需的物质条件。包括劳动资料和劳动对象。在生产资料中起主要作用的是生产工具。

【生吞活剥】唐刘肃《大唐新语·谐谑》记载,枣强令张怀庆,好偷名士文章。有人取笑他"活剥王昌龄,生吞郭正一"。后用"生吞活剥"比喻生硬地接受或机械地照搬别人的言论、经验、方法等。

【生花之笔】传说李白少年时梦见笔头生花,从此诗兴勃发、才华过人。后即以此来比喻杰出的写作才能。

【生灵涂炭】形容政治混乱时期人民处于极端困苦的境地。生灵:人民。涂炭:泥淖(nào)和炭火,比喻困苦的处境。

【生态平衡】指一定的动植物群落和生态系统发展过程中,各种对立因素(相互排斥的生物种和非生物条件)通过相互制约、转化、补偿、交换等作用,达到一个相对稳定的平衡状态。

【生态失调】处于相对稳定状态的生态系统,在外来因素的干预和影响下,其结构和功能(包括生物种类的组成、各个种群的数量比例以及与周围环境的关系)受到较大干扰或破坏,在短期内难以恢复的现象。

【生态危机】主要由于人类的活动导致局部地区甚至整个生态系统结构和功能严重破坏,从而威胁人类自身的生存和发展的现象。

【生态农业】根据生态学原理建立起来的农业发展模式。以资源的持续利用和生态环境保护为前提,运用系统工程方法来组织农业生产经营;依靠现代科学技术和社会经济信息,综合开发利用资源,充分发挥资源潜力和物种多样化配置的优势,生产出高产、优质、无污染的农产品。

【生态系统】生物群落及其地理环境相互作用的自然系统。如森林、草原、湖泊、海洋。自然界的生态系统大小不一。小如一滴湖水,大至湖泊、海洋,最大的生态系统即生物圈。

【生态环境】生物及其生存繁衍的各种自然因素、条件的总和。

【生态建筑】以尊重生态为原则、运用生态技术方法设计的建筑。主要特点是采用可以再回收、再利用的建筑材料,最大限度地降低设备污染,不破坏自然生态系统的连续性和周围环境的生物多样性,将建筑融入良性自然生态环境系统之中。

【生态旅游】以有特色的生态环境为主要景观,既满足环境保护和科学文化活动要求,又满足观赏要求的旅游。

【生物化学】运用化学的理论和方法研究生命物质的边缘科学。其任务主要是了解生物的化学组成、结构及生命过程中各种化学变化。从早期对生物总体组成的研究,进展到对各种组织和细胞成分的精确分析。目前正在运用诸如光谱分析、同位素标记、X射线衍射、电子显微镜以及其他物理学、化学技术,对重要的生物大分子(如蛋白质、核酸等)进行分析,以期说明这些生物大分子的多种多样的功能与它们特定的结构关系。

【生物分类】动物或植物分类,以种为基本

单位，相近的种集合为属，相近的属集合为科，科隶于目，目隶于纲，纲隶于门，门隶于界。各等级间可随需要加设亚门、亚纲、亚目、亚科、亚属等。种以下又可有亚种、变种、型（有时称品种）等。如家犬的分类是动物界、脊索动物门、脊椎动物亚门、哺乳纲、真兽亚纲、食肉目、犬科、犬属、家犬种。

【生物合成】生物体通过一系列酶的活动，将摄入的物质合成自身组成物质和分泌物的过程。工业上可利用生物（尤其是微生物）的这种代谢活动合成化学药品，如抗生素、维生素等。

【生物污染】有害的微生物、寄生虫等病原体和变应原等污染大气、水、土壤和食品，影响生物产量和质量，威胁或危害人体健康的现象。

【生物防治】利用某些有益的生物防治病虫的方法。即以虫治虫，以菌治虫，以菌治病。如用瓢虫防治棉蚜，用杀螟杆菌防治稻纵卷叶螟等。

S

【生物抗性】生物对外界环境变化所表现的适应和抵御能力。如长期使用农药，一些害虫就会产生较强的忍耐性和抗药性。

【生物芯片】用生物大分子为材料制造的高度集成的分子电路系统。具有集成度高，能耗小，速度快，以及生物体系中生物分子自我修复、自我复制等特点。

【生物武器】以生物战剂杀伤有生力量和毁坏植物的武器。包括装有生物战剂的炮弹、航空炸弹、火箭弹、导弹弹头和航空布洒器等。主要通过气溶胶和带菌昆虫等方式施放，由呼吸道、消化道、皮肤和黏膜侵入人畜体内，经一定潜伏期后发病以至死亡。也可大规模毁伤农作物。

【生物制品】应用微生物或其代谢产品、寄生虫和动物的毒素、人或动物的血液及组织等制成的产品。含抗原（如疫苗、类毒素）或含抗体（如抗毒素）。用于防治、诊断某些特定的疾病。应用于人体的主要有：疫苗（如乙型脑炎疫苗、狂犬疫苗、小儿麻痹疫苗、麻疹疫苗）；菌苗（如百日咳菌苗、哮喘菌苗）；类毒素（如破伤风类毒素、白喉类毒素）；免疫血清（如破伤风抗毒素、白喉抗毒素）；人血液制品（如人血白蛋白、人血丙种球蛋白）；诊断用品（如结核菌素）。

【生物放大】滴滴涕、六六六等农药在环境中难以降解的物质以及汞等有毒物质经土壤、河流、海洋等环境进入浮游植物体内，再经浮游动物、鱼、食鱼鸟类以及畜类等食物链，而使有毒物质浓度以成十倍的数量级逐级提高，从而影响生态平衡，带来潜在危险的现象。

【生物降解】化合物通过生物代谢作用而分解的过程。环境中大多数有机化合物能被生物降解，对净化环境，维持环境的物质和能量流动有重要作用。

【生物战剂】军事行动中用以杀伤人畜和破坏农作物的致病微生物、毒素和其他生物活体物质的统称。按形态和病理，分细菌类、病毒类、立克次体类、衣原体类、毒素类、真菌类战剂；按毒害效果，分失能性战剂与致死性战剂、传染性战剂与非传染性战剂。

【生物富集】也叫生物浓缩。指生物体通过对环境中某些元素或难以分解的化合物的积累，使这些物质在生物体内的浓度超过在环境中的浓度的现象。如环境中不容易分解的滴滴涕进入生物体后会长期残留，造成严重危害。

【生命攸关】关系到生和死。攸（yōu）：所。

【生命起源】从无生命的物质形成最初的生物体的过程。历史上对生命起源有各种臆说。近代科学研究证明生物只能通过物质运动变化，由简单到复杂，逐步发展形成。

【生荣死哀】《论语·子张》记载，子贡曾说孔子“其生也荣，其死也哀”，意思是说他活着的时候受人尊敬，死了以后还使人感到哀痛。后用以称誉受敬重的死者。

【生活污水】人们生活活动中产生的废水。主要包括洗涤、沐浴、厕所冲洗等污水。含有较多的有机物、病原体和植物营养素等。

【生理盐水】含0.9%氯化钠的水溶液。与细胞保持等渗，用于稀释注射剂或作为血浆代用品。

【生殖细胞】也叫性细胞。生物借以繁殖下一代的细胞。一般指卵和精子，以及一切产生卵和精子的细胞。

【生产合作社】劳动群众通过共同占有和使用一部分生产资料，并在此基础上进行合作生产的集体经济组织。

【生产社会化】也叫生产社会性。随着社会生产力的发展和生产规模的扩大，把过去独立分散的生产过程联成一体的社会生产过程。其表现是：生产资料由分散使用变成大群人共同使用；生产本身从一系列的个人行动变成了社会的分工和联合行动；

产品也从个人的产品变成社会性质的产品。

【生产者主权】也叫生产者统治。指生产者使消费者服从其旨意购买和消费商品及劳务的市场权力。形成这种权力的主要原因是厂商进行大规模广告宣传,影响消费者的决策,成为被生产者牵着鼻子走的“被统治者”。

【生物多样性】基因、物种和生态系统多样性的统称。生物多样性减少,反映了生态环境的恶化和破坏,是全球性环境问题之一。

【生物物理学】运用物理学的理论、观点和方法研究生命现象的学科。它从微观角度研究生物大分子的结构、运动以及分子聚集体(细胞、组织等)的结构、运动和功能,从宏观角度研究生物系统的物质、能量和信息的转换关系。

【生活费指数】反映各个时期居民生活费用水平变动情况的指数。它是根据某阶层居民日常生活所消费的商品零售价格和房租、水电、电影、戏剧、理发、交通、修理等服务的价格编制的。

【生产资料公有制】简称公有制。生产资料归劳动者共同所有的形式。历史上迄今有两种公有制,即原始公社所有制和社会主义公有制。后者包括社会主义全民所有制和社会主义劳动群众集体所有制两种形式。

【生产资料私有制】简称私有制。生产资料归私人所有的形式。分两大类型:(1)以生产资料的劳动者个体所有和个体劳动为基础的小私有制;(2)以生产资料私人所有为基础同时剥削他人劳动的大私有制。

【生产资料所有制】人们在生产资料方面存在或形成的关系。包括人们对生产资料的所有权关系,占有、支配和使用的关系等。是生产关系的基础,决定生产中人们相互关系的性质和产品分配的形式。迄今为止有原始公社所有制、奴隶主所有制、封建主义所有制、资本主义所有制和社会主义所有制。

狌☒ ㊀ shēng 同“鼪”。
㊁ xīng (1098 页)。

牲 shēng ❶家畜。㊖~口|~畜。❷古代祭神用的牛、羊、猪等。

胜 ㊁ shēng 肽的旧称。
㊀ shèng (884 页)。

笙 shēng 簧管乐器。殷周时已流行。一般有十七根长短簧管(其中三根不发音)插于铜斗中,奏时手按指孔,利用吹吸气流振动簧片发音。能奏和音。现经改革,有二十二至三十二簧笙及加键笙等。多用于伴奏、合奏或独奏。

【笙歌】泛指奏乐唱歌。

甥 shēng 外甥,姐姐或妹妹的儿子。

鼪☒ shēng 鼬鼠。

声(聲) shēng ❶物体振动所发出的音响。㊖锣~|大~。❷说话;语言。㊖不~不响|呼~。❸宣布;陈述。㊖~明|~讨。❹名誉。㊖~望|名~。❺声母。㊖~韵|双~。❻声调。㊖第一~|去~。❼量词。用于声音发出的次数。㊖连喊三~。

【声乐】用人声演唱的音乐。如独唱、重唱、合唱、表演唱等。

【声讨】公开地谴责。

【声母】别称纽。汉语字音(音节)开头的那个音素。大部分由辅音充任。如大(dà)的声母是 d。还有一部分字音是直接以韵母起头的,称零声母,如安(ān)、藕(ǒu)等。

【声价】声望和社会地位。

【声色】❶说话时的声音和表情。也泛指表情。㊖~俱厉|不动~。❷泛指女色和音乐(不健康的)。

【声呐】英语音译词。意为声音导航和测距。舰船上用的一种仪器。它发出的声波或超声波在水中传播,遇到障碍物时发生反射,经接收后在指示器上就得知障碍物的位置。声呐也可以用来接收水中物体发出的声音,以测定物体的方位。

【声言】公开用语言文字表示。

【声张】向外说。㊖此事不要~。

【声势】声威和气势。㊖~浩大。

【声明】❶公开说明。❷特指政府、政党、团体或其领导人对某问题、事件表明立场、主张而发表的文件或发言。也有以会议的名义发表的。❸两个或两个以上的国家、政府、政党、团体或其领导人就会谈的问题发表的文告,有时其中包含有关于这些国家间相互权利和义务的协议,具有条约的性质。

【声波】弹性介质中传播的能引起人耳听觉的机械波。起源于发声体的振动。

S

【声学】物理学的分支学科。研究声波的产生、传播、接收以及声波和其他物质相互作用的规律和应用。

【声带】❶人类发声器官的主要组成部分。位于喉腔中部，由声带肌、声韧带和黏膜皱襞(bì)组成，左右对称。两声带间裂隙叫声门裂。声音是由出入气管和肺的气流振动声带而发出的。声带的长短、松紧和声门裂的大小，影响声音的高低。❷录有声迹的胶片和磁带。一般有声影片，大都采用光学声带。宽银幕立体声影片，则采用多路磁性声带。影片拷贝上的声迹，位于画面的旁边，放映时，经过放映机的发声装置，即能还原为声音。

【声威】名声与威望。[例]～大震。

【声律】诗、词、歌、赋的声调和格律。

【声音】能引起听觉的声波。正常人能听到的声波频率约为20—20 000赫。

【声速】旧称音速。声波在介质中传播的速度。它同介质的性质和状态(如温度)有关。如在0℃的空气中声速约为每秒330米，在水中约为每秒1 440米。

S

【声称】公开表示。

【声部】多声部和声的每一部叫做一个声部。四部合唱分女高音、女低音、男高音、男低音；器乐分高音部、中音部、次中音部、低音部。

【声调】❶也叫字调。音节的高低升降。如普通话里“朱、竹、煮、住”四个字的声母和韵母都相同，但读音高低升降不同，就是声调的不同。声调有区别意义的作用。❷指说话声音的高低。

【声控】用声音控制。[例]～电话。

【声望】为众人所仰望的名声。

【声援】公开发表声明给予支援。

【声腔】许多剧种所共有的腔调。主要声腔有昆腔、高腔、梆子腔、皮黄腔(西皮、二黄)等。

【声强】也叫音强。声强度的简称。指声音的强弱。是用单位时间内通过与声音传播方向相垂直的单位面积的声能来量度的。

【声誉】声望名誉。

【声障】❶飞机接近声速飞行时，所受空气阻力迅速增加的现象。❷在噪声源附近或公路旁设置的用以阻挡噪声的屏障。

【声辩】公开辩白、辩解。

【声气相投】比喻朋友之间思想一致，性情相合。

【声东击西】声张击东而实击西。用以迷惑敌人，造成敌人错觉，给予出其不意的攻击。唐杜佑《通典·兵典六》：“声言击东，其实击西。”声：扬言。

【声乐套曲】由若干首内容、风格有内在联系的歌曲组成的声乐曲。如舒伯特的《美丽的磨坊女》《冬之旅》等。

【声名狼藉】《史记·蒙恬列传》司马贞索隐：“言其恶声狼藉，布于诸国。”后用声名狼藉形容人的名声坏到了不可收拾的地步。狼藉(jí)：乱七八糟。

【声色俱厉】指说话时的声音和脸色都很严厉。俱：都。厉：严厉。

【声泪俱下】边说边哭。形容非常悲痛。《晋书·王彬传》：“音辞慷慨，声泪俱下。”

【声情并茂】声音和感情都好(多用来形容唱腔)。

【声嘶力竭】声音嘶哑，气力用尽。形容拼命地叫喊(含贬义)。嘶：哑。竭：尽。

shéng ㄕㄥˊ

渑(澠) ㊁ shéng 古水名。在今山东临淄一带。

㊀ miǎn (683页)。

绳(繩) shéng ❶用各种纤维或金属丝拧成的条状物。❷特指木工用的墨线。引申指标准，再引申指按一定标准去制裁。[例]～墨｜～之以法。❸继续。

【绳正】纠正。

【绳索】粗的绳子。

【绳墨】木工打直线的工具。比喻规矩或法度。[例]不中～。

shěng ㄕㄥˇ

省 ㊀ shěng ❶行政区划单位。在中国是地方最大的一级行政区域，直属中央。省下设若干市、县。❷指省会。[例]进～开会。❸减免；节约。与“费”相对。[例]～一道工序｜～钱。❹简略。[例]～称｜～写。❺古官署名。[例]尚书～｜中书～。

㊁ xǐng (1103页)。

【省会】指省一级行政机关所在地。一般是全省的政治、经济、文化中心。

【省城】省会。

【省略】省去语言、文章中不必要的部分或

不必明言就能了解的部分。

【省略号】标点符号的一种。形式一般为“……”。整段或诗行的省略，可用“…………”。用于表示引文的省略或列举的省略。也可表示说话的断断续续。

【省港大罢工】1925年6月至1926年10月，广州、香港工人为支援五卅运动而举行的政治大罢工。在中国共产党人苏兆征等人领导下，6月19日开始，香港25万工人举行了大罢工，并发表了宣言。6月21日广州英、美、日洋行和沙基租界的工人也参加了大罢工。6月23日游行队伍在广州途经沙基英租界对岸的沙基路时，英侵略军和巡捕向示威群众开枪，各帝国主义兵舰也开炮威胁，当场死伤200余人，造成沙基惨案。罢工坚持一年零四个月，是世界工人运动史上罢工时间最长的一次。

眚 shěng ❶眼睛长白翳。❷过错。[例]不以一～掩大德(《左传·僖公三十三年》)。❸古又同“省(shěng)”。

shèng ㄕㄥˋ

圣(聖) shèng ❶最崇高的。[例]革命～地｜神～。❷学问、技能有极高成就的。[例]～手｜诗～。❸宗教徒对所崇拜的事物的尊称。[例]～经｜～像。❹古代对帝王的尊称。[例]～旨｜～上。

【圣人】❶旧指品德智慧极高的人。如孔子在汉以后被封建统治者推崇为圣人。❷古代臣民对君主的尊称。

【圣上】古称在位的皇帝。

【圣母】❶迷信者称某些女性的神。❷天主教徒称耶稣的母亲马利亚。

【圣地】❶宗教徒称与教主生平有重大关系的地方，如基督教徒称耶路撒冷为圣地。❷有重大意义或作用的地方。[例]革命～延安。

【圣旨】古称皇帝的命令。

【圣明】智慧高超，见解高明。

【圣经】❶犹太教的经典。包括《律法书》《先知书》《圣录》三部。❷基督教的经典。包括《旧约全书》《新约全书》。西方文学艺术作品，尤其在中世纪，很多取材于《圣经》故事。

【圣洁】神圣而纯洁。

【圣餐】基督教(新教)的一种宗教仪式。礼拜时，教徒们分食少量的面饼和葡萄酒，表示纪念耶稣。传说耶稣受难前夕与门徒聚餐时，曾以面饼和葡萄酒象征自己的身体和血液，分给门徒们吃。

【圣西门】昂利·圣西门(1760—1825)法国空想社会主义者。贵族出身，参加过美国独立战争。认为社会变革是由经济发展引起的，未来社会必须有计划地组织生产；主张一切人都应当劳动，并提出国家消亡的思想。同情工人阶级，批判资本主义制度，但不主张消灭私有制。反对阶级斗争，把建立新社会的希望寄托在有产阶级的“理性”和“慈善心”上，主张通过宣传、教育等手段建立理想化社会。著有《一个日内瓦居民给当代人的信》《新基督教》《人类科学概论》等。

【圣诞节】耶稣圣诞节的简称。是基督教规定纪念耶稣诞生的节日。天主教和基督教(新教)定于公历12月25日，东正教定于1月6日。

【圣保罗】巴西城市。位于该国东南部。人口948万(1991年)。是全国最大城市和工商业中心，有石油提炼、汽车、电子等工业的生产基地。也是全国文化中心之一。

【圣统制】也叫教阶制。天主教会按照等级制度组成的教职体系和教会管理体制。圣统制教职体系由主教、神甫、助祭三个品位组成。主教品位又分为教皇、枢机主教、大(总)主教和主教等级次。罗马教廷通过圣统制，掌握主教任命权、管理权，实现对各国天主教会的控制和管理。

【圣桑斯】卡米尔·圣桑斯(1835—1921)法国作曲家、钢琴家。其创作具有洗炼、清澄、匀称、潇洒等特点。作品数量很多，涉及体裁广泛。代表作有歌剧《参孙和达丽拉》《第三交响曲》，交响诗《死之舞》，组曲《动物狂欢节》，小提琴与乐队《引子与回旋随想曲》等。论著有《物质主义和音乐》《和声与旋律》等。

【圣地亚哥】智利首都。位于该国中部。人口564万(1995年)。是全国最大城市，政治、经济、文化中心和交通枢纽。多铜制品。圣克里斯托瓦山、圣达露西亚山是著名的风景区。

【圣彼得堡】曾称列宁格勒。位于俄罗斯西部。人口495万(1993年)。是全国第二大城市，波罗的海沿岸最大港口和经济、文化中心。俄罗斯古都，保存有冬宫、彼得宫、斯莫尔尼宫、伊萨基辅大教堂等名胜古迹。1917年列宁在此领导了伟大的十月社会主义革命。

【圣马可广场】意大利威尼斯市的宗教、行政和商业中心。始建于公元864年。广场由三个梯形平面的空间复合构成。大广场以圣马可教堂为中心,呈封闭式,周围建有带券柱式回廊的建筑,次广场在教堂南面,是该城的海外贸易中心。广场旁的公爵府为哥特式建筑,对面的圣马可图书馆是券柱式代表作。教堂北面的小广场是市民集会的场所。整个广场建筑各具特色,空间和谐统一。

【圣菲波哥大】哥伦比亚首都。位于该国中部。人口约661万(1993年)。全国政治、经济、文化和交通中心。是一座历史文化名城,保存有16、17世纪的大学、博物馆、天文台、教堂等古建筑。也是世界重要的鲜花出口基地。有世界上最大的黄金博物馆和世界上唯一的绿宝石博物馆。

【圣弗朗西斯科】即"旧金山"(526页)。

S

【圣索非亚教堂】土耳其伊斯坦布尔(原名君士坦丁堡)的著名建筑。一度是世界上最大的教堂。建于4世纪。6世纪改建。兼具拜占庭式与伊斯兰式建筑风格,圆顶,大厅内无柱,教堂四周各有一座伊斯兰式拜望塔。

【圣日内维夫教堂】罗马古典复兴式的早期代表建筑。建于1755—1792年。设计人为苏夫罗特。因其门廊形式仿罗马万神庙,又称巴黎万神庙。

【圣日涅维夫图书馆】法国第一个独立完整的图书馆。建于1843—1850年。在巴黎。主要设计人为法国建筑师亨利·拉布罗斯。是第一个在重要公共建筑中用生铁创造建筑空间效果及建筑美学观念的实例。

胜(勝) ㊀ shèng ❶胜利。与"败""负"相对。㊕得～|打～仗。❷超过。㊕一个～似一个。❸优美的。㊕～景。❹打败(别人)。㊕战而～之。❺(旧读 shēng)能承担。㊕～任|不～其烦。❻(旧读 shēng)尽。㊕不可～数。

㊁ shēng (881页)。

【胜地】风景优美而负有盛名的地方。

【胜任】能力足以担任。

【胜似】胜过。

【胜券】取得胜利的凭据。有把握取得胜利说"操胜券"。参见〔左券〕(1326页)。券(quàn)。

【胜算】必定会取得胜利的计谋和安排。㊕稳操～。

【胜利油田】位于渤海湾地区,在山东境内,是继大庆油田之后建设起来的又一大油田。

【胜不骄,败不馁】胜利了不骄傲,失败了也不气馁。馁(něi)。

晟 shèng ❶光明。❷兴盛。

盛 ㊀ shèng ❶兴旺。㊕繁荣昌～。❷强烈。㊕年轻气～|火势旺～。❸规模大;隆重。㊕～况|～会。❹流行。㊕～传|风气很～。❺深厚。㊕～情|～意。❻副词。极。㊕～赞。

㊁ chéng (123页)。

【盛世】昌盛的时代。

【盛行】广泛流行。

【盛况】盛大热烈的状况。

【盛典】盛大隆重的典礼。

【盛京】清朝的留都。即今沈阳。后金(清)天命(清太祖努尔哈赤年号)十年(1625)自东京(辽阳)迁都沈阳,天聪(清太宗皇太极年号)八年(1634)尊为盛京。顺治(清世祖爱新觉罗·福临年号)帝入关定都北京后,遂以盛京为留都。

【盛举】盛大的举措。

【盛怒】大怒。

【盛夏】夏季中最热的一段时间。

【盛情】深厚、真挚的情意。㊕～邀请|～难却。

【盛暑】大热天。

【盛装】(在隆重的场合里)华美的装束。

【盛意】深厚的情意。

【盛气凌人】傲慢的气势逼人。

【盛行西风】由副热带地区吹向副极地地区的风向常年稳定的风。在北半球为西南风,在南半球为西北风。

【盛极一时】在一个时期之内非常兴盛。

【盛衰荣辱】兴盛衰败荣耀耻辱。指人事发展变化的各种情况。

【盛名之下,其实难副】《后汉书·黄琼传》:"尝闻语曰:'峣峣者易缺,皦皦者易污。'阳春之曲,和者必寡,盛名之下,其实难副。"意思是说,声名太盛的人,其实际未必相称。后指要有自知之明,要谦虚谨慎。实:实际。副:符合,相称。

乘 ㊀ shèng ❶量词。古代四匹马拉的兵车一辆为一乘。㊕千～之国。❷

春秋时晋国的史书。后泛指一般史书。㊀史～|野～。

⊖ chéng（124页）。

剩（*賸） shèng 余留下来。㊀～米|屋里只～下他一个人。

【剩余价值】雇佣工人在生产中所创造的超过自身劳动力价值以上并被资本家无偿占有的那部分价值。追求剩余价值是资本主义生产的唯一目的。在资本主义社会，剩余价值表现为利润、地租、利息等各种形式，被各剥削阶级集团所瓜分。

【剩余产品】劳动者的剩余劳动所创造的产品。

【剩余劳动】劳动者在生产中为维持本人及其家属生活以外所消耗的劳动。无偿占有劳动者的剩余劳动，是阶级社会中剥削阶级存在的共同基础；同时，由于剥削剩余劳动的具体形式不同，又可分为剩余产品和剩余价值。

【剩余价值率】也叫资本主义剥削率。指剩余价值和可变资本的比率。它表示资本家对工人的剥削程度。假设资本家的全部资本是12 500元，其中可变资本2 500元，带来剩余价值2 500元，剩余价值率就是100%。

【剩余价值规律】资本主义的基本经济规律。马克思指出："生产剩余价值或赚钱，是这个生产方式的绝对规律。"它一方面推动资本家进行资本积累和扩大生产，另一方面促使资本有机构成提高，造成两极分化和工人阶级的贫困，导致资本主义基本矛盾的尖锐化，不可避免地周期地爆发经济危机，迫使无产阶级反抗或推翻资本主义制度。马克思发现的这个规律，奠定了无产阶级政治经济学的基石，为无产阶级革命提供了理论武器。

【剩余劳动时间】指劳动者的劳动时间中用于生产维持劳动者自身及其家庭生活所必需的生活资料的时间以外的部分。在剩余劳动时间内，生产剩余产品或剩余价值。与"必要劳动时间"相对。

嵊 shèng 嵊州，地名，在浙江东部。

shī 尸

尸（❶*屍） shī ❶尸体，人或动物死后的身体。❷古代祭祀时代表死者受祭的人。

【尸位素餐】空占着职位不做事，白吃饭。《汉书·朱云传》："今朝廷大臣，上不能匡主，下亡以益民，皆尸位素餐。"尸位：有职位不做事。素餐：吃闲饭。

鸤（鳲） shī 〔鸤鸠〕也作尸鸠。古书上指布谷鸟。

失 shī ❶丢掉。㊀遗～|丧～。❷找不着。㊀迷～路径。❸违背。㊀～信|～约。❹没有把握住。㊀～手|～足。❺没有达到目的。㊀～意|～望。❻改变常态。㊀～色|～神。❼错误。㊀过～|千虑一～。

【失节】❶失去气节。❷封建礼教指妇女失去贞操。

【失业】有劳动能力的人找不到工作。

【失礼】❶违背礼节。❷自己感到在礼貌上有所不周，向对方表示歉意。

【失地】❶丧失的国土。㊀收复～。❷丧失国土。㊀～千里。

【失当】不相宜；不恰当。

【失传】没有流传下来。

【失血】因大量出血体内血液减少。

【失色】❶失去本来的色彩或光彩。❷因受惊或害怕脸色变得苍白。㊀听到这一消息，他的脸顿然～。

【失声】❶不自主地出声。㊀不觉～地"咳"了一声。❷极为悲痛，哭不成声。㊀痛哭～。

【失足】❶因走路不小心而摔倒。㊀～落水。❷比喻人堕落或犯严重错误。

【失利】指在战争或比赛中被打败。

【失言】无意中说了不该说的话。

【失事】（船、飞机等）发生不幸的事故。㊀飞机～。

【失态】举止不合乎礼貌规范。㊀举止～。

【失明】丧失视力。㊀双目～。

【失学】因家庭困难、疾病等失去上学机会或中途退学。

【失宠】失掉了别人的宠爱。

【失宜】不适宜，不妥当。㊀处置～。

【失实】不符合事实，不确实。㊀报道～。

【失重】在加速运动的装置中，当装置的加速度方向同重力方向一致时，装置内的物体重量小于原来的重量，这种现象叫做失重。如宇宙飞船环绕地球运行时，它的加速度方向与重力方向一致，而且大小与重力加速度相等，飞船里呈现出失重现象，宇航员可以自由飘动。

【失修】(建筑物等较长时间内)没有维护修理。㊀年久~。

【失信】答应别人的事没做,失去了信用。

【失语】语言理解和运用能力的受损或丧失。由大脑受损引起。主要症状是说、听、读、写困难。

【失神】❶注意力不集中。㊀一~就出错。❷精神委靡,失去神采。

【失误】差错。㊀这场球~较多|这种情况的产生,跟工作中的~有关。

【失真】❶走了样,不符合原来的性质、形状或精神。❷电信号经过某种电子设备后,输出信号的波形和输入信号的波形相比产生差异。

【失眠】夜间睡不着或睡后过早地醒来不能再入睡。其原因有精神过度紧张、兴奋,或环境不安静、疼痛、服用兴奋性饮料或药物等。

【失笑】不自主地发笑。㊀哑然~。

【失效】丧失功效或效力。㊀药物~|条约~。

【失调】❶失去平衡。㊀供需~。❷没有得到适当的调养。㊀产后~。调(tiáo)。

【失陷】(领土、城市)被敌人侵占。

【失措】举动慌乱,不知怎么办才好。㊀惊惶~。

【失职】没有尽到职责(因而发生了问题、产生了差错)。

【失常】失去正常的状态。㊀举止~。

【失望】❶希望落了空。❷因希望没有实现而不愉快。

【失着】行动疏忽或方法错误;失策。着(zhāo)。

【失密】丢失机密文件或走漏机密消息。

【失策】策略上有错误;失算。

【失意】不得意;不如意。

【失算】没有算计好;谋划不当。

【失察】疏于检查监督,有问题没有及时发现。

【失踪】下落不明(多指人)。

【失衡】失去平衡;不平衡。㊀供求~|心理~。

【失之交臂】也说交臂失之。《庄子·田子方》:"吾终身与汝交一臂而失之。"形容当面错过了好机会。交臂:胳膊碰胳膊,指走得很靠近,擦肩而过。

【失业保险】以被保险人失业为条件给付失业保险金的保险。

【失魂落魄】形容极度惊慌、心神不宁的样子。

【失能性毒剂】造成思维和运动机能障碍,使人员暂时失去战斗能力的毒剂。如毕兹(BZ)等。通常分精神失能剂和躯体失能剂。中毒后反应迟钝、昏睡、多幻觉、精神失常、身体瘫痪等。其作用可持续数小时至数天。戴防毒面具(或防毒口罩)即可防护。

【失败乃成功之母】失败是成功的先导,从失败中吸取教训,最后可以转败为胜。

【失之东隅,收之桑榆】《后汉书·冯异传》:"失之东隅,收之桑榆。"比喻在此时此地遭到失败或损失,而在彼时彼地得到成功或收获。东隅:出太阳的东方,指早晨。桑榆:日影落在桑树榆树之间,指傍晚。

【失之毫厘,谬以千里】即"差之毫厘,谬以千里"(100页)。

师(師) shī ❶传授知识、技术的人。㊀教~。❷掌握某种专门知识、技术的人。㊀工程~|理发~|设计~。❸效法。㊀~法。❹榜样。㊀前事不忘,后事之~。❺军队。㊀出~|劳~动众。❻军队编制单位。在军之下,团之上。❼由师徒关系或师生关系产生的。㊀~母|~兄。❽对和尚、尼姑的尊称。㊀禅~|~太。

【师爷】幕友的俗称。

【师表】品德、学识上值得学习的榜样。㊀为人~。

【师范】❶培养师资的学校。❷学习的榜样。㊀为世~。

【师事】拜某人做老师,向他学习。

【师法】❶学习和效法(某人或某学派)。❷师徒相传的技艺或学问。

【师承】❶学习并继承某人或某个学派的学问、传统。❷师徒传授的系统。㊀学有~。

【师资】指当教师的人才。㊀培养~。

【师傅】❶徒弟对传授技艺的老师的尊称。❷敬辞。称有技艺的人。

【师心自用】自以为是,不肯采纳别人的正确意见。

【师出有名】《礼记·檀弓下》:"师必有名。"意思是出兵必有正当的理由。也比喻做事有正当理由。

狮(獅) shī 哺乳动物。体长约3米。毛黄褐色,尾长、末端有从毛。雄的头、颈有鬣(liè),捕食羚羊、斑马等。多产于非洲和亚洲西部。

【狮子狗】即“哈巴狗”(370页)。

【狮子座】黄道十二宫之一。位于天赤道以北。显耀部分是由六颗星组成的镰刀形,镰刀柄末端的轩辕十四,是狮子座最亮的星。春季易见。

【狮子舞】中国汉族民间舞蹈。唐代就广泛流行,传承至今。由一人或两人合作扮演一头狮子,另一人扮演武士,武士持彩球逗引,狮子表现各种神态和动作。舞狮象征吉祥幸福。

【狮子搏兔】比喻对小事情也拿出全部力量去做。

浉(溮) shī 浉河,水名,在河南。

鲺□(鰤) shī 鱼类。体呈纺锤形,背部蓝褐色,腹部银白色。生活在海中。肉可食。

䴓□(鳾) shī 鸟类。种类很多。体小,脚强健,能贴着树干自由上下。

邿⊠ shī ❶周朝国名。在今山东。❷古山名。在今山东。

诗(詩) shī 文学体裁的一种。形式很多,多押韵,可以歌咏、朗诵。

【诗史】❶诗歌发展的历史。❷叙述英雄传说或重大历史事件的叙事长诗。

【诗余】词的别称。词是由诗发展而来的,故名。

【诗话】评论诗和诗人的著作。多为随笔性质。

【诗经】中国最早的诗歌总集。原名《诗》,儒家列为经典之一,故名《诗经》。其中保存了西周初年到春秋中期的作品,共三百零五篇,分《风》《雅》《颂》三部分。《风》主要是各地的民歌,广泛地反映了当时社会的生活,《雅》和《颂》多是反映统治阶级生活的作品。《诗经》多数是四字一句,大量运用赋、比、兴手法,重章叠句,反复吟唱。其思想内容和表现手法对后世文学有深远影响。

【诗韵】❶诗的韵律或所押的韵脚。❷作诗所依据的韵书。

【诗意】诗的意境;像诗歌所表达的给人以美感的意境。㊙他的散文很有~。

【诗歌】文学类型的一种。主要特点是:高度集中地反映社会生活,凝聚着作者强烈的思想感情,富于想象;语言精练而形象,分行排列,有鲜明的节奏和韵律。根据作品有无比较完整的故事情节以及是否直接抒写作者的感情,可分为叙事诗和抒情诗两类;根据作品在语言上有无格律,又可分为格律诗和自由诗两类。

【诗情画意】富有诗画的意境。形容自然环境或文艺作品给人以美感。

虱(*蝨) shī ❶虱子,昆虫。体小,灰白色。寄生在人、畜身上,吸食血液,能传染疾病。❷某些吸食植物汁液的农业害虫。如稻飞虱、木虱、粉虱。

鳋(鰠) shī 节肢动物。体扁圆。寄生在鱼类身体表面,吸取血液。

絁⊠(絁) shī 古时一种粗绸子。

施 shī ❶施行;实行。㊙~工|~政。❷用;加。㊙~肥|~礼|~压。❸施舍。㊙布~|~主。

【施工】实施工程。指按照设计建造房屋、桥梁,修建道路、水利工程等。

【施行】❶法令、规章等生效。㊙本条例自公布之日起~。❷按某种方式或办法去做。㊙~手术。

【施事】语法上指动作的主体,也就是发出动作的人或事物,如“中国女篮打败了日本女篮”中的“中国女篮”。

【施舍】出于怜悯或积德思想,把财物送给穷人或寺庙。

【施政】施行政务或推行政治措施。㊙~方针。

【施斋】给出家人吃食。

【施展】(无阻碍地)发挥、实行。㊙~本领|~抱负。

【施光南】(1940—1990)中国作曲家。代表作有《打起手鼓唱起歌》《周总理,你在哪里》《洁白的羽毛寄深情》《祝酒歌》《吐鲁番的葡萄熟了》《假如你要认识我》《在希望的田野上》等。还创作了歌剧《伤逝》、芭蕾舞剧《白蛇传》音乐等。

【施耐庵】元末明初小说家。钱塘(今杭州)人,一说原籍苏州,后迁淮安。所著《水浒传》真实生动地描写了梁山农民起义的全过程,塑造了众多具有鲜明个性的艺术

S

形象。

【施莱登】(1804—1881)德国植物学家。1838年发表《植物发生论》一文，认为细胞是构成植物体的单位，与德国动物学家施旺共同奠定了细胞学说的基础。细胞学说被恩格斯誉为19世纪自然科学三大发现之一。

【施特劳斯】❶约翰·施特劳斯(1825—1899)奥地利作曲家、指挥家。作品有各种通俗舞曲四百多首，其中以圆舞曲数量最多，影响最大，并因其旋律优美流畅，节奏活泼，配器细腻灵巧，被后世称为“圆舞曲之王”。代表作有《蓝色的多瑙河》《维也纳森林的故事》《春之声》等。另有《蝙蝠》《吉普赛男爵》等轻歌剧16部，为维也纳轻歌剧的形成奠定了基础。其父(同名，1804—1849)亦为作曲家，有《拉德茨基进行曲》等作品传世。❷理查·施特劳斯(1864—1949)德国作曲家、指挥家。其创作具有德国后期浪漫派的特点，擅长运用造型性表现手法，配器色彩富丽，音乐明快清晰。代表作有歌剧《莎乐美》《玫瑰骑士》，交响诗《唐璜》《死与净化》《梯尔·艾伦施皮格尔的恶作剧》《查拉图斯特拉如是说》《英雄的生涯》，交响曲《家庭交响曲》等。

S

葹⊠ shī 苍耳。古人认为它是一种恶草。

湿(濕*溼) shī 沾了水或水分多。㊀衣服都～透了|地很～。

【湿地】在濒临江河湖海的地带，长期受水浸泡而形成的滩地、沼泽和滩涂。具有地下水埋深浅、水生动植物集中栖息繁衍等特征，对生态环境的保护有重要作用。

【湿度】❶空气中所含水分的多少。❷泛指某些物质中所含水分的多少。㊀木材～。

【湿租】一种租赁方式。指出租设备、交通工具等，同时配备操纵、维修的人员。与“干租”相对。

【湿疹】一种过敏性皮肤病。常发生在面部、阴囊或四肢弯曲的部分。主要症状是皮肤发红、发痒，形成丘疹或水泡。愈后易复发。

【湿润】潮湿而滋润(多指土壤、空气等)。

蓍 shī 蓍草，俗称锯齿草。多年生草本植物。茎直立，花白色。全草供药用，外用治毒蛇咬伤。也可制香料。古人用它的茎占卦。

酾(釃) shī (又音shāi)❶滤(酒)。❷斟(酒)。❸疏导(河渠)。

嘘 ㊁ shī 叹词。表示反对、制止等。㊀ xū(1110页)。

shí ㄕˊ

十 shí ❶数目。九加一的和。❷完全；达到顶点的。㊀～分|～全～美。

【十一】中华人民共和国国庆日。1949年10月1日，中华人民共和国成立。

【十足】❶非常充足。㊀干劲～。❷成色纯。㊀～的黄金。

【十国】见〔五代十国〕(1044页)。

【十恶】中国封建王朝规定的不可赦免的十种重大罪名。即谋反、谋大逆、谋叛、谋恶逆、不道、大不敬、不孝、不睦、不义、内乱。始于北齐，隋代修改后规定在法律中，沿用至清代。

【十七史】唐朝将《史记》《汉书》《后汉书》《三国志》《晋书》《宋书》《南齐书》《梁书》《陈书》《魏书》《北齐书》《周书》《隋书》等史书合称十三史。宋朝加《南史》《北史》《新唐书》《新五代史》四部，合称十七史。参见〔二十四史〕(246页)。

【十三经】指十三部儒家经典，即《易经》《书经》《诗经》《周礼》《仪礼》《礼记》《春秋左传》《春秋公羊传》《春秋穀梁传》《论语》《孝经》《尔雅》《孟子》。

【十三陵】明代十三位皇帝的陵墓群。始建于1409年。在北京昌平区。有长陵、景陵、永陵、德陵、献陵、庆陵、裕陵、茂陵、泰陵、康陵、定陵、昭陵、思陵等。陵区背依天寿山群峰，坐落于山峦南麓。在山谷入口处建有一座石牌坊，为陵区的起始点，建有长约7千米的神道，两旁建碑亭、石象生和龙凤门。整个陵区建筑与山体有机结合，气势森严。是全国重点文物保护单位。

【十三辙】京剧和北方地方戏、北方曲艺中所用韵脚的分类。共分十三大类，习用的标目是：中东、人臣、江洋、发花、梭波、遥条、由求、怀来、乜斜、言前、衣欺、姑苏、灰堆。其他剧种、曲种因方音不同，韵脚分类也不尽相同。

【十六国】(304—439)自西晋末年到北魏统一北方，中国匈奴、鲜卑、氐、羌、羯等少数民族先后在北方和巴蜀建立政权，有前赵、后赵、前燕、后燕、南燕、后凉、南凉、北凉、前秦、后秦、西秦、夏、成汉,及汉族建立的前凉、西凉、北燕,共十六个,史称十六国。

【十字军】❶11世纪末到13世纪末罗马教皇、西欧封建主、大商人以夺回土耳其伊斯兰教徒占领的基督教圣地耶路撒冷为号召而组织的远征军。因参加者把基督教的十字架作为军徽,故名。❷中世纪天主教会组成的军队。用以镇压各国人民反封建反天主教会的"异端"运动。

【十字架】古代罗马帝国的残酷刑具。基督教认为耶稣被钉死在十字架上,故用十字架作为信仰的标记。西方文学常作为苦难的象征。

【十进制】根据"逢十进一"的法则进行计数时,每十个相同的单位组成一个和它相邻的较高的单位,这种计数法叫做十进制计数法,简称十进制。其书写原则是位置原则。

【十二指肠】小肠的第一段。上接胃的幽门。长约25—30厘米,约与成人的十二个手指并列的宽度相近,故名。胰管、胆总管都开口于此。

【十七勇士】中国工农红军长征途中强渡大渡河的英雄。1935年5月,红军第一方面军先头部队进至四川石棉安顺场时,后面有国民党军队尾追,前面是天险大渡河,对岸有敌重兵扼守。红军第一师第一团组织了十七个人的突击队,于25日上午强渡大渡河,抢占对岸滩头阵地,为主力部队渡河打开了前进道路。

【十八罗汉】如来佛的十六个弟子和降龙、伏虎两罗汉的合称。多塑在佛寺里,或作为绘画的题材。

【十万火急】形容事情紧急到了极点。

【十月革命】俄国无产阶级社会主义革命。1917年11月7日(俄历10月25日),以列宁为首的布尔什维克党领导俄国工人、农民和革命士兵,在首都彼得格勒举行武装起义,推翻了资产阶级统治,建立了世界上第一个无产阶级专政的政权——苏维埃政权。十月革命的胜利对俄国和世界历史进程产生了重大和深远的影响。

【十四行诗】也叫商籁体。欧洲的一种古典抒情诗体。最早流行于意大利,后来也流行于英、法、德等国。格律严谨,一般由两节四行诗和两节三行诗组成,或由三节四行诗和两行对句组成。

【十年内战】即"第二次国内革命战争"(202页)。

【十年动乱】也叫十年浩劫。指1966年6月至1976年10月的"文化大革命"的十年。

【十字花科】被子植物的一科。一年生或多年生草本植物。基生叶旋叠状,茎生叶常互生。花两性。花瓣4枚,呈十字形排列。果实为长角或短角果。种子小。十字花科中蔬菜和油料作物有白菜、甘蓝、油菜、萝卜等;药用植物有菘蓝、大青、葶苈等;观赏植物有桂竹香、紫罗兰等。

【十面埋伏】琵琶曲。表现楚汉相争时的垓下决战。华秋苹及李芳园所编的琵琶谱中均有收集。

【十室九空】十家就有九家空无所有。形容因灾荒或战乱等百姓大量死亡或逃亡的凄凉景象。《宋史·余靖传》:"今自西陲用兵,国帑虚竭,民亡储蓄,十室九空。"

【十恶不赦】形容罪恶极大,不可饶恕。参见〔十恶〕(888页)。

【十番锣鼓】简称十番。中国民间吹打乐的一种。流行于江南地区。有粗锣鼓与细锣鼓之分,还有丝竹锣鼓。代表乐曲有《寿亭侯》《下西风》《翠凤毛》《香袋》等。

【十二木卡姆】中国新疆维吾尔族保留的大型歌舞形式。由许多歌曲、歌舞曲、器乐曲构成。按照地域可划分为喀什木卡姆、刀郎木卡姆、哈密木卡姆等类型。每个木卡姆又分为十二套。

【十二铜表法】也叫十二表法。约公元前450年罗马共和国颁布的、旨在维护奴隶主贵族利益的一部法律。因刻在12块铜牌之上公布,故名。它是古罗马第一部成文法,常被视为欧洲法学的渊源。

【十八般武艺】一般指使用刀、枪、剑、戟、棍、棒、槊、镋、斧、钺、铲、钯、鞭、锏、锤、叉、戈、矛等古代十八种武器的技艺。现用来比喻各种技能。

【十三经注疏】十三部儒家经典注疏的合刊本。共四百一十六卷。通行本有清代阮元校刻本,1979年中华书局影印本。

【十项全能运动】田径运动中男子全能运动项目之一。比赛分两天进行,比赛的顺序是:第一天100米跑、跳远、推铅球、跳高、400米跑,第二天110米高栏、掷铁饼、撑杆跳高、掷标枪、1 500米跑。

【十二月党人起义】俄国贵族革命家于1825年发动的起义。因起义发生在12

月,故名。起义者主张废除农奴制度和沙皇专制制度,代之以君主立宪制。起义后遭镇压。

【十目所视,十手所指】《礼记·大学》:"十目所视,十手所指,其严乎!"指一人的言行很难逃过众人的监督。

【十年树木,百年树人】《管子·权修》:"十年之计,莫如树木;终身之计,莫如树人。"指培养人才是为了长远的打算。也指培养人才很不容易。树:种植,培育。

什 ㊀ shí ❶由十个合成的一组。古代户籍十家为什,军队十人为什,《诗经》的雅、颂十篇为什。❷同"十"。㊥~一(十分之一)|~百(十倍或百倍)。❸各种的;杂样的。㊥~锦|~物。❹诗篇。㊥篇~|佳~。

㊁ shén (872 页)。

【什邡】地名。在四川。邡(fāng)。

【什物】日常应用的各种器物。

【什锦】指用多种原料制成的或多种花样的东西(多指食品)。㊥~南糖。

【什一税】夏、商、周时期税收制度的统称。《孟子·滕文公上》记载:"夏后氏五十而贡,殷人七十而助,周人百亩而彻,彻者彻也,助者助也。其实皆什一也。"什一税即表示对农奴种植的粮食征收的一定比例的税。

【什叶派】伊斯兰教的主要派别之一。与逊尼派对立。主要分布在伊朗。伊拉克、巴基斯坦、印度、阿拉伯半岛等地也有信徒。

【什袭珍藏】《太平御览》卷五一引《阚子》,古代宋国有个愚人得到一块燕石,以为是宝贝,用帛包了十层,放在一个里外有十层的华美的箱子里。形容极其珍重地收藏物品。

石 ㊀ shí ❶构成地壳的坚硬物质。由矿物集合而成。㊥岩~|矿~。❷指石刻。㊥金~。❸古代质量单位。120 斤为 1 石。

㊁ dàn (177 页)。

【石方】采石、填石或运石通常以立方米为计量单位,一立方米石头称为一石方。

【石印】平版印刷的一种。利用多孔石质平版,经处理后做印版进行印刷。制版容易,但印刷速度较慢。多用于印简单的广告、招贴等。

【石灰】生石灰和熟石灰的统称。生石灰的主要成分是氧化钙(CaO)。由石灰石高温煅烧而成。白色块状。与水作用生成粉状熟石灰[$Ca(OH)_2$],并放出大量热。用于建筑、改良土壤及配制农药等。

【石竹】也叫洛阳花。多年生草本植物。全株粉绿色,夏季开花,花瓣淡红色或白色。生于山野间。可栽培,供观赏。园艺上变种很多。

【石英】矿物名。即结晶的二氧化硅(SiO_2)。是多种岩石和沙子的重要成分,有许多变种。一般白色或无色透明,质硬而脆,化学性质稳定,难熔,膨胀系数小。是做玻璃的主要原料,也可用作压电材料、建筑材料等。透明晶体称水晶。

【石林】由许多柱状岩石组成的地形。是石灰岩地区特有的景象。地表水顺石灰岩裂缝渗入地下,地下水在石灰岩裂缝中运动,都可以溶解石灰岩,形成石林地形。中国云南、广西等省区都有这种石林,其中以云南路南石林最为著名。

【石刻】刻着文字、图画、浮雕的碑碣等石制品或石壁。

【石油】也叫原油。从地下深处开采出来的黏稠黑褐色液体燃料。是多种碳氢化合物的混合物,从中可提炼汽油、煤油、柴油、润滑油等及多种重要化工原料。

【石笋】溶洞中沉积物的一种形态。是由洞顶滴水中所含的碳酸钙在洞底逐渐沉积形成。形似竹笋,故名。

【石涛】(1641—约 1718)清初画家。姓朱,名若极,广西全州人。明亡后出家,法名原济,字石涛,号苦瓜和尚。擅长画山水、花卉、兰竹。他提出"搜尽奇峰打草稿",反对因袭模仿,泥古不化,对近代中国画有相当影响。有《苦瓜和尚画语录》传世。

【石棉】纤维状矿物。化学成分是镁、钙、铁的硅酸盐。有丝绸光泽,耐高温、耐酸碱、不导电。广泛用于制造消防、保温、电器绝缘、隔音等材料。环境中石棉纤维的数量及存留时间达到危害人体健康的程度,就会发生石棉污染。通过呼吸道和消化道进入人体的石棉纤维有致癌作用。

【石蜐】也叫龟足。节肢动物。身体外形像龟的脚。有石灰质板合成的壳,足可从壳中伸出捕食。生活在海边的岩石缝里。中国浙江以南沿海有产。蜐(jié)。

【石煤】含矿物质较多的煤。灰分较高,密度较大,发热量较低,变质程度一般相当于无烟煤和石墨的过渡阶段。可作燃料。石煤中常含有钒、铀、钼、镍、铜、铬、铂、钯等,有的达到工业品位，可以综合利用。

【石榴】落叶灌木或小乔木。叶对生，倒卵形或长椭圆形。夏季开花，常呈橙红色，也有黄色或白色。浆果近球形，内有很多种子，秋季成熟。可供观赏。种子外皮多汁，可食。果皮供药用。也指这种植物的果实。

【石蜡】从石油中提炼出来的白色或淡黄色固体烷烃的混合物。是制蜡烛、日用化学品、火柴、电绝缘材料等的原料，也用于医药、食品等工业。

【石膏】无机化合物。单斜晶系。化学成分为 $CaSO_4 \cdot 2H_2O$。常呈致密粒状或纤维状。无色或白色，硬度小。加热后脱去部分水分成熟石膏($2CaSO_4 \cdot H_2O$)。用于雕塑、水泥制造、肥料，中医作清热药物。

【石蕊】地衣的一种。呈叶状或鳞片状，一般为灰白色或灰绿色。常丛生于高山寒地。中国西部高山和北部针叶林林地均有大片生长。可以提制试剂或制酒，也是寒地动物的冬季食料。

【石墨】矿物名。碳的单质形态之一。灰黑色，片状结晶，熔点高，很滑润，能导电，耐腐蚀。用于制电极、耐腐蚀的化工设备，也用于原子能工业。

【石雕】用石质材料凿刻出各种人物、鸟兽、花草、图案等立体形象的艺术品。

【石头城】南京的古称。简称石城。战国时楚灭越，置金陵邑，依山建城，三国时吴孙权重建改名石头城。故址在今南京清凉山。

【石灰石】构成石灰岩的岩石。可烧制石灰，制造水泥、电石、苏打、漂白粉等，还可以作建筑材料和冶金熔剂。

【石灰岩】一种常见岩石。属沉积岩类。主要由生物遗体中的钙质成分和海水中的碳酸钙沉积而成。呈灰、灰白、灰黑等色。是制水泥和烧石灰的重要原料，在冶金工业中用作熔剂，也是重要建筑材料和化工原料。

【石灰质】主要成分是碳酸钙的物质。人和动物的骨骼中都含有大量的石灰质。

【石达开】(1831—1863)太平天国领袖之一。广西贵县(今贵港)客家人。1851年参加金田村起义，不久封翼王。1856年天京暴乱平定后，回天京主持政务，次年，带领十几万精锐部队出走，到四川单独活动，给太平天国造成重大危害。1863年在大渡河陷入清军重围，被诱至清营，解往成都后被杀。

【石花菜】红藻的一种。藻体紫红色，直立丛生，一般高10—20厘米。生长在中潮或低潮带的岩石上。主要用来提取琼脂，用于微生物培养和食品、医药等工业。

【石英岩】变质岩的一种。主要成分为二氧化硅，非常坚硬。可作建筑材料和玻璃原料。

【石油气】❶也叫含油天然气。从油井中伴随石油而逸出的气体。主要成分是四个碳以下的低分子烷烃。用作燃料、化工原料等。❷也叫炼厂气。石油加工过程中产生的四个碳以下的烃类混合气。

【石炭纪】古生代的第五个纪。约开始于3.55亿年前，结束于2.9亿年前。因本纪中大量植物被埋地下形成煤层，故名。在这个时期里，真蕨、木本石松、芦木、种子蕨、科达树等繁荣，笔石衰亡，珊瑚、䗴类、腕足类很多，两栖类发展，爬行类出现。

【石炭系】古生界的第五个系。指石炭纪时期所形成的地层。

【石炭酸】即“苯酚”(49页)。

【石斑鱼】鱼类。体中长，侧扁，常呈褐色或红色，并有条纹和斑点。暖水性，多栖息于热带及温带海洋。中国南方种类颇多。

【石敬瑭】(892—942)即后晋高祖。五代后晋建立者。沙陀部人。后唐时为河东节度使。公元936年勾结契丹灭后唐，受契丹主册封为晋皇帝。他割幽、蓟十六州给契丹，每年献帛三十万匹。尊契丹主耶律德光为父，自称“儿皇帝”。

【石鼓文】春秋战国间秦国在十个鼓形石上的刻文。唐初在陕西凤翔发现。石鼓上用籀(zhòu)文(即大篆)分刻十首四言诗，记述秦国君的游猎情况，故又名猎碣。是中国现已发现的最早刻石文字。

【石窟寺】简称石窟。依山崖开凿成的佛教寺庙。窟内雕塑、绘制佛像和佛教故事，有的绘有壁画。中国开凿石窟约始于东晋十六国，盛于北魏、隋、唐。著名的有敦煌、云冈、龙门、麦积山、炳灵寺等处。

【石膏像】用石膏做成的人物形象。

【石沉大海】石头沉入大海。比喻再也没有消息。

【石英玻璃】含二氧化硅达99.5%以上的玻璃。热膨胀系数极低，耐高温，化学稳定性好，紫外线和红外线可以透过。可用于

S

半导体、电光源、光导通信、激光技术和光学仪器中。

【石油化工】以石油和天然气为原料的化学工业。主要生产化工基础原料(如乙烯、丙烯、丁烯、丁二烯、苯、甲苯、二甲苯等)、基本有机原料(如乙醇、乙醛、乙酸、丙酮、苯酚、苯乙烯、氯乙烯、环氧乙烷等)、合成材料(如树脂、塑料、合成纤维、合成橡胶、黏合剂等)以及其他有机化工产品(如医药、农药、炸药、涂料、染料、香料等以及各种溶剂、助剂、洗涤剂等)。

【石油污染】在石油的开采、炼制、贮运、使用过程中,由于泄漏或排放,原油及各种石油产品进入环境,造成不良影响和危害的现象。

【石油美元】自1973年石油大幅度提价后石油输出国所得的大量以美元形式存放的石油出口收入。

【石破天惊】唐李贺《李凭箜篌引》诗:"女娲炼石补天处,石破天惊逗秋雨。"原来形容箜篌(古乐器)的声音忽而高亢,忽而低沉,出人意外,有不可名状的奇境。后用以比喻文章、议论出奇惊人。

S

【石家庄市】河北省会。位于该省西南部。人口130万(1997年)。是京广、石太、石德铁路的交会点,为全省政治、经济、文化和交通中心。有纺织、机械、化工、钢铁、电力、制药等工业。市内有华北烈士陵园,内有白求恩墓、柯棣华墓。

【石器时代】考古学分期之一。人类历史的最古时代。这时人类使用的生产工具以石器为主。根据制造石器技术的进步程度,一般分为旧石器时代和新石器时代。

【石油输出国组织】也叫欧佩克。由主要产油国组成的发展中国家的国际组织。宗旨是协调和统一各成员国的石油政策,使石油价格维持在合理水平。

㖷□ shí 英制质量单位。英石(dàn)的旧译。

炻 shí 〔炻器〕介于陶器和瓷器之间的一种器皿。如水缸等。

祏☒ shí 古代宗庙里放神主的石室。

鼫 shí 古书上指鼯(wú)鼠一类的动物。

时(時*旹) shí ❶时间(对空间而言)。㊙～空观念。❷时代;时候。㊙古～|唐～|战～。❸时间单位。旧指时辰,现指小时,即一日(一个昼夜)的二十四分之一。❹指规定的时间。㊙按～上班|过～作废。❺季节。㊙四～如春。❻现在的;当时的。㊙～事|～兴。❼时俗;时尚。㊙入～。❽副词。时常。㊙～～|～有错误。❾有时候。㊙～阴～晴。❿时机。㊙不误农～。

【时人】❶指当时的人。❷指社会上一时知名的人物。

【时区】为了克服地方时使用的不便,国际上规定,将全球按经度分为24个时区。每区各占经度15°。以本初子午线为中央经线的时区,叫中时区。中时区以东依次是东一至东十二区,以西依次是西一至西十二区。东、西十二区各占经度7.5°,合为一个时区。

【时日】时间。㊙拖延～。

【时节】❶季节;节令。㊙秋收～|清明～。❷时候。㊙抗战结束那～,他还是个儿童团员。

【时代】❶根据经济、政治、文化等状况而划分的历史时期。㊙封建～|五四～。❷指个人生命中的某个时期。㊙青年～。

【时令】季节。㊙～食品。

【时务】当前的重大事情或客观形势。㊙不识～。

【时机】具有时间性的有利的机会。㊙抓紧春耕～|大好～。

【时兴】在一段时间里流行。

【时辰】旧时计时的单位。一昼夜分十二个时辰:子、丑、寅、卯、辰、巳、午、未、申、酉、戌、亥。子时是半夜十一点到一点,丑时是一点到三点,其余照此类推。

【时间】❶哲学范畴。物质运动的存在形式。是物质运动过程的持续性和接续的秩序。具有客观性和无限性。是一维的,总是朝着一个方向流逝,一去不复返,用一个量即可完全量度。它和运动着的物质不可分离,和空间也不可分离。❷有起点和终点的一段持续过程或这个持续过程中的某一点。㊙地球自转一周的～是二十四小时|现在的～是八点整。

【时局】当前的政治形势。

【时势】某一时期的形势。

【时事】当前的国内外大事。

【时尚】当时的风尚。

【时宜】当时的需要或风尚。㊙不合～。

【时限】完成某项工作的期限。
【时艰】艰难的局势。
【时值】音乐中指音符或休止符的长度。不同时值的音或休止,用不同的音符或休止符来表示,如全音符、四分音符、全休止符、四分休止符等。
【时效】❶指在一定时间内能起的作用。❷法律规定的对刑事被告人追诉和民事诉讼当事人行使请求权的期限。
【时髦】新颖时兴。髦(máo)。
【时令河】季节性的河流。雨季或冰雪融化期有水,旱季一般无水。
【时宪书】旧指历书。
【时不我待】时间不会等待我们。指要抓紧时间。
【时来运转】时机来了,运气跟着变好。
【时间价值】一笔货币资金在一定时间内按银行利率计算或用做其他投资可获得的价值。
【时调小曲】曲艺的一类。流行于各地的时调、小曲、小调等都属于这一类。主要有天津时调、湖北小曲、扬州小曲、榆林小曲等。有一人演唱及数人齐唱等演出形式,伴奏乐器各地略有不同,大部分以三弦、四胡或琵琶、扬琴为主。

埘(塒) shí 古称在墙壁上凿成的鸡窝。

莳(蒔) ㊁ shí 〔莳萝〕多年生草本植物。羽状复叶,花小而黄。子实可提取芳香油,也可供药用。
㊀ shì (903页)。

鲥(鰣) shí 鱼类。体侧扁,长可达70厘米,上颌正中有一缺刻,腹具棱鳞。属于海鱼,春季到中国长江、珠江等河流中产卵。肉鲜嫩,鳞下多脂肪,是名贵的食用鱼。

识(識) ㊀ shí ❶认得。㊎~字|相~。❷知识。㊎常~|学~。❸见解;辨别力。㊎很有见~|远见卓~。
㊁ zhì (1268页)。

【识别】辨别。
【识荆】唐李白《与韩荆州书》:“生不用封万户侯,但愿一识韩荆州。”表示愿拜见韩。后因以“识荆”为初次见面认识的敬辞。
【识相】〈方〉知趣。
【识破】看穿。㊎~诡计。
【识趣】知趣,不惹人讨厌。
【识文断字】识字,指有一定的文化知识。
【识时务者为俊杰】懂得历史发展趋势的才算聪明杰出的人。多用于规劝、告诫。《三国志·蜀书·诸葛亮传》裴松之注引《襄阳记》:“识时务者在乎俊杰。”时务:当前的客观形势或时代潮流。

实(實❺❻ *寔) shí ❶充满;没有空隙。㊎~心铁球|池水已经冻~了。❷真诚。㊎真心~意。❸实际;事实。㊎传闻失~|名~相副。❹果实;种子。㊎开花结~。❺放置。❻此。

【实力】实在的力量。㊎~雄厚|增强~。
【实干】实实在在地去做。
【实习】在教师或实际工作者的指导下,学生参加一定的实际工作,把学到的书本知识运用到实践中去,以取得实践经验、提高理论水平、锻炼工作能力。
【实业】旧指工业、矿业、商业、交通业等企业。
【实地】现场。㊎~考察。
【实则】连词。其实;实际上。
【实足】确实足数的。㊎~年龄。
【实体】❶也叫本体。旧哲学中经常使用的哲学范畴。指能够独立存在的、作为万物的本原和基础的东西。唯心主义把它解释为精神,旧唯物主义把它解释为某种物质。❷指实际存在的起作用的组织或机构。㊎经济~。
【实况】事情正在进行时的实际状况。㊎~报道|~录音。
【实词】意义比较实在、能单独充当句子成分的词。现代汉语实词包括名词、动词、形容词、数词、量词、代词、副词。与“虚词”相对。
【实际】❶客观存在着的事物或情况。㊎理论联系~。❷实有的;具体的。㊎~情况|~经验。❸合乎客观情况。㊎这个办法不~。
【实现】使成为事实。
【实物】真实的、具体的东西。㊎~教学。
【实例】实际的例子。
【实质】本质。
【实录】❶忠实于事实,没有虚构、没有隐讳的记载。❷中国的一种史书体裁。按年、月、日记述皇帝的个人事迹以及同他有关的材料。最早见于南朝梁周兴嗣等编的《梁皇帝实录》,记武帝事。唐以后,直至清末共修实录一百六十部,但绝大多数都已散失。
【实施】指法令、政策、计划等的实行。
【实效】实际的效果。㊀讲求～。
【实验】指科学研究中为检验某一理论或假设而进行某种操作或从事某种活动。也指实验的工作。
【实据】确实的证据。㊀真凭～。
【实绩】工作成绩;成果。㊀注重～。
【实惠】❶实际的好处。㊀得到～。❷实际有用。㊀吃快餐既经济,又～。
【实践】❶也叫社会实践。人类有目的地探索和改造世界的一切社会物质活动。具有客观性、能动性和社会历史性。生产斗争、阶级斗争和科学实验是三项基本的实践。其中生产斗争是最基本的实践活动。❷实行;履行。㊀～诺言。
【实像】物体发出(或反射出)的光经反射或折射后实际相交而形成的影像。实像可以映在屏幕上,使照相底片感光,也可以直接观察到。
【实数】❶实在的数字。❷有理数和无理数的统称。
【实生苗】用种子繁殖的苗木。它的根发达、生活力和适应性强。果树砧木及多种林木造林常用实生苗。
【实体法】规定权利义务的法律。如民法、刑法等。与"程序法"相对。
【实践论】书名。毛泽东关于辩证唯物主义认识论的代表作。1937年7月,为揭露当时中国共产党内的教条主义和经验主义的错误而作。该著作以马克思主义的实践观为基础,以认识和实践的辩证统一为中心,系统地论述了能动的革命的反映论,揭露了轻视实践的教条主义。为中国共产党的实事求是的思想路线奠定了哲学基础。
【实用主义】现代西方哲学流派之一。产生于19世纪末20世纪初的美国,主要代表人物有詹姆斯、杜威等。把主观经验作为世界的基础,把实践看成是个人应付环境的活动;认为真理没有固定的客观标准,凡是"有报酬""有效用"的就是真理。
【实用新型】对产品的形状、构造或其结合所提出的适于实用的新的技术方案。可申请专利权,保护期为10年。
【实况转播】广播电台、电视台在事件进展的同时播出实况,使不在场的受众了解。通常用于重要集会、节日活动、文艺演出、体育比赛等。
【实际工资】工人用货币工资能够实际换得的生活资料和服务的数量。与"名义工资"相对。
【实事求是】从实际情况出发,不夸大,不缩小,正确地对待和处理问题。《汉书·河间献王传》:"修学好古,实事求是。"
【实物工资】以实物形式支付的工资。与"货币工资"相对。
【实逼处此】《左传·隐公十一年》:"无滋他族,实偪(逼)处此,以与我郑国争此土也。"原指为形势所逼而不得不占据此地。现多指为情势所迫,不得不如此。处(chǔ)。
【实验物理学】物理学的分支学科。用实验方法研究物理规律。实验是经典物理学的基础,也是现代物理学的基础。用高能加速器或对撞机研究微观粒子的结构、性质和变化规律,就属于实验物理学。

拾 ㊀ shí ❶从地上捡起东西。㊀～麦穗儿。❷整理。㊀～掇。❸数目"十"的大写。多用于票证、账目等。
㊁ shè (869页)。

【拾芥】比喻取之极易。芥:小草。
【拾荒】因贫困而拾取柴草和田间遗留下的谷物等。
【拾掇】❶整理。㊀屋子里～得很整齐。❷修理。㊀～钟表。❸打;惩治。㊀刚到那儿,就让人给～了。掇(duo)。
【拾遗】❶拾取别人失落的东西。㊀路不～。❷补充别人著作中的缺漏。㊀《本草纲目～》。❸唐代谏官名。
【拾穗】法国画家米勒的名画。作于1857年,现藏卢浮宫。通过对三个拾穗的贫苦农妇的真实描绘,表现了画家悲天悯人的情怀。
【拾人牙慧】《世说新语·文学》:"殷中军(殷浩)云:'康伯未得我牙后慧。'"比喻抄袭或套用别人说过的话。牙慧即牙后慧,意即蹈袭别人的言论。
【拾金不昧】拾到金钱财物不隐藏起来(据为己有)。昧:隐藏。
【拾遗补阙】弥补疏漏或失误。

食 ㊀ shí ❶吃。特指吃饭。㊀～肉|废寝忘～。❷吃的东西。㊀面～|小鸡觅～|丰衣足～。❸供食用或调味用的。㊀～糖|～盐。❹人所见到的日、月亏缺或完全看不到的现象。㊀日～|月～。
㊁ sì (932页)。
㊂ yì (1170页)。

【食邑】即“采邑”①(91页)。
【食言】失信;说了话不算数。
【食疗】民间习用的以饮食治疗疾病的方法。有既可吃又有疗病作用的,如吃猪血、大枣治贫血;也有中药配合食物使用的,如胡桃枸杞一起吃润肺,猪腰山药一起吃补肾壮阳。
【食指】❶手的第二指头。❷比喻家庭人口。㊐～众多(人口多,负担重)。
【食客】古代寄食于贵族官僚家里并为他们谋划、奔走的人。
【食既】日全食或月全食开始的时刻。日全食的食既时,月面恰好掩蔽整个发光的日面,这时日全食开始;月全食的食既时,月球恰好完全进入地影里,月全食开始。
【食盐】主要成分是氯化钠的物质。通常含有镁盐等杂质。无色结晶,易溶于水。为人体所必需。是重要的化工原料,用途很广。
【食欲】想吃东西的欲望。㊐～旺盛。
【食粮】粮食。
【食管】人和动物消化管道的一部分。上接咽,下通胃。成人食管长约25—30厘米,位于气管后方。食管肌肉自上而下依次收缩,可将食物推送入胃。
【食心虫】昆虫。蛀食桃、梨、苹果、李和梅等果实的鳞翅目幼虫的统称。如桃小食心虫和梨小食心虫等。
【食用菌】食用真菌的简称。
【食用硝】即亚硝酸钠。颜色、味道类似食盐的一种化工原料。可增加肉食的鲜味和色泽,按规定加工肉食每千克投入不得超过0.15克,多食或误用可引发紫绀、昏迷或死亡。有的地区或单位禁用。
【食肉目】哺乳动物中的一目。肉食性。犬齿大而尖锐。爪锐利。大脑发达,有脑回。除个别种类食植物外,大部分种类在不同程度上以其他兽类、鸟类、两栖类、爬行类和鱼类为主要食物。分布于世界各地。主要种类如犬、狼、虎、狮、豹、熊等。
【食利者】以有价证券的收入或利息作为主要生活来源的人。
【食物链】生物群落中各种动植物和微生物彼此之间由于摄食关系所形成的一种联系。如小鱼吃浮游生物,大鱼吃小鱼,人吃鱼,形成一种包含几个环节的食物链。生命的发生和发展是通过食物链的能量流动和营养物质的交换为其条件的。
【食蚁兽】哺乳动物。体长约1.3米。尾部密生长毛。头细长。眼和耳极小。吻成管状。无齿,舌细长,能伸缩,借以舐食蚁类及其他昆虫。体灰色,背面两侧有宽阔的纵纹,纹的边缘白色。分布于中美和南美洲的热带地区。
【食管癌】发生于食管的恶性肿瘤。多见于中国北方中老年男子。发病原因可能与微量元素缺乏、食物霉菌或亚硝酸胺污染、食管慢性炎症有关。主要症状是吞咽困难。
【食不甘味】吃饭没有滋味。形容身体不好或心中忧虑。
【食古不化】学了古代的东西,不能融会贯通,就像吃了东西不能消化一样。
【食用真菌】简称食用菌。形成大型肉质子实体并能食用的真菌。如蘑菇、木耳等。
【食肉寝皮】吃他的肉,剥他的皮做卧具。形容仇恨极深或除恶务尽。《左传·襄公二十一年》:“然二子(指齐之殖绰和郭最)者,譬于禽兽,臣食其肉而寝处其皮矣。”
【食言而肥】《左传·哀公二十五年》记载,有一次鲁哀公请吃饭,席间大夫孟武伯故意对哀公的宠臣郭重说:“你怎么长得这样胖啊?”因为孟武伯屡次不履行诺言,哀公便借机讥刺他说:“是食言多矣,能无肥乎?”意思是说,经常吃下自己的诺言,怎么能不胖?后用“食言而肥”指不守信用,只图自己占便宜。
【食物中毒】因食用含有毒物质或被严重污染的食品引起的急性疾病。按病原可分细菌、有毒动植物、化学毒物、真菌毒素、霉变等食物中毒。通常引起急性胃肠道病症。
【食品工业】用农产品、畜产品和水产品等作原料,加工制成食品的工业。主要包括肉、鱼、蛋、乳、果等类的加工,以及食用油脂、制盐、制糖、罐头、酿造等工业。
【食品污染】指食品在生产、储运、销售过程中,弄脏或混入有害杂质和病原体,人们食用后受到危害的现象。如排放有害污水和不适当地进行污水灌溉,使用农药等,都会引起土壤、水体的污染而间接使食品受到污染;在食品生产中不适当地使用添加剂,储运、销售中沾染污物、霉变、腐败等,都能使食品受到污染。
【食品添加剂】在食品的加工中,为了改善食品的品质(如色香味)或为了更好地保存食品等目的而加入的无害、可食用的化学物质。如香料、色素、甜味剂、防腐剂、抗氧化剂、抗霉菌剂、增味剂、增稠剂等。其使用应符合食品卫生法的规定。

蚀(蝕) shí ❶损伤;腐烂;亏耗。㊀侵～|腐～|～本。❷同"食(shí)"④。

【蚀本】亏本;赔本。

湜 shí 水清。

shǐ ㄕˇ

史 shǐ ❶历史。㊀中国～|～学。❷古代掌管记载史事的官。㊀左～|右～。

【史册】历史记录。

【史记】史书名。汉司马迁撰。原名《太史公书》,是中国第一部通史。共一百三十篇,包括本纪十二篇,表十篇,书八篇,世家三十篇,列传七十篇(其中《武帝纪》《三王世家》《龟策列传》《日者列传》等篇为西汉元成间由博士褚少孙所补撰)。记载了中国远古到汉武帝时的历史。《史记》是二十四史中记载年代最长(约三千年)的一部。

S

【史实】历史事实。

【史诗】❶指古代叙事诗中的长篇作品。反映具有重大意义的历史事件,塑造著名的英雄形象,结构宏大,充满着幻想和神话色彩。一般都在本民族内长期广泛流传。❷某些能全面地反映一个历史时期社会面貌和人民群众多方面生活的优秀长篇叙事作品(如长篇小说),有时也称史诗,或史诗式的作品。

【史迹】历史遗迹。

【史前】指没有文字记载的远古。㊀～时代。

【史乘】《孟子·离娄下》:"晋之乘,楚之梼杌,鲁之春秋,一也。"乘、梼杌、春秋,是周朝三国史籍的名称。后用"史乘"称一般史书。乘(shèng)。

【史部】中国古代图书分为经、史、子、集四部分,史部收各种体裁的历史著作。

【史料】历史上所留下来的资料。

【史通】书名。唐刘知几著。二十卷四十九篇。内篇三十六篇,多论史书源流、体例和编撰方法;外篇十三篇,多论史官建置沿革和史书得失。认为史家必须兼有史才、史学、史识三长,特别是史识。书中对唐以前很多史书作了分析评论,是一部较系统地评论史籍的著作。

【史可法】(1602—1645)明末抗清将领。字宪之,号道邻,河南祥符(今开封)人。南明弘光政权建立后,曾在南京任兵部尚书兼东阁大学士。清兵入关后督师淮扬。1645年被俘就义。有《史忠正公集》。

【史无前例】历史上从来没有过的(事情)。形容有极其伟大的意义。

【史沫特莱】阿格尼斯·史沫特莱(1890—1950)美国进步女作家、新闻记者,中国人民的朋友。1928年以记者身分来到中国。曾访问了革命根据地,向世界人民热情介绍中国人民的革命斗争。并曾亲自参加中国的抗日战争。著有自传体长篇小说《大地的女儿》和介绍中国革命斗争的作品《伟大的道路:朱德的生平和时代》等。

驶(駛) shǐ ❶车马等快跑。㊀急～而过。❷开动(车船等)。㊀驾～|停～。

矢 shǐ ❶箭。㊀有的(dì)放～。❷古又同"誓"。㊀～口抵赖|～志不移。❸古又同"屎"。㊀遗～。

【矢石】箭和礌(léi)石,古代守城的武器。

【矢量】也叫向量。由大小和方向共同决定的量。与"标量"相对。如力、速度等物理量。矢量的运算与标量不同,如矢量的合成遵循平行四边形法则。

【矢车菊】一年生草本植物。高30—70厘米。夏季开花,花顶生,紫蓝、淡红或白色。可供观赏。

【矢口否认】一口咬定,完全不承认。矢:发誓。

㕜⊠ shǐ "史"的异体字。

豕 shǐ 猪。

使 shǐ ❶用。㊀～劲|～用。❷支使;派遣。㊀～唤|～人前往。❸让;叫。㊀～人满意。❹假如。㊀假～|设～。❺代表国家出国办理外交的人。㊀～节|大～。

【使节】派驻他国或国际组织的外交官,或临时派出办理事务的外交代表。

【使动】汉语中动词(包括名词、形容词用作动词)的一种特殊用法。这种动词对相应的宾语含有"使(宾语)怎样"的意思。如《孟子》"苦其心志,劳其筋骨"即"使其心志受苦,使其筋骨劳累",《韩非子》"则哀公臣仲尼”即“使仲尼为臣”。

【使役】使用(牲畜等)。

【使君】汉代称刺史为使君,汉以后用作对州郡长官的尊称。也泛称奉命出使的人。

【使者】奉命出外办事的人(现多指外交人员)。

【使命】派人办事的命令。比喻重大的责任。㊀历史～。

【使得】❶可以用。㊀这个电风扇～使不得? ❷可以;能行。㊀这个办法～。❸引起或造成某种结果。㊀他的发言～全场大哗。

【使馆】常驻外交代表机关的统称。按使馆最高官员的等级可分为大使馆、公使馆、代办处。使馆设于接受国的首都。使馆馆舍不可侵犯。

【使用价值】物品能够满足人们某种需要的效用。如粮食能充饥、衣服能御寒等。使用价值是任何社会的财富的物质内容。在商品经济条件下,商品的使用价值是价值的物质承担者,与价值一起,构成商品的二因素。

【使用面积】指房间实际能使用的面积,不包括墙、柱等结构构造和保温层的面积。

始 shǐ ❶最初;开头。㊀开～|自～至终。❷副词。才。㊀不断学习～能进步。

【始末】从开始到终了。指事情从头至尾的经过。

【始祖】有世系可考的最早的祖先。借用来比喻某一学派或某一行业的最初创始人。

【始祖马】古代哺乳动物。是马类最早的祖先。其化石发现于北美洲和欧洲。

【始祖鸟】原始鸟类。保存有爬行类(原始的)动物的一些特征。大小如鸦,体被羽毛,翼端有爪,具长尾骨,颌上有牙齿。是爬行动物向鸟类过渡的类型。其化石发现于德国侏罗纪晚期的地层中,中国近年也有多处发现,为生物演化提供了有力的证据。

【始祖象】古代哺乳动物。是长鼻目中已知最早的成员,象类的祖先。其化石发现于北非。

【始乱终弃】指男子玩弄女性,最后又将其抛弃。唐元稹《莺莺传》:“始乱之,终弃之。”乱:淫乱、玩弄。

【始作俑者】开始用俑殉葬的人。比喻恶劣先例的开创者。《孟子·梁惠王上》:“仲尼曰:‘始作俑者,其无后乎!’”俑(yǒng):木制或陶制的偶人,用于殉葬。

【始终不渝】自始至终不改变。渝(yú):变。

屎 shǐ ❶大便;粪。㊀拉～。❷眼、耳等器官分泌出来的东西。㊀眼～|耳～。

【屎壳郎】蜣螂的俗称。郎(làng)。

瘆⊠ ㊁ shǐ 形容众多。
㊀ duǒ (238页)。

shì 户

士 shì ❶对人的美称。㊀勇～|烈～|壮～。❷指从事某些工作的人员。㊀护～|助产～。❸军衔名。士官。在尉之下。也泛指士兵。㊀上～|将～|～气。❹旧指读书人。❺古代统治阶级中次于卿大夫的一个阶层。❻古指未婚的男子。

【士女】同“仕女”①(897页)。

【士气】军队的战斗意志和斗争精神。是军队精神力量的外在表现和战斗力的重要因素。也泛指一个群体的斗争意志。㊀～旺盛。

【士兵】也叫战士。军队中被授予士官、军士和兵军衔的军人。有的国家仅指被授予军士和兵军衔的军人。

【士林】旧指知识界、学术界。

【士卒】士兵。㊀身先～。

【士官】❶士兵军衔中最高的一级。中国人民解放军的士官军衔授予志愿兵,分军士长和专业军士两类。❷被授予军士长、专业军士军衔的军人。

【士庶】旧指士大夫阶层与平民百姓。

【士大夫】古代泛指官僚阶层和有地位的读书人。

【士别三日,当刮目相看】比喻进步快。《三国志·吴书·吕蒙传》裴松之注引《江表传》:“蒙始就学,笃志不倦,其所览见,旧儒不胜。后鲁肃上代周瑜,过蒙言议,常欲受屈。肃拊蒙背曰:‘吾谓大弟但有武略耳,至于今者,学识英博,非复吴下阿蒙。’蒙曰:‘士别三日,即更刮目相待,大兄今论,何一称穰侯乎!’”

仕 shì 旧指做官。㊀出～|～宦。

【仕女】❶也作士女。旧时以美女为题材的中国画。❷旧指贵族妇女。❸宫女。

【仕宦】古指做官。

【仕途】做官的道路。指做官的经历或境况。

S

氏 ㊀ shì ❶指姓。㊙李～兄弟。❷旧时已婚妇女常在娘家姓后加氏，通常还在娘家姓前再加夫姓，作为称呼。㊙刘～|张刘～。❸古称帝王、贵族，后来称名人、专家等也用氏。㊙伏羲～|太史～|摄～温度计。

㊁ zhī（1260页）。

【氏族公社】原始社会时期以血缘关系结成的基本经济单位和社会组织。产生于旧石器时代晚期。初以女性为中心，称母系氏族。到牧、农、手工业出现后，社会生产主要由男子担任，男子地位高过女子，在氏族中占支配地位，母系氏族过渡到父系氏族，氏族首领由男子垄断。随着私有制、奴隶制和阶级关系的产生，氏族公社趋于瓦解。

舐 shì 舔。㊙老牛～犊（比喻父母对子女的爱）。

【舐犊情深】像老牛舔小牛一样的深情。比喻对子女的慈爱。

S

示 shì 把事物摆出来或指出来使人知道。㊙～众|指～|～范|～意。

【示众】给大家看。多指当众给予惩罚。

【示范】作出某种可供大家学习的榜样或典范。㊙～操作|起～作用。

【示威】向对方显示自己的威力。多指为表示抗议或有所要求而采取的集体行动。㊙游行～。

【示弱】表示自己比对方软弱，不敢较量（多用于否定式）。

【示意】用表情、动作、含蓄的话或图形表示意思。㊙以手～。

【示警】用某种动作或信号表示危险，使人警惕、注意。

【示波器】显示某些随时间变化的物理量（如电压、电流等）波形的仪器。

【示意图】为了说明内容较复杂的事物的原理或概况而绘成的略图。㊙工程～|人造卫星运行～。

【示踪元素】用于追踪物质运行和变化过程的同位素。放射性同位素作为示踪原子，它的化学性质跟同一元素的稳定同位素相同，不同的是具有放射性，人们通过仪器可以探测出这种具有放射性原子的行踪，从而帮助人们研究化学反应、代谢途径等，这种方法叫做同位素标记法。示踪元素广泛用于医学、农业、工业和科研方面。

脎□ shì 有机化合物的一类。是食物蛋白和蛋白胨的中间产物。

世 shì ❶时代。㊙近～|当～。❷人的一生。㊙一生一～。❸一代传一代的。㊙～医|～交。❹指有世交关系的。㊙～叔。❺一代一代父子相承而形成的辈分。㊙第十五～孙。❻世界；社会。㊙举～无双|公之于～。❼地质年代分期的第四级。如新生代第四纪分成更新世和全新世。

【世仇】❶世代积累的冤仇。❷世世代代有仇的人或人家。

【世代】❶代代。❷（很多）年代。

【世纪】计年单位。一百年为一个世纪。如从公元1—100年为一世纪；1901—2000年为二十世纪。

【世医】世代相传的医生（多指中医）。

【世故】❶处世经验。㊙人情～。❷待人处事圆滑，不得罪人。㊙这个人很～。

【世面】指社会上的各方面情况。

【世界】❶地球上所有的地方。㊙～各国|胸怀祖国，放眼～。❷指自然界和人类社会的总体。㊙～观。❸指自然界或人类社会的某一领域或人类活动的某一方面。㊙微观～|资本主义～|内心～。❹佛教用语。与“宇宙”同义。

【世俗】❶宗教教义认为一切事物具有两种形式，把天上的形式称为神圣，把人间的形式称为世俗。❷指当时社会流行的。㊙～之见。

【世家】❶古指门第高，世代做大官的人家。㊙～子弟。❷中国纪传体史书的组成部分。主要记载世袭封国的诸侯事迹。如《史记》中的《留侯世家》，《新五代史》中的《十国世家》等。

【世袭】指帝位、爵位等的世代相传。袭：继承。

【世界观】也叫宇宙观。人对世界总体及对其自身在世界中的地位和作用的看法。是人在社会实践中形成的自然观、社会历史观、人生观等的总和。其理论表现形式就是哲学。

【世界时】也叫格林尼治时间。以通过伦敦格林尼治天文台原址的本初子午线的地方时为标准的时间。

【世界语】指波兰人柴门霍夫（1859—1917）1887年公布的人造国际辅助语。世界语以印欧语为基础，语法规则16条，书写采用拉丁字母，有字母28个。拼写与读音一一对应。简单易学，得到广泛承认。

【世外桃源】晋陶潜在《桃花源记》中所描述的一个与世隔绝、没有遭受祸乱而安乐美好的社会。比喻理想中生活安乐而环境幽美的地方。

【世态炎凉】指在别人有钱有势时就巴结，别人无钱无势时就冷淡的现象。世态：社会上对人的态度。炎：热烈。凉：冷淡。

【世界大战】敌对国家集团之间，在世界范围进行的大规模战争。已经发生的世界大战有第一次世界大战和第二次世界大战。

【世界市场】世界范围内通过对外贸易联系起来的各国市场的总和。

【世界货币】在世界市场上发挥作用的货币。通常是经济发达国家的货币，如美元、欧元、日元、英镑等。用于支付国际债务和结算贸易差额，购买外国商品，或作为社会财富的代表由一国转移到另一国。

【世界经济】人类社会发展到一定阶段上形成的相互联系的各国经济的总和。

【世界银行】国际复兴开发银行的通称。成立于 1945 年 12 月。它是 1944 年 7 月的国际货币金融会议决定成立的国际性金融组织，是联合国的一个金融机构。主要业务是向发展中国家发放长期优惠贷款。

【世说新语】书名。古小说集。南朝宋刘义庆撰。分德行、言语、政事、文学等三十六门。主要记载汉末至晋代士大夫清高放诞的言谈、轶事。语言精练，对后世笔记文学有较大影响。

【世卿世禄】殷周时期，贵族世代为官，占有社会的巨大财富，叫世卿世禄。

【世界贸易组织】由世界各国组成的国际贸易组织。主要职责是促进各国间的贸易活动、消除关贸壁垒、降低关税、处理贸易纠纷等。其前身是关税和贸易总协定。

【世界六大文明区】史学界对古代世界早期文明的概括。根据目前掌握的史料，古代世界至少有六大文明区域，即西亚的两河流域、北非的尼罗河流域、南亚的印度河流域、东亚的黄河流域、爱琴海区域和中南美洲的古代文明区域。由于历史、地理等条件的差异，各地进入文明的时间不相同。

贳(貰) shì ❶出赁；出借。❷赊欠。❸赦罪；宽纵。

市 shì ❶做买卖的地方。[例]开～|上～。❷城市。[例]～区|～容。❸行政区划单位。在中国有中央直辖市、省(或自治区)辖市等。❹属于市制的(度量衡单位)。[例]～尺。❺买。[例]～贱鬻贵。

【市井】古指做买卖的地方。后用作街市的代称。

【市民】❶城市居民。❷指封建社会城市中的手工业者和商人等。随着资本主义的产生和发展，市民逐渐分化为资产阶级、无产阶级和贫民。

【市场】❶指商品买卖集中的场所。❷泛指商品交换的领域。如国际市场、国内市场等。❸指商品的买卖关系。[例]～经济|～化改革。

【市制】以公制为基础，结合中国民间习用的计量名称制定的计量制度。长度的主单位是市尺，一市尺合一米的三分之一。质量的主单位是市斤，一市斤合一公斤的二分之一。容量的主单位是市升，一市升合公制的一升。市制计量单位现属于非法定计量单位。

【市侩】原指买卖的中间人。后指唯利是图、庸俗可厌的人。[例]～作风。侩(kuài)。

【市容】城市的面貌(指街道、建筑物等)。

【市肆】商店。

【市镇】较大的集镇。

【市廛】❶街市上的商店。❷商店集中的地方。廛(chán)。

【市舶司】官署名。唐代设置，掌管海上对外贸易。长官为市舶使，或称押蕃舶使。宋于广州、泉州、明州、杭州、密州等地设提举市舶司。清代不设。

【市场价格】商品在市场上买卖的价格。由市场价值决定，并受供求影响而围绕价值上下波动。

【市场价值】由部门内部的竞争而形成的商品的社会价值。是商品价值在市场上表现出来的具体形式。

【市场行情】指某种商品的市场价格及其供求情况或证券市场上证券的价格等。

【市场体系】在市场经济中，由商品市场和生产要素市场组成的全方位的、互相依存的开放的市场系统。

【市场饱和】某一目标市场对于某种商品的需求趋近于零。

【市场细分】根据消费者的不同特性，将原有市场分割为两个或两个以上的子市场以确定目标市场。

【市场经济】通过市场供求关系和价格变动，自发地调节社会生产和流通，以实现生产要素按比例分配于各生产部门的国民经

S

济运行方式。

【市场信息】反映某一市场基本情况(包括价格、供给、需求等)的信息。

【市场结构】指市场上厂商与消费者的关系。共分完全竞争型、垄断型、寡头型和垄断竞争型四个类型。对市场结构的分析,旨在揭示不同市场类型对于资源配置的效率会产生什么不同的影响和结果,为提高市场效率提供理论依据。

【市场竞争】商品或服务提供者为争取有利的产销条件和投资场所,通过价格、技术、服务等手段展开的竞争。

【市场调节】通过市场机制由价值规律对生产和流通自发地调节。

【市场调查】用科学方法系统搜集、整理有关市场及其相关因素的资料,并予以分析和研究的过程。

【市场预测】利用科学方法和手段,依据对市场供求变动的大量数据与相关因素的整理分析,对企业未来市场变化趋势所作的判断与展望。

【市场营销】个人和集体通过创造并同别人交换产品和价值以获得其所需之物的一种社会过程。

【市场占有率】一定时期和一定市场范围内,某企业或某产品的销售量在同种产品总销量中所占比重。

【市场园艺业】简称园艺业。主要生产城市所需的花卉、树苗、草皮等的农业生产类型。多分布在大城市郊区和经济发达地区附近。

柿(*柹) shì 落叶乔木。果实叫柿子,含糖量较高,可鲜食或制柿饼。中国北方山区栽种很多。

铈(鈰) shì 金属元素,符号 Ce,原子序数 58。是稀土元素之一。灰色,质软,易导热,不易导电。它的合金可作打火石等。

式 shì ❶样子。例新~|中~。❷格式。例程~|法~。❸仪式;典礼。例开幕~|阅兵~。❹自然科学中表明某种关系或规律的一组符号。例算~|分子~|方程~。❺一种语法范畴。通过一定的语法形式,表示说话者对所说事情的主观态度。如叙述式、命令式等。

【式微】指国家或大家族的衰落。也泛指事物衰落。式:文言语助词。微:衰落。

试(試) shì ❶实验;尝试。例~航|~制。❷考试。例~题|口~。

【试车】装配、安装、修理完毕的机器设备或试制的机器样品,在投入使用或生产前进行的试运转。目的是检验其精度、可靠性和是否达到技术性能要求。

【试行】试着实行。例先~,再推广。

【试问】试着提出问题(用于质问对方)。

【试纸】浸有指示剂或试剂的小纸条。用来检验溶液的酸碱性或确定某种物质、离子是否存在。

【试图】打算。

【试剂】用以进行化学反应的纯物质。通常指为测定物质成分和组成而用的纯净化学药品。

【试点】在全面开展某项工作以前,为了取得经验,先在小范围内进行试验。也指试验的地方。

【试验】❶为考察某事物的效果或性能而先在实验室或小范围内试作。❷旧指考试。

【试探】用某种方法引起对方的反应,借以暗中考察对方的实情或意图。例你先去~一下他的想法。

【试镜】试镜头。影视演员被选中担任某个角色后,先拍摄几个镜头,看看是否符合角色要求。

【试金石】❶一种黑色坚硬的石块,用黄金在石上画一条纹,就可以看出黄金成色的好坏。❷比喻精确可靠的检验方法。

【试验田】进行农业科学实验的田地。也比喻试点或试点工作。

【试管婴儿】体外受精卵在试管内发育,当受精卵分裂到 16 个细胞时,接种在子宫里,使其发育为婴儿,这样的婴儿叫试管婴儿。

【试管植物】在无菌离体培养条件下,通过对植物器官、胚胎、组织、细胞等的培养而获得的再生植物。

拭 shì 擦;抹。例~泪。

【拭目以待】擦亮眼睛等着看。表示对事情的发展密切关注。

栻⊠ shì 古代占时日的星盘。

轼(軾) shì 古代车厢前面用做扶手的横木。

弑 shì 古指臣下杀死君主或子女杀死父母。

似 ㊁ shì 〔似的〕助词。用在名词、代词或动词性词语的后面,表示和某种事物、情况相像。㊞瓢泼~大雨|飞也~跑去|像别人都不知道~。

㊀ sì (932 页)。

忕☒ shì 习惯;惯于。

戺☒ shì 台阶旁边砌的斜石。

势(勢) shì ❶事物表现出来的状态或趋向。㊞地~|时~|乘~追击。❷权力;威力。㊞仗~欺人|人多~众。❸姿态。㊞手~|姿~。❹雄性生殖器。㊞去~。

【势力】因社会地位、权位而产生的威力。泛指政治、经济、军事方面的力量。

【势头】形势,情势;事物发展的趋势。

【势必】根据情势推测必然如何。㊞不抓紧学习~要落后。

【势利】指以地位高低、财产多少等分别对待人的表现或作风。㊞~眼|~小人。

【势态】事情发展的状态、情势。㊞把握~的发展。

【势能】也叫位能。物质系统因各物体之间(或物体各部分之间)存在相互作用而具有的能量。物体被举高或发生弹性形变就具有势能。如利用水的落差发电和发条做功的能量都是势能。

【势焰】势力和气焰。㊞~万丈。

【势不两立】指敌对双方矛盾尖锐,不能并存。《战国策·楚策一》:"两国敌侔交争,其势不两立。"势:情势。立:存。

【势如破竹】《晋书·杜预传》:"今兵威已振,譬如破竹,数节之后,皆迎刃而解。"形容作战或工作节节胜利,毫无阻碍。

【势均力敌】也说力敌势均。双方势力相当,不分高下。《南史·刘穆之传》:"力敌势均,终相吞咀(jǔ)。"敌:力量相当。

事 shì ❶事情。㊞国~|公~。❷事故。㊞出~|平安无~。❸职业。㊞谋~。❹关系;责任。㊞回去吧,没有你的~了。❺从事。㊞大~宣传。❻侍奉;伺候。㊞~亲|不~王侯。

【事功】事业和功绩。

【事业】❶人们所从事的具有一定目标、规模和系统的对社会发展有影响的经常性的活动。㊞革命~|文教~。❷特指由国家拨款开支运作的文化、教育、卫生等单位。与"企业"相区别。㊞~单位。

【事由】❶事情的原委。❷公文用语。指公文的主要内容。

【事件】历史上或社会上发生的不平常的大事情。

【事事】❶每件事。㊞不能~都向上级请示。❷做事。㊞终日无所~。

【事态】某一事件的局势或情况(多指坏事)。㊞~严重|~正在扩大。

【事例】有代表性的、可做例子的事情。

【事变】❶突然发生的重大的非常事件。㊞七七~。❷泛指事物的变化。

【事宜】关于事情的安排和处理。㊞讨论开学~。

【事实】实际存在的事情。㊞~胜于雄辩。

【事故】意外的损失或灾祸。㊞防止工伤~。

【事迹】个人或集体过去做过的重要的事情(现多指对革命、对人民有益的事)。㊞英雄~|先进~。

【事略】传记文体的一种,记述人的生平大概。

【事端】事故;纠纷。㊞制造~|挑起~。

【事业心】对自己所从事的事业全力投入,奋力进取,力争有所成就的精神。

【事与愿违】事情的发展与愿望相反。晋嵇康《幽愤》诗:"事与愿违,遘兹淹留。"

【事半功倍】《孟子·公孙丑上》:"当今之时,万乘之国,行仁政,民之悦之,犹解倒悬也,故事半古之人,功必倍之,惟此时为然。"形容费力小,收效大。

【事必躬亲】事事都要亲自去做。躬(gōng):亲自。

【事出有因】事情的发生是有原因的。

【事过境迁】事情已经过去,客观环境也已经改变了。

【事在人为】指事情是靠人去做的,在一定的客观条件下,成功与否决定于人的主观努力。

【事败垂成】事情在快要办成时,失败了。

【事倍功半】形容费力大,收效小。

侍 shì 伺候;陪伴。㊞~从|服~。

【侍中】古代官名。秦汉时是宫廷里应对顾问、往来奏事的官。为皇帝近臣,地位渐

S

重。魏晋后实际相当于宰相。隋唐时为三省中门下省的首脑。南宋废。

【侍从】旧指随从侍候皇帝、皇后或高级官员的人。

【侍郎】古代官名。西汉时本为宫廷近侍。东汉后,尚书属官任职满三年称侍郎。唐以后官位渐高。为各部尚书的副职。

峙 ㊁ shì 用于地名,如繁峙(在山西)。㊀ zhì(1271页)。

恃 shì 依赖;凭仗。[例]有~无恐。

【恃才傲物】仗着自己有才能而轻视别人。《南史·萧子显传》:“恃才傲物,宜谥曰骄。”物:泛指众人。

饰(飾) shì ❶装饰;打扮。[例]修~|粉~。❷装饰用品。[例]首~。❸遮掩。[例]掩~|文过~非。❹扮演角色。[例]他在《逼上梁山》里~林冲。

【饰词】掩盖真相的假话。

视(視 *眡 *眎) shì ❶看。[例]~力|~而不见。❷看待。[例]重~|一~同仁。❸考察。[例]巡~|监~。❹古又同“示”。

【视力】在一定距离内眼睛辨别物体形象的能力。

【视听】见闻;看到的和听到的。[例]以广~|混淆~。

【视角】❶由物体两端向眼的光心引的两条直线所夹的角。物体越大、距离越近,则视角越大,在视网膜上所成的像也越大。正常视力能看清物体的最小视角为1分。视角过小时需要用放大镜、显微镜或望远镜等加以放大,才能看清物体。❷观察问题的角度。

【视事】经办公务;到职开始办公(多就担任较高职务的人讲的)。

【视图】光线垂直于投影面时所得到的物体的投影。光线自物体的前面向后投射所得的投影叫主视图,自上向下的叫俯视图,自左向右的叫左视图。

【视线】❶看东西时,眼睛和物体之间的假想直线。❷比喻注意力。[例]转移~。

【视点】看问题的角度;观察点。[例]新~。

【视觉】光线刺激眼睛引起的感觉。包括对外界物体的明暗、形状、运动和颜色的辨别。由光的刺激引起视网膜兴奋,经视神经传导到大脑的视区而产生。

【视野】❶眼睛所能看到的空间范围。❷比喻思想或知识的领域。[例]扩大政治~。

【视盘】视频光盘的简称。

【视频】在电视或雷达中,由图像转换而成或可转换成图像的电信号频率。约在零至数兆赫范围内。

【视察】上级人员到下级机关或现场检查、考察工作。

【视网膜】眼球壁最内一层的薄膜。由视觉细胞构成,接受光线刺激,变为神经冲动,由视神经传入大脑皮层产生视觉。

【视星等】根据在星空中的亮暗程度划分的恒星等级。最亮的一级为一等星,人眼刚能看到的星为六等星。因距离远近不同,视星等不能说明恒星光度的大小。

【视亮度】在地球上看到的天体的亮暗程度。人们根据天体的视亮度来确定天体的视星等。

【视神经】人和脊椎动物的第二对脑神经。为感觉神经。在人体,起源于眼球视网膜的神经节细胞,神经节细胞的轴突在眼球后极内侧约3—4毫米处穿出眼球,构成视神经。

【视为畏途】看作是可怕的、危险的道路。喻指不敢做某件事情。

【视而不见】看到了,没有引起注意或当作没看见。指不注意或不重视。《礼记·大学》:“心不在焉,视而不见,听而不闻,食而不知其味。”

【视死如归】把死看得好像回家一样。形容为了正义的事业,不怕死。《吕氏春秋·勿躬》:“三军之士,视死如归。”归:回家。

【视听资料】以图像、声音及其他数据信息储存的可以呈现声音、图像的资料。如录音、录像、电脑软件、光盘等。广泛应用于科研、教学及诉讼等方面。

【视若无睹】看见了,却像没有看见一样。指对眼前的事物漠不关心。睹:看见。

【视觉污染】周围环境脏乱、构筑物布局杂乱、光照造成眩光、水体异色等对人们视觉敏锐度、适应和舒适性等造成不良影响的现象。是人们对环境状况视觉极度不快的评价。

【视频光盘】简称视盘。一种只读型光盘。以电视帧为基础存储图像信息。制作时,将记录的视频信号加以各种转换处理,刻录在光盘上。通过视盘机(如VCD、DVD)播放,再现动态图像和声音。

【视频信号】由电视图像转换成的电信号和

脉冲信号。

【视频点播技术】综合电子计算机技术、通信技术和电视技术而成的新技术。运用这种技术能根据观众要求播放影视节目。

是(*昰) shì ❶表示肯定的判断。㊐他～医生。❷表示强调。㊐人家～好嘛！应该向人家学习。❸表示选择。㊐你～去济南，还～去青岛？❹存在；有。㊐大门外～一条宽阔的大马路。❺表示解释或描写。㊐人家～丰年，我们～歉年|屋外～冰天雪地，屋里～春光融融。❻只要是。㊐～重活他就抢着干。❼表示合适。㊐你来得～时候，快坐下开会。❽对；正确。与"非"相对。㊐一无～处|～非曲直。❾肯定的回答。㊐～，就这么办。❿代词。这；此。㊐～年(这一年)|～书(这本书)。

【是正】审察谬误，加以订正。

【是否】是不是。

【是非】❶正确的和错误的。㊐明辨～。❷口舌；争端。㊐招惹～|搬弄～。

【是字句】汉语句式的一种。因句子用"是"作谓语动词，故名。一般是判断性的句子，如"北京是中华人民共和国的首都""牛是哺乳动物"。

【是非曲直】正确和错误，对和不对。

【是可忍，孰不可忍】《论语·八佾》："是可忍也，孰不可忍！"假如这个可以容忍，还有什么不可以容忍呢？意思是决不能容忍。是：这个。孰：什么。

谌⊠(諟) shì 同"是"。正确。

适(適) ㊀ shì ❶相合。㊐～用|～意。❷舒服。㊐安～。❸恰巧。㊐～逢其会。❹去。㊐无所～从。❺旧指女子出嫁。㊐～人。

㊁ kuò (574页)。

【适当】❶合适；恰当。㊐～的人选。❷正在。㊐～其时。

【适合】符合(实际情况或要求)。

【适时】适合时宜；不早不晚。

【适应】适合；使适合(客观条件或需要)。㊐～需要|～环境。

【适值】恰好遇到。

【适销】商品适应市场需要，好销售。㊐～对路。

【适龄】符合规定的年龄(多指入学年龄或兵役应征年龄等)。

【适配器】可插入电子计算机扩充槽上，为计算机增加某种新功能的电路板。如显示卡、内存扩充卡、输入输出卡等。

【适可而止】做到适当程度就停止。

【适获我心】也说实获我心。恰合我的心意。《诗经·邶风·绿衣》："我思古人，实获我心。"

【适逢其会】恰巧碰上那个机会、时机。

【适得其反】跟所希望的正好相反。

恃⊠ shì 依赖；凭借。

室 shì ❶屋子。㊐教～|～内。❷机关、工厂、学校等内部的办事部门。㊐调研～|会计～。❸家；家族。㊐十～九空|宗～。❹家属或妻子。㊐家～|继～。❺星名。二十八宿之一。

【室内净高】楼面或地面至上部楼板底面或吊顶底面之间的垂直距离。

逝 shì ❶过去(多指时间或流水)。㊐岁月易～。❷人的死亡。㊐病～。

【逝川】流水。比喻逝去的时光。

【逝世】去世(多指有一定地位的人)。

【逝波】流水。比喻逝去的时光。

誓 shì ❶表示决心依照说的话实行。㊐～为共产主义事业奋斗终生。❷表示决心的话。㊐宣～。

【誓死】立下誓愿，表示至死不变。㊐～保卫祖国。

【誓师】指军队出征前，主帅向全军将士宣示作战意义，表示坚决的战斗意志。也泛指群众集会严肃地表示完成某项重要任务的决心。㊐～典礼|～大会。

【誓言】宣誓时说的话。

【誓词】誓言。

莳(蒔) ㊀ shì 移植；栽种。㊐～秧|～花。

㊁ shí (893页)。

醳⊠(釋) ㊁ shì 同"释"。

㊀ yì (1167页)。

释(釋) shì ❶说明；解说。㊐注～|解～。❷消除。㊐～疑|冰～。❸放开；特指释放被拘押者或服刑者。㊐～放|保～。❹放下。㊐手不～卷|如～重负。❺指释迦牟尼。泛指佛教。㊐～教|～典。

S

【释义】解释字词或文章的意义。
【释怀】消除心中的挂念。
【释典】佛教的经典。
【释放】❶恢复被逮捕、被拘留或被判处徒刑的人的人身自由。❷把所含的物质或能量放出来。例铀原子核裂变时，就～出原子能和中子。
【释然】形容疑虑消除而心情平静。
【释疑】解释疑难；消除疑虑。
【释迦牟尼】（约前565—前485）梵语音译词。意为释迦族的圣人。佛教创始人。姓乔达摩，名悉达多，古代印度释迦族人。释迦牟尼是佛教徒对他的尊称。

谥（謚*諡） shì 古代在最高统治者或其他有特殊社会地位的人死后追加的称号。如“武”帝、“哀”公之类。

睗☒ shì 很快地看。例睒～。

䑛☒ shì 同“舐”。

嗜 shì 特别爱好。例～学。

【嗜血】指猛兽贪于血食。形容人凶狠残暴。例法西斯～成性。
【嗜好】特别深的喜好（多指不良的）。

筮 shì 古代用蓍（shī）草占卜。

噬 shì 咬。例吞～｜反～。

【噬菌体】病毒的一类。体积极小，侵入细菌体内生长繁殖，引起细菌裂解。某一种噬菌体只对相应的细菌起作用，因此可用以诊断和防治某些细菌性疾病。
【噬脐何及】也说噬脐莫及。自己的口咬不到自己肚脐。用以比喻后悔不及。《左传·庄公六年》：“若不早图，后君噬脐，其及图之乎？”

澨☒ shì ❶大堤。❷水边。

奭 shì ❶盛大。❷消散的样子。❸恼怒。

襫☒ shì 见〔袯襫〕（76页）。

螫 ㊀ shì 同“蜇（zhē）”。蜂、蝎等有毒腺的虫子用尾部的毒刺刺人或动物。㊁ zhē（1246页）。

shi ·ㄕ

匙 ㊁ shi 钥匙。㊀ chí（127页）。

殖 ㊁ shi 尸骨。参见〔骨殖〕（339页）。㊀ zhí（1264页）。

shōu ㄕㄡ

收 shōu ❶接到；接受。例～到｜～信。❷收割；收获。例秋～｜丰～。❸获得。例～支相抵。❹藏；放置妥当。例～好。❺收回。例～复｜～兵。❻结束。例～工｜～尾。❼聚拢；把分散的集中在一起。例～口｜～集。❽逮捕；拘禁。例～审｜～监。

【收心】❶把涣散的心思收回来。❷把做坏事的念头打消。
【收讫】收清。
【收场】❶停止；结束。❷结局；下场。
【收成】农业产品的收获情况。成（cheng）。
【收买】❶收购。❷给人钱财或其他好处，使之为自己所利用。
【收尾】❶结束事情的末尾。❷文章的最后部分。
【收拢】把散开的合拢起来。
【收罗】多方寻求人才或物品，使其聚集到一起。例～人才｜～材料。
【收购】国家或商家大量购买。
【收受】收取；接受。例～贿赂。
【收视】收看（电视）。例～效果｜～率。
【收录】❶旧指吸收、任用人员。❷（编辑书刊时）采用（诗文等）。例他的事迹被《名人传记》～。
【收复】（将失去的领土或阵地）重新夺回。例～失地。
【收养】收养人与送养人依法通过协议，确立父母子女关系的法律制度。
【收获】❶收割成熟了的农作物。❷比喻思想上、工作上所取得的成果。
【收效】❶效果。❷取得成效。
【收益】生产上或商业上的收入。
【收容】（有关组织、机构等）收留。例～伤员。
【收盘】交易市场中每个营业日终了时最后一笔交易成交的价格。

【收敛】❶笑容、光线等减弱或消失。❷由于外力影响，约束自己放纵的程度。❸使有机体组织收缩，减少腺体分泌。㊀～剂。
【收编】收容他方部队并将其改编成自己的部队。
【收缩】❶物体由大变小或由长变短。❷紧缩。㊀～兵力。
【收音机】接收声音广播节目的无线电接收机。按所用元件可分矿石收音机、电子管收音机、晶体管收音机等；按电路的程式可分再生式、外差式、超外差式等；按调制方式可分调频收音机和调幅收音机。
【收养人】收养他人子女的人。收养人应当同时具备以下条件：(1)无子女；(2)有抚养教育被收养人的能力；(3)未患有医学上认为不应当收养子女的疾病；(4)年满 30 周岁。
【收入政策】政府对各种收入实行限制，从而限制货币收入和物价上涨的政策。
【收回成命】撤销已经发出的命令、决定等。
【收付记账法】用“收”“付”为记账符号来反映资产、权益、收入、费用增减变动的一种记账方法。可用于复式记账，也可用于单式记账。
【收付实现制】在银行业务中，债权、债务已经发生，而且有实际收付行为时，才能记入表内科目账务的规定。

shóu　ㄕㄡˊ

熟　㊁ shóu　义同“熟(shú)”。多用于口语。
㊀ shú (911 页)。

shǒu　ㄕㄡˇ

手　shǒu　❶人体上肢前端能拿东西的部分。❷小巧而便于拿的。㊀～册｜～枪。❸拿着。㊀人～一册。❹作某种工作或有某种技能的人。㊀炮～｜拖拉机～｜能～｜选～。❺亲手。㊀～植｜～书。❻指本领、手段等。㊀妙～回春｜眼高～低｜心狠～辣。
【手书】❶亲手写的书信。❷亲手写。
【手本】明清时代，门生见老师或下属见上司所用的名帖。
【手术】医生用刀子、剪子等医疗器械在病人身体上进行的切除、缝合等治疗。㊀动～。
【手札】亲手写的信。
【手册】❶汇集常用的基本资料，供手头查考的工具书。有综合性的手册，如《人民手册》；也有专科性的手册，如《医疗卫生手册》。❷经常在手头用于记事的本子。㊀工作～。
【手机】手持式移动电话终端机的简称。
【手足】手和脚。比喻兄弟。㊀亲如～。
【手势】为表示意思，用手、臂做的姿势。
【手枪】单手擎举发射的短枪。口径多为 5.45—11.43 毫米，重 1 千克左右，长 200 毫米左右，容弹量 5—20 发，在 50 米内有良好的杀伤效能。
【手法】❶文学艺术创作的技巧。❷手段②。㊀两面～。❸做事的方法。㊀各人有各人的～。
【手面】❶〈方〉用钱的宽紧。❷苏州评话、弹词等演唱中所作的虚拟的动作。
【手段】❶为达到某种目的而使用的方法。㊀实验～。❷待人处事所采用的不正当的方法。㊀要～。
【手迹】指亲笔写的字或画的画。
【手笔】❶亲手写的字、画的画或做的文章。❷文章或书画技巧上的造诣。㊀大～(文章能手)。
【手球】❶球类运动项目之一。综合篮球和足球的特点而发展起来。分 11 人制和 7 人制两种。11 人制手球可在足球场内进行；7 人制手球场地较小，可在室内进行。比赛时以把球投入对方球门为得分。目前采用 7 人制比赛，场地长 40 米，宽 20 米。❷手球运动使用的球。空心，用皮革或化学合成材料制成，像足球而略小。❸足球运动中的犯规动作。指守门员在禁区外或其他队员故意用手或臂部携带或推击球。
【手脚】❶举动或动作。㊀～灵活｜慌了～。❷为了达到某种目的而暗中使用的手段。㊀他从中做了～。
【手淫】自己用手刺激生殖器以发泄性欲。
【手续】办事的程序或步骤。㊀交接～。
【手腕】❶手和臂相接的地方。❷手段①。㊀铁的～。❸手段②。㊀要～。
【手鼓】❶也叫拨楞鼓。在一长柄上穿上由小渐大的一至三面小鼓而成，由球状槌敲击发声。❷即“达卜”(160 页)。
【手稿】亲手写的底稿。革命领袖、历史人物或重要著作的手稿，具有重大的文献意义和研究价值。

【手戳】刻有个人姓名的图章。

【手工业】依靠手工劳动，使用简单生产工具的小规模工业生产。

【手风琴】键盘乐器。一般右侧为键盘，左侧为钮，中有风箱，拉动时使空气振动簧片发音。常用于独奏及伴奏。

【手写体】文字的手写形式。

【手榴弹】用手投掷的爆炸弹药。普通杀伤手榴弹重0.15—1.2千克，威力半径7—15米。此外还有反坦克手榴弹、烟幕手榴弹等。

【手无寸铁】手里什么武器也没有。铁：指武器。

【手不释卷】手不离书本。形容勤学不倦。《三国志·魏书·文帝纪》裴松之注引《典论·自叙》："上(指曹操)雅好诗书文籍，虽在军旅，手不释卷。"释：放开。卷：书本。

【手机银行】也叫移动银行。在移动电话网上开放的一项电子商务活动。通过移动电话网，将用户手机与银行信息系统相连接，使用户能利用手机办理各种银行业务。是货币电子化和移动通信相结合的产物。

【手足无措】形容手忙脚乱，没有办法应付。

【手足胼胝】手掌和脚底都长了老茧。形容人勤奋劳苦。《荀子·子道》："有人于此，夙兴夜寐，耕耘树艺，手足胼胝以养其亲。"胼(pián)、胝(zhī)：手足所生的厚茧。

【手枪射击】射击运动项目之一。枪分气手枪、慢射手枪、标准手枪、速射手枪、中心发火手枪等。比赛分慢射和速射两种。慢射每发子弹平均射击时间以分钟来计算；速射每发子弹平均射击时间不得超过4秒。

【手挥目送】也说目送手挥。晋嵇康《赠秀才入军》诗："目送飞鸿，手挥五弦。"本指手眼并用，运用自如。后也比喻诗文书画的挥洒自如，或用以指事情互有关联。

【手舞足蹈】双手舞动，两脚跳跃。形容高兴到了极点。《诗经·大序》："永(咏)歌之不足，不知手之舞之，足之蹈之也。"

【手工业生产合作社】中国手工业劳动者自愿联合组成的社会主义性质的集体经济组织。生产资料归集体所有，统一经营，自负盈亏，实行计划生产，并通过工资等形式贯彻按劳分配的原则。

守 shǒu ❶护卫；防守。与"攻"相对。㊀～卫|坚～阵地。❷遵循；遵守。㊀～约|～信|～法。❸看守；守候。㊀～门|～着病人。❹挨着；靠近。㊀～着水的地方可多种水稻。❺古又同"狩(shòu)"。

【守土】保卫领土。㊀～有责。

【守节】旧指妇女在丈夫死后不再嫁或未婚夫死后终身不嫁。

【守旧】拘泥于过时的看法或做法而不愿意改变。

【守成】继承和保持前辈的成就。

【守岁】在农历除夕晚上不睡觉，一直守候到大年初一的来临。

【守则】共同遵守的规则。

【守灵】守护在灵床、灵柩或灵位的旁边。

【守拙】根据自己不高的水平在家做些力所能及的事，不外出进取。多用于谦辞。

【守制】遵守居丧的制度。古代父母死后，儿子在家守孝，不出外应酬，做官的也暂时离职，称为守制。

【守备】❶防守警戒。❷明清时武职官员名。

【守宫】壁虎的旧称。

【守望】看守和瞭望。

【守口如瓶】形容说话非常谨慎，严守秘密。

【守备部队】负责防守军事要地的部队。如守备海岛、要塞、重要城市等的部队。

【守株待兔】《韩非子·五蠹》记载，战国时宋国有一个人，偶然看见一只兔子撞上树桩死去，他便整天守在树桩旁边，等待再得到撞死的兔子。后用"守株待兔"比喻妄想不劳而得，或死守狭隘的经验，不知变通。

首 shǒu ❶头。㊀昂～阔步。❷领袖；领导人。㊀元～|～长。❸最先；开始。㊀～创。❹第一；最高。㊀～要|～席代表。❺告发。㊀自～|出～。❻量词。用于诗歌、歌曲等。㊀一～诗|民歌百～。

【首义】首先起义。

【首创】最先创造；创始。

【首级】古指作战时斩下的人头。秦法，按作战时斩下敌人头颅的多少论功晋级，后来就称斩下的人头为首级。

【首事】首先起事或闹事。

【首肯】点头表示同意。

【首饰】原指戴在男女头上的饰物，后专指女人的饰物，并包括手镯、戒指、耳环等。

【首府】❶旧称省会所在的府。现多指自治区或自治州人民政府的所在地。❷指附属国、殖民地的最高政府机关所在地。

【首相】一些国家的中央政府首脑名称之一，负责组织并领导政府。

S

【首要】❶摆在第一位的;最重要的。㊀~任务。❷首脑。㊀党政~。
【首映】影片第一次公映。
【首都】国都。国家最高政权机关所在地。是国家的政治中心。
【首恶】指作恶犯法集团的头子。
【首倡】最先提倡。
【首途】出发;上路。
【首脑】为首的(人、机关等);领导人。㊀政府~|~会议。
【首席】❶最高的席位。㊀坐~。❷职位最高的;居第一位的。㊀~代表。
【首领】❶头和脖子。❷指某集团的领导人。
【首当其冲】处于首先受到攻击或压力的地位。冲:要冲,交通要道。
【首屈一指】屈指计数总是先屈大拇指,因以"首屈一指"表示位居第一。㊀他在班上,品德学业,~。
【首鼠两端】踌躇不决或动摇不定。《史记·魏其武安侯列传》:"武安已罢朝,出止车门,召韩御史大夫载。怒曰:'与长孺共一老秃翁,何为首鼠两端!'"首鼠:踌躇,犹豫不决。两端:两头。
【首调唱名法】也叫移动唱名法。唱名法的一种。唱名随调的变化而变化。如在 C 大调,C 音唱 do,D 音唱 re;在 D 大调则 D 音唱 do,E 音唱 re,余类推。

艏□ shǒu 船体的前端。

shòu ㄕㄡˋ

寿(壽) shòu ❶年岁大。㊀人~年丰。❷年岁;生命。㊀长~|~命。❸生日。㊀~辰。❹婉辞。预先为死后装殓准备的。㊀~衣|~材。
【寿会】也叫宗亲福利会。中国古代类似保险性质的互助团体。成员多为族人。
【寿辰】生日。多用于年岁较大的人。
【寿命】人的生存的年限。也比喻一切事物存在或使用的期限。㊀女人的平均~比男人长|延长机器~。
【寿星】❶指老人星。自古以来用作长寿的象征,称为寿星。民间常把他画成老人的样子,白须持杖,头部长而隆起。❷称长寿的老人或被祝寿的人。
【寿斑】泛指老年人皮肤上出现的各种斑点。医学上指脂溢性角化病,属皮肤良性肿瘤,大多呈圆形或椭圆形,棕黄色,上有鳞屑被覆。对健康没有影响。
【寿终正寝】旧指年老病死在家中。比喻事物的消亡。正寝:住宅的正屋。

琇☒**(璹)** ㊁ shòu 玉名。
㊀ shú (911 页)。

受 shòu ❶接纳;接受。㊀~教育|~奖。❷忍耐。㊀忍~|~不了。❸被;遭到。㊀~批评|~害。❹适合。㊀这把锹~使|他这话很~听。
【受业】指接受老师教给的知识。学生有时也用于在老师面前自称。
【受用】❶享受;享用。❷舒服。㊀听了这话很不~。
【受权】接受国家或上级给予的权力(处理某事)。㊀新华社~发表声明。
【受众】传媒信息、文化作品等的接受者,包括听众、观众、读者等。㊀~广泛。
【受戒】❶伊斯兰教朝觐仪节之一。朝觐者到麦加前,按规定在一定地点沐浴、去常服、披戒衣,并遵守其他禁戒,直到朝觐完毕。❷佛教徒从师接受戒律的宗教仪式。
【受体】细胞膜或细胞内的一种特异的化学分子。绝大多数是蛋白质。药物、体内激素与相应的受体结合后,可引起一系列生化反应,最终导致生理效应。受体发生异常引起受体病变。
【受事】语法上指句子里受动作支配的人或事物,如"中国女篮打败了日本女篮"中的"日本女篮"。
【受命】接受命令。
【受洗】基督教徒接受洗礼。
【受挫】遭受挫折。
【受贿】接受贿赂。
【受益】得到好处、利益。
【受理】❶接受办理。㊀~速递业务。❷人民法院对当事人提出的起诉进行审查后,对符合法律规定条件的,决定予以立案审理的诉讼行为。是诉讼程序的开始。
【受窘】陷入为难的境地。
【受精】精子与卵细胞结合形成受精卵的过程。
【受贿罪】国家工作人员利用职务上的便利,索取或非法收受他人财物,为他人谋取利益的犯罪行为。国家工作人员在经济往来中,违反国家规定,收受各种名义的回扣、手续费,归个人所有的,也以受贿论处。

S

【受宠若惊】也说被宠若惊。受到别人的赏识、称赞而感到意外的惊喜。宋苏轼《谢中书舍人启》:“遽参法从,省躬无有,被宠若惊。”

【受控核聚变】在人工控制下持续平稳地进行的核聚变。是获取核能的新技术,目前尚未实现。一旦研究成功,人类就可以从海水中的重氢获得十分丰富的新能源。

授 shòu ❶交付;交给。㉠～权。❷传授;教。㉠～课|函～。

【授予】指给予(荣誉称号、勋章、军衔、学位等)。

【授权】把权力委托给人或机构。

【授时】❶某些天文台将天文观测后归算的精确时间用无线电发播出去。❷旧指政府颁行历书。

【授命】❶献出生命。㉠临危～。❷下命令(多指国家元首下命令)。㉠～组阁。

【授受】交给和接受。㉠私相～。

【授勋】按照功劳,授予勋章等。

【授粉】花粉从雄蕊花药传到雌蕊柱头上的过程。分天然授粉和人工授粉。

【授意】把意图告诉别人,让别人照着办。㉠这事是在他～下做的。

【授受不亲】《孟子·离娄上》:“男女授受不亲,礼也。”封建礼教规定,男女之间不能互相递接物品。

绶(綬) shòu 一种丝带(旧时多作拴印或佩玉之用)。

狩 shòu ❶打猎。❷古代特指冬天打猎。

【狩猎】打猎。

售 shòu ❶卖。㉠零～|销～。❷达到(目的);施展(奸计)。㉠其计不～|以～其奸。

【售后服务】指商品售出后,厂家或商店为顾客提供的保修、保换、零部件供应、技术咨询等方面的服务。

兽(獸) shòu 一般指有四条腿、全身生毛的哺乳动物。

【兽行】比喻极端野蛮、残忍或发泄兽欲的行为。

【兽性】形容极端野蛮、残忍的性情。

【兽聚鸟散】像禽兽一样聚散无常。

瘦 shòu ❶肌肉不丰满;脂肪少。与“胖”“肥”相对。㉠身体～|～肉。❷衣服鞋袜等窄小。㉠衣服～了。❸不肥沃。㉠～土薄田。

shū ㄕㄨ

殳 shū 古代兵器。用竹等制成,一端有棱无刃。

书(書) shū ❶著作;有文字或图画的册子。㉠一部～|一本～。❷信。㉠家～|来～已悉。❸字体。㉠楷～|行～。❹文件。㉠证明～|申请～。❺写字;记载。㉠～写|～法|大～特～。

【书口】书籍上和书脊相对的一边。

【书刊】书籍和刊物。

【书札】书信。

【书目】图书目录。

【书生】读书人。

【书市】临时性的集中售书的场所。

【书记】❶党、团等各级组织中的主要负责人。❷旧指办理文书及缮写工作的人员。

【书证】❶以文字、符号、图形等书面形式证明案件真实情况的证据。如合同、遗嘱、加工合同所附的图纸等。❷字典、词典以及其他著作或注释中引用的有明确出处的书面例证。

【书评】评论或介绍书籍的文章。

【书法】一般指中国传统的用毛笔书写汉字的方法。包括执笔、用笔、结构、布局等。伊斯兰教国家也流行阿拉伯字书法。

【书经】即“尚书”②(862页)。

【书契】指文字。古代文字多刻在兽骨、龟甲、竹、木上,故名。契:刻。

【书柬】同“书简”(909页)。

【书面】用文字写出的,区别于口头的。㉠～材料。

【书眉】为便于读者翻检,在书页上端所印的书名、篇章、标题和页码等。也指正文上端的空白部分。

【书院】中国古代的一种学术机构和学校。始于唐代,原为皇室所设,掌管校勘经籍、征集遗书、辨明典章、给皇帝讲解经典史籍等工作。五代各地始建书院。宋代大盛,官府和私人都能开设,均聘请名流,广招生徒,变成读书讲学的场所。明清以来又多成为准备科举考试的地方。清末废科举后,大都改为学堂。

【书斋】书房。

【书脊】也叫书背。书籍的脊背,在书装订处的一边,封面与封底的联接处。一般印有书名、著者、出版社名称等。

【书展】书籍展览会。㊀国际～。

【书鼓】击乐器。鼓身扁圆，两面蒙皮。演奏时，置鼓架上，单鼓签敲击。是北方各类鼓书的伴奏乐器。

【书简】也作书柬。书信。

【书影】显示书刊的版式和部分内容的有代表性的样张。从前仿照原书刻印或石印，现多影印。有的用作插页，有的汇集成册，如《宋元书影》。

【书籍】装订成册的著作。

【书生气】形容某些知识分子对社会缺乏了解，不懂得人情世故，只知道按照书本上的道理看待问题、处理问题。

【书名号】标点符号的一种。形式为双书名号"《 》"和单书名号"〈 〉"。用于书名、篇名、报纸名、刊物名等。书名号套用时，外层用双书名号，里层用单书名号。为了跟专名号配合，在古籍或某些文史著作中，可以用浪线"～～～"标示。

【书面语】指用文字写下来的语言。它以口头语言为基础，一般比口语更精确、更严密、更有逻辑性。它扩大了语言在时间和地域上的流传，并对口语的发展和规范产生影响。与"口语"相对。

【书不尽意】信文结束时的套语。信文表达不完自己的意思。书：信文。

【书香门第】指上辈有读书人的家庭。

朩⊠ shū 同"菽"。

叔 shū ❶叔父，称父亲的弟弟；也用来尊称跟父亲同一辈但比父亲年纪小的男子。❷小叔子，指丈夫的弟弟。㊀～嫂。❸弟兄排行中的老三。㊀伯仲～季。

【叔季】指国家衰乱将亡的年代。

【叔本华】阿图尔·叔本华(1788—1860)德国唯心主义哲学家，唯意志论者。他认为世界是意志和表象；表象上溯到理智，但实际上即意志。世界上的一切都是意志活动的产物。代表作有《作为意志和表象的世界》。

菽 shū 豆类作物的统称。

淑 shū 温和的；善良的。多指妇女的品德好。

抒 shū 抒发；表达。㊀～情｜各～己见。

【抒发】表达。㊀～感情。

【抒情】表达感情。㊀～散文。

【抒情诗】以抒发作者思想感情为主的诗。一般没有完整的故事情节和人物形象。与"叙事诗"相对。

纾(紓) shū ❶解除。㊀毁家～难(nàn)。❷使宽裕；宽舒。❸延缓。

舒 shū ❶展开；伸展。㊀～筋活血｜～心。❷从容；缓慢。㊀～缓。

【舒畅】舒展畅快；舒服痛快。㊀心情～。

【舒卷】舒展和卷缩。㊀～自如｜白云～。

【舒展】❶展开，不蜷缩。❷(心身)舒畅，安适。

【舒曼】罗伯特·舒曼(1810—1856)德国作曲家、音乐评论家，19世纪德国浪漫乐派杰出代表。早期作品均为钢琴曲，包括《蝴蝶》《狂欢节》《交响练习曲》《童年情景》等。1840年后的创作主要集中在艺术歌曲上，主要作品有《桃金娘歌曲集》，声乐套曲《诗人之恋》《妇女的爱情和生活》等。其他重要作品有交响曲四部，以及评论专著《论音乐与音乐家》。

【舒伯特】弗朗茨·舒伯特(1797—1828)奥地利作曲家。其作品提高了歌曲的艺术表现力和钢琴伴奏的作用。代表作有《魔王》《春天的信念》《流浪者》，声乐套曲《美丽的磨坊姑娘》《冬之旅》等。所作八部交响曲中以《b小调交响曲》《C大调交响曲》最为著名。此外，还作有不少室内乐及钢琴作品。

枢(樞) shū ❶门的轴。㊀户～不蠹。❷中心的或关键的部分。㊀中～｜～纽。

【枢机】❶比喻事物运动的关键。❷指朝廷的重要职位或机构。

【枢纽】关键；事物相互联系的中心环节。㊀～工程｜交通～。

【枢密使】古代官名。唐中叶开始设置。宋代与中书省的同平章事共同掌管全国军政。原用宦官担任，五代后多以亲信大臣任之。明废。

【枢密院】古代官署名。五代后梁设崇政院，后唐改为枢密院，主顾问参议，传达诏命。后汉、后周渐掌兵事。宋为最高军事机构，辽金元与宋代相近，也设管军政的枢密院。明废。

【枢机主教】也叫红衣主教。天主教中由罗

马教皇直接任命的最高主教。分掌教廷各部及许多国家重要教区的领导权。有被选为教皇的资格和选举教皇的权利。

姝 shū ❶美好。❷美丽的女子。

殊 shū ❶不同。例～途同归。❷副词。很；极。例～佳｜～堪告慰。❸突出；特别。例～勋。❹死。"殊死"二字常连用。例～死战。

【殊死】拼着生命，竭尽死力。例～的斗争。

【殊勋】特殊功勋。例屡建～。

【殊俗】❶不同的风俗。也指遥远的地方。❷不同于流俗。例志操～。

【殊不知】竟然不知道；竟然没有想到（纠正前面叙述的别人或自己的想法）。

【殊途同归】《周易·系辞下》："天下同归而殊途。"原意是通过不同的路径走到同一个目的地。比喻用的方法虽不同，但目标与结果都一样。殊：不同。途：道路，路径。归：趋向。

S

倏（*倐 *儵） shū 副词。极快地；忽然。例～尔而逝。

【倏忽】副词。很快地；忽然。例～不见。

綀⊠（練） shū 古代一种葛布。

梳 shū ❶梳子，整理头发、胡子的用具。❷用梳子整理头发。例～头。

【梳理】❶用梳子整理头发、胡须等。❷比喻对事物进行整理、分析。例把大家提的意见～一下。

疏（❶-❺ *踈） shū ❶使通畅。例～通｜～浚。❷分散。例～散。❸稀。与"密"相对。例稀～｜～落。❹不亲密；不熟悉。与"亲"相对。例～远｜人生地～。❺粗略。例粗～｜～忽。❻空虚；浅薄。例志大才～。❼对古书注文的解释。例注～。❽分条叙述的文字。例～陈｜奏～。

【疏导】❶使淤塞的水道畅通。例～河流。❷泛指引导使畅通。例～交通｜对青年人的思想问题，主管部门要善于～。

【疏远】不亲近。

【疏忽】粗心大意；忽略。

【疏浚】清除淤塞，挖深河槽，使水流畅通。例～航道。

【疏通】❶疏导①。❷从中调解，沟通双方的意思。❸分析阐释。例～文字。

【疏散】❶把集中的人员、装备、物资分散开。❷疏落。例～的村落。散（sàn）。

【疏落】稀稀拉拉。例～的晨星。

【疏阔】❶迂阔；不切合实际。❷很久不见面。多用于书信。❸不周密。❹疏远；不亲近。

【疏漏】疏忽遗漏。例不细心就会有～。

蔬 shū 蔬菜，可以做菜的植物。例菜～｜～食。

鄃⊠ shū 古地名。在今山东。

输（輸） shū ❶运送。例运～｜～出。❷献出。例捐～。❸败。与"赢"相对。例～了一局。

【输入】❶从外部输送到内部。❷商品或资本从国外进入某一国。❸科学技术上指能量、信号等进入某种机构或装置。

【输电】将发电厂发出的电能用不同电压的线路输送到距离不同的工矿区、城市和农村等用电场所。

【输出】❶从内部输送到外部。❷商品或资本从某一国销到或投到国外。❸科学技术上指能量、信号等从某种机构或装置发出。

【输血】❶把健康的血液输到病人体内，以增加血量，改善循环。输血前，须将供血者与受血者血液做血型鉴定，经交叉试验，无凝血现象，才可输血。❷自体输血。手术前将术者体腔内无污染的血液先行抽出保存，待手术时或手术后再行输入术者体内。

【输诚】❶献出诚心。❷投降。

【输将】运送。引申为捐献、资助。例慷慨～。将（jiāng）。

【输送】运送，供给。例～养料｜～干部。

【输氧】一种急救方法。使病人吸入氧气以解除体内暂时缺氧。有导管吸入法、面罩法等。

【输液】将药液由静脉缓缓输入患者体内。常用的药液有生理盐水、葡萄糖液、水解蛋白等。

【输卵管】女子和雌性动物体内输送卵细胞的生殖管道。人的输卵管位于骨盆腔内，弯形长喇叭状，长约10厘米。从子宫角向两侧伸延，其开口接受从卵巢排出的成熟卵。卵在输卵管内受精，然后移入子宫。

【输尿管】输送尿液的一对细长管道。上端膨大，与肾相通，接受由肾脏排出的尿液，靠自上而下的蠕动将尿液输入膀胱。

【输精管】男子和雄性动物体内输送精子的生殖管道。人的输精管全长约50厘米。管壁有厚的肌肉层，肌肉收缩使精子运行。有把睾丸产生的精子输送到精囊的作用。

【输卵管结扎】绝育方法之一。结扎并切断输卵管，使精子不能经输卵管与卵子结合。结扎后不影响健康与劳动。

【输精管结扎】绝育方法之一。结扎并切断输精管，使精子无法排出体外。手术简便易行，结扎后不影响健康和劳动。

毹 shū 见〔氍毹〕(808页)。

摅(攄) shū 发表；表达。㊀各～己见|～意。

shú ㄕㄨˊ

秫 shú ❶古指有黏性的谷物。❷蜀秫，即高粱。㊀～米|～秸(高粱秆)。

琇⊠(璹) ㊀ shú 玉器名。㊁ shòu (907页)。

孰 shú ❶文言疑问代词。1. 谁。㊀～谓不可？2. 什么。㊀是可忍，～不可忍。❷古又同"熟"。

塾 shú 旧时私人设立的教学处所。㊀私～。

熟 ㊀ shú ❶食物加热到可以吃的程度。㊀饭～了。❷成熟；果实长成。㊀庄稼～了|苹果～了。❸程度深。㊀～睡|深思～虑。❹常见；清楚地知道。㊀～人|～悉。❺精通；有经验。㊀～练。❻经过加工或锻炼过的。㊀～铁。

㊁ shóu (905页)。

【熟习】(对某种技术、学问)掌握得很熟练，了解得很深刻。㊀～业务。

【熟知】清楚地知道。

【熟练】(动作、技能、技巧等)精熟老练。㊀工作～|～工人。

【熟思】细致而周密地考虑。

【熟语】语言中结构定型，以整体来表达其语义的固定短语或句子。包括成语、惯用语、歇后语、谚语等。

【熟铁】一种含碳量很低的铁。多由生铁炼制而成。与软钢相比含渣较多，质软而有延展性，多用来制造链、钩、环等，不适于制造对硬度要求较高的工具。

【熟悉】清楚地了解。㊀情况～。

【熟谙】熟悉。谙(ān)。

【熟稔】很熟悉。稔(rěn)。

【熟视无睹】虽然经常看到，却跟没有看见一样。形容对某种事物漠不关心。唐韩愈《应科目时与韦舍人书》："是以有力者遇之，熟视之若无睹也。"熟视：细看，看惯。无睹：没有看见。

【熟练劳动】从事同一工种操作纯熟的劳动。

【熟能生巧】对工作、技能等熟练了就能产生巧妙的办法。

赎(贖) shú ❶用钱财换回抵押品。㊀～回。❷用行动抵消、弥补罪过。㊀将功～罪。

【赎身】奴婢、妓女等用金钱财物或其他代价换得人身自由。

shǔ ㄕㄨˇ

暑 shǔ 炎热；炎热的季节。㊀～气|～天|寒来～往。

署 shǔ ❶办公的地方。㊀公～。❷布置；安排。㊀部～。❸签名；题字。㊀签～。❹暂时代理。㊀～理。

【署名】在书信、文件、文稿等上面签上自己的名字。也指在著作发表或出版时，把著者的名字印在上面。

薯(*藷) shǔ 薯类作物的统称。如甘薯、马铃薯等。

【薯莨】多年生缠绕藤本植物。地下有块茎，外紫黑色，内棕红色，含单宁，可以制染料。也指这种植物的地下块茎。

【薯蓣】也叫山药。多年生藤本植物。肉质块茎圆柱形，富含淀粉。供食用和药用，能健脾胃、补肺肾。

曙 shǔ 晓；天刚亮。㊀～色|～光。

【曙光】清早的阳光。也用来比喻美好的前景。㊀～在望。

黍 shǔ 黍子，一年生草本植物。碾成米叫黄米，性黏，可酿酒。

属(屬) ㊀ shǔ ❶类别。㊀金～。❷隶属。㊀直～|～员。❸归类；归属。㊀化学～自然科学|胜利终～我们。❹家属。㊀亲～|眷～|烈～。❺生物分类系统所用等级之一。在科之下，种之上。㊀虎是猫科豹～动物。❻系；是；符

S

合。㊟查明～实。❼用十二属相记生年。㊟我～马。

㊁ zhǔ (1296 页)。

【属于】归于某一方面或为某方所有。

【属员】某长官统属的官员称为其属员。

【属性】❶西方哲学中一般指属于实体的本质方面的特性。❷逻辑学上指对象的性质和对象间的关系。包括状态、动作等。

【属相】也叫生肖。与十二地支相配、用来记人的出生年的十二种动物,即鼠(子)、牛(丑)、虎(寅)、兔(卯)、龙(辰)、蛇(巳)、马(午)、羊(未)、猴(申)、鸡(酉)、狗(戌)、猪(亥)。

【属概念】也叫上位概念。指两个具有从属关系的概念中范围较大的那个概念。如"工人"就是"青年工人"的属概念。

襹⊠(襹) shǔ 也叫连腰衣。古代上下相连的衣裳。

蜀 shǔ ❶朝代名。1. 三国之一。参见"汉"⑤(377 页)。2. 十国之一(903—925)。王建建立。建都成都,国号蜀,史称前蜀。为后唐所灭。3. 十国之一(933—965)。孟知祥在成都建立。国号蜀,史称后蜀。为北宋所灭。❷四川的别称。

【蜀葵】也叫一丈红。二年生草本植物。茎直立,高可达 2.5 米。叶掌状。夏季开花,花腋生,自下向上顺次开放,红、紫、黄或白色。可供观赏。

【蜀犬吠日】唐柳宗元《答韦中立论师道书》:"屈子赋曰:'邑犬群吠,吠所怪也。'仆往闻庸、蜀之南,恒雨少日,日出则犬吠。"后用"蜀犬吠日"比喻少见多怪。吠:狗叫。

鼠 shǔ 哺乳动物。种类很多。门齿发达,吃粮食、咬衣物,传染疾病,有很大危害。

【鼠疮】瘰疬的俗称。

【鼠疫】由鼠疫杆菌引起的烈性传染病。经鼠、蚤叮咬而传染给人。主要症状是高热、头痛、淋巴结肿大并有剧痛,全身皮肤和内脏严重出血。

【鼠辈】微不足道的人(骂人的话)。

【鼠窜】像老鼠一样逃窜。形容仓皇奔逃。㊟敌人抱头～。

【鼠标器】简称鼠标。计算机外围的一种"人一机"通信工具。基本功能是将手的移动转换成计算机屏幕上光标的移动,并将手指击键转换成点取。有机械鼠标器和光电鼠标器两种。

【鼠目寸光】比喻目光短浅,没有远见。

【鼠窃狗盗】也说鼠窃狗偷。像老鼠和狗那样盗窃。指小偷小摸。《史记·刘敬叔孙通列传》:"此特群盗鼠窃狗盗耳,何足置之齿牙间!"窃:偷。

癙⊠ shǔ ❶忧闷成病。㊟～忧。❷瘘疮。

数(數) ㊁ shǔ ❶点算。㊟～数(shù)|～不清。❷比较起来最突出。㊟～得上|～一～二。❸责备;列举错误。㊟～说|～落。

㊀ shù (914 页)。

㊂ shuò (924 页)。

【数九】❶指从冬至开始的八十一天。从冬至开始,每九天为一个"九",从一"九"一直数到九"九"为止。"三九"到"四九"是中国一年中最冷的时期,故有"冷在三九"的说法。❷指进入"数九"。

【数伏】指进入伏天。参见〔三伏〕(841 页)。

【数落】❶列举过失加以责备。❷列举事实叙述。

【数来宝】也叫顺口溜。曲艺的一种。由一人、二人或多人表演。用竹板(莲花板)或系以铜铃的牛髀骨打拍。可以自由换韵。

【数典忘祖】《左传·昭公十五年》记载,春秋时晋国大夫籍谈出使周朝,周景王责问晋国为什么不贡献器物。籍回答说,晋国没有受到过周王室的赏赐。景王历举晋国受赏的事实,责备他"数典而忘其祖。"后用"数典忘祖"比喻忘本或对本国历史的无知。数:数说。典:历史上的事迹、典章制度。

籔⊠(籔) ㊀ shǔ 古代量名。1 籔为 16 斗。

㊁ sǒu (936 页)

shù ㄕㄨˋ

术(術) ㊀ shù ❶技艺。㊟技～|武～。❷方法;手段。㊟战～|进攻之～。

㊁ zhú (1293 页)。

【术语】某种学科中的专门用语。如数学中的微分、积分,物理学中的原子、电子,语言学中的元音、辅音等。

述 shù 讲说;叙述。㊟讲～|口～|如上所～。

【述评】叙述和评论。也指报刊上叙述和评论的文章。

【述职】向主管部门或领导陈述工作情况。㊞大使回国～。

【述而不作】只阐述前人成就，自己不立新义。《论语·述而》："述而不作，信而好古。"

沭 shù 沭河，水名，发源于山东南部，流至江苏北部入海。

钵⊠（鉥） shù ❶长针。❷刺。❸引导。

戍 shù 军队防守。㊞卫～｜～边。

【戍卫】防守保卫。

【戍卒】旧指驻守边疆的士兵。

【戍楼】古代边防用以防守、瞭望的岗楼。

束 shù ❶捆绑；系（jì）。㊞～缚｜腰～皮带。❷量词。用于捆起来的东西。㊞一～鲜花。❸加以限制或受到限制。㊞约～｜拘～｜～手～脚。❹捆扎成把或聚集成条状的东西。㊞花～｜光～。

【束脩】扎成一捆（十条）的干肉。是古时学生送给教师的酬礼。后用作教师报酬的代称。脩（xiū）：干肉。

【束缚】❶捆绑。❷使受到约束限制。㊞这种制度～群众的积极性。

【束之高阁】把东西捆起来，放在高高的楼阁上。比喻放在一旁，不去管它。《晋书·庾翼传》："此辈宜束之高阁。"

【束手无策】形容就像捆住了手，没有一点办法。《五代史平话·唐》卷下："诸将相束手无策。"

【束手束脚】捆住手脚。比喻行动受限制、不能自由地活动。

【束手待毙】捆着手等死。比喻遇到危险或困难，不积极想办法，却坐着等死或等待失败。

漱（*漱） shù 含水洗（口腔）。㊞～口。

树（樹） shù ❶木本植物的统称。㊞杨～｜柳～。❷种植；培植。㊞十年～木。❸立；建立。㊞～标兵｜～雄心，立大志。

【树艺】种植；栽培。

【树立】建立。㊞～为人民服务的思想。

【树挂】雾凇的通称。

【树冠】树干上部连同所长的枝、叶。冠（guān）。

【树敌】使别人与自己为敌。

【树脂】一般是高分子化合物。无固定熔点，受热变软发黏。松香、虫胶等是天然树脂。人工合成树脂种类很多，如酚醛树脂、聚乙烯树脂等。是制造塑料、合成纤维等的原料。

【树行子】指排列成行的树木。行（háng）。

【树碑立传】原指把某人生平事迹刻在石碑上或写成传记加以颂扬。现在比喻为了抬高某人的声望而加以吹捧。

【树倒猢狲散】比喻有权势的人一旦垮台，投靠依附他的人也就一哄而散（含贬义）。猢狲：猴子。

【树欲静而风不止】树要静下来，可是风却不停地刮。比喻事情不能如人的心愿。汉韩婴《韩诗外传》卷九："树欲静而风不止，子欲养而亲不待也。"

竖（豎*竪） shù ❶跟地面垂直的。与"横"相对。㊞～琴｜～井。❷使直立。㊞把柱子～起来。❸上下或前后的方向。㊞～行（háng）｜～着再挖一道沟。❹也叫直。汉字的一种笔画。即"丨"。❺旧指童仆。

【竖子】❶旧指童子。❷小子，古代对人的蔑称。

【竖井】即立井。垂直的矿井井筒。用以提升矿物、废石，供人员上下，并可用来通风和排水。

【竖琴】拨弦乐器。大型立式，一般有 48 根弦，7 个踏板。常用于管弦乐队，也可独奏。

【竖儒】旧时对读书人的蔑称。

俞 ㊀ shù 同"腧"。
㊁ yú（1200 页）。

腧 shù 腧穴。

【腧穴】也叫穴位、气穴。人体脏腑、经络的活动机能聚结于体表的一些特殊部位。如合谷穴、足三里穴等。医生通过对一定穴位进行针、灸、按摩等，可以调整人体机能，治疗疾病。

恕 shù ❶以仁爱、宽厚之心推想别人。㊞～道。❷宽恕；原谅。㊞饶～｜～罪。❸客气话。请对方不要计较。㊞～不招待。

【恕宥】宽恕原谅。宥（yòu）。

庶（*庻） shù ❶众多。㊞～物｜富～。❷老百姓。㊞～人｜

S

众～。❸将近;差不多。㊥～乎可行。❹封建宗法制度中指旁支。

【庶务】❶指机关团体内的杂项事务。❷指管总务的人。

【庶民】旧指百姓、民众。

【庶母】旧时子女称父亲的妾。

裋☒ shù 〔裋褐〕粗陋的短衣。

数(數) ㊀ shù ❶数目。㊥次～|～额。❷几;几个。㊥～次|～日。❸天数;命运。㊥气～|在～难逃。❹表示事物的量的基本数学概念。由于生产实践对计数和测量的需要,首先产生了自然数(正整数),后又逐渐产生了分数、零、无理数、负数、虚数等。❺一种语法范畴。表示名词、代词所指事物的数量。❻指数学。㊥～理化。

㊁ shǔ (912 页)。

㊂ shuò (924 页)。

S

【数列】按照第一个,第二个,…顺序排列起来的一列数。如 $1,\frac{1}{2},\frac{1}{3},\cdots\frac{1}{n},\cdots$是一数列。其中每一个数叫做数列的项。当项数有限时称为有限数列,项数无限时称为无限数列。

【数字】❶用来计数的符号。常用的有阿拉伯数字、中国数字、罗马数字。❷数量。

【数词】表示数目的词。

【数学】研究现实世界的空间形式和数量关系的科学。初等数学包括算术、初等代数、初等几何和三角等。高等数学有数理逻辑、数论、代数学、几何学、拓扑学、函数论、泛涵分析、微分方程、概率论、数理统计等分支。数学的理论具有严格性、抽象性和应用的广泛性等特点。

【数轴】确定了方向、原点和单位长度的直线。数轴上每个点表示一实数,而每一实数也只能用数轴上一个点表示。

【数控】数字控制的简称。一种用数字表示加工程序的自动控制的方式。控制指令采用数字代码形式,通过阅读机和电子计算机将指令转变为电脉冲,使机器按指令规定的顺序、位置、速度等进行工作。加工精度高。广泛应用在机械制造、纺织、冶金等部门。

【数据】进行统计、计算、科学研究或技术设计等所依据的数值。

【数额】一定的数目。㊥没有～限制。

【数据库】存储在计算机存储设备中的所有数据的集合。数据库的建立有利于实现信息资源的共享。

【数书九章】书名。中国古代数学著作。宋秦九韶著。全书十八卷共八十一个问题,分为九类,每类九个问题。主要内容:(1)大衍类(一次同余式组解法);(2)天时类(历法计算和降水量);(3)田域类(土地面积);(4)测望类(勾股、重差);(5)赋役类(均输、税收);(6)钱谷类(粮谷转运、仓窖容积);(7)营建类(建筑、施工);(8)军旅类(营盘布置、军需供应);(9)市易类(交易、利息)。其中大衍求一术(一次同余的解法)和正负开方术(高次方程的解法)在世界数学史上有着崇高的地位。

【数字电视】在电视信号的发射、传输和接收过程中全部实现数字化的电视系统。能够提供高清晰度影像和高保真音响,并可应用于视频点播、网上购物、网上银行等系统。

【数字电话】在说话端把声音转换为数字信号传送出去,在受话端又把数字信号还原为声音的电话。占用线路仅相当于普通电话的 1/4,抗干扰能力强,保密性好。

【数字地图】以数字形式储存于磁带、磁盘、光盘等介质上的地图。需要时可经电子计算机处理,由输出设备制作成纸质地图,或显示在屏幕上。其储存的信息量大,可根据需要进行三维变换。主要用于作战指挥和地形匹配制导等。

【数字地球】指把地球上用经纬度确定的每一地点的所有数字信息集中并组织起来,构成一个全球信息模型。这些信息经处理后有机地联系在一起,便于按地理坐标进行检索和利用,以实现地球信息的共享。

【数字相机】也叫数码相机。一种新型相机。具有将拍摄对象的影像转换成数字信号的功能。

【数字信号】指将信息以电脉冲的“有”或“无”的一组组合来表示的信号方式。是在时间上不连续的离散信号。

【数字通信】用数字信号传输信息的通信方式。可传输电话、电报、数据和图像等。抗干扰能力强,易于加密,便于综合各种业务在一个网内传输。

【数学分析】微分学、积分学、级数论、函数论、微分方程、积分方程、变分法、泛函分析等学科的统称。有时也专指微积分。它对运动现象提供了定量的研究方法，从而成为研究力学、物理、天文、工程技术等的重要工具。

【数理统计】数学的分支学科。以概率论为理论根据，主要研究的问题是：(1)对于由观察或试验所得数据，进行分析，做出判断；(2)如何搜集数据，如何抽样才能得出足够可靠的数据。

【数理逻辑】也叫符号逻辑。数学的分支学科。用数学的工具和方法研究推理、计算等问题。包括命题演算、谓词演算、证明论、递归论、模型论和公理化集论等。解决了数学中的一些重大问题，对传统逻辑的研究有重要作用。

【数据通信】在人与计算机或计算机与计算机之间建立的一种通信方式。所传送的是计算机能够识别的数据，具有信息传递功能，也有信息处理功能。

【数罪并罚】对同一人犯数罪的合并处罚制度。数罪指一人犯几个罪，包括在判决宣告以前犯数罪；在判决之后，缓刑、假释考验期内犯数罪；刑罚执行中又发现漏判之罪或又犯新罪的。并罚原则指判决宣告以前一人犯数罪的，除判处死刑和无期徒刑的以外，应当在总和刑期以下，数刑中最高刑期以上，决定执行的刑期，但是管制最高不能超过3年、拘役不能超过1年、有期徒刑不能超过20年。如果数罪中有判处附加刑的，附加刑仍须执行。

【数字化战场】一种战场形式。以计算机信息处理技术为基础，把文字、语音、图像等多种形式的战场信息变成数字编码，通过各种通信手段传递，将战场指挥、各参战部队以至单兵、单件武器联系起来，最大限度地实现战场信息共享，全面提高部队战斗力。是信息化作战的标志之一。

【数字电话机】能将模拟话音信号转换成数字信号，与数字电话网直接接续的电话机。

【数字图书馆】将图书、报刊以及各种资料中的信息转换成计算机语言，储存到电子数据记录媒体或数据库中，供读者检索和调阅的信息资源库。可大大节省图书、资料的储存空间，有利于珍稀图书资料的长期保护，便于实现信息资源共享。

【数字集成电路】也叫逻辑电路、开关电路。专门用来产生和处理数字信号的集成电路。

【数字激光视盘】用数字技术制作的激光视盘。它采用双面记录，一张盘上可记录270分钟达到广播水平的活动图像和带环绕声的伴音。

【数字无线电广播】采用数字信号传送信息的无线电广播技术。抗干扰性能好，传送的音质极佳，还能传送股市行情、交通状况等数据，可为便携式计算机所接收。

墅 shù 别墅。

澍 shù 及时的雨。㊀甘～|嘉～。

shuā ㄕㄨㄚ

刷 ㊀ shuā ❶刷子。㊀牙～|鞋～。❷用刷子刷洗或涂抹。㊀～鞋|～锅|～墙。❸淘汰。㊀第一轮就被～下来了。❹拟声词。快速擦过的声音。㊀风刮得树叶～～地响。

㊁ shuà (915页)。

【刷卡】把磁卡放入特置的机器，使其中的磁头阅读、识别磁卡内的信息，或者确认持卡人的身分，或者从磁卡储存的原有金额中增加(或减少)一部分。因有的磁卡须在特置的机器中移动，与刷的动作类似，故名。

【刷新】刷洗一新。比喻创造新的成绩。㊀～纪录。

唰□ shuā 同"刷(shuā)"④。

shuǎ ㄕㄨㄚˇ

耍 shuǎ ❶游戏；玩弄。㊀玩～|～笑。❷舞动。㊀～枪|～大刀。❸卖弄；施展。㊀～聪明|～花招|～两面派。

shuà ㄕㄨㄚˋ

刷 ㊁ shuà 〔刷白〕〈方〉❶非常白。㊀墙刷得～。❷面无血色。㊀吓得脸色～。

㊀ shuā (915页)。

shuāi ㄕㄨㄞ

衰 ㊀ shuāi 微弱；变弱。㊀～败|～退|年老力～。

S

㊁ cuī (155 页)。
【衰亡】衰落以至灭亡。
【衰老】生物体或生物体的一部分随年龄增长而出现衰退现象，伴随功能下降，对环境的应激能力减弱。
【衰朽】衰落；衰老。
【衰败】衰落。
【衰变】大量的同种原子核因具有放射性而发生转变，使处于原状态的核数目不断减少的过程。不稳定的粒子自发地转变为新粒子的过程也叫衰变。
【衰飒】枯萎；衰落。
【衰退】❶身体、精神、意志、能力等趋向衰弱。㊀意志～。❷国家的政治、经济、文化等状况衰落。
【衰弱】❶身体的某个器官或全身的机能减退。❷事物由强转弱。
【衰落】（事物）由兴盛、强大转向没落、弱小。
【衰颓】衰弱颓废，不振作。
【衰微】衰落，不兴旺。㊀～破败。
【衰竭】生理机能完全丧失。㊀心力～。

摔 shuāi ❶用力扔。㊀把衣服往床上一～。❷因掉下而伤损。㊀茶杯～了。❸（因故障等）很快地往下落。㊀敌机从天空～下来。❹跌跤。㊀～了一跤。
【摔打】比喻在实践中磨练；锻炼。㊀青年人到社会上去～～有好处。
【摔跤】❶摔倒在地上。❷中国传统体育项目之一。两人徒手相搏，以将对方摔倒为得分。正式比赛按体重分级进行。中国有很多民族形式的摔跤，流行较广的是中国式摔跤。在奥运会上，比赛采用自由式摔跤和古典式摔跤。

shuǎi ㄕㄨㄞˇ

甩 shuǎi ❶抡；摆动。㊀～袖子｜～辫子。❷用力扔出。㊀～手榴弹。❸使落在后面；抛开。㊀～在后面。
【甩卖】商店声称大减价，抛售货物。

shuài ㄕㄨㄞˋ

帅（帥） shuài ❶军队中最高的指挥员。㊀元～｜统～。❷好；漂亮。㊀字写得～｜小伙子真～｜这个动作真～。
【帅才】能够统率军队的才能。也泛指领导和决策能力。

率 ㊀ shuài ❶带领。㊀～队前往。❷轻易；不慎重。㊀草～｜轻～。❸直爽坦白。㊀～真｜直～。❹大概。㊀大～如此。❺顺着；沿着。㊀～由旧章。
㊁ lǜ (644 页)。
【率尔】轻率。㊀～应战。
【率先】带头；首先。㊀～发言。
【率直】坦白爽直。㊀性格～。
【率真】直爽而真诚。
【率领】带领；统领。
【率由旧章】沿袭老规矩办事。《诗经·大雅·假乐》："不愆不忘，率由旧章。"率由：遵循。章：章程。

蟀 shuài 见〔蟋蟀〕(1056 页)。

shuān ㄕㄨㄢ

闩（閂） shuān ❶关上门后，插在门后的横木棍或铁棍。㊀门～｜门上加个～。❷用闩插上。㊀～上门。

拴 shuān 用绳子系(jì)上。㊀把马～在树上。

栓 shuān ❶器物上可以开关的机件。㊀枪～｜消火～。❷（瓶）塞子。❸形状或作用像塞子的东西。㊀血～｜～剂。
【栓剂】中医上也叫坐药。塞入肛门、尿道或阴道的外用药。在室温下为固体，塞入腔道后，靠体温溶化或软化后起作用。

欂⊠ shuān "闩"的异体字。

shuàn ㄕㄨㄢˋ

涮 shuàn ❶摇动着冲洗；略微洗洗。㊀～衣服｜～手巾。❷一种烹饪方法。把薄肉片等在滚水里烫一下就取出来。㊀～羊肉。

shuāng ㄕㄨㄤ

双（雙） shuāng ❶一对；两个。㊀～方｜～管齐下。❷偶数的。与"单"相对。㊀～号。❸加倍的。㊀～料｜～重｜～份儿。❹量词。用于成双的东西。

例一～鞋。

【双边】由两个方面参加的，特指由两个国家参加的。例～会谈|～条约|～贸易。

【双向】双方互相进行某一活动。例～贸易|～选择。

【双关】修辞格的一种。利用语言上的多义和同音关系，使一句话关涉到两个意思。即表面说的是一种意义，实际指的是另一种意义。有谐音双关和意义双关两种。

【双声】汉语里，两个相连字声母相同叫双声。如新(xīn)、鲜(xiān)的声母同是 x，新鲜二字即为双声。

【双杠】❶体操器械之一。在四根支柱上架设两根平行木杠。木杠横切面为卵圆形，杠高 1.75 米，两杠间距离可调节。❷男子竞技体操项目之一。运动员在杠上做摆动、悬垂、摆越、转体、空翻、大回环、倒立等动作。

【双星】在天空中看起来很靠近、实际上相距很远的两颗星。由于彼此引力作用而沿着轨道互相环绕运动的叫物理双星，并不相互环绕运动的叫光学双星。

【双钩】用线条勾出笔画的边，使成为空心笔画。

【双重】两层，两方面(多用于抽象事物)。例～任务|～身分。

【双键】化合物分子中两个原子间共有两个电子对的共价键。常用两条短线来表示。如乙烯分子中含碳碳双键：

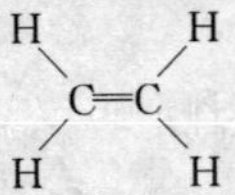

【双糖】也叫二糖。水解后生成两分子单糖的糖。如蔗糖、麦芽糖、乳糖等。

【双簧】❶曲艺的一种。由二人表演，一人藏在后面说唱，一人坐在前面按照后面的人说唱的内容作相应的表情动作。❷比喻两人一唱一和，配合紧密(含贬义)。

【双赢】双方获益。例谈判取得～的结果。

【双轨制】指两种体制并行的制度。例价格～。

【双曲线】如果平面内一个动点到两个定点的距离的差的绝对值等于定长，那么这个动点的轨迹叫做双曲线。这两个定点叫做双曲线的焦点，两个焦点间的距离叫做焦距。

【双体船】有两个相同尺寸并列的船体，在水线以上用联结桥焊接成一体的船。有两个艏和艉，两个机舱，两套螺旋桨和舵，有的在艏艉都装有螺旋桨，供操纵进退。目前用于客轮、工程船、渡船、渔轮。中国长江上已有双体船作客货轮。

【双学位】指经过两个本科专业或研究生课程的学习和考试，成绩合格，获得两类学位。

【双翅目】昆虫纲的一目。体微小至中型。前翅发达，后翅退化成平衡棒。具刺吸式口器或舐吸式口器。完全变态。如蚊、蝇、虻、蚋、白蛉、小麦吸浆虫等。

【双唇音】双唇紧闭或接触以形成对气流的阻碍而发出来的一种辅音。如普通话的 b、p、m。

【双氧水】过氧化氢的水溶液。化学式 H_2O_2。一般市售的浓度为 30%，用作漂白剂、消毒剂。纯过氧化氢可作火箭中高能燃料的氧化剂。

【双宾语】给、送等表示给予或取得的动词能带两个宾语，一般称离动词较近的指人宾语为近宾语；离动词较远的指物宾语为远宾语。如“我送你一本书”这句话里动词“送”同时带有“你”和“一本书”两个宾语，“你”是近宾语，“一本书”是远宾语。

【双职工】指夫妇都参加工作的职工。

【双簧管】木管乐器。由嘴子、管身和喇叭口三部分组成。管身为圆锥形。嘴子为两片芦片合成双簧。是管弦乐队中的重要乐器，其 a^1 音常用作管弦乐队的标准音调音。音色优美，富有田园风味。

【双十协定】抗战胜利后国共双方签订的协定。1945 年 8 月蒋介石三次电邀毛泽东到重庆举行和平谈判。8 月 28 日，毛泽东、周恩来、王若飞在赫尔利、张治中陪同下飞抵重庆，经过 43 天的商谈，于 10 月 10 日签订了《政府与中共代表会谈纪要》(即《双十协定》)。国民党表示承认“和平建国的基本方针”，同意“长期合作，坚决避免内战，建设独立、自由和富强的新中国”；同意召开政治协商会议，承认党派平等合作和实行地方自治等政治原则。军队和解放区政权是双方争执的焦点，未达成协议，暂留待商。1946 年 6 月，蒋介石撕毁协议，向解放区进攻，发动内战。

【双百方针】“百花齐放，百家争鸣”方针的简称。中国共产党指导科学发展，促进文艺繁荣的方针。1956 年由中共中央正式确立。“百花齐放”指艺术上的不同形式、风格、流派可以自由发展；“百家争鸣”指科学上的不同学派可以自由讨论、发展。双百方针的基点在于发扬社会主义的艺术民主和科学民主，提倡在文艺和科学工作中有独立思考、辩论、创作、发表意见、坚持和保留个人看法以及批评和反批评的自由。

【双曲拱桥】拱桥的一种。桥身结构的纵断面和横断面都呈拱形。

【双重人格】本指精神分裂症的一种症状。现在多用来指在公开正式场合表现出来一种思想、认识、行为，在背地里，在实际为人处事中，表现出来的却是与之对立的另一种思想、认识、行为。

【双重国籍】一个人同时具有两个国家的国籍。造成双重国籍的原因主要是各国关于国籍的立法原则不一致，有的采取血统主义(以出生时父母的国籍为标准)，有的采取出生地主义(以出生地为标准)。凡采取血统主义国家的公民在采取出生地主义国家生育子女，其子女就取得了两个国家的国籍，即双重国籍。

S

【双眼效应】正常人用双眼注视立体物体时，由于两眼视线的角度不同而产生的立体感和远近感。

【双管齐下】唐张璪(zǎo)善画松，能两手拿着笔同时作画，一画生枝，一画枯干。语见宋郭若虚《图画见闻志》卷五。后以“双管齐下”比喻两件事同时进行或两种方法同时采用。管：笔。

【双子叶植物】被子植物的一类。种子的胚有两个子叶。如大豆、油菜等。

泷(瀧) ㈡ shuāng 泷水，水名，在广东。
㈠ lóng (634 页)。

霜 shuāng ❶接近地面的水汽遇冷在地面或物体上凝结成的白色微细颗粒。❷白色如霜的粉末。㊃柿～。❸比喻白色。㊃～鬓。

【霜天】一般指晚秋，有时也指初冬。

【霜冻】夜间近地面空气温度降到0℃或0℃以下使植物遭受冻害的现象。水汽在这一温度下达到饱和时则出现霜。用烟熏、覆盖、灌水等办法能防止或减轻植物冻害。

【霜降】节气名。在每年公历 10 月 23 日或 24 日。中国黄河流域出现初霜。

【霜期】入秋后第一次降霜起到第二年入春后最后一次降霜止的一段时期。中国各地霜期相差很大，南方有的地方没有霜期，北方有的地方霜期长达七八个月。

【霜鬓】斑白的两鬓。

孀 shuāng 寡妇；死了丈夫的妇女。

【孀居】守寡。

骦☒(驦) shuāng 见〔骕骦〕(938 页)。

礵□ shuāng 用于岛名，如北礵(在福建霞浦)。

鹴☒(鸘) shuāng 见〔鹔鹴〕(938 页)。

shuǎng ㄕㄨㄤˇ

爽 shuǎng ❶明朗；清亮。㊃秋高气～|神清目～。❷轻松；舒服。㊃凉～|身体不～。❸直率；痛快。㊃豪～|～直。❹差错；违背。㊃～约|屡试不～。

【爽约】失约。

【爽快】❶舒服而痛快。❷直爽；干脆。

【爽性】副词。索性；干脆。

【爽朗】❶天气晴朗，空气好，使人感到畅快。❷开朗，直爽。

【爽然】茫然、没有主见的样子。㊃～若失。

【爽然若失】茫茫然，好像丢失了什么东西一样。形容神思恍惚，内心不踏实。

塽☒ shuǎng 高而向阳的地方。

shuí ㄕㄨㄟˊ

谁(誰) shuí (又音 shéi)疑问代词。1. 什么人；哪个。㊃～来啦？2. 无论什么人。㊃大家干劲十足，～都不肯落后。

shuǐ ㄕㄨㄟˇ

水 shuǐ ❶最简单的氢氧化合物，化学式 H_2O。纯的水为无色、无味、无臭的液体。在 100 千帕下，0℃时结冰，100℃时沸腾，4℃时密度最大。在自然界以固、液、气三种聚集状态存在，是一种重要的自然资源，是生物体的重要组成部分和生物生活不可缺少的物质。❷河流。㊃汉～|泗～。❸江、河、湖、海的通称。㊃～陆交通|～产。

❹汁液。㊀药～|橘子～。

【水力】江、河、湖、海的水流所产生的做功能力。是自然能源之一。可用来做发电和转动机器的动力。

【水土】❶地面上的水和土。㊀～保持。❷地方的自然环境和气候。㊀～不服。

【水乡】河流湖泊较多的地区。㊀江南～。

【水手】指在船舶甲板部担任操舵、带缆、测深、保养维修船体和装卸工具等工作的船员。

【水文】主要指水的现象、数量、性质及其分布变化的规律。根据研究的对象不同,可分为陆地水文、海洋水文、湖泊水文、沼泽水文、冰川水文等。

【水火】❶水和火。比喻两个不相容的对立物。❷水深火热的略语。

【水平】❶跟水面平行的。㊀～梯田。❷水准仪。❸在某方面所达到的高度。㊀政治～|技术～。

【水仙】多年生草本植物。有卵圆形鳞茎。叶直立而扁平。冬季抽花茎。花白色,内有黄色杯状突起物,有香味。生于山地阴湿处。可栽培,供观赏。

【水印】❶木刻水印。❷在造纸生产过程中用改变纸浆纤维密度的方法制成的有明暗纹理的图形或文字。纸币中的水印是重要的防伪标志。❸旧时商店的正式图章。

【水母】腔肠动物。体形似伞,伞缘有很多触手。身体下方的中央有口。生活在淡水或海洋中。在水面浮游,摄取食物。

【水师】❶旧指在水上作战的军队。❷水手。

【水华】也叫水花。江河、湖泊中藻类及其他浮游生物大量、迅速繁殖,致使水质恶化的现象。因水体富营养化而引起。这一现象发生在海洋称为赤潮。

【水产】水里出产的动物、植物等的统称。

【水运】指各种水路运输及港口吞吐装卸作业。

【水杉】落叶乔木。侧生小枝对生。叶线形,交互对生。树干通直,树冠塔形,喜湿润,生长快,材质好。是中国国家重点保护植物。

【水利】❶指江河、湖泊等地表水和地下水经控制、开发,直接应用于防洪、灌溉、发电、给水、航运、养殖等方面的事业。❷水利工程的简称。㊀兴修～。

【水兵】海军舰艇上的士兵。

【水位】❶江河、湖泊、水库等的水面距离基准面的高度。❷地下水水面和地面的距离。

【水系】河川流域内,以干流为主,包括直接或间接流入干流的大小支流及与河流相通的湖泊、沼泽与地下暗河的总体。如长江水系。

【水库】多指在河流、沟谷中筑坝拦水形成的人工湖。可拦洪蓄水,调节河水流量,达到防洪、灌溉、发电、供水、养鱼等多种目的。

【水灵】❶(蔬菜、水果、花等)鲜嫩;漂亮。㊀这小葱儿真～!|这几朵荷花多么～啊!❷形容鲜活娇美,有精神。㊀这姑娘长得多～啊!灵(ling)。

【水松】落叶乔木。叶互生,在苗枝上的呈针形或线形,老枝上的呈鳞形。雌雄同株。球果卵形或长椭圆形。是中国特有植物,分布于东南和西南地区。

【水货】水路运输的走私货。也指质量差的低价商品。

【水肿】过多的体液积存在人体组织所呈现的肿大现象。由血液和组织间水代谢障碍所致。是多种疾病的病理过程。

【水闸】设在河流或渠道中可以启闭的水工建筑物。其作用为调节水位和控制流量,以适应各种不同的需要。

【水泥】俗称洋灰。一种重要的建筑材料。常用的硅酸盐水泥用石灰石、黏土等混合煅烧后,加入适量石膏研细制成。与水拌和后,在空气与水中能逐渐变硬。

【水垢】锅炉及热交换器中与水或水蒸气接触的金属表面所积聚的沉淀物。形成的主要原因是供水中的可溶性碳酸氢盐受热后生成碳酸钙和氢氧化镁沉淀析出,同时还可能混有泥沙或锈蚀物。水垢的导热能力差,水垢过厚,不仅妨碍传热效率,还会使锅炉受热面的金属局部过热而变形或破损,严重的会引起爆炸。锅炉供水应预先经过处理,并定期清除水垢。

【水泵】也叫抽水机。用电动机、柴油机等或水力驱动,把水从低处扬送到高处的机器。

【水星】古称辰星。太阳系九大行星之一。绕太阳一周的时间是 87.9 天。离太阳最近。肉眼很难看见。

【水险】按照约定,由保险人对被保险人因海上风险和意外事故所造成的财产损失或引起的民事赔偿责任给予赔偿的保险。

【水盏】也叫缶。击奏体鸣乐器。以用十只瓷碗为多,以加水多少调整音高,用竹棍或木棍敲击发音。

【水准】❶地球各部分的水平面。❷水平。㊀文化~。

【水袖】京剧等戏曲演员所穿服装的袖端拖下来的部分。用白色绸子或绢制成。因甩动时形似水波纹,故名。

【水能】指可被人类利用的流水的动能。是一种清洁、可再生能源。由水能转化成电能,是当今世界利用的主要能源之一。

【水球】❶球类运动项目之一。在水里设球场。男子比赛球场长30米,宽20米。女子比赛球场长25米,宽17米。比赛时每队上场7人,在水里游泳,以将球射入对方球门为得分。❷水球运动使用的球。实心,用皮革或橡胶制成,比篮球稍小。

【水域】海洋、湖泊、河流的一定范围内的水区(包括从水面到水底)。

S

【水患】水灾。

【水银】汞的通称。

【水脬】骆驼胃部附生的贮水囊。约有二三十个,各以狭口通瘤胃,有括约肌,可随意开闭。是适应沙漠生活的一种特殊构造。

【水族】❶中国少数民族之一。人口35万(1990年)。主要分布在贵州省三都,部分在榕江、独山、凯里及广西壮族自治区北部地区。有本民族语言文字,多通汉语文。建立有三都水族自治县。❷生活在水中的动物的总称。㊀~馆。

【水绵】绿藻的一种。藻体为由筒状细胞连接而成的单列不分枝的丝状群体。色素体鲜绿色,带状,沿细胞壁呈螺旋状排列。多分布于静水中。大量繁殖时,影响水质,对鱼类养殖不利。

【水葬】处理遗体的一种方法。将尸体投入水中,任其漂流。

【水晶】透明的石英晶体。一般无色。有色的根据其所含杂质的颜色称茶晶、墨晶、紫水晶等。用作压电材料、光学材料或工艺美术材料等。可用人工方法制成。

【水蛭】也叫医蛭。环节动物。体狭长而扁,长可达5厘米。生活在水田、沼泽中。有吸盘,可吸食人、畜血液。医学上用来吸取脓血,也可供药用。

【水貂】哺乳动物。体细长,四肢短,尾蓬松,毛暗褐色,密而柔软,有光泽。主要在夜间活动,捕食鱼类和蛙类等小动物。

【水痘】由水痘—带状疱疹病毒引起的儿童传染病。通过接触或呼吸道传染。主要症状是皮肤及黏膜上分批出现小红丘疹、疱疹而后结痂,脱痂后大都不留疤痕。病后可终身免疫。

【水雷】布设在水中的一种爆炸武器。内装起爆装置和炸药。一般由舰艇、飞机布设,用以炸毁敌舰船或限制其活动。

【水榭】建在水边或水上供人游憩的建筑物。

【水螅】腔肠动物。身体很小,肉眼可见。体呈圆筒形,上端有6—8条触手。常附着在池沼水草枝叶和石块上,用触手捕食水蚤等。

【水獭】哺乳动物。体长约70厘米。头扁,耳小,脚短,趾间有蹼。毛短而软密,背面深褐色,有光泽。栖息于水边,善游泳。通常夜间活动。分布于中国南北各地。

【水警】❶对一定海区的警戒和保卫。❷水上警察的简称。

【水平角】从一点引出的两条射线投影在水平面上所成的角。

【水平线】位于水平面内的任何直线。

【水平面】与铅垂线垂直的平面。在地面小范围内的静止水面可以当作水平面。

【水电站】水力发电站的简称。是将水流的机械能转换为电能的设备和建筑物的总称。主要包括拦河坝、引水建筑物、水轮机、发电机、厂房、变电站等。

【水压机】见〔液压机〕(1152页)。

【水成岩】沉积岩的旧称。

【水曲柳】落叶乔木。高可达30米。小枝对生,奇数羽状复叶,雌雄异株。夏季开花。生于山地林间和溪流沿岸。木材优良。

【水网地】江河、沟渠、湖泊纵横交错的地区。

【水污染】水质污染。

【水轮机】用水流推动叶轮旋转而做功的动力机械。水力发电站用它带动发电机发电,这种发电设备叫水轮发电机。

【水经注】中国古代地理著作。北魏郦道元著。此书名为给《水经》作注释,实则以《水经》为纲,作了二十倍于原书的补充。作者曾遍游中国北方地区,对各地水道经过实地调查而写成此书。全书共四十卷,载大小水道1 252条,并叙述了各水道所经地区的地理情况，是中国古代关于河流方面的地理巨著。该书文笔生动，有文学价值。

【水玻璃】俗称泡花碱。硅酸钠的水溶液。化学成分为 Na_2SiO_3。玻璃状黏稠物质，遇酸或久置便析出胶状沉淀。用于木材、织物的防火，蛋类防腐等，也用作黏合剂。

【水俣病】一种中枢神经损害的公害病。由于含汞污染物污染水体，汞沉降水底，甲基化后富集于鱼贝类，人们长期食用这种鱼贝而引起。症状是面部痴呆、手脚麻木、言语不清，严重时反复出现昏睡、发疯，甚至死亡。因最早发现于日本熊本县水俣湾而得名。俣(yǔ)。

【水浒传】全称《忠义水浒传》。长篇小说。元末明初施耐庵根据长期流传在民间的水浒故事整理改写而成。版本很多，常见的有百回本、百二十回本、七十回本三种。小说描写了梁山英雄聚义、反抗朝廷的斗争，塑造了许多生动的人物形象。

【水准仪】也叫水平仪。测定地面各点间高差的仪器。主要部分为基座、水准器和望远镜。

【水资源】指人类在现有的经济、技术条件下能够直接利用的水。主要包括河水、淡水湖泊水和浅层地下水等。

【水粉画】用粉质颜料和水调合，画在纸或木板等材料上的画。

【水银灯】充有水银的气体放电灯。在真空的玻璃管里封入一些水银，通电后产生紫外线和可见光。发光效率高，耐用。按水银蒸气压力的大小可分为低压水银灯(如日光灯、紫外线灯)、高压水银灯(如高压水银荧光灯)、超高压水银灯三类。

【水彩画】用水溶解半透明的颜料绘制的画。

【水渍险】除负责平安险的各项保险责任外，还负责赔偿保险标的由于恶劣气候、雷电、海啸、地震、洪水等自然灾害所造成的部分损失的保险。

【水晶宫】第一届世界工业博览会展览馆。建于 1851 年。在英国伦敦。设计人为英国园艺师帕克斯顿。整个建筑高三层，大部为铁结构，外墙与屋面均为玻璃，通体透明，宽敞明亮，故名。是世界上第一座以玻璃及铁架构筑的大型轻质建筑。

【水蒸气】俗称水汽。由水气化或冰升华而成的气态物质。无色无味。空气中含水蒸气的多少，影响空气的湿度。

【水解酶】催化水解作用的酶。如蛋白酶、淀粉酶、脂肪酶、核酸酶等。

【水煤气】用水蒸气通过赤热的无烟煤或焦炭制成的一种可燃气体。主要成分是氢和一氧化碳。有毒。是合成氨、有机合成等工业的原料，也可用作燃料。

【水源林】在河流分水岭及上游两侧，起涵养水源作用的森林。宜保持茂密的林冠和丰富的枯枝落叶层，以减少和分散地表径流，防止冲刷。

【水墨画】中国画的一种。用水墨或以水墨为主略施淡彩的绘画。

【水稻土】在栽培水稻条件下逐渐形成的土壤。土层多深灰色，因受氧化还原作用，有铁锈斑纹。

【水翼艇】一种新型高速船舶。船体下装有浸入水中的水翼，航行时依靠水对水翼产生的升力使船体大部离开水面，以减少水的阻力。

【水力发电】利用水的流量和落差产生的机械能推动水轮发电机发电。

【水土保持】采用工程、生物和耕作等措施，增加植被覆盖，提高土壤抗蚀力，防止水土流失，保护水土资源，提高土壤生产力的各种活动。如造林、种草、修梯田、建坝地、退耕还林等。

【水土资源】一定国家或地区在一定时期所拥有的全部水资源和土地资源。

【水土流失】地表面的肥沃土壤被水冲走或被风刮走。

【水上飞机】在水面上起飞和降落的飞机。通常分浮筒式(用浮筒作为起落装置)、飞船式(将机身下部做成船形)、水陆两用式(同时装有陆上起落装置)三种。可用来担负侦察、反潜、巡逻、救护、布雷、运输和科学考察等任务。

【水中捞月】也说水中捉月。比喻某种事情根本做不到，白费力气。宋黄庭坚《沁园春》词："镜里拈花，水中捉月，觑着无由得近伊。"

【水生植物】在水域环境中生长的植物。如荷花、浮萍等。

【水合反应】也叫水化。无机化学中指物质溶解在水里时，与水发生的化合作用。一般指溶质分子(或离子)和水分子发生作用，形成水合分子(或水合离子)的过程。如无水硫酸铜与水作用生成五水硫酸铜：

$$CuSO_4 + 5H_2O = CuSO_4 \cdot 5H_2O$$

S

有机化学中指分子中的不饱和键(双键或三键)在催化剂作用下与水化合的作用。如乙烯与水在一定温度、压力和催化剂的条件下,发生反应生成乙醇:

$$CH_2=CH_2+H_2O=CH_3CH_2OH$$

【水合离子】溶质离子和水分子作用而形成的离子。如水合铜离子$[Cu(H_2O)_4]^{2+}$、水合镁离子$[Mg(H_2O)_6]^{2+}$等。

【水利工程】为开发利用水资源和防止洪涝灾害修建的地表水和地下水控制和调配工程。其基本组成包括挡水、泄水、进水和输水等建筑物。按工程功能可分为防洪、水利发电、农田水利、城镇供水和排水等工程,以及防止水土流失工程、改善和创建航运条件的航道和港口工程等。

【水利枢纽】在江河、湖泊或沿海地带的适当地点,为了综合利用水利资源而兴建的、具有各种不同作用的水工建筑物所构成的综合体。

S

【水陆坦克】也叫两栖坦克。有水上行驶装置,能自身浮渡、水陆两用的坦克。比一般坦克轻,装甲薄。主要用于强渡江河、水网稻田和登陆作战。

【水到渠成】水流到的地方自然形成一条渠。比喻条件成熟了,事情自然会成功。《景德传灯录》卷一二:"僧曰:'如何是妙用一句?'师曰:'水到渠成。'"

【水质污染】指工矿企业的废水、废渣、废气及城市生活污水、农药、化肥等通过各种途径,进入江河湖海,使水的物理、化学性质或生物群落组成发生变化,从而降低了水体的使用价值,造成水质恶化。

【水乳交融】水和乳汁融合在一起。比喻思想感情融洽无间。

【水泄不通】比喻十分拥挤或包围非常严密,好像连水都不能流出。

【水性杨花】水性流动,杨花轻飘。比喻妇女作风轻浮。

【水涨船高】也作水长船高。比喻事物随着它所凭借的基础的提高而提高。《景德传灯录》:"水长船高,泥多佛大。"涨(zhǎng)。

【水清无鱼】水太清了,鱼就无法生存。比喻人太精明,就不能容人。《汉书·东方朔传》:"水至清则无鱼,人至察则无徒。"

【水深火热】比喻百姓生活异常艰难痛苦。《孟子·梁惠王下》:"箪食壶浆以迎王师,岂有他哉?避水火也。如水益深,如火益热,亦运而已矣。"

【水落石出】宋苏轼《后赤壁赋》:"山高月小,水落石出。"水落下去,石头自然就会显露出来。比喻事情真相大白。

【水媒植物】以水为传粉媒介的植物。特点是花粉多无外壁,且往往成丝状,易附着在雌蕊柱头上。如金鱼藻、黑藻等的花。

【水解反应】无机化学中指化合物与水反应而起的分解作用,通常是指盐类的水解作用。如碳酸钠是强碱弱酸盐,在水中部分水解而生成氢氧化钠和碳酸氢钠,使溶液显碱性:

$$Na_2CO_3+H_2O \rightleftharpoons NaOH+NaHCO_3$$

有机化学中,酯类与水反应生成醇和酸,也叫水解。如乙酸乙酯在有酸或碱存在的条件下与水作用生成乙酸和乙醇:

$$CH_3COOC_2H_5+H_2O \rightleftharpoons CH_3COOH+C_2H_5OH$$

【水源保护】对工农业生产用水和生活用水的地上、地下水源给以保护,以防止有害物质的污染。主要措施包括城乡建设规划的合理布局,控制、消除污染源,对地下水合理开采利用等。

【水滴石穿】也说滴水穿石。水经常滴在石头上,能使石头穿孔。比喻只要坚持不懈,事情就能成功。

【水磨工夫】加水细磨。比喻细致精密的工夫。

shuì ㄕㄨㄟˋ

说(説) ㊂ shuì 用言语劝说,使别人听从自己的意见、主张。㊀游~。

㊀ shuō(923页)。

㊁ yuè(1217页)。

挩 ☒ ㊁ shuì 擦拭。

㊀ tuō(1000页)。

帨 ☒ shuì 古时妇女用的一种佩巾。

税 shuì 国家向有纳税义务的企业、集体或个人征收的货币或实物。

【税收】国家依法向企业和个人等课税对象征收的款项或实物。

【税率】计算课税对象(课征税收的目的物)每一单位应征税额的比率。即税额占课税对象的百分比。

【税负转嫁】纳税人通过提高商品售价或压低商品进价的办法，将税负转移给商品购买者或供应者。
【税收政策】指导国家制定税收制度和从事税收工作的基本准则。

睡 shuì 睡觉。㊀早～早起。

【睡乡】指睡眠状态。㊀进入～。
【睡莲】也叫子午莲。多年生水生草本植物。叶浮在水面，马蹄形，有长柄。花也浮于水面。秋季开花，午后开放，傍晚闭合。供观赏。根状茎含淀粉，可供食用。
【睡眠】一种与觉醒交替出现的机能状态。人在睡眠时对外界刺激相对地失去感受能力，骨骼肌（呼吸运动的骨骼肌除外）松弛，血压稍降，心跳变慢，代谢率减低。脑功能在睡眠中得到恢复。人和高等动物都有周期性进入睡眠的需要。
【睡袋】袋状的、供婴幼儿或露宿人使用的被子。

shǔn ㄕㄨㄣˇ

吮 shǔn 嘬；聚缩嘴唇而吸取。㊀～乳。

楯 ㊀ shǔn 栏杆。
㊁ dùn（236页）。

shùn ㄕㄨㄣˋ

顺（順） shùn ❶向着同一个方向。与"逆"相对。㊀～水｜～风。❷沿；循。㊀～着大街走｜水～着山沟流。❸随手；趁便。㊀～手关门｜～便。❹次序；依次往后。㊀笔～｜～延。❺整理。㊀把木头～一～。❻适合；服从。㊀～心｜归～｜百依百～。

【顺从】依照别人的意愿行动，不违背，不反抗。
【顺民】指在外族入侵者面前苟安一时而不进行反抗的人。旧时也指归附改朝换代后的新统治者而不进行反抗的人。
【顺延】按着次序向后延期。㊀遇雨～。
【顺价】商品的销售价格高于收购价格。㊀～销售。
【顺访】顺道访问。㊀代表团在访问美国后将～墨西哥。
【顺序】❶次序。❷按着次序。㊀～入场。
【顺畅】顺利通畅。
【顺叙】文学作品或记叙文章的一种叙述方法。指完全按照事件发生发展的时间顺序来记叙和描写事物。
【顺差】也叫出超。指一个国家（或地区）在一定时期内出口商品总值大于进口商品总值。与"逆差"相对。
【顺遂】事情进行得顺利，合乎心意。
【顺丁橡胶】一种以丁二烯为原料制得的合成橡胶。具有较好的弹性、耐磨和耐低温等性能。主要用于制作轮胎和耐寒橡胶制品等。
【顺天应人】旧时形容统治者统治得法。后泛指遵循事物的发展规律，顺应人民的心意。
【顺水推舟】比喻顺应趋势行事。
【顺手牵羊】比喻趁便随手拿人家的东西。
【顺风转舵】也说随风转舵。比喻顺着形势改变态度（含贬义）。
【顺理成章】形容写文章顺着条理，就能写好。也指做事情合乎道理。
【顺藤摸瓜】比喻顺着发现的线索追根究底。
【顺我者昌，逆我者亡】顺从我的就可以存在和发展，违抗我的就要遭到灭亡。形容专横残暴。《史记·太史公自序》："顺之者昌，逆之者不死则亡（逃亡）。"昌：昌盛。逆：违背。

眴⊠ ㊀ shùn 用眼睛示意。
㊁ xuàn（1116页）。

瞤⊠**（瞤）** shùn ❶眼皮跳动。❷肌肉颤抖。

舜 shùn 古人名。传说中中国古代帝王。号有虞氏，史称虞舜。舜传位夏禹。

蕣⊠ shùn 古书上指木槿花。

瞬 shùn 一眨眼；转眼。㊀～间｜转～即逝。

【瞬息】一眨眼，一呼吸。形容极短的时间。
【瞬息万变】在极短的时间内发生了千变万化。形容变化很快、很多。

瞚⊠ shùn 同"瞬"。

shuō ㄕㄨㄛ

说（說） ㊀ shuō ❶用话表达意思。㊀他～故事～得很好。❷解

S

释。㊀这道题，一～就明白。❸言论；主张。㊀学～|著书立～。❹批评；责备。㊀～了他一顿。❺说合；介绍。❻古又同“悦(yuè)”。

㊁ shuì (922页)。

㊂ yuè (1217页)。

【说书】一部分曲艺的俗称。一般指只说不唱的曲艺，如宋代的讲史、元代的平话，以及现代的苏州评话、北方评书等。有时也兼指某些有说有唱的曲艺，如苏州弹词等。

【说明】❶解释明白。❷解释的文字。❸证明。㊀事实充分～，这是一个行之有效的办法。

【说服】通过讲道理，使对方心服。

【说项】唐代杨敬之看重项斯，赠他的诗有“平生不解藏人善，到处逢人说项斯”的话。后用“说项”指替人说好话或讲情。

【说穿】说破；揭露。

【说客】古指游说的人。后指替别人做劝说工作的人，或善于劝说的人。说(旧读shuì)。

【说教】❶宗教信徒宣传教义。❷比喻脱离实际地向他人空讲理论。

【说辞】辩解或推托的理由。

【说明文】以说明为主要表达方法的介绍事物、解释事物的文体。要求使用一定的说明方法，如定义、分类、举例、数据、图表等。

【说长道短】议论别人的好坏是非。

【说文解字】中国第一部系统地分析字形和考究字源的字典。东汉许慎著。十四卷，并有叙目一卷。首创部首排检法，分列540个部首，收录9 353个篆字，重(chóng)文(异体字)1 163字，对每个字的字形、字义作了分析解释，有的字还以读若的办法注了读音。是研究中国文字学的重要著作。

shuò ㄕㄨㄛˋ

妁 shuò 旧指媒人。㊀媒～之言。

烁(爍) shuò 光亮。㊀闪～。

【烁烁】光闪动。

铄(鑠) shuò ❶熔化(金属)。㊀～金|～石流金(比喻炎热)。❷销毁。❸同“烁”。

朔 shuò ❶农历每月初一。❷北。㊀～风|～方。

【朔日】天文学上指看不见月亮的那一天。通常是农历每月初一。这一天太阳和月亮同升同落。

【朔月】也叫新月。朔日的月相(人看不见)。参见〔朔日〕(924页)。

【朔方】北方。

【朔望】朔日和望日。农历每月初一叫朔，十五叫望。

搠 shuò 扎；刺。

蒴 shuò 〔蒴果〕由两个以上的心皮构成的果实。成熟后自行裂开，内含许多种子。如芝麻、棉花等的果实。

槊 shuò 古代兵器。长矛。

硕(碩) shuò 大。㊀丰～|～大。

【硕士】学位的一级。在博士之下，学士之上。

【硕果】大的果实。比喻巨大的成绩。㊀～累累。

【硕望】有道德，有才能，众望所归的人。

【硕大无朋】大得没法比。形容极大。《诗经·唐风·椒聊》：“彼其之子，硕大无朋。”朋：比。

【硕果仅存】树上仅仅留存下来的大果实。比喻经过淘汰，留下来的稀少可贵的人或物。

【硕士生导师】具有招收硕士研究生资格并指导其学习的高等学校教师或科研机构研究人员。须具有教授、副教授或同等职称。

矟⊠ shuò 同“槊”。

数(數) ㊂ shuò 屡次。㊀频～。

㊀ shù (914页)。

㊁ shǔ (912页)。

箾⊠ shuò 〔象箾〕古代舞者所执的竿。

sī ㄙ

厶⊠ sī 同“私”。

私 sī ❶个人的。与“公”相对。㊀～事|～交。❷利己的。与“公”相对。

㊀自～|大公无～。❸秘密的;不合法的。㊀～通|～货。❹暗地里;私下。㊀～访|窃窃～语。

【私门】❶古指卿、大夫的家族。与"王室""公室"相区别。❷私人的家宅。❸旧指行私请托的门路。

【私刑】指不按照法律程序而私下施加的刑罚。

【私访】指官员隐瞒身分,到民间调查了解情况。

【私邸】指高级官员的私人住所。与"官邸"相对。

【私奔】指女子私自投奔她所爱的人,或跟他一起逃走。

【私货】私自秘密贩运、贩卖或储藏的违禁货物。

【私法】见〔公法〕(326页)。

【私学】中国历史上指私人开办的学校。与"官学"相对。西周以前,学在官府,学校统由官办,称为官学。春秋战国时期社会矛盾激剧变化,诸子百家蜂起,出现私人讲学的风气,私学也兴盛起来。秦统一后曾下令禁止,至汉又恢复。以后就和官学一起,成为中国封建社会学校制度的重要组成部分。

【私房】❶私人的房屋。❷只在自己房中,不愿让他人知道的。㊀～话。❸指家庭成员中个人积攒下的(财物)。㊀～钱。

【私淑】旧时敬仰某一个人的学问,虽然没有得到他本人的亲自传授,而把他当作自己的老师,自称为私淑弟子(以区别于经老师亲自传授过学业的学生)。

【私愤】因影响个人私利而产生的怨恨。

【私塾】中国旧时一种私人办的学校。多用《三字经》《百家姓》《千字文》《名贤集》及四书、五经等为课本,对学生进行个别教学,无一定的学习年限。

【私囊】私人的腰包。

【私生活】属于个人方面的生活。㊀他的～很不检点。

【私有制】生产资料私有制的简称。

【私人劳动】商品经济所固有的基本矛盾的两个方面之一。商品生产首先是商品生产者自己的事,生产什么、如何生产以及生产多少都由他自己决定,生产目的也是为了自己。耗费在生产商品上的劳动直接表现为私人劳动。社会分工使每个商品生产者互相联系和互相依赖,使生产商品的劳动具有社会性,成为社会劳动的一个组成部分。私人劳动只有通过商品交换才被承认为社会劳动。私人劳动和社会劳动的矛盾,是产生商品交换的根源,决定了商品生产者的命运。

【私心杂念】为个人打算的各种想法。

【私营企业】简称私企。私人投资经营的企业。在中国指资产属于私人所有、雇工八人以上的盈利性组织。包括独资企业、合伙企业和有限责任公司。私营企业是中国社会主义市场经济的重要组成部分。

【私营经济】以生产资料私有制和私人经营为基础的经济形式。

【私人垄断资本主义】指私人垄断资本占统治地位的资本主义。与"国家垄断资本主义"相对。

司

sī ❶主管。㊀～机|各～其事。❷中央部一级机关里所设的分工办事部门。㊀外交部礼宾～。

【司马】❶西周开始设置的中央官吏名。掌管全国军政和军赋。汉武帝时改太尉为大司马。后世用作兵部尚书的别称。❷隋唐时州郡之官也称司马。❸复姓。

【司仪】举行典礼或开会时报告程序的人。

【司令】军队中主管军事工作的领导人员。

【司法】指检察机关或法院依照法律对民事、刑事案件进行侦查、审判。

【司官】清代对中央各部属官的统称。

【司空】❶西周开始设置的中央官吏名。掌管全国水利土木等工程。西汉改御史大夫为大司空。后世用作工部尚书的别称。❷复姓。

【司南】中国古代辨别方向用的一种仪器。把天然磁铁矿石琢成勺形,放在一个光滑的盘上,盘上刻着方位,利用磁石指南的作用,可以辨别方向。

【司铎】即"神父"(873页)。

【司徒】❶西周开始设置的中央官吏名。掌管全国土地和人民。西汉后期改丞相为大司徒,东汉改为司徒。后世用作户部尚书的别称。❷复姓。

【司寇】❶西周开始设置的中央官吏名。春秋、战国时沿用。掌管刑狱和纠察。后世用大司寇作刑部尚书的别称。侍郎则称少司寇。❷复姓。

【司马光】(1019—1086)北宋政治家、史学家。字君实,陕州夏县(今属山西)人。反对王安石变法。任尚书左仆射兼门下侍郎时,废新法,复旧制。曾编著《资治通鉴》。著有《温国文正司马公文集》《稽古录》《涑水纪闻》等。

【司马迁】(约前 145 或前 135—?)西汉史学家、文学家、思想家。字子长,夏阳(今陕西韩城南)人。青年时曾游历南北名山大川,采访遗闻逸事,考察古迹,搜集了丰富史料。公元前 108 年继父职任太史令,遍阅皇家史馆藏书、档案。后因替李陵辩解,受腐刑。出狱后任中书令,写出中国第一部纪传体通史《史记》。他还与唐都等共订《太初历》。

【司马懿】(179—251)三国时期魏国将领。字仲达,河内温县(今属河南)人。魏明帝时出任大将军。曹芳即位时,受遗诏辅政,发动政变,杀死曹爽,独当朝政,为其孙司马炎建晋打下了基础。

【司务长】连队中负责后勤工作的干部。

【司汤达】(1783—1842)法国现实主义作家。生于律师家庭。受 18 世纪启蒙主义思想影响,向往法国资产阶级革命。早期写的《拉辛与莎士比亚》是 19 世纪现实主义文学第一部理论文献。接着发表了反映法国王政复辟时期政治斗争和社会矛盾的现实主义杰作《红与黑》。重要作品还有《阿尔芒斯》《巴马修道院》等。

【司法权】国家行使审判和法律监督的权力。中国各级人民法院和各级人民检察院独立行使审判权和检察权,均须向国家最高权力机关负责并报告工作,受人民的监督。

【司马相如】(前 179—前 118)西汉辞赋家。字长卿,蜀郡成都人。作《子虚赋》《上林赋》,为武帝赏识。他的赋结构宏大,文辞富丽,手法铺张,为汉代大赋的代表。有《司马文园集》。

【司母戊鼎】商朝晚期青铜器。1939 年在河南安阳出土,鼎内铸"司母戊"三字,是商王文丁为祭祀其母戊而铸造之意。高 133 厘米,重 875 千克,长方形,四足两耳。是现存的最大的商朝青铜器。

【司法人员】具有侦查、检察、审判、监狱管理职责的工作人员。

【司法协助】在涉外民事诉讼中,两国法院根据共同缔结或参加的国际条约,或按照互惠原则,相互请求或协助对方代为一定的诉讼行为和执行行为的法律制度。如代为送达法律文书、调查取证等。

【司法鉴定】法律上指运用科学技术对与案件有关的事物所进行的鉴别。如法医鉴定、化学鉴定、指纹鉴定、文字鉴定等。合法的鉴定结论是证据之一。

【司法解释】最高人民法院将法律适用于具体案件时对法律所作的解释。是正式解释的一种。对下级人民法院审理案件具有参照效力。

【司空见惯】相传唐朝司空(官名)李绅,请卸任刺史刘禹锡饮宴,叫歌伎劝酒。刘席间作诗,有"司空见惯浑闲事,断尽江南刺史肠"的句子。后用"司空见惯"表示某事常见,不足为奇。

【司马昭之心,路人皆知】《三国志·魏书·高贵乡公纪》裴松之注引《汉晋春秋》记载,魏帝曹髦在位时,司马昭任大将军,独揽魏国大权,一心要篡位。曹髦气愤地说:"司马昭之心,路人所知也。"后泛指人所共知的阴谋野心。

丝(絲)

sī ❶蚕吐的像线的东西,是绸缎的原料。❷像丝的东西。㊀粉~|尼龙~。❸形容极小,细微。㊀~毫|一~不苟。❹市制长度、质量单位。10 丝为 1 毫。

【丝弦】❶用丝拧成的弦。❷丝弦儿,河北地方戏曲剧种之一。流行于石家庄一带。

【丝毫】极其微小,一点点(多用于否定式)。㊀~不差。

【丝绵】以下脚茧为原料,经过精炼、扯松所得的产品。丝绵轻松柔软,保暖性好,可用来絮衣服、被子等。

【丝虫病】有的地区叫象皮病、粗腿病、流火。由丝虫寄生于人体淋巴结引起的寄生虫病。由蚊子叮咬传染。主要症状是淋巴管炎、淋巴结炎、乳糜尿、腿脚粗肿、阴囊肿大、皮肤粗糙等。

【丝竹乐】民族器乐合奏形式之一。丝指弦乐器,竹指管乐器。常用乐器有二胡、琵琶、扬琴、小三弦、曲笛、箫、笙等。如江南丝竹、广东音乐、二人台、牌子曲等。

【丝丝入扣】纺织时,每条经线都要从"扣"齿间穿过。用以比喻做得十分细致、合拍(多指文章、艺术表演等)。扣:同"筘",织布机上的一种机件。

【丝绸之路】古代横贯亚洲的交通道路。中国是世界最早养蚕和制造丝绸的国家,被誉为"丝国"。西汉以后中国内地大量丝织品等物经甘肃、新疆,越过葱岭,运往西亚、

S

欧洲、非洲各国。这条交通大道被称为丝绸之路。

咝(噝) sī 拟声词。炮弹、子弹等在空中迅速飞过的声音。㊀子弹～～地从身边掠过。

鸶(鷥) sī 见〔鹭鸶〕(641页)。

思 ㊀ sī ❶想;考虑。㊀左～右想|深～熟虑。❷怀念;惦记。㊀～念|追～|每逢佳节倍～亲。❸思路;构思。㊀文～。

㊁ sāi (840页)。

【思凡】❶神话传说中指神仙想到人间生活。❷僧尼等出家人想过世俗生活。

【思考】深入地思索;考虑。

【思忖】思考;揣度。

【思索】考虑探求。㊀～问题。

【思惟】同"思维"(827页)。

【思绪】❶思路。㊀～纷乱。❷情绪。㊀～不宁。

【思维】❶也作思惟。人脑对客观事物间接的概括的反映。是认识的理性阶段。是在实践的基础上产生和发展的。以语言为物质外壳,只有借助于语言工具才能进行。基本的形式有概念、判断和推理等。❷哲学范畴。是意识、精神的同义语。与"存在"相对。❸进行思维活动。㊀～方式。

【思量】考虑;想。

【思想】❶客观存在反映在人的意识中,经过思维活动而产生的结果。社会存在决定思想。思想又具有相对的独立性,对社会存在有反作用。❷念头;想法。㊀他早就有参军的～。❸想念;思念。

【思路】思考的线索。㊀你别打断他的～。

【思慕】思念仰慕。

【思潮】❶某一时期内有较大影响的思想倾向。㊀文艺～。❷不断涌现的思想活动。㊀～澎湃。

【思辨】❶运用逻辑推理进行纯概念的思考。❷思考辨析。㊀～能力。

【思想者】法国雕塑家罗丹1880年创作的雕塑。是《地狱之门》雕塑群像人物之一,可能代表《神曲》作者但丁。表现了对人类命运的苦苦思索。

【思想性】作品所表现出的政治倾向和社会意义。

【思贤若渴】想念贤者就像口干时要喝水一样。形容急切地想得到有才干的人。

【思辨哲学】一种企图从概念中推演出现实的唯心主义哲学。不是从客观实践中根据经验材料形成概念、原则,而是主观任意制造一些概念、原则;不是使概念、原则去符合客观现实,而是硬要客观现实去适应概念、原则。在近代,主要代表是法国的笛卡儿、德国的黑格尔等。

偲 ㊀ sī 〔偲偲〕互相切磋,互相督促。㊁ cāi (89页)。

缌(緦) sī 细麻布。

飔(颸) sī 凉风。

罳 ⊠ sī 见〔罘罳〕(286页)。

锶(鍶) sī 金属元素,符号Sr,原子序数38。银白色。用于制造合金和光电管等。锶和它的化合物在空气中燃烧呈鲜红色火焰,用于制造焰火。

虒 □ sī 〔虒亭〕地名。在山西中部。

斯 sī ❶文言指示代词。这;这个;这里。㊀～人|生于～。❷文言连词。于是;就。❸上古汉语指劈、砍。㊀斧以～之。

【斯文】❶文雅。❷指文化或文人。

【斯须】很短的时间;须臾。

【斯诺】埃德加·斯诺(1905—1972)美国作家、记者,中国人民的朋友。曾先后担任美国和英国记者。1928年来中国,曾在燕京大学任教。1936年访问陕北革命根据地,写了《西行漫记》一书,介绍中国共产党领导下的中国革命斗争和中国工农红军的二万五千里长征。新中国成立后,多次访问中国。

【斯大林】约瑟夫·维萨里昂诺维奇·斯大林(原姓朱加施维里)(1879—1953)苏联共产党和国家领导人,军事家,国际共产主义运动活动家。生于格鲁吉亚哥里城。早年即投身于工人运动。1912年当选为布尔什维克党中央委员,成为党的领导人之一。同年遵照列宁的指示创办了《真理报》。曾多次被捕并遭流放。1917年参加领导十月社会主义革命。革命胜利后为捍卫俄国无产阶级政权进行了坚决的斗争。列宁逝世后,领导苏联共产党和苏联人民,坚持社会主义工业化和农业集体化路线,取得了

S

社会主义改造和社会主义建设的胜利。第二次世界大战时期领导苏联人民进行了艰苦卓绝的卫国战争。

【斯巴达】古希腊奴隶制城邦。公元前8世纪建国，实行奴隶主阶级的贵族寡头统治，一切制度和生活都带有军事色彩。曾在伯罗奔尼撒战争中打败雅典，称霸全希腊地区。

【斯特朗】安娜·路易斯·斯特朗（1885—1970）美国女作家、记者，中国人民的朋友。曾于1925—1947年五次访问中国，报道了中国共产党领导下中国人民的革命斗争。1958年第六次来到中国，定居北京。

【斯宾塞】赫伯特·斯宾塞（1820—1903）英国哲学家、社会学家。是实证论者和不可知论者。在社会学上，他搬用生物界生存竞争的理论来解释人类历史的发展过程。宣称资本主义是社会进化的高峰，是最完善、最和谐的社会制度。著有《综合哲学》等。

S

【斯文扫地】指文化或文人不受尊重，或文人自甘堕落。

【斯巴达克】（？—前71）色雷斯人，曾沦为角斗奴隶，因不堪忍受奴隶主虐待而举行起义，被推为领袖。经连续征战，起义队伍发展到十多万人。表现出高超的统帅艺术。后被罗马当局围攻，在战斗中牺牲。

【斯多葛派】古希腊和罗马时期重要的哲学派别。创始人芝诺（约前335—约前263）。认为一切人共享一个共同的理性和服从一个共同的理念；宣扬禁欲主义，提倡宿命论；强调道德价值、义务、公正及理智。对原始基督教和后来的欧洲文艺复兴影响很大。

【斯拉夫人】指讲印欧语系斯拉夫语族诸语言的各民族。主要分布在东欧，部分散居西伯利亚和美洲。分为三支：东斯拉夫人（俄罗斯人、乌克兰人、白俄罗斯人），西斯拉夫人（波兰人、捷克人、斯洛伐克人、卡舒布人、卢日支人）和南斯拉夫人（塞尔维亚人、克罗地亚人、斯洛文尼亚人、马其顿人、黑山人、波斯尼亚人等）。

【斯美塔那】贝德里希·斯美塔那（1824—1884）捷克作曲家，近代捷克民族乐派的奠基者。所作歌剧八部，如《被出卖的新嫁娘》《在波希米亚的勃兰登堡人》《里布舍》等，是捷克民族歌剧最早的代表作。其他重要作品有交响诗套曲《我的祖国》，带有自传性质的弦乐四重奏《我的生活》，以及钢琴曲集《波尔卡》等。

【斯大林格勒】见〔伏尔加格勒〕（286页）。

【斯韦思林杯】英国斯韦思林所赠的银杯。世界乒乓球锦标赛男子团体赛优胜者获得此杯。

【斯德哥尔摩】瑞典首都。位于该国东南部，临波罗的海和梅拉伦湖。人口72万（1996年）。是全国政治、经济、文化、交通中心和第二大港。兼湖、海之胜，为有名的水上城市。是著名科学家诺贝尔的故乡，一年一度的诺贝尔奖评选和颁奖在这里举行。也是瑞典文化古城，具有中世纪欧洲古城风姿。多博物馆。

【斯巴达克起义】古代欧洲最大的一次奴隶起义。公元前73年，古罗马角斗士斯巴达克率奴隶发动起义，队伍逐渐扩大到十多万人，转战意大利全境，沉重打击了奴隶主统治。公元前71年，起义被镇压。

【斯特拉文斯基】伊戈尔·斯特拉文斯基（1882—1971）俄国作曲家，20世纪西方现代主义音乐的代表人物之一。早期作品以舞剧《火鸟》《彼得鲁什卡》《春之祭》为代表，受印象主义、表现主义的影响；中期创作转向新古典主义风格，以舞剧《普尔钦奈拉》，歌剧—清唱剧《奥狄浦斯王》《圣诗交响曲》，歌剧《浪子的历程》为代表；后期作品又转向十二音体系和序列主义，以舞剧《阿贡》、舞台音乐《洪水》和《安魂圣歌》等为代表。

【斯大林格勒战役】苏联卫国战争中一次决定性战役。1942年7月，法西斯德国集中大批兵力，企图占领具有重要战略意义的斯大林格勒。苏联军民经过160天的顽强战斗，歼敌33万余人，取得战役胜利。此战成为苏德战争和第二次世界大战的转折点。

【斯坦尼斯拉夫斯基】（1863—1938）苏联戏剧家，莫斯科艺术剧院的创始人之一。一生扮演过许多角色，导演过话剧、歌剧120多部，革新了导演艺术，创立了戏剧表演理论原则——斯坦尼斯拉夫体系。所著《我的艺术生活》《演员自我修养》是戏剧理论的重要著作。

【斯堪的纳维亚半岛】欧洲最大的半岛。在欧洲西北部，挪威海和波罗的海之间。面积约80万平方千米。西侧海岸曲折。

厮（*廝） sī ❶指男性仆人。㊀小～。❷对人轻慢的称呼。㊀这～。❸互相。㊀～守｜～混｜～杀。

【厮杀】指对打、对杀或死力相拼。

【厮拼】互相拼打。

澌☒ sī 解冻时流动的冰。

撕 sī 扯开。㊀把纸～碎。

【撕掳】❶拉扯；扭打。㊀又～起来了。❷择开；分清。❸料理；解决。㊀我把这几件事～完了就走。

【撕毁】❶撕掉。❷指背弃、破坏共同商定的协议、条约等。㊀单方～协定。

嘶 sī ❶马叫。㊀人喊马～。❷声音沙哑。㊀声～力竭。❸鸟虫叫。㊀雁～｜蝉～。

澌 sī ❶尽。㊀～灭（消灭干净）。❷拟声词。雨声。㊀雨～～。

蛳（螄） sī 螺蛳。参见“螺”（651页）。

sǐ ㄙˇ

死 sǐ ❶失去生命。㊀～亡｜这棵树～了。❷坚决；不顾生命。㊀～守｜～战。❸不活动；不灵活。㊀～水｜～心眼儿。❹表示达到极点。㊀笑～人。❺不能通过。㊀～胡同｜把洞堵～。❻绝对不能相容的。㊀～敌｜～对头。

【死亡】有机体生命活动和新陈代谢的终结；失去生命。与“生存”相对。

【死刑】剥夺犯罪分子生命的刑罚。犯罪时不满18周岁的人和审判时怀孕的妇女，不适用死刑。

【死机】指电子计算机的运行因程序错误、操作错误等而非正常地停止。此时显示屏上的图像凝止不动，无法继续操作。计算机必须重新启动才能恢复操作。

【死角】❶在视力范围内看不到的地方或火器在其射程内射击不着的地方。❷比喻影响未达到因而情况毫无改变的地方。

【死板】不灵活；不生动。

【死契】所订立的出卖（地产等）后卖主不能再赎回的契约。

【死活】❶死亡还是活着（用于否定式）。㊀资本家不顾工人的～，进行残酷的剥削。❷无论如何。㊀跟他说了半天，他～不答应。

【死党】❶为某人或某集团出死力的人（含贬义）。❷顽固的集团。㊀结成～。

【死敌】绝对不能调和的敌人。

【死海】世界最低的湖泊。在亚洲西部巴勒斯坦、约旦交界处。是内流湖。面积约1 000平方千米。湖面低于地中海海面392米。平均深300米。湖水盐度高达300—332，除细菌外，生物不能生存，故名。

【死难】遭难而死。现多指为革命、为人民而牺牲生命。㊀～烈士。难（nàn）。

【死缓】“判处死刑，缓期二年执行”的略语。对于应当判处死刑的犯罪分子，如果不是必须立即执行的，可以判处死刑同时宣告缓期二年执行。是特殊的死刑执行制度。在死刑缓期执行期间，如果没有故意犯罪，二年期满后，减为无期徒刑；如果确有重大立功表现，减为15年以上20年以下有期徒刑；如果故意犯罪，查证属实的，由最高人民法院核准，执行死刑。

【死亡表】也叫生命表。根据各年龄的死亡率编制的，反映一定数量同时出生的人所组成的群体，自出生起一直到该群体生存人数为零时止的期间，以统计数字表明其每年的生存、死亡状态的统计表。

【死火山】在人类历史的记载中没有喷发过的火山，即长期以来未复活过的火山。

【死劳动】即“物化劳动”（1048页）。

【死于非命】遭遇意外的事故而死亡。

【死亡保险】以被保险人的死亡为给付保险金条件的保险。

【死不瞑目】死了也不闭眼睛。形容作事没达到目的，很不甘心。《三国志·吴书·孙坚传》：“今不夷汝三族，县示四海，则吾死不瞑目。”瞑目：闭眼。

【死气沉沉】形容气氛不活跃或精神消沉，不振作。

【死心塌地】形容打定主意，决不改变。

【死有余辜】虽死也抵偿不了他的罪过。说明罪大恶极。辜（gū）：罪恶。

【死灰复燃】已经熄灭的火灰又燃烧起来。后比喻已经失败了的势力又重新活动起来。《史记·韩长孺列传》：“死灰独不复燃乎？”也用以比喻已经消亡的坏事又开始出现。

【死得其所】指死得有意义、有价值。

S

sì ㄙˋ

巳 sì ❶地支的第六位。❷巳时，旧时记时法，相当于九点到十一点。

汜 sì 汜水，水名，在河南。

祀（*禩） sì ❶祭祀。❷殷朝特指年。㊀十有三～。

四 sì ❶数目。三加一的和。❷工尺谱记音符号之一。相当于简谱的"6̣"。

【四王】明末清初画家王时敏、王鉴、王翚、王原祁，合称四王。均擅山水，致力摹古。

【四旧】特指"文化大革命"中所说的旧思想、旧文化、旧风俗、旧习惯。

【四史】也叫前四史。二十四史中前四部，即《史记》《汉书》《后汉书》《三国志》的合称。

【四至】耕地、建筑基地等四周所到达的边界。

【四声】指古汉语平、上、去、入四个声调或普通话阴平、阳平、上声、去声四个声调。

【四时】指春、夏、秋、冬四季。

【四库】❶见〔四部〕(930 页)。❷《四库全书》的简称。

【四诊】指望(诊)、闻(诊)、问(诊)、切(诊)。参见〔望闻问切〕(1014 页)。

【四呼】汉语韵母的一种分类法。没有韵头，而韵腹又不是 i、u、ü 的韵母叫开口呼，如普通话的 a、e、ou、en 等；韵头或韵腹是 i 的韵母叫齐齿呼，如普通话的 i、ie、ian、ing 等；韵头或韵腹是 u 的韵母叫合口呼，如普通话的 u、uo、uai、uang 等；韵头或韵腹是 ü 的韵母叫撮口呼，如普通话的 ü、üe、üan、ün 等。合称四呼。

【四胡】拉弦乐器。有四根琴弦。流行于中国北方地区，用于二人台、琴书、皮影等地方戏曲、说唱音乐和民间器乐合奏。蒙古族四胡有多种形制。

【四部】中国从晋到清通行的图书分类名称。把书按内容分为经、史、子、集四大部类。因唐中叶各类分库储藏，故又称四库。

【四海】❶古人认为中国四面被海环绕，合称四海。❷四方。泛指四方之地。

【四野】广阔的原野。

【四维】❶指礼、义、廉、耻四种道德。《管子·牧民》："礼义廉耻，国之四维，四维不张，国乃灭亡。"古代统治者把礼、义、廉、耻四种道德看作治国的四个纲，故名。维：原指系物的大绳。❷指东南、西南、东北、西北四隅。也指四方或四方边境。

【四人帮】即"江青反革命集团"(483 页)。

【四川省】简称川。别称蜀。位于长江上游，南邻贵州、云南，东邻重庆，北邻陕西、甘肃、青海，西邻西藏。面积 48 万多平方千米。人口 8 493 万(1998 年)。省会成都市。重要城市还有绵阳、德阳、乐山、自贡、泸州、广元、攀枝花、宜宾、南充、内江等。

【四门塔】中国古代佛教石塔。建于公元 611 年。在今山东济南。塔高 15.04 米，为单层单檐，塔平面正方形。全部采用青石砌筑。塔顶为 23 层石板叠筑而成的四角攒尖形顶。塔体简洁，浑厚古朴。塔体中心为空心方形石柱，柱上擎 16 根三角形石梁，柱四面台上现存四尊东魏造像，造型洗练，刻工精湛，神情端庄自然。是全国重点文物保护单位。

【四不像】❶即"麋鹿"(679 页)。❷比喻不伦不类的东西或情况。

【四六文】骈体文的一种。全篇多以四字六字相间为句，故名。形成于南朝，盛行于唐宋。由于偏重形式，追求词藻典故，好的作品不多。

【四合院】四面围合的院落式建筑，特指北京四合院。为中国传统居住建筑类型的一种。以相对宽阔而方正的院落为中心，四周布置房屋，有严格的中轴线。住宅分为前院和内院，前院由大门、二门、倒座等建筑组成，二门通常为垂花门。内院北面为正房，东西两侧为厢房。中型住宅沿纵深方向布置三到四进院落，大型住宅则在两侧设若干跨院。

【四言诗】每句四字或以四字句为主的诗体。是中国汉代以前最通行的诗歌形式。《诗经》就是这种诗体的代表。

【四环素】抗生素的一种。由链霉菌制成或半合成。对多种细菌或其他病原体都有抑制作用。现主要用于立克次体病、布氏杆菌病、支原体病等。

【四大发明】指中国古代所发明的指南针、纸、印刷术和火药。由于对世界文明有巨大的贡献，所以被世人称为四大发明。

【四大佛山】指中国的佛教胜地：四川的峨眉山、安徽的九华山、山西的五台山和浙江的普陀山。

【四大皆空】佛教用语。指世界上一切都是

空虚的。四大：佛教指组成宇宙的四种元素，即地、水、火、风。

【四大家族】指以蒋介石为首的蒋介石、宋子文、孔祥熙、陈果夫和陈立夫四大家族。是旧中国官僚资产阶级的代表。

【四川盆地】在四川省和重庆市境内，长江斜穿盆地东南部，是中国著名的外流盆地。面积约20万平方千米，四周环以高原、山岭。内部低山、丘陵起伏，海拔500米左右，只有西部的成都平原地势较为平坦。是中国重要农业区之一。

【四五运动】即"天安门事件"(974页)。

【四分五裂】形容分散、不统一、不团结。《战国策·魏策一》："此所谓四分五裂之道也。"

【四书五经】四书指《大学》《中庸》《论语》《孟子》；五经指《诗经》《书经》《礼记》《易经》《春秋》。它们是儒家的主要经典。

【四书集注】全称《四书章句集注》。书名。南宋朱熹编注。包括《大学章句》一卷，《中庸章句》一卷，《论语集注》十卷，《孟子集注》七卷。

【四则运算】指加、减、乘、除四种运算。

【四库全书】丛书名。清乾隆三十八年(1773)开始纂修，经十年编成。共收书三千五百零三种，七万九千三百三十七卷，分经、史、子、集四部，因各部类分库储藏，故名四库。编者对于不利于清朝封建统治的著作，多实行禁毁或窜改。全书缮写七部，现尚存四部。分藏北京、甘肃、浙江和台湾省。

【四环素牙】在牙齿发育期间，因服用四环素致使牙齿沉积四环素色素而引起的牙齿变色现象。呈不同程度的灰、褐、黄色。可用复合树脂或贴面覆盖。

【四舍五入】常用的一种近似计算法。根据需要，将计算所得的数保留到某一位，剩下的部分，头一个数字不大于4时舍去不计，不小于5时舍去后向前一位进1。舍去整数部分时，舍去几位整数就要添上几个0。

【四面楚歌】《史记·项羽本纪》记载，楚汉交战时，项羽被包围在垓下，听见四面汉军都唱楚歌。项羽吃惊地说："汉军把楚地都占领了吗？为什么楚人这么多呢？"后用"四面楚歌"比喻处于四面受敌、孤立无援的困境。

【四部丛刊】丛书名。商务印书馆编选影印。从1919年起陆续出版。分三编，每编分经史子集四部，共收书五百余种。各书多选用宋至清的刻本、钞本、校本和手稿作底本，对研究中国历史和整理古籍有一定参考价值。

【四部备要】丛书名。中华书局编。1936年出版。按经史子集四部收研究古籍的常用著作三百三十六种。所选多采用经清代学者整理校注的底本。

【四海为家】任何一个地方都可以当作自己的家。《汉书·高祖纪》："天子以四海为家。"后比喻志在四方，不留恋乡土或家庭。也形容人漂泊无定所。四海：泛指天下。

【四通八达】四面八方都有路可通。形容交通方便。《子华子·晏子问党》："其途之所出，四通而八达。"

【四清运动】1963—1966年上半年在中国部分农村和少数城市基层单位开展的社会主义教育运动。1963年冬在一些农村进行试点，开始以清理账目、清理仓库、清理财物、清理工分为主，称为"小四清"。后发展成为清政治、清经济、清组织、清思想的一场政治运动。四清运动中，由于对阶级斗争形势作了违反实际的错误估计，采取了大规模的群众运动斗争方法，使不少基层干部受到不应有的打击。尤其是错误地提出了"这次运动的重点是整党内那些走资本主义道路的当权派"的观点，使指导思想上"左"的错误进一步发展。

【四·一二政变】第一次国内革命战争时期，蒋介石在上海发动的反革命政变。1927年春，北伐战争胜利发展，3月21日，上海工人第三次武装起义取得胜利。蒋介石在帝国主义和封建买办势力的支持下，于4月12日用阴谋手段袭击工人纠察队，强行解除工人纠察队的武装，封闭上海市总工会等革命团体。上海工人当即举行罢工和集会游行，惨遭屠杀，仅三天内，就有三百多人被杀，五百多人被捕，五千多人失踪。接着，蒋介石在他所控制的地方实行"清党"，于4月18日在南京建立了反动政权。

【四个现代化】指农业现代化、工业现代化、国防现代化和科学技术现代化。四个现代化是相互联系、相互促进的，其中科学技术现代化是关键。

【四日市哮喘】一种以阻塞性呼吸道疾患为特征的公害病。最早发生在日本四日市，故名。主要是二氧化硫与重金属粉尘污染大气引起的。

【四项基本原则】即坚持社会主义道路，坚持无产阶级专政（人民民主专政），坚持共产党的领导，坚持马列主义、毛泽东思想。

【四体不勤，五谷不分】不参加体力劳动，分辨不清各种农作物。《论语·微子》："四体不勤，五谷不分，孰为夫子？"四体：四肢。五谷：古指稻、黍、稷、麦、菽，泛指粮食作物。

【四库全书总目提要】也叫《四库全书总目》。书名。清代永瑢、纪昀主编。共二百卷。在编修《四库全书》时，将收入的图书撰写提要，编成此书。收正式入库书三千四百七十种，存目书六千八百一十九种。

泗 sì 鼻涕。㊀涕～滂沱。

驷（駟） sì 古指套着四匹马的车。也指同驾一辆车的四匹马。

【驷马】古代一辆车所套的四匹马。㊀～高车｜一言既出，～难追（比喻话说出来之后，无法再收回）。

S

寺 sì ❶古代官署名。㊀大理～｜太仆～。❷佛教庙宇。㊀碧云～。❸伊斯兰教礼拜讲经的地方。㊀清真～。

【寺院】佛寺。有时也指别的宗教进行宗教活动的处所。

似（*佀） ㊀ sì ❶像；如同。㊀～是而非｜何其相～乃尔。❷副词。似乎；好像。㊀～属可信｜貌～有理。❸胜过；超过。㊀人民的生活一天好～一天。

㊁ shì（901页）。

【似乎】副词。好像；仿佛。表示揣测。㊀天～要下雨。

【似水流年】时间像水一样地流过。形容光阴迅速。

【似是而非】好像是对的，实际上不对。晋葛洪《抱朴子·崇教》："嫌疑象类，似是而非。"似：像。

【似曾相识】好像曾经认识一样。

姒 sì 古称丈夫的嫂子。㊀娣～（妯娌）。

兕 sì 古书上指雌的犀牛。

伺 ㊀ sì 侦察；守候。㊀窥～｜～机。

㊁ cì（152页）。

【伺机】窥伺时机。㊀～反扑。

【伺隙】观察等待可以利用的机会。

饲（飼*飤） sì 喂养。㊀～羊。

【饲料】喂养家畜家禽的食物。

觇⊠（覘） sì 窥视。

笥 sì 盛饭或装衣物的方形竹器。

嗣 sì ❶继续；继承。㊀～续｜～位。❷子孙。㊀后～。

【嗣后】以后。

俟（*竢） ㊀ sì 等待。㊀～机出击｜一～安排停当，即行起程。

㊁ qí（771页）。

涘 sì 水边。㊀涯～。

食 ㊁ sì 拿东西给人吃。

㊀ shí（894页）。

㊂ yì（1170页）。

耜 sì ❶古代农具。与锹相似。❷古称犁上的铧。

肆 sì ❶任意而行，不顾一切。㊀～无忌惮｜～行无忌。❷铺子；商店。㊀市～｜酒～。❸数目"四"的大写。多用于票证、账目等。

【肆力】竭尽力量（去做）。㊀～攻击。

【肆行】不顾一切，想怎么做，就怎么做。

【肆扰】大肆扰乱。

【肆虐】（人）任意残杀或迫害；（物）大肆侵扰或破坏。㊀奸臣～｜狂风～。

【肆意】不顾一切，任性去做。㊀～干扰。

【肆无忌惮】任意妄为，毫无顾忌、畏惧。宋朱熹《四书集注·中庸》："则肆欲妄行，而无所忌惮矣。"忌：顾忌。惮（dàn）：害怕。

【肆行无忌】任意胡作非为，毫无顾忌。

sōng ㄙㄨㄥ

忪 ㊀ sōng 见〔惺忪〕（1099页）。

㊁ zhōng（1283页）。

松（❷-❻鬆） sōng ❶常绿乔木。有多种，树皮多呈鳞状块片开裂，叶针形成束，球果有木质鳞片。是重要的用材及采松脂树种。❷不紧密；不坚实。㊀捆得太～｜～软。❸放开；使松。㊀～手｜～腰带。❹不紧张；不严格。㊀～弛｜～懈。❺用瘦肉、鱼等做成的茸毛状或碎末状食品。例肉～。❻经济较宽裕。例近两个月我手头儿～了一些。

【松弛】❶松散;不紧张。例肌肉～。❷(制度、纪律等)执行得不严格。例纪律～。

【松花】也叫皮蛋、变蛋。一种蛋制食品。用水混合石灰、黏土、稻壳、食盐等包在蛋壳上使变质而成。因蛋清上有松针花纹,故名。

【松明】点燃起来供照明用的松木条或松树枝。

【松香】松脂蒸馏后剩下的物质,固体,透明,质硬而脆,淡黄色或棕色,是油漆、肥皂、造纸、火柴等工业的原料。

【松绑】❶把捆扎在身上的绳索松开。❷比喻放松限制或约束。

【松涛】松林被风吹动所发出的波涛般的声音。

【松萝】地衣的一种。植物体呈树枝状,直立或悬垂,长可达1米以上,灰白或灰绿色。常大片悬垂于高山针叶林枝干间,少数生长在岩石上。可供药用。

【松散】❶结构不紧密。❷松懈;散漫。❸精神不集中。散(sǎn)。

【松鼠】哺乳动物。外形略像鼠,比鼠大,尾蓬松而特别长大,善跳跃。生活在松林中,食干果、浆果和嫩叶等。

【松懈】❶精力不集中;做事疲塌。❷关系不紧密;动作不协调。❸纪律不严格;意志不坚定。

【松毛虫】昆虫。成虫褐色。幼虫体色杂,多黑褐色,腹面中央棕红。幼虫食针叶,常使松林大片枯死,是森林主要害虫之一。主要种类有马尾松毛虫、赤松毛虫、油松毛虫和落叶松毛虫等。

【松花江】黑龙江最大支流。发源于中朝边界上的白头山天池,向西北流至松原市纳嫩江后折向东北,在同江市注入黑龙江。长2 308千米。流域面积54.55万平方千米。是中国东北地区主要水运干线,每年有5个月的结冰期。水能资源丰富。

【松花湖】丰满水电站的人工湖。位于吉林省吉林市郊第二松花江上游。湖中五虎岛是主要的旅游地。

【松赞干布】(约617—650)吐蕃赞普。7世纪初建奴隶制吐蕃王朝于逻些(今拉萨)。唐贞观十五年(641)与唐文成公主联姻。对藏族社会的发展和加强藏汉两族的友好关系起了重要作用。

凇 sōng 见〔雾凇〕(1049页)。

菘 sōng 古时对白菜类蔬菜的通称。

崧⊠ sōng “嵩”的异体字。

淞 sōng 淞江,通称吴淞江。黄浦江支流。在上海。

娀⊠ sōng 有娀,古国名,在今山西运城一带。

鲅⊠(**鬆**) sōng 鸟类。比鹰小,能捕雀。

嵩 sōng ❶山高而大。❷高。

【嵩山】五岳中的中岳。位于河南省。主峰太室山海拔1 440米。多名胜古迹。

【嵩岳寺塔】中国现存最早的砖塔。建于北魏正光四年(523)。在今河南登封。为密檐式砖塔,塔基高0.85米,塔身高约40米,共15层。密檐部分层层内收,形成抛物线状外轮廓,轻快秀丽而又庄重雄伟。塔刹由宝珠、七重相轮、覆钵和刹座组成,用70层青砖雕制。塔身比例恰当,上段的丰富多彩与下段的平整简明形成强烈对比,具有很高的研究和鉴赏价值。是全国重点文物保护单位。

sóng ㄙㄨㄥˊ

㞞□(**㞞**) sóng ❶精液。❷讥刺人懦弱无能。例～包|这人忒～,总是挨欺负。

sǒng ㄙㄨㄥˇ

扨□(**摗**) sǒng ❶挺立。❷〈方〉推。

㧐⊠(**慫**) sǒng 同“悚”。

㟰⊠(**嵷**) sǒng 见〔嵱㟰〕(1190页)。

怂(**慫**) sǒng 惊惧。

【怂恿】鼓动、撺掇别人去做某事。

耸(**聳**) sǒng ❶高起;直立。例～峙。❷惊动。例危言～听。

【耸立】高高地直立。例奇峰～。

【耸动】❶(肩膀、肌肉等)向上动。❷恐惧震动;使人震惊。㊀～视听。
【耸肩】两臂伸开手心向上,微抬肩膀(表示鄙视、惊讶、疑惑、无能为力等神情)。㊀他耸了耸肩,现出无可奈何的样子。
【耸人听闻】夸大事实或说离奇的话,使人听了感到震惊。
【耸入云霄】高高地直立,插入天空。多形容山或建筑物非常高。云霄:指高空。

悚 sǒng 害怕;恐惧。㊀惶～。
【悚然】害怕的样子。㊀毛骨～。

竦 sǒng ❶恭敬;肃敬。❷同"悚"。

sòng ㄙㄨㄥˋ

讼(訟) sòng ❶在法院争辩是非;打官司。㊀诉～。❷争辩是非。㊀聚～纷纭。
【讼棍】旧时包揽讼事而从中取利的坏人。

吣☒ ㊀ sòng 同"讼"。
㊁ gōng (328 页)。

颂(頌) sòng ❶赞扬。㊀歌～。❷祝颂(多用于书信)。㊀敬～大安。❸以颂扬为内容的诗文。❹周朝祭祀时用的舞曲。配曲的歌词有些收入《诗经》。
【颂扬】歌颂赞扬。
【颂歌】用于赞美颂扬的诗歌或文章。

宋 sòng ❶周朝国名(前 11 世纪中叶—前 286)。在今河南商丘一带。为齐所灭。❷朝代名。1.(960—1279)赵匡胤灭五代后周建立。建都汴梁(今河南开封),国号宋,史称北宋。1127 年 4 月为金所灭。5 月赵构重建政权,建都临安(今浙江杭州),史称南宋。1279 年为元所灭。北宋、南宋合称两宋。2. 南朝之一(420—479)。刘裕灭东晋后建立。建都建康(今南京),国号宋,史称刘宋。为南齐所灭。❸响度单位。一毫宋约相当于人耳刚能听到的声音响度。旧写作味。
【宋书】史书名。南朝梁沈约撰。共一百卷,包括本纪十卷,志三十卷,列传六十卷。记载了南朝宋(405—479)的历史。
【宋玉】战国时楚国辞赋家。一说是屈原的弟子。作品有《九辩》《风赋》《高唐赋》《登徒子好色赋》等。
【宋史】史书名。元脱脱撰。共四百九十六卷,包括本纪四十七卷,志一百六十二卷,表三十二卷,列传二百五十五卷。记载了北宋、南宋前后三百二十年(960—1279)的历史。为二十四史中卷帙最多的一种。
【宋词】宋代的词。现存有 1 300 多位作者的 20 000 多首词。词发展到宋代,不仅完全成为独立的文学样式,而且在意境、形式、技巧等方面都达到鼎盛时期,取得与诗抗衡的地位。以晏殊、晏几道、周邦彦、李清照、吴文英为代表的精致细腻和以苏轼、辛弃疾为代表的汪洋恣肆交相辉映,使词的发展出现了空前的繁荣。
【宋慈】(1186—1249)南宋法医学家。所著《洗冤集录》是一部很有价值的法医著作,指出如何由骨骼、血液等情况来辨别死亡或受伤的原因。
【宋子文】(1894—1971)国民党财阀。海南文昌人。曾任国民党政府财政部长、行政院长、外交部长等职。与蒋介石、孔祥熙、陈果夫和陈立夫合称四大家族,是中国官僚资本的典型代表之一。1949 年去法国,后长期定居美国。1971 年病死。
【宋太祖】即"赵匡胤"(1245 页)。
【宋庆龄】(1893—1981)中华人民共和国的领导人,中华人民共和国名誉主席,爱国主义、民主主义、国际主义、共产主义战士。海南文昌人。早年留学美国。从青年时代就追随孙中山先生,致力于民主革命事业。1915 年同孙中山结婚。孙中山逝世后,坚持进步立场,与蒋介石、汪精卫叛变作斗争。1927—1931 年在苏联和欧洲参加了一系列重要的国际反帝活动,并在 1929 年被选为世界第二次反帝同盟大会名誉主席,其后又成为世界反法西斯委员会主要领导人之一。1932 年与鲁迅、蔡元培等组织中国民权保障同盟,反对蒋介石的法西斯屠杀,为革命作出了特殊的贡献。抗日战争期间在广州、香港组织保卫中国同盟,支持抗日斗争。1945 年在上海创建了中国福利基金会。中华人民共和国成立后,先后担任中央人民政府副主席、国家副主席和全国人民代表大会常务委员会副委员长等职务。她一贯关注新中国的妇女工作,关怀青少年和儿童的健康成长,长期主持中国救济总会、中国红十字会和中国福利会的工作。1950 年被选为世界和平理事会领导成员，1952年被选为亚洲及太平洋区域和平联络委员会主席。1981年5月15日加入中国共产党。1981年5月29日在北京病逝。有《宋庆龄选集》等。

【宋体字】最通行的印刷字体。字形方正，横细直粗。这种字体始于明朝中叶，因为是从宋朝刻书字体演变而来，故名。

【宋应星】（1587—约1661）明代科学家。江西奉新人。曾深入实地观察，写成了总结中国古代农业和手工业生产技术的重要科学技术文献《天工开物》。其他著作有《画音归正》《卮言十种》等，均已佚失。

【宋哲元】（1885—1940）抗日将领。字明轩，山东乐陵人。早年在冯玉祥部任旅长、师长。后任热河都统、陕西省政府主席、国民党第二十九军军长、察哈尔省政府主席。1933年率部在长城抗击日军。1935年华北事变中任冀察政务委员会委员长兼河北省政府主席。1937年七七事变，率部奋起抗战。后任第一集团军总司令、第一战区副司令长官。1940年在四川病逝。

【宋教仁】（1882—1913）中国民主革命家。字遯初，号渔父，湖南桃源人。1904年与陈天华、黄兴等在长沙组织华兴会，准备长沙起义未成，后流亡日本。次年参与创立同盟会，任总部司法部检察长。1910年任上海《民立报》主编。次年参加广州起义，组织同盟会中部总会，任总务干事。1912年1月南京临时政府成立，任法制总裁。他把同盟会改组为国民党。1913年鼓吹议会政党政治，国民党在国会议员选举中获多数席位，因遭袁世凯忌恨，3月在上海被暗杀。有《宋教仁集》。

【宋徽宗】（1082—1135）即赵佶。北宋皇帝、书画家。1126年金兵南下攻宋，1127年为金兵所俘，后死于五国城（今黑龙江省依兰）。擅书法，自成一家，称“瘦金体”。工花鸟，能诗词。有《宋徽宗诗》《宋徽宗词》。

【宋江起义】北宋末农民起义。约在1119年，宋江等三十六人聚众起义，活动在今山东、河北、河南和江苏北部一带。宋江的事迹后演绎成《水浒传》故事。

【宋稗类钞】书名。清潘永因编。全书分三十六卷，分君范、吏治、词品、工艺等五十九类。采录了前人的野史、笔记、诗话等，并作了文字的整理和章节的编排。资料较多，便于翻检。

哚□ sòng 旧表示响度单位的字。1977年7月中国文字改革委员会、国家标准计量局通知，淘汰“哚”，改用“宋”。

送 sòng ❶赠给。㊞赠～礼品。❷送行；陪着去。㊞欢～|～孩子上幼儿园。❸递交；运送。㊞～信|～公粮。

【送达】❶送到。❷人民法院依照法定程序，将诉讼文书送交当事人及其他诉讼参与人的法律制度。有直接送达、留置送达、委托送达、邮寄送达、公告送达等。

【送别】为将离别的人送行。

【送灶】旧俗以农历腊月二十三或二十四日为灶神升天的日子，于晚间供糖瓜祭送。

【送命】毫无价值地丧失性命。

【送股】即“派股”（735页）。

【送审】方案等送交上级或有关部门审查。㊞～稿。

【送终】长辈亲属临终时晚辈守在其身旁，也指安排长辈亲属的丧事。

【送葬】陪送灵柩或骨灰到埋葬地点。

【送气音】也叫吐气音。发音时呼出的气流较强的塞音或塞擦音。如普通话中p、t、k、c、ch、q六个音就是送气音，它们分别同b、d、g、z、zh、j六个气流呼出较弱的不送气音相对。

【送养人】收养法律关系中，与收养人相对的送养一方当事人。包括公民或组织。如孤儿的监护人、社会福利机构、有特殊困难无力抚养子女的亲生父母等。

诵（誦） sòng ❶朗读；读出声音来。㊞朗～|～诗。❷背诵。㊞过目成～。❸述说。㊞传～|称～。

【诵读】念（诗文）。

sōu ㄙㄡ

鄋⊠ sōu 〔鄋瞒〕古族名。长狄的一支。在今山东济南北。一说在今山东高青。

搜（❶*蒐） sōu ❶寻找。㊞～集。❷检查。㊞～查。

【搜身】搜查身上有无夹带。

【搜罗】到处寻找收集。㊞～人才。

【搜刮】用种种手段掠夺民财。

【搜查】❶搜索检查。❷侦查人员对犯罪嫌疑人和可能隐藏罪犯或犯罪证据的人的身

S

体、物品、住处及其他有关的地方进行搜索、检查的活动。搜查时必须向被搜查人出示搜查证。搜查妇女的身体,应当由女工作人员进行。

【搜索】❶军事上指为查明某一地域、海域、空域的可疑情况而以适当兵力进行的搜查活动。❷仔细查找(暗中活动的人或隐藏起来的东西)。

【搜索引擎】万维网的一种站点。它除了能提供信息内容服务外,还能以索引方式和查找方式提供信息检索服务。

【搜索枯肠】形容动脑筋极力思索(多指写诗文)。枯肠:比喻脑子里很空。

嗖 sōu 拟声词。物体很快通过的声音。㊀子弹～～地飞过头顶。

獀☒ sōu 古时春季的田猎。

馊(餿) sōu 食物因变质而发出酸臭味。㊀馒头～了。

【馊主意】不高明的或坏的主意。

廋 sōu 隐藏;藏匿。

溲 sōu ❶大小便。特指小便。㊀～溺。❷浸;泡。

飕(颼) sōu ❶风吹(使变干或变冷)。㊀别让风～干了。❷拟声词。风声。㊀～～地刮起风来了。❸同"嗖"。

锼□**(鎪)** sōu 〈方〉镂刻(木头)。㊀椅背上的花纹是～出来的。

螋 sōu 见〔蠼螋〕(808 页)。

艘 sōu 量词。用于船只。㊀航空母舰一～。

sǒu ㄙㄡˇ

叟 sǒu 老头。

傁☒ sǒu 同"叟"。

瞍 sǒu 眼睛里没有瞳人,看不见东西。

叜☒ sǒu "叟"的异体字。

嗾 sǒu ❶指使狗时发出的声音。❷唆使。

【嗾使】暗地指使别人作坏事。

擞(擻) ㊁ sǒu 见〔抖擞〕(224 页)。㊀ sòu (936 页)。

薮(藪) sǒu ❶生长着很多草的湖泊。也指有草无水的沼泽。❷人或物聚集的地方。㊀渊～。

籔☒**(籔)** ㊁ sǒu 淘米的竹器。㊀ shǔ (912 页)。

sòu ㄙㄡˋ

嗽(*嗽) sòu 咳嗽。

擞(擻) ㊀ sòu 用通条插到炉子里晃动几下,使炉灰掉下去。㊀把炉子～一～。
㊁ sǒu (936 页)。

sū ㄙㄨ

苏(蘇❹嚛*穌❷*甦) sū ❶植物名。1. 紫苏,一年生草本植物。茎叶紫色,茎、叶、籽均可供药用。2. 白苏,也叫荏。一年生草本植物。密被长柔毛,茎方形,花白色、唇形。种子可榨油,老茎和种子可入药。❷苏醒。㊀死而复～。❸江苏或苏州的简称。㊀～剧|～绣。❹"噜苏"的"苏"。

【苏区】第二次国内革命战争时期,中国共产党领导的革命根据地。因根据地的政权采取苏维埃的形式,故名。

【苏丹】阿拉伯语音译词。也译作素丹。君主;统治者。11 世纪被伊斯兰教国家广泛使用。

【苏打】纯碱的俗称。

【苏州】简称苏。市名。位于江苏省南部京沪铁路线上。人口 83 万(1997 年)。手工业历史悠久。以水城、丝织、苏绣、古典园林闻名全国。工业发达。名胜古迹很多。

【苏武】(? —前 60)字子卿,杜陵(今陕西西安东南)人。汉武帝时任中郎将。公元前 100 年出使匈奴,被拘留十九年,始终不屈。后匈奴与汉和好,才被释返回汉朝。官至典属国。

【苏秦】(? —前 284)战国时期政治家。字季子,东周洛阳(今河南洛阳东)人。曾说服六国联合抗秦。他的策略号称合纵,使秦国有十几年不敢向函谷关以东用兵。

【苏轼】(1037—1101)北宋文学家、书画家。字子瞻,号东坡居士,眉山(今属四川)人。曾任翰林学士、礼部尚书等。在政治上反对王安石变法。主张诗文革新,是唐宋八大家之一。词开豪放一派。代表作有《念奴娇·赤壁怀古》《赤壁赋》等。书善行楷,画善竹石,也自成一家。有《东坡全集》。

【苏绣】以苏州为中心的刺绣产品。苏绣劈丝匀细,用色秀丽典雅。

【苏联】苏维埃社会主义共和国联盟的简称。

【苏锣】击乐器。用于潮州音乐和潮剧伴奏。挂在一金属架上敲击。

【苏醒】从昏迷中醒过来。

【苏加诺】(1901—1970)印度尼西亚首任总统(1945—1967年在任)。早年积极参加反对荷兰殖民统治的民族独立运动,曾参与创建印尼民族党和印尼民族政治团体委员会。1945年8月,他宣布印度尼西亚共和国独立,被推选为总统。在任期间,推行一系列比较进步的对内对外政策,反对帝国主义干涉,曾主持召开万隆亚非会议。1965年被军人剥夺权力,1967年被撤销总统职权。

【苏维埃】俄语音译词。代表会议。是俄国无产阶级于1905年革命时期创造的领导群众进行革命斗争的组织形式。中国第二次国内革命战争时期,当时的红色政权也曾被称为苏维埃。

【苏式彩画】俗称包袱彩画。中国木结构建筑装饰彩绘的一种。是清代第三等级的彩画形式。绘于横向连接柱子的构件上,两端多用联珠、回纹等装饰,画心有类似包袱皮式的纹样,绘有历史人物、山水风景、博古器物等。多用于住宅、园林等建筑物上。如颐和园的画中游。

【苏州园林】指苏州的古典园林。为中国古代私家园林的代表。最早有春秋时代吴越王夫差的姑苏台,东晋有吴郡顾辟疆私园,宋代有沧廊亭和石湖,明清两代为苏州园林发展的鼎盛时期。现存著名园林有拙政园、网师园、沧浪亭、留园和狮子林等。

【苏里科夫】瓦西里·伊凡诺维奇·苏里科夫(1848—1916)俄国画家,巡回展览画派的代表。擅长历史画,真实深刻地再现俄罗斯历史的悲剧命运,往往采用俄罗斯秋冬的阴冷色调烘托悲剧气氛。代表作有《近卫军临刑的早晨》《女贵族莫洛卓娃》等。

【苏格拉底】(前469—前399)古希腊哲学家。认为哲学的目的不在于认识自然,而在于"认识自己"。认为有知识的人才能治理国家。强调"美德即知识",知识的对象即"善"。

【苏门答腊岛】印度尼西亚西部的大岛。位于马六甲海峡和印度洋之间。面积43.4万平方千米。西侧多山,东侧有平原。赤道横贯中部,常年高温多雨,热带森林广布。

【苏必利尔湖】世界面积最大的淡水湖,北美五大湖中最大的一个。位于美国和加拿大交界处。面积8.24万平方千米。

【苏伊士运河】国际通航运河,亚、非两洲的分界线。在埃及东北部。贯通苏伊士地峡,连接地中海和红海,是沟通大西洋和印度洋的一条重要航道。于1869年凿成通航,大大缩短了从欧洲到印度洋沿岸和太平洋西岸各国的航程。长172.5千米。地当亚、欧、非要冲,在国际航运中,是一条具有重要战略意义和经济意义的水道。

【苏联卫国战争】第二次世界大战中苏联人民抗击德国法西斯侵略的战争。1941年6月,希特勒德国对苏联发动突然袭击,占领苏联大片国土。苏联人民奋起自卫,从战争的第二年开始先后取得了莫斯科保卫战、列宁格勒保卫战和斯大林格勒保卫战的胜利,最终打败了德军,于1945年5月攻克柏林,德国宣布无条件投降,苏联卫国战争胜利结束。

【苏维埃社会主义共和国联盟】简称苏联。世界上第一个社会主义国家。1922年12月建立。1924年,苏联第一部宪法生效,规定苏联是联邦制的社会主义国家。最初加入苏联的加盟共和国有俄罗斯联邦、外高加索联邦、乌克兰和白俄罗斯,后发展到十五个加盟共和国。1991年12月原十五个加盟共和国全部独立,苏联解体。

酥 sū ❶酪;用牛羊奶凝成的薄皮制造的食物。❷松脆(指食品)。[例]～糖。❸含油多而松脆的点心。[例]桃～。❹(肢体)软弱无力。[例]～软。

【酥油】从牛羊奶中提出的脂肪。

【酥油花】以酥油制作的各种供佛的塑像和饰物。是中国藏族的特种工艺品。

稣(穌) sū 死而复生。

S

窣 sū 见〔窸窣〕(1056页)。

sú ㄙㄨˊ

俗 sú ❶风俗。㊀习～|移风易～。❷大众的;通行的;习见的。㊀约定～成|通～。❸趣味不高的;令人厌恶的。㊀庸～|～气。❹没出家的人;世俗。㊀僧～|还～。

【俗语】熟语的一种。群众中广泛流行的通俗而定型的语句。多数是劳动人民从生活经验中创造出来的,简练而形象。如"鸡蛋里挑骨头""打肿脸充胖子"等。

【俗套】❶旧时习俗上陈腐无聊的礼节客套。❷陈旧的格调。㊀不落～。

sù ㄙㄨˋ

夙 sù ❶早。㊀～夜。❷素有的;平素。㊀～愿。

【夙志】一向的志愿。

【夙昔】也作宿昔。从前;昔时。

【夙怨】也作宿怨。旧有的怨恨。

【夙愿】也作宿愿。一向怀有的志愿。

【夙儒】同"宿儒"(940页)。

【夙兴夜寐】很早就起来,很晚才睡下。多形容勤劳。《诗经·卫风·氓》:"夙兴夜寐,靡有朝矣。"夙:早。寐:睡觉。

诉(訴❶ *愬) sù ❶告知;述说。㊀告～|～说。❷倾吐(内心的话)。㊀倾～|～苦。❸控告。㊀～讼|上～。

【诉讼】当事人的合法权益受到不法侵害或与他人发生权益纷争以及发生犯罪行为时,由公民个人或公诉机关向法院提请审判,法院依法审理并予以裁判的活动。由于内容和形式不同,可分为民事诉讼、行政诉讼和刑事诉讼等。

【诉状】民事案件原告人和刑事案件公诉人、自诉人向法院提起诉讼的书面材料。

【诉苦】向别人诉说自己的痛苦或所经受的苦难。

【诉说】带感情地陈述。

【诉讼时效】权利人在法定期间内不行使权利就丧失请求法院予以保护的法律制度。普通时效为两年;特别时效为一年;最长时效为二十年。

【诉讼离婚】人民法院依照法定条件和程序,对夫妻关系中的一方提交法院的离婚诉讼通过调解或判决解除夫妻关系的离婚方式。

【诉诸武力】诉之于武力。指以武力来解决争端。诸:"之于"二字的合音。

【诉讼代理人】依据法律规定或当事人的委托,以被代理人的名义进行诉讼的人。包括法定代理人、法定代表人、委托代理人。

肃(肅) sù ❶恭敬。㊀～立|～然。❷严正;认真。㊀严～。❸清除。㊀～清|～贪。

【肃立】恭敬庄严地站着。

【肃杀】凄凉,萧条。多用来形容秋冬天气寒冷,草木枯落。

【肃清】完全消灭;清除。

【肃然】恭敬的样子。㊀～起敬。

【肃穆】严肃而恭敬。也指环境、气氛使人有凛然之感。

骕⊠(驌) sù 〔骕骦〕古代良马名。

鹔⊠(鷫) sù 〔鹔鹴〕古书上指一种雁。

翻⊠(䎘) sù 鸟飞。也指鸟飞声。

素 sù ❶白色;本色。㊀～服。❷蔬菜类食品。与"荤"相对。㊀～菜|～食。❸本来的;原始的。㊀～质|～材。❹质朴;不华丽。㊀朴～|～净。❺构成事物的基本成分。㊀要～|因～|元～。❻副词。一向;向来;从来。㊀～不相识|～有交往。❼古称洁白的生绢。㊀尺～。

【素王】古指有治理天下的德才而不居帝王之位的人。汉代的一些儒者称孔子为素王。

【素丹】即"苏丹"(936页)。

【素朴】❶不加修饰的。❷处于萌芽状态还没有发展的(多指哲学思想)。㊀～唯物主义。

【素材】作者从社会生活中搜集起来,未经集中、提炼和加工的文艺创作的原始材料。

【素质】❶人的生理上的原来的特点。❷事物本来的性质。❸完成某类活动所必须的基本条件。㊀军事～|体育～。

【素养】平日的修养。

【素称】一向被称为。㊀这里～鱼米之乡。

【素描】一种主要以线条和明暗对照的表现

手法来描绘物体或人物形象的绘画。一般用单色的铅笔或木炭等工具绘制。素描练习是西方传统造型艺术的基本功之一。

【素淡】❶(菜肴)无荤腥油腻;清淡。❷(色彩)不浓艳;淡雅。

【素雅】素净雅致。

【素数】曾称质数。一个大于1的正整数,如果除了1和它本身以外,不能被其他正整数整除,就叫素数。如2,3,5,7,11,13,17…。

【素餐】❶素的饭食。❷不做事白吃饭。㊀尸位~。

【素因数】曾称质因数。如果一个数的约数是素数,这个约数就叫做该数的一个素因数。

【素昧平生】从来不相识。昧(mèi):不了解。

傃☒ sù ❶向着;循着。❷平素;平常。

嗉 sù〔嗉子〕❶也叫嗉囊。鸟类消化系统的一部分。位于食道的下部。❷装酒的小壶。底大颈细,形似嗉囊,故名。

愫 sù 诚意;真情。㊀情~|一倾积~。

膆☒ sù 同"嗉"。

速 sù ❶快。㊀~寄|~成。❷快的程度。㊀光~|音~。❸邀请。㊀不~之客。

【速写】❶在较短时间内,在现场以简练的手法把对象的主要特征和动态描写出来的绘画。❷文体的一种。篇幅短小,文字简练,迅速描写社会生活中有一定意义的人物或事件。

【速记】用一种简便的记音符号或词语缩写符号把讲话迅速地记录下来。

【速成】将学习期限缩短,在较短的时间内可以学成。

【速度】❶表示物体运动的快慢和方向的物理量。物体的位移和所历时间之比,叫做这段时间内的平均速度。速度的大小叫做速率。❷事物发展变化的快慢程度。❸指音乐进行的快慢。它关系到准确塑造音乐形象和表达乐曲内容。

【速效】很快就见效的。㊀~肥料|~救心丸。

【速率】见〔速度〕(939页)。

【速决战】指持续时间较短的战斗或战役。与"持久战"相对。

【速动比率】速动资产与流动负债的比值。反映企业偿还短期债务的能力。

【速度记号】用以标示音乐的快慢及其变化的记号。一般采用意大利语,如Andante(行板)、Allegretto(小快板)、Largo(广板)。中国也用汉字或音符♩=60表示。

【速度滑冰】冰上运动项目之一。运动员穿冰鞋在冰场跑道上滑行竞速。比赛项目有男女短距离全能:2×500米、2×1 000米;男子全能:500米、1 500米、5 000米、10 000米;女子全能:500米、1 500米、3 000米、5 000米;男子单项和女子单项。

餗☒(餗) sù 鼎中食物。泛指佳肴美味。

涑 sù 涑水,水名,在山西南部。

蔌 sù 野菜;菜。㊀山肴野~。

樕☒ sù〔朴樕〕小树。也比喻凡庸之才。

觫☒ sù 见〔觳觫〕(642页)。

簌 sù〔簌簌〕❶拟声词。风吹树叶的声音。❷纷纷落下的样子(多指眼泪)。㊀扑~落下泪来。

觫 sù 见〔觳觫〕(409页)。

宿(*宿) ㊀ sù ❶过夜。㊀住~。❷年老的;长久从事某种工作的。㊀~将。❸平素;一向就有的。㊀~愿。

㊁ xiǔ(1108页)。

㊂ xiù(1108页)。

【宿主】也叫寄主。指被寄生物所寄生的生物。如菟丝子寄生于大豆,大豆是宿主。就动物而言,被成虫寄生的叫终宿主,被幼虫寄生的叫中间宿主。如人是血吸虫的终宿主,钉螺是血吸虫的中间宿主。

【宿昔】❶同"夙昔"(938页)。❷早晚之间。比喻时间短。❸向来。

【宿怨】同"夙怨"(938页)。

【宿将】经过多次战斗考验的有经验的老将。

【宿疾】长期没有治好的疾病;老病。

S

【宿营】军队在行军或战斗后住宿。在房舍住宿的叫舍营，在房舍外住宿的叫露营。
【宿愿】同"夙愿"（938 页）。
【宿儒】也作夙儒。学问深，修养高的读书人。
【宿命论】一种鼓吹宗教迷信的理论。认为历史的发展是由一种不可抗拒的命运决定的。否认客观事物的规律性及其可知性，否认人的主观能动性，认为人在命运面前无能为力，只能受命运的摆布。

缩（縮）　㊁ sù 〔缩砂密〕多年生草本植物。茎直立，叶互生，花白色。种子叫砂仁，可供药用，是芳香健胃剂，开胃驱风。
　㊀ suō（945 页）。

蹜　sù 〔蹜蹜〕小步快走的样子。

粟　sù 谷子。去壳后叫小米。一年生草本植物。耐旱，适应性强。是中国北方主要粮食作物。

S

【粟裕】（1907—1984）中国无产阶级革命家、军事家。侗族。湖南会同人。1927 年加入中国共产党。曾参加南昌起义和湘南暴动。抗日战争时期任新四军第二支队副司令员，新四军江南、苏北指挥部副指挥，参与指挥黄桥战役。解放战争时期，历任华中野战军司令员，华东野战军副司令员、代司令员、代政委，第三野战军副司令员。指挥苏中、豫东、济南等战役，参加指挥淮海战役、渡江战役、解放上海战役。擅长于指挥大兵团联合作战，被誉为常胜将军。1949 年后，历任中国人民解放军总参谋长、全国人大副委员长、军事科学院第一政委、中顾委常委等职。1955 年被授予大将军衔。1984 年在北京逝世。

傈　sù 见〔傈僳族〕（605 页）。

谡（謖）　sù 起；起来。

【谡谡】挺拔的样子。㊀～长松。

塑　sù ❶用石膏或泥土等做成人物等形象。㊀～像｜泥～木雕。❷指塑料。㊀全～家具。
【塑造】用石膏或泥土等塑成人物形象，也指文艺创作中描写人物形象。
【塑料】一般指以树脂为主要成分而具有可塑性的材料及其制品。在一定条件下，塑化成形，产品最后保持形状不变。种类很多，如电木、有机玻璃等。塑料具有质轻、绝缘、耐酸等优良特性。广泛用于制造业和生活用品，可代替金属、木材等。
【塑像】用石膏或泥土等塑成的人像。
【塑料大棚】在农田里根据温室效应原理而搭建的生产性大棚。顶和壁用透明塑料覆盖，便于采光、保温、避风等。是一种简易的温室。多用于种植花卉、蔬菜等。

溯（*泝*遡）　sù ❶沿水逆流而上。㊀～江而上。❷往上推求和回想。㊀追～｜回～。
【溯源】往上游寻找水流发源的地方。比喻寻求历史根源。㊀追本～。
【溯及力】法律溯及既往的效力。指一部新法实施以后，对其生效前未经审判或判决未确定的行为是否具有效力，如果具有法律效力，就有溯及力；相反，就没有溯及力。法不溯及既往是法治的一个原则。

suān　ㄙㄨㄢ

狻　suān 〔狻猊〕传说中的一种猛兽。猊（ní）。

痠□　suān 同"酸"⑤。

酸　suān ❶通常指电离时生成的阳离子完全是氢离子的化合物。如硫酸、乙酸等。❷像醋的气味或味道。㊀～枣｜～梅。❸伤心；悲痛。㊀辛～｜心～。❹讽刺文人的迂腐。㊀寒～｜～秀才。❺微痛无力的感觉。㊀～痛｜腰～。
【酸辛】辛酸。
【酸雨】人类活动排入大气中的酸性气体，在空气中氧化，并在适当条件下形成的酸度较高的降水。可导致水体、土壤酸化，对植物、建筑物、金属构件以及古文物造成腐蚀性的危害。
【酸根】酸类化合物的分子除去能被金属原子置换的氢原子后，余下的部分叫酸根。如 HCl（盐酸）中的 Cl^- 叫盐酸根（是无氧酸根），H_2SO_4（硫酸）中的 SO_4^{2-} 叫硫酸根（是含氧酸根）。
【酸酐】酸分子内或分子间除去一个或几个水分子而形成的化合物。加水后又可成酸。如硫酸酐（SO_3）、乙酸酐 [$(CH_3CO)_2O$] 等。

【酸楚】辛酸悲苦。
【酸雾】即“硫酸雾”(631 页)。
【酸牛奶】牛奶经人工乳酸发酵成为乳酪状的食品,带酸味,易消化吸收。
【酸式盐】分子中含有氢离子的盐类。如碳酸氢钠($NaHCO_3$)。
【酸性氧化物】能跟碱反应生成盐和水的氧化物。大多数非金属氧化物(如 CO_2、SO_3、P_2O_5 等)属于酸性氧化物,某些过渡元素的高价氧化物(如 CrO_3、Mn_2O_7 等)也是酸性氧化物。

suǎn ㄙㄨㄢˇ

匴☒ suǎn 古代行冠礼时盛帽子的竹箱。

suàn ㄙㄨㄢˋ

祘☒ suàn 同“算”。

蒜 suàn 多年生草本植物。蒜苗、蒜薹、蒜头均供食用。蒜头中含有大蒜素,可供药用。

筭☒ suàn ❶计算时所用的筹码。❷同“算”。

算 suàn ❶核计;计数。㊀~账。❷算数;承认有效力。㊀谁说了~? ❸谋划;计划。㊀打~|失~。❹作为;当作。㊀这~是你的|以前的话~我没说。❺料想;猜测。㊀我~着你一定去开会。❻计算进去。㊀这次义务劳动,忘了把你们小组~在内了。
【算术】数学的分支学科。研究数的基本关系。包括自然数、分数、小数的四则运算和乘方、开方以及这些运算的应用。
【算命】根据生辰八字,用阴阳五行推算人的命运,断定人的吉凶祸福(迷信)。
【算术级数】❶即“等差级数”(189 页)。❷等差数列的旧称。

suī ㄙㄨㄟ

尿 ㊀ suī 义同“尿(niào)”①。多用于口语。㊀小孩儿又尿(niào)了一泡~。

㊁ niào (720 页)。
【尿脬】膀胱。脬(pāo)。

虽(雖) suī 连词。1. 虽然。㊀困难~大,我们也能克服。2. 纵然。㊀为人民而死,~死犹荣。
【虽则】连词。虽然。㊀我们~多费了几天工夫,但是学了不少东西。
【虽然】连词。用在上半句,表示让步,下半句说出正面意思,常用“可是”“但是”“却是”等词呼应。㊀这次试验~没有成功,可是得到了不少经验教训。

荽 suī 见〔芫荽〕(1132 页)。

眭 suī 目光深入注视。

睢 suī 睁着眼睛向上看。也用于地名,如睢县(在河南)。

濉 suī 濉河,水名,在安徽北部。

suí ㄙㄨㄟˊ

绥(綏) suí ❶安抚;使平定。㊀~靖。❷平安。㊀时~(书信用语)。
【绥远】旧省名。1928 年设省。1954 年撤销,并入内蒙古。
【绥靖】安抚,使保持平静。
【绥靖政策】对侵略者姑息妥协,用牺牲他国领土主权甚至本国人民的利益去满足侵略者的欲望,以求得自己一时安全的政策。1938 年英、法同德、意法西斯签订《慕尼黑协定》,出卖捷克斯洛伐克,就是绥靖政策的突出表现。

隋 suí 朝代名(581—618)。公元 581 年杨坚灭北朝的北周,公元 589 年灭南朝的陈,统一全国。建都大兴(今陕西西安),国号隋。为唐所灭。
【隋书】二十四史之一。唐魏征等撰。共八十五卷,包括帝纪五卷,列传五十卷,志三十卷。记载了隋朝三十八年(581—618)的历史。
【隋珠】古代传说中的宝珠。《淮南子·览冥训》高诱注:“隋侯见大蛇伤断,以药傅之。后蛇于江中衔大珠以报之,因曰隋侯之珠。”
【隋文帝】(541—604)即杨坚。隋朝建立者。弘农华阴(今属陕西)人。在位期间,

S

北击突厥，消除北方威胁，南废后梁，攻克建康，灭了陈朝，结束了近三百年分裂局面。改革官制，规定九品以上地方官吏均由中央任免，废除九品官人法，加强了中央集权。

【隋炀帝】（569—618）即杨广。公元604年杀父杨坚自立为帝。后征集大量民工，修成大运河，修建宫殿和西苑，修筑长城，开辟驰道。公元618年被禁军将领宇文化及等缢杀。

随（隨） suí ❶跟从。㊞～军前进｜～声附和。❷听凭；顺从。㊞～便｜～顺。❸顺便。㊞请～手关门。❹〈方〉（在遗传的特点上）相像。㊞他长得～他母亲。

【随从】❶跟随。❷旧指随从人员。

【随员】❶随同首长或代表团外出工作的人员。❷外交上通常指使馆中最低一级的外交官。

【随即】副词。随后就；马上。

【随和】和气，不固执己见。和（he）。

【随笔】散文的一种。随手笔录，不拘一格。一般以借事抒情、夹叙夹议为其特色。篇幅短小，形式多样。

【随喜】❶佛教用语。指参观庙宇、拜佛吃斋，或见人做功德而乐意参加。❷旧时泛指随大流参加娱乐活动（限于叠用做套语）。

【随葬】随同死者一起埋葬（财物、器具、衣物、车马等）。

【随意】任凭自己的意愿。

【随身听】一种可以随身携带的小型立体声录音机。

【随乡入乡】也说入乡随乡。到一个地方就随这个地方的风俗习惯生活。参见〔入境问俗〕（834页）。

【随风转舵】即"顺风转舵"（923页）。

【随心所欲】按照自己的心意，想怎么做就怎么做。

【随机应变】根据情况灵活地应付事态的变化。《三国演义》第五十七回："（孙权）乃问曰：'公平生所学，以何为主？'统（庞统）曰：'不必拘执，随机应变。'"

【随机事件】见〔概率〕（301页）。

【随机变量】每次试验的结果可以用一个变量的数值来表示，这个变量的取值随偶然因素变化，但又遵从一定的概率分布规律，这种变量叫做随机变量，一般用 ξ，η…表示。

【随声附和】自己没有主见，人家说什么，也跟着说什么。和（hè）。

【随波逐流】随着波浪起伏，跟着流水漂荡。比喻没有坚定的立场，没有主见，盲目地随着别人行动。宋孙奕《履斋示儿编·乡原》："随波逐流，佞伪驰骋，苟合求媚于世。"

【随遇平衡】物体平衡状态的一种。特点是物体受到外力微小扰动后，重心高度不变，势能不变，仍能在新的位置保持平衡。如圆球可以静止在水平面上的任何位置，就属于随遇平衡。

【随遇而安】处在任何环境中都能感到满足。

遂 ㊁ suí 义同"遂（suì）"①。用于"半身不遂"。

㊀ suì（943页）。

suǐ ㄙㄨㄟˇ

瀡⊠ suǐ 古代作调料的米汤。

髓 suǐ ❶骨头里像脂肪的东西。㊞骨～｜敲骨吸～。❷像髓的东西。㊞脑～｜石～。❸事物的精华部分。㊞精～｜神～。❹植物茎的中心部分。

䔹⊠ ㊁ suǐ 〔䔹靡〕随风披散的样子。

㊀ huò（444页）。

suì ㄙㄨㄟˋ

岁（歲*嵗） suì ❶年。㊞去～｜～入。❷量词。计算年龄的单位。㊞三～的孩子。❸年成。㊞～丰｜歉～。

【岁入】一年的总收入。

【岁月】年月；时光。㊞艰苦的～。

【岁出】一年的总支出。

【岁阴】即"太岁"①（951页）。

【岁星】木星的古称。

【岁除】一年将尽，即一年的最后一天。

【岁暮】年末的时候。㊞～天寒。

【岁寒三友】指松树、竹子和梅花。松、竹经冬不凋，梅耐寒，早春开放，故名。

谇（誶） suì ❶责骂。❷谏诤。

碎 suì ❶完整的东西破成零片零块。㊞碗摔～了。❷使碎。㊞～石机｜～

尸万段。❸零星；不完整。㊀～布｜琐～。❹絮烦；唠叨。㊀嘴太～。

晬☒ suì ❶润泽。❷颜色纯。

祟 suì 指鬼神作怪害人。借指不光明的行为。㊀作～｜鬼～。

遂 ㊀ suì ❶顺心；称意。㊀～心｜～愿。❷成功。㊀百事乃～｜阴谋未～。❸文言连词。于是。㊀书既发，～举兵。

㊁ suí (942 页)。

【遂心】合于自己心意；顺心。

【遂行】军事上指执行或完成。㊀～战斗任务。

【遂意】遂心；如意。

【遂愿】称了心愿；满足了愿望。

隧 suì 地道。

【隧道】在山中、地下凿成的通道。

璲☒ suì 瑞玉名。

燧 suì ❶古时取火的器具。❷古时边防告警的烽火。㊀烽～。

【燧人氏】中国古代传说中发明钻木取火、教人熟食的人。

穟☒ suì ❶〔穟穟〕禾穗饱满的样子。❷禾穗上的芒须。❸同"穗"①。

邃 suì ❶深远(指空间或时间)。㊀深～｜～古(很远的古代)。❷精深。㊀精～｜～于医道。

穗 suì ❶谷类植物簇生在一起的花或实。㊀麦～。❷用丝线或绸布结扎成下垂的装饰品。❸广东广州的别称。

sūn ㄙㄨㄣ

孙(孫) sūn ❶孙子，称儿子的儿子。也用来称孙子一辈的亲属。㊀祖～三代｜外～。❷泛指孙子以下的后代。㊀玄～｜十代～。❸植物再生的。㊀～竹｜稻～。❹古又同"逊(xùn)"。

【孙子】❶子(zi)。儿子的儿子。❷子(zǐ)。通常指春秋时期的兵家孙武，有时也指战国时期的兵家孙膑。❸子(zǐ)。即"孙子兵法"(943 页)。

【孙权】(182—252)即吴大帝。三国时期吴国建立者。字仲谋，吴郡富春(今浙江富阳)人。公元 208 年联合刘备破曹操于赤壁，后又败刘备于夷陵。公元 222 年建立吴国。公元 229 年称帝，国号吴。公元 230 年派卫温等航海到夷州(今台湾省)等地。对开发中国东南地区作出了贡献。

【孙武】春秋时期兵家。字长卿，又名孙武子，齐国人。曾被吴王阖闾任为将，率兵破楚。著有《孙子兵法》十三篇，是中国现存最早的兵书，历代军事家多奉为经典。

【孙膑】战国时期军事家。齐国人。曾与庞涓同学兵法。齐威王任为军师。公元前 353 年和公元前 341 年两次大败魏军，生擒庞涓。著有《孙膑兵法》。

【孙中山】(1866—1925)中国近代革命先行者，民主革命家。名文，字德明，号逸仙，广东香山(今中山市)人。早年在香港开始革命活动。1894 年在檀香山建立兴中会。次年广州起义失败后，到欧、美各地宣传革命。1905 年在日本组成中国同盟会，被推为总理，提出民族主义、民权主义、民生主义，即三民主义学说。以《民报》为阵地，与康有为、梁启超为首的保皇派进行激烈论战，并多次领导反清武装起义。武昌起义后，于 1912 年 1 月 1 日在南京任中华民国临时大总统。不久政权被北洋军阀袁世凯篡夺。在俄国十月革命影响和中国共产党帮助下，1924 年在广州召开了有共产党人参加的国民党第一次全国代表大会，改组中国国民党，建立了第一次国共合作，提出了联俄、联共、扶助农工三大革命政策，对三民主义作了新的解释。1925 年 3 月 12 日在北京逝世。有《孙中山全集》。

【孙思邈】(581—682)唐代医学家、药物学家。京兆华原(今陕西耀县)人。一生都在民间行医，不辞劳苦。著有《备急千金要方》和《千金翼方》等书，集唐以前方书之秘要，在中医学发展史上有重要地位。

【孙悟空】《西游记》中的人物。唐僧弟子。他不畏玉帝、龙王，不怕妖魔鬼怪，正直勇敢，机智善变，克服种种困难，终于帮助唐僧取经成功。是一个神通广大、勇于战胜恶势力的艺术典型。

【孙子兵法】也叫《孙子》《吴孙子兵法》《孙武兵法》。中国现存最早的兵书。春秋末期孙武作。今存本十三篇。有计、作战、谋攻、形、势、虚实、军争、九变、行军、地形、九地、火攻、用间等。它总结了春秋末期及其以前的作战经验，包含着朴素的唯物论和

S

辩证法，被称为“兵经”，受到国内外的重视，有英、日、俄、德、法、捷等文译本。自曹操以后，注释本甚多，现存《宋本十一家注孙子》较为详备。

【孙子算经】中国古代数学著作。作者及成书年代不详（成书不迟于3世纪）。共三卷。上卷较系统地叙述了算筹记数法和筹算的乘、除、开方及分数等计算步骤和法则；下卷第二十六题是著名的“物不知数”问题，与古代编制历法过程中的算法有密切联系。

【孙膑兵法】也叫《齐孙子》。战国时期孙膑作。《汉书·艺文志》记载：“《齐孙子》八十九篇，图四卷。”《隋书·经籍志》中不见此书目，可能在隋以前失传。1972年在山东临沂银雀山西汉墓中发现其残简。

【孙子剩余定理】也叫中国剩余定理。《孙子算经》中“物不知数”问题说：“今有物，不知其数，三三数之剩二，五五数之剩三，七七数之剩二，问物几何？”即求被3除余2，被5除余3，被7除余2的最小整数。这个问题称为孙子问题，俗称韩信点兵。其正确解法叫做孙子剩余定理。中国古代把解法编成四句歌诀：“三人同行七十稀，五树梅花廿一支，七子团圆正半月，除百零五便得知。”即 $2\times70+3\times21+2\times15-2\times105=23$。

搎☒（搎） sūn 〔扪搎〕摸；摸索。

荪（蓀） sūn 古书上说的一种香草。

狲（猻） sūn 见〔猢狲〕（408页）。

飧（*飱） sūn 晚饭。

sǔn ㄙㄨㄣˇ

笋☒ sǔn 同“笋”。

笋（*筍） sǔn 也叫竹笋。竹子初从土里长出的嫩芽，可做蔬菜。有冬笋、春笋等。

损（損） sǔn ❶减少；失去。例～有余，补不足｜有益无～。❷损害；破坏。例～人利己｜～坏｜破～。❸〈方〉刻薄；用刻薄话挖苦人。例这话真～｜你别～人了。

【损伤】❶损失。例敌人～了一个半旅的兵力。❷损害；伤害。例不要～大伙儿的积极性。

【损耗】损失，消耗。例电能～｜商品～。

【损益】❶减少和增加。例医生处方，要按照年龄、身体条件斟酌～。❷赔本和赚钱。

【损益表】反映企业在一定的会计期间的经营成果及其分配情况的报表。

【损人利己】损害别人而使自己得到好处。

【损害赔偿】根据法律规定，行为人不法侵害他人财产权利或人身权利，并造成损失时，受害人有请求赔偿的权利，行为人有负责赔偿的义务，这种民事法律关系叫做损害赔偿。

隼 sǔn 鸟类。形状似鹰，翅窄而尖，飞得很快，性凶猛。常捕食小鸟兽。

榫 sǔn 制木竹等器物时，为使两块材料接合所特制的凸凹部分。凸出的叫榫头，凹下的叫榫眼。

膳☒ sǔn ❶把切好的熟肉放在血中拌和(huo)。❷把熟肉切了再煮。

簨☒ sǔn 〔簨虡〕古代悬挂钟磬的架子。横杆叫簨，直柱叫虡。虡(jù)。

suō ㄙㄨㄛ

莎 ㊀ suō 〔莎草〕多年生草本植物。茎直立，三棱形，叶线形。根茎叫香附，供药用。

㊁ shā (852页)。

娑 suō 见〔婆娑〕（760页）。

桫 suō 〔桫椤〕也叫树蕨。蕨类植物。茎柱状、直立，高达3—8米，叶顶生。生于林下或溪边荫地。是中国国家重点保护植物。

挲（*挱） ㊀ suō 见〔摩挲〕（693页）。

㊁ sā (839页)。

㊂ shā (852页)。

髿☒ ㊀ suō 见〔髿髿〕(850页)。

㊁ shā (852页)。

唆 suō 唆使。例教～｜调～。

【唆使】挑动并指使别人（去做坏事）。

梭 suō 也叫梭子。在织布机上用来引导纬纱，使纬纱与经纱交织的主要机件。多用硬质木料制成，中间粗，两头尖，形状像枣核。

【梭巡】来来回回地巡逻。

【梭子蟹】节肢动物。头胸甲宽大，两侧具长棘，略呈梭形。暗紫色。螯足长大。常群栖于浅海海底。分布于中国南北沿海。可供食用。

睃 suō 斜着眼睛看（多见于早期白话）。

羧 suō 化学用字。是氧和酸组成的合体字。如羧基。

【羧基】有机化合物分子里的一种官能团，化学式—COOH。具有羧基的物质显示酸性，属有机酸类。

【羧酸】由烃基和羧基组成的有机化合物的统称。如醋酸、草酸等。应用在染料、药物、香料、橡胶等工业中。

傞☒ suō 〔傞傞〕❶醉后舞不止的样子。❷参差不齐的样子。

蓑（*簑） suō 蓑衣，用草或棕等编成的雨衣。

嗦 suō 见〔哆嗦〕(238 页)、〔啰嗦〕(648 页)。

嗍 suō 用唇舌裹食；吮吸。㊞～奶。

趖☒ suō 快步走。

缩（縮） ㊀ suō ❶后退。㊞退～|畏～不前。❷由大变小，由长变短；收缩。㊞热胀冷～|～水|压～|～短战线|～头～脑。

㊁ sù (940 页)。

【缩写】❶压缩改写大部头或较长的作品，使篇幅变小或变短。❷采用拼音文字的语言，对某些常用的词或短语的一种简便写法。通常是截取这个词的第一个字母或这个短语中的每一个词的第一个字母，有的还在其右下方加一个小圆点。如英语把 information technology（信息技术）缩写为 IT。

【缩减】紧缩减少。㊞～开支。

【缩影】指可以代表同一类型的并反映广阔社会生活的具体而微的事物。㊞《红楼梦》里所描绘的荣、宁二府是走向崩溃的封建社会的～。

【缩手缩脚】因寒冷而四肢不舒展。也用来形容胆子小，顾虑多，不敢放手做事。

【缩聚反应】具有两个或两上以上官能团的单体间通过反复的缩合反应生成高分子的过程。是一种制备高分子化合物的重要反应。

suǒ ㄙㄨㄛˇ

贞□（貞） suǒ 〔贞乃亥〕地名。即泽库县，在青海。

唢（嗩） suǒ 〔唢呐〕俗称喇叭。簧管乐器。有多种形制，最小的叫海笛。木制，铜喇叭口，一般有八个音孔。发音响亮，富有表现力。是民间吹打乐中的主要乐器。

琐（瑣*瑣） suǒ ❶细小；零碎。㊞～事|～闻|烦～|～碎。❷卑微。㊞猥～。

【琐细】碎小；细微。

【琐屑】❶琐碎。❷生活中的小事。屑（xiè）：碎末。

【琐碎】细小而繁多。

锁（鎖*鎻） suǒ ❶安在门、箱子、抽屉等的开合处或铁链的环孔中，须用钥匙或密码等方能打开的器具。㊞铜～|暗～|门～|车～。❷用锁关住。㊞～门。❸锁链。㊞枷～。❹封闭。㊞封～|闭关～国。❺一种缝纫方法。㊞～边儿|～扣眼儿。

【锁国】把国家关闭起来，不与外国来往。

【锁骨】人和脊椎动物肩带组成骨之一。在人体是连接胸骨和肩胛骨的弯形细长骨，位于皮下，是颈与胸的分界标志。

【锁钥】❶比喻做好某件事情的关键。❷比喻关隘要地。㊞北门～。钥（yuè）。

【锁链】金属环联成的长链条，用来锁人或物。比喻无形的束缚。㊞砸烂封建的～。

所 suǒ ❶处所；地方。㊞住～|场～|各得其～。❷机关或其他办事的地方。㊞研究～|派出～。❸量词。用于房屋、学校、医院等。㊞一～房子|两～学校。❹助词。1. 用在动词前面，跟动词构成名词性结构。㊞各尽～能|～见～闻。2. 跟前面“被”或“为”合用，表示被动。㊞不要被表面现象～迷惑|人们为英雄的崇高品质～感动。

【所以】连词。表示因果关系。1. 用在下半句，表示结果。㊞群众是真正的英雄，～我们必须依靠群众。2. 用在上半句，提出

S

需要说明原因的事情，下半句说明原因。㊀他～能成功，就是因为他能刻苦钻研。

【所在】❶地方；处所。㊀选择风景秀丽、气候宜人的～修建疗养院。❷存在的地方。㊀原因～，不得而知。❸到处。㊀～多有。

【所谓】❶所说的。㊀人们从失败中吸取教训，就能变失败为胜利，～"失败乃成功之母"就是这个道理。❷所说的（用于否定别人声称的）。㊀帝国主义对殖民地的～"援助"，实际上就是掠夺。

【所属】统属之下的或自己隶属的。㊀通知～，遵照执行。

【所以然】❶为什么是这样的原因或道理。㊀研究问题不要只知其然，不知其～。❷结果。㊀搞来搞去也没有搞出个～来。

【所有权】一定统治阶级通过国家法律确认的财产所有者对其财产有行使占有、使用、处置的权利。是所有制在法律上的表现。

【所有制】人们对社会物质财富的占有形式。主要是指生产资料的占有形式。参见〔生产资料所有制〕（881 页）。

S

【所得税】国家税收机关根据企业或个人所得情况，按规定税率开征的一种税收。税率一般是按所得额总额累进计算，即多得多纳、少得少纳或免纳，与纳税人的纳税能力相适应，公平合理。

【所向无敌】力量很强，到哪里都没有对手。《三国志·吴书·周瑜传》裴松之注引《江表传》："士风劲勇，所向无敌。"向：指向。

【所向披靡】比喻力量（多指军事力量）所达到的地方，一切障碍全被扫除。披靡（mǐ）：草木被吹倒。

索 suǒ ❶粗的绳或链条。㊀麻～｜船～｜铁～桥。❷搜寻。㊀搜～。❸孤单。㊀离群～居。❹寂寞；没有意味。㊀～然无味。❺要；讨取。㊀～取｜～价。

【索引】旧称通检、备检。摘出书刊里的字、词、术语或一定文章的主题等，按一定次序分条排列，标明出处、页数，以便检阅。

【索句】❶写作时思考，寻求文句、诗句。㊀寻章～。❷索取对方所作的诗句。

【索取】要；讨取。㊀向大自然～财富。

【索性】副词。干脆；直截了当。㊀～干完再休息。

【索要】索取。㊀～小费。

【索贿】索要贿赂。

【索隐】❶探索事物隐含的道理或意义。《周易·系辞上》："探赜索隐，钩深致远。"❷对古籍的注释或考证。

【索赔】❶索取赔偿。❷国际贸易业务的一方违反合同的规定，直接或间接地给另一方造成损害，受损方向违约方提出损害赔偿要求。

【索然】乏味，没有兴致的样子。㊀～寡味｜兴致～。

【索道】用钢索在两地之间架设的空中通道，主要用于运输。

【索解】寻求解释；找到答案。㊀无从～。

【索非亚】保加利亚首都。位于该国西部。人口 119 万（1996 年）。是全国政治、经济、文化和交通中心，巴尔干半岛重要国际交通枢纽。市内公园、绿地面积大。曾是罗马帝国重要的商业、行政中心。保存有圣索非亚教堂等古代建筑。

璅⊠ suǒ 同"琐"。

鏁⊠（鎻） suǒ 同"锁"。

suò ㄙㄨㄛˋ

溹⊠ suò 水名。在河南。今作索河。

T 去

tā 去Y

他 tā ❶人称代词。称你、我以外的第三者。❷别的。㊀～人|～乡。❸别的方面。㊀不作～想。❹用在动词后，表示虚指。㊀玩～一天|喝～三大碗。

【他乡】家乡以外的地方(多指离家乡较远的地方)。㊀～遇故知。

【他日】❶将来的某一天或某一时期。❷前些日子。

【他物权】权利人根据法律的规定或合同的约定，对他人所有的物享有的权利。如土地使用权、承包经营权、采矿权等。

【他山之石】《诗经·小雅·鹤鸣》："他(它)山之石，可以攻玉。"比喻能帮助自己改正缺点的外力。

她 tā ❶人称代词。称你、我以外的第三者(女性)。❷指称自己敬重、珍爱的事物。如祖国、国旗等。

它(*牠) tā 人称代词。称人以外的事物。

铊(鉈) ㊀ tā 金属元素，符号 Tl，原子序数 81。银白色，质软。铊的化合物大多数有毒。用于制低熔合金、光学玻璃、温度计等。

㊁ tuó (1001 页)。

趿 tā 〔趿拉〕穿鞋只套上脚尖。㊀他～着鞋就出来了。

塌 tā ❶倒下；陷下。㊀墙～了|～方。❷因缺乏水分植物枝叶卷缩。㊀～秧儿。❸凹下。㊀～鼻梁。❹稳定；镇定。㊀～心|～实。

【塌方】也说坍方。地槽、路堑、堤坝、渠道、悬崖等因风化、冲蚀、水浸、渗流、震动等而形成土石方坍塌现象。也指开挖隧道、巷道、矿井时，因土质岩层松软而形成土石方塌落现象(在矿山采矿作业中也叫冒顶)。

【塌台】崩溃瓦解。比喻失败。

【塌实】也作踏实。❶切实，不浮躁。㊀工作～。❷(心神)安定；安稳。㊀事情办完心里就～了。

遢 tā 见〔邋遢〕(576 页)。

溻 tā 汗水湿透(衣服或被褥等)。㊀昨天打球，我的衣服都～了。

禢□ tā 〈方〉在衣物上缝花边。㊀～一道绦子。

踏 ㊁ tā 〔踏实〕同"塌实"(947 页)。

㊀ tà (948 页)。

tǎ 去Y̌

塔(*墖) tǎ ❶佛教建筑。源于印度，汉代随佛教传入中国。通常有塔座、塔身、塔刹三部分组成。❷像塔形的建筑物。㊀水～|灯～|革命烈士纪念～。

【塔台】机场上作为飞行指挥中心的场所。装有电台、气象仪器和飞行资料等，工作人员在其中负责地面与空中的联系，指挥飞机起飞、降落和在机场区域内飞行。因场所多为塔形建筑物，故名。

【塔吊】一种塔形起重机，机身很高，可在轨道上移动，起重量大。

【塔什干】乌兹别克斯坦首都。位于该国东北部。人口 226 万(1997 年)。是全国政治、经济、文化中心，也是中亚最大城市和重要交通枢纽。

【塔尔寺】中国寺院。位于青海省湟中县。始建于 1560 年。是由多个寺院、宝塔等大小建筑组成的建筑群。各组成部分因山就势，错落有致。是青海及西北地区佛教活动中心。

【塔西佗】(约 55—约 120)古罗马历史学家。历任保民官、执政官、行省总督等职。反对帝制，以共和政体为理想。代表作有《编年史》《历史》《日耳曼尼亚志》等。

【塔斯社】原苏联国家通讯社的简称。1925年7月10日成立。总社设在莫斯科。1992年1月与苏联新闻社合并，组建俄通社—塔斯社，即俄罗斯联邦国家通讯社。

【塔吉克族】中国少数民族之一。人口3.3万(1990年)。主要分布在新疆维吾尔自治区喀什地区。有本民族语言，部分人通维吾尔语文。多信奉伊斯兰教。建立有塔什库尔干塔吉克自治县。国外的塔吉克族人主要分布在中亚地区。

【塔里木河】中国最大的内流河。位于新疆维吾尔自治区塔里木盆地北部，上游有阿克苏河、喀什噶尔河、叶尔羌河、和田河等，东流注入台特马湖。长约2 179千米。

【塔塔尔族】中国少数民族之一。人口0.5万(1990年)。主要分布在新疆维吾尔自治区的伊宁、塔城、乌鲁木齐等地。有本民族语言文字。多从事商业、畜牧业。多信奉伊斯兰教。

【塔里木盆地】中国最大的内陆盆地。位于新疆维吾尔自治区南部，天山和昆仑山、阿尔金山之间。面积53万多平方千米，气候干燥。盆地中部为塔克拉玛干沙漠，边缘有高山雪水灌溉，多绿洲。

【塔克拉玛干沙漠】中国最大的沙漠。位于新疆维吾尔自治区塔里木盆地中部。面积约33万平方千米，多流动性沙丘，是世界最大的流动性沙漠。

溚□ tǎ 焦油的旧称。

獭(獺) tǎ 见〔水獭〕(920页)、〔旱獭〕(379页)、〔海獭〕(372页)。

【獭祭】《礼记·月令》:“鱼上冰，獭祭鱼。”獭食鱼时，常把鱼陈列水边，如陈物而祭，称为祭鱼。后比喻写作时追求辞藻，罗列典故。

鳎(鰨) tǎ 比目鱼的一类。种类较多。体侧扁。成鱼两眼在右侧。中国沿海均产。

tà ㄊㄚˋ

拓(*搨) ㊁ tà 在刻有或铸有文字、图像的器物上，蒙一层纸，捶打后使凹凸分明，涂上墨，显出文字、图像来。

㊀ tuò (1001页)。

【拓片】拓下来的碑刻、铜器等文物的形状及上面的文字、图像的纸片。

【拓本】拓下来的碑刻、铜器等文物的形状及上面的文字、图像的纸本。

沓 ㊀ tà 多;重复。[例]杂～|重～。

㊁ dá (161页)。

涾☒ tà 水沸溢。

踏 ㊀ tà ❶踩。[例]不要～坏庄稼|脚～实地。❷到现场去。[例]～看|～勘。

㊁ tā (947页)。

【踏步】在原地作走的动作而不前进。

【踏青】春日到郊外游览。旧俗以清明节为踏青节。

【踏勘】❶工程设计或规划前，到现场进行的概略的勘测工作。❷旧指发生案件时官吏到出事地点察看及检验。

【踏歌】以脚踏地为节，边歌边舞的群舞艺术形式。舞时，成群结队，连臂踏脚，配以轻微的手臂动作。

㒓□(㒓) tà 见〔佻㒓〕(976页)。

挞(撻) tà ❶打;用鞭、棍等打人。[例]鞭～。❷旧指征讨;镇压。[例]～伐。

闼(闥) tà 门;小门。[例]排～直入(推开门就进去)。

汏☒(澾) tà ❶滑溜。❷流通顺利。

狧☒ tà 狗吃东西。也指狗咬人。

嗒 ㊀tà 〔嗒然〕形容懊丧的神情。[例]～若失。

㊁ dā (160页)。

鞳☒ tà 见〔鞺鞳〕(958页)。

逻□ tà 见〔杂逻〕(1222页)。

𠱞☒ tà 不咀嚼而吞咽。

猲☒ tà 形容野兽跑的样子。

阘(闒) ㊀ tà 小门。引申为卑贱、低下。[例]～茸(卑贱的人)。

㊁ dá (161页)。

榻 tà 床。

䑽☒ tà 大船。

蹋 tà ❶踏；踩。❷踢。

漯 ㊁ tà 漯河，水名，在山东。
㊀ luò（653页）。

tāi ㄊㄞ

台 ㊁ tāi 用于地名，如台州、天台（均在浙江）。
㊀ tái（949页）。

苔 ㊁ tāi 舌苔，舌头上面的垢腻。由衰死的上皮细胞和黏液等形成。观察它的颜色可以帮助诊断病症。
㊀ tái（950页）。

胎 tāi ❶人或哺乳动物母体内的幼体。㊕怀～。❷指怀胎或生育的次数。㊕头～。❸事物的开始、根源。㊕祸～。❹衬在衣物等面子和里子之间的东西。㊕棉～。❺器物的坯子。㊕铜～。❻轮胎。㊕车～。

【胎生】受精卵在母体的子宫内发育，胚胎通过胎盘自母体获得营养，直到出生时为止。人和大多数哺乳动物都是胎生。

【胎衣】中医把胎盘和胎膜统称为胎衣。入药时叫紫河车。

【胎教】利用良好的外部环境，通过母亲的精神、心理、生理的变化来促进胎儿的生长发育，使胎儿接受潜移默化的影响，以提高人口素质。

【胎盘】胎儿与母体交换物质的器官。人类胎盘由母体子宫内膜与胎儿的叶状绒毛膜组成，呈扁圆形。靠脐带与胎儿相连。

【胎膜】包裹在胎儿外面的膜状物。对胎儿的发育有保护、营养、呼吸、排泄等作用。

【胎盘球蛋白】一种可以增加人体免疫功能的生物制品。从健康产妇的胎盘中提取。由于成人大多发生过麻疹、甲型肝炎的显性（指发病）或隐性（指不发病）感染，血清中含有相应的抗体，因而胎盘球蛋白可用于某些病毒病的预防。

tái ㄊㄞˊ

台（❶-❻臺❽檯❾颱） ㊀ tái ❶高而平的建筑物。㊕瞭望～｜亭～楼阁。❷公共场所内高出地面的设备。用于表演或讲话等。㊕舞～｜讲～。❸像台的东西。㊕井～｜窗～。❹器物的座子。㊕灯～。❺量词。用于机器、仪器或整场的戏剧、歌舞等。㊕一～戏｜一～机器。❻台湾省的简称。❼敬辞。㊕～甫｜～端。❽桌子；案子。㊕写字～｜乒乓球～。❾“台风”的“台（tái）”。
㊁ tāi（949页）。

【台风】❶发源于热带海洋面上最强的热带气旋。中心附近最大风力在12级或12级以上。台风登陆后，强度逐渐减弱、消失。影响中国东南沿海地区的台风，以7—9月最为频繁。台风经过的地区常有狂风暴雨，沿海有高潮巨浪。❷演员在舞台上的风度。

【台田】在低洼易涝地里，每隔一定宽度挖沟，用挖出来的土垫高形成的田块。台田有防涝作用。

【台甫】敬辞。旧时用于问人的表字。

【台步】戏曲演员在舞台上走路的舞蹈化步法。

【台词】戏剧、电影中人物所说的话。包括对白、独白、旁白。

【台球】❶球类运动项目之一。在特制的台子（一般长4米、宽2米）上用杆击球。有司诺克、三球落袋、四球撞击和美式四种形式的比赛。❷台球运动使用的球。实心，多用塑胶制成。

【台鉴】也说台照、台察。书信用语。台：敬辞，称对方。鉴：阅看。

【台盟】台湾民主自治同盟的简称。

【台端】❶唐代侍御史的称呼。❷敬辞。旧称对方（多用于书信）。

【台风雨】台风周围大量暖湿空气围绕台风中心旋转上升，其中的水汽冷却凝结形成的降水。强度大，且伴有狂风、雷电。

【台北市】位于中国台湾省台北盆地中央，环岛铁路线上。人口260万（1997年）。是全省的最大城市和政治、经济、文化、交通中心。风景名胜有大屯火山群、阳明山、北投温泉等。

【台柱子】❶旧指戏班中的主要演员。❷借指集体中的骨干分子。

【台阁体】❶明朝初年上层官僚间形成的一种文风。其特点是形式雍容典雅，内容多歌功颂德。❷即“馆阁体”（348页）。

【台湾岛】中国第一大岛。西隔台湾海峡与福建省相望,面积3.58万平方千米。中部和东部为山地和丘陵,台湾山脉纵贯南北,最高峰玉山海拔3 952米。平原狭小,多分布在西部。气候湿热,物产丰富。

【台湾省】简称台。位于中国东南部海中,西隔台湾海峡与福建相望,东临太平洋。包括台湾岛、澎湖列岛、钓鱼岛、赤尾屿、彭佳屿、兰屿、绿岛等岛屿。面积3.6万平方千米,人口2 174万(1997年)。原属福建省。1895年被日本侵占,1945年收复。台北市是全省的政治、经济、文化中心,重要城市还有高雄、台中、台南、基隆等。

【台湾猴】也叫黑肢猴。大小近似猕猴,但头较圆,颜面较平。通体灰褐色,尾粗而蓬松,四肢近黑色。仅分布于中国台湾省。是中国国家重点保护动物。

【台湾山脉】纵贯中国台湾岛南北。由台东山、中央山、雪山—玉山、阿里山等纵列的平行山脉组成。山势高峻,主峰玉山海拔3 952米,是中国东部最高峰。森林资源丰富。

【台湾海峡】位于中国福建和台湾两省之间。宽约150千米,最狭处为135千米。为东海、南海间航运要道。

【台儿庄战役】抗日战争时期,国民党军队同日本侵略军的会战。1938年3月,日本侵略军第十师团和第五师团南下,急袭徐州。当攻至徐州东北的台儿庄时,遭到中国守军的抵抗。4月4日,中国军队在第五战区司令长官李宗仁指挥下,集中优势兵力,包围进攻台儿庄的日军,三日内共歼敌一万余人,取得抗战初期的一次重大胜利。

【台湾抗英斗争】鸦片战争时期,英国军舰多次侵犯台湾沿海地区。台湾兵备道姚莹、总兵达洪阿率水师接连击败英军,毙敌数十人,俘百余人,缴获大量武器等。清政府在英国压力下竟将姚莹、达洪阿革职拿问。

【台湾二·二八起义】抗日战争胜利后,台湾省各族人民反对国民党反动统治的武装起义。1947年2月27日,台湾专卖局缉私员和警察在台北殴打烟贩,并打死市民一人。28日,台北市民罢市并游行请愿,警察又开枪打死市民三人,打伤多人。台湾人民奋起反抗,随即发展为大规模武装起义。起义者曾控制了台湾大部地区,后遭国民党政府血腥镇压而失败,被杀害的起义者有三万多人。

【台湾民主自治同盟】简称台盟。中国民主党派之一。1947年11月成立于香港,由台湾省籍的一部分爱国人士组成。1948年宣布拥护中国共产党领导的新民主主义革命,1949年参加中国人民政治协商会议。中华人民共和国成立后作为参政党之一,为社会主义建设事业做出了重要贡献,并为实现祖国和平统一,反对台湾独立而努力奋斗。

邰 tái 姓。

抬 tái ❶举;仰。㊀~起右手|~起头来。❷几人共同举起。㊀把桌子~过来。

【抬头】❶把头抬起来。也比喻受压制的人或事物得到伸展。❷旧时书信、公文等行文中遇到对方的名称或涉及对方时,为表示尊敬而另起一行。❸指书信、公文抬头的地方。也指在单据上写收件人或收款人的地方。

【抬会】从合会中演变出的一种以牟取暴利为目的、具有投机敲诈性质的民间信用形式。

【抬杠】❶用杠抬运灵柩。❷无谓地争辩。

【抬举】因看重某人而加以称赞、支持或提拔。

苔 ㊀ tái 隐花植物的一类。根、茎、叶的区别不明显,常贴在阴湿的地方生长。

㊁ tāi (949页)。

【苔原】也叫冻原。分布于极地附近或高山的无林沼泽型植被。主要植物是多年生禾本科和莎草科草本,以及杜鹃花科的常绿性低矮小灌木。

【苔原气候】寒带的一种气候类型。全年严寒,最热月气温仅1—5℃。降水少,多云雾,蒸发极弱。主要分布在亚欧大陆和北美大陆的北冰洋沿岸。

【苔藓植物】高等植物中构造最简单的一类。植物体较小,呈叶状体或略有茎、叶分化,有假根。生长在阴湿处。如地钱、葫芦藓等。

骀(駘) ㊀ tái 劣马。㊀驽~(劣马,比喻庸才)。

㊁ dài (173页)。

炱 tái 俗称烟子。烟凝积成的黑灰。㊀煤~|松~(松烟)。

跆 tái 用脚踩踏。㊙～拳道。

【跆拳道】体育运动项目之一。朝鲜族传统体育项目。运用手脚技术进行搏击格斗，由品势、搏击、功力检验三部分组成。跆指用脚踢踹；拳指用拳击打；道指道理、道德，是一种体验和完善的过程。

鲐（鮐） tái 也叫鲭、油筒鱼、青花鱼。鱼类。体纺锤形，尾柄细，长可达50厘米，背青色，有深蓝色波状条纹。是海产经济鱼。中国北方沿海产量较高。

儓☒ tái 古代最下层的奴隶。

擡☒ tái 同"抬"。

薹 tái ❶薹草，多年生草本植物。茎丛生、扁三棱形。叶可制蓑衣。❷蒜、韭菜、油菜的花茎，分别叫蒜薹、韭薹、菜薹。

tǎi ㄊㄞˇ

呔 ㊁ tǎi 〈方〉说话带有外地口音。
㊀ dāi（171页）。

tài ㄊㄞˋ

太 tài ❶副词。过分；过于。㊙天气～冷|文章～长。❷最；极。㊙～古|～空。❸称呼大两辈的尊长时所加的字。㊙～老师（父亲的老师或老师的父亲）。

【太子】古代被确定将继承帝位或王位的帝王的儿子（多为嫡长子）。

【太公】❶〈方〉曾祖。❷指姜太公。

【太古】人类最古的时代。

【太平】（社会）安定、平安。

【太岁】❶也叫岁阴、太阴。古代天文学中假设的星名。与岁星相应。岁星即木星。中国古代根据它移动的周期（实际是围绕太阳公转的周期）纪年，十二年是一周。❷旧时迷信指所谓值岁的太岁神。

【太后】古代对帝、王之母的称呼。

【太守】古代地方官名。战国时对郡守的尊称。西汉景帝刘启时改称太守，是一郡的最高官职。宋以后废除。明清两代习惯上仍用作知府的别称。

【太阳】❶针灸穴位名。位于眉梢与外眼角中间向后一寸凹陷处。主治头痛、三叉神经痛等。❷太阳系的中心天体。是一颗恒星。与地球的平均距离14 960万千米，直径139万千米，体积为地球的130万倍，质量约为地球的33万倍。表面温度约为6 000开。中心温度约1 500万开。是地球上光和热的来源。

【太阴】❶古指北方。❷古指月亮。❸即"太岁"①（951页）。

【太极】中国古代哲学名词。指派生万物的本原。《周易·系辞上》："易有太极，是生两仪，两仪生四象，四象生八卦。"

【太医】❶皇家的医生。❷〈方〉医生。

【太牢】古代祭祀时，牛羊猪三牲全备为太牢。有时只指牛一牲。

【太庙】明清帝王祭祖的宗庙建筑。现存的太庙建筑仅有北京太庙，始建于明永乐十八年（1420），在今劳动人民文化宫内。明嘉靖二十四年（1544）重建至现存规模。平面为矩形，有两重围墙。中轴线上的主要建筑依次有戟门、前殿、中殿和后殿等。其墙内、墙外广植柏树，烘托出整体建筑群的凝重与肃穆。是全国重点文物保护单位。

【太学】中国古代的最高学府。始于西周，汉以后是传授儒家经典、培养统治人才的场所。

【太空】也叫外层空间。地球大气层以外的宇宙空间。

【太监】即"宦官"（424页）。

【太息】出声叹气。

【太虚】❶中国古代哲学名词。或指"深玄之理"，或指"气"。❷指天、天空。

【太尉】古代官名。秦至西汉设置，为全国军事的最高官职。与丞相、御史大夫合称三公。后代渐变为加官，无实权。元废。

【太湖】中国第三大淡水湖。位于江苏省南部。面积2 425平方千米。是全国重点风景名胜区。有灌溉、航运之利，且富水产。

【太上皇】❶皇帝传位其子后一般称为太上皇。❷比喻在幕后操纵、掌握实权的人。

【太古宇】旧称太古界。地层系统的第一个宇。指太古宙时期所形成的地层。

【太古宙】旧称太古代。地质年代分期的第一个宙。约开始于40亿年前，结束于25亿年前。在这个时期里，晚期有菌类和低等蓝藻存在，但因经过多次地壳变动和岩浆活动，可靠的化石记录不多。

T

【太平门】公共场所如礼堂、电影院等,为有突发性事件时便于疏散人群而特设的旁门。

【太平间】医院中停放尸体的房间。

【太平洋】世界上最大最深的海洋。在亚洲、大洋洲、北美洲、南美洲和南极洲之间。面积17 967.9万平方千米,比世界全部陆地面积总和还大1/5。平均深度4 028米。中部多岛屿,西侧有世界最长的弧形群岛和很深的海沟,其中马里亚纳海沟深11 034米,为世界已知的最深处。

【太平道】早期道教流派之一。东汉末,农民起义领袖张角创立。太平是"极大公平"之意。参见〔黄巾起义〕(429页)。

【太白星】金星的古称。

【太师椅】一种旧式的比较宽大笨重的椅子。有靠背、扶手。

T

【太行山】在黄土高原与华北平原之间。东北—西南走向,海拔1 000—1 500米。多横谷(陉),为东西通道,古有"太行八陉"之称。

【太阳风】从太阳大气层射出的高速带电粒子流。速度可达每秒350千米以上。太阳活动强烈时,太阳风的强度和速度增大。

【太阳年】即"回归年"(433页)。

【太阳系】太阳和以太阳为中心,受它的引力支配而环绕它运行的天体所构成的系统。太阳系包括太阳和九大行星,六十多颗卫星,成千上万的小行星,以及一千多颗彗星、无数的流星体和行星际物质。

【太阳灶】一种收集和利用太阳辐射热的设备。它通过简单的光学装置使太阳光经反射后聚集在焦点上而产生热能。可以加热锅炉、取暖或发电。

【太阳社】文学团体。1927年下半年在上海成立。主要成员有蒋光慈、钱杏邨等。这些人曾参加过北伐战争的实际工作,有急进的革命要求,同创造社一起提倡革命文学。先后出版《太阳月刊》《时代文艺》《海风周报》等刊物和"太阳社丛书"。1930年左联成立后自行解散。

【太阳能】指可被人类直接利用的太阳辐射能。是一种清洁、可再生能源。利用太阳能的主要装置有太阳能热水器、太阳灶、太阳能电池等。

【太极拳】拳术的一种。以掤捋挤按、踩挒(liè)肘靠、进退盼定为基本方法,动作柔和缓慢,连贯圆活,连绵不断。是锻炼身体和医疗保健的一种方法。

【太空战】也叫天战。敌对双方主要在外层空间进行的军事对抗活动。包括在外层空间的相互攻防行动以及外层空间同空中或地面之间的相互攻防行动。

【太原市】山西省会。位于该省中部,太原盆地北缘,汾河纵贯市区。人口176万(1997年)。同蒲、石太、新太、太岚等铁路在此交会。为全省政治、经济、文化和交通中心。是以煤炭、钢铁、重型机械制造、电力、化工等为主的重工业城市。特产老陈醋。名胜古迹有晋祠、双塔寺、纯阳宫等。

【太湖石】江苏太湖产的石头。多窟窿和皱纹,可以点缀园林,堆砌假山。

【太上老君】道教对老子的尊称。《后汉书·孔融传》称老君。《魏书·释老志》称太上老君。《老子内传》:"太上老君姓李名耳,字伯阳,一名重耳。"

【太平广记】小说总集。宋太宗命李昉等编纂。因成书于太平兴国年间而得名。共五百卷,又目录十卷。收辑汉至宋初小说、笔记等四百余种,按故事内容分九十二大类,一百五十多细目。书中保存了大量古小说资料,宋至清很多小说戏曲题材采自此书,对后世文学发展有较大影响。

【太平御览】书名。宋太宗命李昉等于公元977—984年编纂的类书。是为皇帝阅览编的,因书出于太平兴国年间,故名。共一千卷。全书按事分编,分五十五门,引古书近一千七百种,保存了大量古代文献。是一部供查阅古代资料典故的大型工具书。

【太阳常数】在日地平均距离的地球大气上界,垂直于太阳光线的1平方厘米面积1分钟接受到的太阳辐射能量。数值为8.24焦/(厘米^2·分)。

【太阳黑子】简称黑子。太阳光球上出现的斑点。它的温度比光球低,和光球相比成为暗淡的黑点。太阳黑子有的年份多,有的年份少,变化周期约为11年。大黑子和黑子群出现时,地球上往往发生磁暴和电离层扰乱现象。《汉书·五行志》上载有中国在公元前28年(西汉河平元年)发现太阳黑子,这是世界公认的最早的太阳黑子记录,早于欧洲一千多年。

【太阳辐射】太阳以辐射形式放射出来的能量。它是地球上最主要的能量来源。

【太阿倒持】倒拿着太阿(剑名)。比喻把权柄给人家，自己反而受到威胁或祸害。

【太空垃圾】指在地球外层空间废弃的人造天体和运载工具残骸及其撒落的碎片和零件等。太空垃圾增加了人类宇宙航行和宇宙开发的危险性。

【太焦铁路】北起山西省太原市，南至河南省焦作市，长 397 千米。北接同蒲、石太等铁路，南接焦枝等铁路。与同蒲、焦枝、枝柳铁路共同组成中国南北交通干线之一。

【太平洋战争】第二次世界大战的重要组成部分。日本于 1941 年 12 月 8 日偷袭美国太平洋舰队基地珍珠港，次日美英对日宣战，太平洋战争爆发。日本迅速侵占了东南亚各国和太平洋上的许多岛屿。1942 年 5—6 月和 1942 年 8 月到 1943 年 2 月，日本海军在中途岛战役和瓜达尔卡纳尔战役中遭美军重创，日本在太平洋战场上由战略进攻转入战略退却。1945 年 8 月日本无条件投降，太平洋战争结束。

【太阳高度角】简称太阳高度。地面对于太阳的仰角。因时因地而不同。太阳高度角的大小反映太阳辐射的强弱。

【太阳能电池】也叫光电池。把太阳能直接转变为电能的装置。一般是在电子型硅单晶片上用扩散法渗进一薄层硼，以得到 PN 结，再加上电极而成。当日光直射到薄层面的电极上时，二极间就产生电动势。可用作人造卫星上仪器的电源。

【太平天国运动】19 世纪中叶中国反帝反封建的农民革命运动。1843 年洪秀全等创立拜上帝会。1851 年 1 月 11 日在广西桂平县金田村举行起义，宣布成立太平天国。1853 年 3 月 19 日占领南京，改称天京。建国后制定和颁布《天朝田亩制度》，建立地方政权，拒绝承认不平等条约，实行平等往来的外交政策，同时派太平军向北、向西进军，与各地起义互为支援。1856 年秋，杨秀清和韦昌辉内讧，严重削弱了太平天国革命的力量。1860 年第二次鸦片战争结束以后，清王朝与外国侵略者共同镇压太平天国。1864 年 7 月天京失陷，各地太平军亦相继被击败，太平天国革命遂致失败。它是中国历史上规模最宏大的一次农民革命，坚持 14 年，力量扩及 18 省，沉重地打击了清朝封建统治者和外国侵略势力。

【太岁头上动土】在太岁的方位上动土兴工。古代迷信认为这样必招来祸患。后来用“太岁头上动土”比喻敢于触犯强暴。

【太阳活动周期】太阳表面出现黑子、耀斑等的变化周期。大约是 11 年。

【太公钓鱼，愿者上钩】民间传说。周朝姜太公曾在渭水河边用无饵的直钩在水面三尺上钓鱼，说：“负命者上钩来！”见《武王伐纣平话》卷中。后比喻自愿上当。

汰 tài ❶清洗。❷采取措施，除去差的、不合要求的。㊀淘～|优胜劣～。❸通“太”。过分。㊀～侈。

态（態） tài ❶人的姿容、体态。㊀姿～。❷事物的情状、样子。㊀变～|状～|事～。❸一种语法范畴。多指句子中动词所表示的动作跟主语所表示的事物之间的关系，如主动、被动等。

【态势】状态和形势；情势。

【态度】❶人的举止神情。㊀～大方。❷对于事情的看法和采取的行动。㊀劳动～。

【态势语】也叫体态语。指交际中手势、身势、眼神儿、面部表情等所表现出来的意思，相当于一定的言语。因用脸、手、脚、身等状态、姿势来表示，故名。如皱眉表示发愁或者讨厌，摇头表示反对（有的民族表示同意）。

肽 tài 由两个或两个以上的氨基酸以共价键连接而形成的聚合物。蛋白质的基本结构，就是借这种称为肽键的单元构成的。

钛（鈦） tài 金属元素，符号 Ti，原子序数 22。银灰色，质软，有延展性。自然界储藏量较多。钛的合金密度小、强度高、耐腐蚀。用于航空工业、宇宙航行及制造航海设备等。

酞 tài 化学音译用字。如酚酞（一种化学分析用指示剂和染料）。

泰 tài ❶安定。㊀～然自若|国～民安。❷极。㊀～西。❸古又同“太”。

【泰山】❶别称岱、岱宗、岱岳。五岳中的东岳。位于山东省中部。主峰玉皇顶海拔 1 524米。山势峻拔，雄伟壮丽，多名胜古迹。❷古人以泰山为高山的代表。常用来比喻敬仰的人和重大的有价值的事物。㊀重于～。❸岳父的别称。

【泰斗】泰山北斗。比喻因学术技艺深湛，德高望重而受到敬仰的人。

【泰西】旧指西洋（主要指欧洲）。㊀～各国。

【泰安】市名。位于山东省中部，京沪铁路线上。人口52万(1997年)。城北有著名的泰山风景区。
【泰然】心神安定的样子。㊀处之～｜～自若。
【泰戈尔】拉宾特兰纳·泰戈尔(1861—1941)印度作家、诗人、社会活动家。长期投身印度民族解放运动，组织反战和平团体。致力教育改革，创办国际大学。作品反映了在英帝国主义统治下，印度的社会矛盾和人民的痛苦生活，表现了摆脱殖民主义和封建势力压迫的愿望；歌颂祖国，赞美大自然，具有独特民族风格。代表作有诗集《吉檀迦利》《新月集》《园丁集》《飞鸟集》，剧本《红夹竹桃》《邮局》，长篇小说《沉船》《戈拉》等。所作歌曲《人民的意志》被定为印度国歌。1913年获诺贝尔文学奖。
【泰国铢】泰国的法定货币。
【泰罗制】由美国工程师弗雷德里克·泰罗发明的一种严格的劳动管理制度。其作法是挑选企业中最强壮、最灵巧的工人，让他们用最快的速度进行劳动，研究出效率最高的合理的操作方法作为标准操作法，以此确定全体工人的劳动定额。根据这种定额，规定了两种高低不同的工资单价，对完成和超额完成定额的工人，按较高的单价支付工资；对完不成定额的工人，按较低的单价支付工资。列宁曾经指出，泰罗制既是"一系列的最丰富的科学成就"，又是"资产阶级剥削的最巧妙的残酷手段"。
【泰山压卵】把泰山压在蛋上。比喻用强大的力量加在脆弱的东西上面，脆弱的东西必然粉碎。《晋书·孙惠传》："猛兽吞狐，泰山压卵，因风燎原。"
【泰山压顶】比喻压力极大。㊀～不弯腰。
【泰山鸿毛】比喻轻重悬殊。

tān ㄊㄢ

坍 tān 倒塌。
【坍方】即"塌方"(947页)。
【坍台】〈方〉❶垮台。❷丢脸；出丑。

贪(貪) tān ❶求多；不知足。㊀～多。❷贪污。㊀～官污吏。❸片面追求；特别留恋。㊀～便宜｜～生怕死。
【贪污】利用职务上的便利，暗中非法地取得财物。
【贪图】一味追求(某种好处)。㊀～便宜有时就容易上当。
【贪婪】❶贪得无厌。❷不知满足。㊀他十分珍惜这个学习机会，～地阅读各种书籍。婪(lán)：贪。
【贪墨】旧指贪污。
【贪污罪】国家工作人员利用职务上的便利，侵吞、窃取、骗取或以其他手段非法占有公共财物的犯罪行为。
【贪天之功】《左传·僖公二十四年》："贪天之功，以为己力。"意思是把上天所成就的功绩说成由于自己的力量。后指抹杀别人的作用，把功劳归于自己。
【贪官污吏】指贪污受贿的官吏。
【贪贿无艺】也说贪欲无艺。《国语·晋语八》："骄泰奢侈，贪欲无艺。"贪污受贿没有限度。艺：限度。
【贪赃枉法】公职人员收受贿赂，利用职权歪曲法律，以满足行贿人违法要求的行为。枉：歪曲，破坏。
【贪得无厌】对某种事物的欲望老不满足(含贬义)。

憻□ tān 〈方〉敬辞。他。

啴(嘽) ㊁ tān 喘息。
㊀ chǎn (106页)。

摊(攤) tān ❶散开；摆开。㊀～场｜～开。❷分担。㊀～派｜均～。❸临时售货处。㊀菜～儿。❹一种烹饪方法。把糊状食物倒进锅里使成片状然后煎烤。㊀～鸡蛋｜～煎饼。❺量词。用于摊开的糊状物等。㊀一～泥｜一～血。
【摊主】摊位的主人；摆摊售货的人。
【摊场】把收割的庄稼在场上摊开晾晒。场(cháng)。
【摊位】一个货摊所占的地方；一个货摊所占的位置。
【摊贩】摆摊子出售货物的小商贩。
【摊点】售货摊，售货点。
【摊派】把捐税、任务等分配给众人或各个方面负担。
【摊牌】玩牌时把手里所有的牌亮出来，跟对方比一比，以决胜负。比喻到最后关头，把主张、实力等向对方摆出来。

滩(灘) tān ❶江河湖海边上淤积成的平地或水中的沙洲。❷河道中水浅石多、水流很急的地方。㊀黄牛

～|险～。
【滩涂】即“海涂”(372页)。
瘫(癱) tān 瘫痪。
【瘫痪】❶由于神经机能发生障碍，身体某一部分完全或不完全地丧失运动功能。❷比喻机构不能正常地进行工作。

tán ㄊㄢˊ

坛(❶－❸壇❹罎❹*罈❹*壜) tán ❶为举行祭祀、誓师等纪念性仪式而砌筑的高台。多以土石筑成。㊀地～|世纪～。❷用土堆成的、可以种花的台。㊀花～。❸指文艺界、体育界或舆论阵地。㊀文～|乒～|论～。❹某些肚大口小的陶器、瓷器。㊀酒～|～子。
昙(曇) tán 云彩密布；多云。
【昙花】常绿灌木。老枝圆柱形，新枝扁平呈叶状。花生于叶状枝的边缘，花的外围是淡红或紫绛色，中间纯白色，夜间开放，四五小时后即萎。供观赏。
【昙花一现】昙花开的时间极短。比喻事物一出现就很快消失。
倓 tán 安然不疑。
郯 tán 郯城，地名，在山东。
谈(談) tán ❶说；互相对话。㊀请他来～一～。❷所说的话；言论。㊀无稽之～|美～。
【谈心】说心里话，交流思想。
【谈吐】指谈话时的措辞和神态。
【谈助】谈话的资料。
【谈判】有关方面就有待解决的问题进行会谈。
【谈柄】❶古人谈论时所执的拂尘。❷话柄；可作谈笑的资料。
【谈资】闲谈的资料。㊀饭后～。
【谈锋】谈话的劲头。㊀～甚健。
【谈何容易】《汉书·东方朔传》：“吴王曰：‘可以谈矣，寡人将竦意而览焉。’先生曰：‘於戏！可乎哉，可乎哉，谈何容易?!’”意思是谈(指向君主进言)怎么容易(即不容易)。后指事情做起来并非像嘴上讲的那么容易、简单。
【谈言微中】说话委婉而切中事理。中(zhòng)。
【谈虎色变】一谈到老虎，吓得脸色就变了。宋程颢、程颐《二程全书·遗书二上》：“真知与常知异。尝见一田夫曾被虎伤，有人说虎伤人，众莫不惊，独田夫色动异于众。”后比喻一提到可怕的事物就感到恐怖。
【谈笑风生】有说有笑，轻松而有风趣。宋辛弃疾《念奴娇·赠夏成玉》词：“遐想后日蛾眉，两山横黛，谈笑风生颊。”
埮⊠ ㊀ tán 同“坛”。
㊁ tàn (957页)。
锬(錟) ㊀ tán 长矛。
㊁ xiān (1066页)。
痰 tán 气管或支气管黏膜分泌的黏液。
弹(彈) ㊁ tán ❶用手指弹击。㊀把袖子上的土～掉。❷用手指、器具拨弄或敲击乐器。㊀～吉他|～钢琴。❸有弹力或用弹力发射。㊀～簧|～射。❹抨击；检举。㊀～劾|讥～。
㊀ dàn (178页)。
【弹力】物体发生形变时产生的使它恢复原状的力。
【弹压】用武力压制(骚乱等)。
【弹词】曲艺的一类。流行于南方各省。表演者自弹自唱，主要乐器是小三弦、琵琶等。有苏州弹词、扬州弹词、长沙弹词、四明南词等。
【弹劾】❶君主时代担任监察的官员检举官吏的罪状。❷某些国家对政府官吏的违法失职行为进行检举并追究其法律责任。劾(hé)：揭发罪状。
【弹性】❶在外力作用下发生形变的物体，在外力去掉时恢复原状的性质。❷比喻事物可大可小、可多可少的伸缩性。
【弹指】形容时间极短暂。㊀～之间。
【弹冠相庆】《汉书·王吉传》：“王阳(即王吉)在位，贡公弹冠。”意思是说王吉做了官，贡禹也把帽子掸干净，准备去做官。后指一人当了官或升了官，其同伙也互相庆贺将有官可做(多含贬义)。
覃 ㊀ tán ❶延及。❷深。㊀～思。
㊁ qín (794页)。
谭(譚) tán 同“谈”。如《天方夜谭》。

T

【谭嗣同】(1865—1898)清末政治家、思想家。字复生,号壮飞,湖南浏阳人。认为世界是变化的,对封建道德"三纲五常"进行猛烈抨击。甲午战争后提倡变法维新,与顽固势力进行斗争。曾在湖南浏阳创立算学馆,主编《湘报》,宣传变法维新思想。戊戌变法时,赴京参与新政。变法失败,和林旭等共六人同时被杀害。有《谭嗣同全集》。

【谭震林】(1902—1983)中国无产阶级革命家、政治家。湖南攸县人。1926 年加入中国共产党。1927—1932 年任红四军纵队政委等。1934 年留在闽西坚持游击战争。抗日战争时期,任新四军支队政委、师长等职。解放战争时期,任第三野战军副政委等。1949 年后,历任浙江省委书记,中共中央副秘书长、书记处书记,国务院副总理,全国人大副委员长,中顾委副主任等职。是中共第七、八、十、十一届中央委员,第八届中央政治局委员。1983 年在北京逝世。

T

潭 tán ❶深水池。㊀龙～虎穴。❷〈方〉坑。

憛☒ tán 见〔悇憛〕(993 页)。

燂□ tán 〈方〉放在火上使热。

镡(鐔) ㊀ tán 姓。㊁ xín (1096 页)。

醰☒ tán 酒味醇厚。

萏□ tán 〈方〉指坑或水塘。多用于地名。

澹 tán 〔澹台〕复姓。另音 dàn,"淡"的异体字。

缠☒(纏) ㊀ tán 绳索。㊁ chán (105 页)。

檀 tán ❶檀香,常绿小乔木。木材极香,可制器具,也可入药。❷紫檀,常绿乔木。产于亚洲热带。木材坚硬,紫红色,为优良的家具用材。

【檀香山】美国叫火奴鲁鲁。美国夏威夷州的首府。位于北太平洋中央瓦胡岛上。是太平洋海、空交通要冲。

tǎn ㄊㄢˇ

忐 tǎn 〔忐忑〕心神不定。㊀～不安。忑(tè)。

坦 tǎn ❶平而宽广。㊀～途。❷心里安定。㊀～然。❸直率;没有隐讳。㊀～率|～白。

【坦白】❶心地光明,语言直率。㊀襟怀～。❷把错误或罪行照实说出来。㊀～从宽,抗拒从严。

【坦克】英语音译词。履带式装甲战斗车辆。具有较强的火力、机动力和装甲防护力,主要用于地面突击。按用途,分主战坦克和特种坦克;按战斗全重和火炮口径,分轻型坦克、中型坦克和重型坦克。

【坦言】坦率地说出来。㊀他～自己的过错。

【坦陈】坦率地陈述。㊀～己见。

【坦荡】❶道路平坦宽广。❷心胸开朗。

【坦率】坦白直率。

【坦然】心里平静、没有顾虑的样子。

【坦腹】指女婿。参见〔东床〕(218 页)。

【坦克兵】❶坦克乘员的统称。❷即"装甲兵"(1302 页)。

【坦噶尼喀湖】东非大裂谷上的断层湖之一,淡水湖。位于刚果民主共和国与布隆迪、坦桑尼亚、赞比亚的交界处。湖形狭长,两岸高崖。面积 3.29 万平方千米。最大深度 1 435 米,是世界第二深湖。

钽(鉭) tǎn 金属元素,符号 Ta,原子序数 73。银白色。钽及其合金可做电子管的电极、医疗器械等。

袒(*襢) tǎn ❶把上衣敞开,露出上身的一部分。㊀～胸露背。❷庇护。㊀偏～。

【袒护】不公正地维护一方。

菼 tǎn 古书上指初生的荻。

毯 tǎn 毯子,厚实的棉、毛织品。㊀毛～|地～。

喷☒(噴) tǎn 众人进食的声音。

儃☒ ㊀ tǎn 〔儃儃〕从容悠闲的样子。㊁ chán (105 页)。

黮☒ tǎn 深黑色。

tàn ㄊㄢˋ

叹(嘆*歎) tàn ❶因愁闷或悲伤而发出长声。㊀～

气。❷因赞美而发出长声。例赞～。

【叹号】标点符号的一种。形式为“!”。表示感叹句末尾的停顿。语气强烈的祈使句、反问句末尾也用叹号。

【叹词】一种特殊的虚词。表示感叹或呼唤、应答的声音的词。如“啊”“哎”“哼”“喂”等。

【叹赏】赞美;夸奖。例～不已。

【叹为观止】《左传·襄公二十九年》记载,春秋时吴国的季札在鲁国观看各种乐舞,看到舜时的乐舞十分赞美,说:“观止矣!若有他乐,吾不敢请已。”意思是说,看到这里就够了,别的乐舞不必再看了。后用“叹为观止”赞美看到的事物好到了极点。

炭 tàn ❶木炭。❷像炭的东西。例山楂～。❸〈方〉煤。例阳泉大～(山西阳泉出的一种煤)。

【炭疽】一种急性传染病。是由炭疽杆菌引起的。多见于牛、马、羊等食草动物,人通过接触病畜的皮毛或食用病畜肉可得此病。以皮肤炭疽为最常见,主要症状是局部出现疱疹、坏死、溃疡,最后形成黑色焦痂。疽(jū)。

【炭黑】一种极细的黑色粉末,主要成分是碳。通常由石油、天然气等有机物质经不完全燃烧而制得。在橡胶工业中用做填料,增强橡胶的耐磨性能;还可制油墨、颜料等。

碳 tàn 非金属元素,符号C,原子序数6。是构成有机物的主要成分。煤的主要成分是碳,金刚石、石墨是自然界中的纯碳。20世纪80年代中期,发现了晶体形态的碳。

【碳酸】无机酸,化学式H_2CO_3。即二氧化碳的水溶液。是一种不稳定的弱酸。

【碳化物】碳与金属或非金属所生成的二元化合物。如碳化硅、碳化钨、碳化钙等。用途广泛,如碳化钨的熔点、硬度都很高,可制作高速切削工具和钻头。

【碳纤维】一种具有很高强度和耐高温的纤维。用聚丙烯腈纤维等做原料,经200—300℃氧化,继而在惰性气体保护下用1000℃左右高温完成碳化而制得。用碳纤维所制增强塑料质地强而轻,耐高温、耐辐射、耐水、耐腐蚀。是制造飞行器及化工耐腐蚀设备的优良材料。

【碳素钢】除常规元素(碳、硅、锰等)外,不加入其他合金元素的钢。

【碳三植物】也叫三碳植物。光合作用中同化二氧化碳的最初产物是三碳化合物3-磷酸甘油酸的植物。碳三植物的光呼吸高,二氧化碳补偿点高,而光合效率低。如小麦、水稻、大豆、棉花等大多数作物。

【碳四植物】也叫四碳植物。光合作用中同化二氧化碳的最初产物是四碳化合物苹果酸或天冬氨酸的植物。碳四植物光呼吸低,二氧化碳补偿点低,光合效率高。如玉米、高粱、甘蔗等。

【碳水化合物】即“糖类”(960页)。

埮⊠ ㊀ tàn 见〔墈埮〕(581页)。
㊁ tán (955页)。

赕⊠(賧) tàn 古代东方、南方民族称以财赎罪。

探 tàn ❶寻找;搜索。例～矿。❷暗中访查。例侦～。❸刺探情报的人。例敌～。❹看望。例～亲。❺伸出(头或上体)。例～头～脑。❻把手伸进容器、口袋等中去抓取。例～囊取物。

【探戈】舞厅舞的一种。源于阿根廷。20世纪初风靡欧洲上层社会。音乐为4/4拍,以切分音为显著特点。舞者表情严肃,动作铿锵有力。舞步平稳,顿挫有致,动静交织。舞蹈呈现出庄严、高贵的特征。

【探讨】探究,研讨。

【探伤】不损坏材料,利用磁性、超声波、各种射线及其他方法检查、探测金属材料内部的缺陷。

【探花】科举考试中,殿试录取一甲(第一等)第三名称探花。始于宋代。

【探听】探问(多指不露形迹地了解某情况)。例～虚实。

【探究】探索;研究。

【探询】打听;询问。

【探测】对于不能直接观察的事物或现象用仪器进行考察和测量。例深海～。

【探险】到从来没有人去过或很少有人去过的地方去考察自然界的情况。

【探索】多方寻求答案,解决疑问。

【探监】到监狱里去探望被囚禁的人。

【探秘】探索秘密或奥秘。多用于文章标题。例海底世界～。

【探悉】打听到;询问到。悉(xī):知道。

【探望】❶看望问候。❷察看。例四处～。

【探赜】探讨深奥的道理。赜(zé)。

【探照灯】用于远距离搜索和照明的一种装置。主要由抛物面镜、强光源、壳体、转动机构和底座组成。照射距离一般为10—20千米。装有雷达的称雷达探照灯,能突然而准确地照射目标并自动跟踪。

【探骊得珠】《庄子·列御寇》记载,骊龙颔下有千金之珠,须潜到九重深渊,等到骊龙睡着时才能取得。意为历难冒险才能求得珍品。后比喻做文章抓住了要点。

【探赜索隐】探究深奥的道理,搜索隐秘的事迹。

【探囊取物】手伸到口袋里取东西。比喻事情极容易办到。《新五代史·南唐世家》:“取江南如探囊中物尔。”囊:口袋。

tāng ㄊㄤ

汤(湯) ㊀ tāng ❶食物加水煮熟后的汁液。也指烹调后以汁液为主的副食。㊀米～|姜～|煲～。❷开水;热水。㊀赴～蹈火。❸中药方剂。用水煎服。㊀茵陈～。❹也叫成汤、唐、大乙。商朝第一个君主。夏桀残酷暴虐,人民反对,诸侯叛离。汤起兵灭夏,约于公元前1600年建立商朝,都亳(今河南商丘)。㊁ shāng (858页)。

【汤头】泛指中药汤剂的配方。

【汤池】❶护城河中的水像滚水一样,使人不能靠近。比喻防卫严固。㊀金城～。❷热水浴池。

【汤剂】中成药剂型之一。把药物按配方混合,加水煎煮,去掉渣滓,服用汁液。

【汤镬】古代的一种酷刑。把人投入滚开的水中煮死。汤:滚水。镬(huò):古代的大锅。

【汤因比】阿诺德·汤因比(1889—1975)英国历史学家。著有《历史研究》。

【汤若望】(1592—1666)德国传教士。1622年来华传教。明崇祯年间,曾与罗雅各等编成《崇祯历书》。后在清朝任钦天监监正、太常寺卿、光禄大夫。1664年遭杨光先等诬陷入狱,次年出狱。1666年死于北京。著有《主教缘起》《浑天仪说》《西洋测日历》等。

【汤显祖】(1550—1616)明代戏曲家。字义仍,号海若、若士,别署清远道人,江西临川人。曾任南京太常寺博士等职,后辞官归家。著有传奇《牡丹亭》《紫钗记》《南柯记》《邯郸记》等。《牡丹亭》又名《还魂记》,是一部反对封建礼教,争取婚姻自主,具有民主思想的优秀剧作。在戏曲理论上主张革新,反对拟古和拘于格律,诗文有《红泉逸草》《问棘邮草》《玉茗堂集》等。

铴(鐋) tāng 小铜锣。

剀□(劏) tāng 〈方〉指杀鸡、鸭后拔毛开膛收拾干净。

嘡 tāng 拟声词。敲锣、撞钟一类声音。

镗(鏜) ㊀ tāng 同“嘡”。㊁ táng (960页)。

鼞☒ tāng 〔鼞鼛〕鼓声。

趟(*跗*蹚*踼) ㊀ tāng ❶在较浅的水里走。㊀～水。❷用犁松土去草。㊀～地。㊁ tàng (961页)。

【趟马】戏曲表演中的一种程式动作。演员通过动作表现骑着马走或跑。

羰 tāng 化学用字。是氧和碳组成的合体字。如羰基,有机化合物分子里的一种官能团(>C═O)。醛类和酮类的分子里都含有这种官能团。

táng ㄊㄤˊ

饧(餳) ㊁ táng 同“糖”。㊀ xíng (1103页)。

唐 táng 朝代名。1.(618—917)。李渊灭隋后建立。建都长安(今陕西西安),国号唐。为后梁所灭。2.五代之一(923—936)。沙陀族李存勖灭后梁后建立。建都洛阳,国号唐,史称后唐。为后晋所灭。3.十国之一(937—975)。李昪(biàn)即徐知诰建立。建都金陵(今南京),国号唐,史称南唐。为北宋所灭。

【唐山】市名。位于河北省东部,京哈铁路线上。人口119万(1997年)。是著名工业城市,煤炭、钢铁、机械、电力、陶瓷等工业有名。1976年曾遭地震破坏,后重建。

【唐卡】中国西藏特有的一种卷轴布画。多表现藏传佛教题材。

【唐诗】唐代的诗歌。现存有3 600多位作者的55 000余首诗,数量繁富。作者以中下层官僚和普通士人为主。诗歌反映社会生活的各个层面,诗歌的艺术形式达到完善和成熟,艺术风格与流派多样化,出现了初唐四杰、陈子昂、李白、杜甫、白居易、李贺、李商隐、杜牧等不同时期的代表诗人，使唐代成为中国古代诗歌发展的顶峰时期。

【唐律】唐代的法律。唐高祖时对隋律进行修订，太宗时修订完善。在治罪范围和处刑程度上，较隋律宽简。唐高宗时对唐律加以疏释，编成《唐律疏议》一书。《唐律疏议》分为卫禁、职制、户婚、捕亡、断狱等共三十卷、十二篇，律文五百条。唐律是中国封建法制成熟的标志，在中国法制史上占有很重要的地位，对外国也有相当大的影响。

【唐突】❶冒犯。❷冒失。[例]我来得很～。

【唐寅】(1470—1523)明代画家、文学家。字伯虎。擅画山水及人物花鸟。兼善书法，能诗文。与沈周、文徵明、仇英合称"明四家"。

【唐僧】即"玄奘"(1114 页)。

【唐三彩】唐代陶器工艺品。饰以黄、绿、蓝等彩釉。

【唐太宗】即"李世民"(597 页)。

【唐玄宗】(685—762)即李隆基。后世俗称唐明皇。在位前期，赋役较轻，形成"开元盛世"。好音乐戏曲。后期生活奢侈，政治腐朽，招致安(禄山)史(思明)之乱，从此唐朝衰落。

【唐慎微】北宋医学家。字审元，蜀州晋原(今四川崇庆)人。他把前人研究过的一千多种药物和二百多家单方综合起来，凭自己的实践经验做了详细的考订，写成《经史证类备急本草》，这部书受到后世医药学家的重视。

【唐古拉山】位于西藏自治区与青海省的交界处。横卧青藏高原中部，西接喀喇昆仑山，东南延伸接横断山脉的怒山。主体部分海拔 6 000 米以上。主峰各拉丹冬，海拔 6 621 米，是长江的发源地。

【唐招提寺】日本佛教禅宗寺院。建于公元759年，位于奈良五条町。寺内金堂、讲堂和东塔等建筑为鉴真和尚主持修建，充分体现出中国唐代的建筑风格。金堂是目前少有的唐风遗存建筑物，具有很高的文物价值。

【唐蕃古道】唐代由都城长安到西藏的通道。它的干道由今西安西行，经甘肃的天水、临夏等地，在炳灵寺或大河家渡黄河入青海。经民和、日月山、玛多、巴颜喀拉山口、唐古拉山查午拉山口到西藏的聂荣，再经黑河、当雄，抵拉萨。为唐、蕃往来的官道。另有支线数条。蕃(bō)。

【唐宋八大家】指唐宋两代八个散文代表作家。即唐代的韩愈、柳宗元，宋代的欧阳修、苏洵、苏轼、苏辙、王安石、曾巩。

【唐诗三百首】唐诗选集。清乾隆年间蘅塘退士(孙洙)编。选唐诗 310 首，后四藤吟社本又增补杜甫《咏怀古迹》三首。分体编排，选诗精要，极便习诵。后广为流传。

鄌 táng 〔鄌郚〕地名。在山东。

塘 táng ❶堤岸。[例]河～。❷池。[例]苇～|荷～。

【塘坝】也叫塘堰(yàn)。在山区或丘陵地区修筑的一种小型蓄水工程。

【塘沽协定】国民党政府与日本侵略者签订的丧权辱国的停战协定。1933 年 3 月日军占领热河并大举进攻长城各口，中国守军奋起抵抗，因蒋介石国民党破坏而失败。5 月 31 日国民党政府派熊斌与日本代表冈村宁次在塘沽签订停战协定。规定中国军队撤至延庆、通州、宝坻、芦台所连之线以西以南地区，以上地区以北、以东至长城沿线为非武装区，实际上承认了日本对东北、热河的占领，同时划绥东、察北、冀东为日军自由出入地区，从而为日军进一步侵占华北敞开了大门。

搪 táng ❶抵挡。[例]～风|～饥。❷敷衍；应付。[例]～塞。❸用泥土等均匀涂抹。[例]～炉子。

【搪瓷】铁胎表面覆盖珐琅层的制品。质轻，光滑，耐腐蚀。用来制作日用品、医疗器皿及化学工业等的耐腐蚀设备。有时也指铁胎表面所覆盖的珐琅层。

【搪塞】敷衍塞责。

溏[⊠] táng 〔溏猊〕古代一种野兽。皮可以做铠甲。[例]～甲。

溏 táng ❶泥浆。❷半流动的。[例]～心鸡蛋。

瑭 táng 玉名。

螗 táng 古书上指蝉。

糖(❶*餹) táng ❶食用糖及糖制品的统称。[例]白～|酥～|什锦～。❷糖类。

【糖元】也叫动物淀粉。由葡萄糖结合而成的支链多糖。是碳水化合物在动物体内的

T

储存形式。主要存在于肌肉和肝脏的细胞中，如肌糖元和肝糖元。某些真菌也含糖元。

【糖衣】包在某些药片或药丸表面上的糖质层。目的是为了使味道不好的药容易吃下去。

【糖苷】也叫苷。糖类最重要的衍生物。生命活动中许多具有关键作用的物质，都含有苷的结构单位。如淀粉、纤维素以及染色体的基础化学成分，即脱氧核糖核酸等都以这一结构单元构成其基本骨架。

【糖类】也叫碳水化合物。由碳、氢、氧三种元素组成的一类有机化合物。可分为单糖、二糖和多糖等。如葡萄糖、蔗糖、淀粉和纤维素等。

【糖精】食品添加剂的一种。学名邻磺酰苯酰亚胺，无色结晶，难溶于水。市售的水溶性糖精是其钠盐，称糖精钠，甜味为食糖的300—500倍，但没有营养价值。食用时应按食品添加剂使用标准严格控制。

【糖尿病】一种慢性病。在遗传或不良环境因素作用下，体内胰腺中的胰岛素分泌不足，引起糖代谢紊乱，糖分从尿中排出体外。主要症状是多尿、多饮、多食、疲乏、消瘦等。易并发动脉硬化、视力障碍、皮肤化脓感染等。

【糖衣炮弹】比喻腐蚀、拉拢，拉人下水的手段。如吹拍捧场、小恩小惠、金钱美色等。

赯□ táng 赤色。一般指人的脸色。㊀紫～脸。

醣□ táng 化学用字。化合物的一大类。现写作糖。

堂 táng ❶正房。有时仅指正中的一间。㊀～屋。❷专作某种用途的房屋。㊀礼～|课～。❸表示同祖父的亲属关系。㊀～兄弟。❹旧指审案的地方。㊀当～对质。❺指母亲。㊀令～。❻量词。用于成套的家具或分节的课程。㊀一～家具|一～课。

【堂会】旧时家里有喜庆事时，邀请艺人到家中演出，这种庆祝方式叫堂会。

【堂官】清代对中央各部长官以及部以外的独立机构的长官的统称。

【堂皇】形容气势大。㊀富丽～。

【堂客】〈方〉❶女客。泛指妇女。❷妻。

【堂馆】旧称饭馆、茶馆、酒店中的招待人员。

【堂堂】❶形容容貌端正，举止庄重大方。㊀仪表～。❷形容力量大，气魄大。

【堂奥】❶庭堂的深处。❷比喻深奥的道理。

【堂鼓】也叫同鼓。击奏膜鸣乐器。鼓身木制，两面蒙牛皮，用木槌敲击。常用于民间吹打乐、戏曲音乐和歌舞伴奏。

【堂吉诃德】西班牙作家塞万提斯的长篇小说《堂吉诃德》的主人公。他阅读骑士小说入迷，单枪匹马，外出行侠，企图除暴安良，结果到处碰壁，身病志衰，卧床不起。是一个善良、勇敢而又盲动的艺术典型。后人常用以代称那些沉于幻想、脱离实际、被现实碰得头破血流的人。

【堂堂正正】❶光明正大的样子；整齐雄伟的样子。❷形容身材威武，仪表出众。

樘 táng ❶门框或窗框。㊀门～|窗～。❷量词。门框和门扇或窗框和窗扇，一套叫一樘。㊀一～玻璃门。

膛 táng ❶胸腔。㊀胸～。❷某些器物中空的部分。㊀枪～。

镗（鏜） ㊀ táng 用镗刀对工件上已有的孔进行加工。

㊁ tāng（958页）。

【镗床】一种金属切削机床。用镗刀做旋转运动来加工孔。

螳 táng 螳螂。㊀～臂当车。

【螳螂】昆虫。体型较大，绿色或枯黄色，头部三角形，前足镰刀状。捕食害虫，对农业有益。

【螳臂当车】《庄子·人间世》："汝不知夫螳螂乎，怒其臂以当车辙，不知其不胜任也。"后以"螳臂当车"比喻做事不自量力，必然失败。

【螳螂捕蝉，黄雀在后】螳螂正要捉蝉，不知黄雀在后面正想吃它。汉刘向《说苑·正谏》："螳螂委身曲附欲取蝉，而不知黄雀在其傍也。"比喻目光短浅，只看见前面有利可图，不知祸害就在后面。

棠 táng 棠梨，通称杜树。落叶乔木。果小，味涩，无食用价值。可作嫁接各种梨树的砧木。

tǎng ㄊㄤˇ

伖⊠（儻） tǎng 形容长。

帑 tǎng ❶古指藏钱财的府库。㊀～藏。❷国库里的钱财；公款。㊀国～|公～。❸古又同"孥(nú)"。

倘 ㊀ tǎng 连词。如果；假使。㊀～能坚持，一定胜利。

㊁ cháng (109页)。

【倘若】连词。假如。

【倘或】连词。假如。

【倘使】连词。假如。

【倘来之物】无意中得到的或不应得到而得到的财物。

淌 tǎng 流下。㊀～汗|～眼泪。

耥 tǎng 用耥耙松土、除草。

【耥耙】水稻田用的一种中耕农具。形状像木屐，底下钉有许多短铁钉，上面接长柄。在行间推拉，松土除草。

躺 tǎng 倒下；平卧。㊀～在床上。

傥(儻) tǎng 同"倘(tǎng)"。

镋(钂) tǎng 古代兵器。与叉相似。

tàng ㄊㄤˋ

烫(燙) tàng ❶物体温度高；皮肤接触温度高的物体时感到痛或受伤。㊀水很～|～手|～伤。❷利用温度高的物体使别的物体温度升高或起变化。㊀～酒|～发(fà)。❸熨(yùn)。㊀～衣服。

趟 ㊁ tàng ❶量词。1. 用于来往的次数。㊀我上天津去了一～。2. 用于成行列的东西。㊀沿堤栽了一～柳树。❷行(háng)列。㊀跟不上～。

㊀ tāng (958页)。

tāo ㄊㄠ

叨 ㊀ tāo 谦辞。表示受到(别人好处)。㊀～教。

㊁ dāo (181页)。

㊂ dáo (181页)。

【叨扰】谢人款待的客气话。意思是承您招待，给您添麻烦。

弢☒ tāo 同"韬"。多用于人名。

涛(濤) tāo 大波浪。㊀波～汹涌。

焘(燾) ㊀ tāo 多用于人名。

㊁ dào (183页)。

绦(縧*絛*縚) tāo 绦子，用丝线编织成的花边或扁平的带子。多作衣物边沿的装饰品。

【绦虫】扁形动物。全身呈带状。身体前端有槽、吸盘或钩，借此附着在宿主肠壁上。靠体表吸收宿主肠内的营养物质。幼虫多寄生在猪、牛等动物体内，成虫寄生在人体内。能引起绦虫病。

掏(*搯) tāo ❶挖。㊀在墙上～洞。❷用手或工具探取东西。㊀～手绢|～耳朵。

谄☒**(謟)** tāo 可疑。

幍☒ tāo 帽子。

滔 tāo 大水弥漫。㊀波浪～天。

【滔天】漫天。比喻极大。㊀白浪～|～罪行。

【滔滔】❶形容大水滚滚漫流。㊀～江汉。❷比喻连续不断(多指话多)。㊀～不绝。

慆☒ tāo 娱悦。

瑫☒ tāo 玉名。

韬(韜) tāo ❶弓或剑的套子。❷隐藏。㊀～光养晦。❸用兵的计谋。㊀～略。

【韬晦】韬光晦迹的略语。把锋芒收敛起来，把踪迹隐蔽起来。指深藏不露。《旧唐书·宣宗纪》记载，唐宣宗李忱为光王时，做梦也想当皇帝，但却把自己的野心深藏不露，"愈事韬晦"(更加千方百计掩藏自己内心的企图)。

【韬略】指古代兵书《六韬》《三略》。后来指用兵的计谋。

饕 tāo 贪；贪食。

【饕餮】古代神话中的恶兽。比喻凶恶的或贪吃的人。餮(tiè)。

T

táo ㄊㄠˊ

迯☒ táo “逃”的异体字。

咷□ táo 同“啕”。

逃 táo ❶逃跑。㊞追歼～敌。❷躲避。㊞～荒|～学。

【逃亡】逃走而流浪在外。

【逃反】旧指离家躲避兵乱。

【逃生】逃出危险的环境以保全生命。

【逃汇】违反国家外汇管理法规,逃避国家对外汇监管的违法行为。主要有:擅自将外汇存放在国外;不按规定将外汇卖给外汇指定银行;擅自将外汇汇出或携带出境;擅自将外汇存款凭证、外币有价证券携带或邮寄出境等。对逃汇行为人要求限期调回外汇,强制收兑,并处逃汇金额30%以上5倍以下的罚款。构成犯罪的,依法追究刑事责任。

【逃荒】由于遇到灾荒而逃到外乡谋生。

【逃匿】逃跑并躲藏起来。匿(nì)。

【逃难】为躲避战乱或其他灾祸而逃往他乡。

【逃逸】逃跑。逸(yì):跑。

【逃税】即“偷税”(988页)。

【逃遁】逃跑;隐藏躲避起来。遁(dùn):隐去。

【逃窜】惊慌乱逃(用于敌军或兽类)。

【逃避】躲开不愿意接触或不敢接触的事物。㊞～现实|～责任。

【逃之夭夭】《诗经·周南·桃夭》:“桃之夭夭。”原意是桃树很茂盛。因“桃”与“逃”同音,后人用来表示逃跑。

洮 táo 洮河,水名,在甘肃。

桃 táo ❶桃树,落叶乔木。果为核果,味甜多汁。原产于中国。❷形状像桃子的东西。㊞棉～。

【桃色】❶粉红色。❷形容有关艳情的事情。㊞～案件。

【桃李】唐代狄仁杰曾向朝廷荐举姚元崇等几十人,都成为名臣。有人对狄说:天下的桃李都在你门下了。语见《资治通鉴·唐纪则天皇后久视元年》。后以“桃李”喻指所教育的学生。㊞～满天下。

【桃符】古代挂在大门上的两块画着门神或题门神名字的桃木板。后来在上面贴春联,所以桃符便成了春联的别称。

【桃花汛】也叫桃汛。初春桃花盛开时发生的河水暴涨。

秫□ táo 〔秫黍〕〈方〉高粱。

鞉☒ táo “鼗”的异体字。

鼗 táo 拨浪鼓。

陶 ㊀ táo ❶用黏土烧成的器物。㊞～器。❷烧制陶器。㊞～冶。❸比喻教育。㊞熏～。❹快乐的样子。㊞～醉。

㊁ yáo (1145页)。

【陶土】由高岭石等多种成分组成的黏土。具有吸水、可塑、耐火及烧结等特性。广泛应用于陶瓷工业方面。

【陶艺】❶制陶工艺。❷陶制工艺品。

【陶冶】烧制陶器和冶炼金属。比喻给人的思想、性格以有益的影响。冶(yě):熔炼金属。

【陶钧】❶制陶器时所用的转轮。❷比喻造就人才。

【陶瓷】一般由黏土、长石、石英或其他原料经粉碎、混合、成型、干燥、烧制而成的制品。质地较粗、不透明的叫陶器。质地密实、表面光洁、较薄者呈半透明状的叫瓷器。广泛用于日用器皿、化学工业、电气工程及建筑等方面。

【陶铸】(1908—1969)中国无产阶级革命家。湖南祁阳人。1926年入黄埔军官学校,同年加入中国共产党。1927年曾参加南昌起义和广州起义。1933年5月,被国民党逮捕。1937年被营救出狱。出狱后担任中共湖北省委宣传部长。后创建了鄂中游击区。1940年到延安,先后任中央军委秘书长和总政治部秘书长兼宣传部长。解放战争期间,先后任辽宁、辽吉、辽北等省省委书记,东北野战军政治部副主任等职。中华人民共和国成立后,曾任中共广东省委第一书记、中共中央中南局第一书记等职。在党的八届十一中全会上当选为中央政治局委员、政治局常务委员,兼任书记处常务书记,并任国务院副总理、中央宣传部部长。他同林彪、“四人帮”的阴谋活动作斗争,遭到他们的残酷迫害,于1969年11月30日逝世。

【陶然】舒畅快乐的样子。
【陶醉】快乐得像醉了一样。形容沉浸在某种满意的境界或情绪里。
【陶潜】即"陶渊明"(963页)。
【陶弘景】(456—536)南朝梁医药学家。字通明,丹阳秣陵(今江苏南京)人。他的思想脱胎于老庄哲学和葛洪的神仙道教,并杂有儒家和佛教观点。曾整理和修订古代药物学名著《神农本草经》,并在原有的三百六十多种药物以外,增加了几百种新药物,写成《本草经集注》。
【陶宗仪】(1316—?)元末明初文学家。字九成,号南村,浙江黄岩人。工诗文,富著述,所摭典故遗闻,皆有裨于史学。著有《南村辍耕录》《南村诗集》,编纂《说郛》《书史会要》《四书备遗》等。
【陶渊明】(约365—427)东晋诗人。名潜,字元亮,浔阳柴桑(今江西九江)人。做过参军、彭泽令等小官,后隐退躬耕。写了大量田园诗,描写田园风光,表现不愿同流合污、向往太平社会的情思。其诗朴素自然而又含蓄淳厚。散文也有很高的成就。有《陶渊明集》。

萄 táo 葡萄。㊀～糖。

啕 táo 见〔号啕〕(382页)。

淘 táo ❶把颗粒状的东西装进器物里,再放在水中搅荡、摇动,以除去杂质。㊀～米|～金。❷从深处舀出泥沙或污秽。㊀～井。❸〈方〉顽皮。㊀这孩子真～。❹到旧货市场寻购。㊀～旧书。
【淘汰】去掉差的、不适合的。㊀自然～。
【淘金】把含有金屑的砂在水中荡涤,砂轻随水流去,金重留在器内。用这种方法采金叫做淘金。
【淘换】寻觅;设法得到(某物)。
【淘汰赛】体育比赛方法之一。负者被淘汰,胜者进入下一轮比赛,最后确定优胜者。

骟☒(騊) táo 〔骟駼〕古代良马名。

绹(綯) táo 绳索。

醄☒ táo 见〔酕醄〕(668页)。

梼□(檮) táo 〔梼杌〕❶古代传说中的恶人,舜时四凶之一。一说恶兽。❷楚国史书名。杌(wù)。

韬☒ táo "鼗"的异体字。

tǎo ㄊㄠˇ

讨(討) tǎo ❶征伐。㊀征～。❷探索;研究。㊀研～。❸索取。㊀向敌人～还血债。❹请求。㊀～教。❺招惹。㊀～厌。
【讨乞】乞讨。
【讨巧】不费力而占便宜。
【讨厌】❶惹人厌烦。㊀说起来没完,真～。❷厌恶。㊀我～那种不老实的态度。
【讨伐】出兵征讨。
【讨论】就某一问题交换意见或进行辩论。
【讨好】❶为取得别人的欢心或称赞而迎合别人。❷得到好的效果(多用于否定式)。㊀费力不～。
【讨饶】请求饶恕。
【讨嫌】惹人厌恶。
【讨价还价】买卖双方要价还价。也比喻接受某项任务前或举行谈判时提出种种条件,斤斤计较。

tào ㄊㄠˋ

套 tào ❶罩在表面的东西。㊀外～。❷罩上。㊀～一件衣服。❸装在衣、被里的棉絮。㊀被～。❹互相衔接、间杂或重叠。㊀～种|～色。❺有关联的事物配合成的整体。㊀～装|成～家具。❻模仿。㊀不要生搬硬～。❼拴系。㊀～车。❽以计骗取。㊀用话～他。❾用不正当的手段买进。㊀～汇|～购。❿量词。用于同类的一组。㊀买一～衣服|练了一～拳。
【套印】用多块印版涂上不同色墨套合印刷。可以印出多种颜色。中国约在14世纪出现朱墨两色的套版,17世纪前后开始盛行。
【套汇】违反国家外汇管理法规,非法取得、持有外汇的违法行为。主要有:以人民币支付或以实物偿付应当以外汇支付的进口货款或其他类似支出;以人民币为他人支付在境内的费用,由对方付给外汇;未经外汇管理机关批准,境外投资者以人民币或境内所购物资在境内进行投资;以虚假或无效的凭证、合同、单据向外汇指定银行骗

T

购外汇等。对套汇行为人给予警告,强制收兑,并处套汇金额30%以上3倍以下的罚款。构成犯罪的,依法追究刑事责任。

【套曲】由若干乐曲或乐章组合成套的大型器乐曲或声乐曲。

【套利】利用不同市场、不同期限的某商品的价格差异进行交易以获取利润。

【套牢】指买入证券后价格下跌或卖出证券后价格上涨。前者叫多头套牢,后者叫空头套牢。

【套购】用欺骗或拉拢等手段购买国家限制买卖的商品,从中获取暴利。

【套型】按不同使用面积、居住空间组成的成套住宅类型。

【套种】也说套作。在某种作物生长后期,在其行间把另一种作物播种进去的种植方式。可充分利用土地,增加产量。种(zhòng)。

【套语】❶客套话。如“劳驾”“借光”。❷固定成套的一些词语。如“等因”“奉此”等。

【套数】❶戏曲或散曲中连贯成套的曲子。❷比喻成套的技巧或手法。

【套餐】搭配成套按份出售的饭食。

tè ㄊㄜˋ

忑 tè 见〔忐忑〕(956页)。

忒 ㊀ tè 差错。㊀差~。
㊁ tuī(996页)。

铽(鋱) tè 金属元素,符号Tb,原子序数65。是稀土元素之一。用作荧光体的激活剂。

特 tè ❶不平常的;超出一般的。㊀奇~|~殊。❷副词。专门。㊀~设。❸文言副词。只;仅。㊀不~如此。❹特务。㊀防奸防~。❺特斯拉的简称。

【特长】特别擅长的技能。

【特务】❶经过特殊训练或专门安排,从事刺探情报、颠覆、破坏等活动的人。❷军队中指担任警卫、通讯、运输等特殊任务的。㊀~员|~连。

【特写】❶新闻和报告文学的一种形式。主要描写真人真事。❷一种电影拍摄手法。用极近的距离拍摄人或物的某一部,使特别放大,取得突出和强调的效果。

【特地】特意。表示专为某件事。

【特价】指优惠的低价格。㊀~书市。

【特色】格外突出的风格或特点。

【特产】某地特有的或著名的物产。

【特异】❶特别优秀。㊀成绩~。❷特殊。

【特约】特地约定。㊀~稿件。

【特技】特殊的技能技巧。如武术、杂技中的特殊动作,电影中拍摄特殊镜头的技巧等。

【特困】生活特别困难的;有特殊生活困难的。㊀~生|住房~户。

【特使】一个国家或国家元首临时派往他国执行特定外交任务或参加典礼活动的外交代表。

【特征】可以作为事物特点的征象或标志。

【特定】某一个或特别指定的一个(人、地方、时期等)。

【特殊】不普通;不一般。

【特效】特别好的效果。

【特赦】国家对特定的犯罪分子免除全部或部分刑罚,只赦免其刑,不赦免其罪。

【特警】执行特殊任务的武装警察。

【特别法】规定对特定人、特定事、特定地区、特定时间内适用的法。与“普通法”相对。在法律适用上优于普通法。

【特种兵】专门担负特殊作战任务的士兵。

【特斯拉】简称特。磁感强度单位。1特等于1焦/(安·米^2)。

【特技摄影】❶运用各种特殊技术或附件进行摄影的方法。包括多重曝光、变焦、柔焦、追随、慢门、附加透镜等。❷采用各种特殊技巧拍摄电影的方法。如模型摄影、合成摄影、曝光技巧、烟火效果等。

【特种工艺】使用特殊的材料,进行特种技术加工而成的传统手工艺产品。如象牙雕刻、玉石制品、漆器、景泰蓝、金银首饰、陶瓷等。

【特殊教育】运用特殊的方法、设备和措施,对社会上特殊人群实施的教育。特殊人群指身心有缺陷的儿童、青少年和成人。实施特殊教育的机构有盲校、聋哑学校、工读学校等。

【特别行政区】中国在必要时设立的实行特殊制度的地方行政区域。如香港特别行政区、澳门特别行政区。

【特别提款元】国际货币基金组织于1969年9月创设的一种计账货币单位。用于补充会员国的国际储备。

【特洛伊木马】也叫木马计。传说希腊人远征特洛伊城,九年围攻不下。后来造了一匹巨大的木马，在马肚子里藏下精兵，假装撤退。特洛伊人把木马作为战利品拖进城去。当夜希腊伏兵出来，打开城门，里应外合，攻下了特洛伊。后来比喻潜伏在内部，暗中进行破坏活动的敌人。

【特殊防卫权】法律赋予行为人排除防卫过当的一项特殊权利。对正在进行行凶、杀人、抢劫、强奸、绑架以及其他严重危及人身安全的暴力犯罪，采取防卫行为，造成不法侵害人伤亡的，不属于防卫过当，不负刑事责任。

慝 tè ❶恶念。❷奸邪或奸邪的人。

螣 ㊁ tè 古书上指吃苗叶的害虫。㊀ téng（965页）。

te ·ㄊㄜ

忒□ te （又音de）见〔肋忒〕（587页）。

tēng ㄊㄥ

熥 tēng 放在热的东西上烤热或烤干。㊎～馒头｜放在炕上～～。

鼟□ tēng 拟声词。敲鼓声。

téng ㄊㄥˊ

疼 téng ❶因病、伤、刺激等而引起的痛的感觉。㊎腰～。❷关心；疼爱。㊎像亲生女儿一样～她｜这孩子怪招人～的。

滕☒ téng 香囊。

腾（騰） téng ❶奔跑；跳跃。㊎奔～｜欢～。❷上升。㊎飞～。❸让出；挪移。㊎～房｜～出手来。❹用在某些动词后，表示动作连续反复。㊎折～｜闹～。

【腾飞】冲向天空飞起。比喻迅速地发达起来。㊎为中华～贡献力量。

【腾空】向天空上升。㊎～而起。

【腾挪】挪动腾空；调换（位置）。

【腾贵】（物价）飞涨。

【腾腾】形容气体很盛的样子。比喻气焰很盛的样子。㊎热气～｜杀气～。

【腾格里沙漠】主要分布于内蒙古自治区阿拉善盟东南部和甘肃省武威地区北部。面积3.67万平方千米。沙丘广布，东部多流动性沙丘。

滕 téng 周朝国名。在今山东滕州西南。

藤（*籐） téng ❶蔓生植物名。如白藤、紫藤等。有的茎细长，柔软而坚韧，可编织。❷泛指匍匐茎或攀缘茎。如瓜藤、葡萄藤。

【藤本植物】茎干细长、不能直立、匍匐地面或攀附他物而生长的植物。根据茎干的质地分为草质藤本（如牵牛）和木质藤本（如葡萄）；根据攀附方式分为攀缘藤本（如藤棕）、缠绕藤本（如牵牛）、吸附藤本（如爬山虎）和卷须藤本（如葡萄）等。

螣 ㊀ téng 〔螣蛇〕古书上说的一种能飞的蛇。

㊁ tè（965页）。

縢☒ téng ❶约束。❷封闭。❸裹腿。㊎行～。

䲢□（鰧） téng 也叫瞻星鱼。鱼类。体粗壮，呈亚圆筒形，后部侧扁，长达25厘米。在浅海底层栖息，常半埋于浅海泥沙中。

誊（謄） téng 抄写。㊎～清。

邆☒ téng 〔邆赕〕唐朝南方少数民族六诏之一。

tī ㄊㄧ

体（體） ㊁ tī 〔体己〕同"梯己"（966页）。

㊀ tǐ（968页）。

剔 tī ❶把肉从骨头上刮下来。㊎～骨头。❷从缝隙里往外挑（tiǎo）。㊎～牙。❸拣出不好的去掉。㊎～除糟粕。

【剔红】即"雕漆"（212页）。

【剔除】把不合适的或不好的去掉或挑出。㊎～糟粕。

【剔庄货】旧指廉价出售的次等品。

踢 tī 抬起腿用脚触击。㊎～球｜一脚～出去。

【踢皮球】比喻（单位、部门或个人之间）互相推诿，把该自己办的事情推给另一方。

梯 tī ❶梯子，爬高的用具。❷作用跟梯子相似的设备。㊎楼～｜电～。❸

T

形状像梯子的。例～田。

【梯己】也作体己。❶在一个家庭集体生活中，个人私下积蓄的财物。❷亲近的；贴心的。例～话。

【梯队】❶军队战斗时按任务和行动先后的顺序分为几个部分，每一部分就叫一个梯队。❷在人员的使用上，被定为接替一拨人的另一拨人。如干部梯队、学术梯队。

【梯田】沿山坡等高线修筑的阶梯式农田。边缘筑有田埂。是防止水土流失的有效措施。

【梯形】仅有一组对边平行的四边形。

【梯也尔】阿道夫·梯也尔（1797—1877）法国政治家、历史学家。曾先后任法国参事院院长、"国防政府"首脑、第三共和国总统。主张恢复君主制度，参与镇压巴黎公社。著有《法国革命史》等。

T

【梯恩梯】英语音译词。三硝基甲苯。黄色结晶，具有猛烈的爆炸性，用作炸药。

【梯恩梯当量】简称当量。核武器爆炸时放出的能量相当于多少吨梯恩梯炸药爆炸时放出的能量。

锑（銻） tī 金属元素，符号 Sb，原子序数 51。银灰色，性脆，冷胀热缩。锑、铅和锡的合金可制铅字、轴承和颜料等。

踢☒ tī 践踏。

鹏□**（鵬）** tī 见〔䴘鹏〕（750 页）。

擿☒ ㊁ tī 揭发。例发奸～伏。
㊀ zhì（1272 页）。

tí ㄊㄧˊ

荑 ㊁ tí ❶草木初生的叶芽。❷稗子一类的草。
㊀ yí（1160 页）。

绨（綈） ㊀ tí 厚绸子。例～袍。
㊁ tì（969 页）。

【绨袍】战国时范雎在魏国须贾手下做事时曾受贾辱。后范逃到秦国并做了秦国的相。贾出使到秦，范装扮成穷人去见贾。贾见他很穷就给他一件绨袍。范因眷恋故人之情，就没有杀贾。后以"绨袍"比喻故旧之情。

稊☒ tí 一种形状似稗的野草，果实像小米。

鹈（鵜） tí〔鹈鹕〕也叫淘河鸟。鸟类。体形大，全身近纯白色，喙直而阔，尖端弯曲。下颌下面有大的喉囊，能伸缩，可用以兜食鱼类。翼大，飞得快，善游泳。

提 ㊀ tí ❶垂手拿着（有提梁或绳套的东西）。例～着水桶。❷由低往高移。例～高。❸日程往前移。例～前。❹说起；指出。例旧事重～|～问题。❺取出。例～款|～炼。❻从关押的地方带出犯人。例～审。❼舀油、醋等液体的用具。例醋～。❽即"挑（tiǎo）"⑤（977 页）。
㊁ dī（192 页）。

【提示】❶把可以启发思考的有关因素提出来，帮助对方思考。❷启发如何做题的注文。

【提议】向会议提出意见供大家讨论。也指提出的意见。

【提存】因债权人无正当理由拒绝受领；或不知债权人是谁；或债权人下落不明，使债务难以履行时，债务人经公证机关证明，将履行标的提交有关机关保存的法律制度。债务一经提存即告履行。

【提成】从钱财或物品的总数中按一定成数提出来。也指提出来的成数。

【提花】用经线、纬线在织物上按设计要求织出凸起的图案。

【提纯】除去某种物质中所含的杂质，使它变得纯净。

【提纲】（写作、发言、学习、研究、讨论等）事先提出的内容要点。

【提拔】挑选某人或某些人使担任更重要的职务。例注意培养～妇女干部。

【提取】❶从负责保管的机构或某部门的一定量财物中取出（存放的或应得的财物）。例～存款|～行李。❷经过提炼而取得。例从石油中～汽油。

【提供】供给可参考或利用的（意见、资料、物资、条件、情况等）。

【提单】❶也叫提货单。提取货物的凭据。❷海商法上用以证明海上货物运输合同和货物已经由承运人接收或装船，以及承运人保证据以交付货物的凭证。分记名提单、指示提单和不记名提单。

【提审】❶最高人民法院对各级人民法院，或上级人民法院对下级人民法院已经发生法律效力的判决或裁定，如果发现确有错误，依法提归自己审判的一种审判程序。

❷将在押犯人提出审讯。

【提要】❶从全书或全文中提出要点。❷从全书或全文中提出来的要点。

【提香】提香·韦切利奥(1490—1576)意大利文艺复兴时期画家,威尼斯画派的代表。擅长宗教和神话题材,以色彩作为主要造型手段,女性人体丰腴健美。代表作有《神圣与世俗之爱》《乌尔比诺的维纳斯》等。提香的画绚丽和谐,色彩丰富,对后来欧洲的油画发展有较大影响。

【提炼】用化学方法或物理方法从物质中取出所需要的东西。比喻对文章、生活、经验等加工、提高。

【提挈】❶扶助。❷提拔;照顾。❸指挥和带领。例~全军。挈(qiè)。

【提倡】宣传事物的优点或好处,鼓励大家使用或实行。例~晚婚。

【提案】提请国家机关或者一定组织的会议讨论、决定、处理的方案或建议。

【提调】❶指挥调度。❷负责指挥调度的人。

【提梁】壶、篮子、水桶等上面用手提的部分。

【提携】❶搀扶;带领。❷帮助;照顾。引申为提拔。

【提督】明清两代官名。明代在驻防京师的京营中设有提督,万历时为总兵以上武官名。清代设提督军务总兵官,简称提督,一般为一省的高级武官,沿江沿海地区还设有水师提督。

【提心吊胆】形容十分担心、害怕。

【提纯复壮】防止农作物良种混杂退化的育种措施。通过去杂去劣、株选、穗选、粒选等方法提高良种种子的纯度和生活力,并建立种子田,使品种保持优良性状。

【提纲挈领】提起鱼网的总绳,抓住衣服的领子。比喻把问题简明扼要地提示出来。挈(qiè)。

猩☒ tí 狗。例灵~(一种比赛的狗)。

媞☒ tí 容貌美好。

骎□(**騠**) tí 见〔駃騠〕(537页)。

缇(**緹**) tí 橘红色。

禔☒ tí 福。

鶗☒(**鶗**) tí 〔鶗鴂〕杜鹃的别称。

题(**題**) tí ❶题目。例命~|试~。❷写上。例~名|~诗。❸品评。例品~。

【题目】❶诗文或讲演的标题。❷为练习或考试测验而提出的问题。

【题写】为留作纪念而书写。例~书名。

【题名】❶为留纪念或表示表扬而写上姓名。例英雄榜上~。❷为留纪念而写上的姓名。

【题字】为留纪念而写上字。

【题材】文艺作品中具体描写的生活事件和生活现象,即作者表达主题、塑造形象所运用的材料。它是在生活素材的基础上经过选择、概括、集中、提炼而成的。

【题库】大量试题的资料集。例高考~|建立大型~。

【题词】❶为表示纪念或勉励而题写的文字。❷旧时序文的一种,放在作品正文前面,一般为韵文。

【题跋】写在书籍、字画等前后的文字。写在前面的叫题,写在后面的叫跋,合称题跋。内容大多涉及评论、鉴赏、考订、记事等。

【题签】❶书画标签上的题字。❷写在书皮上的标签。

【题解】❶著作中解释题目含义、说明写作背景或有关内容的文字。❷汇集成册的问题解答。例《代数~》。

醍 tí 见下。

【醍醐】精制的奶酪。佛教喻指最高的佛法。

【醍醐灌顶】佛教指灌输智慧,使人彻底"醒悟"。比喻听了精辟高明的意见,受到很大启发。

鳀(**鯷**) tí 鱼类。体小。长约13厘米,腹部圆柱形。生活在海中。肉味鲜美。

啼(*嗁) tí ❶出声地哭。例悲~。❷某些鸟兽鸣叫。例鸡~|猿~。

【啼饥号寒】因饥饿寒冷而哭啼,形容生活极端贫困。号(háo)。

【啼笑皆非】哭也不是,笑也不是。形容既令人难受,又让人觉得可笑。

T

遆□ tí 姓。

鹈☒（鵜） tí 〔鹈鹕〕鹈鹰的一种。

蹄（*蹏） tí 牛、马等牲畜趾端的角质保护物。也指有蹄的脚。㊀马不停～。

tǐ ㄊㄧˇ

体（體） ㊀ tǐ ❶全身。有时指身体的某部分。㊀～重｜四～。❷事物相对独立的部分。㊀个～｜整～。❸物质存在的状态。㊀固～｜液～。❹文章的体裁；文字书写的形式。㊀文～｜字～。❺体制。㊀国～｜政～。❻亲身经历。㊀～验。❼一种语法范畴。多表示动词所指动作进行的情况。

㊁ tī（965 页）。

【体用】中国古代哲学的一对范畴。体，指世界的本原；用，指体的表现和产物。唯心主义者认为无、理、心等精神性的东西是体，而把物质性的东西如有、气、物说成是用。唯物主义者则认为有、气、物等物质性的东西是体，它们的运动是用，用离不开体。

【体刑】即“肉刑”（831 页）。

【体会】实践的感受，学习的心得。

【体系】若干事物互相联系而构成的一个整体。㊀思想～｜工业～。

【体词】指主要语法功能是充当主语和宾语的一些词类。与“谓词”相对。如汉语的名词、代词、数词、量词等。

【体现】指某一事物具体地表现出某种现象、某种性质或精神。㊀他的这种做法，～了现代人的精神。

【体味】仔细体会。

【体制】❶国家机关、企业和事业单位等的制度。㊀国家～｜企业～。❷艺术作品的体裁格局。

【体例】著作、编写的规格、形式。

【体质】指人的健康水平、抵抗疾病和适应外界的能力。

【体育】增强体质、促进身体健康的教育。以各项运动为基本手段。是社会文化教育的重要组成部分。

【体面】❶身分；面子。❷光彩。❸相貌好看；漂亮。

【体罚】肉体处罚。如罚站、罚跪、打屁股、打手心等。

【体贴】细心体会别人的心情和境况并加以照顾。

【体恤】体贴别人的困难并给以同情和帮助。

【体统】指体制、格局、规矩等。

【体积】表示物体所占空间大小的量。

【体谅】设身处地为他人考虑，予以谅解。

【体验】通过亲身实践来认识周围的事物。㊀～生活。

【体液】人和动物体内的液体。分细胞内的液体和细胞外的液体。高等动物细胞外的体液有血浆、淋巴、组织液、脑脊液等。有运送物质、保护组织、参与身体机能调节等作用。

【体裁】文章或文学作品的类别、形式。如文章可分为记叙文、议论文、说明文、应用文等；文学作品可分为诗歌、小说、散文、戏剧等。

【体量】建筑学上指建筑物占有空间的量，也包括它上空的那部分。

【体腔】动物体内脏器官周围的腔隙。低等脊椎动物仅有一个体腔；高等脊椎动物的体腔则分隔为胸腔、腹腔与围心腔。

【体温】维持正常生理机能的身体温度。人的正常体温为 37℃左右。

【体魄】体格和精力。

【体察】体验、观察。

【体操】体育运动项目之一。指徒手或利用器械做的有特定要求的身体操练。分竞技性体操和非竞技性体操（如基本体操、团体操等）两类。内容丰富，形式多样，动作优美而富于艺术性。

【体细胞】高等生物体的二倍体细胞。是组成生物体各部分组织器官的基本单位。

【体脂率】也叫体脂百分数。指脂肪重量在人体体重中所占的百分比。可用来反映人的肥胖程度。

【体循环】也叫大循环。血液从左心室出发，经主动脉及沿途动脉分支到身体各部分的毛细血管和组织细胞进行物质交换，再循上、下腔静脉回到右心房再入右心室的过程。

【体无完肤】形容遍体受伤，没有一处完好。

【体外受精】水生动物的普遍生殖方式。精子和卵子同时排出体外，在雌体产孔附近或在水中受精。如某些鱼类和部分两栖类动物。现医学应用特殊方法，将精子与卵细胞的结合引至体外进行，也叫体外受精。

【体育人口】指经常从事身体锻炼、身体娱乐，进行专项训练以及其他与体育事业有关的人在总人口中的数量和比重。体育人口要满足三个条件：(1)每周身体活动3次以上；(2)每次身体活动时间30分钟以上；(3)每次身体活动强度中等以上。

【体育舞蹈】体育运动项目之一。是由男女二人结伴的步行式双人舞。源于欧美。分交谊舞、拉丁舞、集体舞三种。比赛的评判以动作与音乐节拍的吻合、身体基本姿势、舞蹈动作、旋律的掌握以及对音乐的理解等五个方面进行。音乐不超过4分30秒，必须由探戈、维也纳华尔兹、慢华尔兹、慢狐步、快狐步五种曲子组成。男子着装为蓝、黑两种颜色，女子不限。

【体液平衡】机体通过机能调节，使每日摄取和排出的水量和钠量（细胞外液主要的电解质）保持平衡，维持其正常生理活动。

【体细胞杂交】也叫细胞融合。将两个不同遗传基础的体细胞的原生质体融合在一起，由这种异核原生质体培养成完整个体的方法。分动物体细胞杂交、植物体细胞杂交、动物和植物体细胞杂交等。

tì ㄊㄧˋ

屉 tì ❶桌、柜等器物上的抽斗。㊀抽～。❷指蒸食物的笼屉。❸床上或椅子上活动的可以取下来像屉子的床板或椅子板。

屜⊠ tì 同"屉"。现在通常写作屉。

櫃⊠ tì 同"屉"。现在通常写作屉。

剃（*鬀 *薙） tì 用刀子刮去毛发。㊀～头。
"薙"，另见（969页）。

【剃度】佛教用语。指给要出家当和尚、尼姑的人剃去头发。

涕 tì ❶眼泪。㊀痛哭流～。❷鼻涕。㊀～泪交流。

【涕零】流泪。㊀感激～。零：落。

悌 tì 敬爱兄长。㊀弟子入则孝，出则～。

绨（綈） ㊁ tì 丝织物的一种。用蚕丝或人造丝作经，棉纱作纬，采用平纹或平纹作地提花织成。质地较绸类厚实，表面较绸粗糙，如线绨。
㊀ tí（966页）。

睇□ tì 锑化氢（SbH_3）中氢原子被烃基取代的有机化合物。如$RSbH_2$。

俶 ㊁ tì 〔俶傥〕同"倜傥"（969页）。
㊀ chù（139页）。

倜 tì 〔倜傥〕也作俶傥。洒脱；不拘束。傥（tǎng）。

逖 tì 远。

悐⊠ tì 同"惕"。

逷⊠ tì "逖"的异体字。

惕 tì ❶小心。㊀警～。❷害怕。㊀怵（chù）～。

裼 ㊁ tì 婴儿的衣服。
㊀ xī（1056页）。

替 tì ❶代。㊀～换。❷介词。为；给。㊀～祖国争光。❸衰落；废。㊀兴～。

【替身】❶迷信的人认为恶鬼诱使人去死以替代自己，从而使自己摆脱困境或转世。这个人就是恶鬼的替身。❷代替别人的人。

【替罪羊】古代犹太教举行祭礼时，用来替人类承担罪过而宰杀的羊。后用以比喻代人受过者。

殢⊠（殢） tì ❶困扰。❷滞留。

薙□ tì 除草。
另见"剃"（969页）。

嚏 tì 〔嚏喷〕即"喷嚏"（743页）。喷（pen）。

籊⊠ tì 〔籊籊〕形容竹竿细长的样子。

趯□ tì ❶跳跃。❷书法用语。指汉字笔画的钩。参见〔永字八法〕（1189页）。

tiān ㄊㄧㄢ

天 tiān ❶天空。❷位置在顶部的；在高处架设的。㊀～窗｜～线｜～车。❸时间单位。相当于日。有时专指白天。

㊀两～以后|三～三夜。❹季节;天气。㊀春～|雨～。❺非人工的。㊀～然。❻泛指自然界。㊀人定胜～。❼迷信指神佛、仙人或他们所住的地方。㊀老～爷|～国。

【天人】❶古指天和人;天道和人道。㊀故明于～之分,则可谓至人矣(《荀子·天论》)。❷道家指有道之人。㊀不离于宗,谓之～(《庄子·天下》)。❸旧指才能或容貌出众的人。❹指天理人欲。

【天干】也叫十干。甲、乙、丙、丁、戊、己、庚、辛、壬、癸的总称。中国古代分别将天干和地支相配,用来表示年、月、日、时的次序。现在常用作表示顺序的符号。参见〔干支〕(301 页)。

【天才】卓绝的聪明才智。也指有这种才能的人。

T

【天下】❶旧指中国。❷指世界。㊀～大乱。❸指国家。㊀人民的～。

【天山】亚洲中部的大山脉。横亘中国新疆维吾尔自治区中部,西段伸入中亚。包括许多平行山脉和山间盆地。著名高峰托木尔峰海拔 7 443 米,汗腾格里峰海拔 6 995 米。

【天子】古称统治天下的帝王。

【天井】宅院中几面房子围成的或房子与院墙围成的露天空地。

【天车】❶指桥式起重机。由沿高架轨道移动的桥、沿桥移动的行车和在行车上的升降机构组成。能在较大范围内吊起并搬运重物。❷即"筒车"(987 页)。

【天牛】昆虫。种类很多。成虫大小、形状、颜色因种类而异,一般为长椭圆形,触角较身体长。幼虫黄白色,扁长圆筒形。蛀食树木枝干,故又名锯树郎。为森林、桑树和果树的重要害虫。常见的如星天牛、桑天牛等。

【天气】一定区域一定时间内阴晴、风雨、冷热等的大气状况。时刻处于变化之中。

【天分】天资。

【天公】天;假想中的自然界的主宰者。以天拟人,故名。

【天方】中国古代称中东一带阿拉伯人建立的国家。

【天书】❶指神仙写的书或信(迷信)。比喻难认的文字或难懂的文章。❷古称皇帝的诏书。

【天平】根据杠杆原理制成的一种精确度较高的衡器。

【天生】天然生成。㊀这个孩子～聪明。

【天机】❶旧指不可理解的神秘的天意。❷借喻极秘密的事。㊀一语泄露了～。

【天年】人的自然的寿命。㊀尽其～。

【天伦】旧指父母、子女、兄弟间的关系。

【天坛】北京市名胜古迹之一。始建于明代永乐十八年(1420)。是一个以圜丘和祈年殿为主的精美、完整的古建筑群。原为明清两代帝王祭天的地方,现辟为天坛公园。

【天花】由天花病毒引起的烈性传染病。通过呼吸道传染。初起有高热、呕吐等症状,继而成批出现斑疹、丘疹、疱疹、脓疱和结痂,痂盖脱落后留下永久性疤痕(麻点)。

【天足】旧指女子没有经过缠裹的脚。

【天体】宇宙间一切星辰的统称。如太阳、地球、月球和其他恒星、行星、卫星以及星云、彗星、流星体等。

【天条】迷信指老天爷定下的戒律。

【天灾】指自然灾害。如水灾、旱灾、虫灾、风灾、雪灾、地震等。

【天良】良心。

【天际】天边。眼睛看到的天地交接的地方。

【天国】❶也叫神国、上帝国。基督教称上帝所治理的国为天国,即所谓天堂。❷比喻理想世界。

【天竺】古波斯语音译词。中国古代称印度。

【天使】犹太教、基督教、伊斯兰教中指神派遣传达神旨的使者。西方文学艺术中,天使的形象多为带翅膀的少女或小孩子。

【天命】中国古代哲学名词。1. 指至高无上的神的意志和命令。㊀～不易。2. 指自然界的必然性。㊀从天而颂之,孰与制～而用之。

【天京】太平天国农民革命政权的首都。即今江苏南京。太平天国农民起义军自 1851 年在广西桂平金田村起义后,逐渐发展壮大,占领长江南北广大地区,1853 年 4 月定都南京,改称天京。

【天河】银河系的通称。

【天波】由天线发出、经电离层反射而传到地面上另一地点的无线电波。天波传播距离远,但不稳定。短波无线电通信和广播主要利用天波传播。

【天性】指人或动物先天具有的品质或特点。

【天穹】像半个球面似的覆盖着大地的天空。穹(qióng):穹隆,高起成拱形的。

【天线】发射或接收电磁波的装置。
【天庭】❶星名。即太微垣。❷指宫廷。❸指两眉之间,前额的中央。
【天宫】神话中天神的宫殿。
【天险】自然形成的险要的地方。
【天骄】天之骄子的略语。汉朝人称匈奴单于为天之骄子,后称北方少数民族的君主为天骄。
【天真】❶心地单纯,性格直率。㊕~烂漫。❷头脑简单、幼稚。㊕你这种想法太~。
【天桥】❶火车站上横跨铁路或城市中横跨马路的人行高桥。❷一种桥形的运动设备,多供空军或消防人员训练用。
【天罡】古指北斗星。也指北斗七星的柄。罡(gāng)。
【天敌】自然界中某种动物专门捕食或危害另一种动物,前者就是后者的天敌。如猫是鼠的天敌。
【天候】自然气候。㊕全~公路(在各种气候条件下都能通行的公路)|地形与~条件。
【天资】先天就具备的资质(主要指智力)。
【天球】为研究天体在天空中的位置和运动而假想的圆球。它的球心就是观测者,半径是无穷大。地轴延长线与天球相交的两点为天极,地球赤道平面与天球相交的大圆为天赤道。地球以外的天体在天球上都有各自的投影,并可用一定的坐标系说明它们在天球上的位置。
【天理】❶中国古代哲学名词。唯物主义哲学中,一般指自然法则,即自然之理;唯心主义哲学中,主要指抽象的观念或精神实体。所谓理由天授,故名。宋明理学中,与"人欲"对立的所谓"天理",实质上是指仁、义、礼、智等纲常伦理。❷天然的道理。
【天职】应尽的职责。
【天堑】天然形成的隔断交通的大沟。有时也指江河(多指长江),形容它的险要。堑(qiàn):壕沟。
【天堂】❶宗教上指神所居住以及人死后灵魂归寓或享乐的场所。与"地狱"相对。❷比喻美好幸福的生活环境。
【天象】天文现象。㊕观~。
【天麻】多年生腐生草本植物。无叶绿素,地上茎独秆直立,花褐色或淡黄色。地下茎块状像芋头,可供药用,能熄风镇痉、止痛、降血压。
【天阉】男子性器官发育不完全,无生殖能力的现象。
【天涯】天边。形容极远的地方。
【天葬】处理遗体的一种方法。把尸体运到葬场或旷野,让鹰、乌鸦等鸟类吃掉。
【天赋】❶自然赋予;生来就具备。❷天资。
【天鹅】鸟类。像鹅而较大,颈长,羽毛多纯白色,飞行高而速度快。主食水生植物,也食鱼虾。
【天然】自然存在或产生的。与"人工""人造"相区别。
【天道】❶中国古代哲学名词。指日月星辰等天体的运行规律。唯心主义认为这是神的意志的体现;唯物主义认为这是不体现任何意志的自然现象。❷佛教六道之一。六道:天道、人道、阿修罗道、畜生道、饿鬼道、地狱道。
【天幕】❶笼罩大地的天空。❷舞台上用来表示天空的蓝色布幕。
【天禀】天资;先天就具有的才能智力和特点。
【天演】生物界自然的进化。天演论即进化论。参见〔进化论〕(511页)。
【天籁】自然界的各种声音。如风声、水流声、鸟啼声等。籁(lài)。
【天壤】天地。也比喻相距极远。㊕~之别。
【天一阁】中国著名的古代藏书楼。明中叶范钦所建,在宁波市月湖之西。原有藏书七万多卷,后屡经盗窃,散失甚多。1949年后经过修理,并收回流散图书。是全国重点文物保护单位。
【天门冬】多年生攀缘草本植物。地下有簇生纺锤形肉质块根。茎长可达1—2米。叶退化,不明显。由绿色线形叶状枝代替叶的功能。浆果球形,直径约6毫米,熟时红色。可供观赏和药用。
【天王星】太阳系九大行星之一。绕太阳一周的时间为84.01年。以距离太阳由近及远的次序计是第七颗。它有15颗卫星,周围有光环。
【天中节】端午节的别称。
【天气图】反映一定时刻、一定地区的天气形势的图。根据各地在同一时刻观测的天气实况,用数字和规定的符号填写在特制的地图上加以分析而成。有地面天气图和高空天气图。是预报天气的主要工具之一。
【天文台】从事天文观测和研究的机构。

T

1384年明朝在南京建立的观象台,是世界上最早的设备完善的天文台。

【天文学】研究天体的位置、运行规律、内部变化和宇宙演化的科学。编历、授时、天文导航、预报太阳活动等都是天文学的实际应用。中国是开展天文学研究最早的国家之一,有最早的天象记录、天文仪器、天文台和测量、计算技术。

【天文馆】普及天文知识的文化教育机构。中国第一所天文馆1957年建于北京。

【天主教】也叫罗马公教、加特力教。基督宗教的一派。中世纪时在西欧占统治地位。16世纪欧洲宗教改革运动后,丧失了对一些国家的影响,被称为旧教。

【天地头】指书籍、绘画、印刷品等上下所留的空白。

T

【天师道】即"五斗米道"(1044页)。

【天安门】中华人民共和国的象征性建筑。位于北京市中心,原为明清两代皇城的正门。门前是天安门广场,场中建有人民英雄纪念碑,西面有人民大会堂,东面有中国历史博物馆和中国革命博物馆,南面有毛主席纪念堂,布局庄严,气势雄伟。1949年10月1日毛泽东主席在天安门城楼上向全世界庄严宣告了中华人民共和国的诞生。

【天赤道】见〔天球〕(971页)。

【天花粉】中成药。用栝蒌根制成。用于清热生津、排脓消肿。天花粉蛋白具有流产效应,可用于抗早孕。

【天灵盖】指人头顶部前边的平骨。

【天竺葵】也叫洋葵。多年生草本植物。叶有特殊气味,圆形或肾形。花有红、白等色。可供观赏。

【天柱山】古称皖山。中国名山。位于安徽省西南部。汉武帝登祭,封为南岳。主峰天柱峰海拔1 485米。兼有雄、奇、灵、秀的特点。

【天保宁】防治心绞痛药。从银杏叶中提取。有扩张冠脉血管、脑血管,增加冠脉流量及脑血流量,改善心脑功能的作用。也用于治疗脑血管痉挛、脑供血不全、记忆力衰退等。

【天津市】简称津。中国中央直辖市。位于华北平原东北部,海河水系五大河的汇流处。京哈、京沪两大铁路干线相交于此,东临渤海,是首都北京的海上门户。面积1.1万多平方千米。总人口957万(1998年),市区人口479万(1997年)。是华北重要的综合性工业城市和交通、商业中心。

【天狼星】大犬座最亮的一颗星。是肉眼所见最亮的恒星。冬季夜间容易见到。

【天琴座】位于北天球,主要部分由6颗恒星组成一个三角形和一个平行四边形。最亮的星是作为三角形一角的织女星,位于银河西边。夏秋易见。

【天鹅湖】四幕芭蕾舞剧。柴可夫斯基曲。作于1876年。别吉切夫和盖里采尔编剧,顿辛格编舞。1895年由法国舞剧导演佩季帕和俄国舞剧导演伊凡诺夫重新编舞。在圣彼得堡演出,获得巨大成功。成为世界芭蕾舞剧经典名著。剧情表现了王子齐格弗里特和天鹅公主奥杰塔的忠贞爱情,最终爱情战胜了恶魔,奥杰塔恢复了少女的原形。舞剧音乐共29曲,曲作者从中选出六曲编成管弦乐组曲:(1)场景;(2)圆舞曲;(3)四小天鹅舞;(4)场景;(5)匈牙利舞曲;(6)场景。

【天然气】在油田、气田、煤田和沼泽地带产生的天然气体。主要由甲烷和其他低分子烷烃组成,用作燃料,也是制炭黑、合成氨和有机合成工业的原料。

【天然桥】也叫天生桥。经流水冲刷或溶蚀而形成的桥状地形。多见于石灰岩地区。

【天然堤】在河流两岸天然形成的高出河面的长堤。由于洪水溢出河槽后,泥沙首先在岸边沉积,逐渐形成。

【天然漆】俗称大漆。以漆树汁为原料加工而成的涂料。漆膜坚韧光滑,耐腐蚀。主要用于涂饰建筑物、木器等。是中国特产。

【天鹰座】位于天赤道附近。最亮的星是牛郎星,位于银河东边。夏秋易见。

【天人合一】中国古代哲学中关于天人关系的一种学说。指天与人的关系紧密相联,不可分割。强调天道与人道、自然与人为的相通和统一。

【天人感应】中国古代哲学中关于天人相互关系的一种神秘主义的学说。认为"上天"能够干预人事,人的行为也能够感应"上天"。这种学说歪曲了人与自然之间的关系,成为中国古代神学体系的基础。

【天工开物】中国古代科学技术文献。明宋应星著。初刊于崇祯十年(1637),共十八篇,分上、中、下三卷。作者通过实地观察研究,全面系统地总结了中国古代农业和手工业生产方面的重要成就和经验,并附有大量插图。具有较高的科学价值。

【天山天池】简称天池。湖名。位于新疆中部天山博格达峰山腰。海拔1 900米。由高山融雪汇集而成。四周雪峰环抱，林木参天。

【天马行空】比喻气势豪放，不受拘束(多用在评价写作、绘画和书法等方面)。天马：汉武帝时从大宛(古代西域国名)得到的汗血马称为天马，意思是神马。见《史记·大宛列传》。行空：形容骏马奔驰，如腾空飞行。

【天气形势】气压、风、气温等的分布情况。在天气图上表明，用以分析未来一定时间内天气演变的趋势，是预报天气的重要依据。

【天气预报】气象台综合分析气象卫星的遥感信息和气象观测等资料后，发出的对某地区未来一段时间内天气及其变化的预报。

【天气谚语】也叫气象谚语。劳动人民在长期的生产和生活实践中积累的观察天气的经验，在群众中广泛流传而形成的谚语，如“早霞不出门，晚霞行千里”。

【天文导航】以宇宙中一定的星体(如日、月等)为依据，确定飞机或船舶的位置或航向。其优点是不易受到外界干扰，精确度高，但设备复杂，操作时间长。

【天文单位】天文学中使用的长度单位。1天文单位等于1.4959787×10^{11}米，即太阳和地球间的平均距离。

【天方夜谭】即“一千零一夜”(1157页)。

【天平文化】即“奈良文化”(706页)。

【天网恢恢】《老子·七十三章》：“天网恢恢，疏而不漏。”认为天道就像网一样，虽然宽大，但决不会放过一个坏人。后用“天网恢恢”形容作恶者终究逃脱不了应得的惩罚。恢恢：宽广。

【天衣无缝】前蜀牛峤《灵怪录·郭翰》：“徐视其(织女)衣并无缝，翰问之，曰：‘天衣本非针线为也。’”后喻指事物(多系文艺作品)浑成自然，细致完美，无破绽缺漏可寻。

【天花乱坠】传说梁武帝时有个和尚讲经感动了上天，天上的花纷纷落下来。见《高僧传》。后用“天花乱坠”形容言语动听而不切实际。坠：落下来。

【天体演化】宇宙中天体的产生、发展和衰亡的过程。

【天国通宝】中国古代铜铸币。是太平天国时期所铸的一种纪念铜币。

【天罗地网】上下四方都布下了罗网。比喻对敌人或逃犯设下的严密包围。罗：捕鸟的网。

【天府之国】自然条件优越、物产富饶的中国四川、重庆一带，被称为天府之国。

【天诛地灭】(罪大恶极)为天地所不容。诛(zhū)：杀。

【天经地义】《左传·昭公二十五年》：“天之经也，地之义也。”后用“天经地义”指正确的、不可改变的道理。也指理所当然，不容怀疑。经、义：道理。

【天津条约】1858年第二次鸦片战争时，英、法、俄、美强迫清政府在天津分别签订的不平等条约。主要内容有：准许外国公使进驻北京；开汉口、九江、南京、镇江、琼州、淡水、台南、潮州、登州、牛庄(开埠时后三处改为汕头、烟台、营口)、上海、宁波、福州、厦门、广州等处为通商口岸，外国军舰有权驶入长江和各通商口岸；由外国人掌管中国的海关；允许外国传教士深入内地自由“传教”，对英“赔款”银四百万两，对法“赔款”银二百万两；确立领事裁判权和片面的最惠国待遇等。

【天怒人怨】形容作恶多端，引起普遍的极大愤怒。

【天真烂漫】形容思想单纯，活泼可爱，没有虚伪做作(多指儿童)。

【天造地设】出于天然而合乎理想。

【天涯海角】也说天涯地角。形容极偏远的地方。宋张世南《游宦记闻》卷六：“今之远宦及远服贾者，皆曰天涯海角，盖俗谈也。”

【天渊之别】高天和深渊的差别。比喻差别极大。

【天赋人权】17、18世纪欧洲资产阶级启蒙学派的一种学说。认为自由和平等是人类的天赋权利。这种主张为资产阶级革命作了舆论准备，在当时反封建的斗争中，起过一定的进步作用。

【天然药物】来自自然界的药物，包括中药和部分西药。与“合成药物”相对。

【天然橡胶】具有高弹性的天然高分子化合物。主要由橡胶树割取的胶乳加工制成。具有较好的物理性能、机械性能和加工性能。其抗张强度比合成橡胶好。经硫化可制各种橡胶制品。

【天翻地覆】❶形容变化巨大。❷形容闹得很凶。

T

【天文望远镜】观测天体用的望远镜。口径大，聚光能力强。

【天安门事件】也叫四五运动。1976年4月5日前后全国范围内掀起的悼念周恩来、反对"四人帮"的群众运动。1976年1月8日周恩来逝世，全国人民无限悲痛。群众举行各种方式的悼念活动，寄托自己的哀思。"四人帮"反革命集团加快了篡党夺权的步伐，猖狂反对周恩来，激起了全国人民的极大愤怒和强烈反抗。4月5日前后，首都几十万群众汇集天安门广场，敬献花圈、书写诗词、发表演说，悼念周恩来，拥护以邓小平为代表的党的正确领导，声讨"四人帮"的反革命罪行。与此同时，在南京、杭州、郑州、太原等大城市，也掀起了维护周恩来、反对"四人帮"的声势浩大的群众运动。运动遭到了"四人帮"的血腥镇压。天安门广场的群众集会被歪曲成反革命事件。1978年12月，党的十一届三中全会为天安门事件彻底平反。

【天体物理学】天文学的分支学科。研究天体和宇宙空间的物理性质及其起源和演化等。

【天朝田亩制度】太平天国1853年颁布的纲领性文件。它明确提出"凡天下田天下人同耕"，否定封建土地所有制，要求建立"有田同耕，有饭同食，有衣同穿，有钱同使，无处不均匀，无人不饱暖"的理想社会。规定了分配土地的办法：把土地按好坏分成九等，不论男女，满十六岁的都可以分到一份，不满十六岁的减半。每家分到的土地好坏平均搭配。这些规定集中反映了农民迫切要求废除封建土地所有制的愿望，发展了历代农民战争提出的均贫富和均田的思想。

【天下乌鸦一般黑】比喻任何地方的坏人都是同样的坏。

添 tiān 增加。㊀～设|增～。

【添箱】旧指女儿出嫁时亲友赠送钱物。也指所赠送的钱物。

【添枝加叶】比喻叙述事情或转述别人的话时增添内容，加以夸大。

靔⊠（䨝） tiān 同"天"。

黇 tiān〔黇鹿〕哺乳动物。鹿的一种。角的上部扁平，呈掌状，尾略长。性温顺。

tián ㄊㄧㄢˊ

田 tián ❶种植农作物的土地。㊀麦～|棉～。❷蕴藏矿物可供开采的地带。专用于某些生产的土地。㊀油～|盐～。❸同"佃(tián)"。❹同"畋"。

【田汉】(1898—1968)中国现代戏剧家。原名寿昌，湖南长沙人。早年留学日本，1921年与郭沫若等人组织创造社。次年回国，先后创办南国电影剧社、南国社、南国艺术剧院等。是中国话剧的开拓者，中国现代音乐、电影的组织领导者和戏曲改革的先驱。长期致力于话剧、戏曲和电影的创作，代表作有《获虎之夜》《名优之死》《丽人行》《关汉卿》《文成公主》《谢瑶环》等。田汉作词、聂耳谱曲的《义勇军进行曲》被定为中华人民共和国国歌。有《田汉文集》。

【田地】❶耕种的土地。❷地步。㊀没想到如今落到这步～。

【田园】田地和园圃。泛指农村。

【田野】田地和原野。

【田猎】打猎。

【田畴】田地；田野。畴(chóu)。

【田赋】中国封建社会征收的土地税。

【田鼠】哺乳动物。体小，四肢和尾都短，耳小。毛一般为暗灰褐色。掘土生活，对农作物有害。

【田赛】田径运动中跳跃和投掷项目的统称。以距离和高度决定比赛成绩。因在一定场地内进行，故名。如跳高、跳远、三级跳远、撑杆跳高、标枪、铁饼、铅球、链球等。

【田螺】软体动物。壳略呈圆锥形，壳面光滑或具纵走的螺肋。有角质的厣。栖息于湖、池、水田和小溪中。肉可食，壳粉可作家禽的饲料。

【田园诗】歌颂和描写农村自然景物或宁静生活的诗歌。

【田园庐舍】田地、园圃和房屋。泛指农村。

【田径运动】体育运动项目的一大类。包括田赛和径赛，如竞走、赛跑、投掷、跳跃等。

佃 ㊁ tián 佃作，耕种田地。
㊀ diàn (210页)。

畋 tián 古指种田或打猎。

畑□ tián 日本汉字。旱地。多用于日本人姓名。

钿（鈿） ㊁ tián 〈方〉指硬币。也泛指钱财。[例]铜～。
㊀ diàn（210页）。

恬 tián ❶安静。[例]～适。❷毫不动心；安然；不在乎。[例]～不知耻。

【恬适】恬静而舒适。

【恬淡】不追求名利。

【恬然】毫不在意、安闲的样子。

【恬静】安静；宁静。

【恬不知耻】做了坏事满不在乎，不知羞耻。

湉 tián 〔湉湉〕水流平静的样子。

甜 tián ❶像糖或蜜的味道。与“苦”相对。❷幸福；舒适。[例]忆苦思～｜他睡得真～。

【甜头】❶甜味。泛指好吃的味道。❷好处；利益。

【甜润】甜美滋润。[例]～的歌喉｜泉水清凉～。

【甜菜】也作菾菜。二年生草本植物。分叶甜菜、根甜菜和糖甜菜等。叶甜菜也叫莙荙菜。

【甜蜜】形容感到幸福、愉快、舒适。[例]生活过得很～。

【甜言蜜语】为了讨人喜欢或哄骗人而说的好听的话。

【甜酸苦辣】也说酸甜苦辣。各种味道。比喻人生的各种遭遇。

菾□ tián 〔菾菜〕同“甜菜”（975页）。

填 tián ❶塞满或补满空隙。[例]～平洼地。❷在表格上按项目写上文字。[例]～表。❸在雕刻花纹的器物上加彩色。[例]～彩｜～漆。

【填空】❶填补空出的或空着的位置、职务等。❷练习或测验的一种方式。把一句话中空出的部分填写出来。

【填房】旧指前妻死后续娶的妻。

【填鸭】人工肥育鸭子的一种方法。即把饲料强制填入鸭的食道，并减少鸭的活动量，使鸭迅速长肥。用这种方法饲养的鸭子也叫填鸭。

【填料】❶为了改善橡胶、塑料、涂料等工业产品的机械、物理性能或化学性能而添加的填充物料。❷填料塔等设备的填充物。❸为密封机器的转动或往复运动的部分所使用的纤维织物、橡胶、塑料等。

阗（闐） tián 充满。[例]喧～。

磌⊠ tián ❶柱下石。❷石落的声音。

tiǎn ㄊㄧㄢˇ

忝 tiǎn 谦辞。表示辱没他人，自己有愧。[例]～为知己。

唺⊠ tiǎn 同“舔”。

舔 tiǎn 用舌头接触东西或取东西。

殄 tiǎn ❶消灭；灭绝。[例]～灭。❷糟蹋。[例]暴～天物。

餂⊠（餂） tiǎn ❶诱取。❷同“舔”。

栝 ㊂ tiǎn 烧火棍。
㊀ guā（343页）。
㊁ kuò（574页）。

淟⊠ tiǎn 污浊；卑劣。[例]～涊。

悿⊠ tiǎn 羞惭；惭愧。

觍□（覥） tiǎn ❶惭愧。[例]～颜。❷厚着脸皮。[例]～着脸。

腆 tiǎn ❶丰厚。[例]不～之仪（不丰厚的礼品）。❷凸出或挺起。[例]～着大肚子。

靦□（靦） ㊀ tiǎn ❶同“觍”。❷文言用来形容人脸的样子。
㊁ miǎn（683页）。

tiàn ㄊㄧㄢˋ

掭 tiàn ❶掭笔，用毛笔蘸墨在砚台上弄匀。❷拨动。[例]～以尖草（用尖草捅到洞中拨动）。

瑱⊠ ㊀ tiàn 古人冠冕上垂在两侧以塞耳的玉。
㊁ zhèn（1252页）。

舚⊠ tiàn 用舌头舔。

tiāo ㄊㄧㄠ

佻 tiāo 轻浮；不庄重。[例]轻～。

【佻佻】也作挑达。轻薄。

挑 ㊀ tiāo ❶担。㊀～水。❷选择。㊀～选。❸挑剔。㊀～毛病。❹扁担和它两端挂着的东西。㊀货～儿。❺量词。用于成挑的东西。㊀一～水果。

㊁ tiǎo（977 页）。

【挑达】同"佻佻"（976 页）。

【挑剔】过分地在细节上找毛病。

【挑肥拣瘦】挑来挑去，选择对自己有利的（含贬义）。

祧 tiāo ❶古代祭远祖的家庙。后来也指继承先代。❷迁庙。把隔了几代的祖宗的神位迁到远祖庙里。只有本宗之始祖不迁，称不祧之祖。

tiáo ㄊㄧㄠˊ

T

条（條） tiáo ❶树枝。㊀柳～。❷细长形的。㊀～纹｜～幅。❸分项目的。㊀～款。❹狭长的东西。㊀面～｜便～。❺条理；层次。㊀井井有～。❻量词。用于细长的或分项的东西。㊀一～鱼｜一～烟｜三～新闻。

【条文】分条说明的文字，如法律条文、章程条文等。

【条目】（法规、条约、章程等）按内容分的细目。

【条令】由军事统帅机关颁布的、用简明条文规定的军队行动准则。㊀战斗～｜纪律～。

【条件】❶为某事而提出的要求或规定的标准。㊀政治～。❷指制约事物存在和发展的各种因素。有时特指制约事物存在和发展的外部因素。与"根据"相对。

【条约】指两个或两个以上国家确定的，关于政治、经济、军事、文化等方面的相互权利和义务的各种协议。分双边条约和多边条约。是主要的国际法渊源。称谓可以是公约、协定、议定书、换文、宣言、宪章等。

【条陈】❶旧时官府下级对上级提出意见的文件。❷分条陈述。

【条畅】（文章）通畅有条理。

【条例】行政法规的一种。由国家立法机关授权行政机关制定，主要确定行政管理方面的规范，法律效力低于宪法和法律。

【条案】一种旧式狭长的桌子。长约一丈，宽约一尺。一般紧靠屋子的正墙摆放，供陈设物品用。

【条理】层次；次序。㊀～分明。

【条款】法规、条约、章程等文件上的项目。

【条幅】直挂的长条字画。单幅的叫单条，成组的（多为四幅）叫屏条，如四条屏。

【条形码】按照一定的编码规划排列的条（黑）和空（白）相间的信息代码。条和空借其宽度及组合形式不同来反映所代表的字母和数字，包含国别、生产厂家、物品种类等信息。利用光电扫描设备自动识读，识别快速、准确，成本低，可靠性高。广泛应用于商品零售业、银行、邮政、图书馆等部门。

【条分缕析】一条一缕地分析。形容分析得细密清楚而有条理。

【条件反射】反射的一种。是在非条件反射的基础上，人和动物个体在生活过程中适应环境变化而形成的。需要在一定条件下才能发生和存在，其神经联系是暂时性的。如动物听到食盘声引起唾液分泌。

【条件刺激】引起条件反射的刺激。这种刺激本来不能引起机体的某种反应，但如与能引起这一反应的刺激多次同时出现，那么前者就可成为后者的信号而引起与后者单独作用时的相同反应。例如，将吹哨声同鸭群喂食同时进行，多次重复后，单用哨声就可唤回鸭群集合。此时的哨声就成为鸭群集合就食的条件刺激。

鲦（鰷） tiáo 见〔鳘鲦〕（93 页）。

苕 ㊀ tiáo ❶古书上指凌霄花，也叫紫葳。落叶藤本植物。开红花。❷苕子，也叫野豌豆。一年生草本植物。花紫色，可作绿肥。❸指苇子的花。

㊁ sháo（863 页）。

岧☒ tiáo 〔岧峣〕形容山高。

迢 tiáo 远；长。

【迢迢】❶形容遥远。㊀千里～。❷久长。

【迢递】❶形容远。❷形容高。

【迢遥】形容远。

笤 tiáo 〔笤帚〕扫地、扫炕等的用具。用穄子杪、高粱杪等绑成。

龆（齠） tiáo 儿童换牙。㊀～年（童年）。

髫 tiáo 小儿下垂的短发。㊀垂～｜～龄（童年）。

【髫年】指童年。

调(調) ㊀ tiáo ❶配合均匀。㊀风～雨顺。❷使配合均匀。㊀～色。❸和解。㊀～解。❹戏弄。㊀～笑。❺挑拨。㊀～唆。
㊁ diào (213 页)。

【调节】在数量上或程度上加以调整、节制，使合乎要求。㊀～流量|～温度。
【调处】调停处理。处(chǔ)。
【调价】调整商品的价格。
【调戏】用轻佻的言语举动戏弄(妇女)。
【调制】❶使一个起运载作用的信号的某种性质(振幅、频率等)按照另一个信号(声音、图像等)的变化规律而变化的方法。前一个信号叫被调制信号(载波)，后一个信号叫调制信号(所要传送的信号)。使载波的频率按照所要传送的信号的变化而变化，叫频率调制，简称调频；使载波的振幅按照所要传送的信号的变化而变化，叫振幅调制，简称调幅。❷调配制作。㊀～鸡尾酒。
【调和】❶均匀适当。㊀雨水～。❷搅拌配合。㊀～作料。❸调解；使矛盾、纠纷消除。㊀从中～。
【调侃】用言语戏弄。
【调剂】❶配制药物。❷适当调整使合宜。㊀～物资|～精神。
【调试】试验调整机器、仪器等。
【调适】调整使适应。㊀心理～。
【调配】调和；配合(颜料、药物等)。
【调唆】挑拨；唆使别人做坏事或闹纠纷。
【调理】❶(病中或病后的)调养。❷照料、管理。㊀～牲口|～伙食。❸管教。
【调停】❶居间调解，平息争端。❷解决国际争端的方法之一。国家间发生争端时，第三国经某一当事国请求或经双方同意，以调解人的身分提出建议，组织并直接参与当事国之间的和平谈判。
【调情】男女间挑逗、戏谑。
【调谐】把电子设备的频率调节到所需的频率。如调节收音机的频率，使与要接收的电台的频率一致，以收听该电台的节目，就是调谐。
【调幅】见〔调制〕①(977 页)。
【调摄】调养身体。摄(shè)：保养。
【调频】见〔调制〕①(977 页)。
【调解】❶劝说双方解决纠纷。❷当事人在人民法院的主持下，本着互谅互让的精神，在自愿合法的基础上达成协议，解决纠纷的民事诉讼制度。
【调整】为适应新的情况而重新安排(计划、人力、物力、机构设置等)。
【调制解调器】能将数字信号转换成模拟信号在电话网上传送，也能将接收到的模拟信号转换成数字信号的设备。由于目前大部分个人计算机都是通过公用电话网接入计算机网络的，因而需通过调制解调器进行上述转换。

掤□ ㊀tiáo 〔掤揲〕折叠。揲(dié)。
㊁ zhōu (1289 页)。

蜩 tiáo 古书上指蝉。

蓨⊠ ㊀ tiáo ❶也叫羊蹄菜。多年生草本植物。根可供药用。❷古地名。在今河北景县南。
㊁ xiū (1107 页)。

鲦⊠(鰷) ㊀ tiáo 白鲦鱼。
㊁ chóu (134 页)。

鰷⊠ tiáo 马辔。

tiǎo ㄊㄧㄠˇ

诽⊠(誂) ㊀ tiǎo 引诱。
㊁ diào (213 页)。

挑 ㊁ tiǎo ❶用细长的东西的一头把东西举起或弄起。㊀～帘子。❷用细长的或有尖的东西拨开或拨出。㊀～火(拨开炉灶的盖火，露出火苗)|～刺。❸挑动。㊀～拨是非。❹一种刺绣方法。用针挑起经线或纬线，连针带线从底下穿过去，以构成花纹、图案等。❺也叫提。汉字的一种笔画，即"㇀"。
㊀ tiāo (976 页)。

【挑动】撩拨招引；挑拨煽动。㊀～是非|～两派之间斗争。
【挑弄】❶挑拨。㊀～是非。❷戏弄。
【挑战】❶激怒敌人出来打仗。❷刺激对方出来和自己较量。❸鼓动对方和自己竞赛。
【挑唆】挑拨教唆。唆(suō)。
【挑衅】故意挑起争端。衅(xìn)。
【挑大梁】比喻承担重要工作，起骨干作用。㊀让青年科研人员～。
【挑拨离间】搬弄是非，引起纠纷、事端，使别人不和。间(jiàn)。

T

朓☒ tiǎo 古称农历月底月亮出现在西方。

窕 tiǎo 见〔窈窕〕(1147页)。

窱☒(篠) tiǎo 见〔窗窱〕(1147页)。

斢☐ tiǎo 〈方〉调换。

tiào ㄊㄧㄠˋ

眺(*覜) tiào 向远处看。㊞远～。

【眺望】从高处往远处看。

跳 tiào ❶脚离地向上跃动。㊞～高|边唱边～。❷一起一伏地动。㊞心～。❸越过本该经过的一处而直接到另一处。㊞～过一格写|～级。❹古又同“逃(táo)”。

【跳马】❶体操器械之一。除无木环外与鞍马相同。长1.6米,宽0.35米,高低可以调节。比赛时男子跳马纵放,高1.35米,女子跳马横放,高1.25米。❷竞技体操项目之一。运动员利用跳马做手翻、转体、空翻等动作。

【跳水】水上运动项目之一。有跳板跳水和跳台跳水两种。运动员起跳后,在空中做各种转体、翻腾动作,然后入水。

【跳月】中国苗、彝等少数民族的一种文娱活动。节日里,青年男女在月光下歌舞作乐,故名。

【跳远】田赛项目之一。经过助跑,单脚在起跳板上起跳,达到尽可能的远度,脚落进沙坑里。

【跳板】❶供上下车船等用的长板。❷跳水等运动项目中,帮助起跳的有弹性的踏板。❸比喻一种凭借的途径或手段。

【跳神】一种迷信活动。巫师装作鬼神附体的样子,乱说乱舞,谎称给人驱邪治病。

【跳高】田赛项目之一。经过助跑,用单脚起跳,以某种姿势越过一定高度的横杆。

【跳棋】娱乐项目之一。棋盘为六角形,上面画有许多三角形的格子。两人或多人对局,各在棋盘的一角布放颜色不同的十枚棋子。按规定的走法轮流走子,或移一步,或隔一子跳,也可隔两子或多子跳。先将己方棋子移入或跳入对角者为胜。

【跳踉】同“跳梁”。见〔跳梁小丑〕(978页)。

【跳槽】❶牲口离开原来位置,到别的槽头去吃食。❷比喻人离开原来工作岗位,另谋他职。

【跳加官】旧时戏曲开场时加演的舞蹈节目。由一人戴假面具,穿红袍,手里拿着“天官赐福”等字样的布幅向观众展示,表示庆贺。

【跳台滑雪】雪上运动项目之一。运动员脚穿滑雪板、手持滑雪杖,在覆盖积雪的专设跳台上,通过助滑道获得高速,腾空而起,落在跳台前方的雪地上。根据飞越的距离和身体姿势进行综合评分。

【跳伞运动】军事体育项目之一。即人携带降落伞从飞机或伞塔上跳下,借助空气阻力的作用,从空中缓慢降落到地面上。包括飞机跳伞、氢气球跳伞和伞塔跳伞。

【跳蚤市场】专门进行小件商品和旧货交易的市场。

【跳梁小丑】比喻猖狂作乱而又微不足道的人。《庄子·逍遥游》:“子独不见狸狌乎,卑身而伏,以候敖者,东西跳梁,不避高下。”跳梁:也作跳踉,蹦蹦跳跳。

粜(糶) tiào 卖粮食。

趒☒ ㊀ tiào 跳。
㊁ chuō (147页)。

tiē ㄊㄧㄝ

帖 ㊂ tiē ❶合适;妥当。㊞妥～。❷驯顺。㊞服～。
㊀ tiè (980页)。
㊁ tiě (979页)。

萜 tiē 有机化合物的一类,基本结构骨架由异戊二烯分子作单位叠加而成。两分子、三分子、四分子叠加形成的依次称为单萜、倍半萜、二萜类等等。大多是植物芳香油的香精成分。樟脑、薄荷酮是单萜类。维生素A、龙涎香精和胡萝卜素相应属于二、三和四萜类。

怗☒ tiē ❶服帖。❷平定。

贴(貼) tiē ❶把片状的东西粘在另一个东西上。㊞～邮票。❷挨近。㊞～身衣服。❸补助;补助的钱。㊞

~补家用|房~。❹同"帖(tiē)"。㊎妥~。
【贴切】确切;恰当(指语言的运用)。
【贴水】❶中国旧时银钱业用语。指本地不同资金间的调换或两地间汇兑因币值不同或供求关系不同而在比价上的扣减。❷在外汇市场上远期汇率低于即期汇率的差额。
【贴心】最亲近;最知己。㊎~人。
【贴现】以未到期的票据向银行融通资金,银行扣取自交付日至到期日的利息后,以票面余额付给持票人。
【贴金】在神佛塑像上贴上金箔。比喻美化、夸耀(含贬义)。㊎别往自己脸上~。
【贴题】切合题义。
【贴现所】专门从事票据贴现的金融机构。

跕⊠ ㊀ tiē 拖着鞋走路。
㊁ dié (214页)。

tiě ㄊㄧㄝˇ

帖 ㊁ tiě ❶便条。㊎字~儿。❷请柬。㊎请~。
㊀ tiè (980页)。
㊂ tiē (978页)。

铁(鐵) tiě ❶金属元素,符号Fe,原子序数26。能延展,易磁化和去磁。在湿空气中易生锈,溶于稀酸。浓硝酸、浓硫酸能使铁钝化。❷坚硬;坚强。㊎铜墙~壁|~人。❸比喻强暴或无情。㊎~蹄|~面无私。❹确定不移。㊎~的纪律|~证。❺指刀枪等兵器。㊎手无寸~。
【铁人】比喻坚强的人。
【铁币】也叫铁钱。中国旧时以铁铸成的钱币。
【铁证】确凿的证据。
【铁画】也叫铁花。中国特种工艺品之一。用铁片打成各种山水、花鸟画,上面涂上一层黑油,白底相衬,作成挂屏、挂灯等装饰品。安徽芜湖铁画较为有名。
【铁树】也叫苏铁、凤尾松、凤尾蕉。常绿乔木。叶集生茎顶,坚硬,羽状分裂。花顶生,雌雄异株。可供观赏。种子可供食用,叶、种子可入药。
【铁饼】❶田赛项目之一。在投掷圈内,以手指远端的指节扣住饼沿,经身体急速旋转,将铁饼用力掷出,落入规定区域内为有效。❷田赛投掷器械之一。形状略像凸镜,边缘和中心用铁制成。
【铁拳】比喻强大的力量。
【铁骑】精锐的骑兵。
【铁腕】❶比喻强有力的政治手段。㊎~人物。❷比喻强而有力的统治。
【铁窗】借指监牢。
【铁幕】比喻政治上的严密控制和统治。英国首相丘吉尔在1946年3月5日的一次讲话中诬蔑社会主义国家"用铁幕笼罩起来"。
【铁路】使用机车牵引车辆在钢轨上行驶的一种有轨线路。是交通网的骨干。铁路运输是国民经济的大动脉,特点是能力大、运距长、成本低。
【铁蹄】比喻侵略者对人民的残暴蹂躏。
【铁木真】即"成吉思汗"(122页)。
【铁公鸡】比喻非常吝啬的人。
【铁合金】铁与非铁元素组成的合金。如铬铁、硅铁、锰铁等。主要用作炼制合金钢的原料以及炼钢过程中的脱氧剂。
【铁饭碗】比喻稳固的职业、职位。
【铁索桥】以铁索为主要承重结构的桥。桥面铺设在铁索上,供行人或车辆通行。
【铁氧体】旧称磁性瓷。一种电阻率和磁导率都很高的非金属磁性材料。通常用三氧化二铁同一种或多种金属的氧化物按一定比例混合调制后,在高温下焙烧而成。有磁性,在高频下有较高的磁导率,还有较高的介质性能。可用来制作电子计算机元件、仪表中的永磁材料等。
【铁人三项】体育运动项目之一。由游泳、自行车和马拉松三个项目组成。要求一天内完成比赛,强度很大,其中游泳赛程1.5千米,自行车赛程40千米,长跑10千米。
【铁中铮铮】金属器皿中敲起来当当响的。比喻才能较为出众的人物。《后汉书·刘盆子传》:"卿所谓铁中铮铮,庸中佼佼者也。"
【铁石心肠】形容心肠硬,毫不动感情。元戴善夫《风光好》第二折:"他多管是铁石心肠,直恁的难亲傍。"
【铁血政策】19世纪后半期普鲁士首相俾斯麦推行的政策。因俾斯麦在议会上曾宣称将"以铁和血"来解决德意志统一问题,故名。后用"铁血政策"泛指统治者的暴力镇压和战争政策。
【铁板一块】比喻一个整体结合得很紧密。
【铁树开花】铁树是一种常绿乔木,原产于热带,不常开花,移植北方后往往多年才开一次。比喻极难实现的事情。明王济《君子堂日询手镜》:"吴浙间尝有俗谚云,见事难成,则云须铁树花开。”

【铁面无私】形容公正严明，不讲私人情面。

【铁案如山】形容证据确凿，像山那样不能推翻。

【铁器时代】考古学分期之一。在青铜时代之后，约始于公元前1500年左右。这时人类已制造和使用铁器。铁器的出现和广泛应用，标志着农业和手工业劳动效率的提高和社会生产力的发展。春秋战国时期，中国中原地区和长江流域的吴、楚等地，已普遍制造和使用铁器。

【铁杵磨成针】传说李白小时读书不用功，想中途不念了。有一天，在路上碰见一位老大娘磨铁棒，说要把它磨成针。李白因受感动，从此发奋学习，终于取得了很大的成就。语出宋祝穆《方舆胜览》。后用以比喻只要有毅力、肯下功夫，做任何难办的事情都能成功。杵(chǔ)：舂米或捶衣的棒。

T

tiè ㄊㄧㄝˋ

帖 ㊀ tiè 学习写字或绘画时模仿的样本。㊎字～|画～。
㊁ tiě (979页)。
㊂ tiē (978页)。

餮 tiè 见〔饕餮〕(961页)。

tīng ㄊㄧㄥ

厅(廳) tīng ❶聚会或会客的大房间。㊎餐～|客～|会议～。❷党政机关某些机构、部门的名称。㊎省公安～|办公～。

汀 tīng 水边的平地或水中的小洲。

【汀线】海岸被海水侵蚀而成的线状的痕迹。

听(聽) tīng ❶用耳朵接受声音。㊎～广播。❷服从；接受；照办。㊎一切行动～指挥|不～劝告。❸任凭。㊎～其自然。❹判断；治理。㊎垂帘～政。❺英语音译词。金属制的密封罐、筒等。也用作量词。㊎～装香烟|一～啤酒。

【听从】依照某人的意思行动。

【听任】听凭。

【听证】行政法上专指行政机关为了合理、有效地制定和实施行政决定，公开举行由全体利害关系人参加的质证与辩论的制度。对责令停产、停业，吊销许可证照，较大数额罚款的行政处罚，决定之前可以应当事人的申请，召开听证会。西方国家的议会立法、法官审理案件常常召开听证会。

【听取】听(反映、意见、汇报等)。㊎虚心～群众意见。

【听凭】任别人愿意怎样就怎样。

【听政】(帝王或摄政的人)上朝处理政事。

【听骨】锤骨、砧骨、镫骨的总称。位于中耳鼓室内。有将声波所引起的鼓膜震颤传至内耳的作用。

【听信】❶听后而相信。㊎不能～谣言。❷(～儿)。等候信息。㊎这件事能不能办，你明天～儿吧！

【听闻】指听的活动或听到的内容。㊎以广～|耸人～。

【听差】旧指在政府、企业或有钱人家里做勤杂工作的男人。差(chāi)。

【听觉】声音刺激耳朵引起的感觉。由声波振动耳鼓膜，引起耳蜗的感觉细胞兴奋，经听神经传导到大脑的听区而产生。

【听候】等候(上级的决定)。㊎～处理。

【听筒】❶电话机的受话器。❷听诊器。

【听之任之】(对坏现象)听任它发展，而不加过问。

【听天由命】听从天意和命运的安排。《论语·颜渊》："死生有命，富贵在天。"后多比喻听任事态自然发展，不作主观努力。

【听而不闻】听了和没听见一样，指漠不关心。

【听其自然】任凭人或事物自然发展变化，不加干预。

烃(烴) tīng 由碳和氢两种元素组成的有机化合物。按性质和结构分为烷、烯、炔、脂环烃和芳香烃等。天然气和石油的分馏产物、煤的干馏产物都属烃类，是重要的化工原料。

【烃基】通常指烃分子失去一个或几个氢原子而剩余的原子团。简单的烃分子失去多个氢原子构成的也属于烃基。如甲烷(CH_4)相应地有甲基($—CH_3$)、亚甲基($>CH_2$)和次甲基($>CH—$)。

桯□ tīng ❶锥子等中间的杆。㊎锥～儿。❷蔬菜等的花轴。㊎～子。

鞓⊠ tīng 皮革制的腰带。

tíng ㄊㄧㄥˊ

廷 tíng 古时帝王接受朝见和办理政事的地方。㊀朝～。

【廷尉】古代官名。秦代设置，掌管刑狱，为九卿之一。西汉曾一度称大理。东汉后称廷尉、大理或廷尉卿。北齐到清皆称大理寺卿。

莛 tíng 草本植物的茎。㊀麦～儿。

庭 tíng ❶院子；院落。㊀前～。❷厅堂。㊀大～广众。❸司法机关审判案件的地方。㊀法～|开～。

【庭除】庭院和台阶。

【庭院经济】农民利用房前屋后及庭院发展的副业。主要种植水果、蔬菜和饲养小型畜、禽等。在中国人多地少的农村地区，是农民增加收入的一种手段。

蜓 tíng 见〔蜻蜓〕(798 页)、〔蝘蜓〕(1137 页)。

筳☒ tíng ❶络丝用的工具。❷作算筹用的小竹枝。

霆 tíng 暴雷；霹雳。

亭 tíng ❶亭子，一种有顶无墙一般只有一间的建筑物。多建在公园里。㊀凉～。❷像亭子的小房。㊀书～。❸古又同"渟"。

【亭午】正午；中午。

【亭亭】高耸或直立的样子。

【亭子间】〈方〉上海等地旧式楼房中的小房间。一般在楼上正房的后面楼梯中间，狭小、阴暗。

停 tíng ❶停止；停留；停放。㊀表～了|顺路到上海～了两天|汽车～在门口。❷妥帖。㊀～妥|～当。❸总份数中的一份。㊀十～儿有八～儿是坏的。

【停匀】匀称(泛指形体、节奏等)。

【停火】❶交战双方或一方暂时停止战斗。❷泛指停战。

【停业】❶暂时停止营业。❷歇业。

【停当】妥当；齐备；完毕。

【停妥】停当妥帖。㊀收拾～|商议～。

【停泊】指船舶靠于码头、泊于锚地或系于浮筒。分生产性停泊和非生产性停泊。

【停战】交战双方停止战争。

【停食】食物停滞在胃里不消化。

【停顿】❶中止；暂停。❷说话时语音上的间歇。

【停息】停止。

【停职】暂时停止所担任的工作。是对犯错误的人临时采取的一种行政措施。㊀～反省。

【停牌】停止某一特定证券的挂牌交易。

【停滞】停留，不前进。㊀～不前。

【停摆】钟摆停止摆动。比喻事情在进行中停顿下来。

【停歇】❶停止行动而休息。❷旧指停止营业。

葶 tíng 〔葶苈〕一年生草本植物。开黄色小花。种子入药，有泻肺平喘、利水消肿等作用。

渟☒ tíng 水停滞不流通。

婷 tíng 〔婷婷〕秀美的样子。

聤☒ tíng 耳病。

tǐng ㄊㄧㄥˇ

町 ㊀ tǐng 古指田地的界线。
㊁ dīng (215 页)。

侹☒ tǐng ❶直挺地躺着。❷顶替。

挺 tǐng ❶直。㊀笔～|～进。❷伸直或凸出(身体或身体一部分)。㊀昂首～胸。❸勉强支持。㊀他身体不好，还硬～着工作。❹副词。很。㊀他干得～好。❺量词。用于机枪。㊀一～机枪。

【挺立】直立。

【挺进】(部队)直向目标前进。

【挺秀】(身材、树木等)挺拔秀丽，超出一般。

【挺拔】❶直立而高耸。㊀～的青松。❷形容写字有笔力。

【挺直】❶笔直。❷直起来(多用于命令句)。

【挺举】举重运动比赛方式之一。运动员双手紧握在杠铃横杠的中央，向上提铃翻腕至肩上，起立后稍屈膝预蹲，随即把杠铃从肩上向上挺起至手臂伸直，然后收腿起立。

【挺身而出】勇敢地站出来(承担某种较大的责任或冒较大的风险)。

T

珽 tǐng 玉笏。

梃 ㊀ tǐng ❶棍棒。❷梃子，即门框、窗框或门扇、窗扇两侧直立的边框。㊕门～|窗～。

㊁ tìng (982 页)。

脡☒ tǐng ❶长条的干肉。❷直。

铤(鋌) ㊀ tǐng 快走的样子。㊕兽～亡群(亡群:失群)。

㊁ dìng (218 页)。

【铤而走险】因无路可走或绝望而采取冒险行动。《左传·文公十七年》:“铤而走险，急何能择!”

颋(頲) tǐng ❶头形狭直。❷比喻正直。

艇 tǐng ❶轻快的小船。㊕游～|小～。❷排水量在五百吨以下的水面舰艇通常称为艇。潜艇，无论其吨位大小，习惯上均称为艇。

tìng ㄊㄧㄥˋ

梃 ㊁ tìng ❶杀猪后，在猪腿上割一个口，用梃杖顺着腿皮往里捅，以便由此向里吹气，使猪皮绷紧，然后除毛去垢。❷梃杖，梃猪用的一种特制的铁棍。

㊀ tǐng (982 页)。

tōng ㄊㄨㄥ

恫 ㊀ tōng 哀痛;痛苦。

㊁ dòng (223 页)。

痌☒ tōng 痛。㊕～瘝(guān)在抱(比喻关怀人的疾苦如同身受)。

通 ㊀ tōng ❶没有阻碍，可以穿过;有路达到。㊕畅～|～行|条条大路～向北京。❷采取措施使不堵塞。㊕疏～|～下水道。❸明白;了解。㊕精～。❹熟习某方面的人。㊕日本～。❺通顺。㊕文理不～。❻全部;普遍。㊕～宵|～盘考虑。❼传达。㊕～报。❽交往;连接。㊕～商|互～有无|串～。❾一般。㊕～常|～称。❿量词。用于电报、文书等。㊕一～电报。

㊁ tòng (988 页)。

【通人】学识渊博、通达古今的人。

【通力】一齐出力。㊕～合作。

【通天】上通于天。形容极大或极高。比喻与最高当局有联系。㊕本事～。

【通分】把几个异分母的分数化成同分母的分数，而不改变每个分数的值，这样的运算叫做通分。

【通风】❶空气流动;使空气流通。㊕室内～良好|打开窗子～。❷喻指透露消息。㊕～报信。

【通电】❶使电流通过。❷拍发某种政治主张的电报给有关方面，同时公开发表。㊕～全国。❸公开宣布某种政治主张的电报。㊕大会～。

【通史】贯通古今，并在政治、经济、文化各方面都作叙述的史书。如《史记》《资治通鉴》《中国通史》等。与“断代史”相对。

【通令】把命令广发到各个地方或部门。也指这种命令。

【通讯】❶新闻体裁的一种。以叙述、描写和评论等多种方法，对事情、人物、经验、问题等进行比较详细的、生动的报道。❷通信的旧称。

【通式】用来表示同一类有机化合物的分子组成的共同公式。如烷烃的通式是 C_nH_{2n+2}。

【通达】❶明白(人情事理)。❷通行无阻。

【通则】适合于一般情况的规章、规则。

【通论】❶通达的议论。❷对某一学科的全面论述(多用于书名)。㊕《史学～》。

【通奸】非夫妻关系的男女双方发生性行为(多指一方或双方已有配偶)。

【通观】总的来看;就全局来看。

【通志】史书名。南宋郑樵撰。二百卷。上起三皇，下至隋，是一部纪传体通史。其中二十略中的氏族、校雠、图谱、金石、六书、七音诸略，均为诸史所未载。

【通报】❶党政机关、社会团体向所属机关团体传达、通告工作情况或经验教训的文件。❷报道研究成果或动态的刊物。㊕科学～。

【通告】❶普遍地通知。❷普遍通知的文告。

【通判】古代官名。宋代开始在州、府设立，和州、府的长官共同处理政务。地位略次于州、府长官，但握有连署公事和监察官吏之权。明清时在各府设立，掌管粮运及农田水利等事务。

【通事】旧指译员。

【通畅】❶运行无阻。㊀道路～。❷(思路、文字)流畅。
【通典】史书名。唐杜佑著。记载了唐以前历代典章制度的沿革。二百卷。计分食货、选举、职官、礼、乐、兵、刑、州郡、边防九典,九典下又各分子目。对历史上每一制度皆条贯古今,详今略古,溯明源流,通其原委。是第一部中国典章制度史。
【通例】常规;惯例。
【通货】市面上一切流通手段的统称。既包括硬币和纸币,也包括支票等信用工具。
【通俗】浅显易懂,适合一般人水平和需要的。
【通信】旧称通讯。通过某种媒体将信息由一处传送到另一处的过程。原以邮件作为媒体,后采用电、光等手段,传送语言、文字、图像等信息。
【通晓】透彻地了解。
【通敌】勾结敌人。
【通称】❶通常叫做。㊀玉蜀黍～玉米。❷通常的名称。㊀水银是汞的～。
【通航】有船只或飞机来往。
【通途】畅通的大道。
【通病】比较普遍存在的缺点。
【通宵】整夜。㊀～达旦。
【通常】平常;一般。
【通假】汉字的通用假借,即用同音字或近音字来代替本字。如借"蚤"为"早"、借"信"为"伸"、借"崇"为"终"等,多见于古书。现在简化汉字也有采用通假的,如借"谷"为"穀"、借"发"为"髮"等。假(jiǎ)。
【通盘】全盘;全面。㊀～规划。
【通商】国与国之间进行贸易。
【通缉】公安机关对在逃的犯罪嫌疑人发布通缉令,追捕归案的一种侦查行为。
【通感】也叫移觉。修辞格的一种。用描写一类感觉的语句来描写另一类感觉,沟通两类感觉,造成表达上的新奇感和生动性。如"婉转动人的乐曲散发着芳香"。
【通牒】一国通知另一国并要求答复的外交文件。
【通融】❶变通办法,破例迁就。❷指暂时借钱。
【通衢】大道;四通八达的道路。
【通讯员】报刊、通讯社、电台等聘请的为其经常写通讯报导的非专业人员。一般以写反映本单位、本部门的情况为主。
【通讯社】采访、搜集并向报刊、广播电台、电视台等供应文字新闻、新闻图片和新闻资料的机构。
【通信兵】主要担负军事通信任务的兵种。由固定通信、野战通信、通信工程、指挥自动化、观通、导航、军邮等专业部队和分队组成。以各种通信手段保障军队实施不间断的通信联络,建立和管理军队指挥自动化系统,组织实施观通、导航、军邮勤务等。
【通济渠】古运河名。隋大业元年(605)开凿。分东西二段,西段自今河南省洛阳市引谷、洛二水入黄河,东段自今河南省荥阳市北引黄河水,经今河南省开封市流向东南,于今江苏省盱眙县附近流入淮水。唐改名广济渠,但唐宋时习惯上称西段为漕渠或洛水,东段为汴水或汴渠。
【通假字】古书中用音同或音近的字来代替本字,这个音同或音近的字叫做通假字。如《论语·阳货》"归孔子豚","归"假借为"馈"(赠的意思),"归"为通假字。
【通惠河】元朝至元二十九年(1292)至三十年经水利工程家郭守敬设计而开凿的一条运河。起自今北京市昌平区附近,穿北京市区,东入白河。全长约80千米。明清两代漕船一般以城东南大通桥为终点,故又名大通河。
【通权达变】随客观情况的变化而改变办法,不死守常规。通、达:懂得。权:权宜,变通。
【通货紧缩】减少流通中的纸币数量,以稳定货币购买力。
【通货膨胀】简称通胀。纸币的发行量超过流通中实际所需要的量,而引起货币贬值、物价上涨的现象。
【通俗读物】文字、内容浅显易懂,适合一般人阅读的图书。
【通信卫星】作为无线电通信中继站的人造卫星。通信卫星反射或转发无线电信号,实现卫星通信地球站之间或者地球站与航天器之间的通信。
【通信规约】通常指进行计算机通信所必须遵循的统一标准。
【通都大邑】四通八达、经济繁荣的大城市。宋苏辙《栾城应诏集民政下·第三道》:"今天下所谓通都大邑,十里之城,万户之郭。"
【通宵达旦】整夜;从天黑到天亮。
【通情达理】懂得道理,说话、做事合情合理。
【通用移动通信系统】一种移动通信系统。

传输速率可达2兆比特/秒，可以传送语音、高速数据和图像等信息。由于采用多个用户共用一个频道的技术，可有效地节省频率资源。

嗵 tōng 拟声词。心跳声、脚步声等。㊀心～～直跳｜他～地一下跳到院中。

樋⊠ tōng 树名。

tóng ㄊㄨㄥˊ

仝□ tóng 姓。
另见“同”(984页)。

砼 tóng 混凝土。

同(*仝) ㊀ tóng ❶一样。㊀相～｜求～存异。❷一起。㊀～甘共苦。❸跟…相同。㊀～上。❹介词。跟。㊀有事～群众商量。❺连词。和。㊀小张、小李～他都住在学校。
㊁ tòng(988页)。
“仝”，另见(984页)。

【同人】也作同仁。称共同工作的人。

【同仁】同“同人”(984页)。

【同化】❶不相似或不相同的事物逐渐变得相似或相同。❷语音学上指一个音变得与邻近的音相同或相似。如“面包”(miàn-bāo)，在口语中读成“miàb-bāo”，“面”字的韵尾n受到了后面“包”字声母b的影响变成b。

【同年】❶同一年。❷科举时代同一年考中的人，彼此称为同年。❸同岁。

【同志】为共同的理想、事业而奋斗的人。新中国成立后，也是中国公民彼此间的一般称呼。

【同步】❶科学技术上指两个或两个以上随时间变化的量在变化过程中保持一定的相对关系。❷泛指步调协调一致。㊀住宅建设应与教育设施建设～进行。

【同侪】同辈；同类。侪(chái)。

【同庚】年岁相同。

【同宗】同一家族。

【同房】❶婉辞。指夫妇过性生活。❷指家族中同一支的。㊀～兄弟。

【同居】❶同住在一处。❷指夫妻共同生活。❸指男女双方没有结婚而共同生活。

【同胞】❶同父母所生的。㊀～兄弟。❷同一个国家或民族的人。

【同桌】桌挨桌坐的同学。㊀她是我小学的～。

【同情】对于别人的遭遇或行动在感情上发生共鸣。㊀我们～并支持世界各国人民的正义斗争。

【同寅】旧称在一处做官的人。

【同谋】共同谋划做坏事。也指共同谋划做坏事的人。

【同道】❶有共同爱好或志同道合的人。❷同一行业的人。

【同窗】指同学。

【同感】同样的感想或感受。

【同盟】❶为采取共同行动而缔结了条约或誓约的。㊀～军｜～罢工。❷由缔结条约或其他办法而结成的一体。㊀结成～｜攻守～。

【同僚】称在同一机构任职的官吏。

【同一律】形式逻辑的基本规律之一。指在同一思维过程中人们所运用的每个概念、判断的含义都必须是确定的，是什么就是什么。违反这条规律，就会犯偷换概念、偷换论题等错误。

【同义词】意义相同或相近的词。意义相同的同义词也叫等义词，如水银和汞、讲演和演讲等。意义相近的同义词也叫近义词，如朴素和简朴、漂亮和美丽等。

【同位素】原子序数(质子数)相同而质量数(中子数)不同的原子互为同位素。它们的化学性质几乎相同，在元素周期表中占同一位置。如氯有两种同位素，原子序数均为17，但质量数分别为35和37。

【同系列】符合一种通式，化学性质基本类似，物理性质随碳原子数目的改变作有规律的变化的有机化合物排成的一个系列。如烷烃，通式为C_nH_{2n+2}，甲烷是CH_4，乙烷是C_2H_6，丙烷是C_3H_8等，排成系列时，每两个相邻的化合物在组分上相差一个CH_2原子团。在一个同系列中的化合物互为同系物。同系列的存在，是由量变到质变的规律的一种证明。

【同性恋】指在正常社会生活中，对同性人持续表示性爱倾向。属于性心理障碍。

【同音词】语音相同而意义毫无联系的词。如公式和攻势、花(花开，名词)和花(花钱，动词)等。

【同温层】平流层的旧称。

【同盟会】中国同盟会的简称。

【同盟军】指在一定历史条件下，为着共同的政治目的而联合或结盟的队伍。

【同盟国】❶泛指某一同盟条约的缔约国或参加国。❷第一次世界大战交战双方中一方的成员国。主要有德、奥、土、保等国。❸第二次世界大战时参加反法西斯作战的国家，主要有苏、美、英、中等国。

【同工同酬】做相同的工作获得同等的劳动报酬。

【同工异曲】即"异曲同工"(1168页)。

【同化作用】在新陈代谢过程中，生物体将从外界吸收的物质，通过体内一系列生物化学变化，转化为本身的组成物质，并储存能量的过程。

【同仇敌忾】大家一致地对敌人仇恨和愤怒。忾(kài)：愤恨，愤怒。

【同心协力】心往一处想，劲往一处使。

【同心同德】思想统一，信念一致。《尚书·泰誓中》："予有乱臣十人，同心同德。"与"离心离德"相对。

【同甘共苦】共同享受幸福，共同承受苦难。

【同平章事】古代官名。唐代开始设置，是事实上的宰相。宋初沿用，南宋废。

【同业拆借】金融机构间短期性相互融资的交易。

【同归于尽】一同毁灭。尽：完结，灭亡。

【同舟共济】大家坐一条船过河。比喻在艰险的处境中团结互助，共同战胜困难。《淮南子·兵略训》："同舟而济于江，卒遇风波，百族之子，捷捽招杼船，若左右手，不以相德，其忧同也。"济：渡河。

【同声传译】指译员一边听某种语言一边将其译成另一种语言的口头翻译。通常在使用多语种的大型会议上，由译员通过耳机、扩音机或耳语进行。

【同床异梦】比喻虽然共同生活或者共同从事某项活动，但是各人有各人的打算。宋陈亮《与朱元晦秘书》："同床各做梦，周公且不能学得，何必一一说到孔明哉！"

【同轴电缆】一种通信用电缆。由具有同一中心轴的内导体、外导体以及两者之间的绝缘体组成。传输衰减小，传输频带宽。多用于长途干线通信和有线电视系统。

【同室操戈】清江藩《宋学渊源记·序》："然而为宋学者，不第攻汉儒而已也，抑且同室操戈矣。"一家人动起刀枪来。比喻内部争斗。戈：古代的一种兵器。

【同病相怜】比喻有同样不幸遭遇的人互相同情。汉赵晔《吴越春秋》卷四："同病相怜，同忧相救。"怜：怜惜，同情。

【同流合污】《孟子·尽心下》："同乎流俗，合乎污世。"原指言行与不良的习俗、世道相合。后用以指跟着坏人一起做坏事。

【同蒲铁路】从山西省大同市到陕西省孟塬，长883千米。与京包、石太和陇海等铁路相连。是山西省南北铁路干线。

【同盟罢工】同一地区或同一生产部门的工人同时联合举行的罢工。

【同分异构体】具有相同分子式，但结构和化学性质不同的化合物互为同分异构体。如正丁烷和异丁烷、丙烯和环丙烷分别互为同分异构体。

【同素异形体】同一元素形成的几种性质不同的单质互为同素异形体。如金刚石和石墨是碳的同素异形体，氧气和臭氧互为同素异形体。

【同离子效应】❶在弱电解质溶液中，加入和该电解质有相同离子的电解质，因而降低原弱电解质电离度的效应。❷在电解质的饱和溶液中，加入和该电解质有相同离子的电解质，因而降低原电解质的溶解度的效应。

【同呼吸，共命运】形容关系极为密切，利害完全一致。

【同声相应，同气相求】同调的声音互相感应，同类的气味互相融合。见《周易·乾》。后形容志趣相投的人自然结合。

侗 ㊀ tóng 幼稚无知。
㊁ dòng (223页)。

垌 ㊀ tóng 〔垌塚〕地名。在湖北。
㊁ dòng (223页)。

茼 tóng 〔茼蒿〕一年生或二年生草本植物。叶长形，有香气。嫩茎、叶可食用。

峒（*峝） ㊀ tóng 见〔崆峒〕(562页)。
㊁ dòng (223页)。

桐 tóng ❶泡桐。❷油桐。❸梧桐。

【桐油】用油桐的果实榨出的一种干性油。有毒。油膜干燥迅速，耐晒，耐腐蚀。可制油漆、油墨、油布等。是中国特产。

烔□ tóng 〔烔炀河〕地名。在安徽。

铜(銅) tóng 金属元素,符号 Cu,原子序数 29。紫红色,富延展性,是热和电的良导体。在湿空气中表面生成铜绿。铜可制多种合金(如黄铜、白铜)及电工器材等,也用于电镀。

【铜板】即“铜圆”(986 页)。

【铜版】用铜制成的印版。有照相、电镀和雕刻三种。主要用于印刷图片、精致的单色或彩色的印刷品。

【铜圆】也叫铜板。从清末到抗战前使用的铜质辅币。

【铜臭】喻指唯利是图的思想作风。

【铜鼓】击奏体鸣乐器。由用作炊具的铜釜发展而成。制作精致,形制不一。在节日盛会、宗教仪式及婚丧活动中使用,以祈福禳灾。

T

【铜镜】古代照脸的用具。一般圆形,照脸的一面磨光,另一面铸有花纹。

【铜雕】用青铜或黄铜铸造人物、动物或图案等立体形象的艺术品。

【铜墙铁壁】比喻极坚固的防御工事。也比喻人民群众团结一致而形成的强大的防御力量。

【铜管乐队】也叫吹奏乐队。以铜管乐器(小号、圆号、长号、低音号等)为主,辅以木管乐器和击乐器的乐队。

【铜管乐器】铜质或其他金属制管乐器。如小号、长号、圆号、大号等。其中圆号有时归入木管乐器组。

酮 tóng 有机化合物的一类,通式 R—CO—R′(R 和 R′均代表烃基)。如丙酮就是酮的一种。

鲖□(鮦) tóng 鲖城,地名,在安徽。

佟 tóng 姓。

【佟麟阁】(1892—1937)抗日爱国将领。字捷三,河北高阳人。1925 年任冯玉祥部第一师师长,1926 年兼陇南镇守使。1933 年率部在长城喜峰口英勇抗击日军,后任国民党二十九军副军长。1937 年七七事变爆发后,在北平(今北京)南苑与日军激战中壮烈牺牲。

峂 tóng 〔峂峪〕地名。在北京。

彤 tóng 红色。

童 tóng ❶儿童;小孩子。㊙牧～|～装。❷未长成的。㊙～牛。❸指没结婚的。㊙～男。❹秃。㊙～山。

【童工】未成年的工人。

【童山】没有草木的山。

【童生】明清两代的读书人,没有考秀才或没有考取秀才的,不论年龄大小都称童生。

【童年】幼年;儿童时代。

【童声】少年儿童未变声以前的嗓音。

【童话】儿童文学的一种。根据儿童的特点,通过幻想、夸张和拟人化的手法来展开情节,塑造形象,反映社会生活。情节神奇曲折,语言浅显生动,富有童趣。

【童谣】流传于儿童中间的歌谣。形式比较简短。

【童蒙】年幼无知的儿童。

【童趣】儿童的情趣。㊙这幅画构思奇巧,充满～。

【童养媳】小女孩儿订婚后先到婆家去生活,待男女双方长大后再结婚,这样的女孩儿叫童养媳。

【童第周】(1902—1979)中国现代实验胚胎学家,实验胚胎学的开创者之一。浙江鄞县人。早期在脊索动物、鱼类和两栖类动物卵子发育能力的研究方面,有独创性发现。20 世纪 50 年代系统研究文昌鱼的卵子发育规律,丰富了实验胚胎学理论。60 年代后,研究细胞质与细胞核在鱼类个体发育、细胞分化和性状遗传中的相互关系,提出了独特创见。此外,在研究海洋有害生物的防治、经济水产动物的人工养殖、经济鱼类育种的新途径等方面也作出了贡献。

【童年情景】钢琴套曲。舒曼曲。作于 1838 年。整部套曲由 13 首标题性钢琴小曲组成,其中第七首《梦幻曲》最为著名。

僮 ㊀ tóng ❶旧指未成年的仆人。㊙书～。❷古又同“童”。
㊁ zhuàng (1303 页)。

幢□ ㊁ tóng 没有草木的山。
㊀ chuāng (143 页)。

潼 tóng 〔潼关〕地名。在陕西东部。向为军事重地。

橦 tóng 古指木棉树。

曈 tóng 〔曈昽〕日初升微明的样子。

朣☒ tóng〔朣朦〕不明亮的样子。

瞳 tóng 瞳孔。

【瞳孔】也叫瞳人。虹膜中心的圆孔。光线通过瞳孔进入眼内。瞳孔会随着光线的强弱而缩小或扩大。

tǒng ㄊㄨㄥˇ

统(統) tǒng ❶总起来;总括。㊀～称。❷事物的连续关系。㊀系～|传～。❸统领;管辖。㊀～兵|对下属部门不要～得过死。❹呈筒状的衣物。㊀长～靴|皮～子。❺地层系统分类的第四级。相当于地质年代中的"世"。

【统一】❶部分联成整体;分歧归于一致。㊀秦始皇～了六国|～认识。❷一致的;单一的;整体的。㊀～行动|～领导|～调配。

【统计】❶指对某一现象有关的数据的搜集、整理、计算和分析等。也指获得的统计资料。❷总括地计算。㊀把人数～一下。

【统帅】❶全军主将。❷统辖;率领。

【统驭】统率,驾驭。驭(yù)。

【统制】❶统一控制;全面规划管理。㊀经济～|～军用物资。❷古代官名。

【统治】❶用政权来控制、管理国家。㊀～阶级。❷因占有绝对优势而支配别的事物。㊀～地位。

【统带】也叫标统。清末新军制中,统辖一标(团)的长官。

【统统】通通;全部。

【统称】❶总起来叫。㊀枪弹、炮弹等～为弹药。❷总的名称。㊀粮食是供食用的谷物、豆类和薯类的～。

【统舱】轮船上可以容纳许多乘客的大舱。有时也用来装载货物。

【统领】❶古代官名。南宋初设。❷也叫协统。清末新军制,统辖一协(相当于旅)的长官称统领。

【统率】统辖率领。㊀～全军。

【统摄】统辖。

【统辖】管辖(所属单位)。

【统一体】指矛盾的两个方面在一定时间、一定条件下互相依赖而结成的整体。

【统一战线】各阶级、政党之间结成的联盟。中国的革命统一战线是以工人阶级(经过共产党)为领导的、以工农联盟为基础的、包括在不同的历史条件下一切可以联合的力量在内的广泛联盟。它经历了各个不同的历史时期。在新民主主义革命时期,它是中国共产党战胜敌人的三大法宝之一。在社会主义建设时期,中国革命统一战线进一步得到巩固和发展,继续发挥着重要的作用。

【统计推断】应用数理统计的方法,通过样本来判断研究对象的规律性现象。

【统收统支】一切财政收入统一上缴中央,地方财政支出统一由中央拨付的高度集权型财政管理体制。

【统购包销】中国在社会主义改造时期对私营工业实行国家资本主义的初级形式。统购,指国营商业部门按国家法令对与国计民生关系重大的产品,按规定的价格向私营工厂统一收购,私方不得自行销售。包销,指国营商业部门通过签订合同,将私营工厂按合同规定的规格、质量和价格生产的某些产品全部收购,统一销售。

【统购统销】中国计划经济时期实行的一项重要的经济政策。从1951年起,国家逐步对棉纱、粮食、油料等主要生活消费品,有计划地进行统一的收购和销售。凡是统购统销的物资除了国家委托的企业有权经营外,其他任何企业和个人都不准经营。

【统筹兼顾】从全局出发,通盘筹划,照顾到各方面及其相互间的关系。

捅 tǒng ❶戳;刺;用竿棍拨弄。㊀把窗户纸～了个窟窿|～马蜂窝。❷碰;触动。㊀快～醒他。❸揭露。㊀把问题～出来。

【捅马蜂窝】比喻惹祸或触动不好惹的人。

桶 tǒng ❶盛水或盛其他东西的器具。多为直立圆形。㊀水～|油～。❷石油容量单位。

搧☒ tǒng "捅"的异体字。

筒(*筩) tǒng ❶粗大的竹管。㊀竹～。❷像竹筒的东西。㊀烟～|邮～|袖～。

【筒车】也叫天车。一种旧式提水机械。其木制或竹制的大立轮受水流冲击而转动,轮周装有木筒或竹筒,筒随轮转,提水灌田。

【筒钦】唇振气鸣乐器。藏族、蒙古族乐器。由三节铜管衔接而成,呈塔状,最粗的一段有喇叭口,细端有吹嘴,无音孔。用于藏传佛教礼仪等宗教节日。

tòng ㄊㄨㄥˋ

同（*衕）㊁ tòng 见〔胡同〕（407页）
㊀ tóng（984页）。

恸（慟）tòng 极度悲哀；大哭。

通 ㊁ tòng 量词。用于某种动作。㊟打了三～鼓｜说了一～。
㊀ tōng（982页）。

痛 tòng ❶疼。㊟不～不痒。❷悲伤。㊟～心。❸极；尽情地。㊟～恨｜～饮。

【痛切】沉痛而深切。㊟～的教训。
【痛风】由食物、饮酒、药物、高血脂病等引起的一种家族性尿酸代谢失调症。在血流和关节内有过多尿酸和尿酸盐蓄积。可导致急性关节炎发作，以及皮肤、软骨内尿酸盐的沉积。以脚拇指关节炎最为常见，可在午夜因足痛发作而惊醒。
【痛击】狠狠地打击。
【痛斥】狠狠地斥责。
【痛经】❶经期及经期前后发生的腹痛。由子宫内膜炎症、子宫肌瘤、月经受阻及精神障碍等引起。❷中医病证名。由气滞、血瘀、寒湿凝滞、气血虚弱所致。
【痛痒】❶比喻疾苦。㊟～相关。❷比喻紧要。㊟这些话都不关～。
【痛阈】引起疼痛感觉的最低刺激强度。在一定的生理条件下，痛阈可以改变，如针刺麻醉可提高痛阈，以减轻或消除手术中的疼痛。阈（yù）：门坎，界限。
【痛惜】沉痛地惋惜。
【痛楚】痛苦，苦楚。
【痛感】深切地感觉到。
【痛痛病】也叫骨痛病。一种以患者周身剧烈疼痛为主要症状的公害病。最早发生在日本富山县神通川流域部分地区。是工业排放的含镉废水污染水体和农田，造成人体镉中毒引起的。
【痛心疾首】形容痛恨到了极点。《左传·成公十三年》："诸侯备闻此言，斯是用痛心疾首，昵就寡人。"疾首：头痛。
【痛快淋漓】非常畅快。
【痛改前非】彻底改正以前所犯的错误。
【痛定思痛】唐韩愈《与李翱书》："如痛定之人，思当痛之时，不知何能自处也。"悲痛的心情平静之后，再回想当时所遭受的痛苦。指吸取教训，警惕未来。

tōu ㄊㄡ

偷（❸*媮）tōu ❶暗中拿别人财物。㊟～窃。❷瞒着人。㊟～听。❸苟且；敷衍。㊟～生｜～安。❹抽出（时间）。㊟忙里～闲｜～空（kòng）儿。❺偷东西的人。㊟小～儿。
"媮"，另音 yú（1200页）。

【偷生】得过且过地活着。
【偷安】只贪图自己眼前或局部的安逸。㊟苟且～。
【偷闲】❶抽空儿。㊟忙里～。❷偷懒。
【偷窃】盗窃。
【偷税】也说逃税。纳税人有意违反税收法规，采用欺骗、隐瞒等手段逃避纳税的违法行为。
【偷渡】非法通过封锁的水域或地区。㊟～客。
【偷税罪】纳税人、扣缴义务人采取伪造、变造、隐匿、擅自销毁账簿、记账凭证，在账簿上多列支出或不列、少列收入，经税务机关通知申报而拒不申报或进行虚假的纳税申报等手段，不缴或少缴应纳税款；或不缴或少缴已收、已扣税款数额较大或有其他严重情节的犯罪行为。
【偷工减料】不考虑工程或产品的质量而暗中削减工时工序和用料。
【偷天换日】比喻暗中以假代真，掩盖事物的真相，以达到欺骗、蒙混的目的。
【偷换论题】也叫转移论点。论证过程中所犯的一种逻辑错误。即在同一论证过程中，不加说明地随意改变原来所要证明的问题（包括对于论题的范围随意扩大或缩小）。如本来是要证明"某乙的观点是错误的"，结果却去证明"某乙的态度不好"。
【偷换概念】论证过程中所犯的一种逻辑错误。即在同一论证过程中，原本用一个词表达某个概念，后来又不加说明地用这个词表达其他概念。如"物质是不灭的，苹果是物质，所以苹果是不灭的"这个推论就犯了偷换概念的错误。"物质"这个词，前指物质世界的整体，后指一种水果，并非同一概念。
【偷梁换柱】《红楼梦》第九十七回："偏偏风

姐想出一条偷梁换柱之计。"比喻暗中玩弄手法，以假代真，以劣代优。

鍮[□]**（鍮）** tōu〔鍮石〕黄铜。

tóu ㄊㄡˊ

头（頭） ㊀ tóu ❶脑袋。[例]～颅。❷头发或头发的样式。[例]剃～｜分～。❸事物的起点、终点或尖顶部分。[例]话～儿｜解放了，苦日子才熬到～了｜山～。❹次序在最前的。[例]～班车｜～号。❺用在年、天等前面，表示过去的时间，或在某个时间以前。[例]～年｜～五点钟我准到。❻领头的；头目。[例]～羊｜土匪～儿。❼方面。[例]你这么一来，把两～儿都得罪了。❽某种东西的剩余部分。[例]布～儿｜烟～儿。❾量词。用于某些家畜，也用于蒜。[例]一～牛｜两～蒜。❿助词。用在数字中间，表示约计、不定数量。[例]三～五百。

㊁ tou (991页)。

【头人】中国民主改革前某些少数民族中的首领。

【头寸】旧指银行、钱庄等所拥有的款项。收多付少叫头寸多，收少付多叫头寸缺，结算解决差额叫轧(gá)头寸，借款弥补原来的某些差额叫拆头寸。

【头口】〈方〉牲口(指骡马等大牲畜)。

【头子】首领(含贬义)。

【头目】某些集团中为首的人。

【头羊】在羊群中领头的羊。

【头角】比喻青年人显露出来的才华。

【头陀】梵语音译词。不长住在一地、到处乞食、坚持苦行生活的僧人。

【头脑】❶指思考、记忆等能力。[例]～清楚。❷头绪；要领。[例]摸不着～。❸首领；头目。

【头颅】人的脑袋。[例]无数革命先烈抛～，洒热血，献出了宝贵的生命，才换得了今天的幸福生活。

【头衔】官衔、学衔等称号。

【头绪】喻指事情的条理。[例]理出了～。

【头头是道】明圆极居顶《续传灯录》卷二六："方知头头皆是道，法法本圆成。"后用以形容一个人说话做事很有条理。

【头足倒置】把头和脚颠倒过来。比喻颠倒事物的主次关系。

【头状花序】花序的一种。花轴短缩，顶端凸出，聚生多数无梗或近于无梗的花，全形呈头状。如菊、向日葵等的花序。

【头面人物】在社会上有一定地位和较高声望的代表人物。

【头重脚轻】比喻基础不稳固。

【头破血流】头破了，血流出来了。多用来比喻惨败。

【头痛医头，脚痛医脚】比喻孤立地遇到什么问题解决什么问题，不去解决带有根本性的问题。

投 tóu ❶扔；抛；掷(多指有目标的)。[例]～篮｜～手榴弹。❷进入；跳进(指自杀行为)。[例]飞鸟～林｜弃暗～明｜～河｜～海。❸光线等射向物体。[例]所有目光都～向主席台。❹寄送。[例]～递｜～稿。❺相合；迎合。[例]～合｜～其所好。

【投机】❶见解相合。[例]他俩谈得很～。❷钻空子谋取私利。[例]～取巧。

【投向】资金、人力、物力等投放的方面。[例]合理调整农村信贷资金～。

【投合】❶合得来。[例]两人的性情很～。❷迎合。[例]～顾客的口味。

【投身】献身于(某种事业)。

【投拍】电影、电视剧等投入拍摄。

【投奔】前去投靠(别人)。[例]～亲友。

【投放】❶投下去；放进去。❷金融及其他有关机构向工商企业、农业提供资金、物力、人力，或工商企业向市场供应商品。

【投诚】(敌人)归附。

【投降】战争中，一方停止武装对抗，并放下武器，向敌方屈服。也泛指在敌对双方的斗争中放弃原来的立场，投向对方。

【投契】情意相合；对劲儿。契：投合。

【投标】承包工程或承买大宗商品时，承包人或买主提出自己所愿出的价格。

【投保】对保险标的具有保险利益的自然人或法人向保险人申请定立保险合同。

【投胎】迷信的人指人或动物死后，灵魂投入母胎，又转生世间。

【投壶】中国古代宴会时的一种娱乐。客人和主人依次在一定的距离外把箭投向酒壶口，没有投中的罚酒。

【投效】投奔(bèn)到某处请求效力。

【投资】❶把资金投入企业或金融市场。也指投入企业的资金。❷泛指为达到一定目的而投入资金。[例]智力～｜感情～。

【投递】寄送(书信或文件)。

T

【投案】犯罪分子作案后主动到公安、司法机关供认罪行，并接受处罚的行为。

【投掷】（往远处）扔。㊀～手榴弹。掷（zhì）：抛，扔。

【投影】用一组光线将物体的形象投射到平面上去，叫做投影。也指在该平面上得到的图形。

【投递员】负责投递邮件和电报的人员。

【投井下石】即"落井下石"（652页）。

【投机倒把】指以买空卖空、囤积居奇、套购转卖等手段谋取暴利。

【投畀豺虎】（把坏人）扔去喂豺狼虎豹。比喻对坏人的强烈憎恨。《诗经·小雅·巷伯》："取彼谮人，投畀豺虎。"畀（bì）：给予。

【投笔从戎】《后汉书·班超传》里说，班超原来做抄写工作，以后放下笔杆去参军，成为名将。后以"投笔从戎"指读书人弃文就武。

【投资环境】一国或一地区为投资者从事投资活动所提供的自然、政治、经济、法律、文化和社会等多种条件的总和。

【投资基金】❶基金证券。❷基金组织或机构。它是按照共同投资、共享收益、共担风险的基本原则和股份公司的某些原则，运用现代信托关系的机制，以基金方式将各个投资者彼此分散的资金集中起来，交由投资专家运作和管理，主要投资于证券等金融部门或其他产业部门，以实现预定投资目的的投资组织制度。

【投资银行】在资本市场上专门从事证券承销、证券代理交易和自营买卖、投资顾问、财务顾问、金融顾问、公司购并中介、资产证券化创新、新工具开发等业务的金融机构。

【投鼠忌器】《汉书·贾谊传》："里谚曰：'欲投鼠而忌器。'"意思是要打老鼠又怕打坏了它旁边的器物。比喻做事有所顾忌，不便于放手去干。忌：顾忌。

【投鞭断流】《晋书·苻坚载记》里说，苻坚进攻东晋时骄傲地说：我这么多的军队，只要把每个兵士的马鞭子投到江里，就能截断水流。后用以比喻人马众多，兵力强大。

酘⊠ tóu 酿酒时投入米饭。

骰 tóu 骰子，通称色（shǎi）子。一种赌具。

tǒu 去ㄡˇ

钭（鈄） tǒu 姓。

敨□ tǒu 〈方〉把包着或卷着的东西打开。

黈⊠ tǒu ❶黄色。❷古人堵塞耳朵的黄绵。

tòu 去ㄡˋ

透 tòu ❶通过；穿过。㊀～风｜～明。❷泄漏；显露。㊀～消息｜白里～红。❸深入；明白。㊀讲～道理｜弄～了他的想法。❹极度；充分。㊀恨～了敌人｜一场～雨。

【透支】❶指存户提取超过存款数额的款项。❷支出超过收入。❸旧指职工预支工资。

【透彻】详尽而深入。㊀～地分析。

【透纳】约瑟夫·马洛德·威廉·透纳（1775—1851）英国画家。擅长风景画，以水彩技法用于油画，多表现天风海雨波涛激荡的海景奇观。代表作有《雨、蒸汽和速度》等。

【透顶】达到极点（多含贬义）。

【透析】❶即"渗析"（876页）。❷医学上也指一种血液排毒清洁法。利用能带走患者血中废物和过多水分的液体，通过特置的器械完成。用于肾功能衰竭、药物或毒物中毒等。

【透底】透露底细。

【透视】❶利用X射线透过人体在荧光屏上产生影像，观察人体内部的器官、组织。常用来检查心、肺、胃、肠道、骨骼等。❷透视法。❸比喻清楚地看到事物的本质。

【透辟】透彻而精辟。

【透漏】透露，泄漏。

【透镜】一种简单的光学仪器。由透明物质（玻璃、水晶等）制成。光线通过透镜折射后可以成像。一般分为凹透镜和凸透镜两大类。凹透镜中央部分比边缘部分薄，能使光线发散，如近视眼镜片；凸透镜中央部分比边缘部分厚，能使光线会聚，如远视眼镜片。

【透雕】雕塑的一种。在浮雕的基础上镂空背景部分。

【透露】泄露（消息、意思、真实情况等）。

【透明度】比喻事情的公开程度。例提高执法工作的～。

【透视法】也叫远近法。在平面上再现物体远近空间感、立体感的画法。可分线性透视和空气透视、焦点透视和散点透视。

tou ·ㄊㄡ

头(頭) ㊁ tou 后缀。例木～|甜～|看～|外～|上～。
㊀ tóu (989 页)。

tū ㄊㄨ

凸 tū 高出周围。与"凹(āo)"相对。例～起|～透镜。

【凸镜】凸面镜的简称。

【凸面镜】简称凸镜。球面镜的一种。参见〔球面镜〕(805 页)。

【凸透镜】透镜的一种。参见〔透镜〕(990 页)。

【凸版印刷】用图文凸起的印版进行印刷。印版有木刻版、活字版、铅版、照相凸版、电镀铜版、塑料版等。在激光照排、胶片制版推广以前,多用于印刷报刊、书籍等。

秃 tū ❶(人)没有头发;(动物的头、尾)没有毛。例～头|～尾巴鸡。❷失去尖端;结构不完整。例～笔|这篇文章结尾有点～。❸山没有草木,树没有枝叶。例～山|～树。

【秃鹫】鸟类。大型猛禽。体长约 1.2 米。体羽主要呈黑褐色。头被绒羽,颈后有部分裸秃,故名。栖息高山,嗜食鸟、兽等的尸体。终年留居中国西部山地。

突 tū ❶副词。突然。例气温～增。❷冲破。例～围。❸高于周围。例～起。❹古指烟囱。例灶～。

【突兀】❶高耸。例奇峰～。❷突然发生,出乎意外。兀(wù)。

【突击】❶集中兵力、火力对敌人进行急速而猛烈的打击。❷在短时间内集中力量完成某项任务。

【突防】突破对方的防御。特指导弹或飞机突破敌方对空防御系统的拦截,进入预定的攻击目标区。

【突围】突破包围。

【突变】❶突然的剧烈的变化。例风云～。❷即"质变"(1270 页)。

【突破】❶进攻的军队在敌防御阵地上打开缺口。❷打破或超过。例～难关|～定额。

【突袭】突然袭击;出其不意地攻击。

【突厥】古族名。6 世纪时,游牧于今阿尔泰山以南一带。善锻铁。6 世纪中叶,建汗国于今鄂尔浑河流域。后分东、西突厥二汗国。

【突然】在短促的时间里发生;出乎意料。例～袭击。

【突击队】❶进攻时在主要方向上担任突击任务的部队。❷生产中担任突击某项任务的劳动组织。

【突尼斯】❶全称突尼斯共和国。位于非洲北部。北、东临地中海,西邻阿尔及利亚,东南邻利比亚。❷突尼斯共和国首都。位于该国北部,临地中海。人口 180 万(1996 年)。是全国政治、经济、文化、交通中心和最大海港,也是北非重要的商业、文化中心和旅游胜地。保存有迦太基古城遗址等古迹。有以珍藏古代镶嵌壁画著称的巴尔杜博物馆和迷人的海滨浴场。

【突破口】进攻的军队在敌防御阵地上打开的缺口。

【突飞猛进】形容进步、发展特别迅速。

【突如其来】突然发生。突如:突然。

【突然袭击】指未经宣战,对他国突然进行武装进攻。有时也用来指不预先通知,使对方措手不及,难于应付。

葖 tū 见〔蓇葖〕(336 页)。

tú ㄊㄨˊ

图(圖) tú ❶绘制出来的形象。例地～|插～。❷画。例画影～形。❸谋划;打算;想要得到。例企～|唯利是～。❹规划。例宏～。

【图纸】❶用标明尺寸的图形和文字来说明工程建筑、机械、设备等的结构、形状、尺寸及其他要求的一种技术文件。❷绘图用的纸张。

【图表】表示情况和统计数字用的图形和表格。

【图例】地图或图表中各种符号及注记的说明。

【图样】按照一定的规格和要求绘出的表示物体的形状、大小、结构的图形。在制造或建筑时用做样子。

【图案】有装饰意味的花纹或图形。其特点是结构整齐、匀称、调和。多用在纺织品、工艺美术品、建筑物等上面。
【图章】印章。
【图谋】暗中谋划。[例]～不轨。
【图像】❶画成的形象。❷把自变量 x 的一个值和函数 y 的对应值分别作为点的横坐标和纵坐标，在直角坐标系内描出一个点，所有这些点的集合，叫做这个函数的图像。
【图解】利用图形来分析问题，解释道理。
【图谶】巫师、方士制作的一种宣扬迷信的预言、隐语。作为吉凶的符验或征兆。谶(chèn)。
【图书馆】搜集、整理、保管各种出版物和文献资料，以供读者使用的一种文化机构。
T
【图们江】发源于长白山，向东北流到图们市，折向东南流入日本海。全长505千米，中国境内长491千米。大部分是中朝两国界河，入海口一小段是朝俄两国界河。
【图文电视】也叫电视文字广播。附属于电视的一项广播业务。它利用电视广播不传送图像的间隙，在电视机屏幕上插播新闻、天气预报、股市行情等简短的文字或图形信息。用户可以通过按键选择。
【图书目录】根据一定的要求和方法，记载书刊的名称、作者、出版情况以及内容提要等的目录。它按照一定的次序排列，以便检索。有书名目录、著者目录、分类目录、主题目录和专题目录等。
【图诸凌烟】画在凌烟阁上。凌烟阁是唐太宗时建立的画功臣图像的楼阁。后称颂功在当世，名垂后代的人为图诸凌烟。
【图像处理】利用计算机对图像信号进行编码、增强、压缩、复原、分析等各种加工，使达到预期目的的过程和方法。一般指数字图像处理。
【图像识别】将电子摄像机摄得的图像输入计算机，与预先已储存在计算机中的数字化图像进行分析、比较，以达到识别的目的。
【图像通信】把图形、绘画和活动影像等视觉信息，用电信手段传送，使对方的视觉接收的通信方式。具有传送信息量大，生动、逼真等优点。传真通信、电视电话、有线电视等均属于图像通信。
【图腾崇拜】产生于原始社会母系氏族时期。原始人认为每个氏族都和某物(多为动物)有血缘关系，此物即被尊奉为该氏族的图腾，即氏族的保护者和标志。现在世界上许多地区、民族仍存在着图腾崇拜现象。
【图书分类法】以学科分类为基础，结合图书的内容和特点，分门别类地组成一个系统，并配备一定的号码，编制成一个类目表。它是图书馆图书分类、组织藏书(分类排架)和编制分类目录的重要方法。
【图穷匕首见】也说图穷匕见。《战国策·燕策三》记载，战国时，燕太子让荆轲以献燕国督亢地图为名去刺秦王。荆轲预先把匕首卷在图里，献图时，地图展到最后，露出了匕首。后用“图穷匕首见”来比喻事情发展到最后，露出真相或本意。匕(bǐ)首：短剑。见(xiàn)：显露。
【图画展览会】钢琴组曲。穆索尔斯基曲。作于1874年。该曲为作曲家纪念其友人、建筑师维克多·哈特曼而作。全曲由10首乐曲组成。后被多人改编为管弦乐曲，其中以拉威尔改编的管弦乐曲最为著名。

荼 tú ❶古书上指一种苦菜。❷古书上指一种茅草的白花。[例]如火如～。
【荼毒】荼是一种苦菜。毒是毒虫，指蛇蝎之类。比喻毒害。[例]～生灵。
【荼蘼】落叶灌木。茎有棱、刺，奇数羽状复叶，花白色，供观赏。

途 tú 道路。[例]老马识～|征～。
【途次】旅途中停留的地方。
【途径】门路；道路(多用于抽象事物)。[例]应该努力寻找解决问题的～。

庩[⊠] tú 见〔庯庩〕(78页)。

涂(塗) tú ❶上颜色、上油漆等。[例]～脂抹粉|～上一层漆。❷抹掉文字或乱写乱画。[例]～改|～鸦。❸泥。[例]～炭。❹同“途”。
【涂乙】涂是抹去，乙是勾画。指删改文章。
【涂鸦】唐卢仝《示添丁》诗：“忽来案上翻墨汁，涂抹诗书如老鸦。”后用“涂鸦”形容字写得很坏。多用作谦辞。
【涂炭】在烂泥和炭火里面。比喻极端困苦的处境。[例]生灵～(指人民处于极端困苦的环境中)。
【涂料】涂在物体表面上能结成坚韧的保护膜的材料。具有耐磨性、绝缘性，可防止侵蚀，也可增加表面美观。如油漆、天然漆、合成树脂等。

【涂脂抹粉】涂胭脂，抹香粉。原指女性化妆，现多比喻对丑恶事物进行粉饰。

馀☒ tú〔馀憛〕忧虑不安。憛(tán)。

骖☒(駼) tú 见〔驹骖〕(963 页)、〔騉骖〕(573 页)。

稌☒ tú 糯稻。也泛指稻。

酴 tú 酿酒用的酒母。

【酴醾】❶古书上指重酿的酒。❷即荼蘼。

徒 tú ❶步行。例～步。❷空着。例～手。❸副词。1. 白白地。例～劳。2. 只；仅仅。例家～四壁。❹跟师傅学习的人。例学～。❺同一派系或信仰宗教的人。例党～|信～|佛教～。❻指具有某种特性的人(含贬义)。例赌～|匪～。❼剥夺犯人自由的刑罚。例～刑。

【徒工】正在学徒期间的工人。

【徒手】空手(不拿东西)。例～操。

【徒刑】❶对犯罪分子判处剥夺人身自由并予监禁的刑罚。分有期徒刑和无期徒刑。❷清代以前指服劳役的刑罚。

【徒劳】白费力气。

【徒弟】跟从师傅学习的人为该师傅的徒弟。

【徒然】副词。白白地；不起作用地；毫无效果地。

【徒子徒孙】徒弟和徒弟的徒弟。比喻一脉相承的人。也泛指党羽(含贬义)。

【徒手体操】体操的一种。不用借助任何器械做的体操。如广播操、生产操等。

【徒托空言】只说空话，并不实行。

【徒劳无功】白费劲而没有功效。

莬 ㊀ tú 见〔於莬〕(1036 页)
㊁ tù (995 页)。

啚☒ ㊀ tú 同“图”。
㊁ bǐ (53 页)。

屠 tú ❶宰杀(牲畜)。例～户。❷残杀人。例～杀|～城。

【屠刀】宰杀牲畜的刀。

【屠夫】❶旧指以宰杀牲畜为业的人。❷比喻大量屠杀人民的反动统治者。

【屠龙】杀龙的技术。比喻没有用的技术。

【屠杀】大批残杀。

【屠城】攻破城池后大量屠杀城中的居民。

【屠苏酒】酒名。旧俗在正月初一喝屠苏酒以避邪。

【屠格涅夫】伊万·屠格涅夫(1818—1883)俄国批判现实主义作家。出身贵族。前期倾向于革命民主派，后转变为贵族自由主义者。善于刻画少女形象和描写俄罗斯自然景色，文笔细腻，富于诗意。代表作《猎人笔记》和中篇小说《木木》，描写了农奴的悲惨生活，揭露了农奴制的罪恶。长篇小说《父与子》反映了贵族自由主义者和平民知识分子之间的思想冲突。重要作品还有《罗亭》《贵族之家》《前夜》等长篇小说。

瘏☒ tú 病。

腯☒ tú (猪)肥。

tǔ ㄊㄨˇ

土 tǔ ❶地面上的泥沙混合物；泥土；土壤。例黄～。❷土地。例国～。❸本地的；具有地方性的。例～产|～话。❹来自民间的；民间沿用的。与“洋”相对。例～洋结合。❺不开通；不合潮流。例～里～气|样式太～。

【土方】❶各种土建工程中填土、挖土或运土的计量单位，通常以立方米计算，故名。❷古族名。殷商时分布在殷的西北方。❸民间流传的药方。

【土仪】指作为礼物送人的土产品。

【土司】见〔土司制度〕(994 页)。

【土地】❶土壤；田地。❷领土；疆域。❸即“土地菩萨”(994 页)。

【土产】当地出产的带有地方特色的农副产品。

【土改】土地改革的简称。

【土星】古称镇星、填星。太阳系九大行星之一。绕太阳一周的时间是 29.46 年。以距离太阳由近及远的次序计是第六颗。它有 23 颗卫星，周围有光环。

【土匪】在地方上抢劫财物，为非作歹的武装匪徒。

【土著】世代居住本地的人。

【土族】中国少数民族之一。人口 19 万(1990 年)。主要分布在青海省互助、民和、大通、乐都及甘肃省天祝等地。有本民族语言，兼通汉语文。多信奉喇嘛教。建立有互助土族自治县等自治地方。

【土葬】处理遗体的一种方法。一般是先将死人遗体装入棺材，再埋进土里。

【土壤】陆地表面有肥力、能生长植物的疏松表层。

【土籍】世代久居的籍贯。

【土皇帝】指盘据一方的军阀或横行一地的大恶霸。

【土家族】中国少数民族之一。人口573万(1990年)。主要分布在湖南、重庆、湖北等省市。有本民族语言，多通汉语文。建立有湘西、恩施土家族苗族自治州等各级自治地方。

【土木工程】指在地面、地下或水域内修建房屋、道路、桥梁、铁路、隧道、堤坝、海港、市政等的工程。

【土木之变】明军和瓦剌军的一次战役。1449年，瓦剌首领也先率兵进攻大同、宣府。明英宗率军亲征，在土木堡(今河北怀来东)被俘。史称土木之变。

【土司制度】也叫土官制度。元明清王朝在部分民族地区授予当地统治者世袭官职(土司)以统治当地人民的制度。参见〔改土归流〕(300页)。

【土地价格】简称地价。土地的买卖价格。因为土地没有价值，所以它不是土地价值的货币表现。其实质是资本化的地租，在数量上与地租成正比，与利息率成反比。

【土地改革】❶简称土改。指中国共产党领导的废除封建土地所有制，实行农民土地所有制的革命运动。在党的“依靠贫农，团结中农，有步骤地、有分别地消灭封建剥削制度，发展农业生产”的土地改革总路线和总政策指引下，发动群众开展斗争，没收地主阶级的土地，分配给无地或少地的农民，从政治上、经济上打倒地主阶级，解放农村生产力。第二次国内革命战争时期，在苏区进行了土地革命。第三次国内革命战争时期，解放区进行了土地改革。中华人民共和国成立后，全面地进行了土地改革，到1952年9月，全国范围内的土地改革基本完成。❷泛指对土地所有制进行的改革。有不同方式。

【土地退化】指由于人类不合理的开发利用(如草原地区过度放牧等)，使土地生产力下降的现象。

【土地资源】为人类生存和发展提供物质基础的陆地表层部分。由岩石、岩石风化物和土壤等构成。是人类从事各种活动最主要的场所和农业的基本生产资料。

【土地菩萨】也叫土地、土地爷、土地神。旧时迷信指管理一个小地面的神。

【土崩瓦解】比喻彻底崩溃，不可收拾。《史记·秦始皇本纪》:“秦之积衰，天下土崩瓦解。”

【土豪劣绅】指旧时乡间有钱有势的恶霸、品行恶劣的绅士。

【土壤污染】指有毒、有害物质侵入土壤后造成的污染。土壤受到污染后，有毒物质经生物体的富集而被吸收，人食用了这种含毒的生物便会得病。土壤被重金属(镉、铜、锌、锰等)元素污染后，一时较难除去。

【土壤质地】指土壤矿物质颗粒的大小和组合比例，即土质的粗细状况。砂土、壤土、黏土是表示不同质地土壤的名称。

【土壤肥力】俗称地力。土壤供应和协调植物生长发育所需水分、养分、空气和热量的能力。

【土地使用权】依照法律或契约取得的对土地加以利用并取得收益的权利。

【土地所有制】人们在一定的社会制度下对土地的占有关系。是生产资料所有制的重要组成部分。分土地私有制和土地公有制两大基本类型。

【土地荒漠化】指由于人类不合理的开发利用(如开垦草原、过度放牧等)以及自然原因(如干旱等)，使土地逐渐变成荒漠的过程。也指这一过程的最终结果。多发生于干旱、半干旱地区。

【土耳其海峡】也叫黑海海峡。位于土耳其领土的亚洲部分和欧洲部分之间。包括博斯普鲁斯海峡、马尔马拉海、达达尼尔海峡。整个海峡长375千米，最窄处在博斯普鲁斯海峡，只有750米，建有博斯普鲁斯大桥。海峡可终年通航，是连接亚、欧两大陆和黑海与地中海的铁路和海运的要道，在经济、军事上具有十分重要的意义。

【土地革命战争】即“第二次国内革命战争”(202页)。

吐 ㊀ tǔ ❶自己使东西从嘴里出来。㊞请勿随地～痰。❷说出。㊞～露真情。❸生出；露出。㊞高粱～穗了。
㊁ tù(995页)。

【吐良】景颇族吹奏乐器。竹制、横吹。与笛不同，竹管中间开吹口，或用两支竹管插接，在中间插口开孔。流行于云南省德宏地区。

【吐属】谈话用的语句；谈吐。

【吐蕃】中国藏族古代奴隶制政权。7世纪初建立于拉萨。和唐朝联系密切。9世纪中叶崩溃。唐以后，汉文史籍中也有称藏族和藏族地区为吐蕃的。蕃(bō)。

【吐露】说出(实情或真心话)。

【吐谷浑】中国古代居住在西北部的民族。原是鲜卑族的一支，活动于今辽宁，后迁居今甘肃、青海一带，南北朝隋唐时强大起来，唐后期为吐蕃所灭。谷(yù)。

【吐苦水】比喻诉说所遭受过的迫害和痛苦。

【吐故纳新】《庄子·刻意》："吹呴呼吸，吐故纳新。"原指人体呼吸，吐出浊气，吸进新鲜空气。后比喻扬弃旧的，吸收新的。

【吐鲁番盆地】新疆维吾尔自治区天山东部的山间盆地。面积约5万平方千米。最低处在海平面以下154米，气候干燥炎热，是中国海拔最低和夏季最热的地方。地下水丰富，所产无核葡萄等驰名全国。

钍(釷) tǔ 金属元素，符号Th，原子序数90。银白色，质软，有延展性，在空气中燃烧发强光。有放射性，用于原子能工业。

tù ㄊㄨˋ

吐 ㊁ tù 胃里的东西从嘴里涌出来。㊀呕～。

㊀ tǔ (994页)。

兔(*兎*兔) tù 哺乳动物。家兔分皮用、肉用、毛用和兼用等种类。中国饲养的主要有中国本兔、安哥拉兔、青紫蓝兔、力克斯兔等。

【兔唇】唇腭裂的俗称。由遗传和后天因素导致早期胚胎发育时口唇部软组织和骨骼未能正常愈合。后天因素包括母体疾病、药物、营养不良、吸烟饮酒以及环境毒素等。

【兔脱】❶形容脱身快。❷比喻逃走。

【兔死狐悲】比喻因同类的死亡而感到悲伤(含贬义)。明田艺蘅《玉笑零音》："鼋鸣而鳖应，兔死则狐悲。"

【兔死狗烹】《史记·越王勾践世家》中说，兔子捕杀光了，猎狗就被杀掉煮吃了。比喻事情成功之后，把出过大力的人抛弃或害死。多指旧时君主杀戮功臣。

堍 tù 桥两头靠近平地的地方。

菟 ㊀ tù 〔菟丝子〕一年生草本植物。多缠绕寄生在豆科植物上。茎丝状，橙黄色。种子供药用。

㊁ tú (993页)。

骁⊠(駼) tù 见〔骕骁〕(267页)。

tuān ㄊㄨㄢ

湍 tuān ❶水流急。㊀～流。❷急流的水。㊀急～。

貒⊠ tuān ❶猪獾。❷野猪。

tuán ㄊㄨㄢˊ

剸⊠(剸) tuán 截断。

抟(摶) tuán ❶同"团"③。❷凭借。

漙⊠(漙) tuán 形容露水多。

篿⊠(篿) ㊀ tuán 圆形的竹器。㊀～箕。

㊁ zhuān (1300页)。

团(團❷糰) tuán ❶圆形的。㊀～扇。❷球状的东西。㊀饭～|汤～。❸把东西揉弄成球形。㊀～煤球。❹会合在一起。㊀～圆。❺团体。在中国特指共产主义青年团。㊀文工～|儿童～|入～。❻军队编制单位。在师之下，营之上。❼量词。用于成团的东西。㊀一～毛线。

【团队】集体；团体。㊀旅游～|～精神。

【团伙】纠集在一起做坏事的小集团。㊀流氓～|盗窃～。

【团练】也叫乡团、民团、团勇。旧时官绅编练的，主要用来维护封建统治、镇压农民反抗的地方武装。创始于唐，清代设置较普遍。

【团拜】机关、团体的成员过新年或春节时团聚在一起，互相祝贺。

【团音】见〔尖团音〕(472页)。

【团结】❶为了实现共同的理想或完成共同的任务而结合或联合。㊀～起来，争取更大的胜利。❷和睦；友好。
【团圆】（亲人）分散后又相聚在一起。
【团扇】圆形的扇子，一般蒙有绢、绫或纸。
【团聚】聚会在一起（多指亲人分别后再相聚）。㊀全家～。
【团体赛】一种按规定的人数和方法进行的体育比赛。有的以某队得胜场数先超过总比赛场数半数以上者为优胜队。如乒乓球男子团体赛，每队三人轮赛，共五场，先胜三场的队为优胜队。
【团体操】非竞技体操的一种。以徒手体操为主，在乐曲统一指挥下集体操练，反映一定的主题。一般由各种体操动作、舞蹈动作、队形变换、道具、图案、背景陪衬等组成，大型表演还运用高科技手段，如声、光、电等效果。

T

tuǎn ㄊㄨㄢˇ

疃 tuǎn ❶村庄。多用于地名，如王疃（在河北）。❷禽兽践踏的地方。

tuàn ㄊㄨㄢˋ

彖 tuàn 彖辞，《易经》中论卦义的文字。

tuī ㄊㄨㄟ

忒 ㊁ tuī 〈方〉副词。太。㊀路～滑，很难走。
㊀ tè（964 页）。

推 tuī ❶抵住物体，发力使物体向一定方向移动。㊀～车｜～磨。❷使事情开展。㊀～销。❸根据已知之点做出判断。㊀～算｜～断。❹辞让；推掉。㊀～辞｜～脱。❺推延；推迟。㊀这件事～几天再说。❻推举；推选。㊀大家～他当小组长。❼称赞；重视。㊀～许。
【推广】扩大事物的使用范围或起作用的范围。
【推手】太极拳锻炼形式之一。是一种双人配合练习项目。要求用巧劲而不是用硬力，以柔克刚，讲究沾连粘随、不丢不顶，多以弧线运动化解对方直线之力。舒松圆活，意趣浓厚。
【推出】制作出或创作出（新产品、新作品等）。㊀这个工厂不断～新产品，加强了自身的竞争力。
【推动】使事物前进；使工作开展。
【推托】借故拒绝。
【推论】即“推理”（996 页）。
【推进】❶推动工作，使向前进。❷（战线或作战的军队）向前进。
【推却】拒绝；推辞。
【推求】根据已知的条件或因素来探索（道理、意图等）。
【推究】探索和研究（原因、道理等）。
【推迟】把预定的时间向后移。
【推事】清代末年、北洋军阀和国民党统治时期各级法院中审理案件的官吏。有首席推事、陪席推事。
【推委】也作推诿。把责任推给别人。
【推宕】推托；托故拖延。宕（dàng）。
【推荐】推举；介绍。
【推卸】推脱应该承担的责任。
【推选】推举选拔。
【推重】重视某人的思想、行为、著作、发明等，给以很高的评价。
【推测】根据已经知道的事情来推断猜测还不知道的事情。
【推诿】同“推委”（996 页）。
【推理】也说推论。从一个或几个已有的判断得出另一个新判断的思维形式。推理所根据的判断叫前提，根据前提所得到的判断叫结论。
【推崇】非常推重。
【推移】（物体）移动；（时间、形势等）变迁。㊀日月～｜时局的～。
【推断】❶推测判断。❷推测判断后所得出的结论。
【推销】向外销售货物。
【推辞】（对馈赠、邀请、任命等）表示拒绝。
【推敲】传说唐代诗人贾岛骑驴做诗，得到“鸟宿池边树，僧敲月下门”两句。第二句中开始想用推字，后又想改为敲字，犹豫不决，边念边用手做推、敲的动作。见宋胡仔《苕溪渔隐丛话前集》卷一九引《刘公嘉话》。后用“推敲”比喻写文章斟酌字句，反复琢磨。
【推戴】拥护某人作领袖。
【推心置腹】推出自己的赤心，放置在别人的腹中。表示毫无保留地交给对方。比喻真诚待人。
【推本溯源】推究根源；寻找原因。
【推陈出新】除去旧事物的糟粕，使其精华

向新的方向发展。推：摆脱，排除。陈：旧的。
【推波助澜】比喻从旁助长或推动事物（多指坏的事物）的发展，扩大声势或影响。宋朱熹《朱子全书·治道一》："此等议论，正是推波助澜，纵风止燎。"澜：大浪。
【推诚相见】用诚恳的态度相待。

蓷☒ tuī 药草名。即益母草。

tuí ㄊㄨㄟˊ

隤☒（隤） tuí ❶坠下。❷同"颓"。

隮☒（隮） tuí〔虺隮〕指马劳累致病。虺（huī）。

颓（頹 *穨） tuí ❶倒塌。㊀～垣断壁。❷衰败；意志消沉。㊀衰～｜～丧。
【颓势】衰落的趋势。㊀扭转～。
【颓丧】情绪低落，精神委靡。
【颓废】意志消沉，精神委靡。
【颓唐】颓丧；精神委靡不振。
【颓靡】颓丧；不振作。

魋☒ ㊀ tuí 古代传说的一种神兽。
㊁ zhuī（1304 页）。

tuǐ ㄊㄨㄟˇ

腿（❶❸ *骽） tuǐ ❶人和动物用来支持躯体和行走的部分。❷指器物上作用像腿的部分。㊀桌子～儿。❸指火腿。㊀云～。

tuì ㄊㄨㄟˋ

退 tuì ❶向后移动。与"进"相对。㊀后～｜进～两难。❷使向后移动。㊀～敌。❸送回；归还。㊀～货｜～款。❹离去。㊀～职。❺脱落；下降。㊀～色｜～潮。
【退化】❶生物体的某一部分器官在进化过程中，全部消失或部分残留。如人的阑尾是退化器官。❷泛指事物由好变坏，由优变劣。
【退火】一种金属热处理工艺。将金属材料或零件加热到一定温度，经保温后在炉内缓慢冷却下来。能降低金属的硬度，改善加工性能。
【退休】干部、职工因年老或因公致残而离开工作岗位。退休人员每月发放原工资的一部分。
【退伙】❶旧指退出帮会。❷合伙人退出合伙企业，从而丧失合伙人资格的法律行为。合伙企业未约定经营期限的，在不给合伙企业事务执行造成不利影响的情况下，合伙人可以退伙，但应当提前 30 日通知其他合伙人。
【退却】❶军队在敌军进攻面前，为了保存军力或其他目的而采取的有组织的转移行动。❷因畏难而后退。
【退役】❶军人退出现役或预备役。❷军用设备（包括军犬）因老旧而停止在军中使用。❸特指运动员退出岗位，不再参加赛事。
【退保】注销保险单。保险合同签约后，双方通过协议或按国家法律规定终止合同。
【退耕】对已耕土地停止耕种，还作森林、牧场等。㊀～还林。
【退职】辞退或辞去职务。
【退隐】（官吏）退职隐居。
【退赔】退还、赔偿（非法占有、取得的财物等）。
【退税】对已经征收入库的税款，按制度规定和一定程序退还给原纳税人或有关单位。
【退缩】退却不前；畏缩。
【退潮】也说落潮。潮水回降。
【退伍军人】指退出现役的中国人民解放军的义务兵。也泛指退出现役的军人。
【退耕还林】指不再耕种那些不适于耕种的低产田地、水土流失严重的坡耕地、影响泄洪的江湖围垦圩田，代之为种树、种草等，以恢复植被和生态平衡，分别称为退耕还林、退耕还草、退耕还湖等。这种措施能改善生态环境，又能增加经济效益。
【退避三舍】《左传·僖公二十八年》里说，春秋时晋楚在城濮交战，晋国遵守诺言，把军队撤退九十里。后比喻对人让步或回避，不与相争。舍：古时行军三十里叫一舍。

煺 tuì 把已宰杀的鸡、鸭、猪等用开水烫后去掉毛。

褪 ㊁ tuì ❶褪色，绘画、布匹等颜色变淡。❷褪毛，禽兽更换毛羽。
㊀ tùn（999 页）。

駾☒（駾）　tuì　马迅速奔跑。引申为惊慌奔跑。

蜕　tuì　❶蛇、蝉等脱皮。也指脱下来的皮。㊎～皮｜蝉～。❷引申为变化或变质。㊎～化｜～变。

【蜕化】❶昆虫的幼虫脱皮后，增大体形或变为另一种形态。❷比喻人的品质变坏，腐化堕落。

【蜕皮】昆虫等节肢动物体表具有坚硬的几丁质层，在个体发育过程中一次或多次蜕去几丁质层，长出新的表皮的过程。昆虫发育过程中定期蜕皮，可使虫体增大和继续发育。

【蜕变】❶原子核自发放射一个 α 粒子或 β 粒子，同时自身转变为另一种核的过程。❷泛指人或事物发生质变。

煺☒　tuì　"煺(tuì)"的异体字。

tūn　ㄊㄨㄣ

吞　tūn　❶整个咽下。㊎囫囵～枣。❷侵占。㊎独～｜～并。

【吞吐】❶吞进和吐出。多用来形容旅客或货物的进进出出。㊎～量。❷吞吞吐吐。

【吞并】侵占土地、财物，据为己有。

【吞声】不敢出声。特指哭时不敢出声。

【吞没】❶把公有的或别人的财物据为己有。❷淹没。

【吞金】吞下黄金（自杀）。

【吞噬】吃掉。也比喻侵占别人的财物化为己有。噬(shì)：咬。

【吞吐量】在一定时期内经由水上运进和运出港口并经装卸的货物的总数量，以吨为单位。是衡量港口生产能力大小的主要指标。

【吞吞吐吐】形容说话有顾虑，想说又不敢说的样子。

【吞噬作用】原生动物、其他动物和人体的某些细胞以变形运动方式吞食微生物或细小物体的作用。如白细胞吞噬细菌。

啍☒　tūn　〔啍啍〕形容迟缓。

暾　tūn　刚出来的太阳。㊎朝～。

黗☒　tūn　黄色。

tún　ㄊㄨㄣˊ

屯　㊀ tún　❶聚集；储存。㊎～粮。❷驻扎。㊎～兵。❸村庄。多用于地名，如皇姑屯（在辽宁）。

㊁ zhūn（1304 页）。

【屯田制】汉以后利用军民垦荒以取得给养和税粮的制度。有军屯、民屯和商屯。汉文帝听从晁错建议，募民实边，为民屯之始。汉武帝令戍兵在西北边境屯田，为军屯。曹操于公元 196 年在许下募民屯田。唐宋民屯又称营田。明代盐商在边郡募民垦种，以所得粮草换盐，称盐屯为商屯。

囤□　tún　工业机械设备中用来贮存水、油、气体等的大柜。

峀□　tún　〔峀脚〕地名。在贵州。今作屯脚。

囤　㊁ tún　积贮；储存。㊎～积｜～货。

㊀ dùn（235 页）。

【囤积居奇】大量收购、储存商品或市场上比较稀缺的物资，等待时机，高价出售。这是获取暴利的一种投机行为。居：储藏。奇：指稀罕或稀少的东西。

饨（飩）　tún　见〔馄饨〕(438 页)。

庉☒　㊁ tún　居住。

㊀ dùn（235 页）。

忳☒　tún　忧闷。

鲀（魨）　tún　河豚。

豚　tún　小猪。也泛指猪。

【豚鼠】也叫天竺鼠。哺乳动物。体长约 25 厘米，无尾。体色白、黑、黄褐不一。穴居，夜间活动。食植物性食物。世界各地均有饲养，供医学和生理学等实验用。

臀（*臋）　tún　屁股。

tǔn　ㄊㄨㄣˇ

氽　tǔn　〈方〉❶漂浮。㊎木头在水上～。❷用油炸。㊎油～。

tùn ㄊㄨㄣˋ

褪 ㊀ tùn ❶收缩或晃动身体某部分，使套在它上面的东西脱下来。㊟把袖子～下来。❷向里移动。㊟把手～在袖子里。

㊁ tuì（997 页）。

tuō ㄊㄨㄛ

乇□ ㊁ tuō 旧表示压强单位的字。1977 年 7 月中国文字改革委员会、国家标准计量局通知，淘汰“乇”，改用“托”。

㊀ zhé（1248 页）。

托（❹－❼ *託） tuō ❶用手掌或器物承举。㊟～着茶盘。❷某些器物的座子和类似座子的东西。㊟枪～|花～。❸衬；垫。㊟烘云～月|～上一层纸。❹请人代办。㊟委～。❺寄放。㊟～儿所。❻借故推辞。㊟～词。❼依赖。㊟～福。❽压强的非法定计量单位。1 托等于 133.322 帕。

【托生】迷信指人或动物死后，灵魂转生世间。

【托付】委托别人照料、办理。

【托收】由出口方在发货后开出汇票连同合同规定的全套单据，委托本国银行通过它在进口方的分行或代理行向进口方收取贷款。

【托运】委托运输部门运送（行李、货物等）。

【托庇】依赖长辈或有权势的人的庇护。

【托词】也作托辞。❶找借口。❷借口。

【托孤】指临终前把孤儿托付给别人（多指君主把遗孤托付给大臣）。

【托故】借故；假借某种理由。

【托派】托洛茨基派的简称。原是俄国革命运动中以托洛茨基为首的一个政治派别。十月革命后，不断进行派别活动，反对苏维埃政权。托派成员散布在许多国家，1938 年拼凑成立了“第四国际”。

【托辞】同“托词”（999 页）。

【托儿所】接收并教养婴幼儿的机构。

【托卡塔】键盘乐曲。一种富有自由的即兴性的乐曲。大多速度较快、节奏急促。特点是炫耀乐器演奏技巧。

【托收行】托收业务中接受委托人的委托，转托另一家银行代为收款的银行。在托收结算中，托收行对托收的汇票能否被付款不负责任。

【托拉斯】英语音译词。意为信托。比辛迪加更为发展的垄断组织形式。由许多生产同类商品的企业联合组成。最大企业的资本家掌握领导权，其他企业主在商业上、生产上和法律上都失去了独立性，成为按股分红的股东。在其内部存在着争夺领导权和股票控制权的斗争。

【托卡马克】也叫环流器。一种环形的受控核聚变反应实验装置。它用磁场把等离子体约束在环形真空管道中，使其发生聚变反应。目前这种热核反应装置仍在实验过程中。

【托尔斯泰】列夫·托尔斯泰（1828—1910）俄国批判现实主义作家。青年时曾从军、参战，后来长期从事文学创作。19 世纪 70 年代末，世界观由贵族立场转变到宗法制农民的立场。在许多作品中对沙皇俄国的国家制度、教会制度、社会制度和经济制度作了深刻批判，但同时又鼓吹“道德的自我完善”“不用暴力抵抗邪恶”的观点，试图以“自由平等”的小农社会代替沙皇制度。其作品擅长细腻的心理描写，形象生动逼真，语言优美。代表作有长篇小说《战争与和平》《安娜·卡列尼娜》《复活》等。

【托洛茨基】列甫·达维多维奇·托洛茨基（1879—1940）苏俄和苏联早期领导人之一。曾负责军事革命委员会工作。列宁逝世后，成为联共（布）党内反对派首领。后被解职，并被开除出党。1938 年在巴黎组织“第四国际”。后在墨西哥居住地被暗杀。

【托管制度】联合国把某些殖民地交付一国或数国，或由联合国本身管理或监督的制度。至 1994 年 11 月，世界上最后一块托管地独立，托管制度由此结束。

饦⊠（飥） tuō 见〔馎饦〕（77 页）。

侂⊠ tuō 委托；寄托。

拕⊠ ㊀ tuō 同“拖”。

㊁ chǐ（128 页）。

拖（*拕） tuō ❶牵引；拉。㊟～出来。❷迟延；耽搁。㊟这件事不能再～了。❸垂在后面；在身体后边牵拉着。

【拖延】把时间延长,不迅速办理。
【拖拉】不及时解决问题;不按时完成工作。㊀反对～作风。
【拖沓】形容做事拖拉;不爽利。
【拖累】使受牵累。
【拖拉机】现代化农业生产中的主要动力机械。由发动机、传动装置、行走机构、操纵机构、工作装置等组成。按行走部分的结构分轮式、履带式、四轮驱动式等。与各种机引农具配套后,可进行耕、耙、播、中耕、收获等多种田间作业,还可从事运输和固定作业(如脱粒、抽水、发电等)。
【拖泥带水】比喻说话、做事不干脆,不利落。

挩☒ ㊀ tuō ❶同“解脱”的“脱”。❷遗漏。
㊁ shuì (922页)。

莌☒ tuō〔活莌〕灌木或小乔木。茎髓大,白色,纸质,即中药“通草”。

脱 tuō ❶离开;落。㊀～险|～皮。❷取下;除去。㊀～帽|～脂。❸漏掉(文字)。㊀这个地方～了一个字。
【脱水】机体因水摄入不足或排出过多而无补偿所引起的病理变化。前者出现咽下困难、昏迷等;后者常在剧烈呕吐、严重腹泻、高热、大量出汗等情况下发生。主要症状是口渴、舌燥唇干、眼窝凹陷、软弱无力,严重时昏迷甚至死亡。
【脱手】❶一下子离开手。㊀用力一掷,标枪～而出。❷卖出货物。
【脱节】不衔接;失掉联系。
【脱产】离开生产岗位专门从事某项工作或学习。
【脱困】摆脱困境。
【脱位】也叫脱臼。组成关节的骨端因受损害而脱离了正常的位置。常因外伤引起,多发生于肘关节、肩关节、下颌关节。有局部疼痛、关节功能障碍等症状。
【脱身】离开某种场合;摆脱某种事情。
【脱肛】中医病证名。肛道、直肠或乙状结肠从肛门脱出。
【脱贫】摆脱贫困状态。㊀～致富。
【脱兔】逃走的兔子。㊀动如～(比喻行动迅速)。
【脱卸】摆脱;推卸(责任)。
【脱俗】不沾染庸俗习气。
【脱胎】❶比喻一种事物由另一种事物孕育变化而产生。❷制作漆器的一种方法。❸宋代汝州窑一种印团花青瓷,光润明亮,看上去好像没有骨骼,叫脱胎。
【脱险】脱离危险。
【脱离】离开;断绝。㊀～危险。
【脱销】指市场上某种商品供不应求,暂时缺货。
【脱靶】射击或射箭时没有打中靶的(dì)。
【脱稿】文稿写完。
【脱胎换骨】原为道教修炼用语。汉魏伯阳《参同契》卷上:“弥历十月,脱出其胞,骨弱可卷,肉滑若铅(一作饴)。”后比喻重新做人。
【脱氧核糖】脱氧核糖核酸的组成成分之一。同核糖的区别在于第二碳原子上无氧原子,故名。
【脱颖而出】藏在布袋里的锥子,尖端穿出来。比喻有才能的人本领显露出来。《史记·平原君虞卿列传》:“平原君曰:‘夫贤士之处世也,譬若锥之处囊中,其末立见…’毛遂曰:‘臣乃今日请处囊中耳。使遂蚤得处囊中,乃颖脱而出,非特其末见而已。’”颖(yǐng):细而尖的东西。
【脱缰之马】脱掉缰绳的马。比喻没有拘束的人或失去控制的事物。
【脱氧核糖核酸】核酸的一类。因分子中含有脱氧核糖而得名。分子极大,分子量一般至少在百万以上。存在于细胞核、线粒体、叶绿体中,也可以游离状态存在于某些细胞的细胞质中,大多数已知噬菌体、部分动物病毒和少数植物病毒中也含有脱氧核糖核酸。是储藏、复制和传递遗传信息的主要物质基础。

tuó ㄊㄨㄛˊ

驮(馱*駞) ㊀ tuó 背(bèi)上负载东西(多用于牲口)。㊀～运。
㊁ duò (239页)。

佗 tuó 通“驮(tuó)”。

陀 tuó 高低不平。㊀陂～。
【陀螺】❶一种儿童玩具。用木头制成。上大下尖,底下安装小铁珠。用鞭抽打,可以在地上旋转。❷陀螺仪的简称。测量运动物体角速度或角位移的装置。用于飞机、舰船、导弹、航天飞行器等的控制。

T

【陀思妥耶夫斯基】费多尔·米哈依洛维奇·陀思妥耶夫斯基(1821—1881)俄国作家。作品深刻地反映了俄国当时社会生活中的矛盾,着重描写了沙皇俄国下层人民被压迫、被侮辱的悲惨生活,并对所描写的人物寄予深切的同情。作者对人物心理剖析与内心矛盾的揭示尤为独到深刻。代表作有《穷人》《被侮辱与被损害的》《罪与罚》《白痴》《卡拉马佐夫兄弟》等。

坨 tuó ❶坨子,成块或成堆的东西。㊀泥～。❷面食煮熟后粘在一块儿。㊀饺子～了。❸特指露天的盐堆。㊀～盐。

沱 tuó ❶沱江,水名,是长江的支流,在四川中部。❷〈方〉可以停泊船只的水湾。多用于地名,如朱家沱、唐家沱(均在四川)。

驼(駝*駞) tuó ❶骆驼。㊀～峰|～绒。❷脊背弯曲,直不起来。㊀～背。

【驼峰】❶骆驼背上的肉峰。内储大量脂肪。❷铁路调车场的一种调车设备。将铁路调车场头部线路抬高并设置成适当坡度,形似驼峰,利用车辆重力溜放的原理进行车列的解体和编组作业。

柁 ㊀ tuó 房柁,房架前后两个柱子之间的大横梁。
㊁ duò (239页)。

舵☒ tuó〔舵子〕成块成堆的东西。㊀肉～。

砣 tuó ❶秤砣。❷碾碳子。

铊(鉈) ㊁ tuó 同"砣"①。
㊀ tā (947页)。

鸵(鴕) tuó〔鸵鸟〕鸟类。现代鸟类中最大的一种。头小,颈长,高可达2.7米,两翼退化,不能飞,善奔走。卵甚大,重500—1 000克。产于非洲沙漠地带。

酡 tuó 喝了酒脸色发红。

跎 tuó 见〔蹉跎〕(158页)。

鮀□(鮀) tuó 鱼类。体小。生活在淡水中。

鼧☒ tuó〔鼧鼥〕古书上指旱獭。

陁☒ tuó 同"陀"。

沲☒ ㊀ tuó 同"沱"。
㊁ duò (239页)。

驒☒(驒) tuó 有黑斑纹的青毛马。

堶☒ tuó 砖。

橐 tuó ❶一种口袋。❷拟声词。硬物连续撞击地面等的声音。㊀～～的皮鞋声。

【橐驼】骆驼。

鼍(鼉) tuó 扬子鳄。

tuǒ ㄊㄨㄛˇ

妥 tuǒ ❶适当;稳当。㊀～当|稳～。❷齐备;停当。㊀事已办～|早就谈～了。

【妥协】在发生争执或斗争时,向对方让步或彼此让步。

【妥帖】合适;恰当。

【妥善】妥当完善。㊀～处理。

庹 tuǒ 量词。成年人两臂平伸时的长度为一庹。约为1.7米。

椭(橢) tuǒ 长圆形。

【椭圆】俗称扁圆。如果平面内一个动点到两个定点的距离之和是常数,那么这个动点的轨迹叫做椭圆。两个定点叫做椭圆的焦点。如月球和人造地球卫星的轨道就是椭圆。

媠☒ tuǒ 见〔婑媠〕(1033页)。

鬌☒ tuǒ 见〔鬖鬌〕(1033页)。

tuò ㄊㄨㄛˋ

拓 ㊀ tuò ❶开辟;扩充。㊀开～|～荒|～边。❷古又同"摭(zhí)"。
㊁ tà (948页)。

【拓荒】开垦荒地。

【拓宽】扩大,加宽。

【拓展】开拓扩展。㊀～疆域|研究领域有待于～。

【拓殖】旧指开辟荒地并把居民移去居住。
【拓销】拓宽销路。
【拓扑学】数学的分支学科。研究几何图形在连续改变形状时还能保留不变的一些特性。

柝 tuò 旧时巡夜打更用的梆子。

跅☒ tuò 〔跅弛〕不受拘束；放荡。

萚☒（蘀） tuò 草木脱落的皮或叶。

箨（籜） tuò 竹笋外层一片一片的壳(ké)。

唾 tuò ❶唾液；口腔里的消化液。❷啐；从嘴里吐(tǔ)出来。㊄～弃。

【唾余】比喻别人议论、意见中无足轻重的或没有什么价值的部分。㊄拾人～。
【唾弃】鄙视而抛弃。
【唾骂】鄙弃责骂。
【唾液】唾液腺分泌的液体、口腔壁上的许多小腺所分泌的黏液，在口腔里混合在一起所形成的液体。有防止口腔干燥、润湿食物和分解淀粉等作用。
【唾液腺】一种消化腺。人的唾液腺位于口腔周围，包括腮腺、颌下腺和舌下腺各一对。能分泌唾液，经导管进入口腔。
【唾手可得】比喻非常容易得到。唾手：往手上吐唾沫。

魄 ㊂ tuò 见〔落魄〕②(652页)。
㊀ pò (760页)。
㊁ bó (75页)。

T

W ㄨ

wā ㄨㄚ

穵 ⊠ wā 同"挖"。

挖 wā 掘；掏。㊀～坑｜～防空洞｜～潜力。

【挖苦】用尖刻的话讥笑人。

【挖掘】从深处发掘出来。㊀～地下宝藏｜～潜力。

【挖墙脚】比喻拆台。

【挖肉补疮】即"剜肉补疮"(1006 页)。

【挖空心思】想方设法，费尽心机(多含贬义)。

搲 ⊠ wā 同"挖"。

坬 □ ㊀ wā 山坡。㊀阳～｜背～。㊁ guà (344 页)。

窊 □ wā 同"洼"。多用于地名，如南窊子(在山西)。

蹿 ⊠ wā 慢步；挪蹭。

哇 ㊀ wā 拟声词。哭声、呕吐声。㊁ wa (1004 页)。

洼(窪) wā ❶小水坑；低下的地方。㊀水～。❷低凹。㊀地很～。

蛙(*鼃) wā 两栖动物。种类很多。能跳跃和泅水，捕食昆虫。卵孵化后为蝌蚪，逐渐变化为蛙。青蛙是常见的一种。

【蛙泳】❶游泳姿势之一。两臂在水中划水，两腿蹬夹水，动作对称。较省力、易持久。因动作与青蛙游水相似，故名。❷游泳运动项目之一。运动员用蛙泳姿势游泳，比赛速度。

娲(媧) wā 女娲。

唲 ⊠ ㊁ wā 〔唲呕〕婴儿发出的声音。㊀ ér (244 页)

啘 □ wā 〈方〉助词。与"啊(a)"同而语气较强。

嗗 ⊠ ㊁ wā 吞咽的声音。㊀ gū (336 页)。

wá ㄨㄚˊ

娃 wá ❶小孩儿。㊀～～(wa)｜女～。❷〈方〉指某些幼小的动物。㊀猪～。

wǎ ㄨㄚˇ

瓦 ㊀ wǎ ❶用陶土烧成的(器物)。㊀～盆｜～罐。❷用泥土烧成或用水泥等材料制成的盖屋顶用的材料。❸瓦特的简称。㊁ wà (1004 页)。

【瓦当】古代建筑屋面檐口勾头瓦的瓦头。上面多有图案或文字，有圆形、半圆形等。当(dāng)：底。

【瓦全】比喻没有气节，苟且偷生。与"玉碎"相对。㊀宁为玉碎，不为～。

【瓦剌】明朝对西部蒙古诸部的总称。元朝灭亡后，蒙古族分为鞑靼、瓦剌、兀良哈三部。瓦剌活动在今蒙古国和中国新疆北部的科布多河流域。其首领脱欢一度统一蒙古草原。1449 年瓦剌首领也先率军进攻明朝，造成土木之变，明英宗被俘。在大臣于谦的主持下，明军胜利保卫了北京。瓦剌放回英宗，和明朝重新恢复了贡使贸易关系。后因四分五裂，逐步为鞑靼部所征服。

【瓦砾】破碎的砖头瓦片。㊀～堆。砾(lì)。

【瓦特】❶詹姆斯·瓦特(1736—1819)英国发明家。主要贡献是发明了在工业上得到广泛应用的蒸汽机。❷简称瓦。功率单位。为纪念瓦特而命名。每秒钟做 1 焦的功，功率是 1 瓦。

【瓦斯】一般指煤气、天然气等气体混合物。有时专指矿井中危害人的生命安全并能引起爆炸的有害气体。在煤矿中有时又专指沼气(甲烷)。

【瓦肆】也叫瓦市、瓦子。宋、元、明都市中的娱乐和买卖杂货的场所。其中有用栏杆或巨幕隔成的场子,称勾栏,可表演戏曲、歌舞、杂技等。还开设有卖药、杂货、饮食的店铺。

【瓦解】比喻崩溃或分裂;使崩溃、分裂。㊀土崩～|～敌人。

【瓦岗军】隋末河南农民起义军。公元615年翟让领导农民起义,以瓦岗寨(今河南滑县境内)为根据地,故名。次年,李密来投,帮助翟让出谋划策,联合附近各支起义军,攻占荥阳等县,斩隋朝大将,歼敌两万多人。公元617年夺取隋朝重要粮仓兴洛仓,赈济饥民。河北、河南和淮水流域十几支起义军都来参加,队伍发展到几十万人,占有河南大部郡县。李密受到翟让信任,被推为全军领袖,称魏公。他重用隋朝来降官将,杀害翟让,群众离心。公元618年李密为隋军所败,受隋朝招降。同年唐朝建立,李密又投降唐朝,不久叛唐,兵败被杀。

【瓦格纳】里查德·瓦格纳(1813—1883)德国作曲家、剧作家。一生致力于歌剧的写作和改革,立意创造出将音乐、戏剧、诗歌、舞蹈融为一体,具有交响音乐那样前后连贯发展的"乐剧"。曾创用贯串全剧的主导动机的表现手法。代表作有四联歌剧《尼伯龙根的指环》,歌剧《黎恩济》《漂泊的荷兰人》《汤豪泽》《罗恩格林》《纽伦堡的名歌手》等。论著有《艺术与革命》《歌剧与戏剧》等。

【瓦特表】即"电功率表"(209页)。

【瓦釜雷鸣】比喻没有才学的人占据高位,显赫一时。《楚辞·卜居》:"黄钟毁弃,瓦釜雷鸣。"釜:古代的一种锅。

【瓦窑堡会议】1935年12月中国共产党在陕北瓦窑堡(今属陕西子长)召开的中央政治局会议。通过了《中共中央关于目前政治形势与党的任务的决议》,决定建立抗日民族统一战线的策略路线。

邷☒ wǎ 古地名。在今河南。

佤 wǎ 〔佤族〕旧称佧佤族。中国少数民族之一。人口35万(1990年)。分布在云南省沧源、西盟、孟连、耿马等县。有本民族语言,部分通汉语文,1949年后设计了拉丁字母形式的文字方案。建立有沧源、西盟等佤族自治县。

wà ㄨㄚˋ

瓦 ㊁ wà 用灰泥把瓦砌在房上或墙上。㊀～瓦(wǎ)|～刀(瓦工所用的一种工具)。
㊀ wǎ (1003页)。

袜(襪*韈*韤) wà 袜子,用丝、棉、尼龙等为原料织成或用布做成的穿在脚上的东西。

嗢☒ wà ❶吞咽。㊀～咽。❷笑。㊀～噱。

腽 wà 〔腽肭兽〕即海狗。

wa ·ㄨㄚ

哇 ㊁ wa 助词。表示赞叹、祈使、疑问的语气。㊀多好～!|快跑～!|你怎么还不走～?
㊀ wā (1003页)。

wāi ㄨㄞ

歪 wāi ❶不正;偏斜。㊀别把画挂～了。❷不正当的;不正确的。㊀～风邪气。

【歪曲】故意改变事物的本来面目或对事物作不正确的反映。㊀～事实|～原意。

【歪诗】内容不正经的或开玩笑的诗(有时用作谦辞)。

【歪风邪气】不正派的作风、风气。

【歪打正着】比喻方法本来不恰当,路子本来不对,却侥幸地得到了满意的结果。

咼□ wāi 叹词。表示招呼。

喎□(咼) wāi 嘴巴歪斜。

wǎi ㄨㄞˇ

搲□ wǎi 〈方〉舀。㊀用瓢～水。

跮□ wǎi (脚)扭伤。㊀脚～了。

崴 ㊀ wǎi ❶山路不平。❷崴子，山、水弯曲处。多用于地名，如海参崴（在俄罗斯）。❸同“踒”。

㊁ wēi（1016页）。

wài ㄨㄞˋ

外 wài ❶外边；外边的。与“内”“里”相对。㊐门～|～表。❷关系疏远的；不是自己这方面的。㊐～人|～乡。❸指外国。㊐对～贸易|～侨。❹非原有的；非正式的。㊐～加|～号。❺称母亲、姐妹、女儿的亲属。㊐～祖母|～甥|～孙。

【外子】❶对人称自己的丈夫。❷外妇生的儿子。

【外心】❶因另有所爱而不忠诚于配偶的念头。旧时也指臣子勾结外国人的行为。❷三角形三条边的垂直平分线相交于一点，这个点叫做外心。这个点是三角形外接圆的圆心。

【外功】锻炼筋、骨、皮的武术。

【外史】指正史以外的野史、杂史或叙述人物为主的旧小说之类。

【外务】❶本身职务以外的事。❷外交上的事务。

【外汇】用于国际清算的支付手段。包括外币以及以外币表示的支票、汇票、期票及有价证券等。对外贸易中，出口物资可以换得外汇，进口物资需要支付外汇。

【外因】哲学范畴。指事物发展的外部原因。与“内因”相对。一事物和他事物之间的相互联系和相互影响是事物发展的外因，是事物变化的条件。必须通过内因才能对事物的发展起作用。

【外延】指概念所反映的一切事物。与“内涵”相对。如“商品”这一概念的外延是古今中外所存在的一切商品。

【外行】❶指对某种事情或工作不懂或没有经验。❷外行的人。行（háng）。

【外交】国家为实行其对外政策，由国家元首、政府首脑、外交部、外交代表机关等进行的访问、谈判、交涉、发出外交文件、缔结条约、参加国际会议和国际组织等对外活动。

【外妇】也叫外妻。旧指正妻以外未经结婚而同居的妇人。

【外观】❶物体外表的样子。❷哲学名词。指掩盖事物本质的现象，即假象。

【外围】❶周围。❷围绕某一中心事物而存在的（事物）。㊐～组织。

【外快】指正常收入以外的收入。

【外层】也叫散逸层。500千米高度以上的大气层。因受地球的引力较小，一些高速运动的空气质点，经常散逸到星际空间去。是地球大气层向星际空间过渡的层次。

【外事】外交事务。㊐～工作。

【外侨】根据法律手续经准许居住在一国境内的具有他国国籍的外国人。外侨受所在国法律的管辖，其正当权益受所在国法律保护。

【外艰】旧指父亲的丧事。

【外界】某个物体周围的空间或某个集体以外的社会。

【外科】主要用手术等来治疗人体内外疾病的一个分科。

【外侮】指来自外国的侵略或欺侮。

【外债】国家向外国借的债。基本形式是借款。

【外资】境外的资本。

【外流】人口、财富等流到外国或外地。㊐黄金～|劳动力～。

【外调】❶调出；向外地、外单位调出人员或物资。❷外出调查（某人或某件事）。调（diào）。

【外域】本国以外的国家或地区。

【外埠】外地的城镇。埠（bù）。

【外戚】指皇帝的母族或妻族。

【外患】外来的祸患。多指外国的侵略。

【外商】外国商人。

【外援】❶外国的援助。㊐争取～。❷指本国运动队引进的外籍运动员。

【外遇】丈夫或妻子在外面的不正当的男女关系。

【外景】电影、电视指摄影棚以外拍摄的景物，戏剧指舞台上的室外布景。

【外销】向国外或外地市场销售。

【外甥】❶姐姐或妹妹的儿子。❷〈方〉外孙。

【外骛】做分外的事；不专心。骛（wù）：追求，致力于。

【外勤】部队或某些机关企业经常在外面进行的工作。也指从事这种工作的人。与“内勤”相对。

【外感】中医病证名。因风、寒、暑、湿、燥、火等因素使人体感受疾病的统称。

【外需】国外市场需求。与“内需”相对。

【外来词】也叫借词。从别种语言中吸收来

的语词。如汉语里的马达、沙发、克隆是从英语吸收来的，干部、手续是从日语吸收来的，布尔什维克、苏维埃是从俄语吸收来的。

【外星人】科学幻想小说、影视作品中来自外星球的高智能生物。

【外流河】最终流入海洋的河流。

【外生殖器】指男子和雄性哺乳动物的阴茎、阴囊或女子和雌性哺乳动物的阴道。

【外汇交易】外国货币和其他国际汇兑手段或工具的买卖。

【外汇储备】一国政府持有的国际储备资产中的外汇部分。

W

【外汇管制】一国政府授权货币金融当局或其他政府机构，通过法令对外汇的收支、买卖、借贷、转移及国际间结算、外汇汇率和外汇市场等实行的控制。

【外交代表】也叫外交使节。一国派驻他国办理外交事务的官方代表。一般分为大使、公使、代办三个等级。目前除所受礼遇不同外，在法律地位上没有区别。此外，一国出席国际会议的代表，或临时派往另一国执行特定外交任务或参加典礼活动的代表，也可称为外交代表。

【外交关系】指国家间建立的正式邦交关系。即两国在政治上相互承认并互派外交代表。

【外交使节】即“外交代表”(1006 页)。

【外交使团】各国驻在某一国的外交代表机关的首长、外交官及其家属的总称。其活动多限于礼仪和交际范围。外交使团团长通常由外交使团中等级最高、递交国书最早的外交代表担任。

【外交特权】见〔外交特权与豁免〕(1006 页)。

【外交辞令】在外交场合运用的语言。有时也把用委婉曲折的词句来掩盖真意的话叫做外交辞令。

【外观设计】对产品的形状、图案、色彩所作出的富有美感并适于工业上应用的新设计。可申请专利权，保护期为 10 年。

【外层空间】也叫宇宙空间。指地球大气层以外的空间。

【外线作战】军队处于进攻和对敌实施包围态势下的作战。

【外圆内方】比喻外表随和，内心却很严正。

【外强中干】《左传·僖公十五年》：“今乘异产以从戎事…张脉偾兴，外强中干。”意思是打仗时乘用异国的马，紧急时马就会血脉张动，外表很强大，实际内里很空虚。后多用来形容外表强大而实际虚弱的事物。

【外向型经济】指面向国际市场，参与国际分工，具有较强的引进外资能力和较大的进出口贸易额的社会经济。

【外交豁免权】为执行职务便利，一国派往外国的外交代表享有的一系列特殊权利。是建立在互惠基础上的国际法惯例。参见〔外交特权与豁免〕(1006 页)。

【外商投资企业】依照中国法律在中国境内设立的，由中国投资者和外国投资者共同投资或单独由外国投资者投资的企业。包括中外合资经营企业、中外合作经营企业和外商独资企业。

【外交特权与豁免】有时也简称外交特权。驻在国根据相互尊重主权和平等互利的原则，按照国际惯例和有关协议，为了保证和便利驻在本国的外国外交代表、外交代表机关和外交官执行正常职务而给予的特殊权利。包括人身、住所、办公处和公文档案不受侵犯；免受行政和司法管辖；使用国旗、国徽；使用密码通信和派遣外交信使；免纳关税和捐税；免除一切役务等权。享有外交特权与豁免的人员，有尊重驻在国法令和不干涉驻在国内政的义务。

【外延的扩大再生产】通过增加生产资料和劳动力规模和数量来扩大生产规模的形式。与“内涵的扩大再生产”相对。

咇□ wài 叹词。招呼的声音。

wān ㄨㄢ

弯(彎) wān ❶不直。与“直”相对。㊀～路。❷使弯曲。㊀～腰。❸弯曲的地方或弯曲的部分。㊀转～抹角｜拐个～就到。❹开弓。㊀～弓。

塆(壪) wān 小沟里的小块平地。多用于地名。

湾(灣) wān ❶水流弯曲的地方。㊀河～。❷海岸向陆地凹入的地方。㊀港～｜渤海～。❸停泊。㊀把船～在避风的地方。

剜 wān 用刀挖。

【剜肉补疮】也说剜肉医疮、挖肉补疮。唐聂夷中《咏田家》诗：“二月卖新丝，五月粜新谷,医得眼前疮,剜却心头肉。"后用"剜肉补疮"比喻用有害的办法来救急。

惋□ wān 〔惋子〕〈方〉裁衣服剩下的大片材料。

蜿 wān 〔蜿蜒〕❶蛇类爬行的样子。❷比喻(山脉、河流、道路等)曲折延伸。㊀公路～于群山之中。蜒(yán)。

豌 wān 〔豌豆〕一年生或二年生草本植物。种子供食用,根上有根瘤,可肥田。

婠☒ wān 体态美好。

圝☒ wān 〔圝潫〕水势回旋的样子。

鋺☒(**鋺**) wān 用于人名,如孙鋺(三国时吴国太子)。

wán ㄨㄢˊ

丸 wán ❶小而呈球形的东西。㊀弹～。❷中成药剂型之一。按规定处方,将药物粉碎成细粉,加适宜的黏合剂做成圆球形制品,可分蜜丸、水丸、糊丸等。

【丸泥封关】《后汉书·隗嚣传》:"今天水完富,士马最强…元(王元,隗嚣部将)请以一丸泥为大王东封函谷关。"比喻地势险要,只需少数兵力就可以扼守。关:指函谷关。

芄 wán 〔芄兰〕多年生草质藤本植物。蔓生,夏日开白色小花。子实、茎可供药用。

汍☒ wán 〔汍澜〕流泪的样子。

纨(**紈**) wán 细绢。㊀～扇。

【纨素】精致洁白的细绢。

【纨扇】用细绢制成的团扇。

【纨绔子弟】指衣着华丽,游手好闲,什么事也不能干的富贵人家子弟。《宋史·鲁宗道传》:"馆阁育天下英才,岂纨绔子弟得以恩泽处邪?"纨绔:细绢做的裤子。

刓☒ wán ❶削去棱角。❷挖;刻。

抏☒ wán 消耗;使受挫折。

岏☒ wán 见〔巑岏〕(155页)。

完 wán ❶完整;齐全。㊀体无～肤|～美无缺。❷尽。㊀墨水用～了。❸完成。㊀～工。❹交纳。㊀～税|～粮。

【完好】没有损坏;没有残缺。

【完备】应该有的都有了。

【完美】完备美好;没有缺点或不足。

【完婚】指男子结婚(多指由父母作主的婚姻)。

【完竣】完毕。一般指工程完工。竣(jùn):完了(liǎo)。

【完善】❶完备美好。❷使完备美好。

【完满】没有缺欠,很圆满。

【完聚】团聚。

【完整】具有或保持着应有的各部分;没有缺损。㊀领土～|这套书是～的。

【完全垄断】只有一个厂商的市场结构类型。在这种情况下,市场价格由该厂商决定。必须具备三个条件:市场上只有唯一的一个厂商生产和销售该商品;该厂商生产和销售的商品没有任何相近的替代品;其他厂商很难或不可能进入该行业。形成垄断的原因有自然垄断、独家厂商对某种资源的控制、独家厂商拥有生产某种商品的专利权、政府的特许等。完全垄断条件下资源配置的效率是最低的。

【完全变态】昆虫变态的一个类型。即昆虫在个体发育过程中,经卵、幼虫、蛹和成虫四个时期。完全变态的昆虫,其幼虫的形态构造和生活习性与成虫显著不同,而蛹是一个不活动时期。如蝶、蛾、蚊、蜂和天牛等。

【完全竞争】每个厂商都是价格接受者的市场结构类型。必须具备四个条件:买卖双方人数足够多,以至于没有一个人的行为可以改变市场价格;买卖的商品是同质的;生产要素可以自由流动;买卖双方具有完备的知识和信息。在完全竞争的条件下,资源能够达到最优配置。但资本主义经济现实不可能完全符合这种抽象的理论模式。

【完璧归赵】《史记·廉颇蔺相如列传》记载,战国时,赵王得楚和氏璧,秦王假意提出愿以十五座城换璧。赵王派蔺相如去秦献璧。相如见秦王无割城之意,就设法将璧要回,并派人送归赵国。后比喻将原物完好无缺地归还原主。完:完好,完整。

【完颜阿骨打】(1068—1123)即金太祖。金朝建立者,女真族首领。1115年称帝,国

W

号金。1120年率兵克辽上京，1122年克辽南京(今北京)。他命人创制了女真文字，促进了经济文化的发展。

烷 wán〔烷烃〕碳原子间都以单键结合成链状，碳原子的剩余价键全部跟氢原子结合的烃。如甲烷、乙烷、丁烷等。烷烃中每个碳原子的化合价都已达到饱和，故又名饱和链烃。

玩(❸❹*翫) wán ❶玩耍；游戏。㊀在外边～儿|～儿球。❷要弄；使用(不正当的方法、手段等)。㊀～儿花招|～儿手段。❸以不严肃的态度对待；轻视。㊀～忽职守。❹观赏。也指供观赏的东西。㊀～赏|古～。

【玩弄】❶摆弄。㊀～积木。❷耍；戏弄。❸施展(手段、伎俩等)。㊀～手段。

【玩味】细细地体会其中的意味。

【玩狎】轻薄地玩弄、戏弄。狎(xiá)。

【玩忽】忽视；不认真对待。㊀不得～职守。

【玩偶】供小孩儿玩的用布、泥、塑料等制成的人像。

【玩赏】观看欣赏。

【玩火自焚】比喻干冒险的或害人的勾当，最后必然遭到应得的惩罚。

【玩世不恭】指对社会、对生活不满而采取的一种不严肃的消极态度。

【玩物丧志】迷恋于玩赏喜好的事物，以致消磨了志气。《尚书·旅獒》："玩人丧德，玩物丧志。"玩：玩赏。丧：丧失。

【玩忽职守罪】国家机关工作人员严重不负责任，不履行或不正确履行职责(玩忽职守)，致使公共财产、国家和人民利益遭受重大损失的犯罪行为。

顽(頑) wán ❶愚蠢无知。㊀愚～。❷不容易开导或制伏。㊀～梗|～敌。❸顽皮。㊀～童。❹同"玩"①。

【顽皮】指儿童淘气。

【顽抗】指(敌人)顽固地抗拒。㊀负隅～。

【顽固】指思想保守落后或立场反动。

【顽钝】❶愚笨。❷指没有气节。❸不锋利。

【顽症】❶指经久不愈或难以治疗的病症。❷比喻难以治理的事。

【顽梗】非常顽固。

【顽强】强硬不屈服。

【顽石点头】晋无名氏《莲社高贤传·道生法师》上说，道生法师入虎丘山，聚石为徒，讲《涅槃经》，群石皆为点头。后形容道理讲得透彻，使人心服。

【顽固不化】坚持保守或反动的立场观点，拒不改变。

wǎn ㄨㄢˇ

宛 wǎn ❶曲折。㊀～转。❷好像；仿佛。㊀音容～在。

【宛延】长而曲折的样子。

【宛如】好像。㊀～仙境。

【宛转】同"婉转"(1008页)。

【宛然】好像；恰似。㊀～在目(好像在眼前)。

菀 ㊀ wǎn 见〔紫菀〕(1311页)。
㊁ yù (1207页)。

惋 wǎn 对不幸或意外的事情表示遗憾、同情、可惜。㊀叹～。

【惋惜】对别人的不幸遭遇或意外变化表示同情、可惜。

婉 wǎn ❶说话圆转、和顺。㊀～商|～劝。❷美好。㊀～丽。

【婉约】委婉含蓄。

【婉言】婉转的话。㊀～谢绝。

【婉转】也作宛转。❶(表达意思)温和而曲折。❷形容声音圆转柔和。

【婉谢】婉言谢绝。

【婉辞】❶婉言。㊀～谢绝。❷婉言拒绝。

琬 wǎn 一种无棱角的圭。

碗(*盌*㼝*椀) wǎn ❶盛饮食等的器具。㊀饭～。❷形状像碗的东西。㊀轴～儿。

畹 wǎn 古时三十亩为一畹。

踠⊠ wǎn 脚弯曲，不能伸展。

挽(❶❸*輓) wǎn ❶拉；牵。㊀～弓|～手|～车。❷设法使好转或恢复。㊀～救|～回。❸追悼死者。㊀～歌|～联。❹向上卷起。㊀～起裤脚儿。❺同"绾"。

【挽力】牲畜拖拉农具或车辆所用的力。是评定牲畜力量大小的一种指标。用挽力计测定。

【挽回】设法使局势好转或回复原状。㊀～损失。

【挽留】恳切地请要离去的人留下来。

【挽救】使脱离危险的境地。
【挽联】哀悼死者的对联。
【挽歌】追悼死者的哀歌。

晚 wǎn ❶太阳已落之后；晚上。㉄从早到～|今～。❷快完的；时间、阶段靠后的。㉄～秋|～年。❸比规定的或通常的时间靠后。㉄～到|～点。❹接近最后的一段时间。特指人的最后一段时间。㉄岁～|～节。❺后来的。㉄～辈。

【晚节】晚年的节操。㉄保持～。
【晚生】谦辞。后辈对前辈称自己。
【晚年】老年时期。
【晚近】距离现在最近的若干年。
【晚育】适当推迟妇女婚后的初育年龄，允许生育两胎的应保持一定的间隔时间。中国晚育要求妇女在24岁以后生育第一胎。
【晚婚】指男女青年到了法定结婚年龄再推迟几年结婚。
【晚期】指一个时代、一个过程或一个人的最后阶段。㉄封建社会～|李白～的作品。
【晚辈】辈分低的人。
【晚景】❶太阳将落时的景色。❷比喻老年时的景况。
【晚霞】日落时天空出现的彩云。
【晚香玉】也叫月下香。多年生草本植物。根状茎块状，基生叶丛生。夏秋开花，成对生，白色，香气浓，晚上更甚。可供观赏。

莞 ㊁ wǎn〔莞尔〕微笑的样子。
㊀ guǎn（348页）。
㊂ guān（348页）。

脘 wǎn 胃腔。

皖 wǎn 安徽的别称。

【皖系军阀】北洋军阀派系之一。以皖（安徽）人段祺瑞为首，在1916年袁世凯死后，掌握北京政权，充当日本帝国主义侵略中国的工具。1920年被直系军阀打败后势力逐渐衰灭。
【皖南事变】抗日战争时期国民党蓄意制造的破坏抗战的重大反共事件。抗日战争进入相持阶段后，国民党加紧了反共活动。1940年10月19日，蒋介石指使何应钦、白崇禧致电朱德、彭德怀、叶挺、项英，强令八路军、新四军在一个月内撤至黄河以北。11月9日我军复电，驳斥了国民党对八路军、新四军的诬蔑，为顾全大局，同意将皖南的新四军部队移至长江以北。1941年1月7日，北移新四军九千余人行至皖南泾县茂林地区时，遭到国民党军队八万多人的伏击。新四军奋战七昼夜，除两千余人突围外，大部失散、被俘或牺牲。副军长兼政委项英突围后遇害，军长叶挺被无理扣押。史称皖南事变。

绾（綰） wǎn ❶把长条形的东西盘绕起来打成结。㉄～结|把头发～起来。❷卷（juǎn）。㉄～起袖子。

【绾毂】指处于中枢地位，能起控制、扼守作用。毂（gǔ）：车轮的中心部分，众辐所凑。

wàn ㄨㄢˋ

万（萬） ㊀ wàn ❶数目。十个一千。❷比喻很多。㉄～众|～般。❸副词。极；很；绝对。㉄～没想到|～不得已。
㊁ mò（695页）。

【万千】形容多种多样或非常多。㉄气象～。
【万古】永远；世世代代。㉄～长青。
【万死】❶形容冒极大危险。㉄～不辞。❷形容受极重的惩罚。㉄罪该～。
【万岁】❶千秋万代，永远存在（表示祝颂欢呼的词）。❷古代臣民对皇帝的称呼。
【万全】非常周密妥当，没有任何漏洞；非常安全。㉄～之策。
【万状】很多种样子。形容程度很深（多用于消极的方面）。㉄恐慌～|危险～。
【万幸】非常幸运（多指侥幸避免了灾祸）。
【万贯】形容钱财多。贯：古代钱币单位，一千个铜钱为一贯。
【万类】各种生物。
【万恶】非常恶毒；罪恶多端。㉄～的旧社会。
【万能】❶无所不能。❷有多种用途的。㉄～机床。
【万难】❶非常难。㉄～幸免。❷各种各样的困难。㉄排除～。
【万象】❶老挝首都。位于该国西南部，湄公河中游北岸。人口54万（1996年）。是全国政治、经济、文化中心和水、陆交通枢纽。以绸缎、金银首饰等工艺品著名。❷宇宙间的一切景象。㉄～更新|包罗～。
【万隆】印度尼西亚城市。位于该国爪哇岛西部。是著名的游览和避暑胜地。1955年亚非会议在此举行。

【万端】头绪极多，纷繁。㊀思绪～。
【万籁】自然界发出的种种细微的声响。㊀～俱寂。籁(lài)：从孔穴中发出的声音，泛指声音。
【万户侯】汉代制度，封地有万户以上的人叫万户侯。后泛指大官。
【万年青】多年生常绿草本植物。根状茎短而肥厚。叶基生，阔带形，厚革质。浆果球形，熟后橘红色。可供观赏和药用。
【万花筒】一种筒形玩具。内装玻璃及彩色纸屑，由于玻璃反射作用，可看到各种美丽图案。比喻变化多端、引人入胜的事物。
【万能胶】环氧树脂用作黏合剂时的俗称。参见〔环氧树脂〕(421 页)。
【万维网】基于超文本的信息查询工具。能方便用户在因特网上搜索和浏览信息。
【万人空巷】人们都从家里出来了。多形容庆祝、欢迎的盛况。
【万马齐喑】清龚自珍《己亥杂诗》之一二五："九州生气恃风雷，万马齐喑究可哀。"比喻人们都不发表意见，气氛沉闷。喑(yīn)：哑。
【万马奔腾】非常多的马奔跑跳跃。形容声势浩大或场面热烈。
【万无一失】十分稳妥，绝对不会出差错。
【万水千山】很多的河流和高山。形容长途跋涉中的艰难险阻。
【万古长青】千秋万代，像松柏一样永远保持青翠。形容精神、友谊等永远存在下去。
【万用电表】多用表的俗称。
【万有引力】存在于任何物体之间的相互吸引力。两个物体间的万有引力，其大小和它们的质量的乘积成正比，和它们的距离的平方成反比。如太阳对地球的吸引力就是万有引力。
【万众一心】千万人一条心。形容团结一致。
【万寿无疆】祝颂健康长寿。《诗经·豳风·七月》："跻彼公堂，称彼兕觥，万寿无疆。"
【万劫不复】永远不能恢复。佛教称世界从生成到毁灭叫一劫。
【万里长征】❶指长途行军。❷见〔二万五千里长征〕(248 页)。
【万应灵药】旧时药商自称能治百病的药物。后比喻可以解决一切问题的办法(常含讽刺意，多用于否定式)。
【万事大吉】❶形容一切事情都很圆满顺利。❷一切事情都已办好。
【万事达卡】美国万事达国际集团的知名信用卡品牌。
【万象更新】一切事物都改换了样子，出现了一番新气象。更(gēng)。
【万隆会议】即"亚非会议"(1129 页)。
【万隆精神】指 1955 年 4 月在印度尼西亚万隆召开的第一次亚非会议上体现的精神。即亚非人民团结一致，反对帝国主义和殖民主义，争取和维护民族独立，保卫世界和平和增进各国人民之间的友谊。
【万紫千红】形容百花竞艳的春景。宋朱熹《春日》诗："等闲识得东风面，万紫千红总是春。"
【万夫不当之勇】形容一个人武艺高强，成千上万的人都挡不住他。当(dāng)：抵挡。
【万变不离其宗】表面上花样翻新，变化多端，实际上本质未改，目的依旧。宗：宗旨，目的。
【万事齐备，只欠东风】也说万事俱备，只欠东风。《三国演义》中的故事：周瑜计划火攻曹操，一切都准备好了，只差东风没有刮起来，不能放火。比喻什么东西都已准备好，就差最后一个重要条件了。

忨⊠ wàn 苟且偷安。

腕 wàn 手腕。

【腕骨】组成腕部的小骨。在人体，有八块，排成两列，位于前臂的桡骨和构成手掌的掌骨之间。

蔓 ㊀ wàn 植物成细条状而不能直立的长茎。㊀压～|白薯已经爬～了。
㊁ màn (664 页)。
㊂ mán (663 页)。

wāng ㄨㄤ

尪□ wāng 中医病证名。指脚跛或胸背弯曲等。㊀～痹丸(中药名)。

汪 wāng ❶水深广。㊀一片～洋。❷液体既不渗干又不流走。㊀地上～着水|眼里～着热泪。❸量词。用于液体。㊀一～水。❹拟声词。狗叫声。㊀狗～～叫。

【汪洋】形容水势浩大。㊀一片～|～大海。
【汪精卫】(1883—1944)汉奸。名兆铭，字季新，浙江山阴(绍兴)人，生于广东番禺。

早年参加同盟会和国民党。1925年任广东国民政府主席。1927年在武汉发动七·一五反革命政变。抗日战争期间,公开投降日本,在南京组织伪政权,任主席。1944年在日本病死。

尪[文] ㊀ wāng 有残疾的人。
㊁ kuāng (570页)。

wáng ㄨㄤˊ

亡(*亾) wáng ❶逃跑;丢失。[例]逃～|歧路～羊。❷死;死去的。[例]伤～|～友。❸灭亡。[例]覆～。❹古又同"无(wú)"。

【亡灵】迷信的人指人死以后的灵魂。比喻某种旧事物残留下来的精神或影响。

【亡国】❶灭亡了的国家。[例]～之君。❷使国家灭亡。

【亡命】❶逃亡;流亡。[例]～他乡。❷不顾性命(冒险作恶)。[例]～之徒。

【亡国奴】指祖国已经灭亡或部分领土被侵占而处于外国侵略者奴役之下的人。

【亡羊补牢】《战国策·楚策四》:"亡羊而补牢,未为迟也。"丢了羊再去修补羊圈,还不算迟。比喻出了问题以后,想办法补救,免得再受损失。牢:牲口圈。

王 ㊀ wáng ❶君主;最高的统治者。[例]帝～。❷君主国家最高的封爵。[例]亲～|郡～。❸同类中最特出的;首领。[例]花～|兽～|擒贼先擒～。❹旧时对辈分大的人的尊称。[例]～父(祖父)。
㊁ wàng (1014页)。

【王水】三体积浓盐酸和一体积浓硝酸的混合物。具有强烈的氧化性和腐蚀性,能溶解金、铂。在冶金工业中用作溶剂。

【王公】王爵和公爵。泛指有显贵爵位的人物。[例]～大臣。

【王后】国王的正妻。

【王爷】古代对有王爵的人的称呼。

【王充】(27—约97)东汉哲学家。字仲任,会稽上虞(今属浙江)人。曾任郡功曹等职,晚年罢职家居,从事著述。对"天人感应"说和谶纬迷信思想作了揭露和批判。认为耳目见闻是形成知识的基础,强调"效验"是检查知识可靠性的标准。著有《论衡》。

【王孙】封王者的子孙。泛指贵族子孙。

【王国】❶以国王为国家元首的君主制国家。如大不列颠及北爱尔兰联合王国(即英国)、尼泊尔王国。❷比喻管辖范围或某种境界。[例]独立～|从必然～向自由～发展。

【王明】(1904—1974)中国共产党早期领导人之一。原名陈绍禹,安徽金寨人。1925年入党,同年去苏联莫斯科中山大学学习,1929年回国。1930年以反对"立三路线""调和主义"为名,反对六届三中全会以后的中央,并发表《为中共更加布尔塞维克化而斗争》一书,提出"左"倾政治纲领。1931年六届四中全会当选中央政治局委员、书记处书记,同年11月去苏联任中共驻第三国际代表。王明推行"左"倾冒险主义,给革命事业造成极大危害。他1937年回国任中共中央长江局书记,又推行右倾投降主义。1949年后曾任政务院政法委员会副主任,是中共七、八届中央委员。1956年去苏联就医,后留居苏联。

【王府】被封为王爵的人的住宅。

【王法】王朝的法律。有时也泛指法律。

【王室】国王的家族。有时也指朝廷。与"公室""私门"相区别。

【王冠】国王戴的帽子。

【王莲】多年生水生草本植物。叶浮于水面,圆形,直径1.8—2.5米,叶面能负重。夏季开花,浮于水面,由白色变深红色。原产于南美洲亚马孙河,中国有栽培。可供观赏。

【王浆】蜜蜂喂养蜂王的乳状液。内含维生素等营养物,中医用作滋补剂。

【王冕】(1287—1359)元末诗人、画家。浙江诸暨人。善画梅竹。著有《竹斋诗集》。

【王族】国王的亲族。

【王维】(701—761)唐代诗人、画家。字摩诘,河东(今山西永济)人。官至尚书右丞,故世称王右丞。信佛教,晚年过着隐居生活。诗中描绘田园生活,细致自然,真实如画。擅长清淡自然的水墨画,后人尊为南派的始祖。有《王右丞集》。

【王朝】指朝代或朝廷。

【王景】东汉水利专家。字仲通,原籍琅邪不其(今山东即墨西南)。汉明帝时主持治理黄河,用立水门的先进方法使黄河和汴水分流。这是中国古代水利工程史上一大创造。此后八百年间,黄河安流,没有发生水灾。

【王牌】扑克牌游戏中最强的牌。比喻主力

或厉害的手段。

【王储】君主国王位的继承人。一般是君主的大儿子。

【王道】中国古代政治哲学中指君主以仁义治天下的政策。

【王粲】(177—217)东汉末年文学家。字仲宣,山阳高平(今山东邹县)人。曾为曹操幕僚,官侍中。建安七子之一。他写的《七哀诗》描写了乱世人民的痛苦。有《王侍中集》。

【王夫之】(1619—1692)明清之际思想家。字而农,号姜斋,湖南衡阳人。明亡后,曾组织武装抵抗清兵南下。失败后从事著述,对天文、历法、数学、地理等都有研究,尤精于经学、史学、文学。晚年隐居衡阳石船山下,故又名船山。在哲学上,认为"气"(物质)是世界的本原,主张"理在气中",批判了程朱"理在气先"的客观唯心主义。有《船山遗书》。

【王守仁】(1472—1528)明代哲学家。字伯安,号阳明,浙江余姚人。曾任南京兵部尚书。他发挥了陆九渊的主观唯心主义,认为"心外无物,心外无事",把自然界和社会的一切事物,都看作是人心的产物和表现。认为认识的任务就是知"天理",就是"致吾心之良知于事事物物,则事事物物得其理矣"。主张"知行合一"。说"知"就是"行"。反对程朱学派,在明中期以后影响很大。有《王文成公全书》。

【王安石】(1021—1086)北宋政治家、思想家、文学家。字介甫,抚州临川(今属江西)人。神宗时任宰相,实行变法,反对向辽和西夏妥协投降。遭司马光等人反对,被迫辞职。后新法废止,他忧愤死去。所作诗文,奇拔峭险,尖锐有力。为"唐宋八大家"之一。著有《王文公文集》《临川先生文集》等。

【王阳明】即"王守仁"(1012页)。

【王进喜】(1923—1970)中国石油战线的劳动模范。甘肃玉门人。在20世纪60年代初期开发大庆油田的会战中,他率领钻井队克服重重困难,为开发大庆油田做出了卓越贡献,被群众誉为"铁人"。1970年12月10日在北京病逝。

【王佐才】也作王佐材。旧指辅佐帝王创业治国的才能。

【王佐材】同"王佐才"(1012页)。

【王叔和】西晋时期名医。名熙,字叔和,高平(今山东巨野)人。曾广辑前代医家有关脉学著作,编成《脉经》一书,是中医学最早脉学专著。又采辑《伤寒杂病论》,整理编次成三十六卷,使汉张仲景所遗方论得以保存。

【王国维】(1877—1927)中国近代学者。字静安,号观堂,浙江海宁人。以清代学者治学方法结合欧洲先进方法整理中国古文献,对文学、文字、历史、考古等都有创见。1925年任清华大学研究院教授。1927年在北京投颐和园昆明湖自尽。有《王静安先生遗书》。

【王念孙】(1744—1832)清代音韵训诂学家。字怀祖,号石臞,江苏高邮人。乾隆进士。提出就古音以求古义的原则,建立义通说;归纳《诗经》《楚辞》的声韵系统,定古韵为二十二部。注意以形音义互相推求,多有创见。著有《广雅疏证》《读书杂志》《古韵谱》等。

【王实甫】元代戏曲家。名德信,大都(今北京)人。著有杂剧十四种,现存《西厢记》《破窑记》《丽春堂》三种。《西厢记》塑造了红娘、崔莺莺等敢于反抗封建礼教的艺术形象。

【王昭君】西汉元帝宫女。名嫱,字昭君,南郡秭归(今属湖北)人。元帝将她嫁给了匈奴首领呼韩邪单于。入匈奴后被称为宁胡阏氏,对加强汉族和匈奴的亲密关系起了重要作用。

【王清任】(1768—1831)清代医学家。字勋臣,河北玉田人。他认为古医书关于人体内脏的记述错误不少,以革新精神观察乱葬岗中的童尸三十余具,并三次去刑场观察就刑人的膈膜结构。于1830年著成《医林改错》一书,附有脏腑构造图二十五幅。他认为"灵机记性不在心而在脑,耳、目、口、鼻、舌皆与脑相通"等,与近代解剖及生理看法相近。

【王羲之】(321—379)东晋书法家。字逸少,琅邪临沂(今属山东)人。因曾做右军将军,人称王右军。他的书法备精诸体,尤擅正行,对后世影响很大。作品传本有《十七帖》《丧乱帖》《兰亭集序》等。

【王莽改制】公元8年外戚王莽代汉称帝后以儒家经典《周礼》为蓝本进行的复古改制。他将全国土地改称"王田",奴婢改称"私属",均不准买卖。推行所谓"五均赊贷"和"六筦法",垄断工商业,增加赋税,五次改变币制，掠夺财富，又对边疆各族不断用兵。改制加重了人民的苦难，激起了赤眉、绿林大起义。

【王安石变法】北宋神宗（赵顼）时的政治改革。1069年宰相王安石为了改变当时"积贫积弱"的局面，实行自上而下的改革。财政方面实施青苗法、方田均税法、免役法、农田水利法、均输法、市易法等；军事方面实施置将法、保甲法、保马法等。新法遭到了韩琦、司马光、文彦博等的强烈反对。1076年冬，王安石被迫辞职。新法前后持续十六年，至1085年尽废。

wǎng ㄨㄤˇ

网（網） wǎng ❶用麻绳、线等结成的捕鱼或捉鸟兽的工具。❷纵横密布、像网一样的系统。㊀电～｜灌溉～。❸用网捕捉。㊀～鱼｜～鸟。

【网卡】网络接口卡（网络适配卡）的简称。用于网络接口的卡式器件。将它插入计算机总线槽，即可实现计算机与其特定网络的连接。

【网民】称电子计算机互联网的用户。

【网页】可以在互联网上进行信息查询的信息页。因信息以一页一页的方式存储在网上，故名。

【网虫】网迷的戏称。

【网关】也叫协议转换器。电子计算机网络的一种设备。用以连接具有不同网络协议的网络。可使信息经过转换，从一个网络传送到另一个网络。

【网址】某一网站在互联网上的地址。便于用户访问、查询并获取信息资料。通常用一组字符来表示，如《人民日报》的网址是：http://www.Peopledaily.com.cn

【网吧】有的地区叫电脑咖啡屋。设置有若干台电子计算机，可供人们付费上网的场所。有的还同时经营酒类、咖啡等饮料。

【网罗】❶捕鱼用网，捕鸟用罗。泛指捕捉鱼鸟走兽的用具。❷从各方面搜寻招致。

【网迷】称痴迷于电子计算机网络，经常上网，而且上网时间很长的人。

【网络】❶网状的东西。❷指由相互交错的许多分支组成的系统。❸计算机网络的简称。❹指由特定的行业或专业建立起来的相互联系、相互配合的系统。㊀销售～｜服务～。

【网站】建立在互联网上的、将各种信息归纳分类的、图像化的应用系统。

【网球】❶球类运动项目之一。在长方形场地（长23.77米、宽8.23米，双打宽为10.97米）中间横隔球网（网高0.914米），双方各占半场，可在空中击球或球落地一次后回击。分单打、双打两种。❷网球运动使用的球。空心，外面包有羊毛，有弹性。

【网开一面】本作网开三面。《史记·殷本纪》记载，汤走到野外，看见打猎的人，四面都张满了网。并且祷告说，天下四方的鸟兽，都到我的网里来。汤说，这样一来，就把鸟兽都搞光了。于是把网收起了三面给鸟兽留下一条生路。现多比喻从宽处理罪犯，给以改过自新的出路。

【网络电话】指通过因特网接通的电话。它采用分组交换方式，使很多用户能共享网络资源，通话费用较低。

【网络经济】在信息化基础上，通过网络进行的经济活动及相应形成的经济关系。

【网络营销】通过国际互联网或销售网点进行营销活动。

【网络银行】也叫虚拟银行。没有实际营业场所，全部业务都在网上进行的银行。

【网络呼叫器】一种免费网络软件。主要功能是可与网上安装有同样装置的用户互送信息或进行交谈。

汸⊠（瀇） wǎng 〔汸瀁〕水深广无涯的样子。瀁（yǎng）。

枉 wǎng ❶弯曲。㊀矫～过正。❷使歪曲。㊀贪赃～法。❸受屈。㊀冤～｜屈～。❹副词。徒然；白白地。㊀～费心机。

【枉法】执法的人为了私利或某种企图有意歪曲或破坏法律。㊀贪赃～。

【枉驾】敬辞。指对方来访问自己或请对方访问他人。

【枉费】白费；空费。㊀～心机｜～唇舌。

【枉然】徒然；白费劲。

【枉己正人】不正自己而要正别人。《孟子·万章上》："吾未闻枉己而正人者也，况辱己以正天下者乎？"枉：弯曲，不正。

【枉尺直寻】屈起来的只有一尺，伸直了的却有八尺。《孟子·滕文公下》："枉尺而直寻，宜若可为也。"比喻在小节上不妨委屈一些，以求得到较大的好处。枉：曲。直：伸。寻：八尺。

罔（*罔） wǎng ❶蒙蔽。㊀欺～。❷无;没有。㊀置若～闻。❸古同“网(網)”。❹古又同“惘”。

惘 wǎng 失意;不知如何才好。㊀怅～|～然。

【惘然若失】非常失意,心里好像失掉了什么东西似的。

辋（輞） wǎng 车轮周围的框子。

蝄☒ wǎng 〔蝄蜽〕同〔魍魉〕(1014页)。

魍 wǎng 〔魍魉〕也作蝄蜽。古代传说中的山川精怪。现多用来比喻坏人。魉(liǎng)。㊀魑(chī)魅(mèi)～。

往（*徃） wǎng ❶去。㊀徒步前～。❷向;朝。㊀～东|～何处去?❸过去的。㊀～日。

【往来】❶去和来。❷交往;来往。

【往返】来回;来去。㊀徒劳～|～于京津之间。

【往昔】从前。

【往事】过去的事情。

【往往】副词。表示某种情况时常存在或发生。㊀他很努力,～学习到深夜。

暀☒ wǎng 光彩明丽。

wàng ㄨㄤˋ

王 ㊁ wàng 古指统治者取得天下而称王。㊀～天下。

㊀ wáng (1011页)。

旺 wàng 盛;兴盛。㊀小苗长得很～|人畜两～。

【旺月】货物销售量大的月份。

【旺势】旺盛的势头。㊀销售～。

【旺季】指某种商品交换兴旺,卖得很多的季节。也指某种产品生产很多的季节。与“淡季”相对。

【旺盛】❶生命力强。㊀草木～。❷(情绪等)饱满、高涨。㊀士气～。

【旺销】畅销。㊀秋冬服装全面～。

望（*朢） wàng ❶看;向远处看。㊀他～了一眼就走了|一～无际。❷拜访;问候。㊀拜～|探～。❸盼望;希望。㊀渴～|丰收在～。❹声誉。也指享有声誉的人。㊀威～|一乡之～。❺怨。㊀怨～。❻指望子。㊀酒～。❼介词。向;朝。㊀他～我们点头微笑。❽农历每月十五日(有时是十六或十七)。㊀朔～(朔是初一)。

【望子】即“幌子”①(430页)。子(zi)。

【望日】天文学上指月亮圆的那一天。通常是农历每月十五。这一天,太阳西下时,月亮正好从东方升起。

【望月】也叫满月。望日的月相。参见〔望日〕(1014页)。

【望风】❶旧指想望他人的风采。㊀士林～。❷给正在进行秘密活动的人观察动静。

【望族】指有名望、有地位的家族。

【望远镜】能清晰地观察远处物体的光学仪器。最简单的由一物镜和一目镜组成。从远处物体来的光,经物镜折射或反射后成实像,而由目镜加以放大,便于观察。

【望风披靡】形容军队毫无斗志,老远看见对方的一点影子,没有交锋便溃败了。披靡(pīmǐ):草木随风倒伏。

【望风捕影】即“捕风捉影”(79页)。

【望文生义】不了解词句的确切涵义,只从字面上牵强附会地作解释。清张之洞《輶轩语·语学》:“空谈臆说,望文生义。”

【望而生畏】看见就害怕。

【望而却步】一看就往后退缩。形容十分害怕困难和危险。

【望尘莫及】远远望着前面人马行走时扬起来的尘土而追赶不上。比喻远远落在后面。常用作和人比较时自谦的话。《后汉书·赵咨传》:“暠送至亭次,望尘不及。”莫:不。及:到,赶上。

【望闻问切】中医诊断疾病的四种方法。望是看病人的神色、形态、舌象等;闻是听病人的声音喘息;问是询问病的症状;切是用手诊脉。

【望洋兴叹】《庄子·秋水》记载,河伯(黄河神)自以为大得了不得。后来到了海边,望见无边无际的海洋,才感到自己的渺小,于是仰望着海神,发出了叹息。后比喻做事力量不够或没有条件,而感到无能为力。望洋:仰望的样子。

【望穿秋水】比喻盼望得十分殷切。元王实甫《西厢记》第三本第二折:“望穿他盈盈秋水。”穿:穿透。秋水:眼睛。

【望梅止渴】《世说新语·假谲》记载,三国时,曹操带兵长途行军,士兵们都很口喝,曹操便说:“前面就是一大片梅林,结了许多梅子，又甜又酸，可以解渴。”士兵们听了，嘴里都流口水，一时也就不渴了。后比喻愿望无法实现，只好用空想来加以安慰。

【望眼欲穿】眼睛都要望穿了。形容盼望、想念的迫切。宋杨万里《晨炊横塘桥酒家小窗》诗：“饥望炊烟眼欲穿，可人最是一青帘。”

【望厦条约】也叫《中美五口贸易章程》。1844年7月美国强迫清政府在澳门附近的望厦村签订的第一个不平等条约。共三十四款。通过此约，美国不仅获得了英国在《南京条约》及其附约中所攫取的除割地、赔款外的全部特权，而且还获得了几项新的特权。如：扩大了领事裁判权的范围；剥夺了中国的关税自主权；美国兵船可以自由进入中国领海；美国可以在中国通商口岸租地建楼，设立医院、教堂等。

妄 wàng ❶荒谬不合理。㊀狂～。❷没有根据的；没有道理的。㊀～想｜胆大～为。

【妄人】无知妄为的人。

【妄为】胡作非为。㊀胆大～。

【妄动】不考虑客观实际而轻率地行动。㊀轻举～。

【妄求】非分地要求。

【妄言】❶说假话；胡说。❷毫无事实根据的话。

【妄图】狂妄地打算。

【妄念】不正当的念头。

【妄称】荒谬地声称。

【妄想】❶狂妄地打算。❷不能实现的打算。㊀痴心～。

【妄下雌黄】不按客观标准，任凭己意，乱改文字，乱加评论。雌黄：旧时删改文字用的涂料。

【妄自菲薄】过分看不起自己。形容自卑心理。三国蜀诸葛亮《出师表》：“不宜妄自菲薄，引喻失义，以塞忠谏之路也。”妄：过分地。菲薄：轻视。

【妄自尊大】狂妄地自以为了不起，不把别人放在眼里。《后汉书·马援传》：“子阳(公孙述)井底蛙耳，而妄自尊大。”

忘 wàng 不记得。㊀～记｜吃水不～挖井人。

【忘本】境遇变好以后忘掉了自己境遇所以变好的根源。

【忘形】❶失去礼貌或言行的分寸。㊀得意～。❷旧指朋友之间没有礼貌上的拘束。

【忘却】忘掉。

【忘我】为了国家、集体的利益而忘掉自己。形容公而忘私。㊀～地劳动。

【忘怀】忘记(多用于否定式)。㊀难以～。

【忘情】❶不留恋；不动感情。㊀不能～。❷不能节制自己的感情。

【忘年交】年岁差距大、行辈不同而交情深厚的朋友。

【忘乎所以】由于过度兴奋或骄傲自满而忘掉了得此佳境的原由。

【忘恩负义】忘掉了别人对自己的恩情，做出对不起别人的事。

wēi ㄨㄟ

危 wēi ❶不安全。㊀～险｜转～为安。❷损害。㊀～害｜～及生命。❸生命处在紧要关头。㊀病～｜临～。❹高。引申为端正。㊀～楼｜正襟～坐 ❺星名。二十八宿之一。

【危亡】(国家、民族)面临灭亡的危险局势。

【危机】❶严重的危害到成败生存的关头。❷指资本主义国家的经济危机。参见〔经济危机〕(515页)。

【危坐】腰伸直而坐；端坐。以示端正恭敬。

【危改】指危旧房屋改造。㊀～工程。

【危房】指房屋结构已严重损坏，或承重构件已属危险构件，随时可能丧失稳定和承载能力，不能保证居住和使用安全的房屋。

【危殆】(形势、生命等)十分危险；危急。

【危笃】(病势)危急。笃(dǔ)：(病)重。

【危险】危急凶险。指虽未发生，但有遭遇失败或灾难的可能。

【危害】损害；使受破坏。

【危难】危险和灾难。

【危惧】担忧害怕。

【危机四伏】到处都潜伏着危机。

【危在旦夕】形容危险就在眼前。《三国志·吴书·太史慈传》：“今管亥暴乱，北海被围，孤穷无援，危在旦夕。”旦夕：早晚之间，指在很短的时间以内。

【危如累卵】也说危于累卵。像堆起来的蛋一样，很容易倒下来打碎。比喻情况非常危险。《战国策·秦策四》：“君危于累卵。”累(lěi)。

【危言耸听】故意说些吓人的话，使人听了吃惊。危言：使人吃惊的话。耸听：使人听了感到震动。

【危险三角】指人面部由鼻根与口角两侧连

W

线所构成的三角形区域。其范围内血管丰富，鼻、眼等器官的感染都可以扩散到这里，甚至入颅导致脑膜炎。

【危险废物】对人和环境构成直接或潜在威胁的废弃物。主要是具有可燃性、腐蚀性、爆炸性或剧毒性的各种污染物。具有疾病传染性或放射性的废物虽属危险废物，但通常不列入危险废物进行管理。

委 ㊁ wēi 〔委蛇〕❶敷衍；应付。㊞虚与～。❷同"逶迤"（1016 页）。蛇(yí)。

㊀ wěi（1022 页）。

逶 wēi 〔逶迤〕也作委蛇。形容道路、山、河等弯弯曲曲、绵延不绝的样子。㊞五岭～|山路～。迤(yí)。

巍 wēi 高大的样子。㊞～峨。

【巍峨】形容山或建筑物的高峻。

【巍然屹立】形容高大雄伟，不可动摇。

威 wēi ❶强大的声势；使人畏服的气魄。㊞示～|～力。❷用强力（压人）。㊞～逼|～胁。

【威力】❶使人畏惧的强大力量。❷有巨大推动或摧毁作用的力量。

【威风】使人敬畏的气势。㊞～凛凛|长自己的志气，灭敌人的～。

【威仪】严肃的容貌和庄重的举止。

【威权】威力与权势。

【威吓】用威势来吓唬。吓(hè)。

【威严】❶有威力而又严肃。㊞～的仪仗队。❷威风和尊严。

【威武】❶权势和武力。㊞～不能屈。❷威严有力。㊞～雄壮。

【威胁】用武力或权势逼迫、恫吓。

【威信】威望和信誉。

【威望】众所敬服的声誉和名望。

【威逼】用强力威胁逼迫。

【威慑】实力或声势使对方感到害怕。慑(shè)。

【威士忌】英语音译词。一种主要用麦类制成的蒸馏酒。

【威尔第】朱塞佩·威尔第（1813—1901）意大利作曲家，19 世纪意大利杰出的歌剧大师之一。所作歌剧以人物性格生动、音乐感人著称。代表作有《弄臣》《茶花女》《假面舞会》《阿依达》《奥赛罗》等。

【威尼斯】意大利城市。位于该国东北部。是亚得里亚海沿岸重要港口。也是著名的水城和文化名城，多名胜古迹。

【威廉斯】瓦西里·威廉斯（1863—1939）苏联土壤学家、农学家。强调农、林、牧三者互相依赖，缺一不可；阐明了生物在土壤形成中的主导作用；说明了团粒结构是土壤肥力的基础；创立了土壤统一形成学说和草田农作制。著有《土壤学；农作学及土壤学原理》等。

【威风凛凛】威严可畏、有气势的样子。

【威妥玛式】指英国人威妥玛（1818—1895）创制的一套用拉丁字母拼写汉字读音的方式。1867 年在所编的汉语课本《语言自迩集》中使用。威妥玛是当时英国的一个外交官，他创制的这套方式，原来是作为外国驻华使馆人员学习汉文的注字工具，后来扩大用途，成为在英文中音译中国人名、地名和事物的一种主要拼法。威妥玛式拼写体式有许多不科学和使用不便的缺点。国务院已于 1978 年发出文件，决定从 1979 年起，在外交文件译文中，正式改用《汉语拼音方案》作为中国人名、地名罗马字母拼写法的统一规范，取代威妥玛式等各种旧拼法。

【威信扫地】形容威望和信誉完全丧失。

揻□ wēi 〈方〉使细长的东西弯曲或使弯曲的伸直。

葳 wēi 〔葳蕤〕草木茂盛的样子。蕤(ruí)。

嵗□ wēi 音译用字。

嵗 ㊁ wēi 〔嵗嵬〕山高的样子。嵬(wéi)。㊀ wǎi（1005 页）。

偎 wēi 亲热地紧挨着。㊞孩子～在母亲的怀里。

【偎依】亲密地靠着。

隈 wēi 山或水弯曲的地方。㊞山～。

椳⊠ wēi 承门枢的门臼。

煨 wēi ❶把食物直接放在带火的灰里烧熟。㊞～白薯。❷一种烹饪方法。把原料放在锅中，加较多的水，用文火慢煮，物烂时再放进盐。

褽⊠ wēi 脏衣服。

鳂（鰃） wēi 也叫金鳞鱼。鱼类。体侧扁，长 20 多厘米，红色，有银白色纵带,有栉鳞。分布于中国南海。

微 wēi ❶细小;轻微。[例]细～|～笑。❷衰落。[例]衰～。❸精深奥妙。[例]精～。

【微分】见〔微积分〕(1017 页)。

【微末】细小的;不占重要地位的。

【微行】旧时帝王或官吏隐藏自己身分改装出行。行(xíng)。

【微旨】不是明说,而是含蓄表达出来的意思。

【微米】长度单位。1 000 微米为 1 毫米。

【微忱】谦辞。称自己微薄的心意。[例]聊表～。

【微词】隐含不满或批评的话。

【微妙】深奥复杂,难以捉摸。

【微服】旧时官吏外出为了不暴露身分而改穿平民的服装。

【微波】一般指波长在 1 米—1 毫米(频率 300 兆赫—300 吉赫)范围内的无线电波。其中波长 10—1 分米的称为分米波;10—1 厘米的称为厘米波;10—1 毫米的称为毫米波;1 毫米以下的称为亚毫米波。微波的范围广阔,已用于通信、电视、雷达等方面。

【微贱】指社会地位低下。

【微粒】微小的颗粒。包括肉眼可以看见的,也包括肉眼看不到的分子、原子等。

【微缩】根据原物形状按比例缩小。[例]～景观。

【微薄】微小单薄;数量很少。[例]力量～。

【微雕】在面积极小的象牙或玉石上镌刻图像或文字的特种工艺品。

【微分学】微积分学的一部分。研究导数的性质、运算及其应用。求曲线在一点的切线、运动在某一时刻的瞬时速度等,都是微分的典型问题。

【微生物】生物界中的一大类。个体微小,结构简单,绝大多数个体须用显微镜才能看到。分细菌、病毒、放线菌、霉菌、立克次体和原生动物等。

【微波炉】利用微波烹饪加热的电器。加热食物时,微波使食物中的水分子剧烈运动,产生大量的热,食物表面和内部的温度迅速升高,很快完成烹饪加热过程。

【微音器】即“传声器”(142 页)。

【微积分】数学的分支学科。运用极限方法研究函数(即变量间相依关系)。包括微分法和积分法,即微分和积分。微分是从整体研究局部,积分是从局部研究整体。如物体作直线运动时,由运动规律求某一瞬间的运动速度,就是微分问题。反过来,由每一瞬间的运动速度求物体运动的全部路程,就是积分问题。微分和积分是互逆的两种运算。

【微循环】由微动脉到毛细血管再经微静脉流回静脉系统的血液循环。是遍布人体各器官和组织的末梢循环。其基本功能是与全身各组织细胞进行气体和物质交换。

【微不足道】十分渺小,不值得一提。

【微生物学】研究微生物的形态、构造、分类、遗传变异、生理生化等生命活动规律的科学。

【微乎其微】形容非常少或非常小。

【微处理器】微型计算机的核心部分。由运算器、控制器和寄存器组成。通常集成在一块或几块芯片上。

【微观世界】通常指电子、质子、中子等肉眼看不到的极微小的物质世界。物理学中,微观物体一般指小于一亿分之一厘米的物体。

【微言大义】《汉书·艺文志》:“昔仲尼没而微言绝,七十子丧而大义乖。”后用“微言大义”指精微的语言里包含着深刻的含义。微:精深,精微。

【微波武器】利用高能微波束毁伤目标的武器。可使电子设备的元器件和电路失效或烧毁,也可使人员生理功能紊乱,丧失作战能力。

【微波通信】利用微波进行信息传递的通信方式。通信容量大、抗干扰性强。

【微积分学】数学的分支学科。研究函数的导数、积分的性质、运算和应用。17 世纪中叶,牛顿和莱布尼茨在前人经验的基础上,分别在力学和几何学中奠定了这门学科的基础。

【微笑列车】非营利性国际儿童组织。成立于 1999 年,总部设在美国。2000 年微笑列车为 4 000 名中国唇腭裂患儿提供全部治疗费用。

【微量元素】❶植物生长、发育过程中必需但需要量很小的元素。如铁、铜、锰、锌、硼、钼等。❷人和动物组织中含量在万分之一以下或每千克组织中只含几微克的元素。如铁、锌、碘、硒、氟等。

【微生态制剂】含有对人体有益的活生物体的制剂或保健食品。口服具有助消化、降血脂、抑制致病菌等作用，有的对消化系统疾病、老年病等有一定疗效。常见有双歧杆菌制剂、乳酸菌制剂等。

【微观经济学】也叫个量经济学、个体经济学。经济学的分支学科。研究消费者、厂商等个别单位的经济行为及其相互影响。与“宏观经济学”相对。

【微型计算机】以微处理器作为中央处理器，配置其他部件构成的计算机。体积小，功耗低。

薇 wēi ❶白薇，多年生草本植物。茎直立，叶椭圆形，对生。根供药用。❷大巢菜。可作饲料、绿肥。

溦 wēi 小雨。

wéi ㄨㄟˊ

韦（韋） wéi 古指熟皮子。

【韦伯】❶卡尔·玛丽亚·韦伯(1786—1826)德国作曲家。毕生致力于德国民族歌剧的发展，所作《魔弹射手》被认为是德国第一部浪漫主义歌剧。其作品富于民族性和戏剧性，音乐华丽多彩而动听。代表作有歌剧《欧丽安特》《奥伯龙》，钢琴曲《邀舞》《钢琴小协奏曲》，大合唱《斗争与胜利》等。❷简称韦。磁通量单位。为纪念德国物理学家韦伯而命名。1伏电压在1秒时间里均匀地降到零所感应发生的磁通量为1韦。1韦等于1伏·秒或1焦/安。

【韦编】古代用竹简写书，用熟牛皮绳把竹简编联起来叫韦编。现以此作为古代典籍的泛称。

【韦达定理】数学定理。如果 $ax^2+bx+c=0(a\neq0)$ 的两个实数根是 x_1、x_2，那么，$x_1+x_2=-\frac{b}{a}$；$x_1x_2=\frac{c}{a}$。

违（違） wéi ❶背，反；不遵守。[例]事与愿～|～法|～约。❷不见面；离别。[例]久～。

【违反】不遵守；不符合(法规、规程、规律等)。[例]不要～劳动纪律|～自然规律。

【违心】违背自己的心意。[例]～之论。

【违犯】有意识地破坏和触犯(法规、纪律等)。

【违抗】违背和抗拒。

【违拗】有意不依从；违背。拗(ào)。

【违和】身体失于调理而致病。引申为有病。

【违误】公文用语。违反命令，耽误公事。

【违教】没有听到教诲。

【违章】违反规章制度。[例]～操作。

【违禁】违反禁令。

【违约金】当事人在合同中约定的、当一方违约时应向对方支付的一定数额的货币。是常见的违约责任方式。违约发生前预先约定于合同条款中，还具有履行担保的作用。

【违法乱纪】违犯法律，破坏纪律。[例]对那些～、屡教不改的分子必须坚决制裁。

围（圍） wéi ❶环绕；包围。[例]～绕|～城。❷四周。[例]周～|外～。❸围子，圈起来作拦阻或遮挡的东西。[例]床～。❹某些物体的周长。[例]腰～|胸～。❺量词。两只手的拇指和食指合拢起来的长度，或两只胳膊合拢起来的长度为一围。[例]腰大十～|树大十～。

【围场】古代围起来专供皇帝、贵族打猎的场地。

【围观】许多人围在一起观看。[例]摄制组不管走到哪儿，后面都跟着许多～的群众。

【围攻】包围起来加以攻击。[例]～敌军据点。

【围困】团团包围，断绝其与外界联系，使其处于困境。[例]～敌人|被洪水～。

【围屏】屏风的一种。通常是四扇、六扇或八扇连在一起，可以折叠。

【围绕】❶环绕。❷以某事情、某问题为中心。

【围棋】棋类运动项目之一。棋盘纵横各19道线，构成361个交叉点。两人对局，分为黑方和白方。黑子181枚，白子180枚。按规定的走法轮流在棋盘上布放棋子，黑方先行，以占地多者为胜。

【围剿】包围起来，加以剿灭。

【围城打援】以一部兵力包围据守城镇(据点)的敌人，引诱其他地区之敌来援，而集中主力歼灭援敌于运动中的作战方法。目的不在得城，而在歼灭援敌。

【围魏救赵】战国时魏国围攻赵国都城邯郸，赵向盟国齐求救。齐威王派田忌率兵救赵。田忌用军师孙膑计，乘魏国精锐部队在赵，国内空虚，引兵攻袭魏都大梁(今河南开封)，在魏军从邯郸撤退回救时，乘其疲惫，大败魏军于桂陵（今山东菏泽东北），赵国之围遂解。这次战役又称桂陵之战。后以"围魏救赵"指袭击敌人的后方以迫使进攻之敌撤退的战术。

涠（潿） wéi 〔涠洲〕岛名。在广西。

帏（幃） wéi ❶帐子；幔幕。❷古人佩带的香囊。

闱（闈） wéi ❶古代宫殿的旁门。㊀宫～。❷科举时代称考场。㊀入～。

【闱墨】清代科举考试中，从中式的试卷中选择出来并加以刊印的文章，供后来准备应考的人阅读钻研。

沩□（潙） wéi 〔沩源口〕地名。在湖北。

为（爲） ㊀ wéi ❶做；行。㊀事在人～。❷作为；做事的能力。㊀年青有～。❸成；充当。㊀一分～二｜选他～班长。❹是。㊀北京～中国首都。❺介词。被。㊀～人称道。❻助词。常跟"何"相应，表疑问。㊀何以家～？

㊁ wèi（1024 页）。

【为人】指做人处世的态度。

【为伍】作伙伴。

【为难】❶作对；刁难。㊀别故意与人～。❷觉得难办。㊀这件事使我很～。

【为非作歹】指做各种坏事。

【为所欲为】任意行事，想干什么就干什么（含贬义）。

【为富不仁】要聚敛财富便不会讲仁慈。指剥削者唯利是图，心狠手毒。《孟子·滕文公上》："阳虎曰：'为富不仁矣；为仁不富矣。'"为富：想发财致富。不仁：没有好心肠。

沩（潙） wéi 沩水，水名，在湖南。

圩 ㊀ wéi ❶防水护田的堤岸。❷有圩围住的地区。㊀～田｜盐～。❸圩子，围绕村落四周的障碍物。

㊁ xū（1109 页）。

【圩田】在四周筑堤，可防止外边的水流入的田。

為☒ ㊀ wéi "为（wéi）"的异体字。

㊁ wèi（1025 页）。

桅 wéi 见下。

【桅灯】装于船舶桅杆上并有一定遮蔽角度的信号灯。在夜间或昏暗天气时用以显示该船航向。

【桅杆】船舶甲板上竖立的高杆。用于挂帆或信号、装设天线、支持观测台等。

【桅樯】桅杆。

鮠□（鮠） wéi 鱼类。体前部扁平，后部侧扁，长可达 1 米，吻圆突，有须四对，眼小，无鳞。主产于中国长江流域。

唯 wéi ❶副词。单单；只。㊀～有｜～恐落后。❷叹词。表示答应。㊀～～诺诺｜～～否否。

【唯一】也作惟一。只有一个；独一无二。

【唯其】也作惟其。文言连词。表示因果关系，有"正因为"的意思。

【唯独】也作惟独。副词。单单；只有。㊀大家都睡了，～他还在那里工作。

【唯心论】即"唯心主义"（1019 页）。

【唯物论】即"唯物主义"（1019 页）。

【唯心史观】即"历史唯心主义"（602 页）。

【唯心主义】也叫唯心论。哲学中两个基本派别之一。是同唯物主义根本对立的思想体系。认为精神是世界的本原，世界是精神的产物。精神是第一性的，物质是第二性的。世界统一于精神。有主观唯心主义和客观唯心主义两种基本形式。

【唯我独尊】也作惟我独尊。原为佛教用语。《景德传灯录》卷二六相州天平山从漪禅师曾说："唯我独尊。"后用以形容极端自高自大。

【唯利是图】也作惟利是图。一心为利，别的什么也不顾。㊀损人利己，～，是资本家的本性。

【唯物史观】即"历史唯物主义"（602 页）。

【唯物主义】也叫唯物论。哲学中两个基本派别之一。是同唯心主义根本对立的思想体系。认为世界的本原是物质，物质是第一性的，意识是第二性的。世界统一于物质。在同唯心主义的斗争中，经历了朴素唯物主义、形而上学唯物主义和辩证唯物主义三个发展阶段。

【唯命是听】也说唯命是从。叫做什么，就做什么。形容绝对服从。《左传·宣公十二年》："敢不唯命是听。"

【唯唯诺诺】形容没有原则，没有独立见解，说话做事总是顺从别人。《韩非子·八奸》："此人主未命而唯唯，未使而诺诺，先意承旨,观貌察色,以先主心者也。”唯、诺:说话应对声。

【唯意志论】一种主观唯心主义的哲学理论。认为意志高于理性,并且是宇宙的本体或本质,人的主观意志或“权力意志”能够决定一切。渊源于欧洲中世纪的教会哲学。近代唯意志论的典型代表是德国的叔本华和尼采。

【唯物辩证法】即马克思主义辩证法。是关于自然、人类社会和思维发展的普遍规律的科学。是辩证法的高级形式。是无产阶级的世界观和方法论。它既同形而上学相对立,又同唯心辩证法有根本的区别。对立统一规律、质量互变规律、否定之否定规律是其基本规律,对立统一规律是其实质和核心。

W

帷 wéi 围起来作遮挡用的帐子。㊀车~。

【帷幄】古时军队里用的帐幕。㊀运筹~。幄(wò)。

【帷幕】帐幔幕布。

惟 wéi ❶同“唯”①。❷思想;思考。㊀思~(现在通常写作思维)。❸文言助词。常用在年、月、日之前。㊀~八月既望。

【惟一】同“唯一”(1019页)。

【惟其】同“唯其”(1019页)。

【惟独】同“唯独”(1019页)。

维(維) wéi ❶系;连结。㊀~舟|~系。❷保持;保全。㊀~持|~护。❸同“惟”②。

【维权】维护合法权益。㊀~意识。

【维护】保全、保护,使免于遭到破坏。㊀~革命纪律|~集体利益。

【维系】维持并联系,使不涣散。

【维纶】也叫维尼纶。聚乙烯醇缩甲醛纤维的商品名。以电石、天然气或石油等为基本原料,用化学方法制成。在合成纤维中,它的吸湿性最大,和棉花相近。强度较高,耐酸碱,但耐热水性不好,弹性较差,染色性较差。与棉混纺,织成维棉布,工业上用作渔网、帆布、绳缆、自行车或拖拉机轮胎帘子线等。

【维和】维持和平。㊀~行动|~部队。

【维持】维护支持;使存在下去。

【维修】维护和修理。

【维新】一般指政治上的革新、改良。

【维也纳】奥地利首都。位于该国东北部。人口160万(1996年)。是全国政治、经济、文化和交通中心,世界著名的音乐城。国际原子能机构总部和联合国工业发展组织总部设于此。

【维生素】旧称维他命。维持机体正常生长和代谢机能所必需的微量有机化合物。人体组织一般不能自行合成,必须从食物中获得。现已知有二十余种。如维生素A、C、D、E、K、B_1、B_2、B_6、B_{12}、叶酸等。

【维他命】英语音译词。维生素的旧称。

【维吉尔】普布利乌斯·维吉尔·马罗(前70—前19)古罗马诗人。代表作有《伊尼特》等。他被公认为荷马以后最重要的史诗诗人。

【维纳斯】罗马神话中爱和美的女神,即希腊神话中的阿佛洛狄忒。后来常把希腊雕刻的阿佛洛狄忒称作维纳斯。《米洛斯的维纳斯》是最有名的希腊雕刻爱和美的女神雕像,现藏于卢浮宫。

【维持会】抗日战争时期,日本侵略者在所占领的地区利用汉奸建立的傀儡政权组织。

【维萨卡】美国维萨国际集团的知名信用卡品牌。

【维管束】高等植物中由木质部和韧皮部及其周围的机械组织构成的束。贯穿于根、茎、叶、花、果中,有输导水分、养分和支持作用。

【维生素A】一种脂溶性维生素。维生素A的前身为胡萝卜素,存在于多种植物中。动物能将胡萝卜素在体内转化为维生素A而贮藏于肝脏中,因此动物肝脏中维生素A含量丰富。鱼肝油、奶油和蛋黄中含量也较高。缺乏维生素A会引起儿童发育不良、干眼症、夜盲症、皮肤干燥等。

【维生素B_1】B族维生素之一。存在于米糠、麦麸、瘦猪肉、花生和大豆等食物中。缺乏维生素B_1会引起脚气病等。

【维生素B_2】也叫核黄素。B族维生素之一。存在于小米、大豆、酵母、绿叶蔬菜、肉、肝、蛋、乳等食物中。人缺乏维生素B_2会引起口角炎、阴囊炎等,家禽缺乏维生素B_2会使产卵率降低。

【维生素B_6】B族维生素之一。在食物中分布较广,同氨基酸代谢有密切关系。缺乏维生素B_6会引起皮炎、痉挛、贫血等。医学上应用维生素B_6制剂防治妊娠呕吐和放射病时的呕吐。

【维生素 B_{12}】B族维生素之一。动物肝脏中含量丰富。缺乏维生素 B_{12} 会影响核酸、蛋白质等的中间代谢，导致恶性贫血。

【维生素C】一种水溶性维生素。存在于新鲜的蔬菜和某些水果中。性质不稳定，在贮存、腌渍或烹调中易被破坏。缺乏维生素C会引起坏血病。医学上应用维生素C制剂治疗坏血病等，故也叫抗坏血酸。

【维生素D】也叫抗佝偻病维生素。一种脂溶性维生素。鱼肝油、卵黄中含量丰富。有促进肠内钙、磷吸收的功能，同骨骼、牙齿的正常钙化有关。缺乏维生素D，儿童易患佝偻病，成人易患骨软化病。

【维生素E】一种脂溶性维生素。广泛存在于绿色植物中。缺乏维生素E会引起肌肉萎缩、不育、流产等。

【维生素K】也叫凝血维生素。一种脂溶性维生素。广泛存在于绿色植物中。是动物和人体内生成凝血酶原等凝血因子的必需因素。

【维吾尔族】中国少数民族之一。人口721万(1990年)。主要分布在新疆维吾尔自治区。有本民族语言文字。多信奉伊斯兰教。建立有新疆维吾尔自治区等各级自治地方。

【维妙维肖】也作惟妙惟肖。形容艺术技巧好，描写、模仿得非常逼真。

【维特鲁威】古罗马建筑师。建造过古罗马城的供水工程和法诺城的一座公共会堂巴西利卡。所著《建筑十书》是中世纪前仅存的建筑专著。

【维多利亚湖】非洲最大湖泊，世界第二大淡水湖。位于非洲东部坦桑尼亚、肯尼亚和乌干达三国交界处。赤道横贯湖的北部。面积69 400平方千米。

【维琴察巴西利卡】意大利维琴察市市政厅(前身是哥特式公众议事大厅)。改建于1565—1617年。设计人为意大利建筑师帕拉第奥。该工程将原建筑向外拓展，加建了两层开敞式柱廊，雄伟而严谨，外观更具有灵活性。是建筑改建工程史上的成功范例。

潍(濰) wéi 潍河，水名，在山东。

【潍坊】市名。位于山东省中北部胶济铁路线上。人口62万(1997年)。是新兴工业城市，以煤炭、机械和纺织等工业为主。

嵬 wéi 高大。㊣～然。

wěi ㄨㄟˇ

伟(偉) wěi ❶高大。㊣魁～。❷卓越；伟大。㊣～人｜丰功～绩。

【伟岸】身体魁梧；高大。《新唐书·李从晦传》："从晦姿质伟岸，所至以风力闻。"《宋史·韩世忠传》："风骨伟岸，瞬目如电。"㊣身材～。

【伟绩】伟大的功绩。㊣丰功～。

苇(葦) wěi 芦苇。

【苇箔】用苇子编成的帘子。一般盖房子作房顶或晾晒东西用。

纬(緯) wěi ❶织物上的横线。与"经"相对。❷纬度。㊣南～｜北～。

【纬纱】沿织物横向(与布边垂直)排列的纱线。

【纬线】地球仪上沿东西方向环绕地球仪一周的圆圈。

【纬度】地理坐标之一。从赤道到南北两极各分90°，赤道为0°。在赤道以北的叫北纬，以南的叫南纬。某地的纬度值即该地纬线和赤道相距的度数。

玮(瑋) wěi ❶玉名。❷珍奇；贵重。㊣明珠～宝。

炜⊠(暐) wěi 明亮。

炜(煒) wěi 光彩鲜明。

韡⊠(韡) wěi 光明。

韪(韙) wěi 是；对(常与"不"字连用，指过失或谬误)。㊣冒天下之大不～。

伪(僞) wěi ❶假；不真实。㊣～装｜去～存真。❷非法的；反动的。㊣～军｜～政权。

【伪书】❶中国古书中，作者隐匿本名而托名前人的作品；或作者姓名和作品时代不可靠的作品。❷假造的文件。

【伪托】❶假借古人或别人的名义，伪造书

画等。❷借口;假装。
【伪劣】伪造的、质量低劣的。㊞～产品。
【伪钞】假造的钞票。
【伪造】假造。
【伪装】❶假装。㊞～公正。❷为了不让人看到真实面目而作的装饰打扮。㊞剥去敌人的～。❸军事上指荫蔽自己和迷惑敌人的措施。通常分天然伪装和人工伪装。
【伪善】假装善良。
【伪满】指满洲国。
【伪证罪】在刑事诉讼中,证人、鉴定人、记录人、翻译人对与案件有重要关系的情节,故意作虚假证明、鉴定、记录、翻译,意图陷害他人或隐匿罪证的犯罪行为。
【伪君子】外表正派、实际上卑鄙无耻的人。
【伪政权】反动的,不为人民所承认的傀儡政权。

W

芳☒(蔿) wěi ❶古地名。春秋时楚邑。❷姓。

尾 ㊀ wěi ❶尾巴。❷事物的末端。㊞队～|～声。❸跟在后面。㊞～随。❹主要部分以外的部分;尚未了结的事情。㊞～数|扫～工作。❺量词。用于鱼。㊞一～鱼。❻星名。二十八宿之一。
㊁ yǐ(1165页)。
【尾气】交通运输或工业生产过程中,车辆、机器或设备排放的废气。汽车运行中排放的废气是引起光化学烟雾的主要污染物。
【尾欠】指尚未还清或交纳的一小部分。
【尾声】❶某些乐曲、乐章的基本部分结束后的结尾部分。❷文学作品情节的组成部分之一。多指作品的最后一部分,交代故事的结局,或说明故事结束后人物的状况。在多幕剧中,指末一幕以后的一场戏,多用以展示人物的命运、事件发展的远景,有时也用以表现故事的结局。❸指事情的结束阶段。
【尾骨】由四块尾椎愈合而成的骨。位于骶骨下方,与骶骨相连。
【尾迹】物体与流体发生相对运动时,物体后面的压强与流体其他部分的压强显著不同的区域。如高速行驶的车辆后面的气压远低于周围大气压的区域。
【尾随】在后面紧跟着。
【尾大不掉】尾巴太大,难以摆动。比喻部下势力强大,无法指挥调度。《左传·昭公十一年》:"末大必折,尾大不掉,君所知也。"也比喻机构臃肿,不好调度。掉:摆动。

娓 wěi 见下。
【娓娓】谈论不倦的样子。
【娓娓动听】话说得婉转生动,使人喜欢听。
【娓娓而谈】形容连续不倦地谈论着。

梶☒ wěi 树梢。

艉□ wěi 船体的尾部。

委 ㊀ wěi ❶把事情交给别人办。㊞～托|～以重任。❷抛弃。㊞～弃|～之于地。❸推卸。㊞～罪于人。❹曲折。㊞～婉。❺颓丧;不振作。㊞～顿。❻确实。㊞～实。❼水流汇聚的地方,水的下游;事情的结尾。㊞穷源竟～。
㊁ wēi(1016页)。
【委托】把事情托付别人或别的机构去办理。
【委过】把过失推给别人。
【委任】派人担任职务。
【委实】副词。实在;的确。
【委屈】❶受到不应该有的指责或待遇,心里难过。❷使人受到委屈。㊞别～了孩子。
【委派】委任;派遣。
【委顿】精神不振;困倦。㊞～不堪。
【委琐】❶细小琐碎。❷同"猥琐"(1023页)。
【委培】委托外单位培养。㊞～生。
【委婉】婉转,不生硬。
【委靡】也作萎靡。精神不振,意志消沉。
【委托代理】基于被代理人的委托授权行为而产生的代理。如受委托签定合同、代理诉讼等。委托授权可以书面,也可以口头,但法律规定用书面形式的,就应当以书面作成,如委托诉讼代理人,必须向人民法院递交委托书。
【委托合同】委托人和受托人约定,由受托人处理委托人事物的合同。如诉讼当事人与律师事务所签订的诉讼代理合同。
【委曲求全】勉强迁就,以求保全。
【委拉斯开兹】迭戈·委拉斯开兹(1599—1660)西班牙画家。主张造型真实平易,反对虚饰,善于刻画人物心理状态,对19世纪欧洲写实主义油画影响较大。代表作有《教皇英诺森十世肖像》《纺织女》等。

诿(諉) wěi 推托;推卸。㊞互相推～。

萎 wěi 干枯；衰落。㊀枯～|气～。

【萎谢】花草枯谢。

【萎缩】干枯；衰退。

【萎靡】同“委靡”(1022 页)。

痿 wěi 身体某部分萎缩或失去机能的病。㊀下～|阳～。

洧 wěi 〔洧川〕地名。在河南中部。

痏☒ wěi 疮疤。

鲔(鮪) wěi 古书上指鲟(xún)鱼。

硊☐ ㊁ wěi 见〔磈硊〕(1023 页)。
㊀ guì (359 页)。

颀☒**(頠)** wěi ❶娴熟。❷安静。

隗 ㊀ wěi 姓。
㊁ kuí (572 页)。

廆☒ ㊀ wěi 用于人名，如慕容廆(西晋末年鲜卑族首领)。
㊁ guī (357 页)。

磈☒ ㊀ wěi 〔磈硊〕形容山石高峻。
㊁ guǐ (358 页)。

嵔☒ wěi 〔嵔廆〕形容盘曲不平。廆(wěi)。

猥 wěi ❶卑鄙；下流。㊀～贱|～亵。❷杂。㊀～杂。

【猥琐】也作委琐。(相貌、举止)庸俗不大方。

【猥亵】❶下流；淫秽。❷(对未成年男女、妇女)做下流的动作。

【猥獕】相貌鄙陋不扬的样子。

骩☒ wěi ❶骨头弯曲。❷委曲；枉曲。

壝☒**(壝)** wěi 古代坛、埒和周围矮墙的总称。

蘶☐ wěi ❶草名。❷姓。

亹☐ ㊁ wěi 〔亹亹〕❶勤勉不倦。❷流动、行进的样子。
㊀ mén (675 页)。

wèi ㄨㄟˋ

卫(衛) wèi ❶保护。㊀守～|自～。❷生活中或某些球类比赛中担负保护、防守任务的。㊀门～|后～。❸周朝国名。公元前 11 世纪中叶建立。在今河北南部和河南北部一带。公元前 254 年为魏所灭。公元前 241 年在秦支持下复国。公元前 209 年为秦所灭。

【卫队】负责警戒保卫工作的军队。

【卫戍】驻军警备(多用于都市)。

【卫青】(？—前 106)西汉军事家。字仲卿，河东平阳(今山西临汾西南)人。卫皇后之弟。武帝刘彻时任大将。公元前 127 年率军大败匈奴，控制了河套地区。公元前 119 年又和霍去病打败匈奴主力。先后七次出击匈奴，为西汉王朝的统一和巩固做出了贡献。

【卫所】明代为加强军事力量，在京师和各地设立卫所。卫是卫指挥使司的简称，所指千户所和百户所。5 600 人为一卫，1 120 人为一千户所，112 人为一百户所，由指挥使、千户、百户分别统率。明初洪武年间内外卫所达 300 多个，全国军队达 180 万人。

【卫视】卫星电视的简称。

【卫星】围绕行星运行的天体。卫星本身不发光，因表面反射太阳光而发亮。分天然卫星和人造卫星。月球是地球的卫星。太阳系中除水星和金星外，其他行星都有数目不等的卫星。

【卫道】卫护某种占统治地位的思想体系、道德标准。

【卫温】(？—231)三国时期吴国将领。公元 230 年，曾奉吴主孙权之命，与诸葛直率万人航海到达夷洲(今台湾省)。

【卫戍区】担负首都或其他重要地区的保卫、戍守任务的军队一级组织。其任务是担负地区性军事警卫和守备任务，负责民兵、预备役、兵役和动员工作，维护军容风纪，施行军事交通安全检查，协助地方维护社会治安等。

【卫星城】在大城市市区外围兴建的、与该大城市市区既有一定距离又有相互密切联系的城市。

【卫星云图】利用气象卫星拍摄的地球上云层分布图。是分析和预报天气变化的一种手段。

【卫星电视】通常指以通信卫星或电视广播卫星作为中继站进行转播的电视节目。

【卫星通信】以通信卫星作为中继站的远距离通信方式。是目前国际通信的主要方式之一。

W

【卫星通信地球站】卫星通信系统中设在地球上(包括大气层中)的通信终端站。用户通过地球站将无线电信号发送给通信卫星,也可接收通信卫星反射或转发的无线电信号,实现相互间的通信。

为(爲) ㊁ wèi 介词。1. 给;替。[例]~人民服务。2. 表示目的。[例]~实现四个现代化而斗争。3. 对;向。[例]且~诸君言之。4. 因为。[例]~什么你这样高兴?

㊀ wéi (1019页)。

【为人作嫁】给别人做嫁衣。比喻空为别人辛苦忙碌。唐秦韬玉《贫女》诗:"苦恨年年压金线,为他人作嫁衣裳。"

【为民请命】为老百姓请求保全生命或解除痛苦。泛指替百姓说话。《史记·淮阴侯列传》:"因民之欲,西乡为百姓请命,则天下风走而响应矣。"

【为虎作伥】旧时迷信传说,被老虎咬死的人变成鬼,又去引导老虎吃人,这种鬼叫伥。比喻充当恶人的爪牙,帮助干坏事。伥(chāng)。

【为虎添翼】也说为虎傅翼。替老虎加上翅膀。比喻助长恶人的势力。《韩非子·难势》:"毋为虎傅翼,将飞入邑,择人而食之。"

【为渊驱鱼,为丛驱雀】《孟子·离娄上》:"为渊驱鱼者,獭也;为丛驱爵(雀)者,鹯(zhān)也。"意思是水獭想吃水中的鱼,却把鱼赶到深水里去,鹯想吃树上的麻雀,却把鸟赶到树林里去。比喻实行错误的策略,把可以团结的力量赶到对手一边去。

未 wèi ❶副词。1. 不。[例]~便|~知可否。2. 没;没有。[例]~见此人。❷地支的第八位。❸未时,旧式记时法,相当于十三点到十五点。

【未央】❶没到一半。[例]夜~。❷未尽;没完。

【未必】副词。不一定。

【未免】副词。实在是;不能不说是。表示不以为然的意思,语气比较委婉。[例]你的想法~太天真了。

【未始】副词。未尝。常常用在否定词前面,构成肯定。[例]~不可(可以)。

【未尝】副词。1. 未曾。[例]终夜~合眼。2. 加在"不""没"等否定词前头,构成肯定的意思,表示一种委婉的语气。[例]这~不是一种解决问题的办法。

【未曾】副词。不曾。[例]这是历史上~有过的人间奇迹。

【未遂】❶没有达到(目的)。❷法律上指犯罪人已着手实行犯罪行为,由于客观原因,未能得逞。对于未遂犯应当追究刑事责任,但可以比照既遂犯从轻或者减轻处罚。

【未亡人】旧时寡妇的自称。

【未央宫】西汉宫殿。在今陕西西安城西北约六千米汉长安故城西南隅。汉高祖七年(前200)萧何所建,面积为五平方千米。是中国古代面积最大、使用时间最长、保存年代最久的宫殿,一千多年前遭彻底破坏。

【未来派】也叫未来主义。现代艺术流派之一。20世纪初以意大利为中心。强调技术时代的速度和动力之美,赞扬机械、噪音、战争和暴力。代表人物有波丘尼等。

【未卜先知】没有占卜就知道事情发展的结果。原来是古代一种用神道和迷信骗人的说法。后来有时用以比喻有预见性。

【未可厚非】即"无可厚非"(1038页)。

【未成年人】民法上指未达到成年年龄(18周岁),而不享有完全行为能力的人。包括限制行为能力和无行为能力中的部分人。参见〔民事行为能力〕(687页)。

【未雨绸缪】《诗经·豳风·鸱鸮》:"迨天之未阴雨…绸缪牖户。"意思是说,在天还没下雨的时候,就修补好房屋的门窗。后用以比喻事先做好准备。绸缪(chóumóu):修补。

味 wèi ❶味道。[例]甜~儿|苦~儿。❷气味。[例]香~儿|臭~儿。❸意味;情趣。[例]津津有~|趣~盎然。❹体会。[例]玩~|体~。❺指某些食品、菜肴。[例]腊~|山珍海~。❻量词。中药配方,一种药为一味。[例]这个方子共五~药。

【味觉】有味道的物质刺激舌面和口腔黏膜上的味觉细胞(味蕾)引起的感觉。由溶解于水或唾液中的化学物质刺激引起神经冲动,经各级有关中枢传导到大脑皮层而产生味觉。基本味觉有甜、酸、苦、咸四种,其余都是混合味觉。

【味精】也叫味素。一种调味品。化学成分是谷氨酸单钠盐。用淀粉作原料,用酸或酶水解成糖,经微生物发酵制得。

【味蕾】味觉器官。由味觉细胞和支持细胞所组成的卵圆形小体。分布于舌乳头、腭、咽等处。味蕾顶端有一小孔,开口于表面,接受味觉刺激。溶解的食物进入味孔时,味觉细胞受刺激而兴奋，经神经传到大脑而产生味觉。

【味同嚼蜡】味道像嚼蜡一样。形容说话或文章枯燥乏味。《楞严经》卷八："当横陈时，味如嚼蜡。"

軎☒(**䡶**) wèi 古指车轴头。

位 wèi ❶所在的地方。㊀座～|部～|价～|一步到～。❷职位；地位。❸量词。用于人(含敬意)。㊀诸～|一～客人。❹算术上的数位。㊀个～|五～数。

【位次】❶地位；等级；名次。❷座位的次序。

【位移】物体在运动中产生的位置移动。位移有大小和方向。

【位置】❶所在的地点。❷地位；职位。㊀重要的～。

【位听神经】也叫前庭蜗神经。人和脊椎动物的第八对脑神经。为感觉神经。在人体，由前庭神经和蜗神经两部分组成。前庭神经管理位置觉，蜗神经管理听觉。

畏 wèi ❶怕。㊀不～艰险|英勇无～。❷敬服。㊀令人～服|后生可～。

【畏友】自己敬畏的朋友。

【畏忌】畏惧和猜忌。

【畏怯】胆小害怕。

【畏途】比喻不敢做的事情。㊀视为～。

【畏葸】畏怯。葸(xǐ)：胆怯。

【畏罪】犯了罪怕受法律制裁。㊀～潜逃。

【畏首畏尾】前也怕，后也怕。比喻顾虑重重。《左传·文公十七年》："畏首畏尾，身其余几。"

【畏缩不前】畏惧退缩，不敢前进。

喂(❶❷*餵❶❷*餧) wèi ❶把吃的东西送到人嘴里。㊀～小孩儿|～药。❷给动物东西吃；饲养。㊀～猪。❸叹词。招呼的声音。㊀～，你去哪儿？

碨□ wèi 〈方〉石磨(mò)。

胃 wèi ❶人和高等动物消化器官之一。上连食管，下连十二指肠。成人胃半充满时，容量为1—3升。长度20—25厘米。能分泌胃液，消化食物。❷星名。二十八宿之一。

【胃脘】中医学名词。指胃的内部。

【胃液】胃腺分泌的消化液。含胃蛋白酶、盐酸、黏液等。强酸性，有消化蛋白质的作用。

【胃腺】分泌胃液的腺体。人和动物的胃腺位于胃黏膜内，包括贲门腺、胃底腺和幽门腺。

【胃酸】胃液中所含的盐酸。能促进蛋白质的消化，有杀菌作用。

【胃镜】检查胃内病变的一种医疗器械。由光学纤维管等组成。用于观察胃的各个部分，并可摄影和采样。也可检查食道或十二指肠。

谓(**謂**) wèi ❶说；告诉。㊀勿～言之不预也。❷称呼；叫做。㊀称～|何～宏观世界？

【谓词】指主要语法功能是充当谓语的一些词类。如汉语的动词、形容词。与"体词"相对。

【谓语】句子成分的一种。对主语加以陈述，说明主语怎样或者是什么。如"我吃饭""阳光灿烂"中的"吃饭""灿烂"。与"主语"相对。

猬(*蝟) wèi 刺猬，哺乳动物。身体头部、背部和两侧生有短而密的刺，遇敌时全身蜷曲成球，以刺保护身体。食昆虫和小动物，是益兽。

【猬集】指事务繁杂多端像刺猬的毛一样聚拢在一起。㊀百事～。

渭 wèi 渭河，水名。黄河主要支流。发源于甘肃渭源县，向东横贯陕西中部，到潼关入黄河，长818千米。下游渠道纵横，富灌溉之利。

為☒ ㊁ wèi "为(wèi)"的异体字。
㊀ wéi (1019页)。

硙☒(**磑**) wèi 同"碨"。

尉 ㊀ wèi ❶古代管兵的官名。㊀太～。❷军衔名。尉官。在校之下，士之上。❸古又同"慰"。
㊁ yù (1207页)。

蔚 ㊀ wèi ❶茂盛；盛大。㊀～然成风。❷有文采的。㊀云蒸霞～。
㊁ yù (1207页)。

【蔚蓝】深蓝色。

【蔚为大观】形容事物丰富多彩，形成盛大壮观的景象。

【蔚然成风】也说蔚成风气。形容一件事情逐渐发展、盛行，形成一种风气(多指好

W

的)。

慰 wèi ❶使人心中安适。㊀～问|～劳。❷心安。㊀欣～。

【慰问】(用话或物品表示)安慰、问候。

【慰劳】用话语来慰问别人的劳苦。赠送财物安慰有功者,也叫慰劳。

【慰唁】慰问(死者的家属)。唁(yàn):吊丧。

罻☒ wèi 古代捕鸟的网。

霨☒ wèi 形容云起。

鳚(鰃) wèi 鱼类。体长10—20厘米,侧扁或呈鳗形,无鳞。栖息于近海,分布于热带、温带和北极水域中。

遗(遺) ㊀ wèi 赠送。㊀～之以书。㊁ yí(1161页)。

䬐☒ wèi 晒干。

魏 wèi ❶周朝国名(前403—前225)。战国七雄之一。在今河南北部、山西西南部,为秦所灭。❷朝代名。1.三国之一(220—265)。与吴、蜀并立。曹操子曹丕所建。占有黄河流域、淮河流域等地区,建都洛阳,国号魏,史称曹魏。为晋所灭。2.北朝之一(386—534)。鲜卑族拓跋珪所建。公元398年建都平城(今山西大同)。公元439年统一北方,公元494年迁都洛阳,史称北魏,又称后魏、拓跋魏、元魏。后分裂为东魏(534—550)、西魏(535—556)。东魏为北齐所灭,西魏为北周所灭。

【魏书】史书名。北齐魏收撰。共一百三十卷,包括本纪十四卷,列传九十六卷,志二十卷。大致记载了鲜卑族建立的北魏王朝兴亡(386—534)的历史。

【魏征】(580—643)唐初政治家。巨鹿(今河北晋州)人。唐太宗时任宰相。先后向李世民提出"薄赋敛,轻租税""任贤受谏"和"兼听则明,偏信则暗"等二百余项建议。公元633年任侍中,主持南朝梁、陈、北齐、北周、隋诸史的编撰工作。卒陪葬昭陵。

【魏碑】北魏时代的碑铭造像题记等石刻文字。书法笔力遒劲,结构谨严,多具有汉隶笔意,以《郑文公碑》《张猛龙碑》《龙门造像题记》等最为有名。

【魏阙】古代宫门外的高大建筑物(公布法令的地方)。《庄子·让王》:"身在江海之上,心居乎魏阙之下。"后用以借指朝廷。

【魏源】(1794—1857)清代思想家、史学家、文学家。原名远达,字默深,湖南邵阳人。与龚自珍同属主张通经致用的今文学派。鸦片战争时期参加浙东抗英战役,痛愤时事,著《圣武记》。后又将林则徐翻译的西方史地资料增补为《海国图志》。主张自设船厂,加强海防,抵抗外国侵略。强调"变古愈尽,便民愈甚"。对后来资产阶级改良主义有一定影响。有《魏源集》。

【魏武帝】即"曹操"(96页)。

【魏忠贤】(1568—1627)明代宦官。河间肃宁(今属河北)人。万历时入宫。熹宗即位,被任命为司礼秉笔太监,后又兼管东厂。专权擅政,迫害东林党人,大兴党狱。思宗即位,自缢死。

【魏格纳】(1880—1930)德国气象学家、地球物理学家。发现大西洋两岸轮廓极其吻合,并通过地球物理、地质构造、古生物等方面的论证,提出大陆漂移说。此说为后来的板块构造学说奠定了思想基础。著有《海陆的起源》《地质时代中的气候》等。参见〔大陆漂移说〕(170页)。

躛☒ wèi 牛以蹄踢物自卫。

讆☒ wèi 虚妄。㊀～言。

wēn ㄨㄣ

昷☒ wēn 同"温暖"的"温"。

温 wēn ❶不冷不热;暖。㊀～带|～泉。❷温度。㊀体～|高～|低～。❸稍微加热。㊀～一锅水。❹复习。㊀～课。❺性情平和。㊀～和|～柔。❻同"瘟"。

【温存】指温柔、体贴(多用于对异性)。

【温州】别称瓯。市名。位于浙江省东南沿海,瓯江下游南岸。人口50万(1997年)。是中国沿海开放城市。工商业和手工业发达。

【温驯】温和驯服。㊀～的羔羊。

【温床】❶有保温、加温设备的苗床。床内填充酿热物,发酵生热,或人工加温,床上加玻璃盖或覆以塑料薄膜。供冬春提早育苗。❷比喻滋生坏人、坏事、坏思想的环境条件。

【温和】❶不冷不热(指气候或有温度的东西)。❷不严厉;不粗暴;不猛烈。㊀性情~|药性~。

【温饱】穿得暖吃得饱。

【温带】地球上回归线与极圈之间的地带。这里季节分明,气候比较温和。在北半球的叫北温带,在南半球的叫南温带。

【温厚】温和宽厚。

【温泉】水温超过20°C的泉水。水多半来自地壳深处。一般常是矿泉。

【温度】物体的冷热程度。物体温度的升高或降低,标志着物体内部分子热运动平均动能的增加或减少。

【温差】一定时间内或一定量物体中最高温度和最低温度的差别。

【温室】也叫暖房。有防寒、加温、透光等设备,专供在寒冷季节和高寒地区栽培植物。

【温柔】温和柔顺。

【温病】中医病证名。外感急性热病的统称。

【温情】温柔的感情;温和的态度。

【温煦】温暖;和暖。煦(xù)。

【温馨】和暖;温暖。㊀心上~生感激。

【温度计】测定温度的仪器。日常用的温度计是根据液体热胀冷缩原理制成的,如体温计。工业上和科学研究上还有光学温度计、电阻温度计等。

【温庭筠】(? —866)唐代诗人、词人。原名岐,字飞卿,太原(今属山西)人。仕途不顺,官止国子助教。诗色彩艳丽,辞藻繁缛。词多写闺情,词句工丽,为花间词派之先声。词大都收入《花间集》。后人辑有《温庭筠诗集》。

【温文尔雅】态度温和、举止文雅。现也形容做事不大胆泼辣。

【温带草原】温带气候区的自然植被类型之一。以多年生、丛生草本植物为主,高度不大,间或有半灌木和小灌木。主要分布于亚欧大陆和北美大陆。

【温故知新】温习学过的东西,获得新的体会。《论语·为政》:"温故而知新,可以为师矣。"也用以指吸取历史经验,能更好地认识现在。

【温室效应】大气中某些痕量气体(如二氧化碳、甲烷等)含量增加,引起地表和大气下层温度上升的现象。即大气保温效应。因这些痕量气体被认为具有如同温室玻璃的作用,故名。

【温柔敦厚】形容待人温和宽厚。《礼记·经解》:"温柔敦厚,诗教也。"敦:诚恳。厚:厚道。

【温得和克】纳米比亚首都。位于该国中部。人口近20万(1996年)。是全国政治、经济、文化和交通中心。也是世界最大的卡拉库尔羔羊皮集散市场,羔羊皮加工工业发达。

【温情脉脉】形容饱含温柔感情的样子。脉(mò)。

【温良恭俭让】温和、善良、恭敬、节制、忍让。《论语·学而》:"夫子温良恭俭让以得之。"后泛指态度谦和举止文雅。

【温差电效应】指两条不同金属导线连接成的闭合回路,其两个接头的温度不同时,回路中就产生电动势和电流的现象。温度差越大,产生的电动势和电流也越大。

【温带季风气候】温带的一种气候类型。一年中冬夏风向明显交替。吹夏季风时暖热多雨,吹冬季风时寒冷干燥。大致在南北纬40°—60°之间的大陆东部,主要分布于亚洲大陆东部,如中国的华北和东北、俄罗斯远东地区、日本、朝鲜半岛等。

【温带大陆性气候】温带的一种气候类型。终年干旱少雨。冬季严寒,夏季炎热。大致在南北纬40°—60°之间的大陆内部,主要分布于亚欧大陆和北美大陆的内陆地区。

【温带海洋性气候】温带的一种气候类型。终年湿润。夏不热冬不冷。大致在南北纬40°—60°之间的大陆西部,主要分布于欧洲、北美、南美大陆西部的狭长地带。

【温带落叶阔叶林】温带气候区的自然植被类型之一。主要由壳斗科的落叶树种及槭树科、杨柳科等树种组成,常以一两个树种占优势。乔木叶片宽阔,夏季茂盛,冬季凋落。主要分布于亚洲东部、北美大西洋沿岸、西欧和中欧。

蕰

wēn 〔蕰草〕〈方〉水生的杂草。可作肥料。

榅□

wēn 〔榅桲〕落叶灌木或小乔木。果实有香气,味酸,微甜,可食用,也可入药。桲(po)。

辒(輼)

wēn 〔辒辌〕本为卧息的车,后用为送葬的灵车。辌(liáng)。

瘟

wēn 中医指人或动物的急性传染病。㊀春~|猪~。

【瘟疫】中医指容易引起广泛流行的烈性传染病。如鼠疫、天花、霍乱等。

【瘟神】传说中能散播瘟疫的恶神。

鳁(鰮) wēn 沙丁鱼。

wén ㄨㄣˊ

文 wén ❶字;语言的书面形式。㊀甲骨～|英～。❷文章。㊀散～|议论～。❸文言。㊀半～半白。❹指文科。㊀～理分科。❺非军事的。与"武"相对。㊀～职|～武双全。❻柔和;不猛烈。㊀～弱|～火。❼旧指礼节、仪式等。㊀繁～缛节。❽指自然界的某些现象。㊀天～|水～。❾在身上、脸上刺画花纹或字。㊀～身|～双颊。❿文饰;掩饰。㊀～过饰非。⓫量词。用于旧时的铜钱。㊀一～不值。

【文才】写作诗文的能力。

【文艺】文学和艺术的合称。

【文化】❶指人类在社会历史过程中所创造的物质财富和精神财富的总和。特指精神财富,如教育、科学、文艺等。❷指运用文字的能力及一般知识。㊀学～。

【文风】文章等使用语言文字的作风。㊀整顿～。

【文火】烹饪或煎药时所用的弱火。

【文书】❶公文、书信、契约等。❷某些机关或部队中从事公文、信件工作的人员。

【文本】文件的某种本子(多就文字、措辞而言)。也指某种文件。㊀此文件有中、英两种～。

【文鸟】鸟类的一科。常见的如白腰文鸟,体长约11厘米。背部栗褐色,稍后灰白色,至腰部渐转为淡褐色。群栖于路旁灌木丛中,主食谷粒,危害农业。是长江流域南部的留鸟。

【文字】❶语言的书写符号。它是人类最重要的辅助语言的工具。扩大了语言在时间和空间上的交际功用,对人类文明起很大的促进作用。❷文辞。㊀～通顺。

【文坛】指文学界。

【文告】机关或团体发布的文件。

【文体】❶文章的体裁。❷文娱和体育的合称。㊀开展～活动。

【文身】在人身体上绘成或刺成带颜色的花纹或图形。

【文言】古代汉语的书面语。产生于先秦,一直通行到近代,具有词汇丰富、语句精练的特点。唐宋以后,与口语逐渐脱离,在书面语上逐渐形成与白话并存的状况。五四新文化运动之后,逐渐被白话所取代。与"白话"相对。

【文词】同"文辞"(1029页)。

【文苑】文学艺术界人士聚集的地方;文坛,文学界。

【文明】❶文化。㊀物质～。❷指人类社会已进入开化状态。与"野蛮"相对。

【文物】❶指历代遗留下来的对研究社会政治、经济、文化发展有价值的东西。❷旧指典章、制度。

【文凭】❶毕业证书。❷旧时官吏赴任作为凭证的文书。

【文采】❶华丽的色彩。多指文章的语言优美。❷文艺方面的才华。

【文饰】❶彩饰;打扮。❷文辞的修饰。❸掩盖;掩饰。

【文庙】祭祀孔子的庙宇。

【文盲】不识字或稍识字但没有基本读、写能力的成人。

【文法】即"语法"(1203页)。

【文学】社会意识形态之一。是运用虚构和想象,使用语言塑造形象,反映社会生活,表达思想感情的艺术。文学体裁可分为诗歌、小说、散文、戏剧等。

【文官】指武官以外的官员。

【文契】买卖或借贷双方所订立的契约。

【文面】在人的脸上刺字。即黥墨之刑。

【文选】❶文章选集。㊀活页～。❷也叫《昭明文选》。书名。南朝梁代昭明太子萧统编选。选录自先秦至梁各代的诗文,分为三十七类。本书编者有意识地要把文学作品同哲学的历史的著作分开,宣传他的文学观点。但不免偏重辞藻。

【文科】指高等学校所设语言文学、历史、哲学、政治、经济、法律、教育等哲学社会科学方面的系、科、专业。也指中学的政治、语文、历史等科目。

【文秘】文书和秘书的合称。㊀～专业。

【文笔】写作的技巧、风格。㊀～流畅|～豪放。

【文弱】举止文雅,身体软弱(多形容读书人)。㊀～书生。

【文理】文章内容和词句方面的条理。㊀～不通。

【文职】文官的职务。在军队服务的各类非

现役军人统称文职人员。
【文野】❶文明和野蛮。❷文雅和粗俗。㊞～之分。
【文章】❶用文字表达一定内容的成篇的作品。❷指暗含着的意思。㊞他话里有～。
【文雅】指言谈举止温和而有礼貌。
【文牍】指公文书信。
【文集】把某人的作品汇集到一起编成的一部书。如《老舍文集》。
【文献】❶有历史价值的或同某一学科有关的图书资料。㊞革命～|物理学～。❷有重大政治意义的文件。
【文辞】也作文词。指文章的用字用语等。
【文静】形容人的性格、举止等文雅娴静。
【文摘】❶对一本书或一篇文章所作的扼要摘述。❷指选取的作品、文章。
【文豪】杰出的、伟大的作家。
【文人画】中国传统文人士大夫的绘画。多取材于山水、花鸟、竹石。追求诗画意境和笔墨趣味,抒写文人的才情、性灵和逸气。
【文工团】文艺工作团的简称。抗日战争和解放战争时期,革命根据地和部队中所建立的文艺演出团体。新中国成立后,一些部队、地区和部门的文艺演出团体仍然沿用这个名称,以小型多样为主,演出音乐、舞蹈、戏剧、曲艺等。
【文天祥】(1236—1283)南宋将领,政治家、文学家。字履善,号文山,吉州庐陵(今江西吉安)人。1276年任右丞相。临安失守后,坚持抗元斗争,兵败被俘。在狱中作《正气歌》以明志,拒绝元朝的威逼利诱。1283年就义。有《文山先生全集》。
【文化区】文化事物、文化现象或文化体系所覆盖的地区范围。如每种语言的分布范围是语言文化区;中华文化体系的分布范围是中华文化区。
【文字学】语言学的分支学科。研究文字的性质,结构,形、音、义的关系,正字法以及文字的起源、演变等。
【文字狱】旧时统治者故意从文人的作品中选摘字句、罗织罪名所构成的冤狱。明太祖朱元璋和清康熙、雍正、乾隆三帝均曾大兴文字狱,镇压知识分子,实行文化专制。
【文言文】用文言写成的文章。与"白话文"相对。
【文枕琴】也叫枕头琴、九弦琴。拉弦乐器。流行于福建地区。
【文昌鱼】脊索动物。体细长,两端尖,长5厘米左右,像小鱼,半透明,有背鳍、尾鳍和臀鳍。分布于中国沿海,生活在海底泥沙中。它的形态结构和胚胎发育像脊椎动物,又有无脊椎动物的一些特点,在生物学上具有重要的研究意义。
【文明史】指有文字记载以来的历史。
【文明戏】中国早期话剧的别称。
【文征明】(1470—1559)明代书画家。号衡山居士,长洲(今江苏吴县)人。工行草,尤精小楷。擅山水,也善花卉、人物。与沈周、仇英、唐寅合称"明四家"。
【文绉绉】形容人言语、行动斯文的样子。
【文人相轻】指文人之间互相看不起。三国魏曹丕《典论·论文》:"文人相轻,自古而然。"文人:会写诗文的读书人。
【文艺批评】根据一定的立场、观点和批评标准,对文艺作家、文艺作品、文艺思潮、文艺运动等所做的分析和评价。开展文艺批评有利于文艺创作的健康发展,对读者欣赏文艺作品,也有引导作用。
【文艺复兴】14—16世纪始于意大利,并相继在西欧各国发生的文化革新运动。新兴资产阶级在"复兴"古代希腊、罗马文化的旗号下,宣扬"人文主义"(人道主义),对腐朽的封建制度和宗教神学进行批判。文艺复兴摆脱了教会对于人们思想的束缚,给西欧国家带来科学、文学、艺术的繁荣,为资产阶级登上政治舞台制造了舆论。
【文不加点】文章一气写成,不用涂改。形容文思敏捷,下笔成章。汉祢衡《鹦鹉赋·序》:"衡因为赋,笔不停缀,文不加点。"点:涂改。
【文不对题】文章的内容偏离题目。指人说话、写文章偏离中心内容。
【文化扩散】某种文化事物或现象通过各种形式和途径从一地传往另一地的过程。
【文化景观】人们为了满足某种需要而在自然环境中创造出的人类活动形态。包括物质文化景观和非物质文化景观,前者如城市、乡村、农田、道路等,后者如音乐的风格、法律制度的完善等。
【文化源地】文化事物和文化现象最初产生的地点。
【文从字顺】文句通顺。唐韩愈《南阳樊绍述墓志铭》:"文从字顺各识职。"
【文心雕龙】中国最早的一部有系统的文学理论著作。南朝梁刘勰著。共五十篇,包括总论、文体论、创作论、批评论四个主要部分,提出许多重要的文学批评观点。是中国古代文学批评史上的杰作。

【文过饰非】用漂亮的言辞掩饰过失和错误。唐刘知几《史通·惑经》:“岂与夫庸儒末学,文过饰非,使夫问者缄辞杜口,怀疑不展,若斯而已哉?”文、饰:掩饰。过、非:错误。

【文成公主】(? —680)唐宗室女。公元641年嫁吐蕃赞普松赞干布。她对加强汉藏两族间的友好关系和藏族社会的发展起了重要的作用。

W

【文件检验】指对与犯罪有联系的字迹材料进行鉴定,以达到澄清嫌疑、证实犯罪的目的。主要任务是:认定书写人的同一;鉴别文件的真伪;判明文件的内容;确定书写的时间、材料和工具。

【文字改革】文字制度上的改革。文字改革有两种情况:一种是改用不同体系的文字,一种是在原有文字体系内部进行改革。当前中国的文字改革是属于后一种性质的改革,它的任务是简化汉字、推广普通话和推行汉语拼音方案。

【文责自负】作者应对自己所发表的文章内容负责任。

【文苑英华】诗文总集。宋太宗时命李昉等编纂。共一千卷。收辑南朝梁末至唐代诗文,上接《文选》。内容分三十八类,包括二千二百多个作家的作品,近两万篇诗文。

【文质彬彬】《论语·雍也》:“文质彬彬,然后君子。”原意是,如果文采和实质相配合,就能做君子。后用以形容人举止文雅有礼貌。彬彬:配合谐调。

【文治武功】对内政治上的统治很稳固,对外军事上用兵很有成就。用于对封建朝廷或帝王的评价。

【文学语言】诗歌、散文、小说、戏剧以及民间口头创作中所使用的语言。即文学作品的语言,经过文学家艺术加工,具有形象性、多义性和超常性,富有感人的艺术魅力。

【文学遗产】泛指历代流传下来的有价值的文学作品。

【文房四宝】指笔、墨、纸、砚四种文具。文房:书房。

【文恬武嬉】文官只知道贪图安逸,武将一味追求玩乐。形容文武官员贪图享乐,不问国事的腐败现象。唐韩愈《平淮西碑》:“相臣将臣,文恬武嬉。”恬(tián):安逸。嬉(xī):游玩。

【文景之治】汉初文帝刘恒、景帝刘启当政期间(前179—前141)采取与民休息和轻徭薄赋的政策,重视农业生产和国库积蓄,经济发展,社会稳定,被史家誉为“文景之治”。

【文献通考】史书名。宋元之际马端临撰。记述上古到宋宁宗时典章制度的沿革,而以宋制为最详。全书三百四十八卷,分二十四门类。是研究中国古代典章制度的重要史籍。

【文化大革命】“无产阶级文化大革命”的简称。

【文学研究会】五四新文化运动中的一个文学团体。由郑振铎、茅盾等十二人发起,1921年在北京成立,在上海等地设有分会。它反对封建文学,提倡新文学,主张“为人生而艺术”,强调“文学应该反映社会现象,表现并且讨论一些有关人生的一般问题”。刊物有《小说月报》《文学周报》等,还编印多种丛书。1931年底《小说月报》停刊,该会无形中解散。

纹(紋) ㊀ wén 条纹;纹理。㊎花~|指~。
㊁ wèn (1032页)。

炆□ wén 〈方〉用微火炖食物或熬菜。

蚊(*螡*蟁) wén 蚊子,昆虫。一般指水生孑孓的成虫。雌虫吸人、畜的血液,能传染疟疾和流行性乙型脑炎等。也泛指一些双翅类小昆虫,如瘿蚊、摇蚊,有的是农业害虫。

雯 wén 成花纹的云彩。

闻(聞) wén ❶听见。㊎耳~目睹。❷听见的事情;消息。㊎见~|新~。❸名气;名望。㊎令~|秽~。❹有名望的。㊎~人。❺用鼻子嗅。

【闻讯】听到消息。㊎~赶来。

【闻名】❶听到名声。㊎~不如见面。❷有名。㊎长城是世界~的古代建筑。

【闻一多】(1898—1946)中国现代诗人、学者。原名家骅,湖北浠水人。早年积极参加五四运动,1922年赴美留学。20世纪20年代出版了诗集《红烛》《死水》。1928年参加新月社,提倡新格律诗。后在武汉大学、清华大学、西南联合大学等校任教,研究古典文学，积极参加民主运动，1946年7月15日在昆明被国民党特务杀害。有《闻一多全集》。

【闻风丧胆】听到一点风声，就把胆吓破了。形容对某种力量极其恐惧。

【闻过则喜】听到别人批评自己的缺点或错误，表示欢迎和高兴。指虚心接受意见。《孟子·公孙丑上》："子路，人告之以有过则喜。"

【闻鸡起舞】东晋时，祖逖和刘琨同为司州主簿，常互相勉励振作。半夜听到鸡鸣，立即起来舞剑。语出《晋书·祖逖传》。后以"闻鸡起舞"比喻及时奋发。

【闻所未闻】听到了从来没有听说过的事。形容事情新奇。《史记·陆贾列传》："至生来，令我日闻所未闻。"

阌（閿） wén 〔阌乡〕旧地名。在今河南西部，已并入灵宝县。

wěn ㄨㄣˇ

刎 wěn 割脖子。㊀自～。

【刎颈之交】指同生死共患难的朋友。《史记·廉颇蔺相如列传》："卒相与欢，为刎颈之交。"

吻（*脗） wěn ❶嘴唇。也指动物的嘴。❷用嘴唇接触。表示喜爱。

【吻合】符合；相合。

殁☒ ㊁ wěn 同"刎"。
㊀ mò（696页）。

抆☒ wěn 擦。㊀～泪。

忞☒ ㊁ wěn 〔忞忞〕乱。
㊀ mín（688页）。

紊 wěn （旧读wèn）乱。㊀～乱｜有条不～。

稳（穩） wěn ❶稳定。㊀站～｜时局不～。❷使稳定。㊀先～住他，别让他溜了。❸稳重。㊀～步前进。❹稳当；可靠。㊀十拿九～。

【稳压】在电源电压或负载变动时，使电源或供电设备的输出电压保持稳定。有交流稳压电源和直流稳压电源。

【稳步】稳重的步子。㊀～前进。

【稳妥】妥当；稳当可靠。

【稳固】安稳，牢固。

【稳重】沉着，不慌张；不轻浮。

【稳健】❶平稳有力。㊀步伐～。❷持重，不轻浮冒失。㊀做事～。

【稳扎稳打】采取稳妥而不冒失的办法作战。比喻踏踏实实地做事。扎：扎营。

【稳如泰山】即"安如泰山"(9页)。

【稳定平衡】物体平衡状态的一种。特点是处于平衡状态的物体受到外力的微小扰动后，重心升高，势能增大，在重力作用下，仍能回到原来的平衡位置。如不倒翁扳倒后又立起来，就属于稳定平衡。

【稳操胜券】指有把握取得胜利。操：拿。

wèn ㄨㄣˋ

问（問） wèn ❶请人解答。㊀～事处｜所答非所～。❷慰问。㊀～候。❸审讯；追究。㊀～案｜胁从不～。❹管；干预。㊀不闻不～。

【问卜】迷信的人用占卜、算卦的方法解决疑难。

【问世】指著作出版或新产品上市，与世人见面。

【问号】标点符号的一种。形式为"?"。表示疑问句末尾的停顿。反问句的末尾一般也用问号。

【问讯】❶有不知道的事情请人解答。❷问候。

【问斩】斩首。

【问卷】要求调查对象就所提问题作出书面回答的材料。㊀～式调查。

【问津】打听渡口。比喻探问或尝试(多用于否定式)。㊀无人～。津：渡口。

【问案】审问案件。

【问难】对于疑难问题，两方各申己见，互相驳斥，互相诘问，展开辩论。难(nàn)。

【问鼎】春秋时，楚庄王向王孙满打听周朝的传国之宝九鼎的大小与重量，意在夺取周王朝的天下。后以"问鼎"指图谋夺取政权。

【问罪】指出对方的罪过，加以谴责、声讨或攻击。㊀兴师～。

【问题】❶需解决的矛盾。❷要求回答或解释的题目。❸事故；毛病。㊀这机器又出～了。

【问道于盲】也说求道于盲。向瞎子问路。比喻向根本不懂的人请教。唐韩愈《答陈生书》:"足下求速化之术,不于其人,乃以访愈,是所谓借听于聋,求道于盲。"

汶 wèn 汶水,也叫大汶河。水名。在山东中部偏东。

纹(紋) ㊁ wèn 同"璺"。
㊀ wén (1030 页)。

绕⊠**(絻)** wèn ❶古代送葬人所执的引柩绳子。❷古代发丧时孝子穿的衣服。

揾 wèn ❶用手指按。❷擦。

璺□ wèn 陶、瓷、玻璃一类器物上的裂痕。

舋⊠ ㊁ wèn 同"璺"。
㊀ xìn (1098 页)。

wēng ㄨㄥ

翁 wēng ❶老年男子。例渔～。❷父亲。特指丈夫的父亲或妻子的父亲。例家～|～姑(公婆)|～婿(岳父和女婿)。

【翁同龢】(1830—1904)清末维新派。字声甫,号叔平,江苏常熟人。咸丰状元,光绪帝师。曾两入军机处,兼总理各国事务衙门大臣。为光绪帝出谋划策,力图革新,引荐康有为等变法派。1898 年戊戌变法颁令四天,慈禧太后迫使光绪免去其一切职务。后被革职查办,交地方官管束。有《翁文恭公日记》《瓶庐诗稿》。

嗡 wēng 拟声词。蜜蜂、苍蝇等飞动的声音。例蜜蜂～～地飞。

滃 ㊁ wēng 滃江,水名,在广东。
㊀ wěng (1032 页)。

鎓□**(鎓)** wēng 化学音译用字。

H
|+
R—O—R型阳离子称为鎓。

鹟(鶲) wēng 鸟类。体小,喙稍扁平。食害虫,是益鸟。

螉⊠ wēng ❶见〔蠮螉〕(1149 页)。❷〔牛螉〕牛马身上的寄生虫。

鳊□**(鰯)** wēng 鱼类。体小,稍侧扁,略呈长方形。颜色美丽。分布于热带的近海。

鞥□ wēng 〈方〉靴靿。

wěng ㄨㄥˇ

塕□ wěng 〈方〉尘土。

【塕然】〈方〉形容尘土飞扬。

蓊 wěng 草木茂盛。例～茂|～郁。

【蓊郁】草木茂盛的样子。

滃 ㊀ wěng ❶形容水盛。❷形容云起。例～起。
㊁ wēng (1032 页)。

wèng ㄨㄥˋ

瓮(*甕*罋) wèng 一种口小腹大的陶器。例水～|酒～。

【瓮城】即"月城"(1216 页)。

【瓮中捉鳖】从大坛子里捉王八。比喻要捕捉的坏人已在掌握之中。形容很有把握。元康进之《李逵负荆》第四折:"管教他瓮中捉鳖,手到拿来。"

蕹 wèng 〔蕹菜〕也叫空心菜。一年生草本植物。茎蔓生、中空,茎、叶供食用。

齆□ wèng 鼻道阻塞,发音不清。

wō ㄨㄛ

挝(撾) ㊁ wō 老挝,国名,在中南半岛。
㊀ zhuā (1298 页)。

莴(萵) wō 〔莴苣〕一年生或二年生草本植物。分叶用、茎用等多种。中国栽培的主要是茎用莴苣,通称莴笋,茎肥大,质细嫩,可食。

猧⊠**(猧)** wō 小狗。

涡(渦) ㊀ wō ❶旋涡,急流旋转形成中间低洼的地方。例水～。❷样子像旋涡的。例酒～|～轮。
㊁ guō (360 页)。

【涡流】也叫涡电流。实心的导体在交变磁场中由于电磁感应所产生的涡旋形电流。涡流能使导体发热,消耗能量,因此变压器等的铁芯常用薄铁片叠成,以减少涡流的损失。但为了产生高温,可利用涡流来取得热量,如高频电炉等。

【涡旋】即"旋涡"(1115 页)。

【涡轮机】在水流或高温高压的蒸汽、燃气推动下,使叶轮旋转产生动力的机械。如水轮机、汽轮机、燃气轮机等。

窝(窩) wō ❶鸟兽昆虫住的地方。也喻指坏人聚居的地方。㊀猪～|鸟～|蚂蚁～|贼～。❷藏匿。㊀～赃。❸凹进去的地方。㊀山～|夹肢(gāzhi)～。❹郁积不得发作或发挥。㊀～火|～工。❺蜷缩或呆着不动。㊀整天～在家里,非憋出病来不可。❻弄弯或弄曲折。㊀用铁丝～个圈|～腰。❼量词。用于动物。㊀一～小猪。

【窝工】因计划不周或调配不好,以致有的劳力没事作。

【窝心】因受到误会、委屈、侮辱、诬蔑或办了窝囊事,不能表白或发泄而心中别扭、苦闷。

【窝主】藏匿罪犯或赃物的人。

【窝赃】指明知是犯罪分子的赃款、赃物而藏匿、转移,以帮助犯罪分子逃避刑事追究的犯罪行为。

【窝藏】指隐藏犯罪分子或为犯罪分子隐藏罪证和赃物,帮助犯罪分子逃避侦查和审判的犯罪行为。藏(cáng)。

【窝囊】❶因受到委屈或事情不顺利而心中烦闷、难受。❷形容人无能、怯懦。

【窝藏、包庇罪】明知是犯罪的人而为其提供隐藏处所、财物,帮助其逃匿或作假证明包庇的犯罪行为。

蜗(蝸) wō 蜗牛。

【蜗牛】软体动物。有螺旋状的外壳。生活在陆地上。爬行后会留下一条发光的涎线。嗜食植物的叶、芽,是农业害虫。有的种类可供食用。

【蜗居】比喻狭小的住处。

倭 wō 中国古代称日本。

【倭寇】14—16 世纪对中国沿海地区进行武装掠夺的日本海盗集团。14 世纪起,日本武士、浪人和不法商人等,同中国豪富、地主、奸商勾结,以沿海岛屿为巢穴,武装走私,趁机抢劫。明中叶,活动更为猖獗。甚至侵扰到徽州、南京等地。1552 年以后的三四年间,江浙军民被杀害的达数十万人。后戚继光等组织新军,经十多年奋战,才逐渐将其肃清。

踒□ wō (人的肢体)由于猛折而筋骨受伤。㊀手～了|脚脖子～了。

喔 wō 拟声词。公鸡叫声。

wǒ ㄨㄛˇ

我 wǒ 人称代词。1. 称自己。有时也指称我们。㊀～走了|～国。2. 自己或自己的一方。㊀忘～劳动|分清敌～。

【我行我素】不管人家怎么说,仍旧按照自己平素的一套去做。

婑☒ wǒ 〔婑媠〕美好的样子。媠(tuǒ)。

鬌☒ wǒ 〔鬌鬌〕形容发髻美好。

wò ㄨㄛˋ

肟 wò 有机化合物的一类,通式 RR′C═N—O—H(RR′代表烃基)。由醛或酮与羟胺作用生成。

沃 wò ❶土地肥。㊀肥田～土|～野千里。❷灌溉;浇。㊀～田|如汤～雪。

【沃野】肥沃的田野。㊀～千里。

【沃霍尔】安迪·沃霍尔(1930—1987)美国艺术家,波普艺术的代表。擅长以丝网印刷机械复制畅销商品、电影明星、政界要人等冷漠而超然的照片形象。代表作有《绿色的可口可乐瓶子》《玛丽莲·梦露》等。

【沃尔塔瓦河】交响诗。斯美塔那曲。作于 1874 年。是所作包括六首交响诗的交响套曲《我的祖国》中的第二首,描写沃尔塔瓦河的自然风光,表现出强烈的民族自豪感。

卧 wò ❶躺下;趴伏。㊀～床不起|～倒。❷睡觉用的。㊀～室|～铺。❸指火车卧铺。㊀硬～|软～。❹〈方〉把鸡蛋去壳后放到开水或热牛奶里煮。㊀～鸡蛋。

【卧底】预先潜伏在敌方了解情况,充当内应。

【卧病】因病躺下。

【卧薪尝胆】春秋时越王勾践为了报被吴王

夫差打败之仇，他夜里睡在柴草上，吃饭睡觉前都要尝一尝胆的苦味，以此来激励自己不忘耻辱。语出《史记·越王勾践世家》。后用以比喻刻苦自励，奋发图强。

【卧榻之侧，岂容他人鼾睡】自己卧榻的旁边，哪里能让别人鼾睡。比喻自己所拥有的势力范围不容其他人侵犯。宋李焘《续资治通鉴长编·宋太祖纪》："开宝八年，宋伐江南。徐铉入奏乞缓兵。上曰：'江南亦有何罪？但天下一家，卧榻之侧，岂容他人鼾睡乎！'"榻：床。

偓☒ wò〔偓佺〕古代传说中的仙人。佺(quán)。

握 wò ❶用手攥(zuàn)住。例～手。❷掌管。例大权在～。

【握别】握手分别。

【握手言欢】握手谈笑。形容亲热友好。现多指不和以后又言归于好。

幄 wò 帐幕。

渥 wò ❶沾湿。❷多；厚。例待遇优～。

【渥太华】加拿大首都。位于该国南部，圣劳伦斯河北岸。人口103万(1996年，包括郊区)。是全国政治、文化中心。历史上是著名的木材、毛皮贸易中心。春季郁金香花、秋季红枫叶和冬季冰上运动闻名。

龌(齷) wò〔龌龊〕不干净；脏。也指思想、品德的卑劣。例卑鄙～。龊(chuò)。

涴□ ㊀ wò〈方〉弄脏。
㊁ yuān (1208页)。

硪 wò 用圆形石头或铁饼制成的周围系着几根绳子的砸地基的工具。

斡 wò〔斡旋〕❶调解，把弄僵了的局面扭转过来。❷解决国际争端的方法之一。国家间发生争端时，第三国经当事国请求或主动采取的促使双方通过谈判等形式解决争端的活动。与调停不同，进行斡旋的国家不参加双方之间的谈判。

wū ㄨ

兀 ㊁ wū〔兀秃〕也作兀突。水不凉也不热。例～水。
㊀ wù (1047页)。

乌(烏) ㊀ wū ❶乌鸦。❷黑色。例～云|～黑。❸文言副词。何；哪。例～有此事？
㊁ wù (1048页)。

【乌头】川乌的主根。参见〔川乌〕(140页)。

【乌有】没有；不存在。例化为～。

【乌江】❶也叫黔江。长江支流，贵州省最大河流。发源于该省西部乌蒙山，在四川省涪(fú)陵入长江。长1 018千米。中游谷深水急，险滩相接。❷古地名。秦置乌江亭，因附近有乌江而得名。在今安徽和县东苏皖界上有乌江镇，楚汉之际项羽垓下之战败溃，至此自杀。

【乌龟】❶也叫金龟、草龟、山龟、秦龟。俗称王八。爬行动物。背甲长10—12厘米，有三条纵走的隆起。背面褐色或黑色，腹面略带黄色，均有暗褐色的斑纹。生活在河流湖泊里，食杂草或小动物。甲可供药用。分布于中国大多数地区。❷讥称妻子有外遇的人。

【乌拉】蒙语、满语和藏语中均为差役的意思，源于突厥语。

【乌呼】同"呜呼"(1035页)。

【乌鸦】俗称老鸦、老鸹(gua)。鸟类。嘴大而直，全身羽毛黑色，翼有绿光。多群居在树林中或田野间，以谷物、果实、昆虫等为食。

【乌桓】也叫乌丸。古族名。东胡族的一支。原居今辽河上游，大兴安岭南部的乌桓山，以游牧狩猎为主。初归附匈奴，汉武帝以后部分内迁，渐与各地汉族及附近各族同化。

【乌桕】也叫蜡子树。落叶乔木。叶子互生，略呈菱形，秋天变红，花单性，雌雄同株。种皮外有白色蜡层，可用于制肥皂、蜡烛等；种仁榨的油叫梓油，可用于制油漆、油墨、润滑油等。是中国南方重要工业油料树种。

【乌贼】也作乌鲗。软体动物。体分头和躯干两部分，体内有墨囊，遇敌时能放出墨汁而逃走。生活在海中。肉可鲜食或制成墨鱼干。乌贼骨叫海螵蛸，可供药用。

【乌鲗】同"乌贼"(1034页)。

【乌托邦】英语音译词。"乌"是"没有"，"托邦"是"地方"，"乌托邦"就是"没有的地方"。是空想社会主义创始人托马斯·莫尔所写的《关于最完美的国家制度和乌托邦新岛的既有益又有趣的金书》一书的简称，也是此书中虚构的社会组织的名称。后来乌托邦成为“空想”的同义语。

【乌纱帽】简称乌纱。古代官员戴的帽子。有时用作官职的代称。

【乌飞兔走】也说兔走乌飞。古时传说日中有三足乌，月中有兔，故以“乌飞兔走”喻日月运行，光阴流逝。

【乌兰巴托】蒙古国首都。位于该国中部偏北。人口65万（1997年）。是全国政治、经济、文化和交通中心。工业以畜产品加工业为主。

【乌兰牧骑】即红色文化轻骑队。1957年开始在内蒙古自治区建立。队员一般为十余人，随身携带轻便乐器、道具，深入广大牧（农）区进行文艺演出。乌兰：蒙语音译词，红色。

【乌合之众】像乌鸦似地聚合在一起的一帮人。比喻杂凑在一起的毫无组织纪律的人群。《后汉书·耿弇传》：“归发突骑以辚乌合之众，如摧枯折腐耳。”乌合：像乌鸦似地聚合。

【乌苏里江】黑龙江支流。在黑龙江省东部，北流到哈巴罗夫斯克（伯力）注入黑龙江。是中俄两国界河。长890千米，中国境内长500千米。

【乌拉尔山】亚欧两洲界山之一。在俄罗斯境内。南北走向，平均海拔400—500米。

【乌烟瘴气】形容社会混乱，各种坏现象都出现了。

【乌孜别克族】中国少数民族之一。人口1.5万（1990年）。主要分布在新疆维吾尔自治区的伊宁、塔城、喀什、乌鲁木齐等城市。有本民族语言文字。

【乌鲁木齐市】新疆维吾尔自治区首府。中国多民族城市之一。位于该区中部偏北，天山北麓，乌鲁木齐河畔。兰新、北疆、南疆三条铁路交会于此。人口122万（1997年）。是全区政治、经济、文化和交通中心。为新兴的综合性工业城市。市区东北120千米处的天山天池是著名风景区。

剐[⊠]（剮） wū ❶修剪树枝。❷除草的刀。

邬（鄔） wū 姓。

呜（嗚） wū 拟声词。风声、汽笛声。㊀汽笛～～地叫。

【呜呼】❶也作乌呼、於呼、於戏。文言叹词。表示叹息。㊀～哀哉。❷借指死亡（含贬义）。㊀一命～。

【呜咽】❶低声哭泣。❷形容凄切的水声或丝竹（管弦乐器）声。咽（yè）。

【呜呼哀哉】旧时祭文中常用的感叹语。常用以表示哀悼死者。《诗经·大雅·召旻》：“於（呜）乎哀哉！维今之人，不尚有旧。”后借指灭亡（含贬义）。

歍[⊠]（歍） wū ❶恶心。❷呕吐。

钨（鎢） wū 金属元素，符号W，原子序数74。钢灰色，在金属中硬度最大，熔点最高。可制灯丝。钨钢用于火箭及原子能工程。也用于制高速切削工具和钻头等。

圬 wū ❶泥瓦工用的抹（mǒ）子。❷抹（mò）墙。

污（*汚*汙） wū ❶肮脏；脏东西。㊀～泥｜粪～。❷不廉洁。㊀贪～。❸弄脏。㊀玷～｜～辱。

【污水】即“废水”（271页）。

【污垢】人身上或物体上的脏东西。垢（gòu）。

【污点】❶衣服等上面的脏点。❷比喻过去做过的不光彩的事情。

【污浊】❶水或空气不干净；混浊不清。❷肮脏的东西。

【污染】❶沾染上有害物质。❷有害物质对环境的危害。㊀大气～｜噪声～。

【污辱】使别人人格或名誉受到损害，蒙受耻辱。

【污秽】肮脏，不干净。秽（huì）。

【污蔑】捏造事实败坏别人的名誉。

【污染物】对人和环境造成不良影响或危害的物质。有多种分类方法：按来源有天然的和人类活动产生的污染物；按形态有气体、液体、固体污染物；按性质有化学（有机物、无机物）、物理（声、光、热、辐射）、生物（病原体、变应原）污染物等。

【污染源】产生物理、化学、生物和放射性等污染物的设备、装置、场所等。消除或控制污染源是保护环境不受污染的重要手段。

【污水处理】采用各种有效方法，改善污水水质。城市污水和工业废水中含有病原微生物、寄生虫卵和有毒有害物质，排放前需经处理，防止对水体、土壤等污染。处理的基本方法有物理净化法、生物净化法、化学

W

净化法及消毒等。

【污水灌溉】利用城市污水或工业废水灌溉农田、草地或林地，以合理利用污水中的水肥资源和植物、土地的净化能力。污水一般应经过适当处理，并有控制地进行灌溉。

【污泥浊水】❶指脏东西。❷比喻腐朽、落后、反动的东西。

杇☒ wū 同“圬”。

洿☒ wū ❶污秽；污染。❷水停聚的地方。

巫 wū 古代所谓能以舞降神的人。主管奉祀天帝鬼神、为人祈福禳灾，并兼事占卜、星历之术。后演变成为专门以装神弄鬼骗取财物为职业的人。㊀～术|～婆。

【巫山】❶中国名山。位于重庆市和湖北省交界处。东北—西南走向，海拔1 000—1 500米。长江穿行其间，形成三峡，巫峡沿岸有巫山十二峰，以神女峰最为秀丽。❷地名。在重庆东部。

【巫师】专门以装神弄鬼替人祈祷为职业的人(多指男巫)。

【巫峡】长江三峡之一。西起重庆市巫山县大宁河口，东至湖北省巴东县官渡口。长约45千米。两岸峭壁高出江面约100米，山峰高出江面500—1 300米，著名的有巫山十二峰。

【巫婆】专门以装神弄鬼替人祈祷为职业的女人。

诬(誣) wū ❶捏造事实冤枉别人。㊀～赖|～害。❷言语不真实；欺骗。㊀天实置之，而二三子以为己力，不亦～乎？

【诬告】指捏造事实，向有关部门控告他人，以陷害他人的违法行为。

【诬罔】❶欺骗。❷诬陷；毁谤。

【诬陷】诬告陷害。

【诬蔑】捏造事实毁坏别人的名誉。㊀造谣～。

【诬良为盗】捏造事实，冤枉好人。

【诬告陷害罪】行为人捏造犯罪事实向国家机关或有关单位作虚假告发，意图使他人受到刑事追究，情节严重的犯罪行为。不是有意诬告，而是错告，或检举失实的，不构成犯罪。

於 ㊂ wū 见下。
㊀ yú (1200页)。
㊁ yū (1198页)。

【於戏】同“呜呼”(1035页)。

【於呼】同“呜呼”(1035页)。

【於菟】古代楚人称虎为於菟。菟(tú)。

屋 wū ❶房子。㊀房～|～顶。❷房间。㊀里～|东～。

【屋宇】房屋。

【屋顶花园】建于房屋顶部的花园。具有空气清新、噪音低、视界开阔等特点。是城市立体绿化的组成部分。

剭☒ wū 诛杀。特指古代贵族、大臣在室内受刑。

恶(惡) ㊃ wū 文言疑问代词。哪里；怎么。㊀路～在(路在哪里)？|彼～能令吾前往？
㊀ è (242页)。
㊁ wù (1049页)。
㊂ ě (241页)。

wú ㄨˊ

无(無) ㊀ wú ❶没有。与“有”相对。㊀从～到有。❷文言副词。不。㊀公不如称病而～出。❸不论。㊀事～大小，他都负责到底。
㊁ mó (692页)。

【无上】形容最高，没有比它再高的。㊀至高～|～光荣。

【无已】❶没有休止；没有穷尽。㊀钦佩～。❷必不得已。

【无比】没有别的可以相比(多用于好的方面)。㊀～强大|英勇～。

【无日】❶没有一天(不…)。㊀～不思。❷没有几天；不久。㊀亡～矣。

【无从】副词。表示没法子，找不到头绪或方法。㊀心中万语千言，一时～说起。

【无为】道家消极的处世态度和哲学思想。意思是不主动地有所作为，听任自然发展变化。

【无由】无从；没有门径或机会。㊀相见～|乡书～达。

【无宁】同“毋宁”(1041页)。

【无任】副词。不胜；十分。㊀～感激。

【无论】连词。不论；不管。㊀～任务如何艰巨，我们也一定要把它完成。

【无如】❶不如。㊀～一醉尽忘之。❷无奈。㊀照镜～白发何。

【无形】不具备某种事物的形式、名义而有

类似的作用。[例]～的战线。

【无间】❶没有间隙。引申为彼此没有隔阂。[例]相亲～。❷不间断。[例]～昼夜。

【无穷】没有止境;没有限度。[例]～的力量。

【无补】没有好处;没有补益。[例]于事～。

【无妨】没有妨碍;不妨。

【无奈】❶无可奈何。[例]出于～。❷连词。表示由于某种原因,不能实现上文所说的意图,有可惜的意思。[例]原订今日赛球,～天气骤变,只好作罢了。

【无非】副词。只;不过;不外乎。用以指明范围,把事情往小里、轻里说。[例]她～做点缝缝补补的事情。

【无视】不放在眼里;不认真对待。

【无限】❶没有穷尽;没有限量。[例]风光～好。❷哲学范畴。指无条件的、无始无终的、无边无际的、不可穷尽的。与"有限"相对。

【无须】副词。用不着;不必。

【无度】没有节制、限度。[例]荒淫～。

【无敌】没有对手。[例]天下～。

【无恙】没有疾病;没有受害。[例]安然～|别来～?

【无聊】❶内心空虚烦闷,无所寄托。❷说话举动没有意义而使人讨厌。

【无常】❶变化不定。[例]变化～|反复～。❷迷信传说中的鬼名。❸婉辞。人死。[例]一旦～。

【无偿】不出代价的;没有报酬的。

【无庸】也作毋庸。文言副词。用不着;没有必要。[例]～置疑,最后的胜利是属于人民的。

【无情】❶没有感情。❷不留情。

【无谓】没有意义。[例]～的争论。

【无辜】❶没有罪。❷没有罪的人。

【无量】❶不可限量。[例]前途～。❷不可计量。[例]欣慰～|感激～。❸佛教用语。广大。

【无愧】没有可以惭愧的地方。[例]当之～。

【无赖】❶刁钻泼辣,不讲道理。[例]耍～。❷游手好闲、品行不端的人。

【无暇】没有空闲的时间。暇(xiá)。

【无锡】市名。位于江苏省南部。人口93万(1997年)。靠近太湖,有京沪铁路和京杭运河经过,交通方便。工业以纺织、食品、机械制造等为主。风景名胜有太湖鼋头渚、锡惠公园、蠡园、梅园等。

【无意】❶没有做某种事的愿望。[例]他～去天津。❷不是有意的。[例]～之中踩了他一脚。

【无疑】没有疑问。[例]确凿～。

【无端】副词。无缘无故地。[例]～生事。

【无主句】找不出主语或不必有主语的句子。一般由动词短语构成。如"下雨了""欢迎参观指导"。

【无机物】无机物质的简称。指所有元素和它们的化合物,但碳的大多数化合物除外(少数简单含碳化合物也包括在内,如二氧化碳、碳酸盐、碳化钙等)。

【无产者】自己没有生产资料,不得不靠出卖劳动力来维持生活的近代雇佣劳动者。在剥削制度下,他们受压迫最深,最富于革命的彻底性。[例]全世界～,联合起来!

【无形中】在不知不觉的情况下。

【无花果】落叶灌木或小乔木。花托肥大成果实,其内生有许多小花,不易看见。果肉味甜,可食,也供药用。

【无穷动】指自始至终为快速音型,并不断反复的器乐曲。帕格尼尼作的小提琴曲《无穷动》充分展示了小提琴的高度技巧。

【无词歌】钢琴曲集。门德尔松曲。作于1830—1845年。共八集,每集由六曲组成。是无歌词的标题性器乐小品,故名。其中以《威尼斯船歌》《送葬进行曲》《春之歌》《纺纱曲》等最为著名。

【无所谓】❶说不上;谈不到。❷没关系;不在乎。

【无限集】含有无限个元素的集合。如自然数集N、整数集Z、实数集R等。

【无线电】❶无线电技术的简称。研究利用无线电波传送各种信息的技术。❷无线电广播或无线电收音机的俗称。[例]听～|修理～。

【无神论】一种否认神的存在并反对一切宗教迷信的学说。

【无理数】小数的位数无限多而且不是循环小数的数。如$\sqrt{2}$(1.4142135…)、圆周率π(3.14159…)。

【无意识】❶不是有意的;不知不觉的。❷心理学范畴。指人的意识以外的、以内隐方式进行的心理过程。❸也叫潜意识、下意识。精神分析学派的基本概念。包括各种原始冲动、本能、欲望、性欲。是心理活动的基本动力,也是人的动机、意图等的根源。

【无题诗】诗人作诗别有寄托,或者有所顾

虑,不愿将诗的主旨明白显示在题目上,就用“无题”作为诗的篇名,后来就把这类诗叫无题诗。

【无影灯】无影手术灯的简称。一种多光源的手术照明设备。光线从各方面集中于手术区,避免阴影产生。

【无霜期】从春季终霜起到秋季初霜止,这段时间为无霜期。无霜期的长短反映宜于作物生长时期的长短。

【无与伦比】没有能够比得上的(多含褒义)。

【无中生有】把没有说成有。指凭空捏造。

【无孔不入】有空子就钻。比喻利用一切机会进行活动(含贬义)。

【无以复加】再也不能增加。指达到了顶点。宋王安石《周礼义序》:“至于后世,无以复加。”

【无功受禄】没有功劳而得到俸禄。泛指不出力而接受报酬。

【无可比拟】没有可以与之相比的(含褒义)。

【无可讳言】没有什么需要忌讳掩饰的。指可以坦率地讲出来。讳(huì)。

【无可奈何】指没有一点办法,只好这样了。《史记·周本纪》:“祸成矣,无可奈何!”奈何:怎么办。

【无可非议】没有什么可以指责的。非议:批评,指责。

【无可厚非】也说未可厚非。不可过分指责、苛求。表示虽有缺点,但还可以原谅。

【无可置疑】也说毋庸置疑。没有什么可以怀疑的。表示事实明显或理由充足。

【无头告示】没有开头部分的文告。用来讽刺对象不明确,抓不住要领的官样文章。也比喻令人摸不着头脑的话。

【无边风月】宋朱熹《六先生画像赞·濂溪先生》:“风月无边,庭草交翠。”“风月无边”原是朱熹用来颂扬周敦颐死后影响之深广。现用以形容风景的美好。

【无丝分裂】细胞分裂的一种方式。分裂时先是细胞核延长,分裂成两部分,细胞质随之分裂,成为两个子细胞。遗传物质均等分配。

【无动于衷】思想上一点也没有被触动。

【无地自容】没有地方可以让自己容身。形容非常羞愧。

【无机农业】主要依靠输入农业环境以外的无机物质和能量来加速农业生产中物能循环,提高产量的农业生产技术体系。能显著提高土地和劳动生产率,但物能资源消耗大,对生态环境破坏大,应与有机农业相结合。

【无机肥料】也叫矿质肥料。由无机物组成的肥料。肥效快,多用于追肥。如硫酸铵、氯化钾等。

【无伤大雅】对主要方面没有妨害。

【无价之宝】形容极其珍贵的东西。

【无价证券】符合法律规定的财物证券。

【无产阶级】特指资本主义社会里的工人阶级。主要是产业工人,也包括城市小工业和手工业中的雇佣劳动者及其他城乡无产者。旧中国农村中的雇农也属无产阶级。

【无妄之灾】没有料到的灾祸。《周易·无妄》:“六三,无妄之灾,或系之牛,行人之得,邑人之灾。”无妄:意外。

【无关宏旨】不关涉主要的宗旨。多指于大局无碍。

【无米之炊】古语“巧妇难为无米之炊”。比喻做事缺少必要的条件,再能干的人也很难做成。炊(chuī):做饭。

【无形贸易】由无形商品的进口和出口构成的国际交换。包括技术贸易和劳务贸易。

【无形损耗】也叫精神损耗。机器、设备等固定资产,由于科学技术进步而引起的贬值。采用新的科学发明和技术成就,生产出更低廉或效率更高的同类机器、设备,都会引起原有机器、设备的贬值。与“有形损耗”相对。

【无形资产】不具有实物形态而能为企业较长期地提供某种特殊权利或收益流的资产。如商标、专利、特许经营权等。

【无声无臭】比喻默默无闻,不被人知道。《诗经·大雅·文王》:“上天之载,无声无臭。”臭(xiù):气味。

【无声无息】没有声音和气息。形容沉寂消失或不为人觉察、注意。

【无坚不摧】没有任何坚固的东西不能被摧毁。形容力量非常强大。

【无足轻重】无关紧要。

【无私有弊】处在容易引起嫌疑的位置上,没有私弊也会被人猜疑。

【无穷级数】即“级数”(453页)。

【无纸贸易】以电子数据互换技术为基础建立的贸易方式。在电子数据互换系统中,所有与贸易有关的文件和数据信息都在用户计算机之间进行传递。这种贸易提高了工作效率,也节省了大量纸张,故名。

【无纺织布】不用普通纺织工艺制成的布。通常先将纺织纤维制成纤维网,再把多层纤维网黏合或缝合而成。优点是生产简捷、成本低廉、用途广泛。

【无事生非】本来没有事却人为地引出麻烦、事端。

【无奇不有】什么希奇的事物都有。

【无的放矢】没有目标乱射箭。比喻说话做事没有明确的目的或不看对象,不结合实际,盲目乱来。

【无往不胜】无论到哪里没有不胜的。强调必定会胜利或成功。

【无所不至】《论语·阳货》:"苟患失之,无所不至矣。"意思是说,如果害怕失去已经得到的地位,那就没有什么事做不出来。后用以指什么坏事都干得出来。也指没有达不到的地方。

【无所用心】什么事都不动脑筋,不关心。《论语·阳货》:"饱食终日,无所用心,难矣哉!"用心:动脑筋。

【无所作为】不去努力做出成绩或没有做出成绩。

【无所事事】什么事都不干。事事:做事情。

【无所适从】不知跟从哪一个好。比喻不知怎么办才好。适:往。从:跟随。

【无法无天】毫无顾忌,肆意妄为。

【无性生殖】不经过生殖细胞的结合,由亲体直接产生子代的生殖方式。包括分裂生殖、孢子生殖、出芽生殖等。用植物的根、茎、叶进行的扦插、压条、嫁接等,也叫无性生殖。

【无性杂交】也叫营养杂交。通过营养器官的接合,使不同个体交换营养物质以传递遗传性状的杂交方式。植物通常用嫁接方法使砧木同接穗相互影响而传递遗传性状。

【无线广播】见〔广播〕(353 页)。

【无线电波】可以用来传播声音、图像等信号的电磁波。这种电磁波在真空或空气中的传播速度与光波速度相同,约为每秒 30 万千米。通常将无线电波划分为长波、中波、短波、超短波和微波等波段。

【无线寻呼】主叫通过与自动电话交换网相连接的寻呼台,将信息变换成数字信号后,经寻呼基站以无线方式转发给被叫的通信方式。按接续方式的不同,分人工寻呼和自动寻呼两种。

【无独有偶】虽然罕见,但是不只一个,还有一个和它成对儿(多含贬义)。

【无济于事】对于事情没有帮助或益处。济:补益。

【无耻之尤】最无耻的。尤:突出的。

【无恶不作】没有什么坏事不干。形容做尽了坏事。

【无氧运动】运动强度较大时,运动的耗氧量超过了人体的摄氧能力,这样的运动叫做无氧运动。如 200 米跑、400 米跑等。无氧运动消耗的主要是人体内的糖。

【无病呻吟】没有病却发出痛苦的声音。比喻没有值得忧虑的事情而长吁短叹。也比喻文艺作品没有真情实感而矫揉造作。

【无效合同】因违反法律、行政法规或损害国家、集体或第三人利益及社会公共利益,不具有法律约束力的合同。如欺诈、胁迫、恶意串通或以合法形式掩盖非法目的情况下订立的合同。

【无能为力】用不上力量。指没有能力去做或力量达不到。

【无庸讳言】也作毋庸讳言。无须隐讳。意思是实情已经很清楚。

【无期徒刑】对犯罪分子剥夺终身自由,实行强迫劳动改造的刑罚。在监狱或其他执行场所执行。外国称终身监禁。

【无隙可乘】没有空子可钻。隙(xì):空子。乘:利用(机会)。

【无罪推定】一个人的罪行在没有得到审判时,推定他无罪的刑事诉讼的重要原则。最早提出的是资产阶级启蒙思想家贝卡利亚。1996 年中华人民共和国刑事诉讼法修正案第 12 条确立此原则:"未经人民法院依法判决,对任何人都不得确定有罪。"

【无微不至】形容关怀、照顾得非常周到、细致。

【无稽之谈】没有根据的说法。《尚书·大禹谟》:"无稽之言勿听。"稽(jī):查考。

【无懈可击】没有可以被攻击或挑剔的漏洞。形容十分严密。

【无风三尺浪】比喻无故生出是非来。

【无过错责任】不以当事人的主观过错作为侵权行为构成要件的一种归责原则。如产品责任、高度危险作业、污染环境等致人损害,就承担无过错责任。与"过错责任"相对。

【无所措手足】没有地方放手和脚。形容不

W

知如何是好。《论语·子路》:“刑罚不中则民无所措手足。”措:安放。

【无线电运动】军事体育项目之一。通常包括无线电工程设计、制作和无线电报务等内容。

【无线电通信】利用无线电波在空中的传播,以传送声音、文字、图像、数据等信息的通信方式。不受地理条件限制,且适合移动通信,但容易受干扰,可靠性和保密性较差。

【无线电管制】对无线电发射设备和其他辐射电磁波设备的使用实施的军事管制。包括禁止、中止或限制某些无线电发信。通常在战时或某种非常情况下实施。

【无线因特网】移动通信与因特网相结合的产物。它建立在无线应用协议的基础上,使用户可通过具有该功能的手机、掌上电脑等与因特网进行无线连接,享受因特网所提供的服务。

【无政府主义】❶旧译作安那其主义。一种小资产阶级政治思潮。产生于19世纪上半叶,以法国的蒲鲁东,俄国的巴枯宁、克鲁泡特金为代表。它强调个人的绝对自由,否认任何政权、权力和权威,主张建立一个“无命令,无权力,无服从,无制裁”的无政府状态的社会。❷指不服从组织纪律的思想和行为。

【无标题音乐】没有借助文学或其他音乐以外的术语标明题目的器乐曲。如《D大调小提琴协奏曲》《第五交响乐》。

【无脊椎动物】在身体中轴没有脊椎骨组成的脊柱的动物。种类占动物界的绝大多数。分原生动物、海绵动物、腔肠动物、扁形动物、线形动物、环节动物、软体动物、节肢动物和棘皮动物等。

【无绳电话机】以送受话器和基座之间的无线连接来代替普通电话机有形绳线连接的电话机。使用这种电话机的用户,可在离开基座的一定范围内自由接听或拨打电话。

【无障碍设计】为方便行动不便者所进行的各类工程设计。如盲道的设计、轮椅坡道的设计等。中国政府规定,城市公共建筑、城市道路、公共停车场等必须进行无障碍设计。

【无产阶级专政】无产阶级通过暴力革命打碎资产阶级国家机器后建立的国家政权。它以工人阶级(经过共产党)为领导,以工农联盟为基础。在人民内部实行民主,对敌人实行专政。它的历史任务对内主要是镇压阶级敌人的反抗,建设社会主义物质文明和精神文明,为实现共产主义创造条件;对外主要是防御外部敌人的颠覆活动和可能的侵略。

【无产阶级革命】也叫无产阶级社会主义革命、社会主义革命。通常指无产阶级为夺取政权而进行的社会主义革命。

【无所不用其极】《礼记·大学》:“是故君子无所不用其极。”原指无处不用尽心力。后指所有的坏事都干尽了,或任何卑劣的手段都使出来了。极:尽头,顶点。

【无限责任公司】也叫无限公司。由无限责任股东组成的公司。股东除对公司有一定的出资义务外,还须对公司债权人负担直接的无限责任,而且各股东之间又是连带负责的。与“有限责任公司”相对。

【无可奈何花落去】宋晏殊《浣溪沙》中的词句。形容美好的春光即将过去,感到无可奈何。后也泛指对事物没有办法的惆怅心情。

【无机非金属材料】除金属材料和高分子材料以外的几乎所有材料的统称。传统无机非金属材料指水泥、玻璃、陶瓷、耐火材料等,新型无机非金属材料包括结构陶瓷、功能陶瓷、半导体材料、非晶态材料、特种玻璃、晶体材料、复合材料等。

【无源之水,无本之木】没有源头的水,没有根的树。比喻没有基础的事物。源:水源。本:树根。

【无产阶级文化大革命】简称“文化大革命”。在社会主义条件下,以“无产阶级专政条件下继续革命”的理论为指导的,由中国共产党的最高领导人毛泽东亲自发动和领导的,并由党的中央委员会正式通过决定和公开号召全国人民参加的,以整“党内走资本主义道路当权派”为重点的,以“一个阶级推翻一个阶级”的形式进行全面夺权为主要内容的政治运动。开始于1966年5月,结束于1976年10月。在这场运动中,林彪、江青等人组成阴谋夺取最高权力的反革命集团,利用毛泽东的错误,进行大量祸国殃民的罪恶活动,党和国家各级领导干部成为被打倒的“走资派”“黑帮”“资产阶级司令部”等。这是一场由领导者错误发动,被反革命集团利用,给党、国家和各族人民带来严重灾难的内乱。

芜(蕪) wú ❶长满杂草。㊀荒～。❷杂乱；杂乱的东西。㊀～杂|去～存菁。

【芜杂】杂乱(多指文章)。

【芜菁】也叫蔓菁。二年生草本植物。块根肉质，白色或红色，扁球形或长形，叶子狭长，有大缺刻，花黄色。块根可食。

【芜秽】形容乱草丛生。

【芜湖】市名。位于安徽省东部，临长江，皖赣、宁铜、淮南铁路交会处。人口 49 万(1997 年)。是该省东南地区物资集散中心，长江沿岸重要口岸。

毋 wú 副词。不要。㊀～因小失大|宁缺～滥。

【毋宁】也作无宁。副词。不如。㊀与其说他聪明，～说他学习刻苦。

【毋庸】同“无庸”(1037 页)。

吾 wú 文言人称代词。我；我的。

郚 wú 见〔郚郚〕(959 页)。

唔 ㊀ wú 见〔咿唔〕(1158 页)。㊁ ńg (715 页)。

峿□ wú 峿山，山名，在山东安丘西南。

浯 wú 浯水，水名，在山东。

梧 wú 〔梧桐〕也叫青桐。落叶乔木。树干直，树皮绿色、平滑，叶大、柄长。常植于庭园及道路两旁。

铻(鋙) wú 见〔锟铻〕(573 页)。

鼯 wú 〔鼯鼠〕也叫大飞鼠。哺乳动物。前后肢间有宽而多毛的飞膜，能在树间滑翔。夜间活动。食树芽、果实等。是森林害兽。

吴 wú ❶周朝国名(？—前 473)。在今江苏、安徽、浙江一带，建都于吴(今江苏苏州)。公元前 473 年为越所灭。❷朝代名。1.三国之一(222—280)。孙权建立。在长江中下游和东南沿海一带，建都建业(今南京)，国号吴，也称孙吴或东吴。为晋所灭。2.十国之一(902—937)。杨行密建立。建都广陵(今江苏扬州)。为南唐所灭。

【吴起】(？—前 381)战国时期军事家。卫国人。善用兵。被楚悼王用为令尹，实行变法：整顿政治机构，裁减官吏，削减俸禄；实行耕战政策，重视军事。悼王死后，他被贵族杀害。

【吴越】十国之一(907—978)。钱镠建立。建都杭州。降于北宋。

【吴三桂】(1612—1678)明末清初扬州高邮(今属江苏)人。字长白，辽东(今辽宁辽阳)籍。明末任辽东总兵，镇守山海关。李自成起义军占领北京，招他归降，他反引清军入关，镇压起义军，被清封为平西王。1659 年进入云南。1662 年在昆明杀害南明永历帝，拥兵割据。1673 年发动武装叛乱，1678 年在衡州(今湖南衡阳)称帝，不久病死。

【吴玉章】(1878—1966)中国无产阶级革命家、教育家。原名永珊，号树人，四川荣县人。早年留学日本。1905 年参加同盟会。1911 年参加辛亥革命，1914 年赴法留学，1925 年加入中国共产党。后赴苏联，任莫斯科东方大学中国部主任。1938 年回国，为中国共产党六大、七大、八大中央委员。抗日战争、解放战争时期历任延安鲁迅艺术学院院长、延安大学校长、华北大学校长等职。1949 年后，历任中央社会主义学院院长、中国文字改革委员会书记、中国人民大学校长等职。1966 年在北京病逝。有《吴玉章历史文集》《吴玉章文字改革文集》。

【吴昌硕】(1844—1927)清末民初书画篆刻家。名俊卿，字昌硕，浙江安吉人。中年学画，师从任颐。擅长花卉，笔墨苍劲。书法圆熟精悍，篆刻浑朴古拙。

【吴佩孚】(1874—1939)直系军阀首领。字子玉，山东蓬莱人。1920 年在直皖战争中战胜皖系。1922 年第一次直奉战争中战胜奉系。次年，屠杀京汉铁路罢工工人，造成二七惨案。1924 年第二次直奉战争失败后南逃。1926 年在湖南、湖北一带被北伐军打垮，逃往四川。1931 年九·一八事变后回到北平。曾拒绝出任伪职。1939 年在北平病死。

【吴承恩】(约 1500—约 1582)明代小说家。字汝忠，号射阳山人，淮安山阳(今江苏淮安)人。因仕途坎坷，晚年专心著作，曾流寓南京，以卖文为生。在前人作品及民间传说基础上创造了富于浪漫色彩的长篇神话小说《西游记》。诗文清雅流丽，表现出对当时现实的不满。有《射阳先生存稿》。

W

【吴哥寺】著名佛教庙宇。建于1112—1201年。在柬埔寨。总面积4万平方米，用砂岩石筑成。西墙有一门楼，上设三塔。主殿设三层台基，每层边缘均设石砌回廊，转角处设亭子。台上有金刚宝座塔，象征佛教的宇宙形制，主塔轮廓曲线柔和，饰有莲花图案浮雕，人物情态温柔乐观，表现出理想主义和人性化。

【吴敬梓】（1701—1754）清代小说家。字敏轩，一字文木，安徽全椒人。出身官僚地主家庭，但对功名冷淡。晚年生活贫困。著有讽刺小说《儒林外史》，另有《文木山房集》。

W

【吴道子】（8世纪初）唐代画家。阳翟（今河南禹县）人。擅长画宫殿寺庙壁画。所画人物线条流畅有力，衣带飘举，被后人称为“吴带当风”。

【吴牛喘月】据说江浙一带的水牛害怕酷热，见到月亮也以为是太阳，因此发喘。《太平御览》卷四引《风俗通》：“吴牛望见月则喘，彼之苦于日，见月怖喘矣。”后用以比喻因遇到类似的事物而胆怯。也借指天气酷热。

蜈 wú 〔蜈蚣〕环节动物。躯干由多数体节构成，每节有足一对。头部的足像钩子，有毒腺，能分泌毒液。以小虫为食。可入药。

鹀（鵐） wú 鸟类。似麻雀，善鸣叫。食种子和昆虫。

wǔ ㄨˇ

五 wǔ ❶数目。四加一的和。❷工尺谱记音符号之一。相当于简谱的“6”。

【五内】即“五脏”（1043页）。

【五代】见〔五代十国〕（1044页）。

【五刑】中国古代五种轻重不等的刑罚。通常指殷周时期的墨（刺刻面、额，染以黑色）、劓（yì，割鼻）、剕（fèi，割脚）、宫（阉割生殖器）、大辟（处死）等五种刑罚。也指隋代至清代的笞（chī，以小荆条或小竹板责打）、杖（以大荆条或大竹板责打）、徒（强制在一定监禁期内服苦役）、流（解送边远地方服苦役）、死等五种刑罚。

【五伦】中国古代指君臣、父子、兄弟、夫妇、朋友五种伦理关系。

【五行】指水、火、木、金、土五种物质。古代唯物主义思想家认为这五种基本物质是构成万物的元素，称为五行。战国时代，“五行相生”“五行相胜”说颇为流行。“相生”指相互促进，如“木生火，火生土，土生金，金生水，水生木”；“相胜”即“相克”，指互相排斥，如“水胜火，火胜金，金胜木，木胜土，土胜水”。这些观点具有自发辩证法因素，对中国古代天文、历数、医学等的发展起了一定的作用。

【五更】旧时把从傍晚到天快亮的时间分为五个更时。五更就是最后一个更时。㊀起～，睡半夜。

【五谷】五种谷物。通常指稻、黍（shǔ）、稷（jì）、麦、豆。也泛指粮食或粮食作物。

【五辛】即“五荤”（1042页）。

【五味】指甜、酸、苦、辣、咸五种味道。泛指各种味道。

【五岭】南岭中越城岭、都庞岭、萌渚（zhǔ）岭、骑田岭、大庾（yǔ）岭的合称。

【五岳】东岳泰山、南岳衡山、西岳华山、北岳恒山、中岳嵩（sōng）山的合称。

【五金】指金、银、铜、铁、锡五种金属。泛指金属或金属制品。

【五官】❶通常指眼、耳、鼻、口、舌。一说指眼、耳、鼻、口、身。❷古代的五种官职，即司徒、司马、司空、司士、司寇。

【五经】指《诗》《书》《易》《礼》《春秋》等五部儒家著作。汉以后称为五经。

【五毒】❶指蝎、蛇、蜈蚣、壁虎、蟾蜍五种动物。旧俗端午节在床下墙角洒雄黄水祛五毒。❷指中国资本主义工商业的社会主义改造初期，资本家在其经营中的五种违法行为。即行贿、偷税漏税、盗窃国家资财、偷工减料和盗窃国家经济情报。1952年开展的“五反”运动就是反对这五毒的。

【五带】地球表面因获得太阳光、热的不同而分为热带、北温带、南温带、北寒带、南寒带，合称五带。

【五荤】也叫五辛。一般指宗教信仰者忌讳食用的五种气味浓烈的蔬菜。如佛家忌大蒜、小蒜、兴渠（根似萝卜，味似蒜）、慈葱、茖葱。道家忌韭菜、薤、蒜、芸薹、胡荽。

【五胡】中国古代居住在北方和西北地区的五个少数民族。即匈奴、鲜卑、羯、氐、羌。

【五香】烹调用的茴香、花椒、大料、桂皮、丁香等五种香料。

【五保】中国农村实行的一种社会保险。对缺乏劳动力、生活没有依靠的老弱孤寡和病残农民在生活上给予物质保障。指保吃、保穿、保烧(燃料)、保教(儿童和少年)、保葬。

【五音】❶中国五声音阶中的宫、商、角、徵(zhǐ)、羽五个音阶,相当于简谱中的1、2、3、5、6。❷音韵学指按发音部位所划分的唇音、舌音、齿音、牙音、喉音。

【五帝】古代传说中的五个帝王。中国原始社会末期部落或部落联盟的首领。五帝说法不一,一般以黄帝、颛顼(zhuānxū)、帝喾(kù)、尧、舜为五帝。

【五洋】过去把全球海水分为五大洋,即太平洋、大西洋、印度洋、北冰洋和南冰洋。后来发现南冰洋是陆地,实际地球上只有四大洋。

【五爱】指爱祖国、爱人民、爱劳动、爱科学、爱社会主义。1949年公布的《中国人民政治协商会议共同纲领》,曾把爱祖国、爱人民、爱劳动、爱科学、爱护公共财物规定为中华人民共和国全体公民的公德。1982年通过的《中华人民共和国宪法》,把其中的“爱护公共财物”改为“爱社会主义”。

【五脏】也叫五内。参见〔脏腑〕(1226页)。

【五陵】汉元帝以前,西汉皇帝每筑一陵,要设一个陵县,将王孙豪富迁去。西汉高祖长陵、惠帝安陵、景帝阳陵、武帝茂陵、昭帝平陵,都在渭水北岸今兴平市东北至咸阳市附近塬上,合称五陵,又称五陵塬。

【五彩】青、黄、赤、白、黑五种颜色。泛指多种颜色。

【五湖】一般称洞庭湖、鄱阳湖、太湖、巢湖、洪泽湖为五湖。

【五子棋】也叫连珠。娱乐项目之一。棋盘纵横各15道线,构成225个交叉点。两人对局,分为黑方和白方。黑子113枚,白子112枚。按规定的走法轮流在棋盘上布放棋子,黑方先行,第一着必须落在棋盘中央的“天元”上,以先在纵线、横线或斜线上连成五子或白方连成五子以上为胜。

【五台山】中国佛教四大名山之一。位于山西省东北部。五峰耸立,峰顶平缓,主峰北台顶海拔3 058米。多名胜古迹。

【五羊城】简称羊城。广州的别称。传说古有五仙人乘五色羊执六穗秬至此。后州厅上绘有五仙人和五羊像,称广州为五羊城。一说战国时广州属楚地,南海人高固任楚相,有五羊衔谷至其庭,以为祥瑞,因以为地名。

【五味子】多年生木质藤本植物。有数种。浆果深红色或暗蓝色,成穗状。可供药用。有兴奋强壮作用,治神经衰弱等。

【五线谱】音乐的一种记谱法。由五条平行横线组成。两线之间叫间,音符记在线、间上表示音的高低。如需要记五线以外更高或更低的音,可在五线上下加短横线。

【五保户】中国农村中享受保吃、保穿、保烧、保教和保葬待遇的农户。

【五倍子】在盐肤木树叶上由五倍子蚜虫寄生而成的虫瘿。是化工原料,也可入药。

【五铢钱】汉武帝时开始使用的一种货币。用铜铸成,重五铢。三国至隋都有五铢钱,到唐高祖时废止。

【五禽戏】古代体育锻炼的一种方法。由汉末华佗创编。模仿虎、鹿、熊、猿、鸟的动作和姿态进行肢体活动,以增强体质、防治疾病。

【五粮液】中国名酒之一。产于四川宜宾。以红高粱、糯米、大米、小麦、玉米五种粮食为原料制成。酒味醇厚,柔和甘美,无强烈刺激,属浓香型大曲酒。

【五七干校】“文化大革命”中在“左”的思想指导下对党政机关干部进行劳动改造的场所。毛泽东1966年5月7日给林彪写信,提出各行各业以本业为主,兼学工、学农、学军,同时坚持批判资产阶级。指示发布后,全国各地办起各种形式的五七干校,大批干部、教师和科研人员被下放到农村,参加体力劳动。

【五大连池】❶由五个相连的火山堰塞湖组成的湖。位于黑龙江省西部。是著名的风景名胜区。❷市名。为五大连池旅游而设。

【五口通商】1842年英国强迫清政府签订的不平等的《南京条约》中,规定开放广州、福州、厦门、宁波、上海为通商口岸,故名。

【五马分尸】车裂的俗称。

【五卅运动】中国人民在中国共产党领导下进行的反帝爱国运动。1925年5月间,青岛、上海各地日本纱厂先后发生工人罢工斗争,遭到日本帝国主义及北洋军阀的镇压。15日,上海日本纱厂资本家枪杀工人顾正红,打伤工人十余人。30日,上海学生两千余人在公共租界宣传,声援工人,号召收回租界,随后集合群众万余人,在英租界巡捕房门前高呼“打倒帝国主义”等口号,英帝国主义巡捕当即开枪屠杀,死伤数十人,造成震惊全国的五卅惨案。这一事件引起全国人民的公愤,各地举行游行示威、罢工、罢课和罢市,形成大规模的反帝爱国运动。揭开了大革命高潮的序幕。

【五方杂处】形容某地的居民复杂,从什么地方来的人都有。处(chǔ)。

【五斗米道】也叫天师道。道教各派中创立最早的一派(即正一道)。因入道者须出五斗米,故名。道教徒尊称创立者张道陵为天师,故又名天师道。

【五四运动】中国人民彻底地反帝反封建的爱国运动。1919年5月4日,北京五千多名爱国学生在天安门前集会,并举行示威游行,反对北洋政府准备在损害中国主权的《凡尔赛和约》上签字,要求"外争国权,内惩国贼"。示威的学生遭到镇压,全国学生纷起声援。6月3日,北洋政府又大批逮捕学生,激起全国人民的愤怒。上海、天津、南京等地工人举行了中国历史上空前规模的罢工和游行示威,全国各重要城市也纷纷罢市,形成全国规模的爱国运动。迫使北洋军阀政府罢免了曹汝霖、章宗祥、陆宗舆职务,释放了被捕学生,拒绝在和约上签字。运动取得了胜利。这次运动促进了马列主义在中国的传播,在思想上、干部上为中国共产党的建立作了准备,标志着中国新民主主义革命的开端。

【五代十国】唐以后,在中国北方大部地区先后建立政权的有后梁、后唐、后晋、后汉、后周,史称五代(907—960)。同时,在南方和山西地区先后建立了吴、南唐、吴越、楚、闽、南汉、前蜀、后蜀、南平、北汉等政权,史称十国(902—979)。

【五光十色】形容色泽鲜艳,花样繁多。南朝梁江淹《丽色赋》:"五光徘徊,十色陆离。"

【五讲四美】1981年2月25日,中华全国总工会、共青团中央、全国妇联等九个单位联合倡议在全国开展文明礼貌活动的内容。五讲是讲文明、讲礼貌、讲卫生、讲秩序、讲道德。四美是心灵美、语言美、行为美、环境美。

【五声音阶】在八度内由音高不同的五个音组成的音阶。中国独特的由宫、商、角、徵、羽(即1、2、3、5、6)组成的音阶即五声音阶。

【五体投地】两手、两膝和头一起着地。这是佛教最恭敬的行礼仪式。比喻佩服到了极点(现多含有诙谐或讽刺的意味)。

【五谷丰登】五谷丰收。泛指粮食丰收。登:庄稼成熟。

【五角大楼】美国国防部的办公大楼。在华盛顿近郊,是一座五角形的建筑物,故名。常用作美国国防部的代称。

【五黄六月】指农历五月、六月间天气炎热的时候。

【五彩缤纷】指颜色繁多,非常好看。

【五短身材】指人的四肢和躯干都很短小,身量矮。

【五湖四海】指全国各地。有时也指世界各地。

【五·一六通知】1966年5月16日发出的《中国共产党中央委员会通知》的简称。它是中共中央政治局通过的指导"文化大革命"的纲领性文件,集中反映了毛泽东对形势和党内矛盾的错误看法。《通知》宣布撤销《二月提纲》,设立"文化革命小组",隶属于政治局常委。逐条批判了《二月提纲》的"错误",提出了一整套"左"的理论、路线、方针、政策。提出要夺取文化领域中的领导权,批判党、政、军、文各界的"一大批""资产阶级代表人物"。通知的发布,是"文化大革命"全面发动的标志。

【五四青年节】中国革命青年团结战斗的节日。1939年五四运动二十周年时,陕甘宁边区西北青年救国联合会为继承和发扬五四运动的革命传统,规定以5月4日为中国青年节。1949年12月中央人民政府政务院正式公布以5月4日为中国青年节。

【五十步笑百步】作战时,一个逃跑了五十步的人讥笑另一个逃跑了一百步的。比喻双方的缺点、错误只有程度轻重之分,并无本质上的不同。《孟子·梁惠王上》:"兵刃既接,弃甲曳兵而走,或百步而后止,或五十步而后止,以五十步笑百步,则何如?"

【五项全能运动】田径运动中全能运动项目之一。女子项目可分两天或一天进行,比赛的顺序是,第一天100米跨栏、推铅球、跳高,第二天跳远、100米跑。男子项目一天赛完,比赛的顺序是:跳远、掷标枪、200米跑、掷铁饼、1 500米跑。

【五一国际劳动节】简称五一节、劳动节。全世界无产阶级和劳动人民团结战斗的节日。1886年5月1日,美国芝加哥等城市35万工人举行罢工和游行示威,要求改善劳动条件,实行八小时工作制,罢工取得胜利。为纪念美国工人的这次罢工斗争,

1889年召开的第二国际成立大会上，决定以象征工人阶级团结、斗争、胜利的5月1日为国际劳动节。

【五台山寺庙音乐】五台山寺庙的佛教音乐。分青庙（汉语系佛教）音乐和黄庙（藏语系佛教）音乐。保留了大量唐宋以来的传统曲目及山西地方民间音乐。

伍 wǔ ❶古代军队编制单位。五个人为一伍。现泛指军队。例入～。❷一伙。例相与为～。❸数目"五"的大写。多用于票证、账目等。

捂 wǔ 遮盖住或封闭起来。

牾 wǔ 抵触；违背。例抵～。

午 wǔ ❶地支的第七位。❷午时，旧式记时法，相当于十一点到十三点。❸日中的时候（十二点）。

【午门】古代紫禁城的正门。在今北京天安门北。明永乐时建，清顺治时重修。

【午夜】夜半。

仵 wǔ〔仵作〕旧时官府中检验命案死尸的人。

迕 wǔ ❶相遇。例相～。❷违背；不顺从。例违～。

忤（*啎） wǔ 违背；不顺从。

【忤逆】对父母不孝顺。

啎☒ wǔ "忤"的异体字。

庑（廡） wǔ ❶古代正房对面和两侧的屋子。❷大屋。例～殿。

【庑殿顶】中国传统木构建筑屋顶形式的一种。在建筑等级制度中为最高等级的屋顶形式。屋顶四面成柔和曲面，共有五条脊，俗称五脊殿。有单檐、重檐之分。用于重要的宫殿，如紫禁城中太和殿的屋顶。

沅□（潕） wǔ 沅水，水名，发源于贵州，流入湖南。

怃（憮） wǔ ❶爱怜。❷失意的样子。例～然。

妩（嫵） wǔ〔妩媚〕姿态美好。

膴☒（膴） ㊁ wǔ〔膴膴〕（土地）肥美。

㊀ hū（406页）。

武 wǔ ❶关于军事和技击的。与"文"相对。例～器｜～力｜～术。❷勇猛；猛烈。例威～｜～火。❸半步。泛指脚步。例步～。❹相传是古代歌颂周武王的乐舞。

【武夫】❶有勇力的人。❷旧指军人（含贬义）。

【武艺】指在武术方面的技艺。也指掌握军事技术方面的本领。

【武丑】也叫开口跳。传统戏曲中丑角的一种。扮演有武艺而性格滑稽的人物，偏重武工。

【武打】指戏曲、影视中表演性的打斗。例～场面｜～片。

【武术】中国传统体育项目之一。以技击动作为主要内容，以套路和格斗为运动形式，动作带有攻、防性质，注重内外兼修。是锻炼身体的一种方法。

【武旦】传统戏曲中旦角的一种。扮演有武艺的妇女，偏重武工。

【武生】传统戏曲中的行当。扮演勇武的男子，偏重武打。分长靠武生和短打武生两种。

【武林】浙江杭州的别称。以武林山（即今杭州西灵隐、天竺诸山）得名。

【武松】《水浒传》中的人物。曾在景阳岗打虎除害而闻名，见义勇为，刚烈英武，同邪恶势力进行坚决的斗争。民间常用作勇猛刚烈、不畏强暴的青年的代称。

【武昌】见〔武汉市〕（1046页）。

【武庙】供奉关羽的庙。也指关羽、岳飞合祀的庙。

【武官】❶军事方面的官员。❷使馆中负责与驻在国军事部门进行联系和交涉的外交官。通常由一国军事部门派出。有陆军武官、海军武官、空军武官。武官享有外交特权与豁免。

【武职】武官的职务。

【武断】没有充分根据，只凭主观来判断。

【武装】❶军事装备；军事力量。❷用武器来装备。例这是一支用现代化装备～起来的人民军队。❸喻指用科学理论来充实。例用科学知识～头脑。

【武器】❶也叫兵器。直接用于杀伤敌人有生力量和破坏敌方设施的器械、装置。古代有刀、矛、剑、戟、弓、箭等。13世纪出现了枪炮，20世纪以来，相继出现了化学、生物（细菌）武器和火箭、导弹、核武器等。❷

比喻进行斗争的工具。㊀思想～|石油～。
【武士道】日本封建时代当权的武士阶层内部的道德规范。兴起于镰仓幕府(1192—1333)建立的前后,主张忠君、节义、勇武、坚忍等。后成为日本军国主义的精神支柱。
【武工队】武装工作队的简称。抗日战争时期,在中国共产党领导下,深入敌占区开展军事、政治、经济、文化斗争的一种精干的武装组织。由军队干部、战士和地方干部等组成。其任务是发动与组织群众,建立与恢复党的组织,建立秘密的人民政权,运用各种斗争方式,打击与瓦解敌军,摧毁伪组织和伪政权,配合根据地的对敌斗争,使敌占区逐步变为根据地。
【武汉市】湖北省会。位于汉水与长江汇流处。由武昌、汉口、汉阳三镇合并而成。人口388万(1997年)。京广铁路经此与汉丹、武大铁路相交。是全省政治、经济、文化和交通中心,又是长江中游水陆交通枢纽和中南地区最大的工业基地,钢铁、机械制造、造船等工业都很发达。风景名胜有东湖、黄鹤楼、归元寺、古琴台等。
【武夷山】❶中国名山。位于福建、江西两省交界处,东北—西南走向,为赣江、闽江的分水岭。主峰黄岗山海拔2 158米。❷市名。位于福建省西北部。境内武夷山风景区,山水风景俱佳。
【武当山】中国道教名山。位于湖北省西北部。主峰天柱峰海拔1 612米。峰奇谷险。多名胜古迹。
【武则天】(624—705)即武后。名曌(zhào),并州文水(今山西文水东)人。唐太宗才人,继为唐高宗皇后,参预朝政。高宗死后,她废中宗、睿宗,公元690年自立为圣神皇帝,改唐为周。执政期间,上承贞观,下启开元。改革科举制度,抑制士族地主势力,社会经济有所发展。派兵抵御突厥、吐蕃骚扰,收复安西四镇。但她提倡佛教,大修庙宇,加重了人民的负担,加剧了社会矛盾。公元705年患病后,大臣张柬之等拥中宗复位,复唐国号。
【武陵源】位于湖南省西北部。包括张家界、索溪峪、天子山三个风景区。
【武士债券】外国发行者在日本国内发行的以日圆计值的中长期债券。
【武昌起义】资产阶级领导的武装起义。1911年保路运动高涨,湖北资产阶级革命团体文学社、共进会在同盟会的推动下,成立统一领导机构,组织起义。10月10日占领武昌,发表宣言,各省纷纷响应,革命形势迅猛发展,形成全国规模的辛亥革命。
【武汉国民政府】1926年7月广东国民政府出师北伐,11月决定迁都武汉。1927年1月1日国民政府以武汉为首都并开始执行职权,通称武汉国民政府。蒋介石发动四·一二反革命政变后,在南京建立了"国民政府",7月15日汪精卫公开叛变革命,和南京"国民政府"合流,即宁汉合流。
【武装警察部队】简称武警部队。主要担负国内安全保卫任务的武装组织。中国人民武装警察部队是中华人民共和国武装力量的组成部分,其使命是维护国家主权和尊严,维护社会治安,保护国家重要目标和人民生命财产安全等。由内卫、边防、消防部队,以及交通、水电、黄金、森林等警察部队组成。

珷⊠　wǔ〔珷玞〕也作碔砆。像玉的石头。

鹉(鵡)　wǔ　见〔鹦鹉〕(1183页)。

碔⊠　wǔ〔碔砆〕同"珷玞"(1046页)。

侮　wǔ　欺负;轻慢。㊀外～|御～。

【侮辱】欺负;羞辱。
【侮慢】欺侮轻慢。
【侮辱罪】行为人以暴力或其他方法公然侮辱他人,情节严重的犯罪行为。

舞　wǔ　❶舞蹈。㊀跳～|芭蕾～。❷挥动;挥舞。㊀手～足蹈|～剑。❸耍;弄。㊀～弊|～法。

【舞台】❶表演歌舞、戏剧等的台子。❷比喻活动的场所。㊀历史～|政治～。
【舞曲】专门为舞蹈写作的乐曲。有时也脱离舞蹈而单纯欣赏舞曲音乐。
【舞美】舞台美术的简称。
【舞剧】综合音乐、哑剧等艺术,以舞蹈为主要表现手段的戏剧形式。
【舞弊】用欺骗的方式做违法乱纪的事情。
【舞蹈】以经过提炼、组织和艺术加工过的有节奏的人体动作和造型来表现人的思想感情,反映社会生活的一种艺术形式。起源于劳动。
【舞龙灯】中国民间舞蹈。历史悠久,汉代

已有舞龙求雨风俗。用布或纸做成龙形的灯,灯架由许多节构成,每节下面有一根木棍儿。舞时表演者手持木棍儿,众人同时舞动,用锣鼓配合。

【舞文弄墨】也说舞弄文墨。❶玩弄文字技巧。❷歪曲、利用法律条文来作弊。《隋书·王充传》:“明习法令,而舞弄文墨,高下其心。”舞、弄:玩弄。

【舞台美术】简称舞美。戏剧艺术的组成部分。包括布景、灯光、服装、化装、道具等。

儛⊠ wǔ ❶同“舞”。❷〔朝儛〕古山名。在山东。

wù ㄨˋ

兀 ㊀ wù ❶高而上平;高高突起。❷形容山秃。泛指秃。㊄～鹫。

㊁ wū (1034页)。

【兀术】(?—1148)即完颜宗弼。金军将领。曾参与灭辽战争,又率军攻宋。1140年其铁塔兵、拐子马在河南郾城为岳飞所破。1141年参与金和南宋的“绍兴和议”,因功封为太师。术(zhú)。

【兀立】直立。

【兀自】副词。仍然;还(多见于早期白话)。

【兀傲】倔强孤傲。

【兀鹫】鸟类。体长0.9—1.2米。头和颈部羽毛全部退化而裸露,翼宽大有力。喙较扁,爪欠锋利,不能活捉猎物。栖息于山野。常盘旋高空觅食地面大动物的尸体。分布于中国西北山区。

阢 wù〔阢陧〕危险和不安的样子。陧(niè)。

扤⊠ wù 撼动。

屼⊠ wù 山秃的样子。

杌 wù〔杌凳〕一种小凳。

卼⊠ wù 见〔鯢卼〕(721页)。

靰 wù〔靰鞡〕同“乌拉”(1048页)。

勿 wù 副词。不要。㊄～攀折花木|请～喧哗。

芴 wù ❶一年生草本植物。花淡紫色,可供观赏。嫩叶茎可食,种子可榨油。产于中国北部和中部。❷有机化合物,分子式 $C_{13}H_{10}$。白色片状晶体。可制染料、杀虫剂等。

物 wù ❶东西。㊄货～|万～。❷内容。㊄言之有～。❸人;众人。㊄待人接～|～望所归。

【物议】众人的批评。

【物权】权利人在法定范围内,直接支配一定的物并排斥他人干涉的权利。与债权共同构成民法上的财产权制度。分自物权与他物权、用益物权与担保物权等。

【物价】泛指商品的价格。

【物色】原指形貌。引申为按一定的标准去挑选。㊄～人才。

【物产】泛指一地或一个国家出产的物品。

【物证】以物品的外形、特征、数量、质量、规格和痕迹证明案件事实的部分或全部的证据。

【物质】❶哲学范畴。指不依赖于人们的意识而存在,又能为人们的意识所反映的客观实在。运动是物质的根本属性。时间和空间是运动着的物质的存在形式。自然界和社会中千差万别的事物,都是物质的不同表现形态。物质既不能被创造,也不能被消灭,只能在一定的条件下从一种形态转化为另一种形态。❷特指金钱、生活资料等。㊄～生活。

【物故】指人死亡。

【物种】简称种。生物分类系统中的基本单位。在属之下。是具有一定的形态特征、生理特征和自然分布地区的生物类群。已知的动物有100多万种,植物有30多万种。

【物候】生物的周期性现象(如植物的发芽、开花、结实,候鸟的迁徙,某些动物的冬眠等)与气候的关系。

【物资】用于生产上、生活上的物质资料。

【物镜】显微镜、望远镜、摄影机等光学仪器中面对着被观察物体的透镜或透镜组。

【物质波】即“德布罗意波”(187页)。

【物理学】以实验为基础,研究物质运动最基本、最一般的规律和物质的基本结构,以及它们的应用的科学。机械运动、电磁运动、原子运动等都是物理学的研究内容。是许多自然科学和生产技术的基础。

【物理量】用来定量描述物理现象的量。少数几个可以看作相互独立的物理量,叫做基本物理量,简称基本量。其他可由基本量导出的物理量,叫做导出物理量,简称导出量。在国际单位制中,以长度、质量、时间、电流、热力学温度、物质的量和发光强度为基本量,其他量为导出量。

【物力维艰】指财物来之不易。清朱柏庐《治家格言》:"一粥一饭,当思来处不易;半丝半缕,恒念物力维艰。"物力:东西,钱财。维:是。艰:困难。

【物化劳动】也叫死劳动。凝结在产品中的人类劳动。与"活劳动"相对。人们进行生产,一方面要支出活劳动,另一方面要消耗生产资料,即消耗物化劳动。在商品生产中,物化劳动形成的旧价值是由劳动者的活劳动转移到产品中去的。

W

【物以类聚】《周易·系辞上》:"方以类聚,物以群分。"意思是同类的东西聚在一起。后用"物以类聚"比喻坏人彼此臭味相投,勾结在一起。

【物业管理】对产业进行管理。特指由专门机构对居民区的房屋、供电、供水、供暖、供气以及绿化、卫生、安全等进行统一管理。

【物伤其类】因同类遭到不幸而感到悲伤。

【物价指数】也叫商品价格指数。指反映不同时期物价水平变动的趋势和程度的数字。通常以百分数表示。它是研究物价动态的主要参考资料。通常有批发物价指数、零售物价指数、居民生活费用指数和农产品收购价格指数等。

【物华天宝】各种珍贵的宝物。唐王勃《滕王阁序》:"物华天宝,龙光射牛斗之墟。"物华:万物的精华。天宝:天然的宝物。

【物尽其用】尽量发挥出各种东西的效用。指不浪费一点东西。

【物极必反】事物发展到极点就会向相反的方面转化。《鹖冠子·环流》:"物极则反,命曰环流。"极:顶点。反:走向反面。

【物物交换】货币产生以前以物易物的交换形式。出现在原始公社后期,是商品交换的最初形式。随着商品生产的发展,逐渐被以货币为媒介的商品交换所代替。以物易物与易货贸易是不同的。

【物阜民安】物产丰富,人民安乐。明冯梦龙《东周列国志》第一回:"真个文修武偃,物阜民安。"阜:盛多,丰富。

【物质利益】人们从事生产和其他活动在经济上得到的利益。

【物质的量】表示含有一定数目粒子的集体。单位是摩尔。物质的量是分子或其他基本单元数与阿伏加德罗常数之比。

【物质结构】物质内部各部分的结合、组织和构造。原子结构研究原子核的组成及核外电子的运动状态等。分子结构研究原子之间如何结合形成离子化合物或共价化合物。

【物种起源】书名。进化论的经典著作。达尔文著,1859 年出版。它以自然选择理论为中心,论证了生物进化的发展规律,提出了生物进化学说,给特创论、物种不变论等各种唯心论以有力打击。

【物换星移】景物变化,星辰移位。形容时序变迁。唐王勃《滕王阁》诗:"物换星移几度秋。"

【物理变化】物质变化的一种类型。变化时,物质的形态发生改变,而化学组成、性质、特征都不改变。如液体蒸发变成气体或凝成固体。

【物理性质】物质的某种性质改变时,不牵涉到物质分子(或晶体)化学组成的改变,这种性质叫做物理性质。

【物价总水平】一定时期内各类商品价格变动程度的平均状态或综合反映。

【物质不灭定律】即"质量守恒定律"(1270页)。

【物质的量浓度】也叫浓度。以单位体积溶液里所含溶质的物质的量来表示的溶液组成的物理量。常用单位是摩/升或摩/米^3。物质的量浓度等于物质的量与溶液体积之比。

乌(烏)

㊁ wù 见下。 ㊀ wū(1034 页)。

【乌拉】也作靰鞡。中国东北地区冬天穿的一种鞋。是用皮革做的,里面垫着乌拉草。

【乌拉草】多年生草本植物。产于中国东北。常成片生长在沼泽地上。茎叶纤维坚韧耐久,是制人造棉、纤维板的材料。

坞(塢 *隖)

wù ❶防卫用的小堡。❷地势四周高而中间凹的地方。㊣村～|山～。❸在水边建筑的停船或修建船只的处所。㊣船～。

戊

wù 天干的第五位。现常用来表示顺序的第五。

【戊戌变法】1898 年(光绪二十四年,干支纪年戊戌)资产阶级改良派代表人物康有为、梁启超等发动的变法维新运动。光绪皇帝接受其变法主张,从 6 月 11 日到 9 月 21 日颁布许多变法法令。主要内容有:裁减绿营兵;废除八股文;设立学堂;提倡商办工业等。以慈禧太后为首的封建顽固势力坚决反对,9月21日发动政变,囚禁光绪帝,撤销变法法令,逮捕维新派,谭嗣同等六人被杀害,康、梁逃往日本,变法失败。因自颁布维新诏令起到变法失败止,共一百零三天,故又名百日维新。

【戊戌六君子】1898年9月戊戌变法失败,以慈禧太后为首的封建顽固势力将维新派谭嗣同、林旭、杨锐、刘光第、杨深秀、康广仁六人杀害。史称这六人为"戊戌六君子"。

务(務)

wù ❶事情。㊀事～|公～。❷从事。㊀～农。❸一定;必须。㊀～须|除恶～尽。

【务实】❶指研究、讨论或做某项具体工作。❷讲究实际,不作表面文章。

【务虚】在研究和处理问题时,先从政治上、理论上进行讨论,以取得正确的认识。

雾(霧)

wù ❶气温下降时,空气中所含的水蒸气凝结成的小水点,飘浮在地面上。❷像雾的东西。㊀喷～器。

【雾凇】通称树挂。在有雾的寒冷天气里,雾滴冻结附着在树木和其他物体迎风面上的疏松冻结层。

【雾里看花】比喻老眼昏花、模糊不清。唐杜甫《小寒食舟中作》诗:"春水船如天上坐,老年花似雾中看。"后比喻看不清事物的本质。

【雾月十八日政变】拿破仑·波拿巴发动的一场推翻法国督政府的军事政变。因这次政变发生于法国新历共和七年雾月十八日(1799年11月9日),故名。

误(誤)

wù ❶错。㊀～解|笔～。❷耽误。㊀～点|～事。❸使受害。㊀～人不浅。❹不是故意的。㊀～伤。

【误会】❶误解。❷因误解而产生的纠纷、冲突。

【误差】也叫绝对误差。一个量的准确值与它的近似值之间的差。绝对误差与近似值的比称为相对误差。误差的大小反映了实验、观察、测量和近似计算等所得结果的精确程度。

【误解】理解得不正确,不符合原意。

悮

☒ wù 同"误"。

恶(惡)

㊂ wù 讨厌;憎恨。㊀厌～|深～痛绝。

㊀ è(242页)。

㊁ ě(241页)。

㊃ wū(1036页)。

【恶寒】❶厌恶寒冷。㊀天不为人之～也辍冬。❷感到身体一阵一阵发冷。

悟

wù 领会;明白;觉醒。㊀恍然大～|执迷不～。

【悟性】指人对事理的领悟能力。

晤

wù 见面。㊀会～|～谈。

焐

wù 接触热东西以取暖或使凉的东西变暖。㊀～～手|～酒。

痦

wù 〔痦子〕皮肤上微微突起的黑痣。参见"痣"(1268页)。

寤

wù 睡醒。

婺

wù 用于地名,如婺源(在江西)、婺川(在贵州)。

骛(鶩)

wù ❶奔驰;乱跑。㊀驰～。❷同"务"②。㊀外～|好高～远。

鹜(鶩)

wù 鸭子。㊀趋之若～。

鋈

wù ❶白铜。❷镀。

X ㄒ

xī ㄒㄧ

夕 xī ❶日落的时候；傍晚。例～阳｜～烟袅袅。❷晚上；夜。例前～｜作竟～谈。

【夕阳】❶傍晚的太阳。例～西下。❷日渐衰落的。例～产业。

【夕烟】黄昏时农村里的炊烟。

【夕照】傍晚阳光的照射。也指傍晚的阳光。

【夕阳工业】经过长期发展，产品及技术已进入成熟期或衰退期，市场在一国已经饱和或过剩的工业部门。

汐 xī 夜晚上涨的潮水。参见〔潮汐〕(114页)。

矽 xī 硅的旧称。

【矽肺】即硅肺。

穸 xī 见〔窀穸〕(1305页)。

兮 xī 文言助词。大体相当于现代汉语的"啊(a)"。例大风起～云飞扬。

扱⊠ xī 敛取。

吸 xī ❶通过鼻腔或口腔将气体引入体内。与"呼"相对。例～气。❷吸引。例～力。❸吸收。例～水｜～墨。

【吸引】把事物、力量或人的注意力转移到某一方面来。

【吸收】❶生物体把组织外部的物质吸到组织内部。如肠黏膜吸收养分，植物的根吸收水和无机盐。❷吸取；接纳。例～养分｜～入党。

【吸声】利用多孔、柔顺材料，或利用穿孔板、薄板共振结构，吸收声能，降低噪声。

【吸附】固体或液体表面对气体或溶质的吸着现象。在防毒、脱色、染色、催化等方面都起着重要作用。

【吸取】从中吸收；采取。例～经验教训。

【吸盘】❶乌贼、水蛭等动物身上的盘形器官。依靠它可以使动物身体附着在其他物件上。❷某些藤本植物卷须顶端所生的吸附器官。❸起重装卸作业中的专用取物装置。

【吸储】银行、信用社等吸收储蓄存款。

【吸血鬼】比喻靠剥削和压榨劳动人民血汗生活的人。

【吸热反应】化学反应过程中吸收热量的反应。

西 xī ❶方向。日落的一边。与"东"相对。❷西洋(指欧美)。

【西厂】官署名。明代负责侦缉和刑狱的特务机构。于1477年设置，由宦官直接管理。其人员权力超过东厂。后曾撤销。武宗时一度恢复，1512年后废止。

【西天】❶印度古称天竺，在中国西南方，为佛教发源地，所以佛教徒称印度为西天。❷极乐世界的俗称。

【西历】通称公历、阳历。现在国际上通用的历法。参见〔公历〕(326页)。

【西风】❶从西往东刮的风。❷指秋风。

【西方】❶西①。❷指欧美各国，有时特指西欧和北美等地区的资本主义国家。

【西北】一般包括陕西、甘肃、青海三省和宁夏、新疆两区。

【西汉】也叫前汉。朝代名。参见"汉"⑤(377页)。

【西皮】京剧、汉剧等皮黄声腔中所用的一种主要腔调。唱腔明快高亢，刚劲挺拔，适于表达欢乐、激越、奔放的感情。在湘剧、桂剧中，西皮也叫北路。

【西亚】指亚洲西南部地区。通常包括阿富汗、伊朗、土耳其、塞浦路斯、叙利亚、黎巴嫩、巴勒斯坦、以色列、约旦、伊拉克、科威特、沙特阿拉伯、也门、阿曼、阿拉伯联合酋长国、卡塔尔、巴林、格鲁吉亚、阿塞拜疆、亚美尼亚等国家和地区。

【西贡】越南胡志明市的旧称。

【西医】❶从欧美传入中国的现代医学。❷指西医大夫。

【西欧】狭义上指欧洲西部濒临大西洋的地区和附近岛屿。包括英国、爱尔兰、荷兰、比利时、卢森堡、法国和摩纳哥。广义上指东欧各国以外的欧洲国家。

【西非】指非洲西部地区。通常包括毛里塔尼亚、西撒哈拉、加那利群岛、马里、塞内加尔、冈比亚、布基纳法索、几内亚、几内亚比绍、佛得角、塞拉利昂、利比里亚、科特迪瓦、加纳、多哥、贝宁、尼日尔、尼日利亚等国家和地区。

【西京】❶西汉建都长安,东汉建都洛阳,故称长安为西京,洛阳为东京。❷五代、北宋时称洛阳为西京(称开封为东京)。辽、金时称大同为西京(称辽阳为东京)。

【西学】清代末期中国称欧美的自然科学和社会科学。

【西经】见〔经度〕(514 页)。

【西南】一般包括四川、云南、贵州三省,重庆市和西藏自治区。

【西施】春秋末期越国(今浙江一带)美女。越王勾践被吴王夫差打败后,西施被越王献给吴王。勾践灭吴后,传说与范蠡偕入五湖。

【西洋】❶指欧美各国。㊀～文学。❷古代对欧、美、西亚、北非各国的称呼。㊀三宝太监下～|～参。

【西晋】朝代名。参见"晋"②(512 页)。

【西夏】朝代名。11—13 世纪,党项族拓跋氏在今内蒙古、宁夏、陕西、甘肃一带建立大夏政权,因在宋之西,宋人称其为西夏。参见"夏"③(1064 页)。

【西席】旧指官吏用自己的名义请来帮助办事的人,或请的家庭教师(古代主位在东,客位在西,故名)。

【西域】古地名。汉以后对玉门关、阳关以西地区的总称。狭义上指今敦煌以西至新疆全区。广义上包括亚洲中西部、印度半岛、欧洲东部、非洲北部等地。

【西康】旧省名。1928 年设立,管辖区包括今四川省西部和西藏自治区东部。新中国成立后,先后分别划归四川省和西藏自治区。

【西崽】旧称欧美殖民主义者在中国开设的洋行、饭店中的男服务员(含轻蔑意)。

【西湖】中国风景区。位于浙江省杭州市。原是杭州湾的一部分,被泥沙堰塞后成湖。青山环抱,湖光山色,风景秀丽。湖滨多名胜古迹。

【西王母】也叫瑶池金母、王母娘娘。中国古代神话中的女神。传说住在昆仑山的瑶池。她园子里种有蟠桃,吃了能长生不老。

【西太后】即"慈禧太后"(150 页)。

【西凤酒】中国名酒之一。陕西凤翔柳林镇所产的最为著名。主要原料是高粱。用大麦、豌豆制曲酿造而成。属清香型大曲酒。

【西北军】抗日战争前国民党中由冯玉祥统辖的军队。因原多驻防在中国西北地区,故名。杨虎城是其中的重要将领。

【西兰花】通称绿菜花。二年生草本植物。是甘蓝的变种,原产意大利。叶子大,主茎顶端的花球绿色或紫绿色,可供食用。

【西半球】见〔东半球〕(219 页)。

【西宁市】青海省会。位于该省东北部湟水谷地。人口 60 万(1997 年)。兰青铁路、青藏铁路、青藏公路在此相接,扼青藏高原东北门户。是全省政治、经济、文化和交通中心。有冶金、机械制造、毛纺等工业。附近有塔尔寺、青海湖、鸟岛等名胜。

【西安市】古称长安。陕西省会。位于渭河平原中部。人口 226 万(1997 年)。陇海铁路经此,是中国西北联系内地各省的交通枢纽。为全省政治、经济、文化和交通中心。是以机械制造、纺织为主的工业城市。为中国古都之一,名胜古迹很多,其中以碑林、大雁塔、半坡遗址、华清池、秦陵兵马俑等最为著名。

【西柏坡】村名。在河北省平山县。1948 年 5 月至 1949 年 3 月是中国共产党中央委员会所在地。

【西洋画】中国近代对西方各种绘画的俗称。分油画、铅笔画、木炭画、水彩画、水粉画等。

【西洋参】多年生草本植物。外形像人参。原产于北美洲。根供药用。

【西洋景】❶也叫西洋镜。一种民间的游戏器具,匣子里装着画片儿,匣子上有放大镜,可以看放大的画面。因最初画片儿多是西洋画儿,故名。❷比喻借以骗人的拙劣可笑的伪装。㊀拆穿～。

【西陵峡】长江三峡之一。在湖北省,西起秭归县香溪,东至宜昌市南津关。长约 75 千米。分东西两段:西段自香溪至庙河,长约 18 千米;东段自南沱至南津关,长约 24 千米。庙河至南沱之间为宽谷,三峡大坝位于其间的三斗坪。

【西葫芦】一年生草本植物。茎矮或蔓生，有棱及棱沟。花单性，黄色，雌雄同株，单生。果长圆形，墨绿、黄白或绿白色，含糖及淀粉较少。可供食用。也指这种植物的果实。

【西雅图】美国城市。位于该国西北部，临太平洋。是美国主要飞机制造中心之一，波音公司总部设此。也是美国西部主要的海港、渔业基地和木材加工基地。港口陈列密苏里号战舰，二战结束时日本军国主义者在此舰签署投降书。

【西番莲】蔓生植物。有卷须。叶掌状，5—7深裂。夏季开花，花大，黄、红或淡红色，微香。可供观赏。

【西游记】长篇小说。明代吴承恩作。共一百回。书中叙述孙悟空闹天宫和护送唐僧往西天取经的故事，生动地塑造了神猴孙悟空的形象，曲折地反映了劳动人民对反动统治者坚决反抗的精神和征服自然、战胜困难的理想。对唐僧、猪八戒等形象的塑造也很有特色。作品想象奇特，结构完整，情节曲折，语言诙谐。

【西贝柳斯】耶安·西贝柳斯(1865—1957)芬兰作曲家，继格里格之后北欧民族乐派的重要代表人物。其作品的题材与风格大多与芬兰的历史、文化、民族精神和气质有深厚联系。代表作有交响诗《库勒沃》《传奇曲四首》(其中包括《图翁内拉的天鹅》)，音诗《芬兰颂》，《d小调小提琴协奏曲》，弦乐四重奏《亲密的声音》，《第四交响曲》《第七交响曲》等。他的创作对芬兰近代、现代音乐的发展影响很大。

【西西里岛】在地中海中，东北隔墨西拿海峡与亚平宁半岛相望。岛上的埃特纳火山海拔3 340米，是欧洲最高的活火山。属意大利。

【西安事变】也叫双十二事变。1936年以张学良为首的国民党东北军和以杨虎城为首的国民党十七路军为逼迫蒋介石抗日在西安发动的事变。张、杨二人因受红军和人民抗日运动的影响，接受中国共产党抗日民族统一战线政策，要求蒋介石联共抗日。蒋介石却亲至西安强令张、杨部队进攻红军。12月12日，张、杨扣留了蒋介石。中国共产党从全民族利益出发，主张和平解决这一事变，停止内战，一致抗日。周恩来、叶剑英等中共代表应张、杨电邀抵达西安，耐心说服有关各方，并同蒋介石进行了谈判，迫使蒋接受了停止内战、联共抗日的条件。西安事变的和平解决，为抗日民族统一战线的建立创造了条件，成为时局转变的关键。

【西安鼓乐】中国民间吹打乐的一种。流行于陕西西安地区。源于唐代。每年夏秋收获季节在庙会、香会上演奏。有行乐和坐乐两种演奏形式。乐器以笛为主，配以笙、管及多种打击乐器。保留乐曲有千余首，还有独立演奏的鼓曲百余首。

【西伯利亚】位于亚洲北部，北临北冰洋，在俄罗斯境内。面积约1 300万平方千米。西部为平原，中部多高原，东部为山地，气候寒冷，大陆性显著。林、矿资源丰富。

【西沙群岛】南海中四大群岛之一。由珊瑚岛、礁组成，以永兴岛最大。热带海洋资源丰富。属海南省。

【西奈半岛】在西亚，地中海和红海之间，东连阿拉伯半岛，西以苏伊士运河与非洲大陆为界。地形以高原为主，气候干燥。属埃及。

【西泠印社】中国研究篆刻的学术团体。在杭州孤山，因地近西泠桥而命名。近代吴昌硕是该社第一任社长。

【西夏王陵】中国古代党项羌人修建的西夏王国帝陵。位于宁夏回族自治区银川市西贺兰山东麓。有八座西夏帝王陵园和七十多座陪葬墓。现地面只剩建筑遗址，存有大量西夏文、汉文残碎碑刻。

【西楚霸王】即“项羽”(1077页)。

【西山会议派】中国国民党的极右集团。1925年11月国民党右派邹鲁、居正、林森等十余人在北京西山碧云寺举行会议，故名。他们反对孙中山的联俄、联共、扶助农工三大政策，反对国共合作，并在上海、北京等地建立组织，进行反苏反共活动。1927年与蒋介石反动集团合流。

【西印度群岛】在大西洋、墨西哥湾和加勒比海之间。包括大安的列斯、小安的列斯和巴哈马三个群岛及其他岛屿。15世纪末，意大利航海家哥伦布的船队到达这里，误认为是印度，后来发现了这个错误，人们便称这里为西印度群岛。属北美洲。

【西西里起义】1860年发生在意大利西西里的农民起义。在意大利爱国者加里波第的协助下，起义军推翻了西班牙波旁王朝对西西里的封建统治，为意大利的统一扫除了障碍。

【西藏自治区】简称藏。位于中国西南部，东邻四川、云南，北邻青海、新疆，南邻缅甸、印度、不丹、锡金和尼泊尔。面积120多万平方千米。人口252万(1998年)。首府拉萨市。重要城市还有日喀则、江孜、昌都、林芝等。

【西西伯利亚平原】在俄罗斯的亚洲部分，介于乌拉尔山脉与叶尼塞河之间。面积300万平方千米，是亚洲面积最大的平原。海拔100米左右。

【西藏人民抗英斗争】1904年中国西藏人民保卫领土主权、抗击英国侵略的斗争。1903年12月英国派兵侵入中国西藏，次年西藏军民同英国侵略军进行了英勇的斗争。英军攻陷拉萨后，强迫西藏部分官吏签订所谓《拉萨条约》，企图把西藏划入它的势力范围，遭到中国人民的坚决反对。清政府未予承认。英国分割中国领土的野心未能得逞。

茜 ㊁ xī 音译用字。多用于外国女子名。
㊀ qiàn (784页)。

恓 □ xī 〔恓惶〕惊慌不安的样子。

栖 ㊁ xī 〔栖栖〕不安定的样子。
㊀ qī (767页)。

氥 □ xī 氙的旧称。

牺(犧) xī 古指作祭品用的牲畜。㊟～牛。

【牺牲】❶古指为祭祀宰杀的牲畜。❷为正义事业舍弃自己的生命。㊟他为人民的利益～了。❸放弃或损害一方的利益。㊟他经常为了工作～个人的休息时间。

【牺牲品】成为牺牲对象的人或物(含贬义)。

硒 xī 非金属元素，符号Se，原子序数34。红色或灰色粉末。导电能力随光照强度的改变而改变。是半导体材料，也用于制光电池、整流器等。

舾 xī 船舶装备品的总称。

【舾装】❶船舶装置和舱室设备(如锚、舵、缆、桅樯、救生设备、航行仪器、管路、电路等)的总称。❷船体下水后，装配上述设备和刷油漆等工作的总称。

粞 xī ❶碎米。㊟糠～。❷糙米碾轧时脱掉的皮。可作饲料。

希 xī ❶少。㊟～罕｜物以～为贵。❷希望。㊟～准时出席。

【希世】❶古指迎合世俗。❷世上少有。㊟～之宝。

【希声】极微细的声音。㊟大器晚成，大音～。

【希罕】也作稀罕。❶少有的；不容易看到的。❷认为希奇而喜爱；珍惜。

【希图】企图；想达到某种目的(多指不好的)。

【希望】❶心里盼着(达到某种目的或出现某种情况)。㊟他～将来当个作家。❷指希望所寄托的对象。㊟青年是我们的未来，是我们的～。❸可能性。㊟看来这件事大有～。

【希腊】❶全称希腊共和国。位于欧洲南部的巴尔干半岛南部。北邻阿尔巴尼亚、马其顿和保加利亚，东北接土耳其(欧洲部分)，东临爱琴海，南临地中海，西临伊奥尼亚海。❷指古希腊。公元前8—前2世纪在巴尔干半岛南部及爱琴海各岛屿和小亚细亚西岸等地建立的两百多个奴隶制城邦(城市国家)的总称，其中以雅典、斯巴达最著名。后被并入罗马版图。古希腊文化对以后欧洲各国的文化发展有很大影响。

【希冀】希望。

【希特勒】阿道夫·希特勒(1889—1945)德国法西斯头子，纳粹党的首领，发动第二次世界大战的罪魁祸首。1933年出任德国总理后自封为元首，称德国为"德意志第三帝国"。对内实行法西斯专政，镇压人民革命运动；对外发动侵略战争。1939年挑起第二次世界大战。1941年进攻苏联。1945年苏联红军攻入柏林时绝望自杀。写有《我的奋斗》一书，宣扬沙文主义、复仇主义和种族主义。

【希伯来人】犹太人的古称。

【希伯来语】犹太人的宗教、文学和世俗语言。公元200年左右古希伯来语口语逐渐消失，19世纪又作为一种现代语言而"复活"。

【希罗多德】(约前484—约前425)古希腊历史学家，其代表作《历史》(或称《希波战争史》)，共九卷，其中不仅包括希波战争的历史，还包括巴比伦、埃及、波斯等西亚、北非国家以及希腊许多地区的地理、历史、政治、经济情况，是西方第一部史学巨著。被尊称为“历史之父”。

【希波战争】公元前492—前449年古希腊诸城邦反抗波斯帝国侵略并与波斯争霸的战争。最后希腊获胜，波斯被迫放弃对爱琴海地区的霸权，承认小亚细亚各希腊城邦的独立。

【希望工程】指通过社会集资和捐赠，救助贫困地区失学儿童的措施和活动。1989年10月由中国青少年发展基金会发起。

【希腊字母】希腊文的字母。共24个。起初希腊各城邦所用字母不尽相同，至公元前4世纪统一。数学、物理、天文等学科常用做符号。

希腊字母表

大写	小写	名称	大写	小写	名称
Α	α	阿尔法	Ν	ν	纽
Β	β	贝塔	Ξ	ξ	克西
Γ	γ	伽马	Ο	ο	奥米克戎
Δ	δ	德尔塔	Π	π	派
Ε	ε	艾普西隆	Ρ	ρ	柔
Ζ	ζ	泽塔	Σ	σ, s	西格马
Η	η	伊塔	Τ	τ	陶
Θ	θ	西塔	Υ	υ	宇普西隆
Ι	ι	约(yāo)塔	Φ	φ	斐
Κ	κ	卡帕	Χ	χ	希
Λ	λ	拉姆达	Ψ	ψ	普西
Μ	μ	谬	Ω	ω	奥米伽

【希腊化时代】通常指公元前336年马其顿王亚历山大登位到公元前30年罗马吞并托勒密(今埃及)这一历史时期。因这一时期希腊的经济和文化对北非、西亚和地中海东部地区各国都有较大影响，故名。

郗 xī 姓。

唏 xī 叹息。㊀～嘘。

【唏嘘】也作欷歔。❶哭泣后不自主的抽搭。❷叹息。

狶⊠ xī 同“豨”。

浠 xī〔浠水〕地名。在湖北东部。

晞 xī ❶干；干燥。㊀晨露未～。❷天将亮时的光。

欷□ xī〔欷歔〕同“唏嘘”(1054页)。

烯 xī〔烯烃〕分子中含有碳碳双键的烃类化合物的总称。是一类有机化合物。含有一个双键，通式为 C_nH_{2n}。石油气中含有乙烯、丙烯等烯烃。是合成塑料、纤维、橡胶等的主要原料。

睎⊠ xī ❶远望。❷仰慕。

稀 xī ❶同“希”①。㊀～少｜～见。❷事物之间不紧密，距离远，空隙大。与“密”相对。㊀～疏｜庄稼种得太密和太～都不好。❸含水分多，浓度小。㊀～盐酸｜～饭。

【稀罕】同“希罕”(1053页)。

【稀释】在原有的溶液中再加入溶剂使其浓度变小。

【稀疏】不稠密。在空间或时间上的间隔大。

【稀缺性】资源相对于人类的需要总是少于人们能免费或自由取用的情形。因为存在资源的这一特性，才需要经济学研究如何最有效地配置资源，使人类的福利达到最大程度。

【稀土元素】也叫稀土金属。元素周期表中第IIIB族钪、钇和镧系元素的镧、铈、镨、钕、钷、钐、铕、钆、铽、镝、钬、铒、铥、镱、镥等17种元素的总称。因当时认为这些元素比较稀有，化学性质相似，往往共存于矿物中，故名。应用在冶炼合金钢、电子技术、石油化工、原子能工程以及农业、医疗等方面。中国有丰富的稀土元素资源，储量居世界第一。

【稀土金属】即“稀土元素”(1054页)。

【稀有气体】也叫惰性气体。元素周期表中的0族元素。包括氦、氖、氩、氪、氙、氡。其中氡是放射性元素。都是无色无臭气体，不溶于水，比较稳定，一般难以发生化学反应。主要用作冶炼、焊接稀有金属的保护气，制造发光灯具等。除氡以外，一般可由液态空气中分离得到。

【稀有金属】地壳中储藏量少、矿体分散或提炼较难的金属。如钒、铌、钛、锂、镓、铟等。

豨 xī 古书上指大野猪。

【豨莶】一年生草本植物。茎上有灰白色的

毛。叶对生、椭圆形,花黄色,结黑色瘦果。全草入药,有祛风湿等作用。莶(xiān)。

昔 xī ❶从前;过去。㊀今～对比。❷古又同"腊(xī)"。❸古又同"夕"。

【昔日】往日;从前。

惜 xī ❶爱惜;珍惜。㊀～墨如金。❷可惜;感到遗憾。㊀痛～|惋～。❸舍不得。㊀～别。

【惜别】舍不得分别。

【惜墨如金】形容不肯轻易落笔,务求精练。

腊 ㊁ xī ❶晾干。❷干肉。
㊀ là (577页)。

瘄☒ ㊀ xī 皴裂。
㊁ cuò (159页)。

析 xī ❶分开;分散。㊀条分缕～|分崩离～。❷分析;解释。㊀～疑。

【析疑】解释有疑问的地方。

菥 xī 〔菥蓂〕荠菜的一种。

淅 xī 淘米。

【淅沥】拟声词。细雨声或落叶声。

【淅飒】拟声词。轻微动作的声音。飒(sà)。

【淅淅】拟声词。轻微的风声。

晰(*晳*皙) xī 清楚;明白。㊀清～|明～。

蜥 xī 〔蜥蜴〕俗称四脚蛇。爬行动物。体分头、颈、躯干、尾四部分,有四肢。生活在草丛里,有些种类栖居在墙、岩石缝或树洞里,捕食昆虫和其他小动物。

肸☒ xī 多用于人名,如羊舌肸(春秋时晋国大夫)。

饻(餏) xī 老解放区一种计算工资的单位。一饻等于几种实物价格的总和。

息 xī ❶呼、吸的气。㊀鼻～|一～尚存。❷停止;歇。㊀生命不～,战斗不止|休～。❸音信。㊀信～。❹滋生;繁殖。㊀生～。❺利钱。㊀年～|月～。❻古称子女。㊀子～。

【息肉】从黏膜突出来的小肿物。直径在2厘米以下。可能与经常遭受某种刺激有关。多发生于鼻腔、鼻窦、耳、胃、肠等,通常是良性的。

【息肩】放下担子休息。比喻卸除负担。

【息票】附于债券上的利息票据。是债权人按期取息的凭证。

【息影】❶旧指退隐闲居。❷指电影演员停止拍戏,退出影坛。

【息事宁人】平息纠纷,使人相安无事。《后汉书·章帝纪》:"冀以息事宁人。"

【息息相关】形容彼此关系非常密切。息息:每一次的呼吸。关:关连。

熄 xī 火灭;灭火。㊀炉火～了|～灯。

【熄灭】❶停止燃烧。❷灭(灯火)。

螅 xī 见〔水螅〕(920页)。

奚 xī ❶古指奴隶。后称被役使的人。㊀～童。❷文言疑问代词。什么;哪里。㊀太师～笑也?|彼且～适也?❸文言副词。怎么;为什么。㊀子～乘是车也?

【奚奴】旧指仆役,家奴。

【奚落】讥笑;嘲弄。㊀～人。

傒☒ xī ❶同"徯"①。❷古代少数民族名。

徯☒ xī ❶等待。❷同"蹊(xī)"。

溪(*谿) xī 山间的小河沟。也指一般的小河。㊀～涧|～水。
"谿",另见(1055页)。

鸂☒**(鸂)** xī 〔鸂鶒〕古书上说的一种像鸳鸯的水鸟。

磎☒ xī 同"溪"。

蹊 ㊀ xī 小路。
㊁ qī (768页)。

【蹊径】人行的小路。也比喻方法、门路。

谿□ xī 见〔勃谿〕(76页)。
另见"溪"(1055页)。

【谿卡】西藏民主改革前属于三大领主(官府、寺院和贵族)的庄园。由领主派驻管家、监工,强制农奴进行无偿劳役。

【谿刻】苛刻;刻薄。

【谿壑】山涧。壑(hè)。

鼷 xī 〔鼷鼠〕小家鼠。

娭□ ㊁ xī 同"嬉"。
㊀ āi (4页)。

悉 xī ❶知道。㊀熟～|知～。❷尽,全。㊀～力|～数归公。

【悉心】用尽心思。㊀～研究。

【悉尼】澳大利亚城市。位于该国东南部。

X

人口 310 万(1991 年)。是全国经济、交通、贸易中心,也是世界优良海港之一。盛产猫眼石。悉尼歌剧院和悉尼大桥世界闻名。

【悉数】❶数(shù)。全数。㊀～奉还。❷数(shǔ)。全部数出;完全列举出。例不可～。

【悉尼歌剧院】澳大利亚综合性文化建筑。建于 1956—1973 年。在悉尼港。设计人为丹麦建筑师伍重。内设一个音乐厅(2 800 座)、一个歌剧院(1 550 座)和一个小剧场,以及 900 多间展览、录音、酒吧、餐厅等用房。由两组(每组 4 个)共 8 个壳体屋盖覆盖两个大厅,另两个小壳体覆盖一座小餐厅,下面是石墙底座。遥望有如滨海扬帆,造型生动,富含诗意。

窸 xī 〔窸窣〕拟声词。细小的声音。窣(sū)。

蟋 xī 见下。

【蟋蟀】也叫蛐蛐儿、促织。昆虫。体黑褐色,触角长,有两个尾须,雌虫还有一根长的产卵器。雄的好斗,两翅摩擦能发声。

【蟋蟀草】也叫牛筋草。一年生矮小草本植物。秆丛生,高 15—90 厘米。夏秋抽两至数枚花序,呈指状,簇生于茎端。

翕 xī ❶相合;和顺。❷合拢;收敛。例～张(一合一开)。

噏⊠ xī ❶同"吸"。❷收敛。

滃⊠ xī 水流很快的声音。

歙 ㊀ xī 吸气。
㊁ shè (870 页)。

犀 xī ❶犀牛,哺乳动物。体粗大,皮粗厚,毛稀少。鼻上有一只或两只角,名犀角。❷坚固。例～利。

【犀甲】古代用犀牛皮做的甲。非常结实,不易刺透。

【犀鸟】鸟类的一科。著名的如斑犀鸟,体长约 75 厘米。背面羽毛纯黑,具绿色金属光泽。因喙呈象牙色,形似犀角而得名。喙基部有高大的盔突。在中国仅分布于云南和广西南部,是著名的珍稀鸟类。

【犀利】(刀、剑等)锋利,锐利。也形容言词尖锐明快,目光锐利。例谈锋～|文笔～|目光～。

樨 xī 木樨。参见〔木犀〕①(701 页)。

雟⊠ xī 同"嶲"。

嶲□ xī 用于地名,如越嶲(在四川,今作越西)。

巂□ ㊀ xī 同"嶲"。
㊁ guī (357 页)。

酅⊠ xī 古地名。在今山东。

蠵□ xī 〔蠵龟〕爬行动物。龟的一种。体大,长约 1 米,背面褐色,腹面淡黄,头部有对称的鳞片,四肢呈桨状,尾短。生活在海中。

觿⊠ xī 古代解绳结用的骨制锥子。

锡(錫) xī ❶金属元素,符号 Sn,原子序数 50。常见的为银白色,称白锡,质软,在空气中不易起变化。可制低熔合金、青铜,也用于镀锡及锡焊。❷赐给。例～以圭针。

【锡伯族】中国少数民族之一。人口 17 万(1990 年)。主要分布在新疆维吾尔自治区伊犁察布查尔,部分在辽宁、吉林两省。有本民族语言文字。建有察布查尔锡伯自治县。

裼 ㊀ xī 脱去或敞开上衣,露出内衣或身体的一部分。例袒～。
㊁ tì (969 页)。

熙(*煕 *熈) xī ❶光明。❷欢喜;和乐。例～～。❸兴旺。❹通"禧(xǐ)"。福。

【熙来攘往】即"熙熙攘攘"(1056 页)。

【熙熙攘攘】也说熙来攘往。形容人来人往,非常热闹。《史记·货殖列传》:"天下熙熙,皆为利来;天下攘攘,皆为利往。"熙熙:和乐的样子。攘攘:纷乱的样子。

凞⊠ xī 和。

僖 xī 快乐。

嘻(*譆) xī ❶拟声词。喜笑的声音。例～～地笑。❷叹词。表示惊奇、轻蔑等。例～,技至此乎!

嬉 xī 游戏;玩耍。例～戏。

【嬉笑怒骂】宋黄庭坚《东坡先生真赞》:"东

坡之酒，赤壁之笛，嬉笑怒骂，皆成文章。”后用以比喻任意描写、发挥都能成为很好的文章。

熹 xī 天亮；光明。

【熹微】形容清晨微弱的阳光。[例]晨光～。

憙☒ ㊀ xī 叹声。
㊁ xǐ（1059 页）。

熺☒ xī 同“熹”。

膝（*厀） xī 大腿和小腿相连部分的前部。

【膝下】子女幼时常依于父母的膝下，因以“膝下”表示幼年的子女。《孝经·圣治》：“故亲生之膝下，以养父母日严。”

【膝行】古指跪着行进，表示畏服。

【膝痒搔背】指搔不着痒处。比喻说话不中肯，办事不得要领。汉桓宽《盐铁论·利议》：“不知趋害之宜，时世之变，议论无所依，如膝痒而搔背。”

醯☒ xī 同“醯”。

醯 xī ❶醋。❷酰（xiān）的旧称。

羲 xī 姓。

【羲皇上人】太古的人。羲皇，指伏羲氏。古人想象伏羲以前的人无忧无虑，生活闲适。晋陶潜《与子俨等书》：“常言五六月中，北窗下卧，遇凉风暂至，自谓是羲皇上人。”

曦 xī 太阳光（多指清晨的）。[例]晨～。

爔☒ xī 同“曦”。

巇☒ xī 见〔崄巇〕（1069 页）。

xí TÍ

习（習） xí ❶学习；复习；练习。[例]实～｜自～｜修文～武。❷常接触而熟悉；熟习。[例]～见｜～水性。❸习惯。[例]积～｜恶～。

【习习】❶形容风轻轻地吹的样子。❷鸟屡飞的样子。

【习见】经常看到的。

【习气】逐渐形成的坏习惯、坏作风。

【习作】❶练习写作。❷练习的作业，一般指文章、绘画、雕塑等。

【习性】在某种自然条件下或社会环境中长期养成的特性。

【习俗】民间流行的风俗习惯。

【习染】❶指感染坏习惯。❷感染的坏习惯。

【习惯】❶长时期养成的不易改变的动作、生活方式、社会风尚等。❷由熟习而适应。[例]他已～了这里的生活。

【习惯法】不成文法的一种。指国家认可并赋予法律效力的习惯。在英美等国是重要的法的形式，在中国不是主要的法的形式。

【习与性成】长期的习惯就能养成某种性格。《尚书·太甲上》：“兹乃不义，习与性成。”习：习惯。性：性格。

【习以为常】经常看到或经常做，就不觉得稀奇，变得平常。

【习非成是】也说习非胜是。对一些本来错误的事情习惯了，反而认为是对的。汉扬雄《法言·学行》：“习乎习，以习非之胜是，况习是之胜非乎？”习：习惯。非：错误。是：正确。

【习焉不察】习惯于某种事物，因而觉察不到其中的问题。《孟子·尽心上》：“习矣而不察焉。”

【习惯势力】由于习惯形成的一时不易改变的起约束作用的力量。

嶍□ xí 〔嶍峨〕山名。在云南。

霫☒ xí 〔霫霫〕形容下雨。

鳛□（鰼） xí ❶泥鳅。❷〔鳛水〕地名。在贵州北部。今作习水。

席（❶*蓆） xí ❶席子。[例]炕～｜凉～。❷座位（有时特指职位）。[例]硬～｜来宾～｜首～代表。❸成桌的饭菜。[例]摆了两桌～。

【席地】原指坐在铺在地面的席上。后泛指坐在地上。[例]～而坐。

【席次】较隆重的集会或宴会上排列的座位次序。

【席卷】像卷起席子一样把东西全部卷进去，包括无余。汉贾谊《过秦论》：“有席卷天下、包举宇内、囊括四海之意，并吞八荒之心。”

【席勒】弗里德里希·席勒(1759—1805)德国诗人、剧作家。生于医生兼军官家庭。代表作《阴谋与爱情》,通过宰相的儿子和穷提琴师的女儿的恋爱悲剧,反映当时的阶级矛盾。他还和歌德合作写诗歌和剧本。有《华伦斯泰》《威廉·退尔》等。

【席梦思】英语音译词。一种装有弹簧的床垫。也指配有这种床垫的床。

【席不暇暖】席子还没有坐暖就离开了。形容忙着奔走,坐不下来。唐韩愈《争臣论》:“孔席不暇暖,而墨突不得黔。”暇(xiá):空闲的时间。

觋(覡) xí 男巫。

袭(襲) xí ❶趁人不备,突然攻击。㊀侵～|空～。❷照样做;继承。㊀因～|世～。❸扑过来。㊀寒气～人|花香～人。❹量词。用于成套的衣服。㊀棉衣一～。

【袭击】❶军事上指出其不意的进攻。❷比喻意外的打击。

【袭用】沿袭采用。

【袭扰】以扰乱敌人作战行动、军心士气等为目的的袭击。用以消耗、牵制、迷惑敌人。

【袭取】❶在战斗中乘敌方不备时攻取。❷沿袭采取。

【袭故蹈常】也说蹈常袭故。沿袭老一套做法。

媳 xí 媳妇。㊀婆～。

【媳妇】❶儿子或晚辈亲属的妻子。㊀儿～|侄～。❷称已婚年轻妇女。㊀小～儿。

隰 xí ❶低洼的湿地。❷新开垦的田地。

檄 xí ❶檄文。❷用檄文晓谕或声讨。㊀～告天下。

【檄文】古代用以晓谕、征讨或声讨的文书。

xǐ ㄒㄧˇ

洗 ㊀ xǐ ❶用水或汽油等去掉物体上的泥污。㊀～衣服|～零件。❷清除。㊀清～。❸像用水洗净一样抢光或杀光。㊀～劫|～城。❹印相的显影、定影。㊀～相片儿。❺把磁带上的录音、录像去掉。
㊁ xiǎn (1068 页)。

【洗三】旧俗婴儿出生第三天洗身体叫洗三。

【洗手】❶洗掉手上的污垢。❷比喻不再干抢劫、偷盗、赌博等惯做的坏事。㊀～不干。

【洗礼】❶基督教的入教仪式。行礼时,主礼者口诵经文,向受洗人头部注水,表示洗罪,并授以洗名。也有将受洗人全身浸入水中的,故又名浸礼。❷比喻经受了重大的考验或锻炼。㊀战斗的～。

【洗尘】宴请刚从远道来的人。

【洗劫】把一个地方或一家人家的财物抢光。

【洗刷】❶冲洗,刷净。❷除去(耻辱、污点、罪名等)。

【洗练】也作洗炼。多指语言、文字、技艺等的简练利落。

【洗炼】同“洗练”(1058 页)。

【洗盐】用淡水淹灌盐碱地,淋洗耕层中过多盐分的措施。淋洗应与开沟排水相结合,使盐分及时排出。这是改造盐碱地的一项重要措施。

【洗耻】清除耻辱。

【洗涤】洗掉脏东西。涤(dí)。

【洗雪】洗掉(耻辱、冤屈等)。

【洗盘】庄家为了抬高股价,在抬高过程中故意制造卖压,让先前低价买进的投资者卖出股票,以减轻拉抬压力的举动。

【洗濯】洗掉衣物等上面的污垢。濯(zhuó):洗。

【洗涤剂】用于去污垢的化合物。多为人工合成。如洗衣粉、洗涤灵等。洗涤后的污水会造成水体富营养化。

【洗心革面】清除坏思想,改变旧面貌。比喻彻底改过自新。宋辛弃疾《淳熙己亥论盗贼札子》:“自今以始,洗心革面。”

【洗耳恭听】形容专心、恭敬地听别人讲话。听人讲话时的客气话。元周权《秋霁》诗:“酒醒谁鼓《松风操》,炷罢炉熏洗耳听。”

铣(銑) ㊁ xǐ 用铣床进行加工。
㊀ xiǎn (1068 页)。

【铣床】一种金属切削机床。夹紧在主轴上的多刃刀具做旋转运动,工件作进给运动,用来加工平面、曲面、沟、槽。

枲□ xǐ 大麻的雄株。

葈☒ xǐ ❶同“枲”。❷〔葈耳〕苍耳。

玺(璽) xǐ 帝王的印。㊀玉～。

缅☒(纚) xǐ 古代的发巾。用以束发。

蹝☒(躧) xǐ ❶舞鞋。❷草鞋。❸同"屣"。

硒□(硒) xǐ (俗读 xī) 化学用字。四价硒的阳离子称为硒。

徙 xǐ ❶迁移。㊀迁～。❷流放。㊀～边。

蓰 xǐ 五倍。㊀倍～(数倍)。

漇☒ xǐ〔漇漇〕毛色光润的样子。

屣 xǐ 鞋。㊀弃之如敝～(扔掉它如同扔掉破旧的鞋)。

縰☒(縰) xǐ〔縰縰〕形容众多。

蹝☒ xǐ 同"蹝"。

諰☒(諰) xǐ〔諰諰〕担心害怕的样子。

葸 xǐ 害怕;胆怯。㊀畏～不前。

喜 xǐ ❶高兴;快乐。㊀欢～|面有～色。❷可庆贺的;可庆贺的事。㊀～事|贺～。❸爱好。㊀～游泳。

【喜讯】令人高兴的消息。

【喜报】报喜的通知或报告。也指好的消息。

【喜雨】庄稼播种、生长需要雨水时下的雨。

【喜悦】快乐;高兴。

【喜剧】戏剧的主要类别之一。以夸张的手法对丑恶、落后的事物加以讽刺、嘲笑,也可以热情地肯定美好、积极的事物。

【喜鹊】即"鹊"(814 页)。

【喜不自胜】高兴得自己不能控制。

【喜出望外】遇到意想不到的喜事而感到非常高兴。宋苏轼《与李之仪》之二:"契阔八年,岂谓复有见日,渐近中原,辱书尤数,喜出望外。"

【喜形于色】内心的喜悦流露在脸上。形:表露。色:脸色。

【喜闻乐见】喜欢听,乐意看。指艺术品受群众欢迎。

【喜怒哀乐】高兴、愤怒、悲哀、快乐。泛指人的各种不同感情。

【喜笑颜开】心中愉快,满脸笑容。

【喜马拉雅山】世界上最高大的山脉。分布在中国西藏自治区南部以及巴基斯坦、印度、尼泊尔、锡金、不丹境内。东西长约 2 500千米,平均海拔 6 000 米。有不少高达 8 000 米以上的高峰,其中中尼两国国界上的珠穆朗玛峰(8 848.13 米)是世界第一高峰。

憙☒ ㊀ xǐ 同"喜"。喜悦。
㊁ xī (1057 页)。

禧 xǐ (旧读 xī)❶喜庆。❷指幸福、吉祥。

𬭳□(𨭆) xǐ 人造金属元素。符号 Sg,原子序数 106。有放射性,由人工核反应获得。

蟢□ xǐ〔蟢子〕也叫喜蛛。蜘蛛的一种。暗褐色,腿很长。

鳍□(鱚) xǐ 也叫沙钻。鱼类。体呈亚圆筒形,银灰色。栖息于近海沙底。

谿☒(謑) xǐ〔謑诟〕受辱;诟辱。诟(gòu)。

xì ㄒㄧˋ

卌☒ xì 数目。四十。

扢☒ ㊀ xì〔扢然〕振奋舞动的样子。
㊁ gǔ (338 页)。

戏(戲 *戱) ㊀ xì ❶玩耍。㊀游～。❷嘲弄;开玩笑。㊀～弄|～言。❸戏剧;杂技。㊀京～|马～。❹古又同"麾(huī)"。
㊂ hū (406 页)。

【戏文】❶即南戏。现在浙江等地也称戏曲为戏文。❷戏词。

【戏曲】中国各种传统戏剧形式的统称。表演上以唱、念、做、打、舞并重为其主要特点。从宋代起已有完整的戏曲形式。据不完全统计,各民族各地区的戏曲剧种约有三百六十余种。

【戏弄】耍笑玩弄,拿人开心。

【戏言】开玩笑的话;不当真的话。

【戏词】戏曲中的唱词和说白。

【戏班】也叫戏班子。旧时对戏曲剧团的称呼。

【戏剧】文学类型的一种。由演员扮演角

X

色，当众表演故事情节以反映社会生活。是以表演为中心的包括文学、音乐、舞蹈、美术等艺术的综合形式。分戏曲、话剧、歌剧、舞剧等。按作品类型可分为悲剧、喜剧、正剧等；按题材可分为历史剧、现代剧、童话剧等。

【戏谑】用逗趣的话开别人的玩笑。谑(xuè)。

【戏法儿】魔术。

【戏曲音乐】中国戏曲的音乐。是区别戏曲剧种的主要标志。有以曲牌为基础的曲牌联套体，有以上下句为基础的板式变化体。包括各种唱腔、锣鼓段、器乐曲牌等。

【戏剧冲突】指戏剧、电影中人物之间所展开的矛盾斗争。

饩(餼) xì ❶赠送(粮食等)。㊥～之以粟。❷谷物；饲料。

系(❸❼係❸－❻繫) ㊀ xì ❶有联属关系的。㊥～统｜直～亲属。❷高等学校中按学科分的教学行政单位。㊥物理～。❸关联。㊥关～｜联～。❹拴；用绳子、担子等上提或下送。㊥～马｜把水桶～上来。❺缚；拘捕。㊥～狱抵罪。❻牵挂。㊥～念。❼属；是。㊥确～事实。❽地层系统分类的第三级。对应于地质年代中的"纪"。

㊁ jì (462页)。

【系列】指相互关联的成组成套的事物或现象。㊥一～的问题。

【系念】挂念。

【系统】❶生物体内由多种器官联合组成的结构。这些器官在组织形态上有相似的特征，在机能上完成一种连续性的生理作用。如心脏、动脉、静脉、毛细血管等器官构成循环系统，共同完成血液循环的生理机能。❷同类事物按一定的关系联合起来，成为一个有组织的整体。㊥组织～｜灌溉～。❸有条理地；连贯地。㊥～学习马克思主义理论。

【系数】❶数学上通常指单项式的数值因数。如 $-3x^2$，$2ax$，y 的系数分别为 -3，$2a$ 和 1。❷科学技术上用来表示某种性质的程度或比率的数。㊥膨胀～｜安全～。

【系统论】研究系统的一般模式、结构、性质和规律的理论。广义的系统论包括一般系统论、控制论、自动化理论、信息论、集合论、网络理论、对策论、决策论、电子计算机等理论和方法。也指研究系统思想和系统方法的哲学理论。

【系统工程】由相互作用和相互依赖的若干组成部分结合成的、具有特定功能的有机整体。

屃(屓) xì 见〔赑屃〕(56页)。

妡☒ xì 嫉妒。

郄□ ㊀ xì 同"隙"。

㊀ qiè (791页)。

细(細) xì ❶颗粒小；条状物横剖面小。与"粗"相对。㊥～沙｜～线｜～竹竿。❷细微；详细。㊥事无巨～｜～情。❸精细；周密。㊥～瓷｜精打～算。❹节俭。㊥他过日子很～。

【细节】❶细小的环节或情节。❷文艺作品中用来表现人物性格或事物本质特征的细微描写。

【细目】详细的项目或目录。

【细则】有关规章、制度等的详细条例、规则。

【细行】生活的小节。行(xíng，旧读 xìng)。

【细作】旧指暗探、间谍。

【细软】指珠宝绸帛等轻便而易于携带的贵重物品。

【细故】细小的事情。形容不值得计较或无关紧要。

【细胞】生物体的结构和功能的基本单位。形状多种多样。一般具有细胞核、细胞质和细胞膜。植物细胞的细胞膜外还有细胞壁。细胞一般很微小，用显微镜才能见到。

【细致】精细周密。㊥他工作很～。

【细菌】微生物的一大类。原核生物。大小一般仅几微米。有球形、杆形、弧形、螺旋形或长丝形。多腐生和寄生。

【细腻】❶精细光滑。❷指文艺的描写或表演细致入微。

【细粮】一般指大米、白面。与"粗粮"相区别。

【细胞质】细胞膜与细胞核之间的胶状物质。一般透明，略黏稠，其中有大小不同的颗粒和网状物，分布着线粒体、高尔基体等细胞器。

【细胞学】研究细胞生命现象的科学。其范围包括细胞的结构和功能，生长和分裂，受精和分化，遗传和变异，病变和衰老等。

【细胞核】细胞内遗传信息的储存、复制和转录的主要场所。一般呈圆球形或椭圆形，通常只有一个。核外有核膜，内有核液、核仁、染色质。

【细胞膜】细胞表面的一层薄膜。对物质透过细胞有选择作用。对维持细胞内环境的相对恒定、调节细胞与周围环境的物质交换，有重要意义。

【细胞器】真核细胞的细胞质内具有一定形态结构和特定功能的小器官。如线粒体、叶绿体、中心体、高尔基体等。对活细胞完成各种生命活动有重要作用。

【细胞壁】细胞外围的一层厚壁。由细胞的分泌物构成。是植物细胞的特征之一。

【细菌学】研究细菌的形态、构造、分类、生理、生态、遗传和进化，以及同人类和动植物疾病的关系的科学。

【细密画】欧亚诸国流行的小型画种。线条细腻，色彩精美，常用于书籍装饰或插图。以波斯细密画最为著名。

【细大不捐】形容爱惜物力、人力，无论小的大的都不废弃。唐韩愈《进学解》："贪多务得，细大不捐。"细：微小。捐：舍弃。

【细水长流】❶比喻一点一滴坚持不间断地做一件工作。❷比喻节约使用财物，保持经常不缺。

【细针密缕】针线细密。比喻做事仔细认真或对问题处理得细致周到。

【细枝末节】比喻事情的无关紧要的环节。

【细胞工程】运用细胞生物学的方法，按照人们的预定设计，有计划地保存、改变和创造细胞遗传性状的技术。主要包括细胞融合、细胞大规模培养、植物组织培养快速繁殖、染色体(组)工程以及细胞育种等技术。它对农业、医药、食品等传统工艺的革新潜力极大。

【细胞分裂】指细胞繁殖子代细胞的过程。一般先是核分裂，形成两个子核；接着细胞质分裂，分为两个子细胞。分无丝分裂、有丝分裂和减数分裂三种方式。

盻⊠ xì 怒视。

咥⊠ ㊀ xì 大笑的样子。

㊁ dié (214 页)。

郤 xì 同"隙"。

绤(綌) xì 粗葛布。

欯⊠ xì 〔欯欯〕笑声。

赩⊠ xì 赤色。

阋(鬩) xì 争吵；争斗。

【阋墙】原指兄弟相争，后引申为内部争斗。

舄 xì ❶鞋。❷同"潟"。

潟 xì 咸水浸渍的土地。㊙～卤(盐碱地)。

【潟湖】浅水海湾因湾口被沙坝或珊瑚礁基本封闭形成的湖泊。也指环礁中间的水域。

磶⊠ xì 柱下石。

隙 xì ❶裂缝；缝隙。㊙墙～|门～。❷(地方或时间)空闲。㊙～地|农～。❸漏洞；空子。㊙乘～。

虩⊠ xì ❶蝇虎，一种吃苍蝇的小蜘蛛。❷〔虩虩〕形容恐惧。

禊 xì 古代春、秋两季为消除不祥而在水边举行的祭祀。

隟⊠ xì 同"隙"。

戲⊠ xì 叹词。

戲⊠ xì 悲伤；痛苦。

xiā ㄒㄧㄚ

呷 ㊀ xiā 小口地喝；吸饮。㊙～茶|～了一口酒。

㊁ gā (298 页)。

虾(蝦) ㊀ xiā 节肢动物。身上有透明软壳，有头胸甲，腹部由多数体节构成。生活在水中。有对虾、龙虾、米虾等。

㊁ há (369 页)。

【虾兵蟹将】神话传说中龙王手下的兵将。比喻敌人不中用的爪牙，狗腿子。

谺⊠ xiā 见〔谽谺〕(375 页)。

瞎 xiā ❶眼睛看不见东西。❷胡乱。㊙～抓|～闹。

【瞎子摸鱼】比喻漫无目标、乱抓一气、盲目地干事情的坏作风。

鰕☒（鰕） xiā 同“虾（xiā）”。

xiá ㄒㄧㄚˊ

匣 xiá 匣子，装东西的小箱子。

狎 xiá 亲昵而不庄重。例～昵｜～侮。

柙 xiá 关野兽的笼子。旧时也指囚笼和囚车。

侠（俠） xiá ❶旧指仗义勇为、扶弱抑强、爱打抱不平的人或行为。例豪～｜～气。❷古又同“夹（jiá）”。❸古又同“挟（xié）”。

【侠义】旧指讲义气、肯舍己助人。

【侠客】旧指有武艺、讲义气、能扶弱抑强的人。

峡（峽） xiá 两山之间有水流的地方。例～谷｜长江三～。

【峡谷】狭而深的谷地。一般因河流强烈侵蚀而成。如中国雅鲁藏布大峡谷。

狭（狹*陿） xiá 窄。例～窄｜～小。

【狭义】指在较小范围内的具体意义。与“广义”相对。例“金”的广义指一切金属，～专指黄金。

【狭隘】窄小。也形容心胸、见识不宽广。例～的山道｜心胸～。

【狭路相逢】古乐府《相逢行》：“相逢狭路间，道隘不容车。”原指在很窄的路上相遇，无处可让。后用以比喻仇人意外地碰在一起，互不相容。

【狭义相对论】关于物质运动与时间、空间关系的相对性理论。是爱因斯坦于1905年提出的。狭义相对论改变了人们的时空观，阐明了时间、空间与物质运动的关系，导出了许多重要结论，后来发展为广义相对论。

【狭隘民族主义】通常指地方民族主义。以孤立、保守、排外为基本特征的民族主义。

硖（硤） xiá 〔硖石〕地名。在浙江。

祫☒ xiá 古时在太庙中合祭祖先。

遐 xiá ❶远。例～迩（远近）。❷长久。例～龄（年纪大）。

【遐荒】边远广大的地方。

【遐想】悠远地思索或想象。

瑕 xiá 玉表面的赤色斑点。比喻缺点。例白玉微～。

【瑕疵】小的缺点。疵（cī）：毛病。

【瑕不掩瑜】玉上的疵点掩盖不了美玉的光彩。比喻缺点掩盖不了优点，优点多于缺点。《礼记·聘义》：“瑕不揜（yǎn）瑜。”瑜：玉的光彩。

【瑕瑜互见】比喻有缺点也有优点。

暇 xiá 空闲。例无～顾及｜自顾不～。

霞 xiá 因受日光斜照而呈现的彩云。例晚～｜朝（zhāo）～。

舝☒ xiá 同“辖”。

辖（轄） xiá ❶车轴头上横穿着的铁棍儿。用以管住车轮，使不脱落。❷管理。例管～｜直～。

【辖制】管束。

【辖境】所管辖的土地、地区。

黠 xiá 聪明；狡猾。例慧～｜狡～。

xià ㄒㄧㄚˋ

下 xià ❶位置、等级、质量低的；次序或时间靠后的。与“上”相对。例楼～｜～级｜～品｜～半年。❷表示某种动作。例～楼｜～乡｜～通知。❸攻克。例连～数城。❹降；落。例～雪｜～雹子。❺（动物）生产。例～猪崽｜～蛋。❻在名词后表示时间、处所、范围等。例年～｜城～｜部～。❼在动词后表示和动作的关系，如动作的趋向、完成等。例在党的培养～｜坐～｜住～｜能放～两张床。❽量词。用于动作次数。例拍三～｜敲几～｜看一～。

【下凡】神话中指神仙来到人间。凡：人世间。

【下马】比喻某项较大的规划、工程、工作停止进行。

【下水】❶船舶主体造成后，从船台上滑入水中的作业。❷船舰或其他水上交通工具在江河内向下游方向航行。❸比喻做坏事。例拉人～。❹水（shui）。指屠宰后的猪、牛、羊等的内脏。

【下风】风所吹向的一方。比喻所处的较低

的或不利的地位。㊀甘拜～。
【下文】❶下面的文字。❷以后的话或以后的消息。
【下处】出门在外的住处。
【下台】❶比喻免去官职、丢掉官位（含贬义）。❷比喻摆脱困难窘迫的处境（多用于否定式）。㊀无法～。
【下场】一般指人不好的结局。
【下达】向下级发布或传达（命令、指示等）。
【下旬】指每月二十一日到月底。
【下江】❶古称长江自南郡（今湖北西部）以下为下江。❷指长江下游的江苏、安徽等省。❸清代安徽、江苏两省称上下江，上江指安徽，下江指江苏。
【下岗】❶警卫人员完成任务，离开岗位。❷职工因企业破产、人员裁减等原因离开工作岗位。
【下作】❶卑鄙；下流。❷〈方〉猛；狠；贪。作（zuo）。
【下放】❶把某些权力交给下层机构。㊀权力～。❷干部调到下层机构工作，或调到工厂、农村等基层锻炼。㊀干部～。
【下弦】在地球上看，当月亮在太阳西边90°时，可看见月亮东边的半圆，这时的月相叫下弦。这正好是农历每月二十二、二十三。
【下首】❶坐立时位置较卑的一侧，一般均稍靠外或右。❷下家儿。
【下载】从互联网或其他电子计算机获取信息并装入到个人计算机上。与“上载”相对。载（zài）。
【下乘】❶佛教指小乘。❷借指艺术质量不高的作品。乘（chéng）。
【下疳】指性病患者下体的斑状溃疡。软下疳是一种性病，其溃疡及周围组织不变硬。硬下疳是梅毒初疮，附近的淋巴结变硬。参见〔性病〕（1104页）。
【下流】❶江河的下游。❷不正派；卑鄙龌龊（wòchuò）。
【下调】价格、利率等向下调整。
【下野】当权的军政要人下台。野：指民间。
【下情】❶下级的、群众的情况或心意。❷旧时对人陈述时称自己的情况或心情。下：谦辞，称自己。
【下款】在给人的信件、礼物、书画等上面所写的自己的名字。
【下落】着落；去处。
【下策】指不高明的策略或办法。
【下焦】见〔三焦〕（842页）。
【下游】❶江河接近出口的部分及其所流经的地区。㊀安徽、江苏位于长江～。❷比喻落后的地位。㊀不能甘居～。
【下榻】客人住宿。㊀～于北京饭店。榻（tà）：床。
【下箸】用筷子夹东西吃。
【下九流】旧指从事各种社会地位低下的职业的人，如戏子、脚夫等。
【下马威】旧指官吏刚到任，故意显示威势，让人知道自己的厉害。后泛指一开始就向对方显示威势。
【下半旗】表示举国哀悼的一种仪式。先将国旗升到杆顶，然后下降到离杆顶约占全杆三分之一的地方。
【下议院】两院制议会的构成部分。名称各国不一，有的叫众议院、平民院或第二院等。议员通常是按人口比例在选区选举产生。下议院按规定享有立法权和对政府的监督权。
【下坡路】❶由高处向低处的道路。❷比喻退步或衰落、灭亡的趋势。
【下脚料】原材料经加工后所剩余的零碎残料。如纺织厂中的油花、回丝，印刷厂中的纸边等。
【下意识】❶常指由一定条件引起的不自觉的心理作用。❷即“无意识”③（1037页）。
【下马看花】比喻在一个地方停留下来，了解情况，进行调查研究。
【下不为例】指某件事做了以后，下次不能再这样做。有提醒、警告、只能通融这一次的意思。
【下车伊始】《礼记·乐记》：“武王克殷，反商，未及下车而封黄帝之后于蓟。”指官吏刚到任。后泛指刚到一个新的工作岗位。伊始：开始。
【下里巴人】春秋时代楚国的民间歌曲，是当时较普及的音乐。后来泛指通俗的文学艺术，常与“阳春白雪”相对。战国楚宋玉《对楚王问》：“客有歌于郢中者，其始曰下里巴人，国中属而和者数千人。…其为阳春白雪，国中属而和者不过数十人。”
【下位概念】即“种概念”（1284页）。
【下笔千言，离题万里】文章写了一大篇，但没有接触到主题。是一种不好的文风。

吓（嚇） ㊀ xià ❶受惊；害怕。㊀他～了一跳。❷使害怕。㊀你不要～他。

㊁ hè (392 页)。

夏 xià ❶夏季，一年的第二季，大体是农历四月至六月。❷指中国。㊀华～。❸朝代名。1.(约前 2070—约前 1600 年)。中国历史上第一个奴隶制王朝。相传为夏后氏部落联盟首领禹所建立。曾建都安邑(今山西夏县西北)、阳翟(今河南禹县)等地。传到桀，为商汤所灭。2.十六国之一(407—431)。匈奴族赫连勃勃建立。建都统万城(今陕西靖边东北)。为吐谷浑所灭。3.(1032—1227)。北宋时党项族李元昊(hào)在中国西北地区建立。建都兴庆(今宁夏银川)，史称西夏。为蒙古所灭。

【夏历】见〔农历〕(724 页)。

【夏令】❶夏季。❷夏季的气候。

【夏至】节气名。在每年公历 6 月 20 日前后。这一天北半球白昼最长，以后白昼渐短。

【夏禹】见〔禹〕(1202 页)。

【夏衍】(1900—1995)中国现代剧作家、电影艺术家、社会活动家。原名沈乃熙，字端轩，号端先，浙江余杭人。1929 年参与筹建左翼作家联盟和上海艺术剧社并且担任领导工作，从事话剧、电影创作。所作话剧《上海屋檐下》表现了五户人家各不相同的生活，再现生活在畸形社会中一群小人物的喜怒哀乐，鼓励受到挫折的知识分子重新投身革命洪流。其他话剧有《秋瑾传》《法西斯细菌》等。作者以其平常实在的生活和简洁淡雅的笔调创造了写实话剧散文化的风格。电影剧本有《狂流》《祝福》《林家铺子》《革命家庭》等。有《夏衍选集》。

【夏娃】《圣经》中的人物。上帝用亚当的肋骨创造的世上第一个女人。参见〔亚当〕(1128 页)。

【夏耘】夏天锄地除草。㊀春耕～。耘(yún)。

【夏眠】也叫夏蛰。休眠现象的一种。是某些动物对干旱炎热季节的不利环境的一种适应。主要表现为体温下降和进入昏睡状态。如草原龟和黄鼠等。

【夏令营】利用暑假在野外或外地设置营地，组织学生开展丰富多彩活动的组织形式。

【夏加尔】马克·夏加尔(1887—1985)俄国画家。作品吸收白俄罗斯犹太人民间艺术因素，经常表现客居巴黎的画家对故乡风情的梦幻式回忆。代表作有《我和我的村庄》《生日》等。

【夏威夷群岛】在北太平洋中部。由大小 122 个火山岛组成，以夏威夷岛最大。总面积 1.6 万平方千米。气候温和，雨量充沛，土壤肥沃。群岛构成美国夏威夷州，首府火奴鲁鲁(中国人称檀香山)位于瓦胡岛上。该岛南岸有著名的珍珠港。

厦(*廈) ㊁ xià 〔厦门〕市名。位于福建省东南部，鹰厦铁路终点。人口 57 万(1997 年)。临台湾海峡，为天然良港。是闽东南经济文化中心，轻工业比较发达。为中国经济特区之一。

㊀ shà (853 页)。

謼⊠(謼) ㊀ xià 同"唬(xià)"。

㊁ háo (383 页)。

唬 ㊁ xià 同"吓(xià)"。

㊀ hǔ (410 页)。

罅 xià 裂缝。㊀石～|补苴～漏(弥补缺陷)。

【罅隙】缝隙。㊀阳光从树叶的～中透过。

【罅漏】事情的漏洞。㊀～之处，有待补订。

xiān ㄒㄧㄢ

仙(*僊) xiān 仙人；神仙。㊀成～得道|求～。

【仙姿】形容女子体态清秀美丽。㊀玉色～。

【仙逝】婉辞。人死。

【仙境】❶神话中指仙人居住的地方。❷比喻景物美好的地方。㊀人间～。

【仙鹤】❶神话中仙人所养的白鹤，多为长寿的象征。❷即"丹顶鹤"(174 页)。

【仙人掌】多年生灌丛状肉质植物。节片扁平，绿色，有单生或簇生刺，有刺毛。花黄色，供观赏。原产南美洲，中国有栽培。

【仙后座】位于与大熊座相对的北天极的另一侧。其中五颗亮星构成"W"形，故又名 W 星。中国北方地区终年可见。

【仙鹤草】也叫龙牙草。多年生草本植物。花黄色，果具钩刺。全草入药，能止血；根芽可驱绦虫。

【仙山琼阁】古代传说中神仙居住的地方。现比喻虚无缥缈的美妙幻境。

氙 xiān 稀有气体元素，符号 Xe，原子序数 54。氙气无色无臭，化学性质很不活泼。可制氙气灯、霓虹灯等。

【氙灯】利用电极在灯管里的氙气中放电而产生强光的灯。灯管长的称长弧氙灯，发光强度大，常用于广场和工地等处；灯管短的称短弧氙灯，常用来作为标准白色光源，也可作为电影机、探照灯的光源。

籼(*秈) xiān 见下。

【籼米】籼稻碾出来的米。米粒长而细，胀性大，黏性小。

【籼稻】一年生草本植物。水稻的一种。茎秆高而软，叶宽，黄绿色，穗小而子粒稀，易脱落。米质黏性较差。

先 xiān ❶时间或次序在前的。㊀事～|领～。❷祖先；上代。㊀～人。❸对去世的人的尊称。㊀～烈|～父|～哲。

【先天】❶指人或动物在胚胎时期就形成或具有的。与"后天"相对。㊀～不足。❷哲学上指先于实践、先于经验的。

【先世】前代；先人。

【先生】❶老师。❷对知识界男子的尊称。❸旧指账房管账的或从事文书工作的人。❹旧指以说书、相面、算卦、看风水为业的人。

【先令】奥地利、肯尼亚、索马里、坦桑尼亚、乌干达等国的本位货币均译为先令。

【先圣】古代对周公、孔子等人的尊称。

【先达】旧时对前辈的尊称。

【先兆】预兆；事物发生前的迹象。

【先决】在处理某事之前，应当首先解决和具备的。㊀～问题|～条件。

【先导】在前面带路或指引。

【先进】❶进步快、水平高、可以作为学习榜样的。㊀～人物|～经验。❷走在前面的、高水平的。㊀～技术。

【先声】某重大事件发生前出现的有关事件。

【先驱】在前面引导。也指引导的人(多虚用)。㊀～者|革命的～。

【先贤】已经去世的有才德的人。

【先知】❶对事理的认识较一般人为早的人。㊀～觉后知。❷基督教、犹太教中的宗教领袖。《圣经》中说他们受神启示，能传达神的旨意，能预知未来。

【先例】已经有过的事例。

【先河】古代帝王祭祀时，先祭黄河，后祭海，以河为海的本源。先祭河是表示重视根本。后来称倡导在先的事物为先河。《礼记·学记》："三王之祭川也，皆先河而后海。"

【先秦】一般指秦统一六国前的历史时期。即中国原始社会至公元前 221 年。另一说指秦以前的春秋战国时期。

【先哲】对已经去世的思想家的尊称。

【先烈】对烈士的尊称。㊀革命～。

【先期】比规定的日期要早。

【先辈】泛指行辈在前的人。也指已经去世的令人钦敬的人。㊀革命～。

【先锋】原指行军或作战时的先头部队。现在也用来比喻起先进作用的个人或集体。

【先遣】事先派出去执行联络、侦察等任务的。㊀～部队|～人员。

【先鞭】走在前边。

【先行者】为进步事业探索、开辟道路的人。㊀革命的～。

【先验论】一种与唯物主义反映论根本对立的唯心主义认识论。主张知识先于实践经验而产生，或来源于某些先天原则，或来源于主观自生的感觉、观念。

【先入为主】先看到一种情况或先听了一种意见，形成成见，后来就不再考虑情况变化或听取另外的意见。《汉书·息夫躬传》："无以先入之语为主。"

【先见之明】指对事物有预见性；事先能料及事后的结果。《后汉书·杨彪传》："愧无(金)日(mì)磾(dī)先见之明。"

【先予执行】人民法院在作出判决之前，为解决权利人生活或生产经营上的急需，依法裁定义务人预先履行义务的强制措施。适用于追索赡养费、扶养费、抚育费、抚恤金、医疗费和劳动报酬等民事案件。

【先礼后兵】指在和对方交涉时，先讲道理；如果行不通，再采取强硬手段。兵：武力，这里泛指强硬手段。

【先发制人】《汉书·项籍传》："先发制人，后发制于人。"原指战争中的双方先发动的能制人，后发动的就受制于人。后泛指先下手为强。

【先声夺人】先造成声势以压倒对方。也比喻做事抢先一步。《史记·淮阴侯列传》："兵固有先声而后实者。"《左传·昭公二十一年》："厨人濮曰：'军志有之，先人有夺人之心，后人有待其衰。'"声：声势。夺：胜过。

【先斩后奏】原指古代官员先把人处决，然

后再上奏。现在用来比喻未经请示先进行处理,然后再报告上级。

【先睹为快】以先看到为愉快(指作品或演出)。形容想看到的急切心情。唐韩愈《与少室李拾遗书》:"争先睹之为快。"睹:看见。

【先意承旨】不待别人明说,就揣摩他的心意,迎合奉承。《韩非子·八奸》:"此人主未命而唯唯,未使而诺诺,先意承旨,观貌察色,以先主心者也。"

【先合同义务】在缔约过程中,缔约人双方相互接触、磋商,因知悉对方某些信息而产生的法定义务。如协助、通知、保密的义务。

【先驱者号探测器】美国发射的对行星和行星际空间进行探测的无人航天器系列。1958—1978年共发射了13个,探测了地球与月球之间的空间,以及卫星和行星际空间的辐射、磁场。

酰 xiān 酰基,由含氧酸的分子中减去氢氧基后余下的原子团(如硫酰 $>SO_2$、乙酰 $CH_3CO—$)。

纤(纖) ㊀ xiān 细小。㊐~尘|~维。

㊁ qiàn(784页)。

【纤介】也作纤芥。细微。

【纤巧】细巧;小巧。

【纤纤】细长的样子。

【纤芥】同"纤介"(1066页)。

【纤细】非常细。

【纤度】指纤维或纱线粗细的程度。用一定长度的纤维或纱线所具有的重量表示。纤度愈小,纤维或纱线愈细。纤度单位为特克斯。

【纤屑】细小。

【纤弱】细弱。

【纤维】天然的或人工合成的细丝状物质。天然的如棉花、动物的毛等;合成的如涤纶丝、腈纶丝等。

【纤维素】由许多葡萄糖分子结合而成的直链多糖。是植物细胞壁的主要成分,对植物体有支持和保护作用。不能被一般动物直接消化利用,但能被许多微生物分解利用。是造纸、化纤等工业的主要原料。

【纤尘不染】一点儿灰尘都不沾染。形容十分干净、高洁。

【纤悉无遗】任何小的地方都没有遗漏。形容非常详细。

跹(躚) xiān 见〔蹁跹〕(751页)。

忺⊠ xiān 高兴;适意。

杴⊠ xiān 同"锨"。

掀 xiān ❶揭起;撩起。㊐~锅盖。❷由下向上涌。㊐波浪~天。❸大规模地发动、兴起。㊐生产建设~高潮。

椺⊠ xiān 同"锨"。

锨(鍁) xiān 铲东西或掘土的工具。㊐铁~|木~。

祆 xiān 祆教。参见〔拜火教〕(29页)。

枮⊠ xiān 树名。

莶(薟) xiān 见〔豨莶〕(1054页)。

憸⊠**(憸)** xiān 邪佞。

铦⊠**(銛)** xiān ❶锹铲。❷锋利。

锬(錟) ㊀ xiān 锋利。

㊁ tán(955页)。

鲜(鮮*鱻) ㊀ xiān ❶新鲜。㊐~花|~肉。❷明丽的。㊐~红|~艳。❸(味道)美好。㊐味道很~。❹鲜美应时的食物。㊐时~|尝~。❺古指生鱼。㊐治大国,若烹小~。

㊁ xiǎn(1069页)。

【鲜明】❶光彩明亮。❷明确,不含糊。㊐立场~|主题~。

【鲜卑】中国古代族名。东胡族的一支。游牧于今西拉木伦河流域,西汉时附属于匈奴。六朝时有几部先后在今华北及西北建立政权,渐与汉族及其他各族融合。

【鲜活】❶活的,新鲜的。㊐~产品。❷鲜明生动;有活力。㊐~的语言。

【鲜艳夺目】鲜明美丽,光彩耀眼。

暹 xiān〔暹罗〕泰国的旧称。

鶱⊠**(鶱)** xiān 形容鸟飞。

孅⊠ ㊀ xiān〔孅介〕细微。

㊁ qiān(780页)。

xián ㄒㄧㄢˊ

闲(閑❶-❸ *閒) xián ❶没有事情；没有活儿。与"忙"相对。㊀～暇|一会儿也没～着。❷(器物、房屋等)没在使用中。㊀别让机器～着|～房。❸与正事无关的。㊀～谈。❹防止。㊀防～。❺栅栏。

【闲话】❶与正事无关的话。❷不满意的话。

【闲居】呆在家里没有工作做。

【闲适】清闲安逸。

【闲庭】安静的庭院。

【闲职】空闲无事或事情不多的职务。

【闲逸】清闲舒适。

【闲章】印文为诗句或成语的印章，多用在书、画作品上。

【闲散】❶空闲而无拘束。❷没有加以使用的(人员或物资)。

【闲置】搁在一边不用。

【闲云野鹤】也说闲云孤鹤。比喻无牵无挂，来去自由的人。明张居正《与棘卿刘小鲁言止创山胜事》："即便得归，亦不过芒鞋竹杖，与闲云野鹤，徜徉于烟霞水石间，何至买山结庐，为深公所笑耶？"

【闲杂人员】指没有固定职务的非定员中的人员。

【闲情逸致】清闲的心情，安逸的兴致。

【闲置资本】在资本周转过程中暂时游离出来的货币资本。

娴(嫻 *嫺) xián ❶熟练。㊀～于绘画。❷文静；稳重。㊀～静。

【娴熟】熟练。㊀技术～。

痫(癇) xián 见〔癫痫〕(204页)。

鹇(鷳) xián 白鹇。

贤(賢) xián ❶有道德的；有才能的。也指有德才的人。㊀～达|任人唯～。❷敬辞。多用于平辈或晚辈。㊀～弟|～侄。

【贤达】指有才德、有声望的人。㊀社会～。

【贤明】有才德，明事理。

【贤契】敬辞。旧称晚一辈的弟子、朋友。

【贤惠】也作贤慧。指妇女有德行，善良。

【贤慧】同"贤惠"(1067页)。

弦(❶❷ *絃) xián ❶弓背两端之间的绳状物，用其弹性以发箭。㊀弓～。❷乐器上经过摩擦、振动发声的线。❸钟表等的发条。❹连接圆周上两点的线段。❺中国古代称不等腰直角三角形中对着直角的斜边。

【弦子】❶即"三弦"(841页)。❷彝族弹拨乐器。❸藏族歌舞。多在节日喜庆时自娱自乐表演。

【弦歌】有琴瑟等弦乐器伴奏的歌声。也泛指礼乐教化。

【弦子舞】中国藏族民间舞蹈。藏语称"谐"(歌舞)。舞时成圆圈。领舞者拉着"具汪"(形似二胡的一种弦乐器)，其他舞者双手甩动长袖，边歌边舞。因常用弦乐器伴奏，故名。

【弦乐队】由小提琴类弦乐器组成的乐队。其规模与管弦乐队的弦乐组相同。

【弦乐器】指以弦作为发音体的乐器。有拨弦乐器(如琵琶)、拉弦乐器(如二胡、小提琴)、击弦乐器(如扬琴)等。

【弦外之音】比喻言外之意。即在话里间接透露而没有明说的意思。

【弦乐四重奏】由四件弦乐器组合在一起重奏，其作品及演奏方式称为弦乐四重奏。乐器组合通常由第一小提琴、第二小提琴、中提琴和大提琴组成。作品常采用奏鸣曲曲式。

蚿⊠ xián 古书上的虫名。即马陆。一种节肢动物。像蜈蚣，较小，无毒。

舷 xián 船、飞机的左右两侧。㊀船～|～窗。

【舷梯】船(或飞机)旁供人上下所用的活动扶梯。

【舷窗】船侧或甲板室所装的圆形水密窗。装有风暴盖，预防玻璃被风暴打破后进水。

挦(撏) xián 撕，扯；拔(毛发)。㊀～扯|～鸡毛。

咸(❷鹹) xián ❶文言副词。都。㊀～受其益。❷像盐的味道。㊀～水|～菜。

【咸阳】❶市名。位于陕西渭河北岸，渭河平原中部，陇海、咸铜铁路交会处。人口45万(1997年)。多古代帝王陵墓，有千佛铁塔、秦国都遗址等古迹。❷秦都城名。在今陕西咸阳东北。战国时代，秦孝公于此建都。秦始皇统一中国后，成为统一的封建国家的国都。

【咸水湖】一般泛指湖水含有盐分的湖泊。但常把湖水盐度在1—24.7之间的叫微咸湖；盐度超过24.7的叫咸水湖。

涎（*次） xián 口水。

【涎皮赖脸】别人厌烦还厚着脸皮与别人纠缠。

X

衔（銜*啣❷－❹*啣） xián ❶马嚼子。❷用嘴含。㊀燕子～泥。❸怀在心里。㊀～恨。❹接受。㊀～命。❺职务和级别的名号。㊀职～|军～|大使～。

【衔环】古代神怪小说中载：一只黄雀被人救护，后乃衔玉环相报，谓使其子孙洁白显贵有如玉环。后即以衔环比喻报恩。

【衔枚】古代秘密行军时，常令兵士嘴里叼着横枚，防止说话出声，被敌方发觉。枚：像筷子的东西，两头有带，可以系在脖子上。

【衔恨】心怀怨恨或悔恨。

【衔恩】感念别人的恩德。

【衔冤】含冤。㊀负屈～。

【衔接】后一事物与前一事物相连属。㊀前后～。

【衔华佩实】指草木开花结果。也比喻文章的形式和内容都很完美。《文心雕龙·征圣》："然则圣文之雅丽，固衔华而佩实者也。"华：同"花"。实：果实。

【衔尾相随】后面一匹马的嚼子和前面一匹马的尾巴相接。形容马一匹跟着一匹成单行前进。《汉书·匈奴传》："如遇险阻，衔尾相随。"

鰔□（鰔） xián 鱼类。体小，扁平，无鳞。生活在热带及温带近海底层。

嫌 xián ❶嫌疑。㊀避～。❷厌恶（wù）；不满。㊀讨～|～他走得慢。❸怨恨。㊀～恨|捐弃前～。

【嫌弃】厌恶而不愿意接近。

【嫌恶】厌恶。㊀令人～。

【嫌隙】因不满或猜疑而产生的隔阂和恶感。

【嫌疑】被怀疑有做过某种事情的可能性。㊀不避～。

【嫌疑犯】有犯罪的嫌疑而未经审判证实的人。

xiǎn ㄒㄧㄢˇ

挦⊠ ㊁xiǎn 背弃。
㊀zhěn（1251页）。

狝（獮） xiǎn ❶古指秋天打猎。❷杀戮。

冼 xiǎn 姓。

【冼星海】（1905—1945）人民音乐家，中国无产阶级革命音乐创作的先驱。创作有《黄河大合唱》《生产大合唱》等四部大合唱，《救国军歌》《到敌人后方去》《在太行山上》等五百余首革命群众歌曲，以及交响曲、独唱曲、独奏曲等。这些作品歌颂了在中国共产党领导下，中国人民的英勇斗争精神和革命气概，具有强烈的时代感和民族风格。

洗 ㊁xiǎn 姓。
㊀xǐ（1058页）。

鍌⊠ xiǎn 用于人名，如窦维鍌（唐代人）。

毨⊠ xiǎn 鸟兽新毛齐整的样子。

铣（銑） ㊀xiǎn 有光泽的金属。
㊁xǐ（1058页）。

【铣铁】生铁。

筅 xiǎn 〔筅帚〕刷锅碗的炊帚。

跣 xiǎn 光着脚。㊀～足。

显（顯） xiǎn ❶露在外面容易看出来。㊀浅～|～而易见。❷表现；显露。㊀大～身手。❸有名声有权势地位的。㊀～贵。

【显示】明显地表现出来。

【显圣】（受崇敬的人物）死后显灵（迷信）。

【显现】显露；呈现。

【显学】著名的学说、学派。先秦时儒、墨二家曾被称为显学。

【显要】职位高、权力大。也指职位高、权力大的人。

【显贵】旧指做大官。也指做大官的人。

【显著】明显突出。㊀成绩～。

【显然】清楚明白，容易看出来或感觉到。㊀～不同。

【显赫】形容权势盛、名声大。㊀声势～|～

一时。
【显豁】显著明白；明显。豁(huò)：敞亮。
【显示器】将信息以画面形式显示的装置。常见的有阴极射线管显示器、液晶显示器、等离子体显示器等。
【显生宇】地层系统的第三个宇。指显生宙时期所形成的地层。分为古生界、中生界和新生界。
【显生宙】地质年代分期的第三个宙。即寒武纪到第四纪时期。分为古生代、中生代和新生代。
【显身手】显示本领。
【显像管】用于重现电视图像的电子束器件。由电子枪、聚焦与偏转系统及荧光屏组成。黑白显像管和彩色显像管分别用于黑白电视机和彩色电视机。
【显微镜】利用光学透镜组把样品的像放大，从而看出它的微细结构的仪器。主要由一短焦距的透镜组作为物镜和一焦距较长的透镜组作为目镜组成，分别固定在金属管两端，目镜和物镜间的距离可以调节。分光学显微镜和电子显微镜，放大率约为几百到80万倍左右。广泛用于生物学、医学、农业以及矿冶、机械等工业中。
【显而易见】明显而容易看出来。
【显花植物】也叫有花植物。指开花、结果、以种子繁殖的植物，包括裸子植物和被子植物。狭义的仅指被子植物。

险(險) xiǎn ❶危险。例冒～|～境。❷险要；险要的地方。例～峻|天～。❸狠毒。例阴～。❹差一点儿。例～遭不测。
【险诈】阴险狡猾。例居心～。
【险阻】道路危险、阻塞。也比喻人事的障碍和挫折。
【险要】地势险隘而处于要冲。
【险胜】在比赛中以极小的优势取胜。例他在决胜局中以22比20～。
【险恶】❶(情况、局势、地形等)非常危险。❷阴险恶毒。例用心～。
【险峰】险峻的山峰。
【险峻】高而险。例山势～。
【险象】危险的现象。
【险情】危险的情况。例排除～。
【险隘】险要的关口。
【险韵】指作旧体诗词时用一般人不用的韵字来押韵。如苏轼曾用不常用的"尖、叉"二字押韵。
【险滩】江河中水流湍急，礁石密布，航道狭窄曲折，航行困难的地方。

崄☒(嶮) xiǎn 〔崄巇〕形容山路危险。

猃(獫) xiǎn 古指长嘴猎犬。
【猃狁】中国古代居住在北部的民族。

蚬(蜆) xiǎn 软体动物。两扇贝壳为心脏形。生活在淡水中。肉味鲜美，供食用。中国南北均产。

𤞤☒(玁) xiǎn 〔𤞤狁〕猃狁。

鲜(鮮*尟*尠) ㊁ xiǎn 少。例～见|～有。
㊀ xiān(1066页)。

藓(蘚) xiǎn 隐花植物。绿色，丛生在阴暗潮湿的地方。

𬇹□(𤅩) xiǎn 𬇹水，青海湖的旧称。

燹 xiǎn 火；野火。例兵～(指因战乱所受到的焚烧破坏)。

幰☒ xiǎn 古代车上的帷幔。

韅☒ xiǎn 古代驾车，套在马背上的皮带。

xiàn ㄒㄧㄢˋ

见(見) ㊁ xiàn 同"现"。出现；显露。例华佗再～。
㊀ jiàn(478页)。

伣☒(俔) ㊁ xiàn 间谍。
㊀ qiàn(784页)。

苋(莧) xiàn 苋菜，一年生草本植物。叶绿色、深紫色或绿色间紫色，嫩茎及叶供食用。

岘(峴) xiàn 岘山，山名，在湖北。

现(現) xiàn ❶眼前；现在。例～状|～役。❷副词。当时；临时。例～编～演。❸当时就有的。例～款。❹显露；露出。例昙花一～|～原形。
【现世】❶这一世。例～报(在这一世就有了报应)。❷丢人现眼。例真～。
【现代】❶现在这个时代。❷中国历史分期，指五四运动到现在的时期。
【现汇】国际贸易或外汇买卖中即期进行收

付的外汇。

【现场】❶发生事故或案件的地点和该地点当时的状况。㊀保护～，以便调查。❷直接从事生产、演出、试验等的场地。㊀～会议。

【现行】现在实行或正在进行的。㊀～规定｜～活动。

【现形】显露原形。

X

【现役】正在服兵役的。㊀～军人。

【现金】国家授权发行的银行券和辅币；现款。

【现实】❶客观实际。㊀解决问题要面对～。❷符合客观情况的。㊀这是比较～的做法。

【现洋】也叫现大洋。旧指银元。

【现值】未来一定时间的货币资金按特定的计息标准折算的现在的价值。

【现眼】出丑；丢人。

【现象】哲学范畴。指事物的外部联系。是事物比较表面的、多变的方面。与"本质"相对。是本质的外在表现。

【现行犯】指预备犯罪、正在实施犯罪或犯罪后即被发觉的罪犯。

【现实性】哲学范畴。指可能性的实现。与"可能性"相对。

【现代艺术】也叫现代派。20世纪国际前卫艺术流派的统称。主要包括野兽派、立体派、表现主义、未来派、达达主义、超现实主义、抽象艺术、波普艺术、极少艺术、观念艺术等流派。

【现代主义】19世纪末20世纪初以来盛行于西方的一种文学艺术的创作方法和思潮。是西方各个反传统的文学流派、思潮的统称。包括象征主义、表现主义、超现实主义、未来主义、存在主义、先锋主义、荒诞派、意识流、黑色幽默等。注重反映西方社会的畸形和异化，以及由此产生的变态心理和悲观情绪，强调发掘人物内心世界，追求梦境和变形，采用象征、隐喻、怪诞等艺术手法。

【现代农业】农业发展阶段之一。一般出现于工业革命之后。农业生产由机械化逐渐发展到电气化、自动化。依靠科学技术进行农业生产。

【现代战争】现代社会发生的并能反映现代生产方式和科技水平的战争。由于受现代政治、经济、军事、科技、文化等因素的影响，它与古代战争、近代战争相比，具有许多新特点。

【现场勘查】侦查人员对于与犯罪有关的场所、物品、尸体、人身等进行勘察或检查，以发现和收集犯罪活动遗留下来的各种痕迹和物品。是一种重要的侦查活动。刑事诉讼侦查阶段是取得证据的重要途径。

【现身说法】用亲身经历作例证来劝说或开导别人。

【现役军人】正在军队中服役的军人。

【现货市场】买卖商品现货的市场。即成交后两个交易日内交割的市场。

【现货交易】商品成交后两个交易日内交割的交易。

【现金支票】存款人用以向银行提取现金或支付给受款人现金的一种票据。

【现金结算】发生经济行为的关系人直接使用现金结清应收应付款项。

【现实主义】一种文学艺术的创作方法和思潮。形成于19世纪50年代。它要求按照现实生活本来的面貌，选择具有普遍意义的生活现象，作具体的、如实的艺术描绘，真实地典型地再现社会生活。

【现代冬季两项】雪上运动项目之一。运动员脚穿滑雪板、手持滑雪杖、身背步枪在专门的雪道上滑行，并在指定的区域射击。

【现代汉语词典】中型语文词典。中国社会科学院语言研究所词典编辑室编，商务印书馆出版。初版于1978年，1983年出第二版，1996年修订出版第三版。共收字、词六万余条。在字形、词形、注音、释义等方面力求规范。适合中等以上文化程度的读者使用。

【现代企业制度】一种适应市场经济发展的企业制度。主要是指公司制。它具有产权明晰、责权明确、政企分开、管理科学等特点。

晛⊠(晛) xiàn 太阳出现。

睍⊠(睍) xiàn 〔睍睆〕美好。

粯⊠(粯) xiàn 碎米。

县(縣) xiàn ❶行政区划单位。由省、自治区、直辖市直接领导，有的由自治州、省辖市领导。❷古同"悬(xuán)"。

【县令】中国古代一县的行政长官。战国时开始设置。秦汉时，万户以上的县官称县令,万户以下的称县长。唐以后统称县令。宋称知县事。明清称知县。北洋军阀时改称县知事。

【县志】专门记载一个县的山川地貌、人物、历史等情况的书。

【县试】明清两代由县官主持的科举考试。规定读书人须先参加本县县试,录取后才有参加上一级考试(即府试)的资格。

【县级市】在行政区划上,与县同级的城市。

限 xiàn ❶指定范围。㊀~期三天|形式不~。❷指定的范围。㊀期~|界~。

【限于】受某些条件或情形的限制;局限在某一范围之内。㊀~时间,只能讲到这里|~到会的人知道,不要外传。

【限时】限定时间。㊀~发言。

【限制】约束;不许超过规定的范围。

【限界】铁路建筑物及设备不得超过的轮廓尺寸线,分为建筑接近限界及机车车辆限界两种。建筑物接近限界指建筑物不得侵入的轮廓尺寸线,机车车辆限界指机车车辆不得超出的轮廓尺寸线。

【限度】指规定的某一范围的界限。

【限期】❶限定的时间。㊀~已满。❷限定时间。㊀~完成。

【限量】限定止境、数量。㊀前途不可~。

【限额】规定的数额。

线(綫*線) xiàn ❶用丝、棉、麻、毛或金属等制成的细长的东西。㊀毛~|电~。❷像线的东西。㊀~香|光~。❸边缘交界的地方。㊀前~|国防~。❹交通路线。㊀航~|单行~。❺比喻所接近的某种边际。㊀死亡~。❻几何学上指一个点移动所构成的图形,有长,没有宽和厚。㊀直~|曲~。

“線”,另见“線”(1072页)。

【线材】直径或边长很小的(如钢丝通常在9毫米以下)成卷的金属材料。

【线条】❶绘画时勾画的曲直不同、粗细不等的线。❷人体或工艺品轮廓的曲度。

【线段】直线上任意两点间的部分。这两个点叫线段的端点。

【线索】比喻事物发展的脉络或探索问题的门径、头绪。㊀故事的~|提供解决问题的~。

【线装】中国传统装订书籍的方法之一。书页对折,连同封面打孔穿线,装订成书。

【线路】电流或运动物体所经过的路线。㊀有线电~|航空~。

【线形动物】动物界的一门。身体通常呈长圆柱形,两端尖细,不分节。消化道有口和肛门。雌雄异体。营自由生活或寄生。如醋线虫、蛔虫、蛲虫等。

【线性方程】未知数的指数是一次的方程。

【线性规划】在规划论(运筹学的一个分支)中研究问题时,如果目标函数和描述约束条件的数学方程都是线性的,就叫做线性规划。主要研究两类问题:一类是给定了任务,如何使用最少的人力、物力去完成它;另一类是已有一定数量的人力、物力,如何使他们发挥最大的效用。

僩⊠(僴) xiàn 胸襟开阔。

宪(憲) xiàn ❶法令。㊀~章。❷宪法。㊀立~。

【宪台】旧时地方官吏对知府以上长官的尊称。

【宪兵】某些国家的特种军事政治警察。

【宪法】也叫根本法。国家的总章程。它规定一个国家的根本任务和根本制度、公民的基本权利与义务、国家机构的设置及活动原则等。是国家的根本法,是制定其他法律的依据,具有最高的法律效力,是一切组织和个人的根本活动准则。

陷 xiàn ❶陷阱。❷掉进;沉下。㊀~进泥潭|地~。❸凹下去。㊀两颊深~。❹设计害人。㊀~人于罪。❺攻破。㊀冲锋~阵。❻缺点。㊀缺~。

【陷入】❶落入某种不利境地。㊀~圈套。❷比喻深深地进入某种境界或思维活动中。㊀~沉思。

【陷阱】❶施以伪装的坑穴。猎人用来捕捉野兽;军事上多构筑在敌人可能经过的地方,使其人马、车辆和坦克陷入。❷比喻害人的圈套。

【陷害】设诡计害人。㊀严防坏分子~好人。

【陷落】❶地面下沉。❷领土或城镇被敌人攻占。

馅(餡) xiàn 包在面食、点心等食品里面的肉、菜、糖等。㊀饺子~儿|点心~儿。

羡 xiàn ❶羡慕。❷多余。㊀~余。

【羡余】❶盈余;剩余。❷唐地方官以两税

盈余为名，向皇帝献纳的税款。多用加重剥削、克扣俸禄等手段敛财，借以市恩邀功，加官进爵。❸清朝征钱粮税时因有损耗而多征一部分附加税。这部分附加税除折抵实际损耗外，留一部分为地方官吏所有，名养廉，其余上缴，名羡余。

【羡慕】看了喜爱，想照做或希望得到。㊀令人～。

X

缐□（線） xiàn 姓。“線”，另见“线”（1071页）。

腺 xiàn 生物体内分泌某种化学物质的器官。㊀汗～｜唾液～。

镍□（鎳） xiàn 金属线。

塪☒（壏） ㊀ xiàn 坚土。㊁ làn（581页）。

献（獻） xiàn ❶恭敬庄严地送给。㊀～花｜把青春～给祖国。❷向人表现。㊀～技｜～媚。

【献丑】谦辞。用于向人表演技能或写作时，表示自己的能力很差。

【献礼】为表示庆祝而献出礼物。

【献芹】送人东西时的客套话。表示所送之物微不足道。

【献身】贡献出自己的全部精力或生命。㊀～革命。

【献词】表示祝贺的讲话或文章。

【献媚】为了私利做出讨人欢心的姿态或行动。

【献殷勤】为了讨好别人而奉承、伺候。

【献计献策】贡献计策；提供好的主意和办法。

【献可替否】指臣对君进献可行的计策，建议废止不可做的事。

豏☒ xiàn 豆馅儿。

霰 xiàn 天空中降落的白色小冰粒。多在下雪前或下雪时出现。

xiāng ㄒㄧㄤ

乡（鄉） xiāng ❶农村。与“城”相对。㊀上山下～｜城～交流。❷自己生长的地方或祖籍。㊀家～｜故～。❸本地的。㊀～土。❹行政区划单位。在县之下。❺古又同“向往”的“向（xiàng）”。

【乡土】本乡本土。㊀～教材。

【乡井】指家乡。㊀远离～。

【乡曲】指远离城市的偏僻地方。曲（qū）。

【乡贡】唐代由州县选出来应科举的士子。

【乡里】家乡。也指同乡的人。

【乡学】古称地方办的官学。

【乡试】明清两代在各省省城举行的科举考试。每三年的秋天举行一次，录取后称举人，第一名称解元。举人可参加次年春天在京城举行的会试。

【乡绅】旧指乡间有地位、有名望的人。

【乡思】人在外地，想念家乡的心情。㊀～绵绵。

【乡原】也作乡愿。指乡里中外表忠诚谨慎，实际上欺世盗名的伪君子。《论语·阳货》：“乡原，德之贼也。”原（yuàn）：同“愿”，老实谨慎。

【乡望】旧指在地方上的名望。

【乡愁】深切思念家乡的心情。

【乡塾】旧时农村的私塾。

【乡僻】距离城市远而偏僻。

【乡镇企业】乡、镇、村和农牧民兴办的集体性质的企业和一部分个体性质的企业。

芗（薌） xiāng ❶古书上指用以调味的香草。❷同“香”。

相 ㊀ xiāng ❶副词。1. 互相。㊀～符｜～视而笑。2. 表示一方对另一方的动作。㊀～劝。❷看。㊀～中。㊁ xiàng（1077页）。

【相干】互相关联或牵涉。

【相与】❶互相交往。❷相互。

【相左】相违反，不一致。㊀意见～。

【相对】❶（意义、性质等）相互对立。㊀大和小这两个词在意义上是～的。❷指有条件的、暂时的、有限的。与“绝对”相对。㊀～真理。❸比较的。㊀～优势。

【相当】❶合适。㊀他做这个工作很～。❷两方面差不多；能够相抵。㊀旗鼓～｜改修后这台机器的效率～于原来的两倍。❸达到某一较高的程度。㊀～艰巨。

【相仿】相差不多；大体相同。

【相向】面对面。㊀～而行。

【相交】❶同一平面内的两条直线如果不重合，只有一个公共点，就说它们相交。❷相互交往；做朋友。㊀～多年。

【相关】彼此关联。

【相扰】❶互相干扰、打扰。❷客套话。表示自己打扰对方。

【相应】❶应（yìng）。互相呼应或适应。㊀

首尾～|时代变了,人们的某些观念也要～地改变。❷应(yīng)。旧公文用语。应该。㊀～函达。

【相间】形容不同的事物、颜色等一一相隔。㊀桃柳～。间(jiàn)。

【相知】❶彼此相交,相互了解,感情深厚。❷彼此了解、情谊深厚的朋友。

【相宜】合适;适宜。

【相持】两方坚持对立,势均力敌。

【相思】彼此想念。多指男女间因爱慕而引起的思念。

【相称】事物配合得合适、相当。称(chèn)。

【相继】一个跟着一个。㊀～发言。

【相期】❶互相期望;期待。㊀～共同努力。❷互相约期聚会。㊀～邈云汉。

【相对论】物理学基础理论之一。是爱因斯坦在20世纪初提出来的。它根本改变了经典物理学的绝对时空观,提出了时间和空间的相对性。分狭义相对论和广义相对论。它同量子力学一起构成了近代理论物理学的基础,在高能物理和天体物理等方面起着重要的作用。参见〔狭义相对论〕(1062页)、〔广义相对论〕(354页)。

【相对数】两个有联系的现象数值进行对比后形成的比值。

【相似形】两个多边形的对应边成比例,对应角相等,就称这两个多边形为相似形。一般地说,形状相同,而大小不一定相等的两个图形也叫相似形。

【相邻权】相毗邻不动产的占有人,为行使其所有权或使用权而对他人的不动产依法直接支配的权利。分土地相邻权、水流相邻权、建筑物相邻权等。

【相反相成】指相互矛盾的事物既相互排斥又相互联结在一起。《汉书·艺文志》:"仁之与义,敬之与和,相反而皆相成也。"

【相去无几】也说相差无几。指两者差别不大。

【相对主义】一种割裂相对与绝对的辩证关系、片面夸大事物本身及人对事物认识的相对性的形而上学观点和思维方法。抹杀事物之间的原则界限,否认相对中包含绝对,否认客观真理的存在,其结果必然导致诡辩论、不可知论和怀疑论。

【相对真理】即真理的相对性。指人们对客观世界发展的某一具体过程的正确认识。是对客观世界近似的、有条件的、相对正确的反映。

【相对高度】也叫假定高程。相邻两个地点的海拔之差。如某山峰海拔2 000米,附近地面海拔1 500米,这个山峰对于附近地面的相对高度为500米。

【相对湿度】空气中实际所含水蒸气密度和同温度下饱和水蒸气密度的百分比。

【相关分析】一种确定变量间相关关系密切程度的统计方法。

【相形见绌】跟另一人或事物比较之后,显出了不足。绌(chù):不够。

【相忍为国】为了国家的利益而互相容忍。《左传·昭公元年》:"曾夭谓曾阜曰:'旦及日中,吾知罪矣,鲁以相忍为国也,忍其外不忍其内,焉用之。'"忍:容忍。

【相依为命】互相依靠过活,谁也离不开谁。晋李密《陈情表》:"母孙二人,更相为命。"

【相持不下】彼此争持,不肯让步。也指斗争双方势均力敌,谁也难于在短时间内取胜。

【相映成趣】互相衬托、映照而显得很有趣。

【相辅而行】互相协助进行或配合使用。

【相辅相成】指两件事物互相补充,互相配合,缺一不可。

【相得益彰】两者互相配合或映衬,双方的长处和作用更能显示出来。汉王褒《圣主得贤臣颂》:"聚精会神,相得益章(同"彰")。"益:更加。彰:明显。

【相提并论】把不同的人或事不加区别地放在一起谈论或同等地看待。《史记·魏其武安侯列传》:"相提而论,是自明扬主上之过。"

【相敬如宾】《左传·僖公三十三年》:"臼季(人名)使,过冀,见冀缺(人名)耨,其妻馌之,敬,相待如宾。"形容夫妻互相尊敬,像对待宾客一样。

【相煎太急】传说魏文帝曹丕有一次限定他弟弟曹植在七步中成诗,不成则处死。曹植应声成诗一首:"煮豆持作羹,漉菽以为汁。萁在釜下燃,豆在釜中泣。本是同根生,相煎何太急。"曹丕无言以对。后用"相煎太急"比喻兄弟或内部之间互相残害。

【相对分子质量】也叫分子量。分子中各原子相对原子质量之和。

【相对原子质量】也叫原子量。以^{12}C质量的十二分之一作为标准,其他原子的质量与它相比所得的值。如氢的相对原子质量为1,氧的相对原子质量为16。

【相对剩余价值】通过缩短必要劳动时间,

从而相对地增加剩余劳动时间而生产的剩余价值。通过改进技术、提高劳动生产率、降低生活资料价值、降低劳动力价值的方法来实现。是剩余价值生产的一般方法，也是资本家剥削工人的主要方法。

厢（*廂） xiāng ❶厢房，正房前面两旁的房屋。㊀东～|西～。❷像房子那样间隔的地方。㊀车～。❸靠近城的地区。㊀城～。❹边，方面。㊀两～|这～。

葙□ xiāng 见〔青葙〕（795页）。

湘 xiāng ❶湘江。❷湖南的别称。

【湘江】❶洞庭湖水系河流之一，湖南最大河流。发源于广西东北部，流贯湖南东部，在湘阴县注入洞庭湖。全长856千米。干支流大部分可通航。❷乌江支流。在贵州中部。长137千米。

【湘军】清朝将领曾国藩组织的镇压太平军的军队。1852年太平军进入湖南，湖南湘乡人曾国藩奉命组办团练，镇压起义军，后扩编为湘军。湘军以亲属关系组编，全军共约1.7万人，由曾国藩全权统领，主要活动在湖南、湖北、江西、安徽一带，曾多次被太平军击败。太平天国天京内讧后，湘军乘机反扑，1864年7月，攻陷天京。后湘军实力日大，发展成清末重要武装政治集团之一。

【湘剧】戏曲剧种。流行于湖南。由流入湖南的弋阳腔、昆腔、皮黄腔等演变发展而成。包括高腔、弹腔（皮黄腔）、昆腔三种主要腔调。

【湘绣】湖南出产的刺绣。用色鲜明，十分强调颜色的阴阳浓淡。

【湘妃竹】即"斑竹"（31页）。

缃（緗） xiāng 浅黄色。㊀～素。

箱 xiāng ❶箱子，收藏衣物的长方体器具。❷形状像箱子的东西。㊀风～|信～。

香 xiāng ❶气味好闻。与"臭"相对。㊀～花|稻谷～。❷胃口好或睡得好。㊀吃得很～|睡得很～。❸受重视；受欢迎。㊀吃～|他在那个单位很～。❹有香味的原料或制成品。㊀檀～|盘～。

【香火】❶供佛敬神时点燃的香和灯火。❷寺庙中管理香火杂务的人。❸旧指子孙祭奠祖先的事情。㊀～不断。

【香花】有香味的花。比喻对人民有益的言论、作品等。与"毒草"相对。

【香料】在常温下能挥发出香味的物质的统称。按其来源，可分天然香料与合成香料两大类。天然香料如茉莉、白兰、桂花浸膏以及麝香、玫瑰油等；合成香料是利用化工原料，通过化学加工而生产的，如香兰素、苯乙醇、紫罗兰酮等。

【香菇】也叫冬菇。真菌。菌盖表面多呈褐色，菌褶白色。生长于枯死的枫香、栲、枹、栗等树上。常在立冬后至第二年清明前长成，可供食用。

【香蒲】多年生草本植物。地下有横生根状茎。夏季开花，花小，雌雄花穗紧密排列在同一穗轴上，形如蜡烛。生于水边或池沼内。嫩芽供食用，叶片可制席、扇子等。

【香椿】落叶乔木。羽状复叶，互生，小叶10—22个。嫩芽称为椿芽，可食。

【香精】也叫调合香料。由数种乃至数十种天然香料与合成香料调配而成。按用途，分为化妆、皂用、食用、烟用四大类，直接用于日用化学工业和食品工业生产中。

【香蕉】多年生常绿草本植物。假茎浓绿，被白粉。叶子长而大，有长柄。果实长而弯，果肉软而甜，供食用。中国南部广为栽培。也指这种植物的果实。

【香薷】一年生草本植物。茎直立、方形，茎叶可提取芳香油。全草入药，有发汗解暑等作用。

【香港元】由汇丰银行、渣打银行和中国银行三家金融机构发行的香港本位货币。与美元挂钩实行联系汇率制。

【香港特别行政区】简称港。位于珠江口东侧，北邻广东深圳。包括香港岛、九龙半岛、新界以及周围岛屿。面积1 097平方千米。人口669万（1998年）。鸦片战争后被英国殖民者侵占。根据1984年中英两国联合声明，中国政府于1997年7月1日恢复对香港行使主权，并设立特别行政区。

【香港海员大罢工】1922年1月，香港海员六万多人在中国共产党影响和推动下，为争取改善待遇，反对英帝国主义压迫而举行的大罢工。罢工坚持了八个星期，经过流血斗争，香港英国当局被迫接受增加工资，恢复海员、运输两工会，释放被捕工人，抚恤死难者家属等条件，罢工取得了胜利。

舡⊠ ㊀ xiāng 见〔艂舡〕(281页)。
㊁ chuán (142页)。

襄 xiāng 帮助。㊀～助。

【襄理】❶帮助办理。❷旧指银行或规模较大的企业中协助经理主持业务的人。

【襄樊】市名。位于湖北省北部，汉丹、焦柳、襄渝铁路在境内交会。人口58万(1997年)。是全省北部交通、经济中心。有古隆中等名胜。

勷⊠ ㊀ xiāng 帮助。
㊁ ráng (817页)。

骧(驤) xiāng 马快跑时抬头的样子。多用于人名。

纕⊠**(纕)** ㊀ xiāng 佩带。
㊁ rǎng (817页)。

瓖⊠ xiāng 同"镶"。

镶(鑲) xiāng 把东西嵌进去或在物体外围加边。例～嵌|～牙|～花边儿。

【镶嵌画】用彩色石子、陶片、珐琅或玻璃块等镶嵌在建筑物墙壁、地面、天花板或窗子上的装饰性图画。

xiáng ㄒㄧㄤˊ

详(詳) xiáng ❶详细；完备周密。与"略"相对。例～谈|不厌其～。❷清楚。例内容不～。❸说明；细说。例内～。

【详尽】详细全面，没有遗漏。与"简略"相对。

【详明】详细明白。

【详实】同"翔实"(1075页)。

【详情】详细情况。

庠 xiáng 古代的学校。例～序。

【庠序】西周时指地方办的乡学。旧时用来泛指学校或教育事业。

祥 xiáng 吉利。例吉～|～瑞。

【祥瑞】指好事情的兆头或征象。

翔 xiáng ❶盘旋地飞。例飞～。❷通"详"①。例～实。

【翔实】也作详实。详细而确实。

降 ㊁ xiáng ❶投降。例宁死不～。❷用威力使驯服。例～龙伏虎。
㊀ jiàng (486页)。

【降伏】制伏；使驯服。

【降服】投降屈服。

【降顺】投降归顺。

【降龙伏虎】形容力量强大，能够战胜一切。

栙⊠ xiáng 〔栙双〕用篾席做成的船帆。

xiǎng ㄒㄧㄤˇ

享(*亯) xiǎng ❶享受。例有福同～。❷古又同"飨"。

【享用】使用某种东西而得到物质上或精神上的满足。

【享乐】享受安乐(多含贬义)。例贪图～，害怕艰苦，就是堕落的开始。

【享有】在社会上取得(权力、名望、声誉等)。例～盛名。

【享年】敬辞。称说死了的人活了多少岁(多用于老年人)。

【享国】享有其国。指帝王在位。

【享受】指在物质上或精神上得到满足。

【享誉】享有声誉。例～全球。

响(響) xiǎng ❶声音。例～动。❷回声。例～应。❸发出声音。例枪～了。❹声音大。例～亮。

【响马】旧指在路上劫掠过往行人的强盗。因行劫时先放响箭而得名。

【响应】回声相应。比喻用言语、行动表示赞同、支持某种号召或倡议。

【响板】击乐器。木制，呈贝壳状，两片一对。无固定音高。可作节奏性敲击，也可连续摇动响成一片。

【响度】根据听觉判断的声音的强弱。响度的大小主要决定于音强，也跟声音的频率有关。

【响排】指戏曲在正式演出前配有音乐但不化装的排练。

【响晴】晴朗无云。

【响箭】射出时带响声的箭。就是古时说的"鸣镝(dí)"或"嚆(hāo)矢"。

【响器】锣、鼓等击乐器的统称。

【响叶杨】落叶乔木。高可达30米。树皮深灰色，纵裂。冬芽无毛，有黏质。叶卵状三角形，边缘有钝锯齿，顶端渐尖。早春先叶开花，雌雄异株，柔荑花序下垂。是长江中下游山地常见树种。

【响尾蛇】爬行动物。毒蛇的一种。长约2米。体呈绿黄色,具菱形黑褐色斑。尾端有角质环,剧动时能发声,故名。分布于北美洲。

【响彻云霄】响声直达极高的天空。形容声音非常响亮。

【响遏行云】形容歌声嘹亮,直上天空,把浮动的云彩都挡住了。《列子·汤问》:"抚节悲歌,声振林木,响遏行云。"遏(è):阻止。

饷(餉*饟) xiǎng ❶军粮。❷旧指军警的工资。例关～。❸同"飨"①。

蚃⊠(蠁) xiǎng 也叫地蛹、土蛹。知声虫。

飨(饗) xiǎng ❶用酒食款待人。也泛指对人提供某些东西。例以～读者。❷古又同"享"。

想 xiǎng ❶思考;动脑筋。例敢～敢做。❷回忆。例放在什么地方,我一时～不起来啦。❸怀念;惦记。例母亲～着远行的孩子。❹希望;打算。例他～上北京。❺预料;推测。例没～到情况这么复杂。

【想象】也作想像。❶在改造记忆表象的基础上创造出新形象的心理活动。按照对事物的客观描述在头脑中构成形象叫再造想象;新形象的独立创造叫创造想象。❷设想。例不难～。

【想像】同"想象"(1076页)。

【想当然】只凭主观推测,认为事情可能是或应该是这样。

【想象力】在已知的事实或已有的观念的基础上,在思想上创造出新形象的能力。例丰富的～。

【想入非非】脱离实际地胡思乱想。

鲞(鯗) xiǎng 剖开晾干的鱼。例咸～。

xiàng ㄒㄧㄤˋ

向(❶❷❺❻嚮❸❻*曏) xiàng ❶方向;目标。例风～|志～。❷介词。对着;朝。表示动作的方向。例～阳花木|从胜利走～胜利|～南前进。❸文言副词。一向;向来。例～无此事。❹偏袒。❺接近。例～晚|病～愈。❻过去;已往。例～日。❼古指朝北的窗子。

【向上】❶朝上。❷上进;向好的方面发展。例好好学习,天天～。

【向导】引路;引路的人。

【向来】副词。一向;从来。例～如此。

【向例】向来的成例;惯例。

【向往】对某种事物因热爱、羡慕而想望。例他～着美好的生活。

【向迩】靠近;接近。例如火之燎于原,不可～。迩(ěr):近。

【向性】静止型生物对单向的环境刺激的定向运动反应。包括向光性、向地性、向水性、向触性等。

【向学】向往学习。形容好学。

【向背】拥护或是反对。例人心～。

【向斜】岩层褶皱向下弯曲的部分。特点是中心部分岩层较新,而两翼部分岩层较老。向斜是宜于储藏地下水的构造。

【向隅】面对着屋子的一个角落。比喻因非常孤立或得不到机会而失望。隅(yú):角落。

【向量】即"矢量"(896页)。

【向日葵】❶一年生草本植物。高1—3米。夏季开花,花生于茎顶,有向光性。瘦果矩卵形,稍扁,灰色或黑色。种子富含油脂,可供食用或榨油。❷荷兰画家凡·高的名画。作于1888年。色调热烈,笔触强劲。

【向心力】使物体做圆周运动的指向圆心的力。物体所产生的反作用力是背离圆心方向的,叫做离心力。如火车转弯时,向心力是路轨作用在火车车轮上的力,离心力是车轮作用在路轨上的力。

【向风海峡】位于西印度群岛中的古巴与海地两国之间。连通加勒比海和大西洋。最窄处85千米。

【向隅而泣】面对墙角哭泣。汉刘向《说苑·贵德》:"今有满堂饮酒者,有一人独索然向隅而泣,则一堂之人皆不乐矣。"形容得不到机会参加而失望。后多用以形容因被冷落、抛弃而感到孤独绝望,无可奈何。

【向壁虚造】也说向壁虚构。汉初有人从孔子旧宅的夹墙里发掘出一些用古文字写的典籍,当时人不相信,说是面向孔壁,凭空假造的。后用"向壁虚造"比喻不根据事实而凭空捏造。虚:凭空。造:捏造。

项(項) xiàng ❶脖子后部。❷事物的种类或条目。例事～|三

大纪律八～注意。❸款项(指钱)。㊀进～。

【项羽】(前232—前202)也叫西楚霸王、楚霸王。秦末农民起义领袖。名籍,下相(今江苏宿迁西南)人。秦二世元年(前209)随项梁起义,在巨鹿之战中,摧毁秦军主力。秦亡后,自立为西楚霸王。楚汉战争中,被刘邦打败,自刎而死。

【项英】(1898—1941)中国无产阶级革命家。原名德隆,化名江钧,湖北武昌人。1922年加入中国共产党。在中共六大上当选为政治局常委。1931年任中华苏维埃共和国临时中央政府副主席。红军长征后,留在苏区坚持游击战争。抗日战争爆发后任中共中央东南局书记兼新四军副军长。1941年3月,皖南事变后率部突围遇害。

【项目评估】项目审批机构和融资机构对项目发起人提交的可行性研究报告予以评审。

【项目融资】为特定项目建设筹集资金。所得资金只用于项目建设,项目收益首先用于偿还借款,项目融资借款本息能否收回只与项目的盈利性有关,与拥有该项目的企业无关。

【项背相望】《后汉书·左雄传》:"监司项背相望,与同疾疢(chèn,热病)。"原指前后相顾。后形容行人拥挤,一个紧接一个,连续不断。

【项庄舞剑,意在沛公】《史记·项羽本纪》记载,项羽在鸿门与刘邦(沛公)相见。酒席上,项羽的谋臣范增让项庄以舞剑助兴为名,趁机刺杀刘邦。后用"项庄舞剑,意在沛公"比喻说话或行动,表面上看没有什么特殊的目的,暗地里却别有用意。

巷

㊀ xiàng 胡同;里弄。㊀大街小～。㊁ hàng (382页)。

【巷议】见〔街谈巷议〕(496页)。

【巷战】在城镇、村庄的街巷进行的战斗。通常短兵相接,对坚固建筑物、主要街道、制高点的争夺激烈,常常形成许多局部的独立战斗。

相

㊁ xiàng ❶模样;容貌。㊀～貌。❷察看。㊀～机而行。❸辅助。也指辅助的人。❹古代特指高级的官吏,现在某些国家也指政府首脑。㊀宰～|首～。❺相位,旧称位相。物理学中指某一物理量随时间(或空间位置)作正弦变化时,决定该量在某一时刻(或某一位置)的状态的数值。❻多相电流系统的一个组成部分。参见〔电流〕(207页)。

㊀ xiāng (1072页)。

【相公】❶对宰相的尊称。❷旧小说戏曲中对少年士子的尊称。

【相扑】❶中国古代的一种摔跤。与现代的摔跤相似。❷流行于日本的一种摔跤。两人徒手裸体,下身只系一条护裆肚带。相搏中以使对方除脚外的身体部分着地或身体出界为胜。

【相机】❶照相机。❷看时机。㊀～行事。

【相声】曲艺的一种。由象声(传统口技)发展而成。它吸取了民间讲故事、说笑话的手法和戏曲中的喜剧因素,讲究说、学、逗、唱,具有幽默风趣的特点。分单口、对口及多口等形式,以对口为常见。

【相国】古代官名。春秋战国时为百官之长。后为对宰相的尊称。

【相变】物质从一种态到另一种态的转变。如气态、液态、固态之间的相互转变以及晶体结构的转变等。

【相面】也叫看相。一种迷信活动。根据人的面貌、气色、体态、手纹等推算人的吉凶、祸福等。

【相国寺】历史上著名的寺院。在河南开封市内。原为战国信陵君故宅。北齐时建,名大建国寺,后毁。唐睿宗(相王)重建,改名大相国寺。习称相国寺。清乾隆时(1766)重建。现有牌楼、大雄宝殿、八角琉璃殿、藏经楼等。"相国霜钟"为开封八景之一。

【相鼠有皮】《诗经·鄘风·相鼠》:"相鼠有皮,人而无仪。"意思是仔细看老鼠尚且有皮。借指人应知廉耻,讲礼义。

象

xiàng ❶哺乳动物。是现在陆地上最大的动物。体高约3米,鼻长筒形,能蜷曲。分亚洲象和非洲象两种。❷形状;样子。㊀景～|万～更新。❸仿效;模拟。㊀～形|～声。

【象形】六书之一。指描摹实物形状的造字法。如"日",画一个太阳的形状"☉";"月",画一个新月的形状"☽"。

【象征】❶用具体的事物表现某种特殊意义。㊀火炬～光明。❷指用来表现某种特殊意义的具体事物。

【象限】平面内两条相互垂直的线把平面分成四部分。右上方为第一象限,左上方为第二象限,左下方为第三象限,右下方为第四象限。

【象棋】也叫中国象棋。棋类运动项目之一。棋盘用9道直线和10道横线交叉组成,棋盘中间没有划线的地带叫做河界。两人对局,分为红方和黑方。在棋盘的规定位置各布放16个棋子,各有一将(帅)、双士(仕)、双象(相)、双车、双马、双炮、五卒(兵)。按规定的走法轮流走子,红方先行,以把对方“将死”为胜。另有国际象棋。

【象皮病】〈方〉指丝虫病。

【象脚鼓】击奏膜鸣乐器。因形似象脚而得名。形制大小不一。鼓声宏壮深沉。演奏时斜挂肩上,用手拍击鼓面。多用于舞蹈伴奏。流行于云南傣族、景颇族、佤族、拉祜族地区。

【象牙之塔】也说象牙塔。比喻脱离现实生活的文学家和艺术家的主观幻想的艺术天地。

【象形文字】也叫表形文字。描摹实物形状的文字。如甲骨文的“鱼”字画个鱼形(),“目”字画个眼睛形状()。它是最初的文字。

【象箸玉杯】象牙筷子和玉石酒杯。形容极度奢侈的生活。《韩非子·喻老》:“象箸玉杯,必不羹菽藿,则必旄象豹胎。”箸(zhù):筷子。

像 xiàng ❶比照人、物制成的形象。㊟～片|塑～。❷在形象上相似或有某些共同点。㊟他长得～他母亲|这里的冬天～春天一样。❸比如。㊟～他这样的好人,世上难找。❹好像;似乎。㊟～要下雨了。

【像差】透镜(或透镜组)所成的像和原物的样子不准确相似的现象。是由于物点发出的靠近主轴的光线和经过透镜边缘的光线不能完全聚合在一点上造成的。像差的大小反映了透镜成像品质的好坏。

【像素】也叫像元。组成图像的基本单元。在光电转换系统中,就是电子束或光束每一瞬间在图像上扫描的部分。

【像煞有介事】似乎真有其事。参见〔煞有介事〕(853页)。

豫☒ xiàng 同“象”①。

橡 xiàng ❶橡树。即“栎”(605页)。❷橡胶树。

【橡胶】具有高弹性的一类高分子化合物。有天然橡胶和合成橡胶两类。广泛用于制轮胎、工业用品及日用品等。

【橡胶树】也叫三叶橡胶树。常绿乔木。树干有乳汁,采割加工成橡胶。原产于巴西,中国南方已引种栽培。

【橡皮图章】❶用经过硫化的橡胶做的图章。❷比喻没有实权而只是表面上履行手续的个人或集体。

蟓☒ xiàng 蚕。

缿☒ xiàng ❶扑满(旧时积钱的瓦器)。❷古代接受告密书信的瓦器。

衖□ xiàng 同“巷(xiàng)”。另音 lòng,见“弄”(635页)。

xiāo ㄒㄧㄠ

肖 ㊀ xiāo 姓。有些姓萧的人将自己的姓写作肖。

㊁ xiào (1085页)。

【肖邦】弗雷德里克·肖邦(1810—1849)波兰作曲家、钢琴家。1831年起侨居巴黎。其创作涉及钢琴音乐的各种体裁,不少作品反映了他对民族沦亡的悲愤、对民族复兴的期望和对祖国的怀念。所作玛祖卡、波洛奈兹具有鲜明的民族特色,叙事曲与波兰的民族史诗相联系,将前奏曲、谐谑曲发展成独立的钢琴曲,进一步使练习曲的技术性与艺术性紧密结合,对钢琴音乐创作和演奏艺术的发展有重要贡献。代表作有《革命练习曲》《e小调钢琴协奏曲》《降b小调钢琴奏鸣曲》《降D大调前奏曲》《g小调第一叙事曲》《降A大调波洛奈兹》等。

【肖洛霍夫】米哈依尔·亚历山德诺维奇·肖洛霍夫(1905—1984)苏联小说家。1926—1940年创作长篇小说《静静的顿河》,以广阔的画面表现1912—1922年间顿河地区的社会革命斗争生活。1957年发表《一个人的遭遇》,描写德国法西斯给人民带来的苦难。1965年获诺贝尔文学奖。

【肖斯塔科维奇】德米特里·肖斯塔科维奇(1906—1975)苏联作曲家,苏联音乐界的主要代表人物。其创作遍及各种音乐体裁,并全面、深刻地反映了从20世纪20年代至70年代苏联社会生活的变化及其在人们内心的影响。代表作有第四、第五、第七、第十、第十一、第十三、第十五交响曲,声乐交响诗《斯杰潘·拉辛的死刑》,清唱剧

《森林之歌》,歌剧《姆钦斯克县的马克白夫人》以及大量室内乐,钢琴、小提琴、大提琴协奏曲和声乐套曲、电影音乐等。

削 ㊀ xiāo 用刀斜着去掉物体的表层或一截。[例]~果皮|把坏的一截~掉。

㊁ xuē (1117页)。

逍 xiāo 见下。

【逍遥】自由自在,没有约束。

【逍遥法外】指犯了法的人没有受到法律制裁,仍旧自由自在。[例]绝不允许犯罪分子~。

消 xiāo ❶消失。[例]~溶|烟~云散。❷除掉;消除。[例]~灭|~毒。❸耗费。[例]~耗。❹消遣;把时间度过去。[例]~夏。❺需要。[例]不~说。

【消亡】消失灭亡。

【消长】❶减少或增长。[例]力量的~。❷盛衰的变化。长(zhǎng)。

【消化】❶食物在消化系统内,经过研磨和消化液的作用,分解为结构比较简单、容易被吸收的营养物质的过程。❷比喻理解学习内容的过程。

【消防】消灭和防止火灾。[例]~队|~器材。

【消极】❶反面的;阻碍发展的。[例]~作用|~因素。❷消沉的;不求进取的。[例]~情绪|~态度。

【消闲】消磨空闲的时光。

【消沉】情绪低落,萎靡不振。[例]意志~。

【消受】享受;受用(多用于否定式)。[例]无福~。

【消夜】夜间吃的点心。也指夜间吃点心。

【消泯】消失泯灭。

【消毒】用蒸煮、药物及阳光等杀死致病的细菌等,消除病原体。

【消弭】消除;制止。[例]~隐患。弭(mǐ):平息。

【消费】为了生产和生活需要而消耗物质资料。它是社会再生产过程的一个环节,包括生产消费和生活消费。前者指生产资料在生产过程中的使用和消耗,后者指人们对生活资料的使用和消耗。通常所说的消费是指生活资料的消费。消费由生产决定,又反作用于生产。

【消耗】(物质或精力等)因使用或受损失而减少。

【消损】❶因消磨而损坏。❷逐渐消耗。

【消逝】消失。[例]时间在飞快地~。

【消夏】消除、摆脱夏天的炎热;避暑。

【消息】❶新闻体裁的一种。以简要的形式,及时地反映国内外新近发生的重要事情。是报社、通讯社、广播电台广泛使用的宣传形式。❷音信。

【消停】〈方〉❶安静;安稳。❷停歇。❸从容;不忙。停(tíng)。

【消释】消除;解除。[例]误会~。

【消渴】中医病证名。指糖尿病等多饮、多食、多尿的病证。

【消魂】同“销魂”(1081页)。

【消遣】原指排解愁闷。引申指用自己感到愉快的事来消磨时间。

【消瘦】身体变瘦或瘦弱。

【消融】消解融化。

【消磨】❶(意志、精力)消散,磨灭。❷指虚度时间。[例]不要把大好时光~在下棋、打牌上。

【消化腺】分泌消化液的腺体。有的位于消化管壁以外,由导管与消化管相通,如唾液腺、胰腺、肝脏等;有的位于消化管壁,如胃腺、肠腺等,其分泌物直接流入胃肠。

【消防队】防火和救火的组织。

【消声器】安装在设备的进、排气系统,用于降低噪声的装置。

【消费者】为生活消费需要购买、使用商品或接受服务的个人。

【消费税】以商品销售额或支出额为征收对象的税收。

【消耗战】以消耗敌方兵力、兵器及其他战争物质力量为目的的作战,以达到改变双方力量对比,变劣势为优势,最后战胜敌人的目的。战略的消耗战,主要通过战役和战斗的歼灭战来实现。应力求避免打得不偿失或得失相当的消耗战。

【消化系统】人或动物体内所有消化器官的总称。由口腔、食管、胃、小肠、大肠等消化管及唾液腺、肝和胰等消化腺组成。有消化食物并吸收养料的作用。

【消极防御】也叫专守防御、单纯防御。指单纯阻挡敌人进攻,放弃任何攻势行动的防御。表现为处处设防,分兵把口。是被动挨打的防御。

【消极修辞】指适应题旨情境需要,利用常规的表达方式,使语言明白、准确、通顺的一种修辞手法。与“积极修辞”相对。

【消费方式】消费者同消费资料结合的方

式。一般通过消费品的种类、数量、质量、结构、消费支出方式等表现出来。

【消费信用】工商企业、银行或其他金融机构提供给消费者用于消费支出的资金融通方式。

【消费结构】人们消费的各种消费资料和劳务的比例关系。

【消费倾向】指既定收入条件下消费在收入中所占的比例。是英国经济学家约翰·凯恩斯用于分析消费与收入关系的概念。消费倾向递减是造成社会失业的重要原因之一。

【消费资料】即生活资料或消费品。是直接用来满足人们物质和文化生活需要的社会产品。

【消费基金】国民收入中用于满足社会成员个人物质文化生活需要和社会共同消费的那一部分。

【消费需求】消费者通过消费物品或劳务而得到满足的需求。

【消除反应】也叫消去反应。有机化合物在一定条件下,从一个分子中脱去一个小分子(如 H_2O、HBr、H_2 等)而生成不饱和化合物的反应。如乙醇脱水生成乙烯的反应:

$$C_2H_5OH \longrightarrow C_2H_4 + H_2O$$

【消烟除尘】消除或减少燃料在燃烧过程中排放的有害气体和粉尘。主要是通过改进燃烧设备和燃烧技术,以及加装净化装置和采取回收措施等,以防止烟尘对大气的污染。

【消费合作社】消费者集资联合组成的经营消费品的商业组织。中国在民主革命时期的各革命根据地都组织过消费合作社。新中国成立后,在城市一部分工矿、学校中建立了消费合作社。随着国营商业的发展,1954年各地消费合作社合并于国营零售商店。

【消费者主权】也叫消费者统治。指消费者在市场经济中对生产什么和生产多少等基本问题起决定作用的市场权力。消费者用货币购买商品是向商品投"货币选票",而生产者为了利润最大化,总是根据消费者的选择来安排生产。这种消费者统治的经济关系,可以促使社会资源的最优配置。

宵 xiāo 夜。㊀通~。

【宵小】旧指晚上出来活动的盗贼,后来泛称行动鬼祟(suì)的坏人。

【宵分】夜半。分(fèn)。

【宵遁】夜里逃跑。

【宵禁】夜里戒严。

【宵衣旰食】天不亮就穿衣起来,天黑了才吃饭。形容政务忙碌。《旧唐书·刘蕡传》:"若夫任贤惕厉,宵衣旰食,宜黜左右之纤佞,进股肱之大臣。"宵:夜晚。旰(gàn):晚。

绡(綃) xiāo ❶生丝。❷用生丝织的绸子。

硝 xiāo ❶硝石。❷用芒硝加黄米面处理毛皮,使皮板柔软。㊀~皮子。

【硝石】硝石类矿物的总称。有两种:(1)钾硝石,也叫火硝,化学成分为 KNO_3;(2)钠硝石,也叫智利硝石,化学成分为 $NaNO_3$。一般为无色或白色粒状晶体,具玻璃光泽,硬度1.5—2。易溶于水。是制造火药、肥料、硝酸、药品等的一种原料。

【硝烟】火药爆炸后所起的烟雾。㊀~滚滚。

【硝酸】无机酸,化学式 HNO_3。强酸性。纯品为无色液体。浓硝酸为65%的水溶液。具有强烈刺激气味和腐蚀性。是强氧化剂。广泛用于化学工业等。

【硝化反应】有机化合物分子中的氢原子被硝基取代的反应。如在一定条件下,苯与浓硝酸的反应:

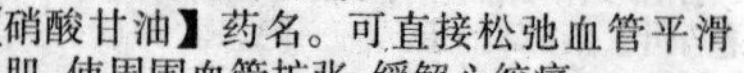

【硝化甘油】甘油的三硝酸酯。由甘油经硝酸和硫酸的混合酸酯化而制得。无色油状液体,常因含有少量杂质而显淡黄色。有毒,不溶于水,密度大于水。是一种烈性炸药。医药上可制成硝酸甘油片,用做血管扩张药,治疗心绞痛。

【硝酸甘油】药名。可直接松弛血管平滑肌,使周围血管扩张,缓解心绞痛。

销(銷) xiāo ❶去掉;解除。㊀~假|撤~。❷出售(货物)。㊀供~|畅~。❸消费。㊀开~。❹熔化金属。❺销子;插销。

【销户】单位或个人结清、撤销在银行开设的账户。

【销行】(产品)销售。㊀~全国。

【销赃】❶销售赃物。❷销毁赃物。

【销铄】❶熔化;消除。❷久病枯瘦。铄(shuò)。

【销售】卖出(货物)。
【销魂】也作消魂。形容人极度兴奋、欢乐或极度悲伤、苦恼时情绪难以控制的状态。
【销路】指商品销售的去路。例新产品的～很广。
【销毁】烧掉;毁掉。
【销声匿迹】躲藏起来,不再公开露面。匿(nì):隐藏。

蛸　㊁ xiāo　见〔螵蛸〕(752 页)。
㊀ shāo (863 页)。

霄　xiāo　云;天空。例云～|九～云外。

【霄汉】云霄和天河。指天空极高处。例气冲～。
【霄壤】天和地。形容相距极远。例～之别。

魈　xiāo　见〔山魈〕(854 页)。

哓☒　㊀ xiāo　大而中空的样子。
㊁ háo (382 页)。

枵　xiāo　❶空虚。例～腹从公(饿着肚子办理公务)。❷纺织品稀而薄。例～薄。

鸮(鴞)　xiāo　见〔鸱鸮〕(126 页)。

枭(梟)　xiāo　❶同“鸮”。❷勇悍,凶猛。例～将|～雄。❸头领;魁首。例毒～。

【枭将】勇猛的武将。
【枭首】旧时的一种刑罚。把人头砍下并且在高处悬挂(示众)。
【枭骑】健壮勇猛的骑兵。骑(旧读 jì)。
【枭雄】强横而有野心的人物;智勇杰出的人物。

嘄☒**(噭)**　㊀ xiāo　呼号。
㊁ jiào (494 页)。

蟂☒**(蟂)**　xiāo　古代传说中的一种动物。似蛇,有四足,能害人。

哓(嘵)　xiāo　〔哓哓〕❶争辩声(含贬义)。例～不休。❷因恐惧而发出的嚷叫声。

獟☒**(獟)**　xiāo　〔獟悍〕骁勇凶悍。

骁(驍)　xiāo　❶好马。❷勇猛矫健。例～骑|～将。

【骁勇】矫健勇猛。
【骁悍】勇猛强悍。
【骁骑】勇猛的骑兵。

髇☒**(髐)**　xiāo　〔髇然〕形容白骨。

猇☒**(獢)**　xiāo　见〔猲猇〕(1086 页)。

休☒　xiāo　〔烋休〕猛兽怒吼。

虓☒　xiāo　猛虎怒吼。

猇☒　xiāo　同“虓”。

摅☒**(攄)**　xiāo　敲击。

萧(蕭)　xiāo　❶草名。蒿子的一种。❷冷落、衰败、没有生气的样子。例～条|～然。

【萧何】(? —前 193)西汉政治家。沛(今江苏沛县)人。秦末随刘邦起义。刘邦攻取咸阳后,他收取律令图书,熟谙全国山川险要、郡县户口。楚汉战争时荐韩信为大将,镇守关中,不断给前线输送兵卒和粮饷,为刘邦战胜项羽创造了条件。西汉建立后,任丞相十四年,制定《汉律》九章。对建立和巩固西汉政权起了积极作用。
【萧条】❶寂寞冷落,没有生气。例景象～。❷资本主义再生产周期中紧接危机之后的一个阶段。其特点是生产停滞、物价低落、商业萎缩、游资充斥等。
【萧衍】(464—549)即梁武帝。南朝梁的建立者。字叔达,小字练儿,南兰陵(今江苏武进西北)人。曾任南朝齐雍州刺史,镇守襄阳,乘齐内乱,夺取帝位。重用士族,笃信佛法,长于文学,精音律,善书法。有《梁武帝御制集》。
【萧洒】同“潇洒”(1082 页)。
【萧索】冷落凄凉的样子。
【萧萧】拟声词。风吹、马叫的声音。
【萧森】形容荒凉衰落的景象。
【萧然】冷落,没有生气的样子。
【萧疏】稀稀落落,寂寞凄凉。
【萧瑟】❶形容风吹树木的声音。例秋风～。❷形容景色凄凉。
【萧友梅】(1884—1940)中国音乐教育家、作曲家。曾在上海创办了中国第一所音乐学院——国立音乐院。代表作有歌曲《问》《五四纪念爱国歌》《国耻》等。

X

【萧伯纳】乔治·萧伯纳(1856—1950)爱尔兰作家。生于小公务员家庭。二十岁移居英国。主要成就在讽刺戏剧。他的一些剧本揭露了资本主义的伪善和罪恶,有的剧本还通过对军火商罪行的揭露表达作者憎恨帝国主义侵略政策的思想感情。代表作有《华伦夫人的职业》《康蒂妲》《巴巴拉少校》等。

【萧规曹随】萧何和曹参在西汉初期先后任丞相。萧何创立了一套规章制度。他死后曹参继任,完全照章行事。汉扬雄《解嘲》:"萧规曹随,留侯画策,陈平出奇,功若泰山,响若阺隤(dǐtuí,山崩)。"后用以比喻依照成规办事。

【萧墙之祸】发生在照壁以内的祸乱。指内部的祸乱。《论语·季氏》:"吾恐季孙之忧,不在颛臾,而在萧墙之内也。"萧墙:照壁,影壁。

潇(瀟) xiāo 水深而清。

【潇洒】❶也作萧洒。(神情举止)自然大方,不拘束。❷清逸的样子。

【潇潇】形容风雨急骤。[例]风雨～。

蟏□(蠨) xiāo 〔蟏蛸〕蟢子。

箫(簫) xiāo 也叫洞箫。管乐器。竹制,单管直吹,上有吹孔及六个音孔,发音清幽。常用于独奏及合奏。

翛⊠ xiāo 无拘无束,自由自在。[例]～然而往。

【翛翛】形容鸟类羽毛枯焦没有光泽。

嗃⊠ ㊀ xiāo 吹竹管的声音。
㊁ hè (393页)。

歊⊠ xiāo 〔歊歊〕气盛的样子。

嘐⊠ ㊀ xiāo 虚夸。
㊁ jiāo (490页)。

嚣(囂) ㊀ xiāo 喧哗;嘈杂。[例]叫～|喧～。
㊁ áo (13页)。

【嚣张】放肆;邪气、恶势力升涨。

【嚣浮】心浮气躁;不沉着。

xiáo ㄒㄧㄠˊ

洨 xiáo 洨河,水名,在河北南部。

郩⊠ xiáo ❶古地名。❷同"崤"。

崤 xiáo 崤山,也叫崤陵。山名。在河南西部。

淆(*殽) xiáo 混杂。[例]～惑|混～。

【淆惑】混淆迷惑。[例]～视听。

xiǎo ㄒㄧㄠˇ

小 xiǎo ❶在体积、面积、数量、容量、力量、强度、年龄等方面不及通常的情况或不及所比较的对象。与"大"相对。[例]～山|～声|～厂。❷表示轻视。[例]～看。❸排行最末的或最年轻的。[例]～儿子。❹时间短。[例]～坐。❺略微。[例]牛刀～试。❻谦辞。称自己或与自己有关的人或事物。[例]～弟|～女|～店。

【小人】❶先秦时指社会地位低的人。与"君子"相对。❷谦辞。古代用于称自己。❸人格卑鄙的人。与"君子"相对。

【小气】不大方;吝啬。

【小引】写在诗文前面的简短说明。

【小丑】❶戏曲中的丑角或在杂技中做滑稽表演的人。❷对举止轻浮或行为卑鄙的人的蔑称。

【小节】❶非原则性的细小事情。[例]不拘～。❷节拍单位。由某一强拍起至下一个强拍前止为一小节。在曲谱中,小节与小节之间,以纵线为界,这条线称为小节线。

【小号】铜管乐器。号嘴杯形,末端喇叭形。管上有三个按键。是军乐队及管弦乐队的主要高音乐器,也用于独奏。

【小生】❶传统戏曲中生角的一种。扮演青年男子。❷早期白话作品中青年读书人的自称。

【小令】❶词之字句短少者称小令。在五十八字以内。❷元曲中本指只含有一支曲子的散曲,后来也包括除散曲以外的民间流行的小曲。

【小写】❶汉字数目字的一种笔画简单的写法。如一、二、三等。与"大写"相对。❷某些拼音字母中的一种写法。如拉丁字母的a、b、c(其大写为A、B、C)等。与"大写"相对。

【小产】流产。

【小尽】即"小建"(1083页)。

【小麦】一年生或二年生草本植物。秆直

立,中空有节,叶子宽线形。子实椭圆形,腹面有沟,供制面粉,是主要粮食作物。因播种时间不同,分冬小麦、春小麦两种。也指这种植物的种子。

【小肠】肠的前段。上接胃的幽门,下连大肠。成人小肠长约3—5米。分十二指肠、空肠、回肠。小肠内壁的黏膜有肠腺分泌消化液,并有绒毛扩大消化与吸收的面积,是消化与吸收的主要场所。

【小雨】强度较小的降雨。24小时内降雨量在10毫米或1小时内降雨量在2.5毫米以下。通常指雨量不大的雨。

【小贩】指本钱少、经营规模小的商贩。

【小学】❶旧时把文字学、音韵学、训诂学统称为小学。❷指小学校。对儿童、少年进行基础教育的初级学校。

【小试】稍微加以试验。《史记·孙子吴起列传》:"阖庐曰:'子之十三篇吾尽观之矣,可以小试勒兵乎?'"

【小视】轻视;小看。

【小建】也叫小尽。农历的小月,只有29天。

【小姐】对未婚女子的尊称。也用作对年轻女子的尊称。

【小说】文学类型的一种。以刻画人物形象为中心,通过完整的故事情节和具体环境的描写,广泛地反映社会生活。根据反映生活规模的广狭和篇幅的长短,可分为长篇小说、中篇小说、短篇小说和小小说;根据内容题材的不同,可分为言情小说、武侠小说、侦探小说、科幻小说等。

【小费】也叫小账。顾客额外给饭店、旅馆等服务行业中服务人员的零钱。

【小样】报纸的一条消息或一篇文章的校样。区别于拼版后的大样。

【小酌】简便的酒和菜。

【小乘】也叫小乘佛教。佛教的一派。在很大程度上保持早期佛教的精神,强调自我解脱。现主要流传于南亚及东南亚各国,自称上座部佛教。中国云南也有部分信徒。小乘是佛教大乘派对它的贬称。乘(chéng)。

【小脑】脑的一部分。位于颅腔内大脑半球的后下方。分中间的蚓部和两侧膨大的小脑半球。有协调骨骼肌的运动、维持和调节肌肉的紧张、保持身体平衡的作用。

【小调】❶也叫小曲、俚曲、时调、码头调等。中国民歌的一类。题材反映社会生活的各个方面。结构较为规整,常以四季、五更、十二月、花名等形式连缀,为多段体分节歌形式。独唱为主。❷区别于大调的一种调式。

【小雪】❶节气名。在每年公历11月22日或23日。中国黄河流域出现初雪。❷强度较小的降雪。24小时内降雪量小于2.5毫米。

【小康】❶儒家所说的一种比"大同"较低级的社会。❷指能维持中等生活水平的家庭经济状况。[例]~之家。

【小暑】节气名。在每年公历7月7日前后。中国大部分地区将进入炎热季节。

【小寒】节气名。在每年公历1月6日前后。中国大部分地区将进入严寒季节。

【小蓟】俗称刺儿菜。多年生草本植物。叶边缘有小刺,花紫红色。嫩茎和叶可食,也可做猪饲料。全草入药,有止血、清热等作用。

【小锣】也叫手锣、喜锣。击奏体鸣乐器。铜制,圆盘形,有边,中心处有锣脐。广泛应用于戏曲、舞蹈和民间器乐之中。

【小数】分母是10,100,1000…的分数可写成不带分母的形式,如$\frac{3}{10}=0.3$,$\frac{1234}{1000}=1.234$。0.3,1.234这种形式的数叫做十进小数,简称小数。任意一个实数都可以表示成小数形式,如$\frac{1}{8}=0.125$,$\sqrt{2}=1.4142\cdots$。

【小满】节气名。在每年公历5月21日前后。中国大部分地区冬小麦子粒逐渐饱满成熟。

【小觑】小看;轻视。觑(qù):看。

【小篆】也叫秦篆。汉字字体之一。是在大篆(即籀文)基础上发展形成,较大篆简化。结构整齐,字体略长,笔画圆匀。秦始皇统一中国后,推行统一文字的政策,以小篆为正字。

【小潮】在上下弦日(农历每月初七、初八和廿二、廿三),月球和太阳对潮汐所起的作用部分相互抵消,这时潮水涨落的幅度最小,叫小潮。

【小鲵】也叫短尾鲵。两栖动物。长5—9厘米。背面黑色,腹面色淡,全体有银白色斑点。尾短而侧扁。平时在水边水草间活动。分布于中国南方地区。

【小刀会】清代民间秘密团体。有属于白莲

教的和属于天地会的两个支派。属于白莲教的支派,活动于山东、安徽、浙江等地,曾参加反帝斗争。属于天地会的支派,鸦片战争以后,在东南沿海一带发展组织。1853年5月福建小刀会在黄威领导下于海澄(今并入龙海)起义,攻占漳州、厦门等地。1853年9月,刘丽川在上海领导小刀会起义,成为太平天国革命运动的一个组成部分。

【小广播】私下传播不该传播的或不确切的消息。

【小五金】小件的五金制品。如螺丝、拉手、插销等。

【小气候】❶由于地球表面性质不均或人为因素的影响(如城市建设、水库兴修、绿化造林等)所造成的小范围的、低层的气候。小气候和人类活动关系极为密切,也最易按照人类的愿望加以改造和利用。❷比喻在一个大的政治、经济等方面的环境和条件下,由于具体地区或具体单位的特殊性而形成的特殊环境和条件。

【小生产】以生产资料个体私有制和个人劳动为基础的生产方式。通常指个体农业和个体手工业。个体手工业产品一般是用来交换的,个体农业在商品货币关系比较发达的条件下也要出卖部分或大部分产品,正是在这个意义上,小生产也叫小商品生产或简单商品生产。

【小市民】城市中的占有少量生产资料或财产的居民。如手工业者、小商人等。

【小动作】小的举动。常指不光明正大的小举动。

【小百货】指日常生活中使用的小商品,如纽扣、针线、牙刷等。

【小仲马】亚历山大·仲马(1824—1895)法国小说家、剧作家。大仲马之子。作品对法国资产阶级的家庭生活、风习和道德等做了较细致的描写,并企图以改良观点来解决社会问题。代表作有《茶花女》(先写成小说,后改为剧本)等。

【小行星】在火星和木星轨道之间,沿椭圆轨道围绕太阳运行的小天体。组成小行星带。已编号的约七千颗。

【小合唱】规模较小的合唱。一般仅有十余人参加。分男声小合唱、女声小合唱、混声小合唱。带有表演的小合唱称为表演唱。

【小字辈】年龄较小或资历较浅的人。

【小军鼓】击奏膜鸣乐器。金属制,鼓框上下蒙皮。下层鼓皮绷有钢丝弹簧数条。演奏者用两根木质鼓槌击奏发声。多用于军乐队和管弦乐队。

【小报告】抱有个人目的背着当事人向领导反映某些情况。例这个人不光明磊落,老爱打个～什么的。

【小苏打】即碳酸氢钠。无机化合物,化学式 $NaHCO_3$。白色粉末,易溶于水。与酸作用生成二氧化碳,用于食品工业、医药等。

【小时工】也叫钟点工。指按小时计酬的临时工。

【小夜曲】最初指流行于意大利、西班牙民间的爱情歌曲。常用吉他或曼陀林伴奏。18世纪以后,成为多乐章的室内乐作品。

【小品文】散文的一种。融议论、抒情和叙述于一体,篇幅短小,笔法灵活,语言活泼生动。有时事小品、历史小品、科学小品和讽刺小品等。

【小家鼠】哺乳动物。体长约8厘米。毛色变化较大,黑灰色或灰褐色。栖息于建筑物、田野、山地、果园中。杂食性。盗吃食物和粮食,危害农作物,传播疾病,是主要害鼠。

【小黄鱼】鱼类。体形酷似大黄鱼,但尾柄较短,鳞较大。长二十余厘米。金黄色。是中国重要经济鱼类。

【小猫熊】也叫小熊猫。哺乳动物。长约60厘米。尾粗,长40—45厘米。头圆,四肢粗短。毛色上部深红,下部黑褐,耳边白色,脸有白色斑点。尾有9个黄白相间的环纹,故也叫九节狼。生活在1 600—3 000米的高山上,善爬树。杂食性。产于中国西南、西北等地。

【小提琴】拉弦乐器。木制。四根弦。音色圆润、富于变化,音域宽广。是独奏、重奏和管弦乐队中的重要乐器。

【小循环】即“肺循环”(270页)。

【小熊座】位于北天极附近,主要部分是由七颗恒星组成的类似北斗星的斗形。最亮的星是斗柄末端的北极星。中国终年可见。

【小辫子】比喻容易被人抓住的把柄。

【小儿麻痹】即“脊髓灰质炎”(459页)。

【小心翼翼】谨慎小心,一点不敢疏忽的样子。《诗经·大雅·大明》:“维此文王,小心翼翼。”翼翼:严肃,谨慎。

【小巧玲珑】形容器物形体小而又灵巧、

精致。

【小生产者】也叫个体劳动者。有简单的生产工具，在自己的小块土地上或作坊里从事独立生产的劳动者。如个体农民、小手工业者。

【小行星带】见〔小行星〕(1084页)。

【小兴安岭】在黑龙江省北部。西北—东南走向，海拔600—1 000米，山势平缓。是中国主要林区之一。

【小农经济】以生产资料个体所有制和个体劳动为基础，以一家一户为单位从事农业生产的经济形式。

【小恩小惠】为了笼络人而给人的一点好处(含贬义)。

【小惩大诫】因受到小的惩罚，就加倍警惕自己，不至于犯大错误。《周易·系辞下》："小惩而大诫，此小人之福也。"

【小题大作】比喻故意把小事渲染得很大或当做大事来处理。

【小巫见大巫】《三国志·吴书·张纮传》裴松之注引《吴书》记载，张纮称赞陈琳的文章，陈琳不敢当，说我和你相比，是"所谓小巫见大巫，神气尽矣"。原指小巫见到大巫，法术无可施展。后用以比喻相比之下，一个远远比不上另一个。巫：以烧香、跳神替人祈祷的人。

【小资产阶级】占有一定生产资料或少量财产，主要靠自己体力或脑力劳动为生的阶级。包括中农、手工业者、小商人、自由职业者等。

【小亚细亚半岛】在西亚，伸入黑海和地中海之间，隔土耳其海峡与欧洲大陆相望。地形以高原、山地为主。属土耳其。

【小不忍则乱大谋】小事情不能忍耐，就会败坏大事。语出《论语·卫灵公》。

晓(曉) xiǎo ❶天刚亮。㊀～行夜宿。❷懂得；知道。㊀通～|家喻户～。❸使人知道。㊀～以利害。

【晓示】明白地告诉(旧时多用于上对下)。

【晓畅】明白通达。

【晓得】〈方〉知道。

【晓谕】也作晓喻。旧指上级明白地告诉下级。

【晓喻】同"晓谕"(1085页)。

谀☒(謏) xiǎo 小。㊀～闻(小有名声)。

筱 xiǎo ❶小竹子。❷同"小"。多用于人名。

篠☒ xiǎo 同"筱"。

xiào ㄒㄧㄠˋ

孝 xiào ❶孝顺。❷旧指居丧的事。❸丧服。㊀穿～|戴～。

【孝弟】同"孝悌"(1085页)。弟(tì)。

【孝顺】❶尽心奉养父母，顺从父母的意志。❷用财物贿赂或报答官吏、尊长等。

【孝悌】也作孝弟。儒家的一种伦理思想。孝：善事父母。悌：善事兄长。

【孝敬】❶孝亲敬长。❷送东西给长辈以示敬意。

【孝廉】汉代荐举人才的科目之一。明清两代也用作对举人的称呼。

【孝子贤孙】泛指依照封建礼教，对长辈十分孝顺的人。

【孝文帝改革】北魏孝文帝拓跋宏即位后，在政治、经济、文化、风俗等方面进行的改革。主要内容有：废除鲜卑族的旧政治制度；实行均田制和租调制；从平城(今山西大同)迁都洛阳；改鲜卑姓为汉姓，鼓励鲜卑贵族与中原士族通婚，禁用鲜卑语。改革过程中遭到鲜卑贵族守旧势力的激烈反对。改革后巩固了北魏政权的统治，对当时北方各族融合和社会经济的恢复、发展起了一定的促进作用。

哮 xiào ❶吼叫。㊀咆～。❷气喘。㊀～喘。

【哮喘】中医病证名。一般指支气管哮喘。由于对某种物质过敏或神经反射，引起支气管痉挛，造成阵发性喘息，呼吸困难。

肖 ㊀ xiào 像；相似。㊀惟妙惟～。
㊁ xiāo (1078页)。

【肖像】人的画像或相片。

【肖形印】刻画动物等形象的印章。

【肖像权】公民对自己的肖像所享有的权利。是公民人格权的一种。未经本人同意不得以营利为目的使用公民的肖像。侵犯肖像权应承担民事责任。

【肖像画】以真人为描绘对象的绘画。包括头像、半身像、全身像和群像等。

詨☒(詨) xiào 呼叫。

恔☒ xiào 畅快。

校 ㊁ xiào ❶学校。❷军衔名。校官。在将之下,尉之上。

㊀ jiào (492 页)。

效(❶*倣❸*効) xiào ❶模仿。㊀仿～|上行下～。❷效果;成果。㊀行之有～。❸献出。㊀～力|～命。

【效力】❶出力。❷事物所产生的作用。㊀这种药的～很大。

【效尤】照坏样子去做。㊀以儆～。尤(yóu):错误。

【效用】消费者从一定的商品组合中获得的满足程度。

【效劳】无偿地替别人出力干事。

【效应】❶物理的或化学的作用所产生的效果,如光电效应、热效应等。❷某个人或某事物在社会上引起的反应或效果。㊀名人～|品牌～。

【效果】❶指事物或行为、动作产生的有效结果。❷伦理学范畴。指人的道德行为的客观后果。与"动机"相对。❸戏剧、电影中配合剧情造出的各种声响以及某些自然景象(如风雨声、禽兽鸣叫声、枪炮声和闪电、火光等)。是加强气氛和真实感的手段之一。

【效命】奋不顾身地替别人出力。

【效法】照着别人的做法去做;学习(别人的长处)。

【效益】效果和收益。

【效能】❶事物在一定条件下所起的作用。❷机械、设备等所产生的功用。

【效验】方法、药剂等所取得的预期的效果。

【效率】❶一种机械或装置在工作时输出的有用能量与输入能量的比值。❷人或机器在单位时间内完成的工作量的大小。㊀提高工作～。

【效颦】比喻不考虑条件而盲目模仿,效果恰恰相反。后来也用作模仿的意思。颦(pín)。参见〔东施效颦〕(220 页)。

笑(*咲) xiào ❶露出愉快的表情,发出欢喜的声音。㊀～容|啼～皆非。❷讥笑;嘲笑。㊀见～。

【笑纳】用于请人收下礼品的客套话。

【笑柄】给人作为取笑的把柄、资料。

【笑星】著名的相声演员、喜剧演员等。

【笑骂】嘲笑和辱骂。

【笑谈】❶笑柄。㊀传为～。❷高兴地谈论。

【笑剧】即"闹剧"(712 页)。

【笑靥】❶酒窝儿。❷笑脸。靥(yè)。

【笑面虎】形容外貌装得和善而心地凶狠的人。

【笑里藏刀】形容对人表面温和,心里阴险毒辣。

【笑逐颜开】眉开眼笑,十分高兴的样子。

【笑容可掬】形容满脸堆笑的样子。掬(jū):用双手捧取。

啸(嘯) xiào ❶打口哨。㊀长～一声。❷野兽拉长声音叫。㊀虎～|猿～。❸自然界发出大的声响。㊀北风呼～。

【啸聚】旧指盗匪互相呼喊着聚合起来。

敩☒(斆) ㊁ xiào 教导。

㊀ xué (1118 页)。

xiē ㄒㄧㄝ

些 xiē ❶表示不定的数量。㊀这～|有～。❷表示较小的程度。㊀今天有～冷|病轻了～。

【些许】一点儿;少许。㊀～小事。

㱔☒ xiē 同"些"。少许。

呰☒ xiē 同"些"。

揳 xiē 〈方〉把楔子、钉子等打进物体里面。㊀在墙上～个钉子。

楔 xiē 填充器物的空隙使其牢固的木片、木钉等。

【楔子】❶插在木器等的榫子缝里使接榫的地方不活动的木片,或钉在墙上的木钉。❷中国古代小说的开头部分。具有引起正文的作用。❸元杂剧里加在第一折前头或插在两折之间的小段。

【楔形文字】也叫钉头字。约公元前 3000 年前美索不达米亚的苏美尔人使用的文字。因为笔画像楔子,故名。后来为巴比伦人、波斯人所使用。公元前 331 年亚历山大灭亡波斯后不再有人使用。

猲☒ ㊁ xiē 〔猲獢〕一种短嘴的猎犬。

㊀ hè (393 页)。

歇 xiē ❶休息。㊀～一会儿。❷停止。㊀～业|～工。

【歇业】不再营业。

【歇山顶】中国传统木构建筑屋顶形式的一

种。在建筑等级制度中为第二等级的屋顶形式。屋顶两侧曲面顶部向内收近，在上部形成山面，俗称九脊殿。有单檐、重檐、无正脊的卷棚歇山之分。用于寺院大殿或城门、坛庙、园林等重要建筑，如晋祠圣母殿、天安门城楼的屋顶。

【歇后语】熟语的一种。由两部分组成，前多类似谜语的谜面，后是谜底，即本意。是一种口语性的引注语。如“擀面杖吹火——一窍不通”“矮梯子上高房——搭不上檐(言)”。有时省去后一部分不说，故名。

【歇斯底里】英语音译词。❶即“癔症”(1172页)。❷形容情绪激动、举止失常、狂喊乱叫的状态。

蝎（*蠍） xiē 蝎子，节肢动物。尾部末端有毒钩，能蜇人。多夜间活动。干燥体供药用，主治抽搐、破伤风、半身不遂等。

xié ㄒㄧㄝˊ

叶 ㊁ xié 和洽。常指声音的调谐。[例]～声|～韵。

㊀ yè (1150页)。

协（協） xié ❶调和。[例]～调。❷共同。[例]～力。❸协助。[例]～办。

【协力】共同努力。[例]同心～。

【协议】❶协商。❷泛指国家、政府、政党、团体或个人间就一定问题经谈判、协商后而达成的共同决定。通常用文件形式来体现。国家和政府间的协议往往采取条约的形式。协议有时也作为条约的一种名称。

【协同】互相配合。

【协会】以促进某种共同事业的发展而组成的群众团体。

【协助】帮助；辅助。

【协作】互相配合完成工作。

【协和】❶使协调融洽。❷指两音或两音以上同时发音的音响效果。有协和与不协和之分。通常认为八度、五度、四度、大小三度、大小六度为协和；七度、二度和增减音程为不协和。

【协定】条约名称之一。一般指国家间就某方面问题经协商订立的共同遵守的条款，如停战协定、贸易协定和文化协定等。也有重大政治性条约以协定为名称的。

【协统】即“统领”②(987页)。

【协调】配合适当，步调一致。

【协理】❶协助办理。❷大企业中协助经理主持业务的人。

【协商】为了取得一致意见有关方面进行的商议。

【协管】协助管理。

【协约国】第一次世界大战时敌对双方中一方的成员国。最初包括俄、法、英三国，后又有日、意、美、中等二十五国加入。

【协奏曲】通常指以一种独奏乐器为主，用管弦乐队协同演奏的大型器乐曲。

【协议离婚】夫妻双方自愿解除夫妻关系，并对子女和财产也已有适当的处理，直接由婚姻登记机关发给离婚证的一种离婚方式。

【协同作战】在联合作战或合同作战中，参战的各军兵种部队按照计划，协调一致地作战。

胁（脅*脇） xié ❶从腋下到肋骨尽处的部分。[例]～下。❷用威力恐吓人。[例]威～|～迫。❸收拢；耸起。[例]～肩谄笑。

【胁迫】❶威胁逼迫。❷法律上指当事人故意用现在正在发生的、即将发生的或未来可能发生的危害恐吓他人，使他人因恐惧而从事某种民事行为。构成无效民事行为。

【胁持】挟持。

【胁从犯】在共同犯罪中因受胁迫参加犯罪活动的人。对于胁从犯，应当按照他的犯罪情节，减轻或免除处罚。

【胁肩谄笑】耸起肩膀，装出笑脸。形容奉承人、巴结人的丑态。《孟子·滕文公下》：“胁肩谄笑，病于夏畦。”谄(chǎn)。

邪（*衺） ㊀ xié ❶不正派；不正当。[例]～教|～恶|改～归正。❷中医指引起疾病的环境因素。[例]风～|瘟～。❸古又同助词“耶(yé)”。❹古又同“斜”。

㊁ yé (1149页)。

【邪气】❶不好的风气或作风。[例]正气终究要压倒～。❷中医指使人生病的不正常的环境因素。

【邪心】邪念。

【邪行】不正当的行为。

【邪说】有危害性的不正确的学说、主张或议论。

【邪恶】心术不正，行为凶恶。

【邪教】指打着宗教旗号蛊惑人心、危害社会的非法组织。
【邪魔】宗教指迷惑人、害人性命的鬼怪。
【邪魔外道】佛教用语。指异端邪说或妖魔鬼怪。《药师经》下："又信世间邪魔外道，妖孽之师，妄说祸福。"后讹读成邪门歪道。指不正当的门路。邪魔：无佛书根据的妄说。外道：指佛教以外的教派。

X

劦☒ xié 众人协力。

勰 xié 和谐；协调。

嗋□ xié ❶〔嗋赫〕〈方〉故意夸张事实来惊吓人。❷合上嘴。

挟（挾） xié ❶用胳膊夹住。例～着书包。❷威胁；强迫人服从。例～制｜要～。❸怀着。例～嫌｜～恨。
【挟制】倚仗势力或抓住别人的弱点，强使服从。
【挟持】❶从左右架住被捉住的人（多指坏人捉住好人）。❷用威力强迫对方服从。
【挟嫌】怀恨。例～报复。

跌☒（跌） xié 〔跌跌〕复姓。

偕 xié 一同。例～行。
【偕老】夫妻和睦生活到老。
【偕同】跟别人一起（到某处去）。
【偕生之疾】先天的疾病。

谐（諧） xié ❶和谐。例～音｜～调。❷诙谐。例～戏｜亦庄亦～。❸事情办妥。
【谐音】指字词的音相同或相近。人们常利用谐音来构成修辞格，增强表达效果。
【谐谑】用开玩笑的言词戏弄。谑（xuè）。
【谐谑曲】也叫诙谐曲。一种三拍子快速活泼的器乐曲。可用于器乐合奏套曲中的一个乐章，也可作为一种独立的器乐独奏曲。

斜 xié 不正；歪。例～坡｜～线。
【斜井】倾斜的矿井井筒。用以提升矿石、废石，供人员上下，并可用来通风和排水。
【斜阳】傍晚时的太阳。
【斜纹】指经纱、纬纱的交织点联成一斜线使织物表面呈现的纹路。斜纹布、哔叽、华达呢、单面咔叽、双面咔叽等都是斜纹织物。
【斜线】两条直线相交不成直角，其中一条直线叫做另一条直线的斜线。
【斜面】一种简单机械。一般指和水平成一角度的平面。利用斜面升高重物可以省力。
【斜射】光线不是垂直，而是以某一角度斜着射向两种介质的分界面。
【斜率】一条射线和水平线的交角的正切。用以表示该射线对水平线的倾斜程度。
【斜睨】斜着眼睛看。睨（nì）。
【斜拉桥】也叫斜张桥。用由高强度钢丝或钢缆组成的斜缆，将桥梁吊在桥墩上的桥。适用于大跨度的桥。如上海的杨浦大桥。

颉（頡） ㊁ xié 〔颉颃〕本指鸟上下飞翔。后来指双方比较，不相上下。例两队的技艺相～，看不出高下。颃（háng）。
㊀ jié（499页）。

撷（擷） xié 采摘；摘取。例采～。

缬（纈） xié 有花纹的丝织品。

襭☒（襭） xié 用衣襟兜东西。

携（*攜*擕*携*鑴） xié ❶带着。例～带｜～款。❷拉。例扶老～幼。

鲑（鮭） ㊁ xié 古时鱼类菜肴的统称。
㊀ guī（356页）。

鞋（*鞵） xié 穿在脚上，走路时着地的东西，没有高筒。有草制、布制、皮制、塑料制等多种。

褉☒ xié 袖子。

xiě ㄒㄧㄝˇ

写（寫） xiě ❶书写。例～字。❷写作。例～诗。❸描摹。例～生。❹古又同"泻（xiè）"。
【写生】指在绘画中直接以实物为对象进行描绘的一种方式。
【写作】写文章。有时特指文学创作。
【写实】描绘事物的真实情况。
【写真】❶也叫写照、传神。中国传统肖像画的名称。❷对事物的如实描绘。

【写照】❶即“写真”(1088页)。❷反映某一事物或某一时代特点的文字描写。
【写意】中国画的一种画法。特点是笔墨疏放、简练。与“工笔”相对。
【写景图】在现地把视野内有关的地形和工程设施等，按写生要领绘成的图。用照相方法摄取景物相片，加上必要的注记而绘成的图，叫相片写景图。
【写意画】以疏放的笔墨描绘人物、山水、花鸟的中国画。如齐白石的《虾》。

血 ㊁ xiě 义同“血(xuè)”。用于口语。㊀ xuè (1119页)。

xiè ㄒㄧㄝˋ

炧☒ xiè ❶残烛。❷灯烛熄灭。

泄(*洩) xiè ❶排出。㊃～洪。❷发泄。㊃～愤。❸漏；泄露。㊃～气｜～密。
【泄密】泄露机密。
【泄愤】发泄愤恨。
【泄漏】❶(液体、气体)漏出。❷泄露。
【泄露】不该让人知道的事情或情况让人知道了。露(lòu)。

绁(紲*緤) xiè ❶绳索。❷拴，捆。

渫 xiè ❶除去(污秽)。❷散发。❸同“泄”。

媟☒ xiè 亵狎；轻慢。

屟☒ xiè ❶木鞋。❷鞋垫。

泻(瀉) xiè ❶向下急流。㊃一～千里。❷拉肚子。㊃上吐下～。
【泻盐】也叫泻利盐。含结晶水的硫酸镁的俗称。化学式 $MgSO_4 \cdot 7H_2O$。无色晶体，有苦咸味，在200℃失去全部结晶水。溶于水、甘油和酒精。医药上用作泻剂，并用于制革、印染等。

契 ㊁ xiè 传说中商朝的祖先。㊀ qì (776页)。

偰☒ xiè 同“契(xiè)”。

卨☒(禼) xiè 用于人名，如万俟(mòqí)卨(宋代人)。

离☒ xiè “卨”的异体字。

卸 xiè ❶搬下；拆下。㊃～货｜～零件。❷解除；推脱。㊃～任｜～责。
【卸责】推卸责任。
【卸肩】把肩上扛着或挑着的东西卸下来。比喻卸掉责任。
【卸装】演员演完后，脱去演出服，除去涂抹在脸上的粉饰、油彩等。

屑 xiè ❶碎末。㊃木～。❷细小。㊃琐～。

揳☒ xiè 挺立。

榍 xiè 〔榍石〕矿物。化学成分 $CaTiSiO_5$。褐色或绿色。用来提炼钛。

械 xiè ❶器械。㊃机～。❷武器。㊃军～。❸枷和镣铐等刑具。
【械斗】拿着武器打群架。

龂☒(齘) xiè ❶上下齿相磨。形容愤恨。❷比喻物体相接的地方不吻合。

亵(褻) xiè ❶轻慢；不庄重。㊃～渎(dú)。❷淫秽。㊃猥～。❸贴身的衣服。㊃～衣。
【亵臣】指亲近帝王的大臣。
【亵渎】轻慢；不尊敬。渎(dú)。

谢(謝) xiè ❶感谢。㊃道～｜酬～。❷道歉或认错。㊃～罪。❸推辞；委婉地拒绝。㊃辞～｜～绝。❹凋落；衰退。㊃花～了｜新陈代～。
【谢世】去世。
【谢安】(320—385)东晋政治家。字安石，陈郡阳夏(今河南太康)人。公元383年前秦苻坚南下攻晋时，他任征讨大都督，以少胜多，取得淝水之战的胜利。
【谢忱】感谢的心意。
【谢词】在各种仪式上讲的致谢的话。
【谢客】不见客。㊃闭门～。
【谢绝】婉辞。拒绝。㊃～参观。
【谢幕】戏剧或歌舞等文艺节目演完后，演员在观众掌声中回到前台，向观众致意。
【谢罪】向对方承认错误，请求原谅。
【谢灵运】(385—433)南朝宋诗人，东晋名将谢玄之孙，世称谢康乐，又称谢客。陈郡阳夏(今河南太康)人，移籍会稽(今浙江绍兴)。好游山玩水，作品也多以山水为题材，语言精巧富丽，刻画入微，时常夹杂一

X

些佛教和道家的玄学词句,开文学史上山水诗一派。有《谢康乐集》。

【谢晋元】(1905—1941)抗日爱国将领。字中民,广东蕉岭人。1926年黄埔军校毕业,参加北伐战争,任八十八师五二四团团附。八·一三淞沪会战中率第一营战士(后被誉为"八百壮士")坚守四行仓库,击退日军六次围攻,后奉命撤退。1941年被叛兵杀害。

X

塮 xiè 〈方〉猪羊等家畜圈里积下的粪便。

榭 xiè 建筑在台上的屋子。㊀水～。

解 ㊂ xiè ❶懂得;明白。㊀你怎么～不开这个理儿啊? ❷武术。引申为杂技技巧。㊀马～。

㊀ jiě (500页)。

㊁ jiè (503页)。

【解数】指武术的套路或招势。也比喻本领、手段、办法等。

薢⊠ xiè 〔薢茩〕菱的别称。

嶰⊠ xiè 山涧。

獬 xiè 见下。

【獬豸】也作獬廌(zhì)。古代传说中的一种异兽,能用角顶理亏的人。

【獬廌】同"獬豸"(1090页)。

邂 xiè 〔邂逅〕没有相约而遇见。㊀～于途。逅(hòu)。

廨 xiè 古称官吏办事的地方。

澥 xiè ❶(糊状物或胶状物)由稠变稀。㊀糨糊～了。❷加水使稀。㊀太稠,加点水～一～。

懈 xiè 松懈。㊀坚持不～。

【懈怠】松懈懒惰。

蟹(*蠏) xiè 节肢动物。有螃蟹、石蟹、梭子蟹等。

薤 xiè 多年生草本植物。叶中空,稍扁平,断面近三角形。鳞茎纺锤形,供食用。有的地区也叫藠头(jiàotou)。

【薤露】古代送葬时唱的丧歌。

瀣 xiè 见〔沆瀣〕(382页)。

燮(*爕) xiè 调和;谐和。

躞 xiè 见〔蹀躞〕(214页)。

躠⊠ xiè 〔蹩躠〕❶用心尽力的样子。❷盘旋起舞的样子。

xīn ㄒㄧㄣ

心 xīn ❶心脏。❷习惯上指思维的器官和思想、感情等。㊀用～|全～全意。❸当中部位和重要部分。㊀江～|核～。❹星名。二十八宿之一。

【心术】用心;居心(多含贬义)。

【心目】内心。㊀在他的～中,祖国的利益高于一切。

【心田】内心。

【心仪】内心仰慕。㊀～已久。

【心地】内心。㊀～光明|～坦荡。

【心机】心思;计谋。㊀费尽～|枉费～。

【心曲】❶内心深处。❷心事。

【心肌】肌肉的一种。是组成心脏的肌肉。肌细胞较短而分支,互相连接呈网状,含一个或两个细胞核,位于细胞中央。有不明显的横纹。心肌能进行有节律而不受意志支配的收缩。是不随意肌。

【心折】从内心佩服。㊀令人～。

【心坎】内心深处。

【心灵】内心世界。㊀～深处。

【心房】心脏的一部分。接受回心的血液并将其送入心室。人的心房在心室的后上方,左右各一,中有间隔,互不相通。

【心弦】指受到感动而产生共鸣的心。㊀动人～。

【心契】❶内心领会。㊀只能～,难以言说。❷指互相了解、心意投合的朋友。

【心思】❶想法;打算。㊀我猜不透他的～。❷思考的能力。㊀挖空～。❸心情;兴趣。㊀没有～下棋。

【心迹】内心的真实思想。

【心音】心脏跳动时由于心肌收缩、瓣膜关闭和血流冲击引起振动而产生的声音。当循环系统特别是心脏瓣膜有病变时,心音可发生变化,也可参有杂音。故听取心音是诊断心血管疾病的重要方法之一。

【心室】心脏的一部分。接受由心房输入的血液并将其送入动脉。人的心室在心房的下方,左右各一,中间有间隔,互不相通。

【心神】心境;精神状态。㊞～不定。
【心胸】❶气量。㊞～开阔。❷志气。㊞～远大。
【心脏】人和动物(部分低等动物除外)体内推动血液循环的器官。人的心脏位于胸腔内,两肺之间稍偏左。分四腔,上为左右心房,下为左右心室。由房中隔与室中隔使左右互不相通。心房与心室间以及心室与主动脉、肺动脉间有瓣膜,以防血液倒流。心房和心室通过收缩与舒张推动血液经血管循环全身。
【心病】❶忧愁烦闷的心情。㊞最近他好像有什么～。❷隐情或隐痛。㊞这是他的一块～,你不要随便捅。
【心窍】指认识和理解事物的能力。
【心理】❶脑对客观世界的积极反映形态。感觉、知觉、表象、记忆、思维、情感、意志等都属于心理过程。❷泛指人的意识、思想、感情的表现。㊞我揣摩他的～,就是不愿老让别人照顾自己。
【心得】在工作和学习中体验和领会到的知识、思想认识等。㊞读书～。
【心情】感情状态。㊞～舒畅。
【心悸】❶心脏剧烈跳动的感觉。见于心律失常、神经官能症和器质性心脏病等。正常人在运动或情绪激动时也可感到。❷中医病证名。主要症状是心跳、心慌、不安。❸内心恐惧。㊞令人～。
【心绪】心情(多指消极的)。㊞～不宁。
【心裁】心中的设计安排。㊞别出～|独出～。
【心扉】内心的大门。用于比喻。
【心照】不必对方明说,心里明白。㊞～不宣。
【心腹】❶指亲信的人。❷藏在心里,轻易不对人说的。㊞～事|～话。❸内部,要害。㊞～之患。
【心境】心情。㊞～愉快。
【心愿】内心的愿望。
【心醉】因极喜爱而陶醉。
【心潮】指像潮水起伏般的激动的思想感情。㊞～澎湃。
【心电图】用心电图描记器从身体特定部位记录下的心脏活动中由于电位变化而出现的生物电图形。分析研究心电图对了解心脏活动情况和诊断心脏疾病,特别是心律失常和心肌梗死有重要意义。
【心绞痛】一种心脏病。前胸中间部位疼痛,并可放射至下颏和双臂。当心脏所需血量超过动脉的供血量时可发生本病。常见于冠状动脉粥样硬化。可用三硝酸甘油酯等缓解。移植手术可重建冠状动脉的堵塞节段。
【心脏病】心脏结构、功能出现的异常或疾病的统称。
【心理学】研究心理活动客观规律的科学。根据研究的领域与任务的不同,分普通心理学、儿童心理学、教育心理学、医学心理学、动物心理学等。
【心理战】运用心理学原理,通过宣传等方式从精神上瓦解敌方军民斗志,或消除敌方宣传所造成的影响的对抗活动。
【心力交瘁】形容到了精疲力竭的程度。瘁(cuì):极度的劳累。
【心力衰竭】由心脏病或心脏以外的病变引起的心肌收缩无力,以致心脏输出血量不能满足身体组织需要。主要症状是心慌气短、咯血、口唇及肢端等呈现青紫色、浮肿等。
【心口如一】内心想的和嘴上讲的一致。形容为人诚实。
【心广体胖】也说心宽体胖。《礼记·大学》:"富润屋,德润身,心广体胖。"指人心胸开阔,体态安详舒适。后指人心情安适,没有牵挂而身体肥胖。胖(pán):安详,舒适。
【心不在焉】心不在这里。指思想不集中。《礼记·大学》:"心不在焉,视而不见,听而不闻,食而不知其味。"焉(yān):文言虚词,相当于"于此"。
【心手相应】心和手互相呼应。形容配合得好。《南史·萧子云传》:"笔力劲骏,心手相应。"
【心心相印】形容彼此不待语言说明而感情相通,心意完全一致。印:合。
【心甘情愿】完全愿意,毫不勉强。㊞为了保卫祖国,洒尽鲜血也～。
【心有余悸】危险的事情虽已过去,回想起来心里还有点后怕。悸(jì):因害怕而心跳。
【心血来潮】形容一时冲动,忽然起了某个念头。
【心肌梗死】一种急性心脏病。由于心脏的冠状动脉分支急性堵塞,使部分心肌失去血液供应而坏死。发病时有剧烈而持久的胸骨后疼痛、心悸、气喘、脉搏微弱、血压降低、休克等症状。入院前就地处理和保护十分重要。

【心安理得】自以为道理上过得去，心里很坦然。

【心花怒放】形容极为高兴。

【心劳日拙】用尽心机，弄虚作假，不但不能得逞，反而越来越不好过。《尚书·周官》："作德心逸日休，作伪心劳日拙。"拙(zhuō)：笨。

【心旷神怡】心境开阔，精神愉快。宋范仲淹《岳阳楼记》："登斯楼也，则有心旷神怡，宠辱皆忘，把酒临风，其喜洋洋者矣。"旷(kuàng)：空阔。

【心怀叵测】即"居心叵测"(529页)。

【心怀鬼胎】心里隐藏着见不得人的念头。

【心明眼亮】形容看问题敏锐，能明辨是非。

【心房颤动】简称房颤。心律失常的一种。多由心房异位兴奋点产生不规则冲动(超过350次/秒)引起。见于冠心病、风湿性心脏病、甲状腺机能亢进等。

【心律失常】也叫心律不齐、心律紊乱。心脏的正常节律(窦性心律)发生变化。常见的有心动过速或过缓、过早搏动、心房颤动、心脏传导阻滞等。主要症状有心悸、呼吸困难、胸痛等。

【心神恍惚】指精神不安宁。

【心烦意乱】形容烦躁不安，不知如何是好。《楚辞·卜居》："心烦意乱，不知所从。"

【心悦诚服】从心眼里佩服。《孟子·公孙丑上》："以德服人者，中心悦而诚服也。"悦(yuè)：愉快。诚：真心。

【心理疗法】也叫精神疗法。一种治疗方法。通过交谈或其他的关心形式，消除病人焦虑、恐惧心理，增强其战胜疾病的信心，主动配合医生的治疗。

【心领神会】不待对方明说，自己心里已经领会、理解。

【心照不宣】彼此心里都明白，不用明说。

【心腹之患】指隐藏在内部的祸害。《史记·范雎蔡泽列传》："秦之有韩也，譬如木之有蠹也，人之有心腹之病也。"心腹：比喻要害的地方。这里指内部。

【心猿意马】也说意马心猿。形容心思不定，好像猴子跳、马奔跑一样难以控制。唐许浑《题杜居士》诗："机尽心猿伏，神闲意马行。"

【心有灵犀一点通】唐李商隐《无题》诗："身无彩凤双飞翼，心有灵犀一点通。"比喻双方心灵相通，彼此心思互相了解。灵犀(xī)：传说犀牛角中有条白线，通向头脑，感应灵敏，所以叫灵犀。

芯 ㊀ xīn 灯心草茎的瓤。[例]灯～。㊁ xìn (1096页)。

【芯片】指包含有许多门电路的集成电路。体积小，耗电少，成本低，速度快。广泛应用于电子计算机、通信设备和家电设备等方面。

䜣□**(訢)** xīn ❶姓。❷"欣"的异体字。

忻 xīn ❶同"欣"。❷忻州，地名，在山西中部偏北。

昕 xīn 太阳将要升起的时候。

欣 xīn 喜悦；欢喜。[例]欢～。

【欣幸】欣喜并庆幸。

【欣欣】❶形容高兴。[例]～然有喜色。❷形容茂盛。[例]～向荣。

【欣悉】高兴地得知。

【欣赏】❶用喜爱的心情领略美好事物的意味。[例]～音乐。❷认为美好。[例]他对这幅画很～。

【欣然】高兴、愉快的样子。[例]～接受｜～同意。

【欣羡】喜爱而羡慕。

【欣慰】高兴而且感到心安。

【欣欣向荣】形容草木长势繁盛。晋陶潜《归去来辞》："木欣欣以向荣。"后比喻事业蓬勃发展，兴旺昌盛。

新 xīn ❶刚出现的。与"旧"相对。[例]～事物。❷没有用过的。[例]～工具。❸性质上改变得更好的。[例]～社会｜改过自～。❹最近；刚。[例]我是～来的。❺称结婚时的或结婚不久的人或与之有关的物。[例]～娘｜～房。❻新疆的简称。

【新人】❶具有新思想、新道德品质的人。[例]一代～。❷某方面出现的新手。[例]乒坛～。❸指新娘和新郎。常特指新娘。❹也叫晚期智人。古人阶段以后的人类，是人类发展的第四阶段。包括从更新世晚期的化石人类克罗马农人直到现代人类。生活于距今约四万年至约一万年前。中国新人化石有山顶洞人、柳江人等。

【新月】❶农历月初时看到的月亮。❷即"朔月"(924页)。

【新生】❶刚产生的。[例]～婴儿。❷刚出现

而富有发展前途的。[例]～力量|～事物。❸新生命。[例]获得～。

【新兴】刚兴起的。[例]～工业。

【新秀】某一领域里刚涌现的有才华、有成就的人。[例]歌坛～。

【新低】数量、水平等下降所达到的新的最低点。

【新罗】朝鲜半岛上的古国。源于辰韩十二部中的斯卢部。相传为世祖朴赫居世所建。4世纪与高丽、百济鼎足争雄。与隋唐关系密切,也是中国古代文化传入日本的桥梁。7世纪中叶灭百济和高丽,后统一朝鲜半岛大部。9世纪衰落。公元935年为王氏高丽取代。

【新宠】新出现的受人喜爱或欢迎的人或物。[例]亚麻成为服装市场的～。

【新诗】五四以来的新体诗歌。形式上采用白话,打破了旧体诗格律的束缚。已成为中国现代诗歌的主体。新诗正在批判地继承古典诗歌和民歌的基础上进一步发展。其形式和格律要求向顺口、易记、有韵、能唱的方向发展。与"旧诗"相对。

【新房】❶新盖的房子。❷新婚夫妇住的卧室。

【新居】新建成或新搬入的住所。

【新型】新的式样或类型。[例]～车床|～大学。

【新星】❶古称客星、暂星。指在短时期内亮度突然增大,后又逐渐降回到原来亮度的恒星。❷喻指新涌现出来的人才(多指文艺、体育方面)。[例]影坛～。

【新闻】报纸、通讯社、广播电台、电视台、网站等机构对国内外新近发生的重要事情所作的报道。

【新高】数量、水平等上升所达到的新的最高点。

【新教】基督宗教的一派。在中国通称基督教或耶稣教。是16世纪欧洲宗教改革后脱离罗马公教而产生的各教派的统称。现主要分布于北美、西欧和大洋洲。

【新颖】新奇、别致。[例]式样～|题材～。

【新潮】❶新潮流;新趋势。[例]文学～。❷时髦;流行的。[例]～发型。

【新大陆】美洲的别称。因为到15世纪欧洲人才发现这块大陆并向这里移民,从欧洲人的观点出发,称之为新大陆。

【新文学】指中国五四运动时期产生的与旧的传统文学不同的文学。作品以反帝反封建为主要内容,多描写现实生活和斗争,反映人民的民主革命要求,形式上反对文言文,提倡白话文。鲁迅的《呐喊》《彷徨》、郭沫若的《女神》是其中的代表。

【新四军】抗日战争时期中国共产党领导的人民军队。中国共产党根据同国民党达成的协议,于1937年10月将南方八省的红军游击队集中改名为国民革命军新编第四军,叶挺任军长。这支人民军队挺进华中敌后,开展游击战争,创建了华中敌后抗日民主根据地。1941年1月新四军在国民党顽固派制造的皖南事变中遭受严重损失。党中央重整新四军,任命陈毅为代理军长。此后,新四军继续坚持华中敌后抗战,粉碎了日伪军反复扫荡和国民党顽固派的多次进攻,歼灭了大量敌人,创建了苏南、苏中、苏北、淮南、淮北、鄂豫皖、皖中、浙东等敌后抗日民主根据地。为中国人民建立了伟大的历史功绩。抗日战争结束时,新四军发展到三十多万人。

【新生代】显生宙的第三个代。约从6500万年前至今。分为古近纪(老第三纪)、新近纪(新第三纪)和第四纪。

【新生界】显生宇的第三个界。指新生代时期形成的地层。分为古近系(下第三系)、新近系(上第三系)和第四系。

【新加坡】❶全称新加坡共和国。城市国家。位于亚洲东南部,马来半岛以南。由新加坡岛及其附近小岛组成,地处太平洋与印度洋之间的航运要冲,马六甲海峡的出入口。是新兴的工业化国家。❷新加坡共和国首都。位于该国南部。人口310万(1997年)。是东南亚最大海港,也是亚、欧、大洋洲重要国际航空中心。工业、旅游业和港口贸易发达。

【新华社】新华通讯社的简称。中华人民共和国国家通讯社。1937年4月创建于延安。中华人民共和国成立后,总社设在北京,国内各省市自治区和世界上许多国家和地区设有分社。

【新纪元】新的历史阶段的开始。[例]1919年的五四运动,开创了中国历史的～。

【新近纪】旧称新第三纪、晚第三纪。新生代的第二个纪。约始于2 300万年前,结束于160万年前。在这个时期里,哺乳动物继续发展,形体渐趋变大,一些古老类型灭绝,高等植物与现代区别不大,低等植物硅藻较多见,货币虫灭绝,有孔虫、六射珊瑚繁盛。

【新近系】旧称上第三系。新生界的第二个系。指新近纪时期所形成的地层。

【新青年】五四时期至第一次国内革命战争时期的革命刊物。1915年9月由陈独秀在上海创刊。月刊。第一卷(1—6号)名《青年杂志》,从第二卷起改名为《新青年》。提倡民主和科学,发起文学革命运动。十月革命后传播马克思主义。1922年7月休刊。1923年6月在广州改出季刊,是中共中央机关理论刊物。1925年4月出不定期刊。1926年7月停刊。

【新经济】以信息化和全球化为基础的经济。以20世纪90年代的美国经济为典型代表。其特点是产业结构进一步软化,经济增长主要来自技术创新。

【新唐书】史书名。宋欧阳修、宋祁等撰。共二百二十五卷,包括本纪十卷,志五十卷,表十五卷,列传一百五十卷。行文记事较《旧唐书》简略,但补正了前书的若干舛漏,还增加了以往史书所没有的《仪卫志》《选举志》《兵志》等。关于少数民族的记载,也比《旧唐书》详尽。

【新能源】一般指20世纪中叶以后才开始被利用的能源,如核能、地热、海洋能、太阳能等;或历史上被利用过,后来被代替了,现在又有新的利用方式的能源,如用以发电的风能。

【新德里】印度首都。参见〔德里〕(186页)。

【新五代史】原名《五代史记》。史书名。宋欧阳修撰。共七十四卷,包括本纪十二卷,列传四十五卷,考三卷,世家及其年谱十一卷,四夷附录三卷。记载了自后梁开平元年至后周显德七年共五十四年(907—960)的历史。《新五代史》打破朝代界限,把五朝的本纪、列传综合编排。

【新民学会】1918年4月毛泽东和蔡和森等在湖南长沙组织的革命团体。它以"改造中国与世界"为宗旨,讨论时事,研究俄国革命的经验,寻求改造中国的道路和方法。1919年会员发展到七八十人。组织和领导湖南各阶层人民进行反帝反封建的斗争。

【新华日报】❶抗日战争和第三次国内革命战争时期中国共产党在国民党统治区公开出版的机关报。1938年1月在汉口创刊,同年10月迁往重庆。1947年2月被国民党反动政府封闭。❷中共中央北方局(1939年)、华中分局(1945年)、华中工委(1948年)、西南局(1949年)先后均以《新华日报》或《新华日报》某地版出版过自己的机关报。❸现为中共江苏省委机关报。

【新华字典】小型字典。原新华辞书社编,后由中国社会科学院语言研究所、北京大学等修订,商务印书馆出版。1953年初版,1998年出修订9版。收单字1万余个,带注解的复音词3 500余个。字典简明、规范、实用。

【新兴工业】见〔传统工业〕(142页)。

【新约全书】基督教《圣经》的后一部分。指基督降生后,神与人重立的"新约"。主要内容为耶稣言行、早期基督教的情况和教义等。

【新陈代谢】❶指生物体从外界取得生活必需物质,通过物理、化学作用变成生物体有机组成部分,供给生长、发育,同时产生能量维持生命活动,并把废物排出体外的新物质代替旧物质的过程。新陈代谢一旦停止,生命也随之停止。❷泛指一切事物由于自身的矛盾性必然导致新事物代替旧事物的过程。是宇宙间普遍存在的不可抗拒的客观规律。谢:凋落、衰退。

【新闻公报】政党或国家机关就重大事件发表的政治性的公告和声明。有直接发表的,有委托通讯社发表的。

【新闻特写】新闻体裁的一种。用文艺笔法集中地描写新闻事件富有特征性的片段,迅速及时地反映现实,具有强烈的感染力。与文艺特写不同,必须完全真实,不容虚构。

【新奥尔良】美国城市。位于密西西比河三角洲。是密西西比河流域的出海门户,与拉丁美洲的贸易联系密切,全国最大港口之一。运输业和旅游业在经济中占重要地位,还是全国重要的造船、宇航工业基地。

【新藏公路】从新疆叶城到西藏的噶尔雅沙,长1 179千米。后又向南延长250余千米至西藏的普兰。是新疆南部和西藏西部间的交通要道。

【新文化运动】五四运动前后反对封建思想的启蒙运动。1915年陈独秀创办《新青年》,标志着新文化运动的兴起。陈独秀、李大钊、鲁迅、胡适等纷纷撰文猛烈抨击以孔子为代表的"往圣前贤",大力提倡新道德,反对旧道德,提倡新文学,反对旧文学。其基本内容是提倡民主、提倡科学、提倡白话文。1917 年蔡元培任校长时的北京大学聘请新文化运动人物任教，使其成为传播新文化的重要阵地。新文化运动为马克思主义的传播和五四运动准备了思想条件。

【新石器时代】考古学分期中石器时代的后期阶段。是原始氏族公社的繁荣时期。当时人类广泛使用经过加工的磨制石器，从事畜牧和农业，逐渐定居。中国已发现的新石器时代的人类文化，著名的有仰韶文化、龙山文化等。

【新民主主义】毛泽东提出的关于殖民地半殖民地国家的无产阶级领导民主革命的理论。这一理论在毛泽东的《新民主主义论》一文中有充分论述。

【新产业革命】即“第三次技术革命”(202页)。

【新技术革命】20 世纪下半期兴起的以科学革命为基础和先导，以电子、通信、新材料、生物工程等技术的发展、应用为标志的技术革命。

【新世界交响曲】也译作《自新大陆交响曲》。《第九交响曲》的别称。德沃夏克曲。当时作曲家正任纽约私立民族音乐学院院长。人称美洲为“新世界”或“新大陆”，故名。乐曲由四个乐章组成。表现了对美国的印象和感受，并倾注着对遥远的祖国和家乡的思念。

【新生儿破伤风】中医上也叫脐风。由破伤风杆菌污染新生儿脐带伤口引起的急性传染病。在出生后 4—6 天出现抽风症状。

【新民主主义革命】中国无产阶级领导的，人民大众的，反对帝国主义、封建主义和官僚资本主义的革命。从 1919 年五四运动开始到 1949 年中华人民共和国建立，为新民主主义革命时期。

【新疆维吾尔自治区】简称新。位于中国西北边疆，东邻甘肃、青海，南邻西藏，西南邻印度、巴基斯坦和阿富汗，西北邻俄罗斯、哈萨克斯坦、吉尔吉斯斯坦、塔吉克斯坦，东北邻蒙古国。面积 160 多万平方千米。人口 1 747 万(1998 年)。首府乌鲁木齐市。重要城市还有伊宁、喀什、哈密、克拉玛依、阿克苏、石河子、和田、吐鲁番等。

【新奥尔良意大利广场】意大利裔市民活动中心。建于 1978 年。在美国。由摩尔、埃斯丘与赫德合作设计。广场呈圆形，约三分之一是水池，池内伸出石砌的意大利地图的复制品，水流被分成三股，代表意大利的三大河流。沿广场中的圣·约瑟夫喷泉周边布置五座弧形柱廊，表现五种罗马柱式。圣·约瑟夫节日祭坛由两个券门组成，复制的意大利半岛就从这里伸出。广场和喷泉被认为是后现代主义空间论的典型作品。

薪 xīn ❶柴草。㊀采～(打柴)。❷指工资。㊀～金|发～。

【薪水】也叫薪金。指公务人员、职员等的工资。

【薪金】即“薪水”(1095 页)。

【薪饷】薪水(旧时多指军警的薪金)。

【薪俸】薪水(旧时多指官吏的薪金)。

【薪炭林】以供烧柴或烧木炭为主要用途的森林。如青㭎、刺槐、马尾松等都可作为薪炭林经营。

【薪尽火传】火烧着时，前一根柴烧尽，后一根柴紧接烧着，继续加柴，火永不熄。《庄子·养生主》：“指穷于为薪，火传也，不知其尽也。”后多用以比喻师傅传业于弟子，一代代地传下去。

辛 xīn ❶辣。㊀～辣。❷辛苦。㊀～勤|艰～。❸痛苦。㊀～酸。❹天干的第八位。现常用来表示顺序的第八。

【辛勤】辛苦勤劳。

【辛酸】辣和酸。比喻痛苦和悲伤。

【辛辣】辣。比喻文章、语言尖锐而有强烈的讽刺性。

【辛弃疾】(1140—1207)南宋词人。字幼安，号稼轩，历城(今山东济南)人。21 岁参加山东一带的抗金义军，后在湖北、江西等地任安抚使等职。因主张坚决抗战，一直受投降派的排挤打击。作品反映了抵抗金人、收复失地的爱国思想，倾诉壮志难酬的悲愤，风格豪放。与苏轼并称“苏辛”。有《稼轩长短句》《美芹十论》等。

【辛迪加】法语音译词。同盟；组合。资本主义垄断组织一种较高级的形式。与卡特尔类似，但参加的企业在商业上丧失了独立性，在生产上和法律上仍然是独立的。其内部存在着争夺销售份额的斗争。

【辛烷值】表示汽油在内燃机中燃烧时的抗震性的指标。辛烷值越大，汽油的抗震性越好。

【辛丑条约】1901 年(辛丑年)八国联军镇压义和团反帝爱国运动后，英、美、德、法、俄、日、意、奥、比、荷、西 11 个帝国主义国

X

家强迫清政府在北京签订的不平等条约。共十二款。主要内容有："赔偿"各国军费银四亿五千万海关两，三十九年付清，本息共九亿八千二百多万海关两；外国侵略者有在北京及由北京到天津、山海关沿线驻兵的特权；永远禁止中国人民的反帝活动等。

【辛亥革命】推翻清朝政府、结束封建帝制的资产阶级民主主义革命。1911 年（辛亥年）10 月 10 日爆发了武昌起义，各省响应，革命风暴席卷全国，清朝统治土崩瓦解。12 月十七省代表在南京开会，选举孙中山为临时大总统。次年 1 月 1 日中华民国临时政府在南京成立。2 月 12 日清帝退位，结束了统治中国两千多年的封建君主专制制度。但在帝国主义和封建势力的压力下，孙中山被迫辞职，袁世凯窃取了大总统职位。辛亥革命后中国仍旧处在帝国主义和封建主义的压迫之下，反帝反封建的革命任务并没有完成。

莘 ㊁ xīn 用于地名，如莘庄（在上海）。㊀ shēn（872 页）。

锌（鋅） xīn 金属元素，符号 Zn，原子序数 30。青白色，性脆。用于电镀，制黄铜、白铁及干电池等。

【锌版】一种锌制的照相凸版印版。一般用于印制插图、题字、照片等。

歆 xīn 羡慕；喜爱。㊐～羡。

馨 xīn 香气。特指散布很远的香气。

【馨香百世】功德及于百世。馨香一词有德化远被的意思。

【馨香祷祝】旧指陈设祭品，向神祷告。也指心中祈愿。馨香：祭品的香味。

鑫 xīn 财富兴盛（金多）。多用于商店的牌号或人名。

xín ㄒㄧㄣˊ

镡（鐔） ㊀ xín ❶古代剑柄的顶端部分。❷古代兵器。似剑而小。㊁ tán（956 页）。

xǐn ㄒㄧㄣˇ

伈☒ xǐn〔伈伈〕形容恐惧。

xìn ㄒㄧㄣˋ

囟 xìn〔囟门〕顶门。婴儿头顶骨未合缝的地方。

芯 ㊁ xìn〔芯子〕❶装在器物中心的捻子。如蜡烛的捻子，爆竹的引线等。❷蛇的舌头。

㊀ xīn（1092 页）。

信 xìn ❶诚实；不欺骗。❷真实可靠的。㊐～史。❸相信；不怀疑。㊐～仰｜～任。❹听凭；放任。㊐～步｜～口开河。❺消息；信件。㊐报～儿｜～号｜一封～。❻同"芯（xìn）"。❼古又同"伸（shēn）"。

【信义】信用和道义。

【信风】也叫贸易风。由副热带地区吹向赤道附近的方向固定的风。北半球的信风是东北风，南半球的信风是东南风。

【信心】确信某种愿望能够实现或某种事情能够做好的心情。

【信石】即"砒霜"（746 页）。

【信号】❶用声音、光线、标志等传送的约定通信符号。一般用来指挥行动或指示目标，如口令、汽笛、红绿灯等。❷利用电流或电压、无线电波等传送信息时，带有信息的电流或电压、无线电波等称为电信号，简称信号。

【信史】指记载确实可靠的历史。

【信用】❶诚实；说话算数。㊐守～。❷按时偿还，不需提供物资保证的。㊐～贷款。❸信任重用。

【信汇】银行应汇款人的申请，将信汇委托书通过邮局寄给汇入行，授权解付一定金额给受款人的一种汇款方式。

【信托】❶因相信而托付。❷经营寄售货物的业务。㊐～商店。❸将资金委托给受托人管理运营。

【信任】相信不疑。㊐得到群众的～。

【信仰】对某种宗教或某种主义信服、崇拜而奉为言行的准则。

【信守】忠实地遵守。

【信访】用写信的方法向党政领导机关反映情况或申诉冤屈。也指亲自到领导机关了解和反映情况或申诉冤屈。

【信步】不经心地、随意地走。

【信条】信仰并遵守的准则。

【信奉】信仰敬奉。

【信物】当作凭证的物品。

【信使】❶古称使者。❷现指在国家与驻外使领馆之间传送文书信件的人员。

【信念】自己认为正确而坚信不移的观点。

【信服】相信、服气。㊀令人～。

【信贷】银行存款、贷款等信用活动的总称。一般指银行的贷款。

【信息】❶音信;消息。❷信息论中指用符号传送的报道,报道的内容是接收符号者预先不知道的。❸事物的运动状态和关于事物运动状态的陈述。

【信徒】信仰某种宗教的人。也泛指信仰一种学说或主张的人。

【信赖】信任依靠。

【信誉】信用和名声。也指信用方面的名声。

【信箱】❶投寄或收取信件的箱子。❷特指某种通信地址。

【信天翁】鸟类的一科。大型海鸟。有些种类体长可达 1 米以上。鼻孔都呈管状,左右分开。中国沿海有短尾信天翁和黑脚信天翁,是中国国家重点保护动物。

【信天游】也叫顺天游、小曲子。陕北民歌的主要形式之一。一般是两句一联,即一段。短的只有一段,长的可接连数十段。演唱时各段可以自由反复,反复时,曲调可以灵活变化。曲调高亢辽阔,节奏自由。

【信用卡】由商业银行发行,专供消费者购买商品和支付费用的信用凭证。消费者可在指定的银行、商店等凭卡签字支取现金、购买商品等,并可透支小额现金。

【信用证】一种书面文件。银行应进口商的请求,向出口商签发承诺出口商开至该行或指定的另一家银行为付款人的汇票,只要出口商交来的汇票和单据符合该书面文件的条款,必须承兑和付款。

【信息论】研究信息及其传输的一般规律的理论。运用数学和其他相关方法研究信息的性质、计量,以及获得、传输、处理和交换等。广泛用于通信、生理学、物理学、语言学等领域。

【信息战】在信息领域中争夺信息控制权的作战行动。作战对象是对方的各种信息系统以及有关设施,任务是获取、使用和控制各种信息,对对方获取、使用信息实施干扰和破坏,以取得信息优势。

【信息流】指信息按照一定流向进行传递的运动。分无须反馈的单向传递和必须反馈的双向传递。新闻上指报刊或广播电视的信息传播以及受众的反馈。

【信口开河】也作信口开合。随口乱说。元关汉卿《鲁斋郎》第四折:“你休只管信口开合,絮絮聒聒。”《红楼梦》第三十九回:“村姥姥是信口开河。”

【信口雌黄】比喻不顾事实,随口乱说。原作口中雌黄。《晋书·王衍传》记载,王衍能言,“义理有所不安,随即改更。”时人都称他为“口中雌黄”。雌黄:矿物名,黄色,可做颜料。古时写字用黄纸,写错了就用雌黄涂抹后重写。

【信手拈来】随手拿来。形容写文章时,善于运用词汇和组织材料。宋苏轼《次韵孔毅甫集古人句见赠》诗:“前身子美只君是,信手拈得俱天成。”拈(niān):用手指拿东西。

【信用风险】由于借款人不能或不愿偿还贷款而遭受损失的可能性。

【信托公司】以赢利为目的,并以受托人身分经营信托及投资业务的金融企业。

【信而有征】可靠而且有证据。《左传·昭公八年》:“君子之言,信而有征。”征(zhēng):证验。

【信任投票】某些国家的议会对内阁(即政府)实行民主监督的方式之一。通过不信任案,内阁须辞职,重行改选。

【信仰主义】也叫僧侣主义。一种以信仰代替科学知识的理论。信奉宗教教条,宣扬信仰高于理智,宗教高于科学,鼓吹上帝创造一切。

【信息产业】担负信息生产、流通和应用的产业。通常包括计算机产业、软件业、通信业以及信息服务业等。它是信息社会国民经济的重要支柱。

【信息技术】指利用电子计算机和现代通信手段获取、传递、存储、处理、显示信息和分配信息的技术。

【信息科学】研究信息现象及其规律的科学。以信息为研究对象,以扩展人的信息器官的信息功能为主要研究目标。包括基础理论(信息学)、应用理论(信息论、控制论、系统论、智能论)、工程技术(信息技术,如通信、计算机技术)等。

【信息家电】通常指能传递网络信息的家用电器。具有电脑功能,能够上网、发送电子邮件、接受网上教育或玩电子游戏的冰箱、洗衣机、微波炉等,都属于信息家电。

X

【信赏必罚】该赏的必定赏，该罚的必定罚。指赏罚严明。《韩非子·外储说右上》："信赏必罚，其足以战。"

【信誓旦旦】誓言诚挚可信。《诗经·卫风·氓》："信誓旦旦，不思其反。"旦旦：诚恳的样子。

【信用合作社】中国劳动群众的资金互助合作组织。属于社会主义性质的集体经济。它的任务是在乡镇范围内办理对集体单位的存款、放款和农户的储蓄、贷款，并代办国家银行委托的业务。是中国社会主义金融体系的组成部分，国家银行在农村的助手。

【信息高速公路】国家信息基础设施的通称。一种高速、交互性信息网络。建立在现代计算机技术和通信技术的基础上，以光纤、光缆为骨干，以传送多媒体信息为目的。

衅（釁） xìn ❶嫌隙；争端。㊀寻～｜挑～。❷古代用牲畜的血涂器物的缝隙。㊀～钟｜～鼓。

【衅端】争端。

焮□ xìn ❶烧。❷〈方〉皮肤发炎肿痛。

舋☒ ㊀ xìn 同"衅"。

㊁ wèn（1032页）。

xīng ㄒㄧㄥ

兴（興） ㊀ xīng ❶举办；发动。㊀～办｜～师。❷旺盛。㊀～盛｜～旺。❸使盛行。㊀大～尊师重教之风。❹流行。㊀时～。❺起。㊀夙～夜寐。

㊁ xìng（1103页）。

【兴亡】兴盛和灭亡（多指国家）。

【兴师】兴兵；起兵。

【兴许】副词。也许。

【兴奋】❶有机体组织当感受外界刺激后，由安静而变为活动，或由活动弱而变为活动强。是一切动物细胞所共有的特性。是与抑制相反的生理现象。❷精神情绪振作、激动或紧张。

【兴旺】兴盛；旺盛。

【兴学】兴办学校。

【兴居】指人的日常生活，饮食起居。在信文中对亲朋问候，常用"兴居安吉""兴居佳胜"等词。

【兴修】开工修建（多指规模较大的工程）。㊀～水利。

【兴起】开始出现并蓬勃地发展起来。㊀近年～了旅游热。

【兴替】兴衰成败。替：衰败。

【兴中会】清末革命团体。1894年孙中山在檀香山创立。次年总部迁往香港。以"驱除鞑虏，恢复中华，创立合众政府"为政治纲领。在广州（1895年）、惠州（州治今广东惠阳）（1900年）筹划、组织反清武装起义，推动了当时革命形势的发展。1905年与黄兴等领导的华兴会等团体联合组成统一的资产阶级革命政党——中国同盟会。

【兴奋剂】❶指能使中枢神经兴奋的药物。包括苏醒药、精神兴奋药、大脑复健药等。❷比喻令人高兴的事物或情况。

【兴风作浪】比喻制造事端，煽动别人起来捣乱。

【兴师动众】原指大规模出兵，后也指动用很多人力。

【兴妖作怪】比喻坏人破坏捣乱。

狌☒ ㊀ xīng 同"猩"。

㊁ shēng（881页）。

星 xīng ❶天空中发射或反射光的天体，分为恒星（如太阳）、行星（如地球）、卫星（如月亮）、彗星、流星等。习惯将太阳、地球、月球之外的天体通称星星。❷细小的。㊀一～半点儿｜～～之火。❸秤杆上的标记。㊀秤～｜定盘～。❹指明星。㊀歌～｜笑～。❺星名。二十八宿之一。

【星云】由气体和尘埃物质组成的、呈云雾状的天体。同恒星相比，星云具有质量大、体积大、密度小的特点。主要成分是氢。

【星火】❶微小的火花。㊀～燎原。❷流星的光。比喻急迫。㊀急如～。

【星斗】夜晚天空中发光的天体。㊀满天～。斗：星名，也泛指星。

【星汉】指银河。

【星团】由十几颗以至千万颗具有共同起源和较强力学联系的恒星所组成的天体集团。如金牛座的昴星团。

【星级】饭店的等级。国际上通行用五个星级标明饭店由低到高的等级。㊀五～饭店。

【星辰】星的总称。㊀日月～。

【星体】天体。通常指个别的星球，如月亮、太阳、火星、北极星等。

【星系】无数恒星和星际物质组成的天体系统。如银河系、河外星系等。

【星际】星体与星体之间。㊀～航行。

【星图】把恒星等天体在天球上的位置，按一定方法转绘到平面上而形成的图。

【星夜】布满星辰的夜晚。多用来表示连夜活动。㊀～行军。

【星河】见〔银河系〕(1177 页)。

【星空】群星闪烁的天空。

【星座】为了便于认识和研究星空，将星空划分为许多区域，叫做星座。按照国际上的规定，全天分成 88 个星座。如北斗七星就属于大熊星座。

【星象】指天空中星体的明暗、位置移动等现象。古代常用这些现象来附会人事的变化。

【星散】像星星散布在天空那样。比喻原来在一起的人分离四散。散(sàn)。

【星鲨】鱼类。体延长，一般在 1 米以内。灰褐色，有白斑。卵胎生。栖息于近海，食贝类和甲壳类。肉质鲜嫩可食。

【星云说】太阳系起源的一种假说。德国哲学家康德首先提出，之后法国数学家拉普拉斯也提出了类似主张。认为太阳系是由一团旋转着的星云在收缩和凝聚过程中逐渐形成的。中心部分形成太阳，外部扁化为星云盘，盘中物质凝聚成行星、卫星等天体。星云说坚持世界的物质性，就物质本身的运动发展来说明宇宙的演化，给当时占统治地位的形而上学宇宙观和宗教思想以有力的冲击。20 世纪以来，星云说不断得到发展和完善。

【星际物质】恒星际空间分布的极其稀薄的气体和极少量的尘埃。

【星罗棋布】像天上的星星和棋盘上的棋子一样散布着。形容数量多，分布广。清刘献廷《广阳杂记》："长湖口渔罾，数百里星罗棋布，更是一重境界。"罗：罗列。布：分布。

【星移斗转】也说斗转星移。星斗转变了位置。表示季节的改变。比喻时间的变化。

【星星之火，可以燎原】原意是一点点的火星，可以引起延烧原野的大火。比喻小乱子可以发展成大祸害。也比喻开始时显得弱小的新生事物，有强大的生命力，有广阔的发展前景。

猩 xīng 猩猩，也叫褐猿。哺乳动物。比猴子大，身体构造同人类很接近，前肢长，无尾，全身有赤褐色长毛。树栖，有筑巢习性，昼间活动。主食果实。

【猩红】像猩猩血一样的鲜红颜色。

【猩红热】由溶血性链球菌引起的急性传染病。通过呼吸道传染。患者多为 2—8 岁的儿童。主要症状是发热、咽痛，由头颈到躯干四肢皮肤上依次出现小点状红疹，口围苍白，舌呈草莓状。

惺 xīng ❶醒悟。❷聪明。

【惺忪】也作惺松。刚睡醒，眼睛模糊不清的样子。忪(sōng)。

【惺松】同"惺忪"(1099 页)。

【惺惺】❶聪明；机灵。❷聪明机灵的人。

【惺惺作态】装模作样，卖弄聪明。

【惺惺惜惺惺】聪慧的人怜惜聪慧的人。比喻同类的人互相同情。《水浒传》第一回："惺惺惜惺惺，好汉识好汉。"惺惺：聪慧。

腥 xīng ❶鱼、肉一类食物。㊀荤～。❷腥气。㊀～膻。

【腥膻】❶腥气和膻气。指鱼、羊肉等发出的气味。❷指鱼、羊肉等食品。

【腥风血雨】也说血雨腥风。风带腥气，血如下雨。比喻时局险恶或斗争残酷。

鲲☒(鯹) xīng 同"腥"。

骍(騂) xīng 红毛的马或牛。

xíng ㄒㄧㄥˊ

刑 xíng ❶刑罚。㊀徒～|死～。❷指对犯罪嫌疑人的体罚。㊀用～|～讯。❸古又同"型"。

【刑讯】采用肉刑或变相肉刑逼取口供的审讯方法。法律禁止刑讯逼供。

【刑场】旧称法场。处决犯人的处所。

【刑名】❶古代原指形体和名称。后也泛指法律。❷刑罚的名称。

【刑余】❶指宦官。❷受过肉刑的人。❸旧时也指僧人。

【刑法】规定什么是犯罪、犯罪应处以何种刑罚的法律规范的总称。

【刑罚】刑法规定的、人民法院对犯罪人适用的、由专门机关执行的最严厉的法律制裁措施。包括主刑和附加刑。

【刑种】刑罚种类的简称。中国刑法规定，

X

刑罚分主刑和附加刑两种。主刑包括管制、拘役、有期徒刑、无期徒刑、死刑；附加刑包括罚金、剥夺政治权利、没收财产。

【刑部】官署名。隋唐至明清中央行政机构的六部之一。掌管全国法律、刑狱等。

【刑期】由法院判决宣告的刑罚的期限。

【刑事案】因犯罪须追究刑事责任而为司法机关立案的案件。

【刑事处罚】审判机关对犯罪分子依法判处刑罚。

【刑事责任】犯罪人在刑法上承担的对其不利的法律后果。以刑罚为表现形式。是最严厉的法律制裁。

【刑事诉讼法】人民法院、人民检察院和公安机关，在当事人和其他诉讼参与人的参加下，进行刑事诉讼活动所必须遵循的法律规范的总称。

【刑事责任年龄】刑法规定的行为人承担刑事责任应达到的法定年龄。分完全刑事责任年龄、相对刑事责任年龄和无刑事责任年龄。凡已满16周岁的人，犯任何罪，都应当负刑事责任，称完全刑事责任年龄；已满14周岁不满16周岁的人，犯故意杀人、故意伤害致人重伤或死亡、强奸、抢劫、贩卖毒品、放火、爆炸、投毒罪的，应当负刑事责任，称相对刑事责任年龄；不满14周岁的人，其行为不构成犯罪，一概不负刑事责任，称为无刑事责任年龄。

侀☒ xíng 同“形”。

型 xíng ❶模子；模型。❷样式；类型。㊣新～|血～。

【型钢】断面具有一定几何形状的钢材。有方钢、圆钢、扁钢、六角钢、工字钢、角钢、槽钢等。

硎 xíng 磨刀石。

铏☒(鉶) xíng 古代盛羹的器具。

邢 xíng 姓。

形 xíng ❶形状；形体。㊣地～|～影不离。❷显露；表现。㊣喜～于色|～于笔墨。❸对照；比较。㊣相～见绌。

【形式】❶事物的形状、结构等。❷哲学范畴。指把构成事物的诸要素统一起来的结构方式及其表现方式。与“内容”相对。

【形成】经过发展变化而成为(某种事物、局面、风气等)。㊣～风气。

【形似】形状、外表相像。与“神似”相对。

【形声】也叫谐声。六书之一。指由形旁和声旁两部分合成一字的造字法。如“洋”是由形旁“氵(水)”和声旁“羊”合成的。汉字绝大部分是形声字。

【形体】❶身体的外形。❷事物的形状及结构。

【形势】❶(军事上指)地势。㊣～险要。❷事物发展变化的状况和趋势。㊣国际～|国内外～。

【形态】❶事物的状态或表现形式。❷语言学中指词的内部变化形式。

【形变】物体受外力作用时所发生的形状或体积的改变。

【形胜】❶地理位置优越，地势险要。❷(山川)壮美。㊣山川～。

【形迹】❶举止神色。㊣～可疑。❷仪容礼貌。㊣不拘～。

【形神】形指物质形体、人的身体等；神指精神、灵魂等。㊣这幅画～兼备，很出色。

【形容】❶形体和容貌。㊣～憔悴。❷对客观事物的描绘、刻画。㊣用笔墨难以～。

【形象】❶人的形状相貌；模样。㊣脑海里浮现出他的～。❷指描绘或表达具体、生动。㊣～地描绘了各种各样人物的心理|语言～、精练。❸艺术反映社会生活的一种特殊手段。是作者对社会生活进行艺术加工所创造出来的具有一定的思想内容和审美意义的有形或无形的图画。文艺作品中的形象，通常以人物形象为主。各类艺术由于所采用的塑造形象的材料和手段不同，所以有的形象具有直观性，如绘画、雕塑、戏剧等；有的形象不具有直观性，如文学、音乐等。

【形骸】人的形体；躯体。

【形而下】中国古代哲学名词。《周易·系辞》：“形而下者谓之器。”指有形的事物。

【形而上】中国古代哲学名词。《周易·系辞》：“形而上者谓之道。”指无形的道理、法则、精神等。

【形成层】植物体的木质部与韧皮部之间有一薄层具有分生能力的组织。向外分裂形成韧皮部，向内分裂形成木质部，使根、茎不断加粗。

【形容词】表示人和事物的性质或状态的词。

【形意拳】拳术的一种。讲究“象其形、取其意，要求心意诚于中、肢体形于外”，内意和外形高度统一，故名。以三体式为主要桩法，以五行拳、十二形拳为基本拳法。

【形式逻辑】逻辑学的分支学科。研究思维的形式结构及其规律。撇开具体的思维内容，研究概念、判断和推理（尤其是演绎推理）及其正确联系的规律和规则；反映事物最简单、最普遍、最常见的联系，表达最初步的但很重要的思维规律。基本规律有：同一律、矛盾律和排中律。

【形而上学】❶指同辩证法根本对立的哲学理论。用孤立的静止的和片面的观点去看世界，认为世界上一切事物都是彼此孤立和永远不变的。如果有变化，也只是数量的增减和场所的变更，没有质变。而这种变化的原因不在事物的内部而在事物的外部，即由于外力的推动。否认事物的内部矛盾是发展的动力。❷指研究超感觉、超经验的东西（如上帝、灵魂、意志自由等）的哲学。

【形形色色】各种各样；种类很多。《列子·天瑞》：“有形者，有形形者…有色者，有色色者。”

【形补短语】述补短语的一种。后一成分补充说明前面的形容词。如“香极了”“熟透了”。

【形单影只】形容孤单的样子。

【形象思维】也叫艺术思维。指在艺术创作和艺术鉴赏的过程中，感受形象，通过联想和想象，创造形象，得到审美愉悦。它通过特殊的个体形象显现一般的意蕴，始终离不开具体的形象，可以说“用形象来思维”（别林斯基语）。

【形影不离】形影相随。

【形影相吊】身体和影子互相安慰。形容十分孤独。晋李密《陈情表》：“茕茕孑立，形影相吊。”吊：慰问。

【形影相随】如同影子随着形体，一刻也难分离。

钘(鈃) xíng 古代长颈的盛酒器。

行 ㊀ xíng ❶走。[例]步～|日～千里。❷指旅行或跟旅行有关的。[例]～装|～商。❸流通；传布。[例]发～|风～一时。❹做；办；从事。[例]实～|举～|～医。❺行为。[例]言～|品～。❻可以。[例]～，就这样办吧！❼将。[例]～及半岁。❽能干。[例]他真～！❾行书。
㊁ háng（380 页）。
㊂ hàng（382 页）。
㊃ héng（396 页）。

【行乞】讨饭。

【行止】❶行踪。[例]～无定。❷举动行为。[例]～不检。

【行文】❶组织文字表达意思。[例]～简洁。❷旧指机关之间的公文往来。

【行为】人的有意识的活动。[例]～光明磊落|不法～。

【行书】汉字字体之一。是为了使楷书更便于书写而形成的一种书体。它参用一些草书笔势，既不像草书那样牵连曲折，难于辨认，又不像楷书那样工整费力。形体省简，笔画流畅，日常书写比较省时省力。自晋以来，一直通行至今。

【行乐】消遣娱乐。

【行头】指戏曲角色所穿戴的服装。也泛指一般人的服装。

【行刑】执行刑罚（多指执行死刑）。

【行动】❶行走；走动。❷指为实现某种意图而进行活动。❸行为；举动。

【行在】皇帝出行暂住的地方。

【行色】出发时或在途中的神态、情景或气派。

【行军】军队徒步或乘坐车辆沿指定路线进行有组织的转移。

【行劫】抢劫。

【行李】❶出行时所带的衣箱、铺盖等。❷也作行理。使者。《左传·僖公三十年》：“行李之往来，共（供）其乏困。”

【行时】（人、事物、理论等）一时流行、得势。

【行状】旧时叙述死者生平事迹的文章。多随讣文送死者亲友。

【行者】❶走路的人。❷指佛教寺庙中没有经过剃度的信徒。

【行事】❶办事；做事。[例]便宜～。❷行为。[例]言谈～。

【行刺】用武器去暗杀。

【行使】执行；使用。[例]～职权。

【行径】行为；举动（多指坏的）。[例]无耻～。

【行驶】驾驶车船等运载工具使它行进。

【行政】❶依法实行国家管理的。[例]～单位|～区划。❷指机关、企业、团体等内部的管理工作。[例]～人员。

【行草】行书的一种。草法多于楷法。

【行省】金代“行尚书省”、元代“行中书省”

的简称。中国古代地方官署名。元置丞相、平章等官总揽该地区政务，行省成为地方最高的行政区划名。明代改为承宣布政使司，习惯上仍称行省。清代恢复行省，现代的"省"制即源于此。

【行星】围绕太阳运行的天体。本身不发光，因表面反射太阳光而发亮。太阳系有九大行星，按照它们同太阳的距离，由近及远依次为水星、金星、地球、火星、木星、土星、天王星、海王星和冥王星。在太阳系之外，目前已发现了数颗环绕其他恒星运行的行星。

【行将】副词。即将；就要。㊀～就绪｜～完工。

【行宫】古代京城以外供皇帝出行时居住的宫室。

【行贿】进行贿赂。

【行旅】指出门走远路的人。

【行营】旧指出征时的兵营。也指出征时军事长官办公的地方。

【行脚】(和尚)云游四方，脚行天下。

【行猎】打猎。

【行商】旧指往来贩卖，没有固定营业地点的商人。

【行程】路程。

【行装】出门时所带的衣服、铺盖等。㊀整理～。

【行楷】行书的一种。楷法多于草法。

【行署】行政公署的简称。

【行辕】行营。

【行踪】行动的踪迹。㊀～诡秘｜～无定。

【行藏】❶对有关名节的事情有所为有所不为的态度。《论语·述而》："用之则行，舍之则藏。"后用来指出处或行止。❷来历。《张协状元》第十出："五鸡山下，更没人知我行藏。"藏(cáng)。

【行为人】以自己的行为产生法律后果的人。

【行政法】调整国家行政管理活动的法律规范的总称。包括有关行政管理主体、行政行为、行政程序、行政检察与监督以及国家公务员制度等方面的法律规范。涉及的范围很广，有国防、外交、人事、民政、公安、国家安全、民族、宗教、侨务、教育、科学技术、文化体育卫生、城市建设、环境保护等方面。

【行贿罪】行为人为谋取不正当利益，给国家工作人员财物的犯罪行为。因被勒索而给予国家工作人员财物，没有获得不正当利益的，不是行贿。行为人在被追诉前主动交待行贿行为的，可以减轻或免除处罚。

【行之有效】实行起来有成效。㊀这是～的办法。

【行尸走肉】讽刺没有理想，无所作为的人。糊里糊涂混日子，虽然活着，同死人一样。《拾遗记·后汉》："(任末)临终诫曰：'夫人好学，虽死若存；不学者，虽存，谓之行尸走肉耳。'"行尸：会走动的尸体。走肉：会走动而没有灵魂的肉体。

【行云流水】比喻文章的布局和发展，不加雕琢，就像云的运行，水的流动，非常自然。《宋史·苏轼传》："尝自谓作文如行云流水，初无定质，但常行于所当行，止于所不可不止。"

【行成于思】做事要通过思考才能成功。唐韩愈《进学解》："业精于勤，荒于嬉；行成于思，毁于随。"

【行同狗彘】行为如同猪狗，指人的行为极端无耻。彘(zhì)：猪。

【行远自迩】走远路必须从近处迈出第一步。比喻做事都得由小到大，由浅入深，循序渐进。《礼记·中庸》："辟(通"譬")如行远必自迩，辟如登高必自卑。"迩(ěr)：近。

【行若无事】指在紧急关头，镇静自然，好像没事一样。

【行政处分】在中国，指本单位内部的有关部门对有违法失职行为的国家工作人员和职工所给予的行政纪律处罚。如记过、记大过、降级、开除工职等。

【行政处罚】行政主体为了维护公共利益和社会秩序，保护公民、法人和其他组织的合法权益，对违反行政管理的相对人给予的一种法律制裁。包括警告，罚款，没收违法所得，没收非法财物，责令停产、停业，暂扣或吊销许可证、执照和行政拘留。

【行政诉讼】人民法院根据当事人的请求，对于行政机关具体行政行为的合法性进行审查，并作出裁决以解决行政争议的诉讼活动。通过司法权对行政权的监督，确保行政机关依法行政，保护当事人的合法权益。

【行政拘留】行政处罚的一种。适用于扰乱公共秩序、妨害公共安全、侵犯公民人身权利、损害公私财产，情节轻微，不够刑事处罚的违法行为。由公安机关裁决并执行。

【行政复议】公民、法人或其他组织认为行政主体的具体行政行为侵犯其合法权益，按照法定的条件和程序向作出该具体行政行为的上一级行政机关提出申请，受理申请的行政机关对该具体行政行为进行复查的法律制度。

【行将就木】快要进棺材了。指人临近死亡。《左传·僖公二十三年》记载，晋公子重耳奔狄，娶季隗，"将适齐，谓季隗曰：'待我二十五年，不来而后嫁。'对曰：'我二十五年矣，又如是而嫁，则就木焉。'"木：棺材。

【行百里者半九十】《战国策·秦策五》："行百里者半于九十。"意思是走一百里路，走了九十里才算走了一半。喻指做事情愈接近成功愈困难，因此更要努力、谨慎。

饧(餳) ㊀ xíng ❶糖稀。❷糖块、面剂子等变软。㊐～～面。❸眼神呆滞的样子。㊐眼睛发～。
㊁ táng (958 页)。

陉(陘) xíng 山脉中断的地方；山口。

荥(滎) ㊀ xíng 〔荥阳〕地名。在河南郑州西。
㊁ yíng (1184 页)。

xǐng ㄒㄧㄥˇ

省 ㊁ xǐng ❶检查自己的思想行为。㊐反～。❷觉悟；明白。㊐～悟｜昏迷不～。❸探望；问候（多指对长辈、亲属）。㊐～亲。
㊀ shěng (882 页)。

【省视】探望；看望。

【省亲】回家探望父母。

【省悟】醒悟。

【省察】反省自己的思想行为。

箵☒ xǐng 见〔笭箵〕(623 页)。

醒 xǐng ❶睡眠状态结束或还没入睡。❷酒醉、麻醉或昏迷后神志恢复常态。㊐酒醉未～｜他～过来了。❸觉悟。㊐猛～｜～悟。❹使看得清楚。㊐～目。

【醒木】说评书的人为了引起听众注意而用来拍桌子的小木块。

【醒目】（文字、图画、形象等）明显，容易看到或看得清楚。

【醒悟】在认识上由糊涂而变得清楚，由错误而变得正确。

擤 xǐng 按住鼻孔用力出气，使鼻涕排出。㊐～鼻涕。

xìng ㄒㄧㄥˋ

兴(興) ㊁ xìng 兴趣；喜欢的情绪。㊐～味｜高～。
㊀ xīng (1098 页)。

【兴会】❶因一时有所感受而发生的兴趣。❷兴致。㊐～淋漓。

【兴致】高兴的情绪。㊐～勃勃。

【兴趣】对事物喜爱或关切的情绪。

【兴会淋漓】形容兴致浓厚，精神舒畅。

【兴味盎然】兴致、趣味极旺盛。盎(àng)然：洋溢的样子。

【兴高采烈】形容兴致高昂，情绪热烈。《文心雕龙·体性》："叔夜俊侠，故兴高而采烈。"兴：兴致。采：精神。

杏 xìng 落叶乔木。花粉红色，果实圆形，成熟后黄色，可鲜食或加工。杏仁可供食用或药用。原产于中国，长江以北栽培较多。

【杏仁】杏子核里的仁。分苦（山杏）、甜（食杏）两种。可供药用和工业用。

莕☒ xìng "荇"的异体字。

幸(❹❺*倖) xìng ❶幸福。❷高兴。㊐欣～。❸希望。㊐～勿推辞。❹意外地得到成功或免去灾害。㊐～存｜～免。❺古指得到封建帝王的宠爱。㊐得～｜～臣。❻指封建帝王到某地去。㊐辛卯，帝（汉文帝）～太原。

【幸臣】指帝王宠爱的臣子。

【幸而】副词。幸亏；多亏。㊐～发现得早，否则酿成大祸。

【幸运】❶好的运气。❷运气好。

【幸免】侥幸地免于（灾难）。㊐～于难。

【幸事】值得庆幸的事。

【幸福】生活、境遇愉快美满。㊐随着社会经济的发展，人民生活会越来越～。

【幸灾乐祸】对别人的灾祸不但不同情，反而感到高兴。

悻 xìng 〔悻悻〕怨恨、愤怒的神态。㊐～而去。

婞 xìng 倔强固执。

【婞直】倔强；自以为是。

性 xìng ❶人或事物的本身所具有的特质。㊐党～｜阶级～｜碱～。❷性别。

㊎女～|雄～。❸有关生殖或性欲的。㊎～器官|～生活。❹在名词后面指范围等。㊎全国～。❺性情;脾气。㊎任～。

【性状】性质和状态。

【性灵】指人的性情、精神、感情等。

【性质】事物本身所具有的、区别于其他事物的特征。

【性格】在对人、对事物的态度和行为方式上所表现出来的个性特征,如刚强、懦弱、热情、孤僻等。

【性病】也叫花柳病。主要通过性交传播的疾病。有梅毒、淋病、软下疳和腹股沟淋巴肉芽肿四种。病原体分别是螺旋体、细菌等。症状和病变多首先出现在生殖器部位。如梅毒有硬下疳、梅毒疹、溃疡等。

【性能】器材、物品等所具有的性质和功能。㊎这种机器～良好。

【性早熟】男孩在十岁以前或女孩在九岁以前出现性成熟的现象。表现为男孩阴茎肥大、长阴毛、变声,女孩来月经、乳房隆起。常由颅内疾病或进补过多引起。

【性骚扰】指用轻佻、下流的语言或举动对异性进行骚扰。

【性激素】由动物体的性腺,以及胎盘、肾上腺皮质网状带等组织合成的甾体激素。包括雌激素和雄激素。有促进性器官成熟、副性征发育及维持性功能等作用。

【性染色体】在形态上可以识别并可以部分地决定个体性别的染色体。在动物界普遍存在,植物界少见。

姓 xìng 表明家族系统的字。㊎～名。

【姓名权】公民对自己的姓名所享有的决定、使用和依照规定变更的权利。是公民人格的表现。法律禁止干涉、盗用、假冒他人姓名。侵犯姓名权应承担民事责任。

荇 xìng 〔荇菜〕多年生草本植物。生于水中。根状茎可食。可作饲料、绿肥,也可药用。

xiōng ㄒㄩㄥ

凶(❶－❸*兇) xiōng ❶恶;残暴。㊎～狠|穷～极恶。❷伤害人的行为。㊎行～。❸厉害。㊎来势很～|闹得太～了。❹不幸;不吉利。与"吉"相对。㊎～多吉少。❺指收成很坏;闹饥荒。㊎～年。

【凶手】行凶的人。

【凶年】荒年;灾年。

【凶兆】指不吉利的预兆。

【凶残】凶恶残暴。㊎～成性。

【凶险】❶凶恶阴险。❷(情势等)危险可怕。㊎病势～。

【凶顽】凶恶蛮横,顽固不化。

【凶悍】凶横强悍。

【凶案】指杀人案件。

【凶猛】❶凶恶有力。㊎～的野兽。❷凶恶猛烈。㊎来势～。

【凶焰】凶恶的气焰。

【凶横】凶恶蛮横。横(hèng)。

【凶器】行凶用的器具。

【凶相毕露】凶恶的面貌完全暴露出来了。

【凶神恶煞】迷信指凶恶的神。常用来形容非常凶恶的人。煞:凶神。

匈 xiōng 同"胸"。

【匈奴】古族名。战国时,游牧于燕、赵、秦以北地区。秦汉之际曾统一北方草原地区,东汉建武二十四年(48)后,一部分南下依附汉朝,渐习农耕。十六国中的前赵、北凉、夏的统治者大部分是匈奴族人。

【匈牙利事件】1956年10月至11月发生在匈牙利的政治事件。苏共"二十大"后,匈牙利政局不稳。22日,裴多菲俱乐部向劳动人民党中央提出实行工人自治等十点要求;23日,布达佩斯的群众集会游行,要求改组政府,当晚发生了流血事件;24日,中央委员会改组,纳吉任部长会议主席,并请苏军维持治安;28日,要求苏联撤军,但武装冲突没有停止;11月4日卡达尔等另建工农革命政府,请求苏联出兵。苏联军队再次进入布达佩斯后,纳吉政府主要成员及部分冲突参与者被捕,事件遂平息。

【匈牙利舞曲】钢琴曲。勃拉姆斯曲。作于1852—1869年。原为钢琴四手联弹曲,共21首。后被改编为管弦乐曲。乐曲以匈牙利民间曲调为素材。其中以第五首和第六首最为著名。

【匈牙利狂想曲】钢琴曲集。李斯特曲。作于1846—1885年间。由20首乐曲辑成。其中以第九首《培斯特市狂欢节》、第十五首《拉科齐进行曲》最为著名。

恟⊠ xiōng 恐惧;惊骇。

胸（*胷） xiōng ❶人和陆生脊椎动物（四足类）躯干的一部分。位于颈部（或头）与腹部之间。❷指心里（与思想、见识、气量等有关）。㊀心～｜～有成竹。

【胸次】❶心里；心情。❷胸怀。㊀～宽阔。

【胸怀】❶胸部；胸膛。❷心胸。㊀～开阔。

【胸骨】腹侧胸壁内的纵行扁骨。由若干块骨或软骨组成。人的胸骨与锁骨及肋骨相连。

【胸椎】胸部的脊椎骨。人的胸椎共12块。

【胸腔】胸内的体腔部分。人的胸腔位于颈部以下、膈肌以上。四周由胸椎、肋骨、肋软骨、肋间肌和胸骨围成。内有心、肺等器官。

【胸腺】一种淋巴器官，也是一个内分泌腺。位于胸骨下，分左右两叶。与机体免疫机能有密切关系。

【胸臆】指内心的想法或心里话。㊀直抒～。

【胸襟】胸怀。㊀～坦白。

【胸膜炎】也叫肋膜炎。胸膜的炎症。病因可分为感染性的（如细菌等）、变态反应性的（如类风湿性关节炎等）、肿瘤性的、化学性的（如尿毒症等）及物理性的（如外伤等）。症状分干性和渗出性两种，干性的以胸痛为主，渗出液增多后则气短、心悸、畏寒、发热等。渗出性的有浆液纤维素（胸腔积液）渗出，严重的可引起呼吸困难或形成脓胸。炎症消散后，胸膜纤维化可产生胸膜粘连和增厚。

【胸中有数】指对事情心里有底，有主意。

【胸中鳞甲】比喻居心奸诈、险恶。

【胸有成竹】宋晁补之《赠文潜甥杨克一学文与可画竹求诗》："与可画竹时，胸中有成竹。"原意是画竹子以前，心里已经有了竹子的形象。后用以比喻办事以前，已经有全面的设想和安排。成：现成。

【胸怀坦白】心地真诚、坦率。

【胸外心脏按摩】在心脏停止跳动时为避免大脑长时间缺血、缺氧所采取的一种急救方法。病者平卧脚高头低，操作者两手上下重叠，平贴心前胸骨上，用力加压，使胸骨下陷3—5厘米，随即放松，每分钟60—70次，到心跳恢复为止。

讻⊠（訩） xiōng 〔讻讻〕同"汹汹"③（1105页）。

汹（*洶） xiōng 见下。

【汹汹】❶形容波涛的声音。❷形容势头凶猛的样子。㊀气势～。❸也作讻讻。嘈杂纷乱的样子。㊀群情～。

【汹涌】水势凶猛、激荡。㊀波涛～。

【汹涌澎湃】形容水流湍急、波浪相撞的样子。常用来形容声势浩大。汉司马相如《上林赋》："沸乎暴怒，汹涌澎湃。"

恟⊠ xiōng 同"恂"。

兄 xiōng ❶哥哥（一般不用于当面称呼）。㊀～弟｜堂～。❷对男性朋友的尊称。㊀老～。

【兄弟阋墙】兄弟在家争吵。比喻内部不和。《诗经·小雅·常棣》："兄弟阋于墙。"阋（xì）：争吵。

芎 xiōng 〔芎䓖〕即"川芎"（141页）。

xióng ㄒㄩㄥˊ

雄 xióng ❶生物中能产生精细胞的。也指植物中不结子的。与"雌"相对。㊀～鸡｜～蕊。❷强有力的。㊀～师｜～辩。❸强有力的人物或国家。㊀称～｜战国七～。❹宏伟的；充足的；有气魄的。㊀～图｜～厚｜～心壮志。

【雄文】有才华、有气势、意义深远的好文章。

【雄心】远大的抱负。㊀树～，立大志。

【雄师】英勇无敌的军队。

【雄伟】雄壮而伟大。㊀～的建筑。

【雄壮】（气魄、声势）强大；（体格）强壮。

【雄关】险要的关口。

【雄兵】强大的军队。

【雄劲】雄壮有力。劲（jìng）。

【雄图】宏伟的计划或深远的谋略。

【雄厚】（物力或人力）非常充足。

【雄姿】威武雄壮的姿态。

【雄浑】雄壮而浑厚。多形容诗文或书画气势磅礴，含义深远。

【雄健】强健有力。㊀～的步伐。

【雄蕊】被子植物花内产生花粉的变态的花叶。一般由花丝和花药两部分组成。花药膨大呈囊状，能产生花粉。

【雄辩】❶强有力的辩论。㊀事实胜于～。❷有说服力。㊀最～的莫过于事实。

【雄黄酒】在端午节饮用的搀有雄黄的酒。

【雄才大略】杰出的才智和谋略。

【雄心壮志】远大的理想，宏伟的志向。

【雄性激素】促进动物和人雄性器官成熟和副性征发育，并维持其正常功能的激素。如睾丸分泌的睾酮、尿中的雄酮等。现已能人工合成，应用于临床。

熊 xióng 哺乳动物。分棕熊、白熊、黑熊等。能游泳，善爬树，杂食性。

【熊市】股票价格看跌，发展前景不妙的股市动态。

【熊猫】即“猫熊”(666页)。

【熊掌】熊的脚掌。

【熊蜂】昆虫。体粗壮，周身被厚毛。飞行时由于翅振动而发声。对植物的传粉有很大作用。常见的有黑圆熊蜂和圆熊蜂。

【熊熊】形容火势旺盛。例～烈火。

【熊庆来】(1893—1969)中国数学家、教育家。先后创办东南大学数学系和清华大学数学系，撰写了许多函数论著作和讲义，并发现、培养或影响了包括陈省身、华罗庚在内的一些著名数学家，对中国数学人才的培养及科学研究做出了重大贡献。

xiòng ㄒㄩㄥˋ

诇⊠(詗) xiòng 侦察；刺探。例～察。

敻⊠ xiòng 远；辽阔。例～古|～远。

xiū ㄒㄧㄡ

休 xiū ❶歇息。例～假。❷停止。例～会。❸副词。表示禁止。例～想|～怪。❹旧指丈夫把妻子赶回娘家，断绝夫妻关系。例～书。❺快乐；美好；吉庆。例～戚(喜和忧)相关|～烈(美好的功业)|～咎(吉凶)。❻古又同“咻”。

【休业】❶停止营业。❷学习单位结束一个阶段的学习。

【休会】会议暂时停止。

【休克】人体受到强烈刺激(如剧烈创伤、大量出血、严重感染、中毒、过敏等)引起毛细血管循环功能不全的综合病症。主要症状是血压下降、脉搏细速、面色苍白、四肢发冷，甚至昏迷。

【休闲】❶工作、学习之余轻松悠闲地生活。例～装|～活动。❷农业上指作物生长季节内，耕地不耕或不种，使其自然恢复地力。

【休学】学生在保留学籍的情况下，暂时停止学习。

【休战】交战双方暂时停止军事行动。

【休养】休息调养。

【休眠】生物的代谢活动明显降低时的相对静止状态。是生物对不利自然环境的适应。如昆虫的滞育和蛇的冬眠。

【休渔】在规定水域和时间内，部分或全面禁止渔业活动，以保护鱼类或其他水生经济动物生长繁殖。一般通过国家法令和国际协定实施。习惯上对海域称休渔，对淡水域称禁渔。

【休整】利用作战或执行其他任务的间隙进行休息、整顿和训练。

【休憩】休息。憩(qì)。

【休止符】乐谱中用以表示乐音停顿时间长短的符号。五线谱和简谱中常用的休止符有六种，见下表：

名称	形状		时值
	五线谱	简谱	
全休止符	𝄻	0000	休止四拍
二分休止符	𝄼	00	全休止符的1/2
四分休止符	𝄽	0	二分休止符的1/2
八分休止符	𝄾	$\underline{0}$	四分休止符的1/2
十六分休止符	𝄿	$\underline{\underline{0}}$	八分休止符的1/2
三十二分休止符	𝅀	$\underline{\underline{\underline{0}}}$	十六分休止符的1/2

【休伦湖】北美五大淡水湖之一。位于美国和加拿大交界处。面积59 600平方千米。

【休斯敦】美国城市。位于该国南部。人口163万(1990年)。是全国最大的石油工业、宇航工业中心和重要海港。医疗科研闻名于世。

【休克疗法】❶精神病疗法的一种。以电、药物、胰岛素等诱发患者抽搐或昏迷以达到治疗的目的。❷比喻某些国家实行改革时采取的激烈地影响政治或经济运转的措施。

【休养生息】指在战争或其他原因引起的大动荡之后，所采取的安定社会秩序、恢复生产、增加人口的措施。唐韩愈《平淮西碑》：“高宗中睿，休养生息。”休养：休息调养。生息：繁殖人口。

【休眠火山】见〔火山〕(440页)。

【休戚与共】有幸福共同享受，有祸患共同抵挡。形容关系紧密，利害相同。

【休戚相关】形容关系密切，利害一致。休：喜悦。戚：悲伤。

咻 xiū 乱吵。

【咻咻】拟声词。1. 喘气声。2. 某些动物的叫声。㊀小鸭～地叫着。

庥 xiū 庇荫；保护。

鸺（鵂） xiū 〔鸺鹠〕鸟类。猫头鹰的一种。体羽暗褐色，有棕白色横斑。捕食鼠、鸟、昆虫等。

貅 xiū 见〔貔貅〕(748 页)。

髹 xiū 把漆涂在器物上。

修（*脩） xiū ❶修理；兴建。㊀～房｜～铁路。❷学习；钻研。㊀自～｜进～。❸使完美。㊀～辞。❹编写。㊀～史。❺长(cháng)。㊀茂林～竹。

"脩"，另见(1107 页)。

【修士】❶天主教男修会中除神父以外的成员。职责为辅助神父办理生活事务。❷指神学、哲学、宗教学者及拉丁文学者。

【修女】天主教、东正教中出家修道的女子。

【修长】细长；瘦长。

【修订】指修改订正(书籍、计划等)。

【修书】❶编纂书籍。❷旧指写信。

【修正】❶修改使正确。㊀～错误。❷篡改(马克思主义)。

【修业】指学生在校学习。

【修仙】指修身养性、炼丹服药以求成仙(迷信)。

【修行】佛教徒或道教徒按照教义而进行身心修养。

【修好】❶行善。❷两国之间亲善友好。

【修明】指政治清明。

【修饰】❶修整装饰使整齐美观。❷指对语言文字进行加工。

【修建】施工；建筑。

【修养】❶理论、知识、技能、品德等方面所达到的水平。㊀文学～。❷(长期养成的)正确的待人处世的态度。❸休息调养。

【修配】修理装配。

【修浚】治理疏通。㊀～河道。

【修理】❶对已损坏的东西给予加工，以便恢复原来的形状或作用。❷修剪。㊀～果树。

【修葺】修缮。葺(qì)。

【修筑】修建；建造。㊀～工事。

【修龄】长寿。

【修辞】依据题旨情境，运用特定的语言表现方式以收到尽可能好的表达效果的一种言语活动。也指这种言语活动的规律。

【修缮】维护(建筑物)。㊀～房屋。

【修正案】对原方案提出的修改方案。

【修道院】❶简称修院。天主教、东正教培训神职人员的机构。❷即隐修院。天主教、东正教出家人苦心修行的地方。

【修辞格】简称辞格。也叫修辞方式。指积极修辞的各种特定言语结构格式。如比喻、夸张、拟人、对偶等。

【修正主义】国际共产主义运动中歪曲、篡改、否定马克思主义的资产阶级思潮。产生于 19 世纪 90 年代。恩格斯逝世后，德国社会民主党内自称是马克思学生的伯恩施坦，公然对马克思主义的革命原则进行修改、修订，故名。

【修齐治平】修身、齐家、治国、平天下的略语。《礼记·大学》："古之欲明明德于天下者，先治其国；欲治其国者，先齐其家；欲齐其家者，先修其身。"主张先进行内心道德修养，然后推广开来由己及人，由近及远，进而由家及国的儒家理论。

【修身洁行】提高自己的品德修养，使自己的行为更加合乎道德规范。

【修炼综合征】俗称走火入魔。指精神错乱。是神志失常的一组征候。多由气功、沉思术、坐禅等引发，出现幻觉、妄想、偏执等，甚至自残、伤人。

脩□ xiū 干肉。古代弟子常用来送给老师作见面礼。

另见"修"(1107 页)。

蓨⊠ ㊁ xiū 〔蓨酸〕草酸。
㊀ tiáo (977 页)。

羞 xiū ❶害臊；难为情。㊀害～。❷使难为情。㊀你别～我了。❸耻辱。㊀～耻。❹感到耻辱。㊀～与为伍。❺同"馐"。

【羞明】眼睛怕见光的症状。见于多种眼科疾病，如眼内炎、角膜炎等。

【羞怯】又害臊又胆怯。

【羞耻】羞愧耻辱。

【羞辱】耻辱；使受耻辱。

【羞涩】难为情，态度不自然。

【羞赧】因害羞而脸红的样子。赧(nǎn)。

【羞愤】既惭愧又愤恨。
【羞愧】羞耻惭愧。
【羞与为伍】以跟某人在一起为耻辱。《后汉书·党锢列传》："逮桓灵之间，主政荒谬，国命委于阉寺，士子羞与为伍。"为伍：在一起，做伙伴。
馐（饈） xiū 美味的食品。㊀珍～。

X

xiǔ ㄒㄧㄡˇ

朽 xiǔ ❶腐烂。例腐～。❷衰老。例老～。
【朽木】腐烂的木头。比喻不堪造就的人。《论语·公冶长》："朽木不可雕也，粪土之墙不可杇（wū，同"圬"）也。"
【朽迈】年老衰朽。
宿（*宿） ㊁ xiǔ 量词。用于计算夜。例谈了半～｜睡了一～。
㊀ sù（939页）。
㊂ xiù（1108页）。
滫 xiǔ 淘米水。

xiù ㄒㄧㄡˋ

秀 xiù ❶植物吐穗。例麦子～穗了。❷特别优异；特别优异的人才。例优～｜后起之～。❸美。例山青水～。
【秀才】汉以后荐举人才的科目之一。明清两代院试录取后称生员，通称秀才。
【秀气】❶清秀。❷器物细巧。
【秀丽】清秀美丽。例山水～。
【秀雅】秀美典雅。
【秀外惠中】外貌秀美，资质聪慧。唐韩愈《送李愿归盘谷序》："曲眉丰颊，清声而便体，秀外而惠中。"惠：通"慧"，聪明。
绣（綉*繡） xiù ❶用彩色的线在绸、布上织出花样、图案或文字等。例刺～｜～花｜～被面儿。❷绣好的成品。例湘～。
【绣花】用各色丝线或棉线等在绸、布上绣成各种图画或图案。
【绣像】❶用各种不同颜色的线刺绣成的人物像。❷中国古典小说中附有书中人物的图像，叫绣像。
琇 xiù 一种像玉的石头。
锈（銹*鏽） xiù ❶金属表面所生的氧化物。例铁～｜铜～。❷生锈。例刀～了。❸植物的一种病。例小麦～病。
【锈病】由锈菌引起的一类植物病害。因病部有褐色疱疹而得名。病菌随风传播，不同植物和植物的不同部位感染不同种菌而致病，如小麦锈病、玉米锈病等，小麦锈病又有条锈、秆锈、叶锈之分。可采用抗病品种或药剂防治。
岫 xiù ❶山穴。例云缭绕而出～。❷山。例开窗见远～。
袖 xiù ❶袖子。例～口。❷藏在袖子里。例～手。
【袖珍】小型的；便于携带的。例～字典。
【袖箭】一种藏在袖中以便暗中射人的箭。
【袖手旁观】唐韩愈《祭柳子厚文》："巧匠旁观，缩手袖间。"后以"袖手旁观"比喻置身事外，不加过问的冷淡态度。例同志有困难，我们要全力帮助，决不能～。袖手：把手揣在袖子里。
臭 ㊁ xiù ❶气味。例氧是无色无～的气体。❷同"嗅"。
㊀ chòu（134页）。
嗅 xiù 用鼻子闻气味。例～觉。
【嗅觉】❶用鼻子辨别气味的能力。❷比喻人辨别事物的能力。例政治～。
【嗅神经】人和脊椎动物的第一对脑神经。为感觉神经。在人体，由位于鼻黏膜嗅区内的嗅细胞的中央支组成。颅前窝骨折时，嗅丝可撕脱，引起嗅觉障碍。
溴 xiù 非金属元素，符号Br，原子序数35。是卤族元素之一。溴的单质在常温下是暗红色的液体，易挥发而呈红色蒸气，有刺激性臭味，有毒，能严重侵蚀皮肤。用于制感光材料、药品、染料等。
【溴钨灯】见〔卤钨灯〕（639页）。
齅⊠ xiù "嗅"的异体字。
宿（*宿） ㊂ xiù 中国古代天文学家把天上某些星的集合体叫做宿。例星～｜二十八～。
㊀ sù（939页）。
㊁ xiǔ（1108页）。

褎⊠ xiù 同“袖”。

褏⊠ xiù 同“袖”。

xū ㄒㄩ

讶⊠（訏） xū 大。

圩 ㊀ xū 南方一些地区称集市。[例]赶～(赶集)。

㊁ wéi (1019页)。

【圩场】闽粤等地区称定期的集市叫圩场。

吁 ㊀ xū ❶叹气。[例]长～短叹。❷文言叹词。表示惊异。[例]～，是何言欤！❸拟声词。出气声。[例]气喘～～。

㊁ yù (1205页)。

㊂ yū (1197页)。

盱⊠ xū ❶太阳初升。❷大。

盱 xū ❶张目。❷大。

戌 ㊀ xū ❶地支的第十一位。❷戌时，旧式记时法，相当于十九到二十一点。

㊁ qu (810页)。

砉 ㊀ xū 拟声词。皮骨相离声、破裂声。[例]～然。

㊁ huā (414页)。

须（須❷❸鬚） xū ❶副词。必须。[例]～知。❷胡须。[例]～发。❸像胡须的东西。[例]参～。❹等待；等到。[例]～晴日，看红装素裹，分外妖娆。

【须生】即“老生”(585页)。

【须臾】片刻；一会儿。臾(yú)。

【须眉】❶胡须和眉毛。❷指男子。

【须根】植物无明显主根，只有许多细长呈须状的根。如稻、黍、葱等的根。

嬃⊠（嬃） xū 古代楚国人称姐姐为嬃。

顼（頊） xū 见〔颛顼〕(1300页)。

胥 xū ❶古代掌管文书的小官吏。[例]～吏。❷文言副词。皆；都。[例]尔之教矣，民～效矣。

谞⊠（諝） xū ❶才智。❷计谋。

湑□ ㊀ xū 湑水，水名，在陕西。

㊁ xǔ (1111页)。

虚 xū ❶空；空虚。[例]弹不～发｜乘～而入。❷不符合真实情况。[例]弄～作假。❸不自满。[例]谦～。❹害怕；勇气不足。[例]心～｜胆～。❺副词。白白地。[例]～度。❻虚弱。[例]气～｜体～。❼指政治思想、方针、政策等方面的道理。[例]务～。❽星名。二十八宿之一。

【虚文】空有形式而无实际意义的礼节或规章制度。

【虚心】不自满，肯听取或接受别人的意见。

【虚幻】凭空幻想的，不真实的。

【虚岁】旧时计算年龄，人一生下来的那年就算一岁，以后每逢春节加一岁，比实足年龄要多出一岁或两岁，叫做虚岁。

【虚伪】作假；不真实，不实在，表里不一。

【虚名】不符合实际的名声。[例]不慕～。

【虚妄】没有事实根据的。

【虚设】机构、职位等形式上虽然存在，但实际上不起作用。[例]形同～。

【虚拟】❶假设的。[例]～语气。❷虚构。

【虚词】意义比较抽象、一般不单独作句子成分，但有帮助造句作用的词。现代汉语虚词包括介词、连词、助词、叹词、拟声词。与“实词”相对。

【虚构】文艺创作的一种重要手法。作者不是简单地摹写生活中的真人真事，而是编造出生活中并不存在的人物和故事情节，从而塑造出典型的艺术形象。虚构不应脱离现实生活的基础。正确地运用虚构手法能更真实、更深刻地反映生活的本质。

【虚实】虚和实。泛指内部情况。[例]探听～。

【虚荣】表面上的荣耀。[例]不要追求～。

【虚度】白白地度过。[例]不可～年华。

【虚浮】不切实；不塌实。

【虚脱】由大量脱水、失血、退热时大汗引起的一种突然循环衰竭现象。主要症状是体温和血压下降，脉搏微细，出冷汗，面色苍白。

【虚惊】(事后证明是)不必要的惊慌。

【虚像】物体发出(或反射出)的光经反射或折射后，成为发散光线，这些发散光线的反向延长线相交时，在交点处看到的像就是虚像。虚像只能观察到，不能成在屏幕上。

【虚数】❶形如 bi(其中 b 为非零实数，i 为虚数单位，$i^2=-1$)的数。❷虚假的不实在的数字。

【虚与委蛇】指对人假意相待，敷衍应酬。《庄子·应帝王》："向吾示之以未始出吾宗，吾与之虚而委蛇。"委蛇（wēiyí）：敷衍。

【虚无主义】一种唯心主义的历史观。其表现是对人类历史遗产、民族文化等不加具体分析，一概予以否定。

【虚无缥缈】形容空虚渺茫。唐白居易《长恨歌》："山在虚无缥渺（通"缈"）间。"缥缈（piāomiǎo）：隐隐约约，若有若无的样子。

【虚有其表】空有好看的外表，实际不行。唐郑处诲《明皇杂录》记载，唐玄宗（李隆基）让萧嵩草诏，既成，不中意，掷其稿于地并说："虚有其表耳。"表：外貌。

【虚拟现实】一种计算机技术。以视觉和听觉数据库为基础，通过计算机在人们眼前生成一种虚拟环境（客观世界存在的或不存在的），使人如同身临其境，并可通过虚拟现实工具与该环境交互作用。

【虚拟银行】即"网络银行"（1013页）。

【虚位以待】空着位子等候。

【虚应故事】照例应付，敷衍了事。故事：例行的事。

【虚怀若谷】胸怀像山谷那样的深广。形容十分谦虚，能容纳别人的意见。《老子·十五章》："敦兮其若朴，旷兮其若谷。"谷：山谷。

【虚张声势】并无实力，故意大造声势。

【虚假广告】经营者利用广告或其他使公众知道的方法，对商品的质量、成分、性能、用途、生产者、有效期限、产地等做引人误解的虚假宣传。区别于广告词中的适度夸张和美化。

墟 xū ❶原来许多人家居住过而现在已经荒废了的地方。㊥废～。❷村庄。㊥～里。❸同"圩（xū）"。

【墟里】村落。

嘘 ㊀ xū ❶慢慢地出气，叹气。㊥～气｜仰天而～。❷火或热气熏烫。㊥热气～了手。❸〈方〉发出嘘的声音表示制止或驱逐。

㊁ shī（888页）。

【嘘唏】同"歔欷"（1110页）。

【嘘寒问暖】形容对别人生活十分关心。

歔□ xū〔歔欷〕也作嘘唏。哽咽；抽噎（yē）。

欻□ ㊀ xū 文言副词。忽然。

㊁ chuā（140页）。

需 xū ❶需要。㊥～求｜按～分配。❷需用的财物。㊥军～。

【需求】❶由需要而产生的要求。❷经济学上指消费者购买商品或劳务的欲望和能力。在市场经济中，人的欲望和需求能力，都是通过货币来实现和体现的。

【需要】❶应该有或必须有。❷对事物的欲望或要求。

【需求弹性】也叫需求的价格弹性。指某种商品的需求对该种商品价格变化的反应程度。可用商品需求变动的百分比与该商品价格变动的百分比的比值来表示。

繻☒（繻） xū ❶彩色的缯。❷汉代用帛做的一种符信。上写字，分成两半，过关时验合，以为凭信。

魆 xū 用于"黑魆魆"（形容黑）。

xú ㄒㄩˊ

徐 xú 副词。慢慢地。㊥～步｜～～升起。

【徐州】市名。位于江苏省西北部。人口102万（1997年）。京沪和陇海两大铁路干线在此交会，自古为军事重镇。也是苏北重要工业城市，煤炭工业发达。市南建有淮海战役烈士纪念塔和纪念馆。

【徐福】即徐市。秦代方士，字君房，琅玡（今山东胶南市南）人。曾奉秦始皇之命入海求仙人、仙药，一去不返。

【徐弘祖】（1586—1641）明末地理学家。字振之，号霞客，江苏江阴人。自青年时，不断远出旅行，三十多年间，不畏艰险，历游西南、华东及华北部分地区，著有《徐霞客游记》。

【徐光启】（1562—1633）明代科学家。字子先，上海人。曾任礼部尚书东阁大学士。研究过天文、历法、数学等西方近代科学，并介绍到中国。他主张发展农业。著译有《农政全书》《几何原本》等。

【徐向前】（1901—1990）中国无产阶级革命家，中国人民解放军的创建人和领导人。原名鲁谦，字子敬，山西五台人。1924年考入黄埔军校。1927年加入中国共产党，参加广州起义。后开辟豫鄂皖边区，任工农红军第一军副军长、红四方面军总指挥。1935年参加长征，任红军右路军总指挥等。抗日战争时期，任八路军一二九师副师长、抗日军政大学总校代校长、第一纵队司令员。解放战争时期，任晋冀鲁豫军区副司令员、华北军区副司令员。指挥临汾、晋中、太原战役。1949年后，任人民革命军事委员会总参谋长、全国人大副委员长、国防委员会副主席、中央军委副主席、国务院副总理等职。1955年被授予元帅军衔。是第八、十一、十二届中央政治局委员。1990年在北京病逝。有《徐向前军事文选》。

【徐志摩】(1896—1931)中国现代诗人。原名章垿，字槱森，浙江海宁人。1918年起赴美英留学，1921年开始写诗，形成唯美派诗风。1922年回国在北京大学、清华大学任教，1923年组织新月社，是新月诗派的代表人物，诗风婉约艳丽。著有诗集《志摩的诗》《翡冷翠的一夜》《猛虎集》《云游》，散文集《落叶》《巴黎的鳞爪》《自剖》，小说集《轮盘》。有《徐志摩全集》。

【徐悲鸿】(1895—1953)中国现代画家、美术教育家。江苏宜兴人。自幼刻苦学画，后留学法国。擅长油画、中国画，精于素描，画马尤为雄骏。在中国美术教育上创立了以素描为一切造型艺术基础的体系。

【徐锡麟】(1873—1907)中国民主革命家。字伯荪，浙江山阴(今绍兴)人。1907年在安庆组织光复军，准备起义，刺死了安徽巡抚恩铭。起义失败，被捕后就义。

【徐霞客】即"徐弘祖"(1110页)。

【徐霞客游记】书名。中国古代的一部游记。明徐弘祖著。共二十卷。内容记述作者1607—1640年间旅行观察所得。对地貌、水文、地质、植物等现象，都做了详细记录，其中对西南石灰岩地貌的研究，为世界最早的科学记录。游记文笔生动，也是一部文学作品。

xǔ ㄒㄩˇ

邪□(鄦) xǔ 周朝国名。周初分封的诸侯国。后作许。

许(許) xǔ ❶许可；准许。㊙特～｜允～。❷称赞。㊙～为佳作。❸预先答应。㊙～诺。❹副词。也许。㊙他没来，～是不知道。❺大约的数目或程度。㊙一里～｜～多｜少～。❻处所；地方。㊙何～人？❼周朝国名。在今河南许昌东。

【许久】很久。

【许诺】答应。㊙慨然～。

【许慎】(约58—约147)东汉文字学家。字叔重，汝南召陵(今河南郾城)人。曾任太尉南阁祭酒、洨长等职。著有《说文解字》，分析字形，说明字义和读音，为中国第一部成系统的字书，为后世研究文字、编辑字典的重要依据。

【许愿】原指对神佛有所祈求，许下将来给与某种酬谢。后借指事前答应对方将来给以某种好处。

【许德珩】(1890—1990)中国现代政治活动家、社会学家。字楚生，江西德化(今九江)人。五四运动时为学生运动领袖，起草《五四宣言》。1920年赴法勤工俭学，1926年回国。大革命时任国民革命军总政治部代主任。大革命失败后在上海从事马克思主义著作的翻译，后任暨南大学、北京大学教授。1944年组织民主科学座谈会。1949年后，历任政务院法制委员会代主任委员、全国政协副主席、全国人大常委会副委员长等。1990年在北京逝世。

【许可证贸易】技术输出方与技术引进方签定许可协议，技术输出方应在一定的条件下将其受到工业产权保护的专利、商标、外观设计和不受工业产权保护的专有技术的使用权转移给技术引进方，输出方由此可以取得专利权使用费或技术服务费。

浒(滸) ㊁ xǔ 用于地名，如浒浦、浒墅关(均在江苏)。
㊀ hǔ (410页)。

呴☒ xǔ 张口出气；吹。

姁☒ xǔ〔姁姁〕安乐的样子；温和的样子。

诩(詡) xǔ 说大话；夸耀。㊙自～。

珝☒ xǔ 玉名。

栩 xǔ 见下。

【栩栩】形容生动的样子。㊙～如生。

【栩栩如生】形容艺术形象非常生动逼真，像活的一样。

昫☒ xǔ 殷代冠名。

湑□ ㊀ xǔ ❶滤过的酒。❷清。❸茂盛。

X

㊁ xū（1109 页）。

糈 xǔ 粮。精细的米。

醑 xǔ ❶醑剂，挥发性物质溶解在酒精中所成的制剂。❷美酒。

盨☒（盨）xǔ 古代铜制食器。两耳，有盖。

X

xù ㄒㄩˋ

旭 xù 太阳出来时光明的样子。

【旭日】早晨刚出来的太阳。㊀～东升。

芧☒ ㊁ xù 栎树。也指栎树的果实。㊀ zhù（1296 页）。

序 xù ❶次第。㊀次～|工～。❷依次排列。㊀～齿。❸在正式内容之前的。㊀～幕。❹序言。

【序列】按次序排成的行列。

【序曲】❶歌剧、舞剧等剧情开始前演出的乐曲，有概括全剧内容和酝酿情绪的作用。也指某种可以在音乐会上演出的独立的器乐曲。❷比喻事情、行动的开端。

【序言】也叫序文。简称序。写在著作正文之前的文章。一般由作者说明写书的经过，或别人介绍和评论本书的内容。

【序齿】按年龄大小排列次序。

【序跋】序文和跋文的合称。

【序幕】❶文学作品情节的组成部分之一。原指某些多幕剧第一幕之前的一场戏，一般是介绍剧中人物和剧情，或预示全剧的主题。后也用来指小说、叙事诗等文学作品在矛盾冲突尚未展开之前，对人物所处的时代背景和社会环境及主要人物之间的关系所作的交代或提示。❷喻指重大事情的开端。

【序数】表示次序的数。如第一、第二、第三…。

诉☒（訹）xù 引诱；被引诱。

侐☒ xù 清静。

洫 xù 田间的沟渠。

恤（*邺 *卹 *賉）xù ❶同情；怜悯。㊀体～。❷救济。㊀抚～。❸忧虑。

【恤金】抚恤金。

昫☒ xù 同"煦"。

煦 xù 温暖。㊀春风和～。

叙（*敘 *敍）xù ❶说；记述。㊀～别|～事。❷同"序"①②④。

【叙旧】亲友之间谈论过去的友情。

【叙用】旧指任用（官吏）。

【叙别】分别前聚在一起谈心。

【叙述】写出或说出事情的前后经过。

【叙事】用文字记述事情经过。㊀～诗。

【叙事曲】具有叙事性、戏剧性的声乐曲或器乐曲。肖邦最早创作钢琴独奏的叙事曲。

【叙事诗】有人物形象和故事情节的诗歌。与"抒情诗"相对。

溆 xù〔溆浦〕地名。在湖南西部。

畜 ㊀ xù 饲养禽兽。㊀～牧|～养。㊁ chù（140 页）。

【畜牧业】专门饲养牲畜或家禽的生产部门。

蓄 xù ❶积聚；储存起来。㊀～洪。❷心里藏着。㊀～意。

【蓄谋】早有谋划（指坏的）。㊀～已久。

【蓄意】早就有的念头（指坏的）。㊀～不良。

【蓄电池】化学电池的一种。能将化学能和直流电能相互转换。这种电池放电后经充电能复原续用。常用的有铅蓄电池、镍铁蓄电池和镍镉蓄电池。

滀□ xù〔滀仕〕地名。在越南。

慉☒ xù ❶扶持。❷同"蓄"。蕴蓄；郁结。

聓☒ xù 同"婿"。

婿☒ xù 同"婿"。

蒉☒（蕢）xù 药名。泽泻。

续（續）xù ❶接连。㊀继～|～编。❷增添。㊀～水|～煤。

【续弦】指男子死了妻以后再娶。也指再娶的妻子。

【续保】保险合同即将期满时，被保险人向

保险人提出申请，要求延长该合同的期限或重新办理保险手续。

【续航】连续航行。

【续貂】见〔狗尾续貂〕(333页)。

【续聘】继续聘任。

【续航力】舰船一次装足燃料、淡水、食品等，在平常海面情况下，军舰以巡航速度、商船以经济速度所能航行的最远距离。也指飞机一次装足燃料后，不再补充而能飞行的最大航程。

酗 xù〔酗酒〕无节制地喝酒。也指喝醉了撒酒疯。

勖(*勗) xù 勉励。㊀～勉。

鲔☒(鱮) xù 鲢鱼。

绪(緒) xù ❶丝的头。比喻开端。㊀头～|端～。❷心情。㊀心～。❸前人留下的事业。㊀续未竟之～。

【绪论】学术著作的开头部分，多用以阐明全书的主旨及内容。

絮 xù ❶棉絮。❷像棉絮的东西。㊀柳～。❸把棉花铺进衣服或被褥等的里、面中间。㊀～棉袄|～被子。❹絮叨。㊀～语。

【絮叨】说话啰嗦重复。

【絮语】❶絮絮叨叨地说。❷絮叨的话。

【絮聒】❶絮叨不停使人厌烦。❷麻烦(别人)。

婿(*壻) xù ❶女婿，女儿的丈夫。㊀翁～。❷丈夫。㊀夫～|妹～。

獝☒ xù ❶狂放。❷鸟兽惊走、惊飞。

鱮□(鱮) xù 鱼类。体侧扁，长可达25厘米。产于中国南海和东海。可供食用。

xu ·ㄒㄩ

蓿 xu 见〔苜蓿〕(702页)。

xuān ㄒㄩㄢ

轩(軒) xuān ❶高。㊀～昂|～然大波。❷古代一种前顶高、上面有帷幕的车。❸有窗户的长廊或小屋子。多用于字号或书斋名。㊀戴月～|临湖～。

【轩昂】❶高扬。❷形容精神饱满、振奋的样子。㊀气宇～。

【轩轾】车子前高后低称轩，前低后高称轾。比喻高低优劣。㊀互有短长，难分～。轾(zhì)。

【轩冕】古时卿大夫的车子和服饰。也指官位爵禄以及显贵的人。

【轩敞】宽敞明亮。

【轩然大波】高高涌起的波涛。比喻大的纠纷或事件。唐韩愈《岳阳楼别窦司直》诗："轩然大波起，宇宙隘而妨。"轩然：高高的样子。

宣 xuān ❶发表；公布。㊀～誓|～告。❷疏通。㊀～泄。❸指宣纸。㊀玉版～。

【宣示】宣布；公布。

【宣布】正式告诉大家。

【宣扬】广泛传布。

【宣传】用演说、文字、文艺等方式向群众说明讲解。

【宣告】宣布(多用于重大事件)。㊀～成立|～结束。

【宣言】一般指国家、政府、政党、团体或其领导人为说明其政治纲领或对重大问题表明其基本立场和态度而发表的文告。也有几国联合发表的或以会议名义发表的宣言。

【宣判】法院在案件审理终结后，向当事人公开宣布判决书的法律行为。

【宣纸】一种高级的毛笔书画用纸。原产于安徽泾县，因唐朝时泾县属宣州，故名。纸质绵软，坚韧洁白，吸墨均匀，揭折不损，耐久性能良好，光泽经久不变。

【宣战】一国或集团公开宣布开始同另一国或集团处于战争状态。

【宣称】声称；公开宣布。

【宣誓】当众宣布誓言，表示严格遵行的决心。

【宣传画】也叫招贴画、广告画。以宣传鼓动为目的的绘画。构图简洁，色彩醒目，附有简短号召文字。

【宣政院】官署名。元代设置，掌管全国佛教事宜和藏族地区军政事务的机构。

【宣叙调】也叫朗诵调。歌剧、清唱剧中一种以语言音调为基础的吟唱性质的歌唱。

【宣告失踪】公民离开住所，下落不明达到法定期限（满两年），经利害关系人申请，由人民法院宣告该公民为失踪人的法律制度。失踪人的财产由其配偶、父母、成年子女或关系密切的其他亲戚、朋友代管。该制度弥补了失踪人给相关经济生活带来的不便。

【宣告死亡】公民离开住所，下落不明达到法定期限（满四年），经利害关系人申请，由人民法院宣告该公民死亡的法律制度。法律推定死亡，婚姻关系终止，继承关系产生。

揎 xuān 捋起袖子露出胳膊。[例]～拳捋袖。

萱（*蘐*藼*萲*蕿） xuān 萱草，多年生草本植物。花黄红色，可供食用和观赏。

【萱堂】旧指母亲的居室。也指母亲。

喧（*諠） xuān 声音大。[例]锣鼓～天。

【喧扰】嘈杂混乱。

【喧哗】大声说笑或叫喊。

【喧豗】轰响。唐李白《蜀道难》诗："飞湍瀑流争喧豗。"豗（huī）。

【喧腾】形容声音杂乱像开了锅似的。

【喧阗】喧闹杂乱。多指车马喧闹声。宋苏轼《谢赐燕并御书进》诗："归来车马已喧阗。"阗（tián）。

【喧嚣】❶叫嚣；喧嚷。[例]～一时。❷声音杂乱。[例]车马～。

【喧宾夺主】客人的声音压倒了主人的声音。比喻次要的压倒了主要的或占据了主要地位。

瑄 xuān 古代祭天用的大璧。

暄 xuān ❶阳光温暖。❷松软。[例]馒头很～。

【暄暖】温暖。

煊 xuān 同"暄"①。

谖（諼） xuān ❶欺诈。[例]诈～。❷忘记。[例]永矢弗～（永远记住不忘）。

镅☒（鋗） xuān ❶盆形有环的温器。即铜铫。❷鸣玉声。

儇 xuān ❶轻浮。❷慧黠。

𫍲☒（譞） xuān ❶聪明。❷会说话。

懁☒ xuān 性子急。

翾☒ xuān 飞翔。

禤 xuān 姓。

xuán ㄒㄩㄢˊ

玄 xuán ❶黑色。[例]～狐。❷深奥。[例]～奥。❸不符合事实或距离事实太远。[例]这话太～了。

【玄机】道家所说的玄远深奥的道理。

【玄孙】曾孙的儿子。

【玄妙】复杂而深奥，难以捉摸。

【玄武】❶见〔二十八宿〕（246页）。❷道教所奉的北方之神。

【玄学】❶指魏晋时期以何晏、王弼等为代表的唯心主义哲学思潮。以宣传《老子》的"玄之又玄，众妙之门"而得名。主张"以无为本"，认为世界的本原是"无"，万事万物都是"无"派生的。宣扬"无为"，要人们安于现状。东晋以后，与佛学趋于合流。佛学后来渐盛，玄学渐衰。❷形而上学的另一译名。

【玄参】也叫元参、黑参。多年生草本植物。茎四棱形，花暗紫或黄绿色。根入药，断面乌黑色，有补阴降火、消炎等作用。

【玄奘】（600—664）唐代高僧，旅行家，唯识宗创始人之一。本姓陈，名祎，俗称唐僧、唐三藏，洛州缑氏（今河南偃师市南）人。曾到印度学习佛学十余年，回国后将大量的佛教典籍翻译成汉文。所撰《大唐西域记》是重要历史地理著作。明代神话小说《西游记》就是取材于他去印度等地取经的故事。奘（zàng）。

【玄虚】说得似乎高深而不着边际，或行事莫明其妙，使人迷惑不解。[例]故弄～。

【玄武岩】喷出岩的一种。含铁、镁较多，近于黑色，质地细密坚硬，常有气孔构造。可用做建筑材料。

【玄之又玄】玄虚奥妙，难以捉摸。《老子·一章》："玄之又玄，众妙之门。"

痃 xuán ❶横痃，性病名。由下疳引起的腹股沟淋巴结肿胀、发炎的症状。

❷中医病证名。指腹中痞块。

悬(懸) xuán ❶吊、挂在空中。㊀～空。❷没着落;没结果。㊀～案。❸距离远。㊀～殊。❹〈方〉危险。㊀这件事真～。❺牵挂。㊀～念。

【悬拟】凭空设想或猜测。

【悬念】❶挂念;惦记。❷文艺作品的创作手法之一。在前面故意设置一些激发欣赏者兴趣和紧张心情的细节或疑问,而把答案或真相留在后面交待。

【悬绝】相差很远。

【悬殊】相差远;区别大。㊀众寡～。

【悬案】长期拖在那里未能解决的案件或问题。

【悬崖】高而陡的山崖。

【悬望】不放心地盼望。

【悬赏】定出奖赏的金额或实物,公开征召人来做某种事。

【悬隔】形容相隔很远。

【悬想】凭空想象。

【悬臂】某些机器伸在机身外的形状似手臂的部分。

【悬山顶】中国传统木构建筑屋顶形式的一种。在建筑等级制度中为第三等级的屋顶形式。屋顶前后为两曲面、两侧山面向外悬挑出山墙山面的屋顶形式。分无正脊的卷棚悬山顶、有正脊的悬山顶两种。多用于皇家建筑和园林建筑,如颐和园苏州街的嘉荫轩正房。

【悬索桥】也叫吊桥。用缆索做桥梁主要承重结构的桥。将缆索悬挂在桥两端塔架上,桥身用细索或吊杆吊在缆索上。铁索桥是一种很早就开始使用的悬索桥。

【悬铃木】也叫法国梧桐。落叶乔木。叶通常3—5裂。果实常两个生于一个总柄上。树冠开展,生长迅速。可做行道树和庭园树。

【悬浮体】也叫悬浮液。难溶解的固体物质分散在水或其他液体中,呈混浊状态的体系。固体物质的颗粒直径在0.1微米以上,静置后,固体颗粒就会沉降。如泥水。

【悬心吊胆】提心吊胆。

【悬而未决】一直拖在那里,没有得到解决。

【悬灯结彩】挂灯笼结彩带。形容喜庆景象。

【悬崖勒马】比喻到了危险的边缘,及时醒悟回头。

【悬梁自尽】上吊自杀。

【悬梁刺股】《战国策·秦策一》记载,苏秦"读书欲睡,引锥自刺其股。"《太平御览》卷三六三引《汉书》说孙敬好学,"晨夕不休,及至眠睡疲寝,以绳系头,悬屋梁。"后用"悬梁刺股"形容刻苦学习。股:大腿。

旋 ㊀ xuán ❶转动。㊀回～|～绕。❷回来。㊀凯～。❸随后;不久。㊀～即离去。

㊁ xuàn (1116页)。

【旋里】返回故乡。

【旋即】立刻,随即。㊀他喝完水,～坐在桌前看起书来。

【旋绕】缭绕。㊀炊烟～。

【旋律】音乐的曲调。它是由各种高低、长短、强弱的乐音按一定的调式和节奏组织起来的音的进行系列。旋律是音乐的基本要素之一,音乐的内容、风格以及民族特征等首先由旋律表现出来。

【旋涡】也作漩涡。也叫涡旋。❶流体由于某种原因形成的螺旋形的旋转流动。❷比喻足以牵累人的纠纷。

【旋踵】❶旋转脚跟;后退。❷形容时间短暂。踵:脚跟。

【旋耕机】以安装在转轴上的旋转刀齿旋削土壤的耕作机械。由旋耕刀轴、传动装置、挡泥板、机架、悬挂(或牵引)等部分组成。工作时,刀轴上的旋转刀齿连续切削土壤,并抛至后方与挡泥板撞击,达到碎土的目的。

【旋子彩画】中国木结构建筑装饰彩绘的一种。是清代第二等级的彩画形式。绘于横向连接柱子的构件上,两端有带螺旋纹饰的花样,即所谓的旋子。用于官衙、庙宇主殿及宫殿、坛庙中的次要建筑。如故宫神午门。

【旋转乾坤】扭转天地。比喻人改造自然或改变已成的局面。乾坤:天地。

漩 xuán 旋转的水流。

【漩涡】同"旋涡"(1115页)。

璇(*璿) xuán 美玉。

【璇玑】❶古代测天文的仪器。❷古称北斗星的第一星至第四星。

xuǎn ㄒㄩㄢˇ

咺⊠ xuǎn ❶有威仪。❷小孩哭不止。

晅⊠ xuǎn ❶太阳四周的晕气。❷光明。❸干燥。

烜 xuǎn ❶光明；盛大。❷晒干。㊀日以～之。

【烜赫】声势盛大。

选(選) xuǎn ❶挑拣；择取。㊀～种。❷推举。㊀～代表。❸挑选出来的。㊀人～|诗～。

【选手】被选参加比赛的人。

【选文】编书所选的文章。㊀一册课本有三十篇～。

X

【选民】有选举权的公民。

【选单】旧称菜单。显示在电子计算机屏幕上，供操作者进行项目选择，以完成各种任务的目录。目录分层次，可视性强，操作方便。

【选种】选用优良品种，挑选好的种子、种苗、种畜，以进行再生产或繁殖。

【选举】用投票或举手等表决方式选出代表或负责人。

【选票】选举人用来填写被选举人姓名的票。

【选集】按照一定的目的或计划，从一个作者或若干个作者的所有著作中挑选若干编成的一部书。如《毛泽东选集》。

【选拔赛】以挑选具有运动天赋的体育人才或选拔高水平运动员为目的的比赛。

【选举权】公民依法选举国家权力机关代表或国家公职人员的权利。中国宪法规定，凡年满18周岁的公民，除依法被剥夺政治权利者外，都有选举权。

癣(癬) xuǎn 传染性皮肤病。由霉菌感染引起。侵入皮肤、毛发和指(趾)甲。患处常发痒。分白癣、黄癣等。有些症状与癣类似的皮肤病也称癣，如牛皮癣。

xuàn ㄒㄩㄢˋ

券 ㊁ xuàn 拱券，门、窗、桥梁等建筑成弧形的构件。㊀发～|打～。

㊀ quàn (813页)。

泫 xuàn 水珠滴下的样子(多指眼泪)。㊀～然流涕。

昡⊠ xuàn 日光。

炫 xuàn ❶强烈的光线照耀着。㊀光焰～目。❷夸耀。㊀自～。

【炫示】故意夸耀显示。

【炫耀】❶照耀。❷夸耀显示。

【炫鬻】商贩夸耀自己的货物，吸引人购买。鬻(yù)：卖。

眩 xuàn ❶眼睛花。㊀头晕目～。❷迷乱。㊀～惑(眼花缭乱，迷惑不解)。

【眩光】因光源数目、亮度和设置等不适宜而引起视觉功能和光环境质量下降的光。如焊接作业发出的强光，对人体和视觉都会造成危害。

【眩晕】❶认为自身或外界景物发生运动的一种错觉。常由耳部或中枢的神经病变引起。伴有恶心、呕吐、失衡等。❷中医病证名。眩指头昏眼花，晕指头旋。病因归于风、火、痰、虚等。

铉(鉉) xuàn 古代横穿鼎耳以扛鼎的器具。

衒⊠ xuàn 同“炫”②。

绚(絢) xuàn 色彩华丽。

【绚丽】灿烂美丽。㊀～的朝霞。

【绚烂】灿烂。㊀～多彩。

眴⊠ ㊀ xuàn ❶眼睛转动。❷同“眩”。

㊁ shùn (923页)。

琄⊠ xuàn 佩带玉的样子。

鞙⊠ xuàn ❶大车上缚轭的皮带。❷形容佩玉。㊀～～(形容佩玉累累下垂)。

旋(❷❹鏇) ㊁ xuàn ❶旋(xuán)转。㊀～风。❷旋转着切削。㊀～床|～果皮。❸临时。㊀～用～买。❹旋子，温酒的器具。

㊀ xuán (1115页)。

碹⊠ xuàn 同“碹”。

渲 xuàn 绘画时先把颜料涂在纸上，然后用笔蘸水使色彩浓淡适宜。

【渲染】❶中国画的一种技法。用水墨或色彩涂染画面，显出物象明暗向背和墨彩深浅。❷比喻夸大的形容。

楦(*楥) xuàn ❶楦子。㊀鞋～|帽～。❷填满；塞紧。㊀新鞋要～一～|把装瓷器的箱子～好。

【楦子】做鞋、帽时用的模型。

碹 xuàn ❶桥梁、涵洞等建筑的弧形部分。❷用砖、石等筑成弧形。

xuē ㄒㄩㄝ

削 ㊁ xuē 义同"削(xiāo)"。专用于复合词。[例]～减|剥～。
㊀ xiāo (1079 页)。

【削价】减价。[例]～出售。

【削弱】(力量、势力)变弱;使变弱。

【削足适履】鞋小脚大,把脚削去一些以适应小鞋。比喻过分迁就现成条件,或生搬硬套。《淮南子·说林训》:"夫所以养而害所养,譬犹削足而适履,杀头而便冠。"足:脚。履:鞋。

靴(*鞾) xuē 长筒的鞋。[例]马～|雨～。

薛 xuē 周朝国名。在今山东滕州一带。

xué ㄒㄩㄝˊ

穴 xué ❶洞;动物的窝。[例]蚁～|不入虎～,焉得虎子? ❷针灸的部位。[例]～位。

【穴位】即"腧穴"(913 页)。

【穴位封闭】用局部麻醉药注射到穴位的深部,使该处暂时麻痹,以达到解痛治疗的目的。

【穴居野处】居住在山洞,生活在荒野。形容原始人类的生活状况。《周易·系辞下》:"上古穴居而野处。"穴:洞。处(chǔ):生活。

茓 xué 〔茓子〕也作踅子。窄而长的粗席,可以围起来囤粮食。

峃□(嶨) xué 多石头的山。也用于地名,如峃口(在浙江)。

学(學) xué ❶学习。[例]～文化|～科学。❷学问;知识。[例]博～|治～。❸学科。[例]哲～|物理～。❹学校。[例]小～|中～。

【学力】指文化程度或学术造诣。

【学士】❶有学之士。旧时泛指有学问的人。❷六朝以后掌管编纂撰述的官名。唐置学士掌整理经籍图书、起草诏命等。宋代三馆诸阁遍设学士,南宋以后设置渐滥。❸学位的最低一级。

【学子】学生(含庄重意)。[例]莘莘～。

【学习】通过读书、听课、研究、进行教学实验等方式以学得知识、技能。

【学历】一般指在学校里学习的经历,如曾在哪些学校里毕业或肄业等。

【学长】❶对同学的尊称。特别是对于年龄小于己而学识高于己的同学的称呼。❷旧时大学分科及预科的主任称学长。长(zhǎng)。

【学分】高等学校教学管理中,一种计算学生学习分量的单位。学生读满规定量的学分,方准予毕业。

【学风】学习或治学的风气。

【学术】比较专门的有系统的学问。

【学生】❶在学校里念书的人。❷向师傅或老师学习的人。

【学年】学校一年工作的起讫时间。从秋季开始的称秋季始业,从春季开始的称春季始业。一学年一般分两个学期。从始业时间起,前半年称第一学期或上学期,后半年称第二学期或下学期。

【学舌】❶把听到的别人说的话告诉人。❷比喻没有主见,只是跟着别人说。

【学会】由同一学科的研究者组成的学术团体。如语言学会、物理学会、工程学会等。

【学问】系统的知识。

【学位】根据专门人才学术水平,由高等学校、科研机构或国家授予的称号。始于欧洲。一般分博士、硕士、学士三级,博士是最高一级;也有只设博士和副博士的。

【学究】指读书人或迂腐的读书人。

【学识】知识;学术上的修养和成就。

【学者】指在学术上有一定成就的人。

【学制】国家根据教育方针、政策,对各级各类学校的任务、学习年限、入学条件等所作的规定。有时专指各级各类学校的学习年限。

【学府】对高等学校的美称。

【学界】教育界;学术界。

【学科】❶按照学术的性质而分成的科学门类。如自然科学中的物理学、化学,社会科学中的历史学、法学等。❷教学的科目。如语文、数学等。

【学阀】指凭借权势、排斥异己、垄断教育界或学术界的人。

【学派】同一学科领域中,由于学术观点不同而形成的派别。

【学说】在学术上自成系统的观点或见解。

【学院】一般指跟大学平行的以实施单一性专业教育为主的高等学校。如音乐学院、师范学院等。在大学内按科分设学院的是

X

介于大学与系之间的教育管理机构。如大学中的文学院、法学院、理学院等。

【学校】有计划、有组织、有领导地进行系统教育的机构。

【学衔】高等学校根据教师的学术水平和所担任的教学工作而授予的称号。一般分助教、讲师、副教授、教授四个等级。

X

【学龄】儿童就学的年龄，通常从六七岁开始。实施义务教育的国家，以应受义务教育的年限为起止。

【学潮】指学生、教职员因对执政当局或学校事务不满而掀起的风潮，如罢课、请愿、游行示威等。

【学分制】高等学校中一种按学分累计成绩的教学管理制度。以课程为计量单位，凡修满规定的最低学分数即可毕业。

【学位点】具有硕士或博士学位授予权的学科专业点，须经过教育主管部门的学位委员会审批授予。

【学院派】18—19世纪欧洲官方艺术学院的艺术流派。严格遵循古典主义传统。

【学以致用】为了实际应用而学习。致：使达到。

【学前教育】即“幼儿教育”(1197页)。

【学而优则仕】《论语·子张》：“子夏曰：‘仕而优则学，学而优则仕。’”原指学习了还有余力就去做官。后指读书读得好的就可以当官。优：有余力。仕：做官。

【学而时习之】学习并且要按时复习学过的内容。《论语·学而》：“学而时习之，不亦说乎！”

敩⊠(斆) ㊀ xué 同“学”。㊁ xiào (1086页)。

泶⊠(澩) xué 夏天有水、冬天干涸的泉。

鸴□(鷽) xué 鸟类。似雀，头部黑色，背青灰色，胸腹赤色。食昆虫等。

踅 xué 来回盘旋；中途折回。㊄～来～去｜～回。

【踅子】同“茓子”(1117页)。

噱 ㊁ xué 〈方〉笑。㊄发～。㊀ jué (539页)。

【噱头】逗人发笑的话或举动。

xuě ㄒㄩㄝˇ

雪 xuě ❶空中的水蒸气冷至0℃以下凝结而成的白色结晶体。多为六角形。❷颜色或光彩像雪的。㊄～白｜～亮。❸洗掉；除去。㊄～恨。

【雪舟】(1420—1506)日本画家。1467年游学中国宁波、北京。擅长日本水墨画(汉画)，富于日本民族情调，笔法严谨，意境空灵。代表作有《四季山水长卷》等。

【雪茄】英语音译词。用烟叶卷成的烟。较一般卷烟粗而长。茄(jiā)。

【雪松】常绿乔木。枝轮生，横展，小枝下垂，叶针形，球果椭圆形。可供观赏。种子可榨工业用油。

【雪盲】阳光中的紫外线经雪地表面的强烈反射造成的眼部损伤。主要症状是眼睛红肿发痛、怕光、流泪、视物不清等。在空气稀薄的雪山高原上易患此症。

【雪线】高山终年积雪区与融雪区的分界线。它的高度一般随纬度的增高而降低。如坦桑尼亚北部的乞力马扎罗山(在南纬3°附近)雪线高5 000米左右，中国的天山(北纬42°附近)雪线高4 000米左右。

【雪柳】❶落叶灌木。叶披针形，有光泽，花白色，有香气，供观赏。❷旧时办丧事在灵前供奉或在出殡时用作仪仗的一种东西。用十数条粘有细白纸条的竹篾，绑在白纸包裹的木棍上，形如白色的柳树。

【雪耻】洗除耻辱。

【雪莱】潘赛·雪莱(1792—1822)英国浪漫主义诗人。贵族出身。曾参加爱尔兰的民族独立运动。深受空想社会主义思想影响。因宣传革命思想受到统治阶级迫害，被迫侨居意大利。作品多以反对封建暴政为题材，歌颂人民对暴君的反抗，也揭露资本主义的剥削。代表作有长诗《伊斯兰的起义》《解放了的普罗米修斯》，抒情诗《西风颂》《云雀颂》等。

【雪莲】多年生草本植物。茎直立。头状花序多密生茎端，形似莲花，生于高山积雪岩缝中，故名。全草供药用，是一种名贵中药材，有通经活血、强筋壮骨等功效。

【雪豹】哺乳动物。体长约1.3米，尾长约0.9米。毛长，灰褐色，躯干和尾都有断续的环纹。栖息于3 000—6 000米的高山峻岭中。夜出活动，捕食野羊、雪兔、鸟类等。是中国国家重点保护动物。

【雪冤】洗刷冤屈。

【雪崩】山地积雪由于本身重量、大风或底部融解等原因而突然大块塌落或巨团滚下的现象。常发生在冬末春初天气开始回暖之时。大的雪崩有很大破坏力。

【雪橇】❶一种在冰雪上滑行的没有轮子的交通工具。多用畜力拉动。❷体育运动项目之一。比赛时，人乘坐在雪橇上，在天然雪场或人工制冷的冰道上高速滑降、回转。分有舵雪橇和无舵雪橇两种比赛。

【雪里红】同"雪里蕻"(1119页)。

【雪里蕻】也作雪里红。一年生草本植物。是叶用芥菜的一个变种。通常腌着吃。

【雪顿节】藏族传统节日。一般在藏历七月初举行。最初为宗教活动，后来演变为娱乐节日。人们观看藏剧，唱歌跳舞，尽情欢庆。雪顿：藏语音译，喝酸奶。

【雪上加霜】比喻由于另外的原因使受损害的程度加重。

【雪中送炭】在大雪天给人送炭取暖。比喻在别人急需的时候给以帮助。宋范成大《大雪送炭与芥隐》诗："不是雪中须送炭，聊装风景要诗来。"

【雪泥鸿爪】鸿雁在雪地上留下的爪迹。比喻往事的痕迹。宋苏轼《和子由渑池怀旧》诗："人生到处知何似，应似飞鸿踏雪泥。泥上偶然留指爪，鸿飞那复计东西？"

鳕(鱈) xuě 也叫大头鱼。鱼类。体长可达75厘米，头大、尾小，下颌有一条须，肉色雪白。是重要经济鱼，中国主产于黄海与渤海。

xuè ㄒㄩㄝˋ

血 ㊀ xuè ❶血液。❷有血统关系的。㊣～亲。❸比喻刚强、热烈。㊣～性｜～气。

㊁ xiě (1089页)。

【血气】❶精力。㊣～方刚。❷血性。㊣有～的青年。

【血本】经商的老本儿。

【血压】动脉管内血液对血管壁的侧压力。心脏收缩时的血压最高值叫收缩压(高压)，心脏舒张时的血压最低值叫舒张压(低压)。成年人正常收缩压一般不超过140毫米汞柱(18.7千帕)，舒张压在90毫米汞柱(12千帕)以下。

【血肉】血液和肌肉。比喻特别密切的关系。

【血汗】指辛勤的劳动或劳动果实。

【血库】医疗部门或采血部门配置的采集、保存和供应血液的医疗救护设备。

【血沉】红细胞沉降率的简称。即单位时间内混悬的红细胞在血浆中的沉降速度。

【血泪】含血的泪水。比喻惨痛的遭遇。

【血泊】大滩的血。

【血性】刚强正直的气质和品性。

【血型】人类血液的类型。通常根据血细胞凝结现象的不同分为O、A、B、AB四种主要类型。还有一些亚型。人的血型独立遗传，终生不变。

【血战】❶指非常激烈的战斗。❷指进行殊死的战斗。

【血亲】有血缘关系或法律规定视同有血缘关系的亲属。分直系血亲和旁系血亲。血亲关系，不因父母离婚而丧失。

【血统】人类因生育而自然形成的关系，如父母与子女之间，兄弟姊妹之间的关系；也指有共同的祖先的关系。

【血栓】在活体的血管或心脏内，由血液成分的某些部分变成的栓子状固形物。常因动脉硬化或血管内壁损伤等原因引起。血栓如堵塞血管，就会引起局部缺血，造成相应部分的机能障碍。

【血债】指杀害人民的罪责。㊣～要用血来还。

【血脂】血清中各种脂类的统称。包括胆固醇、胆固醇酯、磷脂、甘油三酯、糖酯、脂肪酸等。肠道吸收的食物脂类、肝合成的脂类等都必须经血液输送到组织。观察血脂及其组分含量的变化，有助于对健康状况的判断。

【血浆】血液的液体部分。呈半透明淡黄色黏稠状。约占血量的55%。有运输营养物质和代谢产物、维持内环境平衡的作用。

【血案】凶杀案件。

【血球】血细胞的旧称。

【血崩】即"崩漏"(49页)。

【血象】通过化验，将血液中红细胞、白细胞、血小板等的数目加以统计制成的图表。是诊断用的资料。

【血清】血浆除去纤维蛋白后的胶状液体。不凝固。有免疫、维持酸碱平衡和保持正常渗透压等作用。

【血液】心脏与血管中流动的不透明的具有黏滞性的红色液体。主要成分为血浆、血细胞和血小板。有营养组织、调节器官活动和防御有害物质的功能。成年人血液约占体重的十三分之一。

【血缘】血统。

X

【血管】起自心脏又返回心脏的一系列密闭的管道。是血液流通的通道。分动脉、毛细血管、静脉。

【血糖】血液中的葡萄糖。是人体的能源之一。正常人空腹安静时,每升血液血糖为3.9—6.1毫摩,或每100毫升血液中血糖为80—130毫克。高于此数为高血糖,低于此数为低血糖。持续性的血糖过高、过低都是病征。

【血小板】血液内形状和大小不规则的无色小体。与血液凝固有关。正常人每立方毫米血液中约含10—30万个血小板。

【血友病】一种先天性出血性疾病。因血液中缺乏抗血友病球蛋白,导致凝血时间延长,身体内脏、皮肤、关节、肌肉等易出血不止。

【血吸虫】扁形动物。雌雄异体。雄虫长5—18毫米,体侧形成小槽,用以夹抱雌虫。雌虫纤细如丝,长7—25毫米。寄生于人和多种哺乳动物的门静脉小血管内,引起血吸虫病。

【血色素】即“血红蛋白”(1120页)。

【血细胞】血液中的细胞。分红细胞和白细胞。能随血液流动分布全身。

【血口喷人】比喻用极恶毒的语言诬蔑别人。

【血气方刚】指年轻人精力正旺盛。

【血吸虫病】血吸虫尾蚴侵入人体而引起的寄生虫病。主要流行于中国长江两岸地区。虫体寄生于人肠系膜血管里。主要症状是肝脾肿大、腹胀、腹泻,患者丧失劳动能力,甚至死亡。

【血红蛋白】也叫血色素。血液中一种含铁和蛋白质的红色化合物。血液可以借它从肺泡中吸取氧气输送给体内各个组织,又从体内各个组织把二氧化碳带回肺脏,排出体外。中国成年男子的血红蛋白浓度在每100毫升血液14.02±1.29克,成年女子为12.47±1.15克。

【血海深仇】因亲人等被杀而引起的深仇大恨。

【血流漂杵】《尚书·武成》:“会于牧野,罔有敌于我师,前徒倒戈,攻于后以北,血流漂杵。”意思是周武王和商纣王在牧野会战,纣的前头部队掉转武器,攻打后续的队伍,商军因此大败。杀死的人血流成河,能把捶衣的杵漂起来。后以“血流漂杵”形容杀人之多。杵(chǔ)。

【血痕检验】法医物证检验的一种。指对刑事案件现场或嫌疑人身上发现的可疑血痕所作的检验。其目的是为确定何种血型,是何人血痕,是何性别的血,是何部位的出血。以便为侦查破案提供线索和证据。

【血清蛋白】血清中含有的蛋白质。它与血浆蛋白的区别在于不含有纤维蛋白质。对免疫和维持血液的正常渗透压、黏度和酸碱度具有重要作用。

【血液循环】血液依靠心脏搏动,在心脏、血管内周而复始地流动的过程。将氧和营养物质运送到全身组织和器官,又将二氧化碳及其他代谢产物运至呼吸系统和排泄系统。分体循环和肺循环。

【血缘关系】也叫血亲关系。指有血亲联系的亲属。根据血亲联系的远近不同,可分为直系血缘关系和旁系血缘关系。在中国,不论是属于父系血亲联系或母系血亲联系,都是血缘关系。

吷⊠ xuè 以口吹物发出的小的声音。

狘⊠ xuè 野兽惊走。

谑(謔) xuè 开玩笑。㊐戏～|～而不虐(开玩笑但不到有伤感情的地步)。

xūn ㄒㄩㄣ

勋(勛*勳) xūn 功劳。㊐功～|屡建奇～。

【勋业】功勋和事业。

【勋劳】功勋;大的功劳。㊐～卓著。

【勋章】国家授予有较大功绩者的荣誉证章。

【勋绩】功劳和成就。

【勋绶】某些国家奖给有功勋人员佩戴的丝带。绶(shòu)。

【勋祺】也说勋祉。书信结束时对武官用的祝辞。勋:功勋,业绩,借指对方。祺:吉祥,顺利。

【勋爵】对英国贵族的尊称。是世袭的或根据国王的诏书授予的名誉衔。

【勋伯格】阿诺尔德·勋伯格(1874—1951)奥地利作曲家,西方现代主义音乐的代表人物之一。早期作品受后期浪漫乐派的影响,代表作有弦乐六重奏《升华之夜》,交响诗《普莱斯雅与梅丽桑德》等。1908年后,主要是在对无调性和表现主义风格的探索阶段，代表作有朗诵配乐《月光下的彼埃罗》、戏剧配乐《幸福之手》等。20年代后创十二音体系，代表作有《钢琴协奏曲》，朗诵、合唱与乐队《华沙幸存者》，歌剧《摩西与亚伦》等。

埙（塤*壎） xūn 古代吹奏乐器。陶制，形如桃，底平，上端有吹孔，前后一般有三至六个音孔。

熏（❶❷*燻） ㊀ xūn ❶气味或烟气接触物体，使物体变颜色或染上气味。㊎～蚊子｜烟～黑了墙。❷熏制。㊎～鱼｜～鸡｜～干儿。❸温和。㊎～风。

㊁ xùn（1124页）。

【熏染】指人的思想或生活习惯逐渐受到影响（多指坏的）。

【熏陶】指人的思想、行为、爱好等逐渐受到影响（多指好的）。

薰 xūn ❶薰草，一种香草。❷花草的香气。❸“熏（xūn）”的异体字。

【薰莸不同器】香草和臭草不能放在同一个器具中。比喻好的和坏的无法共处。莸（yóu）：臭草。

獯 xūn 〔獯鬻〕猃狁。鬻（yù）。

纁☒（纁） xūn 浅红色。

曛 xūn ❶日落时的余光。㊎夕～。❷暮；昏暗。

醺 xūn 酒醉的样子。

窨 ㊁ xūn 同“熏（xūn）”（只用于窨茶叶）。把茉莉、珠兰等放在茶叶里，使茶叶染上香味。

㊀ yìn（1181页）。

xún ㄒㄩㄣˊ

旬 xún ❶十天为一旬，一个月分为三旬（上旬、中旬、下旬）。❷十岁为一旬。㊎年过六～。

【旬日】十天。

郇 ㊀xún 周朝国名。在今山西临猗西。

㊁ huán（422页）。

询（詢） xún 征求意见。㊎～问｜咨～。

【询问】征求意见；打听。

荀 xún 姓。

【荀子】❶（约前313—前238）战国末期思想家，先秦唯物主义哲学的集大成者。名况，字卿。汉人避宣帝讳，称孙卿。赵国人。认为“天行有常”，反对天命、鬼神之说，主张“制天命而用之”；宣扬人性本恶，必须用礼仪、刑罚来约束人的行为。有《荀子》一书。❷也叫《荀卿子》《孙卿子》。书名。共三十二篇。其中《大略》《宥坐》等最后六篇疑为其弟子所记。

峋 xún 见〔嶙峋〕（621页）。

洵 xún 文言副词。实在；确实。㊎～属可贵｜～美且仁。

恂 xún ❶相信。❷匆促。❸恐惧。

【恂恂】诚实谦恭的样子。

珣 xún 玉名。

栒 xún 见下。

【栒子】落叶或常绿灌木。叶子卵形，花白色。果实球形，红色，供观赏。

【栒邑】地名。在陕西西部。今作旬邑。

寻（尋*尋） xún ❶找。㊎～人｜～根究底。❷古代长度单位。八尺为一寻。

【寻味】仔细地琢磨和体会。㊎耐人～。

【寻觅】寻找。觅（mì）。

【寻思】思索；考虑。㊎先别忙，等我～～再决定怎么办。

【寻常】平常。㊎不同～。

【寻衅】故意找碴儿，制造事端。

【寻呼机】简称呼机。无线寻呼系统中，用户用来接收并显示对方呼叫信号的装置。种类很多，按显示方式不同，有数字显示和汉字显示两种。

【寻花问柳】本指游春，后转指嫖妓。

【寻的制导】依靠弹上导引装置接收目标辐射或反射的能量（如红外、激光、无线电波）形成导引信号而自动导向目标的制导。分主动寻的（dì）制导、半主动寻的制导和被动寻的制导。

【寻章摘句】从书上挑选现成的文句，堆砌成文。《三国志·吴书·孙权传》裴松之注引

《吴书》:"吴王…虽有馀闲,博览书传历史,藉(同"借")采奇异,不效诸生寻章摘句而已。"也指写作时套用前人文句,缺乏创造性。

【寻衅滋事罪】行为人有下列情形之一,破坏社会秩序的犯罪行为:(1)随意殴打他人,情节恶劣;(2)追逐、拦截、辱骂他人,情节恶劣;(3)强拿硬要或任意损毁、占用公私财物,情节严重;(4)在公共场所起哄闹事,造成公共场所秩序严重混乱。

X

郇⊠(鄩) xún ❶古地名。在今河南。❷〔斟郇〕古国名。在今山东。

荨(蕁) ㊀ xún 〔荨麻疹〕俗称风疹疙瘩。一种过敏性皮疹。常由对某种食物、风寒、寄生虫等过敏而引起。发病时突然皮肤瘙痒,出现浮肿块,几小时后消退,不留痕迹。易反复发作。

㊁ qián (781 页)。

咰□(噚) xún (又音 yīngxún)旧表示英制长度单位用字。1977 年 7 月中国文字改革委员会、国家标准计量局通知,淘汰"咰",改用"英寻"。

浔(潯) xún ❶水边。㊙江~。❷江西九江的别称。❸(又音 hǎixún)旧表示英制长度单位用字。1977 年 7 月中国文字改革委员会、国家标准计量局通知,淘汰"浔",改用"英寻"。

珣⊠(璕) xún 次于玉的美石。

焊⊠(燖) xún 古代献祭的一种,把肉放入滚烫的开水中使半熟。

蚂□(蟳) xún 〔青蚂〕螃蟹的一种。

鲟(鱘) xún 鱼类。圆筒形,被硬鳞,软骨,两侧有很大的骨甲,长可达 3 米,青黄色,腹白色。中华鲟、达氏鲟、白鲟是中国国家重点保护动物。

紃⊠(紃) xún 形似绳的细带子。

巡(*廵) xún ❶往来查看。㊙~视|~哨。❷量词。用于给全座斟酒的次数。㊙酒过三~。

【巡弋】(军舰)在一定的水域巡逻。弋(yì)。

【巡风】来回走着望风。

【巡礼】❶指教徒朝拜圣地。❷借指巡游观光。

【巡回】按一定的路线或范围到各处(活动)。㊙~演出|~医疗。

【巡抚】明清两代地方官名。明代是派往地方巡视监察的官员。清代正式定为省级的高级职位,掌握全省军政大权。地位在总督之下。

【巡更】旧指更夫夜间击打梆子或锣报时。

【巡幸】指皇帝离开京城巡视外地。

【巡视】到各地视察。

【巡捕】❶清代总督、巡抚、将军的随从官名。分文武两种。❷旧称租界中的警察。

【巡哨】来回侦察警戒。

【巡展】巡回展览。

【巡逻】巡查警戒。

【巡演】巡回演出。

【巡警】❶执行巡逻任务的警察。❷旧称警察。

【巡洋舰】具有多种作战能力,能在远洋活动作战的大型水面战斗舰艇。主要担负航空母舰编队或其他舰船编队的护航以及攻击敌舰船、岸上目标和支援登陆兵作战等任务。

【巡航导弹】依靠喷气发动机的推动力和弹翼的气动升力,主要以巡航速度在大气层内飞行的飞航式导弹。目前的巡航导弹可从飞机、舰艇和车辆上发射,采用超低空飞行,具有较强的突防能力,射程在 1 500 千米以上。

【巡航速度】指飞行器的发动机推力等于空气阻力,气动升力等于飞行器重量,飞行器保持一定高度做匀速飞行的速度。是燃料消耗量最小的飞行速度。也指根据类型和任务对军舰所规定的经常航行速度。

循 xún 依照;遵守。㊙遵~|~规蹈矩。

【循环】周而复始地运动或变化。㊙血液~。

【循例】依照先例。

【循环赛】体育比赛的方法之一。参加的各队或各人按一定组合相互轮流比赛,按胜、负、平局给以不同分数,以全部比赛积分的多少决定名次。

【循名责实】按照名称或名义寻求实际内容,使得名、实相符。《韩非子·定法》:"因任而授官,循名而责实。"循:依着。责:求。

【循序渐进】按照一定的步骤逐渐深入或提

高(指学习或工作)。宋朱熹《四书集注·论语·宪问》:"此但自言其反己自修,循序渐进耳。"

【循环小数】从小数点后面某一位起到某一位止的数字总是按次序重复出现的小数。如0.333…,1.1363636…,0.184184…,可分别简写作0.$\dot{3}$,1.1$\dot{3}\dot{6}$,0.$\dot{1}8\dot{4}$。

【循环论证】论证过程中所犯的一种逻辑错误。即在论证过程中,论题的真实性用论据来证明,而论据的真实性又用论题来证明,结果什么也没有证明。如"因为人类有认识世界的能力,所以人类能够认识世界;而人类之所以能够认识世界,是因为人类有认识世界的能力。"

【循环系统】人或动物体内输送血液和淋巴的一套封闭的管道的总称。由心脏、动脉、静脉、毛细血管等组成。通过血液循环,输送氧和养料,排除二氧化碳和其他代谢产物,维持正常生命活动。

【循规蹈矩】原指遵守规矩,不轻举妄动。现多形容一举一动拘守旧框框,不敢稍有变动。

【循经取穴】中医学名词。根据患病部位或器官所属的经络,取用该经络所属的穴位进行针刺或灸灼。

【循循善诱】善于有步骤地进行引导。《论语·子罕》:"夫子循循然善诱人。"循循:有步骤、有次序的样子。诱:引导。

鬵⊠ xún 古代的大锅。

蕁⊠ ㊁ xún 同"荨(xún)"。
㊀ qián (783页)。

xùn ㄒㄩㄣˋ

训(訓) xùn ❶教导;斥责。[例]~诫。❷可以作为准则的话。[例]遗~|不足为~。❸训练。[例]培~|冬~|军~。❹解释词义。[例]~诂。

【训斥】训诫斥责。

【训令】上级机关对所属下级机关有所指示或委派人员时所用的公文。

【训饬】训斥。

【训诂】古人把用通俗的话去解释词义叫训,把用当代的话去解释古语或用较通行的话去解释方言叫诂。后用以泛指解释古书中的字、词、句的意义。诂(gǔ)。

【训练】通过有计划有步骤地教育操练,使掌握某种技能。[例]军事~|~班。

【训诫】教训和告诫。

【训诲】教导。用于上级对下级,长辈对晚辈。

驯(馴) xùn ❶顺服的。[例]~良|~顺。❷使之顺从。[例]~养|~马。

【驯化】人类通过引种、驯养、选育等方法,把野生动植物培育成家养动物或栽培植物的过程。

【驯良】和顺善良。

【驯服】顺从;使顺从。

【驯养】饲养驯化(野生动物)。

【驯鹿】哺乳动物。一般肩高1米多。雌雄都有长角,分成许多叉枝。蹄宽大。尾极短。体色夏毛深褐,冬毛棕灰,颊部灰白或乳白,尾白色。有迁移性。性较温和。分布于中国东北地区。可驯养,用以驮物和拉雪橇。

讯(訊) xùn ❶问;审问。[例]问~|审~。❷消息。[例]通~|新华社~。

汛 xùn ❶江河定期的涨水。[例]潮~|春~。❷旧时军队驻防的地方。[例]~地。

【汛期】江河水位定时性的上涨时期。

迅 xùn 快。[例]~速。

【迅即】副词。立即。

【迅猛】迅速而猛烈。

【迅雷甚雨】突然的响雷和倾盆暴雨。《礼记·玉藻》:"若有疾风、迅雷、甚雨,则必变。"

【迅雷不及掩耳】也说疾雷不及掩耳。突然响起的雷声,使人来不及捂耳朵。比喻事情来得突然,使人不及防备。《六韬·龙韬》:"疾雷不及掩耳,迅电不及瞑目。"

侚⊠ xùn 敏捷;快。

徇(*狥) xùn ❶依从;曲从。❷同"殉"①。

【徇私】为了私情而放弃原则,违犯法纪。

【徇情】曲从私情(违犯法律)。[例]~枉法。

【徇私枉法罪】司法工作人员徇私枉法、徇情枉法,对明知是无罪的人而使他受追诉,对明知是有罪的人而故意包庇不使他受追诉,或在刑事审判活动中故意违背事实和法律做枉法裁判的犯罪行为。

殉 xùn ❶为了追求某种理想或维护某种事物而牺牲自己的生命。㊀以身～国。❷殉葬。

【殉节】❶战争失败或国家灭亡时不愿投降而牺牲生命。❷旧指妇女因为要追随死去的丈夫或不甘凌辱而自杀。

【殉国】为国牺牲。

【殉难】(为国家或正义事业)遇难牺牲生命。

【殉职】因公牺牲。㊀不幸以身～。

【殉情】由于在爱情上受到阻碍而自杀。

【殉葬】也叫陪葬。古代的一种风俗。指死者的奴隶、妻妾等随同死者埋葬。也指用俑和器物随葬。

【殉葬品】人死埋葬时,用以随葬的物品。一般有俑、饮食用具、金、银、玉器等。

逊(遜) xùn ❶退避;让出。❷谦虚;恭敬。㊀谦～|出言不～。❸差;比不上。㊀稍～一筹。

【逊色】比不上;有差距。㊀毫不～。

【逊尼派】伊斯兰教派别之一。自称正统派,与什叶派对立。世界穆斯林(伊斯兰教信徒)多属此派。

浚(*濬) ㊁ xùn 〔浚县〕地名。在河南北部。

㊀ jùn (542 页)。

巽 xùn ❶八卦之一。代表风。参见〔八卦〕(16 页)。❷古又同"逊"。

噀 xùn 喷。㊀～水。

潠☒ xùn 同"噀"。

蕈 ㊁ xùn 〈方〉不好的气味袭人或使人中毒。㊀不要让煤气～着。

㊀ xūn (1121 页)。

蕈 xùn 真菌。无毒的可食,如香菇、蘑菇。

Y |

yā |丫

丫（*椏*枒） yā 上端分杈的东西。㊀～杈。

【丫头】❶女孩子的俗称。❷即"丫鬟"（1125页）。

【丫杈】树木或物体上面的分杈。

【丫环】同"丫鬟"（1125页）。

【丫鬟】也作丫环。也叫丫头。旧时供有钱人家役使的女孩子。

压（壓） ㊀ yā ❶对物体施压力（多指从上向下）。㊀～平。❷用强力压制。㊀树正气，～邪气。❸制止；抑制。㊀咳得厉害，喝口水～～。❹逼近。㊀大军～境。❺搁置。㊀积～|这批货～了三个月。❻超过；胜过。㊀技～群芳。

㊁ yà（1130页）。

【压力】❶物理学指垂直作用于物体表面的力。在化学和许多工程学科中所用的压力概念，相当于物理学中的压强。❷制伏人的力量。㊀舆论～。❸承受的负担。㊀工作～。

【压队】走在队伍最后，执行保护或督促等任务。

【压抑】对感情、力量等加以控制或限制，使不得充分流露或发挥。

【压条】将植物枝条的一段埋入土中或盛土容器中，两端露在土外，生根后，从母株上剪下、移栽，形成新植株的繁殖方法。

【压库】❶商品积压在库里，卖不出去。❷减少库存。㊀限产～。

【压制】❶使用强力限制。❷用压的方法制造。㊀～砖坯。

【压迫】❶用暴力或权势强制别人服从自己。❷对有机体的某一部分产生压力。㊀肿瘤～了运动神经。

【压服】用强力制伏；迫使服从。

【压卷】指被认为是最好的、能压倒其他同类作品的诗文或书画等。卷（juàn）。

【压宝】也作押宝。赌博的一种。参加赌博的一方猜测宝盒内所显示的方向下注。宝盒的盖揭开后如与所压的方向相同则压者赢。

【压倒】力量胜过或重要性超过。㊀东风～西风|这是～一切的中心任务。

【压惊】用请吃饭等方式安慰受惊吓的人。

【压痛】医学临床检查体征之一。指触诊时所产生的疼痛或异常的感觉。有压痛的部位常是病变所在处。

【压强】垂直作用在物体单位面积上的压力。单位是帕斯卡。

【压韵】同"押韵"（1126页）。

【压境】敌军逼近边境。

【压榨】❶用压力榨取物体里的汁液。❷比喻剥削或搜刮。

【压缩】❶加压力使体积缩小。❷减少（经费、人员、篇幅等）。㊀～开支。

【压轴子】❶旧时一台折子戏演出中倒数第二个剧目（因最后一出戏叫大轴子）。❷现有时也将演出时安排在最后的一个最好的节目称为压轴戏或压轴节目。轴（zhòu）。

【压电现象】某些电介质（如石英、酒石酸钾钠等晶体）在压力作用下，两端间出现电势差的现象。将这种电介质置于电场中会产生弹性形变，这种现象叫做逆压电现象或电致伸缩。

【压缩空气】用气泵把空气压入容器而形成的压强高于大气压的空气。可用于车辆制动和开动风动工具等。

呀 ㊀ yā ❶叹词。表示惊奇。㊀～，好惊险的高台跳水动作！❷拟声词。物体摩擦的声音。㊀～地一声门开了。

㊁ ya（1130页）。

鸦（鴉*鵶） yā 鸟类的一科。羽毛大多为黑色，喙及足强壮，多在高树上筑巢。中国常见的有乌鸦、寒鸦等。主食昆虫，有时挖食播种的种子。

【鸦片】也叫阿芙蓉。俗称大烟。用罂粟果实中的乳状汁液制成的毒品。参见〔阿片〕

Y

(1页)。

【鸦片战争】1840—1842年英国对中国发动的侵略战争。从18世纪末期起英国向中国大量输入鸦片,严重危害中国的国计民生,遭到中国的反对。1838年清道光帝派林则徐到广东查禁鸦片。次年林则徐到广州,销毁缴获的鸦片二百三十余万斤,并多次打退英军的挑衅。1840年,英国借口保护通商,对中国发动了海盗式的战争。中国军队在林则徐统率下坚决抵抗,多次击退英军。而清政府妥协投降,反将林则徐等人撤职,另派琦善到广州谈判。1841年英军攻陷广州。1842年又攻陷吴淞、镇江等地。8月,清政府在英国胁迫下签订了屈辱的《南京条约》。从此中国逐渐沦为半殖民地半封建社会。

【鸦鸣蝉噪】鸦鸣和蝉噪均为噪音。比喻无理的喧嚣。宋张耒《早作》诗:"鸦鸣最早尤喧阒,啼呼相应动百千。"唐韩愈《荐士》诗:"齐梁及陈隋,众作等蝉噪。"

【鸦雀无声】形容非常安静。

押 yā ❶在文书契约上的签字或代替签字的符号。[例]画～。❷把财物交给对方作担保。[例]～金。❸拘留。[例]关～。❹跟随照料;看管。[例]～运。

【押汇】也叫议付。异地交易中以在途货物为抵押的贷款。是国际贸易中的一种短期资金融通方式。

【押当】拿衣物向当铺抵押借钱。当(dàng)。

【押金】为取得土地、房屋或其他财物的使用权所交的保证金。

【押宝】同"压宝"(1125页)。

【押送】❶拘送犯人或俘虏。❷跟随被装运的货物,沿途负责照料或看管。

【押解】❶押送犯人或俘虏。❷旧时多指为官府押运公款或饷银。解(jiè)。

【押韵】也作压韵。韵文句末用韵母相同或相近的字,使声音和谐悦耳。

鸭(鴨) yā 鸟类。喙扁腿短,趾间有蹼,善游泳。

【鸭绒】加工过的鸭氄(rǒng)毛,有很强的保温作用。

【鸭黄】孵出不久的长着黄色氄毛的小鸭子。

【鸭绿江】中朝两国界河。发源于长白山,向西南流,在辽宁省丹东市附近注入黄海。长790千米。水量和水能资源丰富,十三道沟以下可通航,每年有4个月的结冰期。绿(lù)。

【鸭跖草】一年生草本植物。茎下部常匍匐地上,节上生根。叶互生。夏秋开花,深蓝色。多生长在阴湿地区。可做猪饲料,也供药用。跖(zhí)。

【鸭嘴兽】哺乳动物。身体肥而扁,嘴像鸭喙,毛深褐色。卵生。雌兽无乳头,幼兽从雌兽腹面濡湿的毛上舐食乳汁。产于澳大利亚。

垭(埡) yā 〈方〉两山之间的狭窄地方。多用于地名,如黄桷垭(在重庆)。

哑(啞) ㊀ yā 见〔咿哑〕(1158页)。㊁ yǎ (1128页)。

yá　ㄧㄚˊ

牙 yá ❶牙齿。❷特指象牙。[例]～雕。❸类似牙齿的东西。[例]～子。

【牙口】❶指牲口的年龄。❷指老年人牙齿的咀嚼能力。口(kou)。

【牙子】❶旧时靠撮合买卖从中收取佣金的人。❷器物周围雕花的装饰或花边等突出的部分。[例]家具上的雕花～很漂亮。子(zi)。

【牙牙】拟声词。婴儿学说话的声音。[例]～学语。

【牙石】沉积于牙齿表面的已矿化的牙菌斑。成分为磷酸钙、磷酸镁、碳酸钙等。分龈上牙石和龈下牙石,前者浅黄色,易除去;后者黑褐色,不易除去。

【牙行】旧时提供交易场所、说合买卖双方成交而从中取得佣金的商号或个人。行(háng)。

【牙关】上颌和下颌之间的关节。[例]～紧闭|咬紧～。

【牙床】❶俗称牙床子。牙龈(yín)。❷一种上面有象牙雕刻等装饰的床。

【牙齿】人和高等动物用于咀嚼食物的器官。生长在颌骨上,高度钙化,外层有釉质,比骨组织更坚硬。人在一生中两次萌出牙齿。第一次萌出的为乳牙。再次萌出的为恒牙。根据位置、功能和形状,牙齿分为切牙(门牙)、尖牙(犬牙)、双尖牙(前磨牙)、磨牙(臼齿)等四个类型。每个牙齿包括牙冠、牙颈和牙根三部分。

【牙将】古代中下级军官。

【牙商】旧时市场中为买卖双方说合交易并抽收佣金的商人。

【牙碜】食物中夹杂着泥沙,牙齿嚼起来不舒服。比喻粗鄙的话不堪入耳。碜(chen)。

【牙龈】也叫齿龈。通称牙床。包住牙颈的黏膜组织。粉红色,内有很多血管和神经。

【牙雕】在象牙上雕刻花纹、形象的艺术。也指用象牙雕刻的工艺品。以刻工精细、玲珑剔透见长。

【牙周炎】牙龈、牙周膜、牙槽骨、牙骨质等发炎的统称。可发生于单个牙、一组牙或全口牙。一般由牙菌斑引起,也与全身因素或局部刺激有关。主要症状是牙龈红肿,牙周袋形成,牙槽骨破坏吸收,牙齿松动等。

【牙菌斑】寄居在牙面上以细菌为主的斑状生命群落。可不断生长发育,与龋齿和牙周病的发生有密切关系,应将其刮除。

伢 yá 〈方〉小孩子。

芽 yá ❶植物尚未发育成长的枝或花的雏体,可以发育成茎、叶或花。❷像芽一类的东西。㊀肉～儿。

岈 yá 见〔嵖岈〕(101页)。

玡 yá 见〔琅玡〕(582页)。

铔□(錏) yá 镲的旧称。

琊☒ yá 同"玡"。

蚜 yá 蚜虫。㊀棉～|烟～。

【蚜虫】俗称腻虫。昆虫。生活在植物茎叶上,吸食汁液。种类很多,有棉蚜、麦蚜等,是农业害虫。

厓☒ yá 同"崖"。

啀☒ yá 〔啀喍〕狗露齿相争斗的样子。喍(chái)。

崖 yá 高山陡壁的侧面。㊀悬～。

【崖略】大略;概略。

涯 yá 水边。泛指边际。㊀一望无～。

睚 yá 眼角。

【睚眦】发怒时瞪眼。借指极小的怨恨。㊀～必报(小小的怨恨也要报复。形容气量狭小)。眦(zì)。

衙 yá 衙门。

【衙门】旧时官府办事的机关。

【衙内】本指官府禁卫,后泛指官僚子弟(多见于早期白话小说)。

【衙役】衙门里的差役。

yǎ 丨ㄚˇ

厊☒ yǎ 见〔厏厊〕(1232页)。

雅 yǎ ❶正规的;标准的。㊀～言。❷文雅;不俗气。㊀～观。❸敬辞。用于称对方的情意、举动。㊀～教|～意。❹平素。㊀～善鼓琴。❺交情。㊀一日之～。❻副词。极;很。㊀～以为美。

【雅正】❶把自己的诗文、书画赠人,在题上款时用的客气话,有请教的意思。❷正直。

【雅乐】周朝及后来的封建社会中,用于郊庙、朝会等国家重大典礼的音乐的统称。内容都是歌颂统治者的功德。

【雅兴】高雅不俗的兴趣。

【雅观】装束、举止文雅(多用于否定式)。㊀很不～。

【雅典】❶古希腊著名的奴隶制城邦。公元前8世纪建国。公元前6世纪下半叶形成奴隶主民主政治。经济、文化发达。公元前5世纪上半叶称霸爱琴海地区。公元前5世纪下半叶与斯巴达争霸失败。公元前4世纪下半叶起附属于马其顿。公元前2世纪中叶并入罗马。❷希腊首都。位于该国东南部。人口307万(1993年)。是欧洲古代文明的发源地,现为全国政治、经济和文化中心。名胜古迹众多,以帕提侬神庙、雅典卫城、奥林匹亚宙斯庙遗址等最为著名。是奥林匹克运动的发源地。

【雅致】优美而不俗气,多指装饰和室内的布置。

【雅座】指饭馆、酒店、澡堂中装修精致而舒适的小房间。

【雅量】❶宽宏的气量。❷指酒量大。

【雅加达】印度尼西亚首都。位于爪哇岛西北岸。人口916万(1995年)。是东南亚最大城市,全国政治、经济、文化中心和交通枢纽,也是东南亚与澳大利亚之间的航线中心。

【雅砻江】长江第二大支流。源流叫扎曲,发源于青海省境内的巴颜喀拉山。入四川省叫雅砻江，纵贯四川省西部，在攀枝花市东汇入长江。长 1 571 千米，流域面积 12.8万平方千米。是中国水能资源最丰富的河流之一。

Y

【雅各宾派】法国大革命时期的资产阶级革命民主派。因经常在巴黎的圣·雅各宾修道院开会，故名。

【雅利安人】意为“出身高贵的人”。属于印欧语系的白肤色人。原为中亚细亚高原的游牧民族。约公元前 20 世纪中期来到印度河流域，并建立起奴隶制国家。

【雅典卫城】古希腊宗教活动中心。公元前 448—前 406 年重建。在希腊雅典城西南山顶的台地上。建筑总负责人是雕刻家菲迪亚斯。四周陡峭，围以挡墙，西端有登顶的台阶。卫城由山门、雅典娜雕像、帕提侬神庙、伊瑞克提翁神庙和胜利神庙组成。雅典娜女神铜像高 11 米，是卫城建筑群的中心。建筑用白色云石建成，比例和谐、构图独特，各处雕饰精细，地形利用极为灵活，表现了古代希腊建筑高超的艺术。被认为是建筑史上最伟大的建筑群落之一。

【雅俗共赏】形容某些艺术创作优美通俗，各种文化程度和艺术品位的人都能欣赏。

【雅尔塔会议】也叫克里米亚会议。1945 年 2 月 4 日至 11 日，苏、美、英三国首脑在克里米亚半岛的雅尔塔所举行的会议。会议就德国投降、惩治战犯、战后安排、对日作战、成立新的国际组织(联合国)等问题进行了讨论，并达成了协议。会后发表了《克里米亚声明》。该会议对战后世界格局有深远影响。

【雅各宾专政】法国大革命时期资产阶级革命民主派雅各宾派建立的反封建的革命专政(1793 年 6 月—1794 年 7 月)。

【雅鲁藏布江】西藏自治区最大河流。发源于喜马拉雅山，横贯本区南部，向东流到波密附近，切断喜马拉雅山，折向南流，形成大拐弯。在珞渝地区南流出国境，叫布拉马普特拉河，经印度、孟加拉国注入孟加拉湾。全长 2 900 千米，中国境内长 2 057 千米。大拐弯地带的雅鲁藏布大峡谷，是世界最大峡谷，水能资源丰富。

【雅鲁藏布大峡谷】世界最大峡谷。在西藏自治区境内，位于雅鲁藏布江下游自派乡至巴昔卡段。长 504.6 千米，最大深度 6 009 米，江面最窄处 35 米。是世界水能资源最丰富的河段之一。

哑(啞) ㊀ yǎ ❶不能说话或说不出话来。[例]～巴｜～口无言。❷嗓子沙哑。[例]～嗓。❸(旧读 è)笑声。[例]～然失笑。

㊁ yā (1126 页)。

【哑铃】举重和体操的辅助练习器械之一。铁制，一般长约 30 厘米，两头呈球形，中间较细。重量不等。有固定哑铃和调节哑铃之分。体操用的哑铃，也有木制的。

【哑剧】不用台词、歌唱，只用动作和表情演出的戏剧形式。

【哑谜】让人难以猜测的隐晦的话或问题。[例]直话直说吧，不要打～了。

【哑然失笑】见到或听到好笑的事，不由自主地笑出声来。哑(旧读 è)。

痖[⊠](瘂) yǎ 同“哑(yǎ)”。

yà ㄧㄚˋ

轧(軋) ㊀ yà ❶碾；滚压。[例]～棉花。❷排挤。[例]倾～。

㊁ zhá (1231 页)。

㊂ gá (298 页)。

亚(亞) yà ❶次；次一等的。[例]他的能力不～于你｜～军。❷亚细亚洲的简称。❸古又同“娅”。

【亚当】《圣经》中的人物。上帝用泥土创造的世上第一个男人。后又取其肋骨创造了女人夏娃，让二人配为夫妇，成为人类的始祖。二人住在伊甸园中，生活美满和谐。后夏娃受到蛇的引诱，偷吃了树上的禁果，变得心明眼亮，辨真伪，知羞耻，因而受到惩罚。夫妻二人被逐出伊甸园，使女人从此增加了怀孕分娩的痛苦，使男人终年辛劳直至死后归土。

【亚军】体育运动等比赛中获第二名的优胜者。

【亚洲】全称亚细亚洲。位于东半球的东北部，西北以乌拉尔山脉、乌拉尔河、里海、大高加索山脉、土耳其海峡与欧洲分界，西南隔苏伊士运河、红海与非洲相望，东南有一系列与大洋洲接近的群岛环绕，东北隔白令海峡与北美洲相望。东临太平洋，南临印度洋，北临北冰洋。面积约 4 400 万平方千米，人口 36.34 亿(1999 年)。有世界最高的山峰和最低的洼地。地跨寒、温、热三带。是世界面积最大、人口最多、地形和

Y

气候最复杂的一洲。

【亚麻】一年生草本植物。茎高可达1米多,细而柔韧。花蓝色或白色。按用途可分为纤维用亚麻、油用亚麻和兼用亚麻。中国东北地区种植较多。

【亚运会】亚洲运动会的简称。由亚洲奥林匹克理事会主办。其前身为远东运动会和西亚运动会。每四年一次。第一届于1951年在印度新德里举行。比赛项目与奥运会大致相同。

【亚油酸】一种降血脂药。用豆油制成并加有维生素E。可防止胆固醇在血管壁上的沉积,用于动脉粥样硬化症的预防及治疗。以亚油酸为主要成分的复方制剂有益寿宁、脉通等,还用于心肌梗死、心绞痛、脂肪肝等的辅助治疗。

【亚洲棉】棉的一种。原产印度,是人类最早栽培的棉种。纤维粗短,强度大,弹性好,适于手工纺织和机纺低档纱。在中国也叫中棉,现已不种。

【亚热带】气候分带上处于温带与热带之间的过渡地带。

【亚马孙河】世界第二长河。在南美洲北部。发源于秘鲁安第斯山,向东流经巴西亚马孙平原入大西洋。全长6 480千米。是世界水量最丰、流域最广的河流。河宽水深,航运极为便利。

【亚历山大】埃及城市。位于埃及北部,临地中海。人口338万(1994年)。是古代和中世纪名城,全国最大的商港。保存有航海灯塔遗迹、庞贝柱遗址、圣凯瑟琳教堂、沙卡法地下陵寝等名胜古迹。

【亚当·斯密】(1723—1790)英国古典政治经济学体系的建立者。主张经济自由,反对国家干预经济。认为商品的价值由生产它的劳动决定,商品交换不过是体现在这些商品中的劳动量相交换。代表作是《国民财富的性质和原因的研究》,简称《国富论》。

【亚述帝国】古代西亚的奴隶制国家。公元前30世纪末建立。公元前8世纪后半期形成庞大的军事帝国。其疆域东起伊朗高原,西临地中海沿岸,首都尼尼微。公元前605年灭亡。

【亚非会议】也叫万隆会议。1955年4月,29个亚非国家和地区的国家元首、政府首脑或代表在印度尼西亚万隆举行的会议。这是亚非国家第一次在没有殖民国家参加的情况下,讨论与自己切身利益有关的问题。周恩来率领中国代表团出席了会议。会议通过了《亚非会议最后公报》。

【亚特兰大】美国城市。是美国东南部工商业和交通中心。纺织、食品、飞机制造业著名,可口可乐公司总部和洛克希德飞机公司总部设于此。

【亚硝酸盐】亚硝酸的盐类。晶体,易溶于水。常用于生产各种染料,在实验室里用作氧化还原试剂,建筑施工时用亚硝酸钠作水泥防冻剂。有毒,进入人体后与一种胺类合成具有强烈致癌作用的亚硝胺类。腐烂的蔬菜及某些腌菜中含有亚硝酸盐。生产火腿、香肠、咸肉、熏鱼等时,常加入适量硝酸盐、亚硝酸盐等添加剂,过量则会对人体有害。

【亚马孙平原】在南美洲圭亚那高原以南,巴西高原以北,安第斯山脉以东。大部分在巴西境内。亚马孙河自西向东流过,注入大西洋。面积560万平方千米,是世界上面积最大的冲积平原。海拔一般低于200米。热带雨林密布。

【亚平宁半岛】也叫意大利半岛。在欧洲南部,地中海中部。包括意大利大部分领土和梵蒂冈、圣马力诺。面积14.9万平方千米。冬季温和多雨,夏季干热,属典型的地中海气候。

【亚里士多德】(前384—前322)古希腊思想家、科学家、哲学家,形式逻辑的奠基人。哲学上动摇于唯物主义和唯心主义之间,基本倾向是唯心主义的。他批判了柏拉图的理念论,承认物质世界的永恒存在,但又提出形式(精神)决定质料(物质)和第一推动力等唯心主义理论。著有《工具论》(《逻辑学》)《形而上学》《诗学》等。

【亚得里亚海】地中海的一部分。位于地中海中北部,亚平宁半岛与巴尔干半岛之间。南以奥特朗托海峡通地中海的伊奥尼亚海。面积13.2万平方千米。

【亚历山大大帝】(前356—前323)马其顿国王(前336—前323年在位)。在其统治期间,灭波斯帝国,远侵至印度,建立了一个地跨亚、非、欧三洲的亚历山大帝国。

【亚的斯亚贝巴】埃塞俄比亚首都。位于该国中部。人口300万(1997年)。是全国政治、经济和文化中心。非洲统一组织总部设于此。

【亚洲开发基金】由亚洲开发银行的会员国

Y

家和地区赠款设立的特别基金。

【亚洲开发银行】由亚洲太平洋国家和地区及部分西方国家政府出资开办的多边官方金融机构。成立于1966年11月。宗旨是鼓励在亚洲太平洋地区的投资，促进和加强亚洲太平洋地区发展中国家和地区的经济发展。

【亚寒带针叶林】寒温带的自然植被类型。是纬度最高的森林类型。由松杉类针叶树种构成。常由单一树种构成纯林。主要分布于亚欧大陆北部，北美大陆北部也有分布。

【亚热带季风气候】亚热带的一种气候类型。一年中冬夏风向明显交替。吹夏季风时高温多雨，吹冬季风时温和少雨。主要分布于中国秦岭—淮河一线以南地区。

【亚太经济合作组织】简称亚太经合组织、亚佩克。1989年11月成立时称亚太经济合作会议。1993年6月改为现名。秘书处设在新加坡。是亚太地区重要的区域经济合作组织。成员包括环太平洋地区的东亚、东南亚、大洋洲、美洲的20多个国家和地区。

【亚热带常绿硬叶林】地中海气候区的自然植被类型。因冬季温和多雨，树木常绿，但为适应夏季的干旱，叶子变成刺或成为坚硬的有茸毛的小叶。主要分布于亚热带地区大陆西岸，以地中海地区最为典型。

【亚热带常绿阔叶林】也叫照叶林。亚热带季风气候和季风性湿润气候区的自然植被类型。主要由壳斗科、樟科、山茶科、木兰科等树种组成。林木以小型叶为主，四季常绿。主要分布于亚热带地区大陆东岸，如中国秦岭以南。

【亚寒带针叶林气候】亚寒带的气候类型。冬季漫长而寒冷，暖季短促。降水量少且集中在夏季。主要分布于亚欧大陆、北美大陆的北极圈附近。

挜□（掗）　yà ❶〈方〉硬把东西送给人或卖给人。❷挥动。

娅（婭）　yà　连襟，姊妹们的丈夫间的互称。

氩（氬）　yà　气体元素，符号Ar，原子序数18。无色无臭，化学性质很不活泼，是一种稀有气体。用作灯泡内充气，在冶炼、焊接金属等方面用作保护气体。

铔□（錏）　yà　铵的旧称。

压（壓）　㊁ yà〔压根儿〕从来（多用于否定式）。㊐我～没读过那本书。

㊀ yā（1125页）。

讶（訝）　yà　诧异；惊奇。㊐惊～。

迓　yà　迎接。㊐迎～。

砑　yà　用卵形或弧形石块等碾压或摩擦皮革、布匹等，使密实而光亮。㊐～光。

揠　yà　拔。㊐～苗助长。

【揠苗助长】也说拔苗助长。《孟子·公孙丑上》说，有个宋国人嫌禾苗长得慢，就一棵棵拔高一点，结果禾苗反而枯死了。比喻急于求成，做事不合客观规律，反而搞坏了。

猰☒　yà〔猰貐〕古代兽名。貐（yǔ）。

貏☒　yà　同“猰”。

ya ·丨丫

呀　㊁ ya　助词。参见“啊（a）”（3页）。㊐来～！

㊀ yā（1125页）。

yān 丨ㄢ

咽　㊀ yān　口腔深处通食道和喉头的部分。通常混称咽喉。是消化和呼吸的共同通道。

㊁ yàn（1138页）。

㊂ yè（1152页）。

胭（*臙）　yān〔胭脂〕一种红色颜料。多作化妆用品，也作国画的颜料。

烟（*煙❹*菸）　yān ❶物质燃烧时所产生的气状物。㊐冒～。❷像烟的东西。㊐～雾。❸烟气刺激。㊐～了眼睛。❹烟草或烟草的制成品。㊐～叶｜吸～。

【烟火】❶烟和火。㊐动～（指点火做饭）｜严禁～。❷道教借指熟食。㊐不食人间～。❸火（huo）。也叫焰火（huǒ）。一种娱乐品。在火药中搀入锶、锂、铝、钠、镁、钡、铜等金属盐类,用纸裹制而成。燃放时能放出不同颜色的火光,形成各种图案,供人观赏。常在节日燃放。

【烟民】称吸烟者。

【烟台】市名。位于山东半岛北部,临黄海,蓝烟铁路终点。人口 151 万(1996 年)。是中国著名渔港。

【烟尘】❶燃料燃烧时产生的一种细小的粉尘颗粒。❷烽烟和征尘。借指战争。❸指人口稠密的地方。

【烟羽】从烟囱中连续排放出来的烟气流。因外形呈羽毛状而得名。烟羽形状与大气湍流和大气稳定度有密切关系,可反映烟气扩散的情况。

【烟雨】像烟雾一样的细雨。

【烟草】一年生草本植物。茎直立,棱形。叶肥大,多变异,通常有卵形或披针形。花淡红色或淡黄色,顶生。茎、叶内均含有烟碱和苹果酸、柠檬酸。叶加工后是做卷烟的主要原料,茎加工后能用做杀虫剂。

【烟袋】吸旱烟或水烟的用具。

【烟幕】❶军事上用化学药剂制成的浓厚烟雾。用以迷惑敌人,隐蔽自己。❷农业上燃烧某些燃料或化学物质造成的浓厚烟雾。用以防止霜冻。❸比喻掩饰本意或真相的虚假言行。

【烟煤】煤的一种。暗黑色,比无烟煤质地轻,含碳量高,因燃烧时冒黑烟,故名。主要用作炼焦、低温干馏、气化等工业原料。

【烟碱】即"尼古丁"(715 页)。

【烟霭】云气;云雾。

【烟幕弹】❶也叫发烟弹。爆炸后能放出浓密烟雾,用以迷惑敌人或指示目标的弹药。通常为弹体内装发烟剂和少量炸药的航空炸弹、炮弹、手榴弹和枪榴弹等。❷比喻用以掩饰某种企图的言辞或行动。

【烟台条约】1876 年英国借口马嘉理案强迫清政府在烟台签订的不平等条约。共三部分十六款,并附《另议专条》。主要内容为:英国派员去云南调查并商定滇缅间通商章程;英国可派人经甘、青、川等地进入西藏转印度,也可由印度进西藏;开放宜昌、芜湖、温州、北海为通商口岸;租界免收洋货厘金,洋货运入内地只纳进口税,全免内地税等。此条约扩大了英国在华特权,使其得以侵入中国云南、西藏地区。

【烟波浩渺】形容江湖水面烟雾笼罩、广阔无边的样子。浩渺:形容水面辽阔。

【烟消云散】像烟和云消散一样。比喻事物消失无余。

恹(懨) yān 〔恹恹〕形容患病而精神疲乏的样子。

慇☒ yān ❶安乐。❷病态。㊀~~(形容病态)。

殷 ㊁ yān 黑红色。㊀血迹~红。
㊀ yīn (1176 页)。
㊂ yǐn (1179 页)。

焉 yān ❶与"于此"相当。㊀心不在~。❷文言疑问代词。哪里;怎么。㊀不入虎穴,~得虎子? ❸文言连词。乃;则。㊀必知乱之所自起,~能治之。❹文言语气助词。㊀夫子言之,于吾心有戚戚~。

鄢 yān 姓。

嫣 yān 鲜艳;美好。㊀~红。

【嫣红】鲜艳的红色。

【嫣然】美好的样子。常指笑容。㊀~一笑。

崦 yān 〔崦嵫〕山名。在甘肃。嵫(zī)。

阉(閹) yān ❶阉割。㊀~猪。❷对太监的蔑称。㊀~宦|~党。

【阉人】指被阉割的人。也用作宦官的代称。

【阉寺】宦官;太监。寺:通"侍",古代宫中供役使的小官吏。

【阉割】❶割去人或动物的睾丸或卵巢。❷比喻对一种正确思想进行歪曲、篡改。

淹 yān ❶浸没。❷汗液等浸渍皮肤,使感到痛或痒。❸深;广。㊀~博。

【淹没】(大水)漫过;没过。

【淹留】长期停留。

【淹博】渊博;广博。㊀学识~。

【淹溺】人体淹没于水中;溺水。

【淹灌】灌溉方式之一。水流经渠道漫流到田地里并在田面形成水层。适用于水田。

腌(*醃) ㊀ yān 用盐等浸渍食品。㊀~咸菜。
㊁ ā (3 页)。

阏(閼) ㊀ yān 〔阏氏〕汉代匈奴称君主的正妻。氏(zhī)。
㊁ è (243 页)。

湮 ㊀ yān ❶埋没。㊀~灭。❷淤塞。㊀河道久~。

㊁ yīn (1176 页)。

【湮没】❶埋没。㊣～无闻。❷一个粒子和一个反粒子相结合而转化成其他粒子的现象。如正负电子结合而放出一对光子，正负质子结合而放出一对正负π介子。

燕 ㊁ yān ❶周朝国名(前11世纪中叶—前222)。战国七雄之一。在今河北北部、辽宁西部一带。为秦所灭。❷指河北北部。

㊀ yàn (1139 页)。

【燕山】山名。在河北北部。

【燕京】北京的旧称。是燕国都城所在地，故名。

yán ㄧㄢˊ

延 yán ❶伸展；连续。㊣～长｜绵～。❷推迟。㊣～期。❸聘请。㊣～医。

【延吉】市名。位于吉林省东部，长图铁路线上。人口32万(1997年)。是延边朝鲜族自治州行政中心。特产苹果梨。

【延企】延颈企踵的略语。形容急切地盼望。《后汉书·张奂传》："屏营延企，侧待归命。"㊣～为劳。

【延安】市名。位于陕西省北部，延河南岸。人口13万(1997年)。是中国革命圣地。1937—1947年为中共中央所在地。建有延安革命纪念馆，并开辟了杨家岭、枣园、王家坪、南泥湾等革命纪念地。

【延性】物体可以拉成细丝而不断裂的性质。

【延宕】拖延。

【延误】迟延耽误。

【延接】延请接纳。

【延揽】延请接纳(人才)。

【延搁】拖延耽搁。

【延缓】延迟；推迟放慢。

【延髓】脑干的后段。上接脑桥，下连脊髓。其中有呼吸、心血管活动的主要中枢。

【延胡索】也叫元胡。多年生草本植物。茎细弱，花红紫色，结蒴果。块茎球形，入药，有活血散瘀、行气止痛等作用。

【延音线】在两个音高相同的相邻音符上，用弧线⌒标示，表明第二个音符是第一个音符的延长，这条弧线叫延音线。与连音线形状相同而意义不同。

【延展性】物质(通常指金属)受到拉力、锤击或滚轧等作用时，延伸成细丝或展开成薄片而不破裂的性质。铜、银、金、铂等富有延展性。

【延年益寿】增加岁数，延长寿命。战国楚宋玉《高唐赋》："九窍通郁，精神察滞，延年益寿千万岁。"

【延颈企踵】伸长脖子，踮起脚跟。形容盼望急切。《汉书·萧望之传》："是以天下之士，延颈企踵，争愿自效，以辅高明。"

【延期信用】银行向购货人提供的一种远期信用。

【延安整风运动】中国共产党于1942—1944年开展的一次普遍的马克思列宁主义的教育运动。整风的任务是"反对主观主义以整顿学风，反对宗派主义以整顿党风，反对党八股以整顿文风"。着重从思想上对王明"左"倾机会主义路线进行批判，使领导机关和广大的干部、党员，进一步掌握了马克思列宁主义的普遍真理与中国革命具体实践相结合这样一个基本的方向。整风中实行"惩前毖后，治病救人"的方针，通过批评和自我批评，分清是非，使全党在马克思列宁主义、毛泽东思想的原则基础上达到了新的团结。这次整风运动为党的"七大"的召开准备了条件，为抗日战争和解放战争的胜利奠定了思想基础。

埏 ㊀ yán ❶边际；边远的地方。❷墓道。

㊁ shān (856 页)。

綖⊠(綖) yán 古代王冠上的装饰物。

蜒 yán 见〔蚰蜒〕(1193 页)、〔蜿蜒〕(1007 页)。

筵 yán ❶古人席地而坐时所铺的大席。❷泛指酒席。

【筵席】❶饮宴时所设的座位。❷借指酒席。

闫□(閆) yán 姓。注"闫"和"阎"今为两个不同的姓。

芫 ㊁ yán 〔芫荽〕也叫香菜、胡荽。一年生或二年生草本植物。有特殊香味。果实可制芫荽油，叶供食用，全株可供药用。荽(suī)。

㊀ yuán (1210 页)。

严(嚴) yán ❶紧密；没有空隙。㊣盖～了。❷认真；严厉；不放松。与"宽"相对。㊣～格｜～办。❸厉害的；高度的。㊣～冬｜～寒。❹指父亲。㊣

家～。

【严办】严厉惩办。

【严正】严肃郑重。㊀～声明。

【严厉】严肃而厉害。

【严刑】严厉的刑法；重刑。

【严守】❶严格地遵守。㊀～中立。❷严格地保守。㊀～国家机密。

【严词】严厉的话。㊀～斥责。

【严明】严肃而公正。㊀纪律～|执法～。

【严肃】郑重；认真。

【严重】情势危急；程度深；影响重大。

【严复】(1854—1921)中国启蒙思想家，翻译家。字几道，福建侯官(今福州)人。早年在英国海军学校留学，回国后大量翻译和介绍西方资产阶级学说。译有赫胥黎《天演论》等书，首次提出信、达、雅的翻译标准。中日甲午战争后，为了救亡图存，提倡新学，主张君主立宪，变法维新，抵抗侵略。后支持袁世凯称帝，受到舆论抨击。有《严复集》。

【严格】在执行制度或掌握标准时认真、不放松。㊀～执行|～要求。

【严紧】严密，不松散；无空隙。

【严峻】严厉，严肃；严重。

【严密】❶结合得紧，没有空隙。㊀瓶子口封得很～。❷仔细；周到。㊀～的部署。

【严寒】非常寒冷。

【严谨】严肃谨慎。

【严酷】严厉；残酷。㊀～的教训|～的压迫。

【严整】严肃整齐。

【严刑峻法】❶严厉的刑罚，苛刻的法令。❷使法令刑罚严厉起来。

【严阵以待】整饬阵容，做好战斗准备，以迎击来犯之敌。

【严惩不贷】严厉惩罚，绝不宽恕。㊀对顽抗到底的犯罪分子，一定要～。贷(dài)：饶恕。

言 yán ❶话；言论。㊀～行一致。❷说。㊀知无不～，～无不尽。❸汉语的一个字或一句话。㊀五～诗|一～以蔽之。

【言论】对事情所发表的议论。

【言责】❶旧指对自己发表的言论的责任。㊀～自负。❷旧指臣下对君主进谏的责任。

【言和】讲和。

【言重】❶出言慎重。唐杜荀鹤《辞九江李郎中入关》诗："愿开言重口，荐与分深人。"❷话说得有点过分。

【言语】语言学上指人们运用语言进行交际和思维的过程及结果，即说话和所说的话。

【言谈】说话。㊀～举止。

【言情】❶表达感情。❷描写爱情故事。㊀～小说。

【言路】向上级提出意见或建议的途径。㊀广开～。

【言辞】说话或写文章时所用的词句。㊀～恳切。

【言人人殊】每个人说法都不相同。指对同一事物各有各的看法。《史记·曹相国世家》："(曹)参尽召长老诸生，问所以安集百姓，如齐故俗，诸儒以百数，言人人殊，参未知所定。"殊：不同，差异。

【言之无物】言论或文章非常空洞，没有内容。《周易·家人》："君子以言有物而行有恒。"

【言不及义】只说些无聊的话，谈不到正经的事情。《论语·卫灵公》："群居终日，言不及义，好行小慧，难矣哉！"

【言不由衷】话不是从内心发出来的，即说的不是真心话。由：从。衷：内心。

【言为心声】言语是思想的反映，从一个人的说话中可以知道他的思想感情。汉扬雄《法言·问神》："故言，心声也；书，心画也。"

【言归于好】《左传·僖公九年》："凡我同盟之人，既盟之后，言归于好。"指彼此重新和好。言：文言虚词，用于句首，没有实际意义。

【言外之意】话里没有明白说出来的本意。

【言必有中】指话都能说到点子上。《论语·先进》："夫人不言，言必有中。"中(zhòng)：正好对上。

【言必有据】所说的都有根据。

【言出法随】命令或法令一经公布，就严格执行，如有违犯，就依法论处。言：这里指命令或法令。

【言过其实】话说得过分，超过了实际情况。《三国志·蜀书·马良传》："马谡言过其实，不可大用。"

【言而有信】说话算数，守信用。《论语·学而》："与朋友交，言而有信，虽曰未学，吾必谓之学矣。"信：信用。

【言传身带】一面讲解传授，一面亲身示范。指言语行动起榜样作用。

【言听计从】对某人说的话，出的主意，全都听信照办。形容对某人十分信任。《魏书·崔浩传》:“属太宗为政之秋,值世祖经营之日,言听计从,宁廓区夏,遇既隆也。”

【言犹在耳】说过的话好像还在耳边回响。形容对人家说的话还记得清清楚楚。《左传·文公七年》:“今君虽终,言犹在耳。”犹:还。

【言简意赅】语言简练而意思完备。赅(gāi):完备。

【言必信,行必果】说话一定要算数,行动一定要坚决、果断。《论语·子路》:“言必信,行必果。硁(kēng)硁然小人哉。”

【言者无罪,闻者足戒】提出批评的人,即使意见不完全正确,也是无罪的;被批评的人,即使没有对方所说的缺点错误,也应该将对方的批评引为警戒。《诗经·大序》:“言之者无罪,闻之者足以戒。”足:值得。戒:警戒,警惕。

沿☒ yán 同“沿”。

妍 yán 美丽。㊀不辨~媸(chī)(不能分别美的丑的,不识好坏)。

研 yán ❶细磨。㊀~药|~墨。❷研究。㊀钻~。❸古又同“砚(yàn)”。

【研究】❶探求事物的性质、发展规律等。❷考虑或商讨。

【研究生】在大学或科研机构中,经考试录取并按规定年限学习研究以求获得较高学位的学生。一般说来,已取得学士学位的大学生考试录取后攻读硕士学位,取得硕士学位的经考试录取后攻读博士学位。学制一般各为三年。

揅☒ yán 同“研”。

岩(*巖*巗*嵒) yán ❶岩石。㊀~层。❷岩石凸起形成的山峰。㊀七星~(在广东肇庆)。

【岩心】用地质钻机从钻孔中取出的柱状岩石标本。用来分析研究地层或矿床的情况。

【岩石】在各种地质作用下形成的、由一种或多种矿物组合而成的集合体。是构成地壳的主要物质。按成因分为岩浆岩、沉积岩和变质岩三大类。

【岩层】地壳中成层的岩石。

【岩画】原始人类或土著居民刻绘在岩石上或岩穴中的图画。

【岩岸】由岩石构成的海岸。多见于山地或丘陵地的海岸。海岸线曲折,多港湾和岛屿,适于发展渔业。

【岩洞】石灰岩层因地下水多年的溶蚀冲刷而形成的大洞。

【岩盐】也叫矿盐、石盐。地壳中成层的盐。大多是古代海水或湖水干涸后形成的。

【岩浆】地下深处的高温熔融体。具有以硅酸盐为主的复杂成分,含有大量水蒸气及其他挥发性物质。是各种岩浆岩和有关矿床的物质来源。一般认为,地幔上部的软流层可能是岩浆的主要发源地之一。

【岩石圈】地球圈层之一。包括整个地壳和地幔软流层以上部分。全由岩石构成,故名。

【岩浆岩】即“火成岩”(441页)。

【岩溶地貌】即“喀斯特地貌”(544页)。

炎 yán ❶热。㊀~热|~凉。❷炎症。㊀肠~。❸指炎帝。㊀~黄子孙。

【炎炎】形容阳光强烈。㊀烈日~。

【炎帝】传说中上古姜姓部落首领。号烈山氏,少典娶有蛴氏所生,原居姜水流域,后向东发展到中原地区。曾与黄帝战于阪泉,被打败。炎帝和黄帝所率领的各部落是中原两大部族群,逐渐融合为华夏族。后人认为炎黄是中华民族的共同祖先,自称为“炎黄子孙”。

【炎症】人体对各种刺激(如损伤、微生物感染、化学物品作用等)产生的病理反应。局部有红、热、肿、痛和功能障碍。全身可有白细胞增多和体温升高现象。如肺炎、阑尾炎等。

【炎凉】指天气的热和冷。比喻巴结权贵、疏远冷淡贫贱的社会现象。㊀世态~。

【炎暑】非常热的夏天。

沿 yán ❶介词。顺着。㊀~海边走。❷照旧传下去。㊀~袭。❸边儿。㊀炕~儿。❹(衣物)镶边儿。㊀~鞋口。

【沿用】继续使用。㊀~原来的方法。

【沿线】沿铁路、公路或航线的地方。

【沿革】指事物发展、变化的历程。沿:沿袭。革:变革。

【沿海】靠海的一带地区。

【沿袭】依照旧传统、旧有的规定或说法办理。

【沿海防护林】中国沿海地区为缓解台风、海啸、暴雨侵袭而兴建的大型防护林体系工程。北起辽宁鸭绿江口，南至广西北仑河口，包括11个省级行政区的沿海县（市、区）。从1988年开始，计划到2010年造林355万公顷。

【沿海航行权】船舶在本国沿海各港口之间航行和运输的权利。根据国际法规定，一般只有本国船舶才享有这种权利。但也可根据平等互利原则，国与国间订立条约允许他方商船在本国沿海某些港口之间航行。

铅（鉛）㊀ yán 铅山，地名，在江西东部。

㊁ qiān（780页）。

盐（鹽）yán ❶电离时生成金属阳离子（或其他阳离子）和酸根阴离子。通常是由金属阳离子和酸根阴离子结合的化合物。如硝酸钠（$NaNO_3$）、硫酸铵[$(NH_4)_2SO_4$]等。❷食盐的通称。

【盐卤】即"卤水"（638页）。

【盐析】在非电解质的饱和水溶液中加入可溶性无机盐类（如食盐等），使溶解的物质析出的过程。如在制肥皂时加入食盐使肥皂从溶液中分离出来。

【盐泥】电解食盐制取氯、氢和烧碱过程中排出的泥浆。主要成分是氢氧化镁、碳酸钙、硫酸钡和泥沙。

【盐湖】见〔咸水湖〕（1068页）。

【盐酸】无机酸，化学式HCl。强酸性。浓盐酸为37%—38%的水溶液。无色，有刺激性气味，有腐蚀性和挥发性。广泛用于石油、化工、冶金等工业中。正常人的胃液含有盐酸（0.5%），对消化有重大作用。

【盐渍化】土壤中聚积盐分形成盐渍土的过程。底层或地下水中盐分上升、受海水影响等都能引起土壤盐渍化。

【盐碱土】也叫盐渍土。盐土、碱土及各种盐化、碱化土壤的统称。氯化钠、硫酸钠等含量较高的土壤叫盐土；碳酸钠或重碳酸钠等含量较高的土壤叫碱土。可采用挖沟排水、种植作物降解等措施加以改良。

阎（閻）yán 古代里巷的门。也指里巷。㊟"閻"不能简化为"闫"。"阎"和"闫"今为两个不同的姓。

【阎王】❶即"阎罗"（1135页）。❷比喻极其凶恶霸道的人。

【阎罗】也叫阎王、阎王爷。梵语阎魔罗阇（shé）的简译。佛教上指管地狱的神。

【阎立本】（？—673）唐初画家。雍州万年（今陕西临潼）人。他继承家学，精工人物、肖像、鞍马、台阁等画。现存《步辇图》，描绘吐蕃（今西藏）王松赞干布派禄东赞晋见唐太宗通聘和亲的场面。

【阎锡山】（1883—1960）山西军阀。字百川，山西五台人。早年参加同盟会，辛亥革命后曾任山西省都督、督军、省长、督办等职。抗日战争时期任第二战区司令长官。1949年去广州，任国民党政府行政院院长，后去台湾省，1960年死于台北。

颜（顏）yán ❶眉目之间。㊐笑逐～开。❷颜面；面部表情。㊐无～见人｜和～悦色。❸颜色。㊐～料。

【颜体】唐代颜真卿所写的书法体式。笔画丰满，结构茂密。正楷端庄雄伟，行书遒劲郁勃，对后世影响很大。代表作有《多宝塔碑》《麻姑仙坛记》《颜家庙碑》等。

【颜面】❶脸部。㊐～神经。❷脸面；面子。㊐～攸关。

【颜料】不溶于油、水等的有色或白色物质。具有适当的遮盖力、着色力，高的分散度和对光、热的稳定性等。如朱砂、铅白等。广泛用于油漆、塑料着色，印染、陶瓷彩绘等。

【颜真卿】（708—784）唐代书法家。字清臣，京兆万年（今陕西西安）人。开元进士。官至吏部尚书，太子太师，封鲁郡公，人称"颜鲁公"。书法初学褚遂良，后从张旭得笔法，创"颜体"，对后世影响很大。与柳公权并称"颜柳"。

檐（*簷）yán ❶房顶向外伸出的部分。㊐房～。❷覆盖物的边沿或伸出部分。㊐帽～。

yǎn ㄧㄢˇ

沇☒ yǎn 古水名。即济水。

【沇沇】水流动的样子。

兖 yǎn 兖州，地名，在山东。

奄 yǎn ❶覆盖。❷文言副词。忽然。㊐～忽。❸古又同"阉（yān）"。

【奄奄】气息微弱。㊐～一息。

【奄忽】文言副词。忽然。

掩 yǎn ❶遮盖；掩蔽。㊐～埋｜～饰。❷合；关。㊐～卷｜把门～上。❸关门、窗、箱、柜时夹住手或夹住其他东西。

❹乘人不备(袭击或抓捕)。㊟～杀|～捕。

【掩至】乘人不备而至。

【掩杀】乘人不备而突然袭击。

【掩护】❶保障主力部队或人员行动安全的作战活动,包括以兵力或火力进行的牵制、阻击、压制、迷盲等。❷采取某种措施,使被保护的对象不致受到攻击。

【掩体】供观察、射击、指挥、操作技术兵器隐蔽用的露天工事。如单人掩体和机枪、火炮、坦克、雷达、汽车掩体等。

【掩饰】掩盖、粉饰(缺点、错误等)。

【掩映】彼此遮掩,互相映照、衬托。㊟一座座古塔,～于湖光山色之间。

【掩涕】掩面垂涕哭泣。形容非常悲痛。《楚辞·离骚》:"长太息以掩涕兮,哀民生之多艰。"

【掩蔽】❶遮蔽;隐藏(多用于军事)。❷可做遮蔽的东西或隐藏的地方。

【掩鼻】捂鼻子。形容人或事让人厌恶。《孟子·离娄下》:"西子蒙不洁,则人皆掩鼻而过之。"

【掩蔽部】保障人员免受敌方火力伤害和便于工作、休息的较坚固的掩蔽工事。一般构筑在地下。有掘开式和坑道式两种。

【掩耳盗铃】偷铃铛的人怕铃响,把自己耳朵堵住,以为自己听不见,别人也听不见。比喻自己欺骗自己。《吕氏春秋·自知》:"有得钟者,欲负而走,则钟大不可负,以椎毁之。钟况然有音,恐人闻之而夺己也,遽掩其耳。"掩:捂。

晻□ yǎn 阴暗不明。
另音 àn,见"暗"(11页)。

罨 yǎn ❶捕鸟或捕鱼的网。❷覆盖。㊟冷～(一种医疗方法)|拿纱布～在伤口上。

龑⊠(龔) yǎn 人名用字。五代南汉主刘龑自造的名字。

俨(儼) yǎn ❶庄严。❷好像;活像。㊟～如白昼。

【俨然】❶形容庄严。㊟望之～。❷副词。很像。㊟这孩子年纪虽小,说起话来～是一个大人。❸形容整齐。㊟屋舍～。

衍 yǎn ❶散开;延展。㊟推～|繁～。❷抄写、排印等误增的(文字)。㊟～文。

【衍文】因缮写、刻版、排版错误而多出来的字句。

【衍变】演变。

【衍射】旧称绕射。波在传播过程中经过障碍物边缘或孔隙时发生的偏离直线进行方向的展衍现象。如光通过小孔时,在孔后屏上出现一亮斑,它的亮度向外逐渐减弱。电磁波、声波、水波及物质波都能发生衍射现象。

【衍生物】一种化合物分子中的原子或原子团被其他原子或原子团所取代而生成的产物。如以甲烷(CH_4)为母体,则甲醇(CH_3OH)、一氯甲烷(CH_3Cl)都是它的衍生物。

【衍生金融工具】根据对货币利率或债务工具的价格、外汇汇率、股票价格或股票指数、商品期货价格等金融资产的价格走势的预期而定值,并从这些金融产品的价值中派生自身价值的金融产品。

弇 yǎn ❶覆盖;遮蔽。❷古指口小腹大的容器。

揜⊠ yǎn 同"掩"。

渰⊠ yǎn 云兴起的样子。

崄⊠(嶮) yǎn ❶猛。❷鱼口开合吞吐的样子。㊟～喁(yóng)。

顩⊠(顩) yǎn 牙齿不整齐,露出唇外。

剡 ㊀ yǎn ❶削;削尖。❷锐利。
㊁ shàn (857页)。

琰 yǎn 雕饰的美玉。

棪⊠ yǎn 古书上说的一种树。果实像柰(nài)。

扊 yǎn 〔扊扅〕门闩。扅(yí)。

郾 yǎn 郾城,地名,在河南中部。

偃 yǎn ❶仰面倒下;放倒。㊟～卧|～旗息鼓。❷停止。

【偃蹇】❶傲慢无礼。❷高耸。❸委曲宛转的样子。❹偃卧。有时引申为困顿。蹇(jiǎn)。

【偃武修文】停止战备,振兴文教。《尚书·武成》:"王来自商,至于丰,乃偃武修文。"偃:停止。修:恢复,致力于。

【偃旗息鼓】放倒军旗,停敲战鼓。原指不暴露目标,秘密行军。也指停止战斗。《三国志·蜀书·赵云传》裴松之注引《赵云别传》："而云入营，更大开门，偃旗息鼓，公军疑有伏兵，引去。"后也用以比喻事情中止或声势减弱。

蝘☒ yǎn 古书上指蝉一类的昆虫。

【蝘蜓】古书上指壁虎。

厣（厴） yǎn ❶螺蛳壳口上的软盖。❷螃蟹的脐。

魇（魘） yǎn 梦中惊叫，或梦中觉得被什么东西压住不能动。

黡☒（黶） yǎn 黑痣，皮肤上生的黑色小点。

眼 yǎn ❶眼睛，人或动物的视觉器官。❷孔洞；窟窿。㊎炮～｜针～儿。❸关节；要点。㊎节骨～儿。❹戏曲音乐的一种节拍。㊎一板三～。

【眼力】❶视力。❷辨别是非、好坏、真伪的能力。

【眼目】❶眼睛。❷指为人暗中察看情况并通风报信的人。

【眼压】眼内液体对于眼球壁的压力。正常人眼压一般为18—27毫米汞柱高。眼压过高时影响眼球内血液循环及视力。

【眼光】❶视线。㊎学生们的～都集中在黑板上。❷观察事物的能力；对事物的看法。㊎～远大｜不要用老～看新事物。

【眼色】向人示意的目光。

【眼拙】套语。表示眼力不强。用于记不清是否和对方见过面，或虽见过面但未记住对方是谁时。

【眼帘】文学作品中多指眼睛。

【眼界】所能看到的范围。借指见识的广度。㊎大开～。

【眼球】视觉器官的主要部分。眼球壁分为三层：表层的巩膜和角膜，中层的虹膜和脉络膜，最里层的视网膜。眼球的内腔充满具有折光作用的眼房水、玻璃体、晶状体。

【眼福】指看到新奇或美好事物所获得的享受。㊎大饱～。

【眼镜蛇】爬行动物。毒蛇的一种。颈部很粗，上面有一对白边黑心的环状斑纹，像一副眼镜。激怒时前半身竖起，颈部膨大。毒性很强。捕食鳝鱼、蛙类、鼠类、其他蛇类和小鸟等。

【眼花缭乱】看了纷繁复杂的事物感到迷乱。

【眼高手低】眼光高、要求的标准高，但自己的实际工作能力低。

龂☒（齞） yǎn 张口露齿。

演 yǎn ❶推演发挥。㊎～说｜～义。❷不断发展、变化。㊎～化。❸根据一定程式练习或计算。㊎～武｜～算。❹表演技艺。㊎～唱。

【演义】以历史事实为基础，增添情节而写成的章回小说。如《三国演义》等。

【演习】依照一定的程式实地练习。㊎实弹～。

【演艺】文艺表演。㊎～界｜～人员。

【演化】演变（多指自然界）。㊎天体～。

【演示】用实物、图表或实验把事物的发展、变化过程显示出来。

【演讲】就某个或某些问题对听众发表看法或见解。

【演进】演变进化。

【演员】戏剧、电影、音乐、舞蹈、曲艺、杂技等表演艺术工作者的通称。

【演变】指逐渐的发展变化。

【演绎】即"演绎推理"（1137页）。

【演奏】用乐器表演。

【演说】就某个或某些问题对听众发表讲话。也指对听众发表的讲话。

【演播】表演节目并通过广播电台或电视台播送。

【演绎法】即"演绎推理"（1137页）。

【演绎推理】也叫演绎法、演绎。通常指从一般的、普遍性的前提推出个别的、特殊性的结论的推理。前提与结论之间的联系是必然性的，只要前提真，推理形式正确，就一定得到真的结论。

缜☒（縯） yǎn 延长。

巘☒（巚） yǎn 形状如甑（zèng）的山。也指险峰。

甗☒ yǎn 古代的一种炊具。

鼹（*鼴） yǎn 〔鼹鼠〕哺乳动物。体形像老鼠，嘴尖，生活在田间，挖掘洞道。食昆虫等小动物，也伤害作物，对农业有害。

yàn ㄧㄢˋ

厌（厭） yàn ❶不喜欢；憎恶。㊎～烦｜～弃。❷满足。㊎学而不～。

【厌世】消极悲观，厌弃人世。

【厌学】对学习厌烦，不想读书。

【厌食】食欲不好，不愿进食。

【厌恶】讨厌憎恶。恶(wù)。

【厌倦】感到乏味而不愿意继续做。

【厌氧性微生物】在没有氧气的环境中生活的微生物。呼吸过程不需要氧气，进行无氧呼吸。主要是细菌，如沼气池中的甲烷细菌、引起破伤风病的破伤风杆菌等。

呎☒(**嚈**) ㊁ yàn 同"咽气"的"咽(yàn)"。

㊀ yè (1152 页)。

餍(**饜**) yàn ❶吃饱。❷满足。

猒☒ yàn 同"餍"。

赝□(**贗**) yàn 〔赝口〕地名。在浙江。

砚(**硯**) yàn 砚台，研墨的文具。

咽(***嚥**) ㊁ yàn 吞食。㊥狼吞虎～。

㊀ yān (1130 页)。

㊂ yè (1152 页)。

彦 yàn 古指有才学的人。㊥硕～。

谚(**諺**) yàn 谚语。㊥农～。

【谚语】熟语的一种。群众中广泛流传的现成语句。多数是人民群众长期生产和生活经验的总结，用简单通俗的话表达出深刻的道理。如"众人拾柴火焰高""春雨贵如油"。

喭☒ yàn ❶同"唁"。❷同"谚"。❸粗鲁。

艳(**艷** ***豔** ***艶**) yàn ❶色彩鲜明美丽。❷指关于爱情方面的。㊥～诗。

【艳丽】鲜艳美丽。

【艳羡】非常羡慕。

【艳阳天】风和日丽的春天。

滟(**灩**) yàn 〔滟滪堆〕长江瞿塘峡口的巨石。附近水流很急，是著名的险滩。1958 年整治航道时已炸平。滪(yù)。

晏 yàn ❶迟。㊥《吕氏春秋·制乐》："早朝～退。"❷同"宴"③。

【晏睡】睡得晚；熬夜。

鷃☒(**鴳**) yàn 鷃雀，古书上说的一种小鸟。

宴(❶❷***醼**) yàn ❶用酒席招待客人。㊥～客｜～会。❷酒席。㊥设～。❸安闲；安乐。㊥～安｜～乐。

【宴会】较隆重的设宴请客的聚会。

【宴请】设宴招待。

【宴安鸩毒】贪图安乐等于喝毒酒自杀。《左传·闵公元年》："宴安鸩毒，不可怀也。"鸩(zhèn)：传说中的一种毒鸟，用它的羽毛浸的酒可以毒杀人。鸩毒：毒酒。

堰 yàn 较低的堤坝。

【堰塞湖】河道或山谷因山崩、冰碛(qì)物或火山熔岩阻塞而成的湖泊。如黑龙江省南部的镜泊湖，就是牡丹江部分河道被火山熔岩阻塞而成。

唁 yàn 对遭遇丧事的人表示慰问。㊥吊～。

【唁电】吊丧的电报。

验(**驗** ***騐**) yàn ❶检查；察看。㊥～血｜～票。❷有效果。㊥屡试屡～。❸证据；凭据。㊥何以为～？

【验尸】法医对死者的尸体进行检验，以确定死者致死的性质、原因、时间等。

【验方】中医临床实践证明有疗效的现成药方。

【验光】检查眼球晶状体的屈光度。

【验血】收集血标本进行检查。主要为检查血液循环系统的疾病。常规血液检查有血红蛋白测定、红细胞计数、白细胞计数、血涂片检查、微丝蚴检查、红细胞沉降率测定、血小板计数、血型鉴定等。

【验收】按照一定标准进行检验，确认合格后收下。

【验尿】收集尿标本进行检查。主要为检查泌尿系统的疾病。一般有肉眼检查、化学检查和显微镜检查等。

【验钞】用仪器检验钞票的真伪。㊥～机。

【验资】查验资金或资产。㊥～报告。

【验明正身】对交付执行死刑的罪犯，在执行前要查验其是否确系该项判决的本人。通过核对其人身情况(姓名、性别、年龄、住址、工作单位)、犯罪事实后，查验确凿无误，然后交付依法执行。

雁（*鴈）yàn 鸟类。样子略像鹅，常成行列飞行。

【雁行】大雁飞时的行列。旧时用作兄弟的代称。行(háng)。

【雁荡山】通常指北雁荡山。中国名山。位于浙江省东南部。主峰雁湖岗海拔 1 057 米。灵峰、灵岩、大龙湫并称雁荡风景三绝。

赝（贋*贗）yàn 假的；伪造的。例～品。

【赝本】伪本。指假造的名人书画及碑帖等。

【赝品】伪造的东西(多指文物等)。

焰（*燄）yàn 火苗。例火～。

【焰火】即“烟火”③(1130 页)。

【焰色反应】某些金属或其化合物在灼烧时会使火焰呈现出特殊的颜色，叫做焰色反应。如锂呈现紫红色，铜呈现绿色，锶呈现洋红色等。利用焰色反应可鉴别金属的种类，也可制成烟火。

焰☒（爓）yàn 同“焰”。

焱 yàn 火花；火焰。

酽（釅）yàn 汁浓味厚(多指茶)。例～茶。

谳（讞）yàn 审判定案。例定～。

燕（*鷰）㊀ yàn ❶鸟类。体小，翅长，尾为剪刀状。在中国春向北来，秋返南方。捕食昆虫，是益鸟。❷安乐。例～安。❸古又同“饮宴”的“宴”。
㊁ yān (1132 页)。

【燕好】感情调谐，相处和好(多指夫妇间)。

【燕鸻】也叫土燕子。鸟类。体长约 22 厘米。头顶和上体褐灰色，尾上覆羽白色。尾羽深叉状如燕。主食昆虫，是蝗虫的天敌。在中国分布很广。鸻(héng)。

【燕窝】也叫燕菜、燕根。金丝燕在海边岩石间筑的巢。是金丝燕口衔海藻或其他柔软植物纤维后混合着唾液吐出来的胶状物。含多种氨基酸及微量元素，营养价值较高，是一种珍贵食品，并可供药用。

【燕尾服】男子西式晚礼服的一种。前身较短，后身较长，下端分开像燕子尾巴，故名。

【燕雀处堂】又说燕雀处屋。燕子和麻雀在堂上筑巢。《孔丛子·论势》：“燕雀处屋，子母相哺，煦(xǔ)煦焉其相乐也，自以为安矣；灶突决上，栋宇将焚，燕雀颜色不变，不知祸之将及也。”后比喻处境危险而不自知。处(chǔ)。

谯□（讌）yàn ❶相聚叙谈。❷“宴”的异体字。

嬿☒ yàn ❶美好；和美。例～婉。❷安闲；安乐。

yāng ｜尢

央 yāng ❶中心。例中～。❷恳求。例～求。❸尽；完结。例夜未～。

【央行】中央银行的简称。

【央告】哀求。

【央元音】也叫混元音。发音时舌面中部抬起，对着上腭中间发出的元音。如普通话复韵母 en、eng 中的 e，它的实际音值是央元音[ə]。

泱 yāng 深广；弘大。

【泱泱】❶水面广阔。例江水～。❷气魄宏大。例～大国。

殃 yāng ❶祸害。例灾～。❷使受祸害。例祸国～民。

鸯（鴦）yāng 见〔鸳鸯〕(1208 页)。

秧 yāng ❶植物的幼苗。也特指稻苗。例树～｜插～。❷某些植物的茎。例豆～｜瓜～。❸某些初生的饲养动物。例猪～儿。❹〈方〉栽培；培育。例～几棵树。

【秧歌】❶中国汉族民间舞蹈。起源于农业劳动。舞者一般持扇子、手帕或彩绸而舞，多用锣鼓伴奏。❷中国南方一些地区田间唱的一种劳动歌曲。

【秧歌剧】在陕北秧歌基础上发展起来的一种歌舞剧。形式活泼生动，为群众喜闻乐见，适于在广场演出。代表作有《兄妹开荒》等。

鞅 ㊀ yāng 古时套在马颈上的皮套子。
㊁ yàng (1144 页)。

yáng ｜尢́

扬（揚*敭❷*颺）yáng ❶高举；向上升。

例～手|～帆。❷在空中飘动。例飘～|飞～。❸往上撒。例～场。❹传播出去。例宣～。❺称赞。例颂～|表～。❻指江苏扬州。例～剧。

Y

【扬子】❶古渡口名。故址在今江苏扬州南,称扬子津。❷古县名。唐代分江都县置,治所在今江苏邗江汉河扬子桥附近。南唐时改称永真县,治所在今仪征。❸水名。长江在今仪征、扬州一带古称扬子江,因扬子津、扬子县而得名;近代作为长江的别称。

【扬扬】也作洋洋。得意的样子。

【扬帆】扯起船帆(开船)。

【扬州】市名。位于江苏省长江北岸,大运河经此。人口39万(1997年)。自古商业发达。风景名胜有瘦西湖、何园、个园等。

【扬言】故意说出要采取某种行动的话,以示威胁或探测对方的动静。

【扬弃】即辩证的否定。含有发扬和抛弃两重意义。对原有事物既要抛弃其消极因素,又要保留、发扬其积极因素。

【扬琴】击奏弦鸣乐器。琴身梯形。通常有钢丝弦数十档,每档三五根,用双签击奏。常用于伴奏和民乐合奏。

【扬程】指水泵能扬水的高度。即进水池水面到出水池水面的垂直高度(实际扬程),再加上水流经过管路由于阻力所引起的损失(损失扬程)。

【扬子鳄】也叫猪婆龙。爬行动物。长约2米,背面的角质鳞有六横列。背面暗褐色,腹面灰色。穴居于池沼底部,冬日蛰居穴中。是中国特有珍稀动物,分布于安徽、江苏等地。

【扬声器】俗称喇叭。把音频电信号转换为发声振动的器件。用在收音机、扩音机、电视机等设备中。

【扬长而去】大模大样地离开。

【扬州八怪】清代中期活跃于扬州地区的一群书画家。一般指罗聘、李方膺、李鱓、金农、黄慎、郑燮、高翔、汪士慎八人。他们愤世疾俗,重视表现个性,被当时正统画派看作怪诞。

【扬汤止沸】舀动沸腾的水,使它不沸腾。比喻暂时救急或不从根本上解决问题。《三国志·魏书·刘廙(yì)传》:"扬汤止沸,使不焦烂。"

【扬眉吐气】形容摆脱受压的困境后,高兴、痛快的样子。唐李白《与韩荆州书》:"君侯何惜阶前盈尺之地,不使白扬眉吐气,激昂青云耶!"扬眉:眉头舒展。

【扬基债券】外国筹资者在美国债券市场发行的以美元计值的债券。

玚(瑒) ㊀ yáng 玉名。
㊁ chàng(110页)。

杨(楊) yáng 杨树,落叶乔木。种类很多,有山杨、毛白杨、小叶杨等多种,多为速生用材树。木材供建筑、造纸等用。

【杨柳】❶杨树和柳树。❷泛指柳树。

【杨桃】也作阳桃、羊桃。也叫五敛子。常绿或半常绿乔木。高可达12米。奇数羽状复叶。浆果椭圆形,长5—8厘米,有5棱。未熟前果皮青绿色,熟时黄色。秋冬果熟,可食。也指这种植物的果实。

【杨辉】(约13世纪中叶)南宋数学家。他编著的数学著作共五部二十一卷:《详解九章算法》十二卷、《日用算法》二卷、《乘除通变本末》三卷等。著名的"杨辉三角"是一个由数字排列成三角形的数表,每一横行表示二项式$(a+b)$展开式中的系数,此表首先出现在杨辉的著作中,当时叫做开方作法本源。杨辉解释说,这个表是11世纪北宋数学家贾宪创造的,比法国数学家帕斯卡的发现早四百年左右。

【杨开慧】(1901—1930)中国共产党优秀党员,毛泽东的夫人。湖南长沙人。1920年加入中国社会主义青年团,1921年加入中国共产党。曾协助毛泽东进行建党活动,并在中共湘区委员会机关担任机要和通讯联络工作。1923—1927年随毛泽东在上海、韶山、广州、武汉等地开展工人运动和农民运动。1927年大革命失败后,回到长沙东乡板仓坚持党的地下斗争,领导过长沙、湘阴、平江等县边界一带的革命斗争。1930年10月在板仓被捕,坚贞不屈,11月在长沙英勇就义。

【杨连弟】(1919—1952)天津市人。1949年2月参加中国人民解放军铁道兵部队,曾在修复陇海路八号高桥时,机智勇敢地攀上四十多米高的桥墩,荣获"登高英雄"称号。1950年10月参加中国人民志愿军。1951年加入中国共产党。1952年5月15日在朝鲜平安南道抢修清川江大桥时牺牲。中国人民志愿军领导机关为他追记特等功,授予他"中国人民志愿军一级英雄"称号。他还荣获"朝鲜民主主义人民共和国英雄”称号及金星奖章、一级国旗勋章。他生前所在连被命名为“杨连弟连”。

【杨秀清】(1820—1856)太平天国革命领导人之一。广西桂平人。早年参加拜上帝会。1851年太平天国建立,封东王。冯云山、萧朝贵先后牺牲,他统率太平军攻取武汉,占领南京。建都天京后,他居功自傲,上逼洪秀全,下压众将领,1856年在天京暴乱中被杀。

【杨虎城】(1893—1949)国民党爱国将领,西安事变发动者。陕西蒲城人。曾参加辛亥革命,1929年起任国民党第十七路军总指挥、陕西省政府主席、西安绥靖公署主任。在中国共产党的影响下,曾与张学良一起发动西安事变,迫使蒋介石停止内战一致抗日。后被蒋逼令出国。抗日战争爆发后,回国参加抗战,但被蒋长期监禁。1949年9月重庆解放前夕被杀害。

【杨尚昆】(1907—1998)中国无产阶级革命家、政治家、军事家,中华人民共和国领导人。重庆潼南人。1925年加入共青团,1926年转入中国共产党,同年参加筹备上海工人武装起义。后去莫斯科中山大学学习。1931年回国后任中华全国总工会中共党团书记、中共中央宣传部长。1933年进入中央苏区,任红一方面军政治部主任、第三军团政委。参加长征,在遵义会议上坚决拥护毛泽东的正确主张。到达陕北任中央军委总政治部副主任。抗战爆发后任中共中央北方局副书记、书记。抗战胜利至新中国成立后任中央军委秘书长、中共中央办公厅主任。1966年受到林彪、“四人帮”残酷迫害,监禁长达12年。1978年后历任广东省委第二书记、全国人大常委会副委员长、中央军委常务副主席,1988年当选为中华人民共和国主席。

【杨贵妃】(719—756)唐玄宗贵妃。小字玉环,又号太真,蒲州永乐(今山西芮城西南)人。公元756年安禄山叛乱攻占长安后,杨逃至马嵬驿(今陕西兴平西)被士兵缢死。

【杨根思】(1922—1950)江苏泰兴人。1944年参加新四军。1945年加入中国共产党。曾荣获战斗模范、爆破大王、华东三级和一级人民英雄称号。1950年10月参加中国人民志愿军。1950年11月29日在朝鲜咸镜南道长津郡下碣隅里战斗中,当战斗到只剩他一人时,抱起炸药包,冲入敌群,炸死大量敌人,自己壮烈牺牲。中国人民志愿军领导机关为他追记特等功,授予他“中国人民志愿军特级英雄”称号。他还荣获“朝鲜民主主义人民共和国英雄”称号及金星奖章、一级国旗勋章。他生前所在连被命名为“杨根思连”。

【杨靖宇】(1905—1940)中国无产阶级革命家。东北抗日联军领导人之一。原名马尚德,字骥生,河南确山人。1927年加入中国共产党。曾任中共抚顺特别支部书记。九·一八事变后,任东北抗日联军第一路军总指挥兼政治委员和中共南满省委书记等职,率领部队长期坚持抗日游击战争。1940年2月23日,在吉林濛江反击日本侵略军包围的战斗中壮烈牺牲。

旸(暘) yáng 日出。

炀(煬) yáng ❶熔化(金属)。❷火旺。

钖[☒]**(鍚)** yáng 马额上的金属装饰物。马走动时发出声响。

疡(瘍) yáng ❶疮。❷溃烂。[例]胃溃~。

羊 yáng ❶哺乳动物。草食,反刍,对青粗饲料消化力强。有山羊、绵羊以及许多野生品种。中国优良的绵羊品种有新疆毛肉兼用的细毛羊、滩羊;山羊有中卫山羊、济宁山羊等。❷古又同“祥(xiáng)”。

【羊水】子宫腔内羊膜囊中的液体。可保护胎儿不受外界震荡。

【羊城】广东广州的别称。参见〔五羊城〕(1043页)。

【羊桃】同“杨桃”(1140页)。

【羊毫】用羊毛制成的毛笔。

【羊痘】羊的一种急性热性传染病。由痘病毒而引起。症状是病初发烧,不进食,在少毛部位有丘疹。注射羊痘疫苗可预防。

【羊膜】人和大多数哺乳动物胞衣最内层的薄膜。呈囊状,里面充满羊水,胎儿悬浮其中。因这种膜在羊胎中特别显著,故名。

【羊角疯】癫痫的俗称。

【羊蹄甲】落叶小乔木。叶形变化较大,圆形或广卵形。夏秋之交开花,花瓣白色,其中一片有黄绿色或暗紫色斑点。是行道树和绿化树。

【羊肠小道】指狭窄曲折的小路(多指山路)。

Y

佯 yáng 假装。例～死|～攻。

【佯动】为隐蔽企图和迷惑敌人而采取的军事行动。目的是造成敌人错觉和不意，以争取自己的优势和主动。

【佯狂】装疯。

【佯言】诈言；说假话。

垟 yáng 〈方〉田地。多用于地名，如翁垟(在浙江)。

徉 yáng 见〔徜徉〕(109页)。

洋 yáng ❶盛多；广大。例～溢。❷比海更大的水域。例太平～。❸指外国的。与"土"相对。例～人|～货|土～结合。❹银元。例现～。

【洋车】旧时人力车的一种。有两个胶皮车轮，两个长柄，柄端有横木相联。主要用于载人。

【洋场】指旧时洋人洋商聚集的地方。一般指新中国成立前的上海、天津等都市。有时也特指这些地方的外国租界。例十里～。

【洋灰】水泥的俗称。

【洋行】旧称外国人在中国开设的商行。也指专跟外国人做买卖的商行。

【洋洋】❶形容众多或盛大。例～大观。❷同"扬扬"(1140页)。例得意～。

【洋钱】银元。中国的银元是仿外国银币而铸造的，故名。

【洋流】也叫海流。海洋中海水常年按一定方向的大规模流动。按水温可分为寒流和暖流。

【洋溢】指情绪、气氛等饱满而充分流露。例热情～|到处都～着欣欣向荣的气象。

【洋金花】即"曼陀罗"(664页)。

【洋务运动】即所谓自强新政、同光新政。19世纪60—90年代(清朝同治、光绪年间)，清政府采用西方资本主义国家的技术，创办新式军事工业(如江南制造总局、马尾船政局)、民用工业(如轮船招商局、开平矿务局、上海机器织布局和汉阳炼铁厂)，建立新式海军和陆军的活动。引进了西方近代科学生产技术，培养了一批科技人员和技术工人，客观上刺激了中国资本主义的发展，对当时的社会生产力起了一定的推动作用。

【洋洋大观】形容事物丰富多彩，美好繁多。

【洋洋自得】形容非常得意、自我欣赏的样子。

烊 ㊀ yáng ❶熔化(金属)。❷〈方〉融化。例糖～了。

㊁ yàng (1144页)。

蛘 yáng 也叫米蛘、米象、牛子。昆虫。生在粮米里的一种小黑甲虫。

阳(陽) yáng ❶太阳。例～光。❷露在外面的；凸出的。与"阴"相对。例～沟|～文。❸山的南面；水的北面。多用于地名，如衡阳(在衡山之南)、洛阳(在洛水之北)。❹古代哲学概念。中国古代哲学家认为阴阳是贯穿于一切事物的两个对立面。与"阴"相对。❺指男性生殖器。❻带正电的。例～极|～离子。❼有关活人和人世的。例～寿|～间。❽古又同"佯"。

【阳历】也叫太阳历。历法的一种。年的长度以地球绕太阳公转周期(365日5时48分46秒)为依据，月的长短则是人为决定，与月亮圆缺无关。现代各国通用的公历就是由阳历改编而成的，通称阳历。

【阳文】印章或器物上凸出的花纹或文字。

【阳平】汉语声调的一种。普通话阳平是高升调，以符号"ˊ"表示。如红(hóng)、旗(qí)、渠(qú)。

【阳电】即"正电"(1255页)。

【阳刚】雄健，刚劲。形容男子的气质。例～之美。

【阳关】❶古关名。西汉置，在今甘肃敦煌西南古董滩附近。在玉门关之南，故名。当时阳关和玉门关是对西域交通的门户，玉门关为北道，阳关为南道。❷古关名。战国时巴国三关之一，在今重庆东石洞关。三国蜀又置关于此。

【阳极】一般指电解池中与电势较高的直流电源线相连结的电极。电子管中收集阴极所发射的电子的阳极也叫板极。

【阳性】❶诊断疾病时对某种试验或化验结果的表示方法。阳性表明体内有某种病原体存在或对某种药物有过敏反应。❷见〔阴性〕②(1174页)。

【阳桃】同"杨桃"(1140页)。

【阳韵】也叫阳声韵。指带鼻辅音韵尾的韵母。如真(zhēn)、东(dōng)中的en、ong即为阳韵。

【阳关道】原指经过阳关(古关名，在今甘肃敦煌西南)通往西域的大道。后泛指宽广通畅的大道。也比喻通往美好前景的道路。

【阳生植物】要求有充分的直射阳光才能生长或生长良好的植物。对强光的利用能力高。如马尾松、白桦和大多数的农作物。
【阳伞效应】大气中的颗粒物反射和吸收太阳辐射,使地表获得太阳辐射减少,引起地表和近地气温降低的现象。
【阳奉阴违】表面上遵从,暗地里不执行。
【阳春白雪】春秋时楚国歌曲名。因为高深难懂,能和唱的人很少。后多用来比喻高雅的或不通俗的文学艺术作品。与"下里巴人"相对。

yǎng ㄧㄤˇ

卬⊠ ㊀ yǎng 同"仰"。
㊁ áng(12页)。

仰 yǎng ❶抬头向上。与"俯"相对。㊎~望。❷敬慕;佩服。㊎敬~。❸依赖。㊎~仗|~给|~人鼻息。
【仰仗】依赖;倚仗。
【仰光】缅甸首都。位于该国中部伊洛瓦底江三角洲的东部。人口约500万(1997年)。是全国政治、经济、文化中心和最大商港,也是重要交通枢纽。仰光大金塔世界闻名。
【仰角】见〔高度角〕(310页)。
【仰泳】❶游泳姿势之一。仰卧水中,用两臂交替划水、两腿交替打水使身体前进。较省力,能持久。❷游泳运动项目之一。运动员用仰泳姿势游泳,比赛速度。
【仰药】抬起头来服药。指服毒自杀。
【仰给】依靠别人供给。给(jǐ)。
【仰望】❶抬头向上看。❷表示敬慕和期待。
【仰赖】依赖。
【仰慕】敬仰,思慕。
【仰人鼻息】依赖别人的呼吸生活。比喻不能自主,看人脸色行事。《后汉书·袁绍传》:"袁绍孤客穷军,仰我鼻息。"仰:依赖。鼻息:指呼吸。
【仰韶文化】也叫彩陶文化。中国新石器时代的一种文化。距今约六千年,遗址主要分布在黄河上游和中游。1921年在河南渑(miǎn)池仰韶村首次发现,故名。后陆续在西北、华北等地发现多处。其中以陕西西安半坡遗址的发现最有代表性。这时期的经济生活以农业为主,畜牧、渔猎为辅,已进入母系氏族公社制繁荣时期。

坱⊠ yǎng 尘埃。

养(養) yǎng ❶供给生活资料或生活费用。㊎抚~|~老院。❷饲养;培植。㊎~猪|~花。❸生育。㊎~了一个孩子。❹调治;保养。㊎~病|~路。❺培养。㊎~成良好习惯。❻领养的;非亲生关系的。㊎~子|~母。❼扶植。㊎以副~农。❽指修养。㊎教~|学~。
【养父】男子收养他人子女做自己的子女,该男子是被收养人的养父。
【养生】保养身体。㊎~之道。
【养母】女子收养他人子女做自己的子女,该女子是被收养人的养母。法律上养父母与养子女的关系与亲父母与亲子女的关系相同。
【养护】保养维护。
【养育】抚养教育。
【养料】能供给有机体营养的物质。
【养殖】水生动植物的培养和繁殖。
【养路】对铁路或公路线进行各种养护和维修工作。
【养颜】养护面部皮肤。
【养子女】被他人收养做子女,被收养人是收养人的养子女。法律上与亲子女享有同等的权利。
【养虎遗患】比喻纵容坏人,给自己留下祸患。《史记·项羽本纪》:"楚兵疲食尽…今释弗击,此所谓养虎自遗患也。"
【养痈成患】也说养痈遗患。长了毒疮,不及时医治,以致危及生命。比喻对坏人坏事姑息宽容,结果造成祸患。痈:毒疮。
【养尊处优】处在优裕的地位或环境中,安于享乐。处(chǔ)。
【养精蓄锐】养足精神,积蓄力量。锐:锐气,力量。

氧 yǎng 气体元素,符号O,原子序数8。是地壳中含量最多的元素。氧气无色无臭,约占空气总体积的1/5,是动植物呼吸不可缺少的物质。用于医疗、炼钢、焊接和切割金属等。
【氧吧】备有输氧装置专供人吸氧气的营业性场所。吧:英语音译。
【氧化物】元素与氧化合生成的化合物。如二氧化碳、氧化钙等。
【氧化剂】在氧化还原反应中,得到电子的物质叫氧化剂,失去电子的物质叫还原剂。

常用的氧化剂有氧气(O_2)、氯气(Cl_2)、高锰酸钾($KMnO_4$)等,常用的还原剂有氢气(H_2)、碳(C)、保险粉($Na_2S_2O_4$)等。

Y

【氧化性】一种物质能够从其他物质夺得电子,本身能被还原的性质。

【氧化反应】指物质跟氧发生的化学反应。也泛指物质(分子、原子或离子)失去电子的反应,元素化合价升高。氧化反应与还原反应总是同时发生。参见〔氧化还原反应〕(1144页)。

【氧化还原反应】有电子得失或偏移(元素化合价升降)的化学反应。在这类反应中,某种原子失去电子,发生了氧化(元素化合价升高),另一种原子则得到电子,发生了还原(元素化合价降低)。氧化反应和还原反应同时发生。

痒(癢) yǎng 皮肤或黏膜受刺激,需要抓挠的感觉。

瀁⊠ yǎng 见〔沆瀁〕(1013页)。

yàng ㄧㄤˋ

怏 yàng 不高兴或不满意的神情。㊀~~不乐。

鞅 ㊁ yàng 牛鞅,牛拉东西时架在脖子上的短粗曲木。

㊀ yāng (1139页)。

样(樣) yàng ❶形状;模样。❷种类。㊀各式各~。❸用来作标准的。㊀~品|~板。

【样本】❶研究某个问题时,从对象的所有观测结果中抽取一部分样品,这部分样品叫做所有观测结果的样本。❷商品图样的印本或剪贴纸张、织物而成的本子。❸出版物的作为样品的本子。

【样张】印刷出来作为样品的单页。

【样板】❶工业上供检验或划线用的作为标准的板状工具。❷比喻作为学习、仿效的榜样。㊀树立~。

【样本方差】简称方差。样本中各数据与样本平均数的差的平方的平均数叫做样本方差。它表示数据的分散程度。用公式表示:

$$S=1/n\sum_{i=1}^{n}(x_i-x)。$$

烊 ㊁ yàng 见〔打烊〕(162页)。

㊀ yáng (1142页)。

恙 yàng 病。㊀无~。

【恙虫病】由立克次体引起的急性传染病。通过恙螨(恙虫)叮咬传播。主要症状是发热、头痛、淋巴结肿大等。恙虫叮咬部位起红疹,后成焦痂、溃疡。

羕⊠ yàng 水流悠长的样子。

漾 yàng ❶水面微微动荡。㊀荡~。❷液体溢出来。㊀缸里的水~出来了。

【漾濞】地名。在云南西部。濞(bì)。

yāo ㄧㄠ

幺 yāo ❶数目"1"的另一种说法。❷〈方〉排行最末的。㊀~叔|~妹。

【幺麽】微小。㊀~小丑(指微不足道的坏人)。麽(mó)。

吆 yāo 大声呼喊。㊀~五喝六。

【吆喝】大声叫喊(多指叫卖东西、赶牲口等)。

夭(❷*殀) yāo ❶茂盛而美丽。㊀~桃秾李。❷未成年而死。㊀~亡。

【夭折】❶早死。❷比喻事情中途失败或废止。

【夭矫】形容弯曲而有气势。

妖 yāo ❶反常怪异的事物。㊀~异。❷装束奇特而显得不正派;邪恶而迷惑人的。㊀~里~气|~言惑众。❸艳丽;妩媚。㊀~娆。

【妖冶】装扮得过分艳丽而不庄重。

【妖娆】妩媚艳丽。

【妖艳】艳丽而不庄重。

【妖媚】姣美而不正派。

【妖孽】迷信的人指妖怪。也指所谓怪异不祥的人或事物。

【妖言惑众】对人散布荒诞离奇的谎话,进行蛊惑。

【妖魔鬼怪】迷信的人称怪异害人的东西。后比喻形形色色危害人民利益的坏人。

约(約) ㊁ yāo 称重量。㊀你~一~有多重。

㊀ yuē (1215页)。

要 ㈡ yāo ❶求。㊀～求。❷胁迫；有所仗恃而强行要求。㊀～挟。❸古又同"腰"。

㊀ yào（1147 页）。

【要击】同"邀击"（1145 页）。

【要求】提出具体事项或愿望，希望做到或实现。㊀～大家认真学习。

【要挟】利用对方的弱点，仗恃自己的势力，强迫对方答应自己的要求。挟（xié）。

葽☒ yāo ❶也叫师姑草、赤雹子。草名。❷形容草茂盛。

喓☒ yāo 〔喓喓〕虫叫的声音。

腰 yāo ❶身体中部胯上肋下的部分。❷事物的中间部分。㊀山～｜当～。

【腰斩】❶古代的一种酷刑。从腰部把身体斩为两段。❷比喻把事物从中间截断。

【腰带】❶束腰的带子；裤带。❷人的下肢和脊椎动物的腹鳍或后肢与脊柱相联系的构造。人和哺乳动物的腰带由髂骨、坐骨和耻骨三骨相互愈合成为髋骨，并与骶骨相联组成骨盆。

【腰椎】人和脊椎动物腰部的脊椎骨。人的腰椎共 5 块。

【腰鼓】击乐器。长圆形。两面蒙皮。斜挂腰部，双手各执鼓槌，两面击奏，边击边舞。

【腰果树】也叫鸡腰果。常绿灌木或小乔木。果实心脏形或肾形，两侧压扁，长约 25 毫米。原产于南美。种子可供食用。

【腰鼓舞】也叫打腰鼓。中国汉族民间舞蹈。舞者身挂腰鼓，边敲边舞，节奏强烈，动作健美。

邀 yāo ❶约请。㊀特～代表。❷求取。㊀求功～名。❸拦截。㊀～击。

【邀击】也作要击。在敌人行进中途加以攻击。

【邀功】❶求取功劳。❷把别人的功劳抢过来当作自己的。

【邀会】即"合会"（386 页）。

【邀约】约请。

【邀请】有礼貌地请人来。

【邀集】邀请许多人到一起。

【邀请赛】一种体育比赛形式。由单位或国家组织，邀请许多单位或国家参加的体育比赛。

yáo ㄧㄠˊ

爻 yáo 组成《周易》卦的长短横道，即"⚊"和"⚋"。"⚊"是阳爻，"⚋"是阴爻。

肴（*餚） yáo 鱼肉等荤菜。㊀酒～。

【肴馔】丰盛的饭菜。馔（zhuàn）。

尧（堯） yáo 古人名。传说中的中国古代帝王。号陶唐氏，史称唐尧。他死后通过禅让制度由舜继位。

【尧天舜日】比喻太平盛世。

侥（僥） ㈡ yáo 见〔僬侥〕（490 页）。㊀ jiǎo（491 页）。

峣（嶢） yáo 形容高峻。

【峣峣】高峻的样子。比喻人的高傲刚直。㊀～者易缺，皦皦者易污。

垚☒ yáo 高。

轺（軺） yáo 轺车，古代一匹马驾驶的轻便小车。

姚 yáo 姓。

珧 yáo ❶蚌属。参见〔江珧〕（483 页）。❷蚌蛤的甲壳。

铫（銚） ㈡ yáo 古代的一种大锄。㊀ diào（213 页）。

陶 ㈡ yáo 见〔皋陶〕（308 页）。㊀ táo（962 页）。

窑（*窯*窰） yáo ❶烧制砖瓦陶瓷等物的建筑物。㊀砖～。❷土法采煤开凿的洞。㊀煤～。❸窑洞，在坡上挖成的供人居住的洞。

【窑子】妓院的俗称。

【窑姐儿】妓女的俗称。

傜☒ yáo 同"徭"。

谣（謡） yáo ❶歌谣。㊀民～｜童～。❷凭空捏造的话。㊀造～。

【谣传】❶谣言流传。❷流传的谣言。

【谣诼】造谣毁谤。诼（zhuó）。

摇 yáo 使物体来回动。

【摇曳】摇荡。曳（yè）。

【摇会】见〔合会〕（386 页）。

【摇晃】晃动。

【摇落】凋残，零落。

【摇撼】摇动（树木、柱子、建筑物等）。

【摇篮】❶可以摇动的婴儿卧具。❷比喻革命、运动、文化等的发源地。㊀井冈山是中国革命的～。

【摇头丸】即二亚甲基双氧苯丙胺。毒品的一种。是强兴奋剂，服用可成瘾。服用后情感激动，摇头狂舞，精神混乱，并可引发急性心脑疾病。

【摇滚乐】20世纪50年代中期兴起于美国的通俗音乐。将黑人的“节奏布鲁斯”与白人的“乡村与西部音乐”结合而逐渐形成。特点是在拍子后面击奏带舞蹈动作的音乐。感情奔放，节奏强烈。

【摇尾乞怜】狗摇尾巴向主人乞求爱怜。比喻装出一副媚态，求取别人的欢心。唐韩愈《应科目时与人书》：“若俯首贴耳、摇尾而乞怜者，非我之志也。”

【摇唇鼓舌】用花言巧语拨弄是非。也指利用口才进行游说。《庄子·盗跖》：“尔（孔子）…摇唇鼓舌，擅生是非。”

【摇摇欲坠】形容极不稳固，就要落下来，或就要垮台。

【摇旗呐喊】原指古代作战时摇着旗子，大声喊杀助威。现比喻给别人助长声势（多含贬义）。

徭 yáo 徭役，古时统治者强迫人民承担的无偿劳动。

遥 yáo 远。㊀～望。

【遥测】对被测对象的某些参数进行远距离测量。过程是，首先由传感器探测被测对象的某些参数并转变成电信号，然后应用多路通信和数据传输技术将这些电信号传递到远处的遥测终端，进行记录、处理及显示等。

【遥控】❶对被控对象进行的远距离控制。分有线电遥控和无线电遥控。如生产过程自动化、制导等。❷远距离指挥或控制。

【遥感】一种非接触的远距离探测技术。通过地面或飞机、卫星等运载工具上的传感器（照相机、扫描仪、雷达等），记录被测物体发射、反射或散射的电磁波信息，并处理为图像或计算机用磁带数据。经过分析、判断，识别各种被测物体，进而揭示它们的空间分布和变化规律。广泛用于农业、地质、海洋、水文、气象测绘、环境保护、防灾救灾、军事等领域。

【遥遥】❶形容距离远。㊀～相对。❷形容时间长。㊀～无期。

【遥感器】一种能感测到远处目标的性质、特点的设备。广泛应用在军事侦察、地质资源勘探、海洋观察、大气测量、洪水与地震预报等方面。

瑶 yáo ❶美玉。也比喻美好。㊀琼～｜～章。❷瑶族。

【瑶池】神话中说是西王母住的地方。

【瑶族】中国少数民族之一。人口214万（1990年）。主要分布在广西壮族自治区，部分在湖南、云南、广东和贵州等省。多住山区。有本民族语言，多通汉语文。主要从事农业，部分兼营林业。建立有广西壮族自治区恭城、富川、都安等多个瑶族自治县。

飖□（飆） yáo 见〔飘飖〕（752页）。

繇 ㊁ yáo ❶同“徭”。❷同“谣”。
㊀ yóu（1194页）。
㊂ zhòu（1290页）。

鳐（鰩） yáo 鱼类的一科。体扁平，略呈圆形、斜方形或菱形，尾延长或细长呈鞭状。生活在海洋中。有些种类身上有发电器官，能产生电流，用于拒敌和猎食。中国产五十余种。

傜⊠ yáo 喜悦。

yǎo ㄧㄠˇ

杳 yǎo 深远；无影无声。㊀～无音信。

【杳无音信】没有一点音信。

【杳如黄鹤】唐崔颢《黄鹤楼》诗：“黄鹤一去不复返，白云千载空悠悠。”后用“杳如黄鹤”比喻一去不返，无影无踪。

咬（*齩） yǎo ❶上下牙齿对着用力夹住或弄碎东西。❷钳子夹住或齿轮、螺丝等互相卡住。❸指受责难或受审讯时牵扯别人（多指无辜的）。㊀反～一口。❹话说得肯定。㊀一口～定。❺读准字音；对字句的意思过于计较。㊀～字清楚｜～文嚼字。❻狗叫。㊀鸡鸣狗～。

【咬群】有的家畜好跟同类争斗。比喻在集体生活中，害怕别人超过自己，设法将别人拉下自己上去的行为。

【咬牙切齿】由于极端愤怒或忍住极大的痛苦而咬紧牙齿。

【咬文嚼字】形容过分地斟酌字句，或死抠

字眼儿。

窔⊠ yǎo ❶屋子的东南角。❷深暗处。

舀 yǎo ❶用瓢、勺等取东西(多指流质)。㊀～水|～汤。❷舀子,舀东西的器具。

窅 yǎo ❶眼睛眍(kōu)进去。❷深远。

【窅窊】深远的样子。窊(wā)。

窈⊠ yǎo 〔窈窱〕窈窕。窱(tiǎo)。

窈 yǎo 幽深辽远。

【窈窕】❶形容女子文静、美好。❷(宫室、山水)幽深。

嫑⊠ yǎo 〔嫑嬝〕形容纤细美好。嬝(niǎo)。

騕⊠(騕) yǎo 〔騕褭〕古代良马名。褭(niǎo)。

溔⊠ yǎo 〔灏溔〕水无边际的样子。灏(hào)。

麇⊠ yǎo 幼小的麇鹿。

yào ㄧㄠˋ

疟(瘧) ㊁ yào 义同"疟(nüè)"。用于"疟子"。

㊀ nüè (728 页)。

药(藥) yào ❶一种可以治病的物品(多指能吃的、敷的或熏洗的)。❷某些有化学作用的物质。㊀火～|杀虫～。❸医治。㊀不可救～。❹毒杀。㊀～老鼠。

【药叉】即"夜叉"(1151 页)。

【药石】中医治病的药物和砭(biān)石。也泛指药品。

【药材】制药的原料。也泛指药物。一般用于中药方面。㊀川广～。

【药典】某些国家对药品规格所定标准的法规性文件。它规定比较常用的、有一定防治效果的药品和制剂的标准规格和检验方法,是药品生产、经营、使用和管理的依据。2000 年《中华人民共和国药典》(第七版)出版。

【药剂】根据药典或处方配成的制剂。

【药茶】中成药剂型之一。将药材及茶叶(或不用茶叶)轧成粗末或加入黏合剂制成块状,应用时以沸水泡汁当茶喝,也可煎服。如午时茶。

【药疹】也叫药性皮炎。由药物引起的皮肤黏膜变态反应。有红斑型、紫癜型、剥脱皮炎型等。严重的可致命。

【药酒】中成药剂型之一。用酒浸泡药物,浸出其有效成分所制得的澄明液体药品。如参茸酒。

【药理】药物在防治疾病中对机体的作用及其原理。如药物在体内被吸收、转化、排泄等过程。

【药检】❶国家有关部门对药品质量进行化验检查。❷对参加比赛的运动员是否服用违禁药物进行检查测定。

【药锭】中成药剂型之一。将药材粉碎成细粉,加适当黏合剂制成的固体药品,供内服或外用。如紫金锭。

【药膳】指本身有药理作用的食物或配有某些中药的膳食。

【药引子】中药药剂中另加的一些能加强药剂效力的药物。

【药物依赖】患者强迫性地要求连续或定期使用某种药物的现象。依赖性药物主要有六类:(1)阿片类(包括镇痛药、阿片、吗啡、海洛因等);(2)可卡因;(3)印度大麻;(4)致幻剂;(5)挥发性化合物(如氯仿、丙酮、四氯化碳等);(6)烟碱(包括烟草、鼻烟等)。

要 ㊀ yào ❶重要。㊀～塞|～旨。❷主要的内容。㊀摘～|纲～。❸希望得到;希望持有。㊀他～一本词典|这本书我还～呢。❹叫;让。㊀他～你立刻去。❺应该;必须。㊀～认真负责。❻需要。㊀以前进城～三个多小时,现在坐车半小时足够了。❼副词。将要。㊀我们～毕业了。❽连词。如果;要么。㊀～不赶快播种,就会误了农时|～就坚持练下去,～就放弃,可别三天打鱼两天晒网。

㊁ yāo (1145 页)。

【要人】指官居要职、有权势的人。

【要义】重要的内容或道理。

【要目】重要的条目或篇目。

【要犯】重要的罪犯。

【要旨】主要的意思。

【要冲】交通要道汇集的地方。也泛指重要的路口。

【要约】希望与他人订立合同的意思表示。

该意思表示的内容应具体确定，并且应表明一经受要约人承诺，要约人即受该意思表示约束。到达受要约人时生效，可以撤回、撤销。是合同订立的一种方式。与“承诺”相对。

【要员】指担任重要职务的人员。

【要闻】重要的新闻。

【要津】重要的渡口。比喻显要的职位或地位。

【要素】构成事物的必要因素。

【要害】❶身体上的致命部位。泛指事物的紧要处。❷比喻军事上关系全局安危的目标或部位。

【要案】重要案件。

【要略】阐述要旨的概说。多用于书名。

【要领】❶要点。㊞掌握～。❷体育和军事训练中某项动作的基本要求。㊞射击～。

【要隘】险要的关口。

【要塞】构筑永久性工事进行长期坚守的国防战略要地。通常配置专门守备部队、较强的火器和充足的储备物资。塞(sài)。

【要言不烦】说话、写文章简明扼要，不烦琐。

【要素市场】劳动力、资本、技术等生产诸要素买卖与让渡的场所和领域。

【要素收入】劳动力、资本、土地等生产要素在收入分配中的所得。表现为工资、利息(股息)、地租等形式。

钥(鑰) ㊁ yào 钥匙。㊀ yuè (1216 页)。

【钥匙】开锁的东西。匙(shi)。

袎☒ yào 同“靿”。

靿 yào 靴筒；袜筒。㊞高～靴子。

鹞(鷂) yào 鸟类。雌雄羽色不同。体形瘦长，翅、足及尾均长，头略像鸮(xiāo)类，在地上做巢。

曜 yào ❶日光。❷照耀。❸日、月、星都叫曜。日、月和火、水、木、金、土五星为七曜，旧时分别用来称一个星期的七天，日曜日是星期日，月曜日是星期一，其余依次类推。

耀(*燿) yào ❶光线强烈地照射。㊞～眼。❷张扬；显示出来。㊞夸～。❸光荣。㊞荣～。❹光芒。㊞光～。

【耀斑】也叫太阳色球爆发。太阳色球层的某些区域短时间突然增亮的现象。常随太阳黑子群的增多而增多，周期是 11 年。一个耀斑的寿命是几分钟到几小时。有的耀斑出现后，在地球上会引起磁暴和短波电讯中断。

【耀武扬威】炫耀武力，显示威风。

yē ㄧㄝ

耶 ㊁ yē 音译用字。如耶路撒冷。㊀ yé (1149 页)。

【耶稣】基督教创始人。该教说他是上帝(或称天主)的儿子，降世救人，生于犹太伯利恒，因传教触怒犹太教统治者，被钉死在十字架上，死后复活升天。参见〔基督〕(449 页)。

【耶和华】犹太教信奉的最高的神。基督教里用作上帝的同义词。

【耶稣会】1539 年由西班牙人依纳爵创立的一个天主教团体。是天主教会反对宗教改革和社会进步力量，并向海外扩张天主教势力的主要修会。明末清初传入中国。

【耶稣教】基督教(新教)在中国的另一名称。

【耶路撒冷】巴勒斯坦首都，世界闻名的古城之一。位于巴勒斯坦中部。人口 60 万(1996 年)。伊斯兰教、基督教和犹太教都奉为圣地。

【耶律阿保机】(872—926)即辽太祖。辽王朝建立者。契丹迭剌部人。公元 905 年曾率部参加中原藩镇混战，先后北击室韦，东北讨女真，西南破奚，南掠唐代北、河东之地，公元 907 年被八部酋长推尊为契丹可汗。公元 916 年建元称帝，国号契丹。在位时重用汉人，改革旧俗，创制契丹文字，推动了生产的发展。

倻 yē 见〔伽倻琴〕(466 页)。

椰 yē 椰子，常绿乔木。果实里面的果汁可作饮料，也可酿酒，种子可榨油。

掖 ㊁ yē 把东西塞进(衣袋等)。㊀ yè (1152 页)。

暍☒ yē 中暑。

噎 yē ❶食物堵住食管。㊞因～废食。❷用话顶撞别人，使人受窘、生气而说不出话来。㊀他说这话怪～人的。

【噎膈】中医病证名。指食道癌、食道痉挛等一类疾病。主要症状是咽下困难，逐渐滴水不下或食入即吐。

蠮⊠ yē 〔蠮螉〕细腰蜂的俗称。

yé ㄧㄝˊ

邪 ㊁ yé ❶莫邪。参见〔干将莫邪〕(302页)。❷同“耶(yé)”。
㊀ xié (1087页)。

揶⊠ yé 同“揶”。

铘(鋣) yé 见〔镆铘〕(698页)。

爷(爺) yé ❶爷爷，称祖父。❷父亲。㊀～娘。❸对长辈或年长的男子的尊称。㊀秦～。❹对某些神的称呼。㊀土地～｜龙王～。

耶 ㊀ yé ❶文言助词。相当于“吗”“呢”。㊀是～非～？❷同“爷”。
㊁ yē (1148页)。

揶 yé 〔揶揄〕耍笑；嘲弄。揄(yú)。

擨⊠ yé 〔擨歈〕揶揄。歈(yú)。

yě ㄧㄝˇ

也 yě ❶副词。1. 表示同样。㊀水库的水可以用于灌溉，～可以养鱼。2. 表示加强语气。㊀救命之恩永世～不能忘。3. 表示转折或让步。㊀由于兴建了水库，虽然一冬无雪，～没关系。4. 表示别无办法。㊀到现在才下雨，～只好种荞麦了。5. 重复使用表示两件事的并列或相对待。㊀他～会开拖拉机，～会修机器｜你别这～不对那～不行地挑毛病。❷文言助词。1. 表示判断。㊀苟况者，赵人～｜所以然者何？水土异～。2. 表示停顿。㊀是说～，余尤疑之。

冶 yě ❶熔炼(金属)。㊀～金。❷过分的装饰；不正派的打扮。㊀～容｜妖～。

【冶金】指从矿石开始直到获得金属材料的综合过程。包括原料的准备、冶炼、加工等。有时也单把金属的冶炼叫做冶金。

【冶炼】用高温熔炼等方法，从矿石或其他含金属等的物料中把有用成分提取出来或进一步精炼。

【冶容】装扮得很妖艳。

野(*埜*壄) yě ❶郊外；村外。㊀田～｜～地。❷范围；界限。㊀视～｜分～。❸自生自长的。㊀～兽｜～草。❹蛮不讲理；没礼貌。㊀撒～｜粗～。❺不当权的；民间的。㊀朝～｜下～｜～史。❻不受约束。㊀～性｜心都玩～了。

【野马】哺乳动物。体形似家马。体长2米余。耳短小。鬃短而直。毛浅棕色。栖息于荒漠草原地带。群居。性凶野。产于中国西北地区。是中国国家重点保护动物。

【野牛】哺乳动物。体长2米余。雄牛肩高可达2米。头大，耳大，背脊发达而突出。四肢粗短。全身暗棕色，四肢下部白色，故又名白袜子。产于中国云南等地。是中国国家重点保护动物。

【野心】对领土、权势、名位等大而非分的欲望。㊀～勃勃｜狼子～。

【野史】指旧时私人编写的历史书。与“正史”相对。

【野生】生物在自然环境里生长而不是由人饲养或栽培。

【野鸡】雉的通称。

【野驴】哺乳动物。体较家驴大。夏季毛赤棕色，背中央有一条杂有褐色的细纹，冬季毛灰黄色。生活在中国西北荒漠和半荒漠地带。

【野味】可以供肉食的野生禽兽；也指用野生禽兽所制作的菜肴。

【野炊】在野外用制式炊具或就便器材烧火做饭。

【野鸭】鸟类。狭义指绿头鸭，是家鸭的远祖。广义指多种鸭类。通常比家鸭小。趾间有蹼，善游水。多群栖于湖泊中。

【野营】到野外搭营帐住宿，是军事或体育活动的一种。

【野猪】哺乳动物。体长约1.2米。体面疏生刚毛，黑褐色。犬齿极发达，雄的成巨牙状。吻部比家猪长。性凶暴。通常夜出掘食农作物。中国各地均产。

【野蛮】❶蒙昧不开化。与“文明”相对。❷蛮横霸道，不讲道理。

【野餐】在野外进餐。

【野骆驼】哺乳动物。未经驯化的骆驼。体形瘦高,四肢细长,蹄大且肉垫厚,毛淡棕黄色。产于中国新疆、青海、甘肃、内蒙古及蒙古国的荒漠地带。是中国国家重点保护动物。

【野战军】❶中国人民解放军曾用的对执行全国机动作战任务的陆军部队的称谓。与“地方军”相对。❷解放战争时期,中国人民解放军中担负机动作战任务的战略战役军团。是作战部队最高一级建制单位,由若干个兵团或军组成,隶属于中央军委。如第一、二、三、四野战军,华北野战军等。

【野兽派】也叫野兽主义。法国现代画派之一。对形象简化变形,大胆运用明艳的纯色,强调色彩自身的表现性。1905 年画家马蒂斯等的作品在巴黎秋季沙龙展出,被批评家讥笑为“一群野兽”,故名。代表人物有马蒂斯等。

yè ㄧㄝˋ

业(業) yè ❶事业。㊀创～。❷职业。㊀就～。❸学业。㊀毕～|肄～。❹行业。㊀各行各～。❺从事(某种行业)。㊀～工|～农。❻产业;财产。㊀～主。❼已经。㊀～经公布。

【业已】副词。已经。㊀～调查属实。

【业务】个人或机构所从事的专业工作。

【业主】企业或财产的所有者。

【业师】称教过自己的老师。

【业经】已经(多用于公文)。

【业绩】建立的功劳和完成的事业;重大的成就。

【业障】❶佛教指妨碍修行的罪恶。❷旧时家长骂不肖子弟的话。

【业余教育】利用业余时间对工人、农民、干部等进行的文化、科学、技术教育。

邺(鄴) yè 古地名。在今河南北部安阳一带。

【邺都】古都邑名。故址在今河北临漳西南。春秋时齐桓公始筑,战国时魏文侯曾奠都此地。汉代后为魏郡治所。建安十八年(213)曹操为魏王,定都于此。曹丕代汉迁都洛阳,邺都为五都之一。北朝的北齐也曾于此定都。自曹操至北齐,此地长期是中原地区最繁荣富庶的都会之一。

岦⊠(嶪) yè 〔岌岦〕形容山高耸的样子。

叶(葉) ㊀ yè ❶叶子,植物的营养器官之一。㊀树～|花～。❷某些像叶子的薄片。㊀铜～|扇～。❸同“页”。❹较长时期的某一段。㊀ 20 世纪中～。

㊁ xié (1087 页)。

【叶芽】能发育成枝和叶的芽。外形一般较花芽瘦长。

【叶序】叶在茎上的排列方式。常见的有互生、对生、轮生等。

【叶挺】(1896—1946)中国无产阶级革命家、军事家,中国人民解放军的创建人和领导人。字希夷,广东惠阳县人。1922 年任孙中山大本营警卫团营长。1924 年去苏联学习,1925 加入中国共产党。北伐战争时任国民革命军第四军独立团团长。该团在湖北汀泗桥和贺胜桥等战役中击溃军阀吴佩孚主力,被誉为“铁军”。1927 年先后参加领导南昌起义和广州起义。抗日战争时期任新四军军长。1941 年 1 月在皖南事变中被国民党扣留。在中共中央坚决要求下,1946 年 3 月获释,4 月 8 日由重庆返延安途中因飞机失事遇难。

【叶适】(1150—1223)南宋思想家。字正则,号水心,温州永嘉(今属浙江)人。主张抗击金朝收复失地。哲学上肯定世界的物质性,认为道理不能离开事物。强调认识必须通过“耳目之官”和外界事物接触,然后经过“心之官”把两方面结合起来,“内外交相成”,才能得到全面的知识。著有《水心先生文集》等。

【叶脉】叶片上的脉纹。即贯穿在叶肉内的维管束。有运输水分、养料及支持叶片的作用。

【叶猴】哺乳动物。猴的一类。身体纤瘦,四肢细长,头小,尾长。以树叶为主食。是中国国家重点保护动物。

【叶酸】也叫维生素 M、维生素 Bc。存在于肝、肾、酵母及豆类、菠菜、番茄等内的一种营养素。现已能人工合成。是细胞生长和分裂所必需的物质,用于治疗各种巨幼红细胞性贫血。参见〔抗贫血药〕(552 页)。

【叶螨】螨的一类。体微小,红色或黄色,有刺吸式口器,群集叶部吸食液汁,对农业有害。多发于干旱季节。曾误称红蜘蛛,如棉红蜘蛛、麦红蜘蛛、苹果红蜘蛛等。可用杀螨剂防治。

【叶圣陶】(1894—1988)中国现代文学家、

语文教育家。原名绍钧，江苏苏州人。1921年参与组织文学研究会。1923年出版童话集《稻草人》和小说集《隔膜》等，并开始从事编辑出版工作。1928年创作长篇小说《倪焕之》，描写主人公由教育报国走向社会革命并最终沉沦的艰难历程。30年代后，一直致力于语文教学和语文教材的编著、出版工作。有《叶圣陶集》。

【叶剑英】（1897—1986）中国无产阶级革命家、军事家，中国共产党和中华人民共和国的领导人，中国人民解放军的创建人和领导人。原名宜伟，字沧白，广东梅县人。1924年参与筹办黄埔军校。1927年加入中国共产党，参与领导广州起义。1934年参加长征，任红军前敌总指挥参谋长，和张国焘分裂革命的阴谋进行了坚决斗争。1936年协助周恩来促成西安事变的和平解决。抗日战争时期任八路军参谋长，抗战胜利后协助周恩来同国民党谈判，后到北平任军调处执行部中共代表。1947年起任中共中央后方委员会书记、北平军管会主任、北平市市长。1949年后，历任中南军政委员会副主席、中共中央华南分局第一书记、广东省人民政府主席、华南军区司令员、中南军区代司令员、中共中央中南局代理书记、国防委员会副主席、军事科学院院长兼政委、全国政协副主席、中央军委副主席兼秘书长、中央书记处书记等职。1955年授予中华人民共和国元帅军衔。“文化大革命”期间，同林彪、“四人帮”进行坚决斗争，在1976年粉碎“四人帮”斗争中起决定作用。后被选为全国人大常委会委员长、中央军委副主席、中共中央副主席。1986年在北京病逝。有《叶剑英选集》《叶剑英军事文选》等。

【叶黄素】植物体中通常和叶绿素一起存在于叶绿体中的黄色色素。它能将吸收的光能传递给叶绿素，用于光合作用。

【叶绿体】存在于含叶绿素的绿色颗粒。常呈扁圆形，是进行光合作用的场所。

【叶绿素】存在于叶绿体中的绿色色素。光合作用就是在叶绿素的参与下进行的。它具有吸收和传递光能的重要作用。

【叶公好龙】汉刘向《新序·杂事》记载，有个叶公，非常喜欢龙，家里到处都画着龙，刻着龙。后来真龙来了，他却怕得要死。比喻表面上说喜好某种事物，实际上却害怕，甚至反对。叶（旧读 shè）。

【叶尼塞河】发源于蒙古国北部山地，向北纵贯西西伯利亚平原东部，入北冰洋。长4 130千米。流域面积270.7万平方千米。绝大部分在俄罗斯境内。主要支流分布于干流右岸。水能资源丰富，结冰期在6个月以上。

【叶落归根】比喻事物都有一定的归宿。宋普济《五灯会元》卷一：“叶落归根，来时无口。”后也指离开家乡的人最终要回到本乡本土。

【叶卡特林娜二世】叶卡特林娜·阿列克塞也芙娜·罗曼诺娃（1729—1796）俄国女皇（1762—1796年在位）。原为俄皇彼得三世之妻，后废彼得三世自立。在其统治期间，对内加强封建统治，扩大贵族地主特权，镇压普加乔夫起义；对外侵略扩张，攫取了大片领土。

页（頁）

yè ❶篇；张（指纸）。㊀活～|扉～。❷量词。旧指线装书的一篇儿，现指书的一面。

【页岩】沉积岩的一种。主要由黏土矿物和细小泥质颗粒压紧、胶结而成。多具薄层状构造，质软易碎，一般不透水。分布很广。

曳

yè 拉；牵引。㊀～光弹|弃甲～兵。

抴⊠

yè 同“曳”。

偞⊠

yè 轻薄；妖冶。

鍱⊠（鍱）

yè 槌（chuí）薄的金属片。

夜（*亱）

yè ❶从天黑到天亮的一段时间。与“日”相对。㊀日～不停。❷古又同“腋”。❸古又同“亦（yì）”。

【夜叉】梵语音译词。也译作药叉。佛经里说的一种吃人的恶鬼。有时又把它列为拥护佛教教义的众神之一。后有时比喻丑陋而凶恶的人。

【夜分】夜半。

【夜市】夜间营业的市场。

【夜作】夜间干活叫打夜作。

【夜盲】俗称雀盲眼。中医病证名。在暗光下视力减退、视物不清或看不见。因缺乏维生素A引起。

【夜战】在夜暗条件下进行的作战。一般利

Y

于隐蔽行动企图，有突然性，便于近战歼敌。现代夜视器材的发展和使用，使夜战条件发生了新的变化。

【夜莺】鸟类。体态玲珑，鸣声清脆婉转，多鸣于月夜，故名。大小似麻雀。羽色与环境调和，动作灵活，不易被发现。多活动于树丛间，食昆虫、蠕虫等。

【夜宵】夜里吃的点心、酒食等。

【夜阑】夜深；夜将尽时。㊀～人静。阑：将尽，将完。

【夜幕】夜间，景物就像被一幅幕布罩住一样，所以称夜间为夜幕。㊀～降临。

【夜鹰】也叫蚊母鸟。鸟类。体长约28厘米。羽色灰暗，背部有纵斑，胸部有横带。白昼多静伏山林间，黄昏出外捕食蚊、虻等。是食虫益鸟。

【夜大学】利用夜晚时间实施高等教育的学校。一般由全日制普通高等学校举办，也有由社会团体或企业举办的。

【夜来香】多年生藤本植物。夏秋开花，花冠呈高脚碟状，黄绿色，香气浓，夜间尤盛。可供观赏。也指这种植物的花。

【夜明珠】古代传说中夜间能放光的宝珠。

【夜总会】大城市中供人们夜间娱乐的场所。

【夜不闭户】夜里睡觉不关门，也没有人来偷盗。形容社会治安良好。

【夜长梦多】比喻时间拖长了，情况可能会发生不利的变化。清吕留良《家书》："荐举事近复纷纭，夜长梦多，恐将来有意外，奈何！"

【夜以继日】形容日夜不停。多指工作或学习等。《孟子·离娄下》："仰而思之，夜以继日。"

【夜郎自大】《汉书·西南夷传》记载，夜郎是汉朝时西南方的一个小国，自以为土地广大，是个大国。后用以比喻见识少、眼光浅而又妄自尊大。

掖　㊀ yè　用手搀着人的胳膊。借指扶助或奖励提拔。㊀扶～|奖～|提～。
㊁ yē (1148页)。

液　yè　液体。㊀血～|溶～。

【液化】气体物质变为液体的过程。可通过加压和冷却等方法来实现。

【液体】有一定体积，可随容器形状的变化而改变形状的物质。液体的性质介于气体和固体之间，在外力作用下不易改变其体积，但容易流动。如水、汽油等在常温下都是液体。

【液态】指物质的液体状态。

【液晶】液态晶体的简称。一种特殊的有机化合物。在一定温度范围内为介乎液体和晶体之间的状态。它像通常的液体一样具有流动性，而其分子排列又类似晶体，具有有序结构倾向，因而具有晶体光学特性。利用某些液晶在电场、磁场、热、压力等作用下改变透明度、颜色或反射率的性质，可制成显示器。

【液化气】液化石油气的简称。

【液压机】能够产生较大压力的机器。利用压强在静止液体中大小不变地向各个方向传递的原理而制成。有油压机和水压机两大类。用于锻造、冲压、压榨和起重等方面。

【液压传动】利用液体来变换或传递能量的一种方式。一般分静压传动和动液传动。在机床、工程机械及交通运输机械中广泛采用动液传动。

【液态气体】氨、氧、氮、氢等在常温常压下以气态存在，如果压缩它们并降低其温度，就使它们由气态变为液态，成为液态气体。液态气体有许多重要应用，如液氢和液氧是现代火箭和喷气发动机常用的高能燃料和氧化剂；液氮可用于治疗某些疾病；液态空气可用来产生极低的温度。

【液化石油气】简称液化气。由炼厂气或天然气加压(1兆帕左右)、降温(至常温)、液化而成，无色，有挥发性。主要成分是丙烷、丁烷、丙烯、丁烯等。可用作石油化工原料，也可作为燃料。

腋　yè　胳肢窝。

【腋芽】叶腋中的芽。即茎上长出的侧芽。

呹☒**(嚈)**　㊀ yè　〔呹哒〕古族名，又古国名。
㊁ yàn (1138页)。

擪☒**(擪)**　yè　用手指按。㊀～笛。

靥(靨)　yè　酒窝儿。㊀笑～。

咽　㊂ yè　声音阻塞。多指哭泣。㊀呜～|哽～。
㊀ yān (1130页)。
㊁ yàn (1138页)。

晔(曄) yè ❶兴盛;充满生机。❷"烨"的异体字。

烨(燁*爗) yè 火光或阳光炽盛的样子。

谒(謁) yè ❶进见。例拜～|～见。❷到陵墓致敬。例～中山陵。

黬☒ yè 变色。

馌(饁) yè 给在田里耕作的人送饭。

yī 丨

一 yī ❶数目。最小的正整数。❷专。例～心～意。❸满;全。例～身汗。❹相同。例大小不～。❺另外一个。例玉米～名玉蜀黍。❻副词。1. 与"就"相呼应,表示每逢或两事紧相连接。例每天天～亮,他就起来念书。2. 乃;竟。例～至于此。❼放在两个重叠的单音节动词中间,表示行为、动作短暂,不很费力气等。例看～看就走|想～想|跳～跳。❽放在"似""如"等字前,表示"真正""实在""始终"等意思。例～如既往。❾文言助词。放在"何"前,加强语气。例绩麻至夜半,～何苦也。❿工尺谱记音符号之一。相当于简谱的"7"。

【一二】一两个;很少。例略知～。

【一文】旧时钱币的数量名称。钱一枚为一文。

【一旦】❶一天之内(形容时间短)。例十年之功,毁于～。❷副词。表示不确定的时间。1. 表示忽然有一天。例～离别,还真有点舍不得了。2. 表示如果有一天。例植物～失去水分,就会慢慢枯死。

【一吊】旧时钱币的数量名称。一千文为一吊。

【一行】❶一群(指同行的人)。例代表团～昨抵北京。❷(683—727)唐代高僧,天文学家。姓张名遂,巨鹿(今河北)人。出家为僧后,取法号一行。精通天文和历法。他与梁令瓒一起造浑天铜仪和黄道游仪,并重新测定150余颗恒星的位置。他同南宫说等一起测量子午线一度的长度。在公元727年编成《大衍历》,对后世历法有很大影响。行(xíng)。

【一刬】〈方〉副词。完全;一概。例屋子里的家具、陈设,～都是新的。刬(chàn)。

【一应】所有的;一切。例～俱全。

【一味】副词。单纯地;一个劲儿地(多含贬义)。例对孩子的缺点,不应～迁就,要帮助他改正。

【一经】副词。表示产生某种结果或达到某种目的的先决条件。例～讲解,立即领悟。

【一贯】一向;从未改变。例艰苦朴素是他的～作风。

【一是】❶一切;一概。《礼记·大学》:"自天子以至于庶人,一是皆以修身为本。"❷都认为是正确的道理、做法等。《宋史·食货志》:"时有古今,世有升降,天地生财,其数有限,国家用财,其端无穷。归于一是,则生之者众,食之者寡,为之者急,用之者舒,之外无他技也。"❸全凭。《儒林外史》第十回:"一是二位老爷拣择。"

【一律】❶一个样子。例千篇～。❷适用于全体,无一例外。例～看待。

【一度】❶一次。例一年～的国庆节又到了。❷有过一阵。例初春～缺雨,影响了麦苗的返青。

【一般】❶一样;同样。例火～的热情。❷普通;平常。例～化。❸通常;处在正常情况下。例～来说,他的工作是很认真的。❹哲学范畴。指某类事物或一切事物普遍具有的属性,即共性。与"个别"相对。

【一得】所得极少。多用作谦辞。称自己见解肤浅或成绩微小。例～之见|～之功。

【一概】❶副词。表示适用于全体,没有例外。例不可～而论|～适用,毫无例外。❷完全;一切。例～俱全。

【一端】事物总体中的一点或一个方面。例此其～。

【一瞥】❶看了一眼。例朝他～。❷比喻很短的时间。例就在～之间,我已看出了他激动的心情。❸一眼看到的概况。例上海～。瞥(piē)。

【一瞬】转眼之间。形容时间极短。例～即逝。瞬(shùn):转眼。

【一翼】指一侧;一个方面。

【一刀切】比喻对复杂的事物不作具体分析,而是用一个标准(一个方法、一个政策等)来对待。例对什么事情都不能～。

【一元论】主张世界万物只有一个本原的哲学理论。认为这本原是物质的,是唯物主义一元论;认为这本原是精神的,是唯心主义一元论。

【一次性】只一次，不需第二次或不用作第二次。㊀～完成|～餐具。

【一字师】改正一个字的老师。唐代诗僧齐己作《早梅》诗，有“前村深雪里，昨夜数枝开”之句，郑谷改“数枝”为“一枝”。时人称郑谷为“一字师”。见宋陶岳《五代史补》卷三。

【一串红】也叫西洋红。多年生草本植物。高可达90厘米。叶对生。夏秋开花，红、白或紫色，通常栽培的以鲜红色为主。可供观赏。

【一系列】一连串的；许多有关联的(事物)。㊀～事实|采取了～措施。

【一言堂】指领导干部作风不民主，不让人讲话，听不得相反意见，遇到大事一个人说了算的独断专行的家长式作风。

【一品红】也叫猩猩木、圣诞花。落叶灌木。叶卵状椭圆形至披针形，下部的叶绿色，花序下的叶鲜红色。可供观赏。

【一神教】只信奉一个神或一个最高的神的宗教。如基督教、伊斯兰教等。与“多神教”相对。

【一般法】即“普通法”②(764页)。

【一揽子】不加区别，不加选择的，把一切都包括在内。㊀～计划。

【一窝蜂】形容许多人乱哄哄地行动。

【一了百了】主要的事情了结了，其余有关的事情也就跟着了结了。

【一马当先】比喻领先；带头。

【一无是处】一点对的地方都没有。㊀要全面看待一个同志，不要因他有缺点，就把他说得～。

【一木难支】比喻艰巨的事业不是一个人的力量所能胜任的。㊀众擎易举，～。

【一日三秋】《诗经·王风·采葛》：“一日不见，如三秋兮。”一天不见，就好像过了三年。形容怀念人的心情很殷切。

【一日千里】《史记·秦本纪》：“造父为缪王御，长驱归周，一日千里以救乱。”原形容马跑得很快。后比喻进步或发展极快。

【一日之雅】一天的交情。指交情不深。㊀无～。

【一见如故】初次见面就像老朋友一样很合得来。

【一手遮天】形容倚仗权势，玩弄骗术，蒙蔽众人耳目。

【一毛不拔】一根毛也不肯拔。比喻极端吝啬。《孟子·尽心上》：“杨子取为我，拔一毛而利天下，不为也。”

【一气呵成】形容文章的气势流畅，连贯紧凑。也比喻不间断、不松懈地完成某件事情。

【一片冰心】形容心地纯真，性情淡泊。唐王昌龄《芙蓉楼送辛渐》诗：“洛阳亲友如相问，一片冰心在玉壶。”

【一化三改】1953年中共中央提出的过渡时期总路线的基本内容。一化，指社会主义工业化；三改，指对农业、手工业和资本主义工商业的社会主义改造。

【一仍旧贯】一切按照旧例，没有丝毫改变。《论语·先进》：“仍旧贯，如之何？何必改作。”

【一分为二】中国哲学史上关于对立统一关系的命题。指统一物的可分性。《老子·四十二章》：“道生一，一生二。”《周易·系辞上》：“易有太极，是生两仪。”都包含着这一命题的内容。《黄帝内经·太素·知铖石》：“一分为二，谓天地也。”明确使用了这一命题。毛泽东说：“一分为二，这是个普遍的现象，这就是辩证法。”通俗地说明了唯物辩证法关于矛盾普遍性的原理和矛盾分析的方法。

【一心一德】也说一德一心。大家一心一意，为共同目标而努力。《尚书·泰誓中》：“乃一德一心，立定厥功。”

【一孔之见】《礼记·中庸》：“反古之道。”郑玄注：“反古之道，谓晓一孔之人，不知今王之新政可从。”从一个小窟窿里面所看到的。比喻狭隘片面的见解。

【一本正经】形容庄重，规矩，非常认真(有时带有讽刺的意味)。

【一目十行】形容看书极快。行(háng)。

【一目了然】一眼就能看得清清楚楚。

【一叶知秋】看见一片落叶，就知道秋天将要来了。比喻从事物的某些细微迹象就预料到事物的发展趋向和变化。《淮南子·说山训》：“见一叶落而知岁之将暮。”宋唐庚《文录》：“唐人有诗云：‘山僧不解数甲子，一叶落知天下秋。’”

【一丘之貉】同一土山里的貉。比喻都是同类。《汉书·杨恽传》：“古与今，如一丘之貉。”后比喻两者是同类的坏人。貉(hé)：俗称狗獾。

【一发千钧】即“千钧一发”(778页)。

【一丝不苟】形容做事十分认真、细致，一

点儿也不马虎。苟:苟且,马虎。

【一成不变】《礼记·王制》:“刑者,侀(型)也;侀者,成也。一成而不可变,故君子尽心焉。”原指刑法一经制定,不可改变。后用以指固定不变。成:形成。

【一尘不染】❶佛教指色、声、香、味、触、法六者为尘。修道者达到真性清净,不被六尘所染污为“一尘不染”。后指完全不受坏思想、坏风气的影响。❷形容环境非常清洁。

【一团和气】原指态度和蔼可亲。宋朱熹《伊洛渊源录》卷三引《上蔡语录》:“明道(指程颢)终日坐,如泥塑人,然接人浑是一团和气。”后多指互相之间只讲和气,不讲原则。

【一帆风顺】船挂满帆,顺风行驶。比喻非常顺利,没有阻碍。

【一网打尽】比喻全部抓住或彻底肃清,一个也不漏。宋魏泰《东轩笔录》卷四:“刘待制元瑜既弹苏舜钦,而连坐者甚众,同时俊彦为之一空。刘见宰相曰:‘聊为相公一网打尽。’”

【一次函数】形如 $y=kx+b$(其中 k、b 为常数,且 $k\neq0$)的函数。

【一衣带水】一水相隔,如同衣带那样窄。比喻双方离得很近。《南史·陈后主纪》:“岂可限一衣带水不拯之乎?”

【一如既往】跟从前一样。㊀中国人民将~,支持世界各国人民的正义斗争。

【一技之长】掌握某种技能,具备某种专长。

【一抔黄土】一捧黄土。《史记·张释之冯唐列传》:“假令愚民取长陵一抔土,陛下何以加其法乎?”长陵是汉高祖刘邦的坟墓。后因称坟墓为一抔土。后也用一抔黄土(与高山对比)比喻卑微渺小的事物。抔(póu):捧。

【一劳永逸】劳苦一次就可以永远安逸、不再费力了。汉班固《燕然山铭》:“兹所谓一劳而久逸,暂费而永宁者也。”

【一步登天】比喻一下子达到最高的境界或程度。也比喻地位一下子升得很高。

【一针见血】比喻文章、说话直截了当,切中要害。

【一条鞭法】明万历九年(1581)推行的一种赋税办法。即把整个州、县的田赋、徭役和杂税等编成一个总数,分摊在田亩中,按亩折银合并征收。因是把各项赋役合并统一征收,故名。

【一穷二白】指基础差、底子薄。白:文化、科学水平低。

【一张一弛】《礼记·杂记下》:“一张一弛,文武之道也。”比喻宽严要互相补充,交替使用。今也比喻合理安排工作和休息,有紧有松,劳逸结合。张:弓上弦。弛:弓卸弦。

【一纸空文】空写在纸上实际不能兑现的东西(多指不能执行的条约、规定、计划等)。

【一拍即合】一拍击就合乎曲子的节奏。比喻双方很容易地达到了一致。

【一板一眼】比喻说话有条有理,做事踏实认真,一步一个脚印。板、眼:戏曲音乐的节拍。

【一国三公】一个国家有三个主持政事的人。《左传·僖公五年》:“一国三公,吾谁适从。”后泛指令出多门,事权不统一。公:君主。

【一国两制】“一个国家,两种制度”的简称。即在一个中国的前提下,大陆实行社会主义制度,香港、澳门、台湾保持原有的资本主义制度长期不变。

【一呼百应】一声召唤,群起响应。形容威信高,响应者多。

【一鸣惊人】《史记·滑稽列传》:“此鸟不飞则已,一飞冲天;不鸣则已,一鸣惊人。”后用以比喻平时没有特殊的表现,一下子做出惊人的成绩。

【一败涂地】形容失败到不可收拾的地步。《史记·高祖本纪》:“今置将不善,一败涂地。”涂地:肝脑涂地的略语,形容死得很惨。

【一知半解】形容知道得不全面,理解得不深不透。宋严羽《沧浪诗话·诗辨》:“有透彻之悟,有但得一知半解之悟。”

【一往无前】指不把前进道路上的困难放在眼里,无所畏惧、毫不动摇地奋勇前进。

【一命呜呼】死了(含诙谐意或嘲讽意)。

【一贫如洗】形容穷得像被水冲洗过似的,一无所有。

【一狐之腋】一只狐狸腋下的皮毛。比喻珍贵的东西。《史记·赵世家》:“吾闻千羊之皮,不如一狐之腋。”腋:胳肢窝,此特指狐狸腋下的皮毛。

【一泻千里】形容江河奔流直下。也形容文笔气势奔放。明王世贞《文评》:“方希直奔流滔滔,一泻千里,而潆洄滉瀁之状颇少。”泻:水急速地往下流。

【一视同仁】不分厚薄,同样看待。唐韩愈

Y

《原人》:“是故圣人一视而同仁,笃近而举远。”

【一相情愿】也作一厢情愿。只从自己主观愿望出发,不考虑对方是否愿意或客观条件是否许可。相(xiāng):方面。

【一脉相传】也说一脉相承。由一个血统或派别世代流传承袭下来。

【一举两得】做一件事,能同时得到两方面的好处。汉刘珍等《东观汉记·耿弇传》:“吾得临淄,即西安孤,必覆亡矣,所谓一举而两得者也。”举:动作,举动。

【一语破的】一句话就说中(zhòng)要害。的(dì):箭靶的中心。

【一氧化碳】无机化合物,化学式CO。无色无臭的气体,有毒,燃烧时呈蓝色火焰,与氧气混合燃烧易发生爆炸,有还原性。主要用作还原剂及有机合成的原料等。通常所称煤气中毒,是由室内一氧化碳过多引起。

【一笔勾销】比喻全部抹掉,统统不算数了。

【一笔抹煞】也作一笔抹杀。比喻轻率地把成绩、优点等全部否定。

【一息尚存】只要还有一口气。指还活着。宋朱熹《四书集注·论语·泰伯》:“一息尚存,此志不容少懈,可谓远矣。”息:气息。尚:还。

【一窍不通】比喻一点儿也不懂。

【一诺千金】《史记·季布栾布列传》:“得黄金百斤,不如得季布一诺。”答应一句话有千金的价值。形容说话算数,很讲信用。诺:诺言。

【一唱一和】此唱彼和。比喻互相配合,互相呼应。和(hè)。

【一得之功】一点点成绩。㊀不要沾沾自喜于~,要永远谦虚谨慎。

【一得之愚】谦辞。称自己对某一问题的一点见解。《史记·淮阴侯列传》:“愚者千虑,必有一得。”

【一盘散沙】比喻涣散不团结或力量分散没有组织起来。

【一隅三反】见〔举一反三〕(531页)。

【一落千丈】唐韩愈《听颖师弹琴》诗:“跻攀分寸不可上,失势一落千丈强。”原形容琴声陡然由高到低。后用以形容景况、地位急剧下降或情绪突然低落。

【一朝一夕】一早一晚。《周易·坤》:“非一朝一夕之故,其所由来者渐矣。”形容非常短的时间。㊀非~之功。

【一塌胡涂】乱得或糟得不可收拾。

【一鼓作气】《左传·庄公十年》:“夫战,勇气也。一鼓作气,再而衰,三而竭。”比喻做事趁劲头足时一气干完。一鼓:打第一通战鼓。这时兵士鼓起勇气,士气振奋。

【一概而论】指处理事情、问题不分性质,不加区别,一律看待。㊀对待具体问题,要做具体分析,不可~。

【一筹莫展】一点计策也施展不出;一点办法也想不出来。筹:计策,办法。展:施展。

【一触即发】原指箭在弦上,张弓待发。比喻事态发展到十分紧张的阶段,稍一触动就会立即爆发。

【一触即溃】一接触,立刻溃散。形容军队毫无战斗力。㊀敌人军心涣散,~。溃:散乱,垮台。

【一意孤行】《史记·酷吏列传》:“务在绝知友宾客之请,孤立行一意而已。”本谓谢绝请托,坚持自己的主张。后多指不顾客观条件,无视别人的意见,独断专行。孤行:独自行事。

【一暴十寒】晒一天,冻十天。比喻学习或工作等常常间断,没有恒心。《孟子·告子上》:“虽有天下易生之物也,一日暴之,十日寒之,未有能生者也。”暴(pù):同“曝”,晒。

【一箭双雕】一箭射中两只大雕。见《北史·长孙晟(shèng)传》。比喻一举两得。雕:一种凶猛的鸟。

【一蹶不振】汉刘向《说苑·谈丛》:“一蹶之故,却足不行。”跌了一跤,便缩回脚,再不敢迈步。比喻受到挫折就再也振作不起来了。蹶:跌倒。

【一蹴而就】踏一步就会成功。比喻事情轻而易举,很容易成功。蹴(cù):踏。就:成功。

【一鳞半爪】也说东鳞西爪。原指龙(传说中的一种动物)在云中,东露一鳞,西露半爪,不见全身。见清赵执信《谈龙录》。比喻只是事物的一部分,不是全部。也比喻事物的零星片断,不完整。

【一·二八事变】也叫淞沪抗战。中国军民抗击日本侵略军进攻上海的作战。1932年1月28日夜,日本侵略军向上海闸北发动进攻,驻上海的国民党第十九路军在全国人民抗日热潮的推动下,奋起抵抗。中国共产党发动上海工人、学生等踊跃参战,组织上海各界人民积极支援。作战坚持了一个月，毙敌万余，迫使敌军三换指挥官，有力地打击了侵略者。后守军腹背受敌，被迫撤离，淞沪战事停火。国民党政府与日本侵略军签订了《淞沪停战协定》。

【一二·九运动】中国共产党领导的大规模学生爱国运动。1935年12月9日，北平学生六千余人为反对日本侵略军入侵华北和国民党政府的卖国内战政策，举行声势浩大的游行示威，高呼"停止内战，一致对外""打倒日本帝国主义"等口号，同前来镇压的国民党军警展开了英勇的搏斗。次日学生实行总罢课，16日学生和市民万余人举行了更大规模的游行示威。这个运动很快得到全国人民的响应，形成抗日救国的新高潮。

【一千零一夜】旧译作《天方夜谭》《天方夜谈》。阿拉伯民间故事集。成书并定型于15世纪末16世纪初。传说古代东方萨桑国国王因痛恨王后与人有私，就杀死王后，以后每天要娶一个新妇，次晨就把她杀死。宰相女儿山鲁佐德为拯救无辜女子，自愿嫁给国王。她每夜讲故事，直到天明，共讲了一千零一夜，这样感化了国王放弃酷刑。这些故事汇集起来就成了《一千零一夜》。全书包括二百六十多个故事，各个故事可单独成篇，又互相连贯，内容生动有趣，想象丰富，表现了阿拉伯人民的智慧，也在一定程度上反映了当时的社会生活。其中著名的故事有《渔夫和魔鬼》《阿拉丁和神灯》《阿里巴巴和四十大盗》等。

【一年生植物】在一个生长季内完成生活史的植物。这类植物从种子萌发到开花、结果而死亡的过程在一年内完成。多为草本，如大豆、水稻、玉米、黄瓜等。

【一次污染物】也叫原发性污染物。由污染源直接排入环境，物理和化学性状未发生变化的污染物。一次污染物在环境中可转化为二次污染物。

【一言以蔽之】用一句话来概括。《论语·为政》："子曰：'《诗》三百，一言以蔽之，曰：思无邪。'"蔽：遮，引申为概括。

【一般等价物】可以直接和其他一切商品相交换并表现其他商品价值的商品。在历史上，充当一般等价物的商品开始还不十分固定，后来才逐渐固定在某一种商品（如金或银）上，这种固定充当一般等价物的商品就是货币。

【一氧化碳中毒】俗称煤气中毒。人大量吸入一氧化碳后，红细胞失去带氧能力，造成组织缺氧。患者眩晕、恶心、呕吐、心慌气短，甚至昏迷死亡。

【一级方程式赛车】即"方程式赛车"（262页）。

【一个美国人在巴黎】管弦乐曲。格什温曲。作于1928年。乐曲描写作曲家在巴黎旅行时的印象和感受。

【一之谓甚，其可再乎】犯一次错误已经算是过分了，怎么能再犯一次呢？指不能一错再错。《左传·僖公五年》："晋不可启，寇不可玩，一之谓甚，其可再乎？"

【一叶障目，不见泰山】也说一叶蔽目，不见泰山。《鹖冠子·天则》："一叶蔽目，不见太山，两豆塞耳，不闻雷霆。"一片树叶挡住了眼睛，连面前高大的泰山都看不见。比喻为局部现象所迷惑，看不到事物的整体。障：遮挡。

【一则以喜，一则以惧】一方面因而高兴，一方面因而害怕。形容又喜又忧的复杂心情。《论语·里仁》："子曰：'父母之年，不可不知也。一则以喜，一则以惧。'"

【一八四八年欧洲革命】1848—1849年席卷欧洲许多国家的一场反封建的资产阶级民主革命。1848年1月意大利西西里首府巴勒莫人民起义揭开了革命的序幕。其后接连发生了法国二月革命，德、奥三月革命以及匈牙利、捷克、意大利人民的起义，沉重打击了欧洲的封建势力，但最终相继失败。

弌

[异] yī "一"的异体字。

伊

yī ❶人称代词。他；她。❷文言助词。[例]～始|～谁之力。

【伊人】彼人；（意中所指的）那个人。

【伊始】起头；开始。[例]下车～。

【伊玛目】❶指穆斯林集体礼拜时站在前面主持礼拜者。❷清真寺的教长。

【伊利湖】北美五大淡水湖之一。位于美国和加拿大交界处。面积25 700平方千米。以尼亚加拉河连安大略湖，河上有尼亚加拉大瀑布。

【伊甸园】《圣经》中指上帝为亚当夏娃创造的生活乐园。上帝创造了天地万物，用尘土造了个男人亚当，在东方的伊甸建立了一个园子，把亚当安置在内，趁亚当熟睡时抽下他一根肋骨，造了个女人夏娃，园中河流清澈纵横，树木繁茂，结满果实，亚当和夏娃在园中过着无忧无虑、恬然自乐的生活。后用以比喻幸福美好的生活环境。

【伊于胡底】到什么地步为止。形容对坏现象表示感叹。《诗经·小雅·小旻》:"我视谋犹,伊于胡底?"

【伊势神宫】日本神社建筑。始建于两千年前,在三重县海滨密林里。包括内宫及外宫。其正殿平面开间3间,进深2间,地面高架,附设高栏,中间入口。柱子采用埋入式圆柱,屋脊由位于两侧山墙之外的"栋持柱"支撑。木构件均用素面,屋面铺桧皮茸。为日本最古老的建筑样式—神明造。富有日本传统建筑的美感。

【伊索寓言】书名。相传伊索是公元前6世纪小亚细亚弗利基亚人,获释奴隶,善讲动物故事。现存的《伊索寓言》,是希腊、罗马时代流传下来的故事,经后人汇集,统归在伊索名下。成书于1世纪,广泛流传于世界各国。其中名篇有《狼和小羊》《乌龟和兔》等。

【伊朗高原】在亚洲西部,包括伊朗、阿富汗和巴基斯坦的西北部。海拔900—1 500米。四周环山,中部低陷,气候干燥。

【伊斯兰教】旧称回教、清真教等。世界三大宗教之一。7世纪初,阿拉伯人穆罕默德创立。信安拉为唯一的神,穆罕默德是安拉的使者。以《古兰经》为经典,信徒多分布于亚洲、非洲,特别是西亚、北非和东南亚各地。唐代传入中国。

【伊斯兰堡】巴基斯坦首都。位于该国北部。人口50万(1995年)。是全国政治、文化和交通中心。1959年决定在此建都,1961年开始兴建,1970年基本建成。

【伊阙石窟】即"龙门石窟"(634页)。

【伊壁鸠鲁】(前341—前270)古希腊后期唯物主义原子论的主要代表。在自然观上坚持唯物论的感觉论,认为理论永远要以感觉作根据。公开批判宗教,提倡"快乐主义",把认识自然当作最大的幸福。

【伊藤博文】(1841—1909)日本首相。早年参与尊王攘夷和倒幕运动,并参与明治维新。鼓吹对外侵略,策划并发动侵略中国和朝鲜的甲午战争。1906年任朝鲜总督。1909年被朝鲜爱国者刺死。

【伊瓜苏瀑布】南美洲最大瀑布。位于巴西与阿根廷交界处的伊瓜苏河上。汛期形成宽3.5—4千米、落差60—82米的马蹄型大瀑布。

【伊斯兰教历】也叫希吉来(阿拉伯语音译词,迁徙)历。旧称回历。以伊斯兰教创立人穆罕默德由麦加迁到麦地那传教之年(622)为纪元,并以那年阿拉伯太阴年的岁首(622年7月16日)为该历纪元元年元旦。

【伊斯坦布尔】土耳其城市。位于该国西北部博斯普鲁斯海峡两岸,为地跨亚欧两洲的城市。扼黑海出入门户。人口629万(1990年)。是世界历史名城,全国最大城市,也是全国最大港口和运输、贸易、文化中心。古名拜占庭,旧名君士坦丁堡。

【伊比利亚半岛】也叫比利牛斯半岛。在欧洲西南部,与欧洲大陆以比利牛斯山脉为界。西临大西洋,东临地中海,南以直布罗陀海峡与非洲大陆相望。包括西班牙、葡萄牙、安道尔三国。面积约60万平方千米。地形以高原为主,平均海拔约800米。

【伊泰普水电站】世界特大型水利枢纽工程之一。位于巴西和巴拉圭边界巴拉那河上。总装机容量1 260万千瓦。大坝高190米,水位落差120米,蓄水量290亿立方米。

咿(*吚) yī 见下。

【咿哑】拟声词。1.摇桨声。2.孩子学话的声音。哑(yā)。

【咿唔】拟声词。读书声。唔(wú)。

衣 ㊀ yī ❶衣服。[例]~裳|外~。❷包在某些物体外面的一层东西。[例]糖~。

㊁ yì(1168页)。

【衣钵】衣指僧衣,即袈裟,钵是僧用食具。中国禅宗师徒间传授道法,常付衣钵为信,叫做衣钵相传。后来把一般的传授思想、学术、技能等,也叫做传授衣钵。

【衣着】身上的穿戴。[例]~朴素。着(zhuó)。

【衣冠冢】也叫衣冠墓。只埋着死者衣帽等遗物的坟墓,多为纪念而建造。冢(zhǒng)。

【衣原体】有细胞壁,以两均等分裂方式进行繁殖的一类微生物。只能在活细胞中生长繁殖,寄生于人和家畜以及鸟类的细胞中。如沙眼衣原体、鹦鹉热衣原体等。

【衣冠禽兽】外表衣帽整齐,像个人,行为却如禽兽。比喻卑劣的人。

【衣冠楚楚】形容衣帽穿戴得整齐漂亮。楚楚:鲜明整齐的样子。

依 yī ❶依靠。例唇齿相～。❷依从；答应。例你只要答应一个条件，我就～你。❸介词。按照。例～次前进。❹古又同"扆(yǐ)"。

【依托】❶依靠。❷为达到一定目的而假借某种名义。

【依存】(互相)依附而存在。

【依次】按照次序。

【依附】❶附着。❷依赖；从属。

【依凭】依靠。

【依依】❶形容柔弱的东西摇摆的样子。例杨柳～。❷留恋，不忍分离。例～不舍。

【依恋】舍不得离开；留恋。

【依据】根据。

【依偎】亲热地紧靠着。

【依稀】(印象、记忆)模模糊糊。例当时的情景，我还～记得。

【依傍】❶依靠。❷模仿(多指艺术、学问方面)。例艺术家要善于创新，不要一味～前人。

【依然】照旧。

【依赖】依靠别人或别的事物而存在，不能自立或自给。

【依样画葫芦】照别人画的葫芦样子画葫芦。指办事单纯模仿，没有创新。

铱(銥) yī 金属元素，符号 Ir，原子序数 77。银白色，脆而硬，是化学性质最稳定的金属。合金可制笔尖等。国际标准米尺就是用铱、铂合金制成的。其金属互化物如 Nb_2Ir、Ti_3Ir 等是超导体。

医(醫) yī ❶治病。例～疗|～药。❷治病的人。例中～|名～。❸医学。例学～。

【医术】医疗的技术。

【医案】中医临床实践的记录。

【医道】治病的本领。

【医德】医务人员应具备的职业道德。例～高尚。

【医务监督】用医学理论和方法指导运动员科学训练，使体育运动获得最佳的效果，并促进运动员身体发育，预防运动性伤病，提高训练水平和运动成绩。

【医疗事故罪】医务人员由于严重不负责任，造成就诊人死亡或严重损害就诊人身体健康的犯罪行为。

嫛☒ yī 〔嫛婗〕婴儿。婗(ní)。

鹥☒**(鷖)** yī 古书上指鸥。

繄 yī ❶同"惟(wéi)"。文言助词。用在句首。例～我独无。❷同"是(shì)"。

祎(禕) yī 美好。多用于人名。

猗 yī ❶文言助词。相当于"啊(a)"。❷文言叹词。表示赞美。

【猗猗】美盛的样子。例绿竹～。

漪 yī 水的波纹。例清～。

椅 ㊁ yī 也叫山桐子。落叶乔木。木材可制器物。

㊀ yǐ (1165 页)。

欹☒ yī 同"猗"②。

揖 yī 拱手行礼。

壹 yī 数目"一"的大写。多用于票证、账目等。

噫 yī 文言叹词。表示悲痛或叹息。

黟 yī 黑色的样子。

【黟县】地名。在安徽南部。

yí 丨

匜 yí 古代盥器。形如瓢，与盘合用，用匜倒水，以盘承接。例奉～沃盥。盥(guàn)：洗手。

㐌☒ yí 古代对居住在广东地区的瑶族的称呼。也用于人名，如拓跋猗㐌(后魏君主)。

迤 ㊁ yí 见〔逶迤〕(1016 页)。

㊀ yǐ (1165 页)。

椸☒ yí 晾衣服的竹竿。也指衣架。

訑☒**(訑)** yí 〔訑訑〕自满自得的样子。

迆☒ ㊁ yí 同"迤(yí)"。

㊀ yǐ (1165 页)。

杝☒ ㊀ yí 树名。即椴木。

㊁ lí (593 页)。

貤☒**(貤)** yí 移动。例～封。

酏 yí 用药、糖和芳香性物质配制成的酒精水溶液。

仪(儀) yí ❶人的外表。[例]～容。❷礼节；仪式。[例]司～。❸礼物。[例]谢～。❹仪器。[例]绘图～。

【仪仗】❶古代帝王或高级官员等外出时侍从人员所拿的武器和旗帜等物。❷迎接外国贵宾或游行时，仪仗队所拿的武器和彩旗等物。

【仪式】举行典礼或大会的程序和形式。[例]升旗～。

【仪表】❶用于测量速度、温度、压力、电压、电流等各种量的仪器。❷人的外表(指好的)。[例]～堂堂。

【仪态】仪容姿态。

【仪容】容貌风度。

【仪器】用于实验、观测、计量、绘图、记录、检测等的比较精密的装置或器具。

【仪仗队】❶执行礼节性任务的武装部队。由陆、海、空三军人员组成(或由陆军人员单独组成)，人数各国规定不等。仪仗队通常用来迎送外国元首、政府首脑和高级将领等。也用于隆重的典礼。❷走在游行队伍前边、由手持仪仗的人员组成的队伍。

觺[⊠](**觺**) yí 见〔骏觺〕(543 页)。

圯 yí 桥。

夷 yí ❶中国古代称居住在东部的民族。❷旧指外国或外国人。[例]～情|华～杂处。❸平安。[例]化险为～。❹弄平；消灭。[例]～为平地|～族(古代一种杀死犯罪者整个家族的酷刑)。

【夷洲】台湾省的古称。三国时吴国黄龙二年(230)卫温、诸葛直曾率甲士万人到此驻守。

荑 ㊀ yí 割去田中野草。
㊁ tí (966 页)。

咦 yí 叹词。表示惊讶。

姨 yí ❶姨母，称母亲的姐妹。也用来尊称母亲一辈的女子。❷妻子的姐妹。[例]大～|小～。

【姨太太】妾。

胰 yí 胰腺，人和高等动物体内的腺体。人的胰位于胃后方，灰红色，长约14—18 厘米，带状。有内分泌和外分泌两种机能。外分泌部分分泌的胰液经胰管注入十二指肠，有消化蛋白、脂肪、糖的作用。内分泌部分分泌胰岛素，调节糖代谢。

【胰岛素】人和动物胰脏的胰岛细胞分泌的一种激素。能调节血糖代谢、促进脂肪和蛋白质的合成。中国于 1965 年在世界上第一次人工合成了牛胰岛素。胰岛素作为药物，主要用以治疗糖尿病。分泌过量可引起血糖过低症。现可用基因重组技术生产人胰岛素。

【胰腺癌】发生于胰腺的恶性肿瘤。多见于中老年男子。主要症状是上腹不适及食欲不振、腰背痛、体重减轻等。胰头癌可出现黄疸和胆囊肿大等。胰体尾癌早期症状常不明显。

痍 yí 伤；创伤。

沂 yí 沂河，水名，发源于山东，南流至江苏入海。

诒(詒) yí 同"贻"。

饴(飴) yí 饴糖，以含有淀粉的物质为原料经糖化和加工制得。饴糖含有麦芽糖、葡萄糖及糊精，味甜爽口，可供制糕点、糖果等。

怡 yí 快乐；愉快。[例]心旷神～。

贻(貽) yí ❶赠给。❷遗留。[例]～患。

【贻贝】软体动物。壳为长三角形，黑褐色。生活在浅海岩石间。肉干制后称为淡菜，营养价值较高。

【贻误】❶错误遗留下去，使受到坏的影响。[例]～后学。❷耽误；错过。[例]～战机。

【贻人口实】让人家当做话柄。

【贻笑大方】也说见笑大方。给懂行的人留下笑柄。《庄子·秋水》："今我睹子之难穷也，吾非至于子之门，则殆矣。吾长见笑于大方之家。"贻笑：见笑。大方：专家，内行人。

眙 ㊀ yí 用于地名，如盱(xū)眙(在江苏)。
㊁ chì (129 页)。

宜 yí ❶适合。[例]相～。❷应该。[例]事不～迟。

【宜人】适合人的需要、心意等。[例]景色～。

【宜宾】市名。位于四川省东南部，岷江与

长江汇合处，内宜铁路线上。人口28万(1997年)。有造纸、丝绸、制革、机械等工业，以五粮液酒著名。

浥☒(**澺**) yí ❶〔浥浥〕形容白色。❷见〔灌浥〕(156页)。

宧☒ yí 古称屋里的东北角。

颐(**頤**) yí ❶腮；下巴。㊀持～以听(用手托着下巴听)。❷保养。㊀～养。

【颐神】养神。

【颐和园】中国古典园林。北京市名胜古迹之一。位于北京西郊。原系清代帝王的行宫和花园。主要由万寿山、昆明湖组成。现为著名的游览胜地。

【颐指气使】不说话只用面部表情和口鼻出气示意指使人。形容有权势的人非常傲慢的神气。

扅 yí 见〔扊扅〕(1136页)。

移(*迻) yí ❶移动。㊀迁～|转～。❷改变；动摇。㊀～风易俗|坚定不～。

【移民】迁移到外地或外国去永久定居。也指迁移到外地或外国去永久定居的人。

【移交】把所管的事务交给有关方面或交给接替工作的人。

【移植】❶把苗床或秧田里的幼苗移栽到菜田或大田里。❷将某一有机体的一部分完好的组织或器官，移至同体或另一有机体的有缺陷的部分，使缺陷部分恢复正常。如皮肤移植、角膜移植等。

【移山倒海】搬走山，移开海。比喻改造自然的伟大力量和气魄。

【移风易俗】改变旧的风俗习惯。

【移动电话】不固定在一处，可以随时变换地点，在移动过程中使用的无线电话终端设备。如手机、对讲机、车载电话等。

【移动通信】在开行的汽车、飞机、船舶及处于流动状态的个人之间，或上述移动用户与固定用户之间通过无线电波建立的通信方式。蜂窝移动电话系统、无线寻呼系统和集群通信系统等都属于移动通信的范畴。

【移花接木】原指把花木的芽或枝条嫁接在别的植物上。后用以比喻暗中使用巧计在事情进行过程中更换人或事物。

【移樽就教】端着酒杯到别人跟前共饮，以便请教。泛指主动向别人请教。

【移动靶射击】射击运动项目之一。用步枪向快速奔跑的野猪靶射击，命中环数多者获胜。

簃 yí 楼阁旁边的小屋。

虵 ㊀ yí 见〔委蛇〕(1016页)。
㊁ shé (865页)。

遗(**遺**) ㊀ yí ❶丢失；丢失的东西。㊀～失|路不拾～。❷留下。特指死者留下的。㊀不～余力|～嘱。❸漏掉。㊀～忘|补～。❹不自觉地排泄。㊀～尿。
㊁ wèi (1026页)。

【遗少】指改朝换代后仍然留恋前一朝代的年轻人。少(shào)。

【遗书】❶前人留下而由后人刊印的著作，也泛指死者遗留的著作。❷死者临死时留下的书信。

【遗矢】拉屎。《史记·廉颇蔺相如列传》："廉将军虽老，尚善饭。然与臣坐，顷之三遗矢矣。"

【遗训】死者留下的有教育意义的话。

【遗民】指改朝换代后仍然留恋前一朝代的人。也指大灾大乱后遗留下来的人民。

【遗老】❶指改朝换代后仍然留恋前一朝代的旧臣。❷泛指经历世变的老人。

【遗传】一般指亲代的性状在子代表现的现象。遗传学上指遗传物质从亲代传给后代的现象。

【遗产】❶法律上指公民死亡时遗留的个人合法财产。包括公民的收入，公民的房屋、储蓄和生活用品，公民的林木、牲畜和家禽，公民的文物、图书资料，法律允许公民所有的生产资料，公民的著作权、专利权中的财产权利，公民的其他合法财产。❷借指历史上遗留下来的精神财富或物质财富。㊀文化～。

【遗址】已经毁坏的年代久远的建筑物所在的地方。

【遗志】死者生前为之奋斗而没有实现的志愿。㊀继承革命先烈的～。

【遗言】死者留下的话。

【遗弃】❶抛弃。❷对自己应该赡养或抚养的亲属抛弃不管。

【遗忘】忘记。

【遗尿】❶尿液的无意识排出。小儿夜间遗

尿常为大脑发育尚不完全所致,随年龄增长可以改变。❷中医病证名。肾虚所致。

【遗孤】某人死后遗留下的孩子。

【遗迹】古代或旧时代的事物留下来的痕迹。㊀历史～|仰韶文化～。

【遗恨】至死仍感到懊悔或不称心的事情。

【遗容】人死后的面容。也指死者的相片或画像。

【遗教】死者遗留下来的对人有教育指导意义的学说、主张等。

【遗族】名门望族的后代。也泛指死者的家族。

【遗落】❶遗失;散失。❷遗漏;漏掉。

【遗精】未经性交而流出精液的现象。男子在青春期出现遗精属正常现象。但次数过多是病理现象,常与神经衰弱、生殖系统炎症有关。

【遗嘱】人在生前或临死时留给后人的书面或口头的嘱咐。特指遗嘱人生前对遗产所作的处分到其死亡时才发生效力的一种法律行为。分公证遗嘱、代书遗嘱、录音遗嘱等。

【遗墨】死者留下来的亲笔书札、字画、文稿等。

【遗稿】死者留下的没有刊行的著作。也指作者遗留下的手稿。

【遗篇】前人遗留下来的诗篇或文章。

【遗赠】遗嘱人立遗嘱将个人财产于其死后赠给国家、集体或法定继承人以外的人的法律制度。只能遗赠财产权利,不包括财产义务。是单方法律行为,不同于双方法律行为的遗赠扶养协议。

【遗憾】❶余恨。多指没有如愿的事。㊀终生～。❷表示惋惜。常用作对待别人不周到而表示歉意的话。❸外交辞令。表示不满或抗议。

【遗传性】生物亲子间保持相似的一种基本特性。任何生物亲代与子代以及子代之间比较相似,就是遗传性的表现。

【遗传学】研究生物遗传与变异规律的科学。是选择和培育动植物和微生物优良品种以及研究防治遗传性疾病的理论基础。根据研究的对象、问题和方法,可分人类遗传学、分子遗传学等。

【遗产税】对财产所有人死亡时遗留的财产净值征收的一种财产税。

【遗弃罪】负有扶养义务的人对于年老、年幼、患病或其他没有独立生活能力的人拒绝扶养且情节恶劣的犯罪行为。

【遗腹子】父亲死后才出生的子女。

【遗世独立】指超然独立于现实世界之外。宋苏轼《赤壁赋》:"飘飘乎,如遗世独立,羽化而登仙。"

【遗传工程】泛指把一种生物的遗传物质(细胞核、染色体、脱氧核糖核酸等)转移到另一种生物的细胞中去,并使这种遗传物质所带的遗传信息在受体细胞中表达的技术。遗传工程在培育动植物和微生物新品种、控制遗传性疾病和癌症等方面提供了新的可能,也是分子遗传学研究的一种有效手段。

【遗传防治】利用生物遗传特性来防治虫害的方法。即按照昆虫遗传学原理,培育捕食性或寄生性昆虫的新品系,以提高其生物防治上的效能;或利用雌雄生殖细胞的胞质不亲和性,杂交不育,染色体的倒位、易位,半致死因子等遗传学上的现象,培育所要防治害虫有遗传缺陷的品系或宗(雄虫),将它释放于自然群体中,使害虫在三五代内完全绝灭。这种方法在防治螺旋锥蝇及尖音库蚊等害虫上已获得成功。

【遗传物质】亲代与子代之间传递遗传信息的物质。除某些病毒的遗传物质是核糖核酸外,所有其他生物的遗传物质都是脱氧核糖核酸。

【遗传信息】子代从亲代所获得的控制遗传性状的讯号。以三联体密码形式存在于组成核酸分子的核苷酸顺序中。在个体发育中,这些遗传信息通过代谢作用,在不同条件下控制着各种蛋白质的合成,发展成各种遗传性状,使亲代的性状得以在子代中重现。

【遗传密码】包含在脱氧核糖核酸或核糖核酸核苷酸排列顺序中的遗传信息。它决定蛋白质中的氨基酸排列顺序。

【遗臭万年】也说遗臭万载。坏名声流传下去,永远被人所痛骂。《晋书·桓温传》:"既不能流芳后世,不足复遗臭万载耶?"

【遗嘱继承】依据被继承人生前所立的合法遗嘱而继承遗产的制度。优先于法定继承。

疑 yí ❶不大相信,觉得有问题。㊀怀～|～心。❷不能解决的;不能断定的。㊀～问|～义。

【疑义】没有搞明白的含义;可疑之处。

【疑云】像浓云一样聚集起来的疑问。

【疑团】积聚在心里的疑问。
【疑似】❶是与非。㊣～之间。❷模糊不明。㊣～之词。
【疑阵】为了迷惑对方而布置的阵势。
【疑兵】为了迷惑敌人而布置的军队。
【疑忌】因怀疑而猜忌。
【疑虑】因怀疑而顾虑。
【疑案】❶真相不明、一时难以判决的案件。❷泛指情况了解不够、不能确定的事件或情节。
【疑冢】为防盗而造的假坟。
【疑难】有疑问而难于判断或处理的。㊣～问题。
【疑惧】疑虑而恐惧。
【疑惑】❶心里不明白。❷不相信;怀疑。
【疑窦】可疑之处。窦(dòu)。
【疑问句】用来提出问题(包括询问、猜测、反问等)的句子。句末用问号。如:“你见过金丝猴吗?”“这是什么性质的问题呢?”

嶷 yí 见〔九嶷山〕(525页)。

羉☒ yí 〔羉羉〕形容兽角锐利。

彝 yí ❶古代盛酒的器具。也泛指古代宗庙祭器。❷法度;常规。㊣～宪|～训。❸彝族。

【彝训】旧指尊长对后辈训诲的话。
【彝族】中国少数民族之一。人口658万(1990年)。主要分布在四川省、云南省以及广西、贵州等省区的山区。有本民族语言文字,部分通汉语文。建立有四川省凉山、云南省楚雄彝族自治州等各级自治地方。

yǐ 丨

乙 yǐ ❶天干的第二位。现常用来表示顺序的第二。❷工尺谱记音符号之一。相当于简谱的“7”。

【乙肝】乙型病毒性肝炎的简称。一种慢性携带状态的传染病。通过血液或体液传播。可发展为慢性肝炎和肝硬化,少数病例可转变为肝细胞癌。注射乙肝疫苗可预防。参见〔肝炎〕(302页)。
【乙炔】有机化合物,分子式C_2H_2。是最简单的炔烃,用于焊接和照明的电石气就是含有少量有毒杂质的乙炔,纯乙炔是无臭和近乎无毒的。空气含乙炔在2.8%—65%范围内,可因火花引起爆炸。纯乙炔受压达150千帕时,可因撞击而爆炸。
【乙烯】❶最简单的烯烃,分子式C_2H_4。在常温常压下为无色气体,可从石油裂化产物中取得。是重要化工原料。❷一种植物激素。可提早果实成熟期,促进器官脱落,调节性别转化,有利于产生雌花等。
【乙酸】俗称醋酸。有机酸,分子式CH_3COOH。无色液体,有刺激性气味,是醋的主要成分。无水乙酸在低温凝固成冰状,俗称冰醋酸。为重要化工原料,用于制人造纤维、塑料、药品等。
【乙醇】俗称酒精。有机化合物,分子式C_2H_5OH。酒类通有的成分。无色易燃液体。是最常用的溶剂和重要化工原料,也用于医药和制饮料。
【乙醚】有机化合物,分子式$C_2H_5OC_2H_5$。无色液体,易挥发,易燃,是重要的溶剂。可用作全身麻醉剂。
【乙二醇】俗称甘醇、甜醇。有机化合物,化学式$HO—CH_2—CH_2—OH$。无色、无臭、有甜味的黏稠液体,能溶于水。可作溶剂和防冻剂。也用作合成树脂、合成纤维、增塑剂、炸药等的原料。

钇(釔) yǐ 金属元素,符号Y,原子序数39。是稀土元素之一。灰褐色。用于制特种玻璃及合金。

已 yǐ ❶停止。㊣争论不～。❷副词。已经。㊣早～知道。❸文言副词。太。㊣不为～甚|吾得仲父～难矣。❹后来;不多时。㊣其母…见长蛇数丈入榻下,～忽不见。❺古又同“以”。

【已然】❶已经。㊣事情～这样,就想开些吧!❷已成事实;已经这样。㊣宁防患于未然,毋补救于～。

以(*㠯*叺) yǐ ❶介词。1.用;拿;把。㊣～身作则|～劳动为光荣。2.依;按照。㊣～笔画多少为序。3.因为。㊣不～成功而自满。❷连词。表示目的。㊣这本书又加印了三千册,～满足读者的需要。❸表示时间、方位或数量界限。㊣～前|～东|三十～内。

【以及】连词。连接并列的词或短语,语义上一般前重后轻。㊣这里种植麦子、高粱、玉米、谷子、棉花～其他大田作物。

Y

【以太】❶17世纪的物理学家为解释光在真空中的传播而提出的没有质量但有极大刚性,并且无处不在(包括真空和物质内)的一种介质。20世纪初的物理实验证明以太不存在。❷中国近代康有为等借自物理学的哲学名词。康有为把以太和仁等同起来。谭嗣同用以太表示物质,认为自然界的事物都是以太的结晶,是世界的本原;同时又把仁、兼爱、慈悲等看作以太的作用。严复认为以太就是中国古代哲学家说的物质性的"一清之气"。孙中山认为以太是"太极",是世界的物质始基,地球(行星)是由以太进化而成的。

【以至】连词。1.一直到,表示时间、数量、程度、范围上的延伸。㊀自城市～农村,爱国卫生运动普遍开展起来了。2.用于下半句的开头,表示上述情况所达到的程度。㊀情势发展十分迅速,～使很多人感到突然。

【以远】指交通线上比某地远的停留站。如北京经天津到唐山、沈阳,唐山、沈阳就是天津以远的地方。

【以近】指交通线上比某地近的停留站。如北京经天津、唐山到沈阳,天津、唐山都是沈阳以近的地方。

【以致】连词。用在下半句的开头,表示下文是上述原因所造成的结果(多指不好的结果)。㊀他事先没有充分调查研究,～做出了错误的结论。

【以资】用来;用来供给。㊀～参考。

【以一警百】惩罚一人来警戒众人。《汉书·尹翁归传》:"其有所取也,以一警百,吏民皆服,恐惧改行自新。"

【以己度人】用自己的想法去揣测别人(多指不好的想法)。度(duó)。

【以手加额】把手放在额头上。表示欢欣、庆幸或敬意。宋杨万里《章贡道院记》:"斯言一出,十邑之民,以手加额,家传人诵。"参见〔额手称庆〕(241页)。

【以汤沃雪】用开水浇雪。比喻轻而易举。《淮南子·兵略训》:"若以水灭火,若以汤沃雪,何往而不遂,何之而不用。"汤:开水。沃:浇。

【以讹传讹】把本来就不正确的话又错误地传出去,结果越传越错。讹(é):错误。

【以攻为守】用进攻作为防御的手段。

【以身作则】用自己的行为作出榜样。

【以身试法】亲身去做触犯法令的事。指明知故犯。《汉书·王尊传》:"明慎所职,毋以身试法。"

【以身殉职】为忠于本职工作而牺牲生命。殉:为了某种目的而死。

【以邻为壑】《孟子·告子下》:"禹以四海为壑,今吾子以邻国为壑。"拿邻国当做大水坑,把本国洪水排泄到那里去。比喻只图自己一方的利益,而把困难或祸害转嫁给别人。壑(hè):深沟。

【以卵击石】也说以卵投石。用鸡蛋碰石头。比喻不自量力,自取灭亡。《墨子·贵义》:"以其言非吾言者,是犹以卵投石也,尽天下之卵,其石犹是也,不可毁也。"

【以毒攻毒】指用含有毒性的药物治疗毒疮等恶性病。比喻用不良事物本身的特点来反对不良事物,或利用坏人来对付坏人。

【以理服人】用道理来说服人。

【以售其奸】用来施展他的奸计。

【以逸待劳】在作战时采取守势,养精蓄锐,待敌军疲劳时出击取胜。《孙子兵法·军争》:"以近待远,以逸待劳,以饱待饥,此治力者也。"

【以管窥天】比喻见闻狭窄,片面地看问题。《庄子·秋水》:"是直用管窥天,用锥指地也,不亦小乎?"《史记·扁鹊仓公列传》:"夫子之为方也,若以管窥天,以郄(通"隙")视文。"参见〔管窥蠡测〕(350页)。

【以儆效尤】严肃处理一件事,用来警醒那些仿效做坏事的人。儆(jǐng):使人警醒,不犯错误。效:仿效。尤:过失。

【以貌取人】根据人的相貌来判断他的品质或才能。《史记·仲尼弟子列传》:"以貌取人,失之子羽。"

【以暴易暴】《史记·伯夷列传》:"以暴易暴兮,不知其非矣。"用残暴的代替残暴的。易:替换。

【以蠡测海】见〔管窥蠡测〕(350页)。

【以色列人在埃及】清唱剧。亨德尔曲。作于1738年。剧情取自圣经《出埃及记》。是亨德尔清唱剧音乐中的一部出色的代表作。

【以子之矛,攻子之盾】《韩非子·难一》上说,有个卖矛和盾的人,夸他的盾最坚固,什么东西也刺不进;又夸他的矛最锐利,什么东西都能刺进去。别人问他:拿您的矛来刺您的盾怎样?那人没法回答。后用"以子之矛,攻子之盾"比喻用对方的论据来反驳对方。

【以其昏昏，使人昭昭】《孟子·尽心下》："贤者以其昭昭，使人昭昭；今以其昏昏，使人昭昭。"后多指自己糊涂还想使别人明白。昏昏：糊涂。昭昭：明白。

【以眼还眼，以牙还牙】比喻进行报复时针锋相对，用对方的办法还击对方。见《旧约全书·申命记》。

苡 yǐ 见〔薏苡〕(1172页)。

迆☒ ㊀ yǐ 同"迤(yǐ)"。
㊁ yí (1159页)。

胣☒ yǐ 古代一种裂腹挖肠的酷刑。

迤 ㊀ yǐ 延伸；向。㊎～东(向东一带)。
㊁ yí (1159页)。

【迤逦】曲折而连绵不断。逦(lǐ)。

虒☒ yǐ 见〔㕒虒〕(601页)。

佁☒ yǐ 静止的样子。

尾 ㊁ yǐ ❶马尾(wěi)上的长毛。㊎马～罗。❷蟋蟀等尾(wěi)部的针状物。㊎三～儿。
㊀ wěi (1022页)。

矣 yǐ 文言助词。1. 了。用在句末。㊎由来久～。2. 表示感叹。㊎甚～！3. 表示命令。㊎行～！|归～！

苢☒ yǐ 见〔芣苢〕(286页)。

蚁(蟻) yǐ 蚂蚁。

【蚁附】❶像蚂蚁成群地附着在东西上。比喻附和的人很多。❷旧时形容军士攀登城墙，如蚂蚁附壁而上。

【蚁酸】甲酸的俗称。

舣(艤) yǐ 使船靠岸。

倚 yǐ ❶靠着。㊎～树而立。❷仗恃。㊎～势欺人。❸偏。㊎不偏不～。

【倚仗】依靠别人的势力或有利条件。

【倚重】看重而信赖。

【倚赖】依赖。

【倚靠】❶依靠。❷身体靠在物体上。

【倚马千言】也说倚马可待。《世说新语·文学》说，晋朝桓温领兵北征，命令袁虎靠着马拟公文，很快就写成，而且写得很好。比喻文思敏捷。

【倚老卖老】仗着自己年纪大而任意放纵，卖弄老资格。

椅 ㊀ yǐ 椅子。
㊁ yī (1159页)。

旖 yǐ 〔旖旎〕柔和美丽。旎(nǐ)。

踦☒ yǐ (用膝盖)顶住。

齮☒**(齮)** yǐ 咬。㊎～龁(hé)。

扆☒ yǐ 古代宫室中门窗间的屏风。

偯☒ yǐ 哭泣的余声。

顗☒**(顗)** yǐ 安静。

蛾 ㊁ yǐ 同"蚁"。
㊀ é (241页)。

yì ㄧˋ

乂 yì 治理；安定。

刈 yì 割。㊎～草。

苅☒ yì 同"刈"。

艾 ㊁ yì 治理。
㊀ ài (5页)。

弋 yì 一种带绳子的箭。古人用来射鸟。

杙☒ yì ❶斜埋在地上的小木桩。❷系在木桩上。

黓☒ yì 黑色。

亿(億) yì ❶数目。一万万。❷古指十万。❸数目非常大。㊎～万。

【亿万斯年】形容无限长远的年代。《宋史·乐志十四》："亿万斯年，福禄攸同。"

艺(藝) yì ❶技能；技术。㊎工～|手～。❷艺术。㊎文～。❸准则。引申指限度。㊎贪贿无～。

【艺人】❶戏曲、曲艺和杂技等演员。❷雕刻、刺绣等手工艺工人。

【艺术】通过塑造形象反映社会生活的一种社会意识形态。艺术形象地反映人们现实生活和精神世界，满足人们的审美需求。由于表现手段和方式不同，可分为表演艺术(音乐、舞蹈)、造型艺术(绘画、雕塑、建筑)、语言艺术(文学)和综合艺术(戏剧、电影)等。

【艺名】演员为从艺而起的别名。

【艺苑】文艺荟萃的地方，泛指文学艺术界。

【艺林】旧指收藏文艺图书的地方。后指艺术界。

【艺徒】从师学艺的徒工。

【艺文志】也叫经籍志。中国纪传体史书中记载图书目录部分的专用名称。《汉书》开创了根据官修目录编制艺文志的先例。其后，《隋书》《旧唐书》《新唐书》《宋史》《明史》《清史稿》均有艺文志或经籍志，记载了该朝代的著作或藏书目录。

【艺术体操】也叫韵律体操。女子体操项目之一。徒手或持轻器械在音乐伴奏下做各种走、跑、跳、转体、平衡等动作。有不受人数、年龄、场地、器械条件限制的一般性艺术体操，也有按比赛规则进行的竞技性艺术体操。

【艺术歌曲】18世纪末19世纪初产生于欧洲的独唱歌曲。短小精致，抒情性强。歌词多出于名家之手，由作曲家精心配置曲调和伴奏。伴奏极为重要，往往有独立演奏的价值。艺术歌曲创作的代表人物欧洲有舒伯特、舒曼、沃尔夫等。中国作曲家也写有大量艺术歌曲，如赵元任、黄自、施光南等。

呓(囈)

yì 梦话。

【呓语】即“梦呓”(678页)。

忆(憶)

yì ❶回想。㊀～苦思甜。❷记得。㊀记～犹新。

仡

㊀ yì〔仡仡〕❶强壮勇敢。❷高大。㊁ gē(313页)。

屹

yì 山势高耸。

【屹立】像山峰一样高耸而稳固地直立着。比喻坚定不可动摇。

【屹然】屹立的样子。

义(義)

yì ❶正确合宜的道理或举动。泛指道德规范或合乎道德规范的行为。㊀～不容辞|～举。❷意思。㊀词～。❸合乎一定道德的情谊。㊀情深～笃|忘恩负～。❹指拜认的亲属关系。㊀～父。❺人工制造的(人体的部分)。㊀～肢|～齿。

【义工】义务从事公益性工作的人。

【义士】旧指能维护正义或侠义的人。

【义气】看重情谊而甘于替人承担风险或牺牲自己利益的气概。

【义仓】旧时地方上为备荒赈灾而设置的粮仓。

【义务】❶指公民依法在政治上、法律上、经济上应履行的责任，以及在道义上应尽的责任。与“权利”相对。❷没有报酬的(活动)。㊀～劳动。

【义地】旧时埋葬穷人的公共墓地。也指由私人或团体购置，专为埋葬一般同乡、团体成员及其家属的墓地。

【义师】起义的或为正义而战的军队。

【义诊】❶为正义或公益事业筹款而开设门诊。❷医生义务为病人诊治。

【义卖】为正义或公益的事情筹款而出售捐献的物品。

【义齿】镶的假牙。

【义肢】残疾人身上装的假的上肢或下肢。

【义学】旧时由私人或地方官署举办的免费学校。

【义项】字典、词典中同一个字条或词条下按其意义分列的项目。

【义战】正义的战争。

【义举】正义的或符合人民利益的行为。

【义勇】为正义事业而勇于斗争的。㊀～军。

【义冢】旧时埋葬无主尸骨的坟墓。

【义愤】对违反正义的事所产生的愤怒。

【义旗】起义的或为正义而战的旗帜。

【义演】为正义或公益的事情筹款而举行的演出。

【义赛】为正义或公益事业筹款而举行的体育比赛。

【义务兵】根据义务兵役制的规定被征集入伍，在军队中按规定期限服役或超期服役的士兵。

【义和拳】见〔义和团运动〕(1167页)。

【义勇军】人民群众自愿组织起来抗击入侵或压迫的武装组织。

【义无反顾】为了正义而勇往直前，绝不犹豫退缩。汉司马相如《喻巴蜀檄》：“义不反顾，计不旋踵。”

【义不容辞】从道义上讲不允许推托、拒绝。
【义正词严】理由正当充足,言词严正有力。
【义务教育】依照法律规定,适龄儿童和少年必须接受的,国家、社会、学校、家庭必须予以保证的国民教育。中国儿童和少年接受义务教育的权利为九年。
【义形于色】《公羊传·桓公二年》:"孔父正色而立于朝,则人莫敢过而致难于其君者,孔父可谓义形于色矣!"主持正义的心情表现在脸上。形:表现。
【义愤填膺】胸中充满义愤。膺:胸。
【义务兵役制】公民依照法律规定在一定年龄内有服一定期限兵役义务的制度。包括服现役和服预备役。
【义和团运动】1900年以农民和破产失业的城乡居民为主体的中国人民反帝爱国运动。义和团原名义和拳,是山东、河北、河南一带民间反清秘密组织。中日甲午战争后,为反对帝国主义瓜分中国,于1899年改称义和团,在山东起义,提出"扶清灭洋"的口号,逐步由山东扩展到东北、华北一带。在保卫京津的廊坊和紫竹林等战斗中,与八国联军进行了英勇的斗争。在八国联军和清政府的残酷镇压下,义和团运动失败。

议(議) yì ❶讨论;商量。㊀自报公~。❷意见。㊀建~|提~。❸评论。㊀物~|无可非~。
【议价】指市场上根据货物多寡临时议定的价格。与"平价"相对。㊀计划外的粮食和油料作物,可以~出售。
【议会】也叫国会。❶资本主义国家的议会一般由上、下两院(也有叫参议院、众议院或贵族院、平民院的)组成,也有的由一院组成。❷曾有某些社会主义国家的最高国家权力机关也叫议会或国会。
【议决】会议对提案经过讨论后所作的决定。
【议员】❶议会的成员。在资本主义国家,上议院议员一般由间接选举产生,下议院议员一般由直接选举产生。❷某些社会主义国家的人民代表也称议员。
【议和】进行和平谈判;通过谈判结束战争。
【议政】商讨国事;对政府工作提出意见和建议。㊀参政~。
【议案】提交会议讨论决定的建议。
【议程】会议进行的程序。
【议题】会议上需要讨论的题目。
【议会制】也叫代议制、国会制。资本主义国家的一种政治制度。采用这种制度的国家,在宪法中规定议会有立法和监督政府的权力,有些国家的政府由议会产生并对议会负责。
【议论文】以议论为主要表达方法的评论是非曲直、表明主张态度的文体。通常要求具备三要素:论点、论据、论证。样式有社论、评论、读后感等。
【议会党团】资本主义国家议会中,由同一个政党或结成联盟的几个政党中的议员所组成的集团。它代表本政党、本阶层、本阶级的利益,在议会中多采取统一的步调。

圛☒(圛) ㊀ yì 暗中察看。㊁ zé(1228页)。

译(譯) yì 翻译。㊀把英文~成中文。
【译员】担任翻译的人员。
【译制】翻译制作电影、电视片等。㊀~片。
【译意风】会场或影、剧院中使用的一种翻译装置。译员在隔音室里把发言或对话随时译成各种语言。听众可以用座位上的耳机选择收听自己所需的语言。

峄(嶧) yì 峄山,山名,在山东。

怿(懌) yì 高兴。

驿(驛) yì 驿站,旧时供来往送公文的人或出差官员中途换马或暂住的地方。现多用于地名。

绎(繹) yì ❶抽丝。❷理出头绪;寻究原因。㊀寻~。

烊☒(燡) yì 光明。

斁☒(斁) ㊀ yì 满足;厌烦。㊁ dù(230页)。

醳☒(醳) ㊀ yì ❶储存多年的酒。❷以酒犒劳军士。㊁ shì(903页)。

亦 yì 副词。也。㊀~无不可|反之~然。
【亦然】也是这样。
【亦庄亦谐】既庄重又风趣。
【亦步亦趋】人家慢走,跟着慢走,人家快走,跟着快走。《庄子·田子方》:"夫子步亦步,夫子趋亦趋。"比喻自己没有主张或为了讨好,而事事模仿、一味追随别人。趋:

快走。

弈 yì ❶围棋。❷下棋。㊀对～。

Y

奕 yì 大;美。

【奕奕】精神焕发的样子。㊀神采～。

衣 ㊁ yì 穿;给人穿。㊀～锦绣|解衣(yī)～我。

㊀ yī (1158 页)。

【衣锦还乡】古指做官以后,回到故乡向亲友乡里夸耀。

裔 yì ❶后代子孙。㊀后～。❷边远的地区。㊀四～。

异(*異) yì ❶不同。㊀大同小～。❷特别的;突出的。㊀优～。❸奇怪。㊀惊～。❹另外的;别的。㊀～日|～地。❺分开。㊀离～。

【异己】同一集团中跟自己有根本意见分歧或有利害冲突的人。㊀主张任人唯亲的人必然要排除～。

【异乡】外乡;外地。

【异日】❶将来;日后。㊀待诸～(等待别的时候)。❷往日;从前。

【异化】❶相似或相同的事物逐渐变得不相似或不相同。❷德国古典哲学名词。马克思曾借以表述一种同阶级一起产生的社会现象,即人的物质生产和精神生产及其产品反过来变成统治人的异己力量的社会现象。例如,工人创造了财富,而财富却为资本家所占有,并成为与工人为敌的统治工人的异己力量。创立马克思主义后,就不再使用这一词汇。

【异议】不同的或反对的意见。

【异词】不同的主张或说法。

【异物】❶珍奇、特异的东西。❷指死亡的人。㊀化为～。❸医学上指滞留或误入食管、气管、鼻腔、眼睛等处的某些物体。如鱼刺、纸团、灰尘等。㊀食管～|气管～。

【异性】❶性别不同的人。❷性质不同。㊀～的电互相吸引。

【异类】❶旧指外族。❷指不同于人的鸟兽、草木、神鬼等。

【异读】指一个字意义相同,但在习惯上具有两个或几个不同的读法。如"谁"字读 shuí,又读 shéi。

【异域】❶外国。❷他乡;外乡。

【异常】❶不同于平常。㊀情况～。❷副词。非常;特别。㊀～清楚|～激动。

【异彩】奇异的光彩。比喻突出的成就。

【异族】别的民族。

【异腈】也叫胩。有机化合物的一类,化学式 R—NC。是腈的异构体。

【异端】指不符合正统思想的理论或主张。

【异体字】跟规定的正体字同音同义而写法不同的字。如够、夠,炮、砲、礮,其中的"够、炮"是正体字,"夠、砲、礮"是异体字。

【异构体】组成相同,但原子间的连接方式或空间排列方式不同的化合物互为异构体。如乙醇(CH_3CH_2OH)与气态的甲醚(CH_3OCH_3)互为异构体。

【异口同声】大家说的完全一致。《宋书·庾炳之传》:"今之事迹,异口同音,便是彰著,政未测得物之数耳。"

【异化作用】也叫分解代谢。在新陈代谢过程中,生物体将自身的组成物质,通过体内一系列生物化学变化,分解成简单的物质,同时放出能量或排出体外的过程。

【异曲同工】也说同工异曲。曲调虽然不同,却都同样美妙。唐韩愈《进学解》:"子云、相如,同工异曲。"后比喻不同的说法或做法都收到同样的效果。工:工巧。

【异军突起】比喻一支新力量突然出现。异军:与众不同的军队。

【异养植物】体内不含叶绿素的非绿色植物。有的寄生在其他生物体营寄生生活,从寄主吸取营养物质,如菟丝子、列当等;有的从已死的或腐烂的生物体获得能量,营腐生生活,如天麻等。

【异想天开】比喻想法离奇而不切实际。天开:比喻凭空的、根本没有的事情。

【异养微生物】以外来的有机物作为碳源,以无机物或有机物作为氮源,某些种类甚至要求不同的生长因子,通过氧化有机物获得能量的微生物。如枯草杆菌、啤酒酵母和结核杆菌等。

抑 yì ❶向下压;压制。㊀～扬|～制。❷文言连词。1. 表示选择,相当于"还是"。㊀盘古人邪? ～非人邪? 2. 表示转折,相当于"只是"。㊀若圣与仁,则吾岂敢? ～为之不厌,诲人不倦,则可谓云尔已矣。

【抑止】即"抑制"②(1169 页)。

【抑扬】❶高低起伏(多指音调、文章的气势等)。❷褒贬。

【抑或】连词。用于疑问句,表示揣测,相当于"还是""或者"。[例]他为什么不来？是有事？～是有病？

【抑郁】❶有冤屈、愁苦等不能诉说而心中烦闷。❷也叫抑郁症。身心病的一种表现。在困惑和不安时麻木不仁，意志消沉。约80%的自杀者患有此症。与"焦虑"相对。

【抑制】❶机体对内外界刺激的反应表现为活动的减弱或变为相对的静止。是与兴奋相反的生理现象。❷也说抑止。压制；控制。[例]～不住兴奋的心情。

【抑扬顿挫】形容声音高低起伏，和谐而有节奏。

邑 yì ❶泛指城市。[例]通都大～。❷县。

挹 yì 舀(yǎo)。

【挹注】比喻用有余的补不足的。

唈☒ yì 呜咽。

浥 yì 湿润。[例]朝雨～尘。

悒 yì 愁闷；不安。[例]忧～|郁～。

【悒悒】愁闷不乐。

裛☒ yì ❶书套。❷缠绕。

佚 yì ❶同"逸"②③。❷古又同"迭(dié)"。

泆☒ yì ❶放纵。❷同"溢"。

轶(軼) yì ❶超过。❷散失。[例]～事(没有正式记载的事)。

昳☒ ㊁ yì 〔昳丽〕美丽。
㊀ dié (214页)。

役 yì ❶需要为官方出劳力的事。[例]劳～|徭～。❷强迫驱使；使唤。[例]奴～|～使。❸旧指供使唤的人。[例]仆～。❹战役。[例]平型关之～。❺兵役。[例]现～。

【役使】❶使用(牲畜)。❷把人当牲畜使用。

【役畜】可供使役的牲畜。畜(chù)。

疫 yì 流行性急性传染病的统称。[例]防～|鼠～。

【疫苗】原指用病毒、细菌或其他微生物所制备的用于人工自动免疫的生物制品。现在指用病毒、立克次体、衣原体等制备的生物制品。主要起预防疾病的作用，有时也用于治疗，如牛痘苗、卡介苗。

【疫疠】瘟疫。

【疫情】流行性传染病发生、发展的情况。

毅 yì 果断；坚决。[例]～然|～力。

【毅力】坚定持久毫不动摇的意志。

【毅然】副词。果断地；坚决地。

易 yì ❶容易；不费力。与"难"相对。[例]轻而～举。❷交换。[例]贸～|以物～物。❸变更。[例]移风～俗。❹和气。[例]平～近人。❺轻视。[例]贵货～土。

【易经】❶即《周易》。❷指《周易》的经文部分。包括卦、爻两种符号和卦辞、爻辞两种说明文字，为占卦所用。共六十四卦和三百八十四爻。内容上透露出上古社会和古人思想的一些情况。提出阴阳概念，阐述事物变化原理，包含有朴素的辩证法思想。后人广为研究，影响深远。

【易辙】见〔改弦易辙〕(300页)。

【易卜生】亨利克·易卜生(1828—1906)挪威剧作家。创作剧本二十六部，主要成就是创造了社会问题剧。作品多方面地揭露了资产阶级社会和家庭关系的丑恶虚伪。代表作有《玩偶之家》《人民公敌》《群鬼》等。

【易拉罐】一种装饮料或其他流质食品的铝制罐，开启时只需拉开罐口的金属环即可。也指这种包装的食品。

【易性癖】自我性别认定与生理上的性别特征相反，改换性别的愿望非常强烈，叫做易性癖。其性爱倾向为纯粹同性恋。

【易地而处】换一换所处的地位(替对方想一想)。处(chǔ)。

【易如反掌】比喻事情非常容易办，像翻一下手掌一样。汉枚乘《上书谏吴王》："必若所欲为，危于累卵，难于上天；变所欲为，易于反掌，安于泰山。"

【易货贸易】以货换货，不用货币作为支付手段的贸易方式。是国际贸易中最古老的贸易方式。包括直接易货、对开信用证和记账贸易。

埸 yì ❶边境。❷田界。

敡☒ yì 侮辱。

蜴 yì 见〔蜥蜴〕(1055页)。

佾 yì 古时乐舞的行列。

诣(詣) yì ❶前往(多用于到自己所尊敬的人那里去)。㊀～烈士墓致祭。❷学问或技艺所达到的程度。㊀造～|精～。

鮨□(鮨) yì 鱼类。体大,常为褐色或红色,有条纹和斑点。如鳜、石斑鱼等。大部分种类生活在海洋中。

枻☒ yì ❶船桨。❷船舷。

勚(勩) yì ❶劳苦。❷器物磨损,失去棱角、锋芒等。㊀螺丝扣～了。

跇☒ yì 超越。

食 ㊂ yì 用于人名,如郦食其(jī)(汉朝人)。
㊀ shí (894 页)。
㊁ sì (932 页)。

狭□ yì 见〔林狭〕(619 页)。

羿 yì 后羿,古人名。一指夏朝有穷氏的酋长,善于射箭。二指嫦娥之夫。有"后羿射日""嫦娥奔月"等神话故事。

翊 yì 辅佐;帮助。㊀～卫|～赞。

【翊赞】辅佐;帮助。《三国志·蜀书·诸葛亮传》裴松之注:"方将翊赞宗杰,以兴微继绝,克复为己任故也。"

翌 yì 次序在第二的(日或年)。㊀～日|～年。

翳(❷*瞖) yì ❶遮掩。㊀林木荫～。❷白翳,眼球上生的障蔽视线的白膜。

翼 yì ❶翅膀。也指像翅膀一样的东西。㊀鸟～|机～。❷左右两侧中的一侧。㊀侧～|左～。❸帮助;辅助。㊀～赞|～辅。❹星名。二十八宿之一。

【翼侧】也叫侧翼。作战时部队的两翼。㊀左～|右～。

【翼翼】❶严肃谨慎的样子。㊀小心～。❷严整有秩序的样子。❸繁盛的样子。

益 yì ❶好处。㊀运动对身体有～。❷有好处的。㊀良师～友|～鸟。❸增加。㊀延年～寿。❹更加。㊀精～求精。

【益发】副词。更加;越发。

【益母草】也叫茺蔚。一年生或二年生草本植物。茎四棱,叶对生。全草入药,能活血、调经。种子叫茺蔚子,有活血调经等作用。

嗌 ㊁ yì 咽喉。
㊀ ài (7 页)。

溢 yì ❶充满而流出来。㊀河水四～|洋～。❷过分。㊀～美之词(过分夸奖的话)。❸古又同"镒"。

【溢洪道】水库的泄洪建筑物。用以排泄水库容纳不下的洪水,保证拦河坝等建筑物的安全。

【溢流坝】也叫滚水坝。即水可从坝顶溢流的一种拦河坝。

缢(縊) yì 勒死;吊死。㊀～杀|自～。

镒(鎰) yì 古代质量单位。合二十两,一说二十四两。

鹢☒(鷁) yì 古书上说的一种水鸟。

螠 yì 无脊椎动物。体呈圆柱形,无体节。生活在海底泥沙中。

艗☒ yì ❶船。❷〔艗艏〕船头。

谊(誼) yì 交情。㊀友～。

埶☒ yì 同"蓺"。

蓺☒ yì 种植。㊀树～五谷(种植五谷)。

逸 yì ❶逃;跑。㊀逃～。❷散失;失传。㊀～事|～闻。❸安闲;休息。㊀好～恶劳|劳～结合。

【逸民】旧指避世隐居的人。

【逸事】多指不见于正式记载的关于某人的琐事。

【逸闻】不见于正式记载的传闻。

鶂☒(鶂) yì ❶同"鹢"。❷〔鶂鶂〕鹅叫声。

鶃☒(鶃) yì 同"鶂"。

肄 yì 学习。㊀～业|～习。

【肄业】❶正在学校学习。❷指虽已离校但并未学到规定毕业的年限或并未达到规定毕业的程度。

意 yì ❶意思。例来～。❷愿望。例满～。❸料想。例出其不～。❹事物流露的情态。例春～。❺意大利的简称。

【意义】❶含义。例我不了解这个词的～。❷价值;作用。例教育～。

【意见】❶看法;主张。例交换～。❷(对人、对事)认为不对而不满意的想法。例有～要当面提。

【意气】❶意志;气概。例～风发。❷偏激、任性的情绪。例不要～用事。❸志趣和性格。例～相投。

【意外】❶意料之外。例出人～。❷想不到的不幸事件。例以免发生～。

【意动】古汉语中常将形容词或名词活用作动词带上宾语,表示认为其宾语是怎么样的或当作什么事物,称为意动用法。如《史记·廉颇蔺相如列传》"且庸人尚羞之"中"羞之"即"以之为羞",《战国策·齐策四》"孟尝君客我"中"客我"即"以我为客"。

【意匠】诗文、绘画等的精心构思。

【意向】目的;意图。例须探明对方的～。

【意会】不经直接说明而心中领会。

【意旨】尊者的意愿和要求(多指应该遵从的)。

【意兴】兴致。

【意志】根据确定的目的调节支配自身行动,克服困难,去实现预定目标的心理状态。

【意识】❶哲学范畴。指人脑对客观世界的反映。是物质发展到一定阶段的产物。是人脑这种高度组织起来的特殊物质的机能。它反映客观世界,并对客观世界有反作用。❷感到;觉察。

【意译】❶根据原文的意思来翻译,而不逐字逐句地翻译。与"直译"相对。❷把某种语言词语的意义译成另一种语言的词语。与"音译"相对。如"摩登"是英语 modern 一词的音译,"现代"是该词的意译。

【意表】意外。例出人～。

【意味】❶值得细细体会的意义和趣味。例～深长|富于文学～。❷含有某种意义(常与"着"连用)。例柳梢吐绿,～着春天来了。

【意图】想达到某种目的的打算。例领导～。

【意料】事先的估计。例出人～。

【意象】❶文艺作品中客观物象和主观情思融合一致而形成的艺术形象。如艾青《礁石》创造了一个外形像被斧头千百次砍过而内心"含着微笑,看着海洋"的礁石意象。❷钢琴曲集。德彪西曲。由二集共六首乐曲辑成。第一集作于 1905 年,第二集作于 1907 年。

【意想】料想;想象。

【意境】中国古典文论中的用语。指文艺作品中客观景物和主观情思融合一致而形成的艺术境界。具有情景相生和虚实相成以及激发想象的特点,使人身临其境,得到审美愉悦。

【意愿】愿望;心愿。

【意趣】意味;兴趣。

【意大利】全称意大利共和国。位于欧洲南部。包括亚平宁半岛和西西里、撒丁等岛屿。北面自西向东邻法国、瑞士、奥地利、斯洛文尼亚,东南西三面分别临地中海中的亚得里亚海、伊奥尼亚海、第勒尼安海和利古里亚海。是欧洲的文明古国,世界主要经济发达国家之一。

【意中人】心中眷恋的人,多指所爱慕的异性。

【意识流】 19 世纪美国心理学家威廉·詹姆士提出,人的思维活动不是片断的简单连接,而是像水流一样,是一种意识流。20 世纪西方作家大量用于文艺创作中。它以打破时间、空间为主要特点,使人物内心世界的描绘达到自然、真实、连贯的程度,内心独白和情节跳跃是常用的描写手段。中国文坛 20 世纪 80 年代起也有运用这种创作手法的。

【意气风发】精神振奋,气概昂扬。

【意外事件】❶意料之外的事件。❷法律上指行为在客观上虽然造成了损害结果,但非出于故意或过失,而是由于不能抗拒或不能预见的原因所引起的。不是犯罪。

【意在言外】言词的真正意思是暗含着的,没有明白说出。

【意识形态】指社会意识诸形式中构成思想上层建筑的部分。包括政治、法律、道德、艺术、宗教、哲学等直接、自觉地反映社会经济、政治制度的思想体系。有其自身的发展规律,具有历史继承性,在阶级社会里具有阶级性。

【意思表示】行为人将自己的内在意思表达于外部的行为。是民事法律行为的构成要件。进行民事法律行为,意思表示必须真实,虚假的意思表示是无效的或可变更、可撤销的。

薏 yì 〔薏苡〕一年生或多年生草本植物。颖果卵形。果仁叫薏米，可入药，有健脾、去湿、利尿等作用。

Y

臆 yì ❶胸。❷无根据的；主观的。㊀～测｜～造。

【臆度】主观揣度；猜测。度(duó)。
【臆测】无根据地主观推测。
【臆说】主观推测的说法。
【臆造】凭主观想象编造。
【臆断】凭主观推测而下的判断。

镱(鐿) yì 金属元素，符号 Yb，原子序数 70。是稀土元素之一。银白色金属，有延展性，质软。是重要的发光材料敏化剂。可制特种合金。

癔 yì 〔癔症〕也叫歇斯底里。神经官能症的一种。多由精神刺激而急剧发病。主要症状是运动、感觉和精神意识等障碍。

廙 yì ❶可移动的住房。类似蒙古包。❷恭敬。

瘗(瘞) yì 埋葬；埋藏。

瘱⊠**(瘱)** yì 安静；文静。

嫕⊠ yì 和善可亲。

鹝(鷊) yì ❶同"鹢"。❷古书上指吐绶鸟。

饐⊠**(饐)** yì 食物腐败变味。

殪 yì ❶死。❷杀。

曀⊠ yì 天阴沉。

豷⊠ yì 猪的喘息。

懿 yì 美好(多指好的德行)。

【懿旨】皇太后或皇后的诏令。
【懿德】美德。

熠 yì 光耀；鲜明。

劓 yì 古代一种割掉鼻子的酷刑。

燚⊠ yì 火燃烧的样子。多用于人名。

瘱⊠ yì 同"呓"。

yīn ㄧㄣ

因(*囙) yīn ❶原因。与"果"相对。㊀事出有～。❷连词。由于(什么缘故)。㊀会议～故改期。❸介词。依照；根据。㊀～地制宜。❹沿袭。㊀～循守旧。

【因子】❶因数。❷即"因式"(1172 页)。
【因为】连词。表示原因或理由。㊀～我们是为人民服务的，所以，我们如果有缺点，就不怕别人批评指出。
【因由】原因。
【因式】也叫因子。如果一个多项式(或整式)能被另一个多项式(或整式)整除，则后者叫做前者的因式。如 $a+b$ 和 $a-b$ 都是 a^2-b^2 的因式。
【因而】连词。表示结果。㊀他是无私的，～也是无畏的。
【因明】古代印度研究推理论证的科学。即关于逻辑推理的学说。
【因素】❶构成事物的要素。❷决定事物的原因或条件。㊀调动一切积极～。
【因袭】沿用以前的，不加革新。㊀～陈规。
【因循】❶沿袭。㊀～守旧。❷拖延。㊀～误事。
【因缘】❶佛教把因为有这个事物而产生了那个事物叫因；这个事物由于那个事物而生成叫缘。❷缘分。
【因数】见〔倍数〕(46 页)。
【因变量】设 D 是给定的一个数集，若有两个变量 x 和 y，当 x 变量在 D 中取某特定值时，变量 y 依确定的关系 f 也有一个确定的值，则称 y 是 x 的函数，f 称为 D 上的一个函数关系，记为 $y=f(x)$，x 叫做自变量，y 叫做因变量。
【因特网】全球最大的、由众多计算机网络互连而成的开放性网络。由美国的 ARPA 网发展演变而来。
【因人成事】依赖别人办成事情。《史记·平原君虞卿列传》："公等录录，所谓因人成事者也。"因：依赖。
【因式分解】在代数乘法运算中，如 $(a+b)(a-b)$ 可得 a^2-b^2，但为了简化运算等的需要，还经常把 a^2-b^2 表示成 $(a+b)$

$(a-b)$,这种把一个多项式分解成几个多项式乘积的形式的运算叫做因式分解。

【因地制宜】根据当地的实际情况,制定适当的措施。汉赵晔《吴越春秋·阖闾内传》:“夫筑城郭,立仓库,因地制宜,岂有天气之数以威邻国者乎?”宜:适当。

【因材施教】对不同的教育对象提出不同的要求,采用不同的教育方法。

【因纽特人】旧称爱斯基摩人。主要分布在北美沿北极圈一带地区,俄罗斯境内也有分布。语言属古亚细亚语系爱斯基摩—阿留申语族。近海的主要以捕捉海兽、鱼类为生,内陆的则从事狩猎。传统上,以雪橇、独木舟为交通工具,住冰屋和帐篷。喜爱造型艺术,擅长雕刻。

【因势利导】顺着事物发展的趋势加以引导。《史记·孙子吴起列传》:“善战者因其势而利导之。”因:循,顺着。势:趋势。利导:引导。

【因果报应】佛教用语。说今生种什么因,来生结什么果,善有善报,恶有恶报。

【因果联系】事物或现象间普遍联系的一种形式。任何事物或现象的产生都是一定原因的结果;任何事物或现象的存在和发展又是一定结果的原因。

【因陋就简】汉刘歆《移书让太常博士》:“苟因陋就寡,分文析字,烦言碎辞,学者罢(通“疲”)老且不能究其一艺。”原意是听任其简陋而不求改进。后指利用原来简陋的条件办事情。

【因循坐误】照老样子不改变,拖拖拉拉,以致误了事情。

【因噎废食】因为吃东西噎住,索性就什么也不吃了。比喻由于出了点小毛病或怕出问题就把应该做的事情停下来不干了。《吕氏春秋·荡兵》:“夫有以饐(噎)死者,欲禁天下之食,悖。”

茵 yīn 古代车子上的垫子。泛指铺垫的东西。㊀~褥|绿草如~(形容草绿茸茸,非常繁茂)。

【茵陈蒿】也叫茵陈、白蒿。多年生草本植物。幼株密生白毛,入药有清湿热、治黄疸等作用。

洇 yīn 液体着纸或布等向外扩散、渗透。㊀这种纸写字容易~。

姻(*婣) yīn ❶婚姻。㊀联~。❷因婚姻而发生的亲戚关系。㊀~亲。

【姻亲】因婚姻关系而形成的亲属。如丈夫的父母、兄弟姐妹是妻的姻亲;妻的父母、兄弟姐妹是丈夫的姻亲。

【姻娅】亲(qìng)家和连襟。泛指姻亲。

【姻缘】男女结成夫妻的缘分。

骃⊠(駰) yīn 黑色带白花的马。

细□(絪) yīn 〔细缊〕同“氤氲”(1173页)。

氤 yīn 〔氤氲〕也作细缊。气体(云烟等)很盛的样子。

铟(銦) yīn 金属元素,符号 In,原子序数 49。银白色,质软。用以制低熔合金、轴承合金、半导体、电光源等的原材料。

裀⊠ yīn ❶夹衣。❷垫子;褥子。

阴(陰*隂) yīn ❶月亮。㊀太~。❷天空有云不见阳光或星、月。㊀~天。❸暗。❹阳光不能直接照到的地方。㊀背~。❺不露出来的;凹进的。与“阳”相对。㊀~沟|~文。❻不光明的;诡诈的。㊀~谋|~险。❼跟死人或鬼神有关的。㊀~间。❽中国古代哲学概念。与“阳”相对。❾山的北面;水的南面。㊀华~(地名,在华山之北)|江~(地名,在长江之南)。❿带负电的。㊀~极|~离子。⓫生殖器。有时特指女性的生殖器。

【阴山】在内蒙古自治区中部。东西走向,海拔 1 500—2 000 米。是黄河流域与内流区的分水岭之一。

【阴历】历法的一种。以月亮的圆缺决定一个月时间的长度,月份与四季寒暑无关。年的长度只是月的整数倍。这种历法逐渐被淘汰。以前中国民间所谓的阴历是指阴阳历,即现在用的农历。

【阴文】器物印章所铸刻的凹形文字或花纹。

【阴平】汉语声调的一种。普通话阴平是高平调,以符号“ˉ”表示。如春(chūn)、光(guāng)。

【阴电】即“负电”(293页)。

【阴司】阴间(迷信)。

【阴极】一般指电解池中与电势较低的直流电源线相连结的电极。电子管中发射电子的电极也叫阴极。

Y

【阴私】不可告人的事。
【阴沉】阴而暗的样子。
【阴郁】❶(天气)低沉郁闷;(气氛)不活跃。❷沉闷;心情不舒畅。
【阴性】❶诊断疾病时对某种试验或化验结果的表示方法。阴性表明体内没有某种病原体存在或对某种药物没有过敏反应。❷某些语言的语法要求名词(以及代词、形容词)分性,有的分阴性、阳性两种,有的分阴性、阳性、中性三种。
【阴毒】阴险毒辣。
【阴险】表面和善,暗地不存好心。
【阴曹】阴间(迷信)。
【阴谋】❶暗中策划(做坏事)。❷暗中做坏事的计谋。㊀要光明正大,不要搞~诡计。
【阴森】幽暗而可怕的样子。多形容脸色、环境等。
【阴骘】原指暗中使安定。转指阴德。骘(zhì):安排,定。
【阴魂】指人死后的灵魂(迷信)。
【阴韵】也叫阴声韵。指韵尾是元音或没有韵尾的韵母。如来(lái)、麻(má)中的 ai、a 即为阴韵。
【阴德】阴功。暗中做的有德于人的好事。迷信的人认为在人世间所做的好事而在阴间可以记功,故名。
【阴翳】❶树木遮蔽。❷枝叶繁茂。翳(yì)。
【阴霾】❶霾的通称。❷比喻环境恶劣。霾(mái)。
【阴阳历】一种综合阴历、阳历而制定的历法。以月球绕地球一周的时间为一月,但设置闰月,使一年的平均天数跟回归年的天数相符。这种历法与月相基本符合,也与地球绕太阳的周年运动相符合。中国的农历就是阴阳历的一种。
【阴阳家】❶也叫阴阳五行家。战国时期的一个学派。以邹衍为主要代表。把阴阳五行神秘化,用“五行相胜”(水胜火,火胜金,金胜木,木胜土,土又胜水)来比附历史上的王朝兴替。❷后世也有把以看风水、搞占星为职业的人称为阴阳家的。
【阴生植物】适宜生长在光照弱的荫蔽环境中的植物。叶多大而薄,叶面往往与光线垂直。如胡椒、黄连等。
【阴阳怪气】形容言行态度怪僻,冷言冷语,使人感觉古怪离奇,不可捉摸。
【阴极射线】从放电管阴极发出的电子束。可以聚焦,也可以利用电场、磁场使其偏转。用途很广,电子显微镜、示波管及电视机显像管中都应用了阴极射线。
【阴贼险狠】阴险,狡诈,狠毒。
【阴谋诡计】暗地里做坏事的计谋。
【阴魂不散】比喻坏人、坏事已经不存在,但是其恶劣影响还毒害着人们。
【阴错阳差】比喻由于一些偶然因素而造成差错。

荫(蔭)

㊀ yīn 树阴,树下不见阳光的地方。㊀绿树成~。㊟ 1985 年《普通话异读词审音表》规定“荫”统读 yìn,“树荫”“林荫道”应作“树阴”“林阴道”。但在一些固定格式(如绿树成荫)和专用名词(如人名、地名)中,原读 yīn,表示“树荫”义的“荫”字习惯上保持不变。

㊁ yìn (1181 页)。

音

yīn ❶声音。㊀录~。❷消息。㊀~信|佳~。❸指音节。㊀双~词。
【音叉】钢制的发声仪器。形状像叉子,用小木槌敲打,能发出一定频率的声音。常用作测定音调的标准。
【音长】声音的长短。它是由声波延续时间的长短决定的。发音体振动的时间长,声音就长;时间短,声音就短。
【音节】也叫音缀。由一个或几个音素组成的语音单位,其中包含一个比较响亮的中心。一般说来,在汉语中,一个汉字就表示一个音节。如“加(jiā)”,由三个音素组成,其中 a 是响亮的中心。
【音乐】用有组织的乐音来塑造形象,反映现实生活,表达思想感情的一种艺术。基本表现手段是旋律和节奏。分声乐和器乐两大部门。
【音名】音乐中代表不同音高的七个基本音。即 C、D、E、F、G、A、B。它们在五线谱上和键盘乐器上都有固定的位置。中国古代律吕的名称也叫音名。
【音色】旧称音品。人声或乐器在音响上的特色。发声体、发音条件、发音方法不同,都能形成不同的音色。二胡和提琴所发的音,即使响度、音调都相同,听起来仍有区别,就是因为它们的音色不同。
【音问】音信。
【音阶】指音乐调式中从主音到其八度音之间的各音,按音高次序排列而成的音列。简谱记为 1 2 3 4 5 6 7 $\dot{1}$。

【音位】语言中具有区别意义作用的最小的语音单位。如普通话里"发(fā)"和"妈(mā)"两个词是靠 f 和 m 来区别的，f 和 m 就是两个音位；"来(lái)"和"雷(léi)"两个词是靠 a 和 e 来区别的，a 和 e 也是两个音位（一般用"/ /"的符号表示音位，如/f/)。在汉语中，声调有区别意义的作用，不同的调类也是不同的音位。

【音译】用相同或相近的语音翻译另一种语言的词语。如用"沙发"翻译英语词"sofa"。与"意译"相对。

【音质】❶在房间以及电声系统（如电话、播音等）中声音的品质（即清晰度和逼真度等）。❷语音学和音乐中指音色。

【音变】语音成素的变化。包括元音、辅音等音素以及声调、重音等韵律成素的变化。在连续发音中受前后音的影响而发生的变化，称为共时音变或语流音变。如句尾助词"啊"受前面音节末尾音素的影响而发生音变，成为"呀、哇、哪"等。也有历史性的音变，如中古汉语的声母[ts]、[ts']、[s]和[k]、[k']、[x]受高元音[i]、[y]腭化的影响演变成现代汉语的[tɕ]、[tɕ']、[ɕ]。

【音标】记录语音的符号。㊙国际～。

【音响】❶声音（多就声音所产生的效果说）。❷指能产生音响的设备。是录音机、收音机、唱机及扩音器等的统称。

【音信】往来的信件或消息。

【音素】最小的语音单位。如"发"音 fā，是一个音节，可再分析出 f 和 a 两个音素。音素包括元音（也叫母音）和辅音（也叫子音）两大类。

【音速】声速的旧称。

【音值】音素的实际读音。在语音学中通常用国际音标表示。如《汉语拼音方案》中 j 的音值是[tɕ]，英语字母中 j 的音值是[ʤ]。一种语言的某个字母或音标在不同的语音环境中，音值往往不同，如《汉语拼音方案》中 e 的音值在 gē(哥)里是[ɤ]，fēn(分)里是[ə]，hēi(黑)里是[e]。

【音高】声音的高低。由声波振动频率的高低决定，频率高音就高，频率低音就低。

【音准】歌唱或演奏时在音高上的准确性。即符合十二平均律。五度相生律制定的音高振动频率。优质的乐器、敏锐的听觉及演唱、演奏的乐感和技术水平决定音准程度。

【音容】声音和容貌。㊙～宛在。

【音调】声音的高低程度。频率越大，音调越高。人的声音也有高低不同，儿童的音调比成人高，女人的音调比男人高。

【音域】各种乐器或人声所能发出的乐音的高低两极间的范围。如一首歌曲的最低音至最高音的范围即该歌曲的音域。

【音符】乐谱中用以表示乐音长短的符号。五线谱和简谱中所用的基本音符有六种，见下表：

名称	形状		时值
	五线谱	简谱	
全音符	𝅝	1---	演唱(奏)四拍
二分音符	𝅗𝅥	1—	全音符的 1/2
四分音符	𝅘𝅥	1	二分音符的 1/2
八分音符	𝅘𝅥𝅮	$\underline{1}$	四分音符的 1/2
十六分音符	𝅘𝅥𝅯	$\underline{\underline{1}}$	八分音符的 1/2
三十二分音符	𝅘𝅥𝅰	$\underline{\underline{\underline{1}}}$	十六分音符的 1/2

【音缀】即"音节"(1174 页)。

【音量】声音的大小。

【音程】两音在高度方面的距离。音程有度数差别和性质差别。度数有一度、二度、三度、四度、五度、六度、七度、八度，还有超过八度的九度、十度、十一度等。性质有大音程、小音程、纯音程、增音程、减音程。

【音强】即"声强"(882 页)。

【音频】也叫声频。人耳能够听见的振动频率。约在 20—20 000 赫范围内。

【音障】高速飞行的飞机、火箭等在速度接近音速时，由于前方的空气来不及散开，进一步提高飞行速度受到阻碍，这种现象叫做音障。

【音箱】也叫共鸣箱。木制，形状有长方形（如钢琴、筝）、半梨形（如琵琶）、梯形（如马头琴）等。是乐器的主体部分，起共鸣作用。

【音韵学】也叫声韵学。语言学的分支学科。研究汉语各个时期的语音系统及其演变的学科。注重分析汉语字音（音节）中声、韵、调三种要素以及这些要素在不同历史时期的组合演变的过程、原因和规律。研究范围包括今音学、古音学、等韵学和近现代语音研究。

【音乐电视】由电视台或其他机构制作的带有艺术画面、有演唱（或演奏）、有伴奏且在电视等媒体上播放的音乐。

【音乐疗法】也叫音乐治疗。利用音乐对人

体产生生理和心理的作用来治疗疾病的方法。目前音乐疗法主要用于神经官能症、精神病和其他疾病的治疗，也用于胎教。

【音乐喷泉】根据物理、电子的有关原理，设计出的在音乐声中水流高低跳跃、错落有致，供人观赏的喷泉。

【音响效果】利用音响设备产生的声音效果。如拍摄电影、电视剧以及戏剧演出时，用不同的专用设备产生各种音响，如模拟风声、雨声、枪炮声等，给人以真实感，增强艺术效果。

【音频信号】由声音转换成的电信号和脉冲信号。

喑（*瘖） yīn ❶嗓子哑，不能出声。例～哑。❷沉默；不说话。

愔 yīn 〔愔愔〕❶安静和悦的样子。❷幽深寂静的样子。

殷（❷*慇） ㊀ yīn ❶富足。例～实。❷深厚；周到。例～切｜～勤。❸商朝。参见“商”(859页)。
㊁ yān (1131页)。
㊂ yǐn (1179页)。

【殷切】深厚恳切。例～地希望。

【殷忧】深切的忧虑。

【殷实】富裕。

【殷殷】❶形容忧愁。❷形容殷切。例情意～。❸众多；昌盛。

【殷富】殷实，富足。

【殷勤】热情而周到。例～接待。

【殷鉴】《诗经·大雅·荡》：“殷鉴不远，在夏后之世。”意思是说殷人灭掉了夏，殷人应该以夏的灭亡作为鉴戒。后指可以引为教训的前人失败的事。

【殷墟】商朝后期的都城遗址。在今河南安阳小屯村及其周围。

溵□ yīn 〔溵溜〕地名。在天津。溜(liū)。

堙（*陻） yīn ❶土山。❷堵塞。❸埋没。

【堙灭】埋没。

闉☒（闉） yīn ❶〔闉阇〕瓮城（城门外的曲城）的门。也泛指城门。阇(dū)。❷同“堙”。

湮 ㊀ yīn 同“洇”。
㊀ yān (1131页)。

歅☒ yīn 用于人名，如九方歅（春秋时人，善相马）。

禋☒ yīn 古代祭天时升烟的一种仪式。也泛指祭祀。

yín ㄧㄣˊ

冘☒ ㊀ yín 〔冘冘〕走走停停的样子。
㊁ yóu (1192页)。

吟（*唫） yín ❶唱；声调抑扬地读。例～诵。❷鸣叫。例蝉～。❸古诗的一种。例《梁甫～》。

【吟味】吟咏欣赏。味：玩味。

【吟咏】有节奏地诵读诗歌。

【吟哦】吟咏。哦(é)。

【吟风弄月】旧时有些文人以风花雪月为题材写诗作文，因此称他们的写作为“吟风弄月”(含贬义)。

垠 yín 边际；界限。例一望无～。

银（銀） yín 金属元素，符号 Ag，原子序数 47。白色，富延展性，是导热导电性能最好的金属。用于电镀，制合金、感光材料、器皿等。

【银元】同“银圆”(1177页)。

【银卡】信用度、经济实力和社会地位均低于金卡持有人，但又高于一般持卡人的信用卡及会员卡。

【银号】钱庄。

【银汉】银河。参见〔银河系〕(1177页)。

【银耳】也叫白木耳。真菌的一种。白色，半透明，富于胶质。可供食用。

【银团】银行集团的简称。银行为开展业务而成立的集团。主要以银行联合贷款的形式出现，也出现在银团租赁中。

【银朱】硫化汞的俗称。无机化合物，化学式 HgS。最早的鲜红色颜料。有毒。用于油画、印泥及中国著名的朱红雕刻漆器等。

【银行】经营存款、放款、汇兑、储蓄等业务和发行货币的金融机构。通常中央银行是发行货币和进行宏观金融调控的银行。商业银行是经营存贷款和转账结算业务的银行。投资银行是经营证券承销、企业收购兼并和财务咨询业务的银行。

【银杏】也叫白果。落叶大乔木。生长慢，核果像杏，核白色，故名。供食用和药用，但多食易中毒。是中国特有植物。也指这种植物的果实。

【银杉】常绿大乔木。叶两型。球果卵圆形

或长椭圆形。产于中国广西龙胜和四川南川金佛山。1956年始发现。树姿优美，可供观赏。木材供建筑、造船等用。是中国国家重点保护植物。

【银两】旧时用银子为主要货币，以两为单位，因此作货币用的银子称银两。

【银屏】荧屏。

【银根】指市场上货币周转流通的情况。市场上资金需要大于供应叫银根紧；反之叫银根松。

【银圆】也作银元。旧时俗称大洋。用白银铸成的圆形货币。

【银婚】欧美风俗称结婚25周年为银婚。

【银铺】银匠铺。中国元代金银饰品的加工及货币兑换机构。

【银幕】供放映电影、幻灯及投影用的屏幕。最初用白布制成，后一般用掺有氧化钛或金属粉末的涂料喷涂在布料或塑料上制成。

【银锭】熔铸成块状的白银。是古代的一种货币。形制不一，有马蹄形、秤锤形、馒头形、颗粒形等。马蹄形的银锭通称银元宝。

【银川市】宁夏回族自治区首府。位于宁夏平原中部，包兰铁路线上。人口45万(1997年)。为该区政治、经济、文化和交通中心。工业以机械制造、化工、冶金、纺织等为主。特产绒毯、枸杞酒、贺兰石雕等。名胜古迹有玉皇阁、西夏王陵、拜口寺双塔等。

【银行卡】由银行发行，供客户办理存款业务的新型服务工具的统称。

【银河系】由2 000亿颗以上恒星(包括太阳)及其他物质所组成的庞大天体系统。形状基本上像个扁圆盘，其直径约8万光年，质量大约为万亿个太阳的质量。太阳的位置在银河系中心到边缘的中间稍偏边缘的地方，距离银河系中心2.3万光年。银河系中绝大多数恒星距离地球太远，在晴朗无月的夜晚，看上去呈一条淡白色的光带，人们通称为天河、星河或银河。

【银屑病】俗称牛皮癣。一种慢性皮肤病。可能与遗传或过敏有关。主要症状是肘、前臂、膝、小腿、头皮等部位皮肤上出现痒性鳞片状红斑。

【银本位制】以白银作为基本货币币材的货币制度。19世纪以前，世界各国大都采用银本位制。在旧中国，清政府和国民党统治的最初几年也曾采用过。

【银团贷款】一家银行牵头，若干家银行联合向借款人提供贷款的贷款方式。

【银行汇票】汇款人将款项交存当地银行，由银行签发给汇款人持往异地以办理转账结算或支取现金的票据。

【银镜反应】含有可溶性银络合物(如银氨溶液)的试剂遇到醛(或还原性糖)类，在碱性液中发生氧化反应时，银沉积于容器内壁的反应。利用这一反应可区别醛和酮，并可用于玻璃涂银。

【银行保密法】1970年美国实施的联邦法案。规定禁止利用现金从事非法交易，要求银行微缩拍照100美元以上的支票，10 000美元以上的现金存款、提款和转账，国内业务要向国内税务部报告，国际转账业务要向美国海关署报关，同时，银行要在转账后15天内完成现金转账报告。瑞士的银行保密法也十分著名。

【银样镴枪头】表面像银其实是焊锡做的枪头。比喻外表好看却不中用。元王实甫《西厢记》第四本第二折："你原来苗而不秀，呸！你是个银样镴枪头。"镴(là)：铅锡合金，通常叫焊锡。

龈(齦) yín 牙龈。

狺 yín 〔狺狺〕拟声词。狗叫声。

訚⊠(誾) yín ❶和悦而能尽言的样子。❷谦和而恭敬的样子。

沂⊠ yín 〔沂沦〕水回旋的样子。

龂⊠(齗) yín ❶同"龈"。❷〔龂龂〕争辩的样子。

崟 yín 见〔嵚崟〕(791页)。

淫(❷*婬*滛) yín ❶过多；过甚。㊀～雨｜～威。❷不正当的男女关系。㊀奸～。❸放纵。㊀骄奢～逸。❹心乱；迷惑。㊀富贵不能～。

【淫巧】过度奇巧。

【淫刑】滥用刑罚。

【淫乱】在性行为上违反道德准则。

【淫佚】同"淫逸"(1178页)。

【淫雨】也作霪雨。下个不停的雨，过量的雨。

【淫荡】淫乱放荡。
【淫威】滥用的权威、威力。
【淫秽】淫乱、肮脏、丑恶的。
【淫逸】也作淫佚。纵欲放荡。

霪 yín 〔霪雨〕同“淫雨”(1177 页)。

寅 yín ❶地支的第三位。❷寅时,旧式记时法,相当于三点到五点。

【寅吃卯粮】在寅年吃了卯年的粮。比喻入不敷出,预先挪用了以后的收入。寅、卯:中国农历纪年用的地支次序,寅年在卯年之前。

夤 yín ❶深。[例]～夜。❷攀附。[例]～缘(比喻依附、巴结有权势的人向上爬)。

鄞 yín 鄞县,地名,在浙江东部。

蟫□ yín 蟫鱼,蛀蚀书籍、衣物等的小虫。

嚚 yín ❶愚蠢而顽固。❷奸诈。

yǐn ㄧㄣˇ

尹 yǐn ❶治理。❷古代官名。[例]府～|道～。

引 yǐn ❶拉;伸。[例]～弓|～领。❷带领。[例]～路|～导。❸导引。[例]～水灌溉。❹荐举。[例]～荐。❺引起;使出现。[例]抛砖～玉。❻离开。[例]～避|～退。❼用来作为依据。[例]～文|～证。❽市制长度单位。10 丈为 1 引,15 引为 1 里。1 引约合 33.333 米。

【引子】❶宋元说唱艺术演唱时的第一个曲子的泛称。❷传统戏曲中角色初上场时念或唱的一段韵文。京剧等剧种中的引子是半念半唱的,常用于戏的开头第一个角色上场时。❸比喻引起正文的话或启发别人发言的话。❹药引子。
【引水】即“引航”(1178 页)。
【引见】引人相见,使彼此认识。
【引文】作为立论依据而引用的文件、书籍或规章法令等的原文。
【引申】指由一事一义推引出其他有关的意义。特指字、词由原义引出新义。
【引号】标点符号的一种。形式为双引号““ ””和单引号“‘ ’”。直行文稿双引号为“『』”,单引号为“「」”。用于行文中直接引用的话。也用于需要着重论述的对象或具有特殊含义的词语。引号套用时,外层用双引号,里层用单引号。
【引产】用药物、针刺、手术等方法引起子宫收缩,促使分娩。
【引决】自裁。
【引论】即“导论”(182 页)。
【引导】带领;启发诱导。[例]教师对差的学生要善于～。
【引进】❶从外地或外国引入(资金、技术、设备、新品种等)。❷引荐。
【引言】即“导言”(182 页)。
【引证】引用事实或文献、著作等作为论证的根据。
【引咎】把过错归到自己身上。[例]～辞职。咎(jiù):过错。
【引河】人工开挖的支河。用来减缓水势或灌溉农田。
【引荐】推荐(人)。
【引种】将外地的动植物优良品种引进本地试验、繁殖推广。种(zhòng)。
【引信】装在弹丸上的引爆装置。有着(zháo)发引信、时间引信和感应引信等。
【引诱】❶诱导。❷诱惑。[例]～敌人进入伏击圈。
【引退】指辞去官职。
【引桥】联接正桥和路堤的桥。
【引逗】挑逗;引诱。
【引航】也叫引水。由熟悉港口、航道并具有驾驶操纵技术的专职人员,指挥、引导或驾驶船舶进出港口,或在江、河、内海、沿海一定区域航行。担任此项工作的人员称引航员,也叫引水员。
【引疾】托病辞官。
【引资】引进资金。[例]招商～。
【引流】用外科手术等方法排出病灶的脓液或其他液体,或排出某些器官内的某些液体。
【引得】英语音译词。索引。
【引领】❶带领。❷伸长脖子(远望)。形容迫切地盼望。
【引港】领港。
【引渡】一国应他国的请求,将在其境内被他国指控为犯罪或已判刑的人移交给他国审判或处罚的行为。是一种国家行为。一国是否接受他国的引渡请求,由该国自行决定,除非负有条约义务。可以提出引渡请求的国家有罪犯国籍所属国、犯罪行为地国和受害国。主要指普通刑事犯罪的引渡。政治犯不引渡。

【引擎】英语音译词。发动机。特指蒸汽机、内燃机等。

【引避】❶避让。❷避嫌引退。

【引力场】物理场的一种。一切物体的周围都存在引力场。万有引力就是通过引力场进行的。在引力场的同一点上，一切物体因引力产生的加速度相同。

【引申义】由词的本义推演、发展出来的意义。如"摸"本义是用手接触或抚摩，引申为试着探求、了解，如"摸情况""脾气摸透了"。

【引航权】也叫引水权。一个主权国家为维护国家主权，保守港口航道机密，保障港口和船舶安全，对进出港口或在港内及指定的区域航行的外国籍船舶执行强制引航的权力。

【引人入胜】《世说新语·任诞》："王卫军云，酒正自引人著(着)胜地。"引人进入美妙的境地。后多指山水风景或文学艺术等特别吸引人。胜：胜地，胜境。

【引人注目】引起人注意。注目：眼光集中在一点上。

【引火烧身】原比喻自取灭亡。现也比喻勇敢地揭露和批判自己的错误，主动争取别人的帮助，以便迅速改正。

【引以为戒】以他人或自己犯错误的教训作为警戒。

【引玉之砖】见〔抛砖引玉〕(739页)。

【引而不发】《孟子·尽心上》："引而不发，跃如也。"拉开弓，搭上箭，不射出去，做出跃跃欲射的姿势，以便让人学习，体会射箭的技能。比喻善于启发、引导或控制。引：拉弓。发：射箭。

【引体向上】发展上肢肌肉力量的手段之一。双手握住单杠，两手间的距离约与肩同宽，身体由悬垂静止开始，两手臂用力向上拉动身体，下颏超过横杠为一个完整的动作。

【引经据典】引用经典中的话作为立论的根据。

【引狼入室】比喻把敌人或坏人引入内部，招来灾祸。

吲 yǐn 〔吲哚〕有机化合物。存在于煤焦油及腐败的蛋白质中，可供制香料及化学试剂等。哚(duǒ)。

蚓 yǐn 见〔蚯蚓〕(803页)。

靷⊠ yǐn 古代拴在车轴上拉着车前进的皮带。共两条，前端系在车衡的两旁。

饮(飲 *歙) ㊀ yǐn ❶喝。[例]～水｜～酒。❷可以喝的东西。[例]冷～。❸心里存着；含着。[例]～恨。

㊁ yìn (1181页)。

【饮片】经过切削、炮制供制汤剂的中草药。

【饮泣】泪流到了嘴里。形容极其悲痛。[例]～吞声。

【饮恨】含恨无法陈诉、发泄。

【饮料】指果汁、汽水、矿泉水、茶、酒等经过加工的各种饮用品。

【饮弹】身上中(zhòng)了枪弹(死去)。[例]～身亡。

【饮誉】受到称赞，享有盛誉。[例]～文坛。

【饮水思源】喝水要想到水是怎么来的。比喻不忘本。

【饮鸩止渴】《后汉书·霍谞传》："譬犹疗饥于附子，止渴于鸩毒，未入肠胃，已绝咽喉。"喝毒酒来解渴。比喻用有害的办法解决眼前的问题，不顾严重后果。鸩(zhèn)：毒酒。

殷 ㊂ yǐn 拟声词。雷声。[例]雷声～～。

㊀ yīn (1176页)。

㊁ yān (1131页)。

隐(隱) yǐn ❶隐藏，不使显露。[例]～瞒｜～蔽。❷内里的；藏在深处的。[例]～痛｜～患。❸隐秘的事。[例]难言之～。

【隐讳】有顾忌而隐瞒不说。[例]我们毫不～自己的观点。讳(huì)。

【隐约】看起来或听起来不很清楚，感觉不很明显。

【隐私】不愿告人或不便公开的个人的事。

【隐忧】深藏的忧愁或忧虑。

【隐忍】藏在心里，勉强忍耐。

【隐居】由于对当权者不满或有厌世思想而到偏僻地方去居住，不出来做官。

【隐括】同"檃栝"(1180页)。

【隐语】❶不把本意直接说出来，而借用别的词语来暗示。❷即"黑话"(394页)。

【隐匿】隐藏。匿(nì)：隐藏，躲避。

【隐射】即"影射"(1186页)。

【隐衷】隐藏在内心不愿告诉人的苦衷。

【隐疾】不好向别人说的病。

Y

Y

【隐晦】意思不明显。晦(huì):昏暗不明。
【隐患】潜伏着的祸患。
【隐情】不愿告诉人的情况或原因。
【隐隐】隐约;不明显。㊀山～,水迢迢|～作痛。
【隐痛】内心深处的不愿告诉人的痛苦。
【隐蔽】❶借助别的东西遮掩躲藏起来。❷被遮住不易发现的。㊀发球的动作很～。
【隐瞒】掩盖真相不叫人知道。
【隐生宇】原是地层系统的第一个宇。指隐生宙时期所形成的地层,分为太古界和元古界。现国际上已不再使用此词,代之以太古宇和元古宇。
【隐生宙】原是地质年代分期的第一个宙。即寒武纪以前的时期,分为太古代和元古代。现国际上不再使用此词,代之以太古宙和元古宙。
【隐私权】公民享有的保持其私生活中的秘密不为他人知悉的权利。以书面、口头的方式宣传他人隐私造成一定影响的,应认定为侵害公民名誉权的行为,行为人应承担法律责任。
【隐形失业】劳动者虽在就业,但效率极低,甚至是负效率的一种非公开失业现象。
【隐形眼镜】即“角膜接触镜”(490页)。
【隐私案件】涉及个人隐私权内容的刑事、民事案件。
【隐身技术】也叫隐形技术。一种降低飞行器或舰艇在对方遥感装置作用下可探测度的技术。可分雷达波、红外线、可见光和声波隐身技术。通常以外表涂上吸波材料、改变机体(舰体)外形、降低或改变动力装置噪声和红外辐射等来改善隐身性能。
【隐恶扬善】隐瞒别人坏的方面,宣扬其好的方面。《礼记·中庸》:“舜好问而好察迩言,隐恶而扬善。”恶(è)。
【隐晦曲折】形容表达得不明显,转弯抹角。

讔⊠(讔) yǐn 同“隐语”的“隐”。

檃□(檃) yǐn 〔檃栝〕也作隐括。❶矫正木头弯曲的器具。❷矫正。❸就原有的文章、著作剪裁改写。栝(kuò)。

瘾(癮) yǐn 特别深的嗜好。㊀烟～|球～。
【瘾君子】称抽烟上瘾的人。也称吸毒者。含嘲讽意。

缊□(縕) yǐn 〈方〉绗(háng)。㊀～棉袄。

螾⊠ yǐn 同“蚓”。

yìn 丨ㄣˋ

印 yìn ❶图章。㊀盖～。❷痕迹。㊀脚～。❸印刷。㊀油～|铅～。❹符合。㊀心心相～。
【印次】书刊每一版印刷的累计次数。
【印花】❶用手工或机械将有色花纹或图案印到纺织品上去。❷印有花纹或图案的。㊀～布。❸旧时规定贴在契约、凭证等上面用以纳税的一种票券。
【印证】❶通过其他事物进一步证明。❷做为进一步证明的事物。
【印张】印刷工作量的计算单位。一印张是全张纸一张的单面印刷,折合为半张纸的两面印刷。也是计算印刷用纸量的单位。一印张的纸是全张纸的一半;一令纸(五百张)等于一千印张。
【印泥】盖印时所用的一种颜料,一般用朱砂、艾绒和油制成,状如胶泥。
【印信】政府机关的图章。
【印度】全称印度共和国。位于亚洲南部、印度洋北岸。西北邻巴基斯坦,北邻中国、尼泊尔、锡金、不丹,东北邻孟加拉国、缅甸,东南临孟加拉湾,南与印度洋中的斯里兰卡、马尔代夫相望,西南临阿拉伯海。是世界上的文明古国之一。
【印堂】针灸穴位名。位于两眉之间,主治眩晕、前额痛等。
【印象】引起感觉的客观事物在人的头脑中所留下的迹象。
【印绶】古代官吏的印和系(jì)印的丝带。
【印鉴】印章的底样,留供有关方面核对,以防假冒。
【印谱】汇集古印或某些人所刻印章而成的书。
【印子钱】旧中国高利贷的一种。放债人以高利放款,本利一起计算,限借债人分次归还,每次归还都在折子上盖一印记。是放债人对借债人的一种残酷剥削形式。
【印把子】行政机关办公图章的把儿。比喻政权。把(bà)。
【印花税】对经济活动中书立、使用、领受的具有法律效力的凭证所征收的一种税。

【印刷术】按照图文的原稿制成印版，在纸或其他材料上印出图文的技术。印刷术是中国古代四大发明之一，始于隋朝(600 年左右)。现代印刷术在制版和印刷方面，主要分凸版印刷、平版印刷、凹版印刷和孔版印刷等。近年激光照排、胶版印刷技术得到发展和广泛应用。

【印度洋】地球上四大洋之一。位于亚洲、非洲、大洋洲和南极洲之间，大部分在南半球。面积 7 491.7 万平方千米，是世界第三大洋。

【印度教】也叫新婆罗门教。经过改革的婆罗门教。为多数印度居民所信奉。

【印象派】也叫印象主义。19 世纪 60—90 年代在法国兴起的画派。因莫奈的油画《日出·印象》而得名。注重表现外光，捕捉自然中瞬间光色微妙变化的视觉印象。代表人物有莫奈、毕沙罗、雷诺阿、德加等。

【印巴分治】1947 年 6 月，英国被迫允许印度自治，但同时把印度按居民的宗教信仰分为印度和巴基斯坦两个"自治领"，史称印巴分治。

【印加文化】南美洲印加人创造的文明。6 世纪开始萌生，13—16 世纪达到鼎盛时期。印加人崇拜太阳和月亮。采用结绳记事法。农业发达，灌溉设施完善，在金、银、铜器制作方面技术高超。建筑上也达到了相当高的水平，现遗留有许多规模宏大的宗教建筑。

【印度半岛】亚洲南部三大半岛之一。在孟加拉湾、阿拉伯海之间。北面的界线一般是从恒河平原南缘算起，面积约 208.8 万平方千米。大致呈三角形，属印度。

【印第安人】美洲土著居民。现有四千余万人(据 1995 年统计)。属蒙古人种，讲印第安语。早期曾创造高度发达的玛雅、印加等文化，并曾首先种植玉米、马铃薯、西红柿、奎宁等。16 世纪起遭欧洲殖民者的摧残，人口锐减，北美尤甚。

【印度尼西亚】全称印度尼西亚共和国。位于亚洲东南部，印度洋和太平洋之间。西北隔马六甲海峡与马来半岛相望，南面隔海与澳大利亚相望。地跨赤道，由 13 000 多个大小岛屿组成，是世界最大的群岛国家。人口众多。

茚 yìn 碳氢化合物，分子式 C_9H_8。存在于煤焦油中。在有机化学中，也用茚表示一种母体结构。

鮣□(鮣) yìn 也叫印头鱼。鱼类。体略呈圆筒形，长可达 80 厘米。头平扁，头顶有吸盘，常吸附于鲨、鲸、海豚等身上或船底而移徙远方。中国沿海均产。

饮(飲*歙) ㊁ yìn 给牲畜水喝。㊄～马。

㊀ yǐn (1179 页)。

荫(蔭❷❸*廕) ㊀ yìn ❶没有阳光；又凉又潮。㊄地窖很～。❷遮蔽。㊄～覆。❸古指因父祖有功，子孙得到官爵或特权。❹庇护。㊄～庇。

㊁ yīn (1174 页)。

【荫生】古代凭借先代有功而取得的监生资格。

【荫蔽】❶树木遮蔽。❷隐蔽。

胤 yìn 后代。

垽⊠ yìn ❶沉淀的渣滓。❷积垢。

窨 ㊀ yìn ❶地窖。❷把东西藏在窖中。

㊁ xūn (1121 页)。

慭(憖) yìn ❶宁愿。❷损伤。

【慭慭】❶谨慎的样子。❷倔强的样子。

yīng ㄧㄥ

应(應) ㊀ yīng ❶应该。❷答应；允许。

㊁ yìng (1186 页)。

【应允】答应；允许。

【应届】这一届(毕业生)。

【应有尽有】应该有的全有了。形容很齐备。

英 yīng ❶花。㊄落～缤纷。❷杰出；杰出的人。㊄～豪|群～会。❸英国的简称。

【英寸】旧作吋。英制长度单位。12 英寸为 1 英尺，1 英寸合 2.54 厘米。

【英尺】旧作呎。英制长度单位。12 英寸为 1 英尺，合 0.3048 米。

【英年】称生气勃勃的青壮年时期。㊄～早逝。

【英寻】英制长度单位。6 英尺为 1 英寻，880 英寻为 1 英里。1 英寻合 1.829 米。

Y

【英两】英美制重量单位的旧译。1977年7月中国文字改革委员会、国家标准计量局通知,淘汰“英两”,改用“盎司”。

【英里】旧作哩。英制长度单位。5 280英尺为1英里,合1.6093千米。

【英吨】也叫长吨。英国用的一种质量单位。1英吨等于2 240磅,合1 016.04千克。

【英灵】指受尊敬的人去世后的灵魂。

【英杰】英雄豪杰。

【英国】全称大不列颠及北爱尔兰联合王国。欧洲西部的岛国。由大不列颠岛(包括英格兰、苏格兰、威尔士)、爱尔兰岛北部和一些小岛组成。隔北海、英吉利海峡与欧洲大陆相望。是世界上最早开始工业革命的国家,也是当今世界主要经济发达国家之一。

【英明】远见卓识。[例]~的决策|这个措施很~。

【英俊】❶才能杰出。[例]~有为。❷容貌俊秀又有精神。

【英姿】英俊威武的姿态。

【英勇】非常勇敢。[例]~杀敌。

【英雄】❶有抱负、不畏艰险强暴,为民族或先进阶级的利益作出重大贡献的杰出人物。[例]民族~|人民~永垂不朽|劳动~。❷旧指勇武过人的人。[例]~好汉。❸具有英雄品质的。[例]~的人民。

【英镑】英国的法定货币。

【英国管】木管乐器。乐器的键和演奏指法都与双簧管相同,比双簧管长。属于木管乐器中的中音乐器。头部有一金属弯管与簧哨相接,尾部呈球状。音色柔和圆润,富有田园风格。

【英联邦】指英国本土(大不列颠及北爱尔兰联合王国)及其自治领、殖民地(包括保护国和托管地)以及其他类型的联邦成员国的松散联合体。第一次世界大战后,英国统治者迫于殖民地独立运动的高涨,逐步采用“英联邦”代替“英帝国”的旧名称。

【英美法系】也叫普通法系。中世纪以来的英国法律以及仿照这种法律制定的其他各国法律的总称。因美国基本上模仿英国法律,故通常称为英美法系。在资本主义国家法律体系中有重要的影响。它不重视成文法典,以采用伸缩性很大的习惯法和法院判例为主。属于该法系的有英国、美国、澳大利亚、新西兰、加拿大和亚洲、非洲一些采用英语的国家和地区的法律。与大陆法系并称为世界两大法系。

【英雄史观】一种唯心主义的历史观。否认人民群众是历史的创造者,把个别杰出人物奉为“救世主”“替天行道”的英雄或“世界精神”的代理人,并把他们夸大为主宰历史且决定其进程的唯一力量。

【英雄主义】为完成具有重大意义的任务而表现出来的英勇顽强、自我牺牲的气概和行为。

【英吉利海峡】也叫拉芒什海峡。位于英、法两国之间。东北通北海,西通大西洋。最窄处仅有33千米,叫多佛尔海峡(加来海峡)。是西欧海运要道。

【英雄的生涯】交响诗。理查·施特劳斯曲。作于1898年。是一部具有自传性的音乐作品。

【英国宪章运动】19世纪30—50年代英国无产阶级争取政治权利的运动。1837年伦敦工人协会制定了以实行普选权为中心内容的《人民宪章》,次年公布了《人民宪章》并展开争取实现这个宪章的斗争。运动共出现三次高潮,全国有几百万人参加。1848年后运动逐渐衰落,50年代末期结束。

【英特纳雄耐尔】法语音译词。国际。在《国际歌》中“英特纳雄耐尔就一定要实现”,意思是说国际共产主义的伟大理想一定要在全世界实现。

【英雄无用武之地】《资治通鉴·汉献帝建安十三年》:“今操(曹操)芟夷大难,略已平矣,遂破荆州,威镇四海。英雄无用武之地,故豫州(刘备)遁逃至此。”形容人有才能而无处施展。

【英国资产阶级革命】17世纪英国发生的资产阶级革命。从1640年开始,英国资产阶级与新贵族结成联盟,掀起反对斯图亚特王朝封建专制统治的资产阶级革命运动。1688年最终推翻斯图亚特王朝,确立君主立宪制,实现了资产阶级和新贵族的联合专政。这次革命为英国资本主义的发展扫清了道路,对欧洲各国的反封建革命运动也有很大影响。

【英国古典政治经济学】英国工业革命开始后对资本主义经济进行全面理论研究的学说。主要代表人物有亚当·斯密和大卫·李嘉图。他们的基本理论倾向是一致的,即都主张“自由竞争”,从而反映了资产阶级的要求。他们的学说后来成为马克思主义政治经济学的一个重要来源。

嘤□ yīng 音译用字。如嘤咭唎(今作英吉利)。

媖☒ yīng 旧时对妇女的美称。

瑛 yīng ❶玉的光彩。❷像玉的美石。

锳☒(鍈) yīng 铃声。

霙☒ yīng 雪花。

莺(鶯*鸎) yīng 鸟类。身体小，羽毛多为橄榄绿色，嘴短而尖，翼尾均长。春季叫声清亮，食昆虫，是益鸟。

【莺歌燕舞】黄莺歌唱，燕子飞翔。形容充满生机的春天景色。

罃☒(罌) yīng ❶长颈瓶。❷同"罂"。

婴(嬰) yīng ❶不满一岁的小孩儿。例～儿。❷缠绕。例～疾(得病)。❸触犯。例～怒。

撄(攖) yīng 触犯。

蘡□(蘡) yīng 〔蘡薁〕落叶木质藤本植物。枝条细长，有棱，叶下面生灰白色毛，浆果黑紫色，可酿酒。根、叶可入药。薁(yù)。

嘤(嚶) yīng 拟声词。鸟叫声。

【嘤鸣】见〔嘤鸣求友〕(1183页)。

【嘤鸣求友】《诗经·小雅·伐木》："嘤其鸣矣，求其友声。"小鸟嘤嘤地叫着，寻找它的伴侣。后用"嘤鸣求友"比喻寻求志趣相投的朋友。

缨(纓) yīng ❶泛指用作装饰的穗子。例帽～儿|红～枪。❷像缨的东西。例萝卜～儿。❸绳子。例长～。

璎(瓔) yīng 像玉的石头。

【璎珞】古代用珠玉穿成串、戴在脖子上的装饰品。

樱(櫻) yīng ❶樱花，落叶乔木。春季开鲜艳的淡红色花。可供观赏。❷樱桃。

【樱桃】落叶乔木。叶子长卵圆形，花白色略带红晕。果实球形，红色，味甜，可食。木材坚硬致密，可制器物。也指这种植物的果实。

鹦(鸚) yīng 见下。

【鹦鹉】也叫鹦哥。鸟类。头大，喙弯曲，羽毛美丽。能仿人发音，可供观赏。

【鹦鹉学舌】比喻别人怎么说，也跟着怎么说。

罂(罌*甖) yīng 小口大腹的瓶子。

【罂粟】二年生草本植物。夏季开花，花大，单生枝顶。花瓣4片，红色、紫色或白色。果实球形或椭圆形，种子小而多。原产于欧洲。果中乳汁干后称鸦片，含吗啡和其他生物碱，有镇痛、镇咳和止泻作用，但常用能成瘾。

膺 yīng ❶胸。例义愤填～。❷接受；承受。例荣～战斗英雄称号。❸伐；打击。例～惩。

【膺选】当选。

【膺赏】接受奖赏。

【膺惩】抗击和惩治。后用作讨伐、声讨的意思。

鹰(鷹) yīng 鸟类。种类很多，有苍鹰、雀鹰等。捕食小兽和小鸟。通常指苍鹰。

【鹰犬】打猎所用的鹰和狗。比喻甘心受人驱使、做别人爪牙的人。

【鹰隼】鹰和隼都捕食小鸟和小动物，借喻凶猛或勇猛的人。隼(sǔn)。

yíng 丨ㄥˊ

迎 yíng ❶迎接。例欢～。❷向着；对着。例～面|～头赶上。

【迎击】朝着敌人来的方向攻击。

【迎合】为了讨好，故意使自己的言行适合别人的心意。

【迎迓】迎接。迓(yà)。

【迎春】落叶灌木。高可达5米。枝条细长成拱形，小枝有角棱。早春花先叶开放，黄色，鲜艳。可供观赏。

【迎战】朝着敌人来的方向前去作战。

【迎新】欢迎新来的人。例～晚会。

【迎刃而解】《晋书·杜预传》："譬如破竹，数节之后，皆迎刃而解。"意思是劈竹子，头上几节一破开,下面的就随着刀口裂开了。比喻主要问题解决了,其他有关的问题就很容易解决。刃:刀口。解:分开,裂开。

【迎风招展】形容旗子等随风飘扬。

【迎头赶上】朝着最前面的赶上去。㊥要~,不要跟在别人后面一步步地爬行。

【迎头痛击】当头给以狠狠的打击。㊥如果敌人胆敢来犯,就坚决给以~。

茔(塋) yíng 坟地。㊥~地。

荥(滎) ㊁ yíng 〔荥经〕地名。在四川中部。

㊀ xíng(1103 页)。

荧(熒) yíng 光亮微弱的样子。

【荧光】某些物质受到光线、电子等的照射时会发光,照射停止后发光仍能维持一定时间,叫做余辉。余辉的久暂决定于发光物质的成分,通常把余辉在 10^{-8} 秒以下的称荧光(与温度无关),余辉在 10^{-8} 秒以上的称磷光(通常随温度升高而减少)。能发荧光的物质叫荧光物质。日光灯管壁上、电视机荧光屏上都涂有荧光物质。

【荧荧】形容星光或灯烛光闪动。㊥明星~|一灯~。

【荧屏】荧光屏,特指电视机的荧光屏。也借指电视或电视节目。㊥~连着你和我。

【荧惑】❶使迷惑。㊥~人心。❷中国古代天文学上指火星。

【荧光灯】俗称日光灯。一种照明用的低压水银灯。玻璃灯管两端装有电极,内壁涂有荧光物质,抽出管内空气后充以氩气和少量水银。优点是光线柔和、光效高、耐用。

【荧光屏】涂有荧光物质的玻璃屏幕。它受到 X 射线照射或电子流轰击时能发出可见光(荧光)。电视机的显像管和示波器的示波管上都有荧光屏。

莹(瑩) yíng ❶光洁像玉的石头。❷光洁透明。㊥晶~。

滢(瀅) yíng 清澈。

萤(螢) yíng 萤火虫,昆虫。黄褐色。夜间可看到其尾部发出的萤光。

【萤石】也叫氟石。一种卤化物类矿物。化学成分为 CaF_2。多浅绿、浅紫色,具玻璃光泽,硬度 4,加热发萤光。是制取氟和氟酸的原料,在冶金工业上用作熔剂。

营(營) yíng ❶军队的驻地。❷军队编制单位。在团之下,连之上。❸办理;筹划。㊥~业|~造防风林。❹谋求。㊥~生。

【营卫】中医学名词。营指由饮食中吸收的营养物质,有生化血液、营养周身的作用。卫指人体抗御病邪侵入的机能。

【营区】建有营房及相应附属设施并有明确地界的区域。是军队日常工作、生活和训练的场所。通常包括机关办公区,宿舍区,科研、医疗及其他业务活动区,训练场区,仓库、车场区,干部眷属住宅区,生活服务区等。

【营屯】屯田。唐以后各代屯田或称营田。参见〔屯田制〕(998 页)。

【营火】夜间露营时燃起的火堆。

【营业】(商店、服务行业、交通运输业等)经营业务。

【营生】❶谋生计。❷活计;工作。

【营利】谋求利润。

【营私】谋求私利。㊥~舞弊。

【营建】营造;修建。

【营养】❶生物体由外界吸取养料来维持生长发育等生命活动的作用。❷养分。

【营垒】本指军营四周的防御建筑,后泛指阵营。㊥革命~。

【营造】经营建造;经营制造。

【营救】设法援救。

【营盘】军营。

【营销】经营销售。㊥市场~。

【营业税】对属于征收对象的企业和个人,就其营业额征收的一种流转税。

【营养素】提供机体生长发育、维护健康和劳动所需能量的各种饮食所含的营养成分。主要包括糖类、油脂、蛋白质、维生素、矿物质、粗纤维和水等。

【营养餐】针对某一人群的特殊需要而提供的含有丰富、合理营养的饮食。㊥学生~。

【营造尺】中国传统建筑工程所用的度量工具。清代 1 营造尺约合 0.32 米。是设计与施工中的长度单位。

【营养繁殖】由植物的根、茎、叶等营养器官形成新个体的生殖方式。如甘薯用块根和茎蔓进行繁殖。广义的营养繁殖与无性繁殖相同。

【营造法式】中国古代建筑著作。北宋熙宁

年间(1068—1077)开始编修,元祐六年(1091)成书。后由李诫重新编修。崇宁二年(1103)刊行。全书共三十四卷,另有看详、目录各一卷。涉及管理、设计、施工规范、图样等内容。明确了木构建筑营造的材份制度。是研究中国古代建筑的重要典籍。

【营销观念】以顾客为中心的经营指导思想。确定各个目标市场的需要、欲望和利益,以保护消费者和提高社会福利的方式,比竞争者更有效、更有利地向目标市场提供商品和劳务。

【营销渠道】指配合起来生产、分销和消费某一生产者的商品和劳务的所有企业和个人。

溁☒(瀯) yíng ❶同“潆”。❷〔溁溁〕流水声。

萦(縈) yíng 缠绕。

【萦回】盘旋往复。例～耳际。

【萦怀】牵挂在心上。

【萦绕】萦回,缠绕。

潆(瀠) yíng 〔潆洄〕水流回旋的样子。

滢□(瀅) yíng ❶同“潆”。❷〔滢湾〕地名。在湖南。

蓥(鎣) yíng 用于山名,如华蓥(在四川东部,向西南延伸至重庆境内)。

盈 yíng ❶充满。例恶贯满～。❷圆满;丰满。例月有～亏。❸多余。例～余。

【盈亏】❶指月亮的圆和缺。❷指企业的赚钱或赔本。

【盈利】同“赢利”(1185页)。

【盈余】也作赢余。❶剩余。❷利润。

【盈亏平衡点】企业既不赚取利润也不发生亏损的经营状况。

楹 yíng 堂屋前面的柱子。

【楹联】挂或贴在堂屋前面柱子上的对联。

蝇(蠅) yíng 一般指苍蝇。也泛指双翅目中身体粗壮的种类,如种蝇、麦秆蝇、潜叶蝇,其中有的是农业害虫。

【蝇头】形容非常小。例～小楷。

【蝇营狗苟】也说狗苟蝇营。像苍蝇那样到处乱飞,像狗那样摇尾乞怜、苟且偷生。比喻为追求名利,到处钻营。唐韩愈《送穷文》:“蝇营狗苟,驱去复还。”蝇营:苍蝇飞来飞去的样子。苟:苟且。

嬴 yíng 姓。

【嬴政】即“秦始皇”(793页)。

瀛 yíng 大海。例东～(东海,借指日本)。

【瀛寰】指全世界。

籯☒ yíng ❶箱笼之类的器具。❷筷笼子。

赢(贏) yíng ❶获利。例～余。❷胜。与“输”相对。例～了一盘棋。❸通“盈”。充满。

【赢利】也作盈利。❶工商业等的利润。❷获得利润。

【赢余】同“盈余”(1185页)。

【赢得】取得;得到。例～胜利。

yǐng ㄧㄥˇ

郢 yǐng 古地名。春秋时,楚文王建都于郢,故址在今湖北江陵西北纪南城。楚国都城屡有迁徙,凡迁至之地均称郢。

【郢书燕说】《韩非子·外储说左上》记载,郢地有人晚上给燕国丞相写信,因烛光不亮,命拿烛的人举烛,于是不自觉地把“举烛”二字写在信里。燕相读后,高兴地说:举烛是崇尚光明,崇尚光明就是选用贤德的人。后用“郢书燕说”比喻误解原意,穿凿附会。燕(yān)。

颍(潁) yǐng 颍河,水名,在河南中部,向东南流入安徽的淮河。

颖(穎*頴) yǐng ❶稻、麦等禾谷子实带芒的外壳。❷锥子杆儿前端固定针的金属环。也指某些小而细长东西的尖端。例脱～而出|短～羊毫。❸聪明。例～悟。

【颖异】❶新颖奇异。❷指聪明过人。

【颖果】特指禾本科植物的果实。果皮与种皮结合在一起不易分离。农业上俗称种子。如水稻、小麦等的果实。

【颖悟】理解力强;聪明(多指少年)。例～过人。

【颖慧】聪明(多指少年)。

Y

影 yǐng ❶影子。[例]树～。❷形象；照片。[例]摄～｜近～。❸描摹。[例]～本。❹指电影。[例]～评。

【影印】用照相的方法将原件制成印版进行印刷。主要用以复制古籍、手稿和文献资料。

【影戏】皮影戏的简称。

【影评】对电影的评论。

【影星】称著名的电影演员。

【影响】对他人或周围的事物起作用。也指所起的作用。[例]～健康｜巨大的～。

【影射】也说隐射。借甲指乙；暗指(某人某事)。

【影展】❶摄影作品展览。❷电影展览。

【影碟】视频光盘。

【影壁】❶指大门内或屏门内作遮挡用的墙壁。有时也把大门外正对大门的照壁称影壁。❷指塑有各种图像的墙壁。

【影子内阁】也叫预备内阁、在野内阁。资产阶级在野党为同执政党争夺执政地位，在其议会党团内部按照内阁的组织凑成的准备上台执政的班子。起始于英国。

【影子价格】在资源最优配置下由生产要素的任何边际变化所引起的福利增加，即资源最优配置下使用资源的边际成本。

【影影绰绰】模模糊糊，不真切。

瘿(癭) yǐng ❶机体组织受病原刺激后的局部增生。一般为囊状物。如叶瘿、线虫瘿。❷俗称瘿袋。中医指生在脖子前的一种囊状瘤子，主要是由于碘缺乏引起的甲状腺肿大症。

yìng ㇏

应(應) ㊁ yìng ❶答应或随声相和。[例]～对｜山鸣谷～。❷顺应；适合。[例]～时｜～手。❸应付。[例]～战｜随机～变。❹接受。[例]～邀｜～征。

㊀ yīng (1181页)。

【应力】物体受外力作用时，内部任一截面两方产生对抗的力，单位面积上这种力的大小叫应力。在机械和建筑设计中，通常要考虑应力的大小和分布。

【应门】管开关门户。

【应付】❶设法对待或处置。[例]事情太多，难于～。❷敷衍了事。[例]对工作要认真负责，不能随便～。

【应卯】旧时官府每天卯时(早晨五点到七点)点名，点名时答应一声，表示到班。现比喻到场应付一下。

【应对】答对。[例]～如流。

【应运】原指顺应天命。后泛指顺应时机。

【应声】随着声音。[例]一枪打去，敌人～而倒。

【应时】❶适合时令、时尚的。[例]～糕点。❷立刻；马上。

【应诉】民事诉讼中被告人对原告人在起诉书中提出的事实和理由提出答辩状，或者被人民法院传唤到庭与原告人进行辩驳。是被告人保护自己合法权益的一种诉讼手段，也是被告人的诉讼权利，体现了当事人诉讼权利平等的原则。

【应制】指奉皇帝的命令而写作诗文。

【应征】❶适龄的公民响应征兵号召。[例]～入伍。❷泛指响应某种征求。

【应变】❶应付突然发生的情况。[例]随机～。❷物体形状或体积所发生的相对变化。

【应试】参加考试；接受测试。

【应承】答应(做)。[例]把任务～下来。

【应战】❶跟发起进攻的敌人作战。[例]沉着～。❷接受对方提出的挑战条件。[例]～书。

【应诺】答应；应承。

【应验】事后发生的情况符合或证实事前的预言或估计。

【应景】❶为适应某种场合而应付一下。❷适合当时的节令。

【应答】回答。

【应聘】接受聘用。

【应酬】❶交际往来。[例]不善于～。❷敷衍应付。[例]～话。❸指私人间的宴会。

【应邀】接受邀请。

【应激】机体受到异常刺激后的应急状态。如遇创伤、剧痛、缺氧、感染、情绪变化时，某些激素分泌增加或减少、血压升高等。

【应用文】日常工作、生活、学习中处理事务、有惯用格式的文体。如公告、简报、报告、计划、总结、合同、诉状等。

【应声虫】比喻别人怎么说就跟着怎么说的人。

【应县木塔】佛宫寺释迦塔的通称。

【应接不暇】《世说新语·言语》："从山阴道上行，山川自相映发，使人应接不暇。"原形容景物繁多，来不及观赏。后多指来人或事情多，应付不过来。暇：空闲。

【应收应付制】也叫权责发生制。在会计核算中，对各项收支和费用，按照是否体现各个会计期间经营成果的标准来确定其归属期的制度。

映（*暎） yìng ❶照。例炉火把他的脸～得通红｜～射。❷因光线照射而显出物体的形象。例水面倒～着美丽的白塔｜新片上～。

【映衬】映照，衬托。

【映带】景物相互衬托。例湖光山色，～左右。

【映照】照射。

【映山红】即“杜鹃”②（229页）。

硬 yìng ❶坚固。与“软”相对。❷刚强；坚强不屈。例～汉子｜～骨头。❸扎实；经得起考验。例～功夫｜思想过～。❹不自然；勉强。例生～｜～撑。❺增强语气，表示坚决、顽强。例大庆工人在极困难的条件下～是打出了第一口井。❻顽固；固执。例～不承认｜死～派。

【硬木】质地坚实细致的木材，多指紫檀、花梨等。

【硬水】含可溶性钙盐、镁盐较多的水。如某些井水、河水、海水等。供给锅炉及某些工业使用前，需先软化。

【硬化】物体由软变硬。例血管～。

【硬币】金属制成的货币。

【硬玉】一种矿物。参见〔翡翠〕①（270页）。

【硬件】❶也叫硬设备。组成计算机或计算机系统的运算器、控制器、存储器及外部设备等固定装置的总称。❷借指生产、科研、经营等过程中的机器设备、物质材料等。

【硬伤】❶人或器物因外力作用而形成的创伤。❷指文稿中文字、体例上的常识性的、明显的错误。

【硬性】不能变通的。例～规定。

【硬度】❶固体坚硬的程度，即矿物或材料抵抗其他物体刻划或压入其表面的能力。矿物硬度由1至10（由软至硬）的十种标准矿物依次是滑石、石膏、方解石、萤石、磷灰石、正长石、石英、黄玉、刚玉、金刚石。❷指水的硬度。是水质指标之一，其值为水中钙镁等溶解盐类的总量。用毫克当量浓度表示。在工业上水的硬度有多种表示方法，如通用的德国度，1度相当于1升水中含氧化钙（CaO）10毫克。

【硬笔】指钢笔、铅笔、圆珠笔等。例～书法。

【硬盘】硬磁盘的简称。以硬质镁铝合金等为基片材料的磁盘。固定在电子计算机内，信息存储容量远大于软盘。

【硬山顶】中国传统木构建筑屋顶形式的一种。在建筑等级制度中为第四等级。屋顶前后两曲面、两侧山面与山墙合一。多用于一般性居住建筑或园林建筑，如北京四合院中的房屋屋顶多数都是采用硬山顶形式。

【硬骨头】比喻坚定不屈的人。

【硬骨鱼】鱼纲的一个主要类群。骨骼多为硬骨。体被硬鳞、圆鳞或栉鳞，有时裸露无鳞。一般具鳔。大多体外受精，卵生，少数为卵胎生。现在生存的鱼类绝大部分属于此类。

【硬通货】在国际经济往来中被普遍接受、可以自由兑换成其他国家货币且汇率比较稳定的货币。

【硬磁材料】即“永磁材料”（1189页）。

媵 yìng ❶古代贵族女子出嫁时陪嫁的人。❷妾。

譍⊠ yìng 同“答应”的“应”。

yō ㄧㄛ

哟（喲） ㊀ yō 叹词。可以读成不同声调以表示惊讶或疑问等。

㊁ yo（1187页）。

唷 yō 叹词。表示惊讶、疑问。例～，你这是怎么啦？

yo ·ㄧㄛ

哟（喲） ㊁ yo 助词。用在句末，表示祈使的语气。例大家齐用力～！

㊀ yō（1187页）。

yōng ㄩㄥ

佣（傭） ㊀ yōng ❶雇用。例雇～。❷指被雇用的人。例女～。

㊁ yòng（1190页）。

拥（擁） yōng ❶抱。例～抱。❷围；聚到一块。例前呼后～｜～挤。❸拥护。例～军优属。

Y

【拥护】赞成并支持。
【拥堵】车辆拥挤，道路堵塞。
【拥戴】拥护爱戴。
【拥军优属】拥护中国人民解放军，支持国防建设和军队建设，优待烈属、军属、伤残军人和复员退伍军人。
【拥政爱民】中国人民解放军开展的拥护政府，爱护人民的活动。是中国人民解放军的优良传统。主要内容有：遵守党和政府的政策法令，尊重地方干部，遵守群众纪律，听取地方政府和群众的意见，开展助民活动，积极参加社会主义建设等。

痈（癰） yōng 中医病证名。葡萄球菌侵害多个毛囊和皮脂腺而引起的化脓炎症。多生在背部和颈部。
【痈疽】毒疮。疽（jū）。

邕 yōng ❶邕江，水名，在广西。❷广西南宁的别称。

噰☒ yōng 〔噰噰〕鸟鸣声。

澭□ yōng 澭水，水名，在江西。

灉□ yōng 灉河，水名，在山东。

庸 yōng ❶平常；不高明。㊀平～｜～医。❷用（用于否定式）。㊀无～讳言。❸文言副词。表示反问，相当于“岂”“怎么”。㊀～可弃之乎？
【庸人】目光短浅、无所作为的人。
【庸医】医术低劣的医生。
【庸俗】平庸；低级；不高尚。㊀作风～。
【庸碌】平庸，没有作为。
【庸人自扰】形容本来没有事而自找麻烦。《新唐书·陆象先传》：“天下本无事，庸人扰之为烦耳。”
【庸中佼佼】指平常人中比较突出的。原作佣中佼佼。《后汉书·刘盆子传》：“卿所谓铁中铮铮，佣中佼佼者也。”
【庸俗进化论】一种形而上学的发展观。产生于19世纪末20世纪初。代表人物有英国的斯宾塞等。把达尔文生物进化论关于进化、发展的观念庸俗化，并引用到社会生活领域中。只承认事物发展中的量变，不承认事物从量变到质变的转化。主张逐渐进化、点滴改良，否认内部矛盾是事物发展的根本原因，否认阶级斗争和社会革命。是资产阶级改良主义的理论基础之一。
【庸俗唯物主义】流行于德国19世纪中期的一种哲学思潮。代表人物有福格特、摩莱肖特、毕希纳等。虽然承认物质是唯一的实在，但把意识和物质完全等同起来，说大脑产生思想就像肝脏分泌胆汁一样。这就抹煞了物质和意识的原则区别，庸俗地阐述唯物主义。

鄘 yōng 周朝国名。在今河南。

墉 yōng ❶城墙。❷高墙。

滽☒ yōng 〔滽滽〕古水名。在今河南孟津。

慵 yōng 困倦；懒。㊀～惰。

镛（鏞） yōng 古代乐器。大钟。

鳙（鱅） yōng 也叫花鲢、胖头鱼。鱼类。长可达1米多，背暗黑色，有小黑斑，头大，腹缘后部有棱。是中国主要淡水养殖鱼，分布于全国各大水系。

雍（*雝） yōng 和谐。
【雍正】❶清世宗年号。❷（1678—1735）即清世宗爱新觉罗·胤禛。在其统治期内，设立军机处，大兴文字狱。设立驻藏大臣，推行改土归流政策，惩治贪官，清理财政，实行绅民一体当差，推行摊丁入亩，统一征收地丁银，使封建国家对农民的人身控制进一步松弛。
【雍容】大方、从容不迫的样子。㊀气度～。

壅 yōng ❶堵塞。㊀～塞。❷把土或肥料培在植物的根上。㊀～土。

臃 yōng 〔臃肿〕身体过于肥胖或衣服穿得太多，动作不灵活。也比喻机构庞大，工作效率低。

饔 yōng ❶熟食。❷早饭。
【饔飧不继】吃了上顿没下顿。飧（sūn）：晚饭。

yóng ㄩㄥˊ

喁 ㊀ yóng 鱼口向上，露出水面。㊁ yú（1200页）。
【喁喁】比喻众人景仰归向的样子。

颙(顒) yóng ❶头大，引申为大的样子。❷仰慕。

yǒng ㄩㄥˇ

永 yǒng ❶水长。㊀江之～矣。❷副词。久远；永远。㊀～不掉队。

【永世】永远。

【永生】宗教用语。指人死后灵魂永存。现多用作哀悼死者的话。

【永诀】永别。诀(jué)。

【永别】永远分别。指人死。

【永恒】长久不变。㊀～的友谊。

【永动机】能永远运转做功而不消耗能量的机器(第一类永动机)。设计制造永动机是一种幻想，不可能成功，因为它违反能量守恒定律。也有人幻想从一种热源(如海水)吸取热量，使它完全转化为有用功，如能成功，也是一种永动机(第二类永动机)，它不违反能量守恒定律，但违反热力学第二定律，也是不可能成功的。

【永定河】海河支流。发源于山西省管涔山，流经北京市、河北省，到天津市入海河，长681千米。上游流经黄土高原，多泥沙，下游河道淤积严重。

【永济渠】古运河。隋大业四年(608)开凿。自黄河支流沁水下游起(今河南省武陟县境)，北接灅(lěi)水(今永定河，相接处在今北京城区西南)。全长约1 000千米。

【永乐大典】中国古代最大的一部类书。明成祖命解缙等辑。始于永乐元年(1403)，成于永乐六年(1408)，辑入各类图书七八千种，共二万二千八百七十七卷，凡例目录六十卷，装成一万一千零九十五册，包括文学、艺术、历史、哲学、宗教、地理及应用科学等方面的资料。原抄本两部，至清仅存一部。1900年八国联军侵入北京，该书大部分被焚毁或劫走。1960年中华书局依据北京图书馆征集的原书和摄影本七百三十卷影印出版。后又收集六十七卷，于1986年影印出版。

【永字八法】一种借用“永”字的各个笔画来说明书写汉字笔势的方法。永字包括点(侧 cè)、小横(勒 lè)、竖(努 nǔ)、钩(趯 tì)、挑(策 cè)、长撇(掠 lüè)、短撇(啄 zhuó)、捺(磔 zhé)，共有八种笔势。后来又常有人用“八法”一词代称汉字书法。

【永垂不朽】指光辉的事迹和伟大的精神长久流传，永不磨灭。㊀人民英雄～！

【永磁材料】也叫硬磁材料。磁化后，撤去磁场仍能保持较强磁性的物质。如铁、镍、钴、铝钢、锰钢、硅钢以及合金铝镍钴、钕铁硼等。此外，铁氧体也是很好的永磁材料。在电工、无线电技术中应用很广。

咏(*詠) yǒng ❶唱；抑扬顿挫地念。㊀歌～｜吟～。❷(以某种事物为题)作诗。㊀～梅｜～雪。

【咏怀】用诗歌来吟咏抒发心中的感想。晋阮籍有《咏怀》诗八十首。后来抒写个人情怀抱负的诗作，多以此为标题。

泳 yǒng 游泳。

【泳道】比赛用的游泳池中由红色、白色浮标连接分隔而成的游泳路线。正规游泳池中七条浮标构成八条泳道。

甬 yǒng ❶甬江，水名，在浙江，流经宁波。❷浙江宁波的别称。

【甬道】❶也叫甬路。庭院里用砖石等砌成的正路。❷走廊；过道。

俑 yǒng 古代用作陪葬的木偶、陶偶。

勇 yǒng 有胆量，不怕危险和困难。㊀～敢｜～于负责。

【勇士】有胆识、不怕危险、敢于斗争的人。

【勇气】敢想敢干、毫不畏惧的气魄。

【勇敢】有胆量；不怕困难和危险。

【勇往直前】不怕艰险，奋勇地一直往前进。

【勇冠三军】指勇猛在三军之首。三军：古指中军、上军、下军或中军、左军、右军。冠(guàn)。

【勇敢善战】勇猛、果敢，善于战斗。

埇□ yǒng 用于地名，如黄埇(在江西)、石埇(在广西)。

涌(*湧) ㊀ yǒng ❶水或云气由下向上冒出来。㊀～泉｜风起云～。❷像水涌出一样。㊀～现。

㊁ chōng (131页)。

【涌现】(人和事物)大量地出现。㊀新生事物不断～。

【涌泉】针灸穴位名。位于足心中点凹陷处。主治中风、癫痫、小儿惊风等。

恿(*慂*恖) yǒng 见〔怂恿〕(933页)。

蛹 yǒng 完全变态昆虫，从幼虫到成虫阶段的过渡虫态。在这期间，不食不动。

【蛹化】完全变态昆虫幼虫老熟后进入不食不动的蛹期的过程。

踊(踴) yǒng 跳;跳跃。

【踊跃】❶跳跃。❷形容热烈积极,争先恐后。例~参军|发言~。

鲬(鯒) yǒng 鱼类。体长,平扁,头部具棘和棱。生活在海中。

塎☒ yǒng 见〔埇塎〕(132页)。

嵱☒ yǒng 〔嵱嵷〕形容山峰起伏连绵。嵷(sǒng)。

yòng ㄩㄥˋ

用 yòng ❶使用。例~电|古为今~。❷费用。例零~。❸用处;效果。例功~|效~。❹需要。例不~点灯。❺进饮食(含恭敬意)。例~饭|~餐。

【用心】❶注意力集中,肯动脑筋。❷居心;存心。例别有~。

【用场】用途。例派~。

【用兵】使用、指挥部队作战。例善于~。

【用事】❶(凭感情、意气等)行事。例不能感情~。❷旧指当权。

【用命】听命;效劳。

【用度】指各种花费。例他家的人口较多,每月的~较大。

【用途】应用的方面或范围。

【用材林】以生产木材或竹材为主要用途的森林。如中国南方的杉木林、毛竹林,北方的油松林、刺槐林等。

【用户界面】简称界面。电子计算机系统中实现用户与计算机通信的软件部分和硬件部分。硬件部分包括输入装置和输出装置,软件部分包括用户和计算机通信的约定、操作命令等及其处理软件。目前常用的是图形用户界面,它采用多窗口系统,显示直接形象,操作简便。

【用舍行藏】也说用行舍藏。《论语·述而》:"用之则行,舍之则藏。"被任用就出仕,不被任用就退隐。

佣 ㊁ yòng 〔佣金〕某项业务的委托人付给经办人或代理人的酬金。

㊀ yōng (1187页)。

yōu ㄧㄡ

优(優) yōu ❶优良;美好。与"劣"相对。例~胜劣汰|~美。❷优待。例拥军~属。❸戏剧演员的旧称。例~伶|名~。

【优化】经过选择使结构等达到最好。例~组合。

【优生】生育没有严重遗传病和先天疾病的婴儿。是提高人口质量的前提条件。

【优先】在待遇上占先。

【优异】特别好;很出色。例成绩~。

【优抚】指对烈属、军属、伤残军人等的优待和抚恤。

【优秀】非常好。例~少先队员|成绩~。

【优伶】戏曲演员的旧称。

【优势】有利的形势。与"劣势"相对。例处于~。

【优质】质量优良。例~钢。

【优待】❶优厚的待遇。例受到~。❷给予好的待遇。例~烈军属。

【优美】美好。例风景~。

【优容】宽待;宽容。

【优越】优良;优胜。例生活条件~。

【优惠】❶较一般优厚。例~条件。❷让利。例再~点儿。

【优游】悠闲。

【优渥】优厚;丰足。渥(wò):浓厚。

【优裕】富裕;充足。例生活~。

【优生学】应用遗传学原理来改善人类遗传素质的科学。

【优先股】在分取股息和公司剩余资产方面拥有优先权的股票。

【优选法】根据数学原理,合理安排试验点,减少试验的盲目性,以求又准又快地找到合理的配方、合适的工艺条件等的方法。广泛应用于工农业、交通运输、基本建设、医疗卫生等方面。优选法有多种,其中"黄金分割法"即"0.618法"在中国应用较广。

【优越感】自以为比别人优越的意识。

【优柔寡断】犹疑;不果断。优柔:犹豫不决。

忧(憂) yōu ❶愁闷;发愁。例~愁|~虑|~国~民。❷使人忧愁的事。例高枕无~。

【忧郁】忧愁烦闷。

【忧虑】忧愁焦虑。

Y

【忧悒】忧愁不安。悒(yì):愁闷不安。
【忧戚】忧愁悲伤。
【忧患】困苦患难。例饱经～。
【忧心如焚】忧愁的心情像火烧一样。形容非常忧虑焦急。《诗经·小雅·节南山》:"忧心如惔(tán,火烧)。"三国魏曹植《释愁文》:"形容枯悴,忧心如焚。"
【忧心忡忡】形容十分忧愁。《诗经·召南·草虫》:"未见君子,忧心忡忡。"忡忡(chōng):忧愁不安的样子。

攸 yōu 助词。所。例大局～关。

悠 yōu ❶长久;远。例历史～久。❷闲适。例～然自得。❸在空中摆动。例～荡。
【悠久】年代久远。例历史～。
【悠扬】形容声音时高时低,持续而和谐。例～的歌声。
【悠远】长久;遥远。例～的年代|山川～。
【悠闲】闲暇安适。例态度～。
【悠忽】悠闲懒散。
【悠荡】悬在空中摆动。
【悠悠】❶形容从容自在。例～自得。❷长久;遥远。例～岁月|～苍天。❸众多;纷杂。例～万事。
【悠然】悠闲的样子。例～自得。
【悠谬】也作悠缪。荒诞无稽。
【悠缪】同"悠谬"(1191页)。缪(miù)。

呦 yōu 叹词。表示惊异。例～!这幢大楼什么时候盖起来的?
【呦呦】拟声词。鹿叫声。例～鹿鸣。

幽 yōu ❶僻静;深远;昏暗。例～静|～谷。❷隐蔽的;不公开的。例～居。❸沉静;深微。例～思。❹囚禁。例～禁。❺迷信指阴间。例～冥。❻幽州,古地名,在今河北北部、辽宁南部。
【幽门】胃的下口。位于胃与十二指肠相连处。
【幽囚】囚禁。
【幽会】相爱的男女秘密相会。
【幽闭】❶囚禁;软禁。❷古代一种断绝妇女生殖机能的酷刑。
【幽谷】幽深的山谷。
【幽灵】迷信指阴魂。
【幽明】阴间和阳间。
【幽眇】精微细小。眇(miǎo):细小。
【幽思】❶沉静地深思。❷隐藏在内心的思想感情。
【幽咽】❶形容微弱的哭声。❷形容微弱的流水声。例泉水～。咽(yè)。
【幽期】幽会。
【幽雅】❶幽静而雅致。❷优美。
【幽愤】隐藏在内心的愤恨。
【幽魂】人死后的灵魂(迷信)。
【幽禁】软禁;囚禁。
【幽暗】昏暗。例竹林～。
【幽微】(声音、气味等)微弱。例稻田里处处散发着～的香气。
【幽静】幽雅寂静。例环境～。
【幽默】英语音译词。言谈、举动有趣而意味深长。
【幽邃】幽深。

麀⊠ yōu 母鹿。

羗□ yōu 有机化学中的官能团(—COSH)的旧称。

鄾⊠ yōu 古地名。在今湖北。

嚘⊠ yōu ❶语未定的样子。❷气逆。

懮⊠ ㊀ yōu 〔懮懮〕愁苦的样子。
㊁ yǒu (1196页)。

耰 yōu ❶古代一种碎土用的农具。❷播种后用耰平土,覆盖种子。

yóu ㄧㄡˊ

尤 yóu ❶突出的。例无耻之～。❷副词。更;尤其。例他擅长绘画,人物画～为出色。❸过失。例以儆效～。❹怨恨。例不要怨天～人。
【尤其】副词。更加;特别。表示在同类事物中突出强调某一种。例他喜爱数、理、化,～喜爱物理。
【尤物】优异的人或物品。
【尤里卡计划】西欧各国联合开发新技术的一项经济技术发展战略计划。1985年7月17日由法国总统密特朗提出。目标是建立一个"技术欧洲"或"欧洲技术共同体"。

犹(猶) yóu ❶如同。例虽死～生。❷副词。还;尚且。例记忆～新。
【犹大】基督教《新约全书》中说他是出卖耶稣的人。后来用作叛徒的代称。

Y

【犹如】好像;如同。㊀灯火辉煌,～白昼。
【犹疑】犹豫。
【犹豫】拿不定主意。㊀～不决。
【犹太人】古称希伯来人。古代聚居在巴勒斯坦的居民。曾建立以色列和犹太王国,后为罗马所灭。人口向外迁徙,散居在欧洲、美洲、西亚和北非等地。1948年,有一部分犹太人在地中海东南岸(巴勒斯坦部分地区)建立了以色列国。
【犹太教】也叫以色列教。犹太人的民族宗教。信奉耶和华神。基督教圣经中的《旧约全书》即其经典。

莸(蕕) yóu 古书上说的一种有臭味的草。

沋⊠ yóu ❶古水名。❷〔沋沋〕形容鱼鳖在水中失势而颠倒歪斜。

肬⊠ yóu "疣"的异体字。

疣 yóu 也叫瘊(hóu)子。一种病毒感染引起的皮肤病。症状是皮肤上出现黄褐色小疙瘩,不痛不痒,可自愈。

鱿(魷) yóu 〔鱿鱼〕也叫柔鱼。软体动物。头像乌贼,尾端呈菱形。生活在海洋中。

冘⊠ ㊀ yóu 同"犹豫"的"犹"。
㊁ yín (1176页)。

由 yóu ❶原因。㊀理～|事～。❷经过。㊀必～之路。❸听凭;顺从。㊀～他去吧。❹介词。1. 自;从。㊀～表及里。2. 由于。㊀咎～自取。3. 归。㊀～我负责。
【由于】介词。表示原因或理由。㊀～大家的帮助,他在这次考试中取得了较好的成绩。
【由头】❶公文用语。指公文的主要内容。也指事由。❷头(tou)。可作为借口的事。㊀找～儿。
【由来】❶从发生到现在。㊀～已久。❷事物发生的原因;来源。
【由衷】出于内心。㊀～地感激。
【由此及彼】从这一点到那一点。表示更进一步。及:达到。
【由表及里】指认识由浅入深,由了解事物的表面现象到了解事物的本质。

邮(郵) yóu ❶由专设的机构递送。㊀～寄。❷有关邮务的。㊀～电|～局。❸指邮票。㊀集～|～展。
【邮市】邮品市场。
【邮传】❶邮递。❷古代传递文书的驿站。
【邮购】通过邮递购买。
【邮驿】秦汉时传送文书的机构。五里设一邮,三十里设一驿,均有专人负责。保证了与地方联系的畅达。
【邮品】邮票、小型张、明信片、纪念封等的总称。
【邮船】在国际间运送旅客的定期、定线远洋客轮。因在开辟洲际航空线前,总是将邮件委托给这种客轮载运而得名。
【邮馆】驿站所设供过客食宿的馆舍。
【邮政储蓄】邮政部门办理的以个人为主要对象的储蓄存款业务。

油 yóu ❶指动物的脂肪和从植物、矿物中提炼出来的脂质物。㊀牛～|花生～|石～。❷一种液体食品。㊀酱～。❸用桐油、油漆等涂抹。㊀窗、门～饰一新。❹被油弄脏。㊀衣服～了。❺圆滑;不诚恳。㊀～腔滑调|这人太～了。
【油门】内燃机上调节燃料供给量的装置。油门开得越大,机器输出的功率越大。
【油井】开采石油时用钻机从地面钻到油层的深井。一般要下钢套管,并在套管外壁与井壁间灌注水泥,以维护井壁及封闭含水层。
【油水】❶指饭菜里含的脂肪成分。❷比喻从某些事情中可以得到的好处(指不正当的额外收入)。㊀捞～。
【油田】指可供开采的石油层分布地区。如大庆油田、胜利油田等。
【油麦】同"莜麦"(1194页)。
【油层】石油是一种液体矿床,它储藏在地下具有孔隙、裂缝或孔洞的岩石层中,这种储藏石油的岩石层就叫油层。
【油松】常绿乔木。叶二针一束,粗硬。能耐干冷气候及瘠薄土壤。木材较硬,富含松脂。是中国北方山区重要的造林树种。
【油画】用油调和颜料绘制的画。是西方绘画中一个主要的画种。油画能较充分地表现对象的复杂色调和丰富的层次。
【油茶】常绿灌木或小乔木。树皮淡褐灰色,平滑不裂。叶互生,椭圆形,有锯齿,革质。秋季开白花。是木本油料树种,种子黑褐色,含油率20%—35%,榨出的油供食用及工业用。主要产于中国南方丘陵地区。
【油桐】落叶小乔木。核果圆卵形,种子长

圆形。种子榨的油叫桐油。在中国南方山区分布很广。

【油脂】高级脂肪酸与甘油形成的酯。在常温下呈液体的称为油,呈固体的称为脂肪。前者如菜油、花生油,后者如猪油、牛油。棉子油等氢化,可转化为固态的人造脂肪,可供食用及制皂。油脂、蛋白质和糖是人类营养的三种主要成分。

【油彩】舞台化装用的含有油质的颜料。

【油棕】常绿棕榈状乔木。果肉及种子含油量高,为高产油料树种。原产非洲,中国南方有引种栽培。

【油然】❶自然而然地。㊀敬慕之心,~而生。❷云气盛的样子。

【油滑】圆滑;不诚恳。

【油腻】含油多的。也指含油多的食物。

【油漆】人造漆的一类。通常指含有干性油和颜料的黏液状涂料。广泛用于涂饰建筑物、机器设备等,也用于做绝缘材料。习惯上也作为人造漆的统称。

【油囊】一种供水路运输或储藏石油等液体货物的软性容器。由尼龙和丁腈橡胶等材料制成。形状像口袋。

【油页岩】也叫油母页岩。页岩的一种。灰、褐、黑等色,比一般岩石轻、软,呈薄层状,加热有沥青味。可提取石油。

【油莎草】也叫油莎豆。多年生草本植物。是油、饲兼用的高产、稳产经济作物。块茎可以榨油、食用、酿酒、做饲料。原产埃及和印度尼西亚,中国南北各地有引种栽培。莎(suō)。

【油葫芦】昆虫。像蟋蟀而略大。危害棉花、芝麻等农作物。芦(lǚ)。

【油橄榄】也叫齐墩果。常绿小乔木。果实含油多,可食,也可榨油和药用。是一种优良的木本油料树种。原产地中海一带。中国长江以南有引种栽培。

【油料作物】种子里含有多量油质,并以提取油脂为主要目的的一类作物。如花生、油菜、大豆、芝麻、蓖麻、胡麻、向日葵等。

【油腔滑调】形容说话轻浮、不严肃、无诚意。

柚 ㊀ yóu 柚木,落叶大乔木。木材坚硬耐用。

㊁ yòu (1197页)。

铀(鈾) yóu 金属元素,符号U,原子序数92。银白色。有放射性。铀^{235}是最基本的核燃料,可用以建造原子反应堆、原子能发电站,制造原子弹等。

蚰 yóu〔蚰蜒〕节肢动物。像蜈蚣而小,全身分15节,每节有一对细长的足,末对足特别长。生活在阴湿的地方。蜒(yán)。

鲉(鮋) yóu 鱼类。体长约20厘米,头上有许多棘状物突起。生活在海洋中。

斿⊠ yóu ❶古代旌旗上面的飘带。❷同"游"。

游(❸-❺*遊) yóu ❶在水里行动。㊀~泳|鱼在水里~。❷河流的一段。㊀上~|下~。❸游览;玩。㊀~园|~逛。❹经常移动的。㊀~击|~牧。❺交往。㊀交~。

【游弋】多指舰艇在水面巡逻。弋(yì)。

【游子】❶指长期远离家乡久居在外的人。❷子(zi)。同"圝子"(1194页)。

【游艺】游戏娱乐。㊀~室|~会。

【游历】到远地游览考察。

【游方】指(僧、道等)云游四方。

【游行】广大群众为了表示庆祝或示威等在街上结队而行。㊀~示威|~队伍。

【游兴】游览的兴致。兴(xìng)。

【游戏】❶与生活和劳动技能有关的、能够促进体力和智力发展的娱乐性活动。游戏中人们可以扮演生活中的不同社会角色,不产生功利。❷玩耍;做游戏。㊀孩子们在河边~。

【游园】在公园或花园里游玩观赏。

【游牧】不定居地从事放牧。㊀~民族。

【游侠】古代一种号称好交游、重信义、轻生死,能帮助人解救急难的人。

【游泳】水上运动项目之一。游泳姿势有蛙泳、蝶泳、爬泳、仰泳、侧泳等。

【游荡】❶闲游放荡,不务正业。❷闲游;闲逛。

【游览】游玩,观赏景物、名胜等。

【游说】古代称作说客的政客,周游各国,根据对政治形势的分析,劝说统治者采纳他的政治主张,叫做游说。说(shuì)。

【游隼】鸟类。雄鸟体长约40厘米。性凶猛。飞行迅速。捕食野鸭等大型鸟类,故又名鸭虎。产于中国沿海各地。

【游离】❶化学中指元素不和其他物质化合而单独存在,或元素由化合物中分离出来。❷比喻离开集体或所依附的事物而存在。

Y

【游资】也叫热钱。指游移于各国金融市场之间，以获取投机利润为目标的短期资本。
【游移】❶来回移动。❷左右摇摆，拿不定主意。
【游憩】游玩，休息。憩(qì)：休息。
【游击区】游击战争中，游击队经常活动，与敌争夺但未能完全控制或占领的地区。
【游击队】一种非正规的武装组织。通常组织简单，装备轻便，行动灵活，在敌人后方或统治区内进行游击战。
【游击战】分散游动的非正规的作战形式。通常以袭击为主要手段，以消耗敌人为主要目的。
【游仙诗】中国古典诗歌中指借描述仙境以抒发个人情怀的诗歌。
【游戏机】一种专用于玩游戏的微型计算机。常以电视机作输出设备，没有硬盘和软盘，微处理器芯片多为侧重处理图像和动画的专用芯片，通过一个槽口与游戏卡相连，游戏内容由游戏卡决定。
【游园会】在公园里举行的联欢会。
【游离态】元素以单质方式存在的状态。如空气中的氧气。
【游刃有余】《庄子·养生主》记载，一位厨师宰牛的技术很熟练，刀子能在牛骨缝儿里灵活地移动，没有一点阻碍，还显得大有余地。后用以比喻经验丰富，技术熟练，解决问题毫不费力。游：移动。有余：有余地。
【游手好闲】游荡成性，好逸恶劳。游手：闲着手不做事。

蝣 yóu 见〔蜉蝣〕(287页)。

莜 yóu 〔莜麦〕也作油麦。一年生草本植物。即栽培的裸燕麦。成熟时子粒与稃分离。供食用或做饲料。也指这种植物的种子。

輶⊠(**輶**) yóu 古代一种轻便的车。

猷 yóu 谋略；计划。㊞鸿～。

蝤 ㊀ yóu 〔蝤蛑〕即梭子蟹。
㊁ qiú(805页)。

繇 ㊀ yóu 古同“由”。
㊁ yáo(1146页)。
㊂ zhòu(1290页)。

圝□ yóu 〔圝子〕也作游子(zi)。也叫囮(é)子。用已捉到的鸟把同类的鸟引来，这种起引诱作用的鸟叫圝子。

yǒu ㄧㄡˇ

友 yǒu ❶朋友。㊞好～。❷有友好关系的。㊞～军｜～邦。❸友好。㊞～爱。
【友于】《论语·为政》引《尚书》：“友于兄弟。”本指兄弟之间相互友爱。后用作兄弟的代称。
【友邦】和本国相友好的国家。
【友军】和本部队协同作战的部队。
【友好】❶好朋友。❷亲近和睦。㊞团结～。
【友爱】友好亲爱。㊞团结～。
【友谊】朋友间交往的情谊。
【友情】朋友的感情；友谊。

有 ㊀ yǒu ❶具有；拥有。与“无”相对。㊞～决心｜我们实验室～第一流的设备。❷存在。㊞门前～一口井。❸发生。㊞情况～了变化。❹表示估量或比较。㊞这片果树～上千棵吧｜他～哥哥高了。❺用在人、地方、时间前面，表示一部分。㊞～人赞成，～人反对｜这个县～地方富，～地方穷｜～时打球，～时游泳。❻用在某些动词前表示客气。㊞～劳｜～请。❼前缀。用在朝代名前。㊞～夏｜～虞｜～清一代。
㊁ yòu(1197页)。
【有方】得法。㊞领导～。
【有为】有作为。㊞年轻～。
【有旧】❶过去曾相交好。❷有老交情。
【有司】指官吏。
【有成】成功。㊞双方意见接近，谈判可望～。
【有年】❶已有多年。㊞教学～。❷旧时表示农业丰收，年成好。
【有关】❶有关系。㊞～部门。❷涉及。㊞切实地研究了～群众生活的问题。
【有顷】不大一会儿。
【有限】❶哲学范畴。指有条件的，在时间和空间上有一定限制的，有始有终的。与“无限”相对。❷数量不多；程度不高。㊞为数～｜水平～。
【有待】要等待。㊞这个问题～进一步研究。
【有恒】有恒心，有毅力，持久不懈。
【有效】❶有效果。㊞方法～｜～措施。❷有效力。㊞这个证件还～。

【有道】❶指有学问有道德的人。书信中常用作对人的尊称。❷天下太平。《论语·季氏》："天下有道，则礼乐征伐自天子出。"❸汉代举士科目中的一种。

【有赖】表示一件事要依赖另一件事作帮助促成（常与"于"连用）。㊀任务能否提前完成，～于共同努力。

【有心人】有某种志愿，肯动脑筋的人。

【有机体】简称机体。具有生命的个体的统称。包括植物体和动物体。

【有机物】有机化合物的简称。指碳氢化合物及其衍生物。

【有机质】指动植物的所有有机物质，如淀粉、脂肪、蛋白质、纤维素等。土壤中的有机质，包括动植物残体、死亡的微生物和施用的有机肥料等。肥沃的土壤含有较多的有机质。

【有机硅】分子中含有硅原子的有机化合物。其结构特点是硅原子至少与一个碳原子直接相连。与通常的高分子有机物不同，能耐受300℃以上的高温。有硅烷、硅醇和硅醚等。可制硅橡胶、硅树脂和硅油。

【有限集】含有有限个元素的集合。如集合 $S=\{a\,|\,a$ 是小于10的正偶数$\}$。

【有神论】宣扬宗教和神学的学说。承认有超自然的神的存在，认为神能创造和支配万物，主宰或干预人类社会。

【有理数】正整数、负整数、正分数、负分数以及零的统称。

【有意识】主观上意识到的；有目的有计划的。

【有口皆碑】比喻人人称赞。宋普济《五灯会元》卷一七："劝君不用镌顽石，路上行人口似碑。"碑：记载功绩的石碑。

【有目共睹】人人都可以看到，极其明显。睹（dǔ）：看见。

【有生力量】❶专指军队中的人马。❷泛指军队。

【有丝分裂】细胞分裂的一种方式。分裂时细胞核分裂，已复制的染色体一分为二，所产生的两个子核都有与亲代相同数目的染色体。核分裂过程分为前期、中期、后期、末期四期。同时细胞质分裂，最终形成两个子细胞。

【有机农业】在生产过程中不使用人工合成的肥料、农药、生长调节剂及饲料添加剂等，实现农业生产与自然环境和生态系统良性循环的农业生产体系。

【有机肥料】含大量有机物质的肥料。肥效持久，又能改良土壤，多用于基肥。如厩肥、堆肥、绿肥、人粪尿等。

【有机建筑】泛指对自然以及建成环境充分尊重的建筑。建筑学中特指由美国现代建筑师莱特提出的设计理念。强调建筑应与自然界结合，要使建筑的局部与整体、材料的特性与运用、设计意图与周围环境产生密切联系，并使它们的本质和个性真实地表现出来。体现了工业时代建筑人本主义的价值观。

【有机玻璃】学名聚甲基丙烯酸甲酯。具有热塑性。高度透明，质轻，耐光，不易碎，易于成型加工。可用作航空玻璃、光学玻璃及日用品等。

【有机食品】根据有机农业生产和产品加工标准进行生产、加工、贮存和运输，并经过有机农业颁证组织确认的无污染、纯天然、高质量的健康食品。其生产标准高于绿色食品。

【有价证券】符合法律规定并明确载有货币金额的财产所有权或债权凭证。

【有名无实】只有空名，没有实际。

【有色人种】指白种人以外的人种。

【有色金属】铁、锰、铬等黑色金属以外的所有金属的统称。如金、银、铜、铅、锌、锑等。

【有形贸易】由具有一定形状的实体商品的进口和出口构成的国际交换。

【有形损耗】也叫物质损耗、物质磨损。机器、厂房等固定资产由于使用或自然力作用（如生锈、腐烂等）而引起的损耗。与"无形损耗"相对。

【有形资产】具有实物形态的各种固定资产。如房屋、机器设备等。

【有声有色】形容说话、写作或表演等生动、精彩。

【有条不紊】有条理，有次序，一点儿不乱。《尚书·盘庚上》："若网在纲，有条而不紊。"紊（wěn）：乱。

【有的放矢】对准靶子射箭。比喻说话或做事有明确的目的，有针对性。的（dì）：箭靶子。矢（shǐ）：箭。

【有备无患】事先有准备，就可以避免祸患。《左传·襄公十一年》："居安思危，思则有备，有备无患。"

【有性生殖】通过两性生殖细胞（雌配子与雄配子，或卵子与精子）的结合产生新个体的生殖方式。是生物界中最普遍的生殖方式。有性生殖的后代有更强的生活力与变异性。

【有性杂交】基因型不同的生物体通过生殖细胞结合而产生后代的杂交方式。是引起生物遗传性变异的途径之一。

Y

【有线广播】见〔广播〕(353 页)。

【有线电视】将无线电视台播放的或卫星转播的电视节目接收下来,通过电缆或光缆等传送给用户的电视系统。电缆、光缆传输频带宽,质量好,可提供更多频道的电视节目,还能加播录像节目和地区性节目。

【有恃无恐】因有所倚仗而不害怕。《左传·僖公二十六年》:“齐侯曰:‘室如悬罄,野无青草,何恃而不恐?’(展禽)对曰:‘恃先王之命。’”恃(shì):倚仗。恐:害怕。

【有氧运动】运动强度较低时,人体所摄入的氧能够满足运动的耗氧量,这样的运动叫做有氧运动。如散步、慢跑、打太极拳等。有氧运动消耗的主要是人体内的脂肪,是减肥的有效手段。

【有效需求】指商品的总供给价格与总需求价格达到均衡时的社会总需求。是凯恩斯经济理论的核心概念。

【有案可稽】有记载可供查考。案:档案文件。稽(jī):查考。

【有教无类】对任何人都给以教育,不分高低贵贱。《论语·卫灵公》:“子曰:‘有教无类。’”类:类别,种类。

【有偿新闻】指有关单位、组织或个人以酬金或实物等作为报偿,新闻机构才发表的新闻。是商品化了的新闻报道,为新闻机构中的不良现象。

【有期徒刑】对犯罪分子剥夺一定期限的人身自由,实行强迫劳动改造的刑罚。在监狱或其他执行场所执行,凡有劳动能力的,都应当参加劳动,接受教育和改造。期限为 6 个月以上 15 年以下。

【有隙可乘】有漏洞可以利用,有空子可钻。隙(xì):空子,机会。乘:趁。

【有线电通信】将要传送的声音、文字、图像、数据等信息变为电信号在导线上传输的通信方式。一般可靠性较好,保密性强。

【有机磷化合物】简称有机磷。含碳—磷键的化合物或含有机基团的磷酸衍生物。应用广泛。其中,应用最多的是有机磷农药,如杀虫剂对硫磷、除草剂脱叶磷、杀菌剂稻瘟净、植物生长调节剂乙烯利等。

【有过之无不及】(比已否定的某人或某种行为等)只有超过的,没有赶不上的。指情况更坏。

【有志者事竟成】只要有志气,有毅力,事情终究会成功。《后汉书·耿弇传》:“将军前在南阳,建此大策,常以为落落难合,有志者事竟成也。”竟:终于。

【有限责任公司】由两个以上股东共同出资组成的公司。每个股东以其所认缴的出资额对公司承担有限责任,公司以其全部资产对外承担责任,依照法定程序设立的企业法人。与“无限责任公司”相对。

【有则改之,无则加勉】对别人给自己指出的缺点错误,如果有,就改正;如果没有,就用来勉励自己。之:它,这里指缺点错误。

铕(銪) yǒu 金属元素,符号 Eu,原子序数 63。是稀土元素之一。用作反应堆的中子吸收材料。

酉 yǒu ❶地支的第十位。❷酉时,旧式记时法,相当于十七点到十九点。

槱☒ yǒu 古代的一种祭祀仪式,堆积木柴燃烧祭神。

卣 yǒu 古代盛酒的器具。

岰☒ yǒu 山弯曲的样子。

黝 yǒu 青黑色。㊀一张脸晒得～黑。

羑 yǒu 〔羑里〕古地名。在今河南汤阴。

莠 yǒu ❶狗尾草。❷比喻坏人。㊀良～不齐。

牖 yǒu 窗户。

懮☒ ㊁ yǒu 〔懮受〕体态轻盈的样子。
㊀ yōu (1191 页)。

yòu ㄧㄡˋ

又 yòu 副词。1. 表示重复、连续。㊀～来了。2. 表示平列关联。㊀～多～快～好～省。3. 表示加重语气,更进一层。㊀在英雄的大庆人面前～有什么困难不能克服呢? 4. 再加上;还有。㊀三～二分之一。

【又及】附带再提一下(常用于书信末尾)。

右 yòu ❶面向南时靠西的一边。㊀～手。❷西边。㊀江～|山～(指太行山以西)。❸上(古人以右为尊)。㊀无出其～。❹保守的。㊀～翼社团。❺古又同"佑"。

【右倾】指思想上政治上保守的,向反动势力靠拢、妥协的。

【右翼】❶军队作战时称右面的部队或右方的阵地为右翼;足球比赛中称右边的前锋为右翼。❷阶级、政党或集团中的右派也称右翼。

【右倾机会主义】机会主义的表现形式之一。其特点是思想落后于实际,不随变化了的客观情况前进,企图开倒车。在阶级斗争问题上,表现为屈服于敌对势力的压力,放弃原则,不敢斗争,甚至屈膝投降。参见〔机会主义〕(446页)。

佑 yòu 扶助;保护。㊀保～。

祐□ yòu 同"佑"。

幼 yòu ❶年纪小;初生的。㊀～年|～苗。❷小孩儿。㊀扶老携～。

【幼虫】完全变态昆虫的幼体。形态与成虫显著不同。如蚕是蚕蛾的幼虫,蛴螬是金龟子的幼虫。

【幼科】中医指小儿科。

【幼稚】❶年纪小。❷形容缺乏经验,不老练。稚(zhì)。

【幼儿教育】也叫学前教育。对学龄前儿童有组织、有计划实施的教育。实施机构为幼儿园。

【幼稚工业】在发展中国家尚处于初创阶段,产品的规模、性能、质量和成本同发达国家的同类产品相比竞争力很弱的新兴工业部门。

蚴 yòu 某些寄生蠕虫(如绦虫、血吸虫等)的幼体。㊀尾～。

有 ㊁ yòu 同"又"4。古代计数目凡十以上加"有"字。㊀十～九年。

㊀ yǒu (1194页)。

侑 yòu 古指劝人吃喝。

囿 yòu ❶养动物的园地。㊀鹿～。❷局限;拘泥。㊀～于成见。

宥 yòu 原谅;宽恕。㊀原～|宽～。

狖⊠ yòu 古书上说的一种黑色长尾猴。

柚 ㊁ yòu 也叫文旦。常绿乔木。果实大,皮厚不易剥离,可鲜食,果皮可制蜜饯。

㊀ yóu (1193页)。

釉 yòu 涂饰在陶瓷表面的玻璃质薄层。能增加制品的光泽、机械强度,防止腐蚀。

鼬 yòu 哺乳动物。常见的如黄鼬,俗称黄鼠狼,身细长,四肢短,毛黄褐色。性凶猛,遇敌能由肛门旁臭腺分泌臭液自卫,捕食各种小动物。

诱(誘) yòu ❶劝导;教导。㊀循循善～。❷用某种手段引人或动物上当。㊀～敌深入|利～|～饵。

【诱因】导致事情发生的原因。

【诱杀】引诱出来杀死。

【诱导】劝诱教导;引导。

【诱供】用哄、骗等不正当方法诱使被告人按司法人员的主观意愿、设想和推断进行供述。中国的诉讼法禁止这种非法的取证行为。

【诱胁】引诱并威胁。

【诱降】引诱敌人投降。降(xiáng)。

【诱饵】捕捉动物时用来引诱它的食物。比喻用来引诱别人上当的东西。

【诱掖】诱导扶助。掖(yè):用手扶着别人胳膊。

【诱惑】❶引诱迷惑。❷吸引;招引。

【诱骗】引诱欺骗。

yū ㄩ

迂 yū ❶曲折;绕远。㊀～回。❷拘泥保守、不切实际的。㊀～腐。

【迂回】❶回旋;环绕。㊀～曲折。❷绕到敌人侧面或后面(攻击敌人)。

【迂阔】不切合实际。㊀～之论。

【迂缓】迟缓;缓慢。

【迂腐】(言行、见解)拘泥于陈旧的一套,不适应当前社会。

【迂夫子】迂腐的书呆子。

吁 ㊂ yū 叹词。吆喝牲口停止前进的声音。

㊀ xū (1109页)。

㊁ yù (1205页)。

Y

纡(紆) yū 弯曲;绕弯。

於 ㊁ yū 姓。
㊀ yú (1200 页)。
㊂ wū (1036 页)。

淤 yū ❶水中沉积的泥沙。[例]河～。❷沉积。[例]地上～了一层泥。❸阻塞不通。[例]～塞。

【淤血】由于静脉血液回流受阻,机体某器官和组织血液淤积的病症。

【淤积】(水里的泥沙等)沉积。

【淤滞】因沉积堵塞而不能畅通。

【淤塞】水道被泥沙堵塞。塞(sè)。

【淤灌】在洪水时期放水灌溉,让洪水里的泥沙淤积在田地里,以改善土壤,增加肥力。

瘀□ yū ❶积血。❷血液不流通。[例]活血化～。

【瘀血】中医病证名。因气血运行不畅或外伤,体内血液瘀滞在一定的部位。

yú ㄩˊ

于 yú 介词。1. 在。[例]马克思生～1818 年。2. 向。[例]求救～人。3. 对;对于。[例]忠～祖国。4. 给;到。[例]用之～民|献身～国防事业。5. 自;从。[例]出～自愿|青出～蓝。6. 表示比较。[例]五大～三。7. 表示被动。[例]见笑～人。

【于今】❶到现在。❷如今。

【于田】❶旧作于阗。地名。在新疆维吾尔自治区塔里木盆地南。❷古西域城邦。在今新疆和田一带。❸唐安西四镇之一。在今新疆和田。

【于是】连词。表示后一事接着前一事,有时表示因果关系。[例]经过学习,大家懂得了搞好绿化工作的重要性,～掀起了植树造林新高潮。

【于思】形容胡须很多(多叠用)。思(sāi)。

【于谦】(1398—1457)明代政治家。字廷益,号节庵,浙江钱塘(今杭州)人。1449 年土木之变,明英宗被蒙古瓦剌也先俘获。他力排众议,反对南迁,率兵在北京大败瓦剌军。英宗夺回帝位后,将其杀害。有《于忠肃集》。

邘⊠ yú 周朝国名。在今河南。

盂 yú 一种盛液体的器具。[例]痰～。

竽 yú 古代乐器。像现在的笙。

与(與) ㊂ yú 同“欤”。
㊀ yǔ (1201 页)。
㊁ yù (1204 页)。

玙(璵) yú 美玉。

欤(歟) yú 文言助词。表示疑问或感叹。[例]无怀氏之民～?葛天氏之民～?|子在陈曰:“归～归～!”

旟⊠(旟) yú 古代的一种军旗。上画鸟隼,进兵时所用。

予 ㊀ yú 文言人称代词。我。
㊁ yǔ (1201 页)。

【予取予求】从我这里取,从我这里求(财物)。《左传·僖公七年》:“唯我知女(汝),女(汝)专利而不厌,予取予求,不女(汝)疵瑕也。”后指任意索取。

伃⊠ yú 见〔倢伃〕(499 页)。

妤 yú 见〔婕妤〕(500 页)。

余(❶❷餘) yú ❶剩下来的;多余的。[例]～粮。❷零数。[例]十～人|一斤～。❸文言人称代词。我。“餘”,另见“馀”(1199 页)。

【余切】见〔三角函数〕(844 页)。

【余生】❶指人的晚年。❷灾难后幸存的生命。[例]劫后～|虎口～。

【余地】指言语、行动、办事情、订计划等留下的可回旋的地方。[例]留有～。

【余年】晚年。

【余兴】❶未尽的兴致。❷会议或宴会之后附带举行的文娱活动。

【余角】两角之和等于直角(90°)时,这两个角互为余角。如直角三角形的两锐角互为余角。

【余沥】剩余的酒。比喻分到的一点小利。

【余味】留下的耐人回想的味道。

【余波】比喻事件结束后留下来的影响。[例]～未平。

【余弦】见〔三角函数〕(844 页)。

【余毒】残留的毒素或恶劣影响。[例]～未消。

【余热】❶多余的或残留的热气。[例]暖气刚停，暖气片里还有点～。❷指已退休、离休的人继续做力所能及的工作。㊀老同志退下来以后，要继续发挥～。

【余党】未消灭尽的党羽（含贬义）。

【余烬】燃烧后剩下的灰和没烧尽的东西。

【余悸】事后还依然存在的恐惧。㊀心有～。悸（jì）：恐惧，心跳。

【余割】见〔三角函数〕（844页）。

【余裕】富裕。

【余暇】空闲的时间。

【余震】地震时，主震后发生的一系列的微震和小震。

【余孽】残余的坏分子或恶势力。孽（niè）：邪恶。

【余音绕梁】《列子·汤问》记载，韩娥去齐国，路上断了粮，便以歌唱求食。唱后歌声绕着屋梁三天不绝。后用来形容歌声优美，给人留下深刻印象。

【余勇可贾】《左传·成公二年》记载，齐、晋两国交战，齐国的高固冲进晋军，夺了对方的战车，回来后夸耀说："欲勇者，贾余（我）馀勇。"意思是说，我还有馀力可卖，谁要，可以来买。后用来表示还有力量没有用完。贾（gǔ）：卖。

狳 yú 见〔犰狳〕（804页）。

馀（餘） yú 同"余"①②。"餘"，另见"余"（1198页）。

畬⊠ ㊀ yú 开垦了两年的地。㊁ shē（865页）。

艅⊠ yú 〔艅艎〕船名。艎（huáng）。

臾 yú 见〔须臾〕（1109页）。

谀（諛） yú 谄媚；奉承。㊀阿（ē）～。

萸 yú 见〔茱萸〕（1292页）。

腴 yú ❶胖；丰满。㊀丰～。❷肥沃。㊀膏～之地。

鱼（魚） yú 脊椎动物的一纲。种类很多。水生，用鳃呼吸，以鳍游泳。中国海鱼和淡水鱼有两千多种。

【鱼白】❶鱼的精液。❷鱼肚白颜色。

【鱼肉】《史记·项羽本纪》："如今人方为刀俎，我为鱼肉。"后多用"鱼肉"比喻用暴力欺凌、残害（百姓）。㊀～乡里。

【鱼苗】也叫鱼花。指由鱼卵孵化出来不久的供养殖的小鱼。

【鱼贯】像游鱼一样一个挨一个地接连着。㊀～而入。

【鱼饵】钓鱼用的鱼食。

【鱼翅】鲨鱼的鳍（qí）加工后，其软骨条叫鱼翅，是珍贵的食品。

【鱼雷】能自行推进、自行控制方向和深度的水中武器。体似圆柱形，头部装有引信和炸药，中部和尾部装有燃料和动力装置等。由潜艇、水面舰艇投掷，用以摧毁敌舰船的水中部分。有的鱼雷还有可自动捕捉目标的自导装置。

【鱼鲜】鱼虾等水产食物。

【鱼水情】形容极其亲密，像鱼和水一样不可分离的情谊。㊀军民～。

【鱼雷艇】也叫鱼雷快艇。以鱼雷为主要武器的小型高速水面战斗舰艇。主要在近岸海区荫蔽地、突然地对敌大中型舰船实施鱼雷攻击。

【鱼鳞坑】在较陡的山坡上排列成鱼鳞状的半圆形或月牙形土坑，坑内蓄水，植树造林。

【鱼龙混杂】比喻好人坏人混杂在一起。

【鱼目混珠】拿鱼眼睛冒充珍珠。比喻拿假的冒充真的。

【鱼米之乡】指盛产鱼类和大米的富庶的地方。

【鱼游釜中】鱼在锅里游。比喻处境十分危险。《后汉书·张纲传》："若鱼游釜中，喘息须臾间耳。"釜（fǔ）：锅。

渔（漁） yú ❶捕鱼。㊀～船。❷用不正当的手段谋取。㊀～利。

【渔火】渔船上的灯火。

【渔业】也叫水产业。开发、利用和培育各种水生生物资源的生产事业。按水域分海洋渔业和淡水渔业。由捕捞、养殖、加工、资源繁殖保护等业务组成。

【渔场】鱼类等水生经济动物结群聚集、适于捕捞作业的水域。包括海洋渔场和内陆水域渔场两类。海洋渔场又可分沿岸渔场、近海渔场和远洋渔场。

【渔汛】指在某一水域，某种或某些鱼类等水生经济动物高度集中，适于捕捞的时期。中国沿海有大黄鱼、小黄鱼、乌贼、带鱼四大鱼汛。

【渔阳】古郡名。秦、汉治所在今北京密云

西南。秦二世发闾左戍渔阳即此。

【渔利】❶用不正当的手段趁机取利。例从中～。❷用不正当的手段取得的利益。参见〔鹬蚌相争，渔人得利〕(1208 页)。例坐收～。

【渔猎】捕鱼和打猎。

【渔港】专供渔船使用的港口。由水域和陆域两部分组成。可使渔船安全停泊和避风，也是水产品保鲜、加工和储运，渔用物资补给，渔船渔具维修等活动的场所。

【渔人之利】见〔鹬蚌相争，渔人得利〕(1208 页)。

於 ㊀ yú ❶用于地名，如於陵(在今山东)。❷“于”的异体字。
㊁ yū (1198 页)。
㊂ wū (1036 页)。

禺 yú 古书上说的一种猴。

隅 yú ❶角落。例城～。❷边远的地方。例海～。

喁 ㊁ yú 应和的声音。
㊀ yóng (1188 页)。

【喁喁】形容低声。例～私语。

嵎 yú ❶山势弯曲险阻的地方。❷同“隅”。

湡☐ yú 湡水，水名，在河北。今称沙河。

愚 yú ❶傻。例～蠢。❷欺骗；蒙蔽。例～弄。❸谦辞。用于自称。例～见。

【愚弄】欺骗捉弄。

【愚昧】蒙昧而缺乏知识。

【愚顽】愚蠢，顽固。

【愚公移山】《列子·汤问》中的一个寓言故事：古代有个叫愚公的老人，决心挖去门前挡路的两座大山，他不顾智叟的讥笑，每天率领儿子们挖山不止，坚信世世代代挖下去，总有一天会把山挖掉。比喻征服大自然的决心和坚韧不拔的毅力。

【愚民政策】统治者为便于统治人民而实行的使人民处于愚昧无知和闭塞状态的政策。

【愚者千虑，必有一得】语见《史记·淮阴侯列传》。思想比较迟钝的人，在种种考虑中总会有一点是可取的。多用来表示自谦。

䶛☒(齵) yú 牙不正。也指事物参差不齐。

舁☐ yú 〈方〉抬。

俞 ㊀ yú 姓。
㊁ shù (913 页)。

【俞允】允许。

隃☐ yú 逾越；超越。

揄 yú 牵引；挥动。

【揄扬】称赞；表扬。

崳 yú 见〔昆崳〕(573 页)。

逾(❶*踰) yú ❶超过。例～期。❷更加。例～甚。

【逾分】过分。分(fèn)。

【逾常】超过寻常。

【逾越】超过。例不可～的界限。

【逾期】超过期限。

渝 yú ❶改变(多指感情和态度)。例始终不～。❷重庆的别称。

愉 yú 高兴。例～快。

【愉悦】喜悦。

媮☐ yú 同“愉”。
另音 tōu，见“偷”(988 页)。

瑜 yú ❶美玉。❷玉石的光彩。多比喻人的优点。例瑕不掩～。

【瑜伽】印度教徒实现解脱的修习方法。认为瑜伽是个人灵魂(小我)与宇宙灵魂(大我)结合化一的手段。其根本经典为《瑜伽经》，主要有八种修持方法。

榆 yú 榆树，落叶乔木。翅果扁平，叫榆钱。木质坚韧，耐朽力强，供制造车辆、农具等。

【榆叶梅】落叶灌木或小乔木。叶宽椭圆形或倒卵形。春季开花，花单生，淡红色。产于中国。可供观赏。

覦(覦) yú 见〔觊觎〕(463 页)。

歈☒ yú ❶同“愉”。❷歌。

窬 yú 从院墙爬过去。多指偷窃行为。例穿～之盗(穿墙和爬墙的贼)。

褕☒ yú ❶用野鸡羽毛装饰衣服。❷见〔襜褕〕(104 页)。

蝓 yú 见〔蛞蝓〕(574 页)。

娱 yú 快乐；使快乐。㉑～悦｜自～。

【娱乐】❶使人快乐。❷快乐有趣的活动。

虞 yú ❶预料。㉑以防不～。❷忧虑。㉑衣食无～。❸欺骗。㉑尔～我诈。❹古代传说的朝代名。舜所建立。❺周朝国名。在今山西平陆一带。

【虞美人】❶一年生草本植物。茎高30—80厘米，花紫红色。原产于欧洲，中国庭园有栽培。❷词牌和曲牌名。

雩 yú 古代求雨的祭祀。

舆（輿） yú ❶车；轿。㉑～马。❷地。㉑～图。❸众人的。㉑～论。❹抬着。㉑～之而行。

【舆台】古代奴隶两个等级的名称。后指地位低下的人。

【舆论】众人的议论。㉑社会～｜国际～。

【舆图】地图（一般指疆域图）。

【舆情】群众的意见和态度。

【舆薪】满车的柴火。比喻大而容易看见的事物。《孟子·梁惠王上》："明足以察秋毫之末，而不见舆薪。"

yǔ ㄩˇ

与（與） ㊀ yǔ ❶连词。和。㉑批评～自我批评。❷给。㉑交～本人。❸赞助。㉑～人为善。❹交往。㉑相～。❺介词。跟。㉑～家人团聚。
㊁ yù（1204页）。
㊂ yú（1198页）。

【与其】连词。比较两方面的利害得失，选取一方面，舍弃另一方面。"与其"表示舍弃的一面，肯定的一面前常用"不如""宁可""毋宁"等词呼应。㉑在做某一项工作时，～看得容易些，不如看得困难些。

【与国】友好结盟的国家。

【与人为善】跟别人一同做好事。《孟子·公孙丑上》："取诸人以为善，是与人为善者也，故君子莫大乎与人为善。"后指善意地帮助别人。㉑批评同志要采取～的态度。

【与日俱增】随着时间的推移，一天天地不断增长。形容增长得很快。

【与世长辞】和人世永别了。指人去世。

【与虎谋皮】也说与狐谋皮。同老虎商量，要剥下它的皮。比喻跟恶人商量要他放弃自己的利益，是绝对办不到的。《太平御览》卷二〇八引《符子》："欲为千金之裘而与狐谋其皮…言未卒，狐相率逃于重丘（高土堆）之下。"

屿（嶼） yǔ 小岛。

伛⊠（㒜） yǔ 〔伛伛〕慢步而安详的样子。

予 ㊁ yǔ 给。㉑～以奖励。
㊀ yú（1198页）。

【予人口实】给人留下责难的把柄。口实：话把儿。

伛（傴） yǔ 驼背。㉑～人。

【伛偻】弯腰曲背。也表示恭敬的样子。偻（lǚ）。

宇 yǔ ❶房檐；房屋。㉑～下（房檐之下）｜屋～。❷上下四方的整个空间。㉑～宙。❸仪容风度。㉑器～轩昂。❹地层系统分类的第一级。对应于地质年代中的"宙"。

【宇宙】❶包括地球在内的一切天体的无限空间。❷一切存在的总体。即世界。战国时的尸佼（jiǎo）在他的著作中曾说，上下四方曰宇，往古来今曰宙。不依赖于人的意识而客观存在。处于不断地运动和发展之中。在空间上无边无际，在时间上无始无终。宇：指无限空间。宙：指无限时间。

【宇航】宇宙航行的简称。人造地球卫星、宇宙飞船等在太阳系内外空间航行。

【宇宙观】即"世界观"（898页）。

【宇宙岛】指星系。历史上曾把宇宙比做海洋，把星系比作岛屿，星系因称宇宙岛。这个名称形象地表述了星系在宇宙中的分布，后被广泛采用。

【宇宙线】宇宙射线的简称。

【宇航员】即"航天员"（381页）。

【宇航服】也叫航天服。保障航天员的生命安全和工作能力的密闭装备。由服装、头盔、手套、靴子四部分组成。能防护太空中的环境因素，如真空、无氧、低温、太阳辐射、微流星体等对人体的伤害，使航天员可以到宇宙飞船外的太空中进行维修、组装等活动。

【宇宙飞船】航天器的一种。用多级火箭做运载工具，从地球上发射出去，能在宇宙空间航行。有卫星式载人飞船和登月载人飞船。

Y

【宇宙火箭】能够脱离地球引力场而进入宇宙空间的火箭。宇宙火箭脱离地球轨道的速度必须达到第二宇宙速度(11.2千米/秒)。

【宇宙空间】即“外层空间”(1006页)。

【宇宙速度】物体脱离地球引力飞向宇宙空间必须具有的最小速度。人造卫星必须具有的速度是7.9千米/秒,叫第一宇宙速度。人造行星必须具有的速度是11.2千米/秒,叫第二宇宙速度。脱离太阳系飞向宇宙空间必须具有的速度是16.7千米/秒,叫第三宇宙速度。脱离银河系必须具有的速度叫第四宇宙速度。

【宇宙射线】简称宇宙线。来自宇宙空间的高能粒子流。其来源至今还不太清楚。在地球大气层外的宇宙射线称初级宇宙线。进入大气层后,和空气中的原子核发生碰撞,引起各种作用并产生一系列其他粒子,形成次级宇宙线。它可能伤害或影响到达大气层外的生物,并能引起许多目前无法用人工实现的核反应和基本粒子的转变过程,是物理研究的一个重要方面。

羽 yǔ ❶羽毛,鸟的毛。㊀～翼。❷鸟类或昆虫的翅膀。㊀振～。❸古代五音(宫、商、角、徵、羽)之一。相当于简谱的“6”。

【羽化】❶古人指成仙。❷婉辞。道士死。❸昆虫由蛹变为成虫。

【羽绒】禽类背部和腹部的绒毛。也指经加工处理的鹅、鸭等的羽毛。㊀～服。

【羽翼】翅膀。比喻左右辅助的人或力量(多含贬义)。

【羽毛球】❶球类运动项目之一。在长方形场地(长13.4米、宽5.18米,双打宽为6.10米)中间横隔球网(网高1.524米),双方各占半场,用球拍将球在空中往来击拍。分单打、双打两种。除女子单打每局11分外,其余每局15分。❷羽毛球运动使用的球。用软木包羊皮装上羽毛制成。

【羽毛未丰】小鸟还未长成,身上的羽毛很稀。比喻还未成熟或力量还不够强大。《战国策·秦策一》:“寡人闻之,毛羽不丰满者,不可以高飞。”丰:丰满。

【羽扇纶巾】手拿羽毛扇,头戴青丝巾。形容儒雅从容,举止潇洒。旧小说中多用来形容诸葛亮的形象。纶巾:古代用青丝带做的头巾。纶(guān)。

雨 ㊀ yǔ 水蒸气升到空中遇冷凝成云,云里的小水滴增大到不能浮悬在空中时,就下降成雨。

㊁ yù (1205页)。

【雨水】❶由降雨而来的水。❷节气名。在每年公历的2月19日前后。雨水以后,中国大部分地区雨量逐渐增加。

【雨林】由高大常绿阔叶树构成繁密林冠,多层结构,并包含丰富的木质藤本和附生高等植物的森林。包括热带雨林、亚热带雨林、山地雨林等。分布于热带或亚热带暖热湿润地区。

【雨果】维克多·雨果(1802—1885)法国浪漫主义作家。生于军官家庭。1827年发表剧本《克伦威尔》,剧本序言反对古典主义,成为浪漫主义的宣言。在小说、诗歌和戏剧等方面都有成就。作品多以精细的手法、广阔的生活画面和丰富的内容,对专制制度和反动教会的罪恶进行揭发和控诉,对下层贫民的悲惨遭遇给予深切同情,深刻反映了19世纪法国社会政治中的重大事件和社会现实。主要作品有《巴黎圣母院》《悲惨世界》《九三年》等。

【雨凇】也叫冻雨。附着于地面和物体表面的冰状冻结物。是0℃以下的雨滴冻结在地面和物体表面形成的。严重时常压断电线,引起输电、通信中断。

【雨脚】密密连接着的好像线一样的雨点。

【雨意】要下雨的征兆。

【雨燕】鸟类的一科。体形似燕。翼尖长,静止时折叠的翼尖超过尾端。飞翔力强,飞行快。于飞行时捕食昆虫。对农林业有益。如白腰雨燕、针尾雨燕等。

【雨露】雨和露,可滋润禾苗。比喻恩惠。

【雨花石】一种光洁的小卵石。有美丽的色彩和花纹。因产于南京雨花台而得名。常磨光作观赏石。

【雨过天晴】也说雨过天青。雨后转晴。比喻坏的形势已经过去,出现了好的平静的局面。

【雨后春笋】春雨之后竹笋长得很多很快。比喻新生事物大量地涌现出来。

俣 yǔ 大。

【俣俣】形容壮美。

麌⊠ yǔ 公鹿。

禹 yǔ 古人名。传说是夏朝第一个王,鲧之子。因治水有功,舜让位给他。他死后,子启即位,开始了世袭制度。

【禹贡】《尚书》中的一篇，是中国古地理著作。著者不详，成书约在战国时期。书中打破了当时诸侯割据的界限，把全国划分为九州，分别叙述了各州的地理概况，对中国黄河、长江两大流域的山川、土壤、物产、贡赋、交通等，作了比较全面的描述。

【禹域】传说禹治洪水，走遍全国，故用作中国的代称。

偊⊠ yǔ〔偊偊〕形容独行。

鄅⊠ yǔ 周朝国名。在今山东临沂。

瑀 yǔ 像玉的石头。

语(語) ㊀ yǔ ❶话。㊞千言万～。❷说。㊞不言不～。❸谚语或成语。㊞～云："不入虎穴，焉得虎子？"

㊁ yù(1206页)。

【语气】❶说话的口气。❷表示陈述、疑问、祈使、感叹等的语法范畴。

【语文】❶语言和文字。㊞国家～政策。❷语言和文学。㊞～课本。❸口语和书面语的理解和表达。㊞～水平|～能力。

【语句】文句；成句的话。也指词语和句子。

【语汇】即"词汇"(148页)。

【语体】语言的社会功能变体。是适应不同社会活动范围的交际需要而形成的具有一定语言特点的表达体式，有口头语体和书面语体。书面语体又可分为文艺语体、政论语体、科技语体、公文事务语体等。

【语系】依语言的谱系分类分出的最大语言系属。把若干种具有共同历史来源的语言归于同一个语系。如汉语、壮语、傣语、黎语、苗语、瑶语、藏语、彝语、缅甸语等都是从一个共同的原始语逐渐分化出来的，它们就被总称为汉藏语系。语系是一个大类，它下面还可根据各语言间关系的远近分成语族、语支等。

【语言】以语音为物质外壳，由词汇和语法两部分组成的符号系统。语言是人类最重要的交际工具，人们运用它进行思维，交流思想，组织社会生产，开展社会斗争，推动历史前进。语言是社会约定俗成的音义结合的符号系统，人们用语言来传承文明，具有社会性、人文性。语言随着社会的产生而产生，随着社会的发展而发展，是一种社会现象；只有民族性，没有阶级性，所以又是一种特殊的社会现象。

【语词】❶词和短语。❷旧指虚词。

【语法】也叫文法。指语言的结构法则。

【语录】一个人的言论记录或摘录。

【语段】即"句群"(532页)。

【语音】语言的声音。是语言的物质外壳。它是和意义紧密结合的。每种语言的语音都有其系统性和一定的特点。

【语素】语言中最小的语音语义结合单位。有的词由一个语素构成，如牛、葡萄、麦克风等；有的词由两个或更多的语素构成，如人民、合作社、现代化等。

【语病】说话或写作中语言上的毛病。

【语调】说话时声音高低、轻重、快慢的变化。

【语族】按语言的谱系分类分出的语系之下的语言系属。如印欧语系可分为印度—伊朗、日耳曼、罗曼、斯拉夫等语族。

【语感】对语言表达的直接感受。人们凭着语感可判断句子的正误，却不一定能说出道理来。语感的强弱与生活经验、知识积累的多少有关。

【语塞】由于理亏、激动、悲愤等原因而一时说不出话来。塞(sè)。

【语境】语言环境，即使用语言时所处的实际环境。包括交际的具体场合(时间、地点、参与者等)、语言的上下文和社会文化背景等。

【语篇】也叫篇章。由连续语段或句子构成的具有一定功能的言语成品。它可以是一句问候，一段对话、独白或演讲；也可以是一首诗歌、一篇文章、一部小说或著作。

【语义场】若干词的共同的或者相关的词义聚合体，即互相联系的词义的集合场。如颜色这个语义场可包括红、橙、黄、绿、青、蓝、紫等，可再分出更小的语义场。

【语义学】语言学的分支学科。研究语言单位的意义方面。研究对象由词义扩展到句子的意义。注意运用义素分析法，深入到语义的微观层次。引入命题、预设、蕴涵等概念，进一步分析语言单位之间的意义。借助现代逻辑学和数学的手段，使描写形式化。

【语用学】语言学的分支学科。研究语言的使用及其规律。从说话人和听话人的角度把人们的言语行为看作受各种社会规约支配的社会行为，研究特定环境中的特定话语，着重说明语境可能影响话语解释的各个方面，从而发现语用规律。

Y

【语言区】人类大脑皮质在言语活动中起重要作用的部位。当其损坏时，产生不同形式的失语症。

【语言学】研究语言现象及其规律的科学。研究语言的本质、特点、结构、功能、起源和发展规律等。

【语无伦次】说话没有条理、层次，讲得乱七八糟。

【语气助词】也叫语气词。助词的一种。是附着在句子上表示一定语气、情态的词。

【语言障碍】指说话含混不清。由遗传、脑中枢病变、外伤、耳聋、构音器官异常以及后天语言训练不当造成。主要症状是发音困难、语言不清、口吃、失语等。

【语重心长】话语恳切而有分量，情意深长。

【语音合成】指利用计算机和一些专门装置模拟人能听得懂的语音。

【语音识别】用电子计算机等识别人发出的声音的意义和内容。

【语音信箱】一种新型的电话信息服务。利用电信网上的计算机处理系统，向用户提供能存储、传递语音信息的"信箱"式业务。

【语焉不详】话说得不详细。

【语言规范化】在言语实践中巩固下来并为人们普遍接受的使用各种语言材料(语音、词汇、语法)的准则和规范。在书面语中，还包括书写规则。有些准则和规范，是在约定俗成的基础上，根据语言发展的规律和语言运用的现实，由国家或社会团体制订和确定的。使人们有效地运用语言，促进社会的发展。

圄 yǔ 见〔囹圄〕(623页)。

敔[×] yǔ 古代击乐器。

龉(齬) yǔ 见〔龃龉〕(530页)。

圉 yǔ 古代养马的地方。

庾 yǔ 露天的谷仓。

瘐 yǔ 瘐死，古指囚犯因冻饿、疾病、受刑死在监狱里。后也泛指在狱中病死。

猰[×] yǔ 见〔猰貐〕(1130页)。

窳 yǔ 粗劣；坏。[例]～败。

【窳劣】粗劣；恶劣。

【窳惰】懒惰。

yù ㄩˋ

与(與) ㊀ yù 参与；参加。[例]～会。㊁ yǔ(1201页)。㊂ yú(1198页)。

【与闻】参与并且知道(内情)。[例]～其事。

玉 yù ❶矿物，不透明和半透明体。化学成分是硅酸铝钠。硬度大，有黄玉、白玉、墨玉、糖玉、青玉、碧玉、岫岩玉等，主要用作雕刻工艺美术品。❷比喻洁白美丽。[例]亭亭～立。❸敬辞。称对方的身体或行动。[例]～体｜～成。

【玉龙】❶纯白色的龙。用来形容下雪或瀑布。❷指剑。

【玉兰】落叶小乔木。叶倒卵状，长椭圆形。早春先叶开花，花大，芳香，纯白色，单生于枝顶，可供观赏。

【玉成】请人帮助或感谢帮助成全的客气话。[例]深望～此事。

【玉米】学名玉蜀黍。一年生草本植物。秆粗壮，高 1—4 米。叶宽大，条状披针形。花单性，雌雄同株。子实可供食用和制淀粉。也指这种植物的种子。

【玉宇】❶传说中神仙的住所，也指华丽宏伟的宫殿。❷光洁如玉的天空。

【玉体】敬辞。称别人的身体。

【玉帛】美玉和丝织品，古时国家往来用作礼品。也指财富。

【玉兔】指月亮(古代神话传说月亮上有个玉兔)。[例]～东升。

【玉帝】玉皇大帝的简称。

【玉玺】中国封建社会里皇帝的玉印。玺(xǐ)。

【玉碎】比喻为保持气节而牺牲。与"瓦全"相对。参见〔宁为玉碎，不为瓦全〕(723页)。

【玉照】敬辞。称别人的相片。

【玉器】用玉石雕琢而成的各种器物，多为工艺美术品。

【玉雕】用玉石雕刻的工艺品。

【玉簪】多年生草本植物。有粗的根状茎。叶丛生，卵状心脏形，有光泽。花茎从叶丛中抽出，秋季开花，白色，有香味。可供观赏。

【玉门关】古关名。西汉置，故址在今甘肃

敦煌西北小方盘城。以西域输入玉石取道于此得名。和敦煌西南的阳关同为当时对西域交通的门户。六朝时关址东移至晋昌城(今安西双塔堡附近)。宋以后倒塌废弃。

【玉米螟】昆虫。幼虫危害玉米、高粱等心叶、茎秆及穗部。是杂粮作物的主要害虫。

【玉蜀黍】玉米的学名。

【玉石俱焚】比喻好的坏的一起毁灭。

【玉皇大帝】简称玉皇、玉帝。也叫玉皇上帝。道教所信奉的最高神之一。

钰(鈺) yù 珍宝。

驭(馭) yù ❶赶车。❷同"御"②。

芋 yù 〔芋艿〕通称芋头。多年生草本植物,作一年生栽培。块茎含淀粉,可供食用,叶柄可作饲料。艿(nǎi)。

吁(籲) ㊁ yù 为某种要求而呼喊。[例]呼~。

㊀ xū (1109页)。

㊂ yū (1197页)。

聿 yù 文言助词。用在句首或句中。

谷 ㊁ yù 见〔吐谷浑〕(995页)。

㊀ gǔ (338页)。

峪 yù 山谷。

浴 yù 洗澡。[例]淋~。

【浴血】浑身浸透了血。形容战斗激烈。[例]~奋战。

欲(❶*慾) yù ❶欲望。[例]食~。❷要;希望。[例]畅所~言。❸将要。[例]山雨~来风满楼。

【欲望】取得某种东西或达到某种目的的心理要求。

【欲取姑予】见〔将欲取之,必先与之〕(484页)。

【欲罢不能】主观上想停止却不可能。《论语·子罕》:"夫子循循然善诱人,博我以文,约我以礼,欲罢不能。"罢:停止。

【欲盖弥彰】想掩盖坏事的真相,结果却暴露得更加明显。《左传·昭公三十一年》:"或求名而不得,或欲盖而名章,惩不义也。"盖:遮掩。弥(mí):更加。彰:明显。

【欲擒故纵】想要捉住他,故意先放开他,使他放松戒备。比喻为了达到进一步控制的目的,故意先放松一步。

【欲壑难填】贪欲的沟壑难以填满。形容贪得的欲望极大,很难满足。壑(hè):深谷。

【欲速则不达】不从实际出发,一味图快,反而达不到目的。《论语·子路》:"无欲速,无见小利;欲速则不达,见小利则大事不成。"速:快。达:到。

【欲加之罪,何患无辞】要想给人安个罪名,不愁找不到借口。《左传·僖公十年》:"欲加之罪,其无辞乎?"患:担心。辞:言词,这里指借口。

鹆(鵒) yù 见〔鸲鹆〕(808页)。

裕 yù 丰富;宽绰。[例]富~|宽~。

【裕如】从容;不费力。[例]应付~|措置~。

【裕固族】中国少数民族之一。人口1.2万(1990年)。主要分布在甘肃省肃南、酒泉等地。有本民族语言,兼通汉语文。主要从事畜牧业。多信奉喇嘛教。建立有肃南裕固族自治县。

饫(飫) yù 饱。

妪(嫗) yù 老年妇女的通称。

雨 ㊁ yù 古指下(雨、雪等)。[例]~雪(下雪)|~粟。

㊀ yǔ (1202页)。

郁(❶❷鬱❶❷*鬰❶❷*欝) yù ❶草木茂盛。[例]葱~。❷忧闷;烦闷。[例]抑~。❸香气很浓。[例]馥~。

【郁火】中医病证名。由情志抑郁引起脏腑功能失调。主要症状是头痛、失眠、烦躁易怒等。治宜疏肝解郁,清肝泄热。

【郁闷】烦闷;不舒畅。

【郁郁】❶文采显著。❷香气浓厚。❸(草木)茂密。[例]~葱葱。❹心情苦闷。[例]~寡欢。

【郁垒】传说中能制伏恶鬼的神。后世把它作为门神,画像丑怪凶恶。垒(lǜ)。

【郁结】(烦闷)积聚,不得发泄。

【郁悒】愁闷。悒(yì):忧愁不安。

【郁达夫】(1896—1945)中国现代文学家。名文,浙江富阳人。早年留学日本,与郭沫若发起组织创造社。1921年出版了小说集《沉沦》，以后又陆续出版了《春风沉醉的晚上》和《薄奠》，作品表现了青年的爱国情绪、劳动者的不幸命运和悲惨生活，情调感伤激愤。1930年后创作了《她是一个弱女子》《迟桂花》。抗日战争时去新加坡从事抗日宣传工作。新加坡陷落后流亡到苏门答腊，1945年被日本宪兵队杀害。有《郁达夫文集》。

【郁郁葱葱】(草木)繁盛茂密。

飓☒(颶) yù 大风。

育 yù ❶生养。㊕生～|节～。❷养活；培植。㊕～婴|～秧。❸教育。㊕德～|智～|体～。

【育才】培育人才。

【育林】培植森林。㊕封山～。

【育种】培育动植物新品种。即利用天然变异或杂交、电离辐射、秋水仙素等理化因素人工创造变异，经选择培育出新品种。

堉 yù 肥沃的土地。

淯☐ yù 淯河，也叫白河。水名，在河南西南部，流入湖北。

罭☒ yù 同"馥郁"的"郁"(1205页)。

昱 yù ❶日光。❷光明。

煜 yù ❶照耀。❷火焰。

狱(獄) yù ❶监禁犯人的地方。㊕监～。❷官司；罪案。㊕冤～|～讼。

【狱吏】旧时管理监狱的小官。

【狱卒】旧时看守监狱的人。

语(語) ㊁ yù 告诉。㊕吾～汝。㊀ yǔ (1203页)。

彧 yù 有文采。

緎☒ yù 同"彧"。

域 yù 在一定范围内的地方。㊕区～|领～。

【域名】一个部门、机构在因特网上注册的名称或位置。分国际域名和在国家顶级域名下的二级域名(国内域名)。域名须由经过授权的国际或国内相关机构注册登记才有效。

阈(閾) yù 门坎儿。引申为界限或范围。㊕听～。

棫☒ yù 古书上指栎树。

罭☒ yù 古代捕小鱼的细眼网。

蜮 yù ❶传说是躲在水里能暗中含沙射人的动物。比喻暗中害人的阴险分子。㊕鬼～伎俩。❷谷类的害虫。㊕螟～。

魊☒ yù 同"蜮"①。

毓☒ yù 同"生育""养育"的"育"。

鴥☒(鴥) yù 形容鸟飞得快。

预(預) yù ❶事先。㊕～见。❷同"与(yù)"。㊕干～。

【预卜】事先断定。卜：预料。

【预习】学生预先自学将要听讲的功课。

【预见】根据客观规律判断事物未来的发展、变化。也指这种正确的判断。

【预示】预先显示。

【预兆】事前呈现出来的迹象。

【预防】事先防备。㊕～疾病。

【预约】事先约定。

【预告】事先通告。㊕新书～。

【预言】❶预先说出(将来要发生的事情)。❷预先说出的关于将来要发生什么事情的话。

【预审】先于人民法院审理，在刑事诉讼侦查阶段对犯罪嫌疑人进行的讯问。由公安机关或人民检察院预审部门进行。

【预选】正式选举前先选出候选人；初选。

【预科】指为高等学校培养新生而开设的补习必要的基础知识的班级。一般设在大学内，也有单独设立的。

【预料】❶事先料想；推测。❷事先的料想；推测。

【预谋】做坏事之前的谋划。

【预期】预先期待。㊕达到了～目的。

【预算】经一定程序编制、核定和批准的政府、机关和事业单位的年度或季度收支计划。如国家预算、地方预算、单位预算等。

【预赛】按照规定顺序进行的第一个顺序的比赛。由预赛可决出复赛的参加者。

【预产期】预计胎儿从母体产出的日期。其

计算方法是从最后一次月经的第一日后推九个月零七天。

【预备犯】为了实施犯罪而准备工具、制造条件的犯罪人。预备犯的行为是为实现犯罪意图而进行的具体活动,具有社会危害性,应负刑事责任。

【预备役】也叫后备役。公民在军队外服兵役。包括军官预备役和士兵预备役。

【预警机】也叫预警飞机、预警指挥机。装有机载预警雷达等电子设备,具有指挥引导能力的作战飞机。主要用以探测敌方空中或水面目标,并指挥己方武器实施攻击。是集预警、指挥、控制、通信等多种功能于一体的综合信息作战飞机。

【预防接种】用注射、口服或其他方法使菌苗、疫苗、类毒素或血清等制剂进入体内。使机体在一定时间内产生对某种传染病的抵抗力。

【预备党员】预备期中的党员。中国共产党第八次全国代表大会通过的党章规定,申请入党人被批准入党后,须经过一年预备期的教育和考察,经过规定的批准手续,才能转为正式党员。"八大"前预备党员称"候补党员"。党的第九次、第十次全国代表大会通过的党章,取消了有关预备党员的规定。党的十一次全国代表大会通过的党章,又重新作出有关预备党员的规定。

【预算年度】也叫财政年度。国家预算收支起止的有效期限。通常为一年。各国预算年度不同。有的采用历年制,即从每年1月1日起至12月31日止,如中国、法国、瑞典、俄罗斯等;有的采用骑年制,如英国、日本等是从4月1日起至次年3月31日止;意大利是从7月1日起至次年6月30日止;美国是从10月1日起至次年9月30日止。

【预警卫星】也叫导弹预警卫星。用以监视、发现和跟踪敌方战略弹道导弹的发射及其主动段的飞行,并提供早期预警信息的侦察卫星。通常由多颗卫星组成预警网。一般可在敌弹道导弹袭击时,为己方争取到15—30分钟的预警时间。

蓣(蕷) yù 见〔薯蓣〕(911页)。

滪(澦) yù 见〔滟滪堆〕(1138页)。

豫 yù ❶欢喜;快乐。㊀面有不~之色。❷同"预"①。❸河南的别称。

【豫剧】也叫河南梆子。戏曲剧种。梆子腔的一种。流行于河南全省及邻近各省的部分地区。由山西梆子、陕西梆子传入河南地区,同当地民歌小调结合而成。

菀 ㊁ yù 茂盛。
㊀ wǎn (1008页)。

谕(諭) yù ❶告诉;吩咐(用于上级对下级或长辈对晚辈)。㊀手~|面~。❷古又同"喻"。

喻 yù ❶明白;了解。㊀不言而~|家~户晓。❷说明;告知。㊀不可言~|晓~。❸比方。㊀比~。

【喻皓】北宋初年建筑家。浙东人,工匠出身。擅长建筑多层的木塔和楼阁。所著《木经》总结了前人和他自己多年的实践经验,已佚,在《梦溪笔谈》里有记载。

愈(❸*瘉❸*癒) yù ❶副词。越;更加。㊀~战~强。❷胜过。㊀此~于彼。❸(病)好了。㊀病~。

【愈合】伤口或疮口长好。

尉 ㊁ yù 见下。
㊀ wèi (1025页)。

【尉迟】复姓。

【尉迟恭】(585—658)唐初名将。名恭,字敬德,朔州善阳(今山西朔县)人。原为隋将,后降唐。曾参加镇压隋末农民起义,协助李世民夺得帝位。历任泾州道行军总管、襄州都督等职。后世民间常把他和唐朝另一大将秦琼共尊为门神,贴在双门上。

蔚 ㊁ yù 蔚县,地名,在河北西北部。
㊀ wèi (1025页)。

熨 ㊁ yù 见下。
㊀ yùn (1221页)。

【熨帖】也作熨贴。❶贴切;妥帖。❷心里平静;舒服。❸〈方〉事情办妥。

【熨贴】同"熨帖"(1207页)。

遇 yù ❶相逢;碰上。㊀相~|~救。❷看待。㊀待~。❸机会。㊀机~。

【遇险】(人、车、船、飞机等)遭遇到危险。

【遇害】被谋害致死。

【遇难】遭受迫害或遇到意外的灾难而死。难(nàn)。

【遇救】得救脱险。

禺☒ yù 大猴子。古作禺。

Y

寓（*庽） yù ❶居住。[例]～所。❷居住的地方。[例]客～。❸寄托;隐含。[例]～意。

【寓公】旧指客居外乡的退职大官僚。

【寓目】过目。

【寓言】用假想的故事来说明某种哲理,从而达到教育或讽刺目的的文学作品。

【寓所】寓居的地方。

【寓居】居住在(他乡某个地方)。

【寓意】语言文字或艺术作品里所寄托、隐含的意思。[例]～深远。

【寓情于景】用描写景色来寄托情感。

御（❹禦） yù ❶同"驭"①。❷管理;支配。[例]驾～。❸指与皇帝有关的。[例]～用。❹抵挡。[例]～寒。

【御史】见〔御史大夫〕(1208页)。

【御用】❶皇帝所用。❷比喻为反动统治者利用而做帮凶的。[例]～工具|～文人。

【御侮】抵抗外来侵略。

【御史大夫】古代中央机构中的官名。秦代开始设置,主管监察、司法及中央重要文书。地位仅次于丞相。汉以后名称常变,专管监察、司法。明废。

粥 ㊁ yù ❶生养。❷同"鬻"。
㊀ zhōu (1289页)。

鬻 yù 卖。[例]卖儿～女|卖官～爵。

矞⊠ yù 象征吉祥的彩云。[例]～云。

僪⊠ ㊀ yù 日旁的气色。
㊁ jú (530页)。

潏 yù 水涌出的样子。

遹⊠ yù 遵循。多用于人名。

𫄨⊠（繘） yù 汲水的绳子。

燏 yù 火光。多用于人名。

鹬（鷸） yù 鸟类。种类很多。喙细长而直,脚长,适于涉行浅水和沼泽地。

【鹬蚌相争,渔人得利】也说鹬蚌相持,渔人得利。《战国策·燕策二》里的一则寓言说,蚌张开壳晒太阳,鹬去啄它的肉,蚌用壳夹住了鹬的嘴,彼此争持不下,最后都被渔人捉住。比喻双方相争,让第三者得了利。

誉（譽） yù ❶名誉。[例]荣～。❷称赞。[例]～不绝口。

毓 yù 同"育"。多用于人名。

隩⊠ ㊁ yù 河岸弯曲的地方。
㊀ ào (14页)。

薁□ yù ❶碳氢化合物,分子式 $C_{10}H_8$。蓝紫色叶片状晶体。❷见〔蘡薁〕(1183页)。

燠 yù 暖;热。[例]～热(闷热)|寒～失时。

龥⊠（籲） yù 同"呼吁"的"吁"。

yuān ㄩㄢ

身 ㊁ yuān 〔身毒〕梵语音译词。也译作天竺。古国名。一般认为在北印度。《史记》《汉书》《后汉书》皆有记载。
㊀ shēn (871页)。

鸢（鳶） yuān 老鹰。

【鸢尾】多年生草本植物。叶剑形,花茎与叶同高,通常有花1—3朵。初夏开花,蝶形,蓝紫色,大而美丽,可供观赏。

帵⊠ yuān 见〔缗帵〕(256页)。

眢 yuān ❶眼球枯陷无光。❷干枯。[例]～井(没有水的井)。

鸳（鴛） yuān 〔鸳鸯〕鸟类。雄的羽毛华丽,翅上有竖起的扇状直立羽。雌的较小,背苍褐色。雌雄常在一起。是中国珍禽。

涴□ ㊁ yuān 涴市,地名,在湖北。
㊀ wò (1034页)。

鹓⊠（鵷） yuān 〔鹓𫛚〕古代传说中一种像凤凰的鸟。𫛚(chú)。

箢 yuān 〔箢箕〕〈方〉竹篾等编成的盛东西的器具。

悁⊠ ㊀ yuān ❶愤怒。❷忧郁。
㊁ juàn (536页)。

蜎 yuān 古书上指孑孓。

冤（*寃*寃） yuān ❶冤枉;冤屈。[例]伸～。❷仇恨。

㊀结～。❸上当；不合算。㊀白跑一趟，真～。

【冤仇】受人侵害或侮辱而产生的仇恨。

【冤枉】❶被加上不应有的罪名，受到不公平的待遇。❷吃亏上当。㊀这个钱花得真～。

【冤狱】冤屈的案件。

【冤家】❶仇人。㊀打～。❷称似恨而实爱、给自己带来苦恼而又不能割舍的人（常用来称情人、丈夫或子孙）。家（jia）。

【冤家路窄】仇人或不愿相见的人偏偏碰到一块。

渊（淵） yuān ❶深水；潭。㊀深～。❷深。㊀～博。

【渊深】（学识）很深。

【渊博】（学识）又深又广。㊀学识～。

【渊源】水源。比喻事情的本原。㊀历史～。

【渊薮】比喻人或事物聚集的地方。渊：深水，鱼类聚处。薮（sǒu）：水边草地，兽类聚处。

yuán ㄩㄢˊ

元 yuán ❶开始的；第一。㊀～始｜～年。❷为首的。㊀～帅。❸构成一个整体的。㊀单～。❹主要；根本。㊀～音｜～素。❺同"圆"④。❻朝代名（1206—1368）。蒙古族领袖孛儿只斤·铁木真（成吉思汗）建立。1271年忽必烈定国号为元，1279年灭南宋统一全国。建都大都（今北京）。1368年为朱元璋所灭。

【元气】指人、国家或某种机构的生命力。㊀恢复～。

【元凶】罪魁祸首。

【元帅】❶古时统率全军的将领。❷军衔的一种，在将官之上。

【元旦】一年的第一天。

【元史】史书名。明宋濂等撰。共二百一十卷，包括本纪四十七卷，志五十八卷，表八卷，列传九十七卷。记载了上起元太祖称成吉思汗（1206），下至元顺帝至正二十八年（1368）一百六十多年的历史。

【元戎】主将；元帅。戎（róng）：兵器，军队。

【元老】称政界年辈资望高的人。

【元曲】元代流行的杂剧和散曲的合称。产生于北方地区。它是元代文学的代表，在中国文学史上常与唐诗、宋词并称。其中杂剧成就尤高，因此元曲有时也专指元杂剧。

【元年】❶帝王诸侯即位的第一年或帝王改年号的第一年。㊀僖公～｜开元～。❷某个纪元的头一年。㊀公元～｜回历～。

【元件】组成机器、仪表等的最小单元。如单个的电阻器、电容器等。

【元宝】旧时的货币。用金或银铸成的锭子。

【元勋】有特大功绩的人。㊀开国～｜革命～。

【元音】也叫母音。发音时，声带振动，气流在口腔或咽头不受阻碍而发出的音。如普通话的 a、o、e、i、u 等。与"辅音"相对。

【元首】对国家最高领导人的一种称呼。

【元素】❶要素。❷化学上具有相同核电荷数的同一类原子的总称。如氧气、一氧化碳、二氧化碳中的氧原子核电荷数均为8，这类原子总称氧元素。

【元配】也作原配。指第一次娶的妻子。

【元宵】❶也叫灯节、上元节。民间传统节日。在农历正月十五。这一天的晚上各地有观灯的风俗。❷元宵节应时食品。用糯米面做成，球形，有馅，煮着吃。

【元大都】元朝都城。在今北京市。1272年定都。城周长28 600米，呈长方形。为全国政治、文化和商业中心，是当时世界上最繁华的城市。

【元世祖】即"忽必烈"（406页）。

【元古宇】旧称元古界。地层系统的第二个宇。指元古宙时期所形成的地层。

【元古宙】旧称元古代。地质年代分期的第二个宙。约开始于25亿年前，结束于5.7亿年前。在这个时期里，藻类和细菌开始繁盛，晚期无脊椎动物偶有出现。

【元杂剧】元代流行的一种文学体裁。参见〔杂剧〕（1222页）。

【元谋人】也叫元谋猿人、元谋直立人。中国现在已知的最早人类化石。1965年发现于云南元谋县上那蚌村。元谋人大约生活在距今一百七十五万年前，已能制造和使用石器，从事采集与狩猎。

【元素符号】表示元素的符号。国际上通用以元素拉丁文名称的第一个字母（大写）或再附加小写字母来表示。

【元素周期表】根据元素周期律将现在已知的元素组成有周期性的体系，这个体系称为元素周期系，按原子序数具体排成的表，称为元素周期表。有长式和短式两种，通常使用的是长式表,有7个周期、18列和9个族。

【元素周期律】元素的性质随着元素原子序数的增加呈周期性变化的规律。俄国化学家门捷列夫在前人广泛研究的基础上,于1869年总结出元素周期律。他指出元素的性质随着元素的原子量的增加而呈周期性的变化。元素周期律对化学的发展起了重大的指导作用,成为物质结构理论的发展基础,是唯物辩证法的从量变到质变规律的有力例证,揭示出自然界物质的内在联系。

芫 ㊀ yuán〔芫花〕落叶灌木。果实白色。花蕾可供药用,有毒。茎皮纤维是造纸原料。

㊁ yán (1132页)。

园(園) yuán ❶种植蔬菜、花草、果木的地方。㊎菜~|果~。❷供人休息游览的地方。㊎公~。

【园丁】从事园艺的工人,也喻指教师。

【园艺】种植蔬菜、果树、花卉等的技艺。

【园田】种菜的田地。

【园地】❶菜园、果园、花园等的统称。❷比喻活动的场所、范围。㊎学习~。

【园林】栽植花草树木供人游览休息的风景区。

【园囿】供游玩的种植花草、饲养动物的地方。囿(yòu)。

【园圃】种植蔬菜、花果、树木的园地。

沅 yuán 沅江,水名,在湖南西部,向东北入洞庭湖。

蚖☒ yuán 同"蝾螈"的"螈"。

鼋(黿) yuán 元鱼、癞头鼋、鳖一类的动物。是中国国家重点保护动物。

员(員) ㊀ yuán ❶工作或学习的人。㊎职~|学~。❷团体或组织中的成员。㊎会~|党~。❸周围。㊎幅~(领土面积)。❹量词。用于武将。㊎一~猛将。

㊁ yún (1219页)。

㊂ yùn (1220页)。

【员外】❶员外郎的简称。古代官名。❷旧指曾作过官的地主豪绅。

圆(圓) yuán ❶像农历十五的月亮或像球投影在平面上的图形。从它的中心点到周边任何一点的距离都相等。㊎~圈。❷完整;周全。㊎~满。❸使完整;使周全。㊎自~其说。❹也作元。一种货币或货币单位名称,中国及日本、朝鲜等国均用为本位货币名。美国、澳大利亚、加拿大、新加坡等国的本位货币也译作圆。

【圆号】也叫法国号。铜管乐器。管身盘成圆形,号嘴似漏斗,装有活塞。音域宽广。演奏时左手按键,如将右手插入喇叭口,可减弱音量,造成音色变化。常用于乐队。

【圆台】用平行于底面的一个平面截去圆锥的顶部后剩下的部分。

【圆场】❶戏曲舞蹈的一种程式动作。角色在舞台上按一定的圆形路线绕行,称走圆场。❷为了打破僵局或解决纠纷而从中解说或提出折衷办法。

【圆周】在平面上,一动点以一定点为中心,一定长为距离而运动一周所形成的轨迹。

【圆房】旧指童养媳和未婚夫通过举行仪式正式结为夫妻。

【圆柱】一般指正圆柱。即把一个矩形绕着它的一边旋转一周所围成的立体。

【圆浑】❶指声音婉转圆润。❷指诗文意味浓厚,没有雕琢的痕迹。

【圆润】饱满而润泽。

【圆通】指为人做事灵活变通,不拘泥固执。

【圆梦】❶一种迷信活动。根据梦中情节来判断吉凶福祸。❷实现梦想。㊎他终于圆了买房梦。

【圆寂】见〔涅槃〕(721页)。

【圆滑】形容人在处事方面只顾敷衍,不讲原则。

【圆锥】一般指正圆锥。即把一个直角三角形绕着它的一条直角边旋转一周所围成的立体。

【圆雕】雕塑的一种。不附着在任何背景上,可从各面观赏的完全立体的形象。如法国雕塑家罗丹的名作《思想者》。

【圆心角】顶点在圆心的角。

【圆明园】清代皇帝的宫苑。建于清康熙中至乾隆初。在今北京海淀区。与长春园、万春园(也叫绮春园)合称圆明三园。分朝寝区、后湖区、福海、后湖北小园等园区。有西洋楼、万花阵、大水法、上下天光、万方安和、方壶胜境、蓬岛瑶台等四十多处胜景,素有"万园之园"的美誉。咸丰十年(1860)被英法联军洗劫,仅存遗址。是全国重点文物保护单位。

【圆周率】圆的周长同它的直径的比值。圆周率是个常数，用π表示：

$$\pi=3.141592653589\cdots$$

它是一个无理数，通常用3.1416作为π的近似值。

【圆柱面】在平面内，有一条定直线和一条动直线，当这个平面绕着这条定直线旋转一周时，那条动直线所形成的面叫做圆柱面。

【圆厅别墅】意大利别墅建筑。始建于1550年。设计人为建筑师帕拉第奥。平面为正方形，四面对称地建有门廊，内有爱奥尼克式柱子6根，前有大台阶，正中是一上有大穹窿的圆形大厅。门廊有护墙遮挡阳光，墙上设有利于空气流通的拱洞。

【圆唇元音】发音时两唇撮成圆形而发出的元音。如普通话单韵母中的ü、u、o。

【圆桌会议】在举行国际或国内政治谈判时，为避免席次争执，用圆形桌或把席位摆成圆圈，参加各方围桌而坐，表示参加会议各方平等。这种会议形式叫圆桌会议。

【圆凿方枘】也说方枘圆凿。圆形的铆眼容纳不了方形的榫子。比喻双方格格不入。战国楚宋玉《九辩》："圆凿而方枘兮，吾固知其钼铻（龃龉）而难入。"凿：铆眼。枘（ruì）：榫子。

【圆锥花序】也叫复总状花序。花序的一种。花轴分枝，各枝为总状花序，下部的分枝长，顶部的分枝短，整个花序略成圆锥形。如稻、槐等的花序。

垣 yuán ❶墙。㊀城～。❷城。㊀省～（省城）。

爰 yuán 文言连词。于是；乃。㊀～采众人之意见以行｜乐土乐土，～得我所。

援 yuán ❶用手牵引。㊀攀～。❷帮助；支持。㊀支～｜声～。❸引用。㊀～例。

【援引】❶引以为证。㊀～条文。❷提拔；推荐。

【援用】引用。

【援助】支援帮助。

【援例】引用成例。

【援建】援助建设。

【援救】帮助别人脱离危险、苦难。

湲 yuán 水流动的样子。

媛 ㊁ yuán 见〔婵媛〕（104页）。
㊀ yuàn（1215页）。

袁 yuán 姓。

【袁世凯】（1859—1916）北洋军阀首领。字慰亭，号容庵，河南项城人。1895年在天津小站训练新建陆军。1898年破坏戊戌变法运动，取得慈禧太后宠信。1900年八国联军进攻北京，参加东南互保，勾结帝国主义。1901年继李鸿章任北洋大臣，1903年任练兵处会办大臣，扩编北洋军，成为北洋军阀首领。辛亥革命推翻帝制后，篡夺了中华民国临时大总统职位，组织北洋军阀政府。1915年，为了换取日本帝国主义支持称帝，承认了日本提出的妄图独霸中国的《二十一条》。12月宣布恢复君主制度，自称"中华帝国皇帝"，激起全国人民反对。次年3月被迫取消帝制。6月在一片讨袁声中死去。

【袁崇焕】（1584—1630）明代军事家。字元素，广西藤县人。1622年到东北抗击后金。1626年在宁远大败努尔哈赤军。1628年任兵部尚书，督师蓟辽等地。1630年，后金施离间计，遭杀害。

猿（*猨*蝯） yuán 哺乳动物。像猴，但无颊囊，无尾巴，身体特征与人类相近。如大猩猩、黑猩猩、猩猩、长臂猿等。

【猿人】最原始的人类。生活于距今三百万至二十万年之间。参见〔北京猿人〕（44页）。

【猿臂】比喻臂长如猿，运转自如。

辕（轅） yuán ❶大车前面驾牲口的两根直木。❷旧指军营的大门。借指军政官署。㊀～门｜行～。

原 yuán ❶最初的。㊀～始｜～生动物。❷本来。㊀～地｜～有人数。❸未加工的。㊀～油｜～棉。❹原谅。㊀情有可～。❺宽广平坦的地方。㊀高～｜草～。

【原子】组成单质和化合物分子的最小粒子。由带正电荷的原子核和在核外运动的与核电荷数相等的电子组成。在一般化学反应中原子核不发生变化。

【原由】同"缘由"（1213页）。

【原因】❶造成某种结果的条件或引起另一事情发生的条件。❷哲学范畴。指能够产生他事物或现象的事物或现象。与"结果"

相对。

【原则】观察和处理问题的准则。

【原创】(作品等)最早创作;第一个创作。例~歌曲。

【原色】能配合成各种颜色的基本颜色。颜料中的原色是红、黄、蓝。

【原来】❶当初;本来。例他还住在~的地方。❷副词。表示发现真实情况。例~是你天天给老烈属挑水!

【原告】为保护自己的民事权利不受侵害,以自己的名义向人民法院提起诉讼,以引起民事诉讼程序的人。必须是与本案有直接利害关系的公民、法人和其他组织。与"被告"相对。

【原作】❶文学艺术作品的最初的本子。❷译文或改写所依据的原文。❸复制品所依据的作品。

【原鸡】鸟类。家鸡的远祖。雄鸟体长约60厘米,雌鸟较小。栖息于山区密林中。在谷类作物收获期间,常结群至田间啄食。

【原物】能够产生孳息的物。例如,果实和租金为孳息,果树和房屋为原物。通常原物的所有人有获得孳息的权利。与"孳息"相对。

【原委】事情自始至终的经过;本末。

【原油】即"石油"(890页)。

【原始】❶最初的。例~材料|~生产方式。❷未开发的。例~森林。

【原型】原来的样子。特指文学创作中作者塑造人物时所依据的现实生活中的真人。

【原封】原来封闭没有打开的,泛指保持原有的样子。例~不动。

【原宥】原谅。宥(yòu):宽恕。

【原配】同"元配"(1209页)。

【原料】指尚待加工的材料。

【原理】指某一领域、部门或学科中具有普遍意义的基本规律或道理。

【原野】平原旷野。

【原唱】最初演唱;第一个演唱。例~歌曲。

【原鸽】也叫野鸽。鸟类。是家鸽的原种,体型大小也相似。羽毛大体灰色,颈紫绿色。食谷类和蔬菜种子。

【原棉】纺织工业上指用做原料的皮棉。

【原装】生产厂家直接装配好的。例~彩电。

【原罪】❶宽宥罪过。❷基督教称人类始祖亚当和夏娃因违背上帝命令,偷吃禁果而犯下的罪行。传给后世子孙,绵延不断,故称原罪。也比喻与生俱来的罪过。

【原粮】没有经过加工的粮食,如磨成面以前的小麦、碾成米以前的稻谷等。

【原煤】没有经过筛、洗等加工的煤。

【原籍】原先的籍贯。与"客籍"相区别。

【原子价】即"化合价"(417页)。

【原子时】由原子内部能级跃迁所发射或吸收的电磁波频率建立的时间计量系统。参见〔原子秒〕(1212页)。

【原子钟】一种利用原子能级跃迁发射或吸收一定频率的电磁波制成的极精密的计时仪器。

【原子秒】时间单位。1原子秒是铯-133原子基态的两个超精细能级之间跃迁所对应的辐射(电磁波)的9 192 631 770个周期的持续时间。

【原子核】简称核。原子的核心部分。带正电,由质子和中子组成。原子质量的绝大部分集中在核里,但它的直径还不到原子直径的万分之一,只有10^{-13}—10^{-12}厘米。

【原子能】即"核能"(391页)。

【原子弹】利用重元素原子核裂变瞬间释放巨大能量产生杀伤破坏效应的核武器。主要组成部分是核装料(铀^{235}、钚^{239}等)、引爆装置、中子源、反射层和外壳。当引爆装置爆炸使核装料超过临界质量时,在中子作用下,引起核裂变的链式反应,在极短的时间内放出巨大能量,发生猛烈爆炸。

【原子量】即"相对原子质量"(1073页)。

【原电池】把化学能转化为电能的装置。

【原生质】泛指细胞的全部生命物质。分细胞膜、细胞质和细胞核,其主要成分为核酸和蛋白质。能不断地进行新陈代谢,产生能量,进行生命活动。

【原始林】未经人为破坏或经营活动影响的天然林。中国东北、西南等地的部分山区,分布着茂密的天然森林。

【原始群】人类社会最早的群体。在氏族公社形成前,原始人曾结成一定的群体,以采集和渔猎为生。

【原子序数】元素周期表中,元素按一定规则排列的序号数。在数值上等于该元素所含原子的核电荷数或核外电子数。

【原子武器】即"核武器"(391页)。

【原子晶体】相邻原子间以共价键相结合而形成空间网状结构的晶体。如金刚石、二氧化硅等。

【原生动物】动物界最原始、最低等的一门。每个动物体由单细胞构成。个体微小,一般须用显微镜观察。分布于淡水、土壤和海洋中,或营寄生生活。如变形虫、疟原虫和草履虫等。

【原生环境】自然环境中未受人为干扰或受人类活动影响较少的地域。那里的物质交换、迁移和转化、能量流动、信息传递、物种的演化,基本上仍按自然界原有的过程进行。

【原形毕露】本来的面目全部暴露了出来。

【原始农业】农业发展阶段之一。出现于原始社会,仅靠人力劳动,使用原始的木器、石器等工具。依靠自然生产。

【原始社会】见〔原始公社制度〕(1213 页)。

【原始积累】即"资本原始积累"(1309 页)。

【原始森林】自然形成且未被破坏过的森林。如南美洲亚马孙河流域的热带雨林。

【原核生物】生物界中的一大类。由原核细胞构成。其核质与细胞质之间不存在明显的核膜,无真正的细胞核,染色体单由核酸组成。如病毒、细菌、立克次体、螺旋体、支原体、放线菌和蓝藻等比较原始的生物。

【原原本本】也作源源本本。❶依照事件的本来过程、面貌(叙述)。❷依照事物的原样(描绘)。㊀你把这个铜鼎~地画下来。

【原道救世歌】太平天国领袖洪秀全在 1845 年所写的宣传农民革命的文献。1852 年与他写的《原道醒世训》《原道觉世训》一同编入《太平诏书》刊行。

【原子质量单位】表示原子质量所用的一种单位。它等于碳－12 原子质量的 1/12。1 原子质量单位合 1.660540×10^{-27} 千克。

【原子核反应堆】简称核反应堆。使原子核裂变的链式反应能够有控制地持续进行的装置。是利用原子能的一种重要的设备。反应堆可用来发电,进行科学研究,生产放射性同位素等。

【原子核物理学】简称核物理。物理学的分支学科。研究原子核的结构、性质和变化规律以及应用。

【原始公社制度】人类历史上第一个社会形态。世界各民族历史初期的必经阶段。常与"原始社会"一词通用。初期,人们主要使用石器,以采集、狩猎为生。生产资料公有,产品共同消费。后期有了畜牧业、农业和手工业,出现了社会分工和剩余产品。以家庭为单位的个体生产逐步取代以氏族为单位的集体生产。商品生产、货币交换随之兴起,并促进了私有制的发展和贫富分化,社会分裂为剥削阶级和被剥削阶级,原始社会趋于解体。

塬 yuán 中国西北黄土高原地区因流水冲刷而形成的高地。四边有陡坡,顶上比较平坦。

源 yuán ❶水流起头的地方。㊀水~|饮水思~。❷事物的来源。㊀资~|肥~。

【源泉】水的来源。比喻事物的来源。㊀生活是创作的~。

【源流】水的源头和水流。比喻事物的起源和发展。

【源氏物语】日本最早的长篇小说。女作家紫式部著。约成书于 11 世纪初。主要描写皇子光源氏及其私生子的故事。对日本的诗歌、戏剧、小说产生很大影响。

【源远流长】水源很远,水流很长。比喻历史悠久。

【源源不竭】也说源源不绝。形容接连不断。源源:水从源头流下来的样子。

【源源本本】同"原原本本"(1213 页)。

嫄☒ yuán 用于人名,如姜嫄(传说是周朝祖先后稷的母亲)。

螈 yuán 见〔蝾螈〕(829 页)。

羱□ yuán 〔羱羊〕也叫北山羊。生活在高山地区的一种野生羊。形似家养山羊而大,雌雄均有角,雄羊角大,向后弯曲。

缘(緣) yuán ❶原因。㊀无~无故。❷文言连词。因为。㊀不识庐山真面目,只~身在此山中。❸缘分。㊀有~。❹边。㊀边~。❺介词。沿着。㊀~木求鱼。❻关系。㊀血~。

【缘分】即因缘。泛指人与人或人与物之间发生某种联系的可能性。

【缘由】也作原由。原因。

【缘故】原因。

【缘起】❶事情的由来。❷说明发起某件事的缘由的文字。

【缘木求鱼】爬到树上去找鱼。比喻方向或方法不对头,劳而无功,达不到目的。《孟子·梁惠王上》:"以若所为,求若所欲,犹缘木而求鱼也。"

橼(櫞) yuán 见〔枸橼〕(531 页)。

Y

蝝⊠ yuán 即蝗蝻。未生翅的蝗虫若虫。

圜 ㊁ yuán 同“圆”。
㊀ huán（423页）。

yuǎn ㄩㄢˇ

远（遠） yuǎn ❶距离长。与“近”相对。㊞路～|久～。❷差别大。㊞差得～。❸疏远；不亲近。㊞～亲|敬而～之。❹深远。㊞言近旨～（话很浅近，意思深远）。

【远古】极远的古代。

【远东】泛指亚洲东部地区。

【远因】间接造成事物结果的原因。

【远志】多年生草本植物。茎细弱，花紫色，果实扁薄。根入药，有安神、化痰等作用。

【远足】徒步旅行。

【远征】远道出征或长途行军。

【远视】视力功能缺陷的一种。由于眼球前后直径短或角膜、晶状体折光能力过弱，来自物体的光线成像于视网膜后，而不在视网膜上，所以看较近的东西模糊。配戴凸透镜可以矫正。

【远战】在远距离上使用相应武器和手段进行的作战。各军兵种武器装备的作用距离和使用手段不同，远战的距离也不同。

【远洋】距离大陆远的海洋。㊞～货轮|～航行。

【远虑】长远地考虑。㊞深谋～。

【远海】泛指靠近陆地海域以外的海区。对中华人民共和国来说，远海指渤海、黄海、东海、南海和台湾省以东部分海域之外的海区。

【远谋】深远的谋划。

【远景】❶指电影画面的一种取景范围，即作远距离拍摄所摄取的画面。它能表现广大的空间，多层次的景物，用以介绍事件发生的场所及人物活动的环境气氛。❷未来的景况。㊞工业～|～规划。

【远程】路程远的。㊞～旅行。

【远籍】祖先的籍贯。

【远日点】地球公转轨道上离太阳最远的点。每年7月初，地球运行至远日点。

【远见卓识】远大的眼光，高明的见识。

【远交近攻】联络距离远的国家，进攻邻近的国家。这是战国时秦国的一种外交和军事策略。《战国策·秦策三》：“王不如远交而近攻，得寸则王之寸，得尺亦王之尺也。今舍此而远攻不亦谬乎？”后也指待人处世的一种手段。

【远走高飞】离开旧地走向很远的地方。多指离开不愿待下去的地方或逃往远处。

【远程导弹】射程为3 000—8 000千米的导弹。

【远程教学】指通过电信网或互联网授课的教学方式。因学生不到学校，而在本地的其他地方或距离很远的外地接受教育，故名。

【远缘杂交】亲缘关系较远（不同种、不同属等）的生物个体间的杂交。如马和驴、小麦和黑麦的杂交。这种方法可以培育出优良品种。

【远距离教育】利用广播、电视和邮寄等手段进行教学以代替课堂面授的各类教育的统称。包括函授教学和广播、电视教学等形式。有学历教育和社会教育等多种类型。

yuàn ㄩㄢˋ

苑 yuàn ❶养禽兽、种树木的地方（多指帝王的花园）。❷（学术、文艺）荟萃的地方。㊞文～|艺～。

怨 yuàn ❶仇恨。㊞恩～。❷责怪。㊞任劳任～。

【怨尤】怨恨。

【怨艾】怨恨。参见〔自怨自艾〕（1315页）。艾（yì）。

【怨言】抱怨的话。㊞毫无～。

【怨府】众怨所聚集，即众人怨恨的对象。

【怨毒】深仇大恨。

【怨恨】强烈的不满或仇恨。

【怨怼】怨恨。怼（duì）：恨。

【怨偶】不和睦的夫妻。

【怨望】怨恨怪罪。望：埋怨责备。

【怨天尤人】遇到挫折或困难时，一味埋怨天，归罪于别人。形容抱怨客观条件不利，不从主观上找原因。《论语·宪问》：“不怨天不尤人，下学而上达。”天：这里指命运。

【怨声载道】怨恨的声音充满了道路。形容民众普遍不满。载（zài）：充满。

院 yuàn ❶院子。❷一些机关学校或公共场所的名称。㊞法～|学～|戏～。❸特指医院。㊞住～|出～。

【院士】国家设立的工程技术和科学技术方面的最高学术称号。为终身荣誉。

【院试】明清两代在各省由学政主持的科举

考试。因学政的官署称提督学院，故名。府试录取后可参加院试，院试录取后称生员，即秀才。是当时选拔官吏的一种预备考试。

【院落】院子。

垸□ yuàn 〈方〉垸子，湖南、湖北一带在湖边挡水的堤圩(wéi)。也用于地名。

衏☒ yuàn 见〔衏衏〕(381页)。

掾 yuàn 古代官署属员的通称。

媛 [一] yuàn 美女。
[二] yuán (1211页)。

瑗 yuàn 大孔的璧。

愿(❶－❸願) yuàn ❶意志；希望。[例]心～｜～望。❷肯；乐意。[例]情～｜自～。❸祈求神佛时许下的酬谢。[例]许～｜还～。❹谨慎老实。[例]谨～。

【愿望】希望能达到某种目的的想法。

yuē ㄩㄝ

曰 yuē ❶说。[例]故～："知彼知己，百战不殆。"❷叫做。[例]哲学上名之～同一性(哲学上给它一个名称叫做同一性)。

约(約) [一] yuē ❶预先说定；邀请。[例]～会｜赴～。❷共同订立遵守的条款。[例]条～。❸限制；拘束。[例]～束｜制～。❹节省。[例]节～。❺简要。[例]由博返～。❻副词。大概。[例]重～三斤。
[二] yāo (1144页)。

【约分】把一个分数化成同它相等，但是分子、分母都比较小的分数，这种运算叫做约分。

【约同】邀请一起去。

【约束】限制，管束。

【约法】❶暂行的具有宪法性质的文件。❷用法规相约束。

【约略】副词。大概。

【约数】❶大约的数字。❷见〔倍数〕(46页)。

【约法三章】刘邦(汉高祖)占领秦都城咸阳后，为了收揽人心，废除秦朝的一些严刑苛法，召集"关中诸县父老、豪杰"宣布"与父老约，法三章耳：杀人者死，伤人及盗抵罪"，并表示"余悉除去秦法"，史称"约法三章"。后泛指订立共同遵守的简要条款。

Y

【约定俗成】指某种事物的名称或社会习惯，经过长期的社会实践而被公认，并为大家遵守和沿用。《荀子·正名》："名无固宜，约之以命，约定俗成谓之宜，异于约则谓之不宜。"

彠☒ yuē 尺度；标准。

蠖☒(蠖) yuē ❶量度。❷用秤称；约(yāo)。

yuě ㄩㄝˇ

哕(噦) [一] yuě 呕吐。
[二] huì (436页)。

yuè ㄩㄝˋ

月 yuè ❶月亮。❷月份，时间单位。一年的十二分之一(农历有闰月)。❸每月的。[例]～刊｜～收入。❹形状像月亮一样圆的。[例]～饼。

【月支】也作月氏(zhī)。❶古族名。秦汉之际游牧于敦煌、祁连间，后遭匈奴攻击。汉文帝初年一部分西迁至伊犁河上游，又迁至阿姆河流域，称大月支。没有西迁的进入祁连山区与羌族杂居，称小月支。❷唐羁縻都督府名。故地在今阿富汗东北部孔杜兹城附近。8世纪中叶后因大食势力东进而废弃。

【月氏】同"月支"(1215页)。

【月白】淡蓝色。

【月台】❶即"站台"(1236页)。❷古称露天的平台。

【月老】月下老人的略语。神话中主管婚姻的神，常在月下翻看婚姻簿册而得名。见唐李复言《续幽怪录》。后也用作媒人的代称。

【月华】❶月光。❷月亮周围出现的彩色光环。

【月杪】月底。杪(miǎo)。

【月季】低矮直立落叶灌木。奇数羽状复叶，互生。茎有刺。夏季开花，红色或粉红色。园艺上变种很多。可供观赏。花、根、叶可药用。也指这种植物的花。

【月经】女子子宫内膜周期性地脱落并出血的现象。每28日左右一次,每次持续3—5天。一般在13—15岁开始来月经,第一次称为初经或初潮。45岁左右停止,称为停经或闭经。怀孕和哺乳期通常无月经。

【月城】也叫瓮城。城外用来屏蔽城门的小城。

【月相】指人们所看到的月亮表面发亮部分的形状。如上弦、下弦、朔、望等。相(xiàng)。

【月食】也作月蚀。地球运行到月球和太阳的中间并成一线时,太阳的光正好被地球挡住,不能射到月球上去,便成月食。月球全部进入地球阴影时叫月全食;部分进入地球阴影时叫月偏食。月食发生在农历十五前后。早在公元前13世纪左右,中国商朝甲骨文中就有日食、月食的记载。公元前776年,中国已有月食的确切记录。

【月蚀】同“月食”(1216页)。

【月宫】❶神话传说中月亮里的宫殿。❷月亮。

【月晕】也叫风圈。环绕月亮的光环。是月光经云层折射产生的光现象,常被认为是天气变化的预兆。晕(yùn)。

【月息】按月计算的利息。

【月球】也叫月亮。地球的卫星。和地球的平均距离是384 400千米。它本身不发光,因反射太阳光才被人们看见。直径3 476千米,密度是水的3.3倍,重力是地球的1/6。月球上无水,几乎没有大气。

【月琴】拨弦乐器。琴面圆形,琴柄较短。有四根弦,两根弦为一组,现改为三根弦,增加了半音品柱。用拨子弹奏。发音清脆明亮。多用于合奏或戏曲伴奏,也可独奏。

【月晕而风】月亮周围出现光环就要刮风。比喻出现某种征兆,便预示将要发生某种事情。

刖 yuè 古代一种砍掉脚的酷刑。

抈⊠ yuè 折断;动摇。

玥 yuè 古代传说中的一种神珠。

钥(鑰) ㊀ yuè 钥匙。也喻指军事要地。[例]北门锁~。

㊁ yào(1148页)。

跀⊠ yuè 同“刖”。

乐(樂) ㊁ yuè 音乐。[例]奏~|民~。

㊀ lè(588页)。

【乐户】古代妇女因犯罪或受牵累而被逮入官府充当奏乐的官妓,叫做乐户。后来也用来称妓院。

【乐记】书名。音乐论著。战国至秦汉间儒家所作。是中国较早的一部音乐理论著作。其中的一些观点,如音乐形成是人心受客观影响的结果,“唯乐不可以为伪”“乐与政通”等对后世影响很大。

【乐池】舞台前乐队伴奏的地方。

【乐论】书名。战国后期音乐论著。荀况针对墨翟(dí)的《非乐》而作。强调音乐在生活中的重要性,音乐有“移风易俗”的作用。

【乐府】古代本指掌管音乐的官署,汉代开始建立,掌管制定乐谱、训练乐工和采集歌词等。后来也把它所采集来配乐的歌词以及后人袭用乐府旧题或摹仿乐府体裁写的作品称做乐府。

【乐段】曲式结构中完整或比较完整的单位。可单独作为一首作品,也可作为某一作品的组成部分。

【乐音】由发声体有规律的振动而产生的和谐悦耳的声音。

【乐章】交响曲或其他大型乐曲的组成部分。结构上有相对的独立性,有的可以单独演奏。

【乐谱】歌唱或奏乐用的曲谱。常见的有总谱、分谱和主旋律谱等。按记谱的方法又可分五线谱、简谱、工尺谱等。

【乐府诗集】中国古代的一部诗歌总集。北宋郭茂倩编。一百卷,分十二类。辑录汉、魏到唐、五代的乐府歌辞,其中有民间歌谣,也有文人作品。各类有总序,每曲有题解,对各种曲调和歌辞的起源和发展,都有考订。

栎(櫟) ㊁ yuè 〔栎阳〕古地名。在今陕西临潼。

㊀ lì(605页)。

轫⊠**(軏)** yuè 古代小车车杠前端与车衡相衔接的销钉。

岳(❶*嶽) yuè ❶高大的山。[例]五~。❷称妻的父母或叔伯。[例]~父|~母|叔~。

【岳飞】(1103—1142)南宋抗金将领。字鹏举,相州汤阴(今属河南)人。前后三次北伐,收复了河南等广大地区。高宗赵构和宰相秦桧一意主和,将岳飞召回临安,解除兵权,并以"莫须有"罪名将他下狱杀害。

【岳阳】市名。位于湖南省东北部,长江南岸,洞庭湖之滨,京广铁路线上。人口43万(1997年)。有石油化工、纺织、造纸、机电等工业。风景名胜有岳阳楼、君山、文庙等。

【岳阳楼】江南著名楼阁之一。位于湖南省岳阳市洞庭湖畔。始建于公元716年,几经兴废。楼共三层,高约20米。

【岳家军】南宋初岳飞领导的抗金军队。他们纪律严明,勇敢善战,屡败金兵,得到人民支持,群众称其为岳家军。金人有"撼山易,撼岳家军难"之语。

说(説) ㊂ yuè 同"悦"。㊀ shuō (923页)。㊁ shuì (922页)。

阅(閱) yuè ❶看。[例]~报|~读。❷经历;经过。[例]~历。❸检阅。[例]~兵。

【阅历】经历。也指生活中积累的经验。[例]他~很深。

【阅世】经历世事。

【阅兵】检阅军队。

【阅卷】评阅试卷。

悦 yuè ❶愉快。[例]喜~。❷使愉快。[例]~耳。

【悦目】好看。

【悦耳】好听。

【悦服】从心里佩服。

钺(鉞) yuè 古代兵器。像大斧。

越 yuè ❶跨过。[例]爬山~岭。❷超出;超过。[例]~权|~俎(zǔ)代庖。❸昂扬。[例]声音清~。❹抢夺。[例]杀人~货。❺副词。表示程度加深。[例]~战~强。❻周朝国名。在今江苏、安徽、江西、浙江一带。建都会稽(今浙江绍兴)。公元前306年,为楚所灭。

【越冬】(昆虫、植物等)过冬。[例]~作物。

【越发】副词。更加。[例]庄稼长势~喜人。

【越权】(行为)超出了自己的权限。

【越轨】(行为)超出了规章、道德等许可的范围。

【越级】超越直属的一级到更高的一级。[例]~上告。

【越狱】(犯人)从监狱里逃走。

【越剧】戏曲剧种。流行于浙江、上海等地。起源于浙江嵊(shèng)县,初期叫的笃(拟声词,江浙一带方言指敲打鼓板的声音)班。它是在当地民歌小调的基础上,吸收、借鉴余姚滩簧、绍剧、京剧等剧种的音乐表演演变发展而成。

【越境】非法出境或入境(多指国境)。

【越野跑】在野外自然条件下跑步。选择一定的路线,距离较长。可进行训练或比赛。

【越俎代庖】《庄子·逍遥游》:"庖人虽不治庖,尸、祝不越樽俎而代之矣。"意思是厨师不做饭,掌管祭祀的人(尸、祝)也不能放下祭器代他下厨房。后比喻越权办事或包办代替。越:超过。俎(zǔ):指樽俎,古代祭祀时盛酒食的器具。庖(páo):厨师。

【越野滑雪】雪上运动项目之一。运动员脚穿滑雪板、手持滑雪杖,在覆盖积雪的山地上沿规定线路滑行竞速。个人赛以到达终点的时间确定名次;团体赛以每队队员滑完全程的时间之和计算成绩和名次。

樾 yuè 树阴。

跃(躍) yuè 跳。[例]跳~。

【跃迁】微观粒子从一种态改变到另一种态的现象。如原子从高能态改变到低能态就是一种跃迁过程。原子的能量状态(能级)是不连续的,这种变化也是跳跃性的。

【跃进】❶跳跃前进。❷比喻极快地前进。

【跃居】很快上升到某一名次或地位。[例]~首位。

【跃然】形容生动逼真地呈现出来。[例]~纸上。

【跃跃欲试】形容内心急切地想试一试。

粤 yuè 广东的别称。

【粤海】指广州。广州古代为粤地,又临海,故名。

【粤剧】戏曲剧种。形成于清代。流行于广东、广西南部和香港、澳门等地,东南亚和美洲华侨居住区也有演出。是在昆腔、弋阳腔、皮黄、梆子相互融合的基础上,吸收南音、粤讴、龙舟、木鱼等广东民间曲调以及广东音乐中的一些器乐曲汇合形成的。

鸑[☒](鸑) yuè 〔鸑鷟〕古书上说的一种水鸟。鷟(zhuó)。

龠 yuè ❶古代乐器。❷古代容量单位。两龠是一合(gě)。

瀹 yuè ❶煮。㉑～茗(烹茶)。❷疏通(河道)。

爚☒ yuè 火光。

籥☒ yuè 同"龠"①。

黦☒ yuè 黄黑色。

篗□ yuè 〈方〉络丝、纱等的工具。

yūn ㄩㄣ

晕(暈) ㊁ yūn ❶头脑昏乱。㉑头～|～头转向|～头～脑。❷昏迷。㉑～倒。

㊀ yùn (1220 页)。

【晕厥】昏倒;昏眩,暂时失去知觉。

【晕头转向】❶头脑昏乱,不辨方向。❷比喻在纷繁的事情面前不知所措。

缊□(緼) ㊁ yūn 见〔细缊〕(1173 页)。

㊀ yùn (1221 页)。

氲 yūn 见〔氤氲〕(1173 页)。

煴☒ yūn 没有光焰的火。

赟☒(頵) yūn 〔赟赟〕头大的样子。

奫☒ yūn 水深广的样子。

赟(贇) yūn 美好。多用于人名。

yún ㄩㄣˊ

云(❶❸雲) yún ❶水蒸气遇冷凝聚成微小的水点成团地在空中飘浮叫云。❷说。㉑人～亦～。❸云南的简称。

【云云】如此;这样。引用文句或谈话时,表示结束或有所省略。

【云汉】天河。

【云母】云母类矿物的总称。是钾铝或钾镁铁等的铝硅酸盐类。根据颜色不同可分成白云母、黑云母、金云母等。硬度小,可劈成极薄的透明薄片,有弹性,具耐热、耐酸碱和极好的绝缘性。是重要的电气工业材料。

【云杉】常绿乔木。叶锥形或线形。球果单生枝顶。一般耐寒,生长较慢。分布于中国大部分地区的高山,常形成大面积单纯林或混交林。木材质轻、细致,供建筑、乐器、航空器材、造纸等用。也是绿化树。

【云雨】❶旧时比喻恩泽。❷指男女发生性行为(多见于旧小说)。

【云室】核物理学中用于观察和拍摄带电粒子运动径迹的一种装置。

【云豹】哺乳动物。身体比金钱豹小。全身淡灰褐色,体侧有云形暗灰色斑纹,故名。颈上有六条黑纹,尾上有十几个浅黑或棕色环带。生活在丛林中,以树栖动物等为食。分布于中国南方各省。是中国国家重点保护动物。

【云烟】云气和烟雾。比喻很快就消失了的事物。㉑过眼～。

【云海】从高处(飞机上、山上)向下看,平铺在下面的像海一样的云。

【云梯】❶攻城用的梯子。❷救火登高时用的长梯。

【云雀】鸟类。羽毛赤褐色,有黑色斑纹,喙小而尖,翅膀很大,叫声很好听。

【云崖】高耸入云的山崖。

【云集】比喻许多人从各处聚到一起。㉑商旅～。

【云游】任意遨游,踪迹不定(多指和尚道士)。

【云雾】云和雾。多比喻遮蔽或障碍的东西。㉑拨开～见青天。

【云锣】击乐器。由若干不同音高的小铜锣排列而成。悬挂在架上,用木槌击奏,可奏旋律。后经改革,锣数增加,多达三十八面。用于民族器乐合奏。

【云端】云里。

【云霄】天际;高空。㉑响彻～。

【云翳】❶阴暗的云。❷眼球角膜上的疤痕。

【云霞】彩云。

【云鬓】指妇女多而美的鬓发。

【云南省】简称云。别称滇。位于中国西南地区的南部,云贵高原的西部,东邻贵州、广西,北邻四川、西藏,西邻缅甸,南邻越南、老挝。面积 38 万多平方千米。人口

4 144万(1998 年)。省会昆明市。重要城市还有东川、玉溪、曲靖、个旧等。

【云冈石窟】中国石窟寺。位于山西大同,开凿于北魏。现存主要洞窟 53 个,佛像 5 万多。具有很高的艺术价值。

【云英未嫁】唐罗隐《偶题》诗:“钟陵醉别十余春,重见云英掌上身。我未成名君未嫁,可能俱是不如人。”指到了出嫁的年龄还没有出嫁。

【云泥之别】天地之差。比喻地位悬殊。

【云南白药】见〔白药〕(24 页)。

【云贵高原】在中国西南部。包括云南省、贵州省和广西壮族自治区的西北部,海拔 1 000—2 000 米。喀斯特(岩溶)地形分布广泛,地面崎岖。

【云消雾散】❶天气转晴。❷比喻疑虑、怨气、愁苦等一下子消除得干干净净。

【云梦秦简】也叫睡虎地秦墓竹简。1975—1976 年在湖北云梦秦墓中出土的简牍。共有一千一百多枚,简文用毛笔书写,内容包括秦代历史编年纪、法律文书等。其中最珍贵的为秦朝法律条文,共达二百多简。云梦秦简对研究秦代社会生活和政治法律制度有较大的史料价值。

【云蒸霞蔚】也说云兴霞蔚。像云雾彩霞升腾聚集起来一样。形容繁盛艳丽。《世说新语·言语》:“顾长康从会稽还,人问山川之美,顾云:‘千岩竞秀,万壑争流,草木蒙笼其上,若云兴霞蔚。’”蔚:聚集。

芸(❷蕓) yún ❶芸香,多年生草本植物。有香味,可供药用。❷芸薹,油菜的一种。

【芸芸】众多的样子。㊀～众生(佛教用语,指一切有生命的东西)。

沄(澐) yún 江水中大的波涛。

【沄沄】形容波涛汹涌。

纭(紜) yún 见〔纷纭〕(274 页)。

【纭纭】形容多而乱。

耘 yún 除草。㊀～田。

匀 yún ❶平均。㊀均～|～称(chèn)。❷使平均。㊀把两堆白菜～一～。❸抽出。㊀～出一点时间。

【匀净】粗细或深浅一致。

【匀称】比例、间架、结构等均匀和谐。

【匀整】均匀整齐。

昀 yún 日光。

畇⊠ yún 〔畇畇〕形容田地平整。

筠 ㊀ yún ❶竹子。❷竹皮。㊁ jūn (541 页)。

鋆 yún (用于人名时有读 jūn 的)金子。

员(員) ㊁ yún 用于人名,如伍员(即伍子胥,春秋时人)。㊀ yuán (1210 页)。㊂ yùn (1220 页)。

郧(鄖) yún 郧县,地名,在湖北西北部。

涢(溳) yún 涢水,水名,在湖北北部。

熉⊠(㷉) yún 形容黄的颜色。㊀～黄。

筼(篔) yún 〔筼筜〕生长在水边的大竹子。筜(dāng)。

yǔn ㄩㄣˇ

允 yǔn ❶肯;答应。㊀～许|不～。❷公平;得当。㊀公～|～当。

【允洽】意见相合。

【允诺】答应;允许。

狁 yǔn 见〔猃狁〕(1069 页)。

陨(隕) yǔn 坠落。㊀～石。

【陨石】见〔陨星〕(1219 页)。

【陨灭】❶物体从高空掉下而毁灭。❷也作殒灭。指丧命。

【陨冰】从行星际空间陨落到地面的冰块。到达地面很快溶化成水。比较罕见。

【陨星】质量较大的流星体,在经过地球大气层时没有完全烧掉,落到地面上的残余部分,叫做陨星。以铁质为主的叫陨铁,以石质为主的叫陨石。中国早在公元前 687 年春秋时期就有陨星的记载。有时,陨星先在高空爆炸,再像一阵“石雨”那样散落下来,这就是陨石雨。

【陨铁】见〔陨星〕(1219 页)。

【陨越】比喻失败;失职。㊀幸免～。

【陨落】指星体等从高空掉下。

【陨石雨】见〔陨星〕(1219 页)。

殒(殞) yǔn 死亡。㊀～命。

【殒灭】同"陨灭"②(1219 页)。

Y

碩☒(磒) yǔn 同"陨"。

yùn ㄩㄣˋ

孕 yùn 胎;怀胎。㊀有～|～妇。

【孕吐】孕妇在怀孕初期恶心、呕吐的现象。

【孕育】❶怀胎生育。❷比喻在既存事物中成长着新事物。

【孕穗】指稻、麦等作物的幼穗在叶鞘内逐渐形成的过程。

运(運) yùn ❶旋转;有规则地移动。㊀～转|～行。❷搬运;运输。㊀～货。❸用;运用。㊀～思|～笔。❹运气。㊀好～|恶～。

【运力】运输力量。㊀增加～。

【运用】用;使用。㊀灵活～。

【运动】❶哲学范畴。指事物由内在矛盾引起的发展、变化过程。是物质的存在形式和固有属性,同物质不可分离。基本形式有机械的、物理的、化学的、生物的和社会的等。❷在自然科学中指机械运动。❸指某种有组织的、规模较大的群众性活动。㊀五四～|技术革新～。❹指体育活动。㊀体操～|球类～。❺为私利而奔走钻营。

【运行】周而复始地运转。多指星球、车船等。

【运作】机构等进行工作;运转。㊀正常～。

【运转】❶指机器正常转动。也比喻组织、机构等进行工作。㊀发电机在～|某些部门～不灵。❷沿着一定的轨道运行。㊀行星绕着太阳～。

【运河】人工挖成的可以通航的河。

【运营】交通工具运行、营业。㊀新建铁路通车～。

【运脚】运费。

【运输】人和物的输送。即用交通工具把旅客或物资从一个地方运到另一个地方。

【运算】根据数学法则求算式结果的过程。在数的运算中,加、减叫第一级运算,乘、除叫第二级运算,乘方、开方叫第三级运算。运算顺序是先做乘方、开方,后做乘、除,再做加、减。

【运动战】正规兵团在长的战线和大的战区内进行战役和战斗的外线速决的进攻战的作战形式。也包括为了便利于执行这种进攻战而在必要时进行的某些运动性的防御、起辅助作用的阵地攻击和阵地防御。特点是:正规兵团,战役和战斗的优势兵力,进攻性和流动性。

【运动量】人体在运动训练中所完成的活动量。

【运筹学】数学的分支学科。20 世纪 40 年代开始形成。主要研究经济活动和军事活动中能用数量表达的有关运用、筹划与管理等问题。它运用数学方法,对所要研究的问题做出合理的统筹安排,以达到最经济地使用人力、物力和在总体上收到最好效果的目的。

【运动处方】用处方的形式规定锻炼内容和运动量的方法。用以指导人们有目的、有计划地进行体育锻炼。

【运载火箭】由多级火箭组成的航天运输工具。用来把人造卫星、宇宙飞船、空间探测器等送上预定轨道。载(zài)。

【运筹帷幄】在帷幕之中指挥、谋划。后泛指策划机要。《史记·太史公自序》:"运筹帷幄之中,制胜于无形,子房计谋其事,无知名,无勇功,图难于易,为大于细。"帷幄(wéiwò):军中帐幕。

【运动性疾病】因运动训练而引起的与人体内脏器官或代谢有关的疾病。如运动性贫血、运动中腹痛等。

酝(醖) yùn 〔酝酿〕指造酒时的发酵过程。比喻事前讨论、磋商,交换意见,统一思想。㊀在群众充分～的基础上选出了大会代表。酿(niàng)。

员(員) ㊂ yùn 姓。
㊀ yuán (1210 页)。
㊁ yún (1219 页)。

郓(鄆) yùn 郓城,地名,在山东西部。

恽☒(餫) ㊀ yùn 运送粮食。
㊁ hún (437 页)。

恽(惲) yùn 姓。

晕(暈) ㊀ yùn ❶头晕的感觉。㊀～车|～船。❷太阳或月亮的光通过云层时形成的光圈。❸光影或色彩周围模糊的部分。㊀红～|灯～。

㊁ yūn（1218页）。

愠 yùn 含怒；怨恨。㊀面有～色。

缊□（縕） ㊀ yùn 新旧混合的丝绵。㊀～袍。

㊁ yūn（1218页）。

蕴（蘊） yùn ❶藏蓄。㊀～藏。❷聚积。㊀～结。❸事理深奥的地方。㊀底～。

【蕴蓄】积蓄在里面而没有表露出来。

【蕴藉】指言语、文字、神情等含蓄而不显露。藉（jiè）。

【蕴藏】在内部蓄积。㊀该地～着丰富的铁矿|在他们的心中～着极大的爱国热情。

韫（韞） yùn 包含；蕴藏。

韵（*韻） yùn ❶和谐悦耳的声音。❷韵母。㊀押～|叠～|～文。❸情趣；风度。㊀风～|～致。

【韵文】泛指用韵的文体。歌谣、辞赋、诗、词、曲等都是韵文。与“散文”相对。

【韵书】中国古代分韵编排的字汇。主要供韵文押韵用。大都先分四声，再分韵部。同声调同韵母的字为一韵部，取其中一字为标目，用反切注音，有的还有简单注释。重要的韵书有《切韵》《广韵》《中原音韵》等。

【韵目】韵书中从同韵字中选择代表字作为一个韵的标目。如一东、二冬、三江、四支等。

【韵白】传统戏曲中一种有较强的节奏感和音乐性，语调抑扬顿挫的道白。在京剧中区别于接近生活语言的京白。

【韵头】也叫介音。复韵母中处在主要元音之前的 i、u、ü 三个元音。如普通话 ia、uang、üe 等中的 i、u、ü。

【韵母】汉语字音（音节）中除声母以外的音素。韵母主要由元音构成，也有在元音后面带某些辅音的。韵母可以根据组成音素的多少分成单韵母、复韵母两类。普通话里还可以根据组成音素中是否含有鼻辅音分成鼻韵母和非鼻韵母两类。复韵母可以分为韵头（介音）、韵腹（主要元音）、韵尾三部分。如“香（xiāng）”的韵母是 iang，其中 i 是韵头，a 是韵腹，ng 是韵尾。韵腹是韵母的核心，响度最大。

【韵尾】韵母的收尾部分，即复韵母中处于元音或主要元音之后的音素。韵尾可以是辅音，如普通话 an 中的 n，iang 中的 ng；也可以是元音，如普通话 ai 中的 i，ou 中的 u。

【韵事】风雅的事。

【韵味】含蓄的意味。

【韵律】诗歌中的声韵和节律。在诗歌中，音的高低、轻重、长短的组合，匀称的间歇或停顿，句中句末或行末用同韵同调的音相和谐，构成韵律。它能加强诗歌的音乐性和节奏感。

【韵致】气韵情致。

【韵脚】韵文句末押韵的字。

【韵腹】复韵母中的主要元音。发音时开口度最大、发音最响亮。如普通话 ao 中的 a，ou 中的 o，ie 中的 e，ian 中的 a 等。单韵母以及某些只含有一个元音的复韵母中的那个元音也叫韵腹，如普通话单韵母的 ü 以及 ing 中的 i 等。

【韵律体操】即“艺术体操”（1166页）。

熨 ㊀ yùn 用烙铁、熨斗把衣服烫平。

㊁ yù（1207页）。

Z

Z ㄗ

zā ㄗㄚ

扎（*紥*紮）㊂ zā ❶捆；束。㊞捆～｜～头绳。❷量词。用于捆成把儿的东西。㊞一～线。
㊀ zhā（1231页）。
㊁ zhá（1231页）。

匝（*帀）zā ❶（环绕）一圈。㊞绕树三～。❷满；遍。㊞柳荫～地。

咂 zā ❶舌头与上腭接触发声。㊞～嘴。❷吮吸；呷。㊞～一口酒。

拶 ㊀ zā 逼迫。
㊁ zǎn（1225页）。

臜（臢）zā 见〔腌臜〕（3页）。

zá ㄗㄚˊ

杂（雜*襍）zá ❶多种多样的。㊞～货｜～草。❷搀和；混合。㊞夹～。❸正项以外的；非正式的。㊞～费｜～牌。

【杂文】散文的一种。是以议论为主，夹以叙事、抒情的文艺性论文。以短小精悍、明快锋利见长，样式较多，如随笔、杂感、杂谈、笔记等。

【杂交】遗传性不同的生物体进行交配或结合而产生杂种的过程。分有性杂交和无性杂交。

【杂技】旧称把戏。由各种技艺表演组合而成的一种表演艺术。包括耍（耍弄器物）、变（变魔术）、练（人体技巧动作）等基本形式。广义的杂技也包括马戏。

【杂志】❶即"期刊"（767页）。❷零碎的笔记（多用于书名）。

【杂厕】混杂。

【杂沓】也作杂遝。纷乱；杂乱。㊞人声～。

【杂种】❶两种不同种、属的动物或植物杂交而生成的新品种。具有两亲种的特征。❷骂人的话。

【杂音】❶心脏和大血管内的血液流动受阻或有逆流，产生漩涡，振动心壁或血管所发出的声音。多由心脏和血管病变引起。用听诊器可以听到。❷见〔噪音〕（1228页）。

【杂家】❶战国末期到西汉初年的一个学派。标榜对各家学说兼容并包，即所谓"兼儒墨，合名法"，故名。代表著作有吕不韦主持编纂的《吕氏春秋》和汉初淮南王刘安主持编纂的《淮南鸿烈》（《淮南子》）等。❷泛指学问涉猎很杂的学者。

【杂剧】多指元杂剧。元代的戏曲形式。元初时兴起于北方。结构上通常是一本四折，有时在开头或折与折中间加楔子（相当于序幕或过场戏）。每折用同一宫调的若干曲牌组成一套曲子，一韵到底，曲词中间夹有念白。全剧由正末（男主角）或正旦（女主角）一人主唱，其他角色只有说白，剧本分别称为末本或旦本。字韵用中原音韵，音乐用北曲，伴奏以弦乐为主，字多腔少，节奏急促。明清杂剧，每本折数不定。

【杂感】许多方面的感想。也指记叙这些感想的杂文。

【杂遝】同"杂沓"（1222页）。遝（tà）。

【杂粮】水稻、小麦以外的粮食。如玉米、高粱、豆类等。

【杂糅】不同的事物混杂在一起。糅（róu）。

【杂牌军】非嫡系的军队。中国民主革命时期多指蒋介石嫡系以外的国民党各种派系的军队。

【杂乱无章】乱七八糟，没有条理。

砸 zá ❶用沉重的东西打、捣；沉重的东西掉落在物体上。㊞～地基｜～了脚。❷打坏；打破。㊞碗～了。❸比喻失败。㊞这件事办～了。

zǎ ㄗㄚˇ

咋 ㊁ zǎ 〈方〉疑问代词。怎;怎么。㊎～好?|～办?
㊀ zé(1229页)。
㊂ zhā(1231页)。

zāi ㄗㄞ

灾(*災*烖*菑) zāi ❶自然界造成的或人为的祸害。㊎水～|兵～。❷个人遭遇的祸患。㊎没病没～。
"菑",另音 zī(1310页)。
【灾异】古指自然灾害以及某些罕见的自然现象。如地震、日月蚀等。
【灾荒】指由自然灾害造成的农作物大面积损坏,从而严重影响一个地区或国家民众基本生活的现象。
【灾殃】灾难。
【灾星】迷信指恶运或灾难。
【灾难】由自然界的灾害或人为的祸害所造成的苦难。
【灾情】受灾情况。㊎～严重。
甾 zāi 有机化合物的一类。在医药上应用广泛。
【甾族化合物】类固醇的俗称。
哉 zāi 文言助词。1.表示感叹的语气。㊎难矣～! 2.表示反问的语气。㊎岂有他～?
栽 zāi ❶种植。㊎～树。❷插上;安上。㊎～绒|～个罪名。❸栽子,可供移植的树木幼苗或枝条。㊎柳～。❹跌倒。㊎～了一跤。
【栽赃】把赃物或违禁物暗放在他人处,诬告其犯法。
【栽培】种植培育植物。比喻培养、提拔人才(多用于向人表示请求或感谢时)。
【栽培植物】经人们选择并培植起来的植物。如粮食作物、蔬菜、果树、供观赏的花木等。

zǎi ㄗㄞˇ

仔 ㊁ zǎi ❶〈方〉具有某种特征或从事一定职业的年轻男子。㊎肥～|打工～。❷同"崽"。
㊀ zǐ(1311页)。
㊂ zī(1307页)。
载(載) ㊁ zǎi ❶年。㊎一年半～。❷把事情用文字记录下来;刊登。㊎～入史册|转～。
㊀ zài(1224页)。
【载籍】书籍。
宰 zǎi ❶杀(牲畜)。㊎～猪。❷主管;主持。㊎主～。❸古代官名。㊎太～。❹喻指向顾客或服务对象索取高价。㊎～人|挨～。
【宰相】别称中堂。中国古代以对君主负责总揽政务的人为宰相。但各朝代均另有正式官名,其职权范围也有不同。
【宰客】敲诈顾客。
【宰辅】皇帝的辅政大臣。一般指宰相。
【宰割】宰杀、分割。比喻侵略、压迫、剥削。
【宰牲节】也叫古尔邦节、牺牲节。伊斯兰教的重要节日之一。在伊斯兰教历十二月十日,这一天要宰牛、羊、骆驼等献礼。
崽 zǎi ❶〈方〉儿子;小孩子。❷幼小的动物。㊎猪～儿。

zài ㄗㄞˋ

再(*再*再) zài 副词。1.又一次。㊎～度出现。2.表示事情、行为的重复或继续。㊎～说一遍|～接～厉。3.连接两个动词,表示先后的关系。㊎把准备工作做好了～出发。4.更;更加。㊎～提高一点儿。5.表示有所补充。㊎～加个菜。6.古指第二次。㊎一鼓作气,～而衰,三而竭。
【再生】❶死而复生。❷生物体的一部分在损坏、脱落或截除后重新生长的过程。如伤口的愈合等。❸废旧品经加工变成新产品。㊎～纸。
【再现】指过去的事物再次出现。
【再版】书籍第一次出版后,内容经修改、重新排印出版的叫再版。一般也泛指第二次印刷。
【再审】人民法院对已经发生法律效力的判决或裁定再行审理的诉讼制度。它是纠正已生效的裁判错误的法定程序,是审判监督程序,但不是审理案件的必经程序和必经审级。只有特定的机关和人员才有权提起再审,如本法院院长、上级人民法院、最高人民法院、人民检察院通过抗诉等。当事人也可以申请再审,但不能停止判决、裁定的执行。

【再度】副词。第二次;又一次。

【再造】❶重建;复兴。❷指重新给予生命(感激别人救助的话)。㊐恩同～。

【再醮】旧指妇女再嫁。醮(jiào)。

【再生产】生产过程的不断重复和更新。分简单再生产和扩大再生产。

【再贴现】商业银行将已贴现的未到期票据,向中央银行再行贴现,以筹措资金。

【再保险】也叫分保。保险公司将其所承担的保险责任的一部分或全部分散给其他保险公司承担的保险。包括分出保险和分入保险。保险公司承担的责任不得超过其实有资本金加公积金总和的10%,超过的部分应当办理再保险,将保险责任分担出去。

【再工业化】美国经济学家为振兴美国经济而提出的一种设想。主张通过放松经济管制、增加固定资本投资、发展高新技术产业来提升美国生产能力。

【再生资源】也叫可再生资源、可更新资源。经开发利用后可以不断得到恢复和补充的资源。如水资源、气候资源、土地资源等。

【再衰三竭】《左传·庄公十年》:"夫战,勇气也,一鼓(击鼓)作气,再而衰,三而竭。"形容士气逐渐低落,力量逐渐衰竭,不能再振作。竭:尽。

【再接再厉】唐韩愈和孟郊《斗鸡联句》中孟郊的诗句:"一喷一醒然,再接再砺乃。"指公鸡相斗,每次交锋以前先磨一下嘴。后用以指一次又一次加倍努力。接:交战。厉:同"砺",磨快。

在 zài ❶存在;活着。㊐烈士的革命精神长～|健～。❷居于;处在。㊐～办公室|～革命的时代。❸决定于;在于。㊐事～人为。❹副词。正在,表示动作或行为正处于过程之中。㊐他～劳动。❺介词。表示时间、地点等。㊐～晚上看报|站～草原望北京。

【在下】谦辞。用于自称。

【在世】活着。

【在在】处处;到处。

【在行】内行;对某事富有经验。行(háng)。

【在即】指某种情况在近期就要发生。㊐毕业～。

【在建】正在建设中。㊐～项目。

【在逃】指犯罪嫌疑人已经逃走,还没捉到。

【在案】表示某事在档案中已经有记录,可以查考。

【在读】正在读某一学位。㊐～博士生人数。

【在职】担任着职务。

【在野】旧指没在朝廷当官,后借指不当政。

【在望】远处的东西可以望见。比喻盼望的事情即将出现,就在眼前。㊐遥遥～|丰收～。

【在握】在掌握之中。㊐胜利～。

【在野党】也叫反对党。在实行两党制或多党制的国家中不掌握国家政权的政党。在野党有权批评和监督执政党的政策和措施。

【在劫难逃】迷信指命中注定要遭受的灾难,逃也逃不脱。有时借指事物必不可免的严重后果。

【在所不惜】决不吝惜。㊐为革命就是献出自己的生命也～。

【在中亚细亚草原上】交响音画。鲍罗廷曲。作于1880年。原为舞台造型表演所配的伴奏音乐。该曲形象地描摹一支商队在俄罗斯士兵护送下穿越中亚草原的情景。

载(載) ㊀ zài ❶装载。㊐～货|满～而归。❷充满。㊐风雪～途。❸文言助词。两个"载"字连用表示同时做两种动作。㊐～歌～舞。

㊁ zǎi (1223页)。

【载体】❶科学技术上指某些能传递能量或运载其他物质的物质。如化学反应中为增加催化剂的有效面积,一般使催化剂附着在多孔的物质表面,这种多孔物质即为载体。❷泛指一切能够承载其他事物的事物。如语言文字是信息的载体。

【载波】在有线电和无线电技术中,用要传送的信号去调制另一个高频信号,使已调制的高频振荡中载有调制信号所包含的信息,然后发送出去。这种被调制的高频信号叫做载波。

【载重】交通工具负担重量。

【载荷】也叫荷载、荷重。指作用在建筑或构件上的各种重量和外力。如结构自重、楼面载荷、吊车载荷以及风、雪、地震等载荷。

【载誉】满载荣誉。㊐～归来。

【载畜量】一定面积牧地上所负担放牧牲畜的头数。

【载流子】在电场作用下能形成电流的带电粒子。如金属中的自由电子、电解液中的正负离子、半导体中参与导电的电子和空穴等。

Z

【载波通信】通过频率调制、解调等方式，将不同用户的话音信号转移到不同频带上进行传输，以实现在同一条电话电路上传送多路电话的通信方式。

【载歌载舞】一边唱歌，一边跳舞。形容尽情欢乐。

傤□（儎） zài 〈方〉❶运输工具所装的东西；一只运输船装载的货物。㊟卸～|一～。❷运输；承载。

縡☒（縡） zài 事情。

zān ㄗㄢ

糌 zān 〔糌粑〕把青稞麦炒熟磨成的面，吃时加上酥油茶或青稞酒拌合，再捏成团儿。是藏族人的主食。

臜☒ zān 见〔腌臜〕(10 页)。

簪（*簮） zān ❶簪子，旧时用来别住头发的一种饰物。用金属、玉石、骨头等制成。❷插；戴。㊟～花。

zán ㄗㄢˊ

咱（*喒*偺*噜*偺） zán 人称代词。1.〈方〉我。㊟～不怕苦和累。2．咱们。㊟妈，～走吧。

【咱们】人称代词。总称己方(我或我们)和对方(你或你们)。㊟～先商量好了，再告诉他。

zǎn ㄗㄢˇ

拶 ㊁ zǎn ❶压紧。❷也叫拶指。旧时一种夹手指的酷刑。所用的刑具叫拶子。

㊀ zā (1222 页)。

桚☒ zǎn 同"拶(zǎn)"。

昝□ zǎn 姓。

寁☒ zǎn 迅速。

噆☒ zǎn ❶叼；衔。❷咬；叮。

攒（攢） ㊀ zǎn 积聚；储蓄。㊟～粪|～钱。

㊁ cuán (155 页)。

趱（趲） zǎn 赶；快走。㊟～路。

【趱行】赶路；快走(多见于早期白话)。

zàn ㄗㄢˋ

暂（暫*蹔） zàn ❶副词。暂时。㊟～行条例|～停。❷时间短。与"久"相对。㊟短～。

【暂且】副词。暂时；姑且。㊟～休会|～不说。

【暂行】暂时实行(多指法令、规章、办法等)。

錾（鏨） zàn ❶在金石上雕刻。㊟～花|～字。❷錾子，雕凿金石用的工具。

劗☒ zàn 刺；割。

赞（贊*賛❷❸*讚） zàn ❶帮助。㊟～助。❷称赞；夸奖。㊟～不绝口。❸旧时称颂人物的一种文体。多用韵文写成。㊟像～(画像上的题词)。

【赞叹】由衷地称赞。

【赞礼】❶旧时婚丧、祭祀行礼时在旁呼唱仪式顺序。❷赞礼的人(类似于今司仪)。

【赞扬】称赞；表扬。

【赞同】赞成；同意。

【赞许】认为好而加以称赞。

【赞助】(用财物)帮助。

【赞美】称赞；颂扬。

【赞赏】称赞；赏识。

【赞誉】称赞；夸奖。

【赞歌】赞美人或事物的歌曲或诗文。

【赞不绝口】连声称赞。

【赞比西河】非洲大河之一。发源于安哥拉东部高原，流经赞比亚、津巴布韦，于莫桑比克东海岸入印度洋。长 2 660 千米。流域面积 135 万平方千米。中、上游多瀑布，以莫西奥图尼亚瀑布(维多利亚瀑布)最著名。水量大，水能资源丰富。

酂☒（酇） ㊀ zàn ❶周朝地方组织。百家为酂。❷古地名。在

Z

今湖北光化西。

㊁ cuó（158 页）。

嚪☒（嚪） zàn 同"称赞"的"赞"。

濽□（灒） zàn ❶挥洒污水。❷〈方〉溅。

瓒（瓚） zàn ❶质地不纯的玉。❷古代祭祀时用于灌酒的一种玉器。

zāng ㄗㄤ

赃（贓） zāng 贪污受贿或偷盗所得的财物。㊀追～｜退～。

【赃物】因犯罪而取得的财物。包括犯罪分子通过贪污、盗窃、诈骗等手段所获得的财物，国家工作人员所得的贿赂，以及将赃物变卖所得的赃款等。

【赃官】指贪污受贿的官吏。

【赃款】贪污受贿或盗窃所得的钱。

脏（髒） ㊁ zāng 不干净。

㊀ zàng（1226 页）。

牂☒ zāng 同"羘"。

羘 zāng 母羊。

【羘牁】❶古国名。❷古地名。在今贵州境内。牁（kē）。

【羘羘】草木茂盛的样子。

臧 zāng 善；好。

【臧否】褒贬；评论。㊀～人物。否（pǐ）。

臓☒ zāng 同"脏（zāng）"。

zǎng ㄗㄤˇ

驵（駔） zǎng 好马；壮马。

【驵侩】旧指马匹交易的经纪人。泛指经纪人。

zàng ㄗㄤˋ

脏（臟） ㊀ zàng 内脏器官的统称。㊀心～｜肺～。

㊁ zāng（1226 页）。

【脏腑】中医学名词。中医把心、肝、脾、肺、肾称为五脏；胃、胆、大肠、小肠、膀胱和三焦称为六腑，合称脏腑。五脏为实心的，六腑除三焦外均为空心的。

【脏器】医学上指胃、肠、肝、脾等内脏器官。

奘 ㊁ zàng 壮大。多用于人名，如玄奘（唐代高僧）。

㊀ zhuǎng（1303 页）。

葬（*塟 *塟） zàng 掩埋或用其他方法处理死者遗体。㊀埋～｜火～。

【葬身】埋葬尸体。多指死亡、灭亡（于某地）。㊀～鱼腹｜让侵略者～于人民战争的汪洋大海之中。

【葬送】比喻断送、毁灭。

藏 ㊁ zàng ❶储放大量东西的地方。㊀宝～。❷佛教、道教经典的总称。㊀道～。❸西藏的简称。㊀青～公路。❹藏族。❺古又同"脏（zàng）"。

㊀ cáng（95 页）。

【藏历】藏族习用的历法。唐代由内地传入，基本上跟农历相同。一年有十二个月，分二十四节气，月有大小，一年一闰。因受宗教影响，日数有缺有重，"凶日"可除去，"吉日"可重复，如有两个初五，而没有初六。还用五行和十二生肖纪年，如火鸡年、土狗年等。

【藏文】藏族使用的拼音文字。创始于 7 世纪前后，由 30 个辅音字母和 4 个元音符号组成。自左向右横行书写。字体分用于印刷的有头字和用于书写的无头字。

【藏青】一种蓝中带黑的颜色。

【藏剧】中国藏族戏曲剧种。形成于 17 世纪。流行于西藏和四川、云南、甘肃、青海等藏族聚居地区。藏语称作"阿佳拉莫"，意为仙女大姐。是在藏族民间舞蹈、民歌、说唱艺术的基础上，又吸收了一些宗教乐舞逐步发展形成的。

【藏族】中国少数民族之一。人口 459 万（1990 年）。分布在西藏以及青海、甘肃、四川、云南等省的部分地区。有本民族语言文字。从事农牧业。多信奉喇嘛教。建立有西藏自治区等各级自治地方。

【藏羚】也叫藏羚羊、一角兽。哺乳动物。体长约 1.3 米。尾短而尖，背部毛厚，浅红棕色，腹部白色，四肢灰白色。雄的有角，长而侧扁，近于直立，侧面看像只有一个角。胆子小，常成群活动，善跑。产于中国青藏高原。是中国国家重点保护动物。

【藏蓝】一种蓝中略带红的颜色。

【藏红花】多年生草本植物。叶细长,有鳞茎。花淡紫色,入药有通经、健胃等作用。由西藏传入内地,故名。也指这种植物的花。

【藏青果】即“诃子”(385页)。

【藏印条约】也叫《中英会议藏印条约》。1890年英国强迫清政府在印度加尔各答签订的不平等条约。主要内容是承认哲孟雄(今锡金)归英国保护督理,并划定西藏与哲孟雄的边界。从此英国侵占了哲孟雄,并向西藏侵略扩张。

zāo ㄗㄠ

遭 zāo ❶遇到(不幸或不利的事)。㊀~殃|~了毒手。❷周;圈儿。㊀用绳子绕两~。❸量词。次。㊀头一~。

【遭劫】遇到灾难。

【遭际】❶境遇;经历。❷碰上;遇到。

【遭受】遇到(不幸)或受到(损害)。

【遭殃】遭受祸殃。

【遭遇】❶碰上;遇到(敌人或不好的事)。㊀~战|~不幸。❷泛指人生经历。❸遇到的事情(今多指不幸的)。㊀他晚年的~很凄惨。

糟(❺ *蹧) zāo ❶做酒剩下的渣子。❷用酒或酒糟腌制食品。㊀~鱼。❸朽烂;不结实。㊀木头~了。❹(事情或情况)坏。㊀事情搞~了。❺作践;浪费。㊀~蹋|~践。

【糟粕】酿酒剩下的渣滓。比喻事物粗劣没有价值或陈腐有害的部分。㊀取其精华,去其~。

【糟踏】同“糟蹋”(1227页)。

【糟蹋】也作糟踏。❶浪费或随意损坏。㊀不要~粮食。❷侮辱;蹂躏。

【糟糠】酒糟和米糠。本是旧时贫苦人经常用来充饥的粗劣食物,后来把曾经在贫穷时共过患难的妻子叫做糟糠之妻,有时也简称糟糠。

záo ㄗㄠˊ

凿(鑿) záo ❶凿子,挖槽或打孔用的工具。❷打孔;挖掘。㊀~一个眼儿|~井抗旱。❸明确;真实。㊀确~。❹榫(sǔn)眼。㊀圆~方枘。

【凿枘】也说枘凿。圆凿方枘的略语。圆榫眼,方榫头,两下里合不起来。比喻格格不入。枘(ruì):榫头。

【凿凿】确实。㊀~有据。

zǎo ㄗㄠˇ

早 zǎo ❶早晨。㊀从~到晚|~饭。❷时间靠前;在一定时间以前。㊀~稻|~一点儿完成任务。❸表示事情已发生很长时间,往往有夸张意味。㊀~准备好了|晚饭~已吃过。

【早年】❶多年以前。❷指人年轻的时候。

【早春】初春;立春开始的一段时间。

【早恋】年龄尚小,过早地谈恋爱。

【早衰】(生物体)提前衰老。

【早婚】指在规定结婚年龄之前结婚。

【早熟】❶人的身体发育比一般的早。❷农作物生长期短,成熟快。

【早期核辐射】也叫贯穿辐射。核武器爆炸的杀伤因素之一。是核爆炸瞬间释放的具有很强贯穿能力的中子和γ射线对生物体、电子器件和其他物体造成的毁伤。

枣(棗) zǎo 枣树,落叶乔木。核果嫩时黄绿色,成熟后暗红色,含糖量高,维生素丰富,可鲜食、干制或供药用。木材坚硬,可制车船、用具。

蚤 zǎo ❶跳蚤,也叫蛇蚤。昆虫。黑褐色,无翅,善跳跃。吸食人、畜血液,传染鼠疫等疾病。❷古又同“早”。

澡 zǎo 洗(身体)。

藻 zǎo ❶藻类植物。㊀水~|海~。❷文采。㊀辞~|~饰。

【藻井】中国传统建筑中天花板上的一种装饰处理。一般做成圆形、方形或多边形的凹面,上有各种花纹、雕刻和彩绘。

【藻饰】用美丽的文辞修饰。

【藻类植物】低等植物的一大类。无根、茎、叶分化,有叶绿素和其他辅助色素,能自制养料。如小球藻、海带等。

璪 zǎo ❶古代雕刻在玉上或画在衣裳上的水藻花纹。❷古代垂在冕前穿玉的五彩绳子。

zào ㄗㄠˋ

皂(*皁) zào ❶黑色。㊀青红~白。❷旧时衙门差役。㊀

Z

～隶。❸肥皂。㊀香～。

【皂白】黑白。比喻是非。㊀不分青红～。

【皂隶】旧指衙门里的差役。因穿黑色衣服，故名。

【皂荚】也叫皂角。落叶乔木。荚果可泡水代肥皂洗衣。荚、种子、刺均可供药用，有祛痰功能。

唣（*唕） zào 见〔啰唣〕(650页)。

灶（竈） zào ❶生火做饭的设备。㊀～台|煤气～。❷指灶神。㊀祭～。

【灶神】也叫灶君、灶王、灶王爷。旧时在锅灶附近供奉的神，迷信者认为灶神掌管一家祸福。

造 zào ❶制作；做；建立。㊀～船|～预算|～厂房。❷凭空编出来。㊀捏～|～谣。❸成就；培养。㊀～诣|深～。❹前往；到。㊀～访|登峰～极。❺相对的两方面的人。法院指诉讼的两方。㊀两～|甲～。❻〈方〉农作物的收成；农作物收成的次数。㊀早～稻|一年三～都丰收。

【造化】❶古代唯心论者指自然界的主宰者。也指自然。❷福气；运气。

【造反】指对原有的统治秩序从根本上加以反对和破坏。

【造次】❶急促；匆忙。❷鲁莽；轻率。

【造访】前往拜访。

【造作】❶指做出的某种动作、表情、腔调等不自然。㊀矫揉～。❷制造。

【造物】古代认为有一种创造万物的神力，叫做造物。

【造府】敬辞。到府上去。

【造诣】学问、技艺等所达到的水平。㊀～很高|颇有～。诣(yì)。

【造型】塑造物体的形象。也指被塑造出来的形象。

【造就】❶培养出。㊀～一大批掌握先进科学技术知识的专门人才。❷成就。

【造福】(为子孙或人民)创造幸福。㊀～人民。

【造孽】佛教用语。也说作孽。指做坏事(将来要受到报应)。现泛指做恶事。

【造物主】基督教徒称上帝为造物主。

【造影剂】为增强影像观察效果而注入(或服用)到人体组织或器官的化学制品。这些制品的密度高于或低于周围组织，形成的对比用某些器械显示图像。如X线观察常用的碘制剂、硫酸钡等。

【造型艺术】即“美术”(672页)。

慥 zào 仓促。

【慥慥】忠厚诚实的样子。

簉 zào 副的；附属的。㊀～室(旧指妾)。

噪（❷*譟） zào ❶虫或鸟叫。㊀蝉～|鹊～。❷吵闹；叫嚷。㊀鼓～。❸(名声)广为传播。㊀声名大～。

【噪声】❶也叫噪音。使人厌烦的嘈杂声音。❷旧称噪音。指一切有干扰性的信号。如由于外部原因(如工业干扰等)或内部原因(如元件、器件内部的热骚动等)引起的妨碍电信接收的电干扰。

【噪音】❶即“噪声”(1228页)。❷物理学上噪声的旧称。

【噪声级】量度和描述噪声大小的指标。可用仪器直接测出反映人耳对噪声的响度感觉。单位为分贝。安静环境的噪声级约30分贝，超过50分贝就会影响人们的睡眠和休息。

【噪声污染】指工业生产、交通、施工等产生的噪声，超过环境噪声标准的现象。会破坏人们的生活、工作环境，影响人体健康。

燥 zào 干；缺少水分。㊀～热(干燥炎热)|口干舌～。

躁 zào 性急；不冷静。㊀烦～|戒骄戒～。

【躁动】搅动；跳动。

zé ㄗㄜˊ

丮⊠（睪） ㊀ zé 同“泽”。㊁ yì (1167页)。

择（擇） ㊀ zé 挑选。㊁ zhái (1233页)。

【择业】选择职业。㊀～权|自主～。

【择吉】指为办喜事、丧事或店铺开业等挑选好日子。

【择优】挑选优秀的。㊀～录取。

【择交】选择朋友。

【择偶】选择配偶。

【择善而从】选择好的(言行)听从或跟随。《论语·述而》：“择其善者而从之。”从：听

Z

从，跟随。

泽(澤) zé ❶水积聚的地方。㊀沼～|水乡～国。❷金属或其他物体发出的光亮。㊀色～。❸滋润。㊀润～。❹恩惠。㊀恩～|～及百世。

【泽国】水乡；河流和湖泊多的地区。

【泽泻】多年生沼泽草本植物。地下具短根状茎，供药用，能利尿去热。

柽⊠(檡) zé 树名。木质坚韧。

则(則) zé ❶规范；榜样。㊀以身作～。❷规则。㊀细～。❸效法。㊀～先烈之言行。❹连词。1. 表示承接关系。㊀有～改之，无～加勉。2. 表示转折关系。㊀欲速～不达。❺是；乃是。㊀此～余之过也。❻与"作"义相近，宋、元、明小说戏曲里常用。㊀～甚(作什么)|不～声。❼量词。用于成文的条数。㊀试题三～|新闻两～。

【则声】做声。㊀连忙闭口，不敢～。

责(責) zé ❶责任。㊀尽～|人人有～。❷要求。㊀求全～备|～己从严。❸质问；诘问。㊀～问|～难。❹责备；惩罚。㊀斥～|杖～。❺古又同"债(zhài)"。

【责令】责成某人或某机构做某事。

【责成】指定专人或机构负责完成某项任务或办理某件事。

【责任】❶应尽的职责。㊀负～。❷应该承担的过失。㊀追究～。

【责问】用责备的口气质问。

【责备】原意是要求人尽善尽美，后指批评、指责过失。

【责罚】处罚。

【责难】指责，非难。

【责任制】各项工作由专人负责并且明确规定责任范围的管理制度。

【责任感】对工作认真负责的心情。

【责无旁贷】自己应尽的责任，不能推卸给别人。贷：推卸。

【责有攸归】责任有所归属。指责任归谁承担是推卸不了的。攸(yōu)：所。

【责任事故】由于不负责任或违反规章制度造成的事故。

【责任保险】承保被保险人因自己作为或不作为给他人造成人身伤害或财产损失时依法承担民事赔偿责任的保险。

啧(嘖) zé 争辩；抢着说。

【啧啧】拟声词。1. 赞叹声。㊀～称羡。2. 鸟叫声。

【啧有烦言】议论纷纷，抱怨责备。《左传·定公四年》："会同难，啧有烦言，莫之治也。"啧：争论。烦言：气愤或不满的话。

帻(幘) zé 古代一种头巾。

箦(簀) zé 床席。

赜(賾) zé 精妙；深奥。㊀探～索隐。

咋 ㊀ zé 咬住。㊀～舌(形容惊讶、害怕，说不出话)。
㊁ zǎ (1223页)。
㊂ zhā (1231页)。

迮 zé 狭窄。

笮 ㊁ zé 姓。
㊀ zuó (1325页)。

舴 zé 〔舴艋〕小船。

齚⊠(齰) zé 咬。㊀～痈。

矠⊠ zé ❶矛。❷用矛刺取鱼、鳖等。

zè ㄗㄜˋ

仄 zè ❶仄声。与"平"相对。㊀平～。❷心里不安。㊀歉～。❸狭窄。㊀逼～。❹倾斜。㊀日～。❺古又同"侧(cè)"。

【仄声】指古代四声中的上声、去声、入声。

昃 zè 日仄；太阳偏西。

崱⊠(崱) zè 〔崱屴〕也说屴崱。高耸的样子。屴(lì)。

喈⊠ ㊁ zè 〔嚄喈〕大声呼叫。
㊀ jiè (503页)。
㊂ jí (456页)。

zéi ㄗㄟˊ

贼(賊) zéi ❶偷东西的人。❷出卖或严重危害国家、民族、阶级

Z

利益的坏人。㊟卖国～|工～。❸邪恶的；不正派的。㊟～心|～头～脑。❹狡猾。㊟老鼠真～。❺伤害。㊟戕～。

【贼走关门】也说贼去关门。比喻平时没有防备，出了事故以后，才知道警惕。《景德传灯录》卷二一："僧曰：'若不遇于师，几成走作。'师曰：'贼去后关门。'"

【贼喊捉贼】做贼的人喊叫捉贼。比喻为了逃脱罪责，故意混淆视听，转移目标。

鲗□(鰂) zéi 见〔乌鲗〕(1034页)。

zěn ㄗㄣˇ

怎 zěn 疑问代词。如何；怎么。㊟～办？|～不说话呀？

【怎么】疑问代词。1.询问性质、状态、方式、原因等。㊟这是～回事？|这字～读？|你～就学会了？2.泛指性质、状况或方式。㊟这事要掌握原则，该～办就～办。3.在"不"之后，表示一定的程度。㊟不～会唱。

【怎生】疑问代词。怎样；怎么。

【怎奈】无奈(多见于早期白话)。

zèn ㄗㄣˋ

谮(譖) zèn 说坏话诬陷别人。

zēng ㄗㄥ

曾 ㊀zēng ❶指中间隔两代的亲属。㊟～祖(祖父的父亲)|～孙(孙子的儿子)。❷古又同"增"。

㊁céng(99页)。

【曾国藩】(1811—1872)清末湘军首领，洋务派代表人物。字伯涵，号涤生，湖南湘乡人。他纠集湖南地主武装组成湘军，镇压太平天国革命。后任两江总督。与李鸿章、左宗棠创办上海江南制造局、福建马尾船政局等军事工业。他以封建地主的卫道者自居。其活动影响到政治、社会、思想等各方面。有《曾文正公全集》。

【曾母暗沙】中国南沙群岛中较大的暗沙。由珊瑚礁组成。是中国领土的最南端，在北纬4°附近。属海南省。

增 zēng 加多；添。㊟～产节约|为国～光。

【增长】增加；提高。长(zhǎng)。

【增刊】报刊临时增加的篇页或册子。

【增生】也说增殖。指人体某一部分组织的细胞数目增加，体积扩大。如皮肤经常受摩擦，上皮和结缔组织变厚就是一种增生。某些炎症或肿瘤也能引起增生。

【增进】增加并促进。㊟～友谊。

【增删】增加和删去。多指对文章、书稿的修改。

【增饰】增补修饰。㊟此书并非原貌，乃经后人～而成。

【增损】增加和减少。

【增益】增加；增添。

【增容】增大容量。㊟城市人口～|电话线路～。

【增援】增加人力、物力来支援(多用于军事)。

【增殖】❶繁殖。❷即"增生"(1230页)。

【增幅】增长的幅度。

【增值税】对商品在生产、经营过程中各阶段的价值增加额课税的一种流转税。

【增减记账法】以增和减作为记账符号，用来记录反映经济业务增减变化的一种复式记账法。

憎 zēng 厌恶；恨。㊟爱～分明。

【憎恶】憎恨；厌恶。恶(wù)。

【憎称】表示憎恶的称呼。

缯(繒) ㊀zēng 丝织品的总称。

㊁zèng(1231页)。

橧☒ zēng〔橧巢〕用柴薪堆成的卧处。

磳☒ zēng 见〔崚磳〕(591页)、〔磳磳〕(542页)。

罾 zēng 一种用竹竿或木棍作支架的方形鱼网。

矰☒ zēng 古代射鸟用的拴着丝绳的箭。

zèng ㄗㄥˋ

综(綜) ㊀zèng 织布机上使经线交错着上下分开以便梭子通过的一种装置。

㊀ zōng (1317页)。

锃(鋥) zèng 器物闪光耀眼。例～亮。

缯(繒) ㊁ zèng 〈方〉绑;扎。例口袋漏了,快用绳子～上吧。
㊀ zēng (1230页)。

赠(贈) zèng 赠送。例～言|～阅。

【赠言】分别时说的或写的勉励的话。

【赠答】互相赠送(诗文等)。

甑 zèng ❶古代做饭的一种瓦器。现指蒸饭用的木制桶状物。❷一种蒸馏或使物体分解用的器皿。例曲颈～。

zhā ㄓㄚ

扎(❸*紮❸*紥) ㊀ zhā ❶刺。例～针|～花(绣花)。❷钻。例～猛子|～在人群里。❸驻扎。例～营。
㊁ zhá (1231页)。
㊂ zā (1222页)。

【扎实】❶结实;牢靠。❷踏实;实在。

【扎根】❶植物的根向土壤里生长。❷比喻深入下去,建立牢固的基础。例～于群众之中。

【扎营】军队安营驻扎。

【扎啤】鲜啤酒的一种。多以广口大杯盛装。

【扎什伦布寺】藏传佛教黄教寺庙。创建于1447年。在西藏日喀则。由黄教祖师宗喀巴的弟子根敦朱巴(即达赖一世)主持兴建。内有班禅公署和灵塔殿等建筑。灵塔殿位于寺庙后部,最高一层用歇山式金顶。殿中四世班禅的灵塔高11米,制作精美,西侧的强巴佛殿有高26米的弥勒佛铜像,是国内最高的铜质镏金佛像。

吒□ zhā 神话中的人名,如《封神演义》《西游记》中有金吒、木吒、哪(né)吒。
另音 zhà,见"咤"(1233页)。

挓□ zhā 〔挓挲〕〈方〉(手、头发、树枝等)张开;蓬松开。例～着手。挲(shā)。

咋 ㊂ zhā 见下。
㊀ zé (1229页)。
㊁ zǎ (1223页)。

【咋呼】〈方〉也作咋唬。❶喊叫。❷炫耀。

【咋唬】同"咋呼"(1231页)。

柤☒ ㊀ zhā 同"楂(zhā)"。
㊁ jū (527页)。

查(*査) ㊁ zhā 同"楂(zhā)"。
㊀ chá (101页)。

揸 zhā ❶用手指撮东西。❷把手指伸张开。

喳 ㊀ zhā 拟声词。鸟叫声。例喜鹊～～叫。
㊁ chā (101页)。

渣 zhā ❶渣滓①。例豆腐～|药～。❷碎屑。例馒头～儿。

【渣滓】❶物品提取精华后剩下的东西。❷比喻品质恶劣、危害社会的人。

楂 ㊀ zhā 见〔山楂〕(854页)。
㊁ chá (102页)。

奓□ ㊀ zhā 〔奓山〕地名。在湖北。
㊁ zhà (1233页)。

哳 zhā 见〔啁哳〕(1243页)。

皻☒ zhā 同"揸"。

摣☒ zhā 同"揸"。

樝☒ zhā 同"楂(zhā)"。

皻☒ zhā 用手指按。

齄□ zhā 〔齄鼻〕酒渣鼻。鼻子上的红皰。

zhá ㄓㄚˊ

扎 ㊁ zhá 见下。
㊀ zhā (1231页)。
㊂ zā (1222页)。

【扎挣】〈方〉勉强支撑。例他～着站了起来。挣(zheng)。

札(❷❸*劄❷❸*剳) zhá ❶古代写字用的小而薄的木片。❷信件。例书～|手～。❸札子,旧时的一种公文。

【札记】随时记录下来的读书心得或见闻。

轧(軋) ㊁ zhá 把钢坯压制成一定形状的钢材。例～钢。

Z

㊁ yà (1128页)。
㊂ gá (298页)。

【轧钢】用轧制的方法把钢锭制成各种钢材。

闸(閘 *牐) zhá ❶水闸，拦住水流的建筑物。可以随时开关。❷把水截住。❸安装在某些机械上能随时使机械停止运行或减速的设备。㊀车～。

【闸门】用以控制调节流量的门或开关。㊀水闸～。

炸 ㊁ zhá ❶一种烹饪方法。把原料放入多油的热锅中，用旺火或温火使熟。❷〈方〉焯(chāo)。㊀把芹菜～一下。
㊀ zhà (1232页)。

铡(鍘) zhá ❶铡刀，一种切草的刀具。❷用铡刀切东西。㊀～草。

喋 ㊁ zhá 见〔唼喋〕(853页)。
㊀ dié (214页)。

煠☒ zhá 同"炸(zhá)"。

zhǎ ㄓㄚˇ

厏☒ zhǎ 〔厏厊〕不相合。厊(yǎ)。

拃 zhǎ ❶张开大拇指和中指量东西。❷量词。大拇指和中指张开后两端的距离。㊀两～长。

苲□ zhǎ 〔苲草〕指金鱼藻、眼子菜一类浮生水中的植物。

砟 zhǎ 某些坚硬的块状物。㊀焦～|炉灰～。

鲊(鮓) zhǎ ❶经过腌制的鱼类食品。❷用米粉、面粉、盐等拌制的菜。㊀茄子～。

眨 zhǎ 眼皮一合一开。㊀～眼。

鲝□(鮺) zhǎ ❶同"鲊"。❷〔鲝草滩〕地名。在四川。

zhà ㄓㄚˋ

乍 zhà 副词。1.忽然。㊀～冷～热。2.刚;起初。㊀新来～到。

诈(詐) zhà ❶假装。㊀～死|～降。❷欺骗。㊀～语(骗人的话)。❸用假话诱使对方吐露真情。㊀你少～我。

【诈降】假投降。

【诈骗】讹诈骗取。

【诈骗罪】行为人以非法占有为目的，用虚构事实或隐瞒真相的方法，骗取数额较大的公私财物的犯罪行为。

柞 ㊁ zhà 〔柞水〕地名。在陕西南部。
㊀ zuò (1327页)。

炸 ㊀ zhà ❶(物体)突然破裂。㊀爆～|玻璃杯～了。❷用炸药、炸弹爆破。㊀～碉堡。❸突然发怒。㊀他一听就～了。❹因受惊扰而四处乱逃。㊀～窝。
㊁ zhá (1232页)。

【炸药】在适当的外界能量作用下可发生化学爆炸的物质。

【炸弹】爆炸性武器的一种。❶通常指航空兵使用的各种炸弹。多由弹体、安定器、引信等组成。直接用来杀伤和摧毁目标的，主要有爆破弹、杀伤弹、穿甲弹、燃烧弹、反坦克弹、反潜艇弹;在夜间航行和轰炸实施中起辅助作用的，有夜间标示弹、照明弹;特种用途的，有照相弹、烟幕弹和宣传弹等。❷泛指各种爆炸物。

痄 zhà 〔痄腮〕即"腮腺炎"(840页)。

蚱 zhà 见下。

【蚱蝉】俗称知了。昆虫。体长4—4.8厘米，是最大的一种蝉。前、后翅基部黑褐色。斑纹外侧呈截断状。雄性腹部有发音器，能连续发音，声音尖锐。幼虫栖于土中，吸食树根液汁。蝉蜕可供药用。

【蚱蜢】昆虫。类似蝗虫。体长形，绿色或枯黄色。头尖，呈长圆锥形。后翅大，飞翔时发出声音。后肢长，善跳跃。是农业害虫。

榨(❶*搾) zhà ❶用力压出。㊀～油|压～。❷压出物体里汁液的器具。㊀油～。

【榨取】通过压榨而取得。比喻残酷地剥削或搜刮。

醡☒ zhà 榨酒的器具。

栅(*柵) ㊀ zhà 栅栏。㊀木～|铁～。
㊁ shān (856页)。

奓□ ㊁ zhà 〈方〉张开。㊀头发～着|衣服的下摆有些向外～|～着胆子(形容勉强鼓着勇气)。
㊀ zhā (1231页)。

碴□ zhà 用于地名,如大水碴(在甘肃)。

咤(*吒) zhà 生气时喊叫。㊀叱～。
"吒",另音zhā(1231页)。

蛇□ zhà 〈方〉海蜇。

溠 zhà 溠水,水名,在湖北。

褚⊠ zhà "蜡(zhà)"的异体字。

蜡 ㊁ zhà 古代一种年终祭祀。
㊀ là (577页)。

霅□ zhà 霅溪,水名,在浙江。

zha ·ㄓㄚ

馇(餷) ㊁ zha 见〔饹馇〕(314页)。
㊀ chā (101页)。

zhāi ㄓㄞ

侧(側) ㊁ zhāi 斜着;不正。㊀～着肩膀。
㊀ cè (98页)。

【侧歪】〈方〉倾斜。歪(wai)。

【侧棱】〈方〉向一边倾斜。㊀～着身子睡觉。棱(leng)。

斋(齋*亝) zhāi ❶屋子,多用作书房、学校集体宿舍或某些商店的名称。㊀书～|第三～|荣宝～。❷信仰佛教、道教等宗教的人所吃的素食。㊀吃～。❸斋戒。

【斋月】指伊斯兰教徒进行斋戒的月份。即伊斯兰教历每年九月。

【斋戒】❶也叫封斋、把斋。中国伊斯兰教五项基本功课之一。规定教徒每年在该教教历九月斋戒一个月。除白天禁止饮食外,还有禁止房事等。❷中国旧时祭祀前沐浴更衣,不饮酒,不吃荤,以表示诚敬。

【斋果】供奉神佛的果品。

摘 zhāi ❶采;取下。㊀～棉花|～眼镜。❷选取。㊀～抄|～记。❸借。㊀东～西借。

【摘引】摘录并引用。

【摘录】选取书刊文件中的一部分抄写下来。

【摘要】摘录要点,也指摘录下来的要点。㊀～公布|报纸～。

【摘借】指有急用时临时向人借钱。

zhái ㄓㄞˊ

庑⊠ zhái 同"宅"。

宅 zhái 房子;住所。

【宅第】住宅(多指较大的)。

【宅基地】住宅地基所占的土地。

择(擇) ㊁ zhái 挑选。㊀～菜|～席|快把烂梨～出来。
㊀ zé (1228页)。

【择席】在某个地方睡惯了,换个地方就睡不安稳,叫择席。

翟 ㊁ zhái 姓。
㊀ dí (194页)。

zhǎi ㄓㄞˇ

窄 zhǎi ❶狭;宽度小。与"宽"相对。㊀路～|～胡同。❷心胸不开朗;气量小。㊀心眼儿～。

鉙□ zhǎi 〈方〉鉙儿,指某些器物或衣服、水果上的残缺损伤的痕迹。比喻人的污点。㊀碗上有块～儿|这苹果没～儿|他历史清白,一点儿～儿也没有。

zhài ㄓㄞˋ

债(債) zhài 欠别人的钱财。㊀还～|公～。

【债户】欠债的人。

【债务】债务人承担的义务。

【债主】放债取利的人。

【债权】债权人享有的权利。与债务人的债务相对,共同构成债的法律关系。

【债券】证明债权人有权按期领取利息、取还本金的证券。券(quàn)。

【债务人】指欠债的人。

【债权人】指借财物给他人的人。

Z

【债台高筑】《汉书·诸侯王表序》颜师古注记载，战国时代周赧(nǎn)王欠债很多，无法归还，被债主逼迫躲在宫内高台上。后人称此台为逃债台，并用“债台高筑”形容欠债极多。

祭 ㊁ zhài 姓。
㊀ jì (464页)。

瘵 zhài 病。多指痨病。

寨(*砦) zhài ❶防守用的栅栏。❷旧时驻兵的地方。㊎安营扎～。❸村寨，四围有栅栏或围墙的村子。❹强盗聚居的地方。㊎～主。

搽□ zhài 〈方〉一种缝纫方法。把衣服上附加的东西缝上。㊎～纽扣。

zhān ㄓㄢ

占 ㊀ zhān 预测吉凶。㊎～卜｜～卦。
㊁ zhàn (1235页)。

【占卜】古代用龟甲、蓍草等，后世用铜钱、牙牌等推断吉凶祸福(迷信)。

【占星】古代借观察星象来推断吉凶。

【占梦】圆梦。

沾(❶❷*霑) zhān ❶浸湿。㊎～衣。❷因接触而附着上；浸染。㊎～上点ル泥｜拒腐蚀，永不～。❸稍微碰上或挨上。㊎～边ル｜脚不～地。❹指因有关系而得到。㊎～光。

【沾染】因接触而被不好的东西附着上或受到不良影响。

【沾濡】沾湿；浸湿。濡(rú)。

【沾染区】放射性沾染区的简称。沾染有放射性物质并对军队和居民构成危害的区域。核爆炸沾染区通常分爆炸地域沾染区(爆区)和放射性烟云径迹地带沾染区(云迹区)。

【沾沾自喜】形容自以为很好，洋洋自得的样子。《史记·魏其武安侯列传》：“魏其者，沾沾自喜耳。”沾沾：自得的样子。

毡(氈*氊) zhān 用羊毛等压制成的块状、片状物。㊎～鞋｜～垫｜油毛～。

粘 ㊀ zhān ❶黏的东西互相连结或附着在别的东西上。㊎几块糖～在一起了｜糖～牙。❷用胶、糨糊等使纸张或其他东西贴在另一种东西上。㊎～信封。

㊁ nián (719页)。

栴☒ zhān 〔栴檀〕也作旃檀。香木名。即檀香。

旃 zhān ❶文言助词。“之焉”两字的合音。㊎勉～。❷同“毡”。

【旃檀】同“栴檀”(1234页)。

詹 zhān 姓。

【詹天佑】(1861—1919)中国近代铁路工程专家。字眷诚，安徽婺源(今属江西)人。早年留学美国。回国后主持修建中国第一条铁路——京张铁路。在修建中因地制宜地运用“人”字形线路，缩短了隧道长度，并利用竖井施工法，大大缩短了工期。

谵(譫) zhān 多说话。今多指说胡话。㊎～语。

【谵妄】中医病证名。由于高烧、中毒或由感染引起的精神病等所出现的意识障碍。主要症状是神志恍惚，对时间、地点和周围的事物不能正确辨认，可有幻觉、错觉、说胡话等。

【谵语】也说谵言。病中胡言乱语。

瞻 zhān 往上或往前看。㊎高～远瞩｜～前顾后。

【瞻仰】怀着敬意看。㊎～遗容。

【瞻念】瞻望并考虑。

【瞻顾】瞻前顾后。

【瞻望】抬头远望。

【瞻前顾后】看看前面再看看后面。形容做事谨慎，考虑周密。《楚辞·离骚》：“瞻前而顾后兮，相观民之计极。”后多形容顾虑过多，犹豫不决。宋朱熹《朱子全书·学一》：“瞻前顾后，便做不成。”瞻：向前看。顾：向后看。

饘☒(饘) zhān 稠粥。

邅☒ zhān 见〔迍邅〕(1305页)。

鹯☒(鸇) zhān 古书上说的一种猛禽。似鹞鹰。

鳣☒(鱣) zhān 即鳇。

zhǎn ㄓㄢˇ

斩(斬) zhǎn 砍断。㊎～首｜披荆～棘。

Z

【斩仓】在下跌行情中，投资者不顾损失而卖出证券。

【斩首】杀头；砍去脑袋。

【斩钉截铁】形容说话或行动坚决果断，毫不含糊。宋朱熹《朱子全书·孟子一》："看来惟是孟子说得斩钉截铁。"

【斩草除根】也说剪草除根。比喻除去祸根，不留后患。《左传·隐公六年》："为国家者，见恶，如农夫之务去草焉，芟荑蕴崇之，绝其本根，勿使能殖，则善者信矣。"

【斩将搴旗】指作战勇敢，杀敌立功。搴(qiān)：拔取。

崭(嶄 *嶃) zhǎn ❶高峻；突出。例～露头角。❷非常；特别。例～新。

【崭然】❶形容山势高峻突兀。❷形容超出一般。

【崭新】非常新。

㟆□(䁪) zhǎn 〈方〉眼皮开合；眨眼。

飐(颭) zhǎn 风吹物使颤动。

盏(盞❶ *琖 *醆) zhǎn ❶小杯子。例茶～｜灯～。❷量词。用于灯。例一～灯。

展 zhǎn ❶张开；放开。例～翅｜风～红旗。❷放宽。例～期。❸展览。例预～｜画～。❹施展。例一筹莫～。

【展示】摆出来、明显地表现出来。

【展转】同"辗转"(1235页)。

【展性】物体可压成片状而不断裂的性质。

【展限】放宽期限。

【展览】把东西摆出来供人观看。

【展映】在一段时间内集中放映某些影片的活动。

【展翅】张开翅膀。例～高飞。

【展望】向远处看。现多喻指对前途进行观察和推测。例～未来，豪情满怀。

【展期】❶延期。❷展览的日期或期限。

【展销】用展览的方式销售。例服装～｜家用电器～。

【展缓】推迟或放宽(期限)。

【展神经】也叫外展神经。人和脊椎动物的第六对脑神经。为运动神经。展神经损伤可引起眼球外直肌瘫痪，眼球内斜。

【展眼舒眉】眼睛和眉头都放开。形容心情舒畅的样子。

搌 zhǎn 轻轻地擦抹或按压，以吸去液体。例用药棉花～一～。

辗(輾) ㊀ zhǎn 见下。㊁ niǎn (719页)。

【辗转】也作展转。❶(躺在床上)翻来覆去。例～不眠。❷经过许多人的手或经过很多地方；间接地。例～流传。

【辗转反侧】《诗经·周南·关雎》："悠哉悠哉，辗转反侧。"形容由于思念很深或心中有事，躺在床上翻来覆去地睡不着。辗转：翻来覆去。反侧：反覆。

黵□ zhǎn 〈方〉弄脏；染上污点。例小心墨水把衣服～了。

zhàn ㄓㄢˋ

占(*佔) ㊁ zhàn ❶据有；用强力取得。例霸～｜～领。❷处于某种地位或程度。例～优势｜～多数。㊀ zhān (1234页)。

【占据】据有或用强力取得。

【占领】❶使用军队取得土地、城市等。❷占有。例～市场。

战(戰) zhàn ❶战争；打仗。例备～｜愈～愈勇。❷发抖；哆嗦。例寒～｜胆～心惊。

【战云】比喻战争爆发前的紧张气氛。例～密布。

【战区】也叫战略区。为执行或完成战略任务而划分的作战区域和设立的军队一级组织。具有独立完整的作战体系。战区划分是根据战略意图和军事、政治、经济、地理等条件而确定的。

【战友】一起进行战斗的人。

【战火】战争的炮火。指战争。

【战斗】❶军事上指较少兵力在较短时间和较小空间内进行的有组织的作战行动。是达到战争目的的主要手段。❷泛指斗争。

【战术】❶进行战斗的原则和方法。❷比喻解决局部问题的方法。

【战犯】战争罪犯。指犯有战争罪行的人。

【战场】敌对双方作战活动的空间。一般分陆战场、海战场、空战场和太空战场。大规模战争通常有若干个按地区划分的相对独立的战场，如第二次世界大战中有欧洲战场、北非战场、太平洋战场，中国第三次国内革命战争中有东北、华北、西北、华中、华

Z

东等战场。

【战机】❶有利的作战时机。㊀捕捉～。❷作战用的飞机。

【战争】敌对双方为了一定的政治、经济目的而进行的具有一定规模的武装斗争。是阶级和阶级、民族和民族、国家和国家、政治集团和政治集团之间相互斗争的最高形式,是政治的继续。分正义战争和非正义战争两类。与"和平"相对。

【战报】关于作战情况的通报或报道。

【战乱】战争带来的混乱状况。

【战役】军队为达到战争的局部或全部目的,在统一指挥下进行的由一系列战斗组成的作战行动。介于战争与战斗之间。其规模大小决定于双方参加兵力的多少。

【战局】作战双方在一定时间或一定战区内,通过一系列交战所形成的战场态势和军事形势。

【战事】有关战争的各种活动。泛指战争。

【战果】作战获得的胜利成果。㊀～辉煌。

【战国】(前475—前221)中国历史上的一个时代。因当时几个大的诸侯国连年发生战争,故名。

【战例】典型的作战实例。

【战备】为应付可能发生的战争或军事突发事件而在平时进行的准备和戒备。

【战线】❶敌对双方军队作战时的接触线。❷比喻某一个斗争领域。㊀政治思想～|经济～。

【战栗】也作颤栗。发抖。

【战略】❶对战争全局的筹划和指导。它依据敌对双方军事、政治、经济、地理等因素,照顾战争全局的各方面、各阶段之间的关系,规定军事力量的准备和运用。❷泛指对全局性、高层次的重大问题的筹划和指导。㊀经济发展～。

【战祸】战争带来的祸害。

【战勤】支援军队作战的各种勤务。

【战壕】作战时用作掩体的壕沟。如堑壕、交通壕等。

【战斗力】军队的战斗能力。包括人员的政治素质、军事素养和武器装备、物质保障等因素,也与编制体制的科学化程度、组织指挥、管理水平及气象等客观条件有关。其中人是决定的因素。

【战争法】国际社会以条约和惯例形式调整、约束战争行为的法律准则。主要包括:调整交战国之间、交战国与中立国之间关系的规则,规范交战行为的原则,制裁发动侵略战争的国家和惩办战争罪犯、保护平民的规则等。

【战国策】史书名。记载战国时代各国谋臣策士言行的史书。大概是秦汉间杂采各国史料编纂而成,西汉末刘向编订为三十三篇,并定名为《战国策》。该书善于剖析事理,叙事生动,有一定的文学价值。

【战天斗地】形容以大无畏的英雄气概改造自然,征服自然。

【战斗英雄】给予在革命战争中立有特殊功绩的指战员的荣誉称号。

【战场练兵】军队在战场上根据作战任务和敌情、地形等情况,在战斗前或战斗间隙进行技术、战术训练。

【战争状态】从宣战或事实上开始战争起,交战国间的敌对状态。其和平正常关系一般断绝。这种状态通常经过签订和约才结束,有时也由战胜国单方面宣告结束。

【战争贩子】指蓄意破坏和平,疯狂鼓吹或制造侵略战争的人。

【战国七雄】战国时期七个强大的诸侯国。即秦、齐、楚、燕、韩、赵、魏。

【战战兢兢】形容恐惧得发抖或小心谨慎的样子。《诗经·小雅·小旻》:"战战兢兢,如临深渊,如履薄冰。"战战:恐惧发抖的样子。兢兢:小心谨慎的样子。

【战略后方】❶国家作战的总后方。❷在一个战略方向上军队的后方。

【战略导弹】射程在1 000千米以上,用于打击敌方战略目标的导弹。按射程,分中程导弹、远程导弹和洲际导弹。

【战略物资】战略需要的各种物资。如合金钢、有色金属、石油、粮食、铀燃料及其他物资等。

【战略部署】为达到战略目的而对力量、行动或工作所作的总体布置和安排。

站 zhàn ❶立。㊀～岗|～在寒风里。❷停。㊀等车～稳了,再下。❸供乘客上下或货物装卸而设置的固定停车点。㊀北京～|汽车～。❹为某种业务而设立的工作点。㊀兵～|保健～。

【站台】也叫月台。铁路运输枢纽中供旅客上下车和装卸货物的平台。

绽⊠(綻) zhàn ❶缝补。❷同"绽"。

栈(棧) zhàn ❶储存货物或供旅客住宿的房屋。㊀货～|客～。

❷养牲畜的竹、木栅栏。㊣马～。

【栈房】❶堆积货物的库房。❷旅店的旧称。

【栈桥】❶码头、车站、货场等处装卸煤、砂石等散货的桥形建筑物。❷工矿企业内用以支托运输带的桥形建筑物。❸港口连接浮码头和岸边的桥形建筑物。

【栈道】也叫阁道、栈阁。在山的悬崖陡壁上凿孔,支架木桩,铺上木板而修成的窄道。

绽(綻) zhàn 裂开。㊣鞋开～了|破～。

湛 zhàn ❶深。㊣精～。❷清澈。❸古又同"耽(dān)"。

【湛江】市名。位于广东省西南部,雷州半岛东侧,濒临南海。黎湛铁路终点。人口57万(1997年)。是中国南方重要门户和对外贸易港之一。

【湛蓝】深蓝(多形容天空、湖、海等)。

辗⊠(輾) zhàn 栈车,古代用竹木条制成的车舆。

颤(顫) ㊀ zhàn 同"战"②。㊁ chàn (106页)。

【颤栗】同"战栗"(1236页)。

蘸 zhàn 往汁液或粉末里沾一下。㊣～墨水|～白糖。

zhāng ㄓㄤ

怅⊠(悵) zhāng 〔怅惶〕❶干的饴糖。❷糖麻花一类面食。

张(張) zhāng ❶开;展开。㊣～口|～弓。❷扩大;夸大。㊣扩～|虚～声势。❸看;瞧。㊣东～西望。❹店铺开业。㊣开～。❺陈设;铺排。㊣～灯结彩|大～筵席。❻量词。多用于有平面的东西。㊣三～纸|两～桌子。❼星名。二十八宿之一。

【张力】受到牵拉的物体中任一截面两侧存在的相互作用的拉力。如用绳吊起重物时,绳中任一截面两侧都存在相互作用的张力,绳处于紧张状态。

【张飞】(?—221)三国时期蜀汉将领。字翼德,涿郡涿县(今河北涿州)人。随刘备起兵。破江州,定巴西,大败张郃,官至车骑将军。在率部攻吴前,为部将所杀。《三国演义》中把他描写成一个性格粗暴、急躁,但勇猛善战的人物。因而民间通常把不细致思考而贸然鲁莽行动的人称为"猛张飞"。

【张本】指事先就为事态的发展作好布置,也指文章的伏笔。

【张目】❶睁大眼睛。❷指为坏人助长声势。

【张仪】(?—前309)战国时期政治家。魏国人。后任秦相,曾游说各国依附秦国。他的策略号称连横,和公孙衍、苏秦的合纵对立。

【张扬】把隐秘的、不必让人知道的事情声张出去。

【张旭】唐代书法家。字伯高,苏州吴县(今属江苏)人。任金吾卫长史,世称"张长史"。以草书最为有名。世人以为神笔,称之为"张颠"。草书墨迹有《古诗四帖》。

【张狂】嚣张;轻狂。

【张良】(?—前190)西汉政治家。字子房,传为城父(今安徽亳州市东南)人。秦灭韩后,他结交刺客在博浪沙(今河南原阳东南)狙击秦始皇未中。秦末农民战争中,成为刘邦重要谋臣。楚汉战争期间,刘邦采用他的策略,不立六国后代,重用韩信,联结英布、彭越等,共同消灭了项羽。汉朝建立,封留侯。

【张罗】❶招待;照应。❷料理;筹划。

【张勋】(1854—1923)北洋军阀将领。江西奉新人。辛亥革命前投靠袁世凯,任总兵、江南提督。清政府被推翻后,妄想复辟帝制,他本人及所部仍蓄留长辫,以示效忠皇帝,人称其为"辫帅"。袁世凯复辟帝制失败后,1917年张勋利用府院之争,借调停为名,率五千辫子军进京,解散国会。7月1日与康有为等拥戴溥仪登基,恢复清朝旧制。7月12日辫子军被击溃,张勋逃入荷兰使馆,后病死于天津。

【张载】❶西晋文学家。字孟阳,安平武邑(今属河北)人。官至中书侍郎。其诗重辞藻,大部已散佚,明人辑有《张孟阳集》。❷(1020—1078)北宋哲学家。字子厚,凤翔郿县(今陕西眉县)人。曾任崇文院校书等职。他把物质性的"气"作为宇宙的本原,认为"一物两体","两不立,则一不可见"。这些思想具有素朴的唯物主义和辩证法因素。著有《正蒙》等。

【张望】向四周、远处看或从小孔缝隙里看。

【张骞】(?—前114)西汉外交家。汉中成固(今陕西城固)人。公元前138、前119年两次奉汉武帝命出使大月氏。他越过葱岭,亲历大月氏、大宛、康居、乌孙等地,在外共十余年。加强了中原和西域的联系。

【张澜】(1872—1955)中国民主革命家。字表方,四川南充人。辛亥革命前参加立宪运动,为四川保路同志会领导人之一。辛亥革命后曾任四川省长、成都大学校长等职。抗日战争期间,被聘为国民参政会参政员,积极参加抗日民主运动。1941年参加发起组织中国民主政团同盟,被推为主席。1944年中国民主政团同盟改为中国民主同盟,继续担任主席。抗日战争胜利后,反对蒋介石发动内战,拒绝参加"国民大会"。1949年参加中国人民政治协商会议第一届全体会议。后历任中央人民政府副主席、全国人大常委会副委员长、全国政协副主席等职。1955年2月9日在北京病逝。

【张衡】(78—139)东汉科学家、文学家。字平子,河南南阳人。曾两度担任执管天文的太史令。创制了研究地震的地动仪和研究天象的水力驱动的浑天仪。他测出太阳和月亮的角直径都是半度,黄道圈和赤道圈交角是24度,正确解释了月食的原理。天文著作有《灵宪》等,文学上有《二京赋》《归田赋》《四愁诗》等。

【张謇】(1853—1926)中国近代实业家、教育家。字季直,号啬庵,江苏南通人。光绪状元。甲午战争后,痛恨政府丧权辱国,遂致力于实业、教育。1899年起开办南通大生纱厂、通海垦牧公司、广生油厂、上海大达外江轮步公司、资生铁冶厂和淮海实业银行等。先后创办通州师范、职业学校、图书馆、博物苑。清末成为立宪派首领之一。辛亥革命后,就任南京临时政府实业总长、北洋政府农林、工商总长。后辞职南归。晚年继续经营实业。有《张謇全集》。

【张大千】(1899—1983)中国现代画家。四川内江人。曾临摹历代诸家绘画和敦煌壁画。人物、山水、花鸟,工笔、写意,无一不能。晚年独创泼墨泼彩大写意山水,雄奇瑰丽,最具个性。代表作有《长江万里图》等。

【张之洞】(1837—1909)清末洋务派首领。字孝达,号香涛,河北南皮人。曾任翰林院编修、内阁学士,初以清流派人士攻击洋务派。中法战争时任两广总督,起用老将冯子材大败法军。设水陆师学堂,创枪炮厂,开矿务局,立广雅书院。1889年调任湖广总督,成为后起洋务派首领,先后开办汉阳枪炮厂、制铁局,设织布、纺纱、缫丝、制麻四局,筹办芦汉铁路。1898年戊戌变法时,捐款资助维新派强学会,提出"中学为体,西学为用"主张。后调任清政府军机大臣,督办粤汉铁路。除兴办洋务外,兴办教育,提倡学术。有《张文襄公全集》。

【张仲景】(150—219)东汉医学家。名机,南阳郡涅阳(今河南南阳)人。他反对巫医,重视实践。当时瘟疫流行,促使他认真钻研《内经》等理论,并广泛搜集民间验方,写出《伤寒杂病论》一书,系统地阐发了中医学的理论、诊断和治疗原则,对中国医学发展影响很大。

【张自忠】(1891—1940)抗日爱国将领。字荩忱,山东临清人。1917年起入冯玉祥部,先后任营长、团长、师长、集团军总司令等职。1937年7月全国抗战爆发,他奉命率部转战于江苏、山东、安徽、河南、湖北等省,英勇抗日,屡建战功。任三十三集团军总司令兼第五战区右翼兵团总指挥。1940年5月16日在宜城南瓜店前线与日寇的激战中壮烈牺牲。

【张作霖】(1875—1928)奉系军阀首领。字雨亭,奉天(今辽宁省)海城人。1916年起任奉天督军,投靠日本,长期统治东北。1920年把持北洋军阀政府。1922年被直系战败,退回东北。1924年再度把持北洋军阀政府。1927年在北京组织军政府。1928年被蒋介石打败,退回东北途中在皇姑屯车站被日军炸死。

【张择端】北宋末期画家。字正道,东武(今山东诸城)人。生活于11世纪末到12世纪初。曾在画院供职,善画人物、风俗、舟车、建筑等。存世名作有《清明上河图》。

【张果老】传说中的八仙之一。他常倒骑白驴,日行数万里,休息时即将驴折叠,藏于巾箱。曾被唐玄宗召至京师,演出种种法术,授以银青光禄大夫,赐号通玄先生。

【张国焘】(1897—1979)又名特立、凯音,江西萍乡人。1921年参加中国共产党第一次全国代表大会。曾是中共中央委员、政治局常委。1931年任鄂豫皖中央分局书记、中华苏维埃共和国临时中央政府副主席等职。1935年6月红军一、四方面军在四川西部会合后任红军总政委。反对中央关于红军北上的决定，进行分裂党和红军的活动，另立中央。1936年7月被迫取消第二中央。1938年4月叛逃，被开除出党。1949年去香港，后定居加拿大。1979年病逝于多伦多。

【张居正】(1525—1582)明代政治家。字叔大，号太岳，湖广江陵(今湖北荆州)人。明神宗年幼即位，他任内阁首辅，主持改革，整饬吏治，信赏罚，汰冗员。起用戚继光等严守北方边防，并清查土地、改革赋税，推行一条鞭法。辅政十年，国库渐丰，内外安谧。但其改革受到保守派的反对，去世后遭致抄家。有《张文忠公全集》。

【张闻天】(1900—1976)中国无产阶级革命家，中国共产党领导人之一。又名洛甫，江苏南汇(今属上海)人。早年留学日本。1925年加入中国共产党，同年去苏联学习、任教。1930年回国。1933年任苏区中央局宣传部部长、中央工农民主政府人民委员会主席等职。在中共六届五中全会上当选为政治局委员、书记处书记。1934年10月参加长征。1935年在遵义会议上当选为中共中央总书记。在长征途中，他同张国焘的右倾逃跑主义和分裂党的阴谋活动进行坚决斗争，主持瓦窑堡会议，并起草了会议决议，确定了抗日民族统一战线的策略。1938年后任中共中央书记处书记兼中央宣传部部长、马列学院院长。1946年5月，任中共合江省(今黑龙江东部)省委书记。1948年任中共中央东北局组织部部长、辽东省委书记。1951年任中国驻苏联大使。1955年回国任外交部第一副部长。是中共第七届中央政治局委员、第八届中央政治局候补委员。1959年中共八届八中全会上，被错误批判，"文化大革命"中遭诬陷、迫害。1976年7月病逝。1979年中共中央予以平反。有《张闻天选集》。

【张家口】市名。位于河北省西北部，京包铁路线上。人口65万(1997年)。地处长城要口，为河北和内蒙古间的交通要道，向为军事重地。

【张家界】❶中国风景区。位于湖南省西北部。千峰插地，曲径幽谷。是中国第一个国家森林公园。❷市名。原名大庸，为武陵源风景区(包括张家界、索溪峪、天子山三个风景区)的旅游而改现名。

【张献忠】(1606—1646)明末农民起义领袖。字秉吾，号敬轩，延安柳树涧(今陕西定边东)人。1630年在陕西米脂起义。1640年进四川，横扫湘赣，宣布"钱粮三年免征"，得到群众拥护。1644年再度入川，在成都建立大西政权。1646年与清军作战，中箭而死。

【张口结舌】形容理屈词穷、无言答对，或紧张害怕得说不出话来。

【张牙舞爪】形容猖狂凶恶的样子。

【张勋复辟】军阀张勋抬出溥仪复辟帝制事件。1917年5月黎元洪总统府与段祺瑞国务院发生府院之争，张勋以调解为名，带兵进京。先通电威胁黎元洪解散国会，随即伙同康有为，于7月1日逼迫黎元洪去职，宣布溥仪恢复帝位。段祺瑞见驱逐黎元洪的目的已经达到，便利用全国人民反对复辟的强烈情绪，迅速出兵讨张。7月12日张勋溃败，为时十二天的复辟收场，段祺瑞又重掌北洋军阀政权。

【张皇失措】慌张得不知怎么办才好。

【张冠李戴】明田艺蘅《留青日札》卷二二记俗谚："张公帽掇在李公头上。"后用"张冠李戴"比喻名实不符，弄错了对象。冠：帽子。

【张公吃酒李公醉】比喻由于误会而代人受过。宋曾慥《类说》卷四七引《遯斋闲览》："郭朏有才学而轻脱，夜出，为醉人所诬。太守诘问，朏笑曰：'张公吃酒李公醉者，朏是也。'太守令作《张公吃酒李公醉赋》。"也用以比喻一方取得实益，一方徒有虚名。

粻⊠(粮) zhāng 食粮。

章 zhāng ❶诗、文、歌曲的段落。㊐第一～|乐～。❷章程；条目。㊐党～|招生简～。❸条理。㊐杂乱无～。❹图章。㊐印～|盖～。❺佩戴在身上的标志。㊐徽～|领～。❻古又同"嫜(zhāng)"。

【章节】章和节，都是著作或文章的组成部分。通常全书分章，章内分节。文章内相当于段落或层次。

【章句】❶古书的章节和句子。❷分析和注解古书的章节和句子。也指以分章析句来解说古书的著作。㊐～之学|楚辞～。

【章则】章程规则。

【章服】古代的礼服。上有日、月、星辰、龙、蟒、鸟、兽等图文作为等级标志，按品递降，有十二章、九章、七章、五章、三章之别。

【章鱼】软体动物。有八条长的腕足，其上有很多吸盘。有的体内有墨囊。生活在海中。肉可鲜食或干制。

Z

【章法】文章的组织结构。也比喻办事的程序。

【章草】草书的一种。笔画保存一些隶书的笔势，每字独立，不连写。相传因汉元帝时史游用此体写《急就章》而得名。另一说因此体适用于写奏章而得名。

【章程】❶政党规定本组织阶级性质、行动纲领、奋斗目标和组织原则等的文件。如《中国共产党章程》。❷社会团体、企业和事业单位制定的规章制度。❸程(cheng)。〈方〉指办法、主张。

【章学诚】(1738—1801)清代史学家。字实斋，会稽(今浙江绍兴)人。对史书、方志之类的编纂法，提出了一套比较完整的理论。在阐明史学渊源、辨正经史文义方面，也有相当贡献。著有《文史通义》。1922年有《章氏遗书》刊行。

【章炳麟】(1869—1936)中国民主革命家、学者。一名绛，字枚叔，号太炎，浙江余杭人。早年积极参加革命活动。1903年在《苏报》上宣传反清和民主革命思想，清政府勾结帝国主义制造"苏报案"，并在上海租界将他和邹容逮捕。在狱中参与组织光复会。1906年出狱赴日本，参加同盟会，并主编《民报》，和保皇派展开论战。辛亥革命后参加反袁、护法等运动。他曾七次被捕，三次入狱。晚年逐步脱离革命斗争。1936年在苏州病逝。他的著述涉及中国近代哲学、文学、历史学、语言学等方面。所著《新方言》《文始》《小斅答问》在探讨语言流变方面有贡献。其鼓吹革命的诗文，曾传诵一时。著述辑为《章氏丛书》三编。有《章太炎全集》。

【章回小说】中国古典长篇小说的主要形式。特点是把整部作品分成若干回，回与回之间互相衔接，每回一般标出两句相对仗的题目，揭示本回的主要内容。

鄣 zhāng 周朝国名。在今山东东平东。

獐(*麞) zhāng 也叫牙獐。哺乳动物。小型鹿类。雌雄都没有角，雄的有獠牙露在嘴外。多分布于中国长江流域。

【獐头鼠目】獐子的头小而尖，老鼠的眼睛小而圆。形容坏人面目丑陋，神情狡猾。《旧唐书·李揆传》："龙章凤姿之士不见用，獐头鼠目之子乃求官。"

彰 zhāng ❶明显；显著。㊀欲盖弥～。❷表扬；显扬。㊀～善瘅(dàn)恶。

【彰明较著】也说彰明昭著。指事情或道理极其明显，很容易看清楚。《史记·伯夷列传》："此其尤大彰明较著者也。"较：明显。

漳 zhāng 用于水名、地名，如漳河(水名，在河北)、漳江(水名，在福建)、漳州(地名，在福建)。

嫜 zhāng 丈夫的父亲。

璋 zhāng 古代一种玉器。

樟 zhāng 常绿大乔木。有香气，核果球形，黑色。木材制家具可防虫蛀。根、茎、叶可提取樟脑，果可榨油。

【樟脑】樟树挥发油中的固态成分。白色结晶，溶于醇或醚。用于制赛璐珞、无烟火药，又用于医药和作防虫剂。中国台湾省大量出产。

蟑 zhāng 〔蟑螂〕蜚蠊的俗称。

zhǎng ㄓㄤˇ

长(長) ㊁ zhǎng ❶生出；生长。㊀树～叶了｜庄稼～得好。❷增进；增强。㊀吃一堑，～一智｜～志气。❸年龄大；辈分高。㊀年～｜～辈。❹同辈中排行在第一的。㊀～子｜～兄。❺领导人。㊀首～｜部～。

㊀ cháng (107页)。

【长老】❶佛教中对住持僧的尊称。❷基督教某些教派中协助牧师管理教务的人。

【长机】空中编队中负责带队的飞机或直升机。通常由编队的空中指挥员驾驶。主要职责是率领编队(或僚机)执行任务。

【长者】辈分高或年纪大的人。

【长势】(植物)生长的状况。㊀小麦～很好。

【长官】指行政单位或军队的高级官员。

涨(漲) ㊀ zhǎng ❶水量增多，水面上升。㊀～潮｜水～船高。❷价格提高。㊀～价。

㊁ zhàng (1241页)。

【涨幅】物价等上涨的幅度。

【涨潮】由于月球和太阳的引力作用，海洋水面发生涨落现象，水面上升叫涨潮。

【涨停板】证券交易机构规定，在证券市场的正常交易日中，允许证券价格上涨的最大幅度，以达到稳定证券市场的目的。

仉 zhǎng 姓。

掌 zhǎng ❶手在握拢时指尖触着的一面或脚的接触地面的部分。例鼓～｜脚～｜熊～。❷主管；掌握。例～权｜～舵。❸鞋底前后钉的皮子等。也指钉补鞋底。例鞋～｜～鞋。❹马蹄铁。例钉～。❺用手掌打。例～嘴。

【掌勺】主持烹调。

【掌子】也作礃子。矿井里掘进和采煤的工作面。

【掌印】掌管印信。比喻主持事务或掌握政权。

【掌权】掌握权力。

【掌灯】❶手里举着灯。❷点灯。

【掌柜】商店老板或总管商店事务的人的旧称。

【掌故】关于历史上的典章制度、人物事迹等的传说或故事。例文坛～。

【掌骨】组成手掌的小型长骨。人的每只手有五根，位于腕骨和指骨之间。

【掌握】❶熟悉并能充分地运用。例～规律｜～技术。❷主持；控制。例～政权｜～主动权。

【掌上明珠】拿在手掌里的珠子。晋傅玄《短歌行》："昔君视我，如掌中珠，何意一朝，弃我沟渠。"原比喻极钟爱的人。后多用来专指父母特别疼爱的女儿。

礃□ zhǎng 〔礃子〕同"掌子"（1241页）。

zhàng ㄓㄤˋ

丈 zhàng ❶市制长度单位。10尺为1丈，10丈为1引。1丈约合3.3333米。❷测量土地。例～量｜～地。❸古时对老年男子的尊称。例老～。❹丈夫（用于对某些亲戚的尊称）。例姐～｜姑～｜姨～。

【丈人】❶长（zhǎng）者，古时对年老男子的尊称。❷人（ren）。岳父。

【丈夫】❶成年男子。❷夫（fu）。夫妻二人，男人是女人的丈夫。

【丈量】测量（土地）。

仗 zhàng ❶指刀戟等兵器。例兵～｜器～。❷战斗。喻指需要拼搏的事情。例打～｜胜～｜这场球赛是一场硬～。❸倚靠；凭借。例～势欺人。❹拿着。例～剑而行。

【仗恃】倚仗；依靠（多含贬义）。恃（shì）。

【仗义执言】主持正义，说公道话。

【仗义疏财】为了正义或讲义气，拿出自己的钱财来帮助别人。疏：分散。

【仗气使酒】任意撒酒疯。

杖 zhàng 拐杖；棍棒。例手～｜擀（gǎn）面～。

帐（帳） zhàng ❶挂在床上或支在地上用来遮蔽的帷幕。多以布、纱或绸子制成。例蚊～｜～篷。❷同"账"。现在通常写作账。

【帐幔】幕布；室内用于遮掩的大布帘。

账（賬） zhàng ❶财物出入的记录。例记～｜～目。❷账簿；记账的本子。例一本～。❸债。例欠～｜还～。

【账户】按照会计对象具体内容进行分类，据以在账簿中设户，并估算其数量变化情况的形式。

【账目】账本上记载的项目。

【账号】银行给有经常性业务往来的单位或个人在账上编的号码。

【账房】旧时企业单位中或有钱人家中管理银钱货物出入的处所。也指办理上述事务的人。

胀（脹） zhàng ❶膨胀。例热～冷缩。❷膨胀的感觉。例肚子～｜头昏脑～。

涨（漲） ㊁ zhàng ❶体积增大。例豆子泡～了。❷充满。例烟尘～天｜～红了脸。❸多出。例～出两块钱｜～出半尺布。

㊀ zhǎng（1240页）。

障 zhàng ❶阻挡；遮掩。例～碍｜～蔽。❷用来遮挡、阻隔的东西。例风～｜屏～。

【障碍】阻挡，使不能顺利通过。也指阻挡通过的东西。

【障眼法】也叫遮眼法。遮蔽或转移别人的视线，使人看不清真相的手法、伎俩。

【障碍物】军事上指迟滞和阻止敌人行动的地形和爆炸物、构筑物、破坏物、堵塞物及受染区等。分天然障碍物和人工障碍物。后者如地雷、水雷、陷阱、铁丝网、鹿寨等。

【障碍赛跑】径赛项目之一。跑道上设有栏

Z

架、水池等障碍。正式比赛距离为3 000米，共需越过35次高91.4厘米的栏架，其中有7次需跳过3.66米见方的水池。

嶂 zhàng 像屏障的山峰。㊀层峦叠～。

幛 zhàng 幛子，用作祝贺或吊唁礼物的整幅绸布，上面题有祝贺或哀悼的词句。

瘴 zhàng 瘴气，热带或亚热带山林中的湿热空气。从前被认为是瘴疠的病源。

【瘴疠】指亚热带潮湿地区流行的恶性疟疾等传染病。

zhāo ㄓㄠ

钊(釗) zhāo 勉励。

招 zhāo ❶打手势叫人来。㊀～手。❷用公开的方式使人来。㊀～领|～生|～聘。❸引来；惹起；引起。㊀～怨|～笑|～人喜欢。❹(用言语、行动)触动；逗引(多用于否定式)。㊀别～他|没～谁，也没惹谁。❺承认罪状。㊀不打自～。❻计策；手段。㊀他真有两～儿。

【招认】(犯罪嫌疑人)承认犯罪事实。

【招安】旧指统治者用笼络的手段，诱使武装反抗的人放下武器，投降归顺。

【招扶】旧指引导扶持。㊀路上无人～，不知是否安全。

【招抚】招安。

【招贤】招揽有才能的人。

【招呼】❶叫；呼唤。㊀那边有人～你。❷用语言或动作表示问候。㊀一下来了那么多人，我不知先～谁好。❸吩咐；告诉。㊀～他先干起来再说。❹照顾；照管；关照。㊀他没出过远门，一路上你得～着点儿。❺接待。㊀她的工作是站在柜台前～顾客。

【招供】(犯罪嫌疑人)供出犯罪事实。

【招降】号召敌人来投降。

【招标】兴建工程或进行大宗商品交易时，公布标准和条件，提出价格，招人承包或承买。

【招贴】贴在公共场合以达到宣传目的的文字、图画。

【招架】抵挡；应付。㊀～不住。

【招致】❶招引；收罗。❷引起(某种不好的后果)。㊀～失败。

【招徕】招引(多指把顾客招来)。

【招展】飘动；摆动。㊀红旗迎风～。

【招盘】旧时工商业主因亏损或其他原因，把企业作价，招人承购，继续经营。

【招商】用广告、展览等方式吸引商家投资、经营。㊀～引资。

【招揽】招引到自己方面来。㊀～顾客|～生意。

【招募】广泛地征集(人员)。

【招牌】商店等挂在门前作为标志的牌子。也用来喻指名义或骗人的幌子。

【招魂】迷信指招回死者的魂灵。现比喻使已经死亡的事物复活。

【招聘】用公告的方式聘请。

【招赘】招女婿。赘(zhuì)。

【招兵买马】从各方面招揽人，扩充武装力量。也比喻组织或扩充人力。

【招降纳叛】招收、接纳敌方投降、叛变过来的人。泛指收罗坏人。

【招摇过市】指故意在众人面前大摇大摆，炫耀自己。

【招摇撞骗】假借名义，到处炫耀，进行欺诈蒙骗。

【招股说明书】股票发行人在发行股份时就公司状况予以说明和公开的文件。主要包括股票种类、金额、发行条件、资金运用计划和各种财务报表等。

昭 zhāo ❶明显；显著。㊀～彰|～著。❷显示。㊀以～信守。

【昭示】明白地表示或宣布。

【昭关】古关名。在今安徽含山北小岘山上。春秋时为吴楚交通要冲。楚平王时，伍员(子胥)过昭关投奔吴国。

【昭著】明显。

【昭雪】(使被诬陷冤枉的人)洗清(冤屈)。

【昭彰】明显；显著。

【昭穆】古代宗法制度规定宗庙次序，始祖庙居中，以下父子(祖、父)递为昭穆，左为昭，右为穆。死后的坟墓以及子孙在祭祀祖先时均按此种规定排列。后也泛指宗族的辈分。昭(旧读sháo)。

【昭陵六骏】陕西礼泉唐太宗李世民墓(昭陵)前的六块大型骏马浮雕石刻。李世民为追念给他立过“战功”的六匹骏马，生前即已命人雕好。六马姿势各异，神态雄劲。其中二骏于1915年被盗走，现存美国费城，其余四骏现藏陕西省博物馆。

【昭然若揭】形容真相完全暴露出来。

啁 ㊁ zhāo 〔啁哳〕也作嘲哳。形容声音杂乱细碎。哳(zhā)。
㊀ zhōu (1289 页)。

着 ㊂ zhāo ❶下棋时下一子或走一步叫一着。❷比喻计策、手段。㊎这一～儿真厉害。❸〈方〉放;搁进去。㊎～点儿盐。
㊀ zhuó (1307 页)。
㊁ zháo (1243 页)。
㊃ zhe (1248 页)。

朝 ㊁ zhāo ❶早晨。㊎～发夕至|～霞。❷天;日。㊎今～。
㊀ cháo (113 页)。

【朝夕】❶一天到晚。形容时时。㊎～相处。❷一天之内。形容时间极短促。㊎～不保。

【朝气】早晨的空气。比喻振作、进取的精神状态。与"暮气"相对。

【朝阳】刚刚升起的太阳。

【朝晖】早晨的阳光。

【朝菌】指朝生暮死的菌类。比喻极短促的生命。菌(jūn)。

【朝暾】初升的太阳。暾(tūn)。

【朝霞】早晨东方的云霞。

【朝露】早晨的露水。比喻存在时间非常短促的事物。

【朝三暮四】《庄子·齐物论》上说,有个玩猴子的人对猴子说,早上给它们吃三个橡子,晚上给四个,猴子听了都急了;后来他又说早上给四个,晚上给三个,猴子就都高兴了。原指对人要弄手段。后用来比喻反复无常。

【朝不虑夕】也说朝不保夕。晋李密《陈情表》:"人命危浅,朝不虑夕。"意思是生命处于垂危之中,早上不知道晚上是否能过得去。多用以形容事物处于危急的境地。虑:考虑。

【朝气蓬勃】形容精神振奋,斗志旺盛,充满生气。

【朝令夕改】也说朝令暮改。早晨发布的命令,晚上就改变。《汉书·食货志上》:"急政暴虐,赋敛不时,朝令而暮改。"后比喻经常改变主张和办法,使人无所适从。

【朝发夕至】早上出发,晚上到达。形容路程不远,或交通极为便利。

【朝阳工业】新发展起来的,产品处于成长期并在将来的经济发展中能发挥重要作用的新兴工业部门。

【朝思暮想】日夜想念。

【朝秦暮楚】战国时秦楚两国争霸,其他各国和游说之士根据自己的利益,一会儿助秦,一会儿助楚。后用以比喻人没有原则,反复无常。

【朝乾夕惕】《周易·乾》:"终日乾乾,夕惕若厉,无咎。"意思是说人们要是白天始终很勤奋,到晚上又能严格要求自己,很警惕,那就不会有什么过失。后多以"朝乾"和"夕惕"连用,形容一天到晚都很勤奋很谨慎。乾(qián):自强不息。惕:小心谨慎。

嘲 ㊁ zhāo 〔嘲哳〕同"啁哳"(1243 页)。
㊀ cháo (113 页)。

皽⊠ zhāo 皮肉上的死皮。

zháo ㄓㄠˊ

着 ㊁ zháo ❶接触;挨上。㊎～地|不～边际。❷感觉到;受到。㊎～急|～凉。❸使,派;用。㊎～人来一趟|别～手摸。❹燃烧;灯发光。㊎枯草一点就～|灯～了。❺入睡。㊎躺下就～了。❻用在动词后边表示达到目的或有了结果。㊎看～了|打～了。
㊀ zhuó (1307 页)。
㊂ zhāo (1243 页)。
㊃ zhe (1248 页)。

【着火点】也叫燃点。某种物质开始燃烧时所需的最低温度。

zhǎo ㄓㄠˇ

爪 ㊀ zhǎo 鸟兽的脚或趾甲。㊎鹰～|虎～|张牙舞～。
㊁ zhuǎ (1298 页)。

【爪牙】爪和牙是猛禽、猛兽的武器。比喻坏人的党羽或替坏人出力办事的狗腿子。

【爪哇人】❶印度尼西亚民族之一。主要分布在爪哇岛,部分在苏门答腊、加里曼丹等岛。❷即爪哇猿人。已能完全直立行走。是直立人的典型代表。约一百万至五十万年前的更新世早期和中期生活在今印尼爪哇地区。其化石于 1891 年被发现。参见〔直立人〕(1263 页)。

【爪哇岛】在东南亚南部,太平洋、印度洋之间。面积 12.6 万平方千米。多火山、地

Z

震。气候湿热,盛产热带作物。是印度尼西亚人口最多、经济最发达的地区。

找 zhǎo ❶寻。例～人|～信纸。❷把多余的退还或补不足。例～钱|～补。

沼 zhǎo 水池。例湖～。

【沼气】池沼地中含纤维素的有机物质,在隔绝空气的情况下受到细菌的分解作用所产生的气体。主要成分是甲烷。可做燃料和化工原料。自然界中沼气多从沼泽底泥中发生,故名。

【沼泽】地表常年过度湿润或有薄层积水的地带,其上主要生长沼生和湿生植物,其下有泥炭形成或发育。

zhào ㄓㄠˋ

召 ㊀ zhào ❶使来。例～唤|～集。❷招致。例感～。
㊁ shào (864 页)。

【召开】召集人们开会;举行(会议)。

【召见】❶指上级叫下级来见面。❷由外交部通知外国驻本国使节前来见面,当面表示某种意见或提出抗议。

【召唤】号召;呼唤。例听从党的～。

【召集】通知人们集合起来。

诏(詔) zhào ❶告诉。❷诏书,古代皇帝颁发的命令。

照(*炤) zhào ❶光线射在物体上。例阳光普～。❷日光。例夕～。❸用镜子等反映。例～镜子。❹摄影;拍摄的相片。例～张像|剧～|题～。❺看顾。例～管。❻依着;按着。例～例|～章办事。❼凭证。例护～|牌～|立此存～。❽通知。例～会|知～。❾知晓;明白。例心～不宣。❿对着。例～准敌人开枪。⓫查对。例查～。

【照会】❶国家间外交往来的一种文书。用以表明立场、态度,或通知事项等。由外交部长(副部长)、外交代表出面用第一人称写成并签名的叫正式照会;由发出照会的机关(外交部或大使馆等)出面,用第三人称写成盖机关印章而不签名的叫普通照会;同时送致几个国家的照会,叫通知照会。❷发出照会。

【照应】❶配合;呼应。例文章前后～。❷照顾。例村委会把这几户军烈属～得很好。

【照拂】照料。

【照例】按照惯例。

【照度】光照度的简称。表示受照面明亮程度的物理量。单位是勒克斯。

【照顾】❶注意;考虑。例～全局。❷特别关心,给以优待。例～残疾人。

【照料】照顾料理。

【照排】用电子计算机照相排版。

【照壁】也叫照墙、照壁墙。大门外对着大门的做屏蔽用的墙壁。参见〔影壁〕①(1186 页)。

【照耀】(强烈的光线)照射。

【照妖镜】神话小说中指一种能照出妖怪原形的镜子。

【照明弹】弹体内装有照明剂,用以发光照明的航空炸弹、炮弹和手榴弹等。

【照本宣科】照着本子读。形容只是死板地照着念,毫无创造发挥。宣科:道士诵经。

兆 zhào ❶数目。指一百万。古代也指一万亿。❷事前出现的迹象。例预～|征～。❸预示。例瑞雪～丰年。❹古指占卜吉凶时灼龟甲所成的裂纹。

【兆赫】旧称兆周。无线电波频率单位。每秒振动 100 万次为 1 兆赫。

【兆欧表】俗称摇表。测量电气设备绝缘电阻,用以判断绝缘程度的仪表。读数用兆欧(百万欧姆)表示。

旐☒ zhào ❶古代的一种军旗。上面画着龟蛇。❷俗称魂幡。出丧时,在灵柩前引路的旗幡。

鲱□**(鮡)** zhào 鱼类。无鳞,头扁平,胸有吸盘。生活在亚洲热带、亚热带山涧溪流中。

赵(趙) zhào 周朝国名(前 403—前 222)。战国七雄之一。在今河北南部、山西中部和北部。后为秦所灭。

【赵云】三国时期蜀汉将领。字子龙,常山人。曹操占荆州,刘备兵败当阳长坂,他勇猛善战,势不可当,在曹营中杀进杀出,救护甘夫人和刘备之子刘禅。民间常用作机智勇敢的青年的代称。

【赵体】元代赵孟頫所写的一种书法体式。笔画圆润,风格秀丽。流传作品有《龙兴寺碑》《道教碑》等。

【赵佶】(1082—1135)即宋徽宗。北宋书画家。擅长花鸟画,设色匀净,典雅精妙。兼善瘦金体书法。

【赵一曼】(1905—1936)东北抗日联军女英雄。原名李坤泰,四川宜宾人。1926年加入中国共产党。九·一八事变后,任中共满洲省委妇女委员。1935年11月在与日本侵略军作战中负伤被俘,在狱中受尽了敌人的残酷折磨,坚贞不屈。1936年8月2日在黑龙江省珠河(今属黑龙江省尚志)英勇就义。

【赵飞燕】(?—前1)汉成帝皇后。原名宜主。曾为阳阿公主家歌女。因身材袅娜,舞步蹁跹,轻如燕子飞翔,公主为其取别号"飞燕"。王莽当政废为庶人,后自杀。

【赵元任】(1892—1982)中国现代语言学家、作曲家。他语言学造诣很深,理论与实践并重,在汉语音韵、汉语方言和汉语语法诸方面都有深入研究,颇多建树。著有《现代吴语的研究》《语言问题》《中国话的文法》等。他创作歌曲注重语言和音调的结合,代表作有《卖布谣》《呜呼三月一十八》《教我如何不想他》、大合唱《海韵》等。

【赵匡胤】(927—976)即宋太祖。宋王朝建立者。涿州(今属河北)人。后周时任殿前都点检。公元960年在陈桥驿发动兵变,建立宋朝。他逐步解除禁军首领和藩镇的兵权,派文官管理州郡,加强中央集权的统治。但其重文轻武、偏重防内的政策,对宋朝积弱局面的形成有所影响。

【赵州桥】原名安济桥。世界闻名的石拱桥。位于河北省赵县城南洨河上。隋朝大业年间李春设计建造,保存至今。

【赵孟頫】(1254—1322)元初书画家。字子昂,湖州(今浙江吴兴)人。书法学晋人和唐人,楷书、行书自成一体。擅画人物、鞍马、山水、竹石。

【赵树理】(1906—1970)中国现代作家。山西沁水人。1943年起陆续发表了反映农村题材的短篇小说《小二黑结婚》、中篇小说《李有才板话》和长篇小说《李家庄的变迁》。1949年后,又创作了《登记》《三里湾》《套不住的手》等小说。他的语言朴实生动,具有浓郁的生活气息、独特新颖的民族形式和民族风格。有《赵树理全集》。

【赵登禹】(1898—1937)抗日爱国将领。字舜臣,山东菏泽人。1927年任冯玉祥部旅长,1928年任国民党军第二十七师师长。1933年率部在长城喜峰口英勇抗击日本侵略者,后任第一三二师师长。1937年七七事变爆发,在北平(今北京)南苑与日军激战中壮烈牺牲。

【赵公元帅】赵公明,民间传说中的财神。

笊 zhào 〔笊篱〕用竹篾、柳条、铁丝等编成的有网眼的一种用具,从汤水等中捞取东西。

棹(*櫂) zhào 划船的长桨。也指船。

鹎☒(鵫) zhào 〔鹎雉〕白色的雉。

罩 zhào ❶扣盖;覆盖;套在外面。㊀把饭～上|外～大红袍。❷罩子,覆盖用的物品。㊀灯～儿|口～儿。❸捕鱼养鸡等用的竹笼子。❹中国古代木构建筑中室内隔断的一种。

僳☒ zhào ❶小。❷〔僳僳〕形容长(cháng)的样子。

肈☒ zhào 同"肇"。

肇 zhào 开始;引起。㊀～端|～祸。

【肇事】引起事故;兴起事端。

【肇始】开始。

【肇祸】引起祸害;闯祸。

【肇端】开端;起始。

【肇庆星湖】位于广东省肇庆市。面积约460万平方米。湖边有著名的七星岩(七座排列如北斗七星的石灰岩孤峰)。

曌☒ zhào 人名用字。同"照"。唐朝女皇武则天为自己名字造的字。

zhē ㄓㄜ

折 ㊂ zhē 翻转;倒腾。㊀～跟头|用两个碗把开水～一～,水就凉了。

㊀ zhé (1246页)。

㊁ shé (865页)。

【折腾】❶翻过来倒过去;反复做(某事)。㊀睡得不踏实,尽～|这件事～了好几次,才定下来。❷折磨;使难受。㊀这场病,把我～得不轻。❸捣乱。㊀敌人是秋后的蚂蚱,～不了几天了!腾(teng)。

蜇 ㊁ zhē ❶蜂、蝎子等用尾部的毒刺来刺人或动物。❷某些物质刺激皮肤或黏膜使产生疼痛或不适。㊀盐水把伤口～得生疼。

㊀ zhé (1247页)。

Z

奢⊠ zhē 古代吴(今江浙一带)人称父亲。

嗻□ ㊁ zhē 见〔咋嗻〕(115页)。
㊀ zhè(1248页)。

遮 zhē ❶掩盖;挡住。㊄～丑|山高～不住太阳。❷拦住。㊄横～竖拦。❸古又同"这(zhè)"。

【遮蔽】❶遮挡。❷军事上指遮住目标,防止敌人发现。主要方法有利用地形、设置遮障、进行迷彩伪装、施放烟幕、使用角反射器等。

【遮藏】遮蔽,掩藏。

【遮羞布】系在腰间遮盖下身的布。借指用来掩盖羞耻的事物。

【遮眼法】即"障眼法"(1241页)。

【遮幅式】遮幅式影片的简称。对普通的摄影机和放映机的片门,从上下方加以遮挡,将原来1∶1.33的高宽比例画幅改为1∶1.65或1∶1.85。放映时用短焦距镜头使画面扩大,这样就用普通的电影摄影和放映设备,达到了近似宽银幕电影的效果。

螫 ㊁ zhē 同"蜇(zhē)"①。
㊀ shì(904页)。

【螫针】某些膜翅目昆虫,如蜜蜂、胡蜂等,尾部有螫刺作用的一种构造。由产卵器变成。连接毒腺,分泌毒液,注入被刺动物体内。

zhé ㄓㄜˊ

折(❼❽摺) ㊀ zhé ❶弄断;断了。㊄禁止攀～花木|骨～。❷损失。㊄损兵～将。❸反转;弯曲。㊄～回原路|曲～。❹佩服;屈服。㊄心～|～服。❺折合;抵换。㊄～旧|将功～罪。❻折扣。㊄打九～。❼折叠。㊄～扇。❽折叠成的本、册。㊄存～。❾元代杂剧一本分四折。一折相当于现代戏曲的一场。
㊁ shé(865页)。
㊂ zhē(1245页)。
"摺",另见(1247页)。

【折中】也作折衷。指对几种不同的意见进行调和。㊄～办法|～方案。

【折节】❶屈服于别人。❷改变平日的志向行为。㊄少便习弓马,长乃～好古学。

【折旧】指对固定资产在使用过程中的损耗进行价值补偿。通常根据原始价值和预计使用年限平均计算。

【折让】以特定条件为代价,在商品销售时对价格和其他销售条件作出一定让步和优惠。

【折扣】指买卖时价款按成减算,如九折即按九成付款。

【折回】中途返回。

【折价】把实物折合成货币。

【折合】按照一定的比价或单位来换算。

【折冲】折还敌方的战车,即制敌取胜。冲:战车。参见〔折冲尊俎〕(1246页)。

【折寿】迷信指因享受过分而减损寿命。

【折兑】指兑换金银时按成色和分量折算;兑换外汇时按规定牌价折算。

【折枝】❶折取树枝。比喻轻而易举。《孟子·梁惠王上》:"为长者折枝,语人曰:'我不能。'是不为也,非不能也。"一说枝,通"肢"。拜揖。一说指按摩。❷花卉画法之一。画花卉不画全株,只画连枝折下来的部分。

【折服】❶说服;使屈服。❷信服;佩服。

【折变】❶变卖。❷折换。

【折实】❶打折扣后合成实际数目。❷把金额折成实物价格计算。

【折线】平面上由不在同一条直线上的几条线段首尾顺次相接组成的图形。

【折狱】判决诉讼案件。

【折辱】使受挫折和侮辱。

【折射】❶波在传播过程中由一种介质进入另一种介质时传播方向偏折的现象。在同类介质中,由于介质本身不均匀而使波的传播方向改变的现象也叫折射。❷比喻把事情的表象或实质表现出来。

【折衷】同"折中"(1246页)。

【折腰】❶弯腰行礼。引申为屈身事人。《晋书·陶潜传》:"吾不能为五斗米折腰。"❷爱慕;倾倒。㊄江山如此多娇,引无数英雄竞～。

【折磨】使人在肉体上、精神上受痛苦。

【折子戏】中国传统戏曲演出时,有时可以不演整本戏而只演内容上具有相对独立性而表演上又比较精彩的段落。这种单独演出的段落就叫折子戏。

【折冲尊俎】《晏子春秋·杂上》:"不出尊俎之间,而折冲于千里之外。"意思是说没有出宴席的桌子,就战胜了千里以外的敌人。后用折冲尊俎泛指外交谈判。折冲:指制敌取胜。尊:酒器。俎:盛菜器。

【折实公债】以若干种类和数量的实物为标准,在用加权平均法确定一种特殊的计算单位的基础上发行的一种国家债券。

【折衷主义】一种把根本对立的立场、观点、理论等无原则地加以调和或拼凑在一起的哲学思想。它把矛盾双方等同或调和起来，不分主次，不分是非，不要斗争。

【折戟沉沙】折断了的戟沉埋在沙中。比喻惨遭失败。唐杜牧《赤壁》诗："折戟沉沙铁未销，自将磨洗认前朝。"戟(jǐ)：古代的一种兵器。

【折衷主义建筑】19—20世纪初流行于欧美的建筑风格。其特点是模仿各种历史建筑，并将不同的建筑样式组合在一起，注重纯形式美。建筑实例有巴黎歌剧院。

哲(*喆) zhé 智慧卓越或有卓越智慧的人。㊀～人|先～。

【哲学】研究自然、社会和思维发展的最一般规律的科学。是世界观的理论形式，是对自然知识、社会知识和思维知识的概括和总结。思维与存在的关系问题是哲学的基本问题，唯物主义和唯心主义是哲学中的两个基本派别。

【哲理】关于宇宙和人生的根本原理。

【哲嗣】敬辞。称别人的子嗣。

【哲学的基本问题】指思维与存在、意识与物质的关系问题。它包括思维与存在、意识与物质何者为第一性的问题，思维能不能认识存在、意识能不能反映物质的问题。前者是判定唯物主义和唯心主义的依据，后者是划分可知论和不可知论的准则。

晢 zhé ❶明亮。❷明智。

悊☒ zhé 同"哲"。

蜇 ㊀ zhé 〔海蜇〕腔肠动物。生活在海中。可供食用。
㊁ zhē (1245页)。

箬□ zhé 〔箬子〕〈方〉一种粗的竹席。

辄(輒*輙) zhé 文言副词。就；总是。㊀浅尝～止|动～得咎。

蛰(蟄) zhé 动物在冬天潜伏起来，不食不动。㊀～伏|入～。

【蛰居】像动物冬眠一样长期躲在家里，不在公开场合出头露面。

詟□(讋) zhé 害怕；恐惧。

谪(謫*讁) zhé ❶谴责；责备。㊀众口交～。❷古指官吏被降职或流放。㊀贬～|～居。

【谪仙】受了处罚，降到人间的神仙。古人用以称誉才学优异的人。后专指李白。

【谪戍】古代官吏或人民因触犯法律被流放到边远地区承担防守任务。戍(shù)：守卫边疆。

【谪居】被贬官后住在某个地方。

【谪降】❶古代官吏被降级或调到边远地方。❷指神仙被罚，降落到人间。

摺 zhé 同"折(zhé)"⑦⑧。
另见"折"(1246页)。

磔 zhé ❶古代一种分裂肢体的酷刑。❷书法用语。指汉字笔画的捺。参见〔永字八法〕(1189页)。

辙(轍) zhé ❶车轮经过留下的痕迹。㊀重蹈覆～。❷行车规定的路线方向。㊀上～|下～。❸歌词、戏曲、杂曲所押的韵。㊀合～押韵。❹〈方〉办法。㊀没～了。

【辙口】歌词、戏曲、杂曲所押的韵。

【辙鲋】比喻处于困境的人。参见〔涸辙之鲋〕(392页)。

【辙乱旗靡】车辙错乱，旗帜倒下。形容军队溃败。《左传·庄公十年》："吾视其辙乱，望其旗靡，故逐之。"靡(mǐ)：倒下。

蹍☒ zhé 同"辙"。

zhě ㄓㄜˇ

者 zhě ❶助词。1.用在形容词、动词、数词或某些名词后面，表示人或事物。㊀高～抑之|劳～歌其事|二～必居其一|共产主义～。2.表示语气停顿。㊀陈胜～，阳城人也。❷指示代词。这(多见于古诗词及早期白话)。㊀～番|～回|～个。

锗(鍺) zhě 金属元素，符号Ge，原子序数32。银白色，质脆。高纯度的单晶锗是半导体材料，用以制晶体管、整流器等。

赭 zhě 红褐色。㊀～石。

褶 zhě ❶衣服折叠后留下的痕迹。㊀百～裙|裤～。❷脸上的皱纹。㊀满脸～子。

【褶皱】❶地质学上指各种弯曲状态的岩层。❷皱纹。

zhè ㄓㄜˋ

乇□ ㊀ zhè 草叶。
㊁ tuō (999页)。

这(這) ㊀ zhè 指示代词。指称比较近的人或事物。㊎～个人｜～本书。
㊁ zhèi (1248页)。

柘 zhè 柘树，也叫黄桑。落叶灌木或小乔木。有刺，叶椭卵形，可养蚕。茎皮可作造纸原料，根皮可供药用。

浙(*淛) zhè 浙江的简称。

【浙江省】简称浙。位于华东地区中部，北邻江苏和上海市，西邻安徽、江西，南邻福建，东濒东海。面积10万多平方千米。人口4 456万(1998年)。省会杭州市。重要城市还有宁波、温州、绍兴、嘉兴、湖州、金华等。

【浙赣铁路】从浙江杭州，经江西，到湖南株洲，长946千米。东连沪杭铁路，西接湘黔铁路，并与京广、京九、鹰厦等铁路相交。是中国长江以南的东西交通大干线。

蔗 zhè 甘蔗。

【蔗糖】双糖的一种。由葡萄糖与果糖结合而成。广泛存在于植物界，甘蔗和甜菜中含量特别丰富。

嗻□ ㊀ zhè ❶说话连续不断，使旁人不能插话。❷旧时仆役对主人的应诺声。
㊁ zhē (1246页)。

樜☒ zhè 同"甘蔗"的"蔗"。

鹧(鷓) zhè 〔鹧鸪〕鸟类。羽毛大多黑白相杂，有眼状白斑。主食谷粒及其他种子。分布于中国南方。

䗪☒ zhè 〔䗪虫〕地鳖。

zhe ·ㄓㄜ

着 ㊃ zhe 助词。1. 在动词后表示动作或状态的持续。㊎走～｜放～。2. 在动词或表示程度的形容词后加强命令或嘱咐的语气。㊎听～｜慢～点儿。3. 加在某些动词后，使变成介词。㊎沿～｜顺～。4. 表示程度深，常跟"呢"连用。㊎大家的干劲足～呢！
㊀ zhuó (1307页)。
㊁ zháo (1243页)。
㊂ zhāo (1243页)。

zhèi ㄓㄟˋ

这(這) ㊁ zhèi 义同"这(zhè)"。用于口语。在口语里，"这"后面跟量词或数词加量词时，通常读zhèi；在"这个""这些""这样""这会儿""这阵子"中，也常读zhèi。
㊀ zhè (1248页)。

zhēn ㄓㄣ

贞(貞) zhēn ❶忠于信仰和原则，坚定不变。㊎坚～不屈。❷封建礼教所推崇的一种道德观念，指女子不失身、不改嫁。㊎～节。❸占；卜。㊎～卜。

【贞洁】指妇女在节操上没有污点。

【贞操】❶指忠于信仰和原则的品德。❷旧指女子不失身、不改嫁的道德观念。

【贞观之治】史家对唐太宗政绩的美称。贞观是唐太宗李世民的年号(627—649)。太宗君臣以隋亡为鉴，孜孜求治，注意纳谏，继续实行均田制、租庸调制、府兵制、科举制和三省六部制。修订律令，改善吏治，减轻赋役，使经济复苏，人口增加，社会安定，人民生活改善，民族关系缓和，中外友好往来增多，史称"贞观之治"。

侦(偵*遉) zhēn 暗中察看；探听。㊎～察。

【侦查】在办理刑事案件中，公安机关和人民检察院为了收集证据、查明案件事实、查缉犯罪嫌疑人、追缴赃款赃物，依照法律进行的专门调查和采取的强制性措施。

【侦结】对案件进行侦查并做出最后处理。

【侦破】侦查，破获。

【侦探】❶暗中刺探情报或案情。❷做侦探工作的人。

【侦缉】侦查搜捕。

【侦察】军事上指为查明敌情、地形和有关作战的其他情况而进行的活动。按活动空间不同,分地面侦察、空中侦察和海上侦察等。

【侦察机】装有航空侦察设备,专门用来进行空中侦察的作战飞机。

【侦察兵】担负侦察任务的专业兵。

【侦察卫星】用于获取军事情报的人造地球卫星。卫星上通常装有光电遥感器材、雷达或无线电接收机等侦察设备,从轨道上对目标实施电磁波、可见光、红外线等侦察,具有范围广、速度快、限制少等优点。

帧(幀) zhēn 量词。用于书画、相片等。例一~油画。

浈(湞) zhēn 浈水,水名,在广东北部。

桢(楨) zhēn ❶坚硬的木头。❷古代打土墙时所立的木柱。

【桢干】中国古代筑土墙时用的木柱。比喻事物的根基或能担负重任的人。

祯(禎) zhēn 吉祥。

针(針 *鍼) zhēn ❶缝织时引线用的工具。一头有尖儿,一头有孔。❷针形的东西。例大头~|松~。❸扎针治病。例~灸。❹注射用的针形器及药剂。例打~。

【针对】对准。例~实际情况。

【针灸】中医针刺和艾灸疗法的合称。针刺是用针具刺入人体一定穴位,以调整人体气血。灸法是用陈艾叶搓成艾团或艾卷,点火燃烧,以温灼穴位的皮肤达到温通气血的目的。

【针剂】注射用的药物。

【针指】同"针黹"(1249页)。

【针砭】古时用石针扎皮肉治病。现比喻发现或指出错误,以求改正。砭(biān):古代治病的石针。

【针眼】❶也叫针鼻儿。针上引线的孔。❷针扎过之后留下的小孔。❸眼(yan)。即"麦粒肿"(661页)。

【针黹】也作针指。指各种针线活儿。黹(zhǐ)。

【针感】中医行针刺入穴位时,病人产生酸、胀、重、麻的感觉,医生手下也感觉针被轻轻吸住的现象。针刺时针感强疗效好,针感弱疗效差。

【针叶林】以松柏类针叶树为主的森林。如中国东北的红松林、南方的杉木林等。

【针织物】在针织机上将纱线相互串套而成的一种织物。其特性是织物的弹性和延伸性较大,手感柔软。按线圈联结方式的不同,分纬编和经编两类。

【针刺麻醉】在患者的一些穴位上进行针刺以达到抑制痛阈(yù)的一种麻醉方法。特点是在患者神志清醒状态下进行某些手术。

【针锋相对】针尖对针尖。比喻双方意见、观点等尖锐对立。也比喻在斗争中对准对方的言论行动采取相应的有力措施。

珍(*珎) zhēn ❶宝贵的;贵重的。例~品|~禽。❷宝贵的东西。例如数家~|稀世奇~。❸看重。例~视|~重。

【珍本】指具有重要价值,珍贵而不易获得的图书。

【珍异】珍贵而不平常。

【珍玩】珍贵的供玩赏的物品。

【珍奇】稀有而珍贵。

【珍视】珍惜重视。

【珍贵】宝贵;有重大价值或意义。

【珍品】珍贵的物品。例艺术~。

【珍重】❶保重(身体)。❷珍惜;看重。

【珍闻】珍奇的见闻。例世界~。

【珍珠】也作真珠。自然形成的为珍珠,人工养殖的为养珠。是微小物浸入某些蚌类的贝壳内(养珠是将人工蚌球放置在蚌类的贝壳内),蚌因受到刺激分泌珍珠质把外来物质层层裹起形成的。有圆、扁圆、坠形等形状。主要成分是碳酸钙、有机物和水。有光泽,有白、黄、粉红、青等色。主要用做装饰品,也可研细入药。

【珍爱】重视爱护。

【珍羞】同"珍馐"(1249页)。

【珍惜】珍重爱惜。

【珍摄】保重身体。摄:保养。

【珍馐】也作珍羞。珍奇的味美的食物。

【珍藏】认为宝贵而很好地收藏。

【珍禽异兽】珍贵的飞禽,奇特的野兽。

【珍珠港事件】1941年12月7日日本飞机偷袭美国海军基地珍珠港的事件。此次空袭几乎全部摧毁了美国太平洋舰队。次日,美国对日本宣战,太平洋战争从此开始。

胗 zhēn 鸟类的胃。例鸡~|鸭~。

真 zhēn ❶真实;和客观事实相符合的。与"假"相对。例~情|去伪存

～。❷事物的原样。㊀写～|传～。❸副词。的确；实在。㊀～好。❹清楚。㊀听得～。

【真人】道教修行得道的人。

【真切】❶清楚确实，不模糊。❷真诚恳切；真挚。

【真书】即"楷书"(548页)。

【真主】中国讲汉语的伊斯兰教徒对所信奉的"安拉"神的称呼。

【真皮】人或动物身体表皮下的结缔组织。

【真声】歌唱时用本嗓发出的声音。用真声歌唱时，声带完全闭合，胸腔起共鸣作用。

【真纳】穆罕默德·阿里·真纳(1876—1948)巴基斯坦首任领导人。曾参与反对英国对印度殖民统治的斗争，长期担任印度穆斯林联盟主席，1940年首次提出印度的印度教徒和穆斯林为两个民族，并致力于建立独立的穆斯林国家。1947年印巴分治后，任巴基斯坦首任总督，被尊为巴基斯坦的"国父"。

【真果】由雌蕊子房发育而成的果实。如大豆、油菜的果实。

【真性】❶指人的纯真的本性。❷真的(区别于表面上像而实际上不是的)。㊀～霍乱。

【真空】通常指只有极少的气体分子，压强远小于 10^5 帕斯卡的气态空间。

【真诚】真实诚恳，没有一点虚假。

【真诠】正确的解释；真实的道理。

【真相】事物的实际情况。㊀～大白。

【真迹】出于书法家或画家本人之手的作品(区别于临摹或伪造的)。

【真珠】同"珍珠"(1249页)。

【真挚】真诚恳切。㊀～的友谊。

【真理】认识主体对客观对象及其规律的正确反映。人们通过实践发现真理，又通过实践检验真理、证实真理和发展真理。真理具有客观性，即它的内容是不依赖于主体而存在的。真理具有绝对性和相对性。人的认识，是由无数相对真理不断接近绝对真理的无限发展过程。真理同错误相比较而存在，相斗争而发展。

【真菌】生物界中的一大类。菌体为单细胞或由菌丝组成。无叶绿素，有完整的细胞核。主要靠菌丝体分解吸收现成的营养物质，通常寄生在其他物体上。自然界中分布很广。如酵母菌、青霉菌、蘑菇等。有些能使动植物致病。

【真率】真诚直率；不做作。

【真情】真实的情况或感情。

【真谛】真实的意义或道理。

【真释】真实的正确的解释。

【真影】旧时祭祀时张挂的祖先的画像。

【真分数】分子小于分母的分数。如 $\frac{1}{2}$，$\frac{2}{3}$。真分数一定小于1。

【真空管】管内抽成真空的电子管。参见〔电子管〕(207页)。

【真理报】俄罗斯联邦报纸。苏联共产党中央机关报。1912年创办于彼得堡。1991年苏联解体，次年3月休刊。后以"自负盈亏"的报纸重新出版，1992年9月希腊出版商买下该报55%的股份，与之合资经营。

【真知灼见】正确的认识，透辟的见解。灼(zhuó)：明白。

【真凭实据】确凿可靠的证据。

【真核生物】由真核细胞构成的生物。其核质与细胞质之间存在着核膜，有明显的细胞核，细胞分裂时出现染色体，染色体由脱氧核糖核酸、组蛋白及非组蛋白等成分构成。除原核生物外，其他的生物都是真核生物。

禛⊠ zhēn 用真诚感动神而获福。

砧(*碪) zhēn 捶、砸或切东西时垫在底下的器具。㊀铁～|～板。

【砧木】嫁接时承受接穗的植株。如酸枣植株接大枣接穗，酸枣就是砧木。

蓁 zhēn 丛生的草木或荆棘。㊀～莽。

【蓁莽】也作榛莽。茂密丛生的草木。

【蓁蓁】❶形容草木繁茂。❷聚集。

嵘□ zhēn 用于地名。如嵘屿(在福建)。

獉⊠ zhēn 〔獉狉〕草木丛杂，野兽出没。指远古混沌未开的景象。狉(pī)。

溱 ㊀ zhēn 〔溱头河〕水名。在河南。㊁ qín(794页)。

榛 zhēn ❶落叶灌木或小乔木。果实叫榛子，供食用及榨油。❷同"蓁"

Z

（1250页）。
【榛狉】同"獉狉"（1250页）。
【榛莽】同"蓁莽"（1250页）。
【榛榛】指草木丛生的样子。
臻 zhēn 达到（美好、完善、成熟等境地）。例日～完善。
斟 zhēn 往杯子等容器里倒（酒、茶等）。例～酒|～茶。
【斟酌】仔细考虑事情如何处理，文字使用是否恰当。
椹☒ ㊀ zhēn 同"砧"。
㊁ shèn（876页）。
甄 zhēn 审查；鉴别。
【甄别】通过审查来辨别优劣真假。
【甄拔】审查选拔。
箴 zhēn ❶劝告；规诫。例～言。❷旧时一种文体。是规戒性的韵文。❸同"针"①。
【箴言】规劝告诫的话。
【箴规】告诫规劝。
鱵□（鱵） zhēn 也叫针鱼。鱼类。身体呈圆柱形，下颌延长呈针状。栖息于近海，也进入淡水。

zhěn ㄓㄣˇ

诊（診） zhěn 医生检查病情。例门～|会～。
【诊治】医生检查病症进行治疗。
【诊视】诊察。
【诊断】诊察之后判断病人的病症。
【诊察】检查病情。
抮☒ ㊀ zhěn ❶扭转。❷〔抮抱〕鸡孵卵。
㊁ xiǎn（1068页）。
紾☒（紾） zhěn 扭转。
轸（軫） zhěn ❶古代车厢底部四面的横木。也借指车。❷悲痛。例～悼|～怀。❸星名。二十八宿之一。
【轸念】悲痛地思念。
【轸恤】怜悯；体恤。
【轸悼】悲痛地悼念。
昣☒ zhěn 自重；克制。
畛 zhěn ❶田地间的小路。❷界限。例～域。
【畛域】界限。例不分～。
疹 zhěn 皮肤上起的红色小颗粒。多由皮肤表层发炎浸润而起。如湿疹、麻疹。
袗 zhěn ❶单衣。❷衣服上下同色。
枕 zhěn ❶枕头。❷躺的时候头放在枕头或其他东西上。例喜欢～高枕头|～戈待旦。
【枕木】木枕的通称。
【枕骨】人的脑颅组成骨之一。位于脑颅的后下方。
【枕藉】横七竖八地倒或躺在一起。藉（jiè）。
【枕戈待旦】枕着兵器等待天明。形容时刻警惕，准备作战。《晋书·刘琨传》："吾枕戈待旦，志枭逆虏。"旦：天亮。
缜（縝） zhěn 周密；精细。例～密。
稹☒ zhěn ❶草木丛生。❷同"缜"。
鬒☒ zhěn 头发黑而稠密。

zhèn ㄓㄣˋ

圳 zhèn 田边水沟。多用于地名，如深圳、圳口（均在广东）。
阵（陣） zhèn ❶古代交战时布置的战斗队列。现也指作战时的兵力部署。例背水为～|严～以待。❷泛指战场。例上～杀敌。❸指一段时间。例这一～他更忙。❹量词。用于事情或动作经过的段落。例一～掌声|下了几～雨。
【阵亡】在战场上牺牲。
【阵地】军队为进行战斗而占领的位置。通常构筑工事，借以保存自己，消灭敌人，是部队作战的依托。有进攻出发阵地、防御阵地、炮阵地等。
【阵势】❶军队作战时的布局。❷情势。
【阵线】战线。比喻结合在一起的力量。例革命～。
【阵容】指队伍的外貌或排列形式，引申为人力的配备。例～整齐|～强大。
【阵营】❶交战双方对立的阵势。❷为共同

Z

斗争目标而联合起来的集团。
【阵脚】指作战时布置的战斗队列的最前方。现多用于比喻。㊀压住～。
【阵痛】❶分娩时一阵一阵的疼痛。❷比喻新事物萌出前的暂时困难。
【阵地战】军队在相对固定的战线上,依托阵地进行防御或对据守坚固阵地之敌实施进攻的作战。

纼□(紖) zhèn 〈方〉穿在牛鼻子上以备牵引的绳子。泛指拴牲口的绳子。㊀牛～。

鸩(鴆❷❸ *酖) zhèn ❶古代传说中的毒鸟,用它的羽毛泡的酒喝了可以毒死人。❷(用鸩的羽毛泡成的)毒酒。㊀饮～止渴。❸用毒酒害人。
【鸩毒】毒酒。参见〔宴安鸩毒〕(1138页)。

振 zhèn ❶摇动;挥动。㊀～臂。❷奋发。㊀精神为之一～。❸振动。㊀共～|～幅。
【振动】指机械振动。物体沿直线或曲线并经过其平衡位置所作的往复运动。如钟摆、弦线、音叉等的运动。
【振衣】抖动衣服。
【振兴】大力发展,使兴盛起来。
【振作】精神旺盛,情绪饱满;使精神旺盛,情绪饱满。㊀～有为|～精神。
【振拔】摆脱已陷入的境地,重新振奋起来。
【振奋】振作奋发;使振作奋发。㊀精神～|～人心。
【振刷】振作。
【振荡】❶振动。❷指电的振动。是电路中的电流(或电压)在最大值和最小值之间随时间作周期性重复变化的过程。振荡电流(电压)即交变电流(电压)。
【振笔】挥笔。
【振幅】也叫波幅。在振动过程中振动的物理量离开平衡位置的最大值。如振动弹簧的最大伸长、交变电流的最大电流强度等。
【振臂】挥动胳臂。表示情绪激昂。㊀～高呼。
【振荡器】一般指从电源取得能量以产生具有一定频率(或频带)和一定波形(如正弦形、矩形、锯齿形等)的电信号的装置。常见的振荡器由电子管或晶体管和电阻、电感、电容等元件组成。
【振振有辞】好像很有理由,说个没完。振振:理直气壮的样子。
【振聋发聩】响声很大,使聋人都能听见。清袁枚《随园诗话补遗》卷一:"梁昭明太子与湘东王书云:'…未闻吟咏性情,反拟《内则》之篇;操笔写志,更摹《酒诰》之作…。'此数言,振聋发聩,想当时必有迂儒曲士以经学谈诗者。"喻指言论、文章有使人醒悟、启发愚蒙的作用。聩(kuì)。

赈(賑) zhèn 救济。㊀～灾|以工代～。
【赈灾】救济灾民。
【赈济】用钱粮、衣物等救济(灾民)。

震 zhèn ❶震动。㊀地～|～耳欲聋。❷指地震。㊀～情|余～不断。❸感情过分激动。㊀～怒|～惊。❹八卦之一。代表雷。参见〔八卦〕(16页)。
【震中】地震时地面上距震源最近的地方。
【震旦】古代印度人对中国的称呼。
【震动】❶受外力影响而颤动。❷(重大的事件、消息等)引起的强烈反响。㊀～世界。
【震级】根据地震释放的能量大小所划分的等级。从0级到9级,用以表示地震本身的强度。
【震荡】震动,动荡。
【震怒】大怒;非常生气。
【震悚】因恐惧而颤动。悚(sǒng)。
【震悼】内心震动悲悼。
【震惊】非常吃惊。
【震源】地震时地下最初发出震动的地方。大多数位于地下数千米到数十千米,深者可达700千米。
【震慑】震动使害怕。㊀～人心。
【震撼】震动并摇撼。㊀～山河。
【震旦纪】地质年代名。
【震古烁今】震动古代,显耀当世。形容事业或功绩的伟大。烁(shuò):发光。
【震耳欲聋】形容声音很大,耳朵都要震聋了。

朕 zhèn ❶文言人称代词。我;我的。秦始皇以后专用于皇帝自称。❷预兆。㊀～兆。
【朕兆】预兆;兆头。

眹☒ zhèn ❶同"朕兆"的"朕"。❷眼珠;瞳人。

揕☒ zhèn 刺;击。

瑱☒ ㊀ zhèn 戴在耳垂上的玉。
㊁ tiàn (975页)。

镇(鎮) zhèn ❶压;抑制。㊀～尺|～痛。❷安定;平静。㊀～静|～定。❸用武力把守。也指把守的地方。㊀～守|军事重～。❹较大的市集。㊀市～。❺行政区划单位。由县一级领导。㊀乡～。❻把食物、饮料等和冰块放在一起或放在冷水中使凉。㊀冰～汽水。

【镇日】从早到晚;整天(多见于早期白话)。

【镇尺】尺形镇纸。

【镇压】❶统治阶级用政权的暴力手段压制。❷旧特指处决(反革命分子)。❸为使种子或植株容易吸收水分和养分,压紧播种后的垄或植株行间的土壤。

【镇守】指军队驻扎防守在军事上重要的地方。

【镇纸】压书、压纸用的文具,用金属或玉石等制成。

【镇定】不慌张;沉着。

【镇星】土星的旧称。参见〔土星〕(993页)。

【镇静】情绪稳定或平静;使情绪稳定或平静。

【镇痛药】作用于中枢神经以减轻或缓解疼痛的药物。大多属于阿片类生物碱,如吗啡、可待因等;也有人工合成的同类药品,如哌替啶、美沙酮等。连续服用可上瘾,过量服用可因呼吸被抑制而致死。

【镇静药】减低中枢神经系统过度兴奋的药物。用于治疗焦虑、兴奋不安和神经官能症等。常用药有巴比妥类和溴化物等,中药有酸枣仁、五味子等。

【镇压反革命运动】1950—1952年中国共产党领导全国人民开展的镇压反革命分子的运动。这一运动,沉重地打击了匪首、惯匪、恶霸、特务、反动会道门头子及其他反革命分子,保证了抗美援朝、土地改革和国民经济恢复工作的顺利进行。

zhēng ㄓㄥ

丁 ㊀ zhēng 〔丁丁〕拟声词。伐木声。㊁ dīng (215页)。

正 ㊀ zhēng 正月,农历每年的第一个月。㊀新～|～旦(农历正月初一)。㊁ zhèng (1255页)。

征(❸-❻徵) zhēng ❶出兵讨伐。㊀南～北战。❷远行(多指行军)。㊀～途|长～。❸由国家召集或收用。㊀～兵|～购|～税。❹求;希望得到。㊀～文。❺证明;验证。㊀信而有～|有实物可～。❻现象;迹象。㊀特～|～兆。

"徵",另音 zhǐ (1267页)。

【征人】远行或出征的人。

【征夫】古指出征的战士,也指离家远行的人。

【征文】征集诗文稿件。

【征引】❶推荐选拔。❷引证。

【征用】国家依法将土地等收归国有的强制措施。实行征用时,根据被征用者的具体情况国家给予适当补偿,对其生产和生活作妥善安置。

【征发】旧指政府征调民间的人力或物资。

【征戍】古指到远的地方去守卫边疆。

【征尘】在远行的路途中身上所沾染的尘土。

【征帆】指远航的船。

【征伐】出兵攻打、讨伐。

【征兆】事前出现的迹象。

【征衣】远行的人穿的衣服。

【征收】政府依法向个人或单位收取(税款等)。

【征求】用书面或口头询问的方式访求。㊀～意见。

【征购】指国家依法向生产者或所有者购买(农产品、土地等)。

【征服】原指用武力使(别的国家、民族)屈服,后也喻指战胜。㊀～大自然。

【征实】征收实物。

【征询】征求询问(意见)。

【征逐】指朋友往来频繁。

【征途】去作战的路上。也泛指远行的道路或前进的历程。㊀踏上～。

【征调】政府征集和调用人员或物资。

【征敛】官府向民间征捐敛财。

【征象】发生某种情况的迹象。

【征募】招募(士兵)。

【征程】征途。

【征集】❶用公告或口头询问的方式收集。㊀～资料。❷征募并聚集。㊀～新兵。

【征缮】征收赋税,修治甲兵。《左传·僖公十五年》:"君子爱其君,而知其罪,不惮征缮以待秦命,曰:'必报德,以死无二。'"缮:整治,备办。

【征兵制】根据兵役法规定,国家按需要征集一定数量的公民服兵役的制度。与"募

Z

兵制"相对。

怔 ㊀ zhēng 害怕的样子。
㊁ zhèng (1257 页)。

【怔忪】惊恐。忪(zhōng)。

【怔营】惶恐不安的样子。

钲(鉦) ㊀ zhēng 古代击乐器。青铜制,形似倒置铜钟,有长柄。用于行军。
㊁ zhèng (1258 页)。

症(癥) ㊁ zhēng 中医指腹病。
㊀ zhèng (1258 页)。

【症结】中医指肚子里结硬块的病。比喻事情的纠葛或问题的关键所在。

争 zhēng ❶因意见不一致而相互辩诘。㊞～论|是非之～。❷力求获得或达到。㊞为祖国～光|力～上游。❸竞争;争夺。㊞～先恐后|只～朝夕。❹疑问代词。怎么;如何(见于早期白话)。㊞～奈。

【争气】奋发图强,不甘落后。

【争斗】❶打架。❷相互力求战胜对方。

【争议】❶争辩;争论。❷因不一致而无结论。

【争执】争论中各持己见,不肯相让。

【争夺】抢着夺取。

【争光】争取荣誉。㊞为祖国～。

【争取】力求获得或实现。㊞～胜利|～提前完成任务。

【争鸣】比喻在学术问题上展开争论。

【争端】引起争执的事由。㊞国际～。

【争衡】互相争斗,较量高低。

【争辩】争论;辩论。

【争先恐后】争着向前,唯恐落后。

挣 ㊁ zhēng 〔挣扎〕尽力支撑或坚持。
㊀ zhèng (1259 页)。

峥 zhēng 〔峥嵘〕形容高峻。比喻超越寻常,不平凡。㊞山势～|岁月～。嵘(róng)。

狰 zhēng 〔狰狞〕面目凶恶的样子。

睁 zhēng 张开眼睛。

铮(錚) zhēng 〔铮铮〕拟声词。金属撞击的声音。

筝 zhēng 拨弦乐器。木制长形,战国时秦地已有。历代弦制不一,有十三弦、十六弦等。现经改革,已发展为二十一或二十五弦,并有转调筝,表现力更为丰富。用于独奏、伴奏及合奏。

鬇⊠ zhēng 〔鬇鬡〕毛发散乱的样子。

烝 zhēng 众多。㊞～民。

蒸 zhēng ❶液体受热转化成气体上升。㊞～发|水～气。❷一种烹饪方法。利用沸水的热气使物品变熟、变热。㊞～馒头|把冷饭～一下儿。

【蒸气】液态物质汽化或固态物质升华而成的气态物质。

【蒸发】在液体表面发生的汽化现象。蒸发时,液体必须从其周围吸收热量。湿衣晾干就是蒸发的结果。

【蒸腾】气体上升。

【蒸馏】利用液体混合物中各组分的沸点不同以分离组分的方法。

【蒸发量】一定时间内,水面或地面经蒸发作用散布到空中的水量。蒸发量大小是分析干旱程度的一项指标。

【蒸汽机】将锅炉产生的蒸汽通入气缸内推动活塞往复运动而做功的发动机。

【蒸汽机车】以蒸汽机为动力机械的机车。主要由蒸汽锅炉、机械部(汽缸和传动机构)及车架、走行部组成,一般附有煤水车。

【蒸蒸日上】形容事物天天向上发展。㊞我们的祖国～。蒸蒸:上升和兴盛的样子。

【蒸腾作用】水分以气体状态通过植物体表面(主要是叶子)蒸发到体外的过程。它可以促进植物对水分的吸收和盐类在体内的运输,并能降低植物体温。

鲭(鯖) ㊁ zhēng 古指鱼和肉合在一起烹制的菜。
㊀ qīng (798 页)。

zhěng ㄓㄥˇ

拯 zhěng 援救。㊞～救。

整 zhěng ❶全;没有残缺或剩余。与"零"相对。㊞～天|～套设备。❷整数。㊞有零有～|凑个～儿。❸有秩序;不紊乱。㊞～齐|衣冠不～。❹整理,使有秩序;使健全。㊞～饬|～党。❺修理;使完好。㊞～旧如新。❻使吃苦头。㊞～人。

【整风】整顿思想和工作作风。

【整训】整顿训练。

【整形】通过外科手术整治人体的缺陷或畸形，使外观、功能等恢复或接近正常。

【整体】❶完整的统一体。❷全体；一个集体的全部。㊟部分服从～。

【整饬】❶整顿。㊟～纪律。❷整齐，有条理。饬(chì)。

【整枝】修剪植物的枝叶。

【整治】❶整理；修理。❷通过惩罚、虐待等，使吃苦头。❸进行某项工作；搞，做。

【整修】整治修理。

【整除】当一个整数除另一个整数得到整数商而没有余数时，叫做整除。如2除6得3，就说2能整除6或6能被2整除。

【整顿】采取措施，使(纪律、组织等)严整健全。

【整党】中国共产党以马列主义、毛泽东思想、邓小平理论为指导，从思想上、政治上、组织上、作风上进行的整顿。目的是加强党的思想建设和组织建设，改进党的作风，加强党的团结，增强党的领导作用和战斗力。

【整流】将交变电流变为直流的过程。可以用晶体管、电子管或汞弧整流管等制成整流器进行整流。广泛用于电力、电信和自动控制方面。

【整容】用手术整治面部的缺陷。也指修饰面容，如理发、刮脸等。

【整理】使有条理，不紊乱。

【整编】对军队的体制、编制进行调整。

【整数】0和1，2，3…以及－1，－2，－3…的统称。

【整流器】把交变电流变为直流的装置。一般由具有单向导电性的电子元件和有关电路组成。

【整风运动】见〔延安整风运动〕(1132页)。

【整装待发】整理收拾好行装，等待出发。

zhèng ㄓㄥˋ

正 ㊀ zhèng ❶符合标准方向，不偏斜。与“偏”相对。㊟～南｜～中。❷正直；正当。㊟～派｜～理。❸端正；纯正。㊟～楷｜味道不～。❹正面。与“反”相对。㊟这张纸～反都有字。❺基本的；主要的。㊟～文｜～职。❻大于零的；失去电子的。与“负”相对。㊟～数｜～电。❼改正；使端正。㊟～音｜～一～帽子。❽副词。1. 恰好。㊟～中下怀。2. 表示动作在持续中。㊟～讨论建图书馆问题。

㊁ zhēng (1253页)。

【正义】❶公正合理，符合人民利益的(事业或道理)。㊟～事业｜伸张～。❷旧指注释古书，也用作古书注释本的名称，如唐孔颖达有《五经正义》。

【正切】见〔三角函数〕(844页)。

【正气】❶光明正大的作风或纯正良好的风气。㊟发扬～，打击歪风。❷刚正的气节。❸中医指人的元气。

【正片】制作电影画面或幻灯片用的感光材料的统称。使用这种感光材料可将底片上的负像印成供放映用的正像。

【正文】著作的本文(与“注解”“附录”等相区别)。

【正本】❶指某一具有多种文本的文件中能作为正式依据的一份。与“副本”相对。❷指同一藏书的多种版本中最原始或最珍贵的一本。

【正旦】别称青衣。传统戏曲中的角色行当。主要扮演庄重的青年或中年妇女。

【正电】也叫阳电。质子所带的电。物体缺少电子时带正电。

【正史】旧称《史记》《汉书》等二十四史纪传体史书为正史。是中国历史遗产的重要部分。与“野史”相对。

【正册】❶旧时户口册的一种。清朝地方官府编造户口册，分正册、另册两种，好人编入正册，坏人编入另册。❷旧时人名册的一种。根据地位高低等标准，分别把人名编入正册、副册。

【正轨】正常的道路。

【正名】辨正名称和名分。《论语·子路》：“必也正名乎！”指君、臣、父、子都应该严格遵守自己的名分。

【正色】❶神情严肃或严厉。❷指青、黄、赤、白、黑等颜色。

【正论】正确合理的言论。

【正极】直流电源上电势较高的接头，或负载和仪表接在电路中电势较高的接头。电源供电时，电流由正极流出。负载和仪表的正极须与电路中电势较高之点相接，使电流由正极流入。

【正告】严正地告诉或警告。

【正规】符合正式规定或一定标准的。

【正版】正式出版发行的版本。㊟～光盘。

【正法】依法执行死刑。㊟就地～。

Z

【正宗】原指佛教各派的创建者所传下来的嫡派,后来也指各种技艺流派的嫡传者。
【正视】用严肃的态度对待,不回避,不敷衍。
【正弦】见〔三角函数〕(844页)。
【正点】(车、船等)按照规定的时间开出、运行或到达。
【正品】完全符合规定质量标准的工业产品。
【正骨】一种中医治疗方法。主要是运用一定的手法和药物治疗骨折、脱臼、韧带扭伤等。
【正音】❶字音的规范读法。❷使读正确规范的字音。
【正派】品质好,言行光明正大。
【正误】勘正错误。
【正统】封建王朝嫡系相承的关系。也泛指派别中一脉相承的嫡派。
【正盐】既不含可以电离的氢原子,又不含氢氧根(OH)的盐。如氯化钙($CaCl_2$)等。
【正桥】大型桥梁的主要部分,跨越江河、山谷等,两端与引桥相连,即桥头堡间的部分。
【正剧】戏剧的主要类别之一。兼有悲剧、喜剧的因素,但不受悲剧、喜剧等特征的约束。是近代和现代剧作中的主要类型。
【正堂】❶正屋。❷官府办事的大厅。
【正确】符合实际,没有错误。
【正道】正当的道路;正确的途径。
【正割】见〔三角函数〕(844页)。
【正楷】即"楷书"(548页)。
【正畸】利用各种方法和器械矫正牙齿发育畸形。
【正像】放映用的电影片、幻灯片上黑白程度、色彩与实物相同的图像。
【正数】指大于零的数。在数前用正号(+)表示,有时也可不用,如零上五摄氏度写作+5℃或5℃。
【正寝】古代天子诸侯办事的地方。后泛指房屋的正室。参见〔寿终正寝〕(907页)。
【正义感】也叫是非感。一种主持公道、伸张正义、爱憎分明的道德情操。它受人的思想意识影响并受社会制约。
【正比例】相关的两个量,当其中的一个扩大若干倍时,另一个也扩大同样的倍数或一个缩小原来的若干分之一,另一个也缩小原来的若干分之一,就称这两个量成正比例。
【正反交】两个具有不同基因型的杂交亲本杂交时配置父母本的两种方式。用A、B两种不同基因型的亲本杂交时,如以A为母本,B为父本,称为正交;如以B为母本,A为父本,称为反交。
【正方形】四边相等而每个角都是直角的四边形。
【正方体】也叫立方体。六个正方形所围成的六面体。
【正电子】电子的反粒子。质量与电子相同,电荷量与电子也相同,但为正电荷。存在于宇宙射线中。与电子相遇就发生湮没,产生一对γ光子。
【正规军】按照统一的编制组成,有统一的指挥、统一的制度、统一的纪律和统一的训练的军队。
【正规战】正规军进行的以运动战和阵地战为主要作战形式的战争。特点是高度的集中指挥、严密的组织计划、密切的协同动作、统一的后方补给等。
【正人君子】指品行端正、遵守道德的人。也用于讽刺伪善的人。
【正大光明】行为正派,襟怀坦白。
【正义战争】符合人民和民族的根本利益,推动社会进步的战争。包括为反抗反动阶级压迫、争取民族解放、抵御外来侵略、维护国家统一和世界和平等进行的战争。
【正中下怀】正好符合自己的心愿。中(zhòng)。
【正心诚意】指心地端正诚恳。《礼记·大学》:"欲正其心者,先诚其意。"
【正本清源】从根本上整顿,从源头上清理。比喻从根本上彻底解决问题。《晋书·武帝纪》:"思与天下式明王度,正本清源。"
【正当防卫】为了使国家、公共利益、本人或他人的人身、财产和其他权利免受正在进行的不法侵害,而采取的制止不法侵害的行为。正当防卫对不法侵害人造成损害的,不负刑事责任。应具备的条件:(1)必须是对不法侵害的行为;(2)必须是对正在进行并且实际存在的不法侵害;(3)只能对不法侵害者本人;(4)防卫不能超过必要限度。
【正多边形】各边相等、各角也相等的多边形。
【正多面体】每个面都是有同数边的正多边形,在每个顶点都有同数棱的凸多面体。
【正言厉色】言谈郑重,表情严厉。
【正襟危坐】整好衣襟,端端正正地坐着。形容严肃、恭敬或拘谨的样子。《史记·日者列传》:“猎缨正襟危坐。”危:高耸,引申为端正。

【正义者同盟】1836年德国流亡工人在巴黎建立的秘密革命团体,后成为国际性的工人组织。在马克思、恩格斯的帮助下,于1847年改组为共产主义者同盟。

【正比例函数】形如 $y=kx$(其中 k 为常数,且 $k\neq0$)的函数。

【正觉寺金刚宝座塔】中国现存的建造年代最早的金刚宝座塔。建于明成化九年(1473),在今北京西直门外。塔座用砖和汉白玉砌筑而成,分须弥座和座身两部分,上遍刻图案花纹。塔座平台上建有五座密檐式方塔。主塔居中,高13层,四角各一小塔,高11层。全塔总高约17米。塔身雕有中国现存同类塔体中最精美的宗教图案。

【正电子发射型计算机断层成像仪】一种先进的核医学检测器械。能检测人体内生物化学物质的改变及体内代谢情况。可早期发现肿瘤或颅脑病变。

证(證) zhèng ❶证明。㊞~人|~实。❷凭证;证据。㊞工作~|人~。❸中医对病人若干症状和体征的总称。如表证(发热、恶寒等)、虚寒证(怕冷、出虚汗、手脚冰凉等)。

【证明】❶用一定的材料来表明事物的真实性。㊞事实~这种说法是对的。❷法律上指人民法院和诉讼参加人依照法定程序,运用证据查明和证实案件事实的诉讼活动。❸证明书或证明信。❹也叫论证。形式逻辑中指根据一些真实的判断,得出另一个判断的真实性的思维过程。由论题、论据和论证过程三部分组成。

【证券】能够证明借贷资本,权利人用于取得出资利益的权利凭证。证券法上专指资本证券,包括股票、公司债券和政府债券。

【证实】证明其确实。

【证验】❶加以试验使得到证实。❷实际的效验。

【证据】❶能够证明某事物的真实性的有关事实或材料。❷由法院审查确定的能够证明案件真实情况的一切事实。分民事诉讼证据、行政诉讼证据和刑事诉讼证据。包括书证,物证,证人证言,当事人陈述,被害人陈述,犯罪嫌疑人、被告人供述和辩解,视听资料,鉴定结论,勘验、检查、现场笔录等。

【证券公司】依据公司法和证券法成立的,从事证券经营业务的有限责任公司和股份有限公司。分证券自营公司、证券经纪公司和证券承销公司。

【证券发行】股票、债券发行主体为筹集资金而将具备法定形式的有价证券出售给投资者的买卖行为。

【证券交易所】依法设立的提供证券集中竞价交易场所的非营利性法人机构。分公司制和会员制两种,通常以会员制为主。中国内地目前有上海证券交易所和深圳证券交易所。

怔 ㊁ zhèng 发愣;发呆。㊞大家一听他的病情,顿时~住了。

㊀ zhēng(1254页)。

政 zhèng ❶政治。㊞~纲|~工人员。❷政府。㊞党~军民。❸国家某一部门主管的业务。㊞财~|邮~。❹指家庭或团体的事务。㊞家~|校~。

【政见】政治主张或政治见解。

【政令】政府公布的法令。

【政权】❶政治统治的权力。㊞巩固~。❷指政权机关。㊞建立革命~。

【政论】针对当前政治问题所发表的评论。

【政坛】指政治界。㊞~人物|退出~。

【政体】也叫政治制度。国家政权的构成形式。如人民代表大会制、君主立宪制、民主共和制等。中国的政体是人民代表大会制。

【政局】政治局势。

【政纲】政治纲领。

【政变】指国家机构中的少数人通过军事或政治手段,自上而下地造成政府的突然更迭。

【政府】国家行政机关。是国家机构的组成部分。各国政府的组织形式和名称虽有不同,但都与其政权的性质相适应。

【政治】阶级、政党、社会团体和个人在国内和国际关系方面的活动。在有阶级的社会里,政治表现为阶级关系和阶级斗争。任何阶级的政治都是以维护本阶级的利益、建立和巩固本阶级的统治为目的的,经济是政治的基础,政治是经济的集中表现,并为经济基础服务。

【政柄】政权。

【政客】依靠从事政治活动谋求私利,并善于玩弄权术和投机取巧的人。

【政党】代表一定的阶级、阶层或集团,并为其利益而斗争的政治组织。是阶级的一部分,也是进行阶级斗争的工具。

【政敌】指在政务活动中跟自己矛盾尖锐、不能相容的人。

【政绩】指官员在职期间工作的成绩。

【政策】国家或政党为实现一定目标而制定的具体的行动准则。

【政治犯】由于从事某种政治活动被政府缉捕或判刑的人。

【政治学】研究国家学说、政治理论、政治制度和政治思想史的科学。一般包括国家起源、国家的发展和消亡、国家制度、国家职能、政治制度史、政治思想史等内容。

【政企分开】指社会主义国家政府机构与国有企业之间在组织管理经济职能上各司其事、各负其责的管理原则。

【政治权利】法律规定公民参加国家政治生活的权利。如选举权、被选举权和言论、出版、集会、结社、通信、人身、居住、迁徙、宗教信仰及游行、示威等自由。

【政治纲领】国家、政党或集团根据本阶级利益制定的在一定时期内最根本的政治目标和行动方针。

【政治制度】即“政体”(1257页)。

【政治委员】简称政委。中国人民解放军团以上和部分营的单位中,或因特殊任务而组成的战斗队中,负责党的工作、政治工作的首长。

【政治面目】指人的政治身分和有关政治的各种社会关系。

【政治避难】一国公民由于政治原因,在本国被追缉或遭受迫害,逃亡他国,请求该国准许进入和在该国居留的行为。

【政治经济学】研究人类社会生产关系及其发展规律的科学。15世纪末到17世纪中叶出现的重商主义是其萌芽,产生于17世纪中叶以后的英国和法国的资产阶级古典政治经济学使其成为真正独立的一门科学。亚当·斯密和大卫·李嘉图是古典政治经济学的杰出代表,他们的经济学说既有科学的成分,又有庸俗的成分。19世纪初以后,资产阶级政治经济学千方百计地掩盖资本主义的剥削关系,庸俗经济学逐渐取代古典政治经济学。19世纪中叶,马克思创立了无产阶级政治经济学,科学地完成了劳动价值理论和剩余价值理论,揭示了资本主义社会经济运动规律,论证了资本主义必将被共产主义(社会主义)所代替的历史趋势。

【政策性亏损】企业根据国家政策规定生产或经营某种产品而发生的亏损。

【政策性银行】由政府或政府机构发起或出资,以某种特定政策性金融业务为其基本业务活动的银行。如为繁荣农业发展而成立的农业发展银行等。

钲(鉦) ㊁ zhèng 镄的旧称。㊀ zhēng (1254页)。

症 ㊀ zhèng 疾病。[例]急~|对~下药。㊁ zhēng (1254页)。

【症状】机体因患病而表现出来的异常状态。如患疟疾时有间歇性发冷、发烧等现象。

郑(鄭) zhèng 周朝国名。在今河南新郑一带。后为韩所灭。

【郑重】严肃认真。[例]~其事。

【郑成功】(1624—1662)明末清初抗击荷兰殖民者的民族英雄。本名森,又名福松,字明俨,号大木,福建南安人。清军南下,他起兵抗清。1661年率领舰队自金门出发,在台湾禾寮港登陆,围攻荷兰总督所在地赤嵌城(今台南市西安平)。经八个月的战斗,荷兰总督揆一投降,收复台湾全岛。他在台湾建立府县,编制军队,屯田垦荒,奖励移民,促进了经济的发展。

【郑州市】河南省会。位于该省中部偏北,京广、陇海铁路交会处。人口143万(1997年)。是该省政治、经济、文化和交通中心。为中国棉纺织工业基地之一。市中心建有二七纪念塔。还有商城遗址、大河村遗址等古迹。

【郑板桥】(1693—1765)清代书画家、诗人。名燮,字克柔,号板桥,江苏兴化人。书法融合行、楷、隶、篆四体。擅画兰竹,风格朗秀。为扬州八怪之一。

【郑国渠】中国古代引泾河水灌溉的著名水利工程。位于陕西关中平原。始建于秦王政(即秦始皇)即位当年(前246),历十余年而成。因由水利专家郑国主持,故名。西引泾水,东通洛水,长约150千米。可灌田约19万公顷。现在的泾惠渠就是在此基础上改造完善起来的。

【郑律成】(1918—1976)中国现代作曲家。原籍朝鲜,1933年来到中国。代表作有歌曲《延安颂》《延水谣》《八路军进行曲》和歌剧《望夫云》等。

【郑和下西洋】即三保太监下西洋。明初大

规模的远洋航行。1405年(永乐三年)明成祖朱棣派太监郑和率水手官兵两万七千多人,乘船六十二艘,出使西洋(今中国南海以西海域)。其中最大的船长四十四丈,宽十八丈,可容千余人,船上有航海图、罗盘针,是当时航行海上的最大船只。前后二十八年中,郑和的船队远航七次,遍历南洋各地三十余国,最远达非洲东岸和红海,促进了中国和亚非各国的经济文化交流。

诤(諍) zhèng 直爽地劝告。例~言。

【诤友】能够以直言规劝人的朋友。

【诤言】直爽地劝告别人改正过错的话。

【诤谏】直爽地指出人的过错,劝人改正。

挣 ㊀ zhèng ❶用力摆脱束缚。例~脱锁链。❷用劳动换取。例~工资。
㊁ zhēng (1254页)。

【挣命】为保全性命而挣扎。

【挣揣】挣扎。

阐☒(閘) zhèng 〔阐闼〕挣揣。闼(chuài)。

zhī 㞢

之 zhī ❶文言助词。用法近于"的"。例光荣~家|星星~火,可以燎原。❷文言指示代词。代替人或事物。例取~不尽,用~不竭。❸往;到。例不知所~。

【之乎者也】之、乎、者、也都是文言文常用的虚词,四字连说常用以形容说话写文章喜欢古奥。

芝 zhī ❶灵芝。❷白芷。

【芝兰】比喻品德高尚或友情、环境等的美好。

【芝麻】一年生草本植物。高可达1米。茎直立,四棱形。花冠呈筒状、唇形,淡紫或白色。种子扁椭圆形,白、黄、棕红或黑色。是重要的油料作物。也指这种植物的种子。

【芝加哥】美国城市。位于美国中北部,密歇根湖南岸。人口278万(1990年)。是美国重要的交通枢纽,也是美国中部地区商业、金融、工业和文化中心。

支 zhī ❶撑持;支持。例~帐篷|体力不~。❷领取或付出款项。例~取|收~平衡。❸调度;指使。例~配|~使。❹伸出;竖起。例~起耳朵听。❺从总体中分出来的。例~流|~队。❻地支。例干~。❼量词。用于队伍、歌曲、电灯的光度或杆状的东西等。例一~队伍|两~曲子|六十~纱|二十五~光|三~笔。

【支队】❶军队中相当于师的一级组织。如舰艇支队。❷作战时一种临时编组。如先遣支队。

【支那】古代印度、希腊和罗马以及近代日本都曾称中国为支那。

【支护】采矿作业中,用支架或喷射混凝土等方法支撑或加固井筒、巷道和采掘场所周围的岩层,以防止坍塌,保证生产安全。

【支吾】说话应付搪塞,躲躲闪闪,含糊其辞。

【支应】❶应付;供应。❷守候,听候使唤。

【支使】差遣使唤。

【支线】交通线、电线等的分支线路。与"干线"相对。

【支绌】(钱款、物资、力量等)不够支付。

【支柱】起支撑作用的柱子。比喻中坚力量或人物。

【支点】❶杠杆转动时固定不动的一点。❷指事物的中心或关键。

【支脉】山脉的分支。

【支前】支援前线的略语。

【支派】❶分出来的派别。❷支使;调动。

【支架】❶起支撑作用的架子。❷支起;架起。例~炉灶。

【支配】❶安排;调度。例合理~劳动力。❷指挥;控制。例思想~行动。

【支离】分散,残缺;无条理。例~破碎。

【支部】某些党派、团体的基层组织。特指中国共产党的基层组织。

【支流】❶流入干流的河流。与"干流"相对。❷喻指事物发展中非本质的、次要的方面。它不代表事物发展的趋势,不决定事物发展的方向。与"主流"相对。

【支票】出票人签发的,委托办理支票存款业务的银行或其他金融机构在见票时无条件支付确定的金额给收款人或持票人的票据。出票人应开立支票存款账户,存入足够支付的款项并预留印鉴。分现金支票和转账支票,前者规定有效期,后者不得提取现金。

【支援】支持和援助。

【支解】也作肢解。古代一种割去四肢的酷刑。现比喻完整的国土、体系等被分割。

Z

【支数】度量纤维或纱线粗细程度的计量单位。用单位重量的纤维或纱线的长度表示。支数愈低，纤维或纱线愈粗。

【支撑】❶承受并顶住压力，也指这样的构件。❷勉强维持。

【支气管】气管的分叉处至肺门之间的一段呼吸管道。构造与气管近似。支气管左、右各一，是呼吸气体的传送部分。

【支原体】一类革兰氏阴性原核生物。只有细胞膜没有细胞壁。形态多样，一般呈不规则的球状、椭圆状、长丝状，有时有分枝，还有的呈螺旋丝状。寄生、共生或腐生，能侵染人、畜、禽类，引起病害。

【支撑点】军队防御时扼守的要点。有坚固的环形阵地，严密的火力，能独立坚守。对巩固防御阵地起支撑作用。

【支气管炎】由细菌、病毒感染或有害物质长期刺激所引起的支气管黏膜炎症。主要症状是咳嗽、痰多、发热等。急性患者及时治疗数日即愈；慢性患者常迁延多年。

【支离破碎】形容事物零散残缺，不成整体。

【支原体感染】由支原体侵入人体引起的一类炎症。常见的有肺炎、脑膜炎、神经根炎、尿道炎等。

吱 ㊀ zhī 拟声词。尖而细的声音。[例]嘎～。
㊁ zī（1307 页）。

枝 zhī ❶植物主干上分出来的细茎。[例]柳～。❷量词。用于带枝的花朵或杆状的东西。[例]一～花｜两～笔。

【枝节】比喻次要的事情，也比喻处理一件事情过程中发生的意外的问题。[例]～问题｜横生～。

【枝柯】树枝。

【枝接】用一段枝条作接穗的嫁接方法。接穗与砧木的形成层应密接，以利成活。

【枝蔓】植物的枝藤，比喻烦琐、杂乱。[例]文字～。

【枝柳铁路】北起湖北省枝城，经湖南省西部，南至广西壮族自治区柳州市，长 886 千米。北接焦枝铁路，南接黔桂、湘桂等铁路，与湘黔等铁路相交。与同蒲、太焦、焦枝铁路共同组成中国南北交通干线之一。现与焦枝铁路合为焦柳铁路。

肢 zhī 人体手、脚、胳膊、腿的统称。也指某些动物的腿。[例]四～｜上～运动｜后～直立。

【肢体】四肢。也指四肢和躯干。

【肢势】家畜站立时的四肢状态。是评定家畜役使能力的重要依据。

【肢解】同“支解”（1259 页）。

鳷□（鳷） zhī 〔鳷鹊〕鸟名。松鸦的旧称。

氏 ㊁ zhī 见〔阏氏〕（1131 页）、〔月氏〕（1215 页）。
㊀ shì（898 页）。

泜 zhī 泜河，水名，在河北。

胝 zhī 见〔胼胝〕（751 页）。

祗 zhī 恭敬。[例]～候回音（旧时信里要对方回信的客气话）。

跖□ zhī 见〔跰跖〕（751 页）。

只（隻） ㊀ zhī ❶单独；少量。[例]～身｜～言片语。❷量词。用于某些用品、器具或交通工具。[例]一～鸡｜两～手｜一～小船。
㊁ zhǐ（1265 页）。

【只身】单独一个人。

【只眼】比喻独到的见解。参见〔别具只眼〕（67 页）。

【只言片语】个别的词句，片段的话语。

织（織） zhī 用丝、麻、纱、草、毛等编制物品。[例]～布｜～席｜～毛衣。

【织女】❶星名。见〔织女星〕（1260 页）。❷中国神话人物。织女是天帝的孙女，与牛郎结合后，不再为天帝织造云锦。天帝用天河将二人隔离，只准每年农历七月七日相会一次。

【织物】以纱、丝、线等为原料交织或编织成的物品。包括棉布、绸缎、呢绒、麻布、化学纤维织物，以及各种针织物和编织物等。还可包括毡和无纺织布等。

【织造】在织布机上把经、纬纱交织成织物。

【织锦】❶一种像刺绣的、有图案的丝织品。花纹艳丽，织造精细，是中国特产。❷指织锦缎。一种织有彩色花纹的缎子。

【织女星】夏秋夜空中一颗亮星，属天琴座。在银河西，与河东的牛郎星相对。

卮（*巵） zhī 古代盛酒的杯子。

栀（*梔） zhī 〔栀子〕常绿灌木。叶对生，长椭圆形；花白色。

果实倒卵形，可制黄色染料，也供药用。

汁 zhī 含有某种物质的液体。㊀果～|墨～。

知 zhī ❶知道；了解。㊀～无不言|～己。❷知识。㊀求～。❸使知道。㊀通～|～会。❹旧指主管。㊀～政|～县。❺古又同“智(zhì)”。

【知了】蚱蝉的俗称。因叫声像“知了”而得名。

【知己】彼此相互了解、情谊深厚、关系密切的朋友。

【知心】彼此相互了解、情谊深切的。㊀～朋友|～话。

【知会】口头通知。

【知名】著名；有名(多用于人)。㊀～人士|～品牌。

【知交】知己的朋友。

【知州】古代地方官名。宋代派京官暂行统治一州的称“权知军州事”，简称知州。明清两代为州级行政官吏的正式名称。

【知县】古代地方官名。宋代派京官统治一县的称“知某县事”，简称知县。明清两代为县级行政官吏的正式名称。

【知识】❶人们通过阶级斗争、生产斗争和科学实验的实践活动获得的对客观事物的认识。❷指有关学术文化的。㊀～分子。

【知事】旧称一县的长官，即县长。

【知府】古代地方官名。宋代派京官统治一府的称“知某府事”，简称知府。明清两代为府级行政官吏的正式名称。

【知音】❶对音律有研究的人。❷传说古代有个叫伯牙的人，他弹琴只有钟子期听得懂。后来用“知音”比喻知己。

【知觉】❶客观事物整体的外部特征在人脑中的直接反映。是感性认识的一种形式。比感觉完整，是对感觉的综合。反映事物表面的各种不同特性的总和以及它们的相互联系。❷感觉。㊀失去～。

【知客】❶也叫知宾。婚丧喜庆专管招待宾客的人。❷也叫典客。寺院中主管接待宾客的和尚。

【知悉】知道。

【知情】知道事件的底细。㊀～人。

【知遇】指得到赏识或重用。

【知照】通知关照。

【知趣】知道好歹，不惹人讨厌。

【知人之明】认识人的才能和品德的眼力。

【知人论世】原指为了了解历史人物而论述他的时代背景。后也指鉴别人物的好坏，议论世事的得失。

【知人善任】了解人并且善于任用人。

【知己知彼】也说知彼知己。《孙子兵法·谋攻》：“知彼知己，百战不殆。”意思是对敌我双方情况都能了解透彻，打起仗来就可以立于不败之地。后也用“知己知彼”泛指了解自己和对方。

【知行合一】明代王守仁的唯心主义认识论命题。反对“知在行先”的说法，认为“知是行之始，行是知之成”。又说“未有知而不行者；知而不行，只是未知”。知，即致吾心之良知；行，即致良知于事事物物。知行合一的本体是良知。

【知识分子】具有较高的科学文化水平、主要从事脑力劳动的人。如科技工作者、文艺工作者、教师、医生、编辑、记者等。

【知识产权】人们对其通过脑力劳动创造出来的智力成果所享有的权利。具有排他性、地域性和时间性。分著作权、专利权和商标权，其中专利权和商标权也叫工业产权。国家利用知识产权制度保护人的创造力，鼓励技术发明，发展科学文化事业。

【知识经济】建立在知识和信息的生产、分配和使用之上的经济活动和形式。

【知识密集型企业】需要综合运用先进、复杂的科学技术知识和手段进行生产的企业。如电子、宇航、原子能工业等类企业。

【知无不言，言无不尽】凡是知道的没有不说的，要说就全说出来。指毫无保留地发表自己的意见。

【知其然而不知其所以然】知道它是这样，而不知道它所以是这样的原因或道理。

枳□ zhī 用于地名，如槟枳(在越南)。

蜘 zhī 〔蜘蛛〕节肢动物。体分头胸部和腹部，有四对足，腹部尖端的突起能分泌黏液，用来结网捕虫。

脂 zhī ❶动物体内或油料植物种子里面的油质。㊀～肪|油～|松～。❷胭脂。㊀～粉。

【脂肪】见〔油脂〕(1193页)。

【脂膏】❶脂肪。❷比喻劳动人民的血汗。膏：油脂。

【脂肪肝】指由代谢紊乱引起的肝内脂肪积聚过多的疾病。由脂肪占肝重的3%—5%增至10%以上。多因嗜酒、营养缺乏、糖尿病或药物等引起。主要症状是肝区疼

Z

痛、肝肿大、乏力等，严重的可导致肝硬化。

【脂肪酸】链状羧酸的统称。同甘油结合生成脂肪，故名。是动物、植物和微生物脂质的重要成分。分饱和脂肪酸与不饱和脂肪酸。一般由脂肪水解制得，也可人工合成。

稙□ zhī 早种或早熟的庄稼。㊀～谷。

墌⊠ zhī 地基。

樴⊠ zhī ❶柱下的石础或木础。❷支撑。

zhí ㄓˊ

执（執） zhí ❶拿着；掌握。㊀～笔｜～政。❷坚持；固执。㊀～意不肯。❸捉住。㊀被～。❹凭证；单据。㊀～照｜回～。❺执行。㊀～法施令。❻交谊深厚、志趣相同的朋友。㊀～友｜父～。

【执一】❶专心一致。❷固执地坚持一种意见。

【执手】拉手；握手。

【执业】律师、医生、会计等专业人员取得有关部门的认证，从事本行业的业务活动。

【执行】❶依照政策、法令、决议、计划等实行。㊀严格～计划。❷法律判决、裁定中负有义务的一方按照判决、裁定履行法律文书确定的义务的法律行为。如果义务人拒不履行法律文书确定的义务，人民法院依据另一方的申请，可依职权强制其履行义务。申请执行的期限，双方或一方是公民的为一年，双方是法人或其他组织的为半年。

【执导】担任导演工作。㊀这部影片由青年导演～。

【执拗】固执任性，不接受别人的意见。拗（niù）。

【执事】❶原为古代贵族统治者左右侍从的人。旧时书信中常用以称对方，表示尊敬。❷职务；工作。❸旧称举行典礼时担任专职的人。❹旧指仪仗。如旗、幡、牌、伞等。

【执法】执行法令。

【执绋】原指送葬时帮助牵引灵柩，后泛指送葬。绋（fú）：牵引棺材用的大绳。

【执政】掌管政权。有时也指掌握政权的人。

【执笔】拿笔。指写作。特指对集体讨论的内容作文字整理并写定稿件的人。

【执著】佛教指一心注意于人世间的事物而不能超脱。后泛指固执或拘泥。也指按既定目标坚持不懈。著（zhuó）。

【执掌】管理；掌握。

【执勤】执行勤务。

【执照】由有关机关发给的准许从事某种职业的凭证。㊀驾驶～。

【执意】坚持自己的意见。㊀～不肯。

【执牛耳】古时诸侯结盟，割牛耳而饮其血，因由主盟者拿着盛牛耳的盘子，所以称主盟者为执牛耳。后用以比喻在某一方面居于最有权威的地位。

【执政党】掌握国家政权的政党。在实行两党制或多党制的国家中也叫在朝党。

【执行主席】指大会主席团中轮到主持会议的人。

【执柯作伐】《诗经·豳风·伐柯》："伐柯如何？匪斧不克。取妻如何？匪媒不得。"后称为人作媒为"执柯作伐"，也说"执柯"或"作伐"。

【执迷不悟】坚持错误而不觉悟。

【执鞭随镫】驾驭车马，充当侍从。表示对别人敬仰，愿为别人效力。

絷（縶） zhí ❶用绳子拴捆。❷马缰绳。❸拘禁。

直 zhí ❶不弯曲；不偏斜。与"弯""曲"相对。㊀～线｜笔～。❷使不弯曲。㊀～起身来。❸公正；直爽。㊀理～气壮｜心～口快。❹竖；跟地面垂直。与"横"相对。㊀～排本｜～升机。❺副词。1．一直；直接。㊀～达快车｜～辖市。2．一个劲儿地；不断地。㊀高兴得～拍手。❻汉字笔画"竖"的别称。

【直观】❶直接接触客观事物而获得的感性认识。由于在感性认识和客观事物之间没有任何中间环节，故又名感性直观或生动的直观。❷指形而上学唯物主义对认识的理解，即把认识看成像照镜子一样，是直观的、机械的、消极的反映。

【直肠】大肠的末段。人的直肠上接乙状结肠，下通肛门。成人的直肠长约12—20厘米。

【直角】平角的一半，即90°的角。

【直译】指按照原文逐字逐句译出。与"意译"相对。

【直径】连结圆周上两点并通过圆心的线段。

【直隶】❶旧省名。河北的旧称。1928 年改今名。❷明朝称直属京师的地区为直隶。直属北京的地区为北直隶，直属南京的地区为南直隶。

【直线】在平面上或空间中沿一定方向和它的相反方向运动的动点所形成的图形。直线可以向两方无限延伸，没有端点。

【直音】中国一种传统的注音方法。即用同音字注音。如"怙"音"户"。

【直觉】不经过逻辑推理而直接迅速地认知事物的思维活动。

【直笔】指如实记载史实。

【直射】光线垂直射向两种介质的分界面。

【直流】直流电的简称。方向不随时间变化的电流。可由电池、直流发电机等直流电源或交变电流经过整流获得。

【直接】不经过中间环节的。与"间接"相对。㊎～联系。

【直率】心地坦白，言语、行动没有顾忌。

【直销】直接营销的简称。

【直属】直接管辖或隶属。

【直裰】古代士大夫所穿的一种便服。也指道士和僧人穿的道袍和僧袍。

【直辖】直接管辖的。㊎～市｜～机构。

【直播】广播电台、电视台不经过事先录音或录像，在现场或播音室、演播室直接播出节目。直播可以提高新闻报道的时效性，有强烈的现场感。

【直露】直接流露，不含蓄。㊎感情～。

【直升机】由航空发动机带动旋翼旋转而产生升力和拉力的航空器。主要由机体、旋翼系统、发动机、起落架、操纵系统等组成。具有垂直起落、空中悬停、定点回转、前飞、侧飞、后退飞等性能，可在野外场地起降。

【直立人】也叫直立猿人。生活于一百五十万到五十万年间。1891 年发现于印尼中爪哇的爪哇猿人和 1928 年发现于北京周口店的北京猿人是其典型代表。其主要特点是完全用两足行走，在思维和语言方面比能人大为进步，会使用火，但保留食人习惯，实行"族内婚"制，兼有猿和人的两重性，并未完全脱离动物的范畴。

【直肠癌】发生于直肠的恶性肿瘤。多发于中老年人，男性多于女性。主要症状是便血、腹痛、排便困难、大便变细、肠梗阻等。

【直翅目】昆虫纲中较大的一目。体大型或中型，具有咀嚼式口器。前翅狭长，稍硬化，后翅膜质。后足强大，适于跳跃。不完全变态。种类较多，如蝗虫、蟋蟀、螽斯、蝼蛄等。

【直辖市】由中央政府直接管辖的城市。如北京、上海、天津、重庆。直辖市下设若干区、县。

【直角坐标】在平面上，取两条互相垂直、相交于原点的数轴，分别叫做 x 轴和 y 轴。设 p 为平面上任一点，从 p 分别引垂线到两轴，其交点在两轴上的值分别为 x,y，这样得到的数组 (x,y) 叫做点 p 的直角坐标。用三条坐标轴，可类似地绘出空间点的直角坐标。参见〔坐标〕(1328 页)。

【直系血亲】有直接血缘关系的亲属。父母与子女之间，祖父母与孙子女之间，外祖父母与外孙子女之间等，都是直系血亲。

【直系军阀】北洋军阀派系之一。先后以冯国璋、曹锟、吴佩孚等(大多数是直隶省即今河北省人)为首，于 1920 年和 1922 年先后战败皖系军阀和奉系军阀，掌握北京政权。1924 年被奉系军阀战败。1926 年被北伐军打垮，势力遂归消灭。

【直系亲属】指和自己有直接血统关系或婚姻关系的人。如父、母、夫、妻、子、女等。

【直言不讳】毫不隐讳地说出来。讳(huì)。

【直接金融】由资金供求双方直接融通资金的一种资金融通方式。

【直接经验】指在实践中亲身获得的对事物的认识。就整体上来说，一切知识都是从直接经验发源的；但由于人类实践和认识的社会性、丰富性和继承性，人们多数的知识都是从别人或别处获得的间接经验。

【直接选举】国家代表机关的代表或国家公职人员由选民直接投票选出的选举方式。与"间接选举"相对。

【直接贸易】企业将产品直接出售给外国市场上独立的经销商或进口商，而不是委托中间商或代理商的国际贸易方式。

【直接营销】简称直销。生产企业将产品直接销售给用户或消费者。

【直截了当】(说话做事)爽快、不绕圈子。

【直角坐标系】平面上有公共原点而且互相垂直的两条数轴，构成平面直角坐标系。通常称水平的数轴为 x 轴或横轴，铅直的数轴为 y 轴或纵轴，两条数轴的交点为原点 o。

【直布罗陀海峡】位于西班牙和摩洛哥两国之间。长约 90 千米，最窄处 14 千米。是地中海与大西洋间的咽喉要道。

Z

值 zhí ❶价钱。㊞币～|价～。❷相当；值得。㊞这支笔～五元|不～一提。❸碰到；遇上。㊞正～佳节。❹担任轮到的职务。㊞～班|～日。❺数学上按照数学式演算所得的结果。㊞比～|函数～。

【值域】函数中函数值的集合。

【值勤】部队或负责治安、保卫、交通等工作的人员值班。

埴 zhí 黏土。

植 zhí ❶栽种。㊞～树造林。❷树立。㊞～党营私。❸移植。㊞～皮。❹指植物。㊞～被。

【植皮】将皮肤移植于缺损部或大的溃疡面，防止创面感染，促使早期愈合。一般使用自体皮肤，在大面积烧伤时，也常移植他人或动物皮肤以及人造皮肤。

【植物】生物界中的一大类。多以无机物为养料，一般有叶绿素，没有神经，没有感觉。分藻类、地衣、苔藓、蕨类和种子植物。有30多万种。

【植株】成长的植物体。包括根、茎、叶等。

【植被】覆盖地面的植物及其群落的总称。是自然地理环境的组成要素。栽培的作物称人工植被；天然森林、灌木丛、草原等称自然植被。

【植物人】认知能力完全丧失，对外界刺激没有任何反应，只能维持生命代谢，类似植物状态的人。由头颅外伤、低氧血症、脑卒中引起。在精心护理下可存活。

【植物学】研究植物的形态、分类、生理、生态、分布、发生、遗传和进化的科学。

【植物碱】即“生物碱”(878页)。

【植树节】国家规定群众义务植树造林的节日。目的是提倡爱林护林，改善生态环境。中国曾于1915年将植树节定于农历清明节这一天，为纪念孙中山，1928年改为3月12日。1979年2月全国人大常委会规定，仍以3月12日为中国的植树节。

【植物群落】在某一地段环境，常结合成一定关系而生存的许多同种或不同种植物的总称。

【植物性神经】也叫内脏神经。调节内脏机能的神经。分交感神经和副交感神经。调节心肌、平滑肌和腺体的活动。过去认为它不受意志支配，故称为植物性神经、自主神经。现已知它不仅在结构上与脑和脊髓有密切联系，在机能上也受中枢神经的调节。

【植物生长调节剂】旧称生长刺激素。具有天然植物激素活性，能对植物生长发育起调控作用的一类农药。主要由人工化学合成，少数用生物发酵方法制备。低浓度时，能促进植物生长，防止落花落果；高浓度时，会抑制植物生长，甚至产生药害，可用于抑制、消灭杂草。常用的有赤霉酸、二四滴、萘乙酸等。

殖 ㊀ zhí 生育；孳生。㊞生～|繁～。㊁ shi (904页)。

【殖民地】被帝国主义国家剥夺了政治、经济的独立权力，并受其控制和掠夺的国家或地区。

【殖民主义】帝国主义、资本主义国家压迫、奴役、剥削落后国家使其沦为殖民地、半殖民地的侵略政策。其手法从直接的政治、经济控制，直到残酷的军事镇压。

侄(*姪*妷) zhí 侄子，称哥哥或弟弟的儿子。也指同辈男性亲属或朋友的儿子。

戠⊠ zhí “职”的异体字。

职(職) zhí ❶职务；责任。㊞～权|尽～。❷职位。㊞就～|调～。❸掌管。㊞～掌。

【职分】❶职责。❷官职。

【职业】个人在社会中所从事的并以其为主要生活来源的工作。

【职务】职位规定应该担任的工作。

【职权】职务范围以内的权力。

【职守】工作岗位。㊞擅离～。

【职志】❶掌旗帜的官。❷宗旨。

【职别】❶职务。❷职务的区别。

【职责】职务和责任。

【职官】❶各级官员的统称。❷职守。

【职高】职业高中的简称。实施中等职业和技术教育的学校。招收初中毕业生，学制3—4年，培养初、中级技术工人或其他从业人员。

【职能】人、事物或机构本身具有的功能或应起的作用。

【职掌】掌管。㊞～天下。

【职业病】从事不同工种的人由特殊生产环境因素引起的疾病。这些因素包括工业毒物、生产性粉尘、噪声、震动、放射性物质、压力等。引发的疾病有金属中毒、硅肺、耳聋等。

Z

【职业道德】指从事一定职业的人员在职业活动中应遵循的行为规范的总和。基本要求是：向社会负责、爱岗敬业、诚实守信、办事公道等。社会主义道德的核心是为人民服务。

【职务发明】执行本单位的任务或主要是利用本单位的物质条件所完成的发明创造。

【职务作品】公民为完成法人或非法人单位工作任务所创作的作品。

跖（*蹠） zhí ❶脚面上接近脚趾的部分。❷脚掌。❸践；踏。

【跖骨】组成足底的小型长骨。相当于手的掌骨。在人体，每足有5块。

摭 zhí 拾取；摘取。[例]～拾。

跽[☒] zhí 同"跖"。

踯（躑） zhí 〔踯躅〕徘徊不前。躅(zhú)。

蹢 ㊁ zhí 同"踯躅"的"踯"。

㊀ dí（194页）。

zhǐ ㄓˇ

止 zhǐ ❶停；停止。[例]～步｜报名日期自3月15日起至3月底～。❷拦阻；使停住。[例]禁～｜～痛。❸仅；只。[例]不～一次。

【止息】停止。

【止境】尽头。

址（*阯） zhǐ 地基；建筑物的位置。[例]住～｜旧～。

芷 zhǐ 白芷。

沚 zhǐ 水中的小块陆地。

祉 zhǐ 福。[例]福～。

趾 zhǐ ❶脚指头。[例]～骨。❷古指脚。[例]～高气扬。

【趾骨】组成脚趾的小型长骨。相当于手的指骨。在人体，拇趾有两节，其余各趾均为三节。

【趾高气扬】走路时脚抬得高高的，神气十足。形容骄傲自满，得意忘形的样子。

只（衹*秖*秪） ㊀ zhǐ 副词。仅仅。[例]～有一个｜～见树木，不见森林。

㊁ zhī（1260页）。

"衹"，另音 qí（769页）。

【只消】只需要。

【只争朝夕】力争在最短的时间内达到目的。朝(zhāo)夕：早晨和晚上。

【只读存储器】专门用于读取计算机存储内容的装置。

【只要功夫深，铁杵磨成针】民间谚语。比喻人只要有毅力，肯下功夫，做任何事情都能成功。

【只许州官放火，不许百姓点灯】宋陆游《老学庵笔记》卷五记载，有一个叫田登的人做州官，要百姓避讳他的名字，元宵节放灯(燈)时，州府出布告说："本州依例放火三日。"后用"只许州官放火，不许百姓点灯"形容统治者可以为所欲为，而人民的正当行为却受到种种限制。

枳 zhǐ 也叫枸橘。落叶灌木或小乔木。有粗刺，常作绿篱。果似橘，圆形，味酸苦，可供药用。

轵（軹） zhǐ 车轴的末端。

咫 zhǐ 古代长度单位。周制八寸，合现在市尺六寸二分二厘。

【咫尺天涯】指距离虽近，但很难相见，像远在天边一样。

疻[☒] zhǐ 皮肤殴伤后发青而没有创痕。

旨 zhǐ ❶意义；目的。[例]主～｜宗～。❷味道美。[例]～酒。❸古称皇帝的命令。[例]圣～｜遵～。

【旨要】也作指要。要旨；要义。

【旨意】意旨；意图。

【旨趣】主要的目的和意图。

指 zhǐ ❶手指头。[例]～纹。❷一个手指头的宽度叫一指。❸手指头或别的东西对着；向着。[例]千夫所～｜时针正～一点。❹意思上针对。[例]刚才的话并不～某个人，而是～某种现象。❺点明；引导。[例]～出错误｜～引。❻依靠。[例]～望。❼直立。[例]令人发(fà)～。

【指引】指点引导。

【指示】上级为指导下级工作而发出的口头或书面意见。

【指正】❶指出错误，使其改正。❷请人提出批评意见时的客气话。[例]意见有不妥当的地方,请～。

【指斥】指摘,斥责。

【指令】❶指示和命令。❷旧时公文的一种,上级机关对下级机关有所指示的公文。

【指导】指示教导;指点引导。

【指针】❶钟表或仪表的面上用来指示时间或度数的针。❷比喻确定方向指导行动的依据。

【指纹】手指肚上的纹理。每人各不相同并且终身不变,可以代替印章。司法机关常利用犯罪分子遗留下的指纹痕迹来确定并追寻罪犯。

【指责】指斥;责备。

【指事】也叫象事。六书之一。指以象征性的符号表示意义的造字法。如“上”(古作“⼆”)“下”(古作“⼆”)。

【指供】也叫指名问供。司法人员按照自己的主观臆断和既定框架,指名指事命令刑事被告人供述和承认。法律禁止指供。

【指使】指派别人按照自己的意图行事(多含贬义)。

【指挥】❶发令调度。㊀～员|工程～部。❷指乐队或合唱队在排练时,指导和帮助表演者正确理解和表现音乐作品的内容,并在演出时,用指挥棒或手势等动作来统领演奏演唱。也指担任这种工作的人。

【指南】指南针。比喻辨别方向的依据、指导行动的准则。

【指标】事先规定的应达到的目标。检查、统计中也指实际达到的标准。㊀力争达到～|所有～均不合格。

【指要】同“旨要”(1265页)。

【指点】❶以手或以手持物指示点明。❷指示,点拨。㊀他曾经名师～。❸指责;评说。㊀～江山。

【指骨】组成手指的小型长骨。在人体,拇指有两节,其他各指均为三节。

【指教】指点教导。用作请人提意见的客气话。㊀不吝～。

【指控】指责,控诉。

【指望】❶期待;盼望。❷所期待、盼望的;盼头。㊀有～。

【指数】❶统计中反映各个时期某一社会现象变动情况的指标。如生产指数、物价指数等。❷见“幂”①(682页)。

【指摘】指出缺点、错误或批评他人的过失。

【指麾】指挥。旧小说中常用。麾(huī):古时军队指挥用的旗子。

【指示剂】能以本身颜色的变化来显示某种化合物的存在或溶液某些性质(如酸碱性)的改变的一类物质。如石蕊、酚酞等。应用广泛。

【指挥所】军队首长指挥作战的机构和场所。一般由首长和必要的人员组成。通常设在便于指挥和荫蔽的地点。有通信联络、交通设备和必要的工程设施等。

【指南针】❶利用可以转动的磁针制成的测定方向的仪器。因受地磁场的作用,针的一头大体上指向南方,利用这一性能,可以辨别方向,常用于航海、旅行和行军中。是中国古代四大发明之一。❷比喻指导行动的准则。

【指战员】中国人民解放军指挥员和战斗员的合称。泛指全体现役军人。

【指日可待】在确定的时期内可望实现。形容不久就可以实现。

【指手画脚】形容一边说话一边比画。也形容乱加批评或随意发号施令。

【指示生物】对环境中的某些物质(包括进入环境的污染物)能产生敏感反应的生物。被用来监测和评价环境污染状况和变化趋势。如芝麻是二氧化硫的指示生物。

【指示植物】在一定地区范围内,能指示环境或其中某一因子特性的植物种、属或群落。如能指示土壤酸性的石松,能指示土壤和气候干旱的仙人掌群落等。

【指令制导】由弹外的制导装置发出控制指令进行的制导。属遥控制导。制导装置可安装在地面、舰船或飞行器上。

【指挥若定】唐杜甫《咏怀古迹》诗:“伯仲之间见伊吕,指挥若定失萧曹。”原诗为对诸葛亮功业的评价,意思是说他和商、周的贤相伊尹、吕尚不相上下,而处事的决断能力更在汉高祖的丞相萧何和曹参之上。后用以形容指挥员沉着、冷静、很有把握的样子。定:规定。

【指桑骂槐】指着桑树骂槐树。比喻表面上骂甲,而实际上骂乙。

【指鹿为马】《史记·秦始皇本纪》记载,秦二世丞相赵高阴谋篡位,但又怕群臣不服,于是就设法试探,故意先献一只鹿给秦二世,并说:“这是马。”大臣中有的不说话,有的跟着说是马,有的仍说是鹿。赵高就把说是鹿的人都加以暗害。后用“指鹿为马”比喻故意颠倒事实,混淆是非。

【指令性计划】由国家制定的具有强制性

Z

质、必须保证执行的计划。

【指导性计划】由国家制定的对企业的经营方向和经济活动目标具有指导作用的非强制性计划。

恉⊠ zhǐ 同"旨"①。

酯 zhǐ 有机化合物的一类，通式R—COO—R′(R、R′代表烃基)。低分子量酯常具有芳香气味，可制溶剂、香料等。

【酯化反应】酸和醇作用生成酯和水的反应。如乙酸跟乙醇在一定条件(浓硫酸存在并加热)下，生成乙酸乙酯的反应。

抵 zhǐ 侧手击；拍。㊀～掌而谈(形容谈得投合、高兴)。

纸(紙*帋) zhǐ ❶供写字、绘画、印刷、包装等用的片状的东西。多用植物纤维制成。❷量词。用于计算文件、书信等的张数。㊀一～电文。

【纸巾】一种用来擦脸、擦手等的软质纸。

【纸马】旧俗祭祀时供焚化的印有神像的纸片。

【纸币】俗称钞票。由国家发行，强制通用的货币符号。由国家银行或政府授权的银行发行。本身没有价值，但可以代替货币充当流通手段。是在货币充当流通手段的职能中产生的。

【纸鸢】风筝。鸢(yuān)。

【纸型】也叫纸版。用特制的纸覆在活字版或其他凸版上压成的纸质凹模版。可浇铸出相同的铅版供印刷机印刷。

【纸钱】旧俗祭祀时烧化给死者或散施给鬼神的钱形纸片。

【纸浆】由木材、草类及棉麻等，经过机械或化学的方法处理后所得的纤维状物质。根据制造方法可分为机械浆、化学机械浆、化学浆等。纸浆是造纸的原料。化学浆经过精制后，可用于人造纤维、火药、塑料等工业。

【纸叶子】一种旧式纸牌。

【纸老虎】比喻外表强大而实际上空虚无力的人或集团。

【纸上谈兵】《史记·廉颇蔺相如列传》记载，战国时赵国名将赵奢的儿子赵括，少时学兵法，善于谈兵，父亲也难不倒他。后来代廉颇为赵将，只照搬兵书，不知变通。结果在长平之战中被秦兵打败。后用以比喻只凭书本知识空发议论，不能解决实际问题。

【纸醉金迷】也说金迷纸醉。宋陶穀《清异录·居室》记载，唐末有个叫孟斧的人，他把自己房间里的家具都包上了金纸，闪闪发光。到过他家的人就说，在那房里呆一会儿，能让人金迷纸醉。后多用"纸醉金迷"形容奢侈糜烂的生活。

黹 zhǐ 做针线；刺绣。㊀针～。

徵 zhǐ 古代五音(宫、商、角、徵、羽)之一。相当于简谱的"5"。

另音 zhēng，见"征"(1253页)。

zhì ㄓˋ

至 zhì ❶到。㊀自始～终。❷最；极。㊀～多|高兴之～。❸最好的。㊀～交|～理名言。

【至于】❶表示达到某种程度。㊀他还不～不知道。❷连词。表示另提一事。㊀～个人得失，他根本不考虑。

【至交】交谊极深的朋友。

【至宝】最珍贵的宝物。㊀如获～。

【至诚】非常诚实、诚恳。

【至毒】极毒。

【至亲】关系最近的亲戚。

【至高无上】高到顶点，再也没有更高的了。《淮南子·缪称训》："道，至高无上，至深无下。"汉许慎《说文解字·一部》："天，颠也。至高无上。"

【至理名言】指极正确、极精辟的话。

厔□ zhì 见〔盩厔〕(1289页)。

郅 zhì 极；大。

挃⊠ zhì ❶捣。❷〔挃挃〕割禾的声音。

庢⊠ zhì ❶受阻碍。❷山弯曲的地方。

桎 zhì 古称脚镣。

【桎梏】脚镣和手铐。比喻束缚人的东西。梏(gù)。

轾(輊) zhì 见〔轩轾〕(1113页)。

致(❹緻) zhì ❶给予；向人表达。㊀～函|～以热烈的祝贺。❷集中(精力、意志等)。㊀～力|专心～

Z

志。❸引起;使达到。㊀～病|学以～用。❹精密。㊀细～|精～。❺意态;情趣。㊀兴～|景～|别～|毫无二～。

【致力】把力量完全用在某个方面。㊀～于发明创造。

【致词】同"致辞"(1268页)。

【致使】由于某种原因而使得;以致。㊀由于准备工作没有做好,～试验无法如期进行。

【致命】可使丧失性命。比喻最厉害的。㊀给敌人以～的打击。

【致密】细致精密。

【致敬】向人敬礼或表示敬意。

【致富】实现富裕。

【致谢】向人表示谢意。

【致辞】也作致词。举行仪式时发表祝贺、答谢、欢迎、欢送、哀悼等方面的讲话。也指上述方面的讲话。

【致意】向人表示问候之意。

【致邀】表示邀请。

【致癌物】能在人类或哺乳动物的机体内诱发癌症的物质。按性质可分为化学性的(如苯并芘、萘胺等)、物理性的(如 X 射线、放射性核素氡等)、生物性的(如一些致癌病毒)。

晊☒ zhì 大。

铚(銍) zhì ❶古代割禾穗的短镰刀。❷用铚割下的禾穗。

窒 zhì 阻塞。㊀～息。

【窒息】因周围氧气不足或呼吸系统发生障碍而呼吸严重困难乃至停止呼吸。

【窒息性毒剂】损害呼吸器官的毒剂。如光气等。主要破坏肺的正常功能,使血浆渗出血管到肺组织中,引起肺水肿,造成机体缺氧,严重者会窒息而死。戴防毒面具即可防护。

膣☒ zhì 阴道,女性生殖器的一部分。

蛭☒ zhì 〔蝼蛭〕蝼蛄。

蛭 zhì 环节动物的一纲。身体通常长而扁平,无刚毛,前后各有一个吸盘。生活在淡水中或潮湿的地方。如水蛭、湖蛭、山蛭等。

志(❷❸*誌) zhì ❶决心;志愿。㊀立～|有～者事竟成。❷记住。㊀永～不忘。❸文字记录。㊀杂～|地理～。❹古又同"帜"。

【志士】有志向和节操的人。㊀爱国～。

【志气】❶要求上进的决心和勇气;希望实现崇高理想、宏伟愿望的气概。❷骨气;气节。

【志节】志向节操。

【志向】对未来的愿望和理想以及实现这一愿望和理想的决心。

【志哀】表示悲伤哀悼。

【志喜】留下喜庆的纪念,以表示祝贺。

【志趣】志向和兴趣,意志的趋向。

【志留纪】古生代的第三个纪。约开始于4.38亿年前,结束于4.1亿年前。在这个时期里,生物群中腕足类和珊瑚繁荣,三叶虫和笔石仍繁盛,无颌类发育,到晚期出现原始鱼类,末期出现原始陆生植物裸蕨。

【志留系】古生界的第三个系。指志留纪时期所形成的地层。

【志愿兵】❶依照志愿兵役制或募兵制征召的军人。❷中国人民解放军中服现役满一定年限,已成为技术骨干,根据军队需要,由本人申请,经批准继续留在军队服役的士兵。包括专业军士和军士长。

【志士仁人】也说仁人志士。指有高尚志向和道德的人。《论语·卫灵公》:"志士仁人,无求生以害仁,有杀身以成仁。"

【志大才疏】也说才疏志大。志向很大而能力很低。《后汉书·孔融传》:"融负其高气,志在靖难,而才疏意广,迄无成功。"《宋史·王安礼传》:"徐僖计议边事。安礼曰:'僖志大才疏,必误国。'"

【志同道合】志向相同,道路一致。形容彼此理想、志趣相合。明归有光《题仕履重光册》:"大司寇箬(ruò)溪顾公、大司空南坦刘公,方与石翁为湖南社会,志同道合,其称许之固宜。"

梽 zhì 〔梽木山〕地名。在湖南。

痣 zhì 皮肤上局部生的斑痕。有青、红、褐、黑等色,也有突起的,无不适感。

豸 zhì ❶古书上指没有脚的虫子。㊀虫～。❷解决。㊀庶有～乎。

忮 zhì 嫉妒。㊀不～不求。

识(識) ㊁ zhì ❶记住。㊀博闻强～。❷标志;记号。㊀款～。

㊁ shí(893页)。

帜(幟) zhì ❶旗子。㊎独树一～。❷记号。㊎标～。

帙(*袠*袟) zhì ❶古代书画外面包着的布套。❷量词。一套线装书叫一帙。

狭☒**(紩)** zhì 缝;补缀。

栎☒ ㊀ zhì 门槛。
㊁ dié(214页)。

秩 zhì ❶次序。㊎～序。❷十年。㊎八～寿辰(八十岁生日)。

【秩序】次序;有条理不混乱的状况。

制(❶製) zhì ❶造;作。㊎～图。❷拟订;规定。㊎～定计划|因地～宜。❸管束;约束。㊎控～|～约。❹制度。㊎全民所有～。

【制止】用强力阻止。

【制订】创制拟订。㊎～汉语拼音方案。

【制书】帝王命令的一种。

【制式】❶指一种标准和规格。㊎单～。❷合于统一标准和规格的。㊎～教练|～器材。

【制伏】也作制服。用强力压制使驯服。

【制导】控制和导引火箭、导弹等按照预定的弹道或确定的飞行路线准确地到达目标。按制导方式,分自主制导、遥控制导、寻的制导和复合制导;按传输方式,分无线电制导和有线电制导。

【制约】甲事物的存在和变化以乙事物的存在和变化为条件,称甲事物为乙事物所制约。

【制冷】人工制造低温的技术。即使某一空间或区域的物质的温度比周围环境温度低的技术。广泛应用于电冰箱、空调器和液化空气等方面。

【制版】制造印刷底版。

【制服】❶同"制伏"(1269页)。❷统一的有规定式样的服装。

【制剂】药物经过加工制成的剂型。如水剂、片剂等。

【制定】定出(法律、章程、计划等)。㊎～宪法|～学会章程|～年度计划。

【制胜】取胜。㊎出奇～。

【制度】❶要求大家共同遵守的办事规程或行动规则。㊎工作～。❷在一定历史条件下形成的政治、经济、文化等各方面的体系。㊎社会主义～。

【制钱】明、清两代按定制由官炉铸造的铜钱。

【制裁】❶对违法者依法给予惩罚。❷中国国家机关、政党、人民团体、企业事业单位和军队等,对违反其纪律的人员予以处分。

【制衡】制约。㊎缺乏监督机制的～。

【制冷机】也叫冷冻机。利用制冷剂蒸发时吸收周围的热量而获得低温的装置。用于冷藏、空调等方面。

【制冷剂】也叫冷冻剂。一般为低沸点液体,蒸发时吸收周围的热量,造成低温,再将其压缩液化。可循环使用。常用于冷库、冰箱、冰柜、空调中。

【制空权】作战中,在一定时间内对一定空域的控制权。

【制造业】即"加工工业"(465页)。

【制高点】军事上指某一地域内,能居高临下,便于观察、控制战斗局势和发挥火力的高地或建筑物。是敌对双方必争之地。

【制海权】作战中,在一定时间内对一定海区的控制权。现代战争中,制海权依赖于相应的制空权。

【制电磁权】作战中,在一定时空范围内对电磁频谱使用的控制权。现代战争中,只有夺取制电磁权才能赢得主动权。

质(質) zhì ❶事物的根本特性。㊎本～|变～。❷哲学范畴。指一事物之所以是该事物并区别于他事物的规定性。❸质料,构成事物的材料。㊎铁～|流～。❹产品或工作的优劣程度。㊎优～钢|按～论价|保～保量。❺朴实。㊎～朴。❻询问;责问。㊎～疑|～问。❼抵押;抵押品。㊎～押|人～。❽古又同"贽"。❾古又同"锧"。

【质子】原子核的组成部分之一。质量是电子质量的1 836倍。带正电,所带电量和电子相等。

【质心】质量中心的简称。是研究物体运动的重要参考点。如果作用力通过物体的质心,则物体做平动;否则物体既做平动,又做绕质心的转动。

【质地】某种材料的结构性质。㊎～精美。

【质朴】朴实。

【质权】即"质押"(1269页)。

【质问】❶责问。❷询问。

【质押】也叫质权。债务人或第三人将其动产移交给债权人占有,当债务人不履行债

Z

务时，债权人可以该动产折价或以拍卖、变卖该动产的价款得到优先受偿的权利。分动产质押和权利质押。可以设定权利质押的有汇票、支票、股票、存款单、提单、仓单等。

【质直】质朴正直。

【质变】也叫突变。哲学范畴。指事物从一种性质向另一种性质的显著变化。质变是量变的必然结果。与“量变”相对。

【质点】在研究物体运动时，如果它的大小在所研究的范围内是很小的，或者物体在作平动(没有转动)时，就可以不考虑它的大小和形状，把它看作质量集中在一点，叫做质点。

【质检】质量检查。

【质量】❶产品或工作的优劣程度。❷物理学上指物体平动惯性大小的量度。在同样的外力作用下，惯性较大的物体得到的加速度较小，也就是它的质量较大。

【质感】指造型艺术中运用不同的表现手段表现出的各种不同物体所具有的特质。如钢铁、竹木、陶瓷、玻璃、呢绒等的软硬、轻重、粗细、糙滑等真实感觉。

【质数】素数的曾称。

【质疑】提出疑问。

【质谱】在高能作用下，原子及分子可生成荷电质点或裂解成荷电的分子碎片，加以分离记录而得到的图谱。质谱分析方法具有极高的灵敏度。用质谱方法测定^{14}C的含量可确定古物或岩石的年龄以及用于测定有机化合物的结构等。

【质言之】直截了当地说。

【质量数】原子核内质子数与中子数的总和。

【质谱仪】分析元素的同位素成分、质量和含量百分比的仪器。先使被分析的物质形成离子，再用电场或磁场使质量不同的同位素离子分离，分别射到照相底片的不同位置上，形成一条条谱线。根据谱线的位置和感光深浅程度，可分析出它们的质量和相对百分比。

【质能关系】物体的质量和能量之间的数量关系。即物体的能量等于它的质量跟真空中光速的二次方的乘积。是相对论的重要结论，已被实验证实，成为利用核能的理论基础。

【质量控制】为使产品、生产过程或服务达到质量要求所采取的作业技术和活动。

【质量互变规律】也叫量变质变规律。唯物辩证法的基本规律之一。指一切事物的发展都是通过由量变到质变再由质变到新的量变这样循环往复不断产生新质的过程实现的。量变是质变的必要准备，质变是量变的必然结果并为新的量变开辟道路。

【质量守恒定律】也叫物质不灭定律。即参加反应的各物质的总质量，等于反应后生成的各物质的总质量。证明自然界物质是永恒存在的。

桎⊠(櫍) zhì ❶钟鼓架子或其他器物的脚。❷砧板；垫木。

碛⊠(礩) zhì 柱下石。

锧(鑕) zhì 古代腰斩用的垫座。㊐斧～。

踬(躓) zhì ❶绊倒。㊐颠～。❷事情不顺利；失败。㊐屡试屡～。

炙 zhì ❶烤。㊐～肉。❷比喻受熏陶、影响。㊐亲～。❸烤熟的肉。㊐残杯冷～。

【炙手可热】热得烫手。唐杜甫《丽人行》诗：“炙手可热势绝伦。”比喻权势很大，气焰很盛，使人不敢接近。炙：烤。

滞⊠(瀄) zhì 〔滞汩〕形容水流迅速。

栉(櫛) zhì ❶梳子、篦子等梳头发的用具。❷梳。㊐～发。

【栉比】像梳子齿那样密密地排着。

【栉风沐雨】也说沐雨栉风。《庄子·天下》：“沐甚雨，栉疾风。”意思是大雨洗发，疾风梳头。后用以形容经常在外面奔波劳碌。栉：梳头发。沐：洗头。

治 zhì ❶管理；治理。㊐自～|根～。❷医疗。㊐～病。❸研究。㊐～学。❹惩办。㊐～罪。❺消灭(害虫等)。㊐～虫。❻社会秩序安定。㊐天下大～。❼地方政府所在地。㊐省～|县～。

【治本】从根本上加以治理或解决。与“治标”相对。

【治安】(社会的)安宁秩序。

【治丧】办理丧事。

【治所】旧指地方长官办公的处所。

【治学】研究学问。

【治标】只治理或解决表面的枝节的问题，而不从根本上加以解决。与“治本”相对。

【治理】❶统治;管理。㊀～国家|班主任老师把这个班级～得井井有条。❷整修。㊀～黄河。
【治装】备办行装。
【治罪】给犯罪人应得的惩罚。
【治外法权】❶外国人不受所在国管辖的一种特权。只有外国的元首、政府首脑、外交代表和联合国官员才能享有。❷一国在他国境内所行使的管辖权,也就是"领事裁判权"。这种特权,是不平等条约的产物,违反主权原则,现已废除。
【治丝益棼】《左传·隐公四年》:"犹治丝而棼之也。"意思是整理蚕丝,不找头绪,越理越乱。比喻做事没有抓住要领,越做越糟。棼(fén):纷乱。
【治病救人】比喻针对某人的缺点错误进行分析、批评,帮助其改正。

峙 ㊀ zhì 直立;耸立。㊀双峰对～。㊁ shì(902 页)。

庤 zhì 储备。

畤☒ zhì 古代祭天地和五帝的处所。

偫☒ zhì 预先准备。

痔 zhì 痔疮,一种常见的肛管疾病。由直肠下端或肛管的静脉曲张所造成,经常便秘者易得此病。分内痔、外痔和混合痔。症状是排便后滴鲜血,局部疼痛或有肿物由肛门突出等。

陟 zhì 登高;上升。㊀～彼高岗。

骘(騭) zhì 安排;定。㊀评～高低。

贽(贄) zhì 古代初次拜见长辈或比自己地位高的人所送的礼物。

挚(摯) zhì 诚恳;恳切。㊀真～|恳～。

【挚友】极亲密的朋友。
【挚敬】诚恳恭敬。

鸷(鷙) zhì 凶猛。㊀～鸟(指鹰、雕等猛禽)。

猘☒ zhì 狗发疯。

掷(擲) zhì 扔;投;抛。㊀投～|～标枪。

【掷还】请人把原物归还自己的客套话。㊀所寄稿件如不用,务请～。

智 zhì ❶聪明;有见识。㊀才～|～者千虑,必有一失。❷智慧;见识。㊀足～多谋|吃一堑,长一～。

【智人】最初的真正意义上的人。生活于大约二十五万到十万年前。此时人类脑容量达到约 1 350 毫升,与现代人相差无几,不仅能制造工具,而且工具的专业化更为明显。此时的智人群体已开始向人类社会过渡,出现一些临时性的集中居住地。已有了氏族生活和制度的萌芽,出现了图腾崇拜。
【智力】指人认识事物和运用知识、经验解决问题的能力。
【智术】计谋,手段。
【智取】用智谋去夺取。
【智齿】也叫大臼齿。恒牙的第三磨牙。一般在 18—22 岁才长出来。有的人终生不长。
【智育】对学生进行的文化科学知识方面的教育。
【智虑】才智思虑。指洞察事物的能力。
【智能】❶智慧和能力。㊀开发儿童～。❷具有人的某些智慧和能力的。㊀～机器人。
【智商】标示人智力发展水平的指数。按年龄制定若干组测验项目,被试者能完成某一组的测试,即为该人的智龄。智商 = 智龄 ÷ 实足年龄 × 100。智商在 80 以下者为智力低下。
【智谋】智慧和计谋。
【智慧】❶聪明才智。㊀集中群众的～。❷智力。
【智囊】比喻足智多谋的人。多指善于为别人出谋划策的人。
【智多星】指计谋多的人。
【智能卡】即"集成电路卡"(457 页)。
【智力开发】指把人的智慧、才能作为资源开发运用的一系列活动。即通过教育等增长人们的知识,提高人们的智力,使变成能够认识和改造客观事物的现实能力。
【智力投资】也叫人才投资。指把人的智力作为一种可以开发利用的资源,进行人力和物力的投入。包括国家的教育经费的投入、社会科学文化发展经费的投入等。
【智圆行方】《淮南子·主术训》:"智欲圆而行欲方。"指见识要广博圆通,而行事则应该公正。智：知识，见识。方：方正。

【智能大厦】在建设过程中，综合应用现代电信技术、微电子技术、计算机技术和软件技术，使其具有智能化特征的建筑物。智能化通常指通信自动化、办公自动化、楼宇管理自动化、保安自动化和消防自动化。

【智能犯罪】利用知识与技能采取非暴力手段犯罪。如贪污、诈骗、计算机盗窃或破坏、设计意外事故致人伤亡等。

【智能武器】人工智能武器的简称。应用人工智能技术，能自动寻找、识别和摧毁敌方目标的武器。如具有人工智能的导弹、炸弹、鱼雷等。

【智能建筑】在建筑工程体系中加入通信、自动化控制、网络管理等高新技术所形成的建筑系统。其智能体现在对建筑空调、照明、电梯、能源等的自动控制，以及办公通信的网络化等方面。

【智者千虑，必有一失】聪明的人，对问题虽久经考虑，也有可能出差错。《史记·淮阴侯列传》："智者千虑，必有一失；愚者千虑，必有一得。"

傂⊠ zhì 见〔偨傂〕(148 页)。

滞(滯) zhì 凝聚不流通。㊀停～｜～销。

【滞后】落在后面。㊀交通运输～状况，束缚了生产力的发展。

【滞胀】经济停滞与通货膨胀并存的经济现象。

【滞泥】拘泥；固执。泥(nì)。

【滞留】停留不动。

【滞销】指某种商品购买的人很少，不易售出。

【滞纳金】对不按规定期限缴纳各种税款或费用的单位或个人加收的金额。

彘 zhì 古称猪为彘。

置(❶*寘) zhì ❶放；搁。㊀安～｜～之不顾。❷设立。㊀设～。❸购买。㊀～地｜添～。

【置办】购买；采办。

【置信】相信(多用于否定式)。㊀难以～。

【置喙】插嘴。参见〔不容置喙〕(83 页)。

【置疑】有怀疑(多用于否定式)。㊀无可～。

【置辩】申辩(多用于否定式)。㊀不容～。

【置之不理】扔在一边，不予理睬。

【置之度外】放在考虑之外。多用来形容不把生死、利害等放在心上。明归有光《与王子敬书》之一："区区得失，久已置之度外。"度：考虑。

【置邮而传】《孟子·公孙丑上》："德之流行，速于置邮而传命。"形容声名的流传非常快。邮：驿，古代传递书信的人换马、休息或住宿的地方。

【置若罔闻】好像没有听见似的，不加理睬。若：像。罔：没有。

【置换反应】一种单质和一种化合物反应生成另一种单质和另一种化合物的化学反应。

雉 zhì 通称野鸡。鸟类。雄性体羽华丽，尾长，雌性淡黄褐色，尾较短。善走，不能久飞。活动在荒山田野间。羽毛可制装饰品。

稚(*穉*稺) zhì 幼小。㊀～子｜～气(孩子气)。

【稚虫】不完全变态类昆虫的幼体。水栖，以鳃呼吸。如蜻蜓、蜉蝣的幼体。

廌⊠ zhì 见〔獬廌〕(1090 页)。

滍 zhì 〔滍阳〕地名。在河南中部。

疐⊠ zhì ❶受阻碍而停滞。❷跌倒。

懥⊠ zhì 愤怒。

瘈⊠ zhì 同"猘"。

觯(觶) zhì 古代酒器。

擿⊠ ㊀ zhì 同"掷"。
㊁ tī (966 页)。

zhōng ㄓㄨㄥ

中 ㊀ zhōng ❶跟四周的距离相等。㊀～心｜～央。❷在一定的范围以内；内部。㊀假期～｜革命队伍～。❸位置、等级、质量在两端之间的。㊀～途｜～型｜～等。❹不偏不倚。㊀～立。❺适于；合于。㊀～用｜～看。❻用在动词后表示持续状态。㊀在研究～。❼中国的简称。㊀洋为～用｜古今～外。❽古又同"仲(zhòng)"。
㊁ zhòng (1285 页)。

【中人】❶为双方介绍买卖、调解纠纷并做

见证的人。❷指才能、身材或面貌居于中等的人。

【中子】原子核的组成部分之一。质量与质子大约相等。不带电，易进入原子核内部，引起核反应。

【中元】民间传统节日。在农历七月十五日。是祭祀祖先和孤魂野鬼的日子。

【中介】在中间起媒介作用的。

【中心】❶跟四周的距离相等的位置。❷居重要地位的或事物的主要部分。㊀～工作|～问题|文化～。

【中允】❶公正。㊀貌似～。❷古代官名。

【中东】一般指亚、非、欧三洲连接的地区。通常包括埃及和除阿富汗、格鲁吉亚、亚美尼亚、阿塞拜疆以外的西亚诸国。欧洲人按距离欧洲的远近，把东方各国分别称为近东、中东和远东。中东地区的范围，没有明确的划分，特别是中东和近东没有严格界限。

【中叶】❶中世；中古。❷泛指中期。㊀19世纪～。

【中央】❶中心；居中的地方。❷国家政权、政党、团体在全国范围内的最高领导部门。

【中立】在对立双方之间，不倾向于任何一方。

【中考】❶指初中升高中或中专、中等技术学校的招生考试。❷指期中考试。

【中亚】指亚洲中部地区。通常包括哈萨克斯坦、乌兹别克斯坦、吉尔吉斯斯坦、塔吉克斯坦和土库曼斯坦。

【中华】古称黄河流域一带为中华，是汉民族最初兴起的地方。后用以指称中国。

【中旬】一个月的中间十天，即从十一日到二十日。

【中州】❶一般指今河南一带。河南古属豫州，豫州位于九州的中心，故名。❷指黄河中游一带。

【中兴】指由衰微而复兴（多指国家）。

【中农】经济地位介于贫农和富农之间的农民。大多占有土地，并有相当的生产工具。生活来源全靠或主要靠自己劳动，一般不剥削别人，但也不出卖劳动力。按其经济地位和生活状况又分为富裕中农和下中农。

【中医】❶中国传统的医学。❷用中国传统医学的理论和方法治病的医生。

【中坚】古代军队中主帅所在、力量最强的部分。后泛指最坚强并起主要作用的力量。㊀～力量|～分子。

【中表】跟父亲的姐妹的子女或跟母亲的兄弟姐妹的子女之间的亲戚关系。

【中枢】在一事物系统中起关键、主导作用的部分。㊀交通～|神经～。

【中雨】中等强度的降雨。24 小时内降雨量在 10—25 毫米或 1 小时内降雨量在 2.5—8 毫米。

【中欧】指波罗的海以南、阿尔卑斯山脉以北的欧洲中部地区。通常包括波兰、捷克、斯洛伐克、匈牙利、德国、奥地利、瑞士、列支敦士登。

【中转】运输部门指中途转运。如货物中转、旅客中转等。

【中非】指非洲中部地区。通常包括乍得、中非共和国、刚果共和国、加蓬、喀麦隆、刚果民主共和国、赤道几内亚、圣多美和普林西比、安哥拉。

【中国】中华人民共和国的简称。1949 年 10 月 1 日成立。成立后的中国，通常称新中国；成立前的中国，通常称旧中国。

【中饱】从经手财物中取利贪污。

【中波】通常指波长在 100—1 000 米（频率 3 000—300 千赫）范围内的无线电波。主要靠地波传播，多用于较短距离的无线电广播、无线电测向等方面。

【中性】❶指所呈现的性质不偏于一方的。㊀～反应|～词。❷见〔阴性〕②（1174 页）。

【中试】产品设计出到投产前的试验。㊀～基地。

【中胡】拉弦乐器。形制与二胡相同而稍大。属于中音乐器。多用于合奏、伴奏。

【中南】一般包括湖北、湖南、广东、海南和广西壮族自治区五省区。广义的还包括河南、江西两省。

【中秋】民间传统节日。在农历八月十五日。有赏月、吃月饼等风俗。

【中保】居中作证或作保的人。

【中统】中国国民党中央执行委员会调查统计局的简称。国民党 CC 系控制的特务组织。1938 年成立。隶属于国民党中央党部的组织部，故名。它在国民党各省、市党部及警察局设立调查室或调查股，在县、区党部设调查干事，其爪牙遍布国民党的党政机关、文教部门和经济机构，从事各种特务活动。

【中耕】作物生长期间在行间、株间进行田间管理。如松土、除草、培土等。

Z

【中原】指黄河中、下游地区，包括河南的大部地区、山东的西部和河北、山西的南部及安徽的西北部。

【中脑】脑干的一部分。位于间脑和小脑、脑桥之间。

【中雪】强度中等的降雪。24 小时内降雪量在 2.5—5 毫米之间。

【中堂】❶厅堂的正中。❷宰相的别称。始于宋，因宰相在中书省内的政事堂办公，故名。❸明清两代内阁大学士的别称。❹悬挂在客厅正中的尺寸较大的字画。

【中庸】❶书名。儒家经典之一。原为《礼记》中的一篇。相传为孔子之孙孔伋(子思)所作。内容是宣扬孔子的中庸之道。南宋朱熹把它从《礼记》中抽出，编入《四书集注》。❷指中庸之道。儒家的一种伦理思想。中，指不偏不倚；庸，指平常。中庸，指无过无不及的态度。《论语·雍也》："中庸之为德也，其至矣乎！"意指中庸是最高的道德标准。

【中断】中途停止或断绝。

【中落】(家境)由兴盛到衰败。

【中辍】指(事情)中途停止进行。辍(chuò)。

【中景】指电影画面的一种取景范围。即摄取人物膝盖以上或景物的局部，在画面中表现人物半身的形体动作和情绪交流。

【中焦】见〔三焦〕(842 页)。

【中馈】指妇女在家主持的饮食等事。也借指妻室。

【中道】❶半路；中途。㊀～而废。❷中庸之道。参见〔中庸〕(1274 页)、〔中庸之道〕(1276 页)。

【中游】❶介于河的上游与下游之间的一段。❷比喻所处的位置、所达到的水平是居中的。

【中频】❶在无线电波段表中，指 300—3 000千赫范围内的频率。❷在超外差式收音机中，由收音机本身产生的电振荡和接收到的高频电信号混合而取得的一个固定的中频电信号。

【中山狼】明马中锡《中山狼传》载，战国时赵简子去中山打猎，一条狼中箭，向东郭先生求救。东郭先生救了它，可是这条狼却要吃掉东郭先生。后用以比喻忘恩负义的人。

【中山陵】孙中山先生的陵墓。建于 1926—1929 年，在南京紫金山。设计人为建筑师吕彦直。陵墓采用轴线对称的布局形式，平面呈钟形。建有牌坊、甬道、陵门、碑亭、祭堂和墓室，建筑平易近人。主体结构采用钢架与钢筋混凝土，屋顶为重檐歇山蓝琉璃瓦顶，是用现代建筑材料和结构探索民族形式建筑的代表作。

【中子星】主要由中子组成的密度极大的恒星。其质量约在太阳质量的 1/20 至 3 倍之间，半径约 10 千米，密度可达 10^{15} 克/厘米^3。

【中子弹】也叫增强辐射弹。一种小型氢弹。以高能中子辐射为主要杀伤因素，冲击波和光辐射效应相对减弱。爆炸时释放出大量高能中子，中子辐射强度约为同当量的一般核武器的十倍。中子进入人体后，能破坏细胞组织，使人死亡。中子的穿透能力强，在有效范围内可以穿透坦克的钢甲和钢筋水泥建筑物的厚壁，杀伤其中的人员。同时可大幅度减少非直接攻击目标的连带毁伤。通常作战术核武器使用。

【中长跑】径赛项目之一。中距离和长距离的赛跑。男子以 800 米、1 500 米为中距离跑，5 000米、10 000 米为长距离跑；女子以 800 米、1 500 米为中距离跑，3 000 米、5 000 米、10 000 米为长距离跑。

【中心语】指被修饰、限制的成分。如"美丽的春天"中的"春天"、"认真地读书"中的"读书"。

【中书省】官署名。魏晋时设置，掌管机要，起草和发布诏令。南朝梁陈时是决策机关。隋改名内史省、内书省，渐成全国政务中枢。唐宋元都相沿设置中书省。明废。

【中世纪】介于古代和近代之间的历史时期。一般指欧洲自 5 世纪西罗马帝国灭亡到 17 世纪英国资产阶级革命前的这一时期，即欧洲封建社会时期。

【中央社】中央通讯社的简称。国民党的通讯社。1924 年在广州创立。1949 年迁往台北。1973 年以"中央通讯社股份有限公司"名义对外营业。

【中央税】属于中央财政固定收入，归中央政府支配和使用的税。

【中生代】显生宙的第二个代。约开始于 2.5 亿年前，结束于 6 500 万年前。分为三叠纪、侏罗纪、白垩纪。

【中生界】显生宙的第二个界。指中生代时期所形成的地层。分为三叠系、侏罗系、白垩系。

【中立国】在其他国家间发生战争时不参加战争，不给任何交战国以援助，包括不让本国领土被任何交战国用于作战目的的国家。有战时中立国和永久中立国两类。

【中耳炎】中耳局部的炎症。因细菌侵入，或由鼻或鼻咽部急性炎症经耳咽管蔓延引起。主要症状是耳疼、耳聋、化脓，严重时鼓膜穿孔。

【中成药】指中药成药。用中医界认定的药方，通过不同的加工方法制成丸、散、膏、丹、胶、酒、露、茶、锭等十余种剂型的现成药。服用方便。

【中华鲟】鱼类。身体梭形，长约1.7—3.2米。吻尖而长，口小，有须两对，全身基本无鳞，背部有五排纵向骨板，尾鳍歪形。常栖息在有砂砾的水底，食无脊椎动物和鱼类。产于长江、钱塘江、闽江和东海、南海。是中国国家重点保护动物。

【中位数】将总体单位的某一数量标志的各个数值按照大小顺序排列，居于中间位置的数值。

【中间层】也叫高空对流层。从平流层顶到距地面约85千米高度范围的大气层。本层内气温随高度增加迅速降低，空气的垂直对流运动强烈。

【中间商】在商品流通过程中，作为其中一个环节，将买卖双方联系起来并从中赚取差价的企业或个人。

【中纬度】见〔低纬度〕(191页)。

【中国画】简称国画。中国具有鲜明民族特色的传统绘画艺术。因技法和表现形式特点不同，有工笔、写意、水墨、重彩等的分别。

【中和热】在稀溶液中，酸碱中和生成1摩尔水放出的热量。

【中草药】以草药为主的中药材的统称。多数是植物药，也包括一些动物药和矿物药。

【中美洲】指北美洲南部位于墨西哥和南美洲之间的地区。陆地狭窄，故又名中美地峡。处于热带，地形以高原、平原为主。面积52万平方千米，人口1.33亿(1999年)。

【中继线】❶在一个地区内，各个电话分局之间的连接线。❷电话局和使用单位总机之间的连接线。

【中继站】远距离通信中设置在信号传输的沿途，起放大或再生信号作用，以保证信号传输质量的站点。

【中提琴】拉弦乐器。在管弦乐队和重奏中，它的声部低于第一、第二提琴，高于大提琴。用中音谱号记谱。定弦比小提琴低五度。

【中微子】一种极微小的粒子。质量比电子小得多，静止时质量接近于零，不带电，有贯穿能力。

【中心城市】在城市群体中居于中心位置，并在经济、政治、文化、科学技术等方面对周围地区具有主导作用的城市。

【中心思想】文章或发言中的主要思想内容。㈣热爱生命是他的演讲的～。

【中央红军】即“中国工农红军第一方面军”(1280页)。

【中央银行】一国实行货币政策和监管金融业的主管机构。是国家货币当局和金融体系的核心，是发行的银行、银行的银行和国家的银行。

【中央集权】国家权力集中统一于中央政府的制度。地方政府直接受中央政府的指挥并根据中央的政策、指示、法令办事。中国第一个中央集权的朝代是秦始皇建立的秦朝。

【中华民国】简称民国。1912—1949年中国国家的名称。1912年1月1日孙中山在南京领导建立了资产阶级民主政权，宣告中华民国成立，结束了两千多年的封建统治。但这一政权不久被北洋军阀袁世凯篡夺，成为地主、买办阶级联合专政的工具。1927年四·一二反革命政变后，政权落入蒋介石集团手里。1949年中国人民在中国共产党领导下，推翻了南京国民政府，建立了中华人民共和国。

【中华民族】中国各民族的总称。包括五十六个民族，十二亿多人口。中华民族勤劳勇敢，有光荣的革命传统，有优秀的历史文化遗产。新中国成立后，各族人民在中国共产党的领导下，团结一致，共同为建设富强、民主、文明的社会主义现代化国家而努力奋斗。

【中产阶级】在当代西方社会，主要指文化层次较高、收入较丰厚的阶层。包括国家公务员、工商企业中从事管理或技术工作的中上层人员、记者、医生、教师等。

【中间汇率】外汇买入价与卖出价的平均数。

【中沙群岛】南海中四大群岛之一。在西沙群岛东南。是一群尚未露出水面的珊瑚礁滩。分布略成椭圆形。属海南省。

【中国日报】中国全国性的英文日报。1981年6月1日在北京创刊，每天在北京、上海、广州、香港、纽约、伦敦等地同时出版。已发行到世界150多个国家和地区。

【中国象棋】即“象棋”(1078页)。

【中国数字】中国汉字以及商业中通用的记数符号。分大写、小写和数码三种。大写：零、壹、贰、叁、肆、伍、陆、柒、捌、玖、拾、佰、仟、萬等。小写：〇、一、二、三、四、五、六、七、八、九、十、百、千、万等；数码：〇、〡、〢、〣、〤、〥、〦、〧、〨、〩、十等。

【中和反应】酸和碱作用生成盐和水的反应。

【中法战争】1883—1885年法国侵略中国的战争。1883年法国侵占越南后，又挑起中法战争。1884年法军进攻台湾基隆，刘铭传在台湾沪尾(今淡水)大败法军，粉碎其侵占台湾的计划。次年，清将冯子材率清军在谅山、镇南关大败法军，引起了法国政局动荡，茹费理内阁倒台。在清军大胜的情况下，清政府却与法国秘密议和，1885年4月双方订立《停战协定》，6月授意李鸿章与法国在天津签订了屈辱的《中法新约》。

【中南半岛】在亚洲东南部，中国的南面，南海和孟加拉湾之间。面积约200万平方千米。包括越南、老挝、柬埔寨、缅甸、泰国和马来西亚一部分。多山，大部分属热带季风气候。盛产稻米、橡胶和油棕。

【中流砥柱】也说砥柱中流。形容人很坚强，不屈不挠，像砥柱在激流中屹立一样。也比喻在动荡艰难的环境中能起支柱作用的力量。《晏子春秋·谏下》：“吾尝从君济于河，鼋衔左骖，以入砥柱之中流。”中流：河流中间。砥柱：三门峡东的一个石岛，屹立于黄河的激流中。

【中庸之道】待人处世采取不偏不倚，调和折中的态度。《论语·雍也》：“中庸之为德矣，其至矣乎！”

【中程导弹】射程为1 000—3 000千米的导弹。

【中等教育】在初等教育基础上实施的中等普通教育和中等专业教育。现阶段实施中等教育的学校是中学和中等专业学校等。

【中山舰事件】也叫三·二〇事件。1926年3月18日，蒋介石指使其亲信下令调共产党人李之龙担任舰长的中山舰到黄埔候用，随即反诬共产党“擅入黄埔”“阴谋暴动”。接着于3月20日拘捕了中山舰舰长等共产党员五十多人，又强迫在黄埔军校和国民革命军第一军中工作的共产党员退出，并调动军队包围省港罢工委员会。这是蒋介石反对共产党、企图篡夺国民革命军领导权的阴谋事件。

【中央电视台】中国国家电视台。前身是1958年5月1日开播的北京电视台，1978年5月1日改为现名。是中国最大的电视台，也是世界上收视人口最多的电视台。

【中华革命党】1914年孙中山组织的资产阶级政党。1913年讨伐袁世凯失败后，孙中山于1914年夏，以“扫除专制政治，建设完全民国”为目的，召集一部分国民党员在东京组成。1916年袁世凯死后，该党迁至上海，曾在1917年领导护法运动。1919年10月改组为中国国民党。

【中国式摔跤】传统体育项目之一。两人徒手相搏，以把对方摔倒为胜。正式比赛按体重分十个级别。场地为10米×10米。传统中国式摔跤规定三点着地为输，现代中国式摔跤借鉴了国际摔跤的裁判方法，根据胜跤动作的质量得1、2、3分。每场比赛三个回合，每个回合3分钟，中间休息1分钟。以三个回合中得分多者为胜。

【中国共产党】中国工人阶级的先锋队，中国各族人民利益的忠实代表，中国社会主义事业的领导核心。1921年7月成立于上海。中国共产党以马列主义、毛泽东思想作为自己的行动指南。中国共产党领导全国人民，经过长期的革命斗争，取得了新民主主义革命的胜利，建立了中华人民共和国。后又继续领导人民，完成了从新民主主义到社会主义的过渡，并进行了大规模的社会主义建设。1978年12月党的十一届三中全会后，确立了以邓小平为核心的第二代领导集体，提出了党在社会主义初级阶段的基本路线。1989年6月，以江泽民为核心的第三代领导集体确立，经过党的第十四次代表大会，科学概括了建设有中国特色的社会主义理论，提出了建立社会主义市场经济体制，标志着中国改革开放和现代化建设进入了一个新的阶段。党的第十五次代表大会明确邓小平理论作为党的指导思想，并对中国改革开放和社会主义现代化建设跨世纪的发展作出了全面部署。

【中国同盟会】简称同盟会。全称中国革命同盟会。1905年在日本东京成立。它以兴中会为基础,与华兴会、光复会等团体联合组成。推选孙中山为总理,以"驱除鞑虏,恢复中华,建立民国,平均地权"为政治纲领;发行机关报《民报》,批判改良派的保皇谬论,推进了革命的发展。在国内外各地建立组织,多次举行武装起义。1911年发动武昌起义,爆发了全国规模的辛亥革命。南京临时政府成立后,同盟会本部迁至南京。1912年8月改组为国民党。

【中国国民党】孙中山创立的政党。其前身是中国同盟会、国民党、中华革命党。1919年孙中山将中华革命党重新改组为中国国民党。1924年在中国共产党的帮助下该党再次改组,确立了联俄、联共、扶助农工的三大政策,成为革命统一战线的组织形式。1927年蒋介石叛变革命后,国民党成为代表帝国主义、封建主义、官僚资本主义利益的反动集团,统治中国达22年。1948年中国国民党中的民主派和爱国民主人士组成中国国民党革命委员会,参加了中国共产党领导的革命统一战线。

【中国致公党】简称致公党。中国民主党派之一。由华侨社团美洲旧金山致公党发起,于1925年在美国旧金山成立。主要成员为归侨和侨眷。1947年在香港举行第三次代表大会,实行改组,并于1948年响应中国共产党召开新政协的号召。1949年参加中国人民政治协商会议。新中国成立后,作为参政党之一,为社会主义建设事业做出了重要贡献。

【中美合作所】美蒋联合特务机关中美特种技术合作所的简称。1942年在国民党军统局特务头子戴笠和美国特务梅乐斯的主持下,于重庆郊区歌乐山成立。戴笠、梅乐斯任正副主任,除在重庆渣滓洞和白公馆设有集中营外,还在安徽、湖南、河南、绥远、贵州、江西、浙江、福建、广东等地设立训练班。从1943年起,开始训练和装备特务武装,先后共训练特务5万多人,专门逮捕、残杀共产党人和进步人士。1946年3月撤销。

【中高层住宅】中国的建筑规范规定,7—9层的住宅建筑为中高层住宅。当住宅高于7层(不含7层)时应设载人电梯。以平面形式分为单元组合式、廊式、塔式、板式、跃廊式等。

【中微子通信】利用中微子束进行信息传递的通信方式。穿透力强、不受外界干扰。目前尚处于研发阶段,应用前景广阔。

【中日甲午战争】1894年(光绪二十年,甲午年)发生的中日战争。1894年春,日本利用朝鲜东学党起义事件侵占朝鲜,7月向中国海陆军发动突然袭击。8月1日中日双方正式宣战。9月,中国陆海军在平壤战役和黄海海战中受挫。10月,日军分陆海两路进攻中国东北,侵占九连城、安东(今丹东),11月又侵占大连、旅顺等地。次年2月攻占威海卫军港。由于清政府的腐败,中国方面遭到失败,北洋海军全军覆没。结果签订了丧权辱国的《马关条约》。

【中心对称图形】如果绕一个定点旋转180°后,两个图形中的每一个都能够与另一个的原来位置重合,那么这两个图形叫做以这个定点为中心的对称图形,这个定点叫做对称中心。

【中枢神经系统】神经细胞最集中的结构。在脊椎动物,包括位于颅腔内的脑和位于椎管内的脊髓。在高等无脊椎动物,则主要包括腹神经索和一系列的神经节。

【中国工农红军】简称红军。第二次国内革命战争时期,中国共产党创建和领导的新型人民军队。由中国工农革命军及其他工农武装于1928年5月以后陆续改称。是中国人民解放军的前身。

【中国民主同盟】简称民盟。中国民主党派之一。1941年在重庆建立,原名中国民主政团同盟,1944年改称现名。主要成员为文化教育界的知识分子。民主革命时期,积极反对帝国主义、封建主义、官僚资本主义,1947年国民党政府宣布其为非法团体,被迫解散。1948年1月在香港重建组织。同年5月通电响应中国共产党召开新政协的号召。1949年参加中国人民政治协商会议。新中国成立后为参政党之一,为社会主义建设事业做出了重要贡献。

【中俄伊犁条约】也叫《中俄改订条约》。1881年沙俄强迫清政府签订的不平等条约。1871年沙俄趁浩罕头目阿古柏侵占天山南路的机会,出兵强占中国伊犁。清政府虽多次交涉,但沙俄拒不撤兵。1877年清政府平定新疆后,又几次派人赴俄谈判。1881年2月24日在圣彼得堡签订《中俄改订条约》,俄国强行割占霍尔果斯河以西地区和北疆的斋桑淖尔以东地区。

Z

通过此约和以后的几个勘界议定书，又把七万多平方千米中国领土并入俄国，并勒索“兵费”九百万卢布。

【中俄瑷珲条约】也叫《中俄瑷珲和约》。1858年5月，沙俄乘英法联军进攻天津、威胁北京的时候，用武力迫使清政府签订的不平等条约。在瑷珲（今黑河市南）签订。主要内容有：俄国割去黑龙江以北、外兴安岭以南六十多万平方千米的中国领土，只在瑷珲对岸精奇里江以南的一小块地区（后称江东六十四屯）仍保留中国方面的永久居住和管辖权；并把乌苏里江以东四十多万平方千米的中国领土划为中俄共管。

【中央革命根据地】也叫中央苏区。第二次国内革命战争时期，毛泽东、朱德在赣南、闽西开辟的革命根据地。是以井冈山革命根据地为基础发展起来的。到1931年，中央革命根据地以瑞金为中心，包括兴国、宁都、上杭等21个县，人口250万，成立了中央工农民主政府。后由于王明“左”倾机会主义路线的错误领导，中央红军未能粉碎敌人的第五次围剿，主力进行长征。留下的红军部队继续坚持游击战争。

【中华人民共和国】简称中国。1949年10月1日建立。首都北京，国旗是五星红旗，国徽为中间是五星照耀下的天安门，周围是谷穗和齿轮。中华人民共和国是工人阶级领导的、以工农联盟为基础的人民民主专政的社会主义国家。位于亚洲东部，太平洋西岸。东邻朝鲜，北邻俄罗斯、蒙古，西北邻哈萨克斯坦、吉尔吉斯斯坦、塔吉克斯坦，西邻阿富汗、巴基斯坦，西南邻印度、尼泊尔、锡金、不丹，南邻缅甸、老挝、越南。东南部濒临的海洋自北向南依次有渤海、黄海、东海、太平洋和南海。隔海与韩国、日本、菲律宾、马来西亚、文莱、印度尼西亚相望。陆地面积约960万平方千米，人口12.36亿（1997年底）。是一个统一的多民族的国家。全国划分为23个省（台湾省待与祖国大陆统一）、4个直辖市、5个自治区和2个特别行政区。中国是世界上历史最悠久的国家之一。

【中华全国总工会】简称全总。中国共产党领导的中国工人阶级统一的全国性的组织。1925年成立。它团结、教育和组织全国工人阶级为实现党在各个时期的路线、方针、任务而斗争。

【中国人民志愿军】中国人民为了抗美援朝、保家卫国而志愿组织的军队。1950年6月美国发动了侵朝战争，接着，又用武力侵占中国台湾省。中国人民为了抗击共同的敌人，组成志愿军，于1950年10月19日开赴朝鲜和朝鲜人民军并肩战斗。经过三年英勇顽强的战斗，打退了以美军为首的“联合国军”，迫使美国于1953年7月27日在《朝鲜停战协定》上签字。中国人民志愿军于1958年10月全部撤离朝鲜。

【中国人民解放军】中华人民共和国的主要武装力量，人民民主专政的坚强柱石。其前身是第二次国内革命战争时期的中国工农红军。抗日战争时期改名为八路军和新四军，第三次国内革命战争时期改为现名。现已成为由陆海空三军、战略导弹部队和其他技术兵种组成的现代化合成军队。担负着巩固国防、抵御侵略，保卫国家主权、领土完整和安全，维护世界和平等任务。

【中国土地法大纲】解放战争时期中国共产党制定的土地改革法大纲。1947年9月在中国共产党全国土地会议上通过。大纲共16条，包括废除封建和半封建性剥削的土地制度，实行耕者有其田的土地制度。农村一切土地，按乡村全部人口，不分男女老幼，统一平均分配。解放区按此进行了土地改革。

【中国少年先锋队】简称少先队。中国少年儿童的群众组织。中国共产党委托中国共产主义青年团领导少先队的工作。1949年10月建立，称中国少年儿童队，1953年6月改称现名。

【中国民主建国会】简称民建。中国民主党派之一。1945年12月16日成立于重庆。主要成员为民族工商业者及有关的知识分子。曾积极参加爱国反帝和争取和平民主、反对独裁统治的斗争。1949年参加中国人民政治协商会议。新中国成立后为参政党之一，在推动会员和所联系的民族工商业者接受社会主义改造、参加社会主义建设中发挥了重要作用。

【中国民主促进会】简称民进。中国民主党派之一。成立于1945年12月30日。主要成员为从事文化教育工作的知识分子。1949年参加中国人民政治协商会议。新中国成立后为参政党之一，在社会主义建设中做出了重要贡献。

【中国农工民主党】简称农工党。中国民主

党派之一。1930年8月9日创建于上海。主要成员为医药卫生界和文化教育界的知识分子。1949年参加中国人民政治协商会议。新中国成立后为参政党之一，在社会主义建设中做出了重要贡献。

【中俄尼布楚条约】也叫《黑龙江界约》。全称《中俄尼布楚议界条约》。1689年(康熙二十八年)9月清政府与沙俄政府在尼布楚(今俄罗斯涅尔琴斯克)签订，为中俄第一个界约。该约规定中俄以额尔古纳河、格尔必齐河为界，再由格尔必齐河源顺外兴安岭往东至海，岭南属中国，岭北属俄国；乌第河和外兴安岭之间地方暂行存放另议。又规定自条约签订之日起，两国人民持有护照者，可过界来往，并许其贸易互市。

【中央人民广播电台】中国国家广播电台。前身是1940年12月30日正式播音的延安新华广播电台，1949年12月5日改为现名。用汉语普通话、方言和少数民族语言播出。

【中华民国临时约法】即"临时约法"(621页)。

【中国人民解放战争】即"第三次国内革命战争"(203页)。

【中国民权保障同盟】第二次国内革命战争时期，宋庆龄、蔡元培、杨杏佛等发起组织的团体。1932年12月成立于上海，并发表宣言，要求释放政治犯，废除非法拘禁和酷刑。北平、上海等地设有分会。以反对国民党反动派迫害、援助革命者，争取言论、出版、结社、集会等自由为目的。1933年6月，杨杏佛被国民党特务暗杀，该同盟活动被迫停止。

【中国国际广播电台】中国对外广播的国家广播电台。前身是1947年9月11日陕北新华广播电台开办的英语广播，1978年改为现名。现用40多种语言及汉语方言对全球广播，是全球影响较大的国际广播电台之一。

【中央人民政府政务院】中华人民共和国成立到1954年9月第一部宪法颁布前，中国政务的最高执行机关。

【中华民族解放先锋队】简称民先队。中国共产党领导下的抗日救国组织。1936年由一二·九运动中的先进青年组成。抗日战争爆发后，许多队员到敌后根据地参加抗战。国民党统治区的民先队组织受到反动派迫害，1938年被迫解散，抗日根据地的民先队组织，后并入青年救国会。

【中华全国妇女联合会】简称全国妇联。中国共产党领导下的，以各族工农劳动妇女和革命知识妇女为主体，广泛团结各界妇女的群众组织。是党和政府联系妇女群众的桥梁。1949年4月成立，原名为中华全国民主妇女联合会，1957年9月改称中华人民共和国妇女联合会，1978年9月改称现名。

【中华全国青年联合会】中国各族各界青年广泛的爱国统一战线组织。成立于1949年5月。原名中华全国民主青年联合总会，1953年6月改为中华全国民主青年联合会，1958年4月改称现名。

【中华全国学生联合会】中国共产党领导下的全国各高等学校和中等学校学生会的联合组织。1949年3月召开的全国学生第十四届代表大会上成立。前身是1919年6月在上海成立的中华民国学生联合总会。

【中国共产主义青年团】简称共青团。中国共产党领导的先进青年的群众组织。是党的助手和后备军。1922年5月成立，原名中国社会主义青年团。1925年改称中国共产主义青年团。1935年后，成立了中华民族解放先锋队、青年救国会等青年组织。1949年4月建立中国新民主主义青年团，1957年5月改称现名。

【中国社会主义青年团】见〔中国共产主义青年团〕(1279页)。

【中华全国工商业联合会】全国各类工商业者组成的人民团体。是中国对内对外的民间商会。1953年10月正式成立。

【中国人民政治协商会议】简称政协。中国人民爱国统一战线组织。是中国共产党领导的多党合作和政治协商的重要机构。1949年6月在北平召开筹备会，同年9月举行第一届全体会议，代行全国人民代表大会的职权，制定了起临时宪法作用的《中国人民政治协商会议共同纲领》，选举了中央人民政府，宣告中华人民共和国成立。1954年9月召开第一届全国人民代表大会第一次会议，颁布了《中华人民共和国宪法》后，中国人民政治协商会议就不再代行全国人民代表大会的职权，但仍在国家的政治生活、社会生活和对外友好活动中做了许多工作，做出了重要贡献。中国人民

Z

政治协商会议设全国委员会和各级地方委员会。

【中国国民党革命委员会】简称民革。中国民主党派之一。主要由原国民党中的民主派和爱国民主人士在反对国民党反动派斗争中组织起来的。1948年1月在香港成立。1949年参加中国人民政治协商会议。新中国成立后为参政党之一。目前它的工作重点是促进祖国的统一,加强同台湾、港澳和在国外的国民党军政人员及其亲属的联系,团结拥护祖国统一的爱国者,为促进祖国统一大业的完成而努力。

【中国工农红军第一方面军】也叫中央红军。中国工农红军主力之一。1930年8月在湖南浏阳组成,朱德任总司令,毛泽东任总政治委员。组成后,取得了第一、第二、第三、第四次反"围剿"的胜利。后由于王明"左"倾机会主义路线的错误领导,未能打破敌军第五次"围剿",1934年10月被迫进行长征。1935年1月遵义会议以后,在毛泽东、朱德、周恩来等的领导和指挥下,摆脱了数十万敌军的围追堵截,6月在四川懋功同第四方面军会师。会师后,同张国焘右倾分裂主义路线进行了坚决斗争,坚决贯彻党的北上抗日方针,于10月胜利完成长征,到达陕北。抗日战争开始后,编为八路军第一一五师。

【中国工农红军第二方面军】中国工农红军主力之一。1934年10月原在湘鄂西革命根据地活动的红第二军团和原在湘赣革命根据地活动的红第六军团于贵州东部印江县木黄会合,成立了以贺龙、任弼时为领导的总指挥部。之后,恢复和建设了湘鄂川黔根据地,粉碎了敌人的"围剿",配合了红一方面军的长征。1935年11月进行长征。1936年6月在原西康甘孜同红四方面军会师,同张国焘右倾分裂主义路线进行了坚决斗争。7月由红二、六军团和红三十二军组成红二方面军,贺龙任总指挥,任弼时任政治委员。接着,同红四方面军一起北上抗日,10月到达甘肃会宁与红一方面军会师。抗日战争开始后,编为八路军第一二〇师。

【中国工农红军第四方面军】中国工农红军主力之一。1931年11月在鄂豫皖革命根据地组成,徐向前任总指挥,陈昌浩任政委。1932年10月,转移到川陕边界。建立了川陕根据地,部队发展到八万余人。1935年3月开始长征。6月在四川懋功同红一方面军会师,共同北上。当时领导第四方面军的张国焘违抗党中央北上抗日的决定,擅自率领红四方面军南下,成立伪中央,使部队遭受重大损失,被迫退却至甘孜。1936年6月在甘孜同红二方面军会师。张国焘被迫取消伪中央,两个方面军一起北上,1936年10月到达甘肃会宁同红一方面军会师。红四方面军总部及部分部队奉命西渡黄河,在西进途中遭到失败,其余部队1937年8月改编为八路军第一二九师。

【中国共产党七届二中全会】1949年3月5—13日在河北平山西柏坡召开。毛泽东主持并做重要报告。报告指出党的工作重心由乡村转到城市,规定了全国胜利后党在政治、经济、外交等方面应采取的基本政策。指出中国由农业国转为工业国、由新民主主义社会转变为社会主义社会的总任务和主要途径。在新形势下,必须注意防止资产阶级的"糖衣炮弹",号召全党戒骄戒躁,艰苦奋斗。这次会议,为中国人民夺取全国胜利和准备革命转变做了政治上、思想上和理论上的准备。

【中国共产党十一届三中全会】1978年12月18—22日在北京召开。会议严肃批判了"两个凡是"的错误方针,高度评价了关于实践是检验真理的唯一标准的讨论,强调要完整准确地掌握毛泽东思想的科学体系。会议果断地停止使用"以阶级斗争为纲"的口号,做出了把工作重点转移到社会主义现代化建设上来的战略决策。提出了逐步解决国民经济比例严重失调的问题,制订了关于加快发展农业的决定。会议决定健全党的民主集中制,健全党规党法,严肃党纪,审查和纠正了历史上一批重大的冤假错案,解决了一些重要领导人的功过是非问题。这次会议开始全面地纠正"文化大革命"及其以前的"左"的错误,重新确立了正确的思想路线、政治路线和组织路线,是新中国成立以来党的历史上一次具有深远意义的伟大转折。

【中华苏维埃共和国临时中央政府】第二次国内革命战争时期中国共产党建立的政权。1931年,中国共产党领导的农村革命根据地迅速扩大,在全国已拥有三百多个县,几千万人口。为了统一领导,1931年11月第一次全国工农兵代表大会在江西瑞金召开,宣布成立中华苏维埃共和国,组成临时中央政府。毛泽东当选为主席,确定瑞金为苏维埃共和国首都。会议通过《中华苏维埃共和国宪法大纲》《土地法》《劳动法》等。

【中国人民政治协商会议共同纲领】简称共同纲领。1949年9月29日,中国人民政治协商会议第一届全体会议通过。它总结了中国新民主主义革命的经验,规定中国是以工人阶级为领导,以工农联盟为基础的人民民主专政的国家。在中华人民共和国第一部宪法颁布前起了临时宪法的作用。

【中国共产党第一次全国代表大会】1921年7月在上海召开。毛泽东、何叔衡、董必武、陈潭秋、王尽美、邓恩铭、李达、李汉俊、刘仁静、张国焘、陈公博、周佛海、包惠僧等13人参加会议,代表党员50余人。会议通过了中国共产党党纲和党的任务的决议,选举了党的中央机关。陈独秀任中央局书记,张国焘、李达分别负责组织和宣传工作。会议宣告了中国共产党的诞生。

【中国共产党第十次全国代表大会】1973年8月24—28日在北京召开。出席大会的代表1 249人,代表2 800万党员。大会继续了九大的"左"倾错误,继续坚持"无产阶级专政下继续革命"的理论,并且错误地认为"九大的政治路线和组织路线都是正确的"。在随后举行的十届一中全会上,张春桥当了政治局常委,王洪文取得了中央副主席的地位,这就使江青、张春桥、姚文元、王洪文得以在中央政治局结成"四人帮"。为"四人帮"出谋划策的康生也当上副主席。江青一伙在中央领导机构中取得了更多的权力,几乎控制了全部舆论和组织部门,为"四人帮"准备篡夺党和国家的最高权力提供了条件。

【中国共产党第七次全国代表大会】1945年4月23日至6月11日在延安召开。出席大会的正式代表547人,候补代表208人,代表121万党员。会议是在抗日战争开始战略反攻的前夜召开的。毛泽东作了《论联合政府》的报告,朱德作了《论解放区战场》的军事报告,刘少奇作了《关于修改党章的报告》。周恩来、彭德怀等在会上作了发言。大会决定党的路线是:放手发动群众,壮大人民力量,在我党的领导下,打败日本侵略者,解放全国人民,建立一个新民主主义的中国。会议通过的新党章规定:中国共产党以马克思列宁主义的理论与中国革命的实践相统一的思想——毛泽东思想,作为自己一切工作的指针。会议选举了以毛泽东为首的中央委员会。这次会议是一个团结的大会,胜利的大会。

【中国共产党第八次全国代表大会】1956年9月15—27日在北京召开。出席大会的正式代表1 026人,代表1 073万党员。会议总结了七大以来革命和建设的经验,分析了社会主义改造基本完成后国内的主要矛盾已不再是工人阶级和资产阶级的矛盾,而是人民对经济文化迅速发展的需要同当前经济文化不能满足人民需要的状况之间的矛盾;确定了党在新的历史时期的任务是集中力量发展社会生产力,实现国家工业化,逐步满足人民日益增长的物质和文化的需要。随后举行的八届一中全会选举毛泽东为中央委员会主席,刘少奇、周恩来、朱德、陈云为副主席,邓小平为总书记。

【中国共产党第九次全国代表大会】1969年4月1—24日在北京召开。出席大会的代表1 512人,代表约2 200万党员。林彪在会上所作的政治报告,使"文化大革命"的错误理论和实践进一步合法化。大会通过的党章,对毛泽东思想作了歪曲的阐述,违背党的民主集中制和集体领导原则,删掉了有关党员权利的规定,把林彪作为毛泽东的"接班人"写入总纲。这次会议,林彪、江青一伙的主要成员进入了中央政治局,他们的主要亲信和骨干进入了党的中央委员会,加强了他们在中央的地位。这次大会在思想上、政治上和组织上的指导方针都是错误的。

【中国共产党第三次全国代表大会】1923年6月12—20日在广州召开。出席大会的代表30多人,代表党员420人。会议决定与国民党合作,建立革命统一战线。共产党人以个人身分加入国民党,使国民党改组为革命联盟。共产党保持在组织上、政治上的独立性。这次会议为第一次国内革命战争做了准备。会议推选陈独秀为委员长。

【中国共产党第六次全国代表大会】1928年6月18日至7月11日在莫斯科举行。正式代表84人,候补代表34人,代表4万多党员。会议指出中国的社会性质仍然是半殖民地半封建社会,中国革命现阶段的性质仍然是资产阶级民主革命，当前的政治形势是处在两个革命高潮之间，中国共产党的总任务不是进攻，而是争取群众准备暴动。会议制定了反对帝国主义、封建主义，实行土地革命，建立工农民主专政的革命纲领，批评了“左”、右倾机会主义错误。选举向忠发为中央政治局主席和中央常委主席。

【中国国民党第一次全国代表大会】1924年1月在广州召开。由孙中山主持。会议接受中国共产党提出的反对帝国主义、封建主义的主张，重新解释了三民主义，提出了联俄、联共、扶助农工三大政策的新三民主义。会议通过接受共产党员和社会主义青年团员以个人身分参加国民党的决定。使国民党改组成为工人、农民、小资产阶级和民族资产阶级的革命联盟。这次会议建立了以国共合作为主要形式的革命统一战线，促进了中国革命运动的发展。

【中华人民共和国全国人民代表大会】中国最高国家权力机关。由省、自治区、直辖市和军队选出的代表组成。每届任期五年。它的常设机关是全国人民代表大会常务委员会。

【中国共产党第十一次全国代表大会】1977年8月12—18日在北京召开。出席大会的代表1 510人，代表党员3 500多万人。华国锋作政治报告，总结了同“四人帮”的斗争，宣告“文化大革命”已经结束，重申在本世纪内把中国建设成为社会主义现代化强国，是新时期党的根本任务；提出了党在当前和今后一个时期的政治、经济、思想和文化等方面的工作任务。但是，大会没有纠正“文化大革命”的错误理论、政策和口号，没有从根本上完成拨乱反正的任务。随后举行的十一届一中全会，选举华国锋为中央委员会主席，叶剑英、邓小平、李先念、汪东兴为副主席。

【中国共产党第十二次全国代表大会】1982年9月1—11日在北京召开。出席大会的代表1 545人，代表3 965万党员。邓小平致开幕词，提出了建设有中国特色的社会主义的指导思想。胡耀邦作题为《全面开创社会主义现代化建设的新局面》的报告，提出党在新的历史时期的总任务是：团结全国各族人民，自力更生，艰苦奋斗，逐步实现工业、农业、国防和科学技术现代化，把我国建设成为高度文明、高度民主的社会主义国家。会议确定了从1981年到20世纪末，争取工农业的年总产值翻两番的战略目标和具体步骤。大会通过了新党章，决定设立中央顾问委员会。随后举行的十二届一中全会，选举胡耀邦为中央委员会总书记，邓小平为中央军事委员会主席。

【中国共产党第十三次全国代表大会】1987年10月25日至11月1日在北京召开。出席大会的代表1 936人，代表4 600多万党员。赵紫阳作题为《沿着有中国特色的社会主义道路前进》的报告。会议的中心任务是加快和深化改革。会议系统地论述了邓小平关于中国社会主义初级阶段的理论，提出了党在社会主义初级阶段的基本路线：领导和团结全国人民，以经济建设为中心，坚持四项基本原则，坚持改革开放，自力更生，艰苦创业，为把我国建设成为富强、民主、文明的社会主义现代化国家而奋斗。随后举行的十三届一中全会，选举赵紫阳为中央委员会总书记，邓小平为中央军事委员会主席。

【中国共产党第十五次全国代表大会】1997年9月12—18日在北京召开。出席大会的正式代表2 048人，特邀代表60人，代表5 800万党员。大会由江泽民主持，他作了《高举邓小平理论伟大旗帜，把建设有中国特色社会主义事业全面推向二十一世纪》的报告。这次大会主要内容有：把邓小平理论确立为党的指导思想并写入党章，提出党在社会主义初级阶段的基本纲领，还提出中国改革和发展的跨世纪的战略目标，指出从当时起到21世纪的前十年，是中国社会主义现代化建设的关键时期。这是20世纪末党的最后一次全国代表大会，具有承前启后、继往开来的作用。大会选举了新的中央委员会和中央纪律检查委员会。随后举行的十五届一中全会，江泽民当选为中央委员会总书记和中央军事委员会主席。

【中国共产党第十四次全国代表大会】1992年10月12—18日在北京召开。出席大会的代表1 989人，代表5 100万党员。江泽民作题为《加快改革开放和现代化建设步伐，夺取有中国特色社会主义事业的更大胜利》的报告，提出了20世纪90年代中国改革和建设的主要任务，即坚持党的基本路线，加快改革开放，集中精力把经济搞上去。会议提出了经济体制改革的目标是建立社会主义市场经济体制，进一步解放和发展生产力。会议高度评价了邓小平建设有中国特色的社会主义理论，指出他为中国的进步发展做出了历史性的贡献。大会讨论并通过了关于《中国共产党章程》(修正案)的决议，同意不再设立中央顾问委员会。这次大会形成了以江泽民为核心的党的第三代领导集体，确立了迈向21世纪的行动纲领。随后举行的十四届一中全会，选举江泽民为中央委员会总书记和中央军事委员会主席。

【中华人民共和国中央人民政府委员会】中华人民共和国成立到1954年9月第一届全国人民代表大会召开前，中国最高国家权力机关。由第一届中国人民政治协商会议全体会议选举产生。主席是毛泽东。

忠 zhōng 赤诚。[例]～于人民|～心。

【忠贞】忠诚而坚定。[例]～不贰。

【忠告】❶诚恳地劝告。[例]一再～。❷忠告的话。[例]不听～。

【忠良】❶忠诚正直。❷忠诚正直的人。

【忠实】❶忠诚而可靠。[例]为人～。❷真实。[例]～的记录。

【忠诚】赤诚无私，诚心尽力。[例]～老实。

【忠厚】忠实厚道。

【忠恕】儒家的一种伦理思想。忠，指积极为人，尽力为人谋；恕，指推己及人，像对待自己一样地对待别人。

【忠心耿耿】形容非常忠诚。耿耿：忠诚的样子。

【忠肝义胆】形容十分忠诚。

【忠言逆耳】忠诚直率的劝告听起来不大舒服。《韩非子·外储说左上》："忠言拂于耳。"三国魏王肃《孔子家语·六本》："良药苦于口而利于病，忠言逆于耳而利于行。"逆耳：不顺耳。

盅 zhōng 杯子。[例]酒～|茶～。

钟(❶-❸鐘❹❺鍾) zhōng ❶金属制成的响器。中空，敲时发声。[例]警～。❷计时的器具。[例]座～|闹～。❸钟点；时间。[例]九点～。❹古代盛酒或盛粮食的器皿。❺集中；专一。[例]～情|～爱。

【钟山】即"紫金山"(1312页)。

【钟爱】特别疼爱。

【钟馗】宋沈括《梦溪续笔谈》卷下记载，钟馗是民间传说中一个专捉鬼怪的人物。相传唐明皇在病中梦见一个自称钟馗的大鬼，吃掉了一个到宫中扰乱的小鬼，醒后病就好了，于是叫画工画成钟馗的像，悬挂起来，以驱除鬼邪。旧时民间流传有悬挂钟馗像以驱除邪祟的风俗。馗(kuí)。

【钟情】感情专注(多指爱情)。[例]一见～。

【钟乳石】也叫石钟乳。溶洞中悬在洞顶的锥状物体。由含碳酸钙的水溶液逐渐蒸发凝结而成。

【钟鼎文】金文的旧称。

【钟灵毓秀】美好的自然环境培育出优秀的人物。

【钟鸣鼎食】古代豪门贵族吃饭时要奏乐击钟，用鼎盛着各种珍贵食品。故用"钟鸣鼎食"形容权贵的豪奢排场。汉张衡《西京赋》："击钟鼎食，连骑相过。"唐王勃《滕王阁序》："闾阎扑地，钟鸣鼎食之家。"鼎：古代炊具。

【钟鸣漏尽】晨钟已经敲响，漏壶的水将滴完。比喻已经到了垂暮之年。《三国志·魏书·田豫传》："年过七十而以居位，譬犹钟鸣漏尽，而夜行不休，是罪人也。"漏：滴漏，古代计时的器具。

舯□ zhōng 船身长度的中点。

衷 zhōng ❶内心。[例]无动于～|～心拥护。❷同"中(zhōng)"。[例]折～。

【衷心】发自内心的。[例]～感谢。

【衷曲】衷情。曲(qū)。

【衷肠】内心的话。[例]倾诉～。

【衷情】内心的情感。

忪 ㊁ zhōng 见〔怔忪〕(1254页)。
㊀ sōng (932页)。

妐⊠ zhōng 古代关中称丈夫的父亲为妐，称丈夫之兄为兄妐，称丈夫之姊为女妐。

终(終) zhōng ❶最后；末了。[例]～点|年～。❷死亡。[例]临～。❸副词。到底。[例]～必成功。❹自开头到末了的整个一段时间。[例]～日|～年。

【终于】副词。到底，表示所预料或所期望的事情最终发生。[例]试验～成功了。

【终久】副词。终究。

【终止】停止；结束。

【终归】副词。最后；毕竟。

Z

【终生】一生。

【终年】❶全年，一年到头。❷指人死时的年龄。㊀～九十岁。

【终极】最终；最后。

【终究】副词。毕竟；终归。㊀社会主义制度～要代替资本主义制度，这是社会发展的客观规律。

【终养】奉养年老的亲人，以终其天年。晋李密《陈情表》："臣密今年四十有四，祖母刘今年九十有六，是臣尽节于陛下之日长，报养刘之日短也。乌鸟私情，愿乞终养。"后也指安度晚年。㊀况尔尚有二弟，我的老年，自可～。

【终结】最后结束。

【终值】货币资金在投入周转使用后，按特定计息标准计算的在未来一定时间后的价值。

【终端】终端设备的简称。

【终天之恨】因父母去世而一辈子感到悲痛。终天：终身，一辈子。

【终止记号】乐曲、歌曲结束时的记号。用"‖"标示。管弦乐总休止，用G.P.标记。

【终身体育】指终身坚持身体锻炼和接受体育教育。

【终身教育】贯穿于人的一生的教育。包括学前教育、学龄期各级学校教育、大学后继续教育和各种类型的成人教育；也包括家庭教育、学校教育、社会教育。

【终南捷径】《新唐书·卢藏用传》记载，卢藏用想入朝做官，就隐居在京城长安附近终南山，希望得到征召。后果然被召去当了大官。司马承祯也曾被召，想归山。卢指着终南山说："此中大有嘉（佳）处，何必在远。"承祯缓缓地说："以仆视之，仕宦之捷径耳。"后以"终南捷径"比喻最近便的升官门路。也泛指达到目的的便捷途径。

【终端设备】简称终端。电路终端的人一机接口装置。如电子计算机中通过通信线路或数据传输线路与计算机链接的输入输出设备。它由显示适配器、监视器和键盘组成。当设置地点距电子计算机较远时，需在传输线路上加装调制解调器。

螽 zhōng 〔螽斯〕昆虫。种类很多。体窄长，绿或褐色，触角细长，雄虫以翅摩擦发声，善跳跃。大多是植物害虫。

踵☒ zhōng 见〔跐踵〕(634页)。

zhǒng ㄓㄨㄥˇ

肿（腫） zhǒng 皮肤、黏膜或肌肉等组织由于局部循环发生障碍、发炎、化脓、内出血等原因而浮胀或突起。㊀浮～｜红～｜脓～。

【肿瘤】机体内某一局部组织细胞的过度增生。由各种刺激因素引起。分良性和恶性两类。良性肿瘤细胞分化成熟，生长慢，不转移；恶性肿瘤（癌）细胞分化不成熟，生长快，常蔓延到附近组织或造成全身转移。

【肿骨鹿】古代哺乳动物。鹿的一种。身体壮大。颌骨肿厚，有巨大多枝的鹿角。在北京周口店中国猿人洞穴内曾发现有大量化石。

种（種） ㊀ zhǒng ❶生物传代繁殖的物质。㊀麦～｜配～。❷种族。㊀黄～｜白～。❸指胆量或骨气。㊀有～的站出来｜孬～。❹物种的简称。生物分类系统所用的基本单位。在属之下。㊀家犬是哺乳动物犬科犬属的一～。❺量词。表示类别，式样。㊀各～情况｜两～花布。

㊁ zhòng（1285页）。

㊂ chóng（131页）。

【种子】种子植物特有的器官。由子房内的胚珠在卵细胞受精后发育而成。包括种皮和胚，有的还有胚乳。

【种畜】配种用的公畜或母畜。

【种族】也叫人种。人类学指具有共同体质特征（如肤色、发型等）的人群。人类的起源相同，由于在不同地区长期定居，受不同的外部条件（气候、食物）影响而形成人种。现在世界的人种分三大类：黄色人种、白色人种、黑色人种。

【种群】也叫群体。同种生物在特定环境空间内和特定时间内的所有个体的集群。能自由交配、繁殖。种群反映生物个体所不具备的特征，包括密度、年龄及性别比率、出生和死亡率、迁入和迁出率、种内和种间的相互关系。动物种群还具有占有领地、迁徙活动和社会行为等特征。种群在分类学、遗传学、生态学研究中都是基本单位。

【种概念】也叫下位概念。指具有从属关系的两个概念中外延较小的那个概念。如"青年工人"就是"工人"的种概念。

【种子选手】在确定比赛顺序时，按照以往

比赛的成绩，把部分实力较强的运动员（或队）分配在不同的组（或区）内，使他们之间的比赛在最后相遇，这些运动员（或队）被称为种子选手（或种子队）。

【种子植物】高等植物中构造较复杂的一类。有根、茎、叶的分化，有花，用种子繁殖。如谷类作物、柏树等。

【种姓制度】指古代印度实行的一种等级制度。将社会成员分为四大种姓，即婆罗门、刹帝利、吠舍、首陀罗。种姓之间界限森严，地位极不平等，以婆罗门地位最高，首陀罗地位最低。

【种族主义】夸大种族差异，鼓吹种族歧视的理论。宣扬世界上各种族天生就有“劣等”和“优秀”之分，“劣等”种族没有达到“文明”境地的能力，注定是被统治者；而“优秀”种族则负有统治“劣等”种族的使命。

【种族歧视】敌视、迫害和不平等地对待其他种族的行为。

冢（*塜） zhǒng ❶坟墓。㊞古～。❷山顶。

尰☒ zhǒng 脚肿。

瘇☒ zhǒng 脚肿病。

踵 zhǒng ❶脚后跟。㊞接～而至。❷在后面跟着；追随。㊞～其后。❸到。㊞～门相告。

【踵武】指跟着前人的脚步走。比喻继续前人的事业。武：足迹。

【踵事增华】继续前人的事业并使之更加完善美好。南朝梁萧统《文选·序》：“盖踵其事而增华，变其本而加厉；物既有之，文亦宜然。”踵：跟随，继承。华：光彩。

zhòng ㄓㄨㄥˋ

中 ㊁ zhòng ❶正对上；恰恰相合。㊞～的（dì）｜猜～。❷受到；遭受。㊞～毒｜～暑。

㊀ zhōng（1272 页）。

【中风】也叫卒中（cùzhòng）。中医病证名。由脑血管栓塞或发生脑血栓、脑溢血等引起。主要症状是突然昏迷、口眼歪斜、语言困难、半身瘫痪，严重的即时死亡。

【中式】科举时代考试合格。

【中伤】诬蔑别人，使受损害。㊞恶语～。

【中肯】抓住要点，正中要害。㊞他这段话说得非常～｜你对我的批评很～。

【中毒】❶生物体受到毒物作用而出现的疾病状态。中毒方式有接触、吸入、食入等。人体最常见的是食物中毒、农药中毒和煤气中毒等。❷比喻思想受到蛊惑。

【中标】指在投招标过程中，某一投标人最终被招标人选中。

【中暑】由较长时间在烈日下曝晒或高温作业不通风引起的疾病。发病急，有头痛、眩晕、恶心等症状，严重时急骤高热，出现虚脱、痉挛、昏睡等症状。

【中意】合意；满意。

仲 zhòng ❶在中间的。㊞～裁。❷指每季的第二个月。㊞～夏。❸弟兄排行中的老二。

【仲家】布依族的旧称。

【仲裁】双方争执不决时，由第三者居中调解，作出裁决。法律上特指发生纠纷的当事人在自愿基础上达成协议，将纠纷提交非司法机关的第三者审理，由其作出对双方均有约束力的裁决，以解决纠纷的一种非诉讼方式。分国内仲裁和涉外仲裁。适用于平等主体的公民、法人和其他组织之间发生的合同纠纷和其他财产权益纠纷。婚姻、收养、监护、扶养、继承纠纷和依法应当由行政机关处理的行政争议不得仲裁。

【仲裁员】仲裁委员会中组成仲裁庭，行使裁决权的专业人员。获得仲裁员资格应符合下列条件之一：(1)从事仲裁工作满 8 年的；(2)从事律师工作满 8 年的；(3)曾任审判员满 8 年的；(4)从事法学研究、教学工作并具有高级职称的；(5)具有法律知识，从事经济贸易等工作并具有高级职称或具有同等专业水平的。

种（種） ㊁ zhòng 种植。㊞～地｜～瓜得瓜，～豆得豆。

㊀ zhǒng（1284 页）。

㊂ chóng（131 页）。

【种植业】在耕地上种植农作物的农业生产部门。

【种植园】大规模种植热带经济作物的农场。占地几千至几万公顷。一般只种植一种经济作物。主要分布在拉丁美洲、东南亚、南亚和非洲。

【种瓜得瓜，种豆得豆】比喻做了什么样的事情，就会得到什么样的结果。

Z

蚛[⊠] zhòng 虫咬;被虫咬残。

众(衆*眾) zhòng ❶多。㊀~人拾柴火焰高。❷许多人。㊀群~|听~。

【众生】一切有生命的。有时专指人和动物。㊀芸芸~。

【众望】众人的希望。㊀~所归|不孚~。

【众数】使概率达到极大值的随机变量取值。

【众议院】两院制议会中下议院的名称之一。参见〔下议院〕(1063页)。

【众口铄金】大家都说同样的话,其力量足以能熔化金属。形容舆论力量的强大。《国语·周语下》:"众心成城,众口铄金。"后也指人多口杂,能混淆是非。铄(shuò):熔化。

【众口难调】吃饭的人多,很难适合每个人的口味。比喻不容易使所有的人都满意。调(tiáo)。

【众目昭彰】(对坏人坏事)大家都看得非常清楚。昭彰:明显。

【众目睽睽】大家的眼睛都注视着。睽睽(kuí):睁大眼睛注视着。

【众矢之的】比喻大家攻击的目标。矢:箭。的(dì):箭靶子。

【众志成城】也说众心成城。万众一心,像坚固的城堡一样不可摧毁。比喻大家团结一致,力量无比强大。《国语·周语下》:"众心成城,众口铄金。"

【众所周知】大家都知道。

【众叛亲离】众人反对,亲信背离。形容极端孤立。《左传·隐公四年》:"众叛亲离,难以济矣。"

【众怒难犯】众人的愤怒不可触犯。《左传·襄公十年》:"众怒难犯,专欲难成。"

【众擎易举】许多人一齐用力,就容易把东西举起来。比喻大家同心合力事情就容易成功。擎(qíng)。

【众人拾柴火焰高】比喻人多力量大。

重 ㊀ zhòng ❶分量大。与"轻"相对。㊀这东西很~|话说~了。❷重量;分量。㊀体~|超~。❸程度深;浓厚。㊀~伤|颜色太~。❹重要。㊀~地。❺看重。㊀~男轻女是错误的|~视。❻不轻率。㊀慎~|持~。

㊁ chóng (131页)。

【重力】❶即"地心引力"(198页)。❷其他天体使物体向该天体表面降落的力。如月球重力。

【重子】质子与质量比质子大的、参与强相互作用的粒子的统称。属于强子的一类。

【重水】无机化合物,化学式 D_2O。是由重氢与氧化合生成的水。普通水中含重水0.015%。某些物理性质与普通水不同。用于反应堆中作为中子的减速剂,也可用作热核燃料的氘源,还可用作进行反应机理研究的示踪物。

【重心】❶物体各部分所受的重力的合力作用点。❷在数学上,三角形的三条中线相交于一点,这一点叫重心。❸事物的中心或主要部分。

【重任】重要的任务。

【重价】很高的价钱。

【重创】严重的损伤;使受到严重损伤。㊀予敌~|~敌军。创(chuāng)。

【重负】沉重的负担。

【重孝】最重的孝服(一般是子女为亡父亡母所穿的孝服)。

【重听】耳朵背,听觉迟钝。

【重兵】数量多、战斗力强的军队。

【重担】沉重的担子。比喻重大的责任。

【重油】❶由石油提取汽油、煤油和柴油后的液态残余物。是暗黑色的黏稠重质油品。可作裂化的原料,也可作锅炉燃料。❷高温分馏煤焦油时在230—300℃之间蒸出的馏分。

【重视】看重;认真对待。

【重点】❶同类事物中的重要的或主要的。㊀~学校|~工作。❷有重点地。㊀~推广。❸杠杆中承受重量的一点。

【重氢】即"氘"(181页)。

【重音】❶指词或语句中重读的音。重音在语言中能起区别意义或强调等作用。❷乐曲中强度较大的音。通常每小节强拍上的音都是重音。由于表现内容的需要,有时在某一音上标以特强记号(如>、sf、▼等)的音,也叫重音。

【重彩】中国画设色的一种技法。主要使用朱砂、石青、石绿、石黄等颜料。色彩厚重,经久不退。

【重量】❶物体所受重力的大小。单位是牛顿。❷习惯上用来指质量。

【重镇】在军事上占重要地位的城镇。也泛指在其他方面占重要地位的城镇。㊀军事~|工业~。

【重工业】一般指生产生产资料的工业。包

Z

括钢铁、有色金属、煤炭、石油、电力、机器制造、基本化工、建筑材料和森林采伐等工业部门。

【重元素】相对原子质量较大的元素。如铀、锕、钔等。

【重头戏】本指唱工和做工很重的戏。也比喻重要的任务。例狠抓质量，是企业的～。

【重武器】射程较远、不能携带使用，需要用车辆装载的武器。如火炮等。

【重金属】一般指密度大于4.5克/厘米^{3}的金属。大多数金属都是重金属。如金、银、铜、铂、汞等。

【重于泰山】汉司马迁《报任安书》："人固有一死，死有重于泰山，或轻于鸿毛。"后常用以形容死得有意义，也用于形容情义深重。参见〔泰山〕(953页)。

【重点调查】在调查对象中选择一部分重点单位进行调查。

【重力加速度】也叫自由落体加速度。物体只受重力作用，自由降落时产生的加速度。在地面上同一地点，各种物体的重力加速度相同。不同地点的重力加速度略有不同：赤道处较小，两极处较大；同一纬度处，离地面越高，重力加速度越小。

【重大环境污染事故罪】违反国家规定，向土地、水体、大气排放、倾倒或处置有放射性的废物、含传染病病原体的废物、有毒物质或其他危险废物，造成重大环境污染事故，致使公私财产遭受重大损失或人身伤亡，后果严重的犯罪行为。

穜☒ zhòng ❶同"种(zhòng)"。❷先种后熟的谷类。

zhōu ㄓㄡ

舟 zhōu 船。例逆水行～。

【舟桥】用有统一标准规格的船或民船作桥脚架设的浮桥。

【舟楫】船和桨。泛指船只。

【舟山群岛】中国最大群岛。在杭州湾以东东海中。附近海域为中国最大的渔场。以舟山岛最大。佛教名山普陀山是舟山岛以东的一个小岛。属浙江省。

侜☒ zhōu 〔侜张〕同"诪张"(1289页)。

辀(輈) zhōu 古代车前面弯曲的独木车辕。用以驾马。

鸼(鵃) zhōu 见〔鹘鸼〕(339页)。

州 zhōu ❶旧时行政区划单位。现在有的地方还保留这样的名称，如杭州、苏州。❷指少数民族的自治州。在省或自治区之下，县之上。

洲 zhōu ❶面积广阔的陆地及其附近岛屿的总称。参见〔大洲〕(164页)。❷河、湖中或海滨由泥沙淤积成的岛屿。参见〔沙洲〕(851页)。

【洲际导弹】射程为8 000千米以上的战略导弹。

喌☒ zhōu 〔喌喌〕拟声词。呼鸡的声音。

诌(謅) zhōu 随口编造。例胡～｜瞎～。

周(❶－❺ *週) zhōu ❶周围；圆形的外围。例四～｜圆～｜绕地球一～。❷环绕；绕一圈。例～而复始。❸普遍；整个；全。例众所～知｜～天｜～身。❹时间的一轮；特指一个星期。例～期｜一～。❺完备。例招待不～｜计划～密。❻接济；救济。例～济｜～急。❼朝代名。1.(约前1046—前256)。周武王灭商后建立。从周建立到公元前771年周幽王被杀，建都镐京(今陕西西安)，史称西周。从公元前770年周平王东迁洛邑(今河南洛阳西)，到公元前256年被秦所灭，史称东周。东周分为春秋、战国两个时期。2.北朝之一(557—581)。宇文觉灭西魏后建立。建都长安(今陕西西安)，国号周，史称北周。为隋所灭。3.五代之一(951—960)。郭威灭后汉后建立。建都汴(今河南开封)，国号周，史称后周。为北宋所灭。❽古又同"中(zhōng)"。例不～于用(不中用)。

【周天】❶历法以360°为周天，即绕大圜(yuán，天体)一周。❷整个天空。

【周长】围成一个平面几何图形的所有边长的总和，叫做这个图形的周长。

【周公】周初政治家。姓姬，名旦。周文王子，武王弟，曾助武王灭商。武王死后摄政。曾平定武庚叛乱，继续分封诸侯，扩大疆土。相传曾制礼作乐，为周朝建立了一套典章制度。

【周书】史书名。唐令狐德棻等撰。共五十卷，包括本纪八卷，列传四十二卷。记载了

Z

从北魏分裂、西魏建立，中经北周代西魏，到杨坚代周为止四十余年(534—581)的历史。

【周匝】❶周围。❷周密。

【周至】思考、处理问题周到，仔细。

【周折】反复曲折，不顺利。

【周围】环绕着中心的部分。

【周角】平角的两倍，即 360° 的角。

【周转】❶资金的流转。❷经济开支调度的情况或物品轮流使用的情况。

【周详】周到详细。

【周恤】周济，怜恤；同情别人，并给予物质的帮助。

【周章】❶仓皇惊恐。㊀狼狈～。❷周折，苦心。㊀煞费～。

【周旋】❶盘旋；旋转。❷应付；应酬；打交道。

【周密】周到细密。

【周期】❶完成一次振动或振荡所需的时间。振动的物体经过一个周期后，完全回复到开始的状态。❷天体(或其他物体)再度回到某一相对位置或恢复同一状态所需的时间。如行星的自转周期、公转周期等。❸指在一个过程中，某些特征多次重复出现，其连续两次出现所经过的时间。㊀生产～。

【周游】到各处游历。㊀～世界。

【周遍】普遍。

【周瑜】(175—210)三国时期吴国将领。字公瑾，庐江舒县(今安徽庐江西南)人。美姿容，精音律，多谋善断，人称周郎。公元208年赤壁之战中大败曹军，奠定三分天下基础。后图进中原，不幸早逝。参见〔赤壁之战〕(129 页)。

【周遭】四周；周围。

【周小舟】(1912—1966)原名怀求，字元诚，湖南湘潭人。1935年加入中国共产党，参与发动一二·九运动。1936年参与同国民党政府联合抗日的谈判。后赴陕北任毛泽东的秘书。抗日战争期间，先后在冀中区、冀察区、北岳区、华北局从事党的工作和宣传工作，曾任地委书记、宣传部部长等职。新中国成立后，任湖南省委宣传部长、省委第一书记兼省军区政委。在庐山会议上和彭德怀等人被错定为“反党集团”成员。后任中国科学院中南分院副院长。1979年得以平反，恢复名誉。

【周文王】商末周族首领。姓姬，名昌。周原是商的属国。文王发展农牧业生产和军事力量，征服附近一些小国和部落，为武王灭商打下基础。

【周作人】(1885—1967)中国现代散文家。原名櫆寿，字启明，号知堂，后改名遐寿，浙江绍兴人。鲁迅二弟。青年时留学日本，五四文学革命中参与了《新青年》《语丝》的编辑工作，参加了新潮社、文学研究会等。1918年起发表散文，出版三十余种散文集，如《自己的园地》《雨天的书》《瓜豆集》等。1937年抗日战争爆发，滞留北平，出任伪华北教育总署督办等职。1945年12月因叛国罪入狱，1949年1月保释。后主要从事日本、希腊文学作品的翻译工作。

【周武王】周王朝建立者。姓姬，名发。曾联合西南、西北各族，于公元前1046年灭商，建立西周王朝，建都于镐京(今陕西西安西南)。

【周信芳】(1895—1975)中国现代京剧表演艺术家。浙江慈溪人，出身贫苦艺人家庭。七岁登台，艺名七龄童，后称麒麟童。演老生。新中国成立前，他同情并参加了中国共产党领导的爱国民主运动。1949年后任上海戏曲改进协会主任委员、华东戏曲研究院院长和上海京剧院院长等职。他塑造了许多不同性格的艺术形象，形成了具有独特风格的麒派表演艺术，取得了卓越的成就。有《周信芳演出剧本选集》《周信芳舞台艺术》《周信芳戏剧散论》等。

【周恩来】(1898—1976)中国无产阶级革命家、政治家、军事家、外交家，中国共产党、中华人民共和国的卓越领导人，中国人民解放军的主要创建人和领导人。字翔宇，曾用名伍豪等，祖籍浙江绍兴，生于江苏淮安。早年曾留学日本。参加过五四运动。1920—1924年，先后到法国和德国勤工俭学。1922年加入中国共产党，担任中国社会主义青年团旅欧支部书记，并在中国共产党旅欧支部工作。1924—1926年，先后担任黄埔军校政治部主任、国民革命军第一军政治部主任。1926年冬到上海，在党中央工作。1927年3月，领导了上海工人武装起义，同年8月领导了八一南昌起义。第二次国内革命战争时期，在上海坚持党的地下工作。1931年12月进入江西中央革命根据地后，先后担任中共苏区中央局书记、中央革命军事委员会副主席等职。遵义会议后，继续担任军委副主席，参与红军长征的组织领导工作。1936年12月西安事变发生后，作为中国共产党的全权代表,同蒋介石进行了谈判,实现了西安事变的和平解决。抗日战争时期,担任党中央的代表和南方局书记,在国民党统治区从事统一战线工作,并领导中国共产党地下党的工作。1945年8月,随同毛泽东到重庆同国民党谈判。《双十协定》签订以后,继续率领中国共产党代表团在重庆和南京同美蒋进行斗争。1946年11月,从南京回到延安,任解放军代总参谋长,参与解放战争的领导工作。1949年后,一直担任中华人民共和国政府总理并任中共中央军委副主席,中国人民政治协商会议副主席、主席。参与党和国家的政治、经济、军事、文化、教育、外交等重大方针政策的制定,并担负着处理党和国家日常事务的繁重任务。为社会主义革命和社会主义建设作出了重大贡献。"文化大革命"中,同林彪、江青反革命集团作了坚决的斗争。从中共五大以后,被选为历届中央政治局委员。在六届五中全会、七届一中全会上被选为中央书记处书记。在八届和十届一中全会上被选为中央委员会副主席。1976年1月8日在北京病逝。有《周恩来选集》。

【周敦颐】(1017—1073)北宋哲学家。字茂叔,道州营道(今湖南道县)人。世称濂溪先生。所著《太极图说》利用道家的学说为封建礼教提供理论根据,对以后的理学发展有很大影响。

【周而复始】循环往复,一圈一圈地运转。《汉书·礼乐志》:"阴阳五行,周而复始。"周:转一圈。复始:重新开始。

【周髀算经】书名。中国古代天文学著作,中国现存最早的数学著作。大约成书于公元前1世纪。书中认为宇宙构造是:天像大伞,地在其下。在数学上除了有相当复杂的分数乘除法计算外,还有勾股定理的论述及其应用的记载。东汉人赵爽注释《周髀算经》时,用著名的弦图给勾股定理作了证明。

【周围神经系统】中枢神经系统以外的神经组织的总称。由各种神经、神经丛和神经节组成。中枢神经系统通过其中的传入神经纤维和传出神经纤维分别与全身的感受器和效应器相连。在人体,周围神经系统的主要部分有12对脑神经、31对脊神经和植物性神经系统。

挒□ ㊀ zhōu 〈方〉从一侧或一端托起(重物)。㊄把石板~起来。

㊁ tiáo (977页)。

啁 ㊀ zhōu 〔啁啾〕拟声词。鸟叫声。啾(jiū)。

㊁ zhāo (1243页)。

赒□(賙) zhōu 同"周"⑥。现在通常写作周。

诪☒(譸) zhōu ❶诅咒。❷〔诪张〕也作侜张。作伪;欺骗。

粥 ㊀ zhōu 用粮食煮成的半流质食物。㊄稀~。

㊁ yù (1208页)。

盩□ zhōu 〔盩厔〕旧地名。在陕西中部。今作周至。

zhóu ㄓㄡˊ

妯 zhóu 〔妯娌〕对弟兄的妻子之间的关系的称呼。

轴(軸) ㊀ zhóu ❶机械中主要零件之一。一般为金属圆杆,轮子和其他转动的机件绕着它或随着它转动。㊄车~|转~。❷圆柱形的器物,可往上卷或绕上东西。㊄线~儿|画~。❸量词。用于绕在轴上或卷在轴上的东西。㊄两~线|一~山水画。

㊁ zhòu (1290页)。

【轴心】❶轮轴。❷比喻中心、核心。

【轴承】机械中一种常用的部件。用于支持轴旋转并保持其准确的位置,减少旋转摩擦。有滑动轴承和滚动轴承两大类。

【轴心国】第二次世界大战前夕和大战中结成反共和侵略同盟的法西斯德国、意大利、日本三国。它们相互标榜自己是"改造世界的轴心"。

【轴对称图形】如果沿一条直线对折,两个图形能够重合,那么这两个图形叫做以这条直线为对称轴的轴对称图形,这条直线叫做对称轴。

碡 zhóu 见〔碌碡〕(633页)。

zhǒu ㄓㄡˇ

肘 zhǒu 人的上臂与前臂交接部分。

【肘腋】❶胳膊肘与胳肢窝。比喻切近的地方。《三国志·蜀书·法正传》:"近则惧孙夫人生变于肘腋之下。"❷比喻亲信的人。宋

Z

魏泰《东轩笔录》卷五："平日肘腋尽去，而在者已不可信。"

帚（*箒） zhǒu 清除垃圾、尘土或油垢等的用具。例笤～｜扫～｜炊～。

zhòu ㄓㄡˋ

纣（紂） zhòu ❶后鞧(qiū)。例～棍(系在驴、马等尾下的横木)。❷商朝最后一个君主，是和夏桀齐名的暴君。原称帝辛，对中国古代的统一和各族文化的交流与发展有过一定贡献。但他多次发动掠夺战争，残酷压迫人民，不断激起奴隶、平民的反抗。在商、周最后一次战争中，战败自焚。

荮□（葤） zhòu 〈方〉❶用草包裹。❷量词。碗碟等用草绳绑成一捆叫一荮。

酎 zhòu 重(chóng)酿的醇酒。

伷⊠ zhòu 同"胄"②。

宙 zhòu ❶指古往今来的所有时间。❷地质年代分期的第一级。分太古宙、元古宙和显生宙。

【宙斯】希腊神话中的主神。罗马神话中称朱庇特。

轴（軸） ㊁ zhòu 旧时戏曲一次演出的几个节目中排在最末的一出戏叫大轴子；倒数第二出戏叫压轴子。

㊀ zhóu (1289 页)。

胄 zhòu ❶头盔，古代作战时戴的保护头部的帽子。例甲～。❷后代子孙。例贵～。

㑇⊠（㑳） zhòu ❶凶狠；厉害。❷乖巧；伶俐；漂亮(元曲中常用)。

㤘□（㥮） zhòu 〈方〉性情固执。

绉（縐） zhòu ❶丝织物的一种。用合股丝线作经，两种不同捻向的强捻丝线作纬，以平纹组织织成。❷织物组织名。使织物表面产生绉缩外观的织物组织。

皱（皺） zhòu ❶皱纹。❷聚拢；紧蹙。例衣服～了｜～眉头。

【皱胃】反刍动物的第四胃。能分泌胃液，食物消化后进入肠道。

【皱襞】褶子；皱纹。襞(bì)。

咒（*呪） zhòu ❶某些宗教或巫术中用以除灾或降祸的口诀。例符～｜念～。❷说希望别人不得好结果的话。例～骂｜～人死。❸发誓的话。例赌～。

咮⊠ zhòu 同"噣(zhòu)"。

昼（晝） zhòu 白天。例～夜。

甃□ zhòu 〈方〉❶井壁。❷用砖砌(井、池子等)。

㥮⊠ zhòu 见〔㑳㥮〕(104 页)。

噣⊠ ㊀ zhòu 鸟嘴。

㊁ zhuó (1306 页)。

繇 ㊂ zhòu 古代占卜的文辞。

㊀ yóu (1194 页)。

㊁ yáo (1146 页)。

骤（驟） zhòu ❶马快跑。例驰～。❷急；疾速；突然。例暴风～雨｜狂风～起。

【骤然】副词。突然；忽然。例掌声～像暴风雨般响起来。

籀 zhòu ❶籀文。❷阅读。例～读。

【籀文】也叫籀书、大篆。传说中的《史籀篇》所用的字体。笔画繁复，多重叠，春秋战国间通行于秦国。今所存石鼓文即为这种字体的代表。

zhū ㄓㄨ

朱（❷*硃） zhū ❶大红色。❷朱砂。

【朱门】红色的大门。旧时代指豪富人家。

【朱文】指印面文字凸起，用印泥钤盖出现的红字。

【朱鸟】即"朱雀"(1291 页)。

【朱批】清代皇帝在奏章上用朱笔(蘸红色的毛笔)所写的批示叫朱批。也指评校书籍时用朱(硃)墨写的批注。

【朱砂】也叫辰砂、丹砂。无机化合物。主要成分是硫化汞。大红色，不溶于水。中医用作镇静剂，外用可以治疗疥癣等皮肤病。是炼汞的重要原料，也可制颜料。

【朱耷】见〔八大山人〕(17页)。

【朱殷】赤黑色，血液凝结的颜色。殷(yān)。

【朱雀】❶鸟类。食多种树木及杂草的种子。在中国多在西北和西南地区繁殖，迁华南及云南南部越冬。❷也叫朱鸟。见〔二十八宿〕(246页)。

【朱温】(852—912)即后梁太祖。五代后梁建立者。宋州砀山(今属安徽)人。公元907年废唐哀帝自立，国号梁，建都于汴(今河南开封)。公元912年为其子所杀。

【朱德】(1886—1976)中国无产阶级革命家、军事家，中国共产党、中华人民共和国的领导人，中国人民解放军的创建人和领导人。字玉阶，四川仪陇人。1909年11月考入云南讲武堂，同年加入同盟会。1911年参加辛亥革命。1915年参加反对袁世凯称帝复辟。1922年在柏林加入中国共产党。1927年参加领导了八一南昌起义。1928年率领部分南昌起义部队，发动了湘南起义，然后上井冈山，同毛泽东会师，成立了中国工农革命军第四军并任军长。从1930年起，任中国工农红军第一军团军团长、红军第一方面军总司令、红军总司令、中央革命军事委员会主席。参与长征的组织领导工作。对张国焘的分裂红军和叛党活动进行了坚决的斗争。抗日战争时期任八路军总司令。第三次国内革命战争时期，任中国人民解放军总司令。1949年当选为中央人民政府副主席，并被任命为中央人民政府人民革命军事委员会副主席、中国人民解放军总司令。1954年当选为中华人民共和国副主席。在第二届至第四届全国人民代表大会上均当选为常务委员会委员长。从1934年党的六届五中全会起，被选为历届中央委员会委员、中央政治局委员。在党的七届一中全会上被选为中央书记处书记。在党的八届一中全会上当选为中央委员会副主席。1976年7月6日在北京病逝。有《朱德选集》。

【朱颜】红润的面容。特指年轻女子美好的容颜。

【朱熹】(1130—1200)南宋哲学家，宋代理学的集大成者。字元晦，号晦庵，徽州婺源(今属江西)人。继承了程颢、程颐的理学，完成了客观唯心主义的理学体系。认为“理”是世界的本原。说“理在先，气在后”，精神派生物质。主张“性即理”，提出“存天理，灭人欲”。他学识渊博，对经学、史学、文学、乐律乃至自然科学都有研究。著有《四书章句集注》《周易本义》《楚辞集注》《诗集传》等。

【朱鹮】鸟类。雄性体长约80厘米，雌性稍小。全身羽毛白色，但羽基及飞羽有粉红色渲染。颈部有若干延长而下垂的柳叶形羽毛。喙黑色，尖端及下喙基部红色。生活在沼泽地区，是中国国家重点保护动物。

【朱元璋】(1328—1398)即明太祖。明王朝建立者。字国瑞，濠州钟离(今安徽凤阳东北)人。1352年参加红巾军起义。1368年建立明王朝，定都南京，年号洪武。同年推翻元朝。后逐步统一全国。在位期间，废丞相，设六部，在各地设置军事机构，建立卫所，加强了中央集权的封建统治。奖励垦荒，移民屯田，有利于封建经济的发展。

【朱古力】即“巧克力”(789页)。

【朱可夫】格奥尔基·库斯坦丁诺维奇·朱可夫(1896—1974)苏联元帅、军事家。参加过两次世界大战，第二次世界大战期间历任总参谋长、方面军司令，参与计划和指挥了莫斯科保卫战、斯大林格勒会战、库尔斯克会战、第聂伯河会战以及歼灭德军重兵集团的战役，率军攻克柏林。1945年5月8日夜代表苏军最高统帅部接受法西斯德国投降。他具有组织指挥大军团作战的卓越才干，深入实际，作风果断。著有《回忆与思考》。

【朱自清】(1898—1948)中国现代散文家、诗人、学者。字佩弦，江苏扬州人。20年代起从事诗歌和散文创作。1931年去英国留学，后任教于清华大学、西南联合大学等校，1948年因拒绝领取“美援”的救济粮，在贫病交加中逝世。著有诗文集《踪迹》、散文集《背影》、学术著作《诗言志辨》等，有《朱自清全集》。

【朱启钤】(1872—1964)中国现代建筑史学家。字桂莘，号蠖园，贵州开州(今开阳)人。举人出身，历任京津管理要职，民国后出任交通总长、代理国务总理等职。为当时北京城的改建与城市治理做了大量工作。1929年创办中国营造学社，重新刊刻印行宋《营造法式》等传统建筑著作。著有《蠖园文存》等。

【朱载堉】(1536—1611)明代乐律学家。著有《乐律全书》，其中的《律学新说》《律吕精

Z

义》系统地论述了“新法密率”，即今十二平均律，是音乐史上最早用数学方法求得十二平均律的人。

【朱子家训】也叫朱子治家格言。清初朱柏庐撰，劝人勤俭治家，安分守己，宣扬封建伦理道德。

【朱门酒肉臭，路有冻死骨】唐杜甫《自京赴奉先县咏怀五百字》诗中的名句。意思是豪门贵族家里酒肉吃不完都放臭了，而道路上却暴露着冻饿致死的人的白骨。揭示了当时社会贫富悬殊的情况。朱门：红漆大门，指富贵人家。

邾 zhū 周朝国名。即邹。

侏 zhū 矮小。

【侏儒】身材异常矮小的人。通常是由于脑垂体前叶的功能低下所致。

【侏罗纪】中生代的第二个纪。约开始于2.05亿年前，结束于1.35亿年前。由法国、瑞士边境的侏罗山而得名。在这个时期里，真蕨、苏铁、银杏等繁荣，箭石、菊石等兴盛，脊椎动物以爬行动物(恐龙)为主，鱼类多为全骨鱼类，原始鸟类出现。

【侏罗系】中生界的第二个系。指侏罗纪时期所形成的地层。

诛(誅) zhū ❶谴责。㊀口～笔伐。❷杀(有罪的人)。㊀害民者～。❸要求。㊀～求无时。

【诛戮】杀害。戮(lù)。

【诛心之论】指揭穿动机的批评。

【诛求无已】勒索榨取没完没了。《左传·襄公三十一年》：“以敝邑褊小，介于大国，诛求无时。”诛求：勒索。无已：没个完。

茱 zhū〔茱萸〕灌木或小乔木。果实供药用。另有吴茱萸，灌木，花蕾供药用。

洙 zhū 洙水，水名，在山东西部。

珠 zhū ❶珍珠。❷像珠子似的小水滴或小圆粒。㊀水～|算盘～。

【珠玑】珠子。比喻优美的文章或词句。㊀字字～。玑(jī)。

【珠江】华南第一大河。由西江、北江、东江汇合而成。西江为干流，发源于云南东部，流经贵州、广西，在广东中部分支注入南海。全长2 214千米。流域面积45万平方千米。水量丰富，广西梧州市以下可行江轮，广州黄埔港以下可行海轮。

【珠海】市名。位于广东省南部，珠江口西侧，南邻澳门特别行政区。人口36万(1997年)。为中国经济特区之一。出口加工业和旅游业发展迅速，是广东省重要的外贸口岸之一。

【珠算】中国传统的计算方法。利用算盘来进行加、减、乘、除、开方等运算，计算时运用口诀，能相当快地得出结果。中国早在14世纪前就开始使用算盘，明末以后传至国外。

【珠翠】❶珍珠翠玉。泛指用珠翠做成的装饰品。❷蚌肉和翠鸟肉。泛指珍贵的食品。

【珠圆玉润】形容歌声婉转或文词流畅。

【珠联璧合】《汉书·律历志上》：“日月如合璧，五星为连珠。”意思是说日月就像美玉结合在一起，五星(指水、金、火、木、土五个行星)就像珍珠联串在一起。后用“珠联璧合”比喻杰出的人才或美好的事物聚集在一起。璧：美玉。

【珠江三角洲】珠江泥沙在河口附近沉积的低平原。在广东省。包括西、北江三角洲和东江三角洲，面积约10 000平方千米。一般指罗平山脉以南、以东，罗浮山区以西的地区。

【珠穆朗玛峰】世界第一高峰。海拔8 848.13米。位于中国西藏自治区和尼泊尔交界处，为喜马拉雅山的主峰。珠穆朗玛：藏语音译词，女神。

株 zhū ❶植物露在地面上的茎和根。㊀守～待兔。❷成长的植物体。㊀幼～|～距。❸量词。用于某些植物。㊀一～小草。

【株守】比喻拘泥守旧，不知变通。

【株连】指一人犯罪而牵连其他人。

铢(銖) zhū 古代质量单位。一两的二十四分之一。常指极轻的分量。

【铢两悉称】形容两方面轻重相当，优劣相近。称(chèn)。

【铢积寸累】即“积铢累寸”(451页)。

鸨⊠**(鴸)** zhū 鸟名。

蛛 zhū 蜘蛛。㊀～网。

【蛛丝马迹】比喻留下的痕迹和隐约可以寻

Z

找的线索。

诸(諸) zhū ❶众;许多。㊀～位|～事。❷"之于"或"之乎"二字的合音。㊀付～实施(付之于实施)|有～(有之乎)?

【诸侯】中国商周和汉初时期,由帝王分封并受帝王统辖的列国国君。

【诸宫调】宋、金、元说唱艺术的一种,也是一种文学体裁。取同一宫调的若干曲牌联成短套,首尾一韵;再用不同宫调的短套联成长篇,其中穿插说白,用来说唱长篇故事。伴奏乐器主要是琵琶。

【诸葛亮】(181—234)三国时期蜀汉政治家、军事家。字孔明,琅邪阳都(今山东沂南县南)人。东汉末,隐居隆中(今湖北襄阳西)。公元207年刘备三顾其草庐,他对刘备提出逐步统一全国的方略,即所谓《隆中对》,为刘备采纳。蜀汉政权建立后任丞相,限制豪强势力,励精图治,赏罚严明;改善和西南各族的关系;兴修水利,屯田汉中,发展农业生产。对统一开发中国西南地区有所贡献。治事谨慎,善于用兵。有《诸葛亮集》。

【诸子百家】春秋战国时期学术思想派别的总称。诸子指孔子(孔丘)、老子(老聃)、墨子(墨翟)、荀子(荀况)等。百家指儒家、道家、墨家、法家、名家、纵横家、杂家、农家、小说家、阴阳家等。

【诸如此类】与此相类似的许多事物。㊀～,不胜枚举。

【诸葛亮会】指大家一起商量、一起想办法,发挥集体智慧,研究解决问题的会。诸葛亮历来被认为是足智多谋的典型人物,故名。

槠(櫧) zhū 常绿阔叶乔木。叶革质,木材坚硬致密,富弹性,用途广,可制器具。

猪(*豬) zhū 哺乳动物。分家猪和野猪。家猪分肉用、脂用和兼用三类。头大,鼻、吻都长,眼小,耳大,脚短,身肥。肉供食用,皮可制革,鬃可制刷子,并可作其他工业原料。

【猪猡】〈方〉猪。

【猪瘟】由滤过性病毒引起的猪的一种热性传染病。主要症状是高烧、寒战、不食、有眼屎、皮肤上有小红点、指压不退、便秘、腹泻等。暴发性的常突然死亡。春季注射猪瘟疫苗可预防。

【猪八戒】《西游记》中的人物。唐僧弟子。他好吃懒做,贪图享受,好卖乖使巧,为自己打算,但往往吃亏受苦。他愚笨可笑,形象丑陋,但力气大,能忍耐,心地善良。是个喜剧性的艺术形象。

潴 zhū ❶水积聚。㊀～积。❷积水的地方。

橥 zhū 拴牲口的小木桩。㊀揭～(标明,揭示)。

瀦⊠ zhū "潴"的异体字。

櫫⊠ zhū "橥"的异体字。

柷⊠ zhū 树枯死。

zhú ㄓㄨˊ

术 ㊁ zhú ❶见〔白术〕(23页)。❷见〔苍术〕(94页)。

㊀ shù (912页)。

竹 zhú 竹子,多年生常绿植物。茎圆柱形,有节,中空,可供建筑用,又可做造纸原料。嫩芽即竹笋,可食。

【竹布】淡蓝色的布纹致密的一种棉布。多用来做夏季服装。

【竹帛】竹简和绢。古代用来记载文字,因此竹帛也指典籍。

【竹笋】即"笋"(944页)。

【竹编】用竹篾编制的工艺品。

【竹简】古代用来写字的竹片。

【竹林七贤】魏晋间七个名士,即嵇康、阮籍、阮咸、山涛、向秀、王戎、刘伶。常游会于竹林,故名。

竺 zhú 姓。

【竺可桢】(1890—1974)中国气象学家。浙江绍兴人。对中国气候的形成、特点、区划和变迁,以及物候学和自然科学史等方面的研究做出了重要贡献,是中国现代气象事业的创始者。有《竺可桢文集》。

逐 zhú ❶驱逐;令离开。㊀～出门外|～客令。❷追赶;竞争。㊀追～|角～。❸挨着次序。㊀～年|～项解说。

【逐一】副词。逐个;一个一个地。

【逐北】追击败兵。北:败逃。

【逐臭】追逐臭气。比喻有与众不同的怪

Z

癖。也形容坏人之间臭气相投，互相追逐、勾结。

【逐鹿】《汉书·蒯通传》："秦失其鹿，天下共逐之。"颜师古注引张晏的解释，认为鹿是比喻帝位。后多以"逐鹿"比喻群雄争夺天下。㊀～中原。

【逐渐】副词。渐渐，表示逐步变化。㊀天色～亮起来。

【逐客令】秦始皇曾下过逐客令，要驱逐从各国来的客卿。后称赶走客人为下逐客令。

瘃 zhú 冻疮。

烛（燭） zhú ❶蜡烛。㊀～影。❷照见；照亮。㊀火光～天。❸量词。俗称灯泡多少瓦为多少烛。

【烛光】发光强度的非法定计量单位。通常所说的电灯泡的烛光数实际上是瓦特数。

【烛花】蜡烛燃烧时烛心结成的花状物。也指蜡烛的光焰。

【烛泪】蜡烛燃烧时流下的油。

【烛照】照亮。

蠋 zhú 蝴蝶、蛾类的幼虫。

躅 zhú 见〔踯躅〕（1265 页）。

窋☒ ㊁ zhú 动物在洞穴中将要出来的样子。

㊀ kū（566 页）。

舳 zhú 船尾。

【舳舻】❶古指长方形的船。❷指首尾相接的船只。㊀～千里。舻：船头。

斸☒（斸） zhú ❶大锄。❷砍；掘。

zhǔ ㄓㄨˇ

主 zhǔ ❶主人。1. 接待宾客的一方。与"客"相对。㊀宾～。2. 权力、财物的所有者或支配者。㊀物～｜劳动人民当家作～。3. 当事人。㊀失～｜苦～。4. 旧时占有奴隶或使用仆役的人。㊀奴隶～｜～仆。❷主持；负主要责任。㊀～办｜～讲。❸最重要的；最基本的。㊀预防为～｜～力。❹主张。㊀力～改革｜有的～战，有的～和。❺出于自身的。㊀～动｜～观。❻基督教徒对上帝、伊斯兰教徒对真主的称呼。

【主刀】主持给病人动手术。

【主力】担负主要任务、起主要作用的力量。㊀～部队。

【主义】❶对于自然界、社会以及学术问题等所持有的系统理论和主张。㊀马克思列宁～｜达尔文～。❷一定的社会制度和政治经济体系。㊀社会～｜资本～。❸表示某种思想、品质、作风等。㊀集体～｜革命英雄～｜主观～。

【主子】旧时奴仆称主人。现多比喻操纵主使他人作恶的人。

【主日】基督教徒称星期日为主日。

【主见】（对事情的）确定的主意、见解。

【主币】即"本位货币"（48 页）。

【主犯】组织、领导犯罪集团进行犯罪活动的，或在共同犯罪中起主要作用的犯罪人。除犯罪集团首要分子以外的主犯，应当按照其所参与的或组织、指挥的全部犯罪处罚。与"从犯"相对。

【主刑】对犯罪人适用的主要的刑罚方法。种类有管制、拘役、有期徒刑、无期徒刑和死刑。只能独立适用，不能附加适用。

【主动】❶指不待外力推动而自觉行动。与"被动"相对。㊀这个要求是他～提出的。❷指能掌握和驾驭局面。与"被动"相对。㊀处于～地位。

【主考】明清两代由朝廷派到各省主持乡试的官员。后泛指主持考试的人。

【主场】体育比赛中自己一方所在地的赛场。与"客场"相对。

【主权】见〔国家主权〕（365 页）。

【主页】可以在互联网上进行信息查询的起始信息页。参见〔网页〕（1013 页）。

【主创】在作品创作中承担主要工作的。㊀～人员。

【主旨】主要的意义、用意或目的。

【主导】❶居主要地位的并引导事物向一定方向发展的。㊀～思想。❷起主导作用的事物。㊀以农业为基础，以工业为～。

【主观】❶哲学范畴。指属于人的意识、精神方面的东西。与"客观"相对。❷不依据实际情况，单凭自己的愿望、偏见（办事）。与"客观"相对。

【主攻】❶也叫主要突击。进攻的军队在主要方向上集中主要兵力、火力对敌人实施攻击。❷主要致力于（某方面）。㊀他～语法方向。

【主体】❶事物的主要部分。㊀～工程。❷哲学范畴。指承担实践活动和认识活动的人。与“客体”相对。

【主角】❶戏剧、电影中指扮演主要人物的演员。❷一个事件中起主要作用的人。

【主张】对事物持有某种见解。也指对事物持有的见解。㊀他～立即进行试验｜谈了自己的～。

【主物】两个以上的物因一定的经济目的组合使用时,起主要作用的物。与“从物”相对。在法律和合同无相反规定时,从物随主物转移。

【主使】主谋指使(人去做坏事)。

【主官】军队各级各类建制单位中担任正职的领导干部。如司令员、政治委员、连长、政治指导员、院长、所长等。

【主持】❶负责掌握或管理。㊀～会议｜～家务。❷主张;维护。㊀～正义。

【主将】军队的主要将领;统帅。也比喻在某方面起主要作用的人。

【主音】即核心音。一列音阶的调首音。在调式中存在一个中心音(主音),和弦的构成、曲调进行及收束的形式都围绕这个中心音进行。

【主语】句子成分的一种。是谓语的陈述对象,指出“谁”或“什么”。如“我们热爱祖国”中的“我们”。与“谓语”相对。

【主顾】顾客。

【主笔】原指报章杂志编辑部中负责撰写评论的人,后有时也指编辑部的主要负责人。

【主流】❶即“干流”(306 页)。❷喻指事物发展中本质的、主要的方面。它代表事物发展的基本趋势,决定事物发展的方向。与“支流”相对。

【主宰】支配;统治;掌握。也指处于支配地位的人或事物。

【主教】天主教、东正教、基督教会中对一定区域教会进行管理的神职人员。位在神父之上,通常为一个教区的管理人,有管理所辖教区教务和传授神权的权力。主教中又分大主教、都主教等。

【主祭】主持祭礼。也指主持祭礼的人。

【主谋】共同犯罪、做坏事时的主要谋划者。

【主管】❶负主要责任管理(某一方面)。㊀～农业。❷主管人员。

【主题】❶也叫主题思想。文艺作品中通过具体的艺术形象表现出来的基本思想。它是文艺作品内容的核心。题材的选择,人物的塑造,情节、结构的安排,语言的锤炼,都应服从表达主题的需要。作品的主题集中反映作者对所描绘的生活的认识和评价。❷音乐名词。指乐曲中具有特征的处于显著地位的基本思想。❸泛指谈话、会议、文章等的核心内容。

【主人公】文学作品中的主要人物。

【主人翁】❶当家作主的人。㊀解放后,劳动人民成了国家的～。❷主人公。

【主力军】军队的主力。也喻指起主要作用的一支力量。

【主动脉】也叫大动脉。人体内最粗大的动脉管,是体循环的主干。从左心室发出,向上弯成弓状,再沿脊柱下行,在胸、腹腔内分出很多较小的动脉。

【主旋律】在许多声部同时演唱(奏)的音乐中,有一个声部所唱(奏)的曲调是主要曲调,这个主要的曲调就是主旋律。其他声部都只起润色、丰富、烘托、补充的作用。

【主谓句】由主谓短语构成,可以分析出主语和谓语的句子。如:“我‖赞美白杨树。(主+谓)”。与“非主谓句”相对。

【主题歌】指电影、戏剧中能概括表现主题思想的歌曲。

【主观主义】一种唯心主义、形而上学的思想方法和工作作风。其特征是主观和客观相分裂,认识和实践相脱离。教条主义和经验主义是其常见的表现形式。

【主要矛盾】指在事物或事物发展过程的多种矛盾中起主导和决定作用的矛盾。其存在和发展规定或影响着其他矛盾的存在和发展,决定着事物发展的方向和道路。

【主谓短语】组合的两个词语之间有陈述与被陈述的关系,即具有主谓关系的词语组合。如“市场繁荣”“他们散步”。

【主题思想】即“主题”①。

【主观能动性】也叫自觉的能动性。指人能动地认识和改造世界的活动和努力。是人类区别于动物的特殊的能动性。

【主观唯心主义】唯心主义的基本形式之一。颠倒了思维同存在、精神同物质的关系,把人的主观意识看作世界的本原,把世界上的一切事物都看作人的主观意识的产物。最后导致只承认“我”存在的“唯我论”。

拄

zhǔ 用手杖或棍支撑。㊀～拐棍。

麈

zhǔ 古书上指鹿一类的动物。尾巴可以制拂尘,故称拂尘为麈尾,也简

Z

称麈。

玍☒(詝) zhǔ 智慧。

陼☒ zhǔ 同"渚"。

渚 zhǔ 水中的小块陆地。㊀江～。

煮(*煑) zhǔ 一种烹饪方法。把食物放在有水的锅里烧熟或把其他东西放在开水锅里烧一段时间。㊀～饺子|把病人的碗筷～一下。

【煮酒】温酒;烫酒。

【煮豆燃萁】比喻兄弟间的或内部的自相残害。参见〔相煎太急〕(1073页)。

【煮鹤焚琴】也说焚琴煮鹤。把鹤煮了吃,把琴当柴烧。比喻糟蹋美好的东西,干大杀风景的事。

褚 ㊁ zhǔ ❶往衣服里絮丝绵。❷囊;口袋。

㊀ chǔ (139页)。

属(屬) ㊁ zhǔ ❶连缀;接连。㊀前后相～。❷(注意力)集中在一点上。㊀～意|～目。❸古又同"嘱"。

㊀ shǔ (911页)。

【属文】连缀字句成文。即撰写文章。

【属望】期望;期待。

【属垣有耳】有人靠着墙偷听。指说话要注意。《诗经·小雅·小弁》:"君子无易由言,耳属于垣。"属垣:附墙。

嘱(囑) zhǔ ❶嘱咐,告诉对方记住该做什么,不该做什么;该怎样做,不该怎样做。㊀叮～|遗～。❷托(人办事)。㊀～托|依～代办。

瞩(矚) zhǔ 看;注视。㊀高瞻远～。

【瞩目】注视;注目。㊀举世～。

【瞩望】❶期望;期待。❷注视。

zhù ㄓㄨˋ

伫(*佇*竚) zhù 伫立,长时间地站立。

【伫候】站着等候。形容盼望心切。㊀～佳音。

苎(苧) zhù 〔苎麻〕多年生草本植物。茎直立,丛生。白叶种苎麻,茎皮纤维洁白,有光泽,易染色,不皱缩,是纺织夏布的重要原料。

"苧",另音 níng (722页)。

纻(紵) zhù 苎麻。也指用苎麻纤维织的布。

贮(貯) zhù 储存;积存。㊀～藏|～存。

【贮藏根】二年生或多年生草本植物适应越冬,进行营养繁殖的变态根。一般肥大,贮有大量养料。分肉质根和块根。

苧☒ ㊀ zhù 草名。即荆三棱。

㊁ xù (1112页)。

杼 zhù 即"箸"(565页)。

助 zhù 帮助。㊀互～。

【助长】帮助增长(多指坏的方面)。

【助兴】帮助增加兴致。

【助词】附着在词、短语、句子之后,表示某种附加意义的虚词。

【助残】帮助残疾人;扶助残疾人事业。㊀～活动。

【助教】❶中国高等学校教师的一种学衔或职务。❷中国古代在国子监或太学中协助博士教学的学官。

【助桀为虐】也说助纣为虐。比喻帮助恶人做坏事。《史记·留侯世家》:"今始入秦,即安其乐,此所谓助桀为虐。"桀:夏朝末代君主。纣:商朝末代君主。虐:暴行。

住 zhù ❶居住;住宿。❷停止。㊀～手|雨～了。❸作动词的补语,表示牢固、停顿或胜任等。㊀拿～|被他问～了|禁得～风吹雨打。

【住所】公民生活和进行民事活动的主要场所。公民以其户籍所在地的居住场所为住所,经常居住地与住所不一致的,经常居住地视为住所。法人以其主要办事机构所在地为住所。

【住持】指佛教、道教寺观内主持事务的人。

【住房公积金】国家通过强制性政策和措施以建立个人购房专用基金为目的所开展的专项储蓄业务。

注(❸－❺*註) zhù ❶灌入。㊀～入|～射。❷(精神、力量)集中。㊀～视|～意。❸用文字解释字句。㊀～解|批～。❹用来解释字句的文字。㊀附～|脚～。❺记载;登记。㊀～册|～销。❻旧时赌博所下的钱。㊀

赌～|孤～一掷。

【注目】注视。目光集中于某点上。㊀引人～。

【注册】向有关机关、团体或学校等登记,以作为根据。

【注记】在地图图面上起着说明作用的文字或数字。如国名、山名、水名、城市名和山峰高度等。

【注定】(某种客观规律)预先决定。㊀侵略者～要失败。

【注视】注意地看。

【注重】重视。

【注资】有限责任公司经股东同意增加其注册资本的法律行为。

【注脚】解释字句的文字。

【注销】取消登记过的项目。

【注释】也叫注解。❶用简明文字解释书刊中的字、词、句。❷也叫注文。解释的文字。

【注疏】旧时把注解古书的文字叫注或叫传(zhuàn),解释传、注的文字叫疏。疏(旧读shù)。

【注解】即"注释"(1297页)。

【注音字母】也叫注音符号。1918年由当时教育部颁布推行的为汉字注音的一套音标。共有字母四十个。即:ㄅㄆㄇㄈㄪ、ㄉㄊㄋㄌ、ㄍㄎㄫㄏ、ㄐㄑㄬㄒ、ㄓㄔㄕㄖ、ㄗㄘㄙ、ㄧㄨㄩ、ㄚㄛㄜㄝ、ㄞㄟㄠㄡ、ㄢㄣㄤㄥ、ㄦ(其中ㄪㄫㄬ三个字母只用于拼注方音)。它在帮助认字以及在统一汉字读音方面曾经起过一定的作用。1958年为《汉语拼音方案》所代替。目前台湾省仍然使用。

驻(駐) zhù ❶停留。㊀～足。❷(队伍或工作人员)住在执行任务的地方;(机关)设在某地。㊀～军|～京办事处。

【驻扎】部队在某地住下。

【驻防】军队在一定区域长期驻扎防守。

【驻波】一种特殊的干涉现象。两列频率、振幅相同而传播方向相反的波相互叠加而成的波形不向空间传播的波。

柱 zhù ❶柱子,建筑物中直立的起支撑作用的构件,用木、石或钢筋混凝土制成。❷像柱子的东西。㊀冰～|水～。

【柱石】柱子和柱子下面的基石。比喻担负国家重任的人。㊀中国人民解放军是人民民主专政的坚强～。

炷 zhù ❶灯心。❷量词。用于点燃的香。㊀一～香。

砫□ zhù 用于地名,如石砫(在重庆,今作石柱)。

疰 zhù 因不能适应气候或环境而得的病。如疰夏、疰船。

蛀 zhù ❶蛀虫,咬树木、衣物、粮食、书籍等的小虫。❷被虫子咬坏。㊀这衣服被虫～了。

㤖⊠ ㊁ zhù 聪明。
㊀ nuò(729页)。

羜⊠ zhù 羔羊。

柷⊠ zhù 古代击乐器。木制,形状像方斗。用于奏乐开始时,表示音乐节奏。

祝 zhù 表示美好的愿望。㊀～愿|～贺。

【祝词】也作祝辞。举行典礼或会议时表示良好祝愿或庆贺的话。

【祝贺】庆贺。

【祝酒】向人敬酒,表示祝愿、祝福等。

【祝辞】同"祝词"(1297页)。

【祝福】❶指祝人平安幸福。❷宗教迷信祈求上帝鬼神赐福。

【祝融】❶传说中古代帝王之一。❷传说中帝喾时管火的官。后人尊为火神。㊀～之灾(指火灾)。

【祝英台】民间传说《梁山伯与祝英台》的主要人物。她乔装男子外出求学,与梁山伯同窗三载,结拜为兄弟,对山伯产生爱慕之情。临别托言为小妹提亲,实则以身相许。回家后父亲逼她嫁给马文才,梁山伯知变悒郁而死。她出嫁路经山伯墓恸哭祭奠。地忽开裂,她跃入墓中,与山伯化蝶共舞。是忠于爱情,与封建礼教抗争的艺术典型。

著 ㊀ zhù ❶显明;显著。㊀～名|昭～。❷写文章;写书。㊀～书立说。❸写成的文章或书。㊀大～|译～。
㊁ zhuó(1307页)。

【著名】很有名。

【著作】❶写作。❷写出来的文章或书。

【著述】❶编纂书籍;撰写文章。❷作品。

【著录】记载;记录。

【著称】(因某方面)有名而被人们称说。㊀杭州以西湖～于世|唐代在文学史上以诗歌～。

【著作权】也叫版权。作者、著作权人依法对作品享有的权利。包括人身权和财产

Z

权，前者有发表权、署名权、修改权和保护作品完整权；后者有支配权、使用权、收益权和处分权。《世界版权公约》是著作权国际保护的重要规则，中国于1992年加入。

翥 zhù 鸟飞。

箸（*筯） zhù 筷子。

铸（鑄） zhù ❶把金属熔化后倒进砂型或模子里，制成物件。例～铁｜～字。❷造成。例～成大错。

【铸币】由国家或国家准许铸造的合乎规定重量和成色、具有一定形状的金属货币。

【铸型】铸造时用以浇入熔化的金属以形成一定形状铸件的模子。铸型中的型腔，其轮廓即为铸件的外形。

【铸造】将金属熔化后浇入铸型中以形成预定的物件。包括制造铸型、熔化金属、浇铸和清理等工序。用砂制作的铸型应用较广，故又名翻砂。

【铸币税】在金属货币制度下，铸造货币的实际成本与货币表面价值之差归铸币者所有的那部分收入。

筑（❶築） zhù ❶建造；修建。例～路｜构～工事。❷古代一种和筝相近的弦乐器。❸贵州贵阳的别称。

【筑波】日本的新兴科学城。位于东京东北约50千米。北依筑波山，东临霞浦湖，面积259.5平方千米。这里集中了47个科研机构和多所大学。

【筑室道谋】《诗经·小雅·小旻》："如彼筑室于道谋，是用不溃于成。"意思是说盖房子的时候随便向过路的人请教，那是肯定盖不好的。后用以比喻无主见，盲目地征询意见，人多言杂，办不成事。

zhuā ㄓㄨㄚ

抓 zhuā ❶聚拢手指或爪趾拿取。例～一把米｜鹰～燕雀。❷搔；挠。例～痒。❸捉；捕。例～坏人。❹着重领导，研究过问。例～理论学习｜～市场管理。

【抓周】旧俗小孩周岁时，摆放多种小型物品让他抓取，以预测他一生的性情和志趣。

【抓哏】演员表演时即兴编词儿逗观众发笑。哏（gén）。

【抓举】举重运动比赛方式之一。运动员双手紧握杠铃横杠，向上提铃至双臂伸直，然后起立站直。

【抓耳挠腮】形容焦急而又没有办法的样子。

挝（撾） ㊀ zhuā 敲；打。例～鼓。㊁ wō（1032页）。

檛☒（檛） zhuā ❶杖；鞭。❷筌两侧的管子。

篧☒（篧） zhuā 马鞭子。

髽□ zhuā 〔髽髻〕女孩子梳在头两旁的发髻。

zhuǎ ㄓㄨㄚˇ

爪 ㊁ zhuǎ ❶爪子，动物带尖甲的脚。例鸡～子｜猫～子。❷爪儿，器物下端像爪的部分。例这个锅有三个～儿。
㊀ zhǎo（1243页）。

zhuāi ㄓㄨㄞ

拽 ㊁ zhuāi 〈方〉❶用力扔。例别乱～。❷胳膊有毛病，活动不灵便。
㊀ zhuài（1298页）。

zhuǎi ㄓㄨㄞˇ

转（轉） ㊂ zhuǎi "转（zhuǎn）文"的"转"的又音。
㊀ zhuǎn（1300页）。
㊁ zhuàn（1301页）。

跩□ zhuǎi 〈方〉身体肥胖不灵活，走路摇晃。例鸭子一～一～地走着。

zhuài ㄓㄨㄞˋ

拽 ㊀ zhuài 拉；牵引。例生拉硬～｜把门～上。
㊁ zhuāi（1298页）。

zhuān ㄓㄨㄢ

专（專*耑） zhuān ❶集中在一件事上。例～心｜～题。❷独自掌握或享有。例～权｜～利。

【专一】专心一意，心不二用。
【专区】中国省、自治区曾经根据需要设立的行政区域。包括若干县、市。1975年改称地区。
【专长】专门的学问、技能。
【专刊】❶具有专题内容的墙报、板报。㊀新年～。❷报纸杂志以某项内容为中心而编辑的一栏或一期，标有刊名，如《光明日报》的《学术》。❸按专题出版的单册刊物。
【专业】❶高等和中等专业学校根据国家需要和科学发展状况而设置的学业的门类。❷科学研究机关或产业部门中分成的各业务部分。
【专电】报社、通讯社记者从外地专为本社拍的新闻电报。
【专列】专用列车的简称。㊀～徐徐驶进车站。
【专访】❶专题性的或对某一个人进行采访。㊀对百岁老人进行～。❷指专访体裁的文章。㊀写～。
【专攻】专门学习研究。㊀～数学。
【专利】指国家专利主管机关授予的专利权、取得专利权的发明创造及国家颁发的授予专利权的专利证书。也特指专利权。
【专卖】❶国家指定某物品由专营机构经营，其他部门不经专营机构许可，不得生产和运销。❷专门出售某一品牌的商品。㊀～店。
【专制】统治者独自掌握政权。㊀君主～。
【专使】专为某件事而派遣的使节。
【专宠】独占宠爱。也指独占宠爱的人。
【专诚】❶真诚。至诚。❷特地(不是顺便)。㊀～拜访。
【专项】具体的某个项目。㊀进行～检查|～资金。
【专政】统治阶级凭借军队、警察等国家机器对敌对阶级实行的强力统治。任何国家的实质都是一定阶级的专政。
【专栏】❶报刊上专门刊登某项内容的部分版面。一般都有固定的名称，如国际知识专栏等。❷指具有专题内容的墙报、板报。
【专美】独自享受美名。
【专家】对某一门学问有专门研究或擅长某项技术的人。
【专案】需要单独立案专门处理的案件或重要事件。
【专职】❶由专人担任的某一职务。㊀设置～|各有～。❷指专门担任某种职务的。㊀厂工会设～副主席一人|他是学会的～干部。
【专营】专由某一部门经营；专门经营某类商品。㊀～权|对石油、钢材等实行～。
【专断】个人擅自做出决定。
【专程】专门为某事到某地。㊀～前往迎接。
【专横】专断蛮横。㊀～跋扈。横(hèng)。
【专题】(需要调查、研究、讨论的)专门问题。㊀～调查|～报告。
【专擅】遇事不商量，不请示，不报告，擅自独断专行。
【专业户】农村中专门从事某项农业、副业、林业等生产的家庭或个人。㊀粮食～|运输～。
【专名号】标点符号的一种。形式为"——"。标示于人名、地名、朝代名等专名下面。只限用在古籍或某些文史著作中。
【专利权】专利权人在法律规定的期限内对其发明创造享有的独占权。具有排他性、地域性、时间性。分发明专利、实用新型专利和外观设计专利。专利权人依法占有、使用、收益和处分其发明创造，禁止他人干涉、侵犯专利权。
【专心致志】形容一心一意，聚精会神。《孟子·告子上》："不专心致志，则不得也。"致：尽，极。志：志向，志趣。
【专业公司】由同一行业中生产或经营同类产品、同类零部件的单位联合组成的公司。存在于工业、农业、商业等各行业中。
【专业军士】❶士官军衔中的一级。中国人民解放军的现行专业军士军衔由高至低分四级、三级、二级、一级。❷被授予专业军士军衔的军人。
【专有技术】有动态实用价值，为有限范围内专家掌握并为之带来比较优势，未在任何地方公开其完整形式，未作为工业产权保护，以生产为主(也包括管理与商业活动)的技术知识。
【专家系统】赋予计算机以知识，让它模拟人脑进行推理，回答某个领域问题的系统。如第一个专家系统DENDRAL，就是将化学专家的知识与推理方法结合起来，达到与化学专家同等水平的系统。
【专属经济区】《联合国海洋法公约》规定，沿海国家除拥有12海里领海权外，其管辖的海域面积可外延至200海里，作为该国

Z

的专属经济区，享有勘探、开发、利用、保护、管理海床上覆水域及底土自然资源的主权。据此，中国管辖海域面积有473万平方千米。

瑼☒(**瑼**) zhuān 玉名。

膞□(**膞**) zhuān 〈方〉肫(zhūn)，鸟类的胃。㊀鸡～。

砖(**磚***甎*塼) zhuān ❶用土坯烧成的(也有用其他材料制成的)建筑材料。㊀～瓦。❷像砖的东西。㊀茶～|冰～。

【砖茶】也叫茶砖。指经过加工，形状像砖一样的茶。

【砖雕】在砖质材料上雕刻出人物、花卉等的建筑装饰构件。

【砖红壤】热带湿润地区形成的砖红色土壤。铁、铝氧化物含量很高，质地黏重，肥力很低，酸性强。在中国主要分布于海南以及云南、广东、广西、台湾的南部。

篿☒(**篿**) ㊀ zhuān 古时结草折竹来占卦。

㊁ tuán (995页)。

颛(**顓**) zhuān 见下。

【颛臾】周朝国名。在今山东平邑东。臾(yú)。

【颛顼】古代传说中的帝王。参见〔五帝〕(1043页)。顼(xū)。

zhuǎn ㄓㄨㄢˇ

转(**轉**) ㊀ zhuǎn ❶改换方向或情势。㊀～身|形势好～。❷把一方的物品、意见等带给另一方。㊀～送|～达|～播。

㊁ zhuàn (1301页)。

㊂ zhuǎi (1298页)。

【转义】由词的本义派生转化出来的意义。一般包括引申义和比喻义两类。有时转义还可再派生其他意义。

【转化】❶哲学范畴。指矛盾双方在一定条件下各向其相反的方面变化。❷转变；改变。

【转文】说话、写文章时不用平常话，好用书面词语，以显示有学问。转(又音 zhuǎi)。

【转世】❶即"转生"(1300页)。❷藏传佛教为解决其首领的继承问题而设立的制度。凡活佛死后，就通过占卜、降神等活动，从当时出生的婴儿中选定一个作为"转世"者。活佛转世有一定的程序和仪轨。

【转业】中国人民解放军的干部和志愿兵退出现役转到地方工作。

【转生】也说转世。佛教认为人或动物死后，灵魂依照因果报应而投胎，成为另一个人或动物。

【转机】(病情或事情)好转的可能。

【转轨】转入另一轨道运行。多用来比喻改变原来的体制、转变方向等。㊀向外向型经济～。

【转会】指运动员从签约的俱乐部(或运动队)转入另一个俱乐部(或运动队)效力。转会时接收的一方要向原属的一方支付一定的转会费或培训费。

【转折】❶事物在发展过程中，改变原来的情况。❷文意或语意由一层转到另一层。

【转岗】从一种性质的工作岗位转到另一种性质的工作岗位。㊀～技术培训。

【转述】把别人说的话告诉另外的人。

【转账】不收付现金，只在账簿上记载收付关系。

【转注】六书之一。指归于同一部类，意义可以互训的造字法。汉许慎《说文解字·叙》说："转注者，建类一首，同意相受，考、老是也。""建类一首"，指同在一个部首，声音又相近(考、老二字同属"老"这个部首，字音上同属"幽"部)；"同意相受"，指字义基本相同，可以互相训释(考、老二字在古代属同义字，在《说文》中是互训的)。

【转录】❶把磁带上已录好的录音、录像再录到空白磁带上。❷遗传信息从脱氧核糖核酸到核糖核酸的转移。即以脱氧核糖核酸为模板，由四种核糖核苷三磷酸合成核糖核酸。

【转型】❶社会经济结构、文化形态、价值观念、生活方式等发生转变。㊀经济发展正处在～期。❷改换产品的型号、品种等。

【转战】从一个地区转移到另一地区继续作战。㊀～南北。

【转载】一个报刊登载另一个报刊上已经发表的文章。

【转租】承租人经出租人同意，将其承租物租给第三人。未经出租人同意擅自转租的，出租人可以解除租赁合同。

【转调】在乐曲中指从一个调转换到另一个

调,以丰富乐曲的表现力或表达不同内容。调(diào)。

【转移】❶改换方向或地方。㊙～目标|～阵地。❷改变。㊙客观规律不以人的意志为～。

【转蓬】蓬草随风飘转。常用来比喻行踪无定或身世飘零。

【转嫁】把负担、损失、罪名等转移到别人身上。

【转播】❶广播电台、电视台转发其他台播出的节目。可以同步播出,也可以录音或录像播出。❷广播电视信号发射台把收到的广播电视节目信号转发出去,以扩大其覆盖面。

【转圜】挽回;斡旋。㊙～余地。圜(huán)。

【转瞬】一转眼。指极短的时间。

【转委托】经委托人同意,或在紧急情况下为保护委托人的利益,受托人委托第三人办理受托事务。其法律后果仍由委托人承担。

【转配股】中国上市公司的国有股和法人股股东将配股权以一定价格转让给其他股东(主要是个人投资者)的过程。

【转氨酶】催化氨基酸和酮酸之间氨基转移的酶。在氨基酸代谢中占重要地位。测定人血液中转氨酶活力有助于肝炎及心肌梗死等病的诊断。

【转捩点】转折点。捩(liè)。

【转口贸易】指本国进口单位与甲国商人签定出口合同,同时又与乙国商人签定合同,从乙国商人购进商品后不运进本国,而直接转卖给甲国商人的贸易形式。

【转业军人】退出现役,转到地方工作的中国人民解放军的干部和志愿兵。

【转轨经济】特指前社会主义国家(波兰、匈牙利等)从原计划经济向市场经济转变时期的特殊经济形态。

【转危为安】从危急转为平安。多指局势、病情等。

【转账支票】只能用于转账而不能提取现金的支票。

【转账结算】发生经济行为的关系人使用银行规定的结算凭证,通过银行划转资金,以结算债权债务的行为。

【转弯抹角】形容走弯弯曲曲的路,也比喻说话、做事不直截了当。

【转移支付】国家财政除购买性支出外,为实现特定目的,使一部分财政资金发生单方面转移。

【转基因技术】将一种生物的基因转入另一种生物基因的染色体,使形成可遗传新性状的生物技术。运用这种技术可培育出多种转基因动植物,如转基因兔、转基因大豆等。

zhuàn ㄓㄨㄢˋ

传(傳) ㊁ zhuàn ❶旧指解说经书的著作。㊙不见经～。❷传记。㊙列～|自～。❸叙述历史故事的小说。㊙《水浒～》。

㊀ chuán (141 页)。

【传记】记载人物生平和主要事迹的文章。作者自叙生平的称"自传",写一个人的生平事迹的称"专传",合写几个人的称"合传",把许多人物传记列在一起的称"列传"。

【传略】较为简略的传记。

转(轉) ㊁ zhuàn 旋转;旋绕。㊙风车在～|～圈子。

㊀ zhuǎn (1300 页)。

㊂ zhuǎi (1298 页)。

【转子】一般指电机(如发电机、电动机等)和旋转式机械(如汽轮机、燃气轮机等)的主要旋转部分。

【转动】❶物体中各点绕一条直线做圆周运动。这条直线叫转动轴。❷使转动。

【转炉】冶金炉的一种。冶炼过程中炉体可根据生产工艺的需要而转动。有炼钢转炉和冶炼有色金属的转炉。

【转悠】也作转游(you)。❶转动。❷漫步;闲逛。悠(you)。

【转筋】肌肉(多指小腿上的)痉挛。

【转游】同"转悠(you)"(1301 页)。

【转速比】也叫速比、传动比。机构中主动与传动两转动构件角速度之比。转速比越大,速度变化(增加或减少)越大。

啭(囀) zhuàn 鸟婉转地叫。㊙莺～。

沌 ㊁ zhuàn 沌河,水名,在湖北。

㊀ dùn (235 页)。

赚(賺) ㊀ zhuàn ❶获得利润。㊙～钱。❷利润。㊙做买卖总是有～有赔。❸〈方〉挣。㊙干一天活～不了几个钱。

Z

㊁ zuàn（1323页）。

僎 ⊠ zhuàn 同“撰”。

撰（*譔） zhuàn 写（文章）；著（书）。㊀～稿。

馔（饌*簨） zhuàn 饭食。㊀盛（shèng）～。

篆 zhuàn ❶篆书。㊀大～｜小～。❷用篆书书写。㊀～额。

【篆书】大篆、小篆的统称。汉字字体之一。笔画多为匀圆的线条，结构比较整齐，是汉以前流行的字体。广义也包括甲骨文、金文。

【篆刻】中国传统刻制印章的艺术。因多用各种篆书字体刻制，故名。

zhuāng ㄓㄨㄤ

妆（妝*粧） zhuāng ❶对容貌进行修饰；打扮。㊀梳～。❷女子身上的装饰；演员的装饰。㊀红～｜卸～。❸指陪嫁物品。㊀送～。

【妆奁】原指女子梳妆用的镜匣，后泛指嫁妆。奁（lián）。

庄（莊） zhuāng ❶村庄。㊀～户｜农～。❷古代君主、贵族等所占有的大片土地。㊀皇～｜～园。❸规模较大或做批发生意的商店。㊀饭～｜布～。❹庄家。㊀坐～。❺严肃；端重。㊀～严｜端～。

【庄子】❶（约前369—前286）战国时期哲学家。名周，宋国蒙（今河南商丘东北）人。认为“道”是万事万物的本原，“天地与我并生，万物与我为一”。由片面夸大事物的大小、死生、贵贱等的相对性的一面，进而抹杀事物的质的区别，否认客观真理和客观事物的存在。主张听天由命的宿命论，追求无条件的精神自由。主要思想保存于《庄子》一书中。❷也叫《南华经》。书名。道家经典之一。今本经晋人郭象编定，分内篇、外篇、杂篇，共三十三篇。一般认为内篇为庄子著，外篇、杂篇搀杂有其门徒或后人的作品。文章多采用寓言、故事形式，想象丰富，在哲学、文学上有较高研究价值。

【庄户】农户。

【庄严】庄重而严肃。

【庄园】古代皇室、贵族、大官僚、寺院、富豪等占有的大片土地。庄园主以租佃等形式剥削农民。现在某些国家中的一些大种植园也叫庄园。

【庄重】严肃端正，不轻浮。㊀态度～。

【庄家】❶某些牌戏、赌博中每一局的主持人。❷资金雄厚、买卖股票数量巨大并能影响股市动态的投资者。

【庄稼】田地里生长着的农作物（多指粮食作物）。

桩（樁） zhuāng ❶桩子，埋在土里的柱形物体，一般用作建筑或分界的标志。㊀木～｜桥～。❷量词。多用于事情。㊀一～事。

装（裝） zhuāng ❶打扮；修饰。㊀～饰｜～点。❷扮演；假装。㊀他～杨白劳，你～喜儿｜～病。❸衣服。❹行装。㊀整～待发。❺演出所需的穿戴打扮的东西。㊀上～｜卸～。❻安置；放入。㊀～电灯｜～箱子。❼对字画、书籍加以修整。也指修整成的式样。㊀～订｜精～。

【装扮】❶化装。❷打扮。

【装束】❶打扮。㊀～朴素大方。❷整理行装。㊀～完毕。

【装具】军队作战、执勤时随带的制式用具。头盔、背囊、雨衣、水壶、干粮袋等，叫人装具；鞍具、挽具、驮具、蹄铁、马槽等，叫马装具；子弹袋、枪衣、炮衣等，叫军械装具。

【装备】❶武器装备的简称。❷配备（机械、器材、武器、被服等）。

【装饰】❶装点修饰。❷作为装饰的物品。

【装点】修饰点缀。

【装帧】指图书的封面、插图等美术设计和版式、字体、装订等技术设计。

【装殓】给死人穿好衣服，放到棺材里。

【装裱】裱褙书画并装上轴子等。是中国传统书画的一门特殊技艺，便于书画的观赏和收藏。

【装裹】给死人穿衣服。也指死人入殓时穿的衣服。裹（guo）。

【装潢】❶装饰物品使美观，也比喻对不好的东西加以粉饰。❷物品外表的装饰。

【装甲兵】也叫坦克兵。以坦克为基本装备，主要执行地面突击任务的陆军兵种。具有较强的火力、快速的机动力和较好的装甲防护力，是陆军的重要突击力量。可协同其他军兵种作战，也可在其他军兵种协同下或单独执行作战任务。

【装饰音】音乐中润饰旋律音的附加音。用小音符或特殊记号标记。装饰音的时值在旋律音之内。常见的有倚音(^{1}3 6)、滑音(5↗5↘)、颤音($\overset{tr}{5}\ \overset{tr}{5}$)、波音($\overset{\sim}{5}\ \overset{\sim}{5}$－)等。

【装腔作势】故意装出一种腔调,作出一种姿态,想引人注意或吓唬人。

【装置艺术】现代艺术形式之一。利用现成物品组合成某种装置,表达一定的观念。

【装模作样】故作姿态,故意装作了不起的样子。

【装甲输送车】主要用以输送步兵,并能以火力支援下车步兵战斗的装甲战斗车辆。

zhuǎng　ㄓㄨㄤˇ

奘 ㊀ zhuǎng 〈方〉粗大。㊕腰～|这棵树很～。

㊁ zàng (1226页)。

zhuàng　ㄓㄨㄤˋ

壮(壯) zhuàng ❶(身体)强健结实。㊕健～|年轻力～。❷雄伟;大。㊕～观|～志。❸加强;使壮大。㊕～声势|～胆。❹壮族。

【壮丁】旧指青壮年男子(多就服劳役或兵役来说)。

【壮士】豪壮勇敢的人。㊕狼牙山五～。

【壮大】❶变得强大。㊕日益～。❷使强大。㊕～组织。

【壮心】壮志。

【壮行】壮行色。用言语、宴饮、仪式等为人送别,使远行有雄壮而豪迈的气氛。行(xíng)。

【壮观】❶景象雄伟。❷雄伟的景象。

【壮志】宏大的志向。㊕雄心～|～凌云。

【壮丽】雄壮美丽。㊕山河～。

【壮别】气势豪迈地告别。

【壮胆】使胆子大、勇气多。

【壮举】伟大豪迈的举动。

【壮烈】勇敢而有气节。㊕～牺牲。

【壮族】中国少数民族之一。人口1 556万(1990年),是人口最多的少数民族。主要分布在广西壮族自治区,部分在云南、广东、湖南、贵州等省。有本民族语言,兼通汉语文,1949年后设计了以拉丁字母为基础的拼音文字。建立有广西壮族自治区等各级自治地方。

【壮阔】雄壮而宽广。㊕波澜～。

【壮游】怀抱着壮志去远游。

【壮锦】壮族妇女编织的手工艺品。色彩绚丽,纹样精美。主要用来制作民族服装。

【壮志凌云】形容理想宏伟远大。凌云:直上云霄。

状(狀) zhuàng ❶模样。㊕～态。❷情况。㊕～况|病～。❸陈述事件或记载事迹的文字。㊕诉～|行～|～纸。❹褒奖、委任等的凭证。㊕奖～|委任～。

【状子】起诉书的俗称。

【状元】❶科举考试中,殿试录取一甲第一名称状元。❷比喻某行业中成绩最突出的人。㊕养猪～。

【状况】情形。

【状纸】❶写诉状的纸。❷诉状。

【状态】人或事物表现出来的形态。㊕心理～|液体～|昏迷～。

【状语】句子成分的一种。指修饰动词或形容词的成分。如"你快跑""夜色多么美"中的"快""多么"。

【状貌】形状外貌。

僮 ㊁ zhuàng 中国少数民族"壮族"的"壮"原作"僮"。

㊀ tóng (986页)。

撞 zhuàng ❶两个物体猛然相碰。㊕～钟|不小心～上电线杆。❷猛冲;闯。㊕横冲直～。❸不期而遇;碰见。㊕～见。❹试探着进行。㊕我这也是瞎～一气,不料真把事儿干成了。

【撞骗】到处游荡行骗。

幢 ㊁ zhuàng 〈方〉量词。用于房子。㊕一～楼房。

㊀ chuáng (144页)。

戆(戇) ㊀ zhuàng 憨厚而刚直。

㊁ gàng (308页)。

zhuī　ㄓㄨㄟ

隹⊠ zhuī 短尾巴的鸟。

骓(騅) zhuī 苍白杂色的马。

椎 ㊀ zhuī 椎骨,人和其他脊椎动物背部中央构成脊柱的短骨。㊕颈～|胸～。

㊁ chuí (145页)。

Z

【椎间盘】两个相邻椎骨的椎体之间的圆盘状纤维软骨。由外围的纤维环和中心的髓核组成。人体共23片。椎间盘紧连于椎体，有承受压力、缓冲震荡并使脊柱活动等作用。

锥（錐） zhuī ❶锥子，一头有尖用以钻孔的工具。❷像锥子形的东西。㊀改～。❸用锥子一类工具钻。㊀～个眼儿。

【锥度】圆锥形物体的大端截面直径和小端截面直径之差与两端之间距离的比。在工程上常用来表示物体上圆锥面的倾斜程度。

【锥处囊中】比喻有才智的人终能显露头角，不会长久被埋没。《史记·平原君虞卿列传》："夫贤士之处世也，譬若锥之处囊中，其末立见。"

魋⊠ ㊁ zhuī 〔魋结〕发髻。
㊀ tuí（997页）。

追 zhuī ❶赶。㊀急起直～。❷追究。㊀～问｜～查。❸求。㊀～名逐利｜终于把这位姑娘～到手。❹回溯。㊀～述｜～悼。❺事后补办。㊀～认｜～加。

【追忆】向久远的过去回忆。

【追认】❶事后对先前做出的决议、法令等予以承认并通过。❷批准某人生前提出的参加党、团组织的要求。

【追击】追歼退却或溃逃之敌的作战行动。

【追加】在原定的数额以外再增加。㊀～预算。

【追究】追问（根由）；追查（责任等）。

【追诉】公诉人和被害人追究犯罪人刑事责任的活动。

【追肥】作物生长期间为了补充基肥不足而施的肥料。

【追叙】在文中对已发生的事情进行追加叙述。

【追逐】❶追赶。❷追求。㊀～名利。

【追悔】事后懊悔。

【追悼】怀念哀悼死者。㊀～会。

【追溯】逆着水，向江河发源处走。比喻寻求探索事物的根由。溯（sù）。

【追踪】按着踪迹去追赶或根据线索去追寻。

【追赠】在人死后授予某种称号。

【追蹑】追寻踪迹。

【追星族】指狂热追随影星、歌星、体育明星的人（多为青少年）。

【追亡逐北】追击败逃的敌人。《史记·田单列传》："燕军扰乱奔走，齐人追亡逐北。"亡、北：战败时的逃兵。

【追诉时效】刑法规定的对犯罪人追究刑事责任的有效期限。除有特殊情况外，超过法定追诉期限的，不得追究犯罪人的刑事责任；已经追诉的，应当撤销案件，或不起诉，或终止审理。

【追根究底】追究根源；追问底细。

zhuì ㄓㄨㄟˋ

坠（墜） zhuì ❶落。㊀～马。❷往下垂。㊀丰收的果实～满了枝头。❸坠儿，吊在下面的东西。㊀扇～儿｜耳～儿。

【坠胡】也叫二弦。拉弦乐器。是山东琴书、吕剧的主要伴奏乐器。

缀（綴） zhuì ❶用针线缝。㊀～扣子｜补～。❷连结；组合。㊀～字成文。

【缀文】组句成文，即作文。

畷⊠ zhuì 田间小道。

锱⊠（錣） zhuì 古代安装在马鞭头上的刺马的针。

醊⊠ zhuì 古代祭祀时把酒洒在地上。

惴 zhuì 见下。

【惴恐】恐惧。

【惴惴】形容发愁害怕的样子。㊀～不安。

缒（縋） zhuì 用绳子拴住人或物从上往下送。

膇⊠ zhuì 脚肿。

硾⊠ zhuì ❶系上重物使下坠。❷捣。

赘（贅） zhuì ❶多余而无用的。㊀累～。❷入赘，旧时招女婿。㊀～婿。

【赘言】❶说多余的话。❷多余的话。

【赘疣】瘊子。比喻多余而无用的东西。疣（yóu）。

zhūn ㄓㄨㄣ

屯 ㊁ zhūn 困难。
㊀ tún（998页）。

【屯邅】同“迍邅”(1305页)。

迍⊠ zhūn〔迍邅〕也作屯邅。❶不敢前进。❷形容人困顿不得志。邅(zhān)。

肫 zhūn ❶鸟类的胃。㊀鸡～｜鸭～。❷真挚。㊀～笃。

窀 zhūn〔窀穸〕墓穴。穸(xī)。

谆(諄) zhūn〔谆谆〕恳切而不厌倦。㊀～教导｜诲尔～。

衠□ zhūn〈方〉纯粹;真正。

zhǔn ㄓㄨㄣˇ

准(❷-❻準) zhǔn ❶允许。㊀不～交头接耳。❷标准。㊀～绳｜水～。❸准确;正确。㊀～时到达｜瞄～。❹副词。一定。㊀～不失信。❺程度虽不完全够,但可以作为某类事物看待的。㊀～平原｜～宾语。❻依照。㊀～此办理。

【准予】公文用语。表示准许。㊀～毕业。

【准则】作为依据的标准或原则。

【准备】❶事前的安排、筹划等。㊀～工作已经完成。❷打算。㊀我～明年出国深造。

【准绳】测定物体平直的器具。比喻衡量事物正确与否的标准或原则。

【准确】完全符合实际情况或事先的要求。

【准据法】经冲突规范指引用于具体确定涉外民事法律关系当事人权利义务的特定国家的实体法。参见〔冲突规范〕(130页)。

【准确数】对事物进行计数时,能确切表示某一个量的真正值的数。

【准噶尔盆地】在新疆维吾尔自治区北部,阿尔泰山、天山之间。西宽东窄,略呈三角形。盆地底部海拔500米左右,多固定和半固定沙丘。盆地南缘冲积扇平原广阔,有大面积新垦农业区。

埻⊠ zhǔn 箭靶的中心。

zhuō ㄓㄨㄛ

拙 zhuō ❶笨。㊀弄巧成～。❷谦辞。称自己的文章、意见等。㊀～作｜～见。

【拙劣】笨拙而低劣。

【拙荆】谦辞。称自己的妻子。

【拙笔】谦辞。称自己的文字或书画。

【拙政园】苏州古典园林之一。始建于明代正德年间(1506—1521)。画家文征明曾参与设计。园内中部布置以水为主,有补园、水廊、倒影楼、扇亭。东部主要有兰雪堂、芙蓉榭、秫香馆、天泉亭、缀云峰、涵青亭等。西部有宜两亭、鸳鸯厅、十八曼陀罗花馆、三十六鸳鸯馆等。园内布置自然曲折、变化有致,设计思想和艺术手法独特。是全国重点文物保护单位。

捉 zhuō ❶抓;逮。㊀～贼｜～老鼠。❷握;持。㊀～笔。

【捉刀】《世说新语·容止》记载,曹操叫崔琰代替自己接见匈奴使臣,自己却持刀站立床头。接见完毕,叫人问匈奴使臣:“魏王何如?”回答说:“魏王雅望非常,然床头捉刀人,此乃英雄也。”后称代别人写文章或做事为捉刀。

【捉弄】戏弄;耍弄。弄(nòng)。

【捉摸】猜测;预料(多用于否定式)。㊀～不定｜难以～。

【捉襟见肘】也说捉襟肘见。拉一下衣襟,胳膊肘就露了出来。《庄子·让王》:“曾子居卫…十年不制衣,正冠而缨绝,捉衿(同“襟”)而肘见。”形容衣服破烂,生活穷困。后也比喻顾此失彼,穷于应付。

桌(*槕) zhuō ❶桌子,一种有腿有面,供写字、吃饭等用的家具。❷量词。用于与桌子有关的事物。㊀一～酒席。

倬 zhuō 显著;大。

菿□ zhuō 即环庚三烯基。

焯 ㊀ zhuō 显明;明白。㊁ chāo(113页)。

棁 zhuō 梁上的短柱。

涿 zhuō〔涿州〕地名。在河北中部。

镯□**(鐯)** zhuō〈方〉用镐刨地或刨茬儿。㊀～玉米。

穛⊠ zhuō 早熟稻。

Z

穛☒ zhuō 〔穛麦〕早熟的麦。泛指早熟的谷物。

zhuó ㄓㄨㄛˊ

灼 zhuó ❶烧;烫。㊀～伤。❷明白;透彻。㊀～善恶之别。❸明亮。㊀～然可见。

【灼见】透彻的见解。㊀真知～。

【灼灼】形容明亮。㊀目光～。

【灼烁】(东西)有光彩的样子。

【灼热】像火烫着那样热。

酌 zhuó ❶倒酒;喝酒。㊀对～|自斟自～。❷酒饭。㊀便～。❸考虑;商量。㊀～加修改。

【酌情】斟酌情况。㊀～处理。

【酌量】斟酌估量。㊀～办理。

茁 zhuó 植物初生的样子。

【茁壮】(生长得)强壮、健壮。㊀麦苗～|～成长。

卓 zhuó ❶高而直。㊀～立。❷高明;不平凡。㊀～见|～越。❸古又同"桌(zhuō)"。

【卓见】高明的见解。

【卓异】高出一般,与众不同。

【卓识】高明而超出一般的见识。㊀远见～。

【卓荦】也作卓跞。超出一般。荦(luò)。

【卓览】高明的鉴识。

【卓绝】超过寻常,没有比得上的。㊀艰苦～。

【卓著】十分优异;突出地好。㊀功勋～。

【卓越】杰出,超出一般。㊀～的成就。

【卓裁】敬辞。高明地裁夺;高明地决定。㊀究竟如何,请君～。

【卓跞】同"卓荦"(1306 页)。

【卓然】卓越。

【卓别林】查尔斯·斯潘塞·卓别林(1889—1977)英国电影艺术家。生于伦敦,七岁就登台演戏。1913 年在美国从事电影活动。1919 年建立独立的制片厂。一生编导并主演了《淘金记》《城市之光》《摩登时代》《大独裁者》《舞台生涯》等数十部影片,辛辣地讽刺和揭露了资本主义制度下的社会现象。1977 年在瑞士逝世。曾获得奥斯卡特别荣誉奖。

【卓尔不群】超乎寻常,与众不同。《汉书·景十三王传》:"夫唯大雅,卓尔不群。"卓尔:特出的样子。不群:与众人不一样。

【卓有成效】有显著的突出的成绩和效果。

啅☒ zhuó ❶聒噪。❷同"啄"。

叕☒ zhuó ❶联缀。❷短。

罬☒ zhuó 一种装有机关的捕鸟的网。

斫(*斲*斵*斮) zhuó 用刀斧砍。

【斫丧】摧残;伤害。

【斫轮老手】《庄子·天道》中记载,一个善于斫轮(砍木头做车轮)的老工匠,自述他的斫削经验为"不徐不疾,得之于手,而应于心"。所以能够这样,是因为"行年七十而老斫轮"。后用"斫轮老手"比喻对某种事情富有经验的人。

浊(濁) zhuó ❶不清澈;不干净。与"清"相对。㊀混～|污～。❷社会黑暗、混乱。㊀～世。❸声音低沉粗重。㊀～声～气。

【浊水溪】中国台湾省最大的河流。发源于台湾山脉中段,横贯台湾岛西部平原,注入台湾海峡。全长 186 千米。水能资源丰富。

噣☒ ㊁ zhuó 同"啄"。
㊀ zhòu (1290 页)。

镯(鐲) zhuó 镯子,套在手腕或脚腕上的环状装饰品。㊀玉～。

浞 zhuó 淋湿。㊀让雨～了。

诼(諑) zhuó 造谣诽谤。

啄 zhuó ❶鸟类用嘴取食物。㊀鸡～米。❷书法用语。指汉字笔画的短撇。参见〔永字八法〕(1189 页)。

【啄木鸟】鸟类。喙长直、硬而尖,舌细长,前端有钩,能啄穿树皮捕捉昆虫。尾羽粗硬,啄木时支持身体。

琢 ㊀ zhuó 雕刻玉器。㊀精雕细～。
㊁ zuó (1325 页)。

【琢磨】❶雕刻和打磨(玉石)。❷加工使精美(多指文章等)。

椓☒ zhuó ❶击。❷宫刑。

著 ㊁ zhuó “着(zhuó)”的本字。除“执著”的“著”外,现在通常写作着。
㊀ zhù (1297 页)。

着 ㊁ zhuó ❶穿(衣)。㊞～装。❷接触;挨上。㊞胶～|～陆|不～边际。❸使接触别的事物;使附着在其他物体上。㊞～笔|～色|～墨。❹下落。㊞遍找无～。❺派遣。㊞～人去取。❻旧时公文用语。表示命令口气。㊞～即实行。
㊀ zháo (1243 页)。
㊂ zhāo (1243 页)。
㊃ zhe (1248 页)。

【着力】用力。

【着手】动手;开始做。

【着陆】飞机等从空中降落,到达陆地。

【着实】❶副词。实在;确实。㊞这个青年的表现～不错。❷(言语、动作)分量重,力量大。㊞～批评了他一顿。

【着重】侧重;把重点放在某方面。㊞～说明。

【着笔】下笔;用笔。

【着落】❶下落。㊞遗失的东西有了～。❷可以依靠或指望的来源。㊞这笔经费还没有～。

【着意】用心;经意;留心。

【着重号】标点符号的一种。形式为“·”。标在字、词、句的下面,提请读者特别注意。

【着手成春】原指诗歌格调自然清新。现常用以形容医术高明,一治就使病人转危为安。成春:比喻病情好转。

禚 zhuó 古地名。在今山东。

鷟☒(**鷟**) zhuó 见〔鸑鷟〕(1217 页)。

缴(**繳**) ㊁ zhuó 系在箭上的生丝绳。
㊀ jiǎo (492 页)。

擢 zhuó ❶拔。㊞～发难数。❷提拔。㊞～用。

【擢升】指官职提升。

【擢发难数】《史记·范雎蔡泽列传》记载,范雎问须贾有多少罪,须贾回答:“擢贾之发,以续贾之罪,尚未足。”后用“擢发难数”比喻罪行极多,难以数清。擢发:拔下头发。

濯 zhuó 洗。㊞～足。

【濯濯】形容山光秃秃的、没有草木的样子。㊞童山～。

zī ㄗ

仔 ㊂ zī 〔仔肩〕负担;责任。
㊀ zǐ (1311 页)。
㊁ zǎi (1223 页)。

孖□ ㊀ zī 双生子。
㊁ mā (654 页)。

孜 zī 〔孜孜〕也作孳孳。形容勤勉,不懈怠。㊞～不倦。

吱 ㊁ zī 拟声词。老鼠等小动物的叫声。
㊀ zhī (1260 页)。

咨 zī ❶商量;询问(政事)。❷叹气的声音。㊞～嗟。

【咨文】❶旧时用于同级机关的一种公文。❷某些国家的元首向国会提出的报告。

【咨询】商量;询问;征求意见。㊞～处|欢迎前来～。

谘□(**諮**) zī 同“咨”①。

趦☒ zī 同“趑趄”的“趑”。

姿 zī ❶样子;形态。㊞～势|雄～。❷容貌。㊞丰～。

【姿色】(女子)美好的容貌。

【姿势】❶身体表现出的样子。❷架势;阵势。

【姿态】姿势;样子。

【姿容】身姿,容貌。

资(**資**❶ *** 貲**) zī ❶财物;钱。㊞物～|投～。❷质地。㊞～质。❸资格;资历。㊞论～排辈儿。❹供给;提供。㊞～助|以～参考。
“貲”,另见“赀”(1310 页)。

【资历】资格和经历。

【资水】洞庭湖水系河流之一。发源于湖南省西南部,向东北流至杨柳潭入洞庭湖。长 630 千米。

【资本】❶给资本家带来剩余价值的价值。货币、机器厂房等生产资料、商品是资本的三种物质承担者(或形式),但它们本身不是资本,只有当货币和生产资料被资本家用来榨取工人创造的剩余价值和商品体现着工人创造的剩余价值时,货币、生产资料和商品才成为资本。它体现了一种特定的

Z

生产关系。❷比喻借以牟取利益的某种事物。

【资产】❶财产。❷企业拥有或控制的能以货币计量的经济资源,包括各种财产、债权或其他权利。分流动资产、长期投资、固定资产、无形资产、递延资产和其他财产等。

【资助】用财物帮助。

【资财】资金和物资;财物。㊀清点~。

【资质】指人在智力方面的素质。

【资金】❶指经营工商业、服务业的本钱。❷国家用于发展国民经济的物资或货币。

【资斧】路费;盘缠。

【资信】指企业或个人的资金和信誉情况。㊀~评估。

【资格】❶参加某种工作或活动所应具备的条件或身分等。㊀审查代表~。❷指从事某种工作或活动的经历。㊀~老。

【资料】❶生产上或生活上所用的东西。㊀劳动~|消费~。❷为工作、学习或研究的需要而收集的各种材料,通常是指书籍、报刊、图表、图片、图纸、调查统计报告等。㊀参考~|统计~。

【资望】指资历和名望。

【资深】资历深。㊀~记者。

【资源】生产资料或生活资料的天然来源。㊀~丰富。

【资本论】书名。马克思的主要著作。第一卷于1867年出版,第二、三卷在马克思逝世后由恩格斯整理,分别在1885年和1894年出版。第一卷分析资本的生产过程,第二卷分析资本的流通过程,第三卷分析资本主义生产的总过程。它以劳动价值理论为基础,以剩余价值理论为核心,揭示了资本主义社会经济运动规律,论证了资本主义必将被共产主义(社会主义)所代替的历史趋势,使社会主义从空想变成了科学。

【资本家】占有生产资料,使用雇佣劳动,榨取工人创造的剩余价值的人。

【资本外逃】出于安全或保值的目的,投资人迅速将其资本从一国转移到另一国。

【资本主义】❶指以资本家占有生产资料并剥削雇佣劳动为基础的生产方式或社会制度。在资本主义社会,资产阶级和无产阶级是两个基本的对抗阶级。它的基本矛盾是社会化的生产和资本主义占有之间的矛盾。❷指资产阶级的思想体系。

【资本市场】进行中长期(一年以上)资金(或资产)借贷融通活动的市场。

【资本过剩】因一般利润率趋于下降,为寻找更为有利的投资场所而在原来国家或部门形成相对多余的资本。

【资本周转】指周而复始的资本循环。即预付资本总价值从货币或商品形式出发,最后又回到货币或商品形式的过程。

【资本项目】国际收支平衡表中的一个项目。反映一个国家一定时期内外国资本的流入状况和本国资本的流出状况。

【资本积累】剩余价值转化为资本的过程。资本家把剥削来的剩余价值的一部分重新作为资本,用于添置生产资料,增雇工人,扩大生产规模,以榨取更多的剩余价值。剩余价值是资本积累的源泉。

【资本集中】分散的资本合并成更大的资本以增大个别资本总额的过程。竞争和信用是资本集中的两大杠杆。

【资本循环】产业资本依次经过三个阶段(购买、生产、销售),相应采取三种职能形式(货币、生产要素、商品),实现资本价值增殖并回到原来出发点的运动。

【资本输出】垄断资本主义国家或垄断组织,在国内市场相对缩小的情况下,为了追逐垄断利润,把相对过剩的资本输出国外,向其他国家进行投资或贷款。

【资本增殖】指预付资本经过生产过程增大原有的价值。增大的部分就是工人创造的剩余价值。

【资产阶级】占有生产资料,使用雇佣劳动,榨取工人创造的剩余价值的阶级。旧中国的资产阶级,分为官僚资产阶级和民族资产阶级。

【资金周转】企业资金周而复始、不断反复的循环。

【资治通鉴】书名。北宋司马光编著的编年体通史。共二百九十四卷,另有《目录》、《考异》各三十卷。叙述从战国到五代一千三百六十二年(前403—959)的历史。内容偏重政治、军事,略于经济、文化。目的是供封建统治阶级从历代"治乱兴亡"中取得鉴戒。史料丰富,取材广泛,按年代顺序编排,便于查考,为历史研究提供了较系统的资料。

【资源配置】资源在不同的用途和不同的使用者之间的分配。是经济学所要研究的基本问题,即在一定的制度下,资源是如何配置的和如何使有限的资源得到最优配置。

【资本充足率】保持银行正常经营和健康发展所必须的资本比率条件。

【资产负债表】反映企业在某一特定时日财务状况的会计报表。

【资产负债率】负债总额与全部资产的比率。

【资产证券化】资金需求者为分散风险而将其资产转换为可在金融市场上出售的证券的过程。

【资本主义社会】阶级社会的第三种形态。参见〔资本主义〕(1308 页)。

【资本原始积累】也叫原始积累。资本主义生产方式确立以前,资产阶级通过暴力使小生产者同生产资料分离的历史过程。用暴力剥夺农民,使农民变为出卖劳动力的无产者,是这一过程的基础。此外,还通过掠夺殖民地、贩卖奴隶、发行国家公债等,积累大量货币财富。

【资产阶级革命】由资产阶级领导的民主革命。它反对封建制度,为资本主义的发展开辟道路。目的是建立资本主义社会和资产阶级专政的国家。

【资本主义所有制】即资本主义生产资料所有制。资本家占有生产资料并用以剥削雇佣劳动的私有制。是资本主义生产关系的基础。在这种制度下,工人被迫出卖劳动力,受资本家剥削,而资本家凭借自己占有的生产资料,占有工人所创造的剩余价值。

【资本密集型企业】单位劳动力占用资本较多的企业。如石油、冶金等类企业。

【资金密集型工业】指资金在各项投入中占有最重要位置的工业。如钢铁、化学等工业。这类工业对原料的依赖程度很高。

【资源密集型工业】指原料在各项投入中占有最重要位置的工业。如采掘业和一些农产品加工工业。

【资产阶级民主革命】简称民主革命。具有资产阶级民主主义性质的革命。有资产阶级领导的和无产阶级领导的两种。资产阶级领导的民主革命,即资产阶级革命。历史上第一次由无产阶级领导的民主革命是俄国 1905 年的革命。1917 年十月社会主义革命胜利后,殖民地、半殖民地、半封建社会发生的,以反帝反封建为内容的民主革命,成为无产阶级社会主义革命的一部分。这种革命只有在无产阶级领导下,才能彻底完成,并为社会主义的发展开辟更广阔的道路,如中国的新民主主义革命。

【资本主义工商业社会主义改造】在无产阶级专政的条件下,通过各种形式的国家资本主义,把民族资本主义经济逐步改造成为社会主义国营经济。是经济战线上社会主义革命的一项重要任务。新中国成立后,根据民族资产阶级的两面性和民族资本主义经济的两重作用,采取利用、限制、改造的政策,用赎买的办法,经过加工定货、统购包销、代购代销到公私合营等国家资本主义形式,对民族资本主义工商业进行社会主义改造。1956 年中国实现了全行业的公私合营,基本上完成了在所有制方面对民族资本主义的改造。

粢 □ ㊀ zī 古代谷类的总称。也指供祭祀用的谷物。

㊁ cī (148 页)。

趑 zī 〔趑趄〕行走困难。也比喻犹豫徘徊。㊞~不前。趄(jū)。

兹 ㊀ zī ❶指示代词。这;此。㊞~日。❷现在。㊞~不赘述。❸古书上用以表示年。㊞今~|来~。

㊁ cí (150 页)。

【兹不一一】现在就不一一地写了。信文结束时的用语。

嗞 zī ❶拟声词。水喷射或在炽热物体作用下迅速汽化的声音。㊞只听~的一声,一块烧红的铁块投进了水里。❷同"吱(zī)"。

嵫 zī 见〔崦嵫〕(1131 页)。

孳 zī 滋生;繁殖。

【孳生】同"滋生"①(1309 页)。

【孳乳】哺乳动物繁殖。也泛指派生。

【孳衍】孳生繁衍。

【孳息】从某物上获取的收益。分天然孳息和法定孳息。前者如果树上结的果子;后者如银行存款的利息。与"原物"相对。

【孳孳】同"孜孜"(1307 页)。

滋 zī ❶繁殖;生长。㊞~生|~长。❷增添;加多。㊞~益|~润。❸喷射。㊞水管往外~水。

【滋长】生长;产生(多用于抽象事物)。㊞要防止~骄傲情绪。

【滋生】❶也作孳生。繁殖;生长。㊞草木~。❷引起;产生。㊞~事端。

【滋扰】滋生事端,进行扰乱。

Z

【滋事】制造事端;闹事。

【滋养】❶供给养分。❷养分;养料。

【滋润】❶水分充足;不干燥。❷供给水分,使不干燥。

【滋蔓】生长蔓延。㊀野草～。

镃(鎡) zī 〔镃基〕也作镃錤。古代一种锄头。

赀□(貲) zī 计算。㊀所费不～。“貲”,另见“资”(1307 页)。

觜 ㊀ zī 星名。二十八宿之一。㊁ zuǐ (1324 页)。

訾 ㊀ zī 计算。㊁ zǐ (1312 页)。

龇(齜) zī (牙齿)暴露在外边。㊀～牙咧嘴。

髭 zī 嘴上边的胡子。

菑□ zī ❶已经开垦了一年的田。❷除草。

另音 zāi,见“灾”(1223 页)。

淄 zī 淄河,水名,在山东。

【淄博】市名。位于山东省中部。人口 146 万(1997 年)。是胶济铁路线上著名的工业城市,以煤炭、陶瓷、玻璃、机器制造、耐火材料等工业为主。有齐国都城遗址、蒲松龄故居、桓公台、齐陵、管仲墓等古迹。

缁(緇) zī 黑色。㊀～衣。

辎(輜) zī 古代一种有帷子的车。

【辎重】行军时由运输部队携带的武器、粮草等物资。

锱(錙) zī 古代质量单位。一两的四分之一。

【锱铢必较】对锱和铢这样微小的量都要计较。形容斤斤计较。铢:一锱的六分之一。

鲻(鯔) zī 鱼类。体侧扁,长可达 50 厘米,银灰,有暗色条纹。中国沿海均产。

鼒 zī 上端收敛而口小的鼎。

zǐ ㄗˇ

子 ㊀ zǐ ❶古指儿女。现专指儿子。㊀母～|～女。❷人的通称。㊀男～|女～。❸古代对男子的美称。特指有学问的人。㊀墨～。❹子爵,古代贵族五等爵位(公、侯、伯、子、男)中的第四等。❺古代指称对方,相当于“您”。㊀以～之矛,攻～之盾。❻古代图书四部分类法的第三类,即经史子集中的子部,也就是诸子百家的著作。❼地支的第一位。❽子时,旧式记时法,相当于二十三点到次日一点。❾幼小的;嫩的。㊀～鸡|～姜。❿小的块状物或粒状物。㊀枪～|棋～。⓫动物的卵;蛋。㊀鱼～|鸡～儿。⓬从属的;派生的。㊀～公司。⓭同“籽”(1311 页)。⓮同“仔(zǐ)”(1311 页)。

㊁ zi (1317 页)。

【子目】细目;大项目下的小项目。

【子叶】植物种子内幼胚组成部分之一。有一片子叶的叫单子叶植物,如小麦、玉米等。有两片子叶的叫双子叶植物,如大豆、棉花、白菜等。

【子代】生物体通过有性繁殖或有性杂交所产生的后代。第一代称为子一代,第二代称为子二代。

【子规】即“杜鹃”(229 页)。

【子金】即“利息”(604 页)。

【子夜】正当子时的夜间。指深夜。

【子房】花中雌蕊基部膨大的部分。内有胚珠,受精后,子房或连同花的其他部分发育成果实。

【子细】同“仔细”(1311 页)。

【子音】即“辅音”(290 页)。

【子宫】女子和雌性哺乳动物的生殖器官。人的子宫位于盆腔中部、膀胱和直肠间,上部膨大为子宫体,与左右输卵管通连。成年妇女子宫内膜呈周期性脱落出血,即月经。怀孕后子宫内膜和肌层增厚,以适应胎儿的孕育。

【子部】中国古代将图书分为经、史、子、集四部分,子部收春秋、战国以来诸子百家的著作。

【子虚】汉司马相如写了一篇《子虚赋》,假托子虚先生、乌有先生、亡(wú)是公三人的对话。后用“子虚”指虚假不真实的事情。

【子弹】即“枪弹”(785 页)。

【子集】如果集合 A 的每个元素都属于集合 B,就说 A 是 B 的子集。记作 A⊆B,读作“A 包含于 B”,或“B 包含 A”。

【子嗣】指儿子(就传宗接代说)。

【子午线】即“经线”(514 页)。

【子午道】从关中到汉中的南北通道之一。西汉元始五年王莽开通子午道,从杜陵(今陕西西安东南)直绝南山(今秦岭)至汉中。三国时为魏蜀交争的要道。古人以“子”为北,“午”为南。

【子公司】半数以上的股权和经营业务活动受另一公司(母公司)控制的公司。一般具有独立的法人资格。

【子弟兵】原指由本乡本土的子弟组成的军队。现为对人民军队的亲切称呼。

【子宫肌瘤】由子宫壁肌肉和纤维组织构成的良性肿瘤。常引起月经过多、不规则出血、不孕或流产。较大的应切除。

【子宫脱垂】子宫由正常位置沿阴道下垂到较低的位置或整个子宫脱出阴道口外的疾病。多由分娩时阴道损伤过多或产后过早参加劳动引起。主要症状是常有下坠感,下腹胀痛,尿频,行走不便等。

仔 ㊀ zǐ 幼小的牲畜、家禽等。㊟～猪|～鸡。

㊁ zǎi (1223 页)。

㊂ zī (1307 页)。

【仔细】也作子细。❶周密;细致;细心。㊟～研究。❷小心;当心。㊟路很滑,～点儿。❸〈方〉节俭。㊟日子过得～。

【仔密】纺织品质地细密。

耔 zǐ 给庄稼苗的根部培土。

籽 zǐ 植物的种子。现在通常写作子。

【籽棉】未轧去种子的棉花。

姊(*姉) zǐ 姐姐。㊟～妹。

胏☒ zǐ ❶剩余的食物。❷有骨头的肉。

秭 zǐ ❶〔秭归〕地名。在湖北。❷古代数目。指一万亿。

笫 zǐ 竹篾编的席。也用作床的代称。㊟床～。

茈 ㊁ zǐ 草名。即紫草。

㊀ cí (149 页)。

呰☒ zǐ 坏;弱。

紫 zǐ 蓝、红合成的颜色。

【紫绀】皮肤、黏膜变紫的现象。由血氧不足引起。发生于心力衰竭、肺疾患、缺氧、窒息时,或见于患先天性心脏病的婴儿。

【紫荆】落叶灌木或小乔木。栽培的常呈灌木状。早春先叶开花,花红紫色,簇生。庭园内常见栽培。可供观赏和药用。

【紫菜】红藻的一种。藻体呈薄膜状,紫色、褐黄色或褐绿色。生长在浅海潮间带的岩石上。富含蛋白质和碘、磷、钙等物质,可供食用。

【紫菀】多年生草本植物。茎直而粗壮,须根簇生,叶长椭圆形,头状花序,边缘小花雌性,蓝紫色,中央小花两性,黄色。根可供药用。

【紫毫】一种毛笔。笔锋用深紫色细硬的兔毛制成。

【紫貂】也叫黑貂、林貂。哺乳动物。形似黄鼬。体长 30—40 厘米。尾短而粗,末端毛甚长。体色暗褐。爪甚尖利,适于爬树。栖息于针叶林中。一般夜间活动。分布于中国东北等地。是中国国家重点保护动物。

【紫薇】也叫百日红。落叶小乔木。高 3—6 米。叶椭圆形。夏季开花,淡红色、紫色或白色。可供观赏。

【紫癜】皮肤呈现的压之不退的紫色点或斑块。由皮下或黏膜下出血引起。病因有血液病、过敏症、感染疾病、化学毒物和维生素缺乏等。

【紫丁香】落叶灌木或小乔木。高可达 4 米。叶对生,圆卵形或肾形。春季开花,紫色,有香气。变种有白丁香,花白色。原产于中国北部。可供观赏。也指这种植物的果实。

【紫云英】也叫红花草。一年生或二年生草本植物。茎直立或匍匐,分枝多。花紫色或黄白色。是中国长江流域及其以南水稻区的主要绿肥作物和蜜源作物。可供药用。

【紫外线】波长在紫光和 X 射线之间的电磁波。它不能引起视觉反应,但对生物体的细胞组织可起各种作用。医学上常用紫外线进行消毒,治疗皮肤病、软骨病等。

【紫色土】亚热带紫红色沙、页岩地区形成的土壤。有机质和氮含量低,磷和钾含量高,偏碱性。土壤特点因成土母质和地貌形态不同而有很大差异。在中国主要分布于四川盆地、云贵高原等地。

【紫苜蓿】也叫紫花苜蓿。多年生宿根草本植物。茎常直立,多分枝。复叶,有三个小

Z

叶。花紫色。是重要的牧草和绿肥作物。

【紫罗兰】二年生或多年生草本植物。茎直立,高可达60厘米。春季开花,花紫色、红色、黄色或白色,有香气。原产于欧洲。可供观赏。

【紫金山】也叫钟山。位于江苏省南京市东。多紫红色岩石,故名。山上建有天文台,周围有中山陵、明孝陵、灵谷寺等名胜古迹。

【紫河车】也叫人胞、胞衣。中医指胎盘。用于助长发育、补肾强身、延年益寿。

【紫药水】外用防腐收敛药。内含龙胆紫。有较好的杀菌作用,没有刺激性和毒性。溶液用于表浅创面,糊剂用于足癣继发性感染等。

【紫珠草】也叫止血草、贼仔草。落叶灌木。小枝被黄褐色的茸毛,叶片椭圆形或狭卵形,小花簇生于叶腋,粉红或淡紫色。叶入药,有止血、解毒等作用。

【紫禁城】北京故宫的旧称。

【紫穗槐】落叶灌木。羽状复叶,花成穗状,紫蓝色。嫩枝叶可做饲料,老枝可编织。是盐碱地、沙荒地和堤岸等的土壤改良及水土保持树种。

訾 ㊀zǐ 说人坏话。[例]～议。
㊁zī(1310页)。

梓 zǐ 落叶乔木。与楸树同类,但干形不同于楸树。叶无毛或微有毛,花黄色。木材较好。

【梓里】故乡。参见〔桑梓〕(847页)。

【梓宫】帝后的棺材。

滓 zǐ 渣子;沉淀物。

zì ㄗˋ

自 zì ❶人称代词。自己。[例]～卫|～谋职业|～力更生。❷副词。当然。[例]～不待言。❸介词。从;由。[例]～古以来|～上而下。

【自卫】遭到别人的武力侵犯时,用武力对抗,保卫自己。

【自由】❶不受拘束;不受限制。[例]～发言。❷政治上指在法律规定的范围内进行政治、经济、文化等活动的权利。❸哲学范畴。指人们在认识客观规律的基础上,自觉地支配自己和改造世界,不再处于盲目地受客观规律支配的地位。

【自白】自我表白。

【自主】自己作主,不受别人支配。[例]独立～。

【自立】能凭自己劳动独立生活,不依赖别人。

【自在】❶自由,不受拘束。[例]自由～。❷在(zai)。安闲舒适。[例]小两口儿的日子过得挺～。❸在(zai)。舒服;痛快。[例]心里有些不～。

【自传】叙述自己生平经历的文字。

【自伐】❶夸耀自己。❷戕害自己。

【自行】❶自己去(做)。[例]～处理。❷自动。[例]反动派是不会～退出历史舞台的。行(xíng)。

【自负】❶自认为了不起。[例]这个人很～。❷自己负责。[例]文责～|～盈亏。

【自刎】以刀割颈自杀。

【自交】在雌雄同体生物中,同一个体的雌雄配子相结合。如植物的自花授粉和雌雄异花植物的同株授粉。自交是获得纯系的有效方法。

【自决】自己决定自己的事。

【自尽】自杀。

【自如】活动或操作不受阻碍。[例]活动～|运用～。

【自贡】市名。位于四川省东南部,内宜铁路线上。人口46万(1997年)。盛产井盐,有盐都之称。剪纸、彩灯、竹丝扇等手工艺品有名。

【自我】自己(对自己做某事)。[例]～批评|～介绍。

【自况】比拟自己。况:比拟。

【自诉】被害人及其法定代理人或近亲属为追究被告人的刑事责任,直接向人民法院提起的诉讼。自诉案件包括:(1)告诉才处理的案件,如虐待罪;(2)被害人有证据证明的轻微刑事案件;(3)被害人有证据证明对被告人侵犯自己人身、财产权利的行为应当依法追究刑事责任,而公安机关或人民检察院不予追究案件。与"公诉"相对。

【自刭】自刎。

【自拔】自己从痛苦或罪恶中解脱出来。

【自若】(遇到事情时)情绪镇定、自然,不变常态。[例]神态～|谈笑～。

【自转】天体绕自己的旋转轴旋转的运动。恒星、行星和卫星都有自转。地球自转周期是一天。

【自制】❶自己制造。❷克制自己。

【自卑】自己看不起自己，认为不如别人。

【自咎】自己责备自己。咎（jiù）。

【自诩】自夸。诩（xǔ）：说大话。

【自居】自以为具有某种资格或身分。㊀切不可以功臣～。

【自经】上吊自杀。

【自持】控制自己的欲望或情绪。

【自重】❶注意自己的言行。❷抬高自己的身分、地位。㊀拥兵～。❸机器、运输工具等本身的重量。

【自保】承担风险的一种特殊形态。指企业对其拥有的风险资产受损的可能性和程度进行合理测算，再根据自身财力而预先提存一笔基金，用以弥补损失。

【自信】相信自己。㊀～心|不要过于～。

【自律】自己管理、约束自己。㊀增强～意识。

【自首】犯法的人主动去向司法机关交待自己的罪行。对于自首的犯罪分子，可以从轻或减轻处罚，其中犯罪较轻的，可以免除处罚。被采取强制措施的犯罪嫌疑人、被告人和正在服刑的罪犯，如实供述司法机关还未掌握的本人其他罪行的，以自首论。

【自恃】❶过分自信，自以为是。❷自认为有所依仗。㊀～有功。恃（shì）。

【自觉】❶自己感觉到。㊀～情况不妙。❷自己有所认识而主动地去做。㊀～遵守纪律。

【自给】依靠自己生产满足自己的需要。给（jǐ）。

【自绝】做了对不起人的事而不愿悔改，自行断绝跟对方的关系。

【自馁】失去自信而畏缩、泄气。馁（něi）。

【自流】❶自动地流。㊀～井|～灌溉。❷放弃领导，听其自由发展。㊀要加强管理，不能放任～。

【自裁】自杀。

【自感】由于电路本身的电流发生变化（如接通或切断电流等）而产生的电磁感应现象。在具有铁芯的线圈中特别显著。

【自新】改正过错，重新做人。

【自满】满足于自己已有的成绩。

【自豪】因国家、民族、自己或与自己有关的集体、个人取得成就等而激发出来的光荣感。

【自燃】自发地着火燃烧。常由缓慢氧化作用引起。如棉花、干草、煤等可燃物过多地堆积，在通风不好的情况下，缓慢氧化产生的热不易散掉，温度升高到着火点即发生自燃。

【自个儿】也作自各儿。〈方〉自己。

【自各儿】同“自个儿”（1313页）。

【自由民】奴隶社会中奴隶以外的具有人身自由的人的通称。包括奴隶主、商人、高利贷者和小生产者。

【自由泳】❶爬泳的俗称。❷游泳运动项目之一。运动员可以用任何一种姿势游泳。爬泳速度快，在自由泳比赛中被广泛采用。

【自由诗】不按照严格的格律写成的诗。除了要有一定的节奏感和押大致相近的韵以外，在段数、行数、字数方面都没有固定的要求。其节奏只是体现在口语的自然节奏上，韵脚也可以自由转换。

【自由港】不属于任何一国海关管辖的港口或海港地区。货物可以免征关税进出该港。自由港的范围，有的仅限于某港口的特定地区，有的则扩大至港口邻近地区，该地区通称为自由区。有些国家建立自由港的目的，在于发展过境贸易，吸引外国船只或货物过境，从中获取各种收益。

【自主权】自己决定和处理自己事务的权利。㊀减少干预，扩大企业～。

【自动化】采用自动控制、自动测量和自动调整的装置来操纵机器，完成生产过程或其他所需的功能。自动化是机械化发展的高级阶段。

【自动线】一种生产组织形式。常见的机械加工自动线，是包括自动加工、自动输送和自动检测等装置组成的流水作业线。工件从毛坯开始到加工、检验完毕为止，只需极少数工人监控。

【自交系】人工控制自花授粉所得的单株（一个植株）后代。如玉米经过3—5代自交选择，就可选出生长整齐、性状优良的自交系。用于杂交作亲本。

【自来水】由给水系统所提供的水。地下水、地表水等经抽取、净化、消毒、贮存，输入给水系统，用户打开龙头，水便流出。

【自诉人】在刑事自诉案件中，向法院提起诉讼的被害人或其代理人。

【自制力】指个人控制和调节自己思想感情、举止行为的能力。

【自供状】自我招供罪行的书面材料。

【自变量】见〔因变量〕（1172页）。

【自治领】英联邦成员国的一种类型。承认英王为国家元首，由英王任命总督作为元首驻自治领的代表，在不同程度上受英国控制。

【自留地】指中国农村合作经济组织在土地统一经营后，分配给社员使用的少量土地。多用于种植蔬菜。

【自流井】一般指打在地下含水层(位于两个不透水层之间，而且地层倾斜)的井。水因地层压力而能自然喷出地表，便于灌溉和饮用。

【自然人】基于出生而为民事权利义务主体的人。与“公民”内涵不完全相同，既包括本国人，也包括外国人和无国籍人。与“法人”同为民事主体。

【自然界】通常指自然科学所研究的无机界和有机界。广义指包括人类社会在内的整个客观物质世界。

【自然数】也叫正整数。大于零的整数，即1,2,3,4,5,6…。

【自力更生】依靠自己的力量改变原来的情况而发展兴旺起来。

【自以为是】认为自己各方面都正确，不虚心听取别人的意见。

【自书遗嘱】由遗嘱人亲笔书写的遗嘱。遗嘱人必须签名，并注明年、月、日。

【自由王国】哲学范畴。指人认识客观规律以后，自觉地运用规律来改造客观世界的境界。与“必然王国”相对。

【自由主义】❶一种资产阶级政治思潮。产生于资产阶级反封建时期。主张个人自由、贸易自由、消灭等级特权等。当资产阶级取得政权后，自由主义成为掩饰资产阶级专政的幌子。❷革命队伍中的一种错误思想作风。主要表现为自由放任，无组织，无纪律，取消积极的思想斗争，主张无原则的和平。是涣散革命队伍的腐蚀剂。

【自由体操】竞技体操项目之一。比赛场地12米×12米。由翻腾、倒立、平衡、跳跃及舞蹈等动作组成，时间限制男子50—70秒，女子70—90秒。女子在音乐伴奏下进行。

【自由贸易】国家对进出口贸易不进行干预，既不设置限制和障碍，也不提供特权和优惠，让商品自由进出口，在市场上自由竞争。

【自由竞争】商品生产者之间在生产和销售方面进行的不受限制的竞争。在竞争中，大资本排挤吞并小资本，使生产日益集中，发展到一定阶段，就形成垄断。

【自动扶梯】俗称滚梯。自动运载人员上下楼层等的一种电动机械装置。其外形与一般楼梯相仿，两旁有特殊橡胶带制成的扶手。人站在梯阶上，自动地与梯阶同步上、下。广泛用于人流集中的场所，如商店、机场、地铁出入口等。

【自动步枪】实现首发后的自动再次装填，并能连发射击的步枪。装有快慢机，必要时也可单发射击。

【自行火炮】装在履带式、半履带式或轮胎式车辆上能自行运动的火炮。机动性能好，便于和坦克、步兵战车协同作战。

【自负盈亏】企业实行独立核算、自主经营，并对盈利或亏损承担全部经济责任的经济原则。

【自投罗网】比喻自取灾祸，自己送死。宋苏轼《策别十七·去奸民》：“譬如猎人终日驰驱践蹂于草茅之中，搜求伏兔而搏之，不待其自投于网罗而后取也。”罗、网：捕鸟的器具。

【自吹自擂】比喻自我吹嘘。擂(léi)。

【自告奋勇】主动要求承担某项艰巨任务。

【自我批评】自己对自己的缺点错误进行批评检讨。

【自我作故】也说自我作古。唐刘知几《史通·申左》：“夫自我作故，无所准绳。”指由我创新，不因袭前人。作故：权作古人，引申为创新。

【自作自受】自己干了坏事，自己承受恶果。

【自作聪明】自以为很聪明(而轻率地说话、办事)。

【自鸣得意】自己表示很得意，自以为了不起。

【自知之明】《老子·三十三章》：“知人者智也，自知者明也。”后用以指正确认识自己的能力。㊀人贵有～。

【自郐以下】也说自郐无讥。《左传·襄公二十九年》记载，吴国的季札曾到鲁国观赏乐舞，鲁国为他演奏了雅、颂及各诸侯国的歌诗、乐曲，季札都一一加以评论，但从郐国以下就不再加评论了。后用“自郐以下”比喻不足挂齿、不屑一谈的事物。郐(kuài)：周时的一个小国。

【自命不凡】自以为不平凡。形容骄傲自满。

【自净作用】污染物质或有害物质通过自然界自身的运动或相互作用后能降低或消除其污染物或危害，这种现象叫做自净作用。

【自学考试】按照与同类学校水平相等的教

学大纲、教材进行自学,并参加每年定期考试的制度。目前中国每年考试两次,分高等自学考试和中等自学考试,成绩合格者发给相应的毕业证书,国家承认其学历。

【自相矛盾】《韩非子·难势》上说,有个人又卖矛,又卖盾。卖矛的时候说他的矛无比锋利,什么东西都能刺透;卖盾的时候又说他的盾无比坚固,什么东西都穿不透。有人就问他,要用你的矛刺你的盾怎么样呢?他无言以对。后用“自相矛盾”比喻自己说话做事前后抵触。

【自选动作】跳水、花样滑冰等比赛中,在规定动作外,由参赛者按规定要求的难度和数量自己编选的动作。

【自食其力】依赖自己的劳动来维持生活。

【自食其果】比喻自己做了坏事,自己遭受到损害或惩罚。

【自怨自艾】《孟子·万章上》:“太甲悔过,自怨自艾。”原意是自己悔恨自己的错误,自己改正。后只指自我悔恨。艾(yì):治理,改正。

【自给农业】指为解决自己及家庭成员食品和其他日常生活所需而进行的农业生产。

【自顾不暇】自己照顾自己都来不及。说明某人穷于应付,无力顾及其他。暇:空闲。不暇:忙不过来。

【自圆其说】使自己的说法前后一致,没有自相矛盾的地方。

【自惭形秽】《世说新语·容止》:“珠玉在侧,觉我形秽。”指因自己容貌举止不如人而感到惭愧。后也泛指自愧不如别人。惭:惭愧。形秽:形态丑陋。

【自欺欺人】欺骗自己,也欺骗别人。宋朱熹《朱子语类》卷一八:“因说自欺欺人曰:‘欺人亦是自欺,此又是自欺之甚者。’”

【自然分工】按性别和年龄的分工。是最简单的分工形式。最早出现于原始社会。当时成年男子出外打猎捕鱼,妇女采集果实、管理家务、从事原始农业,老年人制造生产工具。

【自然主义】一种文学艺术的创作方法和思潮。形成于19世纪60年代。它机械地用生物学的原理来解释社会现象,主张记录式地复写生活的表面现象和细微末节,追求外在真实,拒绝分析与评判。一些代表作反映了下层人民的苦难生活,但不能反映社会本质。代表人物有法国作家龚古尔兄弟等。法国作家左拉被公认为自然主义理论的奠基人,但他的创作实践却明显地倾向于现实主义。

【自然灾害】自然环境的运动和变化对人类造成的直接或间接的损害。包括地震、火山喷发、泥石流、滑坡、洪水、干旱、风暴、海啸、蝗灾等。

【自然层数】按楼板、地板结构分层的楼层数。

【自然环境】自然形成的大气、水、生物、土壤、岩石、太阳辐射等组成的综合体。是人类赖以生存和发展的物质基础。

【自然经济】也叫自给经济、自给自足经济。不是为了交换而是为了满足生产者或一定的经济单位(如氏族、封建庄园)本身需要而生产的经济形式。与“商品经济”相对。在原始社会、奴隶社会和封建社会里占统治地位。随着生产力的发展,到封建社会末期,逐渐被商品经济所代替。

【自然选择】生物体在自然界适者生存,不适者被淘汰的现象。是生物进化的客观规律。由达尔文首先提出。他认为生物体在自然条件影响下发生变异,对生存有利的变异逐代积累加强,不利的变异逐渐被淘汰。自然选择可用来说明物种的形成、生物的适应性和生物界的多样性。

【自然科学】研究自然界的物质结构、形态、性质和运动规律的科学。一般分基础理论科学和应用技术科学。基础理论科学包括数学、物理学、化学、天文学、地质学、生物学等;应用技术科学包括材料科学、能源科学、信息科学、空间科学、农业科学、医学科学、工程技术等。

【自然保护】根据自然发展规律,维护和协调人类与自然界相互关系的过程。重点是保护自然生态平衡和可更新资源增殖,以达到可持续地利用自然环境及自然资源的目的。

【自然资源】指人类可以直接从自然界获得,并用于生产和生活的物质和能量。它既是自然环境的重要组成部分,又是自然环境和人类活动的联系纽带。一般可分为土地资源、水资源、气候资源、生物资源、矿产资源等。

【自强不息】《周易·乾》:“君子以自强不息。”指自己不懈地努力向上。息:停止。

【自愿原则】当事人在法律规定的范围内,可以根据自己的意愿设立、变更和终止民事法律关系的法律原则。合同自由、遗嘱

Z

自由都是该原则在具体制度上的反映。

【自暴自弃】《孟子·离娄上》:"言非礼义,谓之自暴也;吾身不能居仁由义,谓之自弃也。"后用以形容自己甘心落后,不求上进。暴:糟蹋;损害。弃:抛弃,鄙弃。

【自由式滑雪】雪上运动项目之一。运动员脚穿滑雪板、手持滑雪杖,在覆盖积雪的场地上做各种动作。比赛由空中技巧、雪上技巧和雪上芭蕾三个项目组成。

【自由贸易区】国家在交通便利的地方划出一定的地域,置于海关管理之外,外国商品可以自由进出,以此吸引外国商品进入,这样的区域叫自由贸易区。

【自由职业者】指依靠一定的知识或技能,独立从事某一职业的医生、教师、律师、新闻记者、作家、艺术家等。

【自行车运动】体育运动项目之一。运动员骑一定规格的自行车比赛速度、耐力和技术。分公路赛车和场地赛车两种。项目有1 000米计时赛、争先赛、追逐赛、一日赛、多日赛、个人团体赛、积分赛等。

【自养微生物】以二氧化碳作为主要或唯一的碳源,以无机氮化物作为氮源,通过细菌光合作用或化能合成作用获得能量的微生物。如硝化细菌、紫色硫细菌等。

【自然保护区】为保护和研究珍稀濒危的动植物资源、典型的自然生态系统,以及有特殊意义的地质构造、地质剖面和化石产地等而确立的自然区域。

【自然辩证法】❶关于自然界发展和自然科学发展的最一般规律的科学。是辩证唯物主义的自然观和认识自然、改造自然的方法论。❷书名。恩格斯的哲学著作。由10篇论文、169段札记、两个计划草案,共181个部分组成。其主要部分写于1873—1883年间,1925年第一次全文出版。该著作详细地阐述了辩证唯物主义对当时自然科学发展中最重要的理论问题的认识。

【自由资本主义】以自由竞争为特征的资本主义。所谓"自由竞争"不是无序竞争,是在国家制定的法律规范下的有序竞争。在自由竞争时期,国家政府并不直接干预社会经济生活,而只是充当市场的"守夜人",主要是通过制定各种法律、法规来规范市场秩序。自由竞争发展到一定阶段,必然会产生垄断及其统治。与"垄断资本主义"相对。

字 zì ❶文字,记录语言的符号。㊐汉~。❷字音。㊐~正腔圆。❸根据人名中的字义另取的别名。㊐杜甫~子美|岳飞~鹏举。❹字据。㊐立~为凭。❺字体;书法的不同派别。㊐篆~|柳~。❻书法作品。㊐~画|墙上挂了一幅~。❼旧指女子许配。㊐待~闺中。

【字书】解释汉字的形体、读音和意义的书。如《说文解字》。

【字体】❶文字的体式。如汉字的楷书、行书等。❷书法的派别。如颜体、柳体等。

【字典】以字为单位,按一定次序排列单字,注明每个字的形、音、义或其他属性,供人查阅参考的工具书。有时人们也把词典叫字典。

【字帖】学习书法时临摹的范本。

【字据】用文字写成的凭证。如合同、收据、借条等。

【字符】表示数据和信息的字母、数字或其他符号。在电子计算机中,每一个字符与一个二进制编码相对应。

【字幕】为了帮助观众听懂戏剧、电影的唱词、对白而放映的文字。

【字模】浇铸印刷铅字用的母模。通常用铜制成,故又名铜模。模(mú)。

【字里行间】字句之间(在说明文章没有直接说出而是含蓄地流露出来或融会在全文中的思想感情时,多用此语)。

牸□ zì 〈方〉雌性的牲畜。㊐~牛。

剚⊠ zì 用刀刺人。

恣 zì 放纵;不受拘束。㊐~意。

【恣情】任意;放纵。

【恣肆】❶放纵;无所顾忌。❷(文笔)豪放不拘。

【恣睢】❶放纵、骄横的样子。❷放任无拘束。睢(suī)。

【恣意】任意;任性。

眦(*眥) zì 眼角。

胔⊠ zì 腐烂的肉。

胾⊠ zì 切成大块的肉。

渍(漬) zì ❶浸;沤。㊐~麻。❷油泥等粘在上面难以除去。㊐不让机器~上油泥。❸积存在物体上的脏

物。㊎油～|血～。❹地面积水。㊎排～。

zi ·ㄗ

子 ㊁ zi 后缀。㊎桌～|胖～。
㊀ zǐ (1310页)。

zōng ㄗㄨㄥ

岆☒**(嵸)** zōng 见〔巃岆〕(634页)。

枞(樅) ㊁ zōng 〔枞阳〕地名。在安徽。
㊀ cōng (153页)。

豵☒**(豵)** zōng 小猪。

宗 zōng ❶家族;同一家族的。㊎同～。❷祖庙;祖先。㊎～祧|列祖列～。❸宗派;派别。㊎禅～|北～山水画。❹尊崇;效法。㊎～仰|他的唱工～梅派。❺被尊崇和师法的人。㊎～师|一代文～。❻宗旨。㊎开～明义|万变不离其～。❼量词。用于事情、货物、款项等。㊎一～案件。

【宗师】在思想上或学术上受人尊崇、堪为师表的人。

【宗仰】(众人)推崇;景仰。

【宗旨】主要的意旨;目的。

【宗法】以家族为中心,按血统远近区别亲疏的法则。㊎～制度。

【宗派】政治、学术、宗教等方面的派别(现多含贬义)。

【宗室】帝王的宗族。

【宗祠】供奉、祭祀家族祖先的祠堂、家庙。

【宗祧】宗庙。也指家族相传的世系。祧(tiāo)。

【宗教】社会意识形态之一。是现实世界在人们意识里的虚幻的、歪曲的反映。要求人们信仰上帝、神道、精灵等,把希望寄托于"天国"或"来世"。为人类社会发展到一定水平出现的社会文化历史现象。在原始社会里,由于人们对自然现象不能理解,便产生了对"超自然力量"的崇拜,形成了最初的宗教。阶级社会里统治阶级常常利用宗教为其统治服务。目前世界上主要的宗教有基督教、佛教和伊斯兰教等。中国有佛教、道教、伊斯兰教、天主教、基督教(新教)五大宗教。

【宗族】指同一父系的家族,也指同一父系家族的人(不包括出嫁的女性)。

【宗主国】古指统治和支配藩属国的国家。现多指统治殖民地附属国的国家。

【宗法制】中国古代维系贵族世袭统治的等级制度。由父系家长制演变而成,到周朝逐渐完备。周王自称天子,王位由嫡长子继承,称为天下大宗。天子的庶子有的分封为诸侯,诸侯对天子为小宗,在其本国为大宗,其职位亦由嫡长子继承。诸侯的庶子有的分封为卿大夫;卿大夫的庶子分封为士。卿大夫、士的大宗、小宗关系与上同。这种制度确定了各级贵族的政治地位和权力、财产的分配,目的在于巩固奴隶制统治秩序。后演变为封建宗法制,成为封建统治的支柱。

【宗教画】表现宗教题材的绘画。如达·芬奇的壁画《最后的晚餐》。

【宗派主义】以宗派为出发点处理内外关系的思想和表现。特点是思想狭隘,只顾小集团的利益,好闹独立性和作无原则的派系斗争等。

【宗教建筑】用以进行宗教活动和仪式的建筑,如教堂、寺庙、道观、清真寺等。

【宗教裁判所】也叫异端裁判所、宗教法庭。天主教会侦查和审判"异端分子"的机构。历史上曾对进步思想家和自然科学家进行残酷迫害。

倧☒ zōng 传说中的上古神人。

综(綜) ㊀ zōng 总合;聚在一起。㊎～合|错～。
㊁ zèng (1230页)。

【综艺】综合文艺。㊎～节目。

【综合】❶思维的基本方法之一。把事物的各个部分、方面、因素结合成一个统一整体加以考察。是分析的继续和完成。与"分析"相对。❷把各种不同而互相关联的事物或现象组合在一起。㊎～利用。

【综观】综合观察。

【综述】综合叙述。

【综括】综合概括;总括。

【综合征】指同时出现的一组症状,或指任何疾病症状的总和。

【综合平衡】从国民经济全局出发,安排和协调国民经济各方面的比例关系,以求社会生产和社会需要的平衡发展。

Z

【综合利用】指对物质资源和能源实行全面、充分和合理的利用。它可使一物多用，变废为宝，化害为利，是合理使用资源、消除"三废"污染的重要途径。

【综合国力】一个国家的综合实力。包括一个国家发展所需要的全部实力、潜力和在国际社会中的影响力。国土面积、人口数量、经济力量、军事力量、对内对外政策等是综合国力的基本构成要素。

【综核名实】综合事物的名称和实际，加以考核。后比喻办事不含糊。

【综合性大学】大学的一种类型。是学科比较齐全，代表着国家或地区科学技术和文化水平的学府。如中国的北京大学、复旦大学、南京大学等。

【综合业务数字网】能为用户提供端对端的数字连接，可同时承担电话业务以及数据、图像等各种非话业务的电信网。目前电信部门向用户提供的"一线通"业务就是窄带综合业务数字网业务。

棕（*椶） zōng ❶棕榈。❷棕毛。㊀～绳。

【棕榈】常绿乔木。干高而直，外被棕皮，不分枝，叶大，集生于干顶。中国秦岭以南有栽培。树干可供建筑用材，棕皮能制绳索、毛刷、床垫、蓑笠等。

【棕熊】哺乳动物。体大，长约2米，高约1米。通常呈棕色。胸部有一宽白纹，延伸至肩部前面。前、后肢黑色。生活在北温带山林地区。杂食性。有冬眠现象。主要分布于中国东北、西北和西南等地。

【棕壤】中纬度气候温暖湿润条件下形成的棕色土壤。中性或微酸性，土质较黏，肥力较高。在中国主要分布于辽东半岛、辽河平原、山东半岛等地。

毯⊠ zōng 同"鬃"。

腙 zōng 有机化合物的一类，通式 RR′C＝N—NH$_2$（RR′代表烃基）。由醛或酮与肼作用生成。

踪（*蹤） zōng 脚印；踪迹。㊀跟～｜失～。

【踪迹】（人或动物）行动后留下的痕迹。

【踪影】踪迹和形影（指被寻找的对象，多用于否定式）。㊀毫无～。

鬃（*騣*騌*鬉） zōng 马、猪等颈上的长毛。㊀马～｜猪～。

㢸⊠ zōng 壅塞；堵塞。

缪⊠（緵） zōng 古代布帛在二尺二寸的幅度内含经线八十根为一缪。

潨⊠ zōng 众水会合的地方。

zǒng ㄗㄨㄥˇ

总（總） zǒng ❶汇集；综合。㊀汇～｜～之（总起来说）。❷全部；全面。㊀～动员｜～攻击。❸概括全面的；主要的；为首的。㊀～纲｜～路线｜～司令。❹副词。一直；毕竟。㊀他～忘我地工作｜这件事～要办的。

【总归】副词。终究，表示无论怎样一定如此。㊀新旧两种势力的斗争，～是新势力战胜旧势力。

【总汇】❶水流会合。❷汇合在一起的事物。

【总戎】指主将、统帅。

【总则】列在法律、条例、规章开头的概括性的条文。

【总兵】也叫总镇。明清两代领兵官官名。明代总兵本为差遣名称，无品级、无定员。遇有战事，总兵佩将印出兵，事毕缴还。后渐成常驻武官。清代为绿营兵（汉军）高级武官，受提督节制，掌理本镇军务。

【总体】若干个体所合成的事物；整体。㊀～计划。

【总角】古代原指未成年的人把头发扎成髻，后借指幼年。

【总纲】❶总的纲领。❷法规、章程中说明总的原则和要点的部分。

【总括】统括；把各方面合在一起。

【总结】❶分析研究一个阶段内学习、工作的情况和经验教训，作出有指导性的结论。❷通过总结而作出的结论。

【总统】共和国国家元首的名称之一。实行总统制的国家，总统既是国家元首，又是政府首脑；实行内阁制的国家，总统只是国家元首，不直接领导内阁。

【总理】中央政府首脑名称之一。领导政府工作。在中国，总理主持国务院工作。

【总揽】全部控制、掌握。

【总裁】❶清代称中央编纂机构的主管官员

和主持会试的大臣。❷某些政党首领的名称。❸某些财政机构负责人的名称。

【总集】汇集多人的作品而成的诗文集。如南朝梁萧统的《文选》、宋郭茂倩的《乐府诗集》。与“别集”相对。

【总督】❶明清两代地方官名。明代为防边或平乱而临时派到地方的军事官员，清代正式定为地方最高职位，掌握一省或二三省的军政大权，如两广总督。❷英联邦部分成员国，设有由英王任命的总督，作为英王的代表。此外有些宗主国在其殖民地的代表也称为“总督”。

【总谱】用于乐器合奏或人声合唱的乐谱。由若干乐器或声部的谱表组成。这些乐器和声部均有固定的位置与排列顺序。供指挥或作曲家、研究者使用，演奏者则使用分谱。

【总动员】国家把全部武装力量从平时状态转入战时状态，并统一调度、指挥、管理一切可以利用的人力物力为军事目的服务的紧急措施。有时也指为了完成某一重大或紧急的任务动员全体人力参加。

【总产值】一定时期内用货币单位表现出来的产品价值总量。国民经济各物质生产部门所创造的价值的总和，构成社会总产值，或称社会产品总值。

【总统制】以总统为国家元首和政府首脑的国家政权组织形式。

【总路线】❶在一定历史时期内指导各方面工作的根本的方针、准则。是各项具体工作路线和政策的依据。如中国共产党的新民主主义革命总路线。❷有时也指某项具体工作路线。如中国共产党在土地改革工作中的总路线。❸特指 1958 年 5 月制订的中国社会主义建设总路线，即鼓足干劲，力争上游，多快好省地建设社会主义。

【总分类账】根据一级会计科目在账簿中开设的账户。

【总而言之】总括起来说(论述中下结论时的承接用语)。

【总状花序】花序的一种。花序的花轴引长，不分枝，花多数，生于花轴上，各花的花梗几乎等长。如油菜、甘蓝等的花序。

【总理衙门】全称总理各国事务衙门。清朝后期专门办理洋务的中央机构。1861 年初设置。主管外交派使、海关海防、购买军械、路矿、翻译和派遣留学生等。1901 年改为外务部。

【总鳍鱼类】硬骨鱼类的一大分支。其中某些种类有内鼻孔，能用肺呼吸。生活在淡水和海洋中。最早发现于泥盆纪。现残存于非洲东南部海洋中的拉蒂迈鱼，被看作是总鳍鱼类的活化石。

偬(*傯) zǒng 见〔倥偬〕(563 页)。

揔☒ zǒng ❶握持。❷同“总”。

zòng ㄗㄨㄥˋ

纵(縱) zòng ❶把已经捉住的东西放掉。㊀～虎归山。❷放任；不加拘束。㊀～容｜～情高歌。❸身体猛然向前或向上。㊀～身一跳。❹南北向的或从前到后的。㊀～贯南北｜☛深。❺跟物体的长边平行的。㊀～剖面。❻指军队编制上的纵队。❼广泛。㊀～观全局。❽连词。即使。㊀～有千山万水，也阻挡不住英勇的铁道兵。

【纵火】放火。

【纵队】❶前后相接的纵长的队形。㊀四路～。❷军队编制单位。如解放战争时期中国人民解放军的纵队，相当于军。

【纵目】极目远望；尽力向远处看。

【纵令】❶连词。即使。㊀～有巨大困难，我也要想办法完成任务。❷放任使(作坏事)。㊀不得～为非作歹。

【纵向】上下或前后方向。㊀～联系｜～比较。

【纵使】连词。即使。㊀～有困难，你也要去。

【纵波】见〔机械波〕(446 页)。

【纵览】放开眼任意观看。

【纵酒】不加节制地饮酒。

【纵容】对错误的言行放任不管。

【纵谈】无拘无束地谈。㊀～世界风云。

【纵欲】放纵肉欲，不加节制。

【纵深】❶军队作战地域纵直方向的深度。❷泛指政治运动的深度。㊀运动正在向～发展。

【纵情】尽情。㊀～歌唱。

【纵然】连词。即使。㊀～有千难万险，也吓不倒共产党员。

【纵横】❶横竖交错。㊀铁路～。❷奔驰无阻，奔放自如。㊀～驰骋｜笔意～。❸合纵连横的略语。

Z

【纵横家】指战国时期以公孙衍、张仪、苏秦等为代表的一些谋士。他们分别代表合纵和连横两派，故名。参见〔合纵连横〕(388页)。

【纵横驰骋】横奔直冲，毫无阻挡。形容英勇善战，自由驰驱，所向无敌。也比喻写作上笔意恣肆豪放，意到笔随。

【纵横捭阖】汉刘向《〈战国策〉序》："是以苏秦、张仪、公孙衍、陈轸、(苏)代、(苏)厉之属，生从(纵)横短长之说，左右倾侧，苏秦为从，张仪为横，横则秦帝，从则楚王，所在国重，所去国倾。"《鬼谷子·捭阖》："捭之者，开也，言也，阳也；阖之者，闭也，默也，阴也…此天地阴阳之道，而说人之法也。"后以"纵横捭阖"指运用政治或外交手段达到联合或分化瓦解的目的。纵横：合纵和连横，指进行外交活动。捭阖：开和合。捭(bǎi)。

疭(瘲) zòng 见〔瘛疭〕(129页)。

粽(*糉) zòng 粽子，用苇叶或竹叶把糯米包成三角锥状或其他形状的食品。民间习俗端午节吃粽子。

猔□ zòng 〈方〉公猪。

zōu ㄗㄡ

邹(鄒) zōu 周朝国名。在今山东邹城一带。

【邹容】(1885—1905)中国民主革命家。原名绍陶，字蔚丹，四川巴县(今重庆巴南)人。1902年留学日本，参加留日学生爱国运动，不久回上海。次年5月所写的《革命军》出版，书中揭露清政府的黑暗腐朽和卖国罪行，热情宣传革命，号召推翻清王朝，建立"中华共和国"。7月1日在上海租界被捕。狱中忧愤而死。

驺(騶) zōu 古代给贵族养马、驾车的人。

【驺从】古代贵族官僚出门时骑马的侍从。

诹(諏) zōu 商量；咨询。㊞～吉(商订好日子)｜咨～(询问政事)。

陬 zōu 隅；角落。

掫⊠ zōu 巡夜打更。

缬⊠(緅) zōu 黑中带红的颜色。

棷⊠ zōu 木柴。

鲰(鯫) zōu ❶小鱼。❷形容小。

鄹 zōu ❶古地名。在今山东曲阜东南。❷周朝国名。即邹。

zǒu ㄗㄡˇ

走 zǒu ❶人或鸟兽的脚交互向前移动。㊞～路｜牛死赖着不～。❷跑。㊞奔～相告。❸移动；挪动；运行。㊞～棋｜钟不～了｜船逆水～得慢。❹离开；去。㊞车刚～。❺(亲戚之间)来往。㊞～亲戚。❻漏出；泄漏。㊞～气｜～漏消息。❼改变或失去原样。㊞～样｜～味儿。

【走水】❶失火。❷帘、幕、帏、帐上端附缀下垂的短幅。

【走风】泄漏消息。

【走向】❶地质学上指顺着岩层层面、矿层层面、断层面等水平延伸的方向。❷山脉的绵延方向。❸泛指发展的趋向。㊞近期股市～，难于预测。

【走访】前往访问。

【走红】运气好；受欢迎。㊞他新近被提升，正～呢｜小家电近年来大为～。

【走私】逃避海关手续，偷运货物进出国境。

【走板】指唱戏不合板眼。也比喻说话不恰当。

【走狗】本指猎狗，现比喻受坏人豢养而帮助作恶的人。

【走卒】旧指供人驱使的差役，现比喻受人豢养，帮助做坏事的人。

【走漏】泄漏(消息)。

【走马灯】一种供观赏的灯。用彩纸剪成各种人骑着马的形象，贴在一个能围绕中心转动的特制的轮子上，轮子因蜡烛火焰所造成的空气对流而转动，人马形象也一同转动，如同军马奔驰。也用来比喻人员变换频繁(含贬义)。

【走马疳】❶指口颊坏疽性溃疡。即由细菌混合感染引起的坏死性口腔病。初发时为紫黑色硬结，可迅速坏死脱落，唇颊部可穿孔，牙齿松落。❷中医病证名。口腮溃烂，发病急速。治疗用解毒、清热、祛腐药物。

【走过场】❶戏剧演出中角色从一侧出场，马上从另一侧退场，中间不作停留。❷比喻执行任务、开展群众性活动时只讲形式，不求实效，敷衍了事。

【走江湖】指闯荡各地，靠武艺、杂技或医卜星相谋生。

【走马看花】也说走马观花。骑马边跑边观赏花。唐孟郊《登科后》诗："春风得意马蹄疾，一日看尽长安花。"形容愉快、得意的心情。后多用以比喻粗略地观察事物。走马：骑着马跑。

【走火入魔】修炼综合征的俗称。

【走投无路】无路可走。形容处于绝境。投：投奔。

【走私文物罪】走私国家禁止出口的文物的犯罪行为。

zòu ㄗㄡˋ

奏 zòu ❶吹弹（乐器）。㊀～乐｜～国歌。❷发生；取得（功效）。㊀～效｜～功。❸古代臣子对帝王陈述意见。㊀～议｜～本。

【奏折】明清两代官员向皇帝奏事的文书。因为写在折子上，故名。

【奏凯】得胜而奏凯歌。泛指胜利或取得成功。

【奏效】见效，产生效果。

【奏捷】取得胜利。

【奏章】古代大臣向皇帝奏事的本章（呈文）。

【奏疏】奏章。

【奏鸣曲】以奏鸣曲式写成的独奏器乐曲。如钢琴奏鸣曲、小提琴奏鸣曲、长笛奏鸣曲。一般由三或四个乐章组成，第一乐章为奏鸣曲式。

揍 zòu ❶打。❷〈方〉打碎。㊀把碗～了。

zū ㄗㄨ

租 zū ❶出代价借用。㊀～照相机。❷把东西借给别人而收取一定的金钱或实物。㊀把车子～给乘客。❸出租收取的金钱或实物。㊀收～｜房～。❹旧指田赋。㊀～税。

【租佃】出租和承租（土地）。㊀～关系。

【租界】帝国主义国家通过不平等条约，强迫半殖民地国家在通商都市内"租借"给他们"居留和经商"的地区。

【租赁】❶租用别人的东西。❷出租。赁（lìn）。

【租借地】通过不平等条约，一国以租借的方式从他国取得的领土。表面上，在租借期间租借地的主权仍属出租国，但实际上，租借地是列强侵占弱小国家领土的一种形式。

【租庸调制】唐初的赋税制度。规定成年男子每年向官府交纳租（粟二石）、调（绢二丈，绵三两或布二丈四尺，麻三斤），服劳役二十天，如不服役，得用实物代替叫庸（每天折纳绢三尺）。贵族、官吏不纳租调，免服劳役。此制是唐初主要税源，唐中叶后改行两税法。

蒩⊠ zū 草名。

菹 zū ❶多水草的沼泽地带。❷酸菜。❸剁碎。㊀～醢。

【菹醢】古代的一种酷刑。把人剁成肉酱。醢（hǎi）：肉酱。

zú ㄗㄨˊ

足 zú ❶脚。㊀～迹。❷某些器物下部的支撑部分。㊀鼎～。❸充裕；充分；完全。㊀富～｜～够｜这个任务有三个人～可完成。❹指足球运动。㊀～坛｜女～。

【足下】❶敬辞。书信中称呼朋友。❷立足点。㊀千里之行，始于～。

【足弓】足底部由跗骨、跖骨和韧带、肌腱共同形成的结构。它使人体的重量分散在三个点上，以缓冲足部活动时对身体和胸的震荡。

【足色】金银的成色纯。

【足赤】足金。

【足金】成色十足的黄金。

【足迹】留下的脚印。

【足球】❶球类运动项目之一。在长方形场地上进行，正规场地长100—110米，宽64—75米。每队场上11人，主要用脚踢球、头顶球，除守门员外，其他人不得用手和臂触球（掷界外球除外）。以把球射入对方球门为得分。❷足球运动使用的球。空心，外壳由熟皮等质料制成，比篮球稍小。

【足癣】俗称脚气。一种真菌性皮肤病。多发生于趾间或足底。病变处有水疱、脱屑、糜烂等，并有剧痒。可外涂水杨酸制剂等

Z

治疗。

【足智多谋】富于智慧，善于谋划。

哫☒ zú〔哫訾〕阿谀奉承。

卒（*卆） ㊀ zú ❶兵。㊟士～|小～。❷差役。㊟走～。❸死亡。㊟生～年月。❹完毕。㊟～业。❺文言副词。到底；终于。㊟～胜敌军。

㊁ cù（154 页）。

【卒业】❶毕业。❷完成功业。

【卒岁】度过一年。

【卒伍】古代军队编制。五人为伍，百人为卒。后泛指军队。

【卒乘】步卒车乘。泛指军队。

崒☒ zú 险峻。

族 zú ❶民族。㊟汉～|回～。❷家族。㊟宗～|合～。❸事物按共同属性的分类。㊟水～|卤～元素。❹灭族，古代一种残暴刑法，杀死犯罪者的整个家族。

【族长】封建家族中的首领。一般由家族中辈分最高、年纪较大、有威望的人充当。

【族灭】整个家族被诛灭。

【族权】宗法制度中家族系统的权力。这种权力掌握在家族长手中，主要通过族规家规支配族内成员，实行封建统治，维护家族长的权益。

【族诛】族灭。

【族类】指同族或同类。

【族望】❶指名门大族。❷宗族的声望。

【族谱】记载同宗族人名和辈分的谱册。

镞（鏃） zú 箭头。㊟箭～。

zǔ ㄗㄨˇ

诅（詛） zǔ 诅咒。

【诅咒】原指祈求鬼神加祸于所恨的人。后也指因痛恨而咒骂。

【诅祝】祈求鬼神加祸于人。

阻 zǔ 拦挡；阻碍。㊟～塞|通行无～。

【阻力】妨碍事物发展前进的力量。

【阻击】以兵力、火力阻止或迟滞敌人前进。

【阻抗】电路中电阻、电感、电容对交变电流的阻碍作用。单位是欧姆。

【阻挠】阻碍扰乱使不能顺利进行。

【阻难】阻挠刁难。

【阻梗】阻塞不通。

【阻援】阻击敌方增援部队。

【阻遏】阻止。

【阻隔】两地隔开，交通来往受阻。㊟山川～。

【阻碍】❶阻挡妨碍，使不能顺利通过或发展。❷起阻碍作用的事物。

组（組） zǔ ❶组织；结合；构成。㊟改～|～成。❷为工作、学习需要而结合成的较小的集体。㊟语文～|学习小～。❸量词。用于由若干个体组成为一套的事物。㊟一～电池。❹合成一组的（文艺作品）。㊟～诗|～曲|～歌。

【组曲】由若干乐曲组织成的成套器乐曲。其中各曲有相对的独立性。近代组曲许多是由歌剧、舞剧、戏剧音乐或电影音乐中选出若干段乐曲组成。

【组合】❶从 n 个不同的元素中，任取 m（$m \leqslant n$）个元素并成一组，叫做从 n 个不同元素中取出 m 个元素的一个组合。其组合数用 C_n^m 表示：$C_n^m = \frac{n!}{m!\,(n-m)!}$。❷组织，合成。❸组合而成的整体。

【组画】以表现同一主题的若干幅相对独立的绘画组成的系列绘画。一般比连环画幅数少。

【组织】❶在动植物和人体内，由许多相似的细胞和细胞间质组成的基本构造，有一定的形态结构和生理机能。如高等动物和人体的上皮、结缔、肌肉和神经等基本组织；种子植物的分生和永久组织。❷使分散的人或事物具有一定的秩序和系统。㊟～群众|这篇文章文字～得很好。❸按照一定的目的和系统组织起来的团体。㊟工会～。❹纺织品经纬纱线的结构。㊟平纹～|斜纹～。

【组阁】组织内阁。参见〔内阁〕（713 页）。

【组装】把零件、部件组合装配成整机。㊟进口原件，国内～。

【组歌】围绕同一主题，从不同角度写成的若干歌曲的组合。如长征组歌《红军不怕远征难》。

【组稿】书报刊物编辑按编辑计划向人约写稿件。

俎 zǔ ❶古代祭祀时盛肉的器物。㊟～豆。❷古代切肉用的砧（zhēn）板。㊟刀～。

Z

祖 zǔ ❶祖父,称父亲的父亲,也用来称祖父一辈的亲属。㊀～孙三代|外～。❷祖宗。泛指祖父以上的先代。㊀高～|远～。❸事业或派别的创始人。㊀鼻～|～师爷。

【祖先】❶一个民族或一个家族比较久远的先代。❷演化为现代生物的古生物。

【祖传】祖宗留传下来的。㊀～秘方。

【祖述】尊崇和效法前人的学说或行为。

【祖国】称自己的国家。

【祖逖】(266—321)东晋将领。字士稚,范阳遒县(今河北涞水北)人。立志收复中原。曾打败石勒。后因东晋内部纠纷迭起,忧愤而卒。

【祖籍】原籍。

【祖师爷】旧时各行各业对其本行业的创始人的称呼。现也称在学术、理论上创立派别的人。

【祖冲之】(429—500)南朝宋齐科学家。字文远,范阳遒县(今河北涞水北)人。他在前人研究成果的基础上,算出圆周率π的值在3.1415926和3.1415927之间,并提出了π的分数形式的近似值约率$\frac{22}{7}$和密率$\frac{355}{113}$,是世界上第一个把圆周率数值推算到第七位小数的人。他改革历法,编制《大明历》,首次把岁差计算在内,并改进闰法,使之成为当时中国最精确的历法。还曾重造指南车,制作水碓磨、千里船等。

zuān ㄗㄨㄢ

钻(鑽*鑚) ㊀ zuān ❶用钻子一类的尖物穿孔。㊀～眼儿|～探。❷穿过;进入。㊀～山洞|～到水里。❸钻研。㊀学习不能光～书本,还必须结合实践。❹为了私利而想方设法找门路。㊀～营|～门子。

㊁ zuàn (1323页)。

【钻研】仔细深入地研究。㊀～科学技术。

【钻探】指用钻机向地下钻孔(井),从不同深度取出岩石及矿石样品(通称岩心或矿心,石油勘探时取出的是岩屑),或用仪器在孔(井)内进行观测,为地质和矿产的研究提供必要的资料。

【钻营】勾搭巴结有权势的人,谋取个人名利。

【钻谋】钻营。

【钻牛角尖】❶比喻死抠琐碎而没有意义的问题。❷比喻思想固执,僵到一处不能扭转。

躜(躦) zuān 向上或向前冲。

zuǎn ㄗㄨㄢˇ

缵(纘) zuǎn 继承。

纂⊠(纂) zuǎn 同"纂"①。

纂(*篹) zuǎn ❶编辑。㊀编～|～辑。❷〈方〉纂儿,旧时妇女梳在头后边的发髻。

zuàn ㄗㄨㄢˋ

钻(鑽*鑚) ㊁ zuàn ❶打眼儿的工具。㊀电～|～头。❷钻石。㊀这表是十七～的。

㊀ zuān (1323页)。

【钻石】❶见〔金刚石〕(505页)。❷硬度较高的人造宝石(如红宝石、蓝宝石),可做仪表轴承及装饰品等。

【钻机】在岩石和矿石区等钻孔的机械。如石油钻机、勘探工程用的地质钻机等。

【钻戒】镶着钻石的戒指。

【钻床】一种机械加工机床。以钻孔为主,还可用来扩孔、铰孔、攻螺纹等。

赚(賺) ㊁ zuàn 〈方〉欺骗。㊀～人。

㊀ zhuàn (1301页)。

攥 zuàn 握;握住。㊀～拳|手里～着一把榔头。

zuī ㄗㄨㄟ

朘 ㊀ zuī 男孩的生殖器。

㊁ juān (535页)。

zuǐ ㄗㄨㄟˇ

咀 ㊁ zuǐ 用于地名,如尖沙咀(在香港)。

㊀ jǔ (530页)。

Z

觜 ㊀ zuǐ 同“嘴”。
㊁ zī（1310页）。

嘴 zuǐ ❶口的通称。㊞张～。❷古专指鸟的嘴。❸嘴儿，像嘴的东西。㊞茶壶～儿|烟～儿。

【嘴脸】面貌；表情或脸色（多含贬义）。㊞丑恶的～。

zuì ㄗㄨㄟˋ

最（*冣*㝡） zuì 副词。表示在程度上达到极点，超过一切同类的人或事物。㊞～好。

【最后通牒】也叫哀的美敦书。一般指一国向另一国发出的书面通知，其中提出最后的、不能改变的要求，并限定在一定时间内接受，否则将引起严重后果，如使用武力、断绝外交关系、封锁等。

【最终产品】不再加工、可供最终消费和使用的产品。

【最简分数】也叫既约分数。分子和分母是互素数的分数。如$\frac{8}{9}$，$\frac{3}{5}$。

【最大公因数】见〔公因数〕（327页）。

【最小公倍数】见〔公倍数〕（327页）。

【最后的晚餐】意大利画家达·芬奇的壁画。1495—1497年作于米兰圣玛丽亚·德拉格拉齐耶修道院饭厅。壁画描绘基督被叛徒犹大出卖，被捕前与十二门徒最后会餐诀别的情景，构图独特，人物情态刻画逼真，是同类题材中空前的杰作。

【最惠国待遇】缔约国双方在贸易、航海、关税征收或公民法律地位等方面相互给予对方的，现时或将来不低于给予任何第三国的优惠待遇。条约中规定这种待遇的条文称为最惠国条款。

蕞 zuì 〔蕞尔〕形容小（多指地区）。

晬☒ zuì 小儿周岁。

醉 zuì ❶因饮酒过量而神志不清。❷沉迷；过分爱好。㊞～心|沉～。❸用酒泡制（食品）。㊞～枣|～蟹。

【醉心】对某一事物强烈爱好而一心专注。

【醉尉】《史记·李将军列传》：“（广）尝夜从一骑出，从人田间饮，还至霸陵亭。霸陵尉醉，呵止广。广骑曰：‘故李将军。’尉曰：‘今将军尚不得夜行，何乃故也。’止广宿亭下。”后用作势利小人的代称。唐杜甫《南极》诗：“乱离多醉尉，愁杀李将军。”

【醉生梦死】像喝醉了酒和在睡梦中一样，糊里糊涂地生活着。

【醉翁之意不在酒】宋欧阳修《醉翁亭记》：“醉翁之意不在酒，在乎山水之间也。”后用来表示本意不在此，而在别的方面。有时也比喻别有用心。

罪（*辠） zuì ❶犯法的行为。㊞～大恶极|立功赎～。❷过失。㊞不应归～于人。❸依法给予的刑罚；惩处。㊞判～|待～。❹苦难；痛苦。㊞受～。

【罪尤】罪过；过失。

【罪犯】指经人民法院定罪量刑，正在执行刑罚的人。泛指有犯罪行为的人。

【罪状】犯罪的事实。

【罪戾】罪过；罪恶。戾（lì）。

【罪愆】罪过；过失。愆（qiān）。

【罪孽】迷信的人认为应受到报应的罪恶。

【罪大恶极】罪恶大到了极点。

【罪不容诛】即使处死也还不够抵偿所犯的罪恶。形容罪恶极大。《汉书·游侠传》：“况于郭解之伦，以匹夫之细，窃杀生之权，其罪已不容于诛矣！”诛：处死。

【罪刑法定】法律明文规定为犯罪行为的，依照法律定罪处刑；法律没有明文规定为犯罪行为的，不得定罪处刑的刑法基本原则。最早由资产阶级启蒙思想家贝卡利亚等人提出，1810年《法国刑法典》明确规定。中国见于1997年刑法修正案中。

【罪有应得】得到了应该得到的惩罚。形容处罚恰当，并非冤枉。

【罪恶昭彰】罪恶非常明显，人所共见。昭彰：明显。

【罪恶滔天】形容罪恶极大。

【罪魁祸首】作恶犯罪的头子。或指坏事的根子。

槜 zuì 〔槜李〕❶李子的一个品种。原产浙江。❷古地名。在今浙江嘉兴一带。

檇☒ zuì “槜”的异体字。

zūn ㄗㄨㄣ

尊 zūn ❶地位或辈分高。㊞～卑|～长。❷敬重。㊞～师爱生。❸敬辞。

称与对方有关的人或事物。㊀～府|～姓。❹量词。用于炮。例一～大炮。❺古又同“樽”。

【尊严】❶尊贵威严；崇高庄严。❷独立而不可侵犯的地位或身分。例民族～。

【尊重】❶尊敬，敬重。❷承认并认真对待。例～事实。❸(行为)庄重。

【尊称】❶尊敬地称呼。❷尊敬的称呼。

【尊亲属】从已身上溯的亲属，即父母及其同辈以上的亲属。包括父母、祖父母、外祖父母、叔伯父母、姑父母、舅父母、姨父母。

【尊师重教】尊重教师，重视教育事业。

遵 zūn 依照；按照。例～命|～守纪律。

【遵义】市名。位于贵州省北部，川黔铁路线上，是四川、贵州两省的交通要道。人口44万(1997年)。1935年红军长征途中，曾在此举行了著名的遵义会议。建有遵义会议纪念馆。

【遵从】遵照并服从。

【遵命】按照命令或嘱咐(去做)。

【遵循】按照，依照。

【遵义会议】中央红军长征途中，中国共产党于1935年1月15—17日在贵州遵义召开的中央政治局扩大会议。会议批评和揭露了“左”倾冒险主义的错误军事指挥，肯定了毛泽东等关于红军作战的基本原则。改组了中央书记处和中央革命军事委员会，结束了王明“左”倾机会主义在中央的统治。事实上确立了毛泽东在红军和党中央的领导地位，使红军和党中央能够在极其危急的情况下保存下来，并且在这以后战胜张国焘的分裂主义，胜利地完成长征，打开中国革命的新局面。这在党的历史上是一个生死攸关的转折点。

樽(*罇) zūn 古代酒器。

镈☒(鐏) zūn 戈柄下的金属套。

鳟(鱒) zūn 鳟鱼，鱼类。银白色，背略带黑色。

zǔn ㄗㄨㄣˇ

僔☒ zǔn 谦虚退让。

撙 zǔn 抑制；节省。例～节|我这点儿钱是慢慢～下的。

噂☒ zǔn 聚在一起谈论。

zùn ㄗㄨㄣˋ

捘☒ zùn ❶推。❷按捏。

zuō ㄗㄨㄛ

作 ㊁ zuō 作坊。例小器～。
㊀ zuò (1326页)。

【作坊】手工业制造或加工的工场。例酱油～。

嘬 zuō 吮吸。例～奶。

【嘬瘪子】〈方〉指为难；处于困窘地步。瘪子(biězi)。

zuó ㄗㄨㄛˊ

昨 zuó 昨天，今天的前一天。例～已返京|～夜。

笮 ㊀ zuó 用竹篾拧成的绳索。
㊁ zé (1229页)。

筰☒ zuó 同“笮(zuó)”。

捽□ zuó 〈方〉❶揪。❷拔。❸冲突。

琢 ㊁ zuó 〔琢磨〕思索；考虑。例这句话值得～～。磨(mo)。
㊀ zhuó (1306页)。

zuǒ ㄗㄨㄛˇ

左 zuǒ ❶面向南时靠东的一边。例～方|～手|～顾右盼。❷偏；邪；不正派。例～道旁门。❸错；不相合。例想～了|意见相～。❹政治思想上属于革命的、进步的。例～派|～翼作家。❺指东方。例江～|山～。❻古又同“佐”。

【左右】❶左和右两方面。例～为难|～逢源。❷身边跟随的人。例命～办理。❸用在数量词后表示概数，同“上下”。例一尺～|三十岁～。❹支配；操纵。例～全局。

【左权】(1905—1942)八路军副参谋长。原名纪权，号叔仁，湖南醴陵人。1925年加

Z

入中国共产党。在黄埔军校第一期毕业后赴莫斯科学习。1930年回国到中央苏区工作。历任红十五军政治委员和军长、红一军团参谋长及代理军团长等职。抗日战争爆发后，任八路军副参谋长。1942年5月在山西辽县(今左权县)麻田反扫荡战斗中牺牲。

【左迁】旧指降职。

【左近】附近。

【左证】同"佐证"(1326页)。

【左拉】埃米尔·左拉(1840—1902)法国作家。生于工程师家庭。早期受浪漫主义影响，后信奉实证论哲学，并将遗传学用于观察社会人生，倡导自然主义创作方法，但其创作却多带有现实主义倾向。1871—1893年创作了由20部长篇小说组成的《鲁贡—马卡尔家族》，反映拿破仑第三时代的社会生活，描述了劳资对立和劳动人民的苦难，揭露了资产阶级的丑恶面目。《金钱》《萌芽》《小酒店》《娜娜》等是其中的重要作品。

【左券】也叫左契。古代契约分为左右两联，双方各执一联以为凭证。左券即左联，常用为索偿的凭证。后用以比喻事情有把握。

【左派】阶级、政党、集团内政治上倾向进步或革命的一派。也指属于这一派的人。

【左衽】上衣在左侧开襟。中国古代某些少数民族的服装，不同于中原一带人民的右衽。后用作受异族统治的代称。参见〔披发左衽〕(746页)。

【左倾】❶指思想上政治上倾向进步或倾向革命。❷思想超越客观过程的一定阶段，在革命斗争中表现为急躁盲动的(左字常带引号作"左")。

【左袒】《史记·吕太后本纪》记载，汉高祖刘邦死后，吕后当权，积极培植吕氏势力。吕后死，太尉周勃设谋夺回吕氏兵权，在军中宣布说："拥护吕氏的右袒(露出右臂)，拥护刘氏的左袒。"军中都左袒。后称袒护某一方为左袒。

【左联】中国左翼作家联盟的简称。第二次国内革命战争时期中国共产党领导的革命文艺团体。1930年3月成立于上海。主办《萌芽》《北斗》《前哨》《文学月报》等刊物。积极组织左翼文艺创作，培养青年作家，对国民党政府的反革命文化"围剿"进行了有力的斗争，推动了革命文艺运动的深入发展，在当时文化战线上起了重要的积极作用。1935年底解散。

【左翼】❶军队作战时称左面的部队或左方的阵地为左翼；足球比赛中称左边的前锋为左翼。❷阶级、政党或集团中的左派也称左翼。

【左右手】比喻很得力的助手。

【左丘明】春秋史学家。鲁国人。双目失明，曾任鲁太史，相传著《左传》《国语》。

【左宗棠】(1812—1885)清末湘军军阀，洋务派首领。字季高，湖南湘阴人。和曾国藩等共同镇压太平天国革命，又先后镇压青海、陕西、甘肃等地的捻军和回民起义。依靠法国人开办福建马尾船政局。1875年督办新疆军务，剿灭了阿古柏匪帮，收复新疆，遏制了俄、英对新疆的侵略，维护了祖国的统一。

【左支右绌】指力量不足，应付了这一方面，那一方面又有了问题。绌(chù)。

【左右逢源】《孟子·离娄下》："资之深，则取之左右逢其原。"原意是做学问工夫到家后就能用之不尽，取之不竭。后用"左右逢源"指做事得心应手，非常顺利。也用以比喻为人圆滑，两头讨好。

【左顾右盼】向左右两边看。有时用来形容迟疑不决的样子。

【"左"倾机会主义】机会主义表现形式之一。其特点是思想超越客观过程的一定阶段，脱离了当时多数人的实践，脱离了当时的现实性。在阶级斗争问题上，表现为打击面宽，搞过火的斗争，实行冒险主义、盲动主义；在组织上则表现为宗派主义、关门主义。参见〔机会主义〕(446页)。

佐 zuǒ ❶辅助；帮助。㊀～理。❷辅助别人的人。㊀僚～。

【佐证】也作左证。证据。

撮 ㊁ zuǒ 量词。用于成丛的毛发。㊀一～头发。

㊀ cuō (158页)。

zuò ㄗㄨㄛˋ

作 ㊀ zuò ❶劳动；劳作。㊀精耕细～|～息制度。❷起。㊀振～|枪声大～。❸写作；作品。㊀著～|佳～。❹假装。㊀～态|装模～样。❺当作；作为。㊀过期～废。❻进行某种活动。㊀同不良倾向～斗争|自～自受。❼同"做"。

㊁ zuō (1325页)。

【作风】人们在思想、工作或生活上一贯表现出来的态度、行为。[例]工作～|～正派。

【作为】❶行为;举动。❷指人的建树或成就。[例]大有～。❸当作。[例]～罢论。❹就人的某种身分或事物的某种性质来说。[例]～一个青年,必须树立远大的理想。

【作古】婉辞。称人死。

【作用】❶一事物对他事物产生影响,也指所产生的影响。[例]客观～于主观|发挥积极～。❷一事物对他事物产生某种影响的活动或功能。[例]光合～|同化～。

【作伐】做媒。参见〔执柯作伐〕(1262页)。

【作弄】对人开玩笑或拿人开心,故意使人难堪。

【作呕】恶心。比喻非常厌恶。[例]令人～。

【作别】分别;分手。

【作态】故意做出某种样子或表情。[例]惺惺～。

【作战】武装力量打击或抗击敌方的军事行动。泛指战争、战役、战斗范围内的各种类型、形式、样式的作战。

【作品】在文学、艺术和科学领域内,具有独创性的并能以某种有形的形式复制的智力创作成果。

【作俑】制造殉葬用的偶像。比喻倡导做不好的事。参见〔始作俑者〕(897页)。

【作客】旅居在外或到亲友家访问并作亲友家的客人。

【作耗】胡闹;捣乱。

【作料】烹调时用来增加滋味的油、盐、酱、醋和葱、蒜、生姜、花椒、大料等。

【作祟】指鬼怪害人(迷信)。比喻坏人或坏思想从中为害。

【作梗】从中阻挠,使事情不能顺利进行。

【作揖】旧时的一种礼节。两手抱拳高拱,身子略弯,向人敬礼。

【作践】糟蹋。

【作弊】用欺骗的方法做违背制度或规定的事情。

【作孽】即"造孽"(1228页)。

【作用力】物体之间发生相互作用时,力总是成对出现。施力物体所产生的力叫作用力,受力物体对施力物体的作用叫反作用力。作用力和反作用力大小相等,方向相反,分别作用于不同的物体上。

【作奸犯科】为非作歹,触犯法令。指干违法乱纪的事。三国蜀诸葛亮《出师表》:"若有作奸犯科及为忠善者,宜付有司,论其刑赏。"作奸:做坏事。科:科条,法令。

【作法自毙】自己立法,自己受害。比喻自作自受。《史记·商君列传》:"商君亡至关下,欲舍客舍,客人不知其是商君也,曰:'商君之法,舍人无验者,坐之。'商君喟然叹曰:'嗟乎! 为法之敝,一至此哉!'"毙:死。

【作茧自缚】蚕吐丝结茧,把自己包在里面。比喻自己使自己陷入困境。宋陆游《书叹》诗:"人生如春蚕,作茧自缠裹。"缚:束缚。

【作威作福】《尚书·洪范》:"惟辟作福,惟辟作威。"原意是只有君王才能独揽威权,擅行赏罚。后指妄自尊大,滥用权力。

【作贼心虚】也作做贼心虚。比喻做了坏事,总怕被人发觉而心里不安。宋悟明《联灯会要·重显禅师》:"作贼人心虚。"《二十年目睹之怪现状》第一〇四回:"偏偏那天又在公馆里被端甫遇见,做贼心虚,从此就不敢再到端甫处捣鬼了。"

【作壁上观】也说从壁上观。《史记·项羽本纪》记载,秦兵包围了赵国的巨鹿,楚国和其他诸侯前去救援。当时秦兵声势很大,只有楚将项羽领着队伍去冲锋陷阵,其他诸侯的将领却都在壁(即军营的壁垒)上观战。后用"作壁上观"比喻在一旁观望,不动手帮助。

阼 zuò 古指堂下东边的台阶。是主人迎接宾客的地方。

岞□ zuò 岞山,地名,在山东。

怍 zuò 惭愧。[例]愧～。

柞 ㊀ zuò ❶柞木,也叫蒙子树。常绿乔木。生棘刺,浆果小球形,黑色。树皮供药用。❷柞树,也叫蒙栎。落叶乔木。是栎树的一种,叶可饲柞蚕。

㊁ zhà (1232页)。

【柞蚕】也叫山蚕、野蚕。蚕的一种。以柞树叶等为食。原产中国山东,为野生,现多在柞树林人工放养。茧可缫丝。

【柞蚕丝】柞蚕所吐的丝。原为褐色,缫成生丝后呈淡黄色。柞蚕丝较桑蚕丝粗,不易漂染,常用以织柞丝绸等,是中国特产。

胙 zuò 古代宗庙祭祀时所用的肉。

祚 zuò 福。

Z

酢 ㊀ zuò 客人用酒回敬主人。[例]酬～。

㊁ cù (155页)。

坐 zuò ❶臀部平放在东西上支持身体。[例]～在椅子上|席地而～。❷乘;搭。[例]～车|～船。❸不劳动;不动。[例]～享其成|～以待毙。❹(房屋等)背对着某一方向。[例]～北朝南。❺枪炮发射时产生反作用力;建筑物下沉。[例]这炮～力很大|房子向下～了。❻判罪;犯罪。[例]反～|连～。❼把锅、壶等盛上东西放在炉火上。[例]～一壶开水。❽形成疾病。[例]～下了寒腿的毛病。

【坐化】佛教指和尚坐着死去。

【坐庄】❶指受商店派遣的人常驻某地,采购货物。❷打牌时做庄家。

【坐困】困守一处,找不到出路。

【坐法】因犯法而获罪。

【坐视】坐着看。指对该管的事故意不管或漠不关心。

【坐药】中医指栓剂。

【坐标】确定某一点位置的有次序的一组数,叫做这个点的坐标。如要确定轮船在海洋中的位置,就用经度和纬度两个数,这两个数共同组成该轮船所在位置的坐标。

【坐骨】人和哺乳动物腰带组成骨之一。在人体,有一对,骨质坚厚,构成骨盆的后下部。分坐骨体和坐骨支两部分。

【坐科】在科班学戏。

【坐误】白白地失掉时机。[例]因循～,事败垂成。

【坐探】混入组织内部刺探情报的敌人。

【坐骑】供人骑的马,也泛指供人骑的兽类。

【坐落】指房屋、田地等的位置所在。

【坐蓐】坐月子。

【坐罪】坐法。

【坐镇】亲自在某地镇守,驻守。比喻到下层亲自指挥、督促。

【坐井观天】比喻眼光狭小,见识短浅。唐韩愈《原道》:"坐井而观天,曰天小者,非天小也。"

【坐以待毙】坐着等死。形容处在极端困难的情况下,不积极想办法、找出路。

【坐地分赃】指盗贼就地瓜分偷盗来的赃物。也指(匪首、窝主)坐等分取同伙用不正当的方法得来的财物。

【坐而论道】坐着空谈大道理。

【坐吃山空】只坐着吃,不生产,即使有堆积如山的财物也要消耗光。

【坐观成败】冷眼旁观别人的成功或失败。《史记·田叔列传》:"见兵事起,欲坐观成败。"

【坐卧不宁】也说坐卧不安。坐不稳,睡不安。形容十分担心、忧虑的样子。

【坐享其成】自己不出力,而享受别人取得的成果。

【坐山观虎斗】比喻坐观别人的争斗,等两败俱伤的时候,从中取利。

【坐收渔人之利】也说坐收渔利。利用别人之间的矛盾,从中获得利益。参见〔鹬蚌相争,渔人得利〕(1208页)。

唑 zuò 见〔噻唑〕(840页)。

座 zuò ❶坐位。[例]～次|满～。❷量词。用于较大的固定物体。[例]一～山|一～桥。❸座儿,放在器物底下垫着的东西。[例]底～儿。❹星座。[例]大熊～。

【座谈】不拘形式地漫谈讨论。

【座右铭】写在座位旁边,作为警戒、提醒用的有教益的话。汉崔瑗《座右铭》吕延济题注:"瑗兄璋为人所杀,瑗遂手刃其仇,亡命。蒙赦而出,作此铭以自戒,尝置座右,故曰座右铭也。"

【座无虚席】座位没有空着的。形容观众、听众或出席的人很多。

做 zuò ❶干;从事某项工作或活动。[例]～活|～工。❷制造。[例]～衣服。❸写作。[例]～文章。❹当;担任。[例]～母亲|～主任。❺用做。[例]不少废旧物资可以～工业原料。❻举行或举办小型的庆祝或纪念活动。[例]～寿|～满月。❼结成某种关系。[例]～夫妻|～朋友。❽装出某种样子。[例]～鬼脸。

【做功】❶力使物体在力的方向上发生了移动,叫做做功。物体受力而未移动,或物体发生了移动而未受力,都没有做功。❷戏曲中演员的动作和表情。[例]～戏。

【做作】故意做出某种不自然的表情、架势、腔调等。[例]行为～|言语～。

【做派】也叫做工。演员演戏时的动作、表情。

【做爱】指男女性交。

西文字母开头的词语

【α射线】阿尔法射线。
【β射线】贝塔射线。
【γ刀】伽马刀。
【γ射线】伽马射线。
【A股】A种股票。中国境内的中资公司发行,由中国境内的中资机构和中国公民认购投资的以人民币计价的记名式普通股股票。
【AA制】指聚餐时每人平摊餐费或各自付账的做法。
【AB制】戏剧的一种双轨选派演员的制度。剧团排演某个剧目时,同一主角由两个演员饰演,演出时如A角不能上场则由B角上场,或A角、B角在不同场次轮换上场。
【AB角】指在AB制中饰演同一主角的两个演员。
【ABC】拉丁字母中的前三个字母。指某方面的基本常识。
【AIDS】艾滋病。[英 acquired immune deficiency syndrome 的缩写]
【AM】调幅。[英 amplitude modulation 的缩写]
【ASCII】美国信息交换标准代码。[英 American Standard Code for Information Interchange 的缩写]
【ATM】自动柜员机;自动取款机。[英 automated teller machine 的缩写]
【B超】B型超声波扫描的简称。使用B型超声诊断仪对身体肿块或脏器作切面显像,根据声像图诊断疾病,并可观察脏器的情况。
【B股】B种股票。中国境内的中资公司面向境外投资者发行,由境外投资者以外币认购并在中国境内证券交易所上市交易的以人民币标明面值的记名式普通股股票。
【BBS】❶电子公告牌系统。[英 bulletin board system 的缩写]❷电子公告牌服务。[英 bulletin board service 的缩写]
【BP机】寻呼机。[BP,英 beeper 的缩写]
【CAD】计算机辅助设计。[英 computer-aided design 的缩写]
【CBD】中央商务区。[英 Central Business District 的缩写]
【CD】光盘。[英 compact disc 的缩写]
【CD-R】可录光盘。[英 compact disc-recordable 的缩写]
【CD-ROM】只读光盘。[英 compact disc read-only memory 的缩写]
【CEO】首席执行官。[英 chief executive officer 的缩写]
【CI】❶企业标识。[英 corporate identity 的缩写]❷企业形象。[英 corporate image 的缩写]
【CPA】注册会计师。[英 certified public accountant 的缩写]
【CPU】中央处理器。[英 central processing unit 的缩写]
【CT】计算机体层摄影。[英 computerized tomography 的缩写]
【DIY】自己动手。[英 do it yourself 的缩写]
【DNA】脱氧核糖核酸。[英 deoxyribonucleic acid 的缩写]
【DOS】磁盘操作系统。[英 disk operating system 的缩写]
【DVD】数字激光视盘。[英 digital videodisc 的缩写]
【E-mail】电子邮件。[英 electronic mail 的缩写]
【EMS】邮政特快专递。[英 Express Mail Service 的缩写]
【fax】传真系统。也指传真件。[英 facsimile 的缩写]
【FM】调频。[英 frequency modulation 的缩写]
【GDP】国内生产总值。[英 gross domestic product 的缩写]
【GMDSS】全球海上遇险与安全系统。[英 Global Maritime Distress and Safety System 的缩写]
【GNP】国民生产总值。[英 gross national product 的缩写]
【GPS】全球定位系统。[英 Global Positioning System 的缩写]
【GRE】(美国等国家)研究生入学资格考试。

[英 Graduate Record Examination 的缩写]

【GSM】全球移动通信系统。[英 Global System for Mobile Communications 的缩写]

【H股】H种股票。中国境内公司发行的以人民币标明面值,供海外投资者用外币认购,在香港联合交易所上市交易的记名式普通股股票。

【hi-fi】高保真度。[英 high-fidelity 的缩写]

【HIV】人类免疫缺陷病毒;艾滋病病毒。[英 human immunodeficiency virus 的缩写]

【IC卡】集成电路卡。[IC,英 integrated circuit 的缩写]

【ICU】重症监护病房。[英 intensive-care unit 的缩写]

【internet】互联网。

【Internet】因特网。

【IOC】国际奥林匹克委员会。[英 International Olympic Committee 的缩写]

【IP地址】网际协议地址。因特网使用IP地址作为主机标识。[IP,英 Internet Protocol 的缩写]

【IP电话】网际协议电话。[IP,英 Internet Protocol 的缩写]

【IP卡】IP电话卡。[IP,英 Internet Protocol 的缩写]

【IQ】智商。[英 intelligence quotient 的缩写]

【ISDN】综合业务数字网。[英 integrated services digital network 的缩写]

【ISO】国际标准化组织。[英 International Organization for Standardization 的缩写]

【IT业】信息技术产业。[IT,英 information technology 的缩写]

【KTV】卡拉OK包间。[K,指卡拉OK; TV,英 television 的缩写]

【LD】激光唱盘。[英 laser disc 的缩写]

【MBA】工商管理硕士。[英 Master of Business Administration 的缩写]

【MODEM】调制解调器。[英 modulator-demodulator 的缩写]

【MTV】音乐电视。[英 music television 的缩写]

【N股】N种股票。中国境内公司发行的以人民币标明面值,供海外投资者用外币认购,在美国纽约交易所上市交易的记名式普通股股票。

【N型半导体】电子型半导体。[N,英 negative 的缩写,表示负的意思]

【NMD】国家导弹防御系统。[英 National Missile Defense 的缩写]

【OA】办公自动化。[英 office automation 的缩写]

【OPEC】石油输出国组织。[英 Organization of the Petroleum Exporting Countries 的缩写]

【P型半导体】空穴型半导体。[P,英 positive 的缩写,表示正的意思]

【PC机】个人电子计算机。[PC,英 personal computer 的缩写]

【PET】正电子发射体层摄影。[英 positron emission tomography 的缩写]

【pH值】氢离子浓度指数;酸碱度。[pH,法 potentiel hydrogène 的缩写]

【PN结】用适当工艺使一块半导体的一部分是P型、另一部分是N型,这两部分的交界层叫做PN结。PN结有单向导电性。

【QC】质量管理。[英 quality control 的缩写]

【RNA】核糖核酸。[英 ribonucleic acid 的缩写]

【ROM】只读存储器。[英 read-only memory 的缩写]

【SOS儿童村】一种专门收养孤儿的慈善机构。[SOS,英 save our souls 的缩写,国际上曾通用为紧急呼救信号]

【T恤衫】短袖的针织上衣。因形状略呈T形,故名。[恤,英 shirt 的音译]

【Tel】电话号码。[英 telephone 的缩写]

【TMD】战区导弹防御系统。[英 Theater Missile Defense 的缩写]

【TOEFL】托福,指美国对非英语国家留学生的英语考试。[英 Test of English as a Foreign Language 的缩写]

【TV】电视。[英 television 的缩写]

【UFO】不明飞行物。[英 unidentified flying object 的缩写]

【VCD】激光视盘。[英 video compact disc 的缩写]

【WAP手机】无线应用协议手机。[WAP,英 Wireless Application Protocol 的缩写]

【WC】厕所;盥洗室。[英 water closet 的缩写]

【WTO】世界贸易组织。[英 World Trade Organization 的缩写]

【WWW】万维网。[英 World Wide Web 的缩写]

【X射线】爱克斯射线。

附 录

(一) 夏商周年表

2000年11月9日,“夏商周断代工程”正式公布的《夏商周年表》,把中国的历史纪年由西周晚期的共和元年,即公元前841年向前延伸了1200多年。

朝代	年代	王
夏	前2070—前1600	禹 启 太康 仲康 相 少康 予 槐 芒 泄 不降 扃 廑 孔甲 皋 发 癸
商前期	前1600—前1300	汤 太丁 外丙 中壬 太甲 沃丁 太庚 小甲 雍己 太戊 中丁 外壬 河亶甲 祖乙 祖辛 沃甲 祖丁 南庚 阳甲 盘庚(迁殷前)
商后期	前1300—前1251	盘庚(迁殷后) 小辛 小乙
	前1250—前1192	武丁
	前1191—前1148	祖庚 祖甲 廪辛 康丁
	前1147—前1113	武乙
	前1112—前1102	文丁
	前1101—前1076	帝乙
	前1075—前1046	帝辛(纣)

朝代	年代	王
西周	前1046—前1043	武王
	前1042—前1021	成王
	前1020—前996	康王
	前995—前977	昭王
	前976—前922	穆王
	前922—前900	共王
	前899—前892	懿王
	前891—前886	孝王
	前885—前878	夷王
	前877—前841	厉王
	前841—前828	共和
	前827—前782	宣王
	前781—前771	幽王

（二）中外历史大事年表

时　间		中　国	世　界
约前31世纪—前10世纪	约前3200年		西亚两河流域出现小国
	约前3100年		统一的古代埃及国家建立
	约前2500年		南亚印度河流域出现文明
	约前3000年代中期		欧洲爱琴文明出现
	前两千多年	传说中的黄帝、尧、舜、禹时代	
	约前2070年	夏朝建立	
	约前18世纪		古巴比伦王国统一两河流域
	约前1600年	商朝建立	
	前12—前8世纪		古希腊荷马时代
	前1046年	西周建立，推行分封制	
前9世纪—前6世纪	前776年		希腊奥林匹亚体育竞技会开始举行
	前771年	西周灭亡	
	前8世纪		希腊斯巴达、雅典城邦国家形成
	前594年	鲁国初税亩	
	前6世纪		波斯帝国进入鼎盛时期。释迦牟尼创立佛教
	前509年		罗马共和国开始
前5世纪—前3世纪	前492—前449年		希波战争
	前475年	战国时代开始，百家争鸣局面逐渐形成	
	前356年	商鞅变法	
	前4世纪晚期		马其顿亚历山大帝国建立，地跨欧、亚、非三洲
	前3世纪		孔雀王朝的阿育王统一印度
	前264—前241年		第一次布匿战争
	前221年	秦统一六国，逐步确立郡县制	
	前3世纪末	秦始皇统一货币、文字、度量衡，修筑长城	
	前209年	陈胜、吴广大泽乡起义	
	前206年	秦朝灭亡	
	前202年	西汉王朝建立	
前2世纪—前1世纪	前141—前87年	汉武帝独尊儒术，西汉王朝达到极盛	
	前138年	张骞第一次出使西域	
	前73年		罗马爆发斯巴达克起义
	前45年		罗马恺撒建立军事独裁统治
	前30年		罗马进入帝国时期

时间		中国	世界
1世纪	1世纪	佛教传入中国内地	基督教诞生。中亚贵霜帝国出现
	73年	班超出使西域	
2世纪	166年		罗马安敦尼王朝派使臣到中国，为欧洲和中国正式通好之始
3世纪	208年	赤壁之战	
	3世纪		日耳曼人南下，进入罗马境内
4世纪	4—10世纪		美洲玛雅文明进入兴盛期
	395年		罗马帝国分裂为东西两部分
5世纪—6世纪	476年		西罗马帝国灭亡
	5世纪末	北魏孝文帝改革	法兰克王国建立
	6世纪	科举制创立	
	589年	隋灭陈，南北朝结束	
7世纪	7世纪初		伊斯兰教兴起
	605年	隋朝开通大运河	
	618年	唐朝建立，隋朝灭亡	
	627—649年	贞观之治	
	646年		日本大化改新开始
	676年		新罗统一朝鲜半岛大部分
8世纪	713—741年	开元盛世	
	8世纪中期		阿拉伯帝国进入强盛期
	755—763年	安史之乱	
9世纪	9世纪早期		统一的英吉利王国形成
	843年		查理帝国分裂，法兰西、德意志、意大利三国雏形形成
	882年		基辅公国形成
10世纪	960年	北宋建立	
	962年		神圣罗马帝国建立
11世纪	1054年		基督教会分裂为东部正教和西部公教
	1069年	王安石开始变法	
	11世纪末—13世纪末		欧洲十字军东征
13世纪	1206年	成吉思汗统一蒙古各部，建立蒙古政权	
	13世纪中期		蒙古人西征欧洲，直达俄罗斯、匈牙利，建立地跨欧亚的蒙古大帝国
	1271年	忽必烈定国号大元，行省制度逐渐确立	
	13世纪末—14世纪初		奥斯曼帝国崛起
	13世纪后期	马可·波罗来华	
14世纪	14世纪		美洲阿兹特克文明开始进入兴盛期
	14—16世纪		欧洲文艺复兴运动
	1337—1453年		英法百年战争
	1368年	明朝建立	

时 间		中 国	世 界
15世纪	15世纪		印第安人印加文明开始进入兴盛期
	1405—1433年	郑和下西洋	
	约1450年		德国人谷腾堡用活字印刷术印成欧洲第一部书——《圣经》
	1453年		拜占庭帝国灭亡
	15世纪晚期		桑海帝国成为西非强国
	1492年		哥伦布到达美洲
	1498年		达·伽马到达印度
16世纪	16世纪		非洲奴隶贸易出现，欧洲国家开始向海外殖民。欧洲宗教改革
	1519—1521年		麦哲伦环球航行
	1524—1525年		德意志农民战争
	1526年		印度莫卧儿帝国建立
	1553年	葡萄牙殖民者攫取澳门居住权	
	1573—1581年	张居正改革	
	1588年		西班牙无敌舰队覆灭，英国称霸海洋
17世纪	1600年		英国东印度公司成立
	1618—1648年		欧洲三十年战争
	1624年	荷兰殖民者占领台湾，建立赤嵌城	
	1640年		英国资产阶级革命开始
	1644年	李自成率领农民起义军攻占北京，明朝灭亡	
	1662—1795年	康乾盛世	
	1662年	郑成功收复台湾	
	1684年	清朝设置台湾府	
	1689年	《中俄尼布楚条约》签订	英国君主立宪制确立
18世纪	18世纪		欧洲启蒙运动
	1701年		普鲁士王国崛起
	18世纪早期		俄国彼得一世改革
	1727年	清朝开始设置驻藏大臣	
	18世纪60年代		英国工业革命开始
	1775—1783年		北美独立战争
	1776年7月4日		北美大陆会议发表《独立宣言》，美利坚合众国诞生
	1789年7月14日		巴黎人民攻破巴士底狱，法国资产阶级革命开始
	1789年8月		法国国民议会通过《人权宣言》
19世纪	1804年		拿破仑称帝。海地成为拉丁美洲第一个独立国家
	1815年6月		滑铁卢战役
	1815年		维也纳会议
	1818年5月5日		马克思诞生
	1820年11月28日		恩格斯诞生
	19世纪30—50年代		英国宪章运动
	1840—1842年	鸦片战争	
	1842年	《南京条约》签订	
	1848年2月		《共产党宣言》发表

时间		中国	世界
19世纪	1848—1849年		欧洲一八四八年革命
	1851年	太平天国建立	伦敦举行第一届世界博览会
	1856—1860年	第二次鸦片战争	
	1861年		俄国农奴制改革
	1861—1865年		美国南北战争
	1864年		第一国际成立
	19世纪60—90年代	洋务运动	
	1868年		日本明治维新开始
	1869年		苏伊士运河竣工
	1870年4月22日		列宁诞生
	1870年		意大利统一最后完成。德意志统一全部完成,德意志帝国成立
	1871年3月18日		巴黎公社起义
	1889年		第二国际成立
	1894—1895年	中日甲午战争	
	1895年	《马关条约》签订	
	1896年		现代奥林匹克运动会在雅典首次举行
	1898年6月11日—9月21日	戊戌变法	
	19世纪末		电影诞生
1900年—1909年	1900年	义和团运动高潮。八国联军侵略中国	
	1901年	《辛丑条约》签订	诺贝尔奖首次颁发
	1903年		俄国布尔什维克党建立
	1905年		俄国一九〇五年革命
1910年—1919年	1911年10月10日	武昌起义	
	1912年1月1日	中华民国成立	
	1914年		巴拿马运河建成
	1914—1918年		第一次世界大战
	1917年11月7日		俄国十月革命,第一个社会主义国家建立
	1919年1—6月		巴黎和会
	1919年3月		共产国际成立
	1919年5月4日	五四运动	
	1919—1922年		土耳其凯末尔资产阶级革命
1920年—1929年	20世纪20年代		法西斯主义兴起
	1921年		苏俄实行新经济政策
	1921年7月23日	中国共产党成立	
	1921年		华盛顿会议召开
	1924年	中国国民党第一次全国代表大会召开,革命统一战线正式形成	
	1926年	国民革命军北伐	
	1927年4月12日	蒋介石发动反革命政变	
	1927年4月18日	南京国民政府建立	
	1927年8月1日	南昌起义	
	1927年9月	秋收起义	
	1927年10月	井冈山革命根据地建立	
	1929—1933年		资本主义世界经济危机

时间		中国	世界
1930年—1939年	1933年		美国开始推行新政
	1935年1月15—17日	遵义会议	
	1936—1939年		西班牙内战
	1936年10月	长征结束	
	1936年12月12日	西安事变	
	1937年7月7日	卢沟桥事变	
	1937年12月	日军南京大屠杀	
	1938年9月		慕尼黑会议
	1939年9月		德国入侵波兰，第二次世界大战全面爆发
1940年—1949年	1941年1月	皖南事变	
	1941年6月		德国突袭苏联，苏联卫国战争开始
	1941年12月		日本偷袭珍珠港，太平洋战争爆发
	1942年	中国共产党开始整风运动	
	1942年7月—1943年2月		斯大林格勒战役
	1943年11月		苏、美、英三国德黑兰会议。中、美、英三国开罗会议
	1944年6月		诺曼底登陆
	1945年2月		雅尔塔会议
	1945年4月	中国共产党第七次全国代表大会召开	
	1945年5月8日		德国签署无条件投降书
	1945年8月		人类在战争中第一次使用原子弹
	1945年8月15日		日本宣布无条件投降
	1945年9月2日	中国抗日战争胜利结束	
	1945年10月	《双十协定》签订	联合国成立
	1946—1947年		冷战开始
	1946年6月底	国民党发动全面内战，解放战争开始	
	1947年	中国共产党制订《中国土地法大纲》，在解放区实行土地改革	印巴分治
	1948年		以色列国建立
	1948年9月—1949年1月	辽沈、淮海、平津三大战役	
	1949年3月	中国共产党七届二中全会召开	
	1949年4月23日	中国人民解放军解放南京，国民党政权垮台	
	1949年8月		北大西洋公约组织成立
	1949年10月1日	中华人民共和国建立	

时间		中国	世界
1950年—1959年	1950年	《中苏友好同盟互助条约》签订	
	1950—1953年		朝鲜战争
	1950年10月	中国人民志愿军赴朝作战	
	1951年	西藏和平解放	
	1952年9月	土地改革运动基本结束	
	1954年	中华人民共和国第一部宪法颁布	
	1955年		万隆会议。华沙条约组织成立
	1956年	中国共产党第八次全国代表大会召开	苏联共产党二十大召开
	1957年		苏联将世界上第一颗人造地球卫星送上太空
	1958年	“大跃进”运动、人民公社化运动	
1960年—1969年	1960年		非洲独立年
	20世纪60年代初		不结盟运动兴起
	1961—1975年		越南抗美救国战争
	1966—1976年	文化大革命	
	1967年		欧洲共同体正式成立
1970年—1979年	20世纪70年代初		日本经济腾飞
	1971年	联合国恢复中国合法席位	
	1973年10月		第四次中东战争
	1975年11月		西方六国(后为七国)首脑会议首次举行
	1976年	周恩来、朱德、毛泽东相继去世	
	1976年10月	“江青反革命集团”被粉碎，“文化大革命”结束	
	1978年12月	中国共产党十一届三中全会召开，制定对内搞活、对外开放政策	
	1979年		伊朗伊斯兰革命。苏军入侵阿富汗
1980年—1989年	1980—1988年		两伊战争
	1987年	中国共产党第十三次全国代表大会召开	世界人口达50亿
	20世纪80年代末		东欧剧变
1990年—1999年	1990年		两德统一
	1990年8月—1991年2月		海湾危机和海湾战争
	1991年		苏联解体。南斯拉夫联邦解体
	1992年初	邓小平南巡	
	1994年		南非种族隔离制度彻底结束
	1997年7月	香港回归中国	
	1999年12月	澳门回归中国	

(三)中国主要亲属关系简表

表一

<table>
<tr><td rowspan="13">高祖父
高祖母</td><td rowspan="13">曾祖父
曾祖母</td><td rowspan="13">祖父
祖母</td><td rowspan="2">伯父 叔父
伯母 婶母</td><td rowspan="2">堂兄(堂房哥哥、叔伯哥哥)
堂嫂(堂房嫂子)
堂弟
堂弟媳妇
堂姐
堂姐夫
堂妹
堂妹夫</td><td>堂侄
堂侄媳妇
堂侄女
堂侄女婿</td><td rowspan="2"></td><td rowspan="5" colspan="2"></td></tr>
<tr><td>堂外甥
堂外甥媳妇
堂外甥女
堂外甥女婿</td></tr>
<tr><td rowspan="8">父亲
母亲</td><td rowspan="2">哥(哥哥)
嫂(嫂子)
弟(弟弟)
弟妹(弟媳、兄弟媳妇)</td><td rowspan="2">侄子
侄媳妇
侄女
侄女婿</td><td>侄孙(媳妇)
侄孙女(婿)</td></tr>
<tr><td>侄外孙(媳妇)
侄外孙女(婿)</td></tr>
<tr><td>姐(姐姐)
姐夫
妹(妹妹)
妹夫</td><td>外甥
外甥媳妇
外甥女
外甥女婿</td><td>外甥孙
外甥孙女</td></tr>
<tr><td rowspan="5">自己
妻子</td><td rowspan="3">儿子
儿媳(媳妇)</td><td rowspan="2">孙子
孙媳</td><td>曾孙</td><td>玄孙
玄孙女</td></tr>
<tr><td>曾孙女</td><td rowspan="4"></td></tr>
<tr><td>孙女
孙女婿</td><td>重外孙
重外孙女</td></tr>
<tr><td rowspan="2">女儿(闺女)
女婿(姑爷)</td><td>外孙
外孙媳</td><td>重外孙</td></tr>
<tr><td>外孙女
外孙女婿</td><td>重外孙女</td></tr>
<tr><td rowspan="3">姑母
姑父</td><td rowspan="2">姑表哥
姑表嫂
姑表弟
姑表弟妹</td><td rowspan="2">表侄
表侄媳妇
表侄女
表侄女婿</td><td>表侄孙
表侄孙女</td><td rowspan="3" colspan="2"></td></tr>
<tr><td>表外孙
表外孙女</td></tr>
<tr><td>姑表姐
姑表姐夫
姑表妹
姑表妹夫</td><td>表外甥
表外甥媳妇
表外甥女
表外甥女婿</td><td>表外甥孙
表外甥孙女</td></tr>
</table>

表二

<table>
<tr><td rowspan="5">外祖父
外祖母</td><td rowspan="2">姨母(姨妈、姨)
姨父(姨夫)</td><td>姨表兄
姨表嫂
姨表弟
姨表弟妹</td><td>姨表侄
姨表侄女</td></tr>
<tr><td>姨表姐
姨表姐夫
姨表妹
姨表妹夫</td><td>姨表外甥
姨表外甥女</td></tr>
<tr><td>母亲</td><td colspan="2">自己(本人)</td></tr>
<tr><td rowspan="2">舅父(舅舅、娘舅)
舅母(舅妈)</td><td>舅表兄
舅表嫂
舅表弟
舅表弟妹</td><td>舅表侄
舅表侄女</td></tr>
<tr><td>舅表姐
舅表姐夫
舅表妹
舅表妹夫</td><td>舅表外甥
舅表外甥女</td></tr>
</table>

表三

<table>
<tr><td rowspan="3">岳父家</td><td rowspan="3">岳祖父
岳祖母</td><td rowspan="3">岳父
岳母</td><td>内兄(大舅子)
内嫂
内弟(小舅子)
内弟妹</td><td>内侄
内侄女</td></tr>
<tr><td colspan="2">自己(本人)
妻子</td></tr>
<tr><td>大姨子
襟兄
小姨子
襟弟</td><td>姨外甥
姨外甥女</td></tr>
<tr><td rowspan="3">婆婆家</td><td rowspan="3">爷爷
奶奶</td><td rowspan="3">公公
婆婆</td><td>姐姐(大姑子)
姐夫
妹妹(小姑子)
妹夫</td><td>外甥
外甥女</td></tr>
<tr><td colspan="2">女方(妻子本人)
丈夫</td></tr>
<tr><td>大伯子
嫂子
小叔子
弟妹</td><td>侄子
侄女</td></tr>
</table>

（四）中国行政区划简表*

省级行政单位	简称（或别称）	面积（平方千米）	人口（万人）	省会或首府	主要城市
北京市	京	1.68万	1 246		
天津市	津	1.1万多	957		
河北省	（冀）	19万	6 569	石家庄	唐山 邯郸 邢台 保定 张家口 承德 秦皇岛 沧州 廊坊 衡水
山西省	（晋）	15万多	3 172	太原	大同 阳泉 长治 晋城 朔州 晋中
内蒙古自治区	内蒙古	110多万	2 345	呼和浩特	包头 乌海 赤峰 通辽
辽宁省	辽	15万多	4 157	沈阳	大连 鞍山 抚顺 本溪 丹东 锦州 葫芦岛 营口 阜新 辽阳 铁岭 朝阳 盘锦
吉林省	吉	18万多	2 644	长春	吉林 四平 辽源 通化 白山 松原 白城
黑龙江省	黑	46万多	3 773	哈尔滨	齐齐哈尔 鸡西 大庆 双鸭山 鹤岗 伊春 佳木斯 牡丹江 七台河 黑河 绥化
上海市	（沪）（申）	6340	1 464		
江苏省	苏	10万多	7 182	南京	徐州 连云港 淮阴 宿迁 盐城 扬州 泰州 南通 镇江 常州 无锡 苏州
浙江省	浙	10万多	4 456	杭州	宁波 温州 嘉兴 湖州 绍兴 金华 衢州 舟山 台州
安徽省	（皖）	13万多	6 184	合肥	淮南 淮北 芜湖 铜陵 蚌埠 马鞍山 安庆 黄山 滁州 阜阳 宿州 巢湖 六安
福建省	（闽）	12万多	3 299	福州	厦门 三明 莆田 泉州 漳州 南平 龙岩 宁德
江西省	（赣）	16万多	4 191	南昌	景德镇 萍乡 九江 新余 鹰潭 赣州

* 本资料面积据《中国地图集》（中国地图出版社，1995）整理，人口据1998《中国统计年鉴》（中国统计出版社，1999）整理（港澳台人口据1997年资料）。

省级行政单位	简称（或别称）	面积（平方千米）	人口（万人）	省会或首府	主要城市
山东省	（鲁）	15万多	8 838	济南	青岛 淄博 枣庄 东营 潍坊 烟台 济宁 泰安 威海 日照 莱芜 德州 临沂 聊城
河南省	（豫）	16万多	9 315	郑州	开封 洛阳 平顶山 焦作 鹤壁 新乡 安阳 濮阳 许昌 漯河 三门峡 南阳 商丘 信阳
湖北省	（鄂）	18万多	5 907	武汉	黄石 十堰 宜昌 荆州 襄樊 荆门 鄂州 孝感 黄冈 咸宁
湖南省	（湘）	21万多	6 502	长沙	株洲 湘潭 衡阳 邵阳 岳阳 常德 张家界 郴州 益阳 永州 怀化 娄底
广东省	（粤）	18万多	7 143	广州	深圳 珠海 汕头 韶关 河源 梅州 惠州 汕尾 东莞 中山 江门 佛山 阳江 湛江 茂名 肇庆 清远 云浮 潮州 揭阳
广西壮族自治区	（桂）	23万多	4 675	南宁	柳州 桂林 梧州 北海 防城港 钦州 贵港 玉林
海南省	（琼）	3.4万多	753	海口	三亚
重庆市	（渝）	8.23万	3 060		
四川省	川（蜀）	48万多	8 493	成都	自贡 攀枝花 德阳 泸州 绵阳 内江 广元 遂宁 乐山 南充 宜宾 广安 达州
贵州省	贵（黔）	17万多	3 658	贵阳	六盘水 遵义
云南省	云（滇）	38万多	4 144	昆明	曲靖 玉溪
西藏自治区	藏	120多万	252	拉萨	
陕西省	陕（秦）	19万多	3 596	西安	宝鸡 咸阳 铜川 渭南 延安 汉中 榆林
甘肃省	甘（陇）	39万多	2 519	兰州	嘉峪关 金昌 白银 天水
青海省	青	72万多	503	西宁	
宁夏回族自治区	宁	6.6万多	538	银川	石嘴山 吴忠
新疆维吾尔自治区	新	160多万	1 747	乌鲁木齐	克拉玛依
香港特别行政区	港	1 097	669		
澳门特别行政区	澳	23.5	45		
台湾省	台	3.6万	2 200		台北 高雄 台中 台南 基隆

（五）世界各国和地区简表*

国家或地区	面积（平方千米）	人口（千人）	首都或首府	主要城市
		亚 洲		
中华人民共和国	约 9600000	1236260	北京	上海 天津 广州 西安 重庆 武汉 沈阳
蒙古国	1 566 500	2 387	乌兰巴托	达尔汗 苏赫巴托尔
朝鲜民主主义人民共和国	122 762	22 000	平壤	咸兴 新义州 金策
大韩民国	99 262	45 540	汉城	釜山 仁川
日本国	377 800	126 170	东京	横滨 大阪 名古屋 京都 神户 北九州
老挝人民民主共和国	236 800	4 728	万象	桑怒 琅勃拉邦
越南社会主义共和国	329 556	76 900	河内	胡志明市 下龙市 顺化
柬埔寨王国	181 035	11 000	金边	西哈努克市 暹粒
缅甸联邦	676 581	45 570	仰光	曼德勒 蒲甘
泰王国	513 115	60 810	曼谷	清迈 呵叻
马来西亚	329 733	21 169	吉隆坡	槟城 怡保 马六甲
新加坡共和国	648	3 100	新加坡	
文莱达鲁萨兰国	5 765	305	斯里巴加湾市	
菲律宾共和国	299 700	70 600	马尼拉	奎松城 宿务 达沃
印度尼西亚共和国	1 904 443	200 000	雅加达	泗水 万隆 棉兰
东帝汶	14 874	748	帝力	
尼泊尔王国	147 181	20 000	加德满都	
锡金	7 200	406	甘托克	
不丹王国	46 000	600	廷布	
孟加拉人民共和国	143 998	120 000	达卡	吉大港
印度共和国	2 974 700	938 000	新德里	德里 加尔各答 孟买 金奈
斯里兰卡民主社会主义共和国	65 610	18 300	科伦坡	

* 本资料面积和人口据 1998/99《世界知识年鉴》（世界知识出版社，1999）整理，主要城市据《世界地图集》（中国地图出版社，1998）整理。

国家或地区	面积（平方千米）	人口（千人）	首都或首府	主要城市
马尔代夫共和国	298	250	马累	
巴基斯坦伊斯兰共和国	796 095	135 280	伊斯兰堡	卡拉奇 拉瓦尔品第
阿富汗伊斯兰国	652 300	17 690	喀布尔	赫拉特 坎大哈
伊朗伊斯兰共和国	1 645 000	66 727	德黑兰	伊斯法罕 库姆 阿巴丹 设拉子
科威特国	17 818	2 153	科威特城	
沙特阿拉伯王国	2 240 000	19 150	利雅得	吉达 麦加 麦地那
巴林国	691.2	599	麦纳麦	
卡塔尔国	11 437	575	多哈	
阿拉伯联合酋长国	83 600	2 440	阿布扎比	迪拜 沙迦
阿曼苏丹国	309 500	2 018	马斯喀特	
也门共和国	531 869	16 100	萨那	亚丁 荷台达
伊拉克共和国	441 839	22 020	巴格达	巴士拉
阿拉伯叙利亚共和国	185 180	16 000	大马士革	阿勒颇 霍姆斯
黎巴嫩共和国	10 452	3 110	贝鲁特	的黎波里 赛达
约旦哈希姆王国	96 188	4 580	安曼	亚喀巴
巴勒斯坦国	11 500	5 750①	耶路撒冷	
以色列国	14 900	5 863	特拉维夫	
塞浦路斯共和国	9 251	850	尼科西亚	利马索尔 拉纳卡
土耳其共和国	769 360	62 000	安卡拉	伊斯坦布尔 伊兹密尔
乌兹别克斯坦共和国	447 400	23 770	塔什干	
哈萨克斯坦共和国	2 724 900	15 860	阿斯塔纳	阿拉木图
吉尔吉斯共和国	198 500	4 665	比什凯克	
塔吉克斯坦共和国	143 100	6 000	杜尚别	
亚美尼亚共和国	29 800	3 782	埃里温	
土库曼斯坦	488 100	4 660	阿什哈巴德	
阿塞拜疆共和国	86 600	7 575	巴库	
格鲁吉亚	69 700	5 400	第比利斯	
欧　洲				
冰岛共和国	103 000	270	雷克雅未克	
法罗群岛(丹)	1 399	44	托尔斯港	
丹麦王国	43 094	5 275	哥本哈根	奥胡斯
挪威王国②	385 364	4 400	奥斯陆	卑尔根 布吕根镇
瑞典王国	449 964	8 845	斯德哥尔摩	哥德堡 马尔默 卡尔斯库加市

国家或地区	面积(平方千米)	人口(千人)	首都或首府	主要城市
芬兰共和国	338 145	5 132	赫尔辛基	坦佩雷 图尔库 罗瓦涅米
俄罗斯联邦,或俄罗斯	17 075 400	147 137	莫斯科	圣彼得堡(列宁格勒) 摩尔曼斯克
乌克兰	603 700	50 500	基辅	
白俄罗斯共和国	207 600	10 203	明斯克	
摩尔多瓦共和国	33 700	4 319	基希讷乌	
立陶宛共和国	65 200	3 706	维尔纽斯	
爱沙尼亚共和国	45 200	1 453	塔林	
拉脱维亚共和国	64 600	2 485	里加	
波兰共和国	312 685	38 659	华沙	罗兹 克拉科夫 格但斯克
捷克共和国	78 866	10 299	布拉格	
匈牙利共和国	93 031	10 174	布达佩斯	米什科尔茨
德意志联邦共和国	356 970	82 012	柏林	汉堡 慕尼黑 科隆 法兰克福 波恩
奥地利共和国	83 858	8 059	维也纳	格拉茨 林茨
列支敦士登公国	160	31	瓦杜兹	
瑞士联邦	41 284	7 090	伯尔尼	苏黎世 巴塞尔 日内瓦
荷兰王国	41 526	15 567	阿姆斯特丹	鹿特丹 海牙
比利时王国	30 528	10 140	布鲁塞尔	安特卫普 布鲁日
卢森堡大公国	2 586	418	卢森堡	
大不列颠及北爱尔兰联合王国	244 100	58 822	伦敦	伯明翰 利物浦 格拉斯哥 曼彻斯特 爱丁堡
直布罗陀(英)	5.8	29		
爱尔兰	70 282	3 621	都柏林	科克
法兰西共和国	551 602	58 500	巴黎	马赛 里昂 波尔多 尼斯 凡尔赛
摩纳哥公国	1.95	30	摩纳哥城	
安道尔公国	468	65	安道尔城	
西班牙	505 925	39 320	马德里	巴塞罗那 巴伦西亚 塞维利亚
葡萄牙共和国	92 072	9 900	里斯本	波尔图 科英布拉 吉马良斯
意大利共和国	301 277	57 460	罗马	米兰 那波利(那不勒斯) 威尼斯 佛罗伦萨 戈尤罗城
梵蒂冈城国	0.44	约1	梵蒂冈城	
圣马力诺共和国	61.2	26	圣马力诺	
马耳他共和国	316	374	瓦莱塔	
克罗地亚共和国	56 538	4 780	萨格勒布	
斯洛伐克共和国	49 035	5 387	布拉迪斯拉发	
斯洛文尼亚共和国	20 256	1 983	卢布尔雅那	

国家或地区	面积（平方千米）	人口（千人）	首都或首府	主要城市
波斯尼亚和黑塞哥维那(简称波黑)	51 129	3 645	萨拉热窝	
马其顿共和国	25 713	2 107	斯科普里	
南斯拉夫联盟共和国	102 173	10 544	贝尔格莱德	
罗马尼亚	237 500	22 520	布加勒斯特	康斯坦察 普洛耶什蒂 阿尔巴尤利亚
保加利亚共和国	110 994	8 340	索非亚	普罗夫迪夫 瓦尔纳
阿尔巴尼亚共和国	28 748	3 300	地拉那	
希腊共和国	131 957	10 500	雅典	塞萨洛尼基 奥林匹亚
		非 洲		
阿拉伯埃及共和国	1 002 000	61 450	开罗	亚历山大 塞得港
大阿拉伯利比亚人民社会主义民众国	1 759 540	5 500	的黎波里	班加西
突尼斯共和国	164 150	9 100	突尼斯	斯法克斯 苏塞
阿尔及利亚民主人民共和国	2 381 741	29 300	阿尔及尔	奥兰(瓦赫兰) 君士坦丁
摩洛哥王国	459 000	27 620	拉巴特	达尔贝达 非斯
西撒哈拉	266 000	160	阿尤恩	
毛里塔尼亚伊斯兰共和国	1 030 000	2 350	努瓦克肖特	
塞内加尔共和国	196 722	8 800	达喀尔	图巴
冈比亚共和国	10 380	1 020	班珠尔	
马里共和国	1 241 238	11 500	巴马科	莫普提 通布图
布基纳法索	274 200	10 300	瓦加杜古	
佛得角共和国	4 033	390	普拉亚	明德卢
几内亚比绍共和国	36 125	1 200	比绍	
几内亚共和国	245 857	7 160	科纳克里	康康 金迪亚
塞拉利昂共和国	72 326	4 500	弗里敦	
利比里亚共和国	111 370	2 730	蒙罗维亚	
科特迪瓦共和国	322 463	14 300	亚穆苏克罗③	阿比让
加纳共和国	239 460	18 300	阿克拉	库马西
多哥共和国	56 600	4 250	洛美	
贝宁共和国	112 622	5 700	波多诺伏	科托努 阿波美
尼日尔共和国	1 267 627	9 800	尼亚美	
尼日利亚联邦共和国	923 768	105 000	阿布贾	拉各斯 伊巴丹
喀麦隆共和国	475 422	13 400	雅温得	杜阿拉

国家或地区	面积（平方千米）	人口（千人）	首都或首府	主要城市
赤道几内亚共和国	28 051	406	马拉博	
乍得共和国	1 284 000	6 735	恩贾梅纳	萨尔
中非共和国	622 984	3 400	班吉	
苏丹共和国	2 505 812	30 000	喀土穆	苏丹港
埃塞俄比亚联邦民主共和国	1 103 600	58 650	亚的斯亚贝巴	阿克苏姆
吉布提共和国	23 200	600	吉布提市	
索马里共和国	637 657	9 300	摩加迪沙	哈尔格萨 柏培拉
肯尼亚共和国	582 646	28 300	内罗毕	蒙巴萨
乌干达共和国	241 038	20 400	坎帕拉	金贾
坦桑尼亚联合共和国	945 087	30 400	达累斯萨拉姆	桑给巴尔 多多马
卢旺达共和国	26 338	8 010	基加利	
布隆迪共和国	26 338	6 090	布琼布拉	
刚果民主共和国	2 344 885	50 000	金沙萨	卢本巴希 戈马
刚果共和国	342 000	2 679	布拉柴维尔	黑角
加蓬共和国	267 667	1 015	利伯维尔	穆纳纳
圣多美和普林西比民主共和国	1 001	130	圣多美	
安哥拉共和国	1 246 700	11 600	罗安达	
赞比亚共和国	752 614	9 650	卢萨卡	马兰巴
马拉维共和国	118 484	10 450	利隆圭	松巴
莫桑比克共和国	799 380	15 740	马普托	贝拉
科摩罗伊斯兰联邦共和国	2 235	497	莫罗尼	
马达加斯加共和国	627 000	15 800	塔那那利佛	
塞舌尔共和国	455	76	维多利亚	
毛里求斯共和国	2 040	1 130	路易港	
留尼汪岛(法)	2 512	679	圣但尼	
津巴布韦共和国	390 759	12 300	哈拉雷	布拉瓦约
博茨瓦纳共和国	581 730	1 590	哈博罗内	
纳米比亚共和国	824 269	1 620	温得和克	
南非共和国	1 221 037	37 860	比勒陀利亚④	约翰内斯堡 开普敦
斯威士兰王国	17 363	966	姆巴巴纳	
莱索托王国	30 344	2 150	马塞卢	
圣赫勒拿(英)⑤	122	6	詹姆斯敦	

国家或地区	面积(平方千米)	人口(千人)	首都或首府	主要城市
厄立特里亚国	125 000	3 500	阿斯马拉	
大 洋 洲				
澳大利亚联邦	7 682 300	17 892	堪培拉	墨尔本 悉尼 珀斯
新西兰	270 534	3 780	惠灵顿	奥克兰
巴布亚新几内亚独立国	462 840	4 220	莫尔斯比港	
所罗门群岛	28 369	390	霍尼亚拉	
瓦努阿图共和国	12 190	170	维拉港	
新喀里多尼亚(法)	19 103	184	努美阿	
斐济共和国	18 272	803	苏瓦	
基里巴斯共和国	810.5	77	塔拉瓦	
瑙鲁共和国	21.1	11	亚伦区⑥	
密克罗尼西亚联邦	705	110	帕利基尔	
马绍尔群岛共和国	181	58	马朱罗	
北马里亚纳群岛⑦	457	53	塞班岛	
关岛(美)	549	143	阿加尼亚	
图瓦卢(英)	26	10	富纳富提	
瓦利斯群岛和富图纳群岛(法)	274	14	马塔乌图	
萨摩亚独立国⑧	2 934	170	阿皮亚	
美属萨摩亚	197	58	帕果帕果	
纽埃(新)	258	2	阿洛菲	
诺福克岛	34.6	2	金斯敦	
帕劳共和国	458	17	科罗尔	
托克劳(新)	12.2	1.5	⑨	
库克群岛(新)	240	19	阿瓦鲁阿	
汤加王国	699	97	努库阿洛法	
法属波利尼西亚	4 167	213	帕皮提	
皮特凯恩群岛(新)	4.5	约0.1	亚当斯敦	
北 美 洲				
格陵兰(丹)	2 175 600	56	努克(前称戈特霍布)	
加拿大	9 970 610	29 800	渥太华	多伦多 蒙特利尔 温哥华 魁北克
圣皮埃尔和密克隆群岛(法)	242	6	圣皮埃尔市	

国家或地区	面积(平方千米)	人口(千人)	首都或首府	主要城市
美利坚合众国	9 372 614	267 000	华盛顿哥伦比亚特区	纽约 芝加哥 洛杉矶 休斯敦 圣弗朗西斯科(旧金山)
百慕大群岛(英)	53.3	61	哈密尔顿	
墨西哥合众国	1 967 183	94 700	墨西哥城	瓜达拉哈拉 蒙特雷 坎昆
危地马拉共和国	108 889	10 900	危地马拉城	旧危地马拉
伯利兹(英)	22 963	221	贝尔莫潘	
萨尔瓦多共和国	20 720	5 780	圣萨尔瓦多	
洪都拉斯共和国	112 492	6 140	特古西加尔巴	圣佩德罗苏拉
尼加拉瓜共和国	121 428	4 140	马那瓜	
哥斯达黎加共和国	51 100	3 700	圣何塞	
巴拿马共和国	75 517	2 680	巴拿马城	科隆
巴哈马国	13 939	281	拿骚	
特克斯和凯科斯群岛(英)	430	23	科伯恩城	
古巴共和国	110 860	11 040	哈瓦那	圣地亚哥 圣克拉拉
开曼群岛(英)	259	35	乔治敦	
牙买加(英)	10 991	2 500	金斯敦	蒙特哥贝
海地共和国	27 797	7 340	太子港	
多米尼加共和国	48 464	8 050	圣多明各	
波多黎各自由邦(美)	8 959	3 690	圣胡安	
美属维尔京群岛	354	102	夏洛特·阿马里	
英属维尔京群岛	153	19	罗德城	
圣基茨和尼维斯联邦(英)	261.6	42	巴斯特尔	
安圭拉(英)	96	9	瓦利	
安提瓜和巴布达	441.6	68	圣约翰	
蒙特塞拉特(英)	102	8	普利茅斯	
瓜德罗普(法)	1 780	387	巴斯特尔	
多米尼克国	751	74	罗索	
马提尼克(法)	1 100	371	法兰西堡	
圣卢西亚(英)	616	147	卡斯特里	
圣文森特和格林纳丁斯(英)	389	110	金斯敦	
巴巴多斯	431	265	布里奇顿	
格林纳达	344	99	圣乔治	

国家或地区	面积（平方千米）	人口（千人）	首都或首府	主要城市
特立尼达和多巴哥共和国	5 128	1 260	西班牙港	
荷属安的列斯	800	207	威廉斯塔德	
阿鲁巴(荷)	193	84	奥拉涅斯塔德	
南　美　洲				
哥伦比亚共和国	1 141 748	37 100	圣菲波哥大	麦德林 卡利 圣玛尔塔
委内瑞拉共和国	916 700	22 770	加拉加斯	马拉开波
圭亚那合作共和国	214 969	775	乔治敦	
苏里南共和国	163 265⑩	479	帕拉马里博	
法属圭亚那	91 000	115	卡宴	
厄瓜多尔共和国	270 670	11 946	基多	瓜亚基尔 昆卡
秘鲁共和国	1 285 216	23 940	利马	阿雷基帕 卡亚俄
巴西联邦共和国	8 547 403	160 810	巴西利亚	圣保罗 里约热内卢 萨尔瓦多 马瑙斯
玻利维亚共和国	1 098 581	7 760	苏克雷⑪	奥鲁罗 科恰班巴
智利共和国	756 626	14 495	圣地亚哥	瓦尔帕莱索
阿根廷共和国	2 780 000	35 670	布宜诺斯艾利斯	罗萨里奥
巴拉圭共和国	406 752	5 083	亚松森	
乌拉圭东岸共和国	176 215	3 174	蒙得维的亚	萨尔托
马尔维纳斯群岛(英)⑫	约 12 173	2	斯坦利港	

附注：① 依 1993 年数据，包括流落在其他阿拉伯国家的巴勒斯坦人。
② 包括斯瓦尔巴群岛、扬马延岛等属地。
③ 政治首都亚穆苏克罗，经济首都阿比让。
④ 比勒陀利亚为行政首都，开普敦为立法首都，布隆方丹为司法首都。
⑤ 阿森松岛、特里斯坦—达库尼亚群岛为属岛。
⑥ 不设首都，行政管理中心在亚伦区。
⑦ 拥有美国联邦领土地位。
⑧ 原称西萨摩亚独立国。
⑨ 随首席部长办公室轮流设于三个环礁岛。
⑩ 包括同圭亚那有争议的 17 000 平方千米。
⑪ 政府、议会所在地在拉巴斯。
⑫ 英国称福克兰群岛。

（六）中国少数民族简表*

中国是统一的多民族的社会主义国家，除汉族外，有五十多个少数民族，约占全国总人口的百分之八左右。

民族名称	人口	主要分布地区
蒙古族	4 802 407	内蒙古　辽宁　吉林　河北　黑龙江　新疆
回　族	8 612 001	宁夏　甘肃　河南　新疆　青海　云南　河北　山东　安徽　辽宁　北京　内蒙古　天津　黑龙江　陕西　贵州　吉林　江苏　四川
藏　族	4 593 072	西藏　四川　青海　甘肃　云南
维吾尔族	7 207 024	新疆
苗　族	7 383 622	贵州　湖南　云南　广西　重庆　湖北　四川
彝　族	6 578 524	云南　四川　贵州
壮　族	15 555 820	广西　云南　广东
布依族	2 548 294	贵州
朝鲜族	1 923 361	吉林　黑龙江　辽宁
满　族	9 846 776	辽宁　河北　黑龙江　吉林　内蒙古　北京
侗　族	2 508 624	贵州　湖南　广西
瑶　族	2 137 033	广西　湖南　云南　广东
白　族	1 598 052	云南　贵州　湖南
土家族	5 725 049	湖南　湖北　重庆　贵州
哈尼族	1 254 800	云南
哈萨克族	1 110 758	新疆
傣　族	1 025 402	云南
黎　族	1 112 498	海南
傈僳族	574 589	云南　四川
佤　族	351 980	云南

* 本资料人口据《中国1990年人口普查资料》（中国统计出版社，1993年4月第1版）整理。

民族名称	人口	主要分布地区
畲　族	634 700	福建　浙江　江西　广东
高山族	2 877	台湾　福建
拉祜族	411 545	云南
水　族	347 116	贵州　广西
东乡族	373 669	甘肃　新疆
纳西族	277 750	云南
景颇族	119 276	云南
柯尔克孜族	143 537	新疆
土　族	192 568	青海　甘肃
达斡尔族	121 463	内蒙古　黑龙江
仫佬族	160 648	广西
羌　族	198 303	四川
布朗族	82 398	云南
撒拉族	87 546	青海
毛南族	72 370	广西
仡佬族	438 192	贵州
锡伯族	172 932	辽宁　新疆
阿昌族	27 718	云南
普米族	29 721	云南
塔吉克族	33 223	新疆
怒　族	27 190	云南
乌孜别克族	14 763	新疆
俄罗斯族	13 500	新疆　黑龙江
鄂温克族	26 379	内蒙古
德昂族	15 461	云南
保安族	11 683	甘肃
裕固族	12 293	甘肃
京　族	18 749	广西
塔塔尔族	5 064	新疆
独龙族	5 825	云南
鄂伦春族	7 004	黑龙江　内蒙古
赫哲族	4 254	黑龙江
门巴族	7 498	西藏
珞巴族	2 322	西藏
基诺族	18 022	云南

(七) 中国重点风景名胜区

截止1999年底,中国列入“世界文化和自然遗产名录”的保护地共23处。现以列入时间为序列出。

序号	遗产名称	地 点	主要遗产	类 别	列入时间
1	长 城	东起鸭绿江畔,经辽、冀、津、京、晋、内蒙古、陕、宁、青、甘,直到嘉峪关附近的祁连山中	中国古代防御工程。包括关隘、亭障、列城、烽燧、城墙、敌楼、战台、戍堡、壕堑等。全长达6 300千米。位于北京西北延庆县的八达岭长城,是明代万里长城中保存最完整、最有代表性的一段。城墙平均高7.8米,有些地段高达14米。墙基宽6.5米,顶宽5.8米。	文化遗产	1987年
2	故 宫	北京市	中国现存最大、最完整的古代木结构宫殿建筑群。周有城垣,四隅各有角楼,外绕护城河。内部分为外朝和内廷。外朝有三殿(太和殿、中和殿、保和殿);内廷有三宫(乾清宫、文泰宫、坤宁宫)及东西六宫、御花园等。占地面积达72万平方米,现有宫宇9 000多间。	文化遗产	1987年
3	泰 山	山东省泰安市、长清县、历城县境内	中国“五岳之宗”。块状山体。有王母池、柏洞、云步桥、十八盘、后石坞、黑龙潭瀑布、中天门、南天门等名胜。泰山是古代帝王举行封禅大典和祭祀天地的场所,建有岱庙、碧霞元君祠、普照寺等庙宇,以及碑刻石雕和漫山遍谷的古松劲柏。总面积约400平方千米。	文化遗产 自然遗产	1987年

序号	遗产名称	地 点	主 要 遗 产	类 别	列入时间
4	敦煌莫高窟	甘肃省敦煌市东南三危山下	又名千佛洞。在三危山与鸣沙山之间的陡崖上,经东晋、北魏、西魏、隋、唐、五代、宋、元等各朝代不断开凿,形成石窟群。现存洞窟 492 座,保存有历代塑像2 200多身,壁画约 4.5 万多平方米。石窟群南北长1 618米,其间还有唐、宋时代的窟檐等古建筑物。	文化遗产	1987 年
5	秦始皇陵及兵马俑坑	陕西省临潼县	封土堆山建成的秦始皇陵,四周筑有内外两重城垣,东西、南北各为 7.5 千米。陵四周有寝殿、鹿槽、坛庙、望城台等遗址 40 多处。陵东侧发现有规模巨大的兵马俑坑,已挖掘出真人真马大小的陶俑、陶马7 000多件,还有铜剑、吴钩、铜戟等大量青铜兵器。现已在坑上建起宏大的兵马俑博物馆。	文化遗产	1987 年
6	周口店北京猿人遗址	北京市房山区	1929 年在龙骨山洞穴中首次发现距今 60 万年的"北京人"头盖骨化石,后又出土石器和古生物化石等。在"北京人"遗址上部洞穴中,发现距今约 1.8 万年的"山顶洞人"化石及石器、骨器、用火遗迹等。1973 年在龙骨山一新洞穴中发现"新洞人"牙齿化石。遗址上建有北京人博物馆。	文化遗产	1987 年
7	黄 山	安徽省黄山市	悬崖峭壁和深谷,石柱和石笋等形成黄山花岗岩峰林地貌。有莲花峰、天都峰、光明顶三大主峰,并以奇松、怪石、云海、温泉为"四绝"。区内野生动植物资源丰富。此外,还有 2 湖、16 泉、24 溪以及玉屏楼、云谷寺等名胜。	自然遗产 文化遗产	1990 年

序号	遗产名称	地　点	主要遗产	类　别	列入时间
8	武陵源（张家界）	湖南省张家界市武陵源区	砂岩峰柱地貌和天然森林公园区，包括张家界、索溪峪、天子山三个毗连地域。区内有各式方山地形，棱方状和塔式岩峰，以及高墙城垛式的峭壁。天生桥、仙人桥高跨深涧之上，湖、潭、溪、瀑比比皆是，野生动植物资源丰富。此外，还有张良墓、马公亭、朝天观、龙凤庵等人文景观。	自然遗产	1992 年
9	九寨沟	四川省九寨沟县	山高谷深。沟内有大小湖泊108 个，断崖上瀑布栉比，最壮观的有树正、诺日朗、珍珠滩瀑布。群山上原始森林茂密，林内有大熊猫、金丝猴、天鹅等异兽珍禽。1978 年划定为自然保护区，面积约 6 万公顷。	自然遗产	1992 年
10	黄　龙	四川省松潘县	坡谷地貌，遍布五彩钙华池 3 400多个，扎尕瀑布高达 93.2 米。还有首尾相距 7 千米的黄龙前、中、后三寺，面对白雪皑皑的玉翠山，是中国现代冰川的最东点。天然林海，林内有大熊猫、金丝猴、雪豹、鸳鸯等野生动物。总面积约 700 平方千米。	自然遗产	1992 年
11	承德避暑山庄及周围庙宇	河北省承德市	坐落在峰峦起伏的山谷盆地中的皇家园林。由宫殿和苑景两部分组成。山庄正门为丽正门，宫内有澹泊敬诚殿、四知书屋及皇帝和后妃的寝宫。山庄外围有溥仁寺、普宁寺等 11 座庙宇（外八庙），融合了汉、蒙、藏等民族建筑形式的特点。群山中有磬锤峰、蛤蟆石、罗汉山、双塔山等奇峰怪石。	文化遗产	1994 年

序号	遗产名称	地　点	主 要 遗 产	类　别	列入时间
12	布达拉宫	西藏自治区拉萨市	坐落在拉萨市玛布日山上的石木结构宫堡。缘山势而起,形成高 117.2 米、长 360 米、外观 13 层、有殿堂 999 间的建筑群。宫堡包括白宫、红宫、方城、龙王潭四部分。周围有宫墙和碉堡。宫内有经典、佛像、法器等大量文物。	文化遗产	1994 年
13	曲阜孔庙、孔林、孔府	山东省曲阜市	孔庙是祭祀孔子的祠庙建筑群。庙内有大成殿,以及奎文阁、杏坛、圣迹殿、东庑、西庑及碑亭等,占地 21.8 公顷。孔林是孔子及其后裔的墓地,占地 200 多公顷。林内古树参天,林下有墓冢、碑碣、石仪。孔府是孔子的故居,为南北九进院落。楼房厅堂 463 间,占地 16 公顷,是一座官衙与内室相结合的古建筑。	文化遗产	1994 年
14	武当山古建筑群	湖北省均县	规模宏伟的道教建筑群,2 万多间宫观分布在武当山的主峰天柱峰以北,古东神道两侧,绵延 70 余千米。现保存较完整的有玄岳门、遇真宫、磨针井、复真观、元和观、紫霄宫、南岩天乙真庆宫石殿、太和宫等。建于天柱峰的金殿,由铜铸鎏金构件铆榫拼焊而成,总重约 90 吨,是中国现有最大铜建筑物。	文化遗产	1994 年
15	庐　山	江西省九江市	平地拔起的地垒式断块山体,主峰汉阳峰 1 474 米,高出附近的鄱阳湖平原约 1 450 米。山上三叠泉水分三级挂落于铁壁峰前,落差 120 米,还有仙人洞、三宝树、香炉峰、黄龙潭等名胜。山下有东林寺、西林寺、观音桥、白鹿洞书院等古迹。	文化遗产	1996 年

序号	遗产名称	地　点	主要遗产	类　别	列入时间
16	峨眉山—乐山大佛	四川省峨眉山市、乐山市	峨眉山为平畴突起的断块山，主峰海拔3 099米。从山麓到山顶，具有亚热带到寒温带的气候带谱，动植物资源丰富。其中植物珙桐、红椿等，动物小熊猫、短尾猴等，均是稀有物种。山上有报国寺、伏虎寺、万年寺、清音阁、洗象池等寺庙。乐山大佛在岷江与青衣江、大渡河汇流处，开凿于唐，高约71米。大佛后侧的灵宝峰上，还保存有唐代的十三层砖塔等。	文化遗产 自然遗产	1997年
17	丽江古城	云南省丽江县城	南宋时建城，元至清初为纳西族土司府所在地。现老城区仍保存传统格局和风貌。有木氏土司府邸、明代建的五凤楼，以及保存有纳西族古代壁画的大宝积宫琉璃殿等。此外，还有纳西族古代象形文字的“东巴经”“纳西古乐”等。古城附近有玉龙雪山、长江第一湾、虎跳峡等。	文化遗产	1997年
18	苏州古典园林	江苏省苏州市	集中了宋、元、明、清时期建造园林艺术的精华。现列为文物保护的园林有69处。具有代表性的有：宋沧浪亭、元狮子林、明拙政园、清网师园、留园、西园等。市内还有太平天国忠王府、虎丘云岩塔、玄妙观三清殿，以及西郊枫桥寒山寺等名胜古迹。	文化遗产	1997年
19	平遥古城	山西省平遥县	城始建于周宣王时期。现城池保存较完整。城墙高12米左右，周长6.4千米。有垛口、马面、敌楼、角楼、瓮城。城内街道、商店、衙署等保持着传统格局和风貌，有楼阁式的沿街建筑、四合院民居，以及市楼、文庙、清虚观等。城北有镇国寺，城西南有双林寺，寺内有壁画、彩塑等文物。	文化遗产	1997年

序号	遗产名称	地　点	主要遗产	类　别	列入时间
20	天坛	北京市	原为明、清两代皇帝祭天、祈祷丰收的地方，是现存最大的一处坛庙建筑。主要建筑有圜丘坛、皇穹宇、祈年殿、皇乾殿，由高 2.5 米、宽 28 米、长 360 米的丹陛桥相连。此外还有回音壁、三音石、双环亭、七十二廊、斋宫、神乐署等。总占地面积 273 万平方米。	文化遗产	1998 年
21	颐和园	北京市	中国现存最完整、规模最大的皇家园林。主要由万寿山和昆明湖组成。园内有仁寿殿、玉澜堂、宜芸馆、乐寿堂、长廊、排云殿、佛香阁、智慧海、铜亭、清晏舫、西堤玉带桥、南湖岛、东堤十七孔桥、铜牛、知春亭、德和园、谐趣园等名胜。宫殿建筑达 3 000余间。总占地 333 公顷，其中水面占 3/4。	文化遗产	1998 年
22	大足石刻	重庆市大足县	石刻遍布全县 40 多处。北山距县城 2 千米，有 290 龛窟，造像3 000余尊；宝顶山距县城 15 千米，有雕像 5 000余尊。各处石刻题材广泛，造型优美，刻工精巧。在北山对面山岩上建有宋代八角形砖塔；宝顶山石刻有释迦涅槃圣迹等。	文化遗产	1999 年
23	武夷山	福建省武夷山市、光泽县、建阳县	峰岩林立，有九曲溪蜿蜒于峰岩之间。大王峰、玉女峰、天游峰、三仰峰、天心岩、桃源洞、水帘洞、一线天等各有其胜。在大藏峰等水平岩洞中藏有“船棺”。还有紫阳书院以及历代摩崖石刻。山内有植物1 800多种，其中有香果树等稀有树种；有动物近 2 500种，其中有猕猴、大小灵猫等珍兽。总面积约 566 平方千米。	文化遗产 自然遗产	1999 年

(八) 中国重点自然保护区

截止1999年底,中国已建立各种类型的自然保护区1 146个(未计台湾省),总面积约8 815.2万公顷,其中国家级自然保护区155个,面积约5 751.5万公顷。列入联合国教科文组织“国际人与生物圈保护网”(表内简称“生物圈网”)、“国际重要湿地名录”(表内简称“湿地名录”)、“世界文化和自然遗产名录”(表内简称“自然遗产”)的自然保护区共有24个。现按其面积大小为序列出。表中自然保护区建立时间是批准为国家级的时间。

保护区名称	地点	面积(公顷)	主要保护对象	建立时间	类别
锡林郭勒	内蒙古锡林浩特市	1 078 600	草甸草原、典型草原、沙地疏林草原	1997年	生物圈网
青海湖	青海刚察县	495 200	斑头雁、棕头鸥等珍稀水禽及其栖息地	1997年	湿地名录
盐城	江苏盐城市沿海	453 000	丹顶鹤、大白鹭等珍禽及海涂湿地生态系统	1992年	生物圈网
西双版纳	云南西双版纳傣族自治州	241 776	热带森林系统及珍稀野生动植物	1986年	生物圈网
扎龙	黑龙江齐齐哈尔市	210 000	丹顶鹤等多种珍禽及湿地生态系统	1979年	湿地名录
卧龙	四川汶川县	200 000	大熊猫及森林生态系统	1975年	生物圈网
长白山	吉林安图县	196 465	温带森林生态系统及东北虎、紫貂、梅花鹿、马鹿等珍稀动物	1986年	生物圈网
东洞庭湖	湖南岳阳市	190 000	珍稀水禽、白暨豚及其栖息生境	1994年	湿地名录
向海	吉林通榆县	105 467	湿地及丹顶鹤等珍稀水禽	1986年	湿地名录
神农架	湖北房县、兴山、巴东	70 467	森林生态系统及珍稀动物金丝猴等	1986年	生物圈网

保护区名称	地点	面积(公顷)	主要保护对象	建立时间	类别
九寨沟	四川九寨沟县	64 300	大熊猫及森林生态系统和自然景观	1978年	生物圈网 自然遗产
武夷山	福建建阳、崇安、光泽、邵武	56 527	森林生态系统及山水自然景观	1979年	生物圈网 自然遗产
梵净山	贵州江口、印江、松挑	41 900	金丝猴、珙桐等珍稀动植物及森林生态系统	1986年	生物圈网
博格达峰（天池）	新疆阜康县	38 069	山地生态系统以及现代冰川和植被、土壤垂直分带景观	1983年	生物圈网
庐山	江西九江县、星子县	30 466	森林生态系统及自然历史遗迹	1981年	自然遗产
鄱阳湖	江西永修县	22 400	水生生态系统，丹顶鹤、天鹅等珍稀鸟类及其越冬地	1988年	湿地名录
茂兰	贵州荔波县	21 100	喀斯特森林及珍稀动植物	1986年	生物圈网
南麂列岛	浙江平阳县	20 160	海洋贝藻类及其生境	1990年	生物圈网
丰林	黑龙江伊春市	18 400	寒温带针叶林及貂、熊、驼鹿等野生动物	1988年	生物圈网
张家界	湖南张家界市武陵源区	14 285	大鲵、猕猴及其栖息生境和自然景观	1996年	自然遗产
天目山	浙江临安县	4 284	中亚热带常绿阔叶林，有银杏、连香树、金钱松等珍稀植物	1986年	生物圈网
东寨港	海南琼山市	3 337	红树林生态系统，有红树、海莲、木榄、红茄冬、角果木等19种	1986年	湿地名录
鼎湖山	广东肇庆市	1 133	南亚热带常绿阔叶林，有格木、乌檀，穿山甲、苏门羚、华南虎(已绝迹)等珍稀物种	1956年	生物圈网
米浦	香港	300	南亚热带海滩红树林生态系统及鸟类		湿地名录

（九）中国特有珍稀动物

本表从《中国生物多样性国情研究报告》中选列了特有珍稀脊椎动物58种，按常见的哺乳纲、鸟纲、两栖纲、鱼纲的顺序排列。

序号	种　名	门　类	地 理 分 布
1	滇金丝猴	哺乳纲灵长目	云南西北部及接壤的西藏边缘地区
2	黔金丝猴	哺乳纲灵长目	贵州梵净山
3	川金丝猴	哺乳纲灵长目	横断山、秦岭、神农架
4	台湾猴	哺乳纲灵长目	台湾
5	海南黑长臂猿	哺乳纲灵长目	海南
6	大熊猫	哺乳纲食肉目	横断山、岷山、秦岭
7	台湾云豹	哺乳纲食肉目	台湾
8	海南黑熊	哺乳纲食肉目	海南
9	台湾黑熊	哺乳纲食肉目	台湾
10	白暨豚	哺乳纲鲸目	洞庭湖及长江中、下游
11	藏野驴	哺乳纲奇蹄目	青藏高原
12	麋鹿	哺乳纲偶蹄目	原分布于华北平原，野生种已灭绝，现有是从国外引入
13	野牦牛	哺乳纲偶蹄目	青藏高原
14	白唇鹿	哺乳纲偶蹄目	青藏高原
15	坡鹿	哺乳纲偶蹄目	海南西部
16	黑麂	哺乳纲偶蹄目	浙江、安徽、江西、福建
17	马麝	哺乳纲偶蹄目	横断山、青藏高原
18	藏羚	哺乳纲偶蹄目	青藏高原
19	塔里木兔	哺乳纲兔形目	新疆塔里木盆地及罗布泊低地
20	岩松鼠	哺乳纲啮齿目	陕西、山西、河北、河南、四川、云南
21	侧纹岩松鼠	哺乳纲啮齿目	云南
22	复齿鼯鼠	哺乳纲啮齿目	西藏、陕西、四川、河北、云南、湖北
23	朱鹮	鸟纲鹳形目	原分布于中国、朝鲜、日本等地，现只在陕西洋县发现野生种群
24	海南虎斑鳽	鸟纲鹳形目	安徽、浙江、福建、广西、海南
25	海南山鹧鸪	鸟纲鸡形目	海南

序号	种　名	门　类	地理分布
26	台湾山鹧鸪	鸟纲鸡形目	台湾
27	白额山鹧鸪	鸟纲鸡形目	福建、广东、广西
28	四川山鹧鸪	鸟纲鸡形目	四川西南部
29	红腹锦鸡	鸟纲鸡形目	青海、甘肃、陕西、四川、贵州、云南、湖北
30	蓝马鸡	鸟纲鸡形目	青海、甘肃、宁夏、四川
31	褐马鸡	鸟纲鸡形目	河北、山西
32	绿尾虹雉	鸟纲鸡形目	青海、甘肃、四川
33	蓝鹇	鸟纲鸡形目	台湾
34	白冠长尾雉	鸟纲鸡形目	河北、山西、陕西、河南、四川、贵州、湖北
35	白颈长尾雉	鸟纲鸡形目	安徽南部、浙江、福建、广东北部
36	黑长尾雉	鸟纲鸡形目	台湾
37	黄腹角雉	鸟纲鸡形目	福建、广东、广西、江西
38	斑尾榛鸡	鸟纲鸡形目	青海、甘肃、四川
39	宝兴歌鸫	鸟纲雀形目	甘肃、陕西、四川、河北
40	台湾紫啸鸫	鸟纲雀形目	台湾
41	扬子鳄	爬行纲鳄目	安徽、浙江、江苏、江西
42	鳄蜥	爬行纲蜥蜴目	广西
43	海南闭壳龟	爬行纲龟鳖目	海南
44	大鲵	两栖纲有尾目	湖北、湖南
45	商城肥鲵	两栖纲有尾目	河南、安徽
46	海南疣螈	两栖纲有尾目	海南
47	峨眉髭蟾	两栖纲无尾目	四川、贵州、湖南
48	哀牢髭蟾	两栖纲无尾目	云南
49	崇安髭蟾	两栖纲无尾目	浙江、福建
50	雷山髭蟾	两栖纲无尾目	贵州
51	白鲟	鱼纲鲟形目	渤海、黄海、东海、钱塘江、长江、黄河下游
52	抚仙银白鱼	鱼纲鲤形目	云南抚仙湖
53	多鳞银白鱼	鱼纲鲤形目	云南滇池
54	大头鲤	鱼纲鲤形目	云南杞麓湖、洱海、异龙湖
55	大理裂腹鱼	鱼纲鲤形目	云南洱海
56	阳宗金钱鲃	鱼纲鲤形目	云南阳宗海、抚仙湖
57	唐鱼	鱼纲鲤形目	广东白云山
58	虎嘉鱼	鱼纲鲑形目	岷江上游、大渡河、汉江上游、青衣江

（十）世界重大公害事件

20世纪以来，社会生产力和科学技术突飞猛进，人口数量迅速增加，人类在更加广阔的领域，以空前的规模改造和利用环境资源。同时，环境污染、生态破坏等环境问题也日趋严重，成为当今世界重大的社会经济问题。现将典型性的公害事件，按发生时间顺序列出。

事件名称	时 间	地 点	原 因	主要后果
马斯河谷事件	1930年12月1—5日	比利时马斯河谷工业区	工厂排放的二氧化硫等有害气体和粉尘，在近地层积累，形成大气烟雾污染。	不少人出现胸痛、咳嗽、呼吸困难等症状，有60多人死亡。
黑色风暴事件	1934年5月9—11日	美国西部蒙大拿、科罗拉多等州	西部平原长期形成的草地被大面积翻耕，裸露表层土壤被大风扬起，形成风沙蔽日的“黑色风暴”灾害。	持续3天的黑色风暴，刮走3.5亿吨表层土壤，毁坏数千万公顷农田，当年美国冬小麦减产510多万吨。
洛杉矶光化学烟雾事件	20世纪40年代初	美国洛杉矶市	全市250多万辆汽车每天消耗汽油约1 600万升，向大气排放大量碳氢化合物、氮氧化合物等废气，在阳光作用下，形成以臭氧为主的光化学烟雾。	引起居民眼睛红肿、喉炎，导致上呼吸道疾病恶化和哮喘病发作。此后，类似的光化学烟雾，往往被称为“洛杉矶型烟雾”。
多诺拉事件	1948年10月26—31日	美国宾夕法尼亚州多诺拉镇	该镇地处河谷，加上几天持续大雾，工厂及居民排放的二氧化硫等废气和烟尘，在近地层积累，形成大气烟雾污染。	有5 911人发病，主要症状是干咳、头痛、胸闷、呕吐，死亡17人。
伦敦烟雾事件	1952年12月5—8日	英国伦敦市	燃煤产生的烟尘，在几天的浓雾气象条件下，不易扩散，在近地层不断积累，形成以硫酸为主的酸雾。	引起居民呼吸道疾病发作，胸闷咳嗽，四天中，死亡人数较往年同期增加4 000多人。此后，类似的烟雾事件，往往被称为“伦敦型烟雾事件”。

事件名称	时间	地点	原因	主要后果
水俣病事件	1953—1956年	日本熊本县水俣市	水俣氮肥厂排放的含汞废渣和废水,造成水俣湾和不知火海水体受到汞和甲基汞污染,并在鱼贝类体内富集。人长期食用这种鱼贝类引起中毒。	引起麻痹、运动失调、痉挛等中枢神经病症,发病人数283人,其中60人死亡。
痛痛病	1955—1972年	日本富山县神通川流域	锌、铅冶炼厂排放含镉废水污染河流,沿岸农民用河水灌溉使稻米含镉,人长期食用含镉稻米和饮用含镉河水而中毒。	1963年以前受害人数不明。1963—1979年3月,共有镉中毒患者130人,其中死亡81人。患者以周身剧烈疼痛为主要症状。
砷奶事件	1956年	日本	日本森永奶粉公司在生产奶粉时,使用二磷酸钠作中和剂,致使奶粉中混入砷化合物。因含砷量不高,发现较晚,造成广泛的砷中毒。	引起发热、咳嗽、顽固性下痢、肝肿大、贫血等症状。全国27个府县有12 159名儿童中毒,其中有131人死亡。
四日市哮喘事件	1961年	日本四日市	1955年以来,该市石油冶炼和工业燃油产生的废气,严重污染大气,重金属、粉尘和二氧化硫形成硫酸烟雾。	1961年该市哮喘病流行。1964年连续三天烟雾不散,哮喘病患者出现死亡。1972年全市共确认患者达817人,死亡10人。
“托里坎荣”号油船污染事件	1967年3月18日	英国西南七岩礁海域	该船满载11.7万吨原油在锡利群岛以东的七岩礁海域触礁,致使8万吨原油流入海中,留在船体内的原油被引爆,造成英国、法国海域原油污染。	造成大量鱼贝类和海鸟死亡,赔偿金额达720万美元。这一事件后,海洋污染成为海事的重要问题。
米糠油事件	1968年3月	日本北九州市、爱知县一带	工厂生产米糠油时混入了多氯联苯,食用后引起中毒。	受害人数约13 000人,其中死亡16人。用米糠油中的黑油作家禽饲料,致使几十万只鸡死亡。这一事件后,多氯联苯污染开始引起注意。

事件名称	时 间	地 点	原 因	主要后果
塞维索农药污染事件	1976 年 7 月	意大利塞维索地区	塞维索的伊克梅萨农药厂发生爆炸事故,溢出含二噁英等剧毒化学品,造成严重的环境污染和危害。	使多人中毒,工厂周围 1.5 千米内的植物被深埋。受污染泥土被密封在铁罐中存放在该工厂内。但这些铁罐却于 1983 年 5 月在法国北部小村中被发现。这一事件后,各国开始制定废物越境转移的管理规定。
拉夫运河事件	1978 年	美国纽约州尼亚加拉瀑布市	废弃的拉夫运河,20 世纪四五十年代变成胡克化学塑料公司的废物填埋场。此后,在填埋场上建房,1978 年测出有毒气从地下溢出,造成居民中毒。	引起人体染色体疾病,受害人数达1 300人。胡克化学塑料公司赔偿居民 2 000万美元。这一事件名称成为其他类似事件的代名词。
三里岛核电站事件	1979 年 3 月 28 日	美国宾夕法尼亚哈里斯堡附近	核电站的一座反应堆发生严重失水事故,反应堆大部分元件被烧毁,造成大量放射性物质外泄。	周围 80 千米以内的 200 多万居民纷纷撤离,反应堆的消除工作耗时 10 多年,耗资 10 多亿美元。这一事件引起人们对核电站安全的重视。
墨西哥液化气爆炸事件	1984 年 11 月 19 日	墨西哥市近郊	该市一座液化气供应中心站的 54 个大型液化气储气罐爆炸起火,造成严重的环境污染和居民生命财产损失。	死亡1 000多人,伤 4 000 多人,毁房 1 400 多栋,3 万多人无家可归,周围 50 万居民奉命撤离。
博帕尔毒气泄漏事件	1984 年 12 月 3 日	印度中央邦博帕尔市	美国联合碳化合物公司设在印度博帕尔市的农药厂,盛有 40 吨异氰酸甲酯的贮罐爆裂,造成剧毒气体外泄污染。	造成 2 500 多人中毒死亡,受害人数达 20 多万人。在事件后三四周内,又有 2 万人相继去世。这一事件还造成4 000多头牲畜和动物死亡。此后,1989 年美国联合碳化合物公司被裁定赔偿 4.7 亿美元。
切尔诺贝利核电站事件	1986 年 4 月 26 日	乌克兰普里皮亚季镇	核电站的一座反应堆发生爆炸起火,大量放射性物质外泄,造成严重的放射性污染。	有 31 人死亡,200 多人患放射病。电站周围 780 平方千米内的 13 万居民被紧急疏散。事件中有 8 吨放射性物质进入大气,造成大范围的扩散和潜在、间接的环境污染和危害。

事件名称	时　间	地　点	原　因	主要后果
莱茵河污染事件	1986年11月1日	瑞士巴塞尔地区	位于莱茵河畔的桑多兹化工公司的仓库失火,大量硫、磷化合物和汞等有害化学物质流入莱茵河,造成河流严重污染。	引起河中鳗鱼、鳟鱼、水鸟等大量死亡,生态严重破坏。沿岸一些国家居民饮用水一度发生困难,成为国际性污染事件。
巴西放射性污染事件	1987年9月28日	巴西戈西尼亚市	该市癌症研究所将盛有放射性同位素的铅罐卖给该市一废物回收公司,铅罐被回收公司砸开造成放射性物质外泄。	有3人死亡,30多人患急性放射病,200多人受害。
北海海豹死亡事件	1988—1989年	北海海域	北海沿岸工厂排放大量废水污染水体,使北海生态系统遭到严重破坏。污染物多氯联苯可引起海洋动物免疫力下降。	海豹大量死亡,截止1989年底死亡约17 000头。
中国沙尘暴事件	1993年5月5—6日	中国甘肃、宁夏等地	中国西部地区草原退化和土地沙漠化,在干旱和大风的天气条件下形成沙尘暴灾害。	波及西北部15个地市、72个县,近40万顷作物受灾。85人死亡,31人失踪,264人受伤。还有12万头牲畜死亡,12万头牲畜失踪。
腹泻症事件	1993年	美国威斯康星州密尔沃基市	该市供水系统受到农场动物粪便中的寄生虫污染,造成居民饮用水生物污染。	该市发生大规模、突然蔓延的腹泻症,受感染者超过40万人。
疯牛病事件	1996年	英国	尚无定论。一般认为是牛饲料受添加的动物骨粉或除草剂污染,引起牛中枢神经和脑组织海绵状病变。	1996年3月27日,欧盟正式禁止英国出口活牛、牛肉和牛肉制品;4月24日英国宣布宰杀4万头3岁以上易患病的肉牛。事件不断扩大。可感染人体引起死亡。
多瑙河氰化物污染事件	2000年1月31日	罗马尼亚奥拉迪亚镇	该镇的乌鲁尔金矿的氰化物废水贮池,在几天的大雨中漫坝,废水泻入多瑙河,造成严重的剧毒氰化合物污染。	严重破坏多瑙河生态系统。流经罗马尼亚、匈牙利、南斯拉夫的河段,鱼虾几乎绝迹。

（十一）计量单位简表

物理量	法定与否	中文名称	中文符号	外文符号	换算关系	不规范的名称或符号
长度	法定	米	米	m	1 米 = 100 厘米 = 1 000 毫米	公尺，M
		千米，公里	千米，公里	km	1 千米 = 1 000 米 = 10^3 米	Km，KM
		厘米	厘米	cm	1 厘米 = 1/100 米 = 10^{-2} 米	公分，糎，CM
		毫米	毫米	mm	1 毫米 = 1/1 000 米 = 10^{-3} 米	公厘，粍，MM
		微米	微米	μm	1 微米 = 10^{-6} 米	μ
		纳[诺]米	纳米	nm	1 纳米 = 10^{-9} 米	毫微米，mμm
		海里	海里	n mile	1 海里 = 1 852 米 = 1.852 千米	浬
	非法定	埃	埃	Å	1 埃 = 10^{-10} 米	
		光年	光年	l. y.	1 光年 = 9.460 53 × 10^{15} 米	
		天文单位	天文单位	ua	1 天文单位 = 1.495 979 × 10^{11} 米	A
		[市]里	里		1 里 = 1 500 尺 = 500 米	
		[市]尺	尺		1 尺 = 10 寸 = 1/3 米	
		[市]寸	寸		1 寸 = 1/30 米	
		英里	英里		1 英里 = 1 760 码 = 5 280 英尺 = 1.609 344 千米	哩
		码	码	yd	1 码 = 3 英尺 = 0.914 米	
		英尺	英尺	ft	1 英尺 = 12 英寸 = 0.304 8 米	呎
		英寸	英寸	in	1 英寸 = 2.54 厘米	吋
面积	法定	平方米	米^2	m^2		
		平方千米，平方公里	千米^2，公里^2	km^2	1 千米^2 = 1 000 000 米^2 = 100 公顷	
		平方厘米	厘米^2	cm^2	1 厘米^2 = 1/10 000 米^2	
		平方毫米	毫米^2	mm^2	1 毫米^2 = 1/1 000 000 米^2	
		公顷	公顷	hm^2	1 公顷 = 10 000 米^2 = 10^4 米^2	
	非法定	平方英里	英里^2		1 英里^2 = 2.589 988 千米^2	
		平方英尺	英尺^2	ft^2	1 英尺^2 = 9.29 × 10^{-2} 米^2	
		平方英寸	英寸^2	in^2	1 英寸^2 = 6.45 厘米^2	
		公亩	公亩	a	1 公亩 = 100 米^2	
		英亩	英亩		1 英亩 = 4 046.856 米^2	
		[市]亩	亩		1 亩 = $666.\dot{6}$ 米^2	

物理量	法定与否	中文名称	中文符号	外文符号	换算关系	不规范的名称或符号
体积，容积	法定	立方米	米^3	m^3		
		立方千米，立方公里	千米^3，公里^3	km^3	1千米^3 = 10^9 米^3	
		立方厘米	厘米^3	cm^3	1厘米^3 = 10^{-6}米^3	cc
		立方毫米	毫米^3	mm^3	1毫米^3 = 10^{-9}米^3	
		升	升	L,l	1升 = 1/1 000米^3 = 1 000厘米^3	公升,立升,竔
		毫升	毫升	mL,ml	1毫升 = 1厘米^3	公撮,竓,cc
	非法定	立方英里	英里^3		1英里^3 = 4.168 18千米^3	
		立方英尺	英尺^3	ft^3	1英尺^3 = 1 728英寸^3 = 2.831 685×10^{-2}米^3	
		立方英寸	英寸^3	in^3	1英寸^3 = 16.3871厘米^3 = 1.638 71×10^{-5}米^3	
		加仑(美)	加仑(美)	gal(US)	1加仑(美) = 3.785 43升	
		加仑(英)	加仑(英)	gal(UK)	1加仑(英) = 4.546 092升	
		蒲式耳(美)	蒲式耳(美)	bu(US)	1蒲式耳(美) = 35.238升	
		蒲式耳(英)	蒲式耳(英)	bu(UK)	1蒲式耳(英) = 8加仑(英) = 36.369升	
质量	法定	千克,公斤	千克,公斤	kg		Kg
		克	克	g	1克 = 1/1 000千克 = 10^{-3}千克	gm,gr
		毫克	毫克	mg	1毫克 = 1/1 000 000千克 = 10^{-6}千克	
		吨	吨	t	1吨 = 1 000千克	公吨
		原子质量单位	原子质量单位	u	1原子质量单位 = 1.660 54×10^{-27}千克	
	非法定	磅	磅	lb	1磅 = 16盎司 = 0.453 592千克	
		盎司	盎司	oz	1盎司 = 28.349 523克	唡
		短吨,美吨	短吨,美吨	ton(US)	1短吨 = 2 000磅 = 0.907 185吨	
		长吨,英吨	长吨,英吨	ton(UK)	1长吨 = 2 240磅 = 1.016 047吨	
		[米制]克拉	克拉		1克拉 = 200毫克	
		[市]担	担		1担 = 100斤 = 50千克	
		[市]斤	斤		1斤 = 10两 = 500克	
		[市]两	两		1两 = 50克	

物理量	法定与否	中文名称	中文符号	外文符号	换算关系	不规范的名称或符号
力	法定	牛顿	牛	N	1牛=1米·千克/秒^2	
	非法定	千克力,公斤力	千克力,公斤力	kgf	1千克力=9.806 65牛	
		吨力	吨力	tf	1吨力=9.806 65×10^3牛	
		达因	达因	dyn	1达因=1/100 000牛=10^{-5}牛	
		磅达	磅达	pdl	1磅达=0.138 255牛	
		磅力	磅力	lbf	1磅力=4.448 22牛	
压力,压强,应力	法定	帕斯卡	帕	Pa	1帕=1牛/米^2	
		千帕斯卡	千帕	kPa	1千帕=1 000牛/米^2	KPa
	非法定	巴	巴	bar	1巴=100 000帕=100千帕	b
		标准大气压	标准大气压	atm	1标准大气压=101 325帕 =101.325千帕	
		毫米汞柱	毫米汞柱	mmHg	1毫米汞柱=133.322帕	
		千克力每平方厘米	千克力/厘米^2	kgf/cm^2	1千克力/厘米^2=98 066.5帕 =98.066 5千帕	
		磅力每平方英寸	磅力/英寸^2	lbf/in^2	1磅力/英寸^2=6 894.76帕 =6.894 76千帕	
温度	法定	开尔文	开	K		°K
		摄氏度	摄氏度	℃	T/K=t/℃+273.15	
	非法定	华氏度	华氏度	°F	t/℃=5/9[(t_F/°F)−32]	
能,功,热	法定	焦耳	焦	J	1焦=1牛·米	
		电子伏	电子伏	eV	1电子伏=1.602 189×10^{-19}焦	
		千瓦特小时	千瓦·时	kW·h	1千瓦·时=3.6×10^6焦	KWH
	非法定	卡路里	卡	cal	1卡=4.186 8焦	
		大卡路里,千卡路里	大卡,千卡	kcal	1大卡=4 186.8焦	
		千克力米	千克力·米	kgf·m	1千克力·米=9.806 65焦	
		尔格	尔格	erg	1尔格=10^{-7}焦	
		英热单位	英热单位	Btu	1英热单位=1 055.06焦	
功率	法定	瓦特	瓦	W	1瓦=1焦/秒	
		千瓦特	千瓦	kW	1千瓦=1 000焦/秒	瓩,KW

物理量	法定与否	中文名称	中文符号	外文符号	换算关系	不规范的名称或符号
功率	非法定	[米制]马力	[米制]马力		1[米制]马力=735.498 75 瓦	
		[英制]马力	马力	hp	1 马力=745.699 9 瓦	
平面角	法定	弧度	弧度	rad	1 弧度=180/π 度	
		度	度	(°)	1 度=(π/180)弧度=60 分 =3 600 秒	
		[角]分	分	(′)	1 分=(π/10 800)弧度=60 秒	
		[角]秒	秒	(″)	1 秒=(π/648 000)弧度	
频率	法定	赫兹	赫	Hz	1 赫=1/秒	HZ,hz
速度	法定	米每秒	米/秒	m/s		
		千米每小时	千米/时	km/h	1 千米/时=0.2$\dot{7}$米/秒	千米/小时
		节	节	kn	1 节 = 1 海里/时 = 0.514 44 米/秒	Kn
	非法定	英里每小时	英里/时		1 英里/时=1.609 344 千米/时 =0.447 04 米/秒	
		英尺每秒	英尺/秒	ft/s	1 英尺/秒=0.304 8 米/秒	

说明:(1) “法定”表示中国法定计量单位。无论在工作、学习或日常生活中,原则上均应使用法定计量单位。

(2) “非法定”表示不属于中国法定计量单位。除某些特定情况外,应尽可能避免使用非法定计量单位。

(3) “不规范的名称或符号”应一概停止使用。

（十二）常用科技名词规范简表

本表词语主要取自全国科学技术名词审定委员会和《量和单位国家标准 GB3100～3102—93》中审定的部分科技名词。

序号	规范名	许用名	淘汰名	类别
1	艾滋病、获得性免疫缺陷综合征		爱滋病	医学
2	白细胞		白血球	动物
3	比体积、质量体积		比容、体积度	量和单位
4	不明飞行物	飞碟	幽浮	天文
5	潮滩	海涂	潮坪	地理
6	磁导率		导磁率、绝对磁导率、导磁系数	物理
7	磁感[应]线	磁力线		物理
8	存储器		存贮器	计算机
9	大量元素	常量元素		土壤
10	大陆架		陆棚	地理
11	大陆桥	洲际铁路		铁道
12	单摆	数学摆		物理
13	胆红素脑病	核黄疸		医学
14	等比数列	几何数列		数学
15	等差数列	算术数列		数学
16	低频通信	长波通信		电子
17	电场线	电力线		物理
18	电导率		导电率、比电导	量和单位
19	电荷[量]		电量	量和单位
20	电流表	安培表、安培计		电子、物理
21	电压表	伏特表、伏特计		电子、物理
22	电子邮件	电子函件		计算机
23	电阻表	欧姆表、欧姆计		电子、物理
24	发光强度		光强度	量和单位
25	防火墙		火墙	信息

序号	规范名	许用名	淘汰名	类别
26	非机动车道	慢车道		建筑
27	丰水年	多水年、湿润年		大气
28	辐[射]照度		辐射强度	量和单位
29	腐殖质		腐植质	土壤
30	复摆	物理摆		物理
31	附睾		副睾、付睾	医学
32	概率		几率、机率、或然率	数学、物理
33	坩埚		坩锅	化学
34	高频通信	短波通信		电子
35	格林尼治		格林威治	天文
36	固醇	甾醇		化学
37	[光]照度		光强度	量和单位
38	硅肺病		矽肺病	煤炭
39	海拔		拔海	地理
40	海岭		海底山脉	地理
41	好氧细菌	好气细菌		化工
42	红细胞		红血球	动物
43	互联网	互连网	国际网、网间网	信息
44	化合价	原子价		化学
45	回归年	太阳年		天文
46	混沌		浑沌	力学
47	机动车道	快车道		建筑
48	激光		雷射、镭射、莱塞	物理
49	给水工程	供水工程		建筑
50	急性重型肝炎		暴发性肝炎、急性肝坏死、急性黄色肝萎缩	医学
51	计算机	电脑		计算机
52	角动量	动量矩		物理
53	介电体	电介质		物理
54	矩形	长方形		数学
55	喀斯特	岩溶		地质、地理
56	抗生素	抗菌素		医学

序号	规范名	许用名	淘汰名	类别
57	克隆	无性繁殖、无性繁殖系		生物
58	口腔医学	牙医学		医学
59	雷达		无线电测位仪、无线电测距仪	电子
60	立井	竖井		煤炭
61	联合收割机	康拜因		农学
62	临近预报		短时预报、现时预报	大气
63	磷脂酰胆碱	卵磷脂		生物化学
64	流控技术		射流技术	力学
65	麻风		麻疯病	医学
66	脉压	脉搏压		医学
67	梅尼埃病		美尼尔症	医学
68	幂	乘方		数学
69	密度、相对密度		比重、波美度	量和单位
70	摩尔		克分子	量和单位
71	摩尔质量		克分子量、克当量、克离子量、克式量、克原子量	量和单位
72	木枕	枕木		铁道
73	[脑]卒中	中风		医学
74	脑梗死		脑梗塞	医学
75	内联网		内部网、企业内部互连网、企业内部网	信息
76	内燃机车		柴油机车	铁道
77	帕金森病	震颤麻痹		医学
78	旁路移植术	搭桥术		医学
79	平流层		同温层	大气
80	平水年	中水年、一般年		大气
81	剖宫产术		剖腹产术	医学
82	期前收缩	过早搏动、早搏		医学
83	琼脂	洋菜		生物
84	热导率	导热系数	热传导率、导热率、热传导系数	量和单位
85	热扩散系数		导温率、导温系数、热扩散率	量和单位
86	热力学温度		绝对温度	量和单位

序号	规范名	许用名	淘汰名	类别
87	日界线		国际日期变更线	地理
88	神经元		神经原	生物
89	蜃景	海市蜃楼		大气
90	升力		举力	力学
91	声呐		声纳①、水声测位仪	物理
92	声速		音速	物理
93	失声		失音	医学
94	食草动物	草食动物		动物
95	食管	食道		医学
96	食肉动物	肉食动物		动物
97	世界时	格林尼治时间		天文
98	水污染		水体污染	地理
99	苔原	冻原		地理
100	糖类	碳水化合物		生物化学
101	天文台		观象台	天文
102	通信		通讯	电子、计算机
103	湍流	紊流	涡流、涡动	力学
104	外联网		[外]因特网、企业间网路	信息
105	外围设备	外部设备		计算机
106	万维网		环球信息网、环球网	信息
107	维生素 B_2	核黄素		生物化学
108	无机肥料	矿质肥料		土壤
109	物质的量		当量数、克当量数、克分子数、克离子数、克原子数、摩尔数、克式量数	量和单位
110	潟湖		泻湖	地质、地理
111	相[位]		位相	物理
112	心肌梗死		心肌梗塞	医学
113	选单		菜单	计算机
114	选煤		洗煤	煤炭
115	厌氧细菌	厌气细菌		化工
116	因特网		国际互联网、互联网②	信息
117	域名		域名地址	信息

序号	规范名	许用名	淘汰名	类别
118	园林城市	花园城市		建筑
119	远程登录		虚拟终端协议	信息
120	噪声		噪音	物理
121	沼气肥		沼气发酵肥	土壤
122	直升机		直升飞机	航空
123	主页		起始页	信息
124	注意缺陷障碍[伴多动]	儿童多动症		医学
125	0级风		静风	大气
126	1级风		软风	大气
127	2级风		轻风	大气
128	3级风		微风	大气
129	4级风		和风	大气
130	5级风		清劲风	大气
131	6级风		强风	大气
132	7级风		疾风	大气
133	8级风		大风	大气
134	9级风		烈风	大气
135	10级风		狂风	大气
136	11级风		暴风	大气
137	12级风		飓风	大气

附注：① “声纳”是另一个物理量，不能与“声呐(sonar)”混用。

② “国际互联网”和“互联网”均泛指一类网络，而“因特网”则是一个特指的网，三个词不能混用。

（十三）科学技术的重大发现发明

序号	发现发明者	国别	时间	发现发明
1			约380万年前	人类开始使用火
2	不详	巴比伦	前1800年	发明60进位制并用于计算
3	不详	中国	前700年	滑轮
4	欧几里得	希腊	前300年左右	《几何原本》
5	阿基米德	希腊	前250年左右	发现浮力原理
6		中国	约前221—前206年	建成秦万里长城
7	蔡伦	中国	公元105年	纸
8	张衡	中国	约117年 约132年	浑天仪 候风地动仪
9	祖冲之	中国	462年	计算出圆周率的分数值355/113
10	不详	中国	约581—808年	火药
11	不详	波斯	650年	风车
12	不详	中国	868年	雕版印刷
13	不详	中国	1000年	凸轮
14	不详	欧洲	1000年	犁
15	爱尔汗森	阿拉伯	1000年	暗箱相机
16	不详	中国	1000—1200年	固体火药火箭
17	毕昇	中国	1041—1048年	活字印刷术
18	不详	中国	1100年左右	指南针
19	不详	印度	1250年	手纺车
20	不详	中国	1280年	火铳(火炮原型)
21	不详	欧洲	1410年	火绳枪
22	J.古腾堡	德国	1450年	铅字印刷术与印刷机
23	L.达·芬奇	意大利	1490年	较精确的人体解剖图
24	N. 哥白尼	波兰	1543年	发现太阳是太阳系的中心，提出日心说
25	L.詹森	荷兰	1590年	显微镜
26	G.伽利略	意大利	1592年	温度指示器
27	H.利普希	荷兰	1608年	望远镜
28	G.伽利略	意大利	1609年	提出自由落体定律

序号	发现发明者	国别	时间	发现发明
29	J.开普勒	德国	1609—1619年	提出行星运动三定律
30	J.耐普尔	英国	1614年	对数
31	J.基伏斯	德国	1615年	燧石枪
32	B.帕斯卡	法国	1642年	机械式计算器
33	E.托里拆利	意大利	1644年	水银气压计
34	O. von 盖里克	德国	1654年	气泵
35	C.惠更斯	荷兰	1656年 1674年	摆钟 游丝钟
36	R.胡克	英国	1665年	发现细胞
37	I.牛顿	英国	1665—1666年	发现光的色散现象，提出光的微粒说
38	I.牛顿 G.W.莱布尼茨	英国 德国	1666年 1674年	创立微积分
39	C.惠更斯	荷兰	1678年	提出光的波动说
40	G.W.莱布尼茨	德国	1679年	发明二进制算术
41	I.牛顿	英国	1687年	提出运动三定律和万有引力定律
42	T.萨维利 T.纽可门 J.瓦特	英国 英国 英国	1698年 1712年 1765—1769年	蒸汽泵 纽可门蒸汽机 瓦特蒸汽机
43	B.富兰克林	美国	1752年	避雷针
44	J. 哈格里夫斯 R.阿克赖特 S.康普顿 E.卡特赖特	英国 英国 英国 英国	1765年 1769年 1779年 1785年	珍妮纺纱机 水力纺纱机 走锭纺纱机(骡机) 动力织机
45	N. 居纽	法国	1769年	蒸汽汽车
46	C.W.舍勒 J.普利斯特列 A.L.拉瓦锡	瑞典 英国 法国	1772年 1774年 1777年	发现氧气，提出燃烧的氧化学说
47	D.布什内尔	美国	1776年	潜艇
48	J.F.W.赫歇尔	英国	1781年	发现天王星
49	J.M.蒙戈尔费埃 J.É. 蒙戈尔费埃	法国	1783年	热气球
50	A.米克尔	英国	1788年	脱粒机
51	孔泰	法国	1792年	铅笔
52	E.惠特尼	美国	1793年	轧棉机

序号	发现发明者	国别	时 间	发 现 发 明
53	J.布拉默	英国	1795 年	水压机
54	E.詹纳	英国	1796 年	接种疫苗
55	H. 莫兹利	英国	1797 年	工业车床
56	A.G.A.A.伏打	意大利	1799 年	伏打电堆
57	R.特里维希克	英国	1804 年	蒸汽火车
58	R.富尔顿	美国	1807 年	蒸汽轮船
59	A.福西斯	英国	1807 年	雷管
60	J.道尔顿	英国	1808 年	提出化学原子论
61	F.阿伯特	法国	1809 年	罐装食品
62	J.von 夫琅和费	德国	1814 年	光谱仪
63	H.戴维	英国	1815 年	矿工安全灯
64	R.拉艾克	法国	1816 年	听诊器
65	H.C.奥斯特	丹麦	1820 年	发现电流的磁效应
66	Ф.Ф.别林斯豪森 M.П.拉扎列夫	俄国	1820 年	发现南极大陆
67	M.法拉第	英国	1821 年	电动机
68	W.斯特金	英国	1823 年	电磁铁
69	不详	英国	1825 年	建成第一条公用铁路
70	P.贝尔	英国	1826 年	割草机
71	J.N.尼埃普斯	法国	1826 年	摄影术
72	B.蒂蒙尼尔	法国	1829 年	缝纫机
73	L.布莱叶	法国	1829 年	布莱叶盲文系统
74	M.法拉第	英国	1831 年	发现电磁感应现象，提出电磁感应定律
75	J.珀金斯	美国	1834 年	用于食品冷冻的制冰机
76	J.麦考密克	美国	1834 年	收割机
77	L.J.M.达盖尔 W.H.F.陶尔伯特	法国 英国	1835 年	银版照相法 碘化银纸照相法
78	J.F.丹尼尔	英国	1836 年	原电池
79	F.P.史密斯 J.艾里克森	英国 瑞典	1836—1837 年	螺旋桨
80	S.F.B.莫尔斯	美国	1837—1838 年	电磁式电报机和莫尔斯电码
81	C.麦克米伦	英国	1839 年	自行车
82	I.皮特曼	英国	1839 年	速记法

序号	发现发明者	国别	时间	发现发明
83	J.P.焦耳	英国	1840年	发现电流的热效应,提出焦耳定律
84	J.P.焦耳 J.R.迈尔 H.L.F. von 亥姆霍兹	英国 德国 德国	1840年 1842年 1847年	各自独立提出能量守恒定律
85	W.T.G.莫顿 J.C.沃伦	美国	1846年	麻醉术
86	勒维列 J.G.加勒	法国 德国	1846年 1846年	理论上计算出海王星的轨道,并预告其位置 发现海王星
87	E.G.奥蒂斯	美国	1853年	升降机(起重机)
88	H.盖斯勒	德国	1855年	真空泵
89	W.H.帕金	英国	1856年	合成染料
90	C.R.达尔文	英国	1859年	提出生物进化论学说
91	G.普兰泰	法国	1859年	铅蓄电池
92	E.L.德雷克	美国	1859年	石油钻井
93	J.C.麦克斯韦	英国	1864年	总结电磁现象的基本规律,提出电磁经典理论,从理论上预言了电磁波
94	L.巴斯德 J.里斯特	法国 英国	1865年	灭菌法 抗菌手术
95	G.J.孟德尔	奥地利	1865年	发现遗传定律,奠定生物遗传学的基本理论
96	L.怀特黑特	奥地利	1866年	鱼雷
97	A.B.诺贝尔	瑞典	1867年	炸药
98	C.L.肖尔斯	美国	1868年	打字机
99	Д.И.门捷列夫	俄国	1869年	发现元素周期律,绘制出元素周期表
100	J.格里登	美国	1874年	有刺铁丝
101	O. 蔡德勒 米勒	德国 瑞士	1874年 1939年	合成滴滴涕 发现滴滴涕的杀虫性
102	A.G.贝尔	美国	1876年	电话
103	N.A.奥托	德国	1876年	四冲程内燃机
104	T.A.爱迪生	美国	1877年	留声机
105	W.西门子	德国	1879年	电力机车

序号	发现发明者	国别	时间	发现发明
106	T.A.爱迪生	美国	1880年	白炽灯
107	L.E.沃特曼	美国	1884年	自来水笔
108	C.本茨 G.W.戴姆勒	德国	1885年	汽油汽车
109	H.R.赫兹	德国	1887年	第一次通过实验证实电磁波的存在
110	J.伊斯曼 W.H.沃克	美国	1888年	柯达相机
111	T.A.爱迪生	美国	1890—1891年	摄影机和放映机
112	Д.И.伊凡诺夫斯基	俄国	1892年	首次发现病毒是致病因子
113	W.K.伦琴	德国	1895年	发现X射线
114	M.G.马可尼	意大利	1895年	无线电报
115	金·甘普·吉利	美国	1895年	安全剃刀
116	A.H.贝可勒尔 M.B.居里夫妇	法国 法国	1896年 1896年起	发现铀的天然放射性现象 发现放射性元素铀、钍、钋、镭
117	J.J.汤姆逊	英国	1897年	发现电子
118	И.П.巴甫洛夫	俄国	1897年	创立生理学上的条件反射学说
119	F.A.A.H. von 齐柏林	德国	1900年	飞艇
120	M.普朗克	德国	1900—1901年	创立量子假说,对建立量子力学产生重要影响
121	W.莱特 O.莱特	美国	1903年	飞机
122	J.A.布莱明 L.D.福雷斯特	英国 美国	1904—1906年	电子二极管 电子三极管
123	F.哈伯	德国	1904—1908年	高压合成氨化肥
124	A.爱因斯坦	美籍德国人	1905年 1915年	创立狭义相对论 创立广义相对论
125	L.鲁梅尔 O.鲁梅尔	法国	1907年	彩色摄影
126	L.贝克兰	美国	1909年	塑料
127	F.索迪	英国	1910—1913年	1910年提出同位素概念,1913年发现铅的同位素
128	L.卢瑟福	新西兰	1911年	提出原子有核模型

序号	发现发明者	国别	时间	发现发明
129	H.K.昂内斯	荷兰	1911年	发现物质的超导电性
130	G.萨德拜克	瑞典	1913年	拉链
131	N.玻尔	丹麦	1913年	创立量子论,第一次较圆满地解释了原子结构
132	A.L.魏格纳	德国	1915年	提出大陆漂移假说
133	L.V.德布罗意	法国	1924年	根据光的量子和波动性提出物质波假说
134	W.K.海森伯 E.薛定谔	德国 奥地利	1925年 1926年	创立量子力学的矩阵形式 创立量子力学的波动形式
135	J.L.贝尔德	英国	1925年	电视
136	裴文中	中国	1929年	在北京周口店古人类遗址发现第一个北京猿人头盖骨
137	F.伯格	德国	1929年	脑电图
138	C.W.汤博	美国	1930年	发现冥王星
139	F.惠特尔	英国	1930年	喷气发动机
140	E.鲁斯卡 M.克诺尔	德国	1931年	电子显微镜
141	C.D.安德森	美国	1932年	发现正电子
142	J.查德威克	英国	1932年	发现中子
143	G.雷伯	美国	1937年	射电望远镜
144	W.H.卡罗瑟斯	美国	1935年	尼龙
145	L.W.瓦特	英国	1935年	雷达
146	H.福科	德国	1936年	直升机
147	C.F.卡尔森	美国	1937年	静电印刷术
148	L.比罗	匈牙利	1938年	圆珠笔
149	O.哈恩	德国	1939年	发现原子核的裂变现象
150	E.费米等	美国	1942年	原子反应堆
151	H.S.盖舍尔 J.厄朗格	美国	1944年	发现神经细胞生物电现象,是确切揭示神经细胞电活动本质的开端
152		美国	1945年	原子弹
153	P.艾克托 J.W.莫奇利	美国	1946年	爱尼阿克(ENIAC)电子计算机
154	P.L.B.斯潘塞	美国	1947年	微波炉

序号	发现发明者	国别	时间	发现发明
155	W.B.肖克莱 J.巴丁 W.H.布拉顿	美国	1947年	晶体管
156	J.D.沃森 F.H.C.克里克	美国 英国	1953年	发现脱氧核糖核酸(DNA)双螺旋结构模型,奠定分子生物学基础
157	杨振宁 米尔斯	中国 美国	1953年	提出规范场理论
158	N.卡彭尼	英国	1955年	光导纤维
159	L.艾森 J.V.L.帕里	英国	1955年	原子钟
160		美国	1954年	避孕药
161		苏联	1957年	人造卫星
162	J.S.基尔比 诺伊斯	美国	1958年	集成电路
163	A.L.肖洛、 C.H.汤斯 T.H.梅曼	美国	1958年 1960年	提出激光原理 制成激光器
164	C.考克雷尔	英国	1959年	气垫船
165	A.R.桑德奇、 马修斯 M.施密特	美国	1960年 1963年	发现类星体特征 测定类星体性质
166	J.戴沃 J.恩伯尔伯格	美国	1961年	机器人
167	国际通信卫星组织	美国	1962年	通信卫星
168	E.利斯 J.帕特列克斯	美国	1963年	激光全息摄影
169	A.A.彭齐亚斯 R.W.威尔逊	美国	1964年	发现宇宙微波背景辐射,为宇宙大爆炸理论提供了观察依据
170	M.盖尔曼 G.茨韦格	美国	1964年	提出强子结构的夸克模型
171	中国科学院和北京大学	中国	1965年	人工合成牛胰岛素
172	剑桥大学	英国	1967年	发现脉冲星
173	X.勒皮雄	法国	1968年	提出地质板块构造学说

序号	发现发明者	国别	时　间	发 现 发 明
174	英特尔公司	美国	1971 年	微处理器
175	H. 拉罗奇	瑞士	1971 年	液晶
176	G. N. 豪斯菲尔德	英国	1972 年	X 射线计算机断层扫描仪(CT)
177	袁隆平	中国	1973 年	水稻杂交技术
178	英国 Monotype 公司	英国	1976 年	激光照排机
179	L. 爱德华兹 B. 斯戴克	英国	1978 年	试管婴儿
180	戈特力布	美国	1981 年	首次发现艾滋病感染者
181	飞利浦公司 索尼公司	荷兰 日本	1981 年	光盘
182	美国宇航局	美国	1981 年	哥伦比亚号航天飞机
183	美国 Welch Allyn 公司	美国	1983 年	电子摄像内窥镜
184	A. 缪勒 J. 伯诺兹	瑞士	1986 年	超导陶瓷
185	A. 哈勃	美国	1990 年	哈勃空间望远镜
186	凯克天文台	美国	1999 年	发现距地球 130 亿光年的一个星系

(十四) 科学技术史上的重大事件

序号	时间	事　件	
1	约前 4240 年	历法	埃及采用一年 365 天的太阳历,这是历法的起点。
2	约前 1800 年起	数的认识	约公元前 1800 年巴比伦人发明了 60 进位制计数法,并用于数学和天文学中的运算,同时认识较少的一些分数。公元前 5 世纪希腊毕达哥拉斯学派给出第一个作为不可公度量的无理数。公元前 3 世纪希腊人欧几里得在《几何原本》中讨论用十进制小数表达无理数。公元 628 年印度人使用负数,并提出负数的四种运算。1500 年左右零被普遍接受为一个数,并引入种类越来越多的无理数进行计算,1545 年欧洲人讨论复数。直到 19 世纪末人类才彻底认识了完备的实数系的性质。
3	约前 306 | 前 251 年	都江堰水利工程	中国李冰父子带领人民修筑都江堰水利工程,工程由分水、引水和泄洪三部分组成,是体现系统工程思想至今仍发挥重要作用的中国著名水利工程。
4	约前 300 年左右	欧几里得著《几何原本》	希腊数学家欧几里得著《几何原本》,是最早用公理方法建立演绎体系,系统整理知识的范例,对人类思想产生了重要影响。
5	1040 年 | 1050 年	印刷术的发明	迄今已知的第一本书是约公元 868 年中国用雕刻的木版制成的《金刚经》。1041—1048 年,中国人毕昇发明活字印刷术,遂传到西方,第一本英文书印于 1477 年。最早的印刷机是木制机,后来相继发明了蒸汽动力印刷机、旋转印刷机和胶版印刷机。1976 年世界上第一台激光照排机在英国问世,1985 年美国和德国共同研制出彩色桌面出版系统,标志着人类的图文信息出版技术告别“铅与火”,进入了“光与电”的时代。印刷术的发明对整个人类文明起了极其重要的作用。
6	1486 年 | 1522 年	地理大发现	1486 年葡萄牙人 B. 迪亚士发现后来称为“好望角”的风暴角,1498 年葡萄牙人 V. da 伽马绕过好望角首先到达印度;1492—1502 年意大利人 C. 哥伦布在航海中意外发现美洲新大陆;1519—1522 年葡萄牙人 F. de 麦哲伦率领的船队完成最早的环球航行,从实践上证明了地球是球形的。以上事件统称“地理大发现”。

序号	时间	事件	
7	1543 年起	哥白尼天文学革命	2 世纪希腊人 C. 托勒密曾提出地心说，1543 年波兰人 N. 哥白尼发表《天体运行论》，提出了太阳是宇宙中心的观点，反驳了当时受教会支持的、占统治地位达 1000 多年的地心说，后经德国人 J. 开普勒和意大利人 G. 伽利略等的宣传，成为反对神学迷信的科学学说，对当时的自然科学从神学统治中解放出来有重要意义，被称为自然科学史上的第一次革命。
8	1662 年	科学社团的建立	1662 年，以一些民间研究社团和定期聚会为基础，英国成立皇家学会，其后，法兰西学院(1666)和德国柏林学院(1700)相继成立。国家级科学院对于促进科学研究的建制化、推动科学技术的发展和普及起到了重要作用。
9	1671 年	科学考察	1671 年法兰西学院派出考察队到海外测量第谷·布拉赫天文台的精确地理方位。18 世纪中期，法国曾多次派遣科学考察队赴世界各地进行大地测量，确定重要地点和重要城市的位置，测量地球的形状等。历史上著名的考察活动还有 1735—1744 年法国测量队赴北欧和南美的地球弧度测量(证实地球为扁球体)和 1919 年英国人爱丁顿率领的南非考察(证实广义相对论预言)等。
10	1698 年起	蒸汽机的发明	1698 年英国人 T. 萨维利发明实用蒸汽泵，1712 年英国人 T. 纽可门发明常压蒸汽机，1765—1769 年英国人 J. 瓦特发明瓦特蒸汽机，1804 年蒸汽机用于机车，1807 年用于轮船。蒸汽机的发明和应用引起了历史上第一次技术革命，强烈影响了近代社会的现代化进程。
11	1832 年	电力工业的产生	1832 年法国人 A. H. 皮克希采用电磁铁制成电动机，1855 年丹麦人 S. 尤斯制成用蒸汽机和水轮机驱动转子的自激式发电机，这是电力工业的开端。电动机与内燃机的发明和应用一同掀起了第二次技术革命。1882 年法国建成第一条远距离直流电输电线路，1891 年德奥地区建成世界上第一个三相交流电输电系统。1882 年美国人 T. A. 爱迪生在纽约建立珍珠街发电站，1893 年美国人 J. 威斯汀豪斯在尼亚加拉瀑布建立第一个大型水力发电站。现代发电站多以水力，煤、油、天然气燃烧或核能为动力。
12	1837 年起	电子通信技术的发展	1837—1838 年美国人 S. F. B. 莫尔斯发明电报，1866 年横跨大西洋的永久性电报电缆铺设成功，1876 年美国人 A. G. 贝尔发明电话，1895 年意大利人 M.G. 马可尼发明无线电报，1906 年在美国工作的加拿大人R. A. 费森登发明无线电广播，1915

序号	时间	事件	
			年美国率先实现长途无线通信，20 世纪 70 年代后期出现移动电话系统。20 世纪末开始实施覆盖全球的低地球轨道卫星移动电话系统的设想，使得在任何时间、任何地点与任何人的通信成为可能。
13	1884 年	电视的发明	1884 年德国人 P. G. 尼普科夫发明螺盘旋转扫描器，实现了最原始的电视传输和显示。1925 年英国人 J. L. 贝尔德发明机械扫描电视系统。1932 年人们改进了 1923 年美籍苏联人 V. K. 兹沃雷金发明的光电摄像管，使得电视进入现代阶段。1941 年美国开始正规的电视广播。1951 年彩色电视进入市场，随后有线电视开始普及，可视图文数据系统(1974)、数字电视(1986)、手提电视摄像机(1988)、高清晰度电视(1989)相继问世。信息可视化已成为影响人类生活的重要方式之一。
14	19、20 世纪之交	19、20 世纪之交的物理学革命	1895 年德国人 W. K. 伦琴发现 X 射线，1897 年英国人 J. J. 汤姆逊发现电子，1905、1915 年德国人 A. 爱因斯坦先后提出狭义相对论和广义相对论，1911—1913 年新西兰人 E. 卢瑟福和丹麦人 N. 玻尔发现原子基本结构，1925—1926 年德国人 W. K. 海森伯和奥地利人 E. 薛定谔等建立量子力学。这称为世纪之交的物理学革命，这场革命使人类对时间、空间以及微观领域运动规律的认识发生了根本性变革。
15	1900 年	诺贝尔奖的设立	1896 年瑞典化学家诺贝尔留下遗嘱，设立以他的名字命名的基金，以表彰在物理学、化学、生理学或医学、文学和国际和平事业中做出突出贡献的个人。1900 年基金会成立，1901 年第一次颁奖。1968 年增设了经济学奖。诺贝尔奖对促进科学、文化、社会进步和人类和平事业做出了重要贡献。到 2000 年已有数百人获奖。
16	1903 年	飞机的发明	1903 年 12 月 17 日美国人 W. 莱特和 O. 莱特两兄弟驾驶自制的双螺旋桨飞机成功飞行了 260 米，飞行高度 2.5—3 米，实现了人类的飞行之梦。四十年后，出现可在平流层飞行的飞机和超音速飞机。
17	1926 年	火箭的发明	1000—1200 年左右中国人曾发明固体火药火箭。1926 年 3 月 16 日美国人 R. H. 戈达德发射了世界上第一枚液体推进剂火箭，并飞行了 56 米，高度达到了 12.5 米，这意味着人类太空探索技术的开端。1942 年德国人 W. von 布劳恩研制成功 V_2 飞弹(即火箭)，长 15 米，重 13 吨，时速 5 000 千米，是空间飞行的先驱。1957 年苏联运用火箭率先把人造地球卫星送上太空，从此，苏联、美国、中国、日本和欧洲相继研制了几十种运载火箭。

序号	时间		事　件
18	1933年	人体器官移植	1905年法国人A.卡雷尔成功创立血管吻合技术，为器官移植奠定基础；1933年俄国人B.П.费拉托夫成功进行首例异体角膜移植，标志着人体器官移植的开始。1954年美国人J.E.默里进行了最早的肾移植，1963年J.D.哈迪进行了肺移植，T.E.斯塔泽尔进行了肝移植，1966年R.C.里列海进行了胰移植，1967年南非人C.N.巴纳德进行了心脏移植。1987年中国实施第一例心脏移植手术。20世纪90年代已经有一千多个人体器官移植中心开展工作，各国所实施的人体器官移植已近百万例。
19	1942年 | 1945年	曼哈顿计划（20世纪科学技术史上第一大计划）	1896年法国人A.H.贝可勒尔发现铀的放射性，1896—1898年居里夫妇先后发现铀、钍、钋、镭，1905年A.爱因斯坦提出质能关系式$E=mc^2$，1939年德国人O.哈恩等人发现铀原子核裂变现象。在这些工作的基础上，1942年美国实现了原子核链式反应，正式制定了名为“曼哈顿工程”的原子弹制造计划并且开始实施。1945年7月16日美国爆炸了世界上第一颗原子弹，爆炸力相当于2万吨TNT当量。当年8月6日和9日美国在日本广岛、长崎投掷了两颗原子弹，是将科学技术成果应用于战争最典型的事件。20世纪60年代，中国独立自主地研制出原子弹和氢弹。与原子能的军事用途同时，世界各国也开始了和平利用核能的开发研究。
20	1946年	计算机的发明	1946年美国研制成功首台电子管计算机“爱尼阿克”(ENIAC)，重176吨，占地近380平方米，用了18 000只电子管，运算速度5 000次/秒，标志着计算机和信息时代的到来。此后，计算机的发明经历了电子管计算机、晶体管计算机、集成电路计算机、大规模集成电路计算机和超大规模集成电路计算机阶段，到20世纪末，已经研制出运算速度达数万亿次/秒的计算机，并正在研制光计算机和量子计算机。计算机的发明成为第三次技术革命的先导。
21	1953年	DNA双螺旋结构的发现	美国人J.D.沃森和英国人F.H.C.克里克合作发现了脱氧核糖核酸(DNA)的双螺旋结构，开创了分子生物学研究和重组基因的时代。
22	1957年	人造地球卫星发射	1957年10月4日苏联成功发射第一颗人造地球卫星，开创了人类航天新纪元。到20世纪末全世界已经研制和发射用于通讯、遥感、导航、资源、科学、技术实验以及军事用途的人造地球卫星近5 000颗。

序号	时间	事 件	
23	1957年起	遥感技术的发展	1915年英国人J.T.C.摩尔-布拉巴宗制造了第一台用于军事的航空摄影机,第一次世界大战后,用于石油勘探、地球科学研究和农业的民用航空摄影事业兴起,这是最早的遥感手段。1957年以后,人造卫星等各种航天器为遥感提供运载工具和遥感平台,航天遥感时期从此开始。1972年美国发射第一颗地球资源卫星,1977年苏联发射第一颗地球资源及海洋勘测卫星。遥感技术对地球科学和整个人类社会的贡献日见显著。
24	1961年—1972年	阿波罗登月计划(20世纪科学技术史上第二大计划)	1961年5月,美国宣布开始实施阿波罗登月计划。1969年7月20日,美国人N.A.阿姆斯特朗和E.E.奥尔德林驾驶"阿波罗11号"飞船的登月舱降落在月球表面,这是一次震动全球的壮举。1972年12月实现飞行17次的阿波罗计划宣告结束,整个计划耗资近250亿美元。
25	1961年	人类实现太空飞行	1961年4月21日苏联宇航员Ю.А.加加林驾驶"东方1号"宇宙飞船绕地球飞行1周,历经108分钟后安全返回地面,成为世界航天第一人,开创了人类载人航天新时代。1981年4月12日载有两名宇航员的美国"哥伦比亚号"航天飞机试飞成功,经过54小时,绕地球36周后返回地球。中国于1999年11月20日成功发射航天试验飞船"神舟号",为中国人进行太空飞行迈出了重要一步。
26	1970年起	因特网	20世纪70年代,在原美国军方使用的计算机"阿帕(ARPA)网"的基础上,一些美国大学校园建立了相互联系的网络,后来在此基础上建立了现今广泛应用于经济、教育、文化传播,覆盖全球的因特网。因特网是信息社会最具影响力的基础设施,正在深刻地改变着人类的生活方式。
27	1972年	可持续发展战略	20世纪50年代起世界范围内出现了许多恶化环境的重大事件,1962年美国人卡尔逊出版《寂静的春天》,科学地说明了人类行为对环境的负面影响。1972年联合国在斯德哥尔摩召开第一次联合国人类环境会议,发表了《联合国人类环境宣言》,1987年联合国环境与发展委员会提出"既满足当代人的需要,又不损害后代人满足需要能力的发展"的"可持续发展"概念。1992年6月,联合国在里约热内卢召开联合国环境与发展大会,有102位国家元首或政府首脑到会讲话,会议通过了联合国提出的"可持续发展战略"及《21世纪议程》,要在全球逐渐废除人类传统的经济社会发展模式,实施可持续发展。它是人类推进文明进程的一个里程碑。

序号	时间	事　件	
28	1990 年	哈勃空间望远镜	美国研制成功被称为“太空眼睛”的哈勃空间望远镜,重 10 吨,价值 15 亿美元,全长 12.8 米,镜筒直径 4.27 米,是有史以来最大最精确的天文望远镜,1990 年 4 月 24 日由航天飞机带入太空,开始了为期 15 年的探索宇宙奥秘的使命。1999 年美国科学家利用它观测到迄今宇宙中距离地球 130 亿光年的最遥远、最古老的天体。
29	1990 年起	人类基因组计划(20 世纪科学技术史上第三大计划)	由美国科学家开始的人类基因组计划 1990 年 10 月 1 日正式启动。不久,该计划发展成一个由多国政府支持的国际项目,先后有美、英、日、德、法及中国六个国家参加。该计划旨在通过国际间合作构建详细的人类基因组遗传图和物理图,确定人类 DNA 全部序列,定位约 10 万个基因(30 亿碱基对),并对这些基因进行鉴定识别和分离破译。2000 年 5 月,国际人类基因组完成人类基因组序列“工作框架图”的构建,并决定 2001 年 6 月全部完成“人类基因组 DNA 序列图”。人类基因组计划的实施将为人类疾病诊断和防治提供依据,并促进生命科学、信息科学及高新技术产业的发展,把人类带入更佳的生存环境。
30	1997 年	克隆技术与生命复制	1970 年美国人 H.O. 史密斯发现并且提取了可以在特定位点切割 DNA 的专一限制性内切酶,成为 DNA 重组技术应用的起点。1975 年阿根廷人 C.米尔斯坦和德国人 G.克勒在英国利用细胞融合技术获得了世界上第一个稳定的杂交瘤细胞株,这是单克隆抗体技术的首次应用。1997 年 2 月 14 日,英国人维尔穆特等人首次利用绵羊的体细胞移植的克隆技术成功复制出一只名为“多莉”的绵羊,这是大型哺乳动物的首次生命复制,开辟了生命复制新纪元。

（十五）元素周期表

原子序数←19 K→元素符号
钾→元素名称
注*的是人造元素
原子量←39.0983

周期＼族	$\mathrm{I_A}$	$\mathrm{II_A}$	$\mathrm{III_B}$	$\mathrm{IV_B}$	$\mathrm{V_B}$	$\mathrm{VI_B}$	$\mathrm{VII_B}$	VIII			$\mathrm{I_B}$	$\mathrm{II_B}$	$\mathrm{III_A}$	$\mathrm{IV_A}$	$\mathrm{V_A}$	$\mathrm{VI_A}$	$\mathrm{VII_A}$	0	电子层	0族电子数
1	1 H 氢 1.00794(7)																	2 He 氦 4.002602(2)	K	2
2	3 Li 锂 6.941(2)	4 Be 铍 9.012182(3)											5 B 硼 10.811(7)	6 C 碳 12.0107(8)	7 N 氮 14.0067(2)	8 O 氧 15.9994(3)	9 F 氟 18.9984032(5)	10 Ne 氖 20.1797(6)	L K	8 2
3	11 Na 钠 22.989770(2)	12 Mg 镁 24.3050(6)											13 Al 铝 26.981538(2)	14 Si 硅 28.0855(3)	15 P 磷 30.973761(2)	16 S 硫 32.065(5)	17 Cl 氯 35.453(2)	18 Ar 氩 39.948(1)	M L K	8 8 2
4	19 K 钾 39.0983(1)	20 Ca 钙 40.078(4)	21 Sc 钪 44.955910(8)	22 Ti 钛 47.867(1)	23 V 钒 50.9415(1)	24 Cr 铬 51.9961(6)	25 Mn 锰 54.938049(9)	26 Fe 铁 55.845(2)	27 Co 钴 58.933200(9)	28 Ni 镍 58.6934(2)	29 Cu 铜 63.546(3)	30 Zn 锌 65.39(2)	31 Ga 镓 69.723(1)	32 Ge 锗 72.64(1)	33 As 砷 74.92160(2)	34 Se 硒 78.96(3)	35 Br 溴 79.904(1)	36 Kr 氪 83.80(1)	N M L K	8 18 8 2
5	37 Rb 铷 85.4678(3)	38 Sr 锶 87.62(1)	39 Y 钇 88.90585(2)	40 Zr 锆 91.224(2)	41 Nb 铌 92.90638(2)	42 Mo 钼 95.94(1)	43 Tc 锝 (97.99)	44 Ru 钌 101.07(2)	45 Rh 铑 102.90550(2)	46 Pd 钯 106.42(1)	47 Ag 银 107.8682(2)	48 Cd 镉 112.411(8)	49 In 铟 114.818(3)	50 Sn 锡 118.710(7)	51 Sb 锑 121.760(1)	52 Te 碲 127.60(3)	53 I 碘 126.90447(3)	54 Xe 氙 131.293(6)	O N M L K	8 18 18 8 2
6	55 Cs 铯 132.90545(2)	56 Ba 钡 137.327(7)	57—71 La-Lu 镧系	72 Hf 铪 178.49(2)	73 Ta 钽 180.9479(1)	74 W 钨 183.84(1)	75 Re 铼 186.207(1)	76 Os 锇 190.23(3)	77 Ir 铱 192.217(3)	78 Pt 铂 195.078(2)	79 Au 金 196.96655(2)	80 Hg 汞 200.59(2)	81 Tl 铊 204.3833(2)	82 Pb 铅 207.2(1)	83 Bi 铋 208.98038(2)	84 Po 钋 (209.210)	85 At 砹 (210)	86 Rn 氡 (222)	P O N M L K	8 18 32 18 8 2
7	87 Fr 钫 (223)	88 Ra 镭 (226)	89—103 Ac-Lr 锕系	104 Rf 𬬻* (261)	105 Db 𬭊* (262)	106 Sg 𬭳* (263)	107 Bh 𬭛* (264)	108 Hs 𬭶* (265)	109 Mt 鿏* (268)	110 Uun * (269)	111 Uuu * (272)	112 Uub * (277)								

镧系	57 La 镧 138.9055(2)	58 Ce 铈 140.116(1)	59 Pr 镨 140.90765(2)	60 Nd 钕 144.24(3)	61 Pm 钷* (147)	62 Sm 钐 150.36(3)	63 Eu 铕 151.964(1)	64 Gd 钆 157.25(3)	65 Tb 铽 158.92534(2)	66 Dy 镝 162.50(3)	67 Ho 钬 164.93032(2)	68 Er 铒 167.259(3)	69 Tm 铥 168.93421(2)	70 Yb 镱 173.04(3)	71 Lu 镥 174.967(1)
锕系	89 Ac 锕 (227)	90 Th 钍 232.0381(1)	91 Pa 镤 231.03588(2)	92 U 铀 238.02891(3)	93 Np 镎 (237)	94 Pu 钚 (239.244)	95 Am 镅* (243)	96 Cm 锔* (247)	97 Bk 锫* (247)	98 Cf 锎* (251)	99 Es 锿* (252)	100 Fm 镄* (257)	101 Md 钔* (258)	102 No 锘* (259)	103 Lr 铹* (260)

注：1. 原子量录自 1999 年国际原子量表，以$^{12}C=12$为基准。原子量的末位数的准确度加注在其后括弧内。
2. 括弧内数据是天然放射性元素较重要的同位素的质量数或人造元素半衰期最长的同位素的质量数。

（十六）节气表

（按公元月日计算）

春季	立　春 2月3—5日交节	雨　水 2月18—20日交节	惊　蛰 3月5—7日交节
	春　分 3月20—22日交节	清　明 4月4—6日交节	谷　雨 4月19—21日交节
夏季	立　夏 5月5—7日交节	小　满 5月20—22日交节	芒　种 6月5—7日交节
	夏　至 6月21—22日交节	小　暑 7月6—8日交节	大　暑 7月22—24日交节
秋季	立　秋 8月7—9日交节	处　暑 8月22—24日交节	白　露 9月7—9日交节
	秋　分 9月22—24日交节	寒　露 10月8—9日交节	霜　降 10月23—24日交节
冬季	立　冬 11月7—8日交节	小　雪 11月22—23日交节	大　雪 12月6—8日交节
	冬　至 12月21—23日交节	小　寒 1月5—7日交节	大　寒 1月20—21日交节

二十四节气歌

春雨惊春清谷天，　夏满芒夏暑相连，
秋处露秋寒霜降，　冬雪雪冬小大寒。
每月两节不变更，　最多相差一两天，
上半年来六、廿一，　下半年是八、廿三。

封面设计:孙元明
版面设计:陈成谱

本附录《中外历史大事年表》由臧荣、张二国、朱绛编制,《中国主要亲属关系简表》由张万起审定,《中国行政区划简表》《世界各国和地区简表》由田文祝编制,《中国少数民族简表》由周庆生编制,《中国重点风景名胜区》《中国重点自然保护区》《中国特有珍稀动物》《世界重大公害事件》由刘志荣编制,《计量单位简表》由鲍建成、余梦生编制,《常用科技名词规范简表》由樊静、陈岳书编制,《科学技术的重大发现发明》《科学技术史上的重大事件》由刘晓力、吴彤、任玉凤编制,孙小礼、周明鉴、王克迪审定。

图书在版编目(CIP)数据

新华词典/商务印书馆辞书研究中心修订. -2001年修订版
北京:商务印书馆,2001
ISBN 7-100-03248-2

Ⅰ.新… Ⅱ.商… Ⅲ.汉语-词典 Ⅳ.H164

中国版本图书馆CIP数据核字(2000)第74795号

XĪNHUÁ CÍDIǍN
新 华 词 典
2001年修订版
商务印书馆辞书研究中心修订

商 务 印 书 馆 出 版
(北京王府井大街36号 邮政编码100710)
商 务 印 书 馆 发 行
商 务 印 书 馆 激 光 照 排
北 京 外 文 印 刷 厂 印 刷
ISBN 7-100-03248-2/H·823

1980年8月第1版 开本787×1092 1/32
1989年9月第2版 印张46 1/4
2001年1月修订第3版 印数100 000册
2002年4月北京第55次印刷
定价:48.00元

XĪNHUÁ CÍDIǍN

新华词典

2001年修订版

商务印书馆辞书研究中心修订

商务印书馆

2002年·北京

此扉页用含有商务印书馆馆徽图案的水印防伪纸印制，有这种扉页的《新华词典》(2001年修订版)是正版图书。请注意识别。

总 目 录

凡例 …………………………………………………… 2

汉语拼音音节索引 ………………………………………… 4

新旧字形对照表 ………………………………………… 14

部首检字表 ……………………………………………… 15

词典正文(附西文字母开头的词语) …………………… 1—1330

附录

(一) 夏商周年表………………………………………… 1331

(二) 中外历史大事年表………………………………… 1332

(三) 中国主要亲属关系简表…………………………… 1338

(四) 中国行政区划简表………………………………… 1340

(五) 世界各国和地区简表……………………………… 1342

(六) 中国少数民族简表………………………………… 1350

(七) 中国重点风景名胜区……………………………… 1352

(八) 中国重点自然保护区……………………………… 1358

(九) 中国特有珍稀动物………………………………… 1360

(十) 世界重大公害事件………………………………… 1362

(十一) 计量单位简表…………………………………… 1366

(十二) 常用科技名词规范简表………………………… 1370

(十三) 科学技术的重大发现发明……………………… 1375

(十四) 科学技术史上的重大事件……………………… 1383

(十五) 元素周期表……………………………………… 1389

(十六) 节气表…………………………………………… 1390

凡　例

1. 本词典共收条目 47 231 条,其中单字条目 15 184 条,多字条目 32 047 条。在内容篇幅上,语文条目约占 40%,百科条目约占 60%。

2. 单字分为三大类。第一类为通用字,共 7 000 个;第二类为现代汉语用字,共 623 个,在字头的右上角标注"□";第三类为古代汉语用字,共 2 261 个,在字头的右上角标注"⊠"。

3. 单字条目按汉语拼音字母顺序排列。同音节的字依阴平、阳平、上声、去声、轻声的顺序排列。同音字按下述原则排列:①先将偏旁相同或字形相近的字按笔画多少为序排在一起组成一组;②各组(以第一字的笔画数为准)与未归入组的单字再按笔画多少为序排列。如〔āi ㄞ〕音节的同音单字条目顺序为:哎、哀、啘、锿、埃、挨、唉、娭、欸、嗳。

4. 单字条目中,形同音不同的,分立条目;形同音同义不同的,不分立条目。

5. 多字条目按第一字的读音归到相应的单字条目下(第三类单字条目例外)。同一单字条目下的多字条目按字数多少为序(儿化的"儿"算半个字)。字数相同的以第二字的笔画多少为序。第二字笔画数相同的,以起笔笔形横、竖、撇、点、折为序。依次类推。

6. 多字条目中,形同音、义不同的,不分立条目;形同音同义不同的,也不分立条目。

7. 字头用大字排印,所用汉字的形体以现在通行的为准。字头后附繁体字和《第一批异体字整理表》中的异体字,外加圆括号,异体字左上角标"*"。考虑到文字的实际使用情况,个别异体字未收,释文后加"囯"说明。有的繁体字或异体字左上角标有数码,表示该字只适用于某个或某几个义项,如:钟(❶-❸鐘❹❺鍾);榨(❶*搾)。

8. 本词典依据普通话语音系统标音。音节用汉语拼音字母和注音符号注

序

1971年夏，周恩来总理指示编一部词典。当时国务院科教组把这一工作交给了北京市。北京市文教组决定由北京市教育局主办。教育局责成我主管这项工作。我们从大中学校借调了二十六位教师与商务印书馆两位编辑，组成词典编纂组，于同年10月开始工作。在编纂过程中，组里的成员有所调整和补充。编纂组设在北京师范大学内。北京师范大学为编纂组提供了良好的工作和生活条件，给了多方面的支持和帮助。

这部词典是一部以语文为主兼收百科的词典，供中等文化程度的读者使用。1973年编出词典初稿。1974年“四人帮”提出开展所谓“批林批孔”、“评法批儒”运动，严重干扰和破坏了编纂工作的进行，使正常工作几乎陷于停顿。粉碎“四人帮”后，编纂组留下少数同志，于1977年2月转到商务印书馆工作，对词典重新审查定稿。除充实内容外，主要是在社会科学各类的条目和一般语词条目中，肃清极左流毒。这部词典历尽曲折，现在终于出版问世，所有关心它的同志都会为此感到欣慰。

我们的工作曾得到国家出版事业管理局陈翰伯、陈原、方厚枢等同志的关怀和指导。在本书编纂过程中，曾得到有关高等学校、科学研究部门、专业单位、中小学校、工厂、部队和农村人民公社的大力支持。我谨代表《新华词典》编纂组在此表示衷心的感谢。

参加编纂组工作的同志有（以参加工作时间长短为序）：王维新、曹先擢、曹乃木、潘逊皋、周玲、张伟垣、尹德新、石弘、李秀兰、王树琪、刘五梅、谢自立、张启元、于淑华、刘乃和、王佩莲、李建蔚、吴振麟、陆宗达、项若愚、孙美德、杨春峰、陈兆年、蔡钟翔、马奉琛、陈斌、吴泽炎、万方祥、阴家宝、张桂生、陈章焕、刘天齐、马奇、郑华炽、李达仁、罗国杰、王兆苍、罗宗正、陈侠、熊承涤、王锦贵、李志平、王子发、靳兰征、陈通鑫、方生、游颖、杨焕章、姚殿芳、戴乾圜、王云诗、马全民。

参与编纂组领导工作的先后有:曹先擢、尹德新、曹乃木、王维新、陈斌、李志平、游颖。编纂组的业务工作主要由曹先擢主持。商务印书馆工具书编辑室负责人阮敬英参加了修改定稿工作,李达仁、周玲是本书的责任编辑。

限于词典成书的历史条件和我们的水平,肯定会有缺点和错误,欢迎各方面专家和广大读者给予批评指正。

韩 作 黎

一九八二年于北京

《新华词典》于 1980 年 8 月出版,至 1987 年 12 月第十一次印刷,累计印数近 320 万册。从 1984 年开始对这部词典进行了修订:增补词目 4 000 余条,其中普通语词 3 500 余条,百科知识条目 500 余条;删减过繁过专的注文;订正个别错误和过时的内容。全书原为 207 万字,修订后约为 220 万字上下。

参加修订工作的有:曹乃木、曹先擢、陈章焕、戴乾圜、李达仁、李秀兰、刘玲、潘逊皋、皮继增、王佩莲、王维新、吴振麟、谢自立、于淑华、张启元、张伟垣、仲哲明、周舜武。曹先擢、王维新为修订组组长、副组长,刘玲为责任编辑。

《新华词典》修订小组

一九八八年十二月

音。字头后只用汉语拼音字母注音。汉语拼音字母,四声标调,轻声不标调;注音符号,阴平不标调,轻声标“·”。

9. 一字有几个读音的,就列为几个字头,在注音前用㈠㈡㈢……表示次第,并于释文之后,提行附列其余的音及所见页数。

10. 一字有旧读、又音、俗读的,不另立字头,在字头后加括号标注,如:阽diàn(又音 yán)。

11. 多字条目不注音,其中个别难字及容易读错的字,随释文加注读音。

12. 条目有多义项的,用❶❷❸……加以区分,在一个义项中又分若干项的,用1.2.3.……加以区分。如单字条目“宋”的义项为:❶……。❷朝代名。1.……。2.……。❸……。

13. 收词、析义以现代汉语为标准,酌收一些常见的古汉语和方言的词或义项。所选收的古汉语中常用的通假义,用“古又同‘×(……)’”标明,如:罢……❹古又同“疲(pí)”。所选收的方言词或方言义,用“〈方〉”标明。如:【拆烂污】〈方〉比喻不负责任,把事情搞糟。【里手】❶……。❷〈方〉内行。

14. 例词、例句前用“㊟”标明,不止一个例的,中间用“|”号隔开。除最后一个例词、例句外,不标句号;但属疑问句、感叹句的标问号、叹号。

15. 本词典正文省略号用“…”。“～”号为代字符,代替释文中的本条目。

汉语拼音音节索引

1. 每一音节后举一字做例，可按例字读音去查同音的字。

2. 字右边的号码指词典正文的页码。

A

ā 啊(阴) 1
á 啊(阳) 3
a 啊(轻) 3
āi 哀 3
ái 癌 4
ǎi 矮 5
ài 爱 5
ān 安 7
án 安(阳) 10
ǎn 俺 10
àn 案 10
āng 肮 11
áng 昂 12
àng 盎 12
āo 熬(阴) 12
áo 敖 12
ǎo 袄 13
ào 傲 13

B

bā 巴 16
bá 拔 21
bǎ 把(上) 21
bà 爸 22
ba 吧(轻) 23
bāi 掰 23
bái 白 23
bǎi 摆 26
bài 拜 29
bai 呗 30
bān 班 30
bǎn 板 31
bàn 半 32
bāng 邦 34
bǎng 绑 34
bàng 棒 35
bāo 包 35
báo 雹 36
bǎo 保 37
bào 报 39
bēi 杯 41
běi 北 42
bèi 贝 44
bei 呗 47
bēn 奔(阴) 47
běn 本 48
bèn 笨 49
bēng 崩 49
béng 崩(阳) 49
běng 崩(上) 50
bèng 蹦 50
bī 逼 50
bí 鼻 50
bǐ 比 51
bì 必 54
biān 边 58
biǎn 匾 60
biàn 变 60
bian 边(轻) 63
biāo 标 63
biǎo 表 65
biào 表(去) 66
biē 鳖 66
bié 别(阳) 66
biě 瘪(上) 67
biè 别(去) 67
bīn 宾 67
bìn 鬓 68
bīng 兵 68
bǐng 丙 70
bìng 病 71
bō 玻 72
bó 博 74
bǒ 玻(上) 77
bò 玻(去) 77
bo 啵 78
bū 布(阴) 78
bú 布(阳) 78
bǔ 补 78
bù 布 79

C

cā 擦 89
cǎ 擦(上) 89
cāi 猜 89
cái 才 89
cǎi 彩 90
cài 菜 91
cān 餐 92
cán 残 93
cǎn 惨 93
càn 灿 94
cāng 仓 94
cáng 仓(阳) 95
cāo 操 95
cáo 曹 96
cǎo 草 97
cè 册 98
cēn 岑(阴) 99
cén 岑 99
cēng 层(阴) 99
céng 层 99
cèng 层(去) 100
chā 插 100
chá 茶 101
chǎ 茶(上) 102
chà 岔 102
chāi 柴(阴) 103
chái 柴 103
chǎi 柴(上) 103
chài 柴(去) 104
chān 搀 104

修订说明

《新华词典》是一部以语文为主兼收百科的中型词典，主要供中等文化程度的读者使用。1980 年首次出版，1989 年出版了修订版。二十年来，印行海内外，影响广泛，受到社会各界欢迎。

为了更好地适应社会生活的变化和科学技术的发展，保持《新华词典》的生命力，我们组织聘请了专家学者，对这部词典进行了修订。

保持词典原有特色，突出时代特点，反映学术新成果，充实新科技内容，是本次修订的宗旨和原则。2001 年修订版主要做了以下几方面的工作：

一、增补新词新语新义，尤其是科学新成果条目。收录富有时代气息的生活用语，增补信息、环保、法律、财经、军事、医学、计算机、建筑、生命科学等领域的新词语，约计 7 000 条。

二、订正字词形音义。根据国家语言文字规范化的要求审定了字形字音，整理了部分异形词，对一些注释内容也进行了修正。

三、改善编纂体例。将原书附录中的生僻字移至正文，所收汉字均按使用频度分类并标注不同符号。

四、删除了一些过时的条目，计 2 000 余条。

五、丰富附录内容。新增《夏商周年表》《中外历史大事年表》《中国特有珍稀动物》《科学技术的重大发现发明》《常用科技名词规范简表》等。

修订工作由曹先擢担任顾问，由王维新、周洪波主持具体工作。

参加修订工作的有（按音序排列）：陈芳烈、陈红星、陈雨露、陈岳书、崔长琦、董树人、董振邦、窦国兴、高俊昌、黄大岗、黄亚铃、黄佑源、冷燕平、李文鼎、刘沂、刘志荣、刘作翔、邱海平、芮信、宋殿宽、田擎、王晶、王克芬、王顺通、王镛、徐威、徐怡芳、颜长柯、叶佩珉、臧荣、张书岩、张卫国、庄文中等。

参加审读工作的有(按音序排列):晁继周、楚永安、樊静、费锦昌、韩敬体、金惠淑、李志江、梁赞勋、刘庆隆、刘晓力、施关淦、陶岳嵩、王宝瑄、谢自立、徐枢、叶青、袁晖、曾建飞、张万起、赵克勤、周明鉴等。

商务印书馆参加修订、审读、编辑工作的有:李青梅、胡中文、宿娟、王金鑫、刘玲、许振生、刘一玲、王兰萍、何宛屏、史建桥、珠峰旗云、金欣欣、张二国、田文祝、冯爱珍、朱绛、周欣、陈小文、王明毅、王涌泉、张雁、谢仁友、马志伟、王玉等。

计算机处理及资料工作:王伟、杨丹、马君、赵强、朱西昌、沈彦邦、何秀媛、陈秀英、汤秀丽、陈红艳等。

责任校对:王月霄、于立滨等。

在这次修订中,还得到中国社会科学院、北京大学、清华大学、中国人民大学、北京师范大学、国家语言文字工作委员会、全国科学技术名词审定委员会等单位有关同志的帮助和支持,在此,我们谨向他们表示敬意。

《新华词典》出版以来,一直受到专家及读者的关心和爱护,这始终鼓舞鞭策着我们不断地去追求完美,这次修订正是这种努力的继续。同时,我们希望专家和读者继续关注这项工作,提出宝贵意见。

商务印书馆辞书研究中心
2000 年 12 月

chán 缠 104
chǎn 产 105
chàn 忏 106
chāng 昌 106
cháng 常 107
chǎng 敞 110
chàng 唱 110
chāo 超 111
cháo 潮 113
chǎo 炒 114
chào 炒(去) 114
chē 扯(阴) 114
chě 扯 115
chè 彻 115
chēn 抻 115
chén 辰 116
chěn 辰(上) 119
chèn 衬 119
chen 伧 120
chēng 撑 120
chéng 成 120
chěng 逞 125
chèng 秤 125
chī 吃 125
chí 池 126
chǐ 尺 127
chì 赤 128
chōng 充 130
chóng 虫 131
chǒng 宠 132
chòng 充(去) 132
chōu 抽 133
chóu 绸 133
chǒu 丑 134
chòu 臭 134
chū 出 135
chú 除 137
chǔ 楚 138
chù 触 139
chuā 欻 140
chuāi 揣(阴) 140
chuái 揣(阳) 140
chuǎi 揣(上) 140
chuài 踹 140
chuān 穿 140
chuán 船 141
chuǎn 喘 143
chuàn 串 143
chuāng 窗 143
chuáng 床 143
chuǎng 闯 144
chuàng 创(去) 144
chuī 吹 144
chuí 垂 145
chūn 春 146
chún 纯 147
chǔn 蠢 147
chuō 戳 147
chuò 辍 148
cī 词(阴) 148
cí 词 148
cǐ 此 151
cì 次 151
cōng 葱 152
cóng 从 153
còu 凑 154
cū 粗 154
cú 粗(阳) 154
cù 促 154
cuān 撺 155
cuán 攒 155
cuàn 窜 155
cuī 崔 155
cuǐ 崔(上) 156
cuì 脆 156
cūn 村 157
cún 存 157
cǔn 村(上) 157
cùn 寸 157
cuō 搓 158
cuó 搓(阳) 158
cuǒ 搓(上) 158
cuò 错 158

D

dā 搭 160
dá 达 160
dǎ 打(上) 162
dà 大 163
da 瘩(轻) 171
dāi 呆 171
dǎi 歹 171
dài 带 171
dān 丹 174
dǎn 胆 177
dàn 旦 177
dāng 裆 179
dǎng 党 179
dàng 荡 180
dāo 刀 181
dáo 刀(阳) 181
dǎo 岛 182
dào 到 183
dē 德(阴) 185
dé 德 185
de 德(轻) 187
děi 得 188
dèn 扽 188
dēng 登 188
děng 等 189
dèng 邓 189
dī 低 191
dí 敌 192
dǐ 抵 194
dì 帝 195
diǎ 嗲 204
diān 颠 204
diǎn 典 204
diàn 电 205
diāo 刁 211
diǎo 刁(上) 212
diào 吊 212
diē 爹 213
dié 碟 214
dīng 叮 215
dǐng 顶 216
dìng 定 216
diū 丢 218
dōng 东 218
dǒng 董 221
dòng 冻 222
dōu 兜 223
dǒu 抖 224
dòu 豆 224
dū 督 225
dú 毒 226
dǔ 堵 228
dù 杜 228
duān 端 230
duǎn 短 230
duàn 段 231
duī 堆 232
duì 对 232
dūn 吨 235
dǔn 盹 235
dùn 盾 235
duō 多 236
duó 夺 238

duǒ 朵 238
duò 剁 239

E

ē 鹅(阴) 240
é 鹅 240
ě 鹅(上) 241
è 饿 241
e 呃(轻) 243
ēi 欸 243
ēn 恩 243
èn 摁 244
ēng 鞥 244
ér 而 244
ěr 耳 245
èr 二 246

F

fā 发(阴) 249
fá 乏 251
fǎ 法 251
fà 发(去) 254
fān 翻 254
fán 凡 255
fǎn 反 257
fàn 贩 260
fāng 方 261
fáng 房 262
fǎng 访 264
fàng 放 265
fēi 飞 266
féi 肥 269
fěi 匪 269
fèi 费 270
fēn 纷 271
fén 坟 274
fěn 粉 275
fèn 奋 275
fēng 丰 276
féng 逢 280
fěng 讽 281
fèng 凤 281
fiào 覅 282
fó 佛 282
fóu 否(阳) 283
fǒu 否 283
fū 夫(阴) 284
fú 扶 284
fǔ 府 289
fù 付 291

G

gā 嘎(阴) 298
gá 嘎(阳) 298
gǎ 嘎(上) 298
gà 嘎(去) 299
gāi 该 299
gǎi 改 299
gài 盖 300
gān 肝 301
gǎn 赶 304
gàn 干(去) 306
gāng 缸 306
gǎng 港 307
gàng 杠 308
gāo 高 308
gǎo 稿 312
gào 告 313
gē 哥 313
gé 革 315
gě 哥(上) 318
gè 各(去) 318
gěi 给 319
gēn 根 320
gén 根(阳) 320
gěn 根(上) 320
gèn 根(去) 320
gēng 耕 321
gěng 梗 321
gèng 更(去) 322
gōng 工 322
gǒng 巩 329
gòng 共 330
gōu 沟 332
gǒu 狗 333
gòu 够 333
gū 姑 334
gǔ 古 336
gù 固 340
guā 瓜 343
guǎ 寡 343
guà 挂 344
guāi 乖 344
guǎi 拐 344
guài 怪 345
guān 官 345
guǎn 管 348
guàn 贯 350
guāng 光 351
guǎng 广 353
guàng 逛 355
guī 归 355
guǐ 鬼 357
guì 贵 358
gǔn 滚 359
gùn 棍 360
guō 锅 360
guó 国 360
guǒ 果 366
guò 过(去) 367
guo 过(轻) 368

H

hā 哈(阴) 369
há 哈(阳) 369
hǎ 哈(上) 369
hà 哈(去) 370
hāi 海(阴) 370
hái 孩 370
hǎi 海 370
hài 害 375
hān 酣 375
hán 寒 375
hǎn 喊 377
hàn 汉 377
hāng 航(阴) 380
háng 航 380
hàng 航(去) 382
hāo 蒿 382
háo 毫 382
hǎo 好(上) 383
hào 号(去) 383
hē 喝(阴) 385
hé 河 385
hè 贺 392
hēi 黑 393
hén 痕 395
hěn 很 395
hèn 恨 395
hēng 横(阴) 395
héng 恒 396
hèng 横(去) 397
hm 噷 397
hng 哼 398
hōng 轰 398
hóng 洪 398
hǒng 哄(上) 402

hòng 哄(去) 402
hōu 侯(阴) 403
hóu 猴 403
hǒu 吼 403
hòu 后 403
hū 呼 405
hú 胡 406
hǔ 虎 409
hù 户 410
huā 花 412
huá 滑 414
huà 画 417
huái 怀 419
huài 坏 420
huai 坏(轻) 420
huān 欢 421
huán 环 421
huǎn 缓 423
huàn 换 423
huāng 荒 424
huáng 黄 425
huǎng 谎 430
huàng 晃(去) 431
huī 灰 431
huí 回 432
huǐ 毁 434
huì 汇 434
hūn 昏 437
hún 魂 437
hùn 混(去) 438
huō 活(阴) 439
huó 活 439
huǒ 火 440
huò 货 442

J

jī 鸡 445
jí 急 453
jǐ 挤 458
jì 记 459
jiā 家 464
jiá 颊 468
jiǎ 甲 468
jià 架 470
jia 家(轻) 471
jiān 坚 471
jiǎn 减 475
jiàn 见 478
jiāng 江 482
jiǎng 奖 484
jiàng 匠 486
jiāo 交 486
jiáo 交(阳) 490
jiǎo 饺 490
jiào 叫 492
jiē 接 494
jié 洁 496
jiě 姐 500
jiè 借 501
jie 借(轻) 503
jīn 金 504
jǐn 紧 508
jìn 近 510
jīng 京 513
jǐng 井 519
jìng 敬 521
jiōng 窘(阴) 523
jiǒng 窘 523
jiū 究 523
jiǔ 久 524
jiù 救 526
jū 居 527
jú 局 530
jǔ 举 530
jù 句 531
juān 捐 535
juǎn 卷(上) 535
juàn 倦 535
juē 撅 536
jué 决 536
juě 决(上) 539
juè 决(去) 539
jūn 军 539
jùn 郡 542

K

kā 喀 544
kǎ 咔 544
kāi 开 545
kǎi 楷 548
kài 开(去) 548
kān 刊 548
kǎn 砍 549
kàn 看(去) 549
kāng 康 550
káng 康(阳) 551
kàng 抗 551
kāo 考(阴) 553
kǎo 考 553
kào 靠 554
kē 科 554
ké 科(阳) 556
kě 渴 556
kè 客 558
kēi 克 560
kěn 肯 560
kèn 肯(去) 560
kēng 坑 560
kōng 空(阴) 561
kǒng 孔 562
kòng 控 563
kōu 抠 564
kǒu 口 564
kòu 扣 565
kū 哭 565
kǔ 苦 566
kù 库 566
kuā 夸 567
kuǎ 垮 567
kuà 跨 567
kuǎi 快(上) 568
kuài 快 568
kuān 宽 569
kuǎn 款 569
kuāng 筐 569
kuáng 狂 570
kuǎng 筐(上) 570
kuàng 矿 570
kuī 亏 571
kuí 葵 572
kuǐ 亏(上) 572
kuì 愧 572
kūn 昆 573
kǔn 捆 573
kùn 困 574
kuò 扩 574

L

lā 拉(阴) 575
lá 拉(阳) 576
lǎ 拉(上) 576
là 辣 577
la 拉(轻) 577
lái 来 578
lài 赖 578
lán 兰 579
lǎn 览 581
làn 烂 581

lāng 啷 581
láng 狼 581
lǎng 朗 582
làng 浪 583
lāo 捞 583
láo 牢 583
lǎo 老 585
lào 涝 587
lē 肋 587
lè 仂 587
le 了(轻) 588
lēi 雷(阴) 588
léi 雷 588
lěi 垒 590
lèi 泪 590
lei 嘞 591
lēng 棱(阴) 591
léng 楞 591
lěng 冷 592
lèng 愣 593
lī 哩(阴) 593
lí 离 593
lǐ 里 595
lì 立 601
li 哩(轻) 606
liǎ 俩 606
lián 连 606
liǎn 脸 609
liàn 练 609
liáng 良 610
liǎng 两 611
liàng 亮 612
liāo 料(阴) 613
liáo 辽 614
liǎo 料(上) 615
liào 料 616
liē 列(阴) 616
liě 列(上) 616
liè 列 617
lie 咧(轻) 618
līn 拎 618
lín 林 618
lǐn 凛 622
lìn 吝 622
líng 零 622
lǐng 领 625
lìng 另 626
liū 溜(阴) 626
liú 留 626
liǔ 柳 631
liù 溜(去) 632
lo 咯(轻) 633
lóng 龙 633
lǒng 拢 635
lòng 龙(去) 635
lōu 搂(阴) 635
lóu 楼 635
lǒu 篓 636
lòu 漏 636
lou 喽(轻) 637
lū 噜 637
lú 炉 637
lǔ 鲁 638
lù 路 639
lǘ 驴 642
lǚ 吕 642
lǜ 虑 644
luán 孪 645
luǎn 卵 645
luàn 乱 646
lüè 略 646
lūn 轮(阴) 646
lún 轮 646
lùn 论(去) 648
luō 罗(阴) 648
luó 锣 648
luǒ 裸 651
luò 洛 651

M

m̄ 呣 654
ḿ 呒 654
mā 妈 654
má 麻 654
mǎ 马 655
mà 骂 660
ma 嘛(轻) 660
mái 买(阳) 660
mǎi 买 660
mài 麦 661
mān 蛮(阴) 663
mán 蛮 663
mǎn 满 663
màn 慢 664
māng 忙(阴) 665
máng 忙 665
mǎng 莽 666
māo 猫(阴) 666
máo 毛 666
mǎo 卯 669
mào 冒 669
me 嚒 670
méi 眉 670
měi 每 672
mèi 妹 673
mēn 闷(阴) 674
mén 门 674
mèn 闷(去) 675
men 们(轻) 675
mēng 蒙(阴) 675
méng 萌 675
měng 猛 677
mèng 梦 677
mī 眯 678
mí 迷 679
mǐ 米 680
mì 蜜 681
mián 棉 682
miǎn 免 683
miàn 面 683
miāo 喵 684
miáo 苗 684
miǎo 秒 685
miào 妙 685
miē 灭(阴) 685
miè 灭 685
mín 民 686
mǐn 敏 688
míng 名 689
mǐng 名(上) 692
mìng 命 692
miù 谬 692
mō 摸 692
mó 膜 692
mǒ 膜(上) 695
mò 末 695
mōu 谋(阴) 699
móu 谋 699
mǒu 某 699
mú 母(阳) 699
mǔ 母 699
mù 木 700

N

nā 拿(阴) 704
ná 拿 704
nǎ 拿(上) 704
nà 纳 704

na 哪(轻) 706
nǎi 乃 706
nài 耐 706
nān 南(阴) 707
nán 南 707
nǎn 南(上) 710
nàn 难(去) 710
nāng 囊(阴) 710
náng 囊(阳) 710
nǎng 囊(上) 710
nàng 囊(去) 711
nāo 脑(阴) 711
náo 挠 711
nǎo 脑 711
nào 闹 712
né 讷(阳) 712
nè 讷 712
ne 呢(轻) 712
něi 内(上) 712
nèi 内 713
nèn 嫩 714
néng 能 715
n̄g 嗯 715
nī 尼(阴) 715
ní 尼 715
nǐ 你 717
nì 逆 717
niān 年(阴) 718
nián 年 718
niǎn 捻 719
niàn 念 719
niáng 娘 720
niàng 酿 720
niǎo 鸟 720
niào 鸟(去) 720
niē 捏 720
nié 聂(阳) 721
niè 聂 721
nín 您 722
níng 宁(阳) 722
nǐng 宁(上) 723
nìng 宁(去) 723
niū 妞 723
niú 牛 723
niǔ 纽 724
niù 牛(去) 724
nóng 农 724
nòng 农(去) 726
nóu 耨(阳) 726
nòu 耨 727
nú 奴 727
nǔ 努 727
nù 怒 727
nǚ 女 728
nǜ 女(去) 728
nuǎn 暖 728
nüè 虐 728
nún 黁 729
nuó 挪 729
nuò 诺 729

O

ō 哦 730
ōu 欧 730
ǒu 藕 731
òu 欧(去) 731

P

pā 趴 732
pá 爬 732
pà 怕 732
pāi 拍 733
pái 牌 733
pǎi 排(上) 735
pài 派 735
pān 攀 735
pán 盘 736
pàn 判 737
pāng 乓 737
páng 旁 737
pǎng 旁(上) 738
pàng 胖 738
pāo 抛 739
páo 袍 739
pǎo 跑(上) 740
pào 泡(去) 740
pēi 培(阴) 741
péi 培 741
pèi 配 742
pēn 喷(阴) 743
pén 盆 743
pěn 盆(上) 743
pèn 喷(去) 743
pēng 烹 743
péng 朋 744
pěng 捧 745
pèng 碰 745
pī 批 746
pí 皮 747
pǐ 痞 749
pì 屁 749
piān 篇 750
pián 片(阳) 751
piǎn 片(上) 751
piàn 片 751
piāo 飘 752
piáo 瓢 752
piǎo 瞟 753
piào 票 753
piē 撇(阴) 753
piě 撇(上) 753
piè 撇(去) 754
pīn 拼 754
pín 贫 754
pǐn 品 755
pìn 聘 755
pīng 乒 755
píng 平 755
pō 坡 759
pó 婆 760
pǒ 坡(上) 760
pò 破 760
po 桲 761
pōu 剖 761
póu 剖(阳) 762
pǒu 剖(上) 762
pū 扑 762
pú 菩 762
pǔ 普 763
pù 铺(去) 765

Q

qī 欺 766
qí 齐 768
qǐ 起 771
qì 气 774
qiā 恰(阴) 777
qiá 恰(阳) 777
qiǎ 恰(上) 777
qià 恰 777
qiān 千 777
qián 前 780
qiǎn 浅 784
qiàn 欠 784
qiāng 枪 784
qiáng 墙 785

qiǎng 枪(上) 787
qiàng 墙(去) 787
qiāo 敲 787
qiáo 桥 788
qiǎo 巧 789
qiào 窍 789
qiē 切(阴) 790
qié 切(阳) 790
qiě 切(上) 790
qiè 妾 790
qīn 钦 791
qín 琴 792
qǐn 寝 794
qìn 沁 794
qīng 青 794
qíng 晴 800
qǐng 请 801
qìng 庆 801
qiōng 穷(阴) 802
qióng 穷 802
qiū 秋 803
qiú 求 804
qiǔ 求(上) 805
qū 屈 805
qú 渠 807
qǔ 取 808
qù 去 809
qu 去(轻) 810
quān 权(阴) 810
quán 权 810
quǎn 犬 812
quàn 劝 812
quē 缺 813
qué 缺(阳) 813
què 确 813
qūn 群(阴) 814
qún 群 814

R

rán 然 816
rǎn 染 816
rāng 让(阴) 817
ráng 瓤 817
rǎng 壤 817
ràng 让 817
ráo 饶 817
rǎo 扰 818
rào 绕 818
rě 惹 818
rè 热 818
rén 人 820
rěn 忍 826
rèn 认 826
rēng 扔 827
réng 仍 827
rì 日 827
róng 容 828
rǒng 容(上) 830
róu 柔 830
ròu 肉 831
rú 如 831
rǔ 乳 833
rù 入 834
ruán 软(阳) 835
ruǎn 软 835
ruí 锐(阳) 836
ruǐ 蕊 836
ruì 锐 836
rún 润(阳) 836
rùn 润 836
ruó 若(阳) 837
ruò 若 837

S

sā 洒(阴) 839
sǎ 洒 839
sà 萨 839
sāi 腮 840
sài 赛 840
sān 三 841
sǎn 伞 846
sàn 散(去) 846
sāng 桑 847
sǎng 嗓 847
sàng 丧(去) 847
sāo 骚 847
sǎo 嫂 848
sào 扫(去) 848
sè 涩 848
sēn 森 849
sēng 僧 850
shā 杀 850
shá 啥 852
shǎ 傻 852
shà 沙(去) 853
shāi 筛 853
shǎi 晒(上) 853
shài 晒 853
shān 山 853
shǎn 闪 856
shàn 善 857
shāng 商 858
shǎng 赏 860
shàng 尚 861
shang 上(轻) 863
shāo 烧 863
sháo 勺 863
shǎo 少(上) 864
shào 绍 864
shē 赊 864
shé 舌 865
shě 舍(上) 866
shè 社 866
shēn 申 870
shén 神 872
shěn 审 874
shèn 慎 875
shēng 生 876
shéng 绳 882
shěng 生(上) 882
shèng 圣 883
shī 诗 885
shí 实 888
shǐ 史 896
shì 市 897
shi 市(轻) 904
shōu 收 904
shóu 收(阳) 905
shǒu 手 905
shòu 受 907
shū 叔 908
shú 孰 911
shǔ 暑 911
shù 树 912
shuā 刷(阴) 915
shuǎ 耍 915
shuà 刷(去) 915
shuāi 衰 915
shuǎi 甩 916
shuài 帅 916
shuān 栓 916
shuàn 涮 916
shuāng 双 916
shuǎng 爽 918
shuí 谁 918
shuǐ 水 918
shuì 睡 922
shǔn 吮 923
shùn 顺 923

shuō 烁(阴) 923
shuò 烁 924
sī 思 924
sǐ 死 929
sì 四 930
sōng 松 932
sóng 宋(阳) 933
sǒng 耸 933
sòng 送 934
sōu 搜 935
sǒu 叟 936
sòu 嗽 936
sū 苏 936
sú 俗 938
sù 素 938
suān 酸 940
suǎn 算(上) 941
suàn 算 941
suī 虽 941
suí 随 941
suǐ 髓 942
suì 碎 942
sūn 孙 943
sǔn 损 944
suō 梭 944
suǒ 所 945
suò 所(去) 946

T

tā 他 947
tǎ 塔 947
tà 榻 948
tāi 胎 949
tái 抬 949
tǎi 太(上) 951
tài 太 951
tān 贪 954
tán 谈 955
tǎn 坦 956
tàn 探 956
tāng 汤 958
táng 堂 958
tǎng 躺 960
tàng 烫 961
tāo 涛 961
táo 桃 962
tǎo 讨 963
tào 套 963
tè 特 964
te 脦 965
tēng 腾(阴) 965
téng 腾 965
tī 梯 965
tí 题 966
tǐ 体(上) 968
tì 替 969
tiān 天 969
tián 田 974
tiǎn 舔 975
tiàn 田(去) 975
tiāo 挑(阴) 975
tiáo 条 976
tiǎo 挑(上) 977
tiào 跳 978
tiē 贴 978
tiě 铁 979
tiè 铁(去) 980
tīng 厅 980
tíng 亭 981
tǐng 挺 981
tìng 亭(去) 982
tōng 通 982
tóng 童 984
tǒng 统 987
tòng 痛 988
tōu 偷 988
tóu 头 989
tǒu 头(上) 990
tòu 透 990
tou 头(轻) 991
tū 秃 991
tú 徒 991
tǔ 土 993
tù 兔 995
tuān 团(阴) 995
tuán 团 995
tuǎn 团(上) 996
tuàn 团(去) 996
tuī 推 996
tuí 推(阳) 997
tuǐ 腿 997
tuì 退 997
tūn 吞 998
tún 吞(阳) 998
tǔn 吞(上) 998
tùn 吞(去) 999
tuō 脱 999
tuó 驼 1000
tuǒ 妥 1001
tuò 唾 1001

W

wā 挖 1003
wá 娃 1003
wǎ 瓦(上) 1003
wà 袜 1004
wa 哇(轻) 1004
wāi 歪 1004
wǎi 外(上) 1004
wài 外 1005
wān 弯 1006
wán 完 1007
wǎn 晚 1008
wàn 腕 1009
wāng 汪 1010
wáng 王(阳) 1011
wǎng 网 1013
wàng 忘 1014
wēi 威 1015
wéi 维 1018
wěi 伟 1021
wèi 位 1023
wēn 温 1026
wén 文 1028
wěn 稳 1031
wèn 问 1031
wēng 翁 1032
wěng 翁(上) 1032
wèng 翁(去) 1032
wō 窝 1032
wǒ 我 1033
wò 卧 1033
wū 屋 1034
wú 无 1036
wǔ 午 1042
wù 物 1047

X

xī 西 1050
xí 习 1057
xǐ 喜 1058
xì 细 1059
xiā 瞎 1061
xiá 匣 1062
xià 下 1062
xiān 先 1064
xián 贤 1067
xiǎn 险 1068

xiàn	现	1069
xiāng	香	1072
xiáng	详	1075
xiǎng	想	1075
xiàng	象	1076
xiāo	消	1078
xiáo	小(阳)	1082
xiǎo	小	1082
xiào	笑	1085
xiē	歇	1086
xié	协	1087
xiě	写	1088
xiè	泻	1089
xīn	心	1090
xín	心(阳)	1096
xǐn	心(上)	1096
xìn	信	1096
xīng	星	1098
xíng	形	1099
xǐng	醒	1103
xìng	杏	1103
xiōng	兄	1104
xióng	雄	1105
xiòng	兄(去)	1106
xiū	修	1106
xiǔ	朽	1108
xiù	袖	1108
xū	需	1109
xú	徐	1110
xǔ	许	1111
xù	叙	1112
xu	蓿	1113
xuān	宣	1113
xuán	玄	1114
xuǎn	选	1115
xuàn	绚	1116
xuē	靴	1117
xué	学	1117
xuě	雪	1118
xuè	雪(去)	1119
xūn	勋	1120
xún	旬	1121
xùn	迅	1123

Y

yā	压	1125
yá	牙	1126
yǎ	雅	1127
yà	亚	1128
ya	呀(轻)	1130
yān	淹	1130
yán	言	1132
yǎn	演	1135
yàn	厌	1137
yāng	央	1139
yáng	羊	1139
yǎng	养	1143
yàng	样	1144
yāo	腰	1144
yáo	尧	1145
yǎo	咬	1146
yào	药	1147
yē	椰	1148
yé	爷	1149
yě	也	1149
yè	夜	1150
yī	依	1153
yí	仪	1159
yǐ	以	1163
yì	易	1165
yīn	音	1172
yín	银	1176
yǐn	引	1178
yìn	印	1180
yīng	英	1181
yíng	迎	1183
yǐng	影	1185
yìng	硬	1186
yō	哟	1187
yo	哟(轻)	1187
yōng	拥	1187
yóng	拥(阳)	1188
yǒng	永	1189
yòng	用	1190
yōu	优	1190
yóu	由	1191
yǒu	友	1194
yòu	右	1196
yū	淤	1197
yú	鱼	1198
yǔ	羽	1201
yù	玉	1204
yuān	渊	1208
yuán	元	1209
yuǎn	远	1214
yuàn	院	1214
yuē	曰	1215
yuě	月(上)	1215
yuè	月	1215
yūn	云(阴)	1218
yún	云	1218
yǔn	允	1219
yùn	运	1220

Z

zā	杂(阴)	1222
zá	杂	1222
zǎ	杂(上)	1223
zāi	灾	1223
zǎi	宰	1223
zài	在	1223
zān	簪	1225
zán	咱	1225
zǎn	赞(上)	1225
zàn	赞	1225
zāng	赃	1226
zǎng	赃(上)	1226
zàng	葬	1226
zāo	糟	1227
záo	糟(阳)	1227
zǎo	早	1227
zào	造	1227
zé	责	1228
zè	责(去)	1229
zéi	贼	1229
zěn	怎	1230
zèn	怎(去)	1230
zēng	增	1230
zèng	赠	1230
zhā	渣	1231
zhá	闸	1231
zhǎ	眨	1232
zhà	乍	1232
zha	闸(轻)	1233
zhāi	斋	1233
zhái	宅	1233
zhǎi	窄	1233
zhài	债	1233
zhān	沾	1234
zhǎn	斩	1234
zhàn	战	1235
zhāng	章	1237
zhǎng	掌	1240
zhàng	帐	1241
zhāo	招	1242
zháo	招(阳)	1243
zhǎo	找	1243
zhào	照	1244

zhē 遮 1245
zhé 哲 1246
zhě 者 1247
zhè 蔗 1248
zhe 者(轻) 1248
zhèi 这 1248
zhēn 针 1248
zhěn 枕 1251
zhèn 振 1251
zhēng 争 1253
zhěng 整 1254
zhèng 政 1255
zhī 支 1259
zhí 直 1262
zhǐ 止 1265
zhì 治 1267
zhōng 忠 1272
zhǒng 肿 1284
zhòng 众 1285
zhōu 州 1287
zhóu 轴(阳) 1289
zhǒu 肘 1289
zhòu 宙 1290
zhū 朱 1290
zhú 竹 1293
zhǔ 主 1294
zhù 祝 1296
zhuā 抓 1298
zhuǎ 抓(上) 1298
zhuāi 拽(阴) 1298
zhuǎi 跩 1298
zhuài 拽(去) 1298
zhuān 专 1298
zhuǎn 转(上) 1300
zhuàn 转(去) 1301
zhuāng 庄 1302
zhuǎng 庄(上) 1303
zhuàng 壮 1303
zhuī 追 1303
zhuì 坠 1304
zhūn 准(阴) 1304
zhǔn 准 1305
zhuō 桌 1305
zhuó 茁 1306
zī 资 1307
zǐ 子(上) 1310
zì 字 1312
zi 子(轻) 1317
zōng 宗 1317
zǒng 总 1318
zòng 纵 1319
zōu 走(阴) 1320
zǒu 走 1320
zòu 奏 1321
zū 租 1321
zú 族 1321
zǔ 祖 1322
zuān 钻(阴) 1323
zuǎn 钻(上) 1323
zuàn 钻(去) 1323
zuī 嘴(阴) 1323
zuǐ 嘴 1323
zuì 最 1324
zūn 尊 1324
zǔn 尊(上) 1325
zùn 尊(去) 1325
zuō 作(阴) 1325
zuó 昨 1325
zuǒ 左 1325
zuò 坐 1326

新旧字形对照表

（字形后圆圈内的数字表示字形的笔画数）

新字形	旧字形	新字举例	新字形	旧字形	新字举例	新字形	旧字形	新字举例
艹③	艹④	花草	耒⑥	耒⑥	耕耘	疌⑧	疌⑨	捷婕
廾③	廾④	卉莽	吕⑥	吕⑦	侣宫	黾⑧	黽⑧	绳渑
及③	及④	吸级	攸⑥	攸⑦	修倏	咼⑧	咼⑨	渦窩
辶③	辶④	近速	杀⑥	杀⑦	铩刹	垂⑧	垂⑨	陲睡
彐③	彐③	侵雪	争⑥	爭⑧	净静	食⑧	飠⑨	飯飽
刃③	刃③	仞纫	产⑥	产⑥	彦铲	录⑧	彔⑧	碌禄
丰④	丰④	害峰	并⑥	幷⑧	拼屏	昷⑨	昷⑩	温瘟
开④	幵⑥	形研	𦍌⑥	𦍌⑦	差着	骨⑨	骨⑩	滑骼
巨④	巨⑤	拒渠	良⑥	良⑦	郎朗	卸⑨	卸⑧	御禦
屯④	屯④	囤盹	羽⑥	羽⑥	翔翟	鬼⑨	鬼⑩	槐魁
瓦④	瓦⑤	瓶瓷	糹⑥	糸⑥	红纺	俞⑨	兪⑨	渝偷
反④	反④	板返	呈⑦	呈⑦	逞程	蚤⑨	蚤⑩	搔骚
户④	戶④	扁肩	吴⑦	吳⑦	娱蜈	敖⑩	敖⑪	傲熬
礻④	示⑤	社福	角⑦	角⑦	解确	華⑩	華⑫	嘩鏵
丑④	丑④	纽扭	奂⑦	奐⑨	换痪	真⑩	眞⑩	慎填
术⑤	朮⑤	怵述	免⑦	免⑧	挽冤	䍃⑩	䍃⑩	摇遥
犮⑤	犮⑤	拔跋	㡀⑦	㡀⑧	敝弊	衮⑩	袞⑪	滚磙
业⑤	业⑥	普虚	耳⑦	耳⑧	敢嚴	黄⑪	黃⑫	横簧
冉⑤	冉⑤	再篝	矣⑦	矦⑧	侯候	異⑪	異⑫	冀戴
印⑤	印⑥	茚鲫	非⑧	非⑧	排腓	象⑪	象⑫	橡像
令⑤	令⑤	冷苓	青⑧	靑⑧	清晴	奥⑫	奧⑬	澳懊
氏⑤	氏⑤	低底	者⑧	者⑨	都著	鼠⑬	鼠⑮	鼬鼯
艮⑤	皀⑦	即既	直⑧	直⑧	值植	龜⑰	龜⑱	鬮穐

部首检字表

（说　明）

1. 本检字表采用的部首依据《汉字统一部首表（草案）》，共201部。其中对某些规定的部首字作了适当调整，如“邑”归“口”部，“阜”归“十”部。
2. 部首次序按部首笔画数的多少排列，部首的变体也排列在内，标明“见”这个部首的正体，部首的正体之后也将其变体加上括弧标出。
3. 同一部首的字按全字笔画数的多少依次排列，同笔画的字按起笔笔形的一、丨、丿、丶、乛的次序排列，如第一笔笔形相同，则按第二笔，依次类推。
4. 本词典字头所列的繁体字、异体字也一律收在检字表内，并加上括弧标出。
5. 为便于读者查检，将某些难检的字分别收在几个部首内，如“昆”，分别列入“日”和“比”两个部首；“颇”，分别列入“皮”和“页”两个部首；“着”，分别列入“八”、“羊”和“目”三个部首。有些难以分清部首的字，则按其起笔的笔形，列入一、丨、丿、丶、乛五个单笔部首内。

（一）部首目录

（部首右边的号码指检字表的页码）

一画

一 17
丨 17
丿 18
丶 18
乛(乙⺄乚亅) 18

二画

十 18
厂(𠂆) 19
匚 19
⺊(见19页卜)
刂(见24页刀)
卜(⺊) 19
冂(⺆) 19
亻(见20页人)
八(丷) 19
人(入亻) 20
入(见20页人)
⺈(见24页刀)
勹 22
儿 22
匕 22
几(⺇) 22
⺇(见22页几)
亠 22
冫 23
丷(见19页八)
冖 23
讠(见75页言)
凵 23
卩(㔾) 23
阝(在左) 23
阝(在右) 24
刀(刂⺈) 24
力 25
厶 25
又 25
廴 25
㔾(见23页卩)

三画

干 25
土(士) 25
士(见25页土)
工 27
扌(见51页手)
艹(艸) 27
寸 29
廾 30
大 30
尢(兀尣) 30
兀(见30页尢)
弋 30
小(⺌) 30
⺌(见30页小)
口 30
囗 33
山 33
巾 34
彳 35
彡 35
犭(见44页犬)
夕 35
夂 35
饣(见82页食)
丬(爿) 35
广 35

门(門) 36
氵(见48页水)
忄(见57页心)
宀 36
辶(辵) 37
彐(⺕彑) 37
尸 38
弓 38
己(巳) 38
子 38
屮(屮) 38
女 38
飞(飛) 39
马(馬) 39
纟(见71页糸)
彑(见37页彐)
幺 40
巛 40

四画

王(玉) 40
无(旡) 41
韦(韋) 41
耂(见65页老)
木 41
支 44
犬(犭) 44
歹 44
车(車) 45
牙 45
戈 45
比 46
瓦 46
止 46
攴(攵) 46
小(见57页心)
日(曰冃) 46
曰(见46页日)
贝(貝) 47
水(氵氺) 48
见(見) 51
手(扌龵) 51
牛 53
毛 53
气 54
攵(见46页攴)
长(長镸) 54
片 54
斤 54
爪(爫) 54
父 54
月(⺝) 54
氏 55
风(風) 55
欠 55
殳 56
文 56
方 56
火(灬) 56
斗 57
灬(见56页火)
户 57
礻(见59页示)
心(忄⺗) 57
肀(见70页聿)
爿(见35页丬)
毋(母) 59

五画

玉(见40页王)
示(礻) 59
甘 59
石 59
龙(龍) 60
业 60
氺(见48页水)
目 60
田 61
罒 61
皿 61
钅(见78页金)
生 62
矢 62
禾 62
白 62
瓜 63
鸟(鳥) 63
疒 64
立 64
穴 65
衤(见69页衣)
疋(⺪) 65
⺪(见65页疋)
皮 65
癶 65
矛 65

六画

耒 65
老(耂) 65
耳 65
臣 65
覀(西) 65
而 66
页(頁) 66
至 66
虍(虎) 66
虫 66
肉 68
缶 68
舌 68
竹(⺮) 68
臼 69
自 69
血 69
舟 69
色 69
齐(齊) 69
衣(衤) 69
羊(⺶⺷) 70
⺷(见70页羊)
米 70
聿(肀⺻) 70
艮 71
艸(见27页艹)
羽 71
糸(纟糹) 71

七画

麦(麥) 73
走 73
赤 73
車(见45页车)
豆 73
酉 73
辰 74
豕 74
卤(鹵) 74
貝(见47页贝)
見(见51页见)
里 74
足(⻊) 74
身 75
辵(见37页辶)
采 75
谷 75
豸 75
龟(龜) 75
角 75
言(讠) 75
辛 77

八画

青 77
長(见54页长)
卓 77
雨 77
非 77
齿(齒) 77
虎(见66页虍)
黾(黽) 78
隹 78
金(钅) 78
飠(见82页食)
鱼(魚) 80
門(见36页门)
隶 82

九画

革 82
頁(见66页页)
面 82
韭 82
骨 82
香 82
鬼 82
食(飠饣) 82
風(见55页风)
音 83
首 83
韋(见41页韦)
飛(见39页飞)

十画

髟 83
馬(见39页马)
鬲 83
鬥 83
高 83

十一画

黄 83
麥(见73页麦)
鹵(见74页卤)
鳥(见63页鸟)
魚(见80页鱼)
麻 84
鹿 84

十二画

鼎 84
黑 84
黍 84

十三画

鼓 84
黽(见78页黾)
鼠 84

十四画

鼻 84
齊(见69页齐)

十五画

齒(见77页齿)

十六画

龍(见60页龙)

十七画

龜(见75页龟)
龠 84

(二) 检字表

(字右边的号码指词典正文的页码)

一 部

一至二画

一 1153
二 246
丁 215
丁 1253
七 766

三画

三 841
亍 139
于 1198
亏 571
才 89
下 1062
丌 447
丈 1241
兀 1034
与 1198
与 1201
与 1204
万 695
万 1009
上 860
上 861

四画

丰 276
井 519
开 545
亓 768
天 969
夫 284
夫 284
元 1209
无 1036
专 1298
云 1218
丐 300
廿 719
五 1042
市 285
(帀) 1222
丏 683
卅 839
不 79
冇 669
不 235
友 1194
屯 998
屯 1304
互 410
丑 134

五画

末 695
未 1024
击 447
正 1253
正 1255
甘 303
世 898
卌 1059
本 48
(𠕅) 1223
(𠕂) 1223
可 556
可 558
丙 70
左 1325
丕 746
右 1197
布 85
平 755
东 218
且 527
且 790
丝 926

六画

考 553
老 585
共 330
亚 1128
亘 320
吏 604
再 1223
在 1224
百 26
有 1194
有 1197
(亙) 320
死 929
夹 298
夹 466
夹 468
夷 1160
尧 1145
至 1267
丞 123

七画

严 1132
求 804
甫 290
更 321
更 322
束 913
两 611
丽 593
丽 604
丟 243
(夾) 298
(夾) 466
(夾) 468
来 578

八画

奉 282
表 65
武 1045
忝 975
(長) 107
(亞) 1128
其 448
(來) 578
(東) 218
事 901
画 418
枣 1227
(兩) 611
亟 455
亟 776

九画

奏 1321
毒 226
耇 333
甚 873
甚 876
巷 382
巷 1077
柬 475
甭 49
歪 1004
面 683
韭 525
昼 1290

十画

艳 1138
秦 793
泰 953
冓 334
恭 329
哥 314
鬲 317
鬲 605
孬 711
夏 1064
疍 178

十一画

焉 1131
堇 509
(專) 1298
啎 1045
戛 298
戛 468
爽 918
胥 1086
(晝) 1290

十二至十三画

棘 456
(棗) 1227
奡 13
皕 56
(戞) 298
(戞) 468
(尠) 1069
畺 484
赖 578

十四至十六画

(爾) 245
暨 463
奭 904
逮 173
鬳 1310
(憂) 1190
整 1254
(賴) 578
臧 1206
噩 243
臻 1251

十九画以上

夒 711
櫜 312
亹 1032
亹 1098
囊 710
囔 710
纛 185

丨 部

三至四画

上 860
上 861
丰 276
中 1272
中 1285
(弔) 212
书 908

五画

卡 544
卡 777
北 42
凸 991
旧 526
帅 916
归 355
且 527
且 790
申 870
甲 468
电 205
由 1192

冉 816
史 896
央 1139
(㠯) 1163
凹 12
出 135

六至八画

师 886
曲 806
曲 808
曳 1151
肉 831
芈 680
串 143
畅 110
弗 106
(咼) 360

九画以上

临 620
禺 1200
幽 1191
夥 442
(夥) 441
(暢) 110
(豔) 1138
(豓) 1138

丿 部

二至三画

乂 1165
匕 51
九 524
乃 706
千 777
乇 999
乇 1248
乞 771
川 140
(凣) 255
及 453
久 525
么 670
丸 1007
义 1166

四画

午 1045
壬 825
升 876
夭 1144
长 107
长 1240
币 54
爻 1145
乏 251
丹 174
乌 1034
乌 1048

五画

生 298
失 885
乍 1232
㐌 1159
丘 803
卮 1260
乎 405
乐 588
乐 1216
册 98

六画

年 718
朱 1290
丢 218
乔 788
乒 755
乓 737
向 1076
囟 1096
后 403
甪 639
杀 850
氽 622
兆 1244

七画

尬 299
我 1033
岙 13
兵 69
(兎) 995
囱 153
(巵) 1260
希 1053
龟 356
龟 541
龟 803
卵 645
系 1060

八画

弗 106
垂 145
乖 344
秉 71
卑 41
阜 293
质 1269
肴 1145

九画

(乗) 124
舌 100
重 131
重 1286
复 293
禹 1202
(帥) 916
甮 282
胤 1181

十画

乘 124
乘 884
(烏) 1034
(烏) 1048
(師) 886

十一至十三画

(牾) 1045
馗 572
甦 813
(喬) 788
粤 1217
弑 901
(與) 1201
(與) 1204

十四画以上

舞 1046
舆 1201
睾 312
艚 274
艘 231
(輿) 1201
膢 443
虁 962
疊 1032
疊 1098
(鬱) 1098

丶 部

三至五画

丸 1007
义 1166
之 1259
丹 174
卞 60
为 1019
为 1024
以 1163
主 1294
头 989
头 991
必 54
永 1189

六画以上

乓 737
州 1287
农 724
良 610
亲 792
亲 801
叛 737
為 1019
為 1025
举 531
鬯 111
(斃) 55

乛(乙⺄乚亅)部

一至二画

乙 1163
刁 211
了 588
了 615
乜 685
乜 721

三画

乞 771
孑 496
孓 536
也 1149
飞 266
习 1057
乡 1072

四画

尹 1178
夬 345
丑 134
孔 562
巴 18
以 1163
予 1198
予 1201
书 908
幻 423

五画

电 205
司 925
民 686
弗 285
(疋) 749
氹 180
卯 350
发 249
发 254
丝 926

六至七画

乩 447
㐆 225
丞 123
买 660
乱 646
君 542
(乖) 669
甬 1189

八画

乳 833
肃 938
承 124
亟 455
亟 776
函 376
卺 508
虱 887

九画

(乹) 301
胤 1181
(叚) 469
(飛) 266

十画以上

(圅) 376
乾 782
(乾) 301
(亁) 301
(亂) 646
(肅) 938
犛 1062
鼐 706
豫 1207
(嚮) 1076

十 部

二至五画

十 888
千 777
支 1259
午 1045
升 876
卉 434
古 336

六至七画

协 1087
毕 54
早 1227
华 414
华 418
克 558
孛 45
(皁) 1227

八画

直 1262
丧 847
丧 847
(協) 1087
卖 662
卓 1306
卑 41
阜 293
卒 154

卒 1322
(卆) 1322
九至十画
(乹) 301
南 704
南 707
真 1249
索 946
隼 944
十一画
乾 782
(乾) 301
啬 849
率 644
率 916
十二至十三画
博 76
(乾) 301
韩 376
(喪) 847
(喪) 847
辜 335
(幹) 306
(嗇) 849
(準) 1305
十四画以上
(榦) 306
斡 1034
兢 519
嘏 338
疐 1272
翰 380
(韓) 376
矗 140

厂(𠂆)部

二至五画
厂 110
厅 980
仄 1229
历 601
厄 241
反 257
厉 602
六画
压 1125
压 1130
厌 1137
厍 866
厓 1127
后 403
七至八画
辰 116
厏 1232
厓 1127
厔 1267
厕 98
质 1269
九画
(厙) 866
庯 284
厘 593
厚 405
盾 236
十至十一画
厝 158
原 1211
厗 1152
虒 927
厢 1074
厣 1137
(厠) 98
厩 527
十二至十三画
厥 12
廬 556
厨 138
厦 853
厦 1064
(厤) 601
雁 1139
厥 538
厘 509
十四画
(厨) 138
厮 929
(厲) 602
(歷) 601
(厭) 1137
愿 1215
十五至十六画
靥 1152
(鴈) 1139
魇 1137
餍 1138
(歷) 601
(曆) 601
(歴) 601
赝 1139
十七至十八画
磿 606
黡 1137
(壓) 1152
十九画以上
(靨) 1137
(贋) 1139
黶 539
(贗) 1139
(靨) 1152
(魘) 1137
(饜) 1138
(黶) 1137

匚部

四画
区 730
区 805
匹 749
巨 531
五至六画
叵 760
匝 1222
匜 1159
匡 569
匼 998
匠 486
(匟) 553
七至十画
匣 1062
医 1159
瓯 358
匽 555
匿 718
匪 269
匩 176
十一画
(甌) 358
匮 359
匮 572
(區) 730
(區) 805
匾 60
十三画以上
(匯) 434
(奩) 606
(匱) 359
(匱) 572
(匲) 176
赜 1229
(奩) 606
匴 941
(賾) 1229

卜(⺊)部

二至四画
卜 78
卜 78
上 860
上 861
卞 60
五画
卡 544
卡 777
占 1234
占 1235
卢 637
处 138
处 139
外 1005
六至七画
卡 909
贞 1248
芈 680
卤 638
卣 1196
八至九画
卦 344
卧 1033
卓 1306
(貞) 1248
战 204
卨 1089
(卧) 700
十画以上
桌 1305
(卨) 1089
卤 638
离 1089
鹾 158
(鹺) 158

冂(⺆)部

四至五画
(冄) 816
冈 306
内 713
(冊) 98
冉 816
用 1190
甩 916
册 98
六至七画
同 984
同 988
网 1013
罔 523
八画
(岡) 306
(岡) 1014
罔 1014
周 1287

八(丷)部

二至四画
八 16
丫 1125
兮 1050
分 271
分 275
公 325
六 632
六 639
五画
只 1260
只 1265
兰 579
半 32
六画
共 330
并 69
并 71
关 345
兴 1098
兴 1103
七画
兵 69
谷 338
坌 49
岔 102
兑 234
弟 199
八画
其 448
其 769
具 532
典 204
贫 754
岔 275
瓮 1032
卷 535
卷 535
(並) 71
单 104
单 175
单 857
九画
盆 743
差 100
差 103
差 103
差 148
养 1143
叛 737

前 781
酋 805
首 906
兹 150
兹 1309

十至十一画

真 1249
益 1170
兼 474
黄 426
(貧) 754
着 1243
着 1243
着 1248
着 1307
兽 908

十二画

普 764
奠 211
尊 1324
孳 1309
曾 99
曾 1230
巽 1124

十三至十五画

(與) 1198
(與) 1201
(與) 1204
甆 150
慈 150
與 1201
(養) 1143
巃 154

十六画以上

冀 464
(興) 1098
(興) 1103
[illegible] 274
黉 402
(輿) 1201
[illegible] 366
[illegible] 106
夔 572
蠲 535

人(入亻)部

二至三画

人 820
入 834
亿 1165
个 318
个 318
(亾) 1011

四画

仁 825
什 872
什 890
仃 215
仆 762
仆 762
仉 1241
化 412
化 417
仇 133
仇 804
仂 587
仍 827
仅 508
仅 510
仏 282
介 501
从 153
仑 646
今 504
仓 94
以 1163

五画

仨 839
仕 897
付 291
仗 1241
代 171
仙 1064
仟 779
仡 313
仡 1166
伋 453
仫 702
们 675
们 675
仪 1160
仔 1223
仔 1307
仔 1311
他 947
偒 960
仞 826
仝 984
(仝) 984
(尒) 245
丛 153
令 622
令 625
令 626

六画

伕 284
伟 1021
传 141
传 1301
休 1106
伍 1045
伎 461
伏 286
伛 1201
优 1190
伡 115
伡 527
佢 807
伢 1127
伐 251
仳 749
佤 1004
仲 1285
伣 784
伣 1069
件 479
仵 1045
任 825
任 826
伤 858
伥 106
价 470
价 502
价 503
伦 646
份 275
伧 94
伧 120
华 414
华 418
仰 1143
伉 551
仿 264
伙 441
伪 1021
伫 1296
伈 1096
伊 1157
似 901
似 932
伃 1198
全 810
会 435
会 568
合 318
合 386
企 773
汆 155
氽 998
众 1286
伞 846

七画

巫 1036
(夾) 298
(夾) 466
(夾) 468
佞 723
佉 807
估 334
估 340
体 965
体 968
何 388
佐 1326
伾 746
佑 1197
(佈) 85
儱 635
伻 49
佧 545
(佔) 1235
攸 1191
但 177
伸 870
伷 1290
佃 210
佃 974
(佀) 932
佚 1169
作 1325
作 1326
伯 23
伯 28
伯 74
伶 622
佣 1187
佣 1190
低 191
你 717
佝 332
佟 986
㑇 1290
住 1296
位 1025
伴 33
(佇) 1296
佗 1000
伺 152
伺 932
伲 717
佛 282
佛 285
伽 298
伽 466
伽 790
佊 52
佁 1165
佘 865
余 1198
(侖) 692
佥 779
含 375

八画

(來) 578
俇 570
俇 1011
侀 1100
佳 466
侍 901
佶 455
佬 586
佴 248
佴 706
供 328
供 331
使 896
佰 28
侑 1197
侉 567
㒓 948
例 605
侠 1062
臾 1199
侥 491
侥 1145
侄 1264
佌 151
侦 1248
侗 223
侗 985
侣 643
侃 549
佪 420
佪 433
侧 98
侧 1233
侏 1292
侁 871
侹 981
佸 439
侨 788
侐 1112
侜 1287
佺 811
侩 568
佻 975
佾 1170
佩 742
佹 358
侚 1123
佫 392
侈 128

侘 999
侪 103
佼 491
佽 152
依 1159
(併) 71
佯 1142
侘 102
侬 726
佷 395
佷 396
侔 699
舍 866
舍 869
(侖) 646
命 692
籴 193
贪 954
念 719

九画

俦 133
俨 1136
俅 804
(俥) 115
(俥) 527
便 62
便 751
俩 606
俩 612
俪 604
(俠) 1062
俫 578
修 1107
俏 789
俣 1202
(俔) 784
(俔) 1069
俚 599
保 37
俜 755
促 154
俄 240
俐 605
侮 1046
俭 475
俗 938
俘 286
(俛) 290
侹 355
侹 570
(係) 1060
信 1096
侗 1071
俍 610
侵 791
侯 403
侯 405
(侶) 530
俑 1189
俟 771
俟 932
俊 542
俞 913
俞 1200
弇 1136
俎 1322

十画

俸 282
倩 784
债 1233
俵 66
(倀) 106
偌 115
(倖) 1103
倻 1148
借 503
偌 837
(倆) 606
(倆) 612
值 1264
倷 706
倴 49
倚 1165
俺 10
(倈) 578
倢 499
倾 799
倒 183
倒 183
俳 733
俶 139
俶 969
倬 1305
倏 910
脩 1107
(脩) 1107
(倐) 976
(倏) 910
倘 109
倘 961
俱 533
倮 651
倡 106
倡 111
倎 688
(個) 318
(個) 318
候 405
倮 650
倕 145
倭 1033
倪 717
俾 53
(倫) 646
(倸) 91
倜 969
(倃) 1225
(俻) 46
倞 522
倞 613
俯 290
倅 156
倍 46
(倣) 264
倦 535
倓 955
倧 1317
倌 348
倥 562
倥 563
健 480
(們) 675
(們) 675
倨 533
倔 538
倔 539
拿 704
(倉) 94
衾 792

十一画

偰 1089
偾 276
偞 1151
做 1328
鸺 1107
偃 1136
(偪) 50
偭 683
偕 1088
(偵) 1248
偿 109
(側) 98
(側) 1233
(偒) 960
偶 731
偈 463
偈 500
偎 1016
偲 89
偲 927
(偘) 549
偢 134
偢 790
偻 936
傀 572
偊 1203
徛 1271
偷 988
偁 120
偬 1319
(偺) 1225
停 981
偯 1165
偞 119
偨 945
偻 636
偻 643
偏 750
假 469
假 471
偓 1034
(偉) 1021
龛 549
盒 388
(貪) 954

十二画

傣 171
傲 13
傃 939
傤 1225
(傌) 660
(備) 46
傎 204
傅 297
傈 605
傉 728
傑 148
傛 1082
(傜) 961
傥 961
(傷) 542
傂 1272
傒 1055
傜 1145
(傖) 94
(傖) 120
(傑) 499
(傷) 1290
(傚) 1086
傍 35
(傢) 467
傧 67
储 139
傕 539
傩 729
舒 909
畲 865
畲 865
畲 1199
翕 1056
(傘) 846
(傘) 846
禽 794.

十三画

(債) 1233
(僅) 508
(僅) 510
(傳) 141
(傳) 1301
僄 753
(傴) 1201
(傾) 799
(僂) 636
(僂) 643
催 156
(傷) 858
傻 852
(傯) 1319
像 1078
傪 1146
傺 129
(傭) 1187
僇 642
僎 1245
(僉) 779
(會) 435
(會) 568

十四画

僰 77
(僮) 948
(僥) 491
(僥) 1145
(僨) 276
僖 1056
儆 520
僡 437
僳 940
(僊) 1064
僚 614
僭 482
(僕) 762
僯 134
僯 977
僒 520
(僑) 788
(僞) 542
僬 490
(僞) 1021
僢 143
僦 527
僮 986
僮 1303
僯 621
僯 622
僔 1325

僧 850
(僱) 342
(側) 1071
僝 104
僎 1302
僪 530
僪 1208

十五画

(儀) 1225
僵 484
(價) 470
(儥) 503
僼 977
(僶) 688
(儂) 726
儇 1114
儉 1290
(儌) 491
(儉) 475
(儈) 568
儍 853
儋 177
儃 105
儃 956
(億) 1165
(儀) 1160
僿 841
僻 750
(舖) 765

十六画

儓 951
(儔) 133
儒 832
儛 1047
(儗) 717
(儕) 103
(儐) 67
(儘) 508
(舘) 348
龕 10

十七画

(儶) 1107
(優) 1190
(儵) 134
(儵) 977
(償) 109
儡 590
(儲) 139
儦 65
龠 1218

十八至

十九画

(儵) 910
(儭) 119
(儱) 635
儳 105
儳 106
儴 817

二十一画

以上

(儺) 729
(儷) 604
(儼) 1136
(儸) 650
(儻) 961
(龕) 549
(䍜) 193
儽 590
儾 711

勹 部

三至五画

勺 863
勿 1047
勼 523
匀 1219
勾 332
勾 333
句 332
句 532
匆 152
(匃) 300
(匄) 300
包 35

六至九画

旬 1121
匈 1104
匌 743
匍 210
匒 555
匍 763
匑 282
匐 398

十画以上

(芻) 137
匒 161
匓 288
够 334
(夠) 334
匔 243
匑 282
匑 329
艢 274

儿 部

二至六画

儿 244
兀 1034
元 1209
允 1219
兄 1105
尧 1145
光 351
先 1065
兆 1244
(兇) 1104
充 130

七画

克 558
兕 932
(兎) 995
免 683
兑 234

八画

(兒) 244
兔 995
兖 1135
(兔) 995

十画以上

党 180
竟 522
兜 224
竟 522
兢 519
毚 105
(競) 522

匕 部

二至八画

匕 51
比 51
北 42
此 151
旨 1265
顷 801
些 1086

十至

十二画

罳 111
能 715
(頃) 801
匙 127
匙 904
颍 1185
龛 1272

十三画

以上

颖 1185
麀 1191
疑 1162
(穎) 1185
(潁) 1185
(穎) 1185
鬵 1163

几(⺇) 部

二至四画

几 445
几 458
(凢) 255
凡 255
凤 281
亢 307

六至九画

朵 238
夙 938
凫 286
壳 556
壳 789
秃 991
兕 1290
凯 548
凭 758
(凫) 286

十一画

以上

(殼) 556
(殼) 789
凰 425
(凱) 548
(凴) 224
(鳳) 281
(凴) 758
凳 191

亠 部

三至五画

亡 1011
卞 60
六 632
六 639
亢 307
亢 551
市 899
玄 1114

六至七画

亦 1167
交 487
产 105
亥 375
充 130
亩 700
亨 395
弃 776

八画

变 61
京 516
享 1075
夜 1151
卒 154
卒 1322
兖 1135
氓 666
氓 676

九画

弯 1006
(亯) 1075
哀 3
亭 981
亮 612
(亱) 1151
弈 1168
奕 1168
彦 1138
帝 203
(玅) 685

十画

(衺) 1087
衰 155
衰 915
(畝) 700
衷 1283
高 308
亳 76
离 593
衮 359
旁 738
畜 140

十一画

毫 382
孰 911
(衺) 1269
烹 744
商 192
商 859
袤 670
旒 638
率 644
率 916
(牽) 780

十二画

亵 1089
禽 645
就 527
裒 762
(棄) 124
(棄) 776

十三画

(裏) 599
禀 71
亶 177
亶 178
(稟) 71
褎 1169
(亷) 608

雍 1188

十四至十五画

裹 367
豪 382
膏 312
膏 313
䙝 1109
亵 1109
褒 36

十六至十七画

(褭) 720
亸 238
(襃) 36
嬴 1185
壅 1188
(褻) 1089
襄 1075
(齋) 1233
嬴 1185
(甕) 1032

十九画以上

蠃 651
羸 590
(罋) 1032
(嚲) 238
(贏) 1185
(臝) 651
亹 675
亹 1023
饔 1188

冫部

三至五画

习 1057
冬 220
冮 307
冯 280
冯 758

六画

冱 411
冲 130
冲 132
冰 68
沧 94
次 151
决 536
尽 508
尽 510

七至九画

冻 223
况 571
冷 592
(冺) 688
冶 1149
洪 331
冽 617
冼 1068
净 521
凂 672

十画

凊 801
凌 624
凇 933
(凍) 223
凄 767
准 1305
凃 306
凋 211
凉 610
凉 613
弱 837

十一画以上

凑 154
减 476
飡 93
(馮) 280
(馮) 758
(凓) 605
(凔) 94
凘 929
凛 622
凜 622
潕 1056
凝 722

冖部

四至八画

冗 830
冘 1176
冘 1192
写 1088
军 539
(冐) 560
罕 377
罙 871
冞 679

九画以上

冠 348
冠 350
(冦) 565
(軍) 539
(冥) 691
(冣) 1324
冢 1285
冥 691
冤 1208
幂 682
(冪) 682

凵部

凶 1104
击 447
凷 568
凸 991
出 135
凹 12
凼 180
画 418
函 376
幽 1191
凿 1227
豳 68

卩(㔾)部

三至七画

卫 1023
卬 12
卬 1143
叩 565
卮 1260
印 1180
卯 669
(夘) 669
仰 1143
危 1015
却 813
卵 645
即 455
卲 864

八画以上

(卹) 1112
(卻) 813
卷 535
卷 535
卺 508
卸 1089
(卻) 813
卿 800

阝部(在左)

四至五画

队 232
阢 1047
阡 779

六画

阱 519
阮 835
(阨) 241
阵 1251
阰 748
(阯) 1265
阳 1142
阪 31
阶 495
阴 1173
(阬) 560
防 262

七画

际 462
陆 633
陆 639
阿 1
阿 240
陇 635
陈 117
阽 210
阻 1322
阼 1327
陁 1001
附 292
陀 1000
陂 41
陂 748
陂 759
陉 1103

八画

陋 636
陌 696
陕 856
𬮿 299
降 486
降 1075
𬯀 450
陔 299
限 1071

九画

陡 224
(陣) 1251
(陝) 856
陛 55
(陘) 1103
陟 1271
(陗) 789
陧 721
陨 1219
(陞) 876
除 137
险 1069
院 1214

十画

陼 1296
(陸) 633
(陸) 639
陵 624
陬 1320
(陳) 117
陫 270
陲 145
陴 748
(陰) 1173
陶 962
陶 1145
陷 1071
陪 741

十一画

(陜) 1062
(陻) 1176
隋 941
堕 239
随 942
陾 827
(階) 495
(隄) 192
(陽) 1142
隅 1200
隈 1016
隤 997
隍 425
隗 572
隗 1023
(隂) 1173
隃 1200
隆 634
隐 1179
(隊) 232

十二画

隞 12
隔 317
隙 1061
(隕) 1219
(隑) 299
(隖) 1048
[illegible] 628
隘 7

十三至十四画

(際) 462
障 1241
隟 1061
(隨) 942
(隤) 997
隩 14
隩 1208
(隣) 618
隧 943

十五画以上

(險) 1069
隰 1058
(隱) 1179

(隮) 450
隳 432
(隴) 635

阝部 (在右)

四至五画

邓 189
邗 375
邘 1198
邛 802
邝 570
邙 665

六画

邦 34
邢 1100
邧 1111
邪 1087
邪 1149
(邨) 157
邱 1004
邠 67
邬 1035
邡 262
祁 769
那 704
那 704
那 704
那 714

七画

邯 375
邴 70
邳 746
邶 45
邺 1150
邮 1192
邥 705
邱 803
邻 618
邸 194
邹 1320
邲 54
邰 136
邵 864
邰 950

八画

邽 355
郝 887
耶 1148
耶 1149
郁 1205
郕 122
郏 468
郅 1267
郑 1292
(郵) 1112
郈 405
郄 568
郃 388
郯 791
郗 1060
郇 422
郇 1121
郊 488
郑 1258
郎 581
郎 583
郓 1220
郛 1122

九画

郝 383
郚 1041
郦 604
(郟) 468
郢 1185
郧 1219
郜 313
郗 1054
郤 1061
郛 287
郡 543

十画

都 223
都 225
郪 837
郴 115
郰 767
郫 676
(郵) 1192
郸 748
郗 1082
郭 360
部 87
郸 176
郯 955

十一画

鄢 1136
鄄 536
鄂 242
鄋 935
鄅 1203
鄃 910
郾 670
(鄆) 1220
鄘 671
(鄉) 1072

十二画

鄚 670
鄜 834
(鄖) 1219
(鄔) 1035
(鄒) 1320
鄗 384
鄌 959

十三画

鄢 1131
鄞 1178
(鄐) 1057
鄠 412
鄙 53
鄘 1188
鄜 284
鄣 1240
鄛 113

十四画

(鄲) 176
(鄦) 1111
鄱 760
(鄧) 670
鄯 858
(鄰) 618
(鄭) 1258
鄫 99
(鄩) 1122
(鄧) 189

十五至十八画

(鄴) 1150
(酈) 676
鄱 280
(鄶) 568
鄹 1320
(酇) 570
酂 1191
酂 158
酂 1225

十九画以上

酃 625
酅 1206
酆 280
酄 1056
(酈) 604
(酇) 158
(酇) 1225

刀(刂⺈)部

二至五画

刀 181
刃 826
切 790
切 790
刈 1165
分 271
刊 548
刌 157
刍 137
召 864
召 1244

六画

刑 1099
刓 1007
刎 995
列 617
划 414
划 418
划 420
则 1229
刚 306
刏 447
创 143
创 144
刖 1216
危 1015
负 292
刎 1031
刭 1035
争 1254
色 848
色 853
刘 626

七画

划 106
(刦) 497
(刧) 497
(删) 855
别 66
别 67
钊 1242
利 604
龟 356
龟 541
龟 803
奂 424
免 683
删 855
刨 39
刨 739
判 737
初 136
刜 285
忍 826
到 519

八画

刲 571
刳 777
(刼) 497
刵 248
刺 148
刺 152
刯 23
刷 566
到 183
剀 958
刿 358
剀 548
制 1269
刮 343
刽 358
刹 102
刹 850
剁 239
兔 995
剂 462
刻 559
券 813
券 1116
刷 915
刷 915
(兎) 995

九画

荆 517
剋 560
(剋) 558
剌 577
剅 635
(剄) 519
削 1079
削 1117
(則) 1229
剐 343
剑 481
(剉) 158
(負) 292
急 455
(刱) 144
前 781
剃 969

十画

剒 158
剚 1316
剞 450
(剗) 106
捌 271
剔 965
(剛) 306
(剮) 343
(釗) 1242
剥 800
剖 761
(剙) 144
剡 857
剡 1136
剜 1006
剥 36
剥 74

剧 533
剟 238
十一画
剳 439
剺 791
(劄) 1231
副 296
象 1077
剪 477
剭 1036
十二画
劃 474
(剴) 548
剩 885
(剮) 1035
(創) 143
(創) 144
割 315
十三画
劳 595
蒯 568
(剸) 995
赖 578
剽 752
詹 1234
雏 137
(剷) 106
(剹) 642
剿 113
剿 492
(勦) 113
(勦) 492
十四画
劂 538
劄 1225
(劄) 1231
劁 788
劐 1106
(劃) 414
(劃) 418
(劃) 420
劚 1294
劓 343
十五画
劕 439
(劌) 358
(劇) 533
(剴) 958
(劍) 481
(劊) 358
(劉) 626
劈 747
劈 749
十六画以上
(劚) 474
(賴) 578
劁 1172
(劒) 481
(劑) 462
劖 105
劖 105
劘 695
(劚) 1294
劙 595
(釁) 1098

力 部

二至五画
力 601
办 32
劝 812
功 324
夯 49
夯 380
劢 661
务 1049
加 464
幼 1197
六至七画
动 222
劣 618
劦 1088
劫 497
劳 583
励 602
助 1296
男 707
劬 807
努 727
劭 864
劲 512
劲 521
八画
劻 570
劼 497
势 901
(効) 1086
劾 390
九画
勃 76
(勅) 129
(勁) 512
(勁) 521
勋 1120
勉 683
(勈) 504
勇 1189
十至十一画
(勑) 129
勍 800
(勌) 535
勐 677
勖 318
勘 549
勚 1170
勔 683
勗 1113
(動) 222
十二至十三画
募 702
(勛) 1120
(勞) 583
(勣) 464
(勢) 901
勤 794
(勠) 642
(勦) 113
(勦) 492
十四画以上
(勩) 1170
(勱) 661
勰 1088
(勵) 602
(勳) 1120
(勸) 812
勷 817
勷 1075

厶 部

二至五画
厶 924
云 1218
厺 804
厺 830
允 1219
去 809
弁 61
台 949
台 949
六至九画
厽 622
牟 699
牟 702
县 1070
矣 1165
叁 846
参 92
参 99
参 872
(厽) 1233
(詘) 700
枲 1058
垒 590
十画以上
畚 49
能 715
(叅) 92
(叅) 99
(參) 92
(參) 99
(參) 872
絫 590
叆 7
堨 791
逮 173
(毿) 846
(靆) 173

又 部

二至四画
又 1196
叉 100
叉 101
叉 102
叉 102
支 1259
友 1194
反 257
邓 189
劝 812
双 916
五至六画
发 249
发 254
圣 1167
圣 1228
圣 883
对 233
叓 896
戏 406
戏 1059
观 346
观 350
欢 421
七至八画
鸡 447
取 809
叔 909
受 907
变 61
艰 473
叕 1306
九至十画
叟 936
叙 1112
叜 936
(叚) 469
(隻) 1260
难 709
难 710
十一画以上
曼 664
叡 1231
叠 214
聚 533
(叡) 836
燮 1090
(雙) 916
矍 539

廴 部

延 104
廸 104
(廵) 1122
廷 981
延 1132
(廹) 735
(廹) 760
(廼) 706
(廻) 432
建 480

干 部

干 301
干 306
午 1045
刊 548
邗 375
平 755
开 471
旱 379
䳍 379
顸 375
(頇) 375
(鳱) 379

土(士) 部

三至五画
土 993
士 897
壬 825
凷 568
去 809
圣 883
六画
圩 1019
圩 1109
圬 1035
圭 355
寺 932

吉 454
圪 313
圳 1251
圾 447
圹 570
圮 749
圯 1160
地 187
地 195
场 109
场 110
在 1224
至 1267
尘 116
壮 1303

七画

坛 955
坏 420
坜 602
址 1265
坝 22
㘬 306
圻 769
坂 31
𪣻 647
坋 275
坎 549
均 541
坍 954
坞 1048
坟 274
坑 560
坊 262
坊 264
壳 556
壳 789
志 1268
块 568
声 881
毐 5
(㘭) 13
坚 472
坐 1328
坌 49
(壯) 1303
坠 1304

八画

茔 1184
坩 303
坷 554
坷 558
坯 746
坲 86
垅 635
坺 21
坪 758
坫 210
垆 637
坦 956
坤 573
坱 1143
坳 13
坰 523
(坿) 292
(坵) 803
坼 115
坬 344
坬 1003
坻 127
坻 194
垉 36
垃 575
幸 1103
坨 1001
坭 716
坡 759
坶 700
坶 702
坳 13
垄 635

九画

型 1100
垚 1145
垭 1126
垣 1211
垮 567
垯 171
城 122
垤 214
垱 181
垌 223
垌 985
𡋤 433
垲 548
埏 856
埏 1132
垍 463
垧 860
垢 334
垛 238
垛 239
垝 358
垫 211
垴 711
垓 299
垟 1142
垞 101
垵 10
垠 1176
(垜) 238
(垜) 239
垩 242
垡 251
垕 405
垐 149
垦 560
垒 590

十画

𡒄 183
埔 87
埔 764
埂 321
垾 379
埕 123
埋 660
埋 663
埘 893
(埧) 22
埚 360
埙 1121
袁 1211
埒 618
埆 813
垸 1215
埌 583
壶 409
埇 1189
埃 4
(罣) 344
𡍮 1181

十一画

堵 228
堎 593
(埡) 1126
埴 1264
域 1206
埼 771
埯 10
埫 132
堁 560
埸 1169
堌 341
(堈) 306
(堝) 360
埵 238
堄 718
堆 232
埤 748
埤 749
埠 88
埶 1170
(埨) 647
埰 91
埝 720
堋 744
堍 995
(埳) 549
埻 1305
培 741
堉 1206
(執) 1262
埽 857
埮 955
埮 957
壸 574
(殼) 556
(殼) 789
悫 814
埭 173
埽 848
堀 538
堀 566
埁 119
(堊) 242
基 448
(埜) 1149
(堅) 472
堑 784
堂 960
(堃) 573
堕 239

十二画

(堯) 1145
堪 549
堞 214
塔 947
塃 425
堰 1138
堛 750
堙 1176
堶 1001
(堿) 476
堧 835
(堦) 495
堤 192
(場) 109
(場) 110
(喆) 1247
堺 502
喜 1059
塄 592
塅 231
(塊) 568
堠 405
塆 1006
(報) 39
(埢) 125
塿 635
堩 322
壹 1159
(壺) 409
(壻) 1113
堖 712
(塟) 1226
堡 39
堡 79
堡 765
塈 463

十三画

塨 329
填 975
塥 317
塬 1213
塩 581
塩 1072
(塒) 893
塌 947
(塤) 1121
(塏) 548
堽 307
塮 1090
(塢) 1048
塕 1032
塙 814
塘 959
塝 35
塎 1190
塱 583
(壼) 574
(塚) 1285
塓 682
墓 703
塑 940
(塋) 1184
(塗) 992
塞 840
塞 849

十四画

墈 550
墐 513
墘 783
墙 786
(塼) 1300
塽 918
墟 1110
墁 664
(塿) 635
嘉 466
(臺) 949
(塲) 109
(塲) 110
(墖) 947
墒 382
墌 1262
墉 1188
境 522

墒 860
(墊) 211
墚 611
(壽) 907
(墋) 119
(塹) 784
墅 915
塾 911
(塵) 116
壍 784
(墮) 239
(墜) 1304
墬 204

十五画

(墳) 274
(墶) 171
墣 763
壝 1023
(墠) 857
(賣) 662
墺 14
播 256
墩 235
墡 858
增 1230
墀 127
(墜) 1149
墨 698
(墪) 235

十六画

壒 7
(墻) 786
[illegible] 549
(壋) 181
壈 581
(壇) 955
墼 451
(墾) 560
壅 1188
壁 57

十七画

(壔) 183
(壏) 581
(壏) 1072
(壎) 1121
壕 383
(壙) 570
(壓) 1125
(壓) 1130
壑 393
(壍) 784

十八画以上

(壝) 1023
(壘) 590
(壢) 602
(壚) 637
(壜) 955
[illegible] 749
(壞) 420
(壠) 635
(壟) 635
疆 484
壤 817
懿 1172
囍 475
(壩) 22
(壪) 1006

工 部

三至七画

工 322
巧 789
邛 802
功 324
左 1325
全 984
(全) 984
江 307
坙 513
式 900
巩 329
汞 329
贡 331
攻 325
巫 1036
(巠) 513

九画以上

项 1076
差 100
差 103
差 103
差 148
(貢) 331
豇 483
(項) 1076
巯 805
(巰) 805
曌 1245

艹(艸) 部

四至五画

艺 1165
艼 216
艾 5
艾 1165
艽 486
节 494
节 496
艻 587
艿 706

六画

芋 1205
芏 228
芊 779
芨 447
芃 744
芍 863
芄 1007
芒 665
芝 1259
芑 772
芎 1105
芗 1072
(艸) 97

七画

芙 285
芜 1041
芫 1132
芫 1210
苇 1021
芸 1219
芾 270
芾 285
芰 462
芣 286
苉 803
苈 602
苊 242
芘 749
苣 532
苣 809
芽 1127
苉 748
芷 1265
芮 836
贲 45
苋 1069
芼 669
苌 109
花 412
芹 792
苅 1165
芥 300
芥 502
苁 153
(芲) 412
芩 793
芬 274
苍 94
芪 769
芴 1047
芡 784
芟 855
芶 333
苄 60
芳 262
[illegible] 1022
苎 1296
芦 638
芦 638
芯 1092
芯 1096
劳 583
苐 944
芭 20
芤 564
苏 936
苡 1165
芧 1112
芧 1296

八画

茉 695
苷 303
苦 566
苯 49
苛 554
苤 753
若 818
若 837
茏 634
茂 669
茇 21
茇 72
苹 758
苝 44
苫 856
苫 857
苴 527
苜 702
苗 684
苒 816
英 1181
苢 1165
苘 801
苲 1232
茌 127
苻 288
苽 335
苶 721
苓 623
茚 1181
苟 333
茆 669
苳 221
茑 720
苑 1214
[illegible] 137
苞 36
苙 603
范 260
苧 722
(苧) 1296
茓 1117
茔 1184
苾 54
茕 802
苠 688
茀 285
茁 1306
茄 466
茄 790
苕 863
苕 976
茎 513
[illegible] 234
苔 949
苔 950
茅 668
莓 670

九画

荆 517
荖 587
茸 829
茜 784
茜 1053
茬 101
荐 481
荙 161
荚 468
荑 966
荑 1160
荛 817
荜 55
茈 149
茈 1311
草 97
茧 475
莒 530
茼 985
茵 1173
萝 436
茴 433
茱 1292
莛 981
萿 343
荞 788
茯 286
茷 251
茷 742
荏 826
茖 334
荇 1104
荃 811
荟 435

荼 101
荅 160
荅 161
荀 1121
茗 690
茖 316
荠 462
荞 769
茭 488
茨 149
荒 424
荄 299
茺 131
茳 483
茫 665
荡 181
荣 829
荤 437
莦 614
荥 1103
荥 1184
荦 651
荧 1184
荨 781
荨 1122
茛 321
荩 510
荪 944
荍 789
(荍) 788
荫 1174
荫 1181
茹 832
荔 602
(荔) 602
荚 661
荭 400
荮 1290
药 1147
十画
莐 133
(華) 414
(華) 418
莰 549
茝 103
莕 1103
荸 50
莆 763
(荳) 224
(莢) 468
莽 666
莱 578
莲 607
(莖) 513
莳 893
莳 903
(萯) 45
莫 696
(莧) 1069
莴 1032
莪 241
莉 605
莠 1196
莓 671
荷 389
荷 392
莜 1194
莅 603
荼 992
莶 1066
莝 158
莩 287
莩 753
荽 941
获 443
莸 1192
荻 193
莜 213
莘 872
莘 1096
蕑 473
莬 1000
莎 852
莎 944
莞 348
莞 348
莞 1009
䓖 802
莹 1184
莨 583
莨 610
莺 1183
莙 542
(莊) 1302
蔯 119
莼 147
十一画
菶 50
菁 517
菾 975
(萇) 109
菝 21
著 1297
著 1307
菱 624
菴 40
萚 1002
萁 770
菻 622
菘 933
菥 1055
(萊) 578
莿 152
萋 1112
萘 706
(菴) 10
萋 767
萐 853
菦 474
菦 856
菲 268
菲 270
菽 909
萆 1305
(菓) 366
菖 106
萌 676
萜 978
萝 650
菌 542
菌 543
(萵) 1032
萎 1023
萸 1199
萑 423
萏 203
菜 91
棻 274
萉 288
菟 993
菟 995
萄 963
萏 178
菊 530
萃 156
菩 763
(菸) 1130
菤 535
菼 956
菏 390
萍 758
菹 1321
菠 73
菪 181
菅 475
菀 1008
菀 1207
萤 1184
营 1184
蓥 1183
萦 1185
萧 1081
菉 640
(菉) 644
菎 807
菰 335
菡 379
萨 839
菇 335
菑 1310
(菑) 1223
十二画
葜 777
葑 280
葑 282
蕡 274
葚 827
葚 876
(葉) 1150
葫 408
葙 1074
葽 1145
葳 1016
惹 818
葴 106
葢 300
葢 318
(塟) 1226
葬 1226
(葬) 1226
䓤 548
(韮) 525
募 702
葺 776
(萬) 1009
葛 318
葛 318
蒉 572
葸 1059
萼 243
葧 336
蒌 636
萩 804
董 221
葆 39
(蒐) 935
(葠) 872
葩 732
葎 644
(葼) 1114
葡 763
葱 152
葪 503
蒋 485
葶 981
蒂 203
葹 888
葓 402
蒎 735
落 577
落 587
落 652
蓱 759
萱 1114
葵 991
蒄 348
(葷) 437
萹 59
萹 60
葭 467
(葦) 1021
葈 1058
葵 572
葇 831
(葒) 400
(葤) 1290
十三画
蓁 1250
蒜 941
蒲 763
蓍 888
(蓋) 300
(蓋) 318
(蓮) 607
蓐 834
蓝 580
墓 703
(蒔) 893
(蒔) 903
(蓽) 55
幕 703
蓦 697
蒽 244
(夢) 678
蒩 1321
蒨 784
(蓧) 213
蓨 977
蓨 1107
蓓 46
蓖 57
蓏 651
薆 6
(蒼) 94
蓊 1032
蒯 568
蓟 464
蓬 745
(蒭) 137
蓑 945
蒿 382
(蓆) 1057
蒺 456
蓠 594
薋 149

蔀 88
蒟 531
蒡 35
蓄 1112
蒹 474
蒴 924
蒗 256
蒲 763
(蒞) 603
蒗 583
(蓡) 872
蓉 829
蒙 675
蒙 676
蒙 677
蓢 583
蓂 682
蓂 692
蓥 1185
蒻 838
蔆 624
(蔯) 119
(蓀) 944
(蔭) 1174
(蔭) 1181
蒸 1254
蓣 1207
(蒓) 147
十四画
蔧 436
蔫 718
蓷 997
蓺 1170
蔷 786
(蔪) 474
(蔪) 856
(蓴) 147
蔌 939
(蓝) 803
(蔕) 203
慕 703
暮 703
摹 693
蔓 663
蔓 664
蔓 1010
蓖 588
(蔞) 636
蔑 686
甍 677
蔹 1183
(蔦) 720
(蔥) 152
蓰 1059
(蓯) 153
蔹 609
(蔔) 78
蔸 224
蔡 91
(蔴) 654
蔗 1248
蔟 155
蔺 622
蔽 56
蔊 377
(蔆) 624
蕖 808
蔻 565
蓿 1113
蔤 682
蔼 5
蔚 1025
蔚 1207
(蔣) 485
蓼 615
(薌) 1072
十五画
(蕘) 817
(蕢) 274
(蓮) 161
蕙 437
蕈 1124
(蕆) 106
蕨 538
蕤 836
(蕓) 1219
(蕋) 836
蕞 1324
蕺 456
(蕒) 572
(蕁) 243
(蕡) 661
瞢 677
(蕪) 1041
(蕠) 595
(蕎) 788
蕉 490
蕒 1208
蕃 74
蕃 255
蕃 256
(蔿) 1022
蕣 923
(蕕) 1192
蕲 769
(蕩) 181
蕰 1027
蕊 836
(蕁) 781
(蕁) 1122
(蕑) 473
蔬 910
蕯 188
蕴 1221
十六画
蕻 402
蕻 403
蘧 1023
(薔) 786
(薑) 484
蕹 1090
蕾 590
蕶 623
(薉) 436
蘋 755
蕗 641
薯 911
薨 398
薙 969
(薙) 969
薐 592
薛 1117
薇 1018
(薟) 1066
(薈) 435
(薆) 6
(薊) 464
薢 1090
(薦) 481
(賚) 149
薪 1095
薏 1172
蕹 1032
薮 936
(蕷) 256
(薐) 1114
薄 36
薄 77
薄 77
(蕭) 1081
薜 57
(薩) 839
薅 382
(蕷) 1207
十七画
藉 458
藉 503
(藉) 503
薹 951
(薵) 133
藁 154
(藍) 580
藏 95
藏 1226
薷 833
(薱) 234
(薹) 693
藊 60
薰 1121
(舊) 526
藴 660
藐 685
薛 1069
藑 803
薿 717
藳 313
(薺) 769
(薺) 462
藨 753
(薴) 722
(藎) 510
臒 443
十八画
藕 731
(蕢) 1112
爇 838
(藝) 1165
(藪) 936
(繭) 475
藜 595
藟 494
(藥) 1147
藤 965
(藷) 911
藨 65
藩 255
(藭) 802
(藴) 1221
十九画
(蘀) 1002
蘝 783
蘝 1123
(蘼) 602
藿 444
(蘋) 755
(蘋) 758
蘧 808
(蘆) 638
(蘆) 638
(蘄) 769
(蘓) 936
孽 722
蘅 397
(蘇) 936
(藹) 5
(蘐) 1114
蘑 694
(蘢) 634
藻 1227
(蘐) 1114
(蘂) 836
(藺) 622
二十画
蘸 385
(蘙) 697
(蘞) 1183
蘖 257
(蘺) 412
蘖 722
(蘞) 609
(蘚) 1069
蘘 817
蘪 680
(蘭) 579
二十一画
以上
(蘺) 594
蘸 1237
(蘿) 650
蘗 722
蘼 680
蠹 450
蘸 1090

寸部

三至八画
寸 157
刌 157
对 233
寺 932
夺 238
寻 1121
导 182
寿 907
尌 760
九画
封 279
耐 706
将 483
将 486
将 785
十至
十一画
(尅) 558
辱 834
射 869
(專) 1298
尉 1025
尉 1207
(將) 483
(將) 486
十二画
以上
尊 1324
(尋) 1121

(尋) 1121
(對) 233
(導) 182
(爵) 1205

廾部

卉 434
弁 61
异 1168
弄 635
弄 726
弃 776
弅 61
弆 1200
弇 1136
弈 1168
弊 1170
葬 1226
弊 56
彝 1163

大部

三至五画
大 163
大 171
天 969
夫 284
夫 284
太 951
夭 1144
夯 49
夯 380
央 1139
头 989
头 991
六画
夸 567
夺 238
夼 570
夹 298
夹 466
夹 468
夷 1160
尖 472
七画
奀 243
奁 606
(夾) 298
(夾) 466
(夾) 468
奆 21
奂 424
八画
奉 282
奈 706
奔 47
奔 49
奇 450
奇 770
奄 1135
奋 275
奓 740
九画
契 776
契 1089
奏 1321
奭 836
奎 572
(奔) 47
(奔) 49
奤 160
奓 1231
奓 1233
牵 780
奖 485
奕 1168
美 672
十至十二画
套 963
奚 1055
奘 1226
奘 1303
匏 739
奢 865
爽 918
(奘) 1226
奋 370
奥 13
奠 211
十四画以上
(奩) 606
(奪) 238
(獎) 56
(獎) 485
奭 904
樊 256
奫 1218
(奮) 275
奰 58
奲 238
(奲) 238

尢(兀尣)部

三至九画
兀 1034
兀 1047
元 1209
尤 1191
尥 616
尧 1145
尪 1010
尬 299
尴 432
尴 434
尨 1047
十画以上
尰 432
(堯) 1145
尵 997
尳 1285
就 527
尴 303
尷 304
(尵) 997
(尷) 303

弋部

弋 1165
弌 1157
弍 248
弎 846
式 900
忒 964
忒 996
甙 173
鸢 1208
贰 248
(貳) 248
弑 901
(鳶) 1208

小(⺌)部

三至五画
小 1082
少 864
少 864
(尒) 245
尔 245
尕 299
六画
尗 909
尘 116
尖 472
劣 618
光 351
当 179
当 180
七至十画
肖 1078
肖 1085
贳 945
尚 862
尜 298
省 882
省 1103
尝 109
(貨) 945
党 180
十一至十二画
雀 788
雀 789
雀 814
堂 960
常 109
辉 431
棠 960
掌 120
掌 125
赏 861
掌 1241
十三画以上
(尠) 1069
(甞) 109
(當) 179
(當) 180
(尠) 1069
(嘗) 109
裳 110
裳 863
(輝) 431
(賞) 861
虩 1061
耀 1148
(黨) 180

口部

三至五画
口 564
古 336
可 556
可 558
右 1197
占 1234
占 1235
叮 215
叶 1087
叶 1150
号 382
号 383
叶 78
叭 18
只 1260
只 1265
史 896
(叺) 1163
叱 128
叽 445
兄 1105
叼 211
叫 492
叩 565
叨 181
叨 181
叨 961
叻 587
另 626
叹 956
句 332
句 532
司 925
加 464
召 864
召 1244
台 949
台 949
六画
吉 454
吁 1109
吁 1197
吁 1205
吐 994
吐 995
吋 158
吓 392
吓 1063
吕 642
同 984
同 988
吊 212
吃 125
吒 1231
(吒) 1233
吸 1050
吖 1
吗 654
吗 659
吗 660
吆 1144
向 1076
后 403
合 318
合 386
各 318
各 319
名 689
七画
吞 998
杏 1103

吾 1041
否 283
否 749
呈 123
呋 284
吴 1041
呒 654
吃 1166
呆 171
吱 1260
吱 1307
呸 85
呔 171
呔 951
吠 270
呕 731
呖 602
呟 401
呃 242
呃 243
咔 115
呀 1125
呀 1130
吨 235
吡 52
吡 749
吵 111
吵 114
呗 29
呗 47
呙 360
呐 705
呐 712
呐 712
员 1210
员 1219
员 1220
吽 398
吽 403
吪 240
听 980
吣 289
吟 1176
吩 274
吣 328
吣 934
呛 785
呛 787
吻 1031
吹 144
呜 1035
吭 380
吭 561
呁 279
(吽) 492
吣 794
(吚) 1158
呎 128
呹 1120
吲 1179
吧 21
吧 23
吼 403
邑 1169
吮 923
告 313
谷 338
含 375
吝 622
启 773
㕣 794
君 542
局 530

八画

或 442
味 1024
哃 160
呿 809
哎 3
咕 334
咊 743
咊 743
呵 3
呵 385
呵 554
咂 1222
呸 741
呫 892
咙 634
咏 221
咔 544
咔 545
咀 530
咀 1323
呷 298
呷 1061
呻 871
呺 382
呺 1081
呐 816
咒 1290
(呪) 1290
咋 1223
咋 1229
咋 1231
(咊) 385
咐 292
呱 335
呱 343
呱 343
呼 405
呤 626
呩 412
呴 1111
呦 1006
咚 221
鸣 691
咆 739
咛 722
咜 242
咇 54
咏 1189
呢 712
呢 715
呢 716
咈 285
咄 238
(咼) 360
呶 711
咖 298
咖 544
咍 370
呣 654
呦 1191
呲 927
知 1261
和 385
和 392
和 407
和 439
和 442
命 692
周 1287
咎 526
亟 455
亟 776

九画

哉 1223
耇 333
咸 1067
哐 570
哪 34
哇 1003
哇 1004
咭 451
咡 248
(哔) 685
哄 398
哄 402
哄 403
哑 1126
哑 1128
咺 1115
哂 875
咹 1138
咹 1152
咘 245
咵 567
咴 431
哒 160
咧 616
咧 616
咧 618
咦 1160
哓 1081
哔 55
咥 214
咥 1061
呲 148
咣 353
咢 242
品 755
虽 941
咽 1130
咽 1138
咽 1152
哕 436
哕 1215
咖 433
咮 1290
咶 420
咻 1107
哗 414
哗 416
啾 442
咱 1225
咿 1158
响 1075
哌 735
哙 568
哈 369
哈 369
哈 370
咷 962
哚 238
咯 314
咯 545
咯 633
咯 651
哆 128
哆 238
哜 462
哜 495
咬 1146
咳 370
咳 556
咩 685
(咲) 1086
咪 678
咤 1233
咹 10
咹 243
哝 726
哻 1122
哪 704
哪 706
哪 706
哪 712
哪 712
哏 320
哞 699
哟 1187
哟 1187
咨 1307

十画

哲 1247
哥 314
唇 147
(啓) 773
唞 635
唛 662
唗 224
唝 332
哧 126
唽 1231
哮 1085
唠 585
唠 587
哱 74
(唓) 115
哺 79
哽 321
唔 715
唔 1041
唡 612
哤 666
(哶) 685
哨 864
唢 945
哩 593
哩 599
哩 606
(員) 1210
(員) 1219
(員) 1220
(唄) 29
(唄) 47
哭 566
哫 1322
呙 1004
唈 1169
哦 241
哦 730
(啍) 1228
唣 1228

唏 1054
哈 1136
唑 1328
唤 424
唷 339
唁 1138
哼 396
哼 398
吵 852
味 935
哞 585
唚 794
唧 451
啊 3
啊 3
唉 4
唉 5
唆 944

十一画

营 1184
啐 1045
唪 281
啧 1229
唏 975
啪 732
啦 576
啦 577
啈 397
（啞） 1126
（啞） 1128
啃 456
啃 503
啃 1229
啫 729
啫 818
啖 1183
喵 684
啚 53
啚 993
啉 620
（嗹） 221
（唡） 612
啀 1127
唵 10
啄 1306
啑 853
（啑） 214
啛 157
啭 1301
啡 268
啃 560
啮 721
啅 1306
唬 410
唬 1064
唱 111
啯 360
啰 648
啰 650
（喎） 1004
唾 1002
啒 244
啒 1003
唯 1019
啤 749
啥 852
唫 513
（唫） 1176
啧 956
（唸） 719
啁 1243
啁 1289
啕 963
（啗） 178
啳 406
（啫） 1225
啋 494
啋 1081
啍 998
啐 156
唼 853
啃 1187
啴 106
啴 954
啖 178
啵 78
啶 218
啘 1003
啷 581
唳 605
啸 1086
唰 915
啜 140
啜 148
售 908
商 859
兽 908
（啓） 773

十二画

（喆） 1247
喜 1059
喈 1311
（喫） 125
喷 743
喷 743
喋 214
喋 1232
嗏 101
嗒 160
嗒 948
喃 709
喳 101
喳 1231
嗍 76
喇 576
喇 576
喓 1145
喊 377
喊 1016
喹 1004
喱 593
喹 572
喈 495
喁 1004
喁 1188
喁 1200
喝 385
喝 393
喂 1025
喟 572
喌 457
喌 588
（單） 104
（單） 175
（單） 857
斝 1287
斝 470
喘 143
喟 336
喟 1003
（喞） 1068
喒 30
啾 524
嗖 936
喤 425
喉 403
喻 1207
喑 10
（喒） 1225
喨 4
喨 613
喑 1176
喭 1138
啼 967
嗟 496
嗁 679
喽 636
喽 637
嗞 1309
嗁 735
喧 1114
喀 544
（嘅） 548
喔 1033
喙 437
（喲） 1187
（喲） 1187
啻 129
善 857
喾 567

十三画

嗸 12
嗪 794
嗷 12
嗦 939
（嗎） 654
（嗎） 659
（嗎） 660
（嗊） 332
嘟 226
嗜 904
嗑 556
嗑 560
嗫 721
（嘩） 414
（嘩） 416
嗬 385
嗯 242
嗔 115
嗦 945
嗝 317
嗄 3
嗄 853
嗾 103
（嗩） 945
（嗶） 55
嗣 932
嗯 715
嗅 1108
嗥 383
（嗚） 1035
（嗁） 967
嗲 204
嗳 4
（嗆） 785
（嗆） 787
嗡 1032
嗤 626
嗽 700
嗃 393
嗃 1082
嗙 738
嗐 375
嗌 7
嗌 1170
嗛 784
嗍 945
嗨 370
嗨 395
嗤 126
嗆 1088
嗵 984
嗓 847
嗢 1188
辔 743

十四画

嘏 338
嘈 436
（嘖） 1229
嘞 587
嘞 591
（嘆） 956
（槑） 671
（嘍） 662
嘈 96
（嘔） 731
（嗽） 936
嗽 936
嘌 753
嘁 768
嘎 298
嘎 298
嘎 299
嘘 888
嘘 1110
（嘑） 405
嘡 958
（嘍） 636
（嘍） 637
（嘓） 360
嘣 49
嘤 1183
（嘯） 494
（嘯） 1081
（嗚） 691
嘚 185
嫑 494
（噴） 956
嗻 1246
嗻 1248
嘛 655
嘛 660
嘀 192
嘀 194
嗾 936
嘝 178
嘧 682
（噉） 178
嘐 490
嘐 1082

十五画

（嘵） 1081
（噴） 743
（噴） 743
嘻 1056

嘭 744
(噠) 160
噎 1148
(噁) 241
(噁) 242
嘶 929
噶 298
嘲 113
嘲 1243
(嘎) 298
(嘎) 298
(嘎) 299
(噘) 536
嘹 615
噆 1225
噗 762
嘬 1325
(嘽) 106
(嘽) 954
嘿 395
嘿 698
(嘸) 654
噍 494
(噑) 383
噢 730
噏 1056
噙 794
噜 637
噇 144
噂 1325
噌 99
噌 120
(嘮) 585
(嘮) 587
(噚) 1122
噣 1296
噀 1124
噔 188
(噝) 927
(嘰) 445

十六画

噩 243
嚂 580
嚄 439
嚆 382
噤 513
嚇 579
(噸) 235
(噦) 436
(噦) 1215
嘴 1324
噱 539
噱 1118
(噹) 179
器 776
(噥) 726
噪 1228
噣 1290
噣 1306
噬 948
噬 904
噭 494
(噲) 1136
(噲) 568
(噯) 4
噷 397
噫 1159
噻 840
(嘯) 1086
噼 747
(嚶) 1184

十七画

(嚇) 392
(嚇) 1063
嚏 969
(嚥) 1152
(嚥) 1138
嚅 833
(嚐) 109
嚎 383
(嚌) 462
(嚌) 495
嚟 377
嚓 89
嚓 101
(嚀) 722
(嚮) 1076

十八画

嚘 1191
(嚙) 721
嚚 1178
嚣 13
嚣 1082
嚜 670
(嚕) 637
(嚛) 412

十九画

(嚥) 1138
(嚩) 579
(嚦) 602
嚯 444
(嚴) 1132
嚺 1226
(嚨) 634
(嚪) 178

二十画

(嚂) 580
嚱 1061
(嚶) 1183
鼍 1001
嚼 490
嚼 494
嚼 539
嚷 817
嚷 817
嚳 439
(嚳) 567

二十一画

(囁) 721
(囈) 1166
(囀) 1301
(囂) 13
(囂) 1082

二十二画以上

囊 710
(囌) 936
(囅) 106
(囉) 648
(囉) 650
(囋) 1226
(囒) 377
(轡) 743
囍 475
(囓) 721
(囑) 1296
囔 710

囗 部

〇 622

五至六画

囚 804
四 930
(囘) 1172
团 995
因 1172
回 432
囝 475
囝 707
囡 707
囟 1096

七画

国 360
园 1210
围 1018
困 574
囤 235
囤 998
囮 240
囱 647
囫 406
囵 553
囱 153

八至十画

国 360
固 340
囷 814
囹 623
图 991
囿 1197
圃 764
圄 1204
圂 438
圆 1210
(圅) 376

十一画

圊 796
圉 1204
(國) 360
(圇) 647
圈 535
圈 535
圈 810

十二画以上

圙 146
圐 566
(圍) 1018
(園) 1210
(圓) 1210
圞 645
(團) 995
(圖) 991
圙 646
圜 423
圜 1214
圌 1007
圝 1194
(圞) 645

山 部

三至六画

山 853
屴 602
屼 1047
屿 1201
屾 871
屹 1166
岁 942
岌 453
岋 242
岂 772
屺 772

七画

岦 998
岍 779
岏 1007
岐 769
岖 806
岈 1127
岗 306
岗 307
岘 1069
(岅) 31
岒 502
岅 933
岙 1317
岑 99
岚 579
岜 21
岙 13
岔 102
岛 182
岊 497

八画

岵 412
岢 558
岸 10
(屽) 10
岯 748
岩 1134
岽 634
岽 220
岦 1150
峁 571
岬 469
岫 1108
岞 1327
岴 807
岭 625
岣 333
峁 669
岭 986
峋 182
岦 603
岷 688
岪 285
岧 976
峄 1167
岵 700
岰 1196
岳 1216
岱 172
峃 1117

九画

峙 902
峙 1271
峔 700
(耑) 1298
炭 957
峛 601
峡 1062
峣 1145
峒 223

峒 985
（峝） 985
𪨧 1229
峤 493
峤 788
峇 21
峋 1121
峥 1254
峧 488
峍 641
幽 1191
峊 293
峦 645
十画
峛 635
崁 550
崂 585
峬 78
峿 1041
（峽） 1062
（豈） 772
峑 864
崃 578
峭 789
（峴） 1069
峨 241
（峩） 241
崄 1069
峪 1205
峰 280
（峯） 280
崀 583
峮 814
峻 542
（島） 182
峾 1177
十一画
崚 591
（崍） 578
崧 933
（崬） 220
崖 1127
崎 771
崦 1131
崭 1235
（崑） 573
（崐） 573
崮 341
（崗） 306
（崗） 307
崔 156
崟 1177
（崙） 646
（崘） 646
崤 1082
崩 49
崞 360
崒 1322
崇 132
崆 562
𡹎 640
崛 538
崡 376
嵾 99
密 681
十二画
嵁 549
嵌 784
崨 214
嵽 214
嵘 829
嵯 101
（歲） 942
崴 1005
崴 1016
（崱） 1229
嵎 1200
嵑 558
嵔 1023
崽 1223
（嵒） 1134
嵚 791
崲 425
嵬 1021
嵂 644
嵛 1200
（嵐） 579
㟚 1165
嵳 148
嵯 158
嵝 636
崷 805
嵫 1309
嵋 671
崶 280
十三画
嶅 12
嶅 13
嶀 1250
（嵟） 864
嵊 885
嶲 1056
嵲 721
嵩 933
嵴 458
嵱 1190
十四画
嵺 585
（嶄） 1235
（嶃） 1235
嶆 97
（嶇） 806
（嵽） 214
（嶁） 636
（嶋） 182
𡽐 224
（嵷） 933
（嵸） 1317
嶂 1242
嶍 1057
（嵾） 99
（㠀） 182
十五画
（嶢） 1145
嶱 558
（嶠） 493
（嶠） 788
嶲 1056
嶕 490
（嶔） 791
嶓 74
㠉 143
㠉 986
嶙 621
嶒 100
（嶗） 585
嶝 191
嶴 14
十六画
𪩘 1137
（嶪） 1150
（嶧） 1167
（嶼） 1201
嶭 722
（嶮） 1069
嶰 1090
（嶨） 1117
十七至十八画
豳 68
（嶺） 625
嶷 1163
（嶽） 1216
（嶸） 829
巀 500
巁 595
巂 357
巂 1056
十九画以上
巅 204
𪩛 155
（巃） 634
巇 1057
巍 1016
巉 105
（巋） 571
巊 711
（巔） 204
（巖） 1134
（巗） 1134
（巑） 155
（巒） 645
（巘） 1137

巾部

三至六画
巾 504
市 285
（帀） 1222
币 54
布 85
帅 916
巿 899
师 886
吊 212
（帆） 254
帆 254
七画
𢂟 406
帏 1019
帐 1241
帊 732
希 1053
（帋） 1267
八画
帓 695
帖 978
帖 979
帖 980
帜 1269
帙 1269
帕 732
帔 742
帛 75
帟 1208
帚 1290
帑 961
九画
帮 34
带 173
帧 1249
帢 777
帡 759
𢃇 573
（帥） 916
帝 203
帣 535
帣 535
十画
帱 133
帱 183
帩 789
帨 922
（師） 886
（帬） 814
十一画
（帶） 173
常 109
帻 1229
（帳） 1241
帼 366
（帽） 670
帷 1020
𫷕 106
帵 1007
十二画
（幇） 34
幅 288
（幀） 1249
帽 670
（幃） 1019
（㡓） 573
幄 1034
幈 759
幂 682
十三至十四画
幕 703
（幙） 703
幌 430
幍 961
幎 682
（幫） 34
（幘） 1229
幔 664
（幗） 366
幛 1242
（幣） 54
十五画
㡡 138
幞 289
（幝） 106
（幠） 406
幡 255
幢 144
幢 1303
（幟） 1269
（冪） 682
十六画
幪 676
幧 788
幨 104
幦 682
十七画以上

(幫) 34
(幬) 133
(幬) 183
(歸) 355
幰 1069

彳部

三至七画

彳 128
行 380
行 382
行 396
行 1101
彻 115
役 1169
彷 737

八画

征 1253
徂 154
(徃) 1014
往 1014
(彿) 285
彼 52
径 521

九画

衎 550
待 171
待 173
徊 420
徇 1123
徉 1142
衍 1136
律 644
很 395
(後) 403

十画

衙 1215
徒 993
徕 578
徠 578
(徑) 521
徐 1110
衔 381

十一画

(徠) 578
(徠) 578
(術) 912
徛 463
徘 734
徙 1059
徜 109
得 185
得 187
得 188
衔 1068
(從) 153
衘 1116

十二画

街 496
衖 1078
(衖) 635
(衕) 988
御 1208
(復) 293
徨 425
循 1122
(徧) 62

十三至十四画

衙 1127
微 1017
(銜) 1068
徭 1146
徯 1055
徬 738
(徵) 432
(銜) 1068

十五画

(衢) 407
德 186
徵 1267
(徵) 1253
(衝) 130
(衝) 132
(徹) 115
(衛) 1023

十六画以上

衡 1305
徼 492
徼 494
衡 397
徽 432
(禦) 1208
(黴) 671
衢 808

彡部

七画

形 1100
杉 850
杉 855
龙 666
龙 675
彣 148
彤 829
彫 218
彤 986

八画

钐 855
钐 857
衫 855
参 92
参 99
参 872

九至十画

须 1109
彦 1138
彧 1206

十一画

彰 522
彬 68
彪 65
(釤) 855
(釤) 857
彩 91
(彫) 211
(參) 92
(參) 99
(參) 872

十二画以上

彭 744
(須) 1109
(彫) 218
彰 1240
影 1186
(鬱) 1205
(鬱) 1205

夕部

三至九画

夕 1050
外 1005
(夘) 669
岁 942
舛 143
名 689
多 236
梦 1086

十一画以上

梦 678
够 334
(夠) 334
飧 944
(夢) 678
夥 442
(夥) 441
夤 1178

夂部

五至七画

处 138
处 139
冬 220
务 1049
各 318
各 319
条 976

八画以上

备 46
复 293
夏 1064
畟 98
惫 46
复 1106
(憂) 1190
夔 572

丬(爿)部

四至八画

爿 736
壮 1303
妆 1302
状 1303
(壯) 1303
(妝) 1302
(牀) 143
(狀) 1303
戕 785
斨 785

九画以上

将 483
将 486
将 785
牁 555
牂 1226
(將) 483
(將) 486
(將) 785
(牆) 786

广部

三至六画

广 353
庀 749
邝 570
庄 1302
庆 801
庑 1233

七画

庑 1045
床 143
庋 358
库 566
庉 235
庉 998
庇 55
应 1181
应 1186
庐 638
序 1112

八画

庞 738
店 210
庙 685
府 290
底 187
底 194
庖 739
庚 321
废 271

九画

庤 1271
度 229
度 238
庢 1267
庭 981
庥 1107
庠 1075

十画

席 1057
(庫) 566
庯 78
庩 992
座 1328
唐 958

十一画

(庶) 913
庶 913
庹 1001
庿 685
庵 10
庼 801
庾 1204
庳 56
廊 581
庸 1188
康 550

十二画

(廂) 1074
(廁) 98
(庽) 1208
廋 936
廆 357
廆 1023
赓 321
(廄) 527
(廐) 527

十三画

廒 12
(廈) 853
(廈) 1064

廓 574
廉 608
廌 1272
(廕) 1181
十四画
廑 509
廑 794
(廣) 353
(廎) 801
廙 1172
腐 291
廖 616
十五画
(廚) 138
(廝) 929
(廟) 685
廛 105
(廡) 1045
(廉) 608
(廠) 110
(賡) 321
(慶) 801
(廢) 271
十六至
十七画
廨 1090
廩 622
廪 622
膺 1183
(應) 1181
(應) 1186
十八画
以上
鹰 1183
(廬) 638
(龐) 738
廱 1187
(鷹) 1183
(廳) 980

门(門)部

三至六画
门 674
闩 916
闪 856
闫 1132
闬 379
闭 55
问 1031
闯 144
七画
闰 836
闱 1019
闲 1067
闳 401
间 473
间 479
闵 688
闶 550
闶 553
闷 674
闷 675
八画
闸 1232
闹 712
𬮱 54
(門) 674
九画
闺 355
闻 1030
闼 948
闽 688
闾 642
闿 548
阀 251
阁 317
阁 316
阐 1259
阂 390
(閂) 916
十画
阃 574
阄 140
阉 524
阊 1177
阅 1217
阆 582
阆 583
(閃) 856
十一画
阇 226
阇 865
阈 1206
阉 1131
阊 107
阋 1061
阌 1031
阍 437
阎 1135
阏 243
阏 1131
阐 106
(閆) 1132
(閉) 55
(問) 1031
(閈) 379
十二画
阓 1176
阑 579
阒 809
阓 437
阔 574
阕 814
(閏) 836
(開) 545
(閑) 1067
(閎) 401
(間) 473
(間) 479
(閒) 1067
(閔) 688
(閌) 550
(閌) 553
(悶) 674
(悶) 675
十三画
阖 392
阗 975
阘 161
阘 948
阒 721
阙 813
阙 814
(閘) 1232
(鬧) 712
(閟) 54
十四画
阚 377
阚 550
(閨) 355
(聞) 1030
(閧) 403
(閩) 688
(閭) 642
(閥) 251
(閤) 316
(閣) 317
(閣) 386
(閤) 316
(閘) 1259
(閡) 390
十五画
(閫) 574
(閦) 140
(閶) 1177
(閱) 1217
(閬) 582
(閬) 583
十六画
阛 423
(闍) 226
(闍) 865
(閾) 1206
(閹) 1131
(閶) 107
(閿) 1031
(閽) 437
(閻) 1135
(閼) 243
(閼) 1131
十七画
(闠) 1176
(闌) 579
(闃) 809
(闆) 31
(闇) 11
(闊) 574
(闈) 1019
(闋) 814
十八画
(闖) 144
(闔) 392
(闐) 975
(闒) 161
(闒) 948
(闓) 548
(闃) 721
(闕) 813
(闕) 814
十九画
以上
(闞) 571
(闞) 377
(闞) 550
(關) 345
(闥) 948
(闠) 437
(闡) 106
(闤) 423
(闢) 750

宀 部

五画
宁 722
宁 723
宄 357
它 947
(宂) 830
六画
宇 1201
守 906
宅 1233
字 1316
安 7
七画
完 1007
宋 934
宏 401
牢 585
灾 1223
八画
宝 37
宗 1317
定 216
宕 181
宠 132
宜 1160
审 875
宙 1290
宛 1008
实 893
宓 288
宓 681
官 347
九画
宣 1113
宦 424
宥 1197
宬 123
室 903
宫 329
宪 1071
客 559
窔 1147
宊 936
十画
害 375
(寇) 565
宽 569
宧 1161
宸 116
家 467
家 471
家 504
宵 1080
宴 1138
宾 67
(寃) 1208
容 829
宰 1223
宭 814
案 11
十一画
寇 565
(㝡) 1324
寅 1178
寄 463
寁 1225
寂 464
(寘) 691
(宿) 939
(宿) 1108
(宿) 1108
宿 939
宿 1108

宿 1108
(寀) 91
(寃) 1208
密 681
十二画
寒 377
赍 154
富 296
(寕) 722
(寕) 723
(寔) 893
寓 1208
(寑) 794
(甯) 722
(甯) 723
寐 674
十三画
塞 840
塞 840
塞 849
骞 780
寞 698
(寘) 1272
寝 794
寖 513
十四画
寨 1234
赛 841
搴 780
(寬) 569
(賓) 67
寡 343
察 102
(寧) 722
(寧) 723
蜜 682
寤 1049
(寢) 794
寥 615
(實) 893
十五至
十六画
骞 1066
(賫) 154
寮 615
(寫) 1088
寯 543
(審) 875
(搴) 9
(憲) 1071
褰 780
寰 423
十七画
以上
蹇 478
謇 478
(賽) 841
寱 1172
(寶) 37
(寵) 132
(寶) 37
(騫) 780
(騫) 1066

辶(辵)部

五至六画
辽 614
边 58
边 63
迂 1197
过 360
过 367
过 368
达 160
迈 661
迁 779
迄 776
迅 1123
迆 1159
迆 1165
迒 181
巡 1122
七画
进 510
远 1214
违 1018
运 1220
还 370
还 421
连 606
迓 1130
迍 1305
迕 1045
近 511
辵 148
返 259
迎 1183
这 1248
这 1248
迒 380
迟 126
八画
述 912
迪 193
迥 523
迭 214
迮 1229
迤 1159
迤 1165
迫 735
迫 760
迩 245
迯 962
迦 466
迢 976
迨 173
九画
(迺) 706
(迴) 432
选 1116
适 574
适 903
追 1304
(逈) 523
逅 405
逃 962
逄 738
(迻) 1161
迹 463
迸 50
送 935
迷 679
逆 717
退 997
逊 1124
十画
逝 903
逑 804
(連) 606
逋 78
速 939
逗 225
逦 601
逐 1293
(逕) 521
逍 1079
逞 125
(逥) 432
造 1228
透 990
逓 204
途 992
逛 574
逛 355
逖 969
逢 281
(這) 1248
(這) 1248
递 199
通 982
通 988
逡 814
十一画
逵 572
(逩) 49
逴 147
逷 969
逻 650
(過) 360
(過) 367
(過) 368
逶 1016
(進) 510
(週) 1287
逸 1170
逭 424
逮 171
逮 173
逯 640
逼 357
十二画
(達) 160
遆 204
逼 50
(遉) 1248
(逿) 181
遇 1207
遏 243
遗 1026
遗 1161
遝 243
遄 143
遑 425
遁 236
逾 1200
遆 968
(遊) 1193
遒 805
道 184
遂 942
遂 943
(運) 1220
遍 62
遐 1062
(違) 1018
十三画
遨 12
遘 334
(遠) 1214
遣 784
遢 947
遝 948
(遞) 199
遥 1146
遛 633
(遡) 940
遟 127
(遜) 1124
十四画
遭 1227
(遰) 204
(遯) 236
遮 1246
(適) 903
十五画
(遶) 818
(邁) 661
(遷) 779
(遼) 614
遲 1066
(遺) 1026
(遺) 1161
遴 621
遵 1325
(遲) 126
(選) 1116
邓 965
遹 1208
十六画
遽 534
(還) 370
(還) 421
邀 1145
邂 1090
邅 1234
避 57
十七画
以上
(邇) 245
邈 685
邃 943
(邊) 58
(邊) 63
邋 576
(邐) 601
(邏) 650

彐(彑彑)部

五至
十一画
归 355
刍 137
当 179
当 180
寻 1121
灵 623
录 640
帚 1290
彖 996
彗 436
十二画
以上
(尋) 1121
(尋) 1121

彘 1272
盝 641
(彙) 434
彝 1163
彟 1215
蠡 595
蠡 601
(彠) 1215

尸 部

三至六画

尸 885
尺 115
尺 127
尻 553
尼 715
尽 508
尽 510

七画

层 99
杘 126
屁 749
尿 720
尿 941
屃 1060
尾 1022
尾 1165
㞞 933
[illegible] 22
局 530

八画

(屆) 503
屉 969
居 528
届 503
鸤 885
屈 807

九画

(屍) 885
屋 1036
昼 1290
咫 1265
屏 69
屏 71
屏 759
屎 897

十至十一画

展 1235
屑 1089
(屓) 1060
屐 451
屙 240
屠 993
[illegible] 226
屜 969

十二画

犀 1056
属 911
属 1296
屩 536
屡 643
孱 94
孱 104

十四画以上

(屢) 643
(鳲) 885
屣 1059
(屣) 933
屧 1089
履 644
屦 534
(層) 99
(屨) 534
(屩) 536
(屬) 911
(屬) 1296
(屭) 106

弓 部

三至六画

弓 325
引 1178
(弔) 212
弗 285
弘 398
弜 360
弛 126

七画

弟 199
弫 564
张 1237

八画

弧 407
弤 195
弥 679
弦 1067
弢 961
弨 111
弪 521
弩 727

九至十画

弯 1006
弮 810
弭 681
彃 55
躬 325
(弳) 521
弱 837

十一画

(張) 1237
艴 286
弸 744
弶 486
弹 178
弹 955
(強) 486
(強) 785
(強) 787

十二画

弼 56
弻 56
强 486
强 785
强 787
粥 1208
粥 1289
(發) 249

十三画以上

(彈) 55
(彆) 67
(彄) 564
(彈) 178
(彈) 955
(彊) 486
(彊) 785
(彊) 787
彋 402
(彌) 679
(彍) 360
彏 484
(彎) 1006

己(巳)部

己 458
已 1163
巳 930
巴 18
包 35
岂 772
导 182
异 1168
忌 461
巷 382
巷 1077

子 部

三至五画

子 1310
子 1317
孑 496
孓 536
孔 562
孕 1220

六画

存 157
孙 943
孖 654
孖 1307
好 383
好 384

七画

孝 1085
李 595
孛 45
[illegible] 1138
孚 286
孜 1307

八画

季 462
享 1075
学 1117
孟 677
孤 335
孢 36
孥 727

九至十二画

孪 645
孩 370
([illegible]) 1138
(孫) 943
孰 911
孳 1309

十六画以上

(學) 1117
[illegible] 238
孺 833
孽 722
(孼) 722
([illegible]) 238
(孿) 645

屮(屮)部

屯 998
屯 1304
(旹) 892
(芻) 137
蚩 126
粜 978
(孼) 722
蘖 722
(糶) 978

女 部

三至五画

女 728
奶 706
奴 727

六画

妆 1302
妄 1015
奸 471
如 831
奼 102
妁 924
妇 293
妃 267
好 383
好 384
她 947
妈 654

七画

妥 1001
(妝) 1302
妍 1134
妩 1045
(姉) 1311
妓 462
妪 1205
妣 52
妙 685
妊 827
妖 1144
妎 1060
妗 512
妐 1283
姊 1311
妨 264
妠 356
妒 229
妞 723
姒 932
妤 1198

八画

妻 767
妻 776
委 1016
委 1022
妾 791
妹 674
妹 696
姗 663
姑 334
妸 240
(妬) 229
妲 161
姐 500
妯 1289
姌 816

(姍) 855
姓 1104
(妷) 1264
(妳) 706
(妳) 717
姁 1111
姗 855
妮 715
始 897
姆 654
姆 700

九画

㛃 499
要 1145
要 1147
威 1016
耍 915
娈 645
姿 1307
姜 484
籹 728
娄 636
娍 933
娃 1003
姞 455
姥 587
姥 700
㛅 248
娅 1130
姮 397
姱 567
姨 1160
娆 817
娆 818
(姪) 1264
姻 1173
姝 910
娇 489
(姙) 827
姤 334
姚 1145
姽 358
姣 488
姘 754
姹 102
娜 705
娜 729
(姦) 471

十画

孬 711
娑 944
(娿) 240
姬 451
娳 593
娠 872
娱 1201
娌 599
娉 755
娖 148
娟 535
娲 1003
娥 241
娩 683
娴 1067
娣 199
娘 720
娓 1022
婀 240
娭 4
娭 1055

十一画

娶 809
婪 579
(婁) 636
婴 1183
婆 760
婧 522
婊 66
婞 1103
(婭) 1130
娵 529
婼 837
媖 1183
婳 419
婕 500
婥 148
(婐) 240
娼 107
(媧) 1003
婑 1033
婗 717
婢 56
(娙) 1177
婚 437
婵 104
婶 875
婠 1007
婉 1008
嫏 582
(婦) 293

十二画

媭 1109
媒 671
媟 1089
婹 1147
媠 1001
媞 967
媢 670
媪 13
嫂 848
(婣) 1173
媬 39
(媿) 573
㛕 809
媕 10
媮 1200
(媮) 988
媛 1211
媛 1215
(媍) 293
婷 981
嫋 720
㛐 848
婚 437
媚 674
婿 1113
婺 1049

十三画

嬎 282
媵 1187
媾 334
(媽) 654
嫫 693
嫄 1213
媺 673
媳 1058
媲 749
嫒 6
嫉 456
嫌 1068
嫁 471
嫔 755
(嫋) 720
媸 126

十四画

嫠 595
嫛 1159
嫚 494
嫳 754
嫣 1131
嫱 787
(嫗) 1205
嫩 715
(嫰) 715
嫖 752
嫕 1172
嫭 412
嫦 110
嫚 663
嫚 665
嫘 588
嫜 1240
嫡 194
嫪 587

十五画

(嬃) 1109
(嬈) 817
(嬈) 818
嬉 1056
(嬋) 104
(嫵) 1045
(嬌) 489
(嬀) 356
(嫿) 419
(嫻) 1067
(嫺) 1067

十六画

㜷 777
嬴 1185
嬖 58
(嬙) 787
嬛 423
(嬡) 6
嬗 858

十七至十九画

嬲 720
(嬰) 1183
(嬭) 706
嬷 693
(嬪) 755
嬥 213
(嬸) 875
嬿 1139
(嬾) 581
(嬝) 720

二十画以上

孀 918
(嬝) 720
孅 780
孅 1066
(孃) 720
(孋) 593
(孌) 645
(㜷) 777

飞(飛)部

飞 266
(飛) 266
(飜) 255

马(馬)部

三至五画

马 655
冯 280
冯 758
驭 1205

六画

闯 144
驮 239
驮 1000
驯 1123
驳 839
驰 126

七画

驱 806
驲 828
驳 76
驲 255
驴 642
駃 537

八画

驽 727
驾 471
驻 746
驵 1226
驶 896
驷 523
驷 932
驸 292
驹 528
驺 1320
驻 1297
驼 1001
驼 54
驿 1167
骀 173
骀 950

九画

骂 660
骃 570
骇 245
骁 1081
骃 1173
骁 871
骄 489
骅 416
骆 653
骇 375
骈 751
骉 65

十画

(馬) 655
骊 593
骒 578
骋 125
骎 343
骕 993
验 1138
骍 1099
骁 998
骎 792
骏 542

十一画

骐 770
骑 771
𬳵 269
骒 560
𬳶 573
骓 1303
𫘨 995
𬳿 963
𫘬 1001
骕 938
𫘧 640
骖 93

十二画

(馭) 1205
(馮) 280
(馮) 758
骘 1271
骛 1049
𫘩 439
𫘪 577
𬴂 1147
𫘭 967
𫘮 318
骗 752
𫘯 267
骙 572
骚 847

十三画

骜 13
(馱) 239
(馱) 1000
(馴) 1123
(馺) 839
(馳) 126
腾 965
骞 780
骝 628
骟 857

十四画

(馱) 1000
(駉) 828
(駁) 76
(駃) 537
骠 65
骠 753
骡 651

骢 153

十五画

(駓) 746
(駔) 1226
(駛) 896
(駧) 523
(駟) 932
(駞) 1001
(駈) 806
(駙) 292
(駒) 528
(駐) 1297
(駝) 1001
(駜) 54
(駘) 173
(駘) 950
(駑) 727
(駕) 471
𬴃 235
骣 106

十六画

(駏) 570
(駬) 245
(駰) 1173
(駪) 871
(駱) 653
(駮) 76
(駭) 375
(駢) 751
(駡) 660

十七画

(騁) 125
(駼) 993
(騂) 1099
(駾) 998
(駸) 792
(駿) 542
骤 1290

十八画

(騏) 770
(騋) 578
(騎) 771
(騑) 269
(騍) 560
(騉) 573
(騧) 343

(騅) 1303
(騐) 1138
(䮝) 995
(騊) 963
(騌) 1318
(騄) 640
(闖) 144

十九画

(騞) 439
(䮶) 577
(騕) 1147
(騠) 967
(騔) 318
(騣) 1318
(颿) 254
(颿) 255
(騙) 752
(騛) 267
(騤) 572
(騷) 847
(騭) 1271
(騖) 1049
骥 464

二十画

(驁) 13
(驊) 416
(騮) 628
(騶) 1320
(騸) 857
(騰) 965
(騫) 780
骦 918
骧 1075

二十一画

(驅) 806
(驃) 65
(驃) 753
(騾). 651
(驄) 153
(驂) 93

二十二画

(驍) 1081
(驒) 1001
(驕) 489
(驐) 235
(驏) 106

(驚) 516

二十三画以上

(驛) 1167
(驗) 1138
(驌) 938
(驘) 651
(驟) 1290
(驩) 421
(驥) 464
(驢) 642
(驦) 918
(驤) 1075
(驪) 593
(驫) 65

幺 部

三至五画

乡 1072
幺 1144
幻 423
幼 1197
丝 926

九画

幽 1191
(玅) 685
兹 150
兹 1309

十一画以上

玈 638
(幾) 445
(幾) 458
(樂) 588
(樂) 1216
畿 452
𢇛 539

巛 部

(災) 1223
甾 1223
邕 1188
巢 113
鄛 113

王(玉)部

四至六画

王 1011
王 1014
玉 1204
玍 298
主 1294
玎 215
玑 445
玏 587
全 810

七画

玕 302
弄 635
弄 726
玗 1198
玓 199
玖 525
玘 772
玚 110
玚 1140
玛 659

八画

玞 284
玩 1008
玮 1021
𬍛 1300
环 421
𬍤 115
玡 1127
玭 754
现 1069
玫 670
玠 502
𪻐 153
玢 67
玢 274
玱 785
玥 1216
玦 537

九画

珏 537
珐 254
珂 554

珑 634
玷 211
珅 871
(珊) 855
玳 172
珀 760
珍 1249
玲 623
𬍡 605
(珎) 1249
珊 855
珌 54
珉 688
珈 466
玻 74
皇 425

十画

珪 355
珥 245
珙 330
顼 1109
琊 1127
珖 353
珰 179
珠 1292
珽 982
珩 396
珧 1145
珮 742
珣 1121
珞 653
琤 120
珓 492
班 30
珲 431
珲 438
𪻺 1122
珝 1111
莹 1184
玺 1059

十一画

𬍐 907
𬍐 911
琎 511
球 804
(琿) 115

琏 609
琐 945
珵 123
理 600
(現) 1069
琄 1116
(琍) 594
琇 1108
琀 376
琉 631
琋 199
琅 582
珺 543
望 1014
𤦲 181

十二画

琫 50
琵 748
琙 1046
琴 793
琶 732
琪 770
瑛 1183
琳 620
琦 771
琢 1306
琢 1325
(琖) 1235
琲 47
琡 140
琥 410
琨 573
琭 650
(琱) 211
琼 802
斑 31
琰 1136
(琺) 254
琮 154
琯 349
琬 1008
(瑯) 582
琛 115
琭 641
琚 529

十三画

瑟 849
(瑇) 172
瑚 409
瑊 475
(頊) 1109
(瑒) 110
(瑒) 1140
瑁 670
瑞 836
瑝 425
瑰 357
瑀 1203
瑜 1200
瑗 1215
瑳 158
瑄 1114
(琿) 431
(琿) 438
瑥 68
瑕 1062
(瑋) 1021
瑙 712
(聖) 883

十四画

璈 12
(瑪) 659
璊 675
瑨 512
瑱 975
瑱 1252
(璉) 609
瑮 605
(瑣) 945
碧 58
瑶 1146
瑫 961
瑷 7
(瑲) 785
(瑠) 631
璃 594
瑭 959
瑸 68
瑢 830
(瑣) 945
(瑿) 1014

十五画

瑾 509
璜 430
(璊) 675
(璅) 1300
璀 156
璎 1183
(璡) 511
璁 153
(瑽) 153
璋 1240
璇 1115
璆 805
璅 946
璈 431
(瑩) 1184

十六画

(璢) 631
璞 763
璟 520
璠 256
璘 621
璲 943
(璕) 1122
(璣) 445
噩 243

十七画

璱 849
璥 423
璨 94
璩 808
(璫) 179
璐 641
璪 1227
(環) 421
(璵) 1198
(璦) 7
(𤪌) 181

十八至
十九画

(璹) 907
(璹) 911
璷 836
(璿) 1115
(瓊) 802
(璸) 68
璧 58
(璻) 594
(瓅) 605
(璽) 1059

二十画
以上

瓒 1226
(瓌) 357
(瓏) 634
璺 1032
瓘 351
(瓔) 1183
瓖 1075
(玀) 650
(瓚) 1226
(瓛) 423

无(旡)
部

无 692
旡 1036
炁 776
既 463
(旣) 443
(蠶) 93

韦(韋)
部

四至十画

韦 1018
韧 826
韨 111
韎 696
韨 288
(韋) 1018
韡 1021

十二至
十三画

韩 376
(韌) 826
(韧) 826
韫 1221
韬 391
韪 1021

十四至
十七画

韝 333
韛 30
韬 961
(韎) 696
(韍) 288
(韓) 376
(韔) 111

十八画
以上

(韙) 1021
(韞) 1221
(韝) 391
(韝) 333
(韡) 1021
(韛) 30
(韜) 961
(韤) 1004

木 部

四至五画

木 700
末 695
未 1024
本 48
术 912
术 1293
札 1231

六画

朾 120
朽 1108
朴 752
朴 759
朴 760
朴 763
朳 18
机 445
杋 804
权 810
朱 1290
杀 850
杂 1222
朵 238
(朶) 238

七画

杆 302
杆 304
杇 1036
杜 228
杠 308
材 89
村 157
杕 199
杕 239
杖 1241
杌 1047
杙 1165
杏 1103
杉 850
杉 855
杓 63
杓 863
极 454
杧 665
杞 772
李 595
杝 593
杝 1159
杨 1140
杈 100
杈 102
杩 659
束 913
呆 171
条 976
宋 665

八画

枉 1013
枅 450
林 618
枝 1260
杯 41
枢 909
枥 602
柜 358
柜 530
(枒) 1125
杶 146
枇 748
枑 411
杪 685
(枏) 709
杳 1146
枊 45

椈	307
枘	836
枧	475
杵	138
枚	670
枨	123
析	1055
板	31
枞	153
枞	1317
杰	499
枌	274
松	932
枪	785
(柹)	900
枫	279
杴	1066
枊	12
构	333
杭	380
枋	262
枓	224
枕	1251
杻	134
杻	724
杷	732
杼	1296
(東)	218
枣	1227
杲	312
果	366
采	90
采	91
枭	1081
九画	
(枼)	847
某	699
荣	829
标	63
柰	706
栈	1236
栉	721
柑	303
椎	1170
枯	566
栉	1270
柯	555
柄	70
柘	1248
栊	634
柩	526
枰	758
栋	223
栌	1066
栌	637
相	1072
相	1077
查	101
查	1231
(査)	101
(査)	1231
柤	527
柤	1231
柙	1062
枵	1081
(枏)	709
柚	1193
柚	1197
(柵)	856
(柵)	1232
枳	1265
柷	1297
(枴)	344
柣	214
柣	1269
柞	1232
柞	1327
柂	239
柎	284
柏	28
柏	75
柏	77
柝	1002
栀	1260
柃	623
柢	195
栎	605
栎	1216
枸	332
枸	333
枸	531
栅	856
栅	1232
柳	631
(栁)	631
枹	36
枹	288
柱	1297
柿	900
栏	579
柈	33
柈	736
柠	722
柁	239
柁	1001
柲	54
柅	717
柮	239
枷	466
檡	1229
柽	120
树	913
柬	475
亲	792
亲	801
柒	767
染	816
架	471
枭	1058
柔	830
十画	
栔	776
(栞)	548
栽	1223
框	571
梆	34
栻	900
桂	359
桔	499
桔	530
栲	554
栳	587
栱	330
郴	115
檛	1298
桓	423
栖	767
栖	1053
(栢)	28
栫	481
桡	817
桎	1267
桢	1249
桄	353
桄	355
档	181
桐	985
桤	767
株	1292
梃	982
梃	982
栝	343
栝	574
栝	975
桥	788
栴	1234
栿	286
桕	526
(栰)	251
梴	104
桦	418
桁	396
栓	916
桧	358
桧	435
桸	850
桃	962
桅	1019
栒	1121
桻	1075
格	314
格	316
桩	1302
校	492
校	1086
核	390
核	409
样	1144
栟	48
栟	69
桉	9
根	320
栩	1111
栗	605
椮	1225
柴	103
桌	1305
桀	500
栾	645
桨	485
桊	536
案	11
桑	847
十一画	
梼	963
械	1089
梽	1268
彬	68
梵	261
梦	678
桲	761
梗	322
梧	1041
欐	604
(桺)	631
(桮)	41
椓	1293
梾	578
梿	607
梐	55
梢	863
(梘)	475
桯	980
梩	593
(桿)	304
(梖)	45
梱	574
橯	793
梏	342
梅	671
梹	68
梹	70
(梔)	1260
检	475
桼	768
桴	287
桵	836
桷	537
梓	1312
梳	910
棁	1305
梯	965
桫	944
桹	582
棂	624
梫	794
梶	1022
桶	987
梭	944
梨	594
(梟)	1081
渠	808
梁	610
十二画	
(琹)	793
(棊)	770
棒	35
椝	357
(棖)	123
楮	139
棱	591
棱	591
棱	624
(椏)	1125
棋	770
椰	1148
棷	1320
楛	412
楛	566
植	1264
森	849
(棶)	578
棽	115
棼	274
棻	275
棫	1206
(棟)	223
椟	228
椅	1159
椅	1165
椓	1306
(棲)	767
(棧)	1236
棑	734

椒 489
棹 1245
棵 556
棍 360
椤 650
(棡) 307
棰 145
椥 1261
椎 145
椎 1303
棉 682
椑 42
椑 749
椟 1270
棜 1066
棚 744
棔 437
椁 367
椋 610
棓 35
棓 46
棬 810
椫 857
棪 1136
棕 1318
(椗) 218
棺 348
椌 785
(椀) 1008
榔 582
楗 481
棣 204
椐 529
椭 1001
(極) 454
棘 456
(棗) 1227
椠 784
棐 270
棠 960
(棃) 594
集 457
弑 901
(棄) 124
棨 773
十三画
𬃊 248
楔 1086
椿 146
椹 876
椹 1251
(楳) 671
楠 709
禁 508
禁 513
楂 102
楂 1231
榙 956
楚 139
楝 610
(椷) 475
楷 495
楷 548
(楨) 1249
榄 581
(楊) 1140
楫 456
榅 1027
楬 500
椳 1016
榀 755
楞 592
楈 339
楸 804
椵 231
楩 751
槐 420
槌 146
楯 236
楯 923
榆 1200
(楥) 1116
(椶) 1318
(楓) 279
椂 119
椸 1159
榈 642
槎 102
楼 636
(楡) 471
榉 531
楦 1116
楄 60
楄 751
概 300
楣 671
楹 1185
楙 670
楺 831
椽 143
(榘) 530
(槩) 300
十四画
榖 340
榛 1250
(構) 333
榧 269
(榪) 659
(槓) 308
槠 1262
榼 556
(樺) 418
模 693
模 699
(槤) 607
榑 289
槚 469
(槕) 1305
槛 481
槛 549
榥 431
榻 948
(榿) 767
榫 944
槜 1324
槔 308
榭 1090
(榝) 850
(槍) 785
榤 500
榴 628
榱 156
槁 312
(槨) 367
榜 34
槟 68
槟 70
榨 1232
榕 830
榰 1293
榠 692
榷 814
榍 1089
樋 984
(槑) 671
槃 736
(槀) 312
槊 924
(榮) 829
寨 1234
[illegible] 583
十五画
(槼) 356
槷 722
槢 436
(樁) 1302
(槻) 357
槿 509
横 397
横 397
樯 787
槽 97
樕 939
(樞) 909
(標) 63
槱 1196
槭 776
樗 137
(樐) 639
樝 1231
樘 960
(樓) 636
樱 1183
(檛) 1298
(樅) 153
(樅) 1317
樊 256
橡 1078
槲 409
樚 551
樟 1240
樀 192
(樣) 1144
(樑) 610
(権) 814
橄 304
樨 969
(橢) 1001
樛 524
(槧) 784
橥 1293
(槳) 485
[illegible] 1180
(樂) 588
(樂) 1216
十六画
檠 801
(樲) 248
(橈) 817
(樹) 913
樾 1217
[illegible] 154
橱 138
橛 539
橑 587
(樸) 763
(樴) 456
(樿) 857
橤 230
橇 788
(橋) 788
檇 1324
樵 789
橰 312
檎 794
橹 639
橦 986
樽 1325
橧 1230
樨 1056
橙 125
橘 530
橼 1213
(機) 445
橐 1001
(橜) 539
燊 872
檾 836
(檾) 836
十七画
藁 313
(檉) 120
檬 676
(檣) 787
(檟) 469
檑 589
(櫖) 639
(檔) 181
(檡) 1229
(櫛) 1270
櫆 572
檄 1058
(檢) 475
(檜) 358
(檜) 435
檐 1135
檞 501
檩 622
檀 956
檁 622
檗 77
十八画
(檯) 949
(檮) 963
(櫃) 358
(檻) 481
(檻) 549
(檳) 68
(檳) 70
檫 102
(檸) 722
(櫚) 642
(櫂) 1245
(櫈) 191
檵 464
十九画
(櫝) 228
櫋 683
(櫟) 605
(櫟) 1216
(櫍) 1270
攀 735
(櫓) 639
(櫧) 1293
(櫥) 138

(橼) 1213
橐 312
櫫 1293
二十画
蘖 722
欂 77
(櫪) 602
(櫨) 637
(櫸) 531
(礬) 256
(櫳) 634
(櫬) 119
櫱 722
(櫽) 1180
二十一画
(權) 810
櫺 625
(櫻) 1183
櫼 475
欀 916
(欄) 579
二十二画以上
欋 808
(欐) 604
(欏) 650
(欒) 645
(欖) 581
欛 23
欙 590
(欝) 1205
(鬰) 1205
(欞) 624
(鬱) 1205

支 部

支 1259
歧 769
鸡 1260
翅 129
(翍) 129
豉 128
敧 768
(鳷) 1260

犬(犭)部

四至六画
犬 812
犰 804
犯 260
犴 10
犴 375
犷 354
犸 659
七画
狂 570
犹 1191
狈 45
犺 553
狄 192
狃 724
犼 403
狁 1219
状 1303
八画
狉 746
狨 1120
狙 527
狎 1062
狌 881
狌 1098
狐 407
狝 1068
狗 333
狍 739
狞 722
狖 1197
狒 270
狓 747
(狀) 1303
九画
狨 829
狭 1062
狢 1081
狮 886
独 1170
独 226
狧 948
狤 1081
狯 568
(狥) 1123
狢 382
狢 392
狰 1254
狡 491
狩 908
狱 1206
狴 644
狠 395
狲 944
十画
哭 566
臭 134
臭 1108
狾 1271
猃 1069
(狹) 1062
狴 55
狸 593
(猂) 379
(狽) 45
狷 536
猧 1032
猁 605
狳 1199
狶 1054
猃 1069
狺 1177
狼 582
猫 711
狻 940
十一画
猜 89
猪 1293
猎 618
猫 666
猫 669
猗 1159
猘 104
猇 1081
猓 367
猖 107
猡 650
(猧) 1032
猊 717
猞 865
猢 406
猄 516
猝 154
猬 473
猕 680
猛 677
十二画
猋 65
猷 1138
猰 1130
猢 408
猹 102
猩 967
猲 1207
猩 1099
猲 393
猲 1086
猥 1023
猬 1025
猾 416
猴 936
猴 403
猸 1204
(猨) 1211
(猶) 1191
猸 671
猱 711
十三画
献 1072
獒 148
獉 1250
(獁) 659
猿 1211
獏 699
猺 948
(獅) 886
獚 959
獱 67
(猻) 944
猷 1194
十四画
獒 12
(獃) 1000
(獃) 171
(獑) 104
獕 156
豫 1078
(獄) 1206
獐 1240
獍 522
十五画
(獟) 1081
獗 539
獠 615
(獢) 1081
(獋) 383
獝 1113
(獘) 55
(獎) 485
十六画
飙 65
器 776
(獲) 443
獴 677
獭 948
(獧) 536
(獨) 226
(獫) 1069
(獪) 568
獬 1090
十七画
(獮) 1068
獯 1121
(獷) 354
(獱) 67
(獰) 722
十八画以上
(獵) 618
(獸) 908
(獺) 948
(獻) 1072
獾 421
(獼) 680
(飆) 65
(玁) 1069
(玀) 650
玃 539

歹 部

四至八画
歹 171
列 617
死 929
夙 938
歼 472
(殀) 1144
殁 696
殇 1031
殁 696
九画
残 93
殂 154
殃 1139
殇 859
殄 975
殆 173
十至十一画
殊 910
殉 1124
殑 522
殍 800
殒 1220
殓 609
殚 158
殍 753
十二画
殘 624
殖 904
殖 1264
(殘) 93
殕 291
殚 176
殛 455
十三画以上
殢 969
(殨) 944
(殞) 1220
殡 68
殣 513
(殢) 969
(殤) 859
殪 1172
(殫) 176
(殭) 484
(殮) 609
(殯) 68
(殲) 472

车(車)部

四至六画
车 114
车 527
轧 298
轧 1128
轧 1231
轨 357
军 539
七画
(車) 114
(車) 527
轩 1113
轪 171
𫐄 1216
⿱车口 1025
轫 826
八画
(軋) 298
(軋) 1128
(軋) 1231
转 1298
转 1300
转 1301
轭 242
斩 1234
轮 647
软 835
轰 398
九画
(軌) 357
惠 451
轱 335
轲 555
⿰车犮 21
轳 637
轴 1289
轴 1290
轵 1265
轶 1169
⿰车瓜 335
轷 406
轸 1251
⿰车令 623
轹 605
⿰车句 808
轺 1145
轻 798
(軍) 539
十画
载 1223
载 1224
(軒) 1113
(軑) 171
(軏) 1216
(軎) 1025
(軔) 826
(軔) 826
轼 900
⿰车而 245
轾 1267
轿 493
辀 1287
辁 812
辂 641
较 492
⿰车亥 548
⿰车并 759
晕 1220
十一画
(軛) 242
(斬) 1234
(軟) 835
辄 1247
辅 290
辆 613
十二画
辇 719
(軲) 335
(軻) 555
(軷) 21
(軸) 1289
(軸) 1290
(軹) 1265
(軼) 1169
(軱) 335
(軤) 406
(軫) 1251
(軨) 623
(軥) 808
(軺) 1145
辊 360
辋 1014
⿰车兒 717
辌 610
⿰车官 349
辍 148
辎 1310
辈 47
辉 431
十三画
(載) 1223
(載) 1224
毂 340
(軾) 900
(輀) 245
(輊) 1267
(輈) 1287
(輇) 812
(輅) 641
(較) 492
(輆) 548
(軿) 759
辏 154
⿰车卖 275
辐 288
辑 456
辒 1027
⿰车复 295
⿰车盾 146
输 910
⿰车酋 1194
⿰车柔 831
(暈) 1218
(暈) 1220
辔 743
十四画
(輒) 1247
(輔) 290
(輕) 798
(輓) 1008
辕 1211
⿰车监 481
辖 1062
辗 719
辗 1235
十五画
(輦) 719
(輙) 1247
(輛) 613
(輥) 360
(輞) 1014
(輗) 717
(輪) 647
(輬) 610
(輨) 349
(輟) 148
(輜) 1310
⿰车啬 849
辘 642
⿰车翏 490
(輩) 47
(輝) 431
十六画
(輳) 154
(輻) 288
(輭) 835
(轀) 1027
(輯) 456
(輹) 295
(輴) 146
(輸) 910
(輶) 1194
(輮) 831
⿰车葛 318
辙 1247
辚 621
⿰车寿 1237
十七画
(轂) 340
(轅) 1211
(轄) 1062
(輾) 719
(輾) 1235
⿰车感 549
⿰车睘 423
⿰车睘 424
十八画
(轉) 1298
(轉) 1300
(轉) 1301
(轆) 642
(轇) 490
⿰车蔺 622
十九至二十画
(⿰車賣) 275
(轕) 318
(轎) 493
(轍) 1247
(轔) 621
(⿰車壽) 1237
(轖) 849
(轗) 549
(轘) 423
(轘) 424
二十一画以上
(轟) 398
(轞) 481
(轢) 605
(轡) 743
(轤) 637
(轥) 622

牙 部

牙 1126
邪 1087
邪 1149
鸦 1125
穿 141
谺 1061
雅 1127
牚 120
牚 125
(鴉) 1125

戈 部

四至五画
戈 313
戋 471
戊 1048
六画
戎 828
戌 810
戌 1109
戍 913
成 120
划 414
划 418
划 420
戏 406
戏 1059
七至八画
戒 502
我 1033
或 442
(戔) 471
戗 785
戗 787
戕 785
九画
哉 1223
咸 1067
威 1016
战 1235
十画
栽 1223
载 1223
载 1224
(烖) 1223
聀 1264
彧 1206
戙 223
十一画
戚 768
戛 298
戛 468
盛 123
十二画
戬 1316
裁 90
戟 459
(戞) 298
(戞) 468
戢 456
(幾) 445
(幾) 458
十三画
(載) 1223
(載) 1224
戡 549
戥 189

戳 301
戮 572

十四画

截 500
戬 478
臧 1226
(戧) 785
(戧) 787

十五画以上

(戲) 406
(戲) 1059
戮 642
畿 452
(戰) 1235
戴 173
(戲) 406
(戲) 1059
戳 147

比 部

比 51
毕 54
昆 573
皆 495
毖 54
毗 748
(毘) 748
毙 55
琵 748

瓦 部

四至九画

瓦 1003
瓦 1004
邸 1004
瓩 779
瓯 730
瓮 1032
瓴 623
(瓷) 1008

十至十三画

(甀) 283
瓷 149
瓶 759
瓻 126
甀 145
瓿 88
甄 1251
甏 1290
甍 150

十四画以上

甗 605
(甎) 1300
(甌) 730
甏 50
甑 1231
甗 177
(甕) 1032
甓 750
(罌) 1183
甗 1137

止 部

四至七画

止 1265
正 1253
正 1255
此 151
步 86

八画

武 1045
歧 769
肯 560
齿 128
些 1086

九至十一画

歪 1004
歩 1086
耻 128
峙 127
龇 119
砦 1086

十二画以上

龇 1311
歸 357
(歲) 942
(齒) 128
整 1254
(歸) 355
韰 755
(韰) 755

攴(攵)部

六至八画

(攷) 553
收 904
攻 325
攸 1191
改 299
孜 1307
败 29
牧 702
攽 30
放 265

九画

政 1257
故 341
战 204
畋 974
(敂) 565
敎 230
敎 1167

十画

敖 12
致 1267
敌 193
效 1086
敉 680

十一画

教 489
教 493
赦 870
救 526
敔 1204
敕 129
(敗) 29
敏 689
(敍) 1112
(敘) 1112
敛 609
敚 238
敝 56
(敓) 773
敢 304

十二画

散 846
散 846
(散) 846
(散) 846
敬 523
敞 110
敭 1169
敜 722
敦 234
敦 235
敧 990
敩 1086
敩 1118
敪 238

十三画

嫠 595
(敭) 1139
敫 492
(敵) 234
(敵) 235
敺 230
数 912
数 914
数 924

十四画

嫠 595
(徽) 432
敲 788
弊 56
(獘) 56
(幣) 54

十五画

縶 127
(犛) 667
(氂) 667
敷 284
(毆) 806
戲 1231
(數) 912
(數) 914
(數) 924
(敵) 193
(斃) 55

十六画以上

整 1254
(斁) 230
(斁) 1167
徽 432
(斂) 609
(斃) 55
斄 578
(釐) 593
(斄) 578
(斅) 1086
(斅) 1118

日(曰冃)部

四至六画

日 827
曰 1215
旧 526
旦 177
早 1227
旯 576
曳 1151
旮 298
旭 1112
旬 1121
旨 1265

七画

更 321
更 322
旰 306
旱 379
盱 1109
时 892
旷 570
旸 1141

八画

者 1247
昔 1055
杳 1146
(旾) 146
旺 1014
昊 384
昁 1021
昙 955
杲 312
昃 1229
昆 573
昌 106
(冐) 669
晛 1070
(昇) 876
昕 1092
昄 32
明 690
昒 406
易 1169
昀 1219
昂 12
旻 688
昉 264
炅 358
炅 523
沓 161
沓 948
昏 437
昬 406
(旹) 892

九画

春 146
(萅) 876
昧 674
(昰) 903
是 903
昺 71
昽 634
显 1068
冒 669
冒 696
映 1187
昷 1026
星 1098
昳 214
昳 1169
昨 1325
昫 1112
曷 391
昴 669
昱 1206

眩 1116
昵 717
昭 1242
昇 61
昝 1225
(㫝) 1075
昶 110
(昬) 437

十画

晋 512
(晉) 512
(時) 892
晅 1115
晒 853
晟 884
晓 1085
晊 1268
晃 430
晃 431
㫺 1111
晔 1153
晌 860
晁 113
晐 299
晏 1138
晖 431
晕 1218
晕 1220
(書) 908

十一画

晢 1247
曹 96
匙 127
晡 78
晤 1049
晨 116
(勗) 1113
(晛) 1070
曼 664
晦 436
晞 1054
晗 376
冕 683
晚 1009
晲 583
(晝) 1290

十二画

替 969
(晳) 1055
晳 1225
晴 800
暑 911
最 1324
(暎) 1187
晰 1055
晻 1136
(晻) 11
量 611
量 613
晶 519
睢 1014
晷 358
景 520
晾 613
晬 1324
智 1271
普 764
曾 99
曾 1230

十三画

韪 1021
(尟) 1069
暕 475
暕 580
(暝) 728
(暘) 1141
暍 1148
暌 403
暖 728
暗 11
暅 322
暄 1114
(暉) 431
(暈) 1218
(暈) 1220
暇 1062
(暐) 1021
暌 572
(會) 435
暋 688

十四画

暍 791
暮 703
(嘗) 109
(暱) 717
(曄) 1153
暧 7
(暠) 384
暝 692

十五画

(暫) 1225
暵 379
题 967
暴 40
暴 765
暶 173
(曏) 1076

十六画

(曉) 1085
曀 1172
暸 615
(曇) 955
曌 1245
暾 998
曈 986

十七至
十八画

曙 36
曚 676
(曡) 214
曙 911
(曖) 7
曔 853
曔 853
曝 41
(題) 967
(韙) 1021
曘 768
曛 1121
(曠) 570
曜 1148

十九画
以上

曝 41
曝 765
(疊) 214
(韙) 967
(曨) 634
曦 1057
曩 710
(曬) 853

贝(貝)部

四至六画

贝 44
贞 1248
负 292

七画

坝 22
贡 331
苋 45
贠 945
(貝) 44
员 1210
员 1219
员 1220
财 90
貤 1159
屃 1060

八画

责 1229
贤 1067
败 29
账 1241
贩 261
贬 60
购 334
贮 1296
货 442
质 1269
贪 954
贫 754
贯 350

九画

贰 248
贲 47
贲 56
贳 899
(貞) 1248
贵 359
贱 480
贴 978
贶 571
贻 1160
贷 172
(負) 292
贸 670
费 271
贺 392

十画

(貢) 331
(垻) 22
贽 1271
(莧) 45
贾 339
贾 469
赀 1310
(貟) 945
(財) 90
(貤) 1159
(員) 1210
(員) 1219
(員) 1220
贼 1229
贿 436
赂 641
赃 1226
赅 299
赆 510
赁 622
资 1307
(屓) 1060

十一画

(責) 1229
赉 578
(敗) 29
(販) 261
(貶) 60
赇 805
赈 1252
赊 865
赕 609
(貨) 442
(貪) 954
(貧) 754
(貫) 350

十二画

(貳) 248
(賁) 47
(賁) 56
(貰) 899
赍 451
赏 861
(貼) 978
(貺) 571
(貯) 1296
(貽) 1160
(貴) 359
(買) 660
赋 297
赒 800
赌 228
赎 911
赐 152
赑 56
赒 1289
赔 741
赕 957
赓 115
(貸) 172
(貿) 670
赍 154
(費) 271
(賀) 392

十三至
十四画

赖 578
(賈) 339
(賈) 469
(貲) 1307
(貲) 1310
(賊) 1229
(賄) 436
(賉) 1112
(賂) 641
(賅) 299
赗 282
(賃) 622
(資) 1307
赘 1304
(賕) 805
(賑) 1252
(賒) 865
赙 297
赚 1301

赚 1323
赛 841
十五画
(賛) 1225
(賣) 662
赜 1229
(賚) 578
(賫) 451
(賢) 1067
(賞) 861
(賦) 297
(賕) 800
(賬) 1241
(賭) 228
(賤) 480
(賜) 152
(賙) 1289
(賠) 741
(賧) 957
(賝) 115
(賨) 154
十六画
(賴) 578
赝 1139
(賵) 282
贉 179
赠 1231
赞 1225
赟 1218
十七画
(贅) 1304
(賷) 451
(購) 334
(賺) 1301
(賺) 1323
(賻) 297
赡 858
赢 1185
(賽) 841
十八至十九画
(贄) 1271
(賾) 1229
(贗) 1139
(贉) 179
(贈) 1231
(贊) 1225
(贇) 1218
(寳) 37
二十画以上
(贍) 609
(贍) 858
(贏) 1185
(寶) 37
(贔) 56
(贐) 510
(齎) 451
(贋) 1139
(贖) 911
(贓) 1226

水(氵氺)部

四至五画
水 918
(氷) 68
汀 980
汁 1261
汇 434
氿 357
氿 525
汈 211
汉 377
氾 256
(氾) 261
永 1189
氹 180
六画
凼 180
氽 998
汗 375
汗 379
(汙) 1035
污 1035
(汚) 1035
江 482
汏 171
汕 857
汔 776
汲 453
汍 1007
汐 1050
汋 148
(汎) 261
𬇙 1013
汒 665
汛 1123
汜 930
池 126
汝 833
汤 858
汤 958
汊 102
七画
汞 329
求 804
沣 276
汪 1010
汫 519
汧 779
洗 1045
沅 1210
沩 1019
汚 995
沄 1219
沐 701
沛 742
沔 683
沶 628
汰 953
沤 730
沤 731
沥 602
沋 1192
沌 235
沌 1301
沘 52
沏 767
沚 1265
沙 850
沙 853
汨 681
汩 338
冲 130
浿 742
汭 836
汽 775
沃 1033
沂 1160
沦 647
汹 1105
汾 274
泛 261
㳂 1134
沧 95
泲 458
沕 681
沨 281
(㳄) 1068
沟 332
没 670
没 696
汴 61
汶 1032
沆 382
汸 737
沩 1019
沪 411
沉 116
沈 116
沈 874
沁 794
(決) 536
泐 587
沇 1135
尿 720
尿 941
八画
沓 161
沓 948
泶 706
沬 435
沫 673
沬 696
浅 471
浅 784
法 251
泔 303
泄 1089
沽 334
沛 1270
沭 913
河 389
(㳒) 251
泷 634
泷 918
沾 1234
泸 637
沮 530
沮 533
泪 590
油 1192
泱 1139
(況) 571
泂 523
泅 804
泗 932
泆 1169
沲 239
沲 1001
泊 75
泊 759
(泝) 940
沴 605
泠 623
泜 1260
泺 651
泺 680
泃 528
沿 1134
泖 669
泡 739
泡 740
注 1296
泣 776
泫 1116
泮 737
泞 723
沱 1001
泻 1089
泌 54
泌 681
泳 1189
泥 716
泥 717
泯 688
沸 270
泓 398
泇 466
沼 1244
波 72
泼 759
泽 1229
泾 513
治 1270
九画
荥 1103
荥 1184
泵 50
泉 812
洭 570
洼 1003
洁 497
洱 245
洪 402
洹 422
洒 839
洧 1023
洊 481
洏 245
洿 1036
㳠 948
洌 617
浃 466
浇 489
泚 151
浈 1249
浉 887
洸 353
(洩) 1089
浊 1306
洞 223
洇 1173
洚 443
洄 433
浥 1161
测 98
洙 1292
洗 1058
洗 1068
活 439
洑 286
洑 296
涎 1068

洴 479
泊 463
洫 1112
派 735
洤 812
浍 435
浍 568
洽 777
洮 962
洵 1121
（洶） 1105
洚 486
洛 651
洺 690
（浄） 521
济 458
济 462
浏 628
洨 1082
浐 106
洴 759
洋 1142
洣 680
洲 1287
浑 437
浒 410
浒 1111
浓 726
津 508
浔 1122
浕 510
洳 834
泶 1118

十画

泰 953
浆 484
浆 486
涛 961
浙 1248
涝 587
浡 76
浭 321
浦 764
涑 939
浯 1041
酒 525
（浃） 466
涞 578
涟 607
（涇） 513
涉 870
消 1079
（涓） 742
涅 721
浬 599
涠 1019
涓 535
涡 360
涡 1032
涢 1219
浞 1306
浥 1169
涔 99
浌 241
浩 384
海 370
浜 34
（涖） 603
涂 992
浠 1054
浴 1205
浮 287
浛 376
涣 424
浼 672
涤 194
流 628
润 837
涧 480
涸 675
涕 969
浣 424
浤 401
浪 583
浸 512
涨 1240
涨 1241
涩 849
涊 719
涌 131
涌 1189
涘 932
浚 542
浚 1124

十一画

清 796
渍 1316
添 974
渚 1296
鸿 401
凌 624
淇 770
渃 837
淋 620
淋 622
淅 1055
（淶） 578
淞 933
渎 228
涯 1127
淹 1131
渰 740
涿 1305
（淒） 767
渠 808
渐 474
渐 482
（淺） 471
（淺） 784
淑 909
淖 712
淌 961
淏 384
混 438
混 438
涸 366
渄 749
涸 392
淟 975
渑 683
渑 882
渻 948
（渦） 360
（渦） 1032
（淛） 1248
淮 420
淦 306
（淪） 647
淆 1082
渊 1209
淫 1177
淜 744
淝 269
渔 1199
淘 963
淴 406
淳 147
（涼） 610
（涼） 613
液 1152
淬 156
涪 289
淤 1198
淯 1206
淡 178
淙 154
淀 211
涳 562
涫 350
涴 1034
涴 1208
（淚） 590
深 871
渌 640
涮 916
涠 339
涵 376
渗 876
淄 1310

十二画

（淼） 685
颍 1185
渃 443
（湊） 154
湏 403
渍 274
湛 1237
港 308
渫 1089
滞 1272
溚 948
溁 1185
湖 408
湘 1074
渣 1231
渤 76
湢 56
湮 1131
湮 1176
（減） 476
湎 683
湝 495
（湞） 1249
湜 896
溴 530
渺 685
（湯） 858
（湯） 958
（測） 98
湿 888
温 1026
湡 1200
渴 558
渭 1025
溃 437
溃 572
湍 995
溅 471
溅 480
滑 416
湃 735
湫 492
湫 804
（湼） 721
溲 936
（淵） 1209
湟 425
溆 1112
湆 1136
渝 1200
湲 1211
湌 93
溢 743
（渢） 281
湑 398
湾 1006
渟 981
（湻） 147
渡 229
游 1193
湗 1233
渼 673
溇 636
湔 475
滋 1309
湉 975
渲 1116
（渾） 437
溉 300
渥 1034
湣 688
（湋） 1019
湄 671
湑 1109
湑 1111
滁 138
（湧） 1189

十三画

滟 1138
溱 794
溱 1250
（溝） 332
溘 560
（渺） 685
滠 870
满 663
漭 666
漠 697
滢 1184
滇 204
溹 946
（漣） 607
溥 764
滆 317
溧 605
溽 834
（滅） 685
（滙） 434
源 1213
（溼） 888
滤 644
滥 581
滉 431
溻 947
（溳） 1219
溷 438

(溰) 1161
溦 1018
滗 57
(滌) 194
(溮) 887
溴 1108
溵 1176
滏 290
滔 961
溪 1055
(滛) 1177
(滄) 95
滃 1032
滃 1032
溜 626
溜 633
滦 645
滈 384
滆 442
漓 594
滚 359
溏 959
滂 737
滀 1112
溔 1147
溢 1170
溯 940
滨 67
溶 829
(溹) 871
滓 1312
溟 692
滘 494
溺 718
溺 720
滍 1272
滩 954
滪 1207
滟 1188
滫 1108

十四画

(滎) 1103
(滎) 1184
(漬) 1316
漖 494
潢 430
(滿) 663
漤 1185
潆 1185
潇 1082
溇 581
漆 768
(漙) 995
(漢) 377
(漸) 474
(漸) 482
漕 97
(漚) 730
(漚) 731
(漱) 913
漱 913
漂 752
漂 753
漂 753
漘 147
(滯) 1272
(滷) 638
漷 406
滮 65
漫 664
(漊) 636
漯 653
漯 949
(漍) 366
漶 424
潔 1318
漼 156
漴 132
漎 1059
潋 609
(漁) 1199
潴 1293
漪 1159
漈 464
(滸) 410
(滸) 1111
漉 642
潚 1188
漳 1240
滴 192
(漣) 106
漩 1115
漾 1144
滱 565
演 1137
漃 464
(滬) 411
潵 304
漏 636
(漲) 1240
(漲) 1241
漋 634
漻 615
(滲) 876
潍 1021

十五画

潁 127
黎 595
滕 965
(潁) 1185
(潔) 497
澂 732
潜 783
(澆) 489
(澒) 403
(潰) 274
澍 915
澎 745
(澾) 948
澌 929
澈 839
潮 114
潸 856
潓 437
潭 956
潦 587
潦 615
(澐) 1219
(潛) 783
(澁) 849
澉 456
(潰) 437
(潰) 572
(澂) 125
(潿) 1019
(潕) 1045
潲 864
(潷) 57
潟 1061
澳 14
澓 295
潝 1056
潘 735
(潙) 1019
澛 639
潼 986
澈 115
澜 580
潾 621
潽 762
澸 814
(澇) 587
(潯) 1122
(潤) 837
(澗) 480
(潣) 675
潺 104
潠 1124
澄 125
澄 191
(潑) 759
潏 1208
(漿) 484
(漿) 486

十六画

濩 412
濩 443
(濛) 676
(澣) 424
(濇) 849
濑 579
濒 68
(濊) 443
澽 534
濉 941
潞 641
澧 601
(濃) 726
(澠) 683
(澠) 882
澡 1227
澴 423
(澤) 1229
(濁) 1306
澰 134
澨 904
(澥) 1270
激 452
(澮) 435
(澮) 568
澹 956
澥 1090
澶 105
濂 608
(澱) 211
澼 750
(澦) 1207

十七画

(濼) 1118
(鴻) 401
(濤) 961
(濫) 581
(濔) 680
濡 833
(濬) 542
(濬) 1124
(濕) 888
濮 763
濞 58
澥 1069
濠 383
(濆) 1013
(濟) 458
(濟) 462
瀁 1144
(濚) 1185
(濱) 67
(濘) 723
(濜) 510
(濶) 574
瀡 942
(澀) 849
濯 1307
(潍) 1021

十八画

(瀆) 228
瀔 340
瀦 1293
(濾) 644
瀑 41
瀑 765
(濺) 471
(濺) 480
瀌 444
瀉 1055
(瀂) 639
(瀏) 628
瀍 105
瀌 65
(瀅) 1184
瀋 615
(瀋) 874
(瀉) 1089
(濼) 651

十九画

瀚 380
(瀟) 1082
(瀨) 579
(瀝) 602
(瀕) 68
瀣 1090
(瀘) 637
瀵 1226
(瀧) 634
(瀧) 918
瀛 1185
(瀯) 1185
(瀠) 1185

二十画

灌 350
瀹 1218
(瀲) 609
(瀨) 1069
瀼 817
瀼 817
瀵 276
瀽 478
(瀾) 580
(瀰) 679

二十一画

(灄) 870
灊 783
(灃) 276
灏 385
灈 808
灅 590

(灕) 594
(灜) 251
灑 1188

二十二画以上

(灘) 954
(灑) 839
(灒) 1226
灞 23
(灝) 385
灢 590
(灣) 1006
(灤) 645
(灩) 1138
(灨) 306

见(見)部

四至八画

见 478
见 1069
观 346
观 350
(見) 478
(見) 1069
觃 1138
规 356
觅 681
视 902

九画

觇 104
览 581
觋 651
觉 493
觉 537
觌 932

十至十一画

(覎) 1138
觊 463
舰 479
(規) 356
觋 1058
(覔) 681
(覓) 681
觍 480
(視) 902

十二至十三画

靓 522
靓 613
觏 194
(覘) 104
觎 975
(覡) 932
觍 683
觍 975
觎 1200
(覞) 978

十四至十五画

觐 334
(覡) 1058
(靚) 522
(靚) 613
(覩) 228
觑 513
觑 810
(覦) 975

十六至十八画

(靦) 683
(靦) 975
(覦) 1200
(親) 792
(親) 801
(覲) 334
(覬) 463
(覷) 513
(覷) 810

十九画以上

(覥) 480
(覺) 493
(覺) 537
(覽) 581
(覿) 651
(覯) 194
(觀) 346
(觀) 350

手(扌龵)部

四画

手 905
扎 1222
扎 1231
扎 1231

五画

打 160
打 162
扑 762
扒 18
扒 732
扨 181
扔 827

六画

(扞) 379
扛 307
扛 551
扤 1047
扣 565
扦 779
扢 338
扢 1059
托 999
扱 1050
执 1262
扩 574
扪 675
扫 848
扫 848
扡 128
扡 999
扬 1139
扠 100

七画

扶 284
抚 290
抏 1007
抟 995
抪 759
技 461
抔 762
抠 564
扰 818
扼 242
拒 532
扽 188
找 1244
批 746
扺 1003
扯 115
抄 111
抐 705
抐 712
抸 123
折 865
折 1245
折 1246
抓 1298
扳 30
扳 735
扨 143
抡 646
抡 647
扮 34
抢 784
抢 787
抈 1216
抵 1267
抑 1168
抛 739
投 989
抃 60
抆 1031
抗 551
抝 431
抖 224
护 411
扭 724
抉 537
把 21
把 22
报 39
拟 717
抒 909
抝 933
(抝) 13
(抝) 13
(抝) 724

八画

抹 654
抹 695
抹 695
抾 807
拑 780
抴 1151
抦 70
拓 948
拓 1001
拢 635
拔 21
抨 744
拣 475
拌 777
拈 718
担 175
担 177
押 1126
抻 115
抽 133
拐 344
抶 129
拃 1232
拖 999
拊 290
拍 733
拆 89
拆 103
拎 1068
拎 1251
拎 618
拥 1187
抵 194
拘 527
抬 133
抱 39
拄 1295
拉 575
拉 576
拉 576
拦 579
拌 33
抳 568
拧 722
拧 723
拧 723
(拕) 999
拕 242
抿 688
拂 285
拙 1305
披 746
拟 727
招 1242
拨 72
择 1228
择 1233
拚 737
拚 754
抬 950
拇 700
拗 13
拗 13
拗 724
挐 780

九画

拭 900
挂 344
持 127
拮 497
拷 554
拱 330
挜 1130
挝 1032
挝 1298
挎 567
挞 948
挟 1088
挪 1149
挠 711
挃 1267
挑 574
挡 179
挡 181
拽 1298
拽 1298
挺 981
括 574
挢 491
拸 416
拴 916
挲 839
挲 850
拾 869
拾 894

挑 976
挑 977
指 1265
挖 128
挣 1254
挣 1259
挤 458
挍 492
护 106
捆 56
拼 754
挓 1231
挖 1003
按 10
挥 431
挦 1067
挪 729
挲 944
拯 1254
挱 1222
挱 1225
拜 29
(拏) 704

十画

挈 791
(挵) 726
捞 583
(捄) 526
捕 79
捂 1045
挪 604
振 1252
(挾) 1088
捎 863
捎 864
捍 379
捏 720
捉 1305
捆 573
捐 535
损 944
挹 1169
捌 21
捡 475
挫 158
捋 643
捋 648
捋 837
(捪) 574
换 424
挽 1008
捅 537
挚 1271
捣 182
捹 735
捆 837
捝 922
捝 1000
(挲) 944
捃 543
捐 529
捅 987
挨 4
挨 4
捘 1325
捧 1152
拿 704
(舒) 704
挛 645
拳 812
(挐) 704

十一画

捧 745
掭 975
(掁) 123
(掛) 344
掕 593
(掗) 1130
揶 1149
掫 1320
措 159
捼 729
描 684
捱 4
掠 706
掎 459
掩 1135
捷 499
掂 106
捯 182
排 733
排 735
掮 560
掉 213
掳 639
掴 344
掕 115
掰 648
捶 145
掺 837
推 996
捭 29
掀 1066
拴 794
(捨) 866
(掄) 646
(掄) 647
(採) 90
授 908
捻 719
掤 70
搁 977
搁 1289
掏 961
掐 777
掬 529
掠 646
掂 204
掖 1148
掖 1152
捽 1325
掊 762
掊 762
接 495
掷 1271
(捲) 535
(掽) 745
掸 177
掸 857
掞 857
控 564
捩 618
掮 782
探 957
(捫) 675
掫 1081
(掃) 848
(掃) 848
据 529
据 533
掘 538
(掺) 95
掺 94
掺 104
掺 857
掇 238
掼 350
挲 839
挲 852
挲 944

十二画

揳 1086
揍 1321
揕 1252
揲 214
揲 866
搭 101
搭 160
揸 1231
揠 1130
揦 576
揦 577
(揀) 475
搣 1016
揑 1004
揩 548
(揹) 42
(揵) 499
揽 581
提 192
提 966
(揚) 1139
揖 1159
揾 1032
揭 496
揌 840
揣 140
揣 140
揣 140
揟 409
揟 566
揿 794
插 100
(揷) 100
揪 524
(揑) 720
搜 935
(揰) 145
揜 1136
揄 1200
援 1211
搀 104
揔 1319
揞 10
揥 203
搁 314
搁 316
搓 158
搂 635
搂 636
揃 477
搅 492
揎 1114
揢 556
(揮) 431
握 1034
揙 71
揆 572
搔 847
揉 831
掾 1215
挽 536
(掔) 780
掌 1241
掱 732
掣 115
掰 23

十三画

(搆) 333
掔 34
(損) 307
搕 556
摄 870
(搳) 416
摸 692
搢 512
搏 77
摅 911
(搌) 431
(搨) 948
(損) 944
摁 244
摆 29
携 1088
(搗) 182
搋 140
搬 31
(搫) 839
(搫) 850
摇 1145
(搯) 961
(搶) 784
(搶) 787
(搇) 794
(搊) 133
搞 312
摛 126
搪 959
搒 35
搒 745
搐 140
(搤) 242
搛 474
搠 924
搳 417
摈 68
(搾) 1232
搧 856
(搉) 814
搌 1235
揟 1089
搦 729
(搎) 944
搚 576
搧 987
摊 954
搡 847
搴 1134
(擊) 524

十四画

摰 12
摏 131
(摶) 995
(撕) 106
(摳) 564
摽 65

摽 66
摵 870
摦 419
(撦) 115
摴 137
摣 1231
(㨿) 533
摝 616
摞 653
(摟) 635
(摟) 636
(摑) 344
摧 156
撄 1183
(撾) 1032
(撾) 1298
(摐) 143
摭 1265
(摌) 106
摘 1233
摔 916
撇 753
撇 753
(掤) 56
撖 379
摺 1247
(摺) 1246
摎 524
(摻) 95
(摻) 94
(摻) 104
(摻) 857
(摜) 350
摹 693
搿 317
搴 780

十五画

撵 719
(撓) 711
撷 1088
(撻) 948
撕 929
撒 839
撒 839
擖 544
撠 459
撢 177
撅 536
撩 613
撩 614
(撲) 762
撑 120
(撐) 120
撮 158
撮 1326
(撣) 177
(撣) 857
(撫) 290
撬 790
(撟) 491
(擕) 1088
(撳) 794
播 74
擒 794
(撝) 431
撸 637
撴 235
撞 1303
撤 115
(摯) 1271
撙 1325
(撈) 583
撺 155
(撏) 1067
(撋) 837
撰 1302
(撥) 72
(撧) 536
摩 693

十六画

㩕 840
擭 443
擀 304
撼 379
(攊) 568
擂 589
擂 591
(據) 533
(擄) 639
(擋) 179
(擋) 181
擐 424
(擇) 1228
(擇) 1233
擉 148
操 95
(攜) 1088
撽 790
(撿) 475
(擔) 175
(擔) 177
擅 858
(擁) 1187
擞 936
擞 936
(擄) 1081
擗 749
擎 801

十七画

(擣) 182
擡 951
(擣) 182
擩 834
擤 1103
擨 1149
(擬) 717
(擴) 574
擿 966
擿 1272
(擠) 458
(擲) 1271
擳 1234
(擯) 68
擦 89
(擰) 722
(擰) 723
(擰) 723
(擱) 314
(擱) 316
擢 1307
(擊) 447
(舉) 531
擘 23
擘 78

十八画

(攆) 719
(擷) 1088
(擾) 818
(攄) 911
攂 590
(擻) 936
(擻) 936
(擺) 29
(攜) 1088
(擼) 637
擸 577
(擪) 1152

十九画

攧 204
攧 215
攉 439
攒 155
攒 1225
攈 543
(攏) 635
攀 735

二十画

(攖) 1183
(攙) 104
攘 817
(攔) 579

二十一画

(攝) 870
(攜) 1088
(㩳) 933
(攛) 155

二十二画

(攤) 954
(攧) 204
(攧) 215
(攦) 604
(攞) 648
(攢) 155
(攢) 1225

二十三画以上

(攩) 179
攫 539
攥 1323
(攪) 492
(攣) 645
(攬) 581
攮 710

牛部

四至六画

牛 723
牝 755
牟 699
牟 702

七至八画

牡 700
告 313
牤 665
(牠) 947
牣 826
牦 667
牧 702
物 1047

九画

荦 651
牵 780
牯 337
牲 881
(牴) 194
牰 137
牼 561
牳 700
牮 479

十画

特 964
牺 1053
牷 812
牂 1226
牸 1316

十一画

𤛇 585
牾 1045
牻 666
(牼) 561
牿 342
(犓) 154
犁 595
(牽) 780

十二画

犊 228
犄 450
犋 533
(犇) 47
犉 836
犍 475
犍 783
(犂) 595
犀 1056

十三至十五画

犎 280
犏 751
(犓) 137
犒 554
犗 503
(犛) 667
靠 554
㹎 588

十六画以上

(犖) 585
犟 486
(犢) 228
犦 41
(犧) 1053
犨 133

毛部

四至十画

毛 666
尾 1022
尾 1165
毡 1234
耗 384
耄 669
(毧) 829
毨 1068
毪 699
笔 53

十一至十二画

(毬) 804
毫 382
毹 830
毳 157
毰 742
毯 956
毮 1318

毽 481
毵 846

十三至十五画

毹 670
毸 840
毻 911
毲 580
(犛) 651
(氂) 667
麾 432
(毿) 846

十六画

氅 110
氇 639
氆 765
氉 830
氃 830

十七画以上

氎 848
(氈) 1234
(氊) 1234
(氀) 580
(氌) 639
氍 808
氎 215

气部

四至九画

气 774
氕 753
氘 181
氖 706
氙 1064
氚 141
氛 714
氟 274
氮 220
氡 871
氡 221
氟 285
氢 799

十画

氲 1130

氙 1053
氚 1173
氦 375
氧 1143
(氣) 774
氨 9

十一画以上

氪 559
(氫) 799
氰 801
(氳) 1130
(氮) 220
氮 178
氯 645
氲 1218

长(長镸)部

长 107
长 1240
(長) 107
(長) 1240
肆 932

片部

四至十二画

片 750
片 751
版 32
牉 737
牍 228
(牋) 471
牌 734

十三画以上

牒 214
(牐) 1232
(牕) 143
(牓) 34
(牎) 143
牖 1196
(牘) 228

斤部

四至十画

斤 504
斥 128
斩 1234
欣 1092
所 945
斧 289
斨 785
颀 769

十一画以上

(斬) 1234
断 232
斯 927
(斮) 1306
斳 512
(頎) 769
新 1092
(斲) 1306
斶 140
(斵) 1306
(斷) 232

爪(爫)部

四至七画

爪 1243
爪 1298
孚 286
妥 1001

八画

爬 732
采 90
采 91
觅 681
受 907
乳 833

九至十二画

爰 1211
舀 1147
爱 5
奚 1055
彩 91
(覓) 681
(爲) 1019
(爲) 1024
舜 923

十三画以上

(愛) 5
叆 7
孵 284
虢 366
爵 539
繇 1290
(靉) 7

父部

父 289
父 291
爷 1149
斧 289
爸 22
釜 289
爹 213
爺 1246
(爺) 1149

月(⺝)部

四至六画

月 1215
有 1194
有 1197
刖 1216
肌 447
肋 587
肋 590
(肎) 560

七画

肖 1078
肖 1085
肝 302
肟 1033
肚 228
肚 229
肛 307
肘 1289
(肐) 314
彤 829
肔 1165
肠 109
肓 424

八画

玥 1216
肯 560
肾 875
肴 1145
肼 519
肤 284
朊 835
肮 406
朊 1045
肣 1300
肺 270
肢 1260
(肧) 741
肽 953
肱 329
肬 1192
肫 1305
肿 1284
肭 705
胀 1241
肸 1055
肦 56
朋 744
肺 1311
肷 784
股 338
肮 11
肪 264
肥 269
服 288
服 293
胁 1087
育 1206
肩 473

九画

胡 407
背 42
背 45
胄 1290
胃 1025
胪 898
胠 807
胚 741
胧 634
胈 21
胨 223
胇 545
胪 637
胆 177
胛 469
胂 876
胜 881
胜 884
胙 1327
胍 343
胗 1249
胝 1260
朐 808
胞 36
胖 736
胖 738
胗 1001
脉 662
脉 696
朏 269
朏 566
胫 521
胎 949
胤 1181
胥 1109

十画

脑 245
胯 567
胲 671
胰 1160
胱 353
胴 223
胭 1130
胸 728
脡 982
(脈) 662
(脈) 696
脍 568
脎 839
脁 978
脆 156
脂 1261
胸 1105
胼 737

胳 298
胳 314
胳 317
(脃) 156
脏 1226
脏 1226
脐 769
胶 488
脑 711
胲 300
胲 370
胼 751
朕 1252
脒 680
胺 11
脓 726
(脇) 1087
(胷) 1105
脊 459
朔 924
朗 582
(脅) 1087
能 715

十一画

(脣) 147
脚 491
脚 538
脖 76
脯 290
脯 763
脰 225
豚 998
脦 965
(脛) 521
脭 123
脶 651
脢 671
脸 609
脞 158
脬 739
(脗) 1031
脝 396
脱 1000
脎 969
脘 1009
脲 720
朘 535
朘 1323
望 1014

十二画

期 450
期 767
(朞) 450
朝 113
朝 1243
(腎) 875
腈 517
(脹) 1241
腊 577
腊 1055
(腖) 223
腌 3
腌 1131
腓 269
腘 366
腆 975
(腡) 651
腴 1199
脾 749
腍 827
腋 1152
腑 291
脺 156
(勝) 884
腙 1318
腚 218
腔 785
腕 1010
腱 481
腒 529
胥 774

十三画

腻 718
腠 154
腩 710
腷 57
腰 1145
腼 683
腨 160
(腸) 109
腽 1004
腥 1099
腭 243
腮 840
腹 295
(腫) 1284
腺 1072
(膇) 1304
(腯) 993
腧 913
(腳) 491
(腳) 538
腤 10
腄 125
塍 965
膢 1187
腾 965
腿 997
(腦) 711

十四画

(朢) 1014
膆 939
膜 693
膊 77
膈 317
膈 319
䐦 749
膍 748
膀 34
膀 35
膀 737
膀 738
膑 68
膏 312
膏 313
膂 643
(膋) 614

十五画

膵 156
膝 1057
(膞) 1300
膘 65
膛 960
(膕) 366
膗 140
(膓) 109
滕 965
膣 1268
(膠) 488

十六画

(膩) 718
膨 745
(臈) 577
䐶 1225
(膴) 406
(膴) 1045
膬 157
䐁 536
膰 256
膧 987
膪 140
膳 858
螣 965
縢 965
滕 965
膦 622
膲 485
䐣 944
嬴 1185

十七画

臌 340
朦 676
(膿) 726
臊 848
臊 848
(臉) 609
(膾) 568
(膽) 177
膻 856
臁 608
臆 1172
臃 1188
(賸) 885
(謄) 965
膺 1183
赢 1185
臀 998
臂 47
臂 58

十八画

臑 712
(臍) 769
籐 965
(臏) 68

十九画

(䑄) 749
(臕) 65
(臘) 577
羸 651
蠃 590

二十画

(臙) 1130
臛 444
(臚) 637
臜 1222
(朧) 634
(騰) 965
(贏) 1185

二十一画以上

(臟) 1226
(籐) 965
(臝) 651
臞 808
𦣆 174
(臢) 1222

氏 部

氏 898
氏 1260
氐 191
氐 194
(帋) 1267
昏 437
舐 898

风(風)部

四至十二画

风 276
颩 218
𩙫 1206
(風) 276
飐 1235
飑 65
飒 839
(颩) 218
飓 533

十三至十五画

(𩗓) 1206
飔 927
飕 936
飖 1146
(颭) 1235
(颮) 65
(颯) 839
(颱) 949
飗 628
(䬊) 839
飘 752
(颳) 343

十六画以上

飙 65
(颶) 533
(颶) 533
(颺) 1139
(颸) 927
(颼) 936
(颻) 1146
(飀) 628
(飄) 752
(飃) 752
(飆) 65

欠 部

四至七画

欠 784
次 151
欢 421
欤 1198
饮 1179
饮 1181

八至十画

㰦 1066
欧 730
软 835
欣 1092
炊 145
欷 1035
欱 385
(欵) 556

十一画
[illegible] 1061
(軟) 835
欷 1054
欲 1205
(欵) 569
欸 4
欸 5
欸 243
十二画
款 569
欺 768
欹 1159
(飲) 1179
(飲) 1181
欿 549
欻 140
欻 1110
十三至十四画
歕 743
歅 1176
歇 1086
歒 853
歈 1200
歆 1096
歌 314
(歍) 1035
歊 1082
歉 784
十五至十六画
(歎) 956
(歐) 730
歔 1110
(㱃) 1179
(㱃) 1181
(歕) 743
歙 870
歙 1056
十七画以上
歠 140
(歟) 1198
(歛) 609
歜 148
(歡) 421

殳部
四至十画
殳 908
殴 731
殁 696
段 231
殷 1131
殷 1176
殷 1179
般 736
(殺) 850
殸 339
十一至十二画
(殼) 556
酘 990
殹 358
豛 226
(殽) 1082
(發) 249
十三画
彀 334
毂 340
毃 443
毄 451
毄 464
骰 990
毁 434
殿 211
十四至十五画
穀 340
毄 539
(轂) 338
毃 565
(毆) 731
毅 1169
十六画以上
觳 409
毈 231
(轂) 340
毊 814
觳 409
(毃) 565

文部
四至八画
文 1028
刘 626
齐 462
齐 768
吝 622
旻 688
忞 688
忞 1031
十至十二画
虔 782
斋 1233
紊 1031
斑 31
斐 270
斌 68
十三画以上
韭 450
斒 31
齑 450
(亹) 1030
斓 580
(斕) 580

方部
四至八画
方 261
邡 262
放 265
於 1036
於 1198
於 1200
九画
旂 1198
斿 1193
施 887
十画
旁 738
旆 742
旄 667
旂 770
旅 643
旃 1234
十一画
旉 284
旌 518
族 1322
旍 518
旎 717
旋 1115
旋 1116
十二画以上
旝 568
旐 1244
旒 631
旗 770
旖 1165
旛 255
(旟) 1198
(旝) 568

火(灬)部
四至六画
火 440
灭 685
灰 431
灯 188
七画
灸 525
灶 1228
灿 94
灼 1306
[illegible] 570
炧 1089
炀 1141
灾 1223
灵 623
(災) 1223
八画
杰 499
炁 776
炅 358
炙 1270
炜 1021
炬 532
炖 235
炒 114
炝 787
炊 145
炆 1030
炕 553
炎 1134
炉 638
炔 813
九画
荧 1184
点 205
炰 739
炳 71
炻 892
炼 609
炟 161
畑 974
炽 129
炯 523
炸 1232
炸 1232
(炢) 803
烀 406
烁 924
炮 36
炮 739
炮 740
炷 1297
炫 1116
焫 856
烂 581
(炤) 1244
烽 1167
烃 980
為 1019
為 1025
烏 950
十画
热 818
(烖) 1223
耿 322
烈 617
烋 1081
(烏) 1034
(烏) 1048
斉 462
羔 312
烤 554
烘 398
烜 1116
烦 256
烧 863
烛 1294
烔 985
烟 1130
烨 1153
烩 435
烙 587
烙 653
烊 1142
烊 1144
[illegible] 1122
烬 510
烫 961
烝 1254
十一画
焘 183
焘 961
焉 1131
烹 744
焐 1049
(烴) 980
焊 379
熉 1219
(烱) 523
烯 1054
焓 376
焕 424
烽 280
焖 675
烷 1008
烺 583
焗 530
焌 543
焌 807
十二画
煮 1296
(煑) 1296
焚 275

戭 289
㬮 523
(無) 692
(無) 1036
烏 1061
焦 489
(爲) 1019
(爲) 1024
然 816
焯 113
焯 1305
焜 573
焮 1098
焰 1139
焠 156
焙 46
欻 140
欻 1110
焱 1139
(勞) 583

十三画

蒸 1254
(煕) 1056
煦 1112
照 1244
煲 36
煞 852
煞 853
煎 475
煤 672
煠 1232
煳 409
煏 57
(煙) 1130
(煉) 609
(煩) 256
(煗) 728
(煬) 1141
煴 1218
煜 1206
煨 1016
煅 231
煌 426
煺 998
(煖) 728
煔 857
(塋) 1184
(煢) 802
煊 1114
(煇) 431
煸 59
煺 997
(煒) 1021
煣 831

十四画

熬 12
熬 12
熙 1056
(熈) 1056
罴 749
熏 1121
熏 1124
(燁) 1153
熌 581
熀 430
(熉) 1219
熄 1055
(熗) 787
熘 626
熇 393
(熒) 614
(滎) 1103
(滎) 1184
(犖) 651
(熒) 1184
熔 830
煽 856
(熌) 856
熥 965
熊 1106

十五画

熭 1026
(熱) 818
熟 905
熟 911
熯 379
熿 430
熛 65
熳 665
熜 153
熝 12
熵 860
熖 1139
(瑩) 1184
熠 1172
熨 1207
熨 1221

十六画

熹 1057
燕 1132
燕 1139
(錟) 1139
(燒) 863
熺 1057
燂 442
燂 956
燎 615
燎 615
燔 475
燠 1208
燔 256
燃 816
燉 236
(熾) 129
(燐) 621
燧 943
燊 872
燚 1172
(螢) 1184
(營) 1184
(罃) 1183
(縈) 1185
(燖) 1122
(燗) 675
(燈) 188
燏 1208
(燙) 961

十七画

(燦) 94
燥 1228
(燡) 1167
(燭) 1294
(燬) 434
(燴) 435
燨 12

十八画

(燾) 183
(燾) 961
(爁) 581
燹 1069
(齋) 462
(爗) 1153
(燻) 1121
(爌) 570
(鎣) 1185
(燼) 510
(燿) 1148

十九画

(羆) 749
爆 41
爗 554
(爕) 1090
爊 12
(爍) 924

二十画以上

爟 444
(爐) 638
爔 1057
(爛) 1139
爟 351
爚 1218
爝 539
(爛) 581
爨 155

斗 部

斗 224
斗 224
戽 412
科 555
料 616
斜 1088
斛 409
斝 470
斟 1251
斠 494
斡 1034

户 部

四至八画

户 411
(戹) 241
启 773
戺 901
戾 605
肩 473
房 264
戽 412

九画以上

扂 211
扁 60
扁 750
扃 523
扅 1161
扆 1165
扇 856
扇 857
扈 412
扉 269
雇 342
扊 1136

心(忄⺗)部

四至五画

心 1090
忆 1166
忉 181
必 54

六画

忏 302
忖 157
忕 901
忔 1201
忓 106
忙 665
忛 181
忛 859

七画

忐 1268
忑 964
忒 964
忒 996
忐 956
忘 1015
忨 1010
忨 1045
忮 1268
怀 419
怄 731
忧 1190
忳 998
忡 130
忤 1045
忾 548
怅 110
忻 1092
忪 1105
忪 932
忪 1283
怆 144
忺 1066
忭 61
忼 550
忱 116
忸 724
快 569
忸 933
㐆 794
忌 461
忍 826

八画

忝 975
态 953
忎 5
忠 1283
怂 933
念 719
忿 275
忽 406
忞 688
忞 1031
怔 1254
怔 1257
怯 791
怙 412
怵 139
怖 86
怦 744
怗 978
怛 161
怚 154
怚 533
(悦) 430
怏 1144

性 1103
怍 1327
怕 733
怜 607
怐 565
㤘 1290
忄宁 729
忄宁 1297
怩 717
怫 285
怓 711
怊 111
怿 1167
怪 345
怡 1160
九画
思 840
思 927
(恖) 243
怎 1230
怹 954
(怱) 152
怨 1214
急 455
总 1318
㤭 489
恇 570
恜 129
恸 988
恃 902
恅 587
恒 396
恓 1053
恹 1131
(恠) 345
恢 431
(恆) 396
恍 430
恫 223
恫 982
恛 433
恺 548
恻 98
恬 975
恤 1112
恰 777
(恡) 622
恂 1121
恉 1267
恟 1104
恪 559
恀 903
㤠 632
㤂 769
恔 1085
恼 711
忄宅 102
恽 1220
憹 711
恨 395
恈 699
怒 727
怼 234
怠 173
十画
恝 468
恚 436
悊 1247
恐 563
(恥) 128
恭 329
恶 241
恶 242
恶 1036
恶 1049
恧 728
恩 243
恁 714
息 1055
恋 609
恣 1316
恙 1144
憦 587
悖 45
悚 934
悟 1049
𢛯 746
悭 780
悄 787
悄 789
悍 379
悝 571
悮 1049
悃 574
悁 536
悁 1208
悒 1169
悔 434
悇 993
憸 1066
悗 663
悗 675
悯 688
悦 1217
悌 969
悢 613
悛 810
恳 560
恕 913
十一画
悫 814
悬 1115
患 424
悠 1191
您 722
(悤) 152
悉 1055
悐 969
情 800
惬 791
(悵) 110
悻 1103
惜 1055
(惏) 579
(悽) 767
惭 93
悱 270
悼 184
惝 110
惧 533
惕 969
㥏 975
惘 1014
悸 463
惟 1020
惆 134
惛 437
惚 406
惊 516
惇 235
惦 210
悴 156
惓 812
惮 178
悰 153
悾 562
惋 1008
悺 350
惨 93
惙 148
惯 350
(窓) 143
恿 1189
(忩) 99
十二画
(惡) 242
(惡) 1036
(惡) 1049
惎 464
惹 818
(悳) 186
惠 436
惑 442
悲 42
惄 718
崽 1223
(惥) 1189
惩 125
惫 46
(愜) 791
愤 276
愖 119
愇 98
慌 425
愊 57
惰 239
愐 683
愞 729
(惻) 98
(愓) 181
(愓) 859
愠 1221
惺 1099
愒 548
愒 776
愕 243
愦 572
惴 1304
愣 593
愀 789
愎 57
惶 425
愧 573
愉 1200
愯 1318
惸 803
(愃) 235
愔 1176
(惲) 1220
惼 60
慨 548
惽 688
慅 98
慅 847
(惱) 711
十三画
(惷) 147
(㥦) 791
慸 204
想 1076
感 304
愚 1200
愁 134
愆 780
愈 1207
意 1171
慈 150
愫 939
慠 13
慑 870
慎 876
(慱) 76
(慄) 605
(愷) 548
(愾) 548
慥 1228
慆 961
(愴) 144
(㥮) 1290
慉 1112
慊 784
慊 791
愙 560
慇 688
愸 670
十四画
慝 965
慕 703
愿 1215
愢 534
慁 438
(慇) 1176
(誌) 1268
(愬) 938
(慚) 93
(慂) 1189
(慪) 731
(慳) 780
慓 752
(慽) 768
慢 664
(慟) 988
憏 129
慷 551
慵 1188
(慴) 870
憀 615
(慘) 93
(慣) 350
(態) 953
十五画
慧 436
惷 131
(慤) 814
(慙) 93
(慼) 768
(懘) 204
憗 1181
(憇) 777
慜 689
(慫) 933
(慾) 1205
憋 66
(憒) 276
憧 222
憓 437

憛 956
憭 615
憯 94
憬 520
(憒) 572
(憚) 178
(憮) 1045
(憍) 489
憔 789
懊 15
憱 155
憞 236
憧 131
(憐) 607
憎 1230
(憦) 587
(憫) 688
憨 375
慰 1026

十六画

憙 1057
憙 1059
(憖) 1181
懕 1131
憩 777
(憊) 46
(憑) 758
憝 234
懜 677
懜 678
(懞) 676
憷 140
懒 581
憾 379
懆 98
(憹) 711
懁 1114
(懌) 1167
(懙) 1201
(憸) 1066
憺 179
懈 1090
懍 622
懔 622
(憶) 1166
(憲) 1071
(窻) 143
[illegible] 836
([illegible]) 836

十七画

(懃) 794
懋 670
[illegible] 579
(懇) 560
懑 675
懥 1272
(懨) 1131
懦 729
(懠) 769
(懧) 729
隳 432

十八至十九画

(懟) 234
懵 677
懮 1191
懮 1196
(懰) 632
(懣) 675
(懲) 125
(懶) 581
(懷) 419

二十至二十一画

([illegible]) 579
(懸) 1115
(懽) 421
(懺) 106
(懾) 870
(懼) 533
(㦗) 933

二十二画以上

懿 1172
(聽) 980
戄 539
(戀) 609
戆 308
戆 1303
(戇) 308
(戇) 1303

毋(母)部

毌 350
毋 1041
母 699
毐 5
每 672
贯 350
毑 500
毒 226
(貫) 350
毓 1208
纛 185

示(礻)部

五至六画

示 898
礼 595
𥘅 447
𥘅 462
祁 769
礽 827

七画

佘 865
社 866
祀 930
祃 660

八画

奈 706
祎 1159
祉 1265
视 902
祆 1066
祈 769
祇 769
(祇) 1265
祋 234
祊 49

九画

柰 706
祛 807
祜 412
祐 1197
祏 892
祓 288
祖 1323
神 871
神 873
祝 1297
祚 1327
祔 292
祗 1260
祢 680
(祕) 54
(祕) 682
祠 149

十画

祘 941
祯 1249
祫 1062
祧 976
祥 1075
祟 943

十一画

票 753
祭 464
祭 1234
祷 183
(視) 902
祸 443
祲 513

十二画

祾 624
祺 770
禌 1233
祼 350
裩 339
(禍) 443
禅 104
禅 857
禄 641

十三画

禁 508
禁 513
禀 71
禊 1061
禖 672
福 289
禋 1176
(禎) 1249
禔 967
禘 203
(禕) 1159

十四至十五画

(禡) 660
禛 1250
禚 1307
禥 770
(禩) 930
禤 1114

十六画

(禜) 1185
禧 1059
禫 179
(禪) 104
(禪) 857
(禨) 447
(禨) 462

十七画以上

(禦) 1208
(禮) 595
(禱) 183
(禰) 680
禳 817

甘部

甘 303
邯 375
甙 173
[illegible] 302
某 699
甜 975
(嘗) 109
[illegible] 1248

石部

五至七画

石 177
石 890
(矴) 218
矶 732
矶 447

八画

矸 302
矼 483
矼 785
矻 565
矾 256
矽 1050
矿 570
砀 181
码 659
岩 1134
宕 181

九画

砉 414
砉 1109
研 1134
砆 284
砖 1300
砗 115
砘 235
砑 1130
砒 746
砌 776
砌 791
砂 852
泵 50
砚 1138
斫 1306
砭 59
砜 279
砍 549
砄 537

十画

砝 254
砹 5
砢 555
砢 651
砸 1222
砺 602
砰 744
砧 1250
砯 755
砠 527
砷 871
砟 1232
砼 984
砥 195

砾 605
(砲) 740
砫 1297
砬 576
砣 1001
砩 286
础 139
破 760
硁 561
砻 634
岩 814
砮 727

十一画

硎 1100
硅 355
硭 665
硒 1053
硕 924
硖 1062
硗 788
硐 223
硙 1025
(硃) 1290
硚 788
硇 711
硊 359
硊 1023
硌 319
硌 653
硋 7
硉 641
(砦) 1234

十二画

(硨) 115
硬 1187
(硤) 1062
(硜) 561
硵 639
硝 1080
(硯) 1138
碽 1220
碜 119
硪 1034
硷 476
确 813
硫 631
磵 480
硠 582

十三画

(碁) 770
碱 1046
碛 776
碐 592
碏 814
碍 7
碘 205
碅 542
硾 1304
碓 235
碑 42
碛 1270
硼 744
碉 211
碎 942
碚 46
碰 745
碑 192
碇 218
碂 562
碗 1008
碌 633
碌 641
碜 119
碆 74

十四画

碧 58
碶 776
碡 1289
(碁) 1250
碟 214
碴 101
碴 102
碱 476
(碩) 924
碜 1233
(碭) 181
碣 500
碨 1025
碳 957
碫 231
碗 358
碗 1023
磓 232
(碸) 279
磆 398
碲 204
磋 158
磁 150
碹 1116
碥 60

十五画

磝 12
(碼) 659
磕 556
磌 975
磊 590
(磒) 1220
(磑) 1025
磎 1055
磔 1247
碻 788
碻 814
磙 359
磅 35
磅 738
磏 609
(確) 813
碾 719
磉 847
磐 736

十六画

磬 802
(磧) 776
磡 550
磺 430
(磚) 1300
磦 65
(磠) 639
磞 49
礭 813
磜 776
磢 155
[illegible] 1116
磲 808
(磟) 633
(磣) 119
磨 694
磨 699

十七画

(磽) 788
礋 1241
(磾) 192
(礄) 788
磶 1061
礁 490
磻 74
磻 736
礅 235
礃 144
磷 621
磳 1230
(磵) 480
磴 191
(磯) 447

十八画

礚 556
礞 677
(礎) 139
礓 484
礌 589
礉 392
礉 790
(礐) 814

十九画

礤 89
(礪) 602
(礙) 7
(礦) 570
礤 89

二十画以上

(礬) 256
礧 590
(礩) 1270
(礫) 605
(礮) 740
礴 77
礳 699
(礱) 634
礶 351
礵 918

龙(龍)部

五至十一画

龙 633
龙 666
龙 675
垄 635
宠 132
䶮 1136
砻 634
聋 634
龚 329
袭 1058
龛 549

十二画以上

詟 1247
(龍) 633
(壟) 635
(寵) 132
(龑) 1136
(礱) 634
(龕) 549
(聾) 634
(龔) 329
(襲) 1058
(讋) 1247

业部

业 1150
亚 1128
邺 1150
显 1068
壶 409
壸 574
凿 1227
黹 1267
(業) 1150
黻 288
(叢) 153
黼 290

目部

五至八画

目 701
盯 215
盱 1109
盲 665

九画

相 1072
相 1077
省 882
省 1103
眄 684
眍 564
盹 235
眇 685
睍 1070
眊 669
盻 1061
盼 737
眨 1232
眈 177
(䀛) 134
看 549
看 549
盾 236
眉 671

十画

眛 686
眜 696
眯 674
(眎) 902
眬 634
[illegible] 637
眕 1251
(眡) 902
眩 1116
眠 682
眧 114
眙 129
眙 1160
眚 883
眢 1208

十一画

(眥) 1316
眶 571
眭 941
眦 1316
眽 698
眺 978
眴 923

眗 1116
眵 126
睁 1254
眹 1252
眯 678
眯 679
眼 1137
眸 699
着 1243
着 1243
着 1248
着 1307
眷 536

十二画

䀹 857
睐 578
睄 789
睄 864
睅 379
(睍) 1070
(睏) 574
睊 536
睎 1054
睑 476
瞤 923
瞯 480
睇 200
睆 423
鼎 216
睃 945

十三画

督 226
睛 517
睹 228
睦 703
睖 593
瞄 685
(睞) 578
睚 1127
睫 500
晰 1235
睗 904
睡 923
睨 718
睢 941
睥 749
睬 91
睟 943
(睠) 536
睒 857
睩 641

十四画

睿 836
瞆 359
瞅 134
瞍 936
睺 403
(瞇) 678
(瞇) 679
瞜 635
瞖 572
瞀 670

十五画

瞌 556
瞒 663
瞋 116
(瞋) 115
瞷 474
瞎 1061
瞑 692

十六画

(瞖) 1170
(瞞) 663
(晰) 1235
(瞘) 564
瞟 753
瞠 120
(瞜) 635
瞚 923
瞰 550
矊 682
瞥 753

十七画

瞫 875
瞭 616
(瞭) 615
(瞶) 359
瞧 789
瞬 923
瞳 987
瞵 621
(瞤) 923
(瞯) 480
瞩 1296
瞪 191

十八画

瞽 340
(矇) 675
(矇) 676
瞿 808
(矁) 134
(瞼) 476
瞻 1234

十九画以上

(瞷) 474
(矊) 682
矍 539
矅 444
(矑) 637
(矓) 634
(矙) 550
(矚) 1296

田 部

五画

甲 468
申 870
电 205
田 974
由 1192

七画

町 215
町 981
男 707
(甽) 700
甸 210
亩 700

八画

画 418
奋 275
果 366
畀 56
(畂) 700
甿 676
备 46
甾 1223

九画

禺 1200
(畊) 321
畎 812
畏 1025
毗 748
(毘) 748
胃 1025
畋 974
畈 261
界 502
畇 1219
思 840
思 927
(畆) 700
(畒) 700
(畄) 628

十画

(畢) 54
畛 1251
畟 98
畔 737
留 628
(畝) 700
畜 140
畜 1112
畚 49

十一画

菑 1310
(異) 1168
畦 771
畤 1271
(畱) 628
略 646
(畧) 646
累 588
累 590
累 591

十二画

(畱) 628
畴 133
(畮) 700
畯 543
畲 865
畬 865
畬 1199
番 255
番 735

十三画

畨 956
畺 484
(當) 179
(當) 180
畸 450
畹 1008
畷 1304

十五画以上

畿 452
(奮) 275
疁 631
疃 996
疄 720
(壘) 590
(疇) 133
罍 590
(纍) 588
(纍) 590
(疊) 214

罒 部

五至九画

四 930
罗 648
罘 286
罚 251

十画

罡 307
罢 22
罢 23
罟 337
罝 527
罛 335

十一至十二画

罜 344
(罛) 1286
(罝) 660
罥 536
罦 287
罾 606

十三画

罫 345
罫 419
署 911
(睪) 1167
(睪) 1228
置 1272
罭 1206
罠 803
罨 1136
罪 1324
罩 1245
蜀 912
罬 1306

十四至十五画

罴 749
罱 581
罳 927
(罰) 251
(罵) 660
罶 632
(罸) 251
(罷) 22
(罷) 23

十六画以上

罽 939
罹 642
罹 595
罻 1026
羁 453
罽 464
罿 140
罼 131
罾 1230
羃 58
羆 749
(羅) 648
羇 450
羈 535
(羈) 453

皿 部

五至九画

皿 688

盂 1198
盂 677
(盃) 41
(盇) 392
昷 1026
盅 1283
盆 743
盈 1185

十画

盏 1235
盐 1135
盍 392
(盌) 74
监 473
监 481
盎 12
盉 386
(盌) 1008
益 1170

十一画

盔 571
盛 123
盛 884
蛊 339
盘 788
盘 736
盒 388
盗 183
盖 300
盖 318

十二至十三画

蓋 300
蓋 318
(蓋) 300
(蓋) 318
(盞) 1235
盟 676
蠡 641

十四至十六画

(監) 473
(監) 481
盨 1112
(盡) 510
(盤) 736
醯 338
盥 350
盦 10

十七至十八画

盭 1289
(盇) 788
簋 358
(盨) 1112
(盪) 181
鹽 338

二十画以上

鼇 606
(蠱) 339
蠲 535
(鹽) 1135
蠹 1061
(豔) 1138
(豔) 1138

生 部

生 877
星 1098
眚 883
甡 872
毒 1206
(產) 105
(甦) 936
甥 881

矢 部

五至十二画

矢 896
矣 1165
知 1261
矩 530
矧 875
矫 490
矫 491
短 230
矬 158
(躲) 869
矲 1272

十三画以上

矮 5
雉 1272
疑 1162
(矯) 490
(矯) 491
矰 1230
矱 1215

禾 部

五至七画

禾 385
利 604
秃 991
秀 1108
私 924

八画

(咊) 385
秆 304
和 385
和 392
和 407
和 439
和 442
(秈) 1065
(秊) 718
秎 571
季 462
委 1016
委 1022
秉 71

九画

(乗) 124
秬 532
秕 52
秒 685
香 1074
种 131
种 1284
种 1285
(秖) 1265
秭 1311
(秔) 519
秋 803
科 555

十画

秦 793
乘 124
乘 884
秣 696
秫 911
秠 746
秤 125
租 1321
积 451
秧 1139
盉 386
秩 1269
称 119
称 120
称 125
秘 54
秘 682

十一画

秸 495
稆 643
秽 436
桃 962
移 1161
秾 726

十二画

酥 937
(稉) 519
嵇 451
稍 863
稍 864
程 123
(稈) 304
稌 993
稀 1054
黍 911
稃 284
税 922
稊 966
稂 582

十三画

稑 642
(稜) 591
稙 1262
稞 556
稚 1272
稗 30
稔 826
稠 134
稖 35
愁 134
稔 94
稣 937
颖 1185
(稟) 71

十四画

(稬) 729
(稭) 495
(種) 1284
(種) 1285
(稱) 119
(稱) 120
(稱) 125
稳 1031
稨 60
穊 463

十五画

稹 1251
稽 452
稽 774
稷 464
稻 185
黎 595
稿 312
稼 471
(穉) 1272
(稾) 312

十六画

(積) 451
穑 849
穆 703
穄 464
(穅) 551
(穇) 94
(穌) 937
(穎) 1185
穈 542
穈 815

十七画

穗 943
穛 1305
黏 719
穜 1287
穟 943
(穉) 1272

十八至十九画

(穫) 443
(穡) 849
(穢) 436
(穠) 726
(穤) 729
(穩) 1031
(穦) 997
(穬) 571

二十画以上

穮 65
穲 1306
穰 817
(龢) 385
(穮) 803

白 部

五至八画

白 23
百 26
(皁) 1227
皂 1227
帛 75
的 187
的 193
的 203

九至十一画

皆 495
皇 425
泉 812
皈 357
皋 308
皪 605
(臯) 308
皑 4
皎 491
皕 75
(習) 1057

十二至十四画

皕　56
皓　384
皖　1009
(晳)　1055
碧　58
魄　75
魄　760
魄　1002
十五画
皝　431
皞　385
(皚)　4
(皜)　384
(樂)　588
(樂)　1216
十七画以上
皤　760
皦　492
皫　753
(皪)　605
皭　494

瓜　部

瓜　343
胍　343
瓰　30
罛　335
瓞　214
瓠　412
觚　335
瓢　752
瓣　34
瓤　817

鸟(鳥)部

五至七画
鸟　212
鸟　720
凫　286
鸠　523
鸡　447
八画
鸹　302
鸹　379
鸢　1208
鸣　691
㠀　182
鸩　1160
鸤　885
九画
䴓　887
鸨　1260
鸥　731
鸦　1125
(凫)　286
鸧　95
鸨　39
鴂　537
鸩　1252
鸠　537
十画
莺　1183
鸪　335
鸫　220
鸬　637
鸭　178
鸭　1126
鸮　1081
鸯　1139
鸰　623
鸱　126
鸲　808
鸵　1206
鸵　1001
鸳　1208
鸴　137
鸶　1118
鸾　213
鸳　466
鸷　927
十一画
鸷　587
鸷　1271
鸸　329
鸹　245
鸺　618
鸻　149
鸼　1292
鸽　343
鸾　1107
(鳥)　212
(鳥)　720
鸻　396
鸼　1287
鸽　315
鹀　933
鸾　645
鸡　488
鸿　401
十二画
鹁　1042
鹂　76
鹃　79
鹄　593
鹅　535
鹆　119
鹇　339
鹈　409
鹉　241
鹊　1205
鹋　570
鹌　543
鹍　1067
鹎　966
十三画
鹉　1046
鹊　517
鹋　814
鹌　685
鹍　10
鹎　1245
鹏　573
鹐　1170
鹑　42
鹒　1170
鹏　744
鹏　288
鹓　780
(鸠)　523
鹔　147
鹕　321
鹖　1208
鹗　473
鹘　938
十四画
(鸹)　302
(鸹)　379
鹙　409
鹚　129
(鳶)　1208
(鳴)　691
鹛　530
鹜　967
鹝　391
鹞　243
(嶋)　182
鹟　339
鹠　409
鹡　804
鹢　1217
鹣　968
鹤　151
(鳲)　885
鹥　671
鹦　1049
十五画
鹧　565
鹨　1172
鹩　605
(鳾)　887
(鴇)　1260
(鴉)　1125
鹪　1138
(鴃)　537
鹫　966
鹬　1148
鹭　1032
(鴇)　39
鹯　628
鹰　458
鹱　1170
鹲　474
鹳　1066
鹤　393
(鴆)　1252
(鳩)　537
十六画
(鴣)　335
鹥　1159
(鴨)　178
(鴨)　1126
(鴞)　1081
(鴦)　1139
鹦　1183
(鴕)　1206
(鴕)　1001
(鴒)　623
(鴟)　126
(鴝)　808
(鴛)　1208
鹧　1248
鹭　1307
(鴬)　213
(鴛)　466
鹨　633
十七画
(鵊)　587
(鴵)　329
(鴰)　245
鹩　615
(鴷)　618
(鴴)　149
(鵃)　1292
(鵀)　933
(鵂)　1107
鹪　490
(鴴)　396
(鵃)　1287
(鴿)　315
鹫　527
(鵁)　488
(鴻)　401
鹬　1208
十八画
鹮　677
(鵓)　1042
(鵏)　76
(鵑)　79
鹭　641
(鵝)　535
鹮　423
(鵒)　119
(鵑)　339
(鵜)　409
(鵡)　241
(鵡)　241
(鵡)　241
(鵪)　543
(鶬)　1205
鹱　412
(鶓)　570
鹳　1234
鹰　1183
(鵯)　966
鹯　750
十九画
(鵡)　1046
(鵲)　517
(鶓)　1125
(鶓)　814
(鵪)　685
(鶤)　220
(鶤)　10
(鵯)　1245
(鵬)　573
(鶊)　1170
(鶊)　1170
(鶉)　42
(鵬)　744
(鵬)　288
(鵰)　211
(鵷)　780
(鶄)　147
(鶘)　321
(鶡)　1208
(鶚)　473
二十画
(鶖)　409
(鶿)　129
(鶥)　530
(鶩)　967
(鷁)　391
(鶻)　339
(鶹)　409
(鷂)　243
(鶺)　804
(鷊)	968
(鶼)　151
(鶿)　151
(鷖)　671
(鸚)　1049
二十一画
(鷓)　565
(鷚)　1172

(鶇)　605
(鶡)　1138
(鶥)　966
(鷂)　1148
(鶏)　447
(鶬)　95
(鶲)　1032
(鶹)　628
(鷀)　137
(鶺)　458
(鷁)　1170
(鵝)　474
(鶯)　1183
(鶱)　1066
(鶴)　393
二十二画
(鷙)　1271
鹳　351
(鷗)　731
(鷖)　1159
鹴　918
(鷓)　1248
(鷟)　1307
(鷚)　633
二十三画
(鷰)　1139
(鷯)　615
(鷦)　490
(鷲)　527
(鷴)　1067
(鷸)　1208
(鷭)　927
二十四画
(鷸)　677
(鷺)　641
(鸂)　423
(鸌)　412
(鷽)　1118
(鸃)　1160
(鸇)　1234
(鷹)　1183
(鸂)　1055
(鸏)　938
(鵬)　750
二十五画
以上
(鸎)　1183
(鸑)　1217
(鸕)　637
(鸛)　351
(鸘)　918
(鸚)　1183
(鸝)　593
(鸞)　645

疒部

七画
疔　215
疕　52
疖　495
疗　614
八画
(疘)　307
疟　728
疟　1147
疠　602
疝　857
疙　314
疚　526
疡　1141
九画
疬　602
疣　1192
疥　502
疭　1320
疮　143
疷　769
疯　279
疫　1169
疢　119
疨　460
疤　21
十画
症　1254
症　1258
疳　303
疴　555
病　71
痁　856
疽　171
疽　177
疸　527
痍　1265
疾　456
痄　1232
疹　1251
痈　1188
疴　528
疼　965
疱　741
痓　1297
痃　1114
痆　721
(疿)　271
痂　466
疲　748
痉　521
十一画
痔　1271
痖　1128
痏　1023
痍　1160
疵　148
痌　982
(痐)　433
痊　812
痑　238
痑　897
痎　496
痒　1144
痕　395
十二画
痣　1268
痨　585
痛　762
痦　1049
痘　225
痞　749
(痙)　521
痢　605
痗　674
痤　158
痪　424
痫　1067
痧　852
(痾)　555
痛　988
痠　940
十三画
猪　993
(瘂)　1128
痯　159
痻　1055
(痳)　622
瘃　1294
痱　271
痹　56
痼　341
痴　126
痿　1023
瘐　1204
(痺)　56
痻　688
痰　955
瘁　156
瘖　741
瘀　1198
瘅　176
瘅　178
痯　349
瘆　876
十四画
瘈　1272
瘩　161
瘩　171
瘌　577
瘞　1172
(瘧)　728
(瘧)　1147
(瘍)　1141
瘟　1027
瘇　1285
瘦　908
瘊　403
(瘉)　1207
(瘋)　279
(瘑)　460
(瘖)　1176
瘥　104
瘥　158
瘘　636
瘕　470
瘙　848
十五画
瘛　129
瘼　698
(瘞)　1172
瘱　1172
瘭　348
瘪　66
瘪　67
瘢　31
(瘡)　143
瘤　628
瘠　458
瘫　955
十六画
癀　430
瘭　65
(瘱)　1172
瘰　651
(瘻)　636
瘿　1186
(瘲)　1320
瘵　1234
瘴　1242
瘯　155
癃　634
瘾　1180
瘸　813
瘳　133
(瘮)　876
十七画
癍　31
(癅)　628
(癘)　602
(療)　614
(癉)　176
(癉)　178
癌　5
(癚)　161
(癚)　171
(癄)　789
(癆)　585
(癇)　1067
(癈)　271
十八画
癞　579
癗　590
(癤)　495
癙　912
(癒)　1207
癔　1172
癜　211
癖　749
十九至
二十一画
(癟)　66
(癟)　67
癣　1116
(癡)　126
(癢)　1144
(癥)　1254
癫　204
(癩)　579
(癧)　602
(癮)　1180
二十二画
以上
(癭)　1186
(癬)　1116
癯　808
(癰)　1188
(癱)　955
(癲)　204
(癟)　66
(癟)　67

立部

五至八画
立　602
产　105
妾　791
九画
竖　913
亲　792
亲　801
竑　401
彦　1138
飒　839
十画
站　1236
竞　522
(竝)　71

(竚) 1296
十一画
章 1239
竟 522
(産) 105
竫 521
翊 1170
翌 1170
十二至十三画
竦 934
童 986
(竢) 932
竣 543
(豎) 913
靖 522
意 1171
(亷) 608
十四画以上
竭 500
端 230
(颯) 839
(競) 522
(贑) 306
贛 306

穴 部

五至八画
穴 1117
穵 1003
究 524
穷 802
空 561
空 563
帘 607
穸 1050
穹 802
九画
(穽) 519
突 991
穿 141
窀 1305
窃 791
窆 60
十画
窍 789
窅 1147
窔 1147
窄 1233
窊 1003
容 829
窌 493
窎 213
窋 566
窋 1294
窈 1147
十一画
窒 1268
窑 1145
窕 978
(窓) 143
十二画
窦 225
窜 155
窝 1033
(窻) 143
窖 494
窗 143
窱 978
窘 523
十三画
窥 571
窦 225
窠 556
(窩) 1033
窞 178
窣 938
窟 566
十四画
窬 1200
窨 1121
窨 1181
窭 534
(窪) 1003
十五画
(窱) 978
(窮) 802
窳 1204
(窯) 1145
(窰) 1145
十六画
(窺) 571
(窶) 534
(窵) 213
(窻) 143
窸 1056
[illegible] 510
[illegible] 513
窿 635
十七画以上
窾 569
(竄) 155
(竅) 789
(竈) 1228
(竇) 225
(竊) 791

疋(⺪)部

(疋) 749
胥 1109
疍 178
蛋 178
(疎) 910
疏 910
楚 139
疐 1272
疑 1162

皮 部

五至十二画
皮 747
皅 21
皱 1290
(皰) 741
皲 541
颇 759
皴 157
十四画以上
(皷) 339
(皸) 541
(頗) 759
髲 56
(皺) 1290
皻 1243

癶 部

癸 358
登 188
(發) 249
凳 191

矛 部

矛 668
柔 830
矜 348
矜 504
矜 793
(務) 1049
矟 924
矞 1208
矠 1229
矡 794
蟊 669

耒 部

六至十画
耒 590
耔 1311
耕 321
耘 1219
耖 114
耗 384
耙 22
耙 732
十一至十四画
耜 932
耞 466
耠 439
耢 587
[illegible] 607
(耡) 138
耥 961
十五至十六画
耦 731
耧 636
耩 485
([illegible]) 607
耨 727
[illegible] 22
耪 738
十七画以上
(耬) 636
(耮) 587
耰 1191
([illegible]) 22
耲 420
耱 699

老(耂)部

考 553
老 585
孝 1085
者 1247
耇 333
耆 771
耄 669
耋 214

耳 部

六至九画
耳 245
耵 215
刵 248
耶 1148
耶 1149
取 809
耷 160
闻 1030
十画
耾 401
聀 1264
耻 128
([illegible]) 685
聃 177
耿 322
耽 177
(恥) 128
聂 721
耸 933
十一画
聓 1112
聃 177
职 1264
聆 623
聊 614
聍 722
聋 634
十二至十六画
聐 451
聒 360
联 607
(聖) 883
聘 755
聝 366
聚 533
聟 1112
(聞) 1030
聩 572
聤 981
聪 153
聱 13
十七画以上
(聲) 881
(聰) 153
(聯) 607
(聳) 933
(聶) 721
(聵) 572
(職) 1264
(聹) 722
(聽) 980
(聾) 634

臣 部

臣 116
卧 1033
臧 1226
(臨) 620

覀(西)部

六至十一画

西 1050
要 1145
要 1147
栗 605
贾 339
贾 469
覂 281
票 753

十二画以上

覃 794
覃 955
粟 940
(賈) 339
(賈) 469
覅 282
覆 295
(覇) 22
(覈) 390
(覊) 453

而 部

而 244
耐 706
耎 836
耍 915
恧 728
耑 1233
鸸 245
(鴯) 245

页(頁)部

六至九画

页 1151
顶 216
顷 801
顸 375
项 1076
(頁) 1151
顺 923
须 1109

十画

顼 1109
顽 1008
顾 342
顿 227
顿 235
颀 769
颁 30
颂 934
颃 382
预 1206

十一画

(頂) 216
硕 924
(頃) 801
颅 637
𬱖 193
领 625
颇 759
颈 322
颈 519

十二画

(頇) 375
(項) 1076
颉 499
颉 1088
颊 468
𫖮 1165
颋 982
(順) 923
(須) 1109
颌 317
颌 388
𬱟 1023
颖 1185
颏 523
颏 556
颏 556
颒 403
𬱴 243

十三画

(頊) 1109
(頑) 1008
颐 1161
(頓) 227
(頓) 235
频 754
𬱼 437
颓 997
(頎) 769
𬱬 1136
𬱯 670
颔 379
(頒) 30
(頌) 934
颕 1185
(頏) 382
𬲁 1218
(預) 1206

十四画

𬱶 768
(碩) 924
颗 556
(頔) 193
(領) 625
(頗) 759

十五画

(頡) 499
(頡) 1088
𬲂 549
题 967
颙 1189
颚 243
颛 1300
(頲) 982
(頜) 317
(頜) 388
(顂) 290
(頠) 1023
(頴) 1185
(頟) 241
(頦) 523
颜 1135
(頦) 556
(頦) 556
(頮) 403
额 241
(頞) 243

十六画

颞 721
颟 663
颠 204
(頤) 1161
(䪿) 76
(賴) 578
(頭) 989
(頭) 991
(頰) 468
(頸) 322
(頸) 519
(頻) 754
(頯) 437
(頹) 997
(額) 670
(頷) 379
(潁) 1185
(穎) 1185
(顊) 1218
颡 847

十七至十八画

(顃) 768
颥 155
(顆) 556
(顇) 156
(顅) 549
(題) 967
(顒) 1189
颢 385
(顋) 840
(顎) 243
嚣 13
嚣 1082
(顓) 1300
(顏) 1135
颣 591
(額) 241

十九至二十画

(顛) 204
(願) 1215
(顗) 1165
颤 106
颤 1237
(類) 590
(顙) 847
(顢) 663
(顬) 155
颦 833

二十一至二十二画

颦 755
(顥) 385
(囂) 13
(囂) 1082
(顦) 789
(纇) 591
(顧) 342
(顩) 1136
(顫) 106
(顫) 1237

二十三画以上

颧 812
(顰) 833
(顯) 1068
颥 1208
(顰) 755
(顱) 637
(顴) 812
(顬) 1208
(顳) 721

至 部

至 1267
到 183
郅 1267
致 1267
耋 214
(臺) 949
臻 1251

虍(虎)部

八至十画

虎 409
虏 639
虐 728
虔 782
虑 644
虒 927
虓 1081

十一画

虚 1109
(虖) 405
彪 65
(處) 138
(處) 139

十二至十五画

彪 682
虒 533
虞 1201
(虜) 639
(虜) 639
(號) 382
(號) 383
(戲) 406
(戲) 1059
(膚) 284
(慮) 644
虢 366

十六画以上

虤 41
(盧) 637
(戲) 406
(戲) 1059
(虧) 571
虩 1061
觚 1137

虫 部

六至八画

虫 131
虬 805
虮 18
虮 458
(虯) 805
虱 887

九画

虺 432
虺 434
虿 104
虹 400
虹 486
虾 369
虾 1061
蛇 319
虻 676
蚁 1165

(虵) 865
蚂 654
蚂 660
蚂 660
虽 941
虿 676
蚤 1227
蚃 1076

十画

蚕 93
蚌 35
蚌 50
蚨 285
蚖 1210
(蚘) 433
蚜 1127
蚍 748
蚏 816
蚛 1286
蚋 836
蚬 1069
蚝 382
蚧 502
蚡 274
蚣 328
蚊 1030
蚪 224
蚓 1179
蚩 126

十一画

萤 1184
蚶 375
蛄 335
蛄 337
蛣 497
蚵 558
蛎 602
蚲 758
蝀 220
蠦 638
蛆 807
蚺 816
蚰 1193
蛊 339
蚱 1232
蚯 803
蚹 292
蛉 623
蚳 127
蛀 1297
蚿 1067
蛇 865
蛇 1161
蛏 120
蚴 1197
蛋 178

十二画

蛩 802
蛰 1247
蛙 1003
(蛕) 433
蛱 468
蛲 711
蛭 1268
蛳 929
蛐 807
蛔 433
蛛 1292
蜓 981
蛞 574
𫊸 491
蜒 1132
蛤 317
蛤 369
蛴 769
蛟 488
蛘 1142
𧊅 1233
蛶 1122
蛑 699
蛮 663

十三画

蜇 1245
蜇 1247
蜃 876
蜐 497
蜹 836
蜅 290
蜽 612
(蛺) 468
蛸 863
蛸 1081
蜈 1042
(蜆) 1069
蜎 1208
蜗 1033
(蜖) 433
蛾 241
蛾 1165
蜊 595
蜍 138
蜉 287
蜂 280
蜣 785
蜕 998
(蜋) 582
蛹 1189
蜀 912
触 140

十四画

蜚 269
蜚 270
蜯 35
蜻 798
蜞 770
蜡 577
蜡 1233
蜥 1055
(蝀) 220
蜮 1206
(蜽) 612
(蜨) 214
蜾 367
蝈 360
蜴 1169
蝇 1185
蝄 1014
(蝸) 1033
蜘 1261
(蜺) 717
蜱 749
蜩 977
蟂 1081
蜷 812
蝉 104
蜿 1007
螂 582
蜢 677
蜚 269
蜜 682

十五画

蝽 146
蝶 214
䗖 204
蝶 829
蝴 409
蝻 710
蝘 1137
蝲 577
蝠 289
(蝡) 833
蝰 572
蝎 1087
(蝟) 1025
蝌 556
蝮 295
螋 936
蝗 426
蝓 1200
(蝯) 1211
蝣 1194
蝼 636
蝤 805
蝤 1194
蝙 59
(蝦) 369
(蝦) 1061
蝝 1214
螀 484
(蝱) 676
(蝨) 887
蝥 669

十六画

螯 13
(蟇) 655
螙 230
融 830
螓 794
(螞) 654
(螞) 660
(螞) 660
螨 664
蟒 666
蟆 655
(螎) 830
螈 1213
螅 1055
(螄) 929
螉 1032
螭 126
螗 959
螃 738
螠 1170
蠙 68
螟 692
(蠭) 280
(蟁) 1030
(螢) 1184

十七画

螫 904
螫 1246
(蟄) 1247
(蟎) 664
蟥 430
蟏 1082
螬 97
螵 752
(螮) 204
螳 960
(螻) 636
螺 651
(蟈) 360
(蟂) 1081
蟋 1056
蟓 1078
蟑 1240
蟀 916
螾 1180
螲 1268
螽 1284
䗪 1248
(蟁) 1030
(螿) 484
蟊 669
(蠁) 1076

十八画

蟚 745
(蟺) 104
(蟯) 711
蟛 745
蟢 1059
蟪 437
蟫 1178
蟟 615
(蟲) 131
(蠅) 1185
(蟬) 104
(蟜) 491
蟭 490
蟠 736
蟮 858
(蟳) 1122
(蟣) 458

十九画

(蟶) 120
蠖 443
蠓 677
(蠍) 1087
蠋 1294
(蠞) 497
蟾 105
(蠏) 1090
蟺 858
蠊 609
(蟻) 1165
蟹 1090
蠃 651

二十画

(蠒) 475
蠘 500
蠛 686
(蠣) 602
蠕 833
(蠔) 382
(蠐) 769
(蠂) 829
(蠙) 68

二十一至
二十二画

蠢 147
(蠟) 577
蠡 595
蠡 601
(蠨) 1082
(蠦) 638
(蠭) 280

二十三画以上

蠳 1149
(蠱) 339
蠲 535
蠹 230
蠵 1056
(蠶) 93
(蠻) 663
蠼 808

肉 部

肉 831
胬 727
胾 1316
胔 1316
脔 645
腐 291
(臋) 998
(臠) 645

缶 部

六至十二画

缶 283
缸 307
缻 283
缺 813
䍃 1183
(缽) 74
䍉 1233
缿 1078
(缾) 759

十四画以上

罂 1183
(鑔) 102
(罃) 1183
罄 802
罅 1064
(罎) 955
(罇) 1325
(罋) 1032
(罌) 1183
罍 590
(罈) 955
罐 351

舌 部

舌 865
乱 646
刮 343
敌 193
舐 898
甜 975
鸹 343
聒 360
辞 151
舔 975
舓 904
(鴰) 343
舚 975

竹(⺮) 部

六至九画

竹 1293
竺 1293
竻 504
笂 587
竿 303
竽 1198
笓 126
笈 454
笃 228

十画

笄 450
笁 995
笁 1300
笕 475
笔 53
笑 1086
笊 1245
笫 1311
笏 412
笋 944
笆 21

十一画

笺 471
筇 802
笨 49
笴 304
笸 760
笼 634
笼 635
笘 856
笪 161
笛 193
笙 881
笮 1229
笮 1325
符 288
笭 623
筡 722
笱 333
𫂖 133
笠 603
笵 260
笥 932
笢 688
第 200
笳 466
笤 976
笾 59
笞 126

十二画

筐 570
等 189
筘 565
筹 554
筌 587
筑 1298
筑 1298
策 98
筚 55
筛 853
筜 179
筥 531
筒 987
筅 1068
筳 981
筈 574
筏 251
筵 1132
筌 812
答 160
答 161
筋 504
(筍) 944
筝 1254
筊 491
(筆) 53

十三画

筹 134
筭 941
筼 635
𥮜 1247
筠 541
筠 1219
筢 732
筮 904
筻 308
(筴) 98
筲 863
筸 303
(筧) 475
(筯) 1298
筫 1219
筱 1085
筰 1325
签 779
简 477
筷 569
(筦) 349
(筞) 98
筤 582
(節) 494
(節) 496
(筩) 987

十四画

箐 801
箦 1229
箧 791
箍 336
箝 780
箸 1298
箨 1002
箕 450
箬 837
箑 853
(箋) 471
箎 127
算 941
箅 56
(箇) 318
箩 651
(箠) 145
箄 42
箙 288
箪 176
箔 75
管 349
箜 562
箢 1208
箫 1082
箓 641
(箒) 1290
箣 680

十五画

(篋) 791
篏 784
箱 1074
(範) 260
箴 1251
箵 1103
箾 924
篑 572
篅 143
篁 426
篌 403
篓 636
箭 482
篇 751
篨 138
篆 1302

十六画

篝 333
篚 269
(篤) 228
(篛) 863
(篢) 635
(築) 1298
篥 605
篮 580
篡 155
(篳) 55
(篔) 1219
篯 471
簉 1228
篠 1085
(篩) 853
篦 57
篪 127
篷 745
(篘) 133
篙 312
(簑) 945
篱 594
篰 88
(篛) 837

十七画

篲 436
(簀) 1229
簰 735
簕 588
簧 430
簎 863
(篿) 995
(篿) 1300
簌 939
(簒) 155
(簮) 1323
(簍) 636
篾 686
(簻) 1298
簃 1161
篼 224
簁 853
簏 642
簇 155
簖 232
簲 735
簆 565
簋 358

十八画

(簮) 1225
簙 77
簠 290
簟 211
簪 1225
(簣) 572
(簞) 176
簰 735
籣 580
簶 641

(簡) 477
簨 944
簦 189
十九画
籀 1290
簸 77
簸 78
簳 304
籁 579
(簹) 179
(簽) 779
(簷) 1135
(簾) 607
籔 912
籔 936
簿 88
(簫) 1082
二十画
籍 458
(籌) 134
(籃) 580
(籋) 722
纂 1323
籇 383
籗 969
二十一画
(籑) 1302
(籔) 912
(籔) 936
(籐) 965
二十二画
(籜) 1002
(籟) 579
[illegible] 58
籧 808
(籛) 471
(籙) 641
(籠) 634
(籠) 635
籯 1185
二十三画
以上
籥 1218
(籢) 606
(籤) 779
(籣) 580
(籭) 680
(籩) 59
(籬) 594
(籪) 232
(籮) 651
籰 1218
(籲) 1205

臼 部

六至
十二画
臼 526
臾 1199
(兒) 244
臿 100
舁 1200
舀 1147
舂 131
舄 1061
裒 762
十三画
以上
(與) 1198
(與) 1201
(與) 1204
舅 526
與 1201
(舉) 531
(擧) 531
(輿) 1201
爨 155

自 部

自 1312
臬 721
臭 134
臭 1108
息 1055
臮 463
(皋) 308
(辠) 1324
鼻 50
臲 721

血 部

血 1089
血 1119
(衄) 728
衃 741
衄 728
衅 1098
(衇) 662
(衆) 1286
(衇) 662
(衊) 686

舟 部

六至九画
舟 1287
舠 181
舡 142
舡 1075
舢 855
舣 1165
十画
舭 52
舯 1283
舰 479
舨 32
(舩) 142
舱 95
般 31
般 74
般 736
航 381
舫 264
十一画
舸 318
舻 638
舳 1294
盘 736
舴 1229
舶 75
舲 623
船 142
鸼 1287
舷 1067
舵 239
十二至
十四画
舾 1053
艇 982
艄 863
艅 1199
艂 281
艉 1022
艋 677
十五画
艘 936
艎 426
艖 101
艏 907
艑 62
十六至
十八画
艕 333
艒 949
(艙) 95
艗 1170
艚 97
(鵃) 1287
艛 642
艟 131
十九画
以上
艨 677
(艢) 787
(艣) 639
(艤) 1165
(艦) 479
(艪) 639
(艫) 638

色 部

色 848
色 853
艳 1138
艴 286
艵 1061
(艷) 1138

齐(齊) 部

六至十画
齐 462
齐 768
剂 462
齑 462
十四画
以上
(齊) 462
(齊) 768
齍 450
(劑) 462
(齋) 1233
(齎) 462
(齎) 451
(齏) 450

衣(衤) 部

六至八画
衣 1158
衣 1168
补 78
初 136
表 65
(卒) 1322
衬 119
衫 855
衱 499
衩 102
衩 102
九画
哀 3
袪 284
袆 432
衲 705
衽 827
袄 13
衿 504
(衹) 1265
袂 674
十画
衾 792
袅 720
(衺) 1087
衰 155
衰 915
衷 1283
衮 359
扆 1165
袜 1004
袪 807
袚 288
袒 956
袖 1108
(袟) 1269
袗 1251
袍 739
袢 737
被 46
袯 76
袎 1148
十一画
袭 1058
袋 172
(袠) 1269
袤 670
袿 356
袺 499
(袴) 567
袷 179
裀 1173
袱 286
(袵) 827
袷 777
(袷) 468
袼 314
裈 573
裉 726
裉 560
袈 466
十二画
裁 90
裂 617
裂 618
亵 1089
装 1302
裒 762
裋 914
(補) 78
裲 612
(裌) 468
裢 607
裎 124
裎 125
(裡) 599

裣 609
裕 1205
裤 567
裥 477
裙 814
十三画
裘 805
(裊) 720
(裏) 599
裛 1169
裔 1168
裟 852
襀 452
褃 66
褂 344
褚 139
褚 1296
(裲) 612
褙 560
裸 651
裼 969
裼 1056
裨 56
裨 749
裯 134
裸 176
裾 529
裰 238
(裠) 814
(裝) 1302
十四画
裴 742
裳 110
裳 863
(製) 1269
裹 367
褎 1109
褏 1109
褋 214
褡 160
褙 46
褐 393
褪 1016
褙 572
(複) 293
褓 39
褕 1200
褛 643
(褌) 573
褊 60
褪 997
褪 999
(褘) 432
十五画
褒 36
(褳) 607
褥 835
褴 580
褟 947
(褸) 643
褫 128
褑 1088
褯 503
(褲) 567
褵 594
褷 706
十六画
(褭) 720
(褱) 36
褰 780
(襀) 452
褶 1247
十七画
(褻) 1089
襭 1088
襆 289
(襇) 572
(襌) 176
(襍) 1222
(襖) 13
襕 580
(襉) 477
襦 912
襁 787
(襏) 76
十八画
襟 508
(襠) 179
(襛) 726
(襝) 609
襜 104
(襢) 956
十九至
二十画
(襪) 1004
(襤) 580
襦 833
襞 58
襫 904
(襭) 1088
襮 77
(襬) 29
二十一画
以上
(襯) 119
(襲) 1058
襶 174
襹 817
(襴) 580
襻 737
(襺) 912

羊(𦍌⺶)部

六至八画
羊 1141
羌 785
(羗) 785
九画
差 100
差 103
差 103
差 148
养 1143
(羗) 785
美 672
羑 1196
姜 484
十画
羒 274
羖 339
羞 1107
羓 21
羔 312
恙 1144
牂 1226
十一画
羝 337
着 1243
着 1243
着 1248
着 1307
羚 623
羝 192
羜 1297
羟 787
盖 300
盖 318
羡 1144
十二画
善 857
(羢) 829
翔 1075
羡 1071
十三画
(羥) 787
羦 1191
羧 945
(義) 1166
群 814
(羣) 814
十四画
以上
羹 1232
(養) 1143
羯 500
羰 958
羱 1213
羲 1057
(羹) 1232
(羴) 856
羸 590
(羶) 856
羹 321

米部

六至八画
米 680
籴 193
籴 679
九画
类 590
籼 1065
粃 872
籽 1311
娄 636
敉 728
屎 897
十画
粔 532
(粃) 52
籼 1070
敉 680
粀 1239
粉 275
(粇) 551
料 616
粑 21
十一画
(粘) 409
粝 602
粘 719
粘 1234
粗 154
粕 760
粒 604
粜 978
十二画
粟 940
粤 1217
粢 148
粢 1309
粪 276
粞 1053
(粦) 621
(粧) 1302
粥 1208
粥 1289
十三画
粲 94
粳 519
(粯) 1070
(粰) 284
粮 610
粱 611
十四画
精 517
(粻) 1239
(粺) 30
粽 718
粼 621
粹 156
粽 1320
糁 846
糁 872
十五画
糂 846
糊 406
糊 409
糊 412
糌 102
糇 403
(糉) 1320
糍 1225
糍 151
糈 1112
糅 831
十六画
糒 47
糙 96
糗 805
糖 959
糕 312
十七画
糟 1227
(糞) 276
糠 551
麄 679
糨 486
(糝) 846
(糝) 872
十八画
以上
(糧) 610
糨 486
糵 77
(糲) 602
糯 729
(糰) 995
糵 722
(糴) 193
(糶) 978

聿(⺻⺺)部

六至十三画

聿 1205
肃 938
隶 605
(書) 908
(晝) 1290
(畫) 418
肆 932
肄 1170
(肅) 938

十四画以上

肇 1245
肇 1245
(盡) 510
(隸) 605
(隷) 605
(隸) 605
蠹 1061

艮 部

艮 320
艮 320
良 610
即 463
艰 473
垦 560
既 455
恳 560
暨 463
(艱) 473

羽 部

六至十画

羽 1202
羿 1170
翅 129
翃 402
翁 1032
(翄) 129
翀 130

十一画

翎 623
翊 1170
翌 1170
(習) 1057

十二画

翘 789
翘 790
翙 436
翕 1056
翔 1075
翚 432

十三至十四画

翱 183
翥 1298
翡 270
翮 938
翟 194
翟 1233
翠 156
翣 853

十五至十六画

翦 477
翩 751
(翫) 1008
(翬) 432
翰 380
翮 392
翳 13
翯 393

十七画以上

翳 1170
(翳) 13
翼 1170
(翹) 789
(翹) 790
翻 255
(翽) 436
翾 1114
(翻) 938
(翺) 183
耀 1148
(耀) 193
(耀) 978

糸(纟 糹)部

五至六画

纠 524
纡 1198
红 325
红 398
纣 1290
纤 784
纤 1066
纥 314
纥 388
𬘓 1122
级 453
纨 1007
约 1144
约 1215
纩 570
纪 458
纪 460
纫 826
糸 681

七画

系 462
系 1060
纬 1021
纭 1219
𬘒 283
纮 401
纯 147
纰 746
纱 852
纲 307
纳 705
纴 827
纵 1319
纶 347
纶 647
𫄧 504
𫄧 512
纷 274
纸 1267
纹 1030
纹 1032
纺 264
纻 1296
𬘘 177
纼 1252
纽 724
纾 909
(紏) 524

八画

线 1071
𬘭 807
绀 306
绁 1089
绂 288
练 609
𬙊 637
组 1236
组 1322
绅 871
䌷 133
细 1060
织 1260
䌹 523
𫄸 1269
𬘹 887
𬘬 808
𬘯 1251
终 1283
绉 1290
绊 33
绋 285
绌 139
绍 864
绎 1167
经 513
经 521
绐 173
(糾) 524

九画

绑 34
绒 829
𫄢 344
结 495
结 497
绔 567
𫄤 171
绕 818
绖 214
𬘱 571
𫄚 1173
𫄥 787
𬘡 1132
绗 380
𬘫 812
绘 435
给 319
给 459
绚 1116
绛 486
络 587
络 653
绝 537
绞 491
𬘩 299
统 987
𫄦 49
(紆) 1198
(紅) 325
(紅) 398
(紂) 1290
(紇) 314
(紇) 388
(紃) 1122
(級) 453
(紈) 1007
(約) 1144
(約) 1215
(紀) 458
(紀) 460
(紉) 826

十画

素 938
(紮) 1222
(紮) 1231
索 946
紧 508
紊 1031
𬘼 804
绠 321
𫄩 910
𬙂 612
𫄪 1059
𬙋 607
绡 1080
绢 536
𫄫 343
绣 1108
𫄨 126
绤 1061
绥 941
𬘾 1032
绦 961
继 463
绨 966
绨 969
(紜) 1219
(紑) 283
(紘) 401
(純) 147
(紕) 746
(紗) 852
(納) 705
(紝) 827
(紟) 504
(紟) 512
(紛) 274
(紙) 1267
(紋) 1030
(紋) 1032
(紡) 264
(紞) 177
(紐) 724
(紖) 1252
(紓) 909

十一画

萦 1185
(紮) 1222
(紮) 1231
累 588
累 590
累 591
𥿭 172
𫄰 784
绩 464
绪 1113
绫 624
𬙁 1320
𫄬 115
𫄬 620
𬙉 419
续 1112
绮 773
𫄭 768

绯 269
绰 113
绰 148
绱 863
绲 359
绳 882
绥 836
维 1020
绵 682
绶 908
绷 49
绷 50
绷 50
绸 134
绹 963
绺 632
绻 156
绻 812
综 1230
综 1317
绽 1237
绾 1009
绿 640
绿 644
缀 1304
缁 1310
(絓) 807
(紺) 306
(紲) 1089
(紱) 288
(組) 1236
(組) 1322
(紳) 871
(紬) 133
(細) 1060
(絅) 523
(紩) 1269
(絁) 887
(紾) 1251
(絇) 808
(終) 1283
(絃) 1067
(絆) 33
(紵) 1296
(紼) 285
(絀) 139
(紹) 864
(紿) 173

十二画

(絜) 497
綦 1262
紫 1311
絮 1113
絭 590
缂 560
缃 160
缃 1074
缄 475
缅 683
缆 581
缇 967
缈 685
缉 452
缉 768
缊 1218
缊 1221
缋 437
缌 927
缎 231
缏 62
缏 751
缐 1072
缑 333
缒 1304
缓 423
缕 1318
缔 203
缕 643
缗 804
缏 321
编 59
缗 688
缘 1213
(綁) 34
(絨) 829
(絓) 344
(結) 495
(結) 497
(絝) 567
(絰) 214
(絖) 571
(絏) 1089
(絪) 1173
(綖) 1132
(絎) 380
(絟) 812
(給) 319
(給) 459
(絢) 1116
(絳) 486
(絡) 587
(絡) 653
(絶) 537
(絞) 491
(絯) 299
(統) 987
(絣) 49
(絲) 926

十三画

缙 512
缜 ·1251
缚 297
缛 834
缗 743
缝 281
缝 282
缟 312
缞 155
缠 105
缡 594
缢 1170
缣 474
缤 68
绛 1225
(綀) 804
(綆) 321
(綀) 910
(經) 513
(經) 521
(綃) 1080
(綑) 573
(絹) 536
(綉) 1108
(絺) 126
(綌) 1061
(綏) 941
(綄) 1032
(綈) 966
(綈) 969

十四画

綦 770
(緊) 508
(緐) 256
(緐) 760
綮 774
綮 801
缥 752
缥 753
缦 665
缧 588
缨 1183
缑 1059
缤 1137
缩 940
缩 945
缪 685
缪 692
缪 699
缫 847
(綪) 784
(緒) 1113
(綾) 624
(緅) 1320
(綝) 115
(綝) 620
(緉) 612
(綺) 773
(緁) 768
(綫) 1071
(緋) 269
(綽) 113
(綽) 148
(緔) 863
(緄) 359
(綱) 307
(網) 1013
(緺) 343
(綏) 836
(維) 1020
(綿) 682
(綸) 347
(綸) 647
(綵) 91
(綬) 908
(綳) 49
(綳) 50
(綳) 50
(綢) 134
(綯) 963
(綹) 632
(綷) 156
(綣) 812
(綜) 1230
(綜) 1317
(綻) 1237
(綰) 1009
(綠) 640
(綠) 644
(綴) 1304
(緇) 1310

十五画

(緊) 508
(緐) 682
缬 1088
缭 615
缯 256
缮 858
缯 1230
缯 1231
缟 1208
(緙) 560
(緗) 160
(緗) 1074
(練) 609
(緘) 475
(緬) 683
(緲) 685
(緹) 967
(緝) 452
(緝) 768
(緼) 1218
(緼) 1221
(緦) 927
(緞) 231
(緶) 62
(緶) 751
(緤) 39
(線) 1071
(線) 1072
(緱) 333
(縋) 1304
(緩) 423
(縷) 1318
(締) 203
(緧) 804
(緪) 321
(編) 59
(緡) 688
(緯) 1021
(緣) 1213

十六画

縠 409
(緊) 508
(縣) 1070
(縈) 1185
缰 484
缱 784
缲 788
缲 848
缳 423
缴 492
缴 1307
缠 105
缠 956
(縉) 512
(縝) 1251
(縛) 297
(縺) 607
(縟) 834
(縐) 1267
(縧) 961
(縚) 961
(縫) 281
(縫) 282
(縐) 1290
(縞) 312
(縗) 155
(縭) 594
(縊) 1170
(縑) 474
(縡) 1225

十七画

(縶) 1262
繁 1159
繁 256
繁 760

繇 1146
繇 1194
繇 1290
繂 92
繻 1110
纁 1121
繾 1180
(績) 464
(縹) 752
(縹) 753
(縵) 665
(縲) 588
(縷) 643
(繃) 49
(繃) 50
(繃) 50
(總) 1318
(縱) 1059
(縱) 1319
(縫) 784
(繽) 1137
(縮) 940
(縮) 945
(繆) 685
(繆) 692
(繆) 699
(繅) 847

十八画

纆 698
(繞) 818
(縫) 171
(繖) 846
(繚) 615
(繢) 437
(繑) 787
(繙) 255
(繙) 256
(織) 1260
(繕) 858
(繒) 1230
(繒) 1231
(繐) 419
(繩) 787
(繘) 1208

十九画

(繫) 462
(繫) 1060
缵 1323
(繮) 484
(繾) 784
(繳) 492
(繳) 1307
(繰) 788
(繰) 848
(繩) 882
(繹) 1167
(繯) 423
(繪) 435
(繵) 105
(繵) 956
(繡) 1108

二十至
二十一画

纕 817
纕 1075
(繂) 92
(繻) 1110
(纁) 1121
(繾) 1180
(纊) 570
(繽) 68
(繼) 463
(纍) 588
(纍) 590
(纇) 1088
(續) 1112
(纆) 698
(纏) 105

二十二画
以上

(纉) 743
(纑) 637
(纓) 1183
(纖) 1066
(纔) 89
(變) 61
(纕) 817
(纕) 1075
纛 185
(纚) 1059
(纘) 1323
(纜) 581

麦(麥)部

麦 661
麸 284
麨 114
(麥) 661
麰 699
麴 807
(麩) 284
(麪) 683
(麨) 114
(麯) 806
(麰) 699
(麱) 284
(麴) 806
(麴) 807
(麵) 683

走部

七至十画

走 1320
赴 291
赵 1244
赳 524
赶 304
赸 857
起 772

十二画

越 1217
趄 527
趄 791
趁 119
趆 195
趆 204
(趂) 119
趋 807
超 111

十三画

趔 618
趌 55
趫 788
趑 1309

十四至
十五画

(趙) 1244
(趕) 304
趡 945
趣 810
趠 147
趠 978
趟 958
趟 961

十六画
以上

趦 1307
趰 204
(趯) 55
(趨) 807
(趫) 788
趯 969
趲 1225
(趲) 1225

赤部

赤 128
郝 383
赦 870
赥 1061
赧 710
赪 120
赩 1061
赫 393
赭 1247
(赬) 120
赯 960

豆部

七至
十三画

豆 224
豇 635
豇 483
豉 128
豍 225
壹 1159
短 230
登 188
豊 601

十五画
以上

(豎) 913
豬 103
豌 1007
(頭) 989
(頭) 991
豏 1072
(豐) 276
(豔) 1138
(豓) 1138
(豔) 1138

酉部

七至十画

酉 1196
酊 215
酊 216
酋 805
酐 303
酎 1290
酌 1306
配 742
酏 1160

十一画

酝 1220
酞 953
酕 668
酗 1113
酚 274
酡 785
酘 990
(酖) 1252

十二画

酣 375
酤 335
酢 155
酢 1328
酥 937
酡 1001
酦 251
酦 760
酧 1167
酧 903

十三画

酮 986
酰 1066
酯 1267
酪 587
酪 692
酬 134
(酧) 134
酴 726
酱 486

十四画

酵 494
酽 1139
酶 585
酺 763
酾 888
酲 124
酷 567
酶 671
酴 993
酹 591
酿 720
酸 940

十五画

醋 155
(醃) 1131
(醆) 1235
醌 573
醄 963
醇 147
醉 1324
醅 741
醂 177
醁 641
醊 1304

十六画

醛 811
醐 409
醍 967
(醞) 1220
醒 1103
(醜) 134
醢 1057
(醕) 147
醚 679
醑 1112

十七至
十八画

醯 375
(醶) 785

醨 594
醣 960
醡 1232
醪 585
(醫) 1159
(醬) 486

十九至二十画

醰 956
醭 78
(醰) 177
醮 494
醯 1057
(醱) 585
(醱) 251
(醱) 760
醵 535
醴 601
(醲) 726
(醳) 903
(醳) 1167

二十一画以上

(醻) 134
醺 1121
(醼) 1138
醽 1226
醹 625
醻 494
(釀) 720
醾 679
(釃) 888
(釅) 1139
(釁) 1098

辰 部

辰 116
辱 834
唇 147
宸 116
(脣) 147
晨 116
蜃 876
(農) 724
(蕽) 724

豕 部

七至十三画

豕 896
豕 996
豗 432
家 467
家 504
豜 475
豵 1317
豝 21
象 1077
豢 424

十四至十六画

豨 1054
豪 382
(豬) 1293
豵 1320
豫 1207
豮 275
豱 995
豭 467

十七画以上

豲 423
豳 68
豩 1069
(豵) 1317
豶 275
豷 1172
(貛) 421

卤(鹵)部

卤 638
鹹 308
(鹵) 638
(鹹) 308
(鹹) 1067
(鹻) 476
(鹼) 476

里 部

里 599
重 131
野 1149
量 611
量 613
童 986
(釐) 593

足(𧾷)部

七至十画

足 1321
趴 732
趸 235
(趾) 958
趵 40
趵 74
趿 947
跂 102

十一画

趼 476
趺 284
跂 769
跂 776
距 532
趾 1265
跃 1217
跄 119
跄 787
跀 1216

十二画

践 480
跚 1170
跖 1265
跐 634
跋 21
跕 214
跕 979
跌 213
跗 284
跅 1002
跏 343
跐 1260
跞 605
跞 651
跔 528
跚 856
跑 739
跑 740
跎 1001
跐 54
跏 466
跛 77
跸 238
跆 951

十三画

跫 802
跬 572
(跴) 91
跨 568
跶 171
跌 1088
跷 788
跸 55
跐 148
跐 151
跩 1298
跣 1068
跹 1066
跧 812
跲 468
跳 978
跺 239
跪 359
路 641
(跡) 463
跻 450
跤 488
跰 751
跟 320
(跺) 239

十四画

踅 1118
踌 134
踊 1059
(跌) 1088
(踁) 521
踄 87
踊 966
踉 610
踉 613
(踼) 530
踂 461
踊 1190
踆 157

十五画

踬 148
踑 450
踖 456
踦 1165
踕 500
(踐) 480
踧 155
踔 147
(踹) 958
踝 420
踢 965
踏 947
踏 948
踟 127
踒 1033
踬 1270
踩 91
踘 529
踆 1265
踮 205
踣 77
踡 812
踯 1265
(踓) 745
踪 1318
踠 1008
踺 481
踞 533

十六画

踳 143
蹀 214
踶 102
踬 1004
踶 204
踹 140
踵 1285
踽 531
(踰) 1200
蹐 787
蹥 238
蹄 968
蹉 158
蹁 751
(踴) 1190
蹂 831

十七画

蹑 721
蹒 737
(蹕) 55
蹋 949
(蹏) 968
蹈 183
蹊 768
蹊 1055
(蹌) 787
蹓 626
蹓 633
蹐 458
蹠 1003
蹍 719
蹇 478

十八画

(蹔) 1225
蹙 155
(蹟) 463
躇 138
(蹣) 737
(蹧) 1227
蹶 155
(蹬) 958
蹦 50
蹝 1059
(蹤) 1318
(蹠) 1265
蹢 194
蹢 1265
蹜 940
躇 138
(蹡) 787
蹩 67

十九画

(躉) 235
蹷 539
(蹺) 788
(躂) 171
蹰 138
蹶 539
蹶 539
蹽 614
蹼 765

(蹻) 788
蹯 256
蹴 155
蹾 235
蹱 1284
蹍 1247
蹲 157
蹲 235
蹭 100
蹿 155
蹬 189
蹬 191
(蹵) 155

二十画

躁 1228
躅 1294
(躤) 238
躃 58
躄 58

二十一画

躏 622
(躊) 134
(躋) 450
(躑) 1265
(躍) 1217

二十二画

(躚) 1066
(躓) 1270
(躕) 138
躔 105
(躒) 605
(躒) 651
躐 618
躗 1026

二十三画以上

躠 1090
躜 1323
(躘) 634
躞 1090
(躡) 721
(躥) 155
(躪) 622
(躧) 1059
(躦) 1323
躩 539

身部

七至十二画

身 871
身 1208
射 869
躬 325
躯 806
(躭) 177
(䠶) 869

十三画以上

䠷 431
(躳) 325
躲 238
躺 961
(躶) 651
𨉷 369
(軀) 806

采部

釆 74
悉 1055
番 255
番 735
釉 1197
释 903
(釋) 903

谷部

七至十四画

谷 338
谷 1205
(郤) 813
郤 1061
谺 1061
欲 1205
鹆 1205
谽 375

十七画以上

谿 1055
(谿) 1055
豁 417
豁 439
豁 444
(鵒) 1205

豸部

七至十二画

豸 1268
豺 103
豹 40
䝙 137
貂 212

十三画

貆 421
貆 423
貊 696
貌 670
貅 1107
貉 382
貉 392
貉 698

十四画以上

(貍) 593
貌 670
(貓) 666
(貓) 669
貏 1130
(貌) 670
貘 698
貔 748
(貙) 137
(貛) 421

龟(龜)部

龟 356
龟 541
龟 803
(龜) 356
(龜) 541
(龜) 803

角部

七至十二画

角 490
角 537
(觔) 504
(觕) 154
斛 409
觖 537
觞 859
觚 335
(觝) 194

十三画

觜 1310
觜 1324
觥 329
触 140
解 500
解 503
解 1090

十四至十六画

觫 939
觭 450
觯 1272
觱 58

十七画以上

觳 409
(觴) 859
(觶) 1272
(觸) 140
觺 1163
觱 58
觽 1056

言(讠)部

四画

订 216
计 459
讣 291
认 826
讥 445
讪 492

五画

讦 497
𬣙 1109
讧 402
讨 963
让 817
讪 857
讫 776
训 1123
议 1167
讯 1123
记 460
𬣡 1159
讱 826

六画

讲 484
讳 435
讴 730
讵 532
讶 1130
讷 712
许 1111
讹 240
䜣 1092
论 647
论 648
讻 1105
讼 934
讽 281
设 866
访 264
𬣞 1296
诀 537

七画

言 1133
𫍣 480
证 1257
诂 337
𬣳 1112
诃 385
评 758
诅 1322
识 893
识 1268
诇 1106
诈 1232
𬣶 385
诉 938
诊 1251
诋 194
𬤇 334
诌 1287
词 148
诎 807
诏 1244
诐 56
诒 1160
译 1167

八画

诓 570
诔 590
试 900
诖 344
诗 887
诘 455
诘 497
诙 431
诚 122
𫍲 711
诛 1292
诜 871
话 419
诞 178
诟 334
诠 811
𫍰 213
𫍰 977
诡 358
询 1121
诣 1170
诤 1259
𫍯 1085
该 299
详 1075
诧 102
诨 438
𫍱 726
诩 1111

九画

𬤊 804
(計) 459
(訂) 216
(訃) 291

(訃) 492
诪 1289
诫 503
诬 1036
语 1203
语 1206
⿰讠连 607
诮 789
误 1049
诰 313
诱 1197
诲 436
诳 570
说 922
说 923
说 1217
诵 935
十画
(訐) 497
(訏) 1109
(訌) 402
(討) 963
(訕) 857
(訖) 776
(託) 999
(訓) 1123
(訊) 1123
(記) 460
(訑) 1159
(訒) 826
请 801
诸 1293
⿰讠其 767
诹 1320
诺 729
读 225
读 227
诼 1306
诽 269
⿰讠叔 140
⿰讠虎 383
⿰讠虎 1064
课 560
诿 1022
谀 1199
谁 918
谂 875
调 213
调 977
谄 106
谅 613
谆 1305
谇 942
谈 955
谉 875
谊 1170
十一画
(詎) 532
(訝) 1130
(訥) 712
(許) 1111
(訛) 240
(訢) 1092
(詾) 1105
(訟) 934
(設) 866
(訪) 264
(訣) 537
谋 699
谌 119
谍 214
谎 430
谛 709
谏 482
谐 1088
谑 1120
谍 903
谒 1153
谓 1025
谔 1059
谔 243
谀 1085
谕 1207
谖 1114
谗 104
谘 1307
谙 10
谚 1138
谛 203
谜 674
谜 679
谝 751
谞 1109
十二画
詟 1247
詈 606
(詁) 337
(訹) 1112
(訶) 385
(評) 758
(詛) 1322
(詷) 1106
(詐) 1232
(訸) 385
(訴) 938
(診) 1251
(詆) 194
(訽) 334
(註) 1296
(詝) 1296
(詠) 1189
(詞) 148
(詘) 807
(詖) 56
(詔) 1244
(詒) 1160
谟 693
谠 180
谡 940
谢 1089
谣 1145
⿰讠舀 961
谿 1059
⿰讠桀 443
谤 35
谥 904
谦 780
⿰讠扇 857
谧 682
(詈) 148
十三画
訾 1310
訾 1312
詹 1234
(誆) 570
(誄) 590
(試) 900
(詿) 344
(詩) 887
(詰) 455
(詰) 497
(誇) 567
(詼) 431
(誠) 122
(誅) 1292
(詵) 871
(話) 419
(誕) 178
(詬) 334
(詮) 811
(誂) 213
(誂) 977
(詭) 358
(詢) 1121
(詣) 1170
(諍) 1259
(詨) 1085
(該) 299
(詳) 1075
(詶) 134
(詫) 102
(詡) 1111
誊 965
誉 1208
谨 509
谩 663
谩 664
谪 1247
谫 477
⿰讠隐 1180
谬 692
十四画
誓 903
(詧) 102
(誡) 503
(誌) 1268
(誣) 1036
(誖) 45
(語) 1203
(語) 1206
(誚) 789
(誤) 1049
(誥) 313
(誘) 1197
(誨) 436
(諙) 419
(誑) 570
(説) 922
(説) 923
(説) 1217
(認) 826
(誦) 935
谭 955
谮 1230
谯 789
谯 790
谰 580
谱 765
谲 539
十五画
霅 1233
(諐) 780
(請) 801
(諸) 1293
(諏) 1320
(諆) 767
(諾) 729
(諑) 1306
(諓) 480
(誹) 269
(諔) 140
(諕) 383
(諕) 1064
(課) 560
(諉) 1022
(諛) 1199
(誰) 918
(論) 647
(論) 648
(諗) 875
(調) 213
(調) 977
(諂) 106
(諄) 1305
(諒) 613
(誶) 942
(談) 955
(誼) 1170
谳 1139
谴 784
⿰讠睘 1114
谵 1234
十六画
(謀) 699
(諶) 119
(諜) 214
(謊) 430
(諵) 709
(諫) 482
(諧) 1088
(謔) 1120
(諟) 903
(謁) 1153
(謂) 1025
(諰) 1059
(諤) 243
(謏) 1085
(諭) 1207
(諡) 904
(諼) 1114
(諷) 281
(諮) 1307
(諺) 1138
(諳) 10
(諦) 203
(謎) 674
(謎) 679
(諠) 1114
(諢) 438
(諞) 751
(諱) 435
(諝) 1109
⿰讠涩 849
十七画
謷 13
謷 13
⿱暴言 36
(講) 484
(譁) 416
(謨) 693
(謌) 314
(謰) 607
(謖) 940
(謝) 1089
(謠) 1145
(謟) 961

(謑) 1059
(諜) 443
(謅) 1287
(謗) 35
(謚) 904
(謙) 780
(謆) 857
(謐) 682
謇 478
[illegible] 228

十八画

謦 801
雠 134
(謹) 509
(謳) 730
(謼) 405
(謾) 663
(謾) 664
(謫) 1247
(謭) 477
(謬) 692
䜩 1139

十九画

警 520
(譊) 711
(譆) 1056
(譚) 955
(譖) 1230
(譙) 789
(譙) 790
(譌) 240
(識) 893
(譜) 765
(識) 1268
(譔) 1302
(證) 1257
(譎) 539
(譏) 445
谶 120

二十画

(譽) 1208
譥 494
(護) 411
(譴) 784
(譨) 726
(譟) 1228
(譞) 1114
(譯) 1167
(譭) 434
(譫) 1234
(議) 1167
譻 1187
譬 750

二十一至二十二画

(譸) 1289
(讁) 1247
(譅) 849
(讀) 225
(讀) 227
(讅) 875

二十三画

(讐) 133
(讐) 134
(讎) 134
讆 1026
(讌) 1139
(讔) 1180
(讋) 1247
(變) 61

二十四画以上

(讙) 421
(讖) 120
(讒) 104
(讓) 817
(讕) 580
(讚) 1225
(讞) 1139
(讜) 180
(讟) 228

辛 部

七至十五画

辛 1095
辜 335
辞 151
(辠) 1324
辟 57
辟 750
(辢) 577
辣 577
(辤) 151

十六画以上

辨 62
辩 63
(辦) 32
辫 63
(辭) 151
瓣 34
(辮) 63
(辯) 63

青 部

青 794
[illegible] 522
靓 522
靓 613
靔 974
䴖 517
靖 522
静 521
(靚) 522
(靚) 613
靛 211
(靝) 974
(鶄) 517

卓 部

九至十二画

(乹) 301
乾 782
(乾) 301
韩 376
戟 459
朝 113
朝 1243

十三画以上

(幹) 306
(榦) 306
斡 1034
翰 380
(韓) 376

雨 部

八至十二画

雨 1202
雨 1205
雩 1201
雪 1118
(雲) 1218
雳 602
(雰) 274
雯 1030
雱 737

十三至十四画

(電) 205
雷 588
零 623
雾 1049
雹 36
需 1110
霆 981
霁 462

十五画

震 1252
霄 1081
霉 671
霅 1233
霂 701
霈 742

十六画

霙 1183
霖 620
霏 269
霓 717
霍 443
霎 853
[illegible] 1007
(霑) 1234

十七至十八画

霜 918
霡 662
霞 1062
[illegible] 625
霤 633
霩 574
(霧) 1049

十九至二十画

霪 1178
霭 5
霨 1026
霫 1057
霰 1072
(䨟) 1007

二十一画

霸 22
露 636
露 641
霹 747

二十二画以上

霾 660
(霽) 462
(靆) 173
靁 590
(靂) 602
(靈) 623
靃 444
靃 942
(靄) 5
(靉) 7
[illegible] 808

非 部

非 267
棐 270
辈 47
斐 270
悲 42
蜚 269
蜚 270
裴 742
翡 270
(輩) 47
靠 554
靡 680

齿(齒)部

八至十二画

齿 128
龀 119
龁 388
龂 1177
[illegible] 1089
[illegible] 22

十三画

[illegible] 777
龃 530
[illegible] 1137
[illegible] 1229
龄 623
龅 36
龆 976

十四至十六画

龇 1310
龈 1177
(齒) 128
龉 1204
龊 148
[illegible] 1165

十七至十九画

(齔) 119
[illegible] 1200
龋 809
龌 1034
(齕) 388
(齗) 1177
(齘) 1089
(䶕) 22

二十画

([illegible]) 777
(齟) 530
(齞) 1137
(齚) 1229
(齡) 623
(齣) 135
(齙) 36

(齠) 976

二十一至二十二画

(齧) 721
(齜) 1310
(齩) 1146
(齦) 1177
齼 139
(齬) 1204
(齪) 148

二十三画以上

(齮) 1165
(齵) 1200
(齶) 243
(齲) 809
(齷) 1034
(齼) 139

黾(黽)部

八至十七画

黾 683
黾 688
鼋 1210
(黽) 683
(黽) 688
(黿) 1210

十八画以上

(鼃) 1003
鼍 1001
(鼇) 13
(鼈) 66
(鼉) 1001

隹部

八至十画

隹 1303
隼 944
隽 536
隽 543
(隻) 1260
难 709
难 710

十一至十二画

雀 788
雀 789
雀 814
售 908
雄 1105
雅 1127
集 457
(雋) 536
(雋) 543
焦 489

十三画

雎 527
雉 1272
雊 334
雏 137

十四至十七画

雌 149
雒 653
翟 194
翟 1233
雕 211
(虧) 571
(雖) 941

十八画

瞿 808
(雙) 916
雠 134
(雞) 447
(雛) 137
(雜) 1222
(離) 593
(雝) 1188

十九画以上

(難) 709
(難) 710
耀 1148
犨 133
(讐) 133
(讐) 134
(讎) 134
(糶) 978

金(钅)部

六至七画

钆 298
钇 1163
钉 215
钉 216
针 1249
钊 1242
钋 759
钌 615
钌 616

八画

[illegible] 307
钍 995
钎 779
钏 143
钐 855
钐 857
钓 212
钒 256
钔 675
钕 728
钖 1141
钗 103
[illegible] 660
金 504

九画

钘 1101
𫓧 284
钙 300
钚 85
钛 953
[illegible] 602
[illegible] 401
[illegible] 1127
钝 235
[illegible] 746
钞 111
[illegible] 828
钟 1283
钡 45
钢 307
钢 308
钠 705
[illegible] 110
[illegible] 504
钣 32
[illegible] 153
钤 781
钥 1148
钥 1216
钦 791
钧 541
钨 1035
钩 332
钪 553
钫 262
钬 442
钭 990
钮 724
钯 22
钯 732
(釓) 298
(釔) 1163

十画

钰 1205
钱 782
钲 1254
钲 1258
钳 781
钴 337
钵 74
[illegible] 913
钶 555
钷 760
钹 76
钺 1217
钻 1323
钻 1323
[illegible] 637
钽 956
钼 702
[illegible] 138
钾 469
[illegible] 874
钿 210
钿 975
铀 1193
铁 979
铂 75
铃 623
铄 924
铅 780
铅 1135
铆 669
铈 900
铉 1116
铊 947
铊 1001
铋 54
铌 717
铍 747
铍 748
[illegible] 759
铎 238
[illegible] 700
(釘) 215
(釘) 216
(針) 1249
(釗) 1242
(釙) 759
(釕) 615
(釕) 616

十一画

铏 1100
铐 554
铑 587
铒 246
[illegible] 402
铓 665
铔 1130
[illegible] 1059
铕 1196
铖 123
铗 468
铘 1149
铙 711
铚 1268
[illegible] 353
铛 120
铛 179
铝 643
铜 986
铞 212
铟 1173
铠 548
铡 1232
铢 1292
铣 1058
铣 1068
铤 218
铤 982
铥 218
铦 1066
[illegible] 104
铧 416
[illegible] 749
铨 812
[illegible] 366
铩 850
铪 369
铫 213
铫 1145
铬 319
铭 690
铮 1254
铯 849
铰 491
铱 1159
铲 106
铳 132
铴 958
铵 10
银 1176
铷 832
(釬) 379
(釭) 307
(釷) 995
(釦) 565
(釺) 779
(釧) 143
(釤) 855
(釤) 857
(釣) 212
(釩) 256
(釹) 728
(釵) 103

十二画

[illegible] 662
铸 1298
铹 585
[illegible] 229

𫓹 805
铺 762
铺 765
铻 1041
铼 578
铽 964
链 609
铿 561
销 1080
锁 945
锄 138
锃 1231
锂 600
锅 360
𫔎 1114
锆 313
锇 241
锈 1108
锉 158
锊 646
锋 280
锌 1096
锍 632
锎 548
锏 477
锏 480
锐 836
锑 966
锒 582
锓 794
锔 529
锔 530
锕 3
(鈃) 1101
(鈇) 284
(鈣) 300
(鈈) 85
(鈦) 953
(鈜) 401
(鉅) 531
(釾) 1127
(鈍) 235
(鈚) 746
(鈔) 111
(鈤) 828
(鈉) 705
(釿) 504
(鈑) 32
(鈐) 781
(鈆) 780
(欽) 791
(鈞) 541
(鈎) 332
(鈧) 553
(鈁) 262
(鈥) 442
(鈄) 990
(鈕) 724
(鈀) 22
(鈀) 732

十三画

蓥 1185
鉴 481
锖 785
锗 1247
錤 450
错 159
锘 729
锚 669
锳 1183
锛 47
锜 771
𬬹 148
锝 186
锞 560
锟 573
锠 107
锡 1056
锢 341
锣 650
锤 145
锥 1304
锦 509
锧 1270
锨 1066
锪 439
錞 147
錞 234
锫 742
锩 535
锬 955
锬 1066
鑤 73
锭 218
鎯 582
键 481
锯 529
锯 533
锰 677
錣 1304
锱 1310
(鈺) 1205
(鉦) 1254
(鉦) 1258
(鉗) 781
(鈷) 337
(鉢) 74
(鉥) 913
(鈳) 555
(鉕) 760
(鈸) 76
(鉞) 1217
(鉬) 702
(鉭) 956
(鉏) 138
(鉏) 138
(鉀) 469
(鉮) 874
(鈿) 210
(鈿) 975
(鈾) 1193
(鉑) 75
(鈴) 623
(鉛) 780
(鉛) 1135
(鉤) 332
(鉚) 669
(鉋) 39
(鈰) 900
(鉉) 1116
(鉈) 947
(鉈) 1001
(鉍) 54
(鈮) 717
(鈹) 747
(鈹) 748
(鉧) 700

十四画

銎 802
锿 4
锲 791
鍱 1151
𨱏 160
𬭭 102
锴 548
锶 927
锷 243
锸 100
锹 788
锻 231
锼 936
锽 426
镍 1072
鍮 989
锾 423
镏 398
锵 785
镀 230
镁 673
镂 636
镃 1310
镄 271
镅 671
𫔍 831
(鍘) 1100
(銬) 554
(銠) 587
(鉺) 246
(銾) 402
(銠) 665
(銛) 1059
(銪) 1196
(鋮) 123
(鋣) 1149
(銍) 1268
(銚) 353
(鍗) 212
(鋁) 643
(銅) 986
(銦) 1173
(銖) 1292
(銑) 1058
(銑) 1068
(鋌) 218
(鋌) 982
(銩) 218
(銛) 1066
(鋋) 104
(鋠) 749
(銓) 812
(鉿) 369
(銚) 213
(銚) 1145
(鉻) 319
(銘) 690
(錚) 1254
(鉇) 849
(鉸) 491
(銥) 1159
(銃) 132
(銨) 10
(銀) 1176
(銣) 832
銮 645

十五画

錾 737
鋆 1219
镊 721
镆 698
镇 1253
镈 77
镉 318
𬭊 644
𫔎 961
镌 535
镍 721
镎 704
𬭚 1032
镏 628
镏 633
镐 312
镐 384
镑 35
镒 1170
镓 467
镔 68
镕 830
(鋣) 229
(銶) 805
(鋪) 762
(鋪) 765
(鋙) 1041
(鋏) 468
(鋱) 964
(銷) 1080
(鋥) 379
(鋰) 600
(鋥) 1231
(鋇) 45
(鋤) 138
(鋗) 1114
(鋯) 313
(鋨) 241
(銹) 1108
(銼) 158
(鋝) 646
(鋒) 280
(鋅) 1096
(鋶) 632
(鋭) 836
(銻) 966
(鋃) 582
(鍵) 481
(鋟) 794
(鋦) 529
(鋦) 530
(錒) 3
鋈 1049

十六画

錾 1225
镨 1305
镄 430
镖 65
镢 768
镗 958
镗 960
镘 665
镚 50
镛 1188
镜 522
镝 192
镝 194
镞 1322
镦 753
镠 631
镙 946

(錆) 785
(錶) 65
(鋹) 110
(鍺) 1247
(錏) 1130
(錤) 450
(錯) 159
(鍩) 729
(鍈) 1183
(錨) 669
(錸) 578
(錛) 47
(錡) 771
(錢) 782
(鍀) 186
(錁) 560
(錕) 573
(錩) 107
(錫) 1056
(錮) 341
(鋼) 307
(鋼) 308
(鍋) 360
(錘) 145
(錐) 1304
(錦) 509
(鍁) 1066
(鍃) 439
(錞) 147
(錞) 234
(錇) 742
(錈) 535
(錟) 955
(錟) 1066
(鈹) 73
(錠) 218
(鎯) 582
(鍆) 675
(録) 640
(鋸) 529
(鋸) 533
(錳) 677
(錣) 1304
(錙) 1310

十七画

(鍳) 481
⿰钅喜 1059
镡 956
镡 1096
镢 539
镣 616
镤 763
镖 395
⿰钅焦 490
镥 639
镦 234
镦 235
镧 580
镨 765
⿰钅粦 621
⿰钅尊 1325
镩 155
镪 785
镪 787
镫 188
镫 191
⿰钅矞 539
(鐅) 788
(鍥) 791
(鍱) 1151
(鎝) 160
(鍣) 102
(鍊) 609
(鍼) 1249
(鍇) 548
(鍘) 1232
(鍚) 1141
(鍶) 927
(鍔) 243
(鍤) 100
(鍬) 788
(鍾) 1283
(鍛) 231
(鎪) 936
(鍠) 426
(鐌) 1072
(鎚) 145
(鍮) 989
(鍰) 423
(鍧) 398
(鎄) 4
(鍍) 230
(鎂) 673
(鎡) 1310
(鎇) 671
(鍒) 831
鍌 1068
鍪 699

十八画

鏊 13
镬 443
镭 589
⿰钅豦 534
镮 423
镯 1306
镰 609
镱 1172
(鎷) 660
(鏵) 416
(鏌) 698
(鎮) 1253
(鏈) 609
(鎛) 77
(鎘) 318
(鎖) 945
(鎧) 548
(鎸) 535
(鎳) 721
(鎢) 1035
(鎩) 850
(鎿) 704
(鎗) 785
(鎓) 1032
(鎦) 628
(鎦) 633
(鎬) 312
(鎬) 384
(鎊) 35
(鎰) 1170
(鎌) 609
(鎵) 467
(鎔) 830
(鎔) 830
(鎻) 945
(鎣) 1185
鎏 631

十九画

(鏨) 1225
镲 102
(鐄) 430
(鐯) 1305
(鏤) 662
(鏗) 561
(鏢) 65
(鏚) 768
(鏜) 958
(鏜) 960
(鏝) 665
(鏤) 636
(鏰) 50
(鏦) 153
(鏞) 1188
(鏡) 522
(鏟) 106
(鏑) 192
(鏑) 194
(鏇) 1322
(鏃) 1116
(鏾) 753
(鏘) 785
(鏐) 631
(鏁) 946
鏖 13

二十画

镳 65
镴 577
(鐃) 711
(⿰金喜) 1059
(鐔) 956
(鐔) 1096
(鐝) 539
(鐐) 616
(鏷) 763
(鏢) 395
(鐎) 490
(鐓) 234
(鐓) 235
(鐘) 1283
(鐠) 765
(鏻) 621
(鐏) 1325
(鐒) 585
(鐋) 958
(鐗) 548
(鐧) 477
(鐧) 480
(鏹) 785
(鏹) 787
(鐨) 271
(鐙) 188
(鐙) 191
(鏺) 759
(鐍) 539

二十一画

(鐵) 979
(鑊) 443
(鐳) 589
(鐻) 534
(鐺) 120
(鐺) 179
(鐶) 423
(鐲) 1306
(鐸) 238
(鐬) 366
(鐮) 609
(鐿) 1172
(鐮) 609
(鏽) 1108
鐾 47

二十二画

(鑒) 481
镵 105
镶 1075
(鑄) 1298
(鑑) 481
(鑛) 570
(鑌) 68
(鑔) 102

二十三画

(鑚) 1323
(鑚) 1323
(鑡) 148
(鑪) 644
(鑤) 39
(鑕) 1270
(鑥) 639
(鑣) 65
(鑞) 577
(鑠) 924

二十四至二十五画

(鑩) 602
(鑪) 637
(鑪) 638
鑫 1096
⿰钅矍 539
(鑵) 351
(鑰) 1148
(鑰) 1216
(鑱) 105
(鑲) 1075
(鑭) 580

二十六画以上

(鑷) 721
(鑹) 155
(鑼) 650
(鑽) 1323
(鑽) 1323
(鑾) 645
(鑿) 1227
(钂) 961
(钁) 539

鱼(魚)部

八至十一画

鱼 1199
鱽 181
魟 401
⿰鱼与 1113
鱾 458
(魚) 1199

十二画

鱿 1192
鲀 998
鲁 639
鲂 264
鲃 21

十三画

鲅 22
鲆 758
鲇 719
鲈 638

鲉 1193
鲊 1232
稣 937
鲋 292
鲌 22
鲌 75
䲟 1181
𬶋 528
鲍 40
𬶍 1001
鮄 286
鲏 748
鲅 72
鲐 951
(魛) 181
鲎 405

十四画

鮆 151
鲑 356
鲑 1088
鲒 499
鲔 1023
鲕 245
𬶨 887
鲖 986
鱥 358
鲗 1230
鲘 405
鲙 568
鮡 1244
𬶏 1019
鮨 1170
鲚 462
鲛 488
鲜 1066
鲜 1069
𩽾 9
𩾌 424
鲟 1122
(魟) 401
(魢) 458
鲝 1232
鲞 1076

十五画

鯵 93
鲠 322
鲡 593
鲢 607
鲣 473
鲥 893
鲤 600
鲩 683
鲦 976
鲧 360
鲩 424
鲪 542
鲫 464
鲬 1190
(魷) 1192
(魨) 998
(魯) 639
(魴) 264
(鲃) 21
鲨 852

十六画

鲭 798
鲭 1254
鲮 624
鲯 770
鲰 1320
鲻 1113
鲱 269
鲲 573
鲳 107
鲴 341
鲵 717
鲷 212
鲸 517
鲹 641
鳀 887
鲹 872
鲻 1310
(鮁) 22
(鮃) 758
(鮎) 719
(鮋) 1193
(鮓) 1232
(穌) 937
(鮒) 292
(鮊) 22
(鮊) 75
(鮣) 1181
(鮈) 528
(鮑) 40
(鮀) 1001
(鮄) 286
(鮍) 748
(鮐) 951

十七画

(鮆) 151
鳅 146
鲼 276
鲽 214
鳓 577
鳊 50
鲿 109
鳀 967
鳁 1028
鳂 1099
鳃 1016
鳃 840
鳄 243
鳅 417
鳅 804
鳆 296
鳇 59
鳇 426
鳈 812
鳉 484
鳋 805
鳊 59
鰕 1062
(鮭) 356
(鮭) 1088
(鮚) 499
(鮪) 1023
(鮞) 245
(鮦) 986
(鮜) 405
(鮡) 1244
(鮠) 1019
(鮨) 1170
(鮫) 488
(鮮) 1066
(鮮) 1069
(鮟) 9
(鮺) 1232
(鯗) 1076

十八画

鳌 13
(鯵) 93
鳍 771
鳎 948
鳏 348
鳐 1146
鳑 1032
鳑 738
鳒 474
(鯁) 322
(鯉) 600
(鯇) 683
(鯀) 360
(鯇) 424
(鯔) 542
(鯽) 464
(鯒) 1190
(鯊) 852

十九画

鳖 689
鳓 588
鳔 430
鳔 66
鳕 1119
鳗 663
鳙 1068
鳚 464
鳛 1188
鳜 551
鳟 1026
鳛 1057
(鯖) 798
(鯖) 1254
(鯪) 624
(鯕) 770
(鯫) 1320
(鯔) 1113
(鯡) 269
(鯤) 573
(鯧) 107
(鯝) 341
(鯢) 717
(鯛) 212
(鯨) 517
(鯴) 641
(鰤) 887
(鰡) 1310
鳖 66

二十画

鳝 1059
鳞 359
鳝 858
鳞 621
鳟 1325
(鰆) 146
(鰈) 214
(鰳) 577
(鰏) 50
(鰂) 1230
(鯷) 967
(鰛) 1028
(鰃) 1099
(鰓) 840
(鰃) 1016
(鰐) 243
(鰌) 417
(鰍) 804
(鰒) 296
(鰉) 59
(鰉) 426
(鰁) 812
(鰌) 805
(鯶) 424
(鯿) 59
(鰕) 1062

二十一画

(鰲) 13
鳠 412
鳡 305
鳢 601
鳣 1234
(鰭) 771
(鰱) 607
(鰣) 893
(鰨) 948
(鰥) 348
(鰷) 976
(鰤) 887
(鰩) 1146
(鰟) 1032
(鰟) 738
(鰜) 474

二十二画

(鱉) 689
鳣 350
(鰾) 430
(鰳) 588
(鰹) 473
(鰾) 66
(鱈) 1119
(鰻) 663
(鰶) 464
(鱇) 551
(鱅) 1188
(鱒) 1026
(鰺) 484
(鰼) 1057
(鰺) 872
(鱉) 66

二十三画

鱵 1251
鳢 618
(鱝) 276
(鱔) 1059
(鱗) 359
(鱓) 858
(鱔) 858
(鱗) 621
(鱒) 1325
(鱘) 1122
(鱍) 72

二十四画

(鱟) 405
(鱯) 412
(鱤) 305
(鱥) 358
(鱧) 601
(鱮) 1113
(鱠) 568
(鱣) 1234

二十五画以上

(鱨) 109
(鱣) 350
(鱅) 1068
(鱭) 462
(鱵) 1251

(鱲) 618
(鱷) 243
(鱸) 638
(鱺) 593
(鱻) 1066

隶部

隶 605
(隸) 605
(隷) 605
(隸) 605

革部

九至十一画
革 315
革 455
靪 215
靰 447
勒 587
勒 588
十二至十三画
靬 472
靰 1047
靸 839
(靭) 826
(靱) 826
靴 1117
靳 512
靷 1179
靶 22
十四画
靺 696
鞢 634
靼 161
鞅 1139
鞅 1144
鞄 40
鞄 739
靽 33
鞁 47
鞀 963
靿 1148
十五画
(鞏) 329
鞋 1088
鞑 161
鞒 789
鞉 962
鞍 9
十六画
鞘 789
鞘 863
鞓 980
鞙 1116
十七画
鞡 577
鞝 863
鞞 71
鞠 529
鞟 574
鞚 564
鞬 475
十八画
鞯 475
鞮 192
鞨 391
(鞦) 803
鞭 59
鞥 244
鞳 948
鞫 529
鞧 804
鞣 831
十九画
鞲 333
(鞾) 1117
鞴 47
(鞵) 1088
鞰 1032
鞶 736
二十画以上
鞺 958
(韃) 161
(鞽) 789
(鞿) 447
(韁) 484
韂 106
(韈) 1004
韅 1069
(韆) 777
(韉) 475
(韊) 634

面部

面 683
奤 370
𫖃 683
𫖃 975
靤 741
靥 1152
(靦) 683
(靦) 975
𬰣 437
(靧) 437
(靨) 1152

韭部

韭 525
韲 450
齑 450
(齏) 450

骨部

九至十三画
骨 335
骨 338
骭 306
骫 1023
骱 502
骰 990
(骯) 11
十四画
骷 566
骶 195
鹘 339
鹘 409
骲 36
十五画
髐 1081
骺 403
骼 317
骸 370
十六至十八画
(骾) 322
(骽) 997
髁 556
髀 56
髃 417
髅 636
髂 777
十九画
髆 77
髈 738
(髈) 34
髋 569
髌 68
二十至二十一画
(髏) 636
(鶻) 339
(鶻) 409
(䯄) 417
(髐) 1081
(髒) 1226
髓 942
二十二画以上
(體) 965
(體) 968
髑 228
(髕) 68
(髖) 569

香部

香 1074
馥 296
馧 1206
馨 1096
麘 729

鬼部

九至十三画
鬼 358
魂 438
(䰟) 438
魀 769
魪 299
魁 572
十四至十六画
魄 75
魄 1002
魅 674
魃 21
魆 1110
魇 1137
(醜) 134
魉 612
魈 1081
十七画
魏 1026
魌 768
魊 1206
(魎) 612
魍 1014
魋 997
魋 1304
十九画以上
魐 303
魑 126
魔 695
(魘) 1137
(魐) 303

食(飠饣)部

五至六画
饤 216
饥 445
饦 999
饧 958
饧 1103
七画
饨 998
饩 1060
饪 827
饫 1205
饬 129
𫗠 1237
饭 260
饮 1179
饮 1181
𫗞 261
八画
饯 480
饰 902
𫗧 332
饱 37
饲 932
饳 239
饴 1160
九画
食 894
食 932
食 1170
饵 245
饶 817
饆 55
蚀 896
餂 975
饷 1076
饸 388
饹 314
饹 588
饺 491
𫗩 1055
饼 71
餫 437
餫 1220
十画
(飣) 216
(飤) 932
(飢) 445
饽 74
餔 78
餔 87
餗 939
饾 225
饿 243
馀 1199
馁 713
馂 542
十一画
(飥) 999
馃 367
馄 438

饠 650
馅 1071
𫗴 535
馆 348
湌 93

十二画

(飩) 998
(飪) 827
(飫) 1205
(飭) 129
(飯) 260
(飲) 1179
(飲) 1181
(飦) 261
飧 944
馇 101
馇 1233
𫗰 728
餲 7
餲 391
馈 572
馉 339
馊 936
餭 425
䭔 232
馋 104
飡 93
饟 1076

十三画

(飧) 944
(飾) 902
(餉) 332
(飽) 37
(飼) 932
(飿) 239
(飴) 1160
馌 1153
馍 693
馎 77
馏 628
馏 633
馐 1108

十四画

(餌) 245
(蝕) 896
(餂) 975
(餁) 827
(餉) 1076
(餄) 388
(餎) 314
(餎) 588
(餃) 491
(餘) 1055
(餅) 71
馑 509
馒 663

十五画

餍 1138
(餑) 74
(餔) 78
(餔) 87
(餗) 939
(餖) 225
(餓) 243
(餘) 1198
(餘) 1199
(餒) 713
(餕) 542
饎 129
饐 1172
馓 846
馔 1302
(餈) 151

十六画

餐 93
(餦) 1237
(餞) 480
(餜) 367
(餛) 438
(餧) 1025
(餚) 1145
(餡) 1071
(餷) 535
(館) 348
饛 676
饘 1234

十七画

(餬) 409
(餷) 101
(餷) 1233
(䬼) 728
(餳) 958
(餳) 1103
(餲) 7
(餲) 391
(餵) 1025
(餶) 339
(餿) 936
(餭) 425
(餽) 572
(餱) 403
(䭔) 232
(餰) 437
(餫) 1220

十八画

餮 980
(饁) 1153
(饃) 693
(餺) 77
(饆) 55
(餼) 1060
(餾) 628
(餾) 633
(饄) 959
(饈) 1108
(餻) 312

十九至二十画

(饉) 509
(饅) 663
(饒) 817
(饎) 129
(饐) 1172
(饊) 846
(饋) 572
(饍) 858
(饌) 1302
(饑) 445
(饗) 1076

二十一至二十四画

(籑) 1302
(饛) 676
(饘) 1234
饕 961
饔 1188
(饜) 1138
(饝) 693

二十五画以上

(饞) 104
(饟) 1076
饢 710
饢 710
(饠) 650
(饢) 710
(饢) 710

音部

音 1174
章 1239
竟 522
歆 1096
韵 1221
韶 863
(韻) 1221
(響) 1075
(贑) 306
赣 306
(贛) 306

首部

首 906
馗 572
䭫 774
馘 366

髟部

十三至十四画

髡 573
髢 194
髩 68
髤 741
(髥) 816
髦 668
(髣) 264
髧 179

十五画

(髮) 254
髯 816
髻 722
(髶) 285
髫 976
髲 56
髳 669

十六画

髻 464
髸 329
髭 1310
髹 1107
髽 1254

十七画

鬅 524
髾 863
鬁 605
鬏 1298
鬇 193
鬈 745
(鬌) 969
鬅 852
鬑 944

十八画

(鬆) 932
鬊 1033
鬘 812
鬃 1318
鬖 850

十九画

(鬍) 407
鬋 577
鬐 1001
鬔 840
鬄 524
(鬉) 1318
鬎 477

二十画

鬗 771
鬒 1251
鬤 609
鬂 68

二十一画以上

鬘 663
(鬖) 850
(鬚) 1109
鬟 423
(鬢) 68
(鬡) 722
鬣 618
鬠 1323
(鬠) 1323

鬲部

鬲 317
鬲 605
甂 605
鹝 1172
融 830
翮 392
鬴 290
鬵 357
鬻 1123
(鬵) 357
(鷊) 1172
鬻 1208

門部

(鬥) 224
(鬦) 224
(鬧) 712
(鬨) 403
(鬩) 1061
(鬪) 224
(鬭) 224
(鬮) 524

高部

高 308
鄗 384
(槀) 312
敲 788
歊 1082
膏 312
膏 313
(稾) 312
翯 393

黄部

黄 426
黈 978
黇 974
黊 990
黉 402
䵌 998

（黌） 402

麻 部

十一至十五画

麻 654
痳 654
麽 693
（麼） 670
摩 654
摩 693
麾 432

十六至十七画

磨 694
磨 699
縻 675
磿 695
糜 672
縻 679
縻 680

十九画以上

靡 680
靡 681
醿 729
魔 695
黀 680

鹿 部

十一至十五画

鹿 642
麂 458
麅 1191
（麈） 116
麄 154
麌 1147

十六至十八画

麗 642
麋 542
麇 815
麅 740
麈 1295
麋 679
麤 679
麌 1202
（麐） 622
麏 542

十九画

麓 642
（麗） 593
（麗） 604
麒 770
麕 815
麑 717
麀 13

二十画以上

麚 468
麝 870
麟 622
（麤） 154

鼎 部

鼎 216
鼐 706
鼒 1310

黑 部

十二至十六画

黑 393
墨 698
黓 1165
默 698
黔 781
黕 177

十七画

黚 781
（點） 205
黜 139
黝 1196
黛 173

十八至十九画

黶 1137
黠 1062
黟 1159
黢 807

二十画

（黨） 180
黩 228
黥 800
黦 1218
黲 94
黧 595

二十一画以上

黮 956
黭 1153
黯 11
（黲） 94
黵 1235
（黷） 228

黍 部

黍 911
黏 719

鼓 部

鼓 339
瞽 340
（鼕） 220
鼗 962
鼙 749
鼛 312
鼟 965

鼠 部

十三至十八画

鼠 912
鼢 274
鼫 892
鼥 21
鼬 1197
鼪 881
鼩 808
鼧 1001
（竄） 155

二十画以上

鼯 1041
鼱 518
（鼹） 1137
鼸 77
鼴 1137
鼷 1055

鼻 部

鼻 50
劓 1172
鼾 375
（䶊） 728
齁 403
齅 1108
齆 1032
齇 1231
齉 711

龠 部

龠 1218
（龢） 385
龥 1208
（籲） 1208

世 界 政 区

比例尺 1：140 000 000

0 1400千米 2800千米

亚洲

1 朝鲜
2 韩国
3 新加坡
4 不丹
5 克什米尔
6 塔吉克斯坦
7 吉尔吉斯斯坦
8 阿塞拜疆
9 亚美尼亚
10 格鲁吉亚
11 黎巴嫩
12 巴勒斯坦
13 以色列
14 阿拉伯区
15 塞浦路斯
16 约旦
17 阿拉伯联合酋长国

欧洲

18 保加利亚
19 摩尔多瓦
20 斯洛伐克
21 捷克
22 比利时
23 卢森堡
24 瑞士
25 列支敦士登
26 斯洛文尼亚

图例 ★ 中国首都 • 外国首都 —— 洲界 —·— 国界